ISBN 978-0-332-48044-2
PIBN 11234273

1 MONTH OF
FREE
READING

at
www.ForgottenBooks.com

English
Français
Deutsche
Italiano
Español
Português

www.forgottenbooks.com

Mythology Photography **Fiction**
Fishing Christianity **Art** Cooking
Essays Buddhism Freemasonry
Medicine **Biology** Music **Ancient
Egypt** Evolution Carpentry Physics
Dance Geology **Mathematics** Fitness
Shakespeare **Folklore** Yoga Marketing
Confidence Immortality Biographies
Poetry **Psychology** Witchcraft
Electronics Chemistry History **Law**
Accounting **Philosophy** Anthropology
Alchemy Drama Quantum Mechanics
Atheism Sexual Health **Ancient History**
Entrepreneurship Languages Sport
Paleontology Needlework Islam
Metaphysics Investment Archaeology
Parenting Statistics Criminology
Motivational

JAHRBÜCHER

FÜR

CLASSISCHE PHILOLOGIE

HERAUSGEGEBEN

VON

ALFRED FLECKEISEN.

FÜNFUNDDREISZIGSTER JAHRGANG 1889

ODER

DER JAHNSCHEN JAHRBÜCHER FÜR PHILOLOGIE UND PAEDAGOGIK
EINHUNDERTUNDNEUNUNDDREISZIGSTER BAND.

LEIPZIG

DRUCK UND VERLAG VON B. G. TEUBNER.

VERZEICHNIS DER MITARBEITER
AN DEN JAHRGÄNGEN 1885 BIS 1889.

(die in parenthese beigesetzten zahlen beziehen sich auf das nachstehende inhaltsverzeichnis. die namen der mitarbeiter zu den ersten dreisizg jahrgängen sind zu anfang der jahrgänge 1860, 1864, 1874 und 1884 abgedruckt.)

1. HEINRICH ADAMS in Zürich
2. CONSTANTIN ANGERMANN in Meiszen (20)
3. AUGUST EDUARD ANSPACH in Cleve (19. 44)
4. OTTO APELT in Weimar
5. RICHARD ARNOLDT in Prenzlau
6. FRIEDRICH BACK in Birkenfeld
7. EMIL BAEHRENS in Groningen († 1888)
8. CLEMENS BÄUMKER in Breslau
9. HERMANN BALL in Berlin (62)
10. ADOLF BAUER in Graz
11. LUDWIG BAUER in Augsburg (86)
12. AUGUST BECK in Basel
13. JAN WIBERT BECK in Groningen
14. JULIUS BELOCH in Rom
15. THEODOR BERNDT in Herford
16. HERMANN BESSER in Dresden
17. FRIEDRICH BLASS in Kiel (33)
18. HUGO BLÜMNER in Zürich
19. RUDOLF BOBRIK in Belgard
20. WILHELM BÖHME in Stolp
21. FELIX BÖLTE in Frankfurt am Main
22. ERNST BRANDES in Marienburg (62)
23. KARL BRANDT in Friedeberg (Neumark) (28)
24. SAMUEL BRANDT in Heidelberg
25. THEODOR BRAUNE in Berlin
26. THEODOR BREITER in Hannover (23)
27. ARTHUR BREUSING in Bremen
28. JULIUS BRIX in Sorau († 1887)
29. KARL BRUGMANN in Leipzig
30. RICHARD BÜNGER in Görlitz
31. THEODOR BÜTTNER-WOBST in Dresden (15. 76)
32. KARL BURESCH in Leipzig
33. KARL BUSCHE in Ilfeld
34. GEORG BUSOLT in Kiel (38)
35. ERICH BUSSLER in Greifswald (13)
36. CHRISTIAN CLASEN in Hadamar
37. ALBERT COHN in Berlin
38. LEOPOLD COHN in Breslau
39. KARL CONRADT in Stettin
40. ROBERT CRAMPE in Halle

41. CHRISTIAN CRON in Augsburg
42. OTTO CRUSIUS in Tübingen (72)
43. HEINRICH DEITER in Aurich (36)
44. ANDREAS DEUERLING in Burghausen (Oberbaiern) (22)
45. EUGEN DITTRICH in Leipzig
46. ANTON AUGUST DRAEGER in Aurich
47. HANS DRAHEIM in Berlin (55)
48. HEINRICH DÜNTZER in Köln
49. PETER EGENOLFF in Mannheim
50. ADAM EUSSNER in Würzburg († 1889)
51. GUSTAV FALTIN in Neu-Ruppin († 1889)
52. ALFRED FLECKEISEN in Dresden (93)
53. JOHANN KARL FLEISCHMANN in Hof (57)
54. RICHARD FÖRSTER in Kiel
55. PETER WILHELM FORCHHAMMER in Kiel
56. KARL FRICK in Höxter
57. WILHELM FRIEDRICH in Mühlhausen (Thüringen) (37)
58. ANTON FUNCK in Kiel
59. WALTHER GEBHARDI in Gnesen († 1887)
60. HEINRICH GELZER in Jena
61. ALBERT GEMOLL in Striegau
62. KARL ERNST GEORGES in Gotha
63. MARTIN CLARENTIUS GERTZ in Kopenhagen
64. FRIEDRICH GIESING in Dresden (16)
65. GUSTAV GILBERT in Gotha
66. HANS GILBERT in Meiszen
67. WALTHER GILBERT in Dresden
68. KARL GOEBEL in Soest
69. ALFRED GOETHE in Glogau
70. THEODOR GOMPERZ in Wien
71. ERNST GRAF in Marburg (Hessen)
72. LUDWIG GURLITT in Steglitz bei Berlin
73. KARL HACHTMANN in Dessau
74. CARL HÄBERLIN in Halle (46. 51. 89)
75. HERMANN HAGEN in Bern
76. FRANZ HARDER in Berlin
77. OTTO HARNECKER in Friedeberg (Neumark)
78. FELIX HARTMANN in Grosz-Lichterfelde
79. THEODOR HASPER in Dresden
80. HERMAN HAUPT in Gieszen
81. MAX HECHT in Gumbinnen
82. HERMANN HECKER in Bensberg bei Köln (10)
83. FERDINAND HEERDEGEN in Erlangen
84. GUSTAV HEIDTMANN in Pfaffendorf bei Coblenz
85. KARL HERAEUS in Hamm
86. WILHELM HERAEUS in Hanau
87. HEINRICH HERSEL in Züllichau
88. EDUARD HILLER in Halle (42)
89. HERMANN HITZIG in Zürich (90)
90. OTTO HÖFER in Dresden
91. MAX HÖLZL in Dresden
92. EMANUEL HOFFMANN in Wien
93. KARL HUDE in Kopenhagen (81. 5)
94. FRIEDRICH HULTSCH in Dresden-Striesen (41. 78)
95. OTTO IMMISCH in Leipzig (3)
96. KARL JACOBY in Hamburg
97. CONSTANTIN JOHN in Urach
98. EMIL AUGUST JUNGHAHN in Berlin
99. ADOLF KANNENGIESSER in Lüneburg

100. Bruno Keil in Berlin
101. Otto Keller in Prag (11)
102. Karl Kempf in Berlin
103. Franz Kern in Berlin
104. Moriz Kiderlin in München (60)
105. Hugo von Kleist in Leer (Ostfriesland) (17. 59)
106. Georg Knaack in Stettin
107. Friedrich Knoke in Zerbst (47. 69)
108. Karl Koch in Düsseldorf (24)
109. Wilhelm Heinrich Kolster in Eutin († 1887)
110. Georgios Konstantinides in Philippopel
111. Arthur Kopp in Königsberg (Preuszen)
112. Hermann Kothe in Breslau (17. 45. 70)
113. Max Krenkel in Dresden
114. Alfred Kunze in Plauen (Vogtland) (48)
115. Edmund Lammert in Leipzig
116. Karl Lang in Lörrach
117. Edmund Lange in Hamm
118. Julius Lange in Neumark (Westpreuszen) (19. 21)
119. Friedrich Leonhard Lentz in Königsberg (Preuszen)
120. Karl Julius Liebhold in Rudolstadt
121. Hugo Liers in Waldenburg (Schlesien)
122. Justus Hermann Lipsius in Leipzig
123. Arthur Ludwich in Königsberg (Preuszen) (14. 31. 53. 71. 74. 94)
124. Bernhard Lupus in Straszburg (Elsasz)
125. Franz Luterbacher in Burgdorf (Schweiz)
126. Karl Macke in Ahrweiler
127. Hugo Magnus in Berlin
128. Karl Manitius in Dresden
129. Max Manitius in Niederlösznitz bei Dresden
130. Theodor Matthias in Zittau (35)
131. Theodor Maurer in Mainz
132. Oswald May in Neisze (36)
133. Karl Meiser in Regensburg
134. Karl Meissner in Bernburg
135. Ludwig Mendelssohn in Dorpat
136. Heinrich Menge in Mainz
137. Rudolf Menge in Halle (34)
138. Heinrich Meusel in Berlin
139. Heinrich Meuss in Liegnitz (40. 58. 88)
140. Albert Müller in Flensburg
141. C. F. W. Müller in Breslau
142. Gerhard Heinrich Müller in Wongrowitz
143. Hermann Johannes Müller in Berlin
144. Moritz Müller in Stendal
145. Paul Richard Müller in Merseburg
146. Hermann Müller-Strübing in London
147. Carl Nauck in Königsberg (Neumark)
148. Hermann Netzker in Forst (Lausitz)
149. Karl Nieberding in Gleiwitz
150. Konrad Niemeyer in Kiel
151. Richard Noetel in Posen (77)
152. Hermann Nohl in Berlin
153. Johannes Oberdick in Breslau
154. Raimund Oehler in Grosz-Lichterfelde
155. Jacob Oeri in Basel
156. Franz Olck in Königsberg (Preuszen)
157. Richard Opitz in Leipzig
158. Theodor Opitz in Dresden

159. August Otto in Oppeln
160. Friedrich Otto in Wiesbaden
161. Robert Paehler in Wiesbaden
162. Rudolf Peppmüller in Stralsund (4. 75)
163. Hermann Peter in Meiszen (61)
164. Robert Philippson in Magdeburg
165. Theodor Plüss in Basel
166. Wilhelm Pökel in Prenzlau
167. Friedrich Pötzschke in Plauen (Vogtland)
168. Friedrich Polle in Dresden
169. Hans Pomtow in Berlin (63)
170. Hermann Probst in Münster (Westfalen)
171. August Procksch in Eisenberg
172. Gustav Radtke in Wohlau
173. Ernst Redslob in Weimar (19)
174. Paul Regell in Hirschberg (Schlesien)
175. Alexander Reichardt in Dresden (12)
176. Leopold Reinhardt in Oels (Schlesien)
177. Friedrich Reuss in Trarbach (6)
178. Johannes Richter in Nakel
179. Adolf Römer in Kempten
180. Hermann Rönsch in Lobenstein († 1888)
181. Wilhelm Heinrich Roscher in Wurzen (5. 50)
182. Emil Rosenberg in Hirschberg (Schlesien)
183. Otto Rossbach in Breslau
184. Konrad Rossberg in Hildesheim (23)
185. Carl Rothe in Friedenau bei Berlin (30)
186. Max Rubensohn in Potsdam (73. 83)
187. Franz Rühl in Königsberg (Preuszen)
188. Heinrich Rumpf in Frankfurt am Main († 1889)
189. Paul Rusch in Stettin
190. Leonard Sadée in Freiburg (Breisgau)
191. Rudolf von Scala in Innsbruck
192. Karl Schäfer in Pforta
193. Karl Schliack in Cottbus (9. 27)
194. Adolf Schmidt in Jena († 1887)
195. Max C. P. Schmidt in Berlin (91)
196. Moriz Schmidt in Jena († 1888)
197. Otto Eduard Schmidt in Dresden
198. Wilhelm Schmitz in Köln
199. Max Schneider in Gotha (4. 7)
200. Max Schneidewin in Hameln
201. Alfred Erdmann Schöne in Blasewitz bei Dresden (18. 87)
202. Hermann Schrader in Hamburg
203. Karl Schrader in Düren (26. 56)
204. Wilhelm Schrader in Halle
205. Ferdinand Schröder in Cleve (39)
206. Hermann Schütz in Potsdam
207. Ernst Schulze in Homburg vor der Höhe
208. Karl Paul Schulze in Berlin
209. Paul Schulze in Lübeck
210. Ludwig Schwabe in Tübingen
211. Wilhelm Schwartz in Berlin (1)
212. Alfred Scotland in Strasburg (Westpreuszen)
213. Otto Seeck in Greifswald (68)
214. Paul Seliger in Berlin (52)
215. Hermann Siebeck in Gieszen
216. Johann Alphons Simon in Düren
217. Jakob Sitzler in Tauberbischofsheim

218. WILHELM SOLTAU in Zabern (Elsasz)
219. JULIUS SOMMERBRODT in Breslau
220. ADOLF SONNY in St. Petersburg
221. MARTIN SOROF in Berlin
222. HUGO STADTMÜLLER in Heidelberg (82)
223. PETER STAMM in Rössel (Ostpreuszen) (67)
224. THOMAS STANGL in München
225. KARL STEGMANN in Geestemünde
226. PAUL STENGEL in Berlin
227. HERMANN STEUDING in Wurzen (65. 66. 48)
228. WILHELM STUDEMUND in Breslau († 1889)
229. JOSEPH STURM in Freiburg (Schweiz)
230. FRANZ SUSEMIHL in Greifswald (79. 80)
231. LUDWIG VON SYBEL in Marburg
232. AUGUST TEUBER in Eberswalde (54)
233. ADOLF THIMME in Verden
234. ALBERT THUMB in Freiburg (Breisgau)
235. PAUL TRENKEL in Zerbst
236. LUDWIG TRIEMEL in Kreuznach (25. 43)
237. KARL TROOST in Frankenstein (Schlesien)
238. KARL TÜMPEL in Neustettin
239. GEORG FRIEDRICH UNGER in Würzburg
240. GUSTAV UNGERMANN in Düren ·
241. HERMANN USENER in Bonn (49. 84)
242. JOHANNES VAN DER VLIET in Haarlem
243. FRIEDRICH VOGEL in Nürnberg
244. THEODOR VOGEL in Dresden
245. FERDINAND VOLLBRECHT in Hannover (2)
246. LUDWIG VOLTZ in Gieszen (64)
247. FRIEDRICH WALTER in Burghausen (Oberbaiern) (29)
248. GEORG WARTENBERG in Berlin
249. FERDINAND WECK in Metz (32)
250. ANDREAS WEIDNER in Dortmund
251. ALEXANDER WEISKE in Halle
252. FRITZ WEISS in Niederlösznitz bei Dresden
253. JOSEPH WEISWEILER in Köln (8. 85)
254. PAUL WEIZSÄCKER in Calw
255. MAX WELLMANN in Stettin
256. JOSEPH WERNER in Frankfurt am Main
257. MARTIN WETZEL IN Paderborn (92)
258. ROBERT WÖHLER in Greifswald
259. KONRAD ZACHER in Breslau
260. CHRISTOPH ZIEGLER in Stuttgart († 1888)
261. ALBERT ZIMMERMANN in Wilhelmshaven
262. GUSTAV ZIPPEL in Königsberg (Preuszen)
263. MARCUS ZUCKER in Erlangen.

INHALTSVERZEICHNIS.

(die in parenthese beigesetzten zahlen beziehen sich auf das voianstehende verzeichnis der mitarbeiter.)

ERSTE ABTEILUNG
FÜR CLASSISCHE PHILOLOGIE
HERAUSGEGEBEN VON ALFRED FLECKEISEN.

1.

INDOGERMANISCHE MYTHEN. II. ACHILLEIS. VON ELARD HUGO
MEYER. Berlin, Ferd. Dümmlers verlagsbuchhandlung. 1887. VIII
u. 710 s. gr. 8.

Mit lebhaftem interesse hat rec. seiner zeit den ersten, 1883
erschienenen band der obigen 'indogermanischen mythen', welcher
die 'Gandharven-Kentauren' behandelte, begrüszt. auch in diesem
zweiten bande, der die Achilleussage behandelt und mit der in
derselben gelegentlich auftretenden person des Cheiron an die Ken-
tauren wieder anknüpft, bietet der gelehrte vf. eine fülle inhalts-
reicher untersuchungen. nichts desto weniger kann rec. nach der
art, wie das ganze werk im einzelnen angelegt und durchgeführt ist,
vom mythologischen standpunkt aus, den er bei seiner besprechung
besonders im auge hat, sich nicht in gleichem masze für dasselbe er-
wärmen.

Der vf. will nemlich, wie er in der vorrede sagt, durch eine
'verbesserte' methode die vergleichende mythologie namentlich den
philologen näher bringen und hofft, dasz bei derselben jene 'nicht
voll grausens vor der verpönten mythologie das buch zuschlagen,
sondern auch in die weitere untersuchung mit ihm eintreten werden, wenn ihnen anders daran gelegen ist ein groszes litterarisches
problem in seinen wurzeln zu erfassen und wenigstens den versuch
seiner lösung mitzumachen und zu unterstützen'.

Mit der methode, welche dem vf. vorschwebt, in einem ersten
teile zunächst mehr historisch vorzugehen und also in diesem falle
die sage in ihrem ersten litterarischen auftreten bei Homer zu behandeln, dann in einem zweiten teile sie in den übrigen traditionen
zu verfolgen und hiernach durch vergleichung das verhältnis beider
und die überhaupt zu grunde liegende volkstümliche form festzustellen, endlich in einem dritten teile ähnliche sagen anderer ver-

wandter völker heranzuziehen, um so den mythischen urkern und damit den ursprung der ganzen tradition zu erschlieszen, kann man sich bei behandlung einer einzelsage nur einverstanden erklären.

Die idee an sich ist aber in dieser hinsicht nicht neu, und wenn Meyer seine methode als eine 'verbesserte' bezeichnet, so ist das überhaupt wohl nur ein nachklang an die stellung, welche sein lehrer Müllenhoff, dessen andenken dies buch gewidmet ist, je länger je mehr, nachdem er nach Berlin übergesiedelt war, unter Haupts einflusz zu den mythologischen arbeiten JGrimms, AKuhns und auch des rec. einnahm. denn bekanntlich war es Müllenhoff, der durch Mannhardt mit einseitiger schärfe für alle gebiete der mythologie die forderung einer kritisch-historisch sich entwickelnden methode aufstellen liesz, während doch eine solche nur innerhalb der geschichtlichen zeiten bei den historisch in ihrer reihenfolge fixierbaren 'litterarischen' zeugnissen möglich ist, für die prähistorische zeit aber, die nur in den 'mündlich' sich fortpflanzenden volkstraditionen nachvibriert, keinen entsprechenden anhalt findet und hier durch andere methoden ersetzt werden musz. in rücksicht hierauf ist es allerdings eine verbesserung, wenn Meyer in den letzten beiden capiteln seines buches über jenen einseitigen Müllenhoffschen standpunkt hinausgeht und für die letzten, auf prähistorischem gebiet sich bewegenden teile seiner arbeit auch seinerseits nun die inductive methode zur anwendung bringt, welche an einer gewissen homogenität der mythischen anschauungen und elemente anknüpft und an der gruppierung derselben den entwicklungsprocess auf diesem gebiete nachzuweisen trachtet.

Wenn rec. den hierin sich bekundenden allseitigern, der verschiedenheit der gebiete rechnung tragenden standpunkt nur mit freuden begrüszen kann, so musz er doch gleich eine gewisse beschränkung eintreten lassen. Meyer verschiebt nemlich von vorn herein die untersuchung, indem er im ersten (404 seiten und somit drei viertel des ganzen buches umfassenden) teile nicht die Achilleussage bei Homer an sich, sondern gleichzeitig 'die idee einer Achilleis' als grundlage der Ilias verfolgt und dieselbe nach sechs angeblichen stilarten herstellen will. dadurch wird nemlich sofort ein zweites, ganz heterogenes problem, das des entstehens jenes Homerischen gedichtes überhaupt, in die untersuchung hineingezogen, und diese erhält, abgesehen von einer gewissen überbürdung, nicht blosz eine zwiefache tendenz, sondern das ganze erhält mehr den charakter eines litterarischen problems, wie es der vf. auch in der oben citierten stelle bezeichnet, als den einer sich entwickelnden mythologischen untersuchung, welche dem ursprung der zu behandelnden tradition nachgeht.

Nicht blosz im allgemeinen zeigt sich dies, sondern auch speciell in der weiterentfaltung der sonst richtigen methode. mehr als gut überträgt nemlich der vf. unwillkürlich die beim ersten, mehr litterarischen teile gerechtfertigte kritisch-systematische behandlungs-

weise des stoffes auch auf die folgenden partien, wo sie weniger hin-
gehört, da in den mythischen volkstraditionen, innerhalb deren die
untersuchung sich hier bewegt, mehr eine bunte naturwüchsigkeit
und frische anschauung als systematische auffassung herscht. der
vf. ist so schon seiner ganzen philologisch-kritischen richtung nach
mehr zum systematischen construieren geneigt, als dasz er immer
objectiv den thatsachen nachgeht, und so werden die besten principien in der ausführung öfter dadurch noch mehr beeinfluszt.

    Ein beispiel hiervon bietet ua. s. 427, wo Meyer von dem cha-
rakter des bei den mythologischen untersuchungen zur verwendung
kommenden materials redet und sagt: 'das alter einer mythischen
vorstellung wird nicht bestimmt durch das zufällige datum ihrer
litterarischen aufzeichnung und durch deren wiederum vom zufall
abhängige erhaltung, sondern es richtet sich nach der stufe, die
eine solche vorstellung innerhalb der organischen, psychologisch
notwendigen entwicklung der ganzen vorstellungsreihe, zu der sie
gehört, einnimt.'

    Das zuerst gesagte kann rec. nur wort für wort unterschreiben,
an dem letzten mit der 'psychologisch n o t w e n d i g e n' entwicklung
musz er aber anstosz nehmen, ebenso wie daran, wenn der vf. s. 666
schon bei den volkstraditionen von einem 'festen, wohlgegliederten
und umfassenden verband gemeinsamer mythischer vorstellungen'
spricht und einen solchen auch schon in der prähistorischen urzeit annimt, wo naturanschauungen und daran sich knüpfende sagen nur in
mündlicher überlieferung in kleinern volkskreisen und in mehr zufälliger weise fortlebten, während doch eine systematische entwicklung,
wie schon verschiedentlich angedeutet, erst innerhalb der litteratur,
getragen von schriftlicher aufzeichnung sich zu entwickeln anfängt.
wie in den dialekten uns zunächst mehr ein buntes bild des sprach-
geistes eines volkes entgegentritt und sich erst historisch an den
gemeinsamen cultur- und politischen verhältnissen eine einheitlichere
sprache entwickelt, so hat sich auch auf mythologischem gebiet ein
ähnlicher process nicht 'psychologisch notwendig', sondern einfach
historisch entfaltet, bis ein mit der cultur allmählich erwachendes
poetisches und ideelleres denken den dingen einen allgemeinern und
damit systematischen charakter verlieh. und in der litteratur zum
ausdruck brachte. rec. kann also Meyer nur zustimmen, insofern er
in den vorstellungen der niedern mythologie, nicht wenn er in den
entwickeltern, nationalen gestaltungen und formen die eingehend-
sten parallelen sucht und da in gröszern gruppen gleichsam zug um
zug in systematischem umfang vergleicht.

    Namentlich gilt dies wo vergleichungen innerhalb der indoger-
manischen urzeit aufgesucht werden. hier vor allem kann doch
immer nur von einer solchen innerhalb der elementar-volkstüm-
lichen grenzen die rede sein, nicht innerhalb der formen, welche das
gemeinsame erbgut bei den verschiedenen völkern in der historischen
zeit angenommen. die trennung derselben fand ja gerade schon zu

einer zeit statt, wo noch nicht die traditionen irgendwie schriftlich
fixiert wurden, sondern einer mehr dem zufall anheimfallenden münd
lichen überlieferung ausgesetzt waren, und wenn auch schon gewisse
allgemeinere vorstellungen sich gleichmäsziger zu entwickeln ange-
· fangen und bestimmte typische formen erhalten hatten, doch der
wechsel des landes und ein neu beginnender kampf um das dasein
unter andern verhältnissen einen risz in das leben der völker brachte,
dasz zwar an das, was im gedächtnis geblieben, angeknüpft, aber
ebenso viel aufgegeben wurde und alles doch ein neues leben und
anderes colorit bekam. die grundzüge sind eben gemeinsam, und
bald klingen sie hier, bald da wieder, aber jedes volk hat bald die
eine bald die andere festgehalten und ausgebildet.

Doch gehen wir nach diesen bemerkungen in betreff der methode
auf die untersuchungen selbst näher ein. was zunächst die am schlusz
des werkes s. 696 ff. aufgestellten thesen über die entwicklung der
mythologie überhaupt anbetrifft, so kann rec. im allgemeinen sich
mit denselben in vollerem masze als mit den im ersten bande enthaltenen einverstanden erklären. namentlich gilt dies, was den ursprung der mythologischen bilder aus naturanschauungen unter viel-
facher hineinziehung der vorstellung einer den menschen umgebenden
gespenster- oder totenwelt anbetrifft, womit einerseits der dämonische
charakter der ältesten mythischen gestalten zusammenhängt, während andersoits bei dem erwachen eines historischen sinnes in mär-
chenhaft-geschichtlichen erzählungen auch die träger derselben vielfach als prototypen der spätern göttergestalten erscheinen. es sind
in der hauptsache dieselben ansichten, die der vf. stets vertreten hat.
nur tritt auch hier bei Meyer ein gewisses streben zu allgemeinerem
construieren hervor, wenn zb. in n. 5 der vf. die umbildung der
dämonischen oder epischen gestalten zu göttern bzw. helden einem
priesterlichen stande bzw. einem höher gebildeten kriegsadel zuschreiben will. derartiges will bei jedem volke erst bewiesen sein,
und mehr als eine solche individuelle directe einwirkung einzelner
stände in der umwandlung der vorstellungen dürfte im allgemeinen
die umwandlung des gesamten lebens, zb. in dem erwähnten falle
durch ackerbau und krieg dazu mitgewirkt haben. doch über dies
und ähnliches wird sich leicht eine verständigung erzielen lassen;
anders steht es wieder mit der ausführung im einzelnen.

Gleich in betreff des ersten teils, der Homer und das angeblich
in der Homerischen sage zu grunde liegende mythische behandelt,
findet eine differenz in der ansicht des rec. mit der des vf. statt. der
mythologische stoff ist wahrlich ein so umfassender und noch so
wenig nach den neuern principien durchgearbeiteter, dasz die wissenschaft gut thut zunächst das zweifelhafte, ins historische überspielende
terrain zu meiden, wenigstens insofern dasz man nichts mythisches
in demselben sucht, wo man nicht unmittelbare veranlassung dazu
hat. je umfangreicher namentlich die sagen, je epischer sie bei einem
entwickeltern volks- und culturleben geworden, desto mehr sind in

sie auch historische reminiscenzen und zustände, wenn gleich in der eigentümlichsten weise verwebt worden, wie uns praktisch vor allem die germanische sage des mittelalters zeigt.

Allerdings liegt nun der Ilias (und Odyssee), wie eine fülle analoger stoffe in den sagenkreisen der Griechen und verwandter völker zeigt, ein mythischer urkern zu grunde, und im einzelnen sind auch die verschiedensten, zum teil auch ursprünglich mythisch getränkten volkssagen zugleich mit ihren trägern, wie zb. Achilleus einer ist, in denselben verwebt worden. aber in der fassung des dichters ist alles 'historisch-poetisch' gedacht, wie auch das specifisch wunderbare des eignen mythisch-religiösen standpunktes selbst unter einem poetisch-natürlichen reflex gefaszt wird, so dasz alles einen allgemein-menschlichen charakter erhalten hat. aus dem historischen hintergrunde nun aber ohne bestimmte veranlassung mythisches herausconstruieren zu wollen musz als höchst bedenklich bezeichnet werden.

Rec. findet also mit dem vf. in betreff des Homerischen Achilleus ua. in der eigentümlichen lanze, dem charakter der rosse, in seiner eignen schnellfüszigkeit und kurzlebigkeit, sowie namentlich in der abstammungsgeschichte des helden mythische elemente, weil allem diesem in der volkssage ein wunderbarer charakter mehr oder weniger anhaftet, der in andern sagen ähnlich wiederkehrt und sich schlieszlich aus naturbildern erklärt. nicht aber kann er dem vf. beistimmen, wenn dieser s. 557 zb. aus Hektor 'einen verschlieszer', eine art Vritra (!) oder Grendel macht und in dem kampfe des Achilleus mit demselben einen nachklang eines alten mythos findet, ebenso wie in dem mit dem fluszgott Xanthos in der μάχη παραποτάμιος einen solchen mit einem ähnlichen wasserdrachen, oder wenn er in dem verhältnis des helden zu Briseis oder in der menis an sich alte mythische elemente erblicken will. gegen eine derartige deutungsart des Homer musz rec. im mythologischen wie poetischen interesse protest erheben und glaubt gerade dadurch classische philologen den mythologischen studien geneigter zu machen.

Was nun weiter die im hintergrunde stehende und vom vf. im zweiten teil behandelte thessalische sage von Achilleus anbetrifft, so schlieszt Meyer sich im ganzen Mannhardt an, der von dieser untersuchung (wald- und feldculte s. 53 ff.) noch einmal wieder im alten geist angeregt wurde und in der darstellung derselben ein meisterstück gegeben hat, das ihn auch, wenn er in der weitern begründung seinen frühern standpunkt nicht Müllenhoff zu liebe zurückgedrängt hätte, zu einem schönen abschlusz in betreff des ursprungs der mythischen bilder geführt haben würde. wie ein gefühl hiervon am schlusz des buches bei Mannhardt selbst zum durchbruch kommt, sagt er auch s. 77 unter dem eindruck der untersuchung im geist seiner frühern werke und im anschlusz an des rec. ansicht: 'wie dem nun auch sei, die festgestellten thatsachen gewähren einige überraschende einblicke in das leben des griechischen heldengesanges vor der ausbildung der groszen nationalepik. einfache mythische volkssagen, nach art, form und umfang genau solchen kurzen erzählungen (märchen oder sagen) entsprechend, welche jede nordische [und ich setze hinzu auch deutsche] sagensamlung als noch heute im volksmunde lebendig ausweist, waren die keime, aus welchen unter dichterhänden die heroengestalt des Peleus und seiner angehörigen allmählich emporwuchs.'

Rec. acceptiert dies vollständig. mythische, auf naturanschauung erwachsene, knappe bilder, an denen die phantasie der menschen sich anrankend weiter spann und das wirken tier- und menschenähnlicher wesen in ihnen erblickte, sind der ausgangspunkt der sage wie des dämonen- und götterglaubens, dessen nebeneinanderbestehen man gerade in der Achilleussage recht deutlich verfolgen kann. Meyer schliesz sich dem auch im ganzen an, aber meist vibriert bei ihm auch hier wieder im einzelnen ein nur mit dem schrifttum, wie schon oben angedeutet, sich entfaltender abstracterer und systematischer standpunkt hindurch.

Dies zeigt sich besonders im dritten teil, wenn er bei der vergleichung der Achilleussage mit andern indogermanischen sagen systematisch mehr éinen in den verschiedensten scenen sich entwickelnden urmythos zu grunde legt, nicht in den betr. sagen selbständig von einander bei den verschiedenen völkern entwickelte spielarten analoger mythischer, oft sich durchkreuzender vorstellungen findet, die jener halber an einander verschiedentlich anklingen. dann verbindet sich mit diesem bestreben gerade hier ein weit über die berechtigte vergleichung analoger mythischer urelemente hinausgehendes suchen nach parallelen, wenn er zb., wie Achilleus der waffen beraubt, nackt hervorbricht, darin eine beziehung zu dem aus den wolken hervorbrechenden blitz findet, indem er damit die 'nacktheit' in der sage von der Urvaçi, dasz ihr der gatte nicht nackt erscheinen solle, zusammenbringt. wenn sich so die vergleichung bei Meyer oft überhaupt in secundäres, ja minutiöses verliert, das zur jedesmaligen darstellung, aber nicht zum mythischen hintergrund gehört, und statt poetischer anschauung alles auch so noch mehr den charakter des systematisch gegliederten erhält, so tritt letzteres auch speciell in der fixierung der mythischen wesen hervor.

Wenn man nemlich auch meist bei dieser oder jener gestalt das moment klarer bezeichnen kann, an dem die auffassung der betr. naturwesen einsetzt, so knüpft sich doch sofort an dieselben eine universellere, oft den ganzen naturkreis mit allen seinen erscheinungen umfassende geltung. wie Max Müller in den indischen hymnen jüngst einen gewissen kathenotheismus nachgewiesen hat, so gilt dies auch hier schon. das einzelne naturwesen erscheint trotz seines ev. fixierbaren individuellen ursprungs sofort in beziehung zu einer menge anderer sich äuszerlich an ihn anknüpfender naturerscheinungen, so dasz man schlieszlich nicht kurzweg mit Meyer zb. sagen kann: Achilleus ist der blitz, Cheiron der wind usw. und nun weiter gar daraus abstract schlieszend den letztern zb. deshalb zum 'erzieher' des helden machen darf. gegen eine solche physicalische deutung, die sich zur alten Forchhammerschen theorie hinneigt, nur dasz sie die scenerie meist in den himmel verlegt, und alle daran sich anschlieszenden weitern combinationen musz rec. um so mehr protest erheben, als er selbst seiner zeit mit zuerst dazu beigetragen hat, auf die in der volkssage hindurchbrechenden poetischen naturanschauungen als träger der mythischen entwicklung hinzuweisen.

Gemäsz dem ganzen systematisierenden streben, das sich in allem dem ausspricht, erweitert nun auch der vf. die alte Achilleussage, indem er einer anzahl unberechtigter specialitäten in derselben eine stelle anweist. nicht blosz Hektor und Xanthos, wie schon erwähnt, werden derselben zugeschrieben, sondern aus princip auch Hephaistos und Iris, vor allem wird Cheiron mit derselben verwachsen erachtet. wie rec. das hineinziehen der erstgenannten gestalten schon für unrichtig erachtet, da dieselben ursprünglich andern sagenkreisen angehören und die verbindung erst der Homerischen sage anheimfällt, so ist es ihm auch in hinsicht des Cheiron zweifelhaft, insofern wenigstens damit schon eine beziehung in den betr. naturbildern gemeint erscheint. Cheiron tritt nemlich einerseits in der Peleus- und Achilleussage meist nur in ihrem breitern, schon mehr epischen charakter auf als ein treuer helfer, ein guter berggeist, wie Preller sagt, ähnlich wie das graue männchen oder der treue Eckart in der deutschen sage, anderseits ist die Kentaurensage mit ihren tiergestaltigen wesen eine ältere mehr selbständige mythische schicht für sich, und umgekehrt spielt Achilleus, was doch bei gemeinsamkeit des ursprungs schon innerhalb der naturanschauungen natürlich wäre, in denselben keine rolle. dies und anderes deutet doch mehr auf eine spätere historische verknüpfung auch des Cheiron mit der sage von Achilleus wie mit der anderer helden.

Ein ähnliches verfahren des vf. tritt auch bei der vergleichung mit den sagen anderer indogermanischer völker hervor, wo mehr in form von schon entwickelten gruppenbildern, namentlich in hinsicht des indischen, als in bezug auf die analogen mythischen elemente in ihrer knappen, prägnanten gestalt verglichen und gerade das charakteristische nur mehr nebenbei erwähnt wird. rec. rechnet zu demselben vor allem die sage von Peleus als drachentöter, die Mannhardt so hübsch dargelegt, dann den mahrtenartigen charakter der vermählung der Thetis und des Peleus, 'wovon rec. selbst des ausführlichern in seinem 'indogermanischen volksglauben' gehandelt hat, namentlich der Thetis wandlung dabei in eine schlange usw., was wieder an die indischen sagen von den schlangenartigen schönen nymphen, den Nâgas, sowie an die griechische erzählung von der ähnlich gestalteten Echidna und Herakles und die bekannten sagen von der Melusine, die auch eine art Nereide ist, anklingt, endlich die parallele des nur an einer stelle verwundbaren Achilleus mit dem

deutschen Siegfried, wozu sich auch der persische Isfendiar wie der
indische Karṇa stellt usw.

    Wenn rec. trotz des vielen übereinstimmenden doch so zur
betonung gewisser differenzen, gerade bei der bedeutsamkeit des
werkes, in bezug auf den gang und die art der untersuchung im einzelnen, sich genötigt gesehen hat, musz er auch zu den schlieszlichen
resultaten eine ähnliche stellung einnehmen. Achilleus ist ihm also
nicht ursprünglich mit Meyer der 'blitz', sondern, wie er verschiedentlich schon gelegenheit gehabt anzudeuten, eine art prototyp des
Helios, als eines in den sommerlichen gewitterkämpfen sich bekundenden schönen aber kurzlebigen himmlischen helden nach der auffassung der niedern thessalischen, mit Nereiden- und mahrtensagen
verquickten mythologie, ausgestattet mit all den accidentien, welche
die gläubige phantasie in den betr. erscheinungen 'realiter' zu erblicken glaubte. in diesem sinne ist er gleichsam ein 'männliches'
gegenbild der Athene, deren gestalt nur eben 'göttlichen' charakter
angenommen hat. wie diese, um einen mythischen ausdruck zu gebrauchen, gleichsam die sonnentochter ist, dh. die frühlingssonne,
die in den frühlingswettern aus dem haupte des himmelsgottes Zeus,
dh. aus einer wolkenbildung, welche man in Deutschland 'gewitter-
kopf' nennt, geboren wird und gewaffnet mit der blitzlanze her-
vorspringt, so erscheint auch Achilleus als eine solche art sonnen-
sohn, nur mit einer andern anschauung als von der himmlischen
wolkenwasserfrau im gewitter geboren und im feuer desselben ge-
stählt. wie die blitzlanze auch in den kämpfen, die er zu bestehen
hat, seine eigentümliche waffe ist und sich zu der der Athene stellt,
bei letzterer dann auch umgekehrt besonders in der sage von der
Athene Tritogeneia ihrerseits die beziehung zu den himmlischen
wassern wie bei Achilleus als sohn der himmlischen wolkenwasserfrau nachklingt, so berühren sich auch beide gestalten gerade in
einem höchst charakteristischen zuge ihrer abstammungssage. nicht
blosz Thetis, sondern auch der Athene mutter Metis sucht sich der
vermählung durch wandlung in feuer und wasser oder ein untier,
namentlich in eine schlange zu entziehen. dies ist aber eine scenerie,
die in anderer weise an ein im gewitter dort oben angeblich in den
wolken stattfindendes buhlen himmlischer wesen anschlosz, wobei
den erscheinungen desselben entsprechend neben dem auftreten von
feuer und wasser ua. im schlängelnden blitz eine verwandlung des
einen der wesen in eine entsprechende tierartige gestalt vor sich
gegangen zu sein schien, dem erst dann das bewältigen des betr.
wesens folgte, wie es auch noch charakteristisch nach art der mahrtensagen gerade bei Thetis in einer version bei Ovidius berichtet wird,
wenn Peleus den rat erhält, der bei der mahrte so typisch auftritt, sie
festzuhalten, welche gestalt sie auch annehme (*preme, quidquid erit*).

    Tritt so der mythische Achilleus in seinem ganzen wesen in eine
gewisse parallele zur Athene — wie Siegfried zu Baldur — so erscheint er wieder in anderer weise als ein prototyp des Zeus, wenn

ihm, dem 'schnellen' sonnenläufer — man denke an die localisierung des δρόμος·Ἀχιλλέωc im osten — der auch in den kämpfen des gewitters in den 'dahinfahrenden' blitzen dieselbe eigenschaft zu bewähren schien, es dem 'regenbogengott' Apollon gegenüber so ergeht wie dem donnerer Zeus gegenüber dem gewitterdrachen Typhon. beide, die in diesen sagen als sommerliche sonnen- und gewitterwesen auftreten, scheinen aus den herbstgewittern 'geschwächt' hervorzugehen. bei dem helden war es sein tod, bei dem gott aber nur eine lähmung im winter, der die wiederbelebung im nächsten sommer folgte. die verwundung aber war bei beiden dieselbe: bei Zeus wie beim schnellfüszigen Achilleus knüpft sie sich an die ferse, die sie verlieren, eine vorstellung die wieder eine andere form des wetterstrahls, nemlich den mit krachen 'herniederschieszenden' blitz in die scenerie hineinzieht, indem in demselben den dort oben ringenden wesen etwas wie ein glied entfallen zu sein schien, wenn sie eben als geschwächt galten, wie wir auch noch obwohl abstracter sagen 'das gewitter wird schwächer'.*

Diese andeutungen, welche sich noch weiter ausführen lieszen, mögen genügen den charakteristischen unterschied hervortreten zu lassen, wenn rec. gegenüber Meyer bei allen sonstigen übereinstimmungen mit nachdruck betont, dasz nicht an abstractionen streifende personificationen der naturerscheinungen, sondern 'lebensvolle' und vom volksglauben 'als realitäten' gefaszte naturbilder sich in den mythen und ihren trägern ursprünglich widerspiegeln und in derartigen vorstellungen von einer überirdischen, zauberhaften und nur gelegentlich in allerhand symptomen sichtbarer werdenden welt neben dem, was sonst unbegreifliches dem menschen im wachen wie im träumen begegnete, der ursprung der mythisch-religiösen vorstellungen zu suchen sei.

Möge der geehrte vf. die eingehende darlegung gerade der differenzen nur als ein zeichen der teilnahme ansehen, welche sein buch bei dem rec. gefunden hat, wie dieselbe überhaupt die veranlassung gewesen ist, dasz er trotz mancher ihn noch immer von litterarischen arbeiten etwas abhaltenden körperlichen beschwerden sich doch schlieszlich entschlossen hat, anderes beiseite zu legen und in die besprechung obigen werkes einzutreten. gerade eben bei den vielen sonst nahe liegenden beziehungen schien eine darlegung des abweichenden in der auffassung seinerseits im interesse der wissenschaft ihm nicht ungeeignet.

---

* über die oben entwickelten ansichten s. 'ursprung der mythologie' s. 109. 160. 187 sowie den artikel von den 'geschwächten' göttern, namentlich s. 140 f. 'prähistorische studien' s. 449—454. über die vermählung himmlischer wesen im gewitter speciell dann 'indogermanischer volksglaube' s. 126 ff. Berliner zs. für ethnologie usw. 1885 s. 129—143. 1886 s. 666—671.

BERLIN im frühjahr 1888.   WILHELM SCHWARTZ.

2.

ΠΑΙΠΑΛΟΕΙC.*

Das beiwort παιπαλόεισ, welches von einem vom reduplicierten
παι-πάλλειν abgeleiteten substantiv παίπαλον gebildet ist und wörtlich übersetzt 'wiederholt schwingend, auf- und nieder-
gehend, auf- und abwogend, schaukelnd' bedeutet, kommt
bei Homer vor 1) in activer bedeutung von inseln, 2) in passiver von
örtlichkeiten: ἀταρπόc ὁδόc ὄροc und cκοπιή. in beiden anwen-
dungen läszt sich die an den einzelnen stellen passende bedeutung
aus der vorher angegebenen grundbedeutung sehr leicht entwickeln,
obwohl dabei ein unterschied zu machen ist.

1. Als beiwort von inseln wird dasselbe in der Ilias (N 33 und
Ω 75) der insel Imbros beigelegt; in der Odyssee éinmal (γ 170) der
insel Chios, dreimal (δ 671. 845 und ο 29) der Ithake gegenüberliegenden Samos und éinmal (λ 480) der insel Ithake selbst.

Die richtige, an allen diesen stellen allein passende bedeutung
finden wir nach meiner ansicht, wenn wir von dem gebrauche bei
der insel Ithake ausgeben, weil uns dieselbe durch die vier verschiedenen, ihr in der Odyssee beigelegten beiwörter und durch die von
Odysseus in ι 25 ff. und von Athene ν 273 ff. von ihr gegebene beschreibung nach ihrer lage, bodenbeschaffenheit, culturfähigkeit und
nach ihren producten so bekannt ist, dasz ein neuerer geograph dieselbe uns in solcher kürze nicht besser beschreiben kann.

Ihrer lage wegen nennt sie der freier Eurymachos (α 401 und
φ 252) ἀμφίαλοc, und Odysseus sagt von ihr ι 25 αὐτὴ δὲ χθαμαλὴ
πανυπερτάτη εἰν ἁλὶ κεῖται. ihrer bodenbeschaffenheit wegen wird
sie von Odysseus ι 27. κ 417, von Kirke κ 463 und von Athene ν 242
τρηχεῖα genannt. dieselbe beschaffenheit bezeichnet κραναή, wie
sie Telemachos α 247. π 123. φ 346 und Theoklymenos ο 510 in
dem stets wiederkehrenden verse ἠδ' ὅccοι κραναὴν Ἰθάκην κάτα
κοιρανέουcιν benennen. die bodenbeschaffenheit erkennen wir ferner
aus den von Athene ν 242 gebrauchten beiwörtern οὐχ ἱππήλατος
und οὐδ' εὐρεῖα τέτυκται. auf die fruchtbarkeit, auf welche Odysseus in seiner erzählung beim hirten Eumaios mit dem verse ξ 329
ὅππωc νοcτήcῃ Ἰθάκηc ἐc πίονα δῆμον hinweist und welche Athene
ν 244 ff. ausführlicher schildert, bezieht sich das epitheton εὐδείελοc,
welches Halitherses β 167, Penelope τ 132 und mit groszer vorliebe
Odysseus in ι 21. ν 212. 325. ξ 344 seiner heimatinsel beilegt.

---

* die hier folgende auseinandersetzung ist eine ausführliche begründung meiner ansicht, welche ich schon im j. 1854 meinem leider
so früh verstorbenen freunde Ameis über die ableitung und bedeutung
des beiworts mitgeteilt habe (vgl. Ameis in der recension von Faesis
Odyssee in diesen jahrb. 1854 bd. 70 s. 263). diese ausführung unterscheidet sich von der brieflich mitgeteilten durch die trennung einer
activen und passiven bedeutung, die sich hoffentlich den beifall der
freunde Homers erwerben wird.

Bei dieser vorliebe musz es uns auffallen, dasz Odysseus im gespräche mit Achilleus in den versen λ 479 f. ἦλθον Τειρεςίαο κατὰ χρέος, εἴ τινα βουλὴν εἴποι, ὅπως Ἰθάκην ἐς παιπαλόεςςαν ἱκοίμην von der 'felsigen, klippenreichen' — denn so wird das beiwort gewöhnlich gedeutet und übersetzt (Voss 'felsiges eiland') — insel spricht und nicht von der fruchtbaren.

Auszerdem finden wir bald, dasz die übersetzung 'felsig' im widerspruch steht mit dem oben erwähnten χθαμαλὴ . . εἰν ἁλὶ κεῖται[1], ferner mit der beschreibung in ξ 1 f. αὐτὰρ ὁ ἐκ λιμένος προςέβη τρηχεῖαν ἀταρπὸν χῶρον ἀν' ὑλήεντα δι' ἄκριας, weil felsen nicht bewaldet zu sein pflegen. gegen die deutung 'felsig, klippenreich' spricht auch der umstand, dasz nicht nur die Phaiaken, deren insel nach der beschreibung in ε 400—444 ein felsiges eiland ist, in ν 116 ff. sehr bequem landen und den Odysseus ans land tragen, sondern auch Telemachos ohne beschwerde an der küste Ithakes anlangt. namentlich wird diese erklärung dadurch widerlegt, dasz in ν 196, wo Odysseus seine umgestaltete insel nicht wiedererkennt, freilich πέτραι ἠλίβατοι erwähnt werden, dasz diese felsen aber ν 353 zugleich mit dem nebel verschwinden.

Auf die bodenbeschaffenheit der insel Ithake kann sich also dieses beiwort nicht beziehen. wenn nun aber, wie doch allgemein feststeht, die Homerischen beiwörter die gegenstände nach charakteristischen merkmalen beschreiben, wodurch die phantasie genötigt wird sich von denselben ein totalbild zu entwerfen, so haben wir bei παιπαλόεις, um das darin ausgedrückte charakteristische merkmal zu finden, hauptsächlich zu beachten, dasz in allen stellen, in denen dasselbe von inseln gebraucht wird, menschen oder götter auf dem meere sind, und dasz wir in deren sinne, mit deren auge die inseln anschauen sollen. mit recht sagt daher Ameis zu γ 170, dasz dieses beiwort 'mit versinnlichter belebung des leblosen' veranschaulichen soll und zwar, wie ich hinzusetze, den gesamteindruck veranschaulichen soll, den jede insel auf die in ihrer nähe auf dem meere weilenden oder schiffenden macht.

Welcher art dieser gesamteindruck ist, können wir noch heute beobachten, wenn wir auf einem schiffe stehen und von demselben aus eine insel oder bei einer fahrt auf einem flusse die ufer desselben betrachten. während nemlich in wirklichkeit das schiff sich auf dem wasser auf- und niederbewegt, auf demselben auf- und abwogt, schaukelt oder tanzt, scheint uns die insel sich zu heben und zu senken, zu schaukeln oder zu springen, sich zu schwingen.[2] diesen eindruck

---

[1] selbstverständlich halte ich mich nicht an die uns bekannte wirkliche beschaffenheit der küste Ithakes, welche an vielen stellen steil ins meer abfällt, sondern an die beschreibung Homers, der, wie Bursian geographie Griechenlands II s. 366 ff. auseinandersetzt, nur ein phantasiebild der insel schildert, die er weder gesehen noch betreten hat.

[2] am groszartigsten ist für uns diese sinnestäuschung, wenn wir in einem schnellzuge, welcher curven durchläuft, die gegend betrachten.

auf das auge soll das beiwort, da ja der Grieche so gern nach dem
augenschein urteilt, veranschaulichen, die insel ist eine sich schwingende, eine schaukelnde, auf- und abwogende. und indem Odysseus
seiner rückkehr gedenkt, sieht er seine insel vor seinen augen schon
schaukeln und gibt ihr und nicht dem schiffe das beiwort.· dasz er
nachher schlafend dorthin gelangt und die inseln nicht auf- und ab-
wogen sieht, wuste er ja nicht.

Dasz die übertragung des beiworts von den bewegungen des
schiffes auf die inseln echt Homerisch ist, beweist der vers o 299
ἔνθεν δ' αὖ νήcοιcιν ἐπιπροέηκε θοῆcιν, in welchem das beiwort
θοή, das in allen andern Homerischen stellen den schiffen beigefügt
ist, von den inseln ausgesagt wird, weil, wie Ameis richtig bemerkt,
den schnell schiffenden die gegenstände, vor denen sie vorüberkom-
men, mit selbstbewegung zu fliehen scheinen.

Bei dieser activen deutung des beiworts können wir uns klar
machen, warum Homer in δ 671. 845 und o 29 in dem verse ἐν
πορθμῷ (μεccηγὺc) 'Ιθάκηc τε Cάμοιό τε παιπαλοέccηc dasselbe
nicht zu 'Ιθάκηc, sondern zu Cάμοιο setzt. Antinoos nemlich liegt
mit seinen genossen im schiffe an der küste von Ithake, und sie
schauen dem Telemachos auflauernd über den sund weg, sehen also
die gegenüberliegende insel Samos. das schiff, obgleich sicherlich
mit halttauen festgebunden, bewegt sich, wie wir das noch heute in
häfen oder bei den auf der rhede vor anker liegenden schiffen wahr-
nehmen, auf und nieder, es schaukelt, den freiern aber erscheint die
insel Samos als eine sich schwingende, nicht die in ihrem rücken
liegende Ithake.

Wenn in γ 170 Nestor die insel Chios παιπαλόεccα nennt, so
haben wir zu beachten, dasz der dichter überall von den redend eingeführten personen den von ihnen erwähnten gegenständen nur
solche beiwörter beifügen läszt, die dem wissensstande und der erfahrung des redenden entsprechen.[3] da aber Nestor nur von einer
beabsichtigten fahrt oben um Chios spricht, die insel also selbst
nicht gesehen hat, so kann er dieselbe nicht 'felsig, klippenreich'
nennen. dagegen hat Nestor auf der fahrt nach Troas und auf den
vielen fahrten nach beute (γ 103) den gesamteindruck von den auf-
und abwogenden inseln gewonnen, und in der überzeugung, dasz
auch Chios bei der beabsichtigten umfahrt diesen eindruck machen
werde, nennt er sie παιπαλόεccα, weil dieses charakteristische merkmal den Telemachos nötigen wird sich seiner auf der fahrt nach der
Peloponnesos gemachten beobachtungen zu erinnern.

___

wir im wagen glauben stets gerade auszufahren, merken nichts von den
curven, die gegend dagegen scheint sich kreisförmig zu drehen und so
an unsern blicken vorüber zu eilen. wir sagen dann auch: 'bäume und
häuser flogen vorüber.'
    [3] dieser behauptung widerspricht κ 463 nicht, denn Kirke hat ent-
weder von Hermes (κ 330 ff.) oder von Odysseus selbst gehört, dasz
Ithake τρηχεῖα ist.

In der Ilias N 26 ff. fährt Poseidon von Aigai aus auf seinem wagen über das meer, um in den sund zwischen Tenedos und Imbros zu gelangen. er musz also, um die einfahrt zu finden, seinen blick beständig auf Imbros richten; obgleich seine rosse rasch und so leicht über die wogen fliegen, dasz die wagenaxe nicht benetzt wird, so bewegt sich dennoch sein wagen naturgemäsz mit den wogen auf und nieder, dem gotte aber scheint die insel Imbros diese bewegung zu machen, und deshalb hat diese und nicht Tenedos das beiwort παιπαλόεσσα.

In Ω 77 ff. sagt der dichter: ὦρτο δὲ Ἶρις ἀελλόπος ἀγγελέουσα, μεσσηγὺς δὲ Σάμου τε καὶ Ἴμβρου παιπαλοέσσης ἔνθορε μείλανι πόντῳ. hier können wir nicht sagen, dasz Iris bei ihrem sprunge ihre augen durchaus auf Imbros richten musz, sondern wir können nur annehmen, dasz der dichter seiner gewohnheit gemäsz die schon einmal am versende gebrauchte verbindung beibehalten hat. . während des sprunges scheint sich die insel zu heben, emporzuspringen. diese wahrnehmung drängt sich auch uns auf, wenn wir in einem flusse baden, indem das gegenüberliegende ufer sich desto höher zu heben scheint, je tiefer wir in den flusz hineingehen. an dieser stelle möchte 'emporspringend' die geeignetste übersetzung sein.

2. In passiver bedeutung steht παιπαλόεις bei ἀταρπός ὁδός ὄρος und σκοπιή. dazu bemerke ich einleitend folgendes. wenn wir selbst in der freien, offenen ebene auf einem ungebahnten, holprigen wege gehen, so müssen wir bald den einen fusz, bald den andern höher heben, bald tiefer setzen, so dasz wir, aus der ferne gesehen, von einer seite nach der andern zu schwanken, oft zu strauchen scheinen, oft auch wirklich strauchen. oft ist ein solcher weg mehr oder weniger wellenförmig, so dasz sich unser körper beim fortschreiten bald hebt, bald senkt. steigen wir auf einem solchen wege einen hügel oder berg hinan, so kommen wir oft an kleinere oder gröszere absätze in der abdachung, an im wege liegende baumwurzeln [4] baumstämme oder steine, und wir müssen dann, indem wir den vorschreitenden fusz höher als gewöhnlich heben und aufsetzen, uns auf den stock stützen und mit einem schwunge [5] oder sprunge den andern fusz nachziehen. noch mehr müssen wir uns schwingen, wenn wir steil aufsteigende höhen, schwer zu erklimmende stellen zu überwinden haben. oft geht es auch abwärts in eine senkung oder schlucht (Xen. anab. V 2), aus der wir wieder emporsteigen müssen. gehen wir von einer höhe thalwärts, so musz unser körper ähnliche bewegungen machen; oft müssen wir die füsze seitwärts setzen, oft uns nach vorn neigend den stab aufsetzen, um nicht auszugleiten oder gar zu fallen. alle diese bewegungen, welche solche πρόσοδοι χαλεπαί (Xen. anab. V 2, 3) verursachen, überträgt

---

[4] Julius Wolffs wilder jäger s. 182: 'und ihre wurzelknorren strecken sich lang wie lindwurmleiber aus.' [5] Schillers Alpenjäger: 'auf der felsen nackte rippen klettert sie mit leichtem schwung.' JWolffs wilder jäger s. 93: 'ein stein, auf den er leicht sich schwingt, ist seine kanzel.'

der dichter mit sinnlicher belebung des leblosen auf die gegenstände, welche verursachen dasz man schwankt, sich hebt oder senkt. eine solche übertragung findet sich wohl in allen sprachen. so haben wir im deutschen von dem zeitworte 'schwindeln' das participium 'schwindelnd'[6] in passiver bedeutung, daneben die beiwörter 'schwindlig'[7] und 'schwindlicht'.[8] analog der verbindung 'schwindelnde höhe' können wir freilich auch sagen 'schwingende höhe, schwankender pfad', aber diese verbindungen sind in unserer sprache, in welcher sich der passive gebrauch des participiums nur noch in wenigen, gleichsam starr gewordenen verbindungen, wie 'sitzende lebensweise, fahrende habe' usw. findet, nicht im gebrauch. ebenso fehlt im deutschen ein der grundbedeutung entsprechendes adjectiv, so dasz wir παιπαλόεις als beiwort von örtlichkeiten nicht nach der grundbedeutung übersetzen können. wir müssen also statt der wörtlichen, passiven bedeutung an den einzelnen stellen eine bedeutung wählen, die mit der grundbedeutung in einem innern zusammenhange steht.

Am leichtesten finden wir diese bedeutung, wenn wir von P 742 ff. ausgehen: ὡς θ' ἡμίονοι κρατερὸν μένος ἀμφιβαλόντες ἕλκωσ' ἐξ ὄρεος κατὰ παιπαλόεσσαν ἀταρπὸν ἢ δοκὸν ἠὲ δόρυ μέγα νήϊον· ἐν δέ τε θυμὸς τείρεθ' ὁμοῦ καμάτῳ τε καὶ ἰδρῷ σπευδόντεσσιν. der waldweg wird 'ein schwingender, ein auf- und niedergehender, ein schwankender' genannt, weil seine bodenbeschaffenheit nicht dieselbe ist, sondern durch eine wellenform, durch darauf befindliche baumwurzeln oder steine verursacht, dasz der auf dem boden fortgeschleifte baumstamm in eine schwingende bewegung gebracht wird, indem bald das vordere, bald das hintere ende des stammes sich hebt und nur der auf der erde liegende teil fortgezogen wird, wobei auch wohl der eine oder andere teil seitwärts rollt. liegt das vordere ende auf der erde, so stöszt derselbe an kleinere oder gröszere hindernisse, so dasz die maultiere, um den stamm über diese hindernisse fortzuziehen, gröszere anstrengung, durch welche sie in schweisz geraten, anwenden müssen. mit viel geringerer anstrengung schaffen dagegen in κ 103 f. (s. Ameis zdst.) die tiere das holz aus dem walde, wo es heiszt: οἱ δ' ἴσαν ἐκβάντες λείην ὁδόν, ᾗπερ ἄμαξαι ἄστυδ' ἀφ' ὑψηλῶν ὀρέων κατάγινεον ὕλην. hier ist der weg durch lichtung des waldes und ebnung des bodens gebahnt, so dasz, obwohl es von hohen bergen herabgeht, wagen zum fortschaffen gebraucht werden. aus der vergleichung beider stellen ergibt sich für παιπαλόεσσα ἀταρπός die passende bedeutung 'ungebahnt', in

---

[6] JWolffs wilder jäger s. 8: 'ein felsstock aber vor allen türmt sich zu schwindelndem rand.' ebd. s. 242: 'und wie die lawine von schwindelnden jochen zermalmend sich bahn bricht ins bangende thal.' Anton v. Perfall im 'dämon ruhm' sogar: 'ein maler hatte das schwindelnde glück.'   [7] Schillers Tell: 'es donnern die höhen, es zittert der steg, nicht grauet dem schützen auf schwindligem weg.'   [8] Schillers berglied: 'am abgrund leitet der schwindlichte steg.' JWolffs Lurlei s. 5: 'ich seh' euch spähen nach jener schauerlichen wand, die von dem first, dem schwindlicht jähen, schroff abfällt zu des stromes rand.'

welcher die ursache des παιπάλλειν zum ausdruck kommt, ursache und wirkung aber in innerm zusammenhange stehen.

Über M 168 s. unten den excurs.

Als sich Odysseus in ρ 194 ff. anschickt mit dem sauhirten zur stadt zu gehen, bittet er um einen knüttel zur stütze auf dem schlüpfrigen wege. ein schlüpfriger weg ist aber ein ungebahnter, auf welchem der wanderer schwankt, wankt, strauchelt, und deshalb sagt der dichter v. 204: ἀλλ᾽ ὅτε δὴ cτείχοντες ὁδὸν κάτα παιπαλόεccαν.

Auch in N 17 f. αὐτίκα δ᾽ ἐξ ὄρεος κατεβήcετο παιπαλόεντος, κραιπνὰ ποcὶ προβιβάc passt die bedeutung 'ungebahnt' sehr gut, weil durch den folgenden satz κραιπνὰ ποcὶ προβιβάc recht anschaulich die leichtigkeit geschildert wird, mit welcher der gott die schwierigkeiten und mühen eines ὄρος παιπαλόεν überwindet. wollen wir diesen gegensatz noch stärker hervorheben, so können wir 'unwegsam' übersetzen.

Das in κ 97. 148 und 194 erwähnte cκοπιὴν ἐc παιπαλόεccαν ἀνελθεῖν heiszt wörtlich: 'die warte auf einem auf- und absteigenden', oder 'auf ungebahntem wege' oder mit rücksicht auf den vom dichter P 746 gegebenen zusatz 'die warte mühsam ersteigen'.[9] da jedoch der schüler nach vorhergegangener erklärung an kürze des ausdrucks gewöhnt werden musz, so genügt nach meiner ansicht die im deutschen oft vorkommende verbindung 'hohe warte'.

Demnach schlage ich vor dem artikel παιπαλόεις in den wörterbüchern folgende fassung zu geben:

παιπαλόεις, εccα, εν (παίπαλον von παιπάλλω) 1) activisch von inseln: **schwingend, sich hebend und senkend, auf- und abwogend, schaukelnd**, weil sie den auf dem meere fahrenden also erscheinen. N 33. γ 170. δ 671. 845. ο 29; **emporspringend, emporsteigend**. Ω 78. 2) passivisch von örtlichkeiten, auf die man sich schwingt, auf denen man sich auf- und niederbewegt, auf denen man schwankt oder strauchelt, die man mühsam ersteigt. im deutschen fehlt ein entsprechendes wort, und man wählt daher ein die ursache des παιπάλλειν bezeichnendes beiwort: **ungebahnt, unwegsam, mühsam zu ersteigen.** P 743. M 168. N 17. κ 97. 148. 194. ρ 204.

* *
*

Excurs über M 167—172.

οἱ δ᾽, ὥc τε cφῆκες μέcον αἰόλοι ἠὲ μέλιccαι
οἰκία ποιήcωνται ὁδῷ ἔπι παιπαλοέccῃ,
οὐδ᾽ ἀπολείπουcιν κοῖλον δόμον, ἀλλὰ μένοντες
ἄνδρας θηρητῆρας ἀμύνονται περὶ τέκνων,   170
ὥc οἵδ᾽ οὐκ ἐθέλουcι πυλάων καὶ δύ᾽ ἐόντε
χάccαcθαι πρίν γ᾽ ἠὲ κατακτάμεν ἠὲ ἁλῶναι.

---

[9] vgl. das scholion zu Aristoph. Wo. 261 παίπαλα καλοῦμεν τὰ δύcβατα.

unter den im verhältnis zur gesamtzahl nicht sehr zahlreichen gleich-
nissen in der Ilias[10], welche der dichter von den an der handlung
beteiligten helden oder einem gotte aussprechen läszt, ist das oben
abgedruckte deshalb beachtenswert, weil es das einzige ist, in welchem der sprecher über sein begonnenes, noch nicht zum abschlusz
gekommenes unternehmen sich ausspricht.[11] ferner unterscheidet es
sich von allen vergleichungen dadurch dasz, während den andern oft
nur ein halber vers, oft auch 4—5 verse als einleitung vorangehen,
die vergleichungen selbst aber meistens zu ausgeführten schilderungen werden, in ihm die vergleichung kurz ist, dagegen aber die
ihm zu grunde liegenden einzelnen züge sich von v. 168 an in den
einzelheiten der erzählten ereignisse ganz genau nachweisen lassen
und die feine beobachtung und naturtreue des dichters beweisen, so
dasz eine ausführlichere betrachtung der ganzen stelle wohl gerechtfertigt erscheinen möchte.

Die erzählten ereignisse sind: Asios dringt mit fünf genossen
(v. 108 ff.) gegen den von Pulydamas von v. 60 an gegebenen rat
auf dem streitwagen durch den graben, der vor der das schiffslager
umgebenden mauer gezogen ist, und zwar zur linken seite, wo er ein
offenes thor sieht. seine hoffnung, dasz die Achaier bei seinem mit
geschrei unternommenen angriffe sich sofort in die schiffe zurückziehen würden, wird geteuscht: denn die vor dem thore stehenden
wächter fordern die innerhalb der mauer stehenden Achaier zur verteidigung derselben auf, stellen sich wieder am thore auf, während
die mauer sich mit verteidigern füllt, und empfangen im verein mit
diesen die angreifer mit einem hagel von steinen. da spricht Asios
in seinem unmute den vergleich aus.

Wenn wir nun bei Taschenberg in Brehms 'tierleben' IX[2] s. 247
die von demselben gemachte beobachtung von den hornissen lesen:
'ein vollendetes nest hat nahezu kugelgestalt, behält unten und seit-
lich eine öffnung zum aus- und einfliegen und wird an
dieser stelle mit schildwachen versehen, welche bei annäherung einer gefahr sich zurückziehen, um die ein-
wohner zu benachrichtigen, welche mit wut auf den angreifer stürzen und den gebrauch von ihrer giftigen
waffe machen', so ergeht es, glaube ich, jedem leser, wie es mir
ergangen ist. es drängt sich uns die überzeugung auf, dasz der
phantasiereiche dichter bei dem planmäszigen entwurfe seiner schilderung des kampfes um die mauer die vorgänge bei einem hornissen-

---

[10] die gesamtzahl wird verschieden angegeben. Bergk zählt GLG.
I s. 849 nur 182 ausgeführte vergleichungen; Frommann im osterprogr.
1882 von Büdingen dagegen 'etwa 250'. ich gebe die zahl 208 und
unter diesen 11, welche andere personen aussprechen. nach Bergk finden
sich in der Odyssee 39 gleichnisse; ich zähle 51, und von diesen werden 16 von redend eingeführten personen gesprochen.   [11] allerdings
spricht auch Achilleus in I 315 ff. von seinen frühern thaten, aber gerade
hierdurch unterscheidet sich der daran geknüpfte vergleich von dem an
unserer stelle.

neste zu dieser ausgestaltet, danach namentlich das unternehmen des
Asios angeordnet, aber schon von anfang an die absicht gehabt hat,
seine schilderung mit dem von Asios gebrauchten vergleiche zu
schlieszen.[12]

Trotz der kürze des vergleichs, der eigentlich nur das tertium,
die hartnäckige verteidigung, ausdrückt, können wir uns jetzt, gestützt auf Taschenbergs mitteilungen, die in der vorangehenden erzählung befindlichen einzelzüge klar veranschaulichen.

In der idealen, poesiereichen auffassung des dichters entspricht
das mit der mauer umgebene schiffslager der Achaier (= cφῆκες)
dem κοῖλος δόμος der hornissen v. 169. dasz ich mit dieser gleich-
stellung dem dichter nichts unterlege, sondern ihn wirklich auslege,
beweist die wiederholung dieses vergleichs in Π 258—267, in welchem die ausrückenden Myrmidonen mit gereizten und deshalb hervorbrechenden hornissen verglichen werden.[13]

Steht dieser erste vergleich unwiderleglich fest, so dürfen wir
auch mit dem die mauer umgebenden graben, dessen gefahren und
schwierigkeiten zuerst der dichter von v. 50 an, dann Pulydamas
schildert, mit dem in v. 167 erwähnten ungebahnten waldwege vergleichen, welcher, sowie der graben trotz seiner schwierigkeiten den
Asios nicht abhält, kühn von jägern, denen die anrückenden feinde
zu vergleichen sind, beschritten wird, von denen ι 120 gesagt wird:
κυνηγέται, οἵτε καθ' ὕλην ἄλγεα πάσχουσιν κορυφὰς ὀρέων ἐφ-
έποντες.

Dasz das offene thor an der linken seite der mauer, die davor-
stehenden wächter, deren aufforderung an die innerhalb befindlichen
Achaier, das erscheinen derselben auf der mauer, der dichte stein-
hagel ganz genau den beobachtungen Taschenbergs entsprechen, bedarf wohl keines beweises. ebenso ist es einleuchtend, dasz der
dichter v. 170 ἀμύνονται περὶ τέκνων in beziehung auf v. 142
ἀμύνεσθαι περὶ νηῶν gesagt hat, und dasz v. 107 und 126 die verbindung ἐν νηυσὶ μελαίνῃσιν πεσέεσθαι dem ἀπολείπειν in v. 169
entspricht.

Je mehr wir uns die ganze stelle zergliedern, um so mehr bewundern wir die kunst des dichters, mit der er uns ein fein gedachtes
und sorgfältig ausgeführtes bild der dem vergleiche voraufgehenden
vorgänge vorgeführt hat.

Ohne dasz wir beim ersten lesen dieser stelle des dichters absicht merken, ohne dasz wir also verstimmt werden, verfolgen wir

---

[12] diese absicht verfolgt der dichter nach meiner ansicht schon von
v. 85 an, am deutlichsten finde ich dieselbe jetzt in v. 125 ausgesprochen, auf welchen sich v. 165 offenbar bezieht.   [13] es scheint mir
sehr beachtenswert, dasz, wie in M 167 ff. der vergleich am ende der
einleitung zum kampfe um die mauer und das schiffslager steht, so derselbe Π 258 ff. am ende des kampfes in der nähe der schiffe wiederholt wird, so dasz das ganze schlachtgemälde von beiden vergleichen
eingerahmt ist und als ein nach bestimmtem plane angelegtes und mit
bewuster kunst aus- und durchgeführtes erscheint.

mit der gespanntesten aufmerksamkeit die entwicklung der so schön,
fast möchte ich sagen so originell erfundenen scene. vor unserm
geistigen auge sehen wir den siegessichern Asios anrücken, sehen
die tapfern Lapithen, die der dichter zur belebung des bildes durch
den vergleich mit starken eichen verherlicht, während er, um unsere
spannung zu erhöhen, den angreifer νήπιος nennt und in epischer
ruhe in den vordeutenden versen 113—117 uns dessen tod vorher-
sagt. mit steigender vorliebe sehen wir diese wächter ebern gleich
hervorbrechen, sehen wie die mauern sich mit verteidigern füllen,
sehen wie sie und die Troer dichte steinmassen schleudern. indem
so unsere spannung den höchsten grad erreicht und wir den fall des
einen oder des andern Achaiers oder Troers erwarten, sehen wir
plötzlich Asios auf seinem streitwagen stehen, aber nicht seine lanze
schwingen, sondern sich seine lenden schlagen und hören ihn den
vergleich aussprechen. wahrlich ein ergetzliches bild, der seine lenden
schlagende held inmitten der geschleuderten steine, wohlgeeignet uns
nach der aufgeregtheit eine erheiternde beruhigung zu gewähren.

Sehr schön ist es auch erfunden, dasz der dichter nicht wie
Π 258 ff. zur verherlichung der Achaier den vergleich spricht, sondern denselben von Asios sprechen läszt, der zuvor, wie noch immer
prahler und groszsprecher das mislingen ihrer pläne andern zuschie-
ben, den Zeus φιλοψευδής nennt, dann aber seine gegner durch den
vergleich verherlichen und von sich das demütige bekenntnis ablegen
musz, dasz er, um es recht prosaisch auszudrücken, in ein hornissen-
nest gestochen habe, dasz er mit diesem bekenntnis von der bild-
fläche-verschwindet und erst Ν 384 zu fusz vor seinen rossen stehend
wieder erscheint, aber sofort von Idomeneus getötet wird.

Selbstverständlich gehört eine solche zergliederung nicht in eine
schulausgabe, aber davon bin ich überzeugt, dasz künftig jeder herausgeber die angaben Taschenbergs wörtlich aufnehmen und deren
anwendung dem lehrer anheimgeben musz.

HANNOVER.   FERDINAND VOLLBRECHT.

3.
AD HIPPONACTIS FRAGMENTA.

fr. 85 Bgk.

Μοῦσά μοι Εὐρυμεδοντιάδεα τὴν πολτοχάρυβδιν,
τὴν ἐγγαστριμάχαιραν, ὃς ἐσθίει οὐ κατὰ κόσμον,
ἔννεπε eqs.

versus sunt, quibus Polemo (cf. Athen. p. 698 ᵇ) Hipponactem, non
Hegemonem Thasium (Aristot. poet. p. 1448 ᵃ 12) parodorum Home-
ricorum principem fuisse evincere sibi visus est, perperam, ut in
PBrandtii parodiae epicae graecae reliquiis p. 32 luculenter demonstravit CWachsmuthius. eiusdem viri doctissimi in versu primo
polita arte excogitata est lectio πολτοχάρυβδιν pro tradita ποντο-
χάρυβδιν. qua recepta et sententia fit apta et lucramur Ephesio

poeta dignam vocem, quippe quae sit coloris glossematici.[1] sed in versu altero miror, quod ferri posse putavit Brandtius ἐγγαστρι-μάχαιραν. nam sicuti ἐγγαστρίμαντις daemon fatidicus in ventre latens, ἐγγαστρίμυθος vaticinium ibidem latens est: ita debet esse ἐγγαστριμάχαιρα gladius qui est in ventre: neque alia est interpretatio Hesychiana: ἐγγαστριμάχαιραν· τὴν ἐν τῇ γαστρὶ κατατέμνου-cαν. hanc tamen glossam, quae aperta est causa criticorum indulgentiae, omnino non ad Hipponactem referendam esse censeo, sed ad comicum quendam, qui tormina ventris iocose quasi gladium in visceribus appellavit (nostratium dicendi more haud absimili). helluonem enim habere in ventre gladium, illud quidem dici poterat; helluonem esse ipsum ʻgladium in ventre', hoc dici certe nequit.[2] Iam Cratinus (fr. inc. 130 Mein.) γαστροχάρυβδιν vocavit homi-nem voracem. Hipponacti, qui charybdi iam priore versu usus erat, aliud monstrum quaerendum erat. quod cito se obtulit homini Asiano. scripsit poeta procul dubio τὴν ἐγγαστριχίμαιραν. ita demum et imaginum restituitur continuitas et augetur loci vis ac fervor: inimicum poeta non modo liborum charybdim, sed chimaeram esse dicit, quae tamquam sedem sibi collocavit in ventre humano.

---

[1] Sicula enim ab origine videtur vox πόλτος: audi Athenaeum p. 648ᵇ et quae exposui in studiis Lips. VIII p. 315.   [2] prorsus ambigue circumvolat vocem graecam interpres, cum dicit: ʻferreus et qui cibum tam cito conficiat quam gladio conciditur, vel (!) qui gladium ferreum possit concoquere' (vide Schweighaeuserum ad. Ath. p. 698ᵇ).

LIPSIAE. _____ OTTO IMMISCH.

4.

ZU DEN EPISCHEN FRAGMENTEN DER GRIECHEN.

GKinkel hat in seiner ausgabe des Lykophron (Leipzig 1880) s. 188 aus den scholia vetera zur Alexandra v. 1352 einen bis dahin unbekannten vers eines epikers zuerst ediert und zwar so:

Πακτωλοῦ χρυcέοιcιν ἐπ' ἀνθήροιcι θᾶccον.

den metrischen fehler durch einsetzung eines flickwortes wie zb. γε zwischen ἀνθήροιcι und θᾶccον zu verbessern möchte nicht ratsam erscheinen, da die übersetzung ʻschneller als der Paktolos an seinen goldigen ufern' keinen sinn gibt, es müste dann doch wenigstens χρυcέοιcι μετ' ἀνθήροιcι heiszen. ich glaube dasz das einfachste ist für θᾶccον zu lesen θάαccον (die epische form für θάccω, die auszer Hom. I 194. O 124. γ 336 noch vorkommt: Hom. hy. a. Hermes 172. 468. Apoll. Arg. II 1026. III 659. IV 1274. Kolluthos 339. Christod. 316. Synesios hy. I 57) und zu übersetzen: ʻsie sasaen an den goldigen ufern des Paktolos.' vgl. Apoll. Arg. IV 1274 ἐπ' οἰκήεccι θαάccειν. ἄνθηρον = ʻufer' wie bei Oppianos hal. IV 319 ἐπ' ἀνθήροιcι θαλάccηc.

GOTHA. _____ MAX SCHNEIDER.

2*

5.

DER THESAUROS DER EGESTAIER AUF DEM ERYX UND DER BERICHT DES THUKYDIDES.

Nach Thukydides VI 6 erschienen im winter von ol. 91, 1 gesandte der Egestaier in Athen, welche dringend um hilfe gegen die
sie zu wasser und zu land hart bedrängenden Selinuntier und Syrakusier baten.[1] infolge dessen beschlossen die Athener zunächst
gesandte nach Egesta zu senden περί τε τῶν χρημάτων σκεψομέ-
νους εἰ ὑπάρχει, ὥσπερ φασίν, ἐν τῷ κοινῷ καὶ ἐν τοῖς ἱεροῖς, καὶ
τὰ τοῦ πολέμου ἅμα πρὸς τοὺς Σελινουντίους ἐν ὅτῳ ἐστὶν εἰσο-
μένους. im darauf folgenden sommer (415 vor Ch.) kehrten die
athenischen gesandten mit den Egestaiern zurück, und letztere über-
brachten 60 talente ungemünzten silbers (ἀσήμου ἀργυρίου, vgl.
II 13, 4) als monatlichen sold für 60 schiffe, um deren sendung sie
baten. da nun die Egestaier und die zurückgekehrten athenischen
gesandten von den in den tempeln und im staatsschatz von Egesta
vorhandenen mitteln eine überaus verlockende schilderung gaben,
so wurde darauf hin die expedition nach Sikelien beschlossen (Thuk.
VI 8). als jedoch später Nikias nach Egesta kam, um die versprochenen subsidien in empfang zu nehmen, konnten ihm nur 30 talente
ausgehändigt werden, was bei der athenischen flotte eine grosze
entteuschung und bestürzung hervorrief (Thuk. VI 46, 1. 62, 4).
cap. 46, 3 ff. erfahren wir nun, welchen kunstgriff die schlauen
Egestaier angewendet hatten (ἐξετεχνήσαντο), um den athenischen gesandten eine groszartige, aber völlig ungegründete meinung
von dem reichtum ihrer stadt beizubringen. erstens nemlich hatten
sie der gesandtschaft zu ehren üppige gastmähler veranstaltet, bei
denen man den Athenern in verschiedenen privathäusern immer
dasselbe (silberne und goldene) tafelgeschirr vorsetzte, das zum teil
aus den benachbarten städten entliehen war, so dasz die gesandten
den eindruck hatten, es gehöre jedem einzelnen gastgeber so viel
kostbares tafelgerät, als nicht einmal alle Egestaier zusammen besaszen (vgl. Diod. XII 83). zweitens aber hatten sie die Athener in
das nahe heiligtum der Aphrodite auf dem Eryx geführt[2] und ihnen

---

[1] 'schon um 450 verhandelten die Athener vermutlich über ein bünd-
nis mit den Segestanern, die in einen schweren krieg mit einer nach-
barstadt [Selinus?] verwickelt waren.' Busolt griech. gesch. II s. 585
mit anm. 3 u. 4.   [2] da der Aphrodetempel auf dem Eryx nach
Polybios 1 55 (vgl. Diod. IV 83. Ailianos π. ζώων X 50. Paus. VIII
24, 6) der reichste und angesehenste von ganz Sikelien war, so wird
man nach analogie der delphischen und olympischen schatzhäuser (vgl.
Flasch bei Baumeister denkm. d. class. alt. s. 1104[b] ff. Paus. VI 19, 1 ff.
X 11, 1 ff.) wohl einen besondern θησαυρός der Egestaier auf dem Eryx
anzunehmen haben. hinsichtlich der nahen beziehungen, welche zwischen Egesta und dem erykinischen Aphrodetempel bestanden, vgl.
Tac. ann. IV 43 *Segestani aedem Veneris montem apud Erycum, vetustate*

die daselbst befindlichen weihgeschenke (ἀναθήματα) gezeigt, nemlich φιάλας, οἰνοχόας, θυμιατήρια καὶ ἄλλην κατασκευὴν οὐκ ὀλίγην, ἃ ὄντα ἀργυρᾶ πολλῷ πλείω τὴν ὄψιν ἀπ' ὀλίγης δυνάμεως χρημάτων παρείχετο. dieser wortlaut enthält eine sehr grosze schwierigkeit, welche meines wissens zuerst Meineke (Hermes III s. 372) bemerkt hat. Meineke nimt nemlich gewis mit recht anstosz daran, dasz die silbernen gefäsze einen größern schein des silberwertes, als sie hatten, gewähren konnten; auszerdem vermiszt man die angabe der eigentlichen ursache, welche die eclatante teuschung der Athener bewirkte. denn dasz es höchst unwahrscheinlich ist, wenn Classen zdst. zur verteidigung des lesart ἀργυρᾶ bemerkt, die Athener hätten sich durch die grosze menge des glänzenden silbergeschirrs, das eben nur von silber, nicht auch von gold war, bei der taxierung seines reellen wertes teuschen lassen, ist leicht zu erweisen. erstens würde nemlich in diesem falle gar nicht von einer künstlichen teuschung seitens der Egestaier, worauf doch das unmittelbar vorhergehende τοιόνδε τι ἐξετεχνή- σαντο[3] hinweist, die rede sein können, sondern die athenischen gesandten würden sich vielmehr selbst — ohne irgend welches zuthun der Egestaier — in unverantwortlichster und gröbster weise geteuscht haben, wenn sie den wirklichen wert des von ihnen gesehenen (und wahrscheinlich auch gezählten, teilweise gewogenen) silbergeschirrs nicht ungefähr hätten berechnen können. zweitens aber — und das ist kaum minder wichtig — heiszt es doch wirklich der klugheit und gewissenhaftigkeit der eigens zum zwecke der abschätzung der egestaiischen finanzen abgeschickten gesandten (Thuk. VI 6) zu nahe treten, wollte man annehmen, dasz sie den wert rein silberner weihgeschenke auf dem Eryx nicht ungefähr richtig hätten taxieren können. Classens annahme ist um so unwahrscheinlicher, weil die Athener nicht blosz selbst viel gold- und silbergeschirr im privatbesitz hatten (Thuk. VI 32, 1), dessen ungefähren wert sie wohl kannten, sondern auch in ihren jährlich wechselnden, aus der classe der höchstbesteuerten gewählten zehn ταμίαι τῶν ἱερῶν χρημάτων τῆς Ἀθηναίας sowie in den ταμίαι τῶν ἄλλων θεῶν (Böckh staatsh. I² s. 217 ff. Michaelis Parthenon s. 289) beamte besaszen, welche, wie die noch vorhandenen übergaburkunden (CIA. I s. 64 ff. II s. 1 ff. Böckh ao. II s. 145 ff.) lehren, auch in der taxierung goldener und silberner weihgeschenke überaus erfahren waren[4], und von denen sicher einige unter den nach Egesta ge-

---

dilapsam, restaurari postulavere, nota memorantes de origine eius et laeta Tiberio. über die mythen von Egesta s. Klausen Aeneas u. die Penaten s. 479—491.
    [3] sonst gebraucht Thukydides von ähnlichen listen μηχανᾶσθαι, wie folgende stellen lehren: V 45, 2 μηχανᾶται δὲ πρὸς αὐτοὺς τοιόνδε τι ὁ Ἀλκιβιάδης. IV 46, 3 οἱ δὲ τοῦ δήμου προστάται τῶν Κερκυραίων .. μηχανῶνται τοιόνδε τι. VI 64, 1 τοιόνδε τι οὖν πρὸς ἃ ἐβούλοντο οἱ στρατηγοὶ μηχανῶνται.   [4] nach der rede des Perikles bei Thuk. II 13 be-

schickten gesandten sich befanden.[5] hierzu kommt noch dasz unter
den heiligen geräten der Athena Parthenos, welche jedes jahr gezählt,
gewogen und inventarisiert wurden, gerade die silbernen, den
damaligen verhältnissen entsprechend, die hauptrolle spielten. so
zählt zb. die Parthenonurkunde von ol. 86, 3 (CIA. I s. 73. Böckh
ao. II n. X 1. Michaelis s. 296) neben einem einzigen ϲτέφανοϲ χρυϲοῦϲ (gewicht 60 dr.), 5 φιάλαι χρυϲαῖ (gew. 782 dr.) und éinem καρχήϲιον χρυϲοῦν τὸμ πυθμένα ὑπάργυρον ἔχον (gew. 138 dr.) nicht
weniger als 138 φιάλαι ἀργυραῖ und ein κέραϲ ἀργυροῦν im
gewichte von 2 talenten und 3307 drachmen auf, während die Proneïonurkunde von ol. 87, 3 (CIA. I s. 65. Böckh II n. X 12 s. 201.
Michaelis s. 295) auszer einer einzigen φιάλη χρυϲῆ sonst nur
silbergerät, darunter 121 φιάλαι (= 2 tal. 432 dr.) verzeichnet.
wir müssen demnach auf grund der vorstehenden erwägungen mit
Meineke entschieden feststellen, dasz der bisherige wortlaut unserer
Thukydidesstelle zu den gewichtigsten bedenken anlasz gibt.

Wie ist nun aber das verdächtige ἀργυρᾶ, das allein obige bedenken erregt hat, ohne erhebliche graphische änderung zu verbessern? Meineke schlägt dafür ἐπάργυρα vor, und Stahl hat diese
vermutung unbedenklich in seine ausgabe aufgenommen. beide
kritiker nehmen also an, dasz die genannten weihgeschenke aus erz
bestanden, aber mit silber plattiert waren, was allerdings einerseits den irrtum der Athener völlig begreiflich und sogar entschuldbar
macht, anderseits auf die schlauhcit der Egestaier (ἐξετεχνήϲαντο)
ein helles licht wirft, da sie natürlich den Athenern verschwiegen,
dasz es sich nur um versilberte erzgeräte handelte, denen gegenüber massivsilberne gefäsze einen 140—300 mal höhern metallwert
besessen hätten (Böckh staatsb. I² s. 46). vom logischen und graphischen gesichtspunkt aus betrachtet erscheint also die conjectur
Meinekes höchst einleuchtend; es fragt sich nur, ob auch sachliche
oder antiquarische gründe dafür sprechen. nach meiner meinung ist
dies entschieden nicht der fall, und zwar glaube ich aus folgenden
gründen Meinekes lesung bekämpfen zu müssen.

Erstens wissen wir aus ganz bestimmten zeugnissen, dasz der
Aphroditetempel auf dem Eryx das angesehenste und reichste
heiligtum von ganz Sikelien war (Polybios I 55 τὸ τῆϲ Ἀφροδίτηϲ
τῆϲ Ἐρυκίνηϲ ἱερόν, ὅπερ ὁμολογουμένωϲ ἐπιφανέϲτατόν ἐϲτι τῷ
τε πλούτῳ καὶ τῇ λοιπῇ προϲταϲίᾳ τῶν κατὰ τὴν Ϲικελίαν ἱερῶν,
vgl. auch Diod. IV 83. Paus. VIII 24, 6); insbesondere erfahren wir,
dasz es sich durch geradezu massenhafte silberschätze aus-

---

trug der gesamtwert der ol. 86, 2 auf der burg vorhandenen weihgeschenke nicht weniger als 500 talente.
[5] dies scheint hervorzugehen aus Diodoros XII 83 ἔδοξε τοῖϲ Ἀθη-
ναίοιϲ ἐκπέμψαι τινὰϲ τῶν ἀρίϲτων ἀνδρῶν καὶ διαϲκέψαϲθαι, insofern
der ausdruck ἀρίϲτων entschieden auf besonders angesehene, reiche
bürger deutet, welchen die genannten ταμίαι τῶν ἱερῶν χρημάτων entnommen zu werden pflegten.

zeichnete (Ail. π. ζώων X 50 εἶναι μὲν καὶ χρυcὸν πολὺν καὶ ἄ ρ γ υ-
ρ ο ν π α μ π λ ε ῖ c τ ο ν), welche bis zur plünderung des tempels durch
Hamilkar im wesentlichen unangetastet blieben (Ail. u. Diod. ao.). wenn
uns auszerdem berichtet wird (Timaios b. Diod. ao.; vgl. Bethe quaest.
Diod. mythogr. s. 35 ff.), dasz nicht nur die r e i c h e n städte Sikeliens
(Thuk. VI 20, 4), sondern auch die Karthager, also die an silber und
gold reichste nation des fünften jh. (Thuk. VI 34, 3; Böckh ao. I
s. 16. Blümner technol. u. terminol. IV s. 12. 35 ff.), den Eryxtempel freigebig ausstatteten, so werden wir es von vorn herein für
sehr unwahrscheinlich halten müssen, dasz die bewohner von Egesta,
das sich ganz besonders naher beziehungen zur erykinischen Aphrodite rühmte, im gegensatz zu den übrigen stiftern von weihgeschenken
a u s s c h l i e s z l i c h v e r s i l b e r t e s e r z g e s c h i r r in den tempel
weihten, zumal wenn wir bedenken, dasz die privaten in Egesta trotz
des gewis kostspieligen und langwierigen krieges mit Selinus immer
noch über verschiedenes g o l d - [6] und s i l b e r g e s c h i r r verfügten
(Thuk. VI 46, 3).

Zweitens sprechen gegen Meinekes annahme von silberplattier-
tem erzgerät zahlreiche und gewichtige analogien aus dem sonstigen
tempelcult der damaligen zeit. so kommt in den hochinteressanten
urkunden der athenischen ταμίαι τῶν ἱερῶν χρημάτων aus der zeit
vor Eukleides der ausdruck ἐπάργυρος, so viel ich sehe, nur ein e i n-
z i g e s mal vor, und zwar wird er nicht etwa von φιάλαι, οἰνοχόαι,
θυμιατήρια, sondern nur von κλινῶν πόδες, dh. von versilberten
oder mit silberblech beschlagenen klinenfüszen gebraucht, welche
höchst wahrscheinlich der Perserbeute entstammten (Herod. IX 80.
I 50; vgl. auch das komikerfragment bei Plut. de superst. 3 s. 166 ᵇ).
will man sich von der bei weihgeschenken der damaligen zeit üblichen metalltechnik eine genügende vorstellung verschaffen, so
braucht man blosz die vollständigsten verzeichnisse der athenischen
ταμίαι im CIA. I s. 64 ff. genauer anzusehen, und man findet alsdann, dasz die s i l b e r n e n geräte bei weitem am zahlreichsten auftreten, die g o l d e n e n oder v e r g o l d e t e n geschirre die zweite stelle
einnehmen, v e r s i l b e r t e gegenstände dagegen (von den eben erwähnten κλινῶν πόδες abgesehen) g a r n i c h t v o r k o m m e n und
e h e r n e (nicht vergoldete) objecte (mit ausnahme von waffenbeute)
äuszerst selten erwähnt werden.[7] überhaupt scheint v e r s i l b e r u n g

---

[6] wenn Thuk. ao. sagt: τά τε ἐξ αὐτῆς Ἐγέcτης ἐκπώματα καὶ χρυcᾶ
καὶ ἀργυρᾶ ξυλλέξαντες .. ἐcέφερον ἐc τὰc ἑcτιάcειc ὡc οἰκεῖα ἕκαcτοι,
so musz es bei dem schwanken des sprachgebrauchs zwischen χρυcοῦc,
ἐπίχρυcοc und κατάχρυcοc (s. unten s. 26 f.), natürlich unentschieden
bleiben, ob χρυcᾶ in diesem falle massivgoldenes oder nur vergoldetes
geschirr bedeutet.   [7] so befinden sich ol. 93, 1 u. 2 im Proneïon nach
CIA. I s. 69 unter 196 aufgezählten weihgeschenken nicht weniger als
155 s i l b e r n e φιάλαι, 40 sonstige s i l b e r geräte (24 ἀργυρίδες, 11 πο-
τήρια, 3 κέρατα, 2 λύχνοι), nur éin g o l d e n e r kranz; die Hekatompedosurkunde von ol. 91, 3 (CIA. I s. 72) nennt unter 37 objecten: 15 s i l-
b e r n e g e s c h i r r e (darunter 11 φιάλαι und éin θυμιατήριον), ferner

im classischen altertum, namentlich aber in der ältern zeit sehr selten, vergoldung dagegen überaus häufig gewesen zu sein (vgl.
Blümner techn. IV s. 308 ff. 320), wie denn auch in den nacheukleidischen tempelinventarien von der athenischen burg die ausdrücke für vergoldung überaus häufig sind, ἐπάργυρος dagegen
nur äuszerst selten erscheint, so dasz wir in dem erykinischen
tempelschatz der Egestaier viel eher vergoldete als versilberte erzgeräte erwarten dürften (vgl. auch den unten s. 28 für die vergoldung angeführten grund).[8]

Drittens: zu genau demselben resultate, dasz der schatz der
Egestaier auf dem Eryx schwerlich aus versilbertem erzgeschirr bestanden hat, verhilft uns folgende notiz bei Cicero *in Verrem* IV
§ 46, auf welche mich mein freund und college Steuding aufmerksam
gemacht hat: *credo tum cum Sicilia florebat opibus et copiis* (dh.
im fünften, vierten und dritten jh.) *magna artificia fuisse in ea
insula. nam domus erat ante istum praetorem nulla paulo locupletior,
qua in domo haec non essent, etiamsi praeterea nihil esset argenti:
patella grandis cum sigillis ac simulacris deorum, patera* (= φιάλη),
qua mulieres ad res divinas uterentur, turibulum (= θυμιατήριον).
*erant autem haec omnia antiquo opere et summo artificio facta, ut
hoc liceret suspicari, fuisse aliquando apud Siculos peraeque pro
portione cetera, sed quibus multa fortuna ademisset, tamen apud eos
remansisse ea quae religio retinuisset* (vgl. auch § 47, wo abermals

4 χρυσίδες, εἴνε κόρη χρυσῆ (vergoldet?) und 17 goldene kränze. das
Parthenoninventar von ol. 90, 2 (CIA. I s. 75) verzeichnet auszer einigen
wenigen goldenen gefäszen nicht weniger als 180 silberne (darunter
162 φιάλαι) und 55 als περίχρυσοι, κατάχρυσοι oder ἐπίχρυσοι angegebene
gegenstände, darunter 3 von vergoldetem silber. ganz ähnlich verhält es sich mit den interessanten olympischen tempelinventarien, welche
uns Polemon bei Ath. 479ˡ überliefert hat. so enthielt der ναός der
Metapontiner zu Olympia im ganzen 138 nummern, nemlich 132 silberne φιάλαι, 3 desgl. silberne vergoldete, 2 silberne οἰνοχόαι,
εἴν ἀποθυστάνιον; im ναός der Byzantier befanden sich εἴν Triton von
kypressenholz, ἔχων κρατάνιον ἀργυροῦν, εἴνε Ϲειρὴν ἄργυρα, 2 καρ-
χήσια ἄργυρα, εἴνε κύλιξ ἄργυρα, εἴνε οἰνοχόη χρυσῆ, 2 κέρατα; im
alten ναός der Hera dagegen: 30 φιάλαι [ἀργυραῖ], 2 κρατάνια ἄργυρά,
εἴν χύτρος ἀργυροῦς, εἴν ἀποθυστάνιον χρυσοῦν, εἴν κρατὴρ χρυσοῦς,
εἴν βατιάκιον ἀργυροῦν. nach [Aristot.] Oikon. 2, 20 raubte Dionysios I von Syrakus ἐκ τοῦ τῆς Λευκοθέας ἱεροῦ (zu Rhegion) χρυσίον τε
καὶ ἀργύριον πολύ. vgl. auch die inschriften CIG. 2852 ff. add.
2384⁶ usw.
  ⁸ erst in der urkunde von ol. 98, 4 (CIA. II n. 665; vgl. 666. 694.
697) erscheinen ἧλοι χαλκοῖ ἐπάργυροι; ebd. n. 682, 29 [πε]ντώροβος
ἐπάργυρ[ος]. ebd. z. 30. ebd. n. 698 col. II (ol. 107, 3) θυμιατήριον
ὑπόχαλκον ἐπάργυρον (vgl. auch Blümner techn. IV s. 319 ff.). von
ehernen versilberten φιάλαι und οἰνοχόαι ist auch in den
nacheukleidischen urkunden niemals die rede. eine φιάλη
χαλκῆ, vielleicht aus mit gold und silber versetztem kupfer (Blümner
techn. IV s. 84 f.) — also von viel wertvollerem metall als gewöhnliches erz — habe ich nur einmal in spätern urkunden (CIA. II n. 676, 19
vgl. 703, 8) entdecken können (vgl. Cic. *in Verrem* IV § 131. Sophron
bei Ath. 229ᶠ).

patellae, paterae, turibula genannt werden). auch sonst ist in diesem buche mehrfach von sicilischen silbergeräten die rede (§ 50. 51. 52). wir erfahren also, dasz die sämtlichen von Verres geraubten *paterae* und *turibula* alte familienerbstücke von trefflichem altem stile und von silber waren und demnach der blütezeit der griechischen kunst und des griechischen kunstgewerbes, dh. dem fünften und vierten jh. entstammten. da es nun in hohem grade unwahrscheinlich ist, dasz die Egestaier ihrer hauptgottheit (Tac. ann. IV 43 oben anm. 2) weit geringeres geschirr geweiht haben sollten, als sie selbst beim gottesdienste und bei häuslichen festen gebrauchten, so ergibt sich dasz in der Thukydidesstelle Meinekes ἐπάργυρα schwerlich richtig sein kann.

Viertens läszt sich gegen Meinekes annahme eherner versilberter φιάλαι usw. auch noch folgende wahrscheinlichkeitsrechnung anführen. nach Böckh staatsh. I² s. 46 verhielt sich der wert des kupfers zu dem des silbers in der ältern zeit wie 1 : 300, zu Aristoteles zeit herschte in Sikelien das verhältnis von 1 : 140, so dasz wir für die zeit des peloponnesischen krieges mit ziemlicher wahrscheinlichkeit ein verhältnis von 1 : 200 annehmen dürfen.[9] nun erfahren wir aber aus dem bericht des Thukydides (VI 8), dasz die mit den athenischen gesandten nach Athen zurückkehrenden Egestaier ἑξήκοντα τάλαντα ἀϲήμου ἀργυρίου ὡϲ ἐϲ ἑξήκοντα ναῦϲ μηνὸϲ μιϲθόν mitbrachten, und dasz sie alsdann nur noch 30 talente (silbers) besaszen. es ist nun in hohem grade wahrscheinlich, dasz die zuerst den Athenern ausgehändigten 60 talente ungemünzten silbers so ziemlich den wert der verfügbaren silbernen und goldenen (bzw. vergoldeten) geräte, welche in Egesta selbst sich befanden, darstellten, während die nachträglich dem Nikias ausgehändigten 30 silbertalente wesentlich den wert der dem thesauros auf dem Eryx entnommenen gefäsze repräsentieren, weil es natürlich ist, dasz der tempelschatz der vornehmsten göttin erst dann angegriffen wird, wenn alle übrigen mittel bereits erschöpft sind. es läszt sich aber leicht ermessen, welch ungeheure menge eherner φιάλαι, οἰνοχόαι, θυμιατήρια nötig gewesen wäre, um eine summe von 30 silbertalenten zu ergeben, da zb. die in der attischen Proneïonurkunde von ol. 91, 1 (CIA. I s. 67) erwähnten 121 silbernen schalen nur ein gesamtgewicht von 2 talenten und 432 drachmen hatten.[10]

Haben wir somit die unhaltbarkeit der Meinekeschen vermutung ἃ ὄντα ἐπάργυρα dargethan und ebenso auch klar erkannt, dasz ἀργυρᾶ an unserer stelle keinen guten sinn gibt, weil es nicht nur

---

[9] vgl. FH(ultsch) im litt. centralblatt 1888 sp. 1787 f.

[10] anhangsweise bemerke ich, dasz auch der ausdruck ἀπ' ὀλίγηϲ δυνάμεωϲ χρημάτων bei Thuk. VI 46 kaum zutreffend sein würde, wenn die von Meineke vorausgesetzten erzgeräte nur den 140—200n teil des wertes von silbergeräten hatten. man sollte statt ὀλίγηϲ dann vielmehr ἐλαχίϲτηϲ erwarten, da es sich in unserm falle nur um den reinen metallwert, nicht um den kunstwert, der hier wie dort gleichgültig ist, handelt.

mit dem vorhergehenden ἐξετεχνήϲαντο in offenem widerspruch steht,
sondern auch eine geradezu unbegreifliche thorheit und gewissen-
losigkeit der athenischen gesandten voraussetzt, so bleibt meines erachtens nur ein einziges mittel übrig, die schwierigkeiten unserer
Thukydidesstelle zu heben, wenn wir nemlich statt ἀργυρᾶ ein wort
setzen, welches silberne, aber durch vergoldung weit wertvoller
erscheinende geschirre bezeichnet. so wird einerseits das von der
list der Egestaier gebrauchte ἐξετεχνήϲαντο vollkommen verständlich, anderseits erscheint der irrtum der Athener leicht begreiflich
und entschuldbar, da natürlich die Egestaier, welche jene in ihren
thesauros auf dem Eryx führten, dann nur den umstand zu verschweigen brauchten, dasz die gesehenen bzw. gezählten geschirre
nur vergoldet waren, dh. bei dem damaligen wertverhältnis des
silbers zum golde von 1 : 10 oder 1 : 12 (s. oben) nur $^1/_{10}$ oder $^1/_{12}$
des wertes besaszen, welchen sie dem äuszern ansehen nach zu haben
schienen.[11] ich schlage demnach vor statt ἀργυρᾶ zu lesen ὑπάργυρα und hoffe die hohe wahrscheinlichkeit dieser lesung durch
folgende erwägungen beweisen zu können.[12]

1) Der ausdruck ὑπάργυρος[13] ist gut attisch und kommt namentlich in athenischen urkunden des fünften u. vierten jh., also gerade
aus der zeit des Thukydides öfters vor. vgl. namentlich den beschlusz
von ol. 86, 2 CIA. I n. 32 (s. 15) ae. [ὅϲα δὲ τῶ]ν χρημάτων τῶν
[ἱερῶ]ν ἄϲτατά ἐϲτιν ἢ ἀν[άριθμα, ἀπαριθμήϲαϲθα]ι τῶν μετὰ τῶν
τ[εττάρ]ων ἀρχῶν, αἳ ἐδίδο[ϲαν ἀεὶ τὸν λόγον ἐκ Παν]αθηναίων
ἐϲ Πα[ναθήν]αια, ὁπόϲα μὲγ χρυ[ϲᾶ ἐϲτιν αὐτῶν ἢ ἀργυρᾶ] ἢ
ὑπάργυρα, ϲτή[ϲαντας] .. wir ersehen daraus, dasz alle bisher
ungewogenen oder ungezählten stücke des tempelschatzes auf der
Akropolis unter zuziehung der schatzmeister aus den frühern ver-
waltungsperioden inventarisiert und die geräte von gold, silber und
vergoldetem silber gewogen, die übrigen aber nur gezählt werden sollten (vgl. Michaelis Parthenon s. 290 f.). in der that findet

---

[11] ist also unsere obige annahme, dasz der reelle wert des egestaiischen silberschatzes auf dem Eryx nur 30 talente betrug, richtig,
so würde der wert der vergoldeten gefäsze von den athenischen gesandten mindestens zehnmal höher, dh. auf 300 talente geschätzt worden
sein, welche summe ungefähr $^3/_5$ des wertes der (nach Thuk. II 13) auf
der burg in Athen befindlichen weihgeschenke betragen hätte.
[12] wie ļleicht ὑπάργυρα in ἀργυρᾶ verderbt werden konnte, erhellt
aus der thatsache, dasz öfters in ungenauerem sprachgebrauch χρυϲοῦϲ
für ἐπίχρυϲοϲ oder κατάχρυϲοϲ, ἀργυροῦϲ für ὑπάργυροϲ gesetzt wird;
vgl. zb. CIA. II 2 n. 733 [φι]άλη ἀρ[γ]υρ[ᾶ ἐπίχρυϲοϲ]; ebd. 673, 30
[θυμι]ατήριον χ̓ρ[υ]ϲοῦν ὑπόχα[λκον]. vgl. Böckh staatsh. II² s. 167.
Polemon bei Ath. 472ᵇ τὰ χρυϲᾶ θηρίκλεια ὑπόξυλα usw. vielleicht
ist die verderbnis auch so zu erklären, dasz irgend ein scholiast das
verhältnismäszig seltene ὑπάργυρα durch ein beigesetztes ἀργυρᾶ verständlich ļzu machen suchte, was dann ļin den text geraten ist.
[13] vgl. auch die ganz ähnlichen ļderselben zeit angehörigen ausdrücke
ὑπόχαλκος und ὑπόξυλος, von vergoldetem erz und holz gebraucht; s.
Blümner techn. IV s. 310 anm. 1.

sich der ausdruck ὑπάργυρος mehrfach in den inventaren der ταμίαι von ol. 86, 3 an. vgl. die Parthenonurkunde von ol. 86, 3 CIA. I s. 73 an 4r stelle: καρχήϲιον χρυϲοῦν, τὸμ πυθμένα ὑπάργυρον ἔχον usw., ebd. an 5r stelle: ἥλω δύο ὑπαργύρω καταχρύϲω; ebd. an 6r stelle: πρόϲωπον ὑπάργυρον κατάχρυϲον; ferner die Hekatompedosurkunde von ol. 95, 3 (CIA. II 2 n. 652, 28) ϲτρεπτὸν περ[ίχρυϲ]ον ὑπάργυρον; ebd. 652, 44 u. 660, 20 [κρατὴ]ρ ὑπάργυρος ἐπίτηκτος; endlich die inschrift von ol. 98, 4 CIA. II 2 n. 667 (Böckh staatsh. II² s. 267, 21 ff.), wo nach Böckh zweimal hinter einander je eine οἰνοχόη κατακεχρυϲωμένη ὑπάργυρος erwähnt wird usw.[14] wir ersehen aus diesen beispielen, dasz man im fünften jh. auch in Athen silberne geräte, namentlich gefäsze, bald leicht bald schwer vergoldete. die schwächere vergoldung wird durch κατάχρυϲος oder κατακεχρυϲωμένος, die stärkere dagegen durch ἐπίχρυϲος bezeichnet (Böckh staatsh. II² s. 167. Blümner techn. IV s. 309 ff.). dasz auch kleinere gefäsze wie φιάλαι öfters vergoldet wurden, lehren die φιάλαι τρεῖς ἐπίχρυϲοι im thesauros der Metapontiner zu Olympia (Polemon fr. 20 bei Ath. 479ᶠ) und die [φι]άλη ἀρ[γ]υρᾶ ἐπίχρυϲος CIA. II 2 n. 733. wie leicht aber vergoldete silbergeschirre mit massivgoldenen verwechselt werden konnten, wird schon durch den umstand begreiflich, dasz auf den urkunden der athenischen ταμίαι τῶν ἱερῶν χρημάτων gar nicht selten ein und derselbe gegenstand bald ἐπίχρυϲος oder κατάχρυϲος, bald χρυϲοῦς genannt wird (Böckh staatsh. II² s. 167). so nennt auch Xenophon (anab. V 3, 12) die bildseule der ephesischen Artemis χρυϲοῦς, während wir aus andern quellen (Vitruvius IX 13. Plinius n. h. XVI 213) bestimmt wissen, dasz sie nur aus vergoldetem holze bestand. da also bei vergoldetem silber eine teuschung sehr leicht möglich und gewöhnlich war, so erhielt ὑπάργυρος ebenso wie ὑπόχαλκος und ὑπόξυλος (vgl. Suidas u. ὑπόχαλκος. Bekkeri anecd. s. 67, 7. Etym. M. 783, 17 usw.) hie und da die bedeutung von κίβδηλος: vgl. Pollux VII 104 = Ath. 502ᵃ ὑπάργυρον δὲ τὸ κίβδηλον χρυϲίον. Sextos Emp. Pyrrh. 30 (s. 63, 14 Bk.) εἰ γὰρ τοῦτο ἡμῖν ὑπέπιπτεν, ἐγιγνώϲκομεν ἂν καὶ τὰ ὑπάργυρα χρυϲία. Böckh staatsh. II² s. 258 ϲτατῆρες κίβδηλοι . . [κατακεχρυϲω]μένοι οἱ παρὰ Λάκωνος, wobei man unwillkürlich an die bleiernen vergoldeten stateren denkt, mit denen Polykrates von Samos die Spartaner betrog (Herod. III 56).

2) Fragen wir schlieszlich nach den gründen, welche die Egestaier veranlassen mochten nicht massivgoldenes geschirr, sondern nur solches von vergoldetem silber in den Eryxtempel zu weihen, so ist erstlich auf die thatsache zu verweisen, dasz noch in der ersten hälfte des fünften jh. gröszere quantitäten goldes in Sikelien nicht vorhanden waren, da wir bestimmt wissen, dasz Hieron I von Syrakus, als er einen dreifusz von massivem golde nach Delphoi weihen

---

¹⁴ vgl. auszerdem CIA. II 2 n. 651. 652 rückseite z. 1 u. 7. 660, 39. 43. 48. 665 (vgl. 666. 697). 672. 682, 19. 22. 683, 8.

wollte, das dazu nötige material in **Sikelien** selbst nicht aufkaufen
konnte, sondern deshalb nach Korinth zu Architeles senden muste,
der zufällig die gewünschte gröszere quantität gold besasz (Theopompos bei Ath. 232ᵃ; vgl. ebd. 231ᵇ). erst viel später, und zwar,
wie es scheint, in Alexanders d. gr. zeit, scheint — von Delphoi abgesehen — das gold in Hellas häufiger geworden zu sein (vgl. Flut.
Alex. 70, 2. Böckh ao. I 12 ff. Blümner techn. IV 11 ff.). so kam
es dasz im fünften jh. selbst bemittelte private, wenn sie besonders
wertvolle weihgeschenke stiften wollten, in der regel genötigt waren
sich mit **vergoldetem silber** zu begnügen, da massivgoldenes
gerät — namentlich wenn es sich um gröszere prachtstücke handelte
— entweder viel zu teuer oder überhaupt gar nicht zu beschaffen
war. einen grund aber für die Egestaier nicht gewöhnliches silbergeschirr, sondern nur **vergoldetes** in den Eryxtempel zu stiften
erblicke ich in dem bekannten epitheton χρυcέη (oder πολύχρυcοc),
welches die dem von jeher goldreichen orient entstammende Aphrodite (= Astarte[15]) bereits bei Homer (Γ 64. Є 427. T 282. X 470
usw.) und auch sonst sehr oft führt (Hes. Theog. 822 usw. hy. a.
Aphrod. 9 πολυχρύcου Ἀφροδίτηc. Verg. *Aen.* X 16. Ov. *met.* X 277
aurea Venus. Claudianus 10, 74), sogar im culte, wenigstens zu Lesbos,
wo nach Kleanthes bei schol. Il. Γ 64 ein cult der Ἀφροδίτη Χρυcῆ
blühte. nach Eustathios s. 384, 14 (χρυcῆ δὲ Ἀφροδίτη ἡ χρυcοφόρος,
ὡς καὶ χάλκεος Ἄρης διὰ τὸ φόρημα) bezog sich das epitheton χρυcῆ
geradezu auf den goldschmuck, den Aphrodite so sehr liebte (vgl. hy.
a. Aphrod. 65 χρυcῷ κοcμηθεῖcα. Sappho fr. 9 χρυcοcτέφανοc),
daher der mit den sikelischen verhältnissen wohl vertraute Theokritos
15, 100 f. die erykinische göttin δέcποιν' ἃ .. ἐφίληcαc αἰπεινάν
τ' Ἔρυκα, χρυcῷ παίζοιc' Ἀφροδίτα anredet. ich glaube daher,
dasz die vergoldung der sonst in Sikelien während des fünften jh.
üblichen silbergeräte speciell zu ehren der erykinischen göttin stattfand, weil man allgemein glaubte, dasz goldenes geschirr der Aphrodite besonders willkommen sei. eine unverächtliche stütze für diese
annahme erblicke ich in dem berichte bei Diodoros IV 83 ἡ cύγκλη-
τοc τῶν Ῥωμαίων εἰc τὰc τῆc θεοῦ τιμὰc φιλοτιμηθεῖcα τὰc μὲν
πιcτοτάταc τῶν κατὰ τὴν Cικελίαν πόλεων οὔcαc ἑπτακαίδεκα,
χρυcοφορεῖν ἐδογμάτιcε τῇ Ἀφροδίτῃ καὶ cτρατιώταc δια-
κοcίουc τηρεῖν τὸ ἱερόν.[16] vgl. Artemidoros oneir. s. 261, 14 H.
Dasz gegen meine lesung ὑπάργυρα bei Thuk. VI 46 kein einziges der oben gegen ἀργυρᾶ und ἐπάργυρα geltend gemachten bedenken spricht, brauche ich wohl nicht erst im einzelnen auszuführen.

---

[15] vgl. die goldenen Astartefiguren aus mykenischen gräbern: arch.
ztg. 1883 (XLI) s. 363.   [16] es ist sehr wahrscheinlich, dasz die Römer
in diesem falle nur eine alte, in Sikelien schon längst bestehende sitte
ihrerseits sanctionieren wollten. vgl. übrigens auch Theokr. 15, 123.
Bion 1, 82 Herm. Lukianos Ζεὺc τραγ. 10. Claudianus 48, 24 *Mavors
et Venus .. aurati delubra tenent communia templi.*

WURZEN.   WILHELM HEINRICH ROSCHER.

6.

OBSERVATIONES CRITICAE IN POLYAENI STRATEGEMATA.

Qui Polyaeni editionem Woelfflinianam bibliothecae Teubnerianae a. MDCCCLXXXVII recognovit Ioannem Melberum codice Florentino, quem omnium qui supersunt librorum fontem fuisse VRose probaverat, quasi certo strategematum recensendorum fundamento innisum egregiam hunc in scriptorem operam contulisse quamquam vix erit qui neget, tamen tot loci restant, qui coniecturis indigeant, ut multorum adhuc opera ac studio opus sit ad textum qui vocatur emendandum et restituendum. nam cum ille omnium generum vitiis sit inquinatus, fieri non potest ut ars critica eius scripturis inhaereat, sed plus uno loco discedendum est a lectione tradita. ad haec vulnera sananda ut adiuvarem, haud ab re duxi coniecturas sive interpretationes in lucem edere, quibus locis aliquot corruptis vel temere temptatis medelam aut lucem afferrem.

Ut iam ad singulos locos tractandos transeam, I 1, 1 ubi haec leguntur: κυμβάλοιc καὶ τυμπάνοιc οἷc ἐcήμαινεν ἀντὶ cάλπιγγοc καὶ οἴνου τοὺc πολεμίουc γεύων εἰc ὄρχηcιν ἔτρεπεν, Woelfflinus et Melberus immerito vocem οἷc deleverunt. si enim aliorum scriptorum elocutiones, sicut Luciani ὑπὸ τυμπάνων χορεύειν (DD. 18, 1) respexeris, facile concedes, Indos ut saltarent non solum vino impulsos esse, sed etiam tympanorum et cymbalorum strepitu (cf. Arriani Ind. 5, 9 ὑπὸ τυμπάνων καὶ κυμβάλων cτελλόμενοι εἰc τὰc μάχαc, quae ex eodem fonte manarunt). cum Polyaeni verbis conferre licet quae apud Strabonem leguntur XV 1, 62 (p. 714 Cas.) τυμπάνοιc οἷcπερ καὶ τὸ πολεμικὸν cημαίνουcιν. verba igitur tradita retinenda et ita explicanda sunt: 'strepitu tympanorum et cymbalorum, quibus ad signa danda ille utebatur, et eo quod Indos vino complevit, effecit ut hi saltarent.'

I 2 exstant haec verba: ἀντήχηcαν δὲ αἱ πέτραι καὶ τὸ κοῖλον τῆc νάπηc ἦχον πολλῷ μείζονοc δυνάμεωc τοῖc πολεμίοιc ἐνεποίηcεν. Hertlinus cum ἦχον ἐνεποίηcε in δόξαν ἐνεποίηcε mutari iussisset, Woelfflinus argutius quam verius iudicavit, loca, ad quae ille provocasset, omnia ad ludibrium oculorum pertinere. etsi vero suo iure Hertlinus illam vocem postulasse videtur, quippe qua falsa opinio, quam hostes de numero hostium sibi finxisse dicuntur, significetur, tamen maluerim ex verbis τῆc νάπηc ἦχον restitui vocem cυναπηχοῦν, ita ut non solum rupes, sed etiam vallis clamores militum reddat, velut Plut. Mar. c. 20 τά τε πέριξ ὄρη καὶ τὰ κοῖλα τοῦ ποταμοῦ περιεφώνει, Polyaeni I 46 cυνεπήχουν δὲ καὶ τῶν ὀρῶν αἱ φάραγγεc, VIII 23, 2 καὶ τὰ ὄρη πανταχόθεν cυναπηχήcαντα ἀμήχανον δεῖμα ἐνέβαλε τοῖc βαρβάροιc. ut hoc ultimo loco sic etiam I 2 post vocem δυνάμεωc substantivum δεῖμα vel tale quid addendum esse censeo, ut legatur: ἀντήχηcαν δὲ αἱ πέτραι καὶ τὸ κοῖλον τῆς νάπης cυναπηχοῦν πολλῷ μείζονος δυνάμεως ⟨δεῖμα⟩ τοῖc πολεμίοιc ἐνεποίηcεν, quae aptissime excipit enuntiatum quod sequitur οἱ μὲν δὴ φόβῳ πληγέντεc ἔφευγον.

I 3, 2 dubitationem movet vox περιπταίων, cuius vis eadem fere est atque quae antecedunt verborum τῇ χιόνι ἐμπεcών (cf. IV 1, 18 περιπταίουcιν ἐνέδρᾳ). quare non vereor hoc participium in dubium vocare et ex litteris οc περιπταίων verba ὥcπερ ἐν πάγῃ, quae VII 12 leguntur (ὥcπερ ἐν πάγῃ πάνταc αἱρήcομεν), eruere.

I 3, 4 Woelfflinus et Melberus codicis F scriptura κατανοοῦcα neglecta ex incerta Hertlini coniectura scripserunt καταπτοοῦcα. neque ego is sum, qui traditae scripturae patrocinium suscipiam, at tamen orationis contextus additamentum poscere videtur, quod non ad reginam, sed ad· eos qui iam solverunt pertineat. hi enim reginae socii sunt, quia operam dant, ne soli tributum pendant, sed ut omnibus hoc onus imponatur. fortasse inde commendatur emendatio κατανοοῦνταc, qua ii qui tributum pependerunt eos semper observare dicuntur, qui reginae nondum satisfecerint.

I 6 Polyaenum pro Κρεcφόντηc δὲ βώλου scripsisse δ' ἐκ βώλου, ut ἐκ λίθου λευκῆc in iis quae antecedunt, pro certo habeo; littera Κ enim propter sequens Β facillime evanescere potuit.

I 15 Hertlinus cum verba quae codices exhibent Θεόπομποc μὲν ἀνέζευξε καὶ οὐ μακρὰν ἀπέκρυψε τὴν cτρατιὰν εἰc ἀναχώρηcιν depravata esse censeret, verbis εἰc ἀναχώρηcιν deletis post vocem ἀνέζευξε inseri voluit ὡc ἀναχωρήcων neque tamen Woelfflini aut Melberi assensum tulit. cum de insidiis agatur, quas Theopompus struxit, Hertlini coniectura difficultas quae in verbis traditis inest non tollitur, sed mentio eius loci desideratur, ubi milites in insidiis collocati erant. quae si vera sunt, non dubium mihi est, quin verba εἰc ἀναχώρηcιν corruptelam traxerint. verius igitur quam alii emendasse mihi videor εἰc ἀφανὲc χωρίον, quae coniectura nescio an verbis quae sequuntur ἐξ ἀφανοῦc fulciatur. similis dicendi ratio invenitur V 10, 4 εἰc ἐνέδραν ἀφανῆ κατέcτηcεν, VI 12 ἔκρυψεν εἴc τι κοῖλον χωρίον, Thuc. IV 29 ἐξ ἀφανοῦc χωρίου. litterae vero η et ι saepissime in codice F inter se commutatae sunt et facilis erat transitus litterarum ϹΙ in Ο. neque est cur offendare omissis litteris αφ, cum plus uno loco huius socordiae vestigia in codice F occurrant.

I 16, 3 Woelfflinus et Melberus erraverunt, cum verba ἵνα τὸ φεύγειν ἡγοῖντο τοῦ μένειν λυcιτελέcτερον orationi Lycurgi tribuerent; sunt potius scriptoris, qui exponit, cur legumlator illud τοὺc πολεμίουc φεύγονταc μὴ φονεύετε edixerit.

I 18 ubi Woelfflinus adnotavit 'malim κατεcτήcαντο coll. 16, 11. 233, 4. 284, 23 et Iuliano or. I 16ᵈ τιμὰc καταcτῆcαι: ἀνέδηcαν vel ἀνῆψαν τὰc coni. Hertlein', satis est ἀνεcτήcαντο mutare in ἐνεcτήcαντο, qua cum elocutione compares velim ἀγῶναc ἐνίcταcθαι.

I 20, 1 ubi legis ab Atheniensibus Iatae mentio fit, ne quis porro expeditionis contra Salaminios suscipiendae auctor fieret, intellegi non potest, quid sibi velit vox μάχῃ. cum innumerabilibus fere locis verbum πλεῖν compositum sit cum praepositione ἐπί genetivum recipiente (sicut I 20, 2 πλεῖν ἐπὶ Κωλιάδος), non dubito quin μάχη ab imperito librario, cui fortasse pugnac Salaminiae in mentem venerat, addita ideoque delenda sit.

I 30, 3 Woelfflini coniectura ex cod. M sumpta, qua cυνέτριψε pro cυνέστρεψε legitur, opus non est. angustiae enim maris impedimento erant, ne multitudo navium explicaretur, quare ad verba ἡ cτενὴ θάλαccα et τὸ πλῆθος aptius convenit notio coartandi quam frangendi.

I 35 Woelfflinus et Melberus scripturae traditae θῆναι vestigia vocis θεῖν subesse censent; probabilius mihi coniecisse videor ὁρμηθῆναι, cuius vocis prima pars propter vicinitatem antecedentis ὑποcημήνῃ oblitterata est.

I 39, 1 et 40, 2 quamquam Hertlino, qui ἐπανίcταcθαι in ἐξανίcταcθαι corrigendum proposuit, Melberus adstipulatus est, tamen ut huic emendationi faveam facere non possum. ille, ni fallor, adductus est usu Polyaeni, qui iterum atque iterum de militibus, qui ex insidiis emergunt, voce proposita usus est, neque vero desunt loci, ubi verbum ἐπανίcταcθαι adhibitum est, velut III 1, 2 ἐπανέcτηcαν, VIII 53, 4 ἐπαναcτάντες, Plut. Sertor. c. 13 προλοχίcας τὴν ὁδὸν ἐπανερχομένῳ τῷ ᾽Ακυΐνῳ τριcχιλίους ἄνδρας ἔκ τινος cυcκίου χαράδρας ἐπανίcτηcιν.

I 40, 9 quae leguntur manifesto documento sunt socordiae Polyaeni, qui sua ex Diodoro (XIII 50) hausit neque vero intellexit. cum sibi persuaserit, Pharnabazum non a Lacedaemoniis, sed ab Atheniensibus stetisse, tradit illos, dum ad Iitus escendere conantur, a satrapa repulsos esse: τοὺς δὲ ἀποβαίνοντας ἐνέκοπτον οἱ Φαρναβάζειοι. hoc quoque loco litterae α et ε inter se confusae sunt et scriptura codicum D qui ἀνέκοπτον exhibent praeferenda est, coll. I 1, 3 τῷ ῥεύματι ἐμβαίνοντες ἀνακόπτειν αὐτὰς ἐπειρῶντο, VIII 23, 13 ἀνέκοπτε.

I 49, 1 Melberus RSchoellii coniecturam ταλαιπωρεῖν suam fecit; magis fortasse ex usu Polyaeni est verbum ἀcχολεῖcθαι, quod sescentiens in strategematum libris legitur: I 37. 42, 2. IV 2, 20. 6, 1. 6, 13. V 32, 2. 44, 4.

II 1, 12 verba tradita et ab editoribus recepta ὥcτε ἦν καὶ τὸ παρατάccεcθαι δύcμαχον καὶ τὸ προχωρεῖν ἀδύνατον vix aptam admittunt interpretationem, quare fortasse propius ad veram Polyaeni scripturam accedit δυcμήχανον, quod voci ἀδύνατον respondet.

II 1, 14 Abreschius cum verbis ἀτρέπτῳ καὶ πολλῷ τῷ προcώπῳ πρὸς τὸν λόφον ἐλθών contulit locutionem πολλῷ τῷ ὀφθαλμῷ βλέπειν, quam explicationem cum Woelfflinus respuisset, Melberus sequi non dubitavit. verba autem πολλῷ τῷ ὀφθαλμῷ,

quae cum notione cernendi coniuncta facile intelleguntur, difficilem
habent interpretationem, si cum voce ἐλθών componuntur. suo
igitur iure Woelfflinus ad VIII 8 φαιδρῷ καὶ ἀτρέπτῳ τῷ προσώπῳ
et ad VIII 23, 15 εὐθαρϲεῖ καὶ φαιδρῷ τῷ προϲώπῳ reiecisse
videtur. quibus locis respectis non vereor ex Plutarchi Popl. c. 17
ἰταμῷ καὶ ἀτρέπτῳ τῷ προϲώπῳ Polyaeni verbis medelam adferre,
quam mutationem non nimis difficilem esse perspicuum erit, si litterarum ductus comparaveris. facile enim litterae ΙΤ cum Π et Μ cum
litteris ΛΛ commutari poterant.

    II 1, 28 ὡϲ οὐ μόνον οἱ Μεϲϲήνιοι τῆϲ πόλεωϲ ἔξω προΐαϲιν,
ἀλλὰ καὶ αἱ γυναῖκεϲ αὐτῶν καὶ τὰ τέκνα καὶ τὰ ἐλεύθερα ϲώματα.
cum Lugebilius (in horum annalium suppl. V p. 545) οἱ δοῦλοι post
τὰ τέκνα excidisse suspicatus esset, Schoellius vocem πάντα ante
τὰ ἐλεύθερα ϲώματα inseri iussit. utraque ratione difficultates non
tolluntur neque ⟨πάντα⟩ τὰ ἐλεύθερα ϲώματα recte opponuntur
Messeniis. omnia magis liquentia reddentur, si ἐλεύθερα corrigetur
in ἀνελεύθερα, ut non solum Messenii, sed etiam liberi et uxores
et servi ex urbe excessisse dicantur.

    II 1, 29 iniuria Woelfflinus et Melberus a scriptura tradita re-
cesserunt, cum ἀπέϲτρεψε in ἀπέτρεψε mutarent. Agesilaus operam
dedit, ut cives in urbem reverterentur, qua a re non abhorret usus
vocis ἀποϲτρέφειν, cf. Thuc. V 75 τοὺϲ φυγάδαϲ ἀπέϲτρεψαν et
Xen. anab. II 6, 3 οἱ ἔφοροι αὐτὸν ἀποϲτρέφειν ἐπειρῶντο. similis
fere intercedit ratio II 1, 1, ubi pro tradita lectione ἐπέϲτρεψεν Woelfflinus ἀπέτρεψεν, Melberus ἐπέτρεψεν restituit. quia hic quoque
Agesilaus Lacedaemonios a consilio revocare studet, quae sententia
voce ἐπιϲτρέφειν explicatur (Plut. Alcib. 16 ἐνίουϲ δὲ καὶ πάνυ τὸ
λεχθὲν ἐπέϲτρεψε), persuadere mihi non possum hanc vocem remo-
vendam esse, placet potius vocabulum ἀναμνήϲαϲ post ἐπέϲτρεψεν addere et ἐπιθυμήϲονταϲ in ἐπιθυμήϲονται corrigere (cf.
II 1, 29 ἀπέϲτρεψεν αὐτοὺϲ ἀναμνήϲαϲ).

    II 1, 30 adiectivum μόνουϲ, quod Hertlinus in γυμνούϲ mutavit,
per dittographiam ex antecedenti δεδεμένουϲ ortum ideoque delendum esse mihi certum est.

    II 2, 6 τῶν δὲ Θρᾳκῶν ἀθροιζομένων εἰδὼϲ ὅτι οἰνωθέντεϲ
ἐκ τῶν ὀρῶν ὁρμώμενοι νύκτωρ ἐπιθήϲονται. codd. D scripserunt
ϲωθέντεϲ, Gronovius ϲινωθέντεϲ, Heringa ϲυθέντεϲ, Blumius λαθόν-
τεϲ, Woelfflinus et Melberus in lectione tradita acquieverunt. cur
Clearchus exspectaverit, ebrios Thraces impetum facturos esse, non
elucet, sed ad impetum iratorum Thracum paratus esse debuit, quare
scribendum coniecerim θυμωθέντεϲ, quae scriptura levissima
mutatione efficitur.

    II 8 verba codicis F, quae Melberus retinuit, ὡϲ ἂν οὐ προΐδω-
ϲιν, sana esse confidenter negaverim, quippe quae ne ob grammaticas
quidem rationes ferri possint. Arxilaïdas, ni fallor, simulat se de
insidiis hostium, in quas incidisset, antea certiorem factum periculo
imminenti occurrisse: ideo veri haud dissimile est verba quae com-

memoravi non ad hostes, sed ad illum ipsum pertinere. unde adductus scripsi: ὡc δ ῆ θ ε ν π ρ ο ϊ δ ὼ ν (vel προειδὼc) τὴν τῶν πολεμίων παρασκευήν comparatis VI 38, 10 ὡc δῆθεν, I 30, 3 κατ᾽ εὔνοιαν δῆθεν, Herod. III 136 ὡc κατασκόπουc δῆθεγ ἐόντας, Arriani anab. IV 18, 4.

II 10, 1 oratio praeconis ita formanda est, ut ἡ γ ε ῖ c θ ε pro ἡγεῖcθαι restituatur, coll. II 2, 9. II 33.

III 1, 1 ἐπὶ τὴν ἄκραν ἤεcαν ὡc ἀποβηcόμενον εὑρόντεc ἂν ἤδη τῆc ὁδοῦ ⟨οὐ⟩ μακρᾶc οὔcηc. equidem facere non possum quin locum mendosissime descriptum esse statuam. desideratur enim mea sententia enuntiatum quod consilium indicet, quo Lacedaemonii arcem petiverint. viam igitur ex sententiarum conexu ductam ingressus aut verbis εὑρόντεc ἂν mutatis et particula ἤδη, quae ex sequenti enuntiato irrepsit, deleta scribi malo: ἀ ν ε ί ρ ξ ο ν τ ε c (coll. I 29, 1. 40, 5. 40, 9. II 1, 25. V 10, 3 ὡc ἀνείρξοντεc. VI 9, 4. VIII 23, 5) aut ε ἴ ρ ξ ο ν τ ε c ἄ ν ω θ ε ν.

III 5. quae hoc loco narrantur ita sunt depravata, ut scriptori nullo modo tribui possint. si Diodorum (IX 16) et Pausaniam (X 37, 6) sequimur duces, vaticinium erat Cirrham capi non posse, usque dum mare regiones deo sacras adlueret, quae sententia etiam Polyaeni est: ἕωc ἂν ψαύcῃ τῆc ἱερᾶc γῆc ἡ θάλαccα. quae verba librarius quidam ita intellexisse videtur ut sententia insit: ʿso lange als das meer das heilige land berühreʾ, unde factum est, ut totus rerum contextus confunderetur. feliciter igitur Blumius ἀπέχοντεc in ἀπεχούcηc et καθηκούcηc in καθήκουcα mutavit, qua emendatione omnia ad integrum esse redacta videntur.

III 9, 2 Woelfflinus et Melberus scripserunt μάχεcθαι pro ἄρχεcθαι: satis habeo voce ἄρχεcθαι servata adverbium π ά λ ι ν inseruisse.

III 10, 5 particula δή manifeste corrupta est. ut III 10, 9 ἐξελὼν χωρίον εἰc προνομήν (Demosth. 36, 6), ita hic quoque Timotheus, cum reliquas partes militibus diripiendas concessisset, regionem quandam elegit, unde illis non liceret praedari. quare non dubito quin negatio μή voce δή loco suo deturbata sit.

III 11, 11 non apparet, cur naves hostium ab Atheniensibus -duplices ictus accepisse dicantur. suspicor igitur primam syllabam διτ ex antecedenti διδόντεc petitam atque delendam esse: ἔφθανον διδόντεc τ ὰc ἐμβολάc coll. I 6, 8 τὰc ἐμβολὰc ποιεῖcθαι.

IV 3, 11 pro καταγνούc Corais καταγόμουc (cf. Polyb. IX 43, 6 πλοῖον κατάγομον, Diod. XI 24 νῆεc κατάγομοι) proposuit, qua in coniectura acquieverunt Woelfflinus et Melberus. respectis Arriani verbis I 1, 7 ἐπαφιέναι ἀνιοῦcιν ἢ ἀποτομώτατον τοῦ ὄρουc ἐπὶ τὴν φάλαγγα τῶν Μακεδόνων τὰc ἁμάξαc potius proposuerim hanc emendationem κ α τ ὰ π ρ α ν ο ῦ c, coll. Xen. anab. IV 8, 28. VI 5, 31.

IV 6, 15 ἵνα φρουρὰν αὐτοὶ τὴν χώραν ἔχοιεν. agitur de argyraspidibus Antigono suspectis, qui Eumenem tradiderant. quos dux in munitissimis castellis collocavit, non ut iis praesidio essent,

sed ut ipsi custodirentur. Melberi igitur emendatione, qua αὐτήν
legitur, res non satis expedita est; magis arrisuram esse spero lectionem hanc ἵνα φρουρούμενοι αὐτοὶ τὴν χώραν ἔχοιεν.
IV 11, 2 Melberus secutus est codicem F, qui ἀνεχειρώσατο
praebet. quod cum alias non inveniatur, ἐχειρώσατο autem Polyaeno
frequentatissimum sit, praestat syllabam ἄν, quae ex antecedenti
Μουνυχίαν iterata est, exturbare.

V 1, 1 in verbis ὃc ἂν μηνύcῃ τοὺc κλέψανταc τοῦ ἐν τῇ ἄκρᾳ
λίθου καὶ cιδήρου, λήψεται ἀργύριον τόcον offendimur voce τόcον,
qua parum accurate indicis praemium definitur neque idem significatur quod alias verbis τόcον καὶ τόcον. cogitare quidem licet de
emendatione qualis est ἀργυρίου τάλαντον (cf. Xen. anab. II 2, 20),
sed praetulerim locum ita restitutum: λήψεται ἀργύριον τὸ ἴcον
(qui furem indicaverit, argentum quod par est accipiet), quod commendatur verbis I 43, 1 cιτηρέcιον δώcουcι τὸ ἴcον.

V 2, 4 Διονύcιοc ἠγγέλη κατατήcαc Ἄνδρωνα φύλακα τῆc
ἀκροπόλεωc καὶ τῶν χρημάτων. hunc locum etsi sanum non esse
confido, tamen in eo sanando a Corai, quocum Woelfflinus et Melberus fecerunt, discedo. cum enim ille in ἠγγέλη vocis locum ἀπέπλει
restitueret, nullam fere verborum quae sequuntur ἐπεὶ δὲ cῷοc
κατέπλευcε habuit rationem. genuinae vero scripturae vestigia latere
videntur sub voce ἠγγέλη, quo nuntio inductus Hermocrates civibus
persuasit, ne arcis occupandae occasionem dimitterent. satius igitur
erit hic aliquid post nomen Dionysii excidisse statuere eamque lacunam voce νοcεῖν explere: Διονύcιοc νοcεῖν ἠγγέλη: cf. IV 2, 11
νοcεῖν, II 1, 9 ἠγγέλη, VIII 23, 2.

V 2, 14 ὡc λεκὼc ὑπὸ τῶν ἰδίων cτρατιωτῶν. in Woelfflini
coniectura, quae est ὡc ἀπολωλώc, non subsistendum esse ratus
verba tradita hunc in modum restituta scriptoris esse mihi persuasi:
ὡc ⟨τὴν ἀρχὴν ἀπολω⟩λεκὼc ὑπὸ τῶν ἰδίων cτρατιωτῶν, coll.
Xen. anab. III 4,11 ὅτε ἀπώλεcαν τὴν ἀρχὴν ὑπὸ Περcῶν Μῆδοι,
Platone de leg. III p. 695ᵇ τὴν ἀρχὴν ἀπώλεcαν ὑπὸ Μήδων.

V 6 Ζηλώcαντεc τὴν πολίαν τῶν cτρατευομένων. Woelfflinus
coniecit ὠφέλειαν, Polyaenus vero verbum Ζηλοῦν ita adhibet, ut
non ad invidiam, sed ad aemulationem pertineat: VIII 48 ἐζήλωcε
τὰc ἀρετάc. quare magis convenire videtur προθυμίαν vel
tale quid.

V 22,3 μὴ ἀπολείποιντο ὡc περίcαc τριήρειc ἔχοντεc. Woelfflini coniectura παρίcαc, qua nautae non similes sed plus minusve
similes naves habere sibi videbantur, textus non ad integrum redactus
est. lenissima medela adhibita locum sic restitutum genuinum esse
confidentius adfirmaverim: ὥcπερ ἴcαc τριήρειc ἔχοντεc, qui
particulae ὥcπερ usus non abhorret a Polyaeno: cf. VI 18, 1. 50.
VIII 28.

VI 20 κρύφα ἔπεμψαν πρὸc Ἀργείουc. haec verba iustam
plerisque moverunt dubitationem, quare Casaubonus pro Ἀργείουc
coniecit αὐτούc, Melberus ἐνίουc scripsit. quibus coniecturis missis

ex verbis Thucydidis, quo Polyaenus nititur, medelam ducendam esse coarguam. ubi cum verba οἱ ἐκ τοῦ ὄρουc Κερκυραῖοι (IV 48, 5) legantur, necessitate quadam adducimur, ut pro Ἀργείουc restituamus ὀρείουc, quod etiam VII 41 et VIII 23, 2 invenitur.

VI 25 διὰ τὸ λοιπὰc τῶν ὅλων εἶναι ἡμέρας δύο. est quod offendamur verbis τῶν ὅλων, quibus revocamur ad verba ἀνοχὰc ἐξ ἡμερῶν. quam ob rem non dubito quin litterae ἀν librarii socordia sint omissae, quo facto facilis erat litterarum Λ et X commutatio. neminem igitur spero mihi esse contradicturum sic corrigenti: διὰ τὸ λοιπὰc τῶν ἀνοχῶν εἶναι ἡμέρας δύο.

VI 41 οἱ δὲ λοιποὶ cυνέφευγον εἰc μάχην. locutionis cυμφεύγειν εἰc μάχην nullam habeo explicationem cuiquam satisfacientem, praesertim cum non de iis sermo sit, qui pugnant atque trucidantur, sed qui captivi abducuntur. quae cum ita sint, fieri non potest ut lectionem traditam retineamus, etsi non habeo quod satis confidenter legendum proposuerim. fortasse locus, quo reliqui confugerunt, a Polyaeno indicatus erat, ideoque non alienum est cogitare de emendatione cυνέφευγον εἰc ἀγοράν, quae verba in eadem re describenda adhibentur III 9, 3 Ἰφικράτης κατελάβετο πολεμίων πόλιν· οἱ δὲ cυνέφευγον εἰc ἀγορὰν καὶ πλῆθος ἠθροίζοντο.

VI 54 verba ὡc μὴ διὰ τὴν νόcον ἀποθάνοι καὶ δὴ τῶν λύτρων ἀπολουμένων vix genuina esse contendo. corruptelam in negatione μή haerere cum mihi persuasum sit, omnes difficultates ita tolli posse spero, ut pro hac coniunctio εἰ in textum recipiatur: ὡc εἰ διὰ τὴν νόcον ἀποθάνοι καὶ δὴ τῶν λύτρων ἀπολουμένων: cf. I 23, 1 ὡc εἰ .. λαμβάνοιεν .. ἔξοι, IV 3, 9 ὡc τολμηcόντων, VII 21, 7 ὡc καὶ τῶν ἱππέων cυνεπιθηcομένων.

VII 35, 2 verba αὐτῷ δὴ omnium consensu corrupta iudicantur. genuinam lectionem eruisse mihi videor hanc αὐτόθι: cf. II 2, 2. V 2, 19.

TRARBACI AD MOSELLAM.   FRIDERICUS REUSS.

7.

ZU PLUTARCHS EUMENES.

Benseler in Papes wörterbuch d. griech. eigennnamen u. Βαρcίνη nimt auf grund von Plutarchs Eumenes c. 1 an, dasz Βαρcίνη, die tochter des Artabazos[1], mit der Alexander d. gr. umgang gepflogen und von der er einen sohn Herakles hatte[2], dem Eumenes (bei den

---

[1] fälschlich heiszt sie eine tochter des Pharnabazos bei Eusebios chron. I s. 230 (Schoene) auch in der armenischen übersetzung, womit übereinstimmt Synkellos (Müller FHG. III 694 § 2). quelle des Eusebios für die makedonischen könige ist Porphyrios von Tyros (vgl. Niebuhr kl. schriften I 221 ff. und ASchaefer quellenkunde II² s. 162), und auch Synkellos hat ihn benutzt.   [2] vgl. Droysen gesch. der diadochen I² s. 7 anm.

feierlichkeiten in Susa febr. 324) als gattin von Alexander gegeben worden sei. doch ist dies in der stelle des Plutarch, der hier
auf Duris von Samos zurückgeht (vgl. im anfang ἱστορεῖ Δοῦρις),
nicht gesagt; dieselbe lautet: Βαρςίνην γὰρ τὴν Ἀρταβάζου πρώτην
ἐν Ἀςίᾳ γνοὺς ὁ Ἀλέξανδρος, ἐξ ἧς υἱὸν ἔςχεν Ἡρακλέα, τῶν
ταύτης ἀδελφῶν Πτολεμαίῳ μὲν Ἀπάμαν[3], Εὐμένει δὲ Βαρςίνην
ἐξέδωκεν, ὅτε καὶ τὰς ἄλλας Περςίδας διένειμε καὶ ςυνῴκιςε τοῖς
ἑταίροις. der sinn kann nur der sein: 'von den beiden schwestern
der Barsine, der tochter des Artabazos, gab dieser dem Ptolemaios
die Apama, dem Eumenes die Barsine', woraus also ganz klar hervorgeht, dasz Artabazos drei töchter gehabt hat: denn dasz die
beiden hier genannten Barsinen identisch seien (wie Benseler annimt), schlieszt das τῶν ταύτης ἀδελφῶν aus. höchst wunderbar
bleibt dann freilich, dasz von den drei töchtern des Artabazos zwei
den gleichen namen gehabt hätten. deshalb musz hier ein versehen entweder des Plut. selbst oder — was mir wahrscheinlicher
ist — ein handschriftliches vorliegen. es kommt hinzu dasz Arrianos,
der einzige der sonst noch eine tochter des Artabazos als gemahlin
des Eumenes erwähnt, diese gar nicht Βαρςίνη, sondern Ἄρτωνις
nennt: vgl. VII 4, 6 Πτολεμαίῳ δὲ τῷ ςωματοφύλακι καὶ Εὐμένει
τῷ γραμματεῖ τῷ βαςιλικῷ τὰς Ἀρταβάζου παῖδας τῷ μὲν Ἀρτακάμαν, τῷ δὲ Ἄρτωνιν. Photios s. 68[b] 12 Bk. im auszug des
Arrian gibt ihren namen Ἀρτώνη an: Πτολεμαίῳ δὲ καὶ Εὐμένει
τὰς Ἀρταβάζου παῖδας Ἀρτακάμαν καὶ Ἀρτώνην. ich schlage
deshalb vor in Plut. Eum. für Εὐμένει δὲ Βαρςίνην zu schreiben
Εὐμένει δὲ Ἀρτώνην, wodurch 1) das undenkbare der nachricht,
dasz Artabazos zwei töchter gleiches namens gehabt hätte, beseitigt, 2) die übereinstimmung mit Arrian-Photios (denn Ἄρτωνις
und Ἀρτώνη ist derselbe name) hergestellt wird. der schreiber hat
entweder den namen verlesen oder seinen blick auf das kurz vorhergehende Βαρςίνη geworfen.[4]

---

[3] Ἀρτακάμα nennt sie Arrianos VII 4, 6 und Photios im auszug der
Arrian. anabasis s. 68[b] 7 Bk. nach Strabon XII 578. XVI 750. Appianos
Syr. 57 ist jedoch diese Ἀπάμα, tochter des Artabazos, gattin des Seleukos
Nikator. auch Plutarch Demetr. 31 nennt die gattin des Seleukos Ἀπάμα
ἡ Περςίς.   [4] übrigens darf diese Barsine, also die tochter des Artabazos,
witwe des Mentor, dann des Memnon, gemahlin Alexanders d. gr. und
mutter des Herakles, nicht verwechselt werden mit einer zweiten gemahlin
Alexanders, der ältesten tochter des Dareios Ochos, die Alexander in
Susa heiratete und der Arrian VII 24, 5 ebenfalls den namen Βαρςίνη
gibt, Photios dagegen im oben citierten auszug s. 68[b] 7 Bk. Ἀρςινόη,
während alle übrigen schriftsteller (vgl. Droysen gesch. Alex. d. gr.
I[2] 2 s. 243 anm.) ihren namen Στάτειρα angeben. ganz falsch ist die
angabe des Synkellos (fr. 3 in Müllers FHG. III 693) ἐκ Ῥωξάνης τῆς
Δαρείου, ein fehler dem wir wieder bei Suidas u. Δαρεῖος begegnen.

GOTHA.   MAX SCHNEIDER.

8.
ZUR ERKLÄRUNG DER ARVALACTEN.

Durch eine grammatische untersuchung über die bedeutung und
syntaktische verwendung des lateinischen verbaladjectivs auf -*ndus*,
die demnächst der öffentlichkeit übergeben werden soll, bin ich zu
einer neuen eingehenden prüfung der frage veranlaszt worden, was
unter den in den Arvalacten der jahre 183 und 224 (Henzen acta
fratrum arvalium s. CLXXXVI f. und CCXIII ff.; CIL. VI 1 s. 559
und 571) überlieferten bezeichnungen *adolendae commolendae
deferundae coinquendae* zu verstehen ist. die acten des j. 218
(Henzen ao. s. CCII; CIL. VI 1 s. 568), welche zum teil wörtlich
mit den genannten urkunden übereinstimmen, kommen für diese
frage zunächst nicht in betracht: denn jene drei bezeichnungen sind
in dieselben nur durch Henzens ergänzung nach dem entsprechenden
wortlaute des protokolles vom j. 183 hineingekommen; diese ergänzung aber ist, wie weiter unten nachgewiesen werden soll, als irrtümlich zu verwerfen.

In dem ersten der genannten actenstücke sind die in rede stehenden ausdrücke ganz ausgeschrieben: *adolendae, commolendae* (éinmal
verschrieben *commolandae*), *deferundae*; in dem zweiten sind sie wie
die meisten wörter abgekürzt: *adolend. coinq.*, und es steht gar nichts
im wege statt der allgemein angenommenen endungen *adolendae coinquendae* die formen *adolendis coinquendis* herzustellen. ja durch den
wortlaut der urkunde selbst wird eine solche ergänzung a priori empfohlen. denn wie im j. 183 der dativ des singulars *adolendae* usw.
dem voraufgehenden *ob ficum . . eruendam* bzw. *arboris eruendae
causa* entspricht, so scheint im j. 224 der plural *earum arborum . .
adolendarum commolendarum* bzw. *adolefactarum et coinquendarum*
entsprechend die mehrzahl, also *adolendis coinquendis* zu verlangen.

Die deutung dieser ausdrücke unterlag deshalb besondern schwierigkeiten, weil nicht nur der sinn der ihnen zu grunde liegenden
verba (*adolere commolere coinquere*) unbekannt oder zweifelhaft war,
sondern namentlich auch, weil die beziehung der participialendungen
selber unklar blieb. Marini kannte nur éinen versuch dieselben zu
erklären, den des conte Carli, welcher die worte *adolenda commolenda deferunda* auffaszte als das was wachse, gemahlen, weggeschafft
werde ('ciò che cresce che si macina e si trasporta' Atti e monumenti
dei frat. Arv. s. 381). letzterer also nahm diese participialformen in
passivem sinne; aber seine erklärung scheiterte daran, dasz er *adolere*
als synonym mit *crescere* nahm und bei *commolenda* an die beim opfer
zur verwendung kommende *mola salsa* dachte.

Marini selber sieht in den worten bezeichnungen römischer gottheiten und faszt die *Adolenda Commolenda Deferunda* und *Coinquenda*
als die 'numina', welche die obhut und besorgung (la presidenza e
cura) dessen gehabt hätten, was die Arvalbrüder in unsern fällen mit

den bäumen des heiligen haines zu thun hatten. diese letztern wurden nemlich nach seiner ansicht beseitigt (*deferre*), um zerkleinert
(er faszte *commolere* als gleichbedeutend mit *coinquere*) und verbrannt (*adolere = urere*) zu werden. er erinnert an die frömmigkeit der Römer, die nichts *sine numine divum* thun konnten, und
weist hin auf die unzählige menge von gottheiten, denen sie alle ereignisse im natur- und menschenleben unterstellten, deren anrufung
die *indigitamenta* lehrten. so erklärt er denn nicht im geringsten
daran zu zweifeln, dasz auch diese vier gottheiten in den libri pontificii registriert waren und mit zu denen gehörten, welche regelmäszig im haine der dea Dia von den Arvalbrüdern verehrt wurden.

Diese ansicht Marinis hat, so viel ich weisz, die allgemeinste
billigung gefunden und ist, obgleich ein stricter beweis für ihre wahrheit nicht versucht, auch wohl bei dem mangel an weitern belegstellen nicht möglich ist, in die mir zugänglichen handbücher über
römische mythologie und altertumskunde, auch in die lexika und
grammatischen lehrbücher der lateinischen sprache unbeanstandet
übergegangen. es liegt also grund genug vor, dieselbe im falle des
zweifels unter genauer untersuchung des vorliegenden materials einer
neuen prüfung zu unterziehen.

Das schwerste bedenken erhebt sich gegen sie vom standpunkte
der grammatik. denn die formen *adolenda* usw. sind jetzt ungefähr
die einzigen participialformen mit dem suffix -*ndo*- von transitiven
verben, denen active bedeutung zugeschrieben wird. was man daneben anführt, ist nicht derartig, dasz man einen sichern schlusz
daraus ziehen könnte. abgesehen von dem in seiner ableitung bisher
nicht genügend erklärten namen der 'Larenmutter' *Larunda*, neben
Larentia (*Laurentia*) *Larentina Laverna*, wenn diese bezeichnungen
wirklich auf dieselbe göttin gehen, finde ich unter den zahlreichen
benennungen römischer götter und göttinnen nur die *Afferenda ab
afferendis dotibus ordinata* bei Tertullianus (*ad nat.* II 11), die uns
das particip auf -*ndus* in activer bedeutung zeigte. diese schrift aber
und namentlich die citierte stelle, die uns nur in einer einzigen, noch
dazu überaus nachlässig abgefaszten, verstümmelten und mit allen
möglichen mängeln behafteten hs. vorliegt, ist nach dem wohl-
begründeten urteile der herausgeber in einem so zweifelhaften, ja
verzweifelten zustande auf uns gekommen, dasz man sich gegenüber
einem vernünftigen einwande gar nicht auf dieselbe berufen kann.
nicht nur dasz die einzelnen zeilen dieses und der nächsten capitel
zur hälfte unleserlich sind: es musz auch die folge der gedanken
verstümmelt und verwirrt sein: denn es ist kaum denkbar, dasz der
schriftsteller nach der ankündigung einer erörterung über die *dei
nuptiales* zuerst die bringerin der mitgift erwähnt hätte, um sich
dann auf die in der hochzeitsnacht angerufenen numina *Mutunus
Tutunus Pertunda Subigus Prema Perfica* zu beschränken. und
wenn wirklich nach den neuesten angaben Klussmanns (curarum
Tertullianarum part. I et II, Halle 1881), die durchaus das frühere

urteil Nourrys (bei Oehler Tert. opp. III s. 142) bestätigen, der abschreiber 'mira quadam et misera constantia dimidias aut universas
sententias omittere solet, ubi a similibus aut syllabis aut vocabulis
eius oculi aberraverunt', und zwar am meisten im zweiten buche *ad
nationes* (Klussmann ao. I s. 16 ff. und 51), so glauben wir annehmen
zu dürfen, dasz auch die *Afferenda* auf einem durch das folgende
afferendis oder das in der nächsten zeile stehende *Pertunda* veranlaszten schreibfehler beruht, mag die göttin nun *Affera*, wie ich
nach den oben erwähnten analogien und den zahlreichen ähnlich
gebildeten götternamen (s. Grassmann 'die italischen götternamen'
in KZ. XVI [1867] s. 108) schlieszen möchte, oder sonstwie geheiszen
haben. beruft also Oehler zu dieser stelle des Tertullianus sich auf
die *Deferunda* in den Arvalacten und Oldenberg (de sacris fratrum
arvalium, Berlin 1875) auf Tertullianus, so bewegt man sich in einem
circulus, der seine beweiskraft verliert, sobald ein glied desselben
angefochten wird. freilich citiert man auch noch eine weitere stelle
des genannten kirchenlehrers, um ein beispiel für ein activisch gebrauchtes gerundivparticip zu haben, *de anima* 49 *ultima die Fata
Scribunda advocantur.* alle erklärer, Hartung (religion der Römer
II s. 232), den auch Oehler zdst. citiert, Preller (röm. myth. s. 459
und 565) in übereinstimmung mit Jordan (3e aufl.), der gar die *Scribunda* als 'weibliche gottheit' direct neben die '*diva Deferunda*' stellt,
Marquardt (röm. staatsverwaltung III s. 12) betrachten dieselben
als die das loos der menschen vorausbestimmenden schicksalsgöt-
tinnen, *quae fata nascentibus canunt et vocantur Carmentes* (Augustinus *de civ. dei* IV 11). aber wie hier bei Augustinus, so ist auch
sicher bei Tertullianus das wort *fata* in seiner ursprünglichen bedeutung zu nehmen als ausdruck der 'particulären schicksale von
menschen und des darüber verlauteten götterwillens' (Preller ao.).
diese schicksale werden nach altrömischer anschauung, auf welche
allgemein die *fata scribunda* zurückgeführt werden, an dem von
Tertullianus bezeichneten tage, dem *dies lustricus*, in das schicksals-
buch eingetragen, wie der mensch selber schon früher, als er noch
im mutterleibe war, in das *fatum* eingeschrieben ist (vgl. Tert. ao. 37
cum iam illi vitae et mortis status deputatur, cum iam fato inscribitur).
wie also städte und gemeinwesen ihre schicksalsbücher haben — vgl.
Cic. *de div.* I 44 *ex fatis, quae Veientes scripta haberent* — so auch
der mensch. daher die häufig vorkommende phrase *est in fatis meis*
(vgl. Ov. *trist.* II 1 *ergo erat in fatis Scythiam quoque visere nostris*).
darin dasz dieselben niedergeschrieben werden sollen spricht sich
der glaube an ihre unabänderlichkeit aus. die *fata scripta* können
nur gegenstand der divination sein, dagegen die *fata scribunda* waren
ebensowohl object des gebetes wie der *Bonus Eventus* und die *Fortuna* in ihren manigfaltigen gestalten. in späterer zeit freilich
gewann neben dieser volkstümlichen anschauung von den *fata* des
einzelnen die griechische personification der Moirai in Rom eingang
(Preller ao.); aber es liegt gar kein grund vor, bei den von Ter-

tullianus bezeichneten *fata scribunda* an diese 'feen' zu denken, die
vielleicht auf jener spätlateinischen Mainzer inschrift bei Orelli IL.
n. 4579 (Brambach CIRh. 1065) anzunehmen sein mögen, wo eltern
auf einer grabschrift der klage ausdruck geben, dasz sie den tod
ihres kindes überleben '*male iudicantibus fatis*'.

Sind diese bedenken über die bildung von götternamen aus
verbalstämmen mittels des suffixes -*ndo*- berechtigt, so hat die von
Marini aufgestellte ansicht über die bedeutung der bildungen *Adolenda* usw., die in einer zeit vorgebracht ist, wo man noch wenig
gewicht auf die zergliederung und classificierung der einzelnen wort-
bildungselemente legte, sofort alle gesetze der sprachbildung und
sprachdeutung gegen sich, und es musz als wohl bedacht bezeichnet
werden, wenn Grassmann in der erwähnten abh. über die italischen
götternamen die hier zur sprache kommenden bezeichnungen und
endungen ausgeschlossen hat.

Doch sehen wir einmal ab von der sprachlichen form dieser
namen und betrachten wir die durch sie bezeichnete sache, wie sie
sich nach der allseitig gebilligten anschauung Marinis darstellt. danach also sollen die *Adolenda*, *Commolenda*, *Coinquenda*, *Deferunda*
in den indigitamenten dh. den officiellen gebetformeln und götter-
verzeichnissen der pontifices gestanden haben als stets im haine der
dea Dia zu verehrende gottheiten: eine behauptung die unerwiesen,
wie sie ist, dadurch nicht wahrscheinlicher wird, dasz man sie allgemein als sicher angenommen und die gewagtesten schlüsse daraus
gezogen hat. denn so wenig wir über das wesen und den inhalt der
libri pontificii unterrichtet sind — wir sollten darum um so vor-
sichtiger sein, ohne directen beleg oder sichern beweis im einzelnen
falle über das vorkommen von göttern und götternamen in denselben
zu urteilen — das scheint mir sicher zu sein, dasz zb. eine *Deferunda*
keine stelle in denselben hatte. dies dürfte man schon daraus folgern,
dasz diejenigen, welche diesen gottheiten ihren platz in den religions-
büchern der Römer anweisen wollten, in betreff ihrer stellung gar
nicht unter eineinander einig werden können. Ambrosch ('über die
religionsbücher der Römer' in der zs. f. philos. u. kath. theol. 1842
s. 243) nennt sie nach den verschiedenen göttergruppen, welche die
entwicklung und manigfaltige thätigkeit des menschen behüten, zum
beweise dasz auch die kleinsten und nach unserer vorstellung unbedeu-
tendsten verrichtungen menschlicher thätigkeit unter dem schutze besonderer gottheiten standen; Marquardt (ao. s. 8 u. 17) und Preller
(ao. s. 595) sehen in ihnen personificationen sacraler acte, götter für
die handlungen des opfers im hain der Arvalen. — Wie man sonst über
die in den indigitamenten verzeichneten gottheiten urteilen mag —
Lippert (die religionen der europ. culturvölker [1881] s. 428) nennt
sie nicht unbezeichnend fach- und berufsgeister — das ist doch ihr
characteristicum, dasz sie eine wenn auch noch so eng umgrenzte allgemein gültige idee vertreten, dasz sie bei bestimmten erscheinungen regelmäszig in action treten, sei es nun dasz sich ihre wir-

kung in jedem wesen der animalischen und vegetabilischen natur
wie in der entwicklung des menschen éinmal zu ihrer zeit äuszert,
oder dasz wir dieselbe in regelmäsziger wiederkehr im natur- und
menschenleben beobachten. denn es musz doch die wahrnehmung
der regelmäszigkeit dieser erscheinungen und kraftäuszerungen gewesen sein, welche zur typischen auffassung derselben, zu ihrer personification führte; sie allein machte es auch möglich, die reihen
dieser von der wirklichkeit abstrahierten numina zum zwecke der
anrufung in den bestimmten fällen zusammenzustellen. so ist zb.
durchaus nicht anzunehmen, dasz eine *Domiduca* angerufen wurde,
um jeden beliebigen in irgend einem falle heimzuführen: ihr beruf
beschränkte sich nach unserer kenntnis von ihr darauf, das kind auf
seinen ersten gängen glücklich heimzugeleiten oder die braut in das
haus des bräutigams hinüberzuführen; und die oben erwähnte 'bringerin' wird ausdrücklich bezeichnet als *ab afferendis dotibus ordinata*.
wäre es demnach auch noch denkbar, wovon wir sonst in der überlieferung des altertums nichts hören, dasz die priester für die acte
des rituellen verbrennens eine göttin des behauens, zerkleinerns,
verbrennens anriefen, so scheint es doch ans absurde zu streifen,
wenn man annimt, es sei in den ritualbüchern der pontifices auch
eine besondere gottheit für den fall namhaft gemacht gewesen, dasz
einmal ein feigenbaum auf der höhe des tempels erwüchse und —
herabgebracht werden müste. — Wären die *Adolenda* usw. aber trotz
alledem doch indigitalgottheiten gewesen, dann hätten sie auch als
solche in fest bestimmter, naturgemäszer, lückenloser folge angerufen, bzw. in den protokollen genannt werden müssen, wie das
sonst der rituellen vorschrift entsprechend geschieht. ruft doch der
flamen beim opfer der Ceres die zwölf ackerbaugottheiten genau in
der reihenfolge an, wie sie vom ersten bestellen der saat bis zum
ende der ernte in thätigkeit treten (vgl. Fabius Pictor bei Servius
zu Verg. *georg.* I 21). und wenn auch Marquardt (ao. s. 7 anm.)
zutreffend bemerkt, dasz unter diesen gottheiten eine anzahl von saat-
gottheiten (s. ebd. s. 15) fehlen — natürlich konnte man jede handlung in ihre teile zerlegen, und die das samenkorn behütenden gottheiten brauchten neben den personificationen der wichtigsten thätig-
kelten des ackerbaus nicht aufgeführt zu werden — so sehen wir
doch klar und deutlich in der zusammenstellung dieser gebetsformel
eine feste regel. das ist aber bezüglich der einzelnen handlungen
beim Arvalopfer ganz und gar nicht der fall. nicht nur die reihenfolge ist verkehrt, wie schon Marini gesehen, auch die in den beiden
Arvalacten beliebte verschiedenheit der ausdrücke zeigt, dasz wir es
hier nicht mit fest bestimmten gottheiten (*dei certi* im sinne des
Varro bei Servius zu Verg. *Aen.* II 141) und nicht mit einer fest
bestimmten opferformel zu thun haben. schon der umstand dasz,
wie unten gezeigt werden soll, in dem über ein ganz ähnliches opfer
aufgenommenen protokoll des j. 218 für die in rede stehenden bezeichnungen keine stelle ist, beweist dasz dieselben nicht auf gott-

heiten gehen, die, wie Marini, Henzen (ao. s. 147), Preller (ao. s. 430)
meinen, stets bei den groszen piacularopfern der Arvalbrüder verehrt worden wären. und was sollten diese personificationen sacraler
handlungen auch gerade bei diesen sühn opfern, wie wir sie in den
urkunden der jahre 183 und 224 vor uns sehen? ein schweres prodigium hat den heiligen hain betroffen, beide male musz ein der gottheit geweihter feigenbaum beseitigt und vernichtet werden: dasz
da der gottheit des haines und allen mit dem culte des heiligen
haines in beziehung stehenden gröszern und kleinern gottheiten, zuletzt auch den in demselben verehrten Manen der verstorbenen apo-
theosierten kaiser ein sühnopfer dargebracht wird, entspricht durchaus dem was wir sonst über die *expiatio* bei den Römern erfahren;
aber ich verstehe nicht, warum unter diese naturgottheiten und überhaupt in dem haine verehrten numina auch die 'fachgöttinnen',
welche den betreffenden baum 'herabbringen, köpfen, zerkleinern,
verbrennen', aufgenommen sein sollen, warum auch diesen, deren
hilfe man höchstens hätte erflehen können, ein sühnopfer dargebracht
worden wäre. gesetzt aber es wären solche gottheiten wirklich im
haine der Arvalen regelmäszig verehrt worden — Oldenberg (ao. s. 41)
bestreitet ja, wie wir unten sehen werden, ohne grund, dasz auch
diese opfer als piacularopfer zu betrachten seien — nun dann verstehen
wir wieder nicht, warum im j. 183 den drei göttinnen *Adolenda,
Commolenda, Deferunda* und im j. 224 der *Adolenda* und *Coinquenda*
zusammen nur jedesmal zwei schafe geschlachtet werden, während
von den übrigen gottheiten jede einzelne oder jede generaliter ange-
rufene gruppe zwei opfertiere erhält. denn weder die von Ambrosch
zwischen göttern höherer und niederer ordnungen angedeutete unterscheidung trifft hier zu (ao. s. 253 rechnet er aus, dasz die Adolenda
nicht weniger als ein drittel, ja bisweilen sogar die hälfte von dem
empfangen habe, was die hochheilige Vesta mater erhielt), noch die
bemerkung Oldenbergs (ao. s. 45), dasz bei dem engen umfang der
thätigkeit solcher fachgottheiten unmöglich jede einzelne hätte bedacht werden können. warum in unserm falle nicht? man hätte
sich ja auf die nennung éiner, etwa der Adolenda beschränken können.
hier ist der ort, die mehrfach citierte und meines erachtens meist
misverstandene stelle des Livius XXVII 25, 9 zu besprechen. die
pontifices untersagen dem Marcellus, einen den beiden gottheiten
Honos und Virtus gelobten tempel zu weihen, weil man im falle
eines prodigiums in der gemeinsamen cella nicht wisse, welche gottheit gesühnt werden müsse: *quod utri deo res divina fieret sciri non
posset; neque enim duobus nisi certis deis rite una hostia fieri.* hier an
die Varronische unterscheidung von *dei certi (qui certas habent tutelas*
Arnobius *adv. nat.* II 65) und *incerti* zu denken, wie Weissenborn
zdst., Marquardt ao. s. 10 anm. und Oldenberg ao. es thun, ist ganz
unberechtigt: denn auch diese müssen sicher bei den verschiedenen
opfergelegenheiten aus einander gehalten werden. die aussonderung
der *dei certi* und *selecti* scheint in der that nur auf der einteilung

Varros zu beruhen; bei Livius hat die bezeichnung einen ebenso
wenig technischen charakter wie zb. bei Probus zu Verg. *georg.* I 10
*Faunus . . primus loca certis numinibus et aedificia quaedam
lucosque sacravit.* es soll nur gesagt werden, Marcellus habe nicht
das recht z w e i b e l i e b i g e n gottheiten éine cella zu widmen: das
sei nur bei 'z w e i g a n z b e s t i m m t e n' gottheiten angänglich, weil
man immer in der lage sein müsse ihre sphäre genau zu unterscheiden, bzw. weil nur in ganz bestimmten fällen zwei gottheiten mit
éinem opfer gedient wäre. ob aber eine 'Deferunda' und eine 'Adolenda' zwei einander so nahe stehende gottheiten sind, dasz sie als
solche bezeichnet werden könnten, denen im bunde mit der Commolenda éin opfer genügte, scheint mir sehr zweifelhaft. noch weniger
aber geht es an diese indigitalgottheiten mit Marini und Henzen für
éin numen zu halten.

Das dürften gründe genug sein, im glauben an die bishérige
auffassung der worte *Adolenda, Commolenda, Coinquenda, Deferunda*
wankend zu werden: f o r m e l l e und s a c h l i c h e b e d e n k e n s c h w e r -
s t e r a r t s t e h e n d e r s e l b e n e n t g e g e n. um zu einer richtigern
deutung der genannten ausdrücke zu gelangen, wird es notwendig
sein näher auf die eigentümlichkeit der in dem dienste der dea Dia
und in den opfern der Arvalbrüder zum ausdruck gebrachten reli-
gionsanschauung einzugehen. denn dasz die religionsübung, wie sie
uns in den Arvalacten entgegentritt, eine durchaus eigentümliche ist
und vielfach von dem geiste der zeit, der sie angehört, absticht,
springt sofort in die augen und ist mehrfach betont worden (vgl.
Mommsen in den 'grenzboten' 1870 I s. 161 ff. Schöll ebd. 1869 II
s. 481 ff.).

Es ist allgemein anerkannt, dasz die stiftung der arvalischen
brüderschaft und der dienst der dea Dia in jene uralte zeit hinauf-
reicht, wo noch der naive pantheismus des latinischen volksstammes,
ungetrübt durch fremde elemente, das gefühl für das leben und wirken der allgegenwärtigen gottheit in allen gegenständen der organischen und anorganischen natur wach und lebendig erhielt. freilich hat sich diese altrömische naturreligion gegenüber der steigen-
den cultur nicht rein erhalten, sondern sie ist so vollständig in
die masse sabinischer, etruskischer, griechischer anschauungen auf-
gegangen, dasz die Römer schon sehr frühzeitig 'fremd in ihrer
eignen heimat' das verständnis für den glauben der väter und den
sinn der überkommenen ceremonien mehr und mehr verloren. trotzdem haben sich noch fast überall die wirkungen jener 'pandämo-
nistischen' naturauffassung neben den künstlichern formen der 'positiven religion' erhalten, namentlich auf dem lande und unter ein-
fachern culturbedingungen, sowie in einzelnen religiösen körper-
schaften. hier lebte noch der glaube an die Silvane und Faune, die
Viren und Lymphen (Preller ao. s. 67), hier fühlte man noch wie
in frühern zeiten in der stille des waldes die gegenwart der ohne
bild und tempel verehrten gottheit, während man in den städten

längst zum bilder- und tempeldienst übergegangen war (Cic. *de leg.* II 19 *delubra in urbibus habento, lucos in agris habento et Larum sedes*). am bestimmtesten zeigte sich diese naturvergötterung in der verehrung der quellen und flüsse, im cultus der bäume und heiligen haine. hier haben vor allem die götter ihren sitz, hier wohnen die Laren und die Manen der verstorbenen. und das nicht allein: wie gemeinde, familie und individuum je ihren Genius haben als das geistige princip der gröszern und kleinern lebensgemeinschaft, so hat nicht nur der wald seinen Silvanus, der mit ihm lebt und untergeht, sondern jeder baum hat seine specielle gottheit, deren tempel, bild, verkörperung er ist. die züge dieses baumcultus sind, freilich ohne nähere berücksichtigung unseres falles, klar genug gezeichnet von CBötticher (baumcultus der Hellenen, Berlin 1856).

Die bedeutendste quelle für die kenntnis dieser seite des römischen religionswesens ist nicht Varro, der 'dem einfachen glauben der alten zeit bereits entfremdet' durchaus vom rationalistischen standpunkte seiner zeitgenossen die römische s t a a t s religion, wie er sie vorfand, behandelt, auch nicht die litteratur der kirchenväter, die ja hauptsächlich gegen die von Varro und andern gelehrten dargelegten religionsanschauungen polemisieren, sondern vor allem Cato und der ältere Plinius, der mit seinem vielseitigen wissen noch ein warmes gefühl für den engen zusammenhang zwischen natur- und menschenleben verband und manche nachrichten über die naturverehrung seiner vorfahren und seiner ländlichen zeitgenossen aufbewahrt hat. er vindiciert (*n. h.* XII § 3) den bäumen eine seele wie jedem andern lebenden wesen: *haec fuere numinum templa, priscoque ritu simplicia rura etiam nunc deo praecellentem arborem dicant. nec magis auro fulgentia atque ebore simulacra quam lucos et in iis silentia ipsa adoramus . . quin et Silvanos Faunosque et dearum genera silvis ac sua numina tamquam e caelo attributa credimus.* also in den heiligen hainen wohnten, wie vom himmel herabgestiegen, Silvane, Faune, Nymphen. 'jeden ihrer bäume dachte man sich von einem der hauptgottheit untergeordneten dämon, baumnumen, einer baumseele, hamadryade bewohnt, deren leben mit dem baume so zusammenhieng, dasz sie mit demselben entstand und vergieng' (Bötticher ao. s. 187). daher die verehrung die man den heiligen bäumen zu teil werden liesz: man weihte sie ein und weihte sie aus mit denselben heiligen bräuchen, mit denen jedes cultusbild und jeder tempel consecriert wie exauguriert wurde; man betete zu ihnen und opferte ihnen wie heiligen gottesbildern (ebd. s. 13. 17. 215 u. a. st.). nur der glaube an das i n d i v i d u e l l e g ö t t l i c h e l e b e n i n d e n h e i l i g e n h a i n e n erklärt die ängstliche sorgfalt ihren bestand zu erhalten, das strenge verbot ihre bäume zu verletzen, das gesetz, nach welchem kein eisen ohne opfer in den hain getragen werden darf: man fürchtete nicht etwa blosz den besitz der gottheit zu stören, sondern g ö t t l i c h e s l e b e n, das in dem walde und seinen baumindividuen webte, zu verletzen. nur in den dazu bestimmten jähr-

lichen heiligen zeiten durfte ihre beschneidung und säuberung vorgenommen werden, und zwar nicht ohne darbringung eines sühnopfers, ganz wie auch tempel und bilder der götter an ihren festtagen
gesäubert und geschmückt werden. die von Cato *de agri cult.* 139
für diesen zweck vorgeschriebene opferformel wird von Plinius XVII
§ 125 ff. zugleich auf haine und heilige bäume (*arbores religiosas*) bezogen. die ganze strenge altrömischer *religio* tritt uns noch entgegen
in dem sog. Spoletiner haingesetz (Jordan quaestiones Umbricae im
Königsberger ind. lect. 1882): *honce loucom nequs violatod neque
exvehito neque exferto quod louci siet neque cedito, nesei quod
(= quo) die res deina anua fiet: eod die quod rei dinai cau(s)a fiat
sine dolo cedre licetod. seiquis violasit, Iove bovid piaculum datod,
seiquis scies violasit dolo malo, Iovei piaculum datod et a(sses) CCC
moltai suntod.*

Aus dieser naturreligion ist auch die arvalische bruderschaft hervorgegangen, und ihr dienst im haine der dea Dia hat den ursprünglichen charakter bis in die späte kaiserzeit getreu bewahrt, trotz der
gewaltigen veränderung in der gesinnung und denkart wie in der
lebensart des römischen volkes, das die alten ceremonien der ländlichen götterverehrung noch starr beibehielt, als es längst den pflug
mit dem schwerte vertauscht hatte (Hartung ao. s. 255). kaum ein
schriftsteller der republik thut ihrer erwähnung: erst mit beginn der
kaiserzeit tritt sie aus ihrem idyllischen dunkel ans licht der öffentlichkeit, ein vor allen andern genossenschaften ausgezeichneter, von
den kaisern selbst durch ihre mitgliedschaft geehrter religiös-poli-
tischer orden, der neben seiner alten verehrung der 'hehren göttin'
den cult der herschenden dynastie ganz speciell zu seiner aufgabe
macht (Schöll ao.). dasz bei der restauration des ordens der religiösen auffassung und dem politischen bedürfnis der zeit rechnung
getragen wurde, ist wohl erklärlich, und der gegensatz zwischen ur-
alten elementen und ganz neuen einrichtungen tritt in den Arvalacten greifbar zu tage. die neuere forschung hat sich begreiflicher
weise vorerst der profanen seite derselben, dem für die zeit- und
kaisergeschichte überreich flieszenden quellenmaterial zugewandt;
wenn hinsichtlich der sacralen vorgänge noch mancher irrtum ob-
waltet, so möchte ich den grund hierfür namentlich auch darin
suchen, dasz man sich des oben bezeichneten gegensatzes für die
prüfung der einzelfragen nicht immer bewust gewesen ist, dasz man
auch dort, wo jedenfalls erscheinungen jener altlatinischen religionsübung vorliegen, sich auf den voreingenommenen standpunkt Varro-
nischer theologie stellte, von dem aus nur ein schiefes urteil über
jene frühern gebräuche zu gewinnen ist. es kommt mir in der that
vor, als habe man diese bedeutungsvolle seite der Arvalacten bisher noch nicht genugsam ausgebeutet und es nicht immer hinreichend
gewürdigt, dasz sie in vielen teilen eine religionsauffassung repräsentieren, von der uns sonst nur wenige versprengte trümmer alt-
italischer überlieferung zeugnis geben, für die die Römer der spätern

republik selbst das verständnis verloren hatten; und namentlich wundere ich mich darüber, dasz Bötticher in seinem bekannten buche, obgleich er doch sonst den römischen baumcult mit in den kreis seiner betrachtung zieht, nur ganz beiläufig die Arvalurkunden erwähnt, ohne das reiche material für seinen zweck zu benutzen. gleichwie das Arvallied uns nach form und inhalt in höherm grade bekannt ist als den Römern selbst, die es sangen, so dürfte es auch möglich sein aus den Arvalacten heraus religiöse bräuche und ceremonien zu deuten, für welche die Römer der litteratur keinen sinn mehr gehabt zu haben scheinen; ja innerhalb der genossenschaft der Arvalen selber ist ein allmähliches abweichen von der nicht mehr verstandenen tradition nicht zu verkennen.

Während die groszen opferfeste, die teils im haine der dea Dia teils in Rom stattfinden, wie auch die jährlichen gelübde für das wohl des kaiserlichen hauses eine sonderbare verquickung alter und neuer elemente aufweisen, sehen wir in den auf den Arvaltafeln protokollierten piacularopfern noch ganz unverfälscht den ausdruck jenes altertümlichen baumcultus, von dem uns sonst nur gelegentlich nachrichten zugekommen sind. anlasz zu denselben gaben, abgesehen von dem groszen sühnopfer gelegentlich der frühjahrsbeschneidung des heiligen haines im mai jedes jahres, die oben angedeuteten fälle, wo *scripturae et scalpturae marmoris (causa)* eisengeräte in den hain und aus demselben getragen werden musten, und namentlich, wovon hier zu reden ist, kleine und grosze unfälle, die den heiligen hain im laufe der jahre betrafen. fiel ein baum im heiligen haine vor alter oder infolge eines unwetters — *vetustate, tempestate vel vi maiore* (letzterer ausdruck ist der allgemeinere, angewandt um anzudeuten, dasz nicht menschenhand es war, die den baum fällte; an blitzschlag mit Henzen ao. s. 13 zu denken ist aus weiter unten zu erwähnenden gründen unstatthaft) — so wurde mit dem baume eine *expiatio* meist durch opferung eines schweines und eines lammes vorgenommen; das holz wurde für die brandopfer im haine benutzt, wie es auch in der ersten urkunde, der des j. 14 ausdrücklich bestimmt ist. diese urkunde ist in der bei Henzen vorliegenden fassung zugleich die einzige, in der nicht der entsühnung des gefallenen baumes gedacht wird; ich halte mit Marini dafür, dasz diese doch in der urkunde erwähnt war, und möchte in zeile 5 statt des leicht zu entbehrenden *in luc]o* entweder *p. fact]o* (vgl. acta a. 105) oder *expiat]o* lesen. es ist nicht wohl anzunehmen, dasz neben dem weniger wichtigen das weshalb die urkunde abgefaszt ist, das sühnopfer ausgelassen sei. denn ein solches musz hier so gut stattgefunden haben, wie auch in den übrigen von Henzen s. 138 aufgezählten fällen, wo das holz jedenfalls auch im haine blieb für die brandopfer (vgl. Bötticher an mehreren stellen und das Spoletiner haingesetz). dasz das opfer dem betr. baumnumen dargebracht wurde, besagt der ausdruck *arborem expiare*, und es ist bezeichnend dasz, wenn mehrere bäume beschädigt sind, regelmäszig auch mehrere opfertiere geschlachtet

werden (s. acta a. 101 Apr. 26; 105; 118 Mart. 6; die einzige ausnahme hiervon finde ich a. 81 Mart. 29).

Wurde also in allen diesen fällen dem in dem heiligen baume
wohnenden numen, bevor der baum weggeräumt oder gefällt wurde,
ein opfer von zwei tieren gebracht, so bedurfte es in den beiden
durch die urkunden der jahre 183 und 224 bezeichneten fällen ganz
besonderer sühnopfer wegen ganz besonderer prodigien. das erste
mal ist ein feigenbaum oben auf dem giebel des tempels der dea
Dia erwachsen; er musz — ausnahmsweise — gewaltsam entfernt
und vernichtet werden. dasselbe geschieht im zweiten falle mit solchen bäumen, welche vom blitze getroffen und in brand gesteckt
worden sind. ihr holz ist durch die gottheit selbst gekennzeichnet
und entheiligt: es darf nicht zu *sacra* verwandt werden (vgl. Bötticher ao. s. 199. Plinius *n. h.* XVI § 24 *quin (quercus haliphloeos)
fulmine saepissime icitur, quamvis altitudine non excellat: ideo ligno
eius nec ad sacrificia uti fas habetur.* ebd. XV § 57 *neque omnia
insita misceri fas est, sicut nec spinas inseri, quando fulgurata piari
non queunt facile; quotque genera insita fuerint, tot fulgura uno
ictu fieri pronuntiatur.* auch XVII § 124 wird die *religio fulgurum*
erwähnt).

Dem erstgenannten falle entspricht eine auch von Henzen erwähnte begebenheit, die Plinius XV § 77 f. berichtet. nachdem er
von der *ficus Ruminalis* auf dem forum gesprochen, fährt er fort:
*fuit et ante Saturni aedem urbis anno ⟨CCLX⟩ sublata sacro a
Vestalibus facto, cum Silvani simulacrum subverteret; eadem for-
tuito satu vivit in medio foro.* weshalb der baum beseitigt werden
muste, ist klar: er stand an verbotener stätte. auch alle an dem ge-
heiligten platze des von Attus Navius gepflanzten feigenbaumes auf
dem forum aufsprossenden feigenbäume wurden immer samt den
wurzeln ausgereutet bis auf éinen, der dann als sinnbild der macht
und freiheit des römischen staates mächtig emporwuchs. wem das
von Plinius erwähnte opfer dargebracht wurde, ist auch nicht zu bezweifeln: es galt der gottheit des wegzuräumenden baumes, deren
verehrung vor dem Saturnustempel aufhörte und auf den vermeintlichen sprosz dieses baumes auf dem forum übergieng. es ist eine
expiatio derselben art, wie sie aus den Arvalacten oben erwähnt ist:
nur war sie viel bedeutungsvoller wegen ihres anlasses, weshalb denn
auch, jedenfalls auf pontificale weisung hin, die Vestalinnen zu derselben herangezogen werden.

Handelt es sich aber um sühnung eines prodigiums in einem
heiligen haine, so begreift man dasz nicht blosz dem von demselben
betroffenen baumnumen, sondern überhaupt allen in dem haine verehrten gottheiten ein sühnopfer dargebracht wird. das ist denn auch
in den hier zu besprechenden fällen geschehen; nur fehlt nach der
bisherigen deutung der ausdrücke *Adolendae Commolendae Deferundae*
bzw. *Adol(endae) Coinq(uendae)* die erwähnung des numen bzw. der
numina, deren nennung wir nach dem gesagten zuerst erwarten

müssen, nemlich der gottheiten der bäume, die eben *sacrificio facto*
beseitigt werden sollen. dies ist ein weiterer gewichtiger grund Marinis erklärung zurückzuweisen und eine andere den forderungen der
grammatik und der sache besser entsprechende zu suchen. und diese
deutung liegt nahe genug. die genannten ausdrücke sind,
was sie sein müssen, die passiven futurparticipia der
verba, welche die an den zu entfernenden bäumen vorzunehmenden handlungen bezeichnen. sie enthalten
die erforderliche und, wie wir gleich sehen werden, auch in
ihrer fassung correcte bezeichnung dieser baumgottheiten, die dadurch als zu beseitigende und zu vernich-
tende genannt werden. dasz diese baumnumina auch auf der
eingangs erwähnten urkunde des j. 218 genannt waren, dafür liegt
in den erhaltenen stücken derselben nicht die geringste andeutung
vor, und wir haben bei unserer deutung der *Adolenda* usw. keine
veranlassung gottheiten durch subjective ergänzung in dieselben
hineinzubringen, die nicht existiert haben, für deren nennung, auch
wenn sie existierten, vielleicht gar kein grund vorlag, für die auch
kein raum auf der inschrift vorhanden war. dasz diese urkunde im
übrigen so genau mit den beiden andern übereinstimmt, beweist uns,
was ja auch ohnedem anzunehmen war, dasz diesen opfern eine bestimmte vorschrift zu grunde lag; die discrepanz aber zwischen den
inschriften von 183 und 224 in betreff der obigen ausdrücke und
die weglassung derselben in der zeitlich dazwischen liegenden ur·
kunde ist ein deutlicher hinweis darauf, dasz jene rituelle vorschrift
zwischen der constanten aufzählung der verschiedenen haingottheiten
und der nur in der zahl variierenden erwähnung der divi Caesares
für den speciellen fall je nach dem anlasz der *expiatio* eine gewisse
dehnbarkeit gelassen hat.

Das hohe alter dieses rituals erhellt aus dem ganzen wortlaute
der opferformel, welche, der von Cato ao. verwandt, auch von der
bei den groszen gelübden und jährlichen opfer- und dankfesten gebrauchten form weit absticht. in den piacularopfern werden noch
nicht die capitolinischen gottheiten Juppiter Juno Minerva erwähnt,
auch fehlen die 'begriffsgottheiten' Salus Felicitas Concordia, welche
bei den *vota* an hervorragender stelle stehen: die *piacula* galten den
naturgottheiten und dämonen der alten römischen volksreligion, und
diese selbst werden hier in der wenig bestimmten art erwähnt, wie
sie der gewissenhaftigkeit der alten Römer angemessen ist. dieses
letztere gilt vor allem von der dea Dia, der 'hehren göttin',
die mit irgend einer der später verehrten besondern ländlichen gottheiten zusammenzuwerfen mir durchaus verfehlt dünkt. Mommsen
(RG. I 170) nennt sie allgemein 'die schaffende göttin'; Marquardt
(ao. s. 433) tadelt es mit recht, wenn man sie der nicht altrömischen
Ceres gleichstellt, wie Preller (ao. s. 425) es gethan. er denkt an
die Ops; Preller und Schöll vergleichen eine ganze reihe anderer gottheiten, die teils ebenso unbestimmt in ihrem wesen sind wie die dea

Dia selber, zum teil aber gar nicht in betracht kommen können, weil sie in unserer opferformel neben derselben ausdrücklich aufgeführt sind. so die von Preller erwähnte Flora und die Larenmutter, an welche Schöll denkt. Oldenberg (ao. s. 3) erklärt es für unmöglich zu bestimmen, welche der vielen ähnlichen und verwandten gottheiten die dea Dia gewesen. sicher war es keine von ihnen allen, sondern sie ist eine allgemeine göttin der natur, statt deren später die einzelnen naturkräfte personificiert erscheinen, wie das sich von der nach wesen und benennung ganz ähnlichen Bona dea in der römischen litteratur noch klar verfolgen läszt (s. Preller ao. s. 351 f.). — Diese altrömische unbestimmtheit in der auffassung und bezeichnung ihrer gottheiten ist es ja auch, welche neben der anrufung der dea Dia noch einmal die benennung der hauptlocalgottheit als *sive deus sive dea* veranlaszte, wohl für dasselbe numen, das man sonst als *Genius loci* bezeichnete. darauf, dasz diese bezeichnung a. 183 hinter, a. 224 vor Juno deae Diae steht, ist vielleicht weniger gewicht zu legen; bemerkenswerter ist, dasz in der erstern urkunde fünf stellen weiter eine ähnliche gottheit *sive deus sive dea in cuius tutela hic lucus locusve est* folgt, welche auf der letztern fehlt- und für die auch auf der inschrift des j. 218 kein platz ist. es er, scheint ja auch sonst auf inschriften neben dem *Genius loci* der *deus Tutelaris*, zb. CIL. II 3021 und 3377 (Preller ao. s. 271); wie aber bei Cato ao. statt beider der allgemeinere ausdruck *si deus si dea es*, *quoium illud sacrum est* steht, so hat man sich a. 218 und 224 mit einmaliger nennung der hauptgottheit des ortes begnügt, wohl deshalb, weil man nicht mehr recht verstand, was jene bezeichnungen a. 183 neben einander sollten.

Auf die dea Dia folgen zunächst die drei altrömischen hauptgottheiten Janus pater, der älteste der götter, der anfang aller dinge, Juppiter, der gott des himmels, Mars (pater), der befruchtende erdengott, 'der beschützer des ackerbaus'. diesen letzten kann man in dieser umgebung nur auffassen als den Mars, dessen anrufung neben Janus und Juppiter auch Cato *de agri cult.* c. 141 lehrt. Marini und Henzen (ao. s. 144) leugnen das mit rücksicht auf den zusatz *pater ultor* in der urkunde des j. 224, ein zusatz der nach dem raume zu schlieszen auch noch a. 218 der ergänzung von Henzen beizufügen sein dürfte. diese apposition erinnert freilich eher an den Mars, wie er in der alten deditionsformel bei Livius VIII 9, 6 zwischen Janus und Juppiter einerseits, Quirinus und Bellona anderseits angerufen wird. mir aber ist er eher ein beweis dafür, dasz die verfasser der spätern urkunden mehr und mehr sich von dem verständnis der seit alter zeit verehrten naturgottheiten entfernen und, wenn sie auch keine wesentlichen neuerungen in diesen opferformeln wagen, in den zusätzen wenigstens ihren veränderten glauben verraten. den kreis dieser hauptgottheiten schlieszt die Juno deae Diae (so wird auch zb. nach Augustus der Genius Augusti angerufen) und die oben besprochene allgemeine benennung *sive deus sive dea*, der 183 und 218 wie den

weiblichen gottheiten schafe, 224 abweichend hämmel geopfert werden wie einem männlichen gotte.

Die zweite gruppe von gottheiten, die im heiligen haine verehrt
wurden, bilden die *dei minuti*, im gegensatz zu jenen gottheiten allgemeiner natur und wirksamkeit concrete, im haine selbst wohnend
und wirkend gedachte dämonen: die *Virgines divae* und *Famuli divi*,
die man ja wohl richtig als weibliche und männliche baumgottheiten,
als Nymphen, Faune udgl. auffaszt; dann die im haine sitzenden
Laren und ihre mutter. von ihnen sind auf der inschrift des j. 183
durch erwähnung der tutelargottheit des haines getrennt der quell-
gott, der den hain bewässert, und die holde Flora, die ihn blüten
und früchte treiben läszt. statt der genannten schutzgottheit folgt
dann noch a. 224 der furchtbare gott des (nächtlichen) blitzes, der
die heiligen bäume getroffen hat, so dasz die zahl der angerufenen
gottheiten ,bzw. gruppen von gottheiten mit der von 183 übereinstimmt. doch habe ich das gefühl, als wolle auch dieser Summanus
an dieser stelle ebenso wenig passen wie einige zeilen weiter der
Genius des regierenden kaisers vor erwähnung der divi Caesares,
und als beruhten beide auch auf einer neuerung des dritten jh. die
reihe der opfer schliesztnach altem, allgemeinem brauch (Marquardt
ao. s. 26; Henzen ao. s. 147; Preller s. 57 und 546) das opfer der
Vesta und der Vesta mater. hier liegt wieder eine bedeutendere abweichung der urkunden von 183 und 224 von einander vor: letztere
nemlich hat an der betr. stelle *Vestae matri* und *Vestae deorum dearumque.* diese bezeichnung kommt sonst nirgends mehr vor (Henzen
ao. s. 147), weshalb es schwer ist mit bestimmtheit zu sagen, welche
gottheit darunter zu verstehen sei. ich halte dafür, dasz auch hier
eine willkürliche änderung der spätern Arvalen anzunehmen ist, dadurch hervorgerufen, dasz sie das verhältnis der Vesta und Vesta
mater auf den frühern urkunden, zb. der des j. 183, nicht erkannten.
und welches ist dieses verhältnis? ein unterschied musz doch zwischen beiden namen obwalten, da nur so das doppelte opfer verstanden werden kann. es drängt sich der gedanke auf, es möchte
zwischen der Vesta, dh. der herdgöttin im haine der dea Dia, und
der Vesta mater eine analoge beziehung obwalten wie zwischen der
dea Dia und der Juno deae Diae, zwischen den Lares dh. den im
haine wohnenden schutzgeistern und der Mater Larum, ihrem existenz-
principe, ihrer allgemeinen zusammenfassung. danach würde die Vesta
mater im gegensatz zu der dem einzelnen herde vorstehenden Vesta
die allgemeine herdgottheit, die Vesta der römischen gemeinde sein,
der religiös-politischen zusammenfassung aller einzelnen familien-
gemeinschaften. so faszt auch, ohne freilich zu bemerken, was man
sich unter jener Vesta denken soll, Henzen die Vesta mater und vergleicht die anrufung dieser gottheit in den *vota pro salute Traiani*
a. 101, was ja sehr zu unserer ansicht stimmen würde. nun scheinen
schon die spätern Arvalen dieser Vesta mater gegenüber nicht mehr
das wesen der zuerst genannten Vesta erfaszt zu haben; das mag

der grund gewesen sein, warum sie diese fallen lieszen und auf die
Vesta mater, die hüterin des heiligen staatsfeuers, die Vesta deorum
dearumque analog der Mater deum, deren cult in der kaiserzeit mehr
und mehr um sich griff, folgen lieszen als die allgemein gefaszte
schirmherrin aller opferaltäre (Cic. *de nat. d.* II 67 *vis autem eius
ad aras et focos pertinet: itaque in ea dea (Vesta).. omnis et precatio
et sacrificatio extrema est).*

Wann diese änderung in der auffassung der im haine der dea
Dia verehrten gottheiten vor sich gieng, wissen wir natürlich nicht,
da die acten das einzige material für diese untersuchung bilden. aber
wenn wir bedenken, dasz zwischen der ersten und mittlern urkunde,
deren wir mehrfach gedacht haben, mehr als ein menschenalter, zwischen dieser und der jüngsten hier in frage kommenden nur wenige
jahre liegen, so werden wir schon von vorn herein zu der annahme
geneigt sein, es möchte die urkunde von 218 in ihrer fassung der von
224 näher stehen als jener des j. 183. das erhaltene stück bestätigt
diese annahme: es fehlt zwischen der Larenmutter und dem quell-
gotte die sonst als *sive deus sive dea in cuius tutela hic lucus locusve
est* bezeichnete gottheit. wir fürchten deshalb nicht fehl zu gehen,
wenn wir auch die groszen lücken dieser inschrift — es fehlt mehr
als die hälfte — eher nach der jüngern als, wie Henzen es gethan,
nach jener so sehr viel weiter zurückliegenden ältern urkunde auszufüllen suchen. es kommt hinzu dasz Henzens ergänzung der inschrift nicht ausreichend auf die grösze der lücken in den einzelnen
zeilen und die anzahl der ausgefallenen buchstaben rücksicht nimt.
die einzelnen zeilen des steines haben ungefähr 80 buchstaben enthalten, und es sind nur einige wenige wörter abgekürzt. die ergänzung der dritten zeile des textes entspricht dem sinne und diesen
äuszern rücksichten ziemlich genau; in der zweiten könnte sehr wohl,
was ich jedoch nicht strict behaupten will, hinter *Marti* noch *patr(i)
ult(ori)* gestanden haben; die vorletzte, vierte zeile aber ist sicher
von Henzen unrichtig ausgefüllt. während annähernd 40 buchstaben
fehlen, hat er deren, die eigennamen ausgeschrieben, über 60 eingeschaltet. dazu ist oben schon mehrfach bemerkt worden, dasz gar
nichts dafür spricht, dasz hier die ausdrücke *Adolendae Commolendae
Deferundae* aus der inschrift des j. 183 wiederkehrten. setzen wir
aber im anschlusz an das sechs jahre später abgefaszte protokoll die
worte *Vestae `matri oves n. II Vestae deorum dearumque* ein, so
stimmt die anzahl der eingesetzten buchstaben (38) genau zur länge
der ausgefallenen zeile. auf diese weise erlangen wir vollkommene
übereinstimmung zwischen diesen beiden jüngern urkunden: denn
den Summanus wird niemand in der des j. 218 vermissen wollen. —
Dasz übrigens schon v o r diesem jahre ein ganz anderer geist die
redaction der steinprotokolle im haine der dea Dia bestimmte, als
es noch im j. 183 der fall gewesen, zeigt namentlich die summarische
abfassung des actes über das n a c h beendigter arbeit *operis perfecti
causa* wiederholte opfer. während in der frühern inschrift der wort-

laut der über das erste opfer aufgenommenen urkunde ganz genau
wiederkehrt, begnügt man sich jetzt einfach die vollständige übereinstimmung beider opfer anzudeuten durch einen kurzen vermerk,
im j. 218 durch die worte (*collegium fratrum Arvalium f)ecit similiter
q(uod) s(upra) f(actum) e(st)* und 224 ganz ähnlich: *lustrum missum
suovetaurilib(us) maioribus et cetera q(uae) s(upra)*.

Es liegt somit gar kein grund vor zu der annahme, dasz von
der bekannten regel die Vesta zuletzt anzurufen bei den so streng
geregelten Arvalopfern abgegangen sei. die urkunde des j. 218
scheint mir in der oben hergestellten fassung — abgesehen von den
änderungen des modernen zeitgeistes — im wesentlichen das formular
eines sühnopfers zu repräsentieren, wie es für die Arvalen im falle
schwerer prodigien (*piaculares hostias signis minacibus postulare*
Arnobius *adv. nat.* VI 2) von alters her vorgeschrieben war. natürlich trat mit der reorganisation der genossenschaft und einführung
des kaisercultes am ende die erwähnung der divi Caesares, deren
Manen im haine göttliche verehrung in einem eignen tempel (Caesareum) genossen, hinzu: sie hatten mit teil an allen opfern, also
auch an den piacularopfern. wäre aber unter den gottheiten des
haines, wie bis jetzt allgemein angenommen zu werden scheint, auch
eine als personification der betr. handlung verehrte *Adolenda* udgl.
gewesen, sie hätte sicher ihren platz v o r und nicht, wie es auf den
beiden gröszern urkunden.der fall ist, hinter der Vesta gehabt; dasz
sie diese stelle einnimt, zeigt mir, dasz das durch diesen namen bezeichnete numen nicht mit den übrigen gottheiten der natur und des
Arvalhaines zur steten verehrung zusammengenommen wurde, sondern dasz es nur bei gewissen gelegenheiten hinter diesen gottheiten
erwähnung fand.

Solche gelegenheiten nun lagen in den jahren 183 und 224 vor.
da es notwendig war gegen strenges verbot einen oder einige bäume
zu beseitigen und zu vernichten, so bedurfte es in der opferformel
auch der erwähnung dieser gottheit, dieser gottheiten. da solchen
aber nur in diesen speciellen fällen auch ein opfer gebührte, so begreift man, dasz ihre namen zuletzt, hinter der durch Vesta geschlossenen reihe der stets verehrten numina genannt wurden. wie
aber hätte man diese baumgottheiten anders genau bezeichnen können
als mit bezug auf die an ihnen vorzunehmenden handlungen, welche
eben das sühnopfer veranlaszten? wenn es an sich streng verboten
war einen baum, den die gottheit gepflanzt, zu beseitigen oder zu
verletzen, wenn es heiliger brauch war alle bäume, welche *vi maiore*
gefallen waren oder wegen ihres alters gefällt werden musten, durch
opfer zu sühnen, wenn es endlich heiliges gesetz war, den durch ein
unheilvolles prodigium gekennzeichneten baum zu beseitigen und
nach ritueller vorschrift zu vernichten dh. zu verbrennen, muste dann
nicht in der opferformel auch ein raum offen bleiben für dieses baumnumen, und wie konnte man dasselbe anders nennen als 'die zu beseitigende, zu verbrennende' gottheit? in welcher reihenfolge man

hier die handlungen aufführte, ob man sie mehr oder weniger ausführlich aufzählte, darauf kommt es bei dieser auffassung der sache
— aber auch nur bei dieser — weniger an: es genügte das betr.
numen zu charakterisieren durch angabe der wichtigsten handlungen,
denen der baum unterzogen wurde.

Was nun mit den der rituellen vernichtung anheimgefallenen
bäumen im einzelnen geschah, läszt sich mangels genauer nachrichten
nicht mit voller klarheit angeben. die hier in rede kommenden ausdrücke *adolere, commolere, coinquere*, sämtlich verba sacrata, sind in
ihrer anwendung und bedeutung so wenig umschränkt und bestimmt,
dasz man die dadurch bezeichneten handlungen nicht sicher feststellen kann. dazu kommt dasz dieselben sicher zum teil für einander
eintreten konnten und dasz einer oft für die ganze handlung der vernichtung genügte. *adolere* wird jetzt allgemein im sinne von *com-
burere* (Nonius s. 247) genommen; *coinquere*, von Festus (s. 64 u. 65)
durch *deputare* und *coërcere* glossiert, ist der technische ausdruck für
die in jedem frühjahr im heiligen haine vorgenommene verschnei-
dung; es kann auch hier nichts anderes bedeuten als 'stutzen, ver-
schneiden' (vgl. Jordan krit. beiträge s. 278 ff.). welche handlung
durch *commolere* bezeichnet wird, ist noch immer nicht klar. Marini
hatte es synonym mit *coinquere* im sinne von 'zerschneiden, in stücke
hauen' genommen; er sah darin also, wie auch Henzen, eine mani-
pulation, welche dem verbrennen voraufgeht. Jordan, der darin
einen technischen ausdruck für das mit dem *adolere* hand in hand
gehende zermalmen sieht, und Oldenberg halten das 'vernichten'
für einen sich an das verbrennen anschlieszenden act. letzterer bemerkt: 'primum quidem adolentur arbores, deinde commoluntur, ut
quae ignis non absumpserat deleantur, denique cinis ceteraeque in-
cendii reliquiae ex luco exportantur.' dasz hier das *deferre* falsch
verstanden ist, liegt auf der hand: alle nehmen es im sinne von
'herabschaffen', was ja im j. 183 mit dem auf der tempelzinne ge-
wachsenen baume nötig war. im j. 224 fehlt das wort, weil damals,
wo mehrere im haine vom blitz getroffene bäume zu beseitigen
waren, nichts herabgeschafft zu werden brauchte. hätte *deferre* die
ihm von Oldenberg zugeschriebene bedeutung von *exferre* (s. das
Spoletiner haingesetz) gehabt, und wäre wirklich die asche aus dem
haine entfernt worden, das wort würde in dem so sehr ins einzelne
gehenden protokolle von 224 sicher nicht fehlen. daraus, dasz a. 183
commolendae hinter *adolendae* steht, folgt für die thatsächliche reihenfolge der handlungen nichts bestimmtes: denn *deferundae* steht zuletzt, obgleich die damit gemeinte handlung doch die erste war,
welche vorgenommen werden muste. deshalb glaubte ja Marini eine
umgekehrte reihenfolge in der aufzählung der handlungen annehmen
zu sollen. kaum klarer liegt die sache im j. 224. während alle frühern
erklärer das *coinquere* auf dasselbe object bezogen wie die übrigen
verba, scheint Jordan ao. einen unterschied zu machen zwischen
solchen bäumen die 'verbrannt', und solchen die 'verschnitten, ge-

stutzt' worden seien, um erhalten zu bleiben. zu dieser unterscheidung liegt kein grund vor, und die betr. urkunde bietet dafür keinen
anhaltspunkt; auch die bäume, welche verbrannt werden sollten,
musten zuerst 'behauen' bzw. abgeholzt werden. in der that dürfte
das verbum *co-inquere* diese allgemeinere bedeutung gehabt haben,
wenn anders die etymologische zusammenstellung desselben mit
got. *aqizi* (axt) einen schlusz auf dieselbe gestattet (s. Bersu 'die
gutturalen und ihre verbindung mit *v* im lateinischen', Berlin 1885,
s. 163). in den einleitenden worten des über die ersten opfer abgefaszten protokolls *earumque arborum eruendarum ferro fendendarum adolendarum commolendarum item aliarum restituendarum* ist
es klar genug gesagt, dasz a l l e vom blitz getroffenen und in brand
gesteckten bäume vernichtet und durch neue ersetzt wurden, was ja
auch der zu grunde liegenden auffassung der alten am meisten zu
entsprechen scheint; und wenn es nun in der einleitung zu dem protokoll über das z w e i t e opfer heiszt *earumque arborum adolefactarum
et coinquendarum*, so können wir kaum anders als beide participia
auf dieselben bäume beziehen. damit gewinnen wir für die bedeutung des *commolendae* a. 183 und *commolendarum* a. 224 nichts.
die verbindung derselben aber auf der letztern inschrift mit *ferro
fendendarum* — soweit man der freilich nicht sichern conjectur
Gesners für das unverständliche *pendendarum* des steines trauen
darf — würde die ansicht derer, welche *commolere* auch auf die zer-
stückelung des zu verbrennenden baumes beziehen, wenig empfehlen.
sollte es anderseits auf das rituelle zermalmen der überbleibsel der
verbrannten bäume gehen, so musz ich gestehen nirgendwo etwas
zur nähern aufklärung über diesen sacralen act gefunden zu haben,
bemerke aber, dasz in diesem falle bei aufzählung der gottheiten,
welchen gelegentlich dieser handlungen opfer dargebracht sind, man
das *commolend(is)* hinter *adolend(is)* mehr vermiszt als bei jener ansicht; und läszt sich daraus, dasz die beiden worte *commolendarum*
und *coinquefactarum* (a. 224) wechseln, nichts für die bedeutung
des erstern schlieszen? für unsere frage, wie die participia aufzufassen sind, fällt die entscheidung dieser sache nicht ins gewicht.

Die verbrennung des zu beseitigenden baumes ist jedenfalls die
wichtigste der mit demselben vorzunehmenden handlungen; sie steht
deshalb naturgemäsz im vordergrunde: das ritual forderte, wie in
den oben genannten fällen *caedendarum arborum*, so hier ein opfer
adolendae (sc. *divae* = *arbori*) bzw. *adolendis* (sc. *divis* = *arboribus*).
sofern durch diese allgemeine bezeichnung des sacralen verbrennens,
die ja auf alle opfergegenstände, früchte, tiere usw. anwendung findet,
für die rituelle vernichtung heiliger bäume nicht zu genügen schien,
mochte man je nach wahl und raum ein anderes verbum sacrum zur
nähern charakterisierung der betr. handlung *commolendae, coinquendis* hinzufügen. das im j. 183 ganz vereinzelt notwendig gewordene
'herabbringen' des auf dem tempeldache erwachsenen baumes wurde
naturgemäsz zuletzt erwähnt durch beifügung des betr. particips

(*deferundae*). es steht der dat. fem.: denn dasz man diese baumgottheiten als weibliche ansah, ersieht man aus dem geschlecht der
geopferten tiere.

Wenn ich nach meiner auffassung der in rede stehenden participia die auf der urkunde des j. 224 abgekürzten formen *adolend.
coinq.* als dative des plurals betrachte, so darf dem nicht entgegen-
gehalten werden, dasz auch hier eine mehrzahl von gottheiten eine
entsprechende menge von opfertieren hätte erwarten lassen. die
durch jene ausdrücke bezeichneten numina bilden ebensowohl eine
einheitlich aufgefaszte gruppe, wie auch die Virgines divae, die Famuli
divi und die Laren, denen allen zugleich die gabe geweiht ist (vgl.
Bötticher ao. s. 58 und die ebd. s. 55 citierte inschrift *sex arboribus
A. Rufus Germanus v. s.*). auch daran ist kein anstosz zu nehmen,
dasz bei der wiederholung des opfers im j. 183 *operis perfecti causa*
das particip auf -*ndus* zur bezeichnung der betr. baumgottheit festgehalten ist, obgleich ja der baum in der that bereits verbrannt und
vernichtet ist. wie man aus dem, was uns sonst über die wiederholung solcher *piacula* berichtet wird, ersieht und wie es aus der
kurzen andeutung auf den inschriften der jahre 218 und 224 klar
erhellt, ist das zweite opfer eine genaue im ritual vorgesehene wiederholung des ersten, und deshalb war es geboten auch für die einzelnen gottheiten dieselben bezeichnungen und ausdrucksformen beizubehalten: man hätte sonst nicht gewust, ob das opfer auch wirklich denselben gottheiten dargebracht worden wäre. in unserm falle
darf es uns um so weniger wunder nehmen, dasz die formen auf -*ndus*
wiederkehren, als auch in der einleitung des zweiten opfers die entsprechenden perfectparticipia zum teil vermieden sind. so heiszt es
183: *operis perfecti causa arboris eruendae et aedis refectae*, und
224: *arborum adolefactarum et coinquendarum*. wir dürfen eben
nicht vergessen, dasz wir immer die ängstliche ausführung und
wiederholung eines strengen, im einzelnen feststehenden rituals vor
augen haben.

Somit ergeben sich neben der dea Dia selber d r e i r e i h e n von
göttlichen wesen, deren bei den *piacula maiora* im baine der Arvalen
gedacht wird: die stets im haine verehrten höhern und niedern gottheiten, die gelegentlich 'auszuweihenden' baumnumina und die Manen
der verstorbenen kaiser. während die dea Dia und die divi Caesares
eine feste opferstätte hatten, jene *ante (ad) aedem deae Diae,* diese
ante Caesareum, wurde den übrigen genannten gottheiten auf besondern 'zeitweiligen' altären (*arae temporales*; vgl. acta a. 224) geopfert. doch wenn diese auch bei jeder gelegenheit erneuert werden müssen — a. 224 heiszt es: *aras temporal(es) sacr(as) d(eae)
D(iae) reficiend(i)* — so dürfte doch anzunehmen sein, dasz die mal-
stätten derselben geblieben sind: denn es kann kein zufall sein, dasz
im j. 224, wenn auch in den gottheiten eine kleine änderung eingetreten ist, die z a h l der opfer ganz dieselbe ist wie a. 183. hier
nehmen nun die durch *adolenda(e)* usw. charakterisierten numina

eine besondere stelle ein: für sie konnte es natürlich keine feste
opferstätte geben, wie sie denn auch im j. 218 gar keine erwähnung
finden. wir haben also wieder einen grund, warum wir dieselben
aus der reihe der andern stets erwähnten numina ausscheiden müssen.

Die unserer ansicht entsprechende unterscheidung und gliederung der in den urkunden der Arvalen aufgeführten göttergruppen
hat den klarsten ausdruck in den beiden uns beschäftigenden protokollen gefunden. während im j. 183 auf die dea Dia asyndetisch
die aufzählung der *dei perpetui* (Servius zu Verg. *Aen.* V 45) folgt,
ist 224 der wechsel der opferstätte ausdrücklich hervorgehoben durch
die worte *item ad ar(as) tempor(ales) dis inf(ra) s(ub)s(criptis)*. die
partikel *item* wiederholt sich übereinstimmend auf beiden urkunden
vor den ausdrücken *adolendae* usw., und dem nach denselben, vor
der erwähnung der divi Caesares im j. 183 wiederkehrenden *item*
(vgl. auch a. 218) entspricht 224 das ziemlich gleichbedeutende abschlieszende *et*.

Den auf den altären für die einzelnen gottheiten geschlachteten
hostiae geht auf beiden urkunden die erwähnung der zunächst geopferten *suovetaurilia maiora* vorauf. den übergang bildet wieder
die partikel *item*. schon der sinn dieser vergleichungspartikel verbietet es mit Oldenberg nur die *suovetaurilia* als sühnopfer anzusehen, die übrigen opfer als 'ehrenopfer' zu bezeichnen ('honorariae
[bostiac] fuerunt, non piaculares' ao. s. 42). einen grund für d i e s e
unterscheidung finde ich weder in der citierten Liviusstelle (XXI 62)
noch in der von Oldenberg gemachten bemerkung 'decuit priscam
illam erga deos reverentiam non solum placari numen laesum debito
piaculo, sed etiam placatum insuper accipere unde auctius fiat'. das
piaculum hat den zweck die verletzte oder erzürnte gottheit wieder
zu versöhnen und huldvoll zu stimmen, und das masz des opfers, die
zahl der zu schlachtenden tiere und sonstiger weihgaben hängt ab
von der schwere der auf den zorn der gottheit deutenden prodigien
(s. die oben citierte stelle aus Arnobius). es kommt bei den zahlreichen sonst erwähnten lustrationen oft vor, dasz zunächst ein *suo-
vetaurile* und dann einzelnen göttheiten dargebrachte besondere opfer
erwähnt werden. psychologisch ist es wohl begreiflich dasz, während beim anrufen göttlicher hilfe zunächst einzelne für den zweck
mächtige gottheiten namhaft gemacht werden und dann ein alle
götter zusammenfassender ausdruck folgt (Servius zu Verg. *georg.*
I 21), beim piacularopfer die umgekehrte folge beobachtet wird.

Es würde sich somit folgende ergänzung der Arvalurkunde des
j. 218 (CIL. VI 1 s. 568) ergeben, wenn wir im übrigen Henzens
text zu grunde legen:

IMMOLAVIT SVOVETAV-
RILIBVS MAIORIB. DEAE DIAE B. F. N̄. II.
IANO PATR. AR. N̄. II. IOVI VERBEC. N̄. II. MARTI PATR.
VLT. AR. N̄. II. IVNONI DEAE DIAE OVES N̄. II. SIVE
DEO SIVE DEAE OV. N̄. II.

VIRGINIB. DIV. OV. $\overline{N}$. II. FAMVLIS DIV. VERBEC. $\overline{N}$. II.
LARIB. VERB. $\overline{N}$. II. MATRI LAR. OVES $\overline{N}$. II. FONTI
VERBECES $\overline{N}$. II. FLORAE OVES $\overline{N}$. II.
VESTAE MATRI OVES $\overline{N}$. II. VESTAE DEORVM DEARVMQVE
OVES $\overline{N}$. II. ITEM ANTE CAESAREVM DIVIS $\overline{N}$. XX.
VERBEC. $\overline{N}$. XX.
. . . . *OP. PERFECTI CAVSA COLL. FRAT. ARVAL.*
FECIT SIMILITER Q. S. F. E. PER EODEM AVITIANVM
PROMAGISTR.

die urkunde des j. 224 aber würde in den hier besprochenen teilen
folgendermaszen zu lesen sein:

fratres Arval(es) in luc(o) d(eae) D(iae) via Camp(ana) apud lap(i-
dem) V conv(enerunt) per C. Porc(ium) Priscum | mag(istrum) et
ibi imm(olaverunt), quod vi tempestat(is) ictu fulmin(is) arbor(es)
sacr(i) l(uci) d(eae) D(iae) attact(ae) | arduer(int), ear(um)q(ue)
arbor(um) eruendar(um), ferr(o) fendendar(um) [Gesner, der stein:
pendendar(um)] adolendar(um) commolendar(um) | item aliar(um)
restituendar(um) causa operisq(ue) inchoandi aras [der stein: *arae*]
temporal(es) sacr(as) d(eae) D(iae) | reficiend(i), eius rei causa
lustr(um) miss(um) suovetaurilib(us) maior(ibus); item ante aed(em) |
d(eae) D(iae) b(oves) f(eminas) a(uro) iunct(as) $\overline{n}$. II, item ad ar(as)
tempor(ales) dis inf(ra) s(ub)s(criptis): Ian(o) patr(i) ariet(es) II,
Iovi ver|bec(es) II, Marti patri ult(ori) ar(ietes) $\overline{n}$. II, sive deo sive
deae verb(eces) II, Iun(oni) d(eae) D(iae) ov(es) $\overline{n}$. II, | Virginib(us)
div(is) ov(es) $\overline{n}$. II, Fam(ulis) div(is) verb(eces) $\overline{n}$. II, Larib(us)
verb(eces) $\overline{n}$. II, Matri Lar(um) ov(es) $\overline{n}$. II, | Font(i) verb(eces)
$\overline{n}$. II, Flor(ae) ov(es) $\overline{n}$. II, Summa(no) pat(ri) verb(eces) atros II,
Vestae matri ov(es) II, | Ves(tae) deor(um) dear(um)q(ue) ov(es) II;
item adolend(is) coinq(uendis) ov(es) II; et ante Caesar(eum)
Genio | d(omini) n(ostri) Severi Alexandri Aug(usti) t(aurum) a(ura-
tum), item divis $\overline{n}$. XX verbec(es) XX. |

KÖLN. JOSEPH WEISWEILER.

9.

ZU CICEROS LAELIUS.

§ 37 *Ti. quidem Gracchum rem publicam vexantem a Q. Tu-*
berone aequalibusque amicis derelictum videbamus. dazu bemerkt
Seyffert: 'C. Carbo und C. Cato, die unten § 39 ae. genannt werden, waren beide jünger als Tib. Gracchus. s. *Brut.* 25, 96 *prope*
aequales C. Carbo et Ti. Gracchus.' also waren Carbo und Tib. Gracchus doch fast altersgenossen und die ausdrückliche unterscheidung
der gleichaltrigen freunde hier von den unten genannten, an
sich schon auffallend, ist um so weniger berechtigt. denn auch abgesehen von der geringfügigkeit dieses altersunterschiedes, abge-

sehen auch davon dasz es grammatisch nicht klar ist, ob die dem
Tib. Gracchus oder die dem Tubero gleichaltrigen freunde gemeint
sind, sollte es denn wirklich so genau der fall gewesen sein, dasz
gerade nur die gleichaltrigen freunde von Gracchus abfielen, die
ältern aber wie C. Blossius, und die etwas jüngern wie C. Carbo und
C. Cotta bei ihm aushielten? und wenn es der fall war, war es
dann nicht ein zufall, gar nicht dazu angethan ein unterscheidungs-
und einteilungsprincip daraus zu entnehmen? auch sehe ich nicht,
dasz auf diesen unterschied sonst an unserer stelle irgend ein gewicht gelegt wird. danach vermute ich dasz die überlieferten worte
durch verderbnis entstanden seien aus ursprünglichem *a Tuberone
Aelio aliisque amicis.* was die voranstellung des cognomen angeht, so trifft auf Aelius Tubero das was Seyffert zu § 39 bemerkt,
dasz dieselbe bei Cicero form familiärer vertraulichkeit sei, noch
besser zu als dort auf Aemilius Papus; vgl. § 101, aus dem auch der
vorname *Q.* hierher gekommen sein kann. ganz bezeichnend wäre
dabei übrigens auch *aliisque* 'und anderen', nicht 'und den anderen'
(*ceteris*), da eben einige, wie Carbo und Cotta, an Gracchus fest-
hielten.

§ 41. sollte hier vielleicht eine umstellung helfen? folgendermaszen: *Ti. Gracchus regnum occupare conatus est vel regnavit is
quidem paucos menses: num quid simile populus Romanus audierat
aut viderat? hunc etiam post mortem secuti amici et propinqui quid
in P. Scipione effecerint, sine lacrimis non queo dicere. serpit* (oder
serpsit?) *deinde res, quae proclivius ad perniciem, cum semel coepit,
labitur. nam Carbonem quocumque modo potuimus propter recentem
poenam Ti. Gracchi sustinuimus; de C. Gracchi autem tribunatu quid
exspectem non libet augurari. videtis in tabella iam ante quanta sit
facta labes, primo Gabinia lege, biennio autem post Cassia. videre
iam videor populum a senatu disiunctum, multitudinis arbitrio res
maximas agi.* so kommt ein natürlicher fortschritt und eine steigerung der gedanken heraus; namentlich erhält das *nam* auch seinen
guten sinn: 'Tib. Gracchus hat bereits ein paar monate als könig
geherscht. .unerhört in unserer geschichte! sein tod hat die agita-
tionen seiner anhänger nicht gedämpft; sie wusten sogar den P. Scipio
zu stürzen. seitdem geht das ding weiter (bzw. danach ist es im
stillen weiter gegangen), welches seiner natur nach, wenn es einmal
angefangen hat, zum verderben vorwärts drängt. denn dem Carbo
haben wir noch, wie es nur immer angieng, die spitze geboten, weil
die betrafung des Tib. Gracchus noch im frischen andenken war (dh.
'mit hilfe des damals noch frischen eindrucks dieser bestrafung',
also anders als Seyffert erklärt); was ich aber von dem tribunat des
C. Gracchus erwarte, darüber will ich mich lieber nicht aussprechen.
schon früher ist ein verhängnisvoller schritt zum schlimmen geschehen, mit der einführung der stimmtafel. bald wird es nun noch
viel schlimmer werden.'

Cottbus.   Karl Schliack.

10.
DIE ALAMANNENSCHLACHT BEI STRASZBURG.

Das beispiel des Julius Caesar, seine thaten durch eigne darstellung der nachwelt zu überliefern, hat bei andern römischen her-
schern nachahmung gefunden. keiner von ihnen aber war nach
jenem federgewandter als Julianus, und keiner von allen hat so viel
wie er seiner eignen schriftstellerei zu verdanken. sie hat ihm zum
groszen teil das hohe ansehen verschafft, das er bis auf den heutigen
tag überall da genieszt, wo man ihn nicht aus religiöser befangenheit
verdammt. das gilt sowohl von seiner übrigen regierung als auch
von seiner hauptwaffenthat, der schlacht bei Straszburg, in welcher
er im jahre 357 die Alamannen besiegte.

Diese schlacht hat in unserer zeit in hervorragendem masze
das interesse nicht nur der gelehrten, sondern auch des gebildeten
publicums überhaupt auf sich gezogen. man behandelt sie fast mit
einer patriotischen begeisterung, und wenn es auch die niederlage
unserer vorfahren nicht sein kann, so scheint es doch die kraft zu
sein, mit welcher diese alten Deutschen den Römern gegenübertraten
und ihnen fast gewachsen waren, die die bewunderung und anerkennung der jungen erregt hat. die schlacht hat ihren weg bis in die
schulbücher gefunden, und manche haben sie für bedeutend genug
gehalten sie zum gegenstande besonderer untersuchungen zu machen.
die neueste und gründlichste davon ist die von W i l h e l m W i e g a n d
(die Alamannenschlacht vor Straszburg, eine kriegsgeschichtliche
studie, Straszburg 1887). gegen ihn polemisiert in einem längern
artikel der 'westdeutschen zeitschrift' (VI s. 320 ff.) H N i s s e n und
sucht zu beweisen, dasz die schlacht nicht bei Straszburg, sondern
weiter nördlich nach der Lauter zu stattgefunden habe. in einer erwiderung in derselben zeitschrift (VII s. 63 ff.) hält dagegen Wiegand
sein früheres resultat fest.

Ich habe in der beilage zum programm des gymnasiums in
Kreuznach 1886 nachgewiesen, dasz die drei ausführlichen darstellungen der regierung Julians bei Ammianus, in der grabrede des
Libanios auf Julian und bei Zosimos in ihrem ersten teile auf einer
gemeinsamen quelle beruhen, und dasz diese quelle die commentare
sind, die Julian selbst über seine thaten geschrieben hat. denselben
beweis habe ich für den zweiten teil seiner regierung in einer andern
abhandlung geführt, deren druck sich leider verzögert hat. Wiegand
ist meines wissens der erste, der von der richtigkeit dieses resultates
nicht überzeugt ist, wenn er auch zugibt dasz es eine vermutung sei,
die 'viel wahrscheinliches' hat. die Alamannenschlacht ist ausführlich nur bei Ammianus und Libanios geschildert, und hier, meint
Wiegand, würde die übereinstimmung beider quellen ihn auch ohne
meine abhandlung darauf gebracht haben, dasz sie eine gemeinsame
grundlage haben. wenn er aber weiter glaubt, dasz dadurch beide

schlachtberichte nur noch an wert gewännen, so bin ich anderer ansicht. denn statt der zwei zeugen für die schlacht haben wir nunmehr nur éinen. man darf daher nicht, wenn Ammianus und Libanios
übereinstimmendes berichten, darin mit Wiegand einen beweis für
die wahrheit des berichteten sehen, sondern es folgt daraus nur, dasz
dies auch in der gemeinsamen quelle gestanden hat. eine kritische
prüfung dieser hat keiner von beiden vorgenommen. wo sie aber
von einander abweichen, da nimt W. bald die angaben des einen,
bald die des andern als thatsachen hin, wie es ihm gerade passend
scheint. auch das ist nicht zu billigen. die ehrlichkeit und damit
auch die glaubwürdigkeit Ammians steht so hoch über der ver-
logenheit des Libanios, dasz in solchen fällen immer jenem der vorzug gebührt. Libanios hat seine vorlage häufig zu gunsten Julians
entstellt; oft hat er nach dem gedächtnis ungenau geschrieben oder
thatsachen an anderer stelle mitgeteilt als wo sie in seiner quelle
standen; manches hat er geradezu erfunden. dasz er neben dem
werke Julians keine andern quellen benutzt hat, habe ich schon
früher bemerkt (progr. s. 15). wir haben noch einen brief, in welchem ihm Julian ausführliche nachrichten über seinen zug in Asien
gibt, nachrichten die sich wohl geeignet hätten in die rede aufgenommen zu werden; aber es findet sich nichts davon in ihr. man
musz eben bedenken, dasz es dem Libanios gar nicht darum zu thun
war eine wahrheitsgetreue geschichte Julians zu geben. er wollte.
nur eine glänzende prunkrede liefern, und in einer andern rede sagt
er selbst ausdrücklich, dasz er den stoff dazu aus den commentaren
Julians nehmen werde (progr. s. 47). eigentümliche wahre nachrichten könnte man daher bei Libanios nur erwarten, wenn er eine
stelle aus den commentaren Julians aufgenommen hätte, die Ammianus ausgelassen hat. aber auch solche stellen wären mit der grösten
vorsicht zu behandeln: denn bei einem manne, der so viel gelogen
hat, ist bei jeder nicht anderweit bezeugten nachricht die möglichkeit
vorhanden, dasz sie erfunden oder doch entstellt ist. über die schlacht
bei Straszburg gibt es übrigens eine solche stelle nicht.
    Wiegand meint, ich sei in der kritischen verurteilung des
Libanios viel zu weit gegangen; ich bin aber durch weitere studien
in meinem urteil nur bestärkt worden. in dem berichte über die
schlacht bei Straszburg finden sich ja seine gröbsten unwahrheiten
nicht. wer aber die ganze grabrede prüft und sieht, wie raffiniert er
den Perserzug Julians entstellt hat, so dasz der kaiser auch nach
seiner schrecklichen niederlage immer noch als groszer sieger dasteht,
der wird mein urteil nicht zu hart finden. Wiegands kritik aber ist
ohne schärfe. eine genaue vergleichung mit Ammianus ergibt leicht,
dasz alle die von W. benutzten eigentümlichen nachrichten, welche
die grabrede des Libanios über die schlacht bei Straszburg enthält,
unhaltbar sind.
    Als Julian Zabern befestigte, schickten die Alamannen gesandte
an ihn und forderten ihn auf das land zu räumen. darüber berichtet

Ammianus (XVI 12, 3): *missis legatis satis pro imperio Caesari man-daverunt, ut terris abscederet virtute sibi quaesitis et ferro.* nach Libanios (540) rief Constantius in dem kriege gegen Magnentius die Alamannen zu hilfe: καὶ ἀνοίγει δὴ τοῖς βαρβάροις διὰ γραμμάτων τοὺς Ῥωμαίων ὅρους, ἐξεῖναι φήσας αὐτοῖς ὁπόσην δύναιντο κτᾶσθαι. von jener gesandtschaft an Julian berichtet er dann: πέμ-ψαντες κήρυκα καὶ δι' ἐκείνου δεικνύντες τὰς ἐπιστολάς, αἳ τὴν γῆν αὐτῶν ἐποίουν, πολεμεῖν αὐτὸν ἔφασκον τοῖς τῷ πρεσβυτέρῳ δόξασι, καὶ δεῖν τοῦτο ὁμολογεῖν ἢ τοῖς γεγραμμένοις ἐμμένειν, ἢ μηδέτερον βουλόμενον ἐλπίζειν μάχην. diesen brief habe ich für eine böswillige erfindung des Libanios erklärt, und Wiegand hält das für unrecht. beide berichte stimmen darin überein, dasz die Alamannen im schroffen tone die räumung des landes forderten. es gibt zwei wege, auf welchen die Alamannen in den besitz des landes gekommen sein konnten: entweder durch gewalt oder durch vertrag bzw. freiwillige abtretung seitens der Römer. das eine berichtet Ammianus, das andere Libanios, und einer von beiden musz unrecht haben. es ist aber nicht anzunehmen, dasz der bericht des Libanios in der gemeinsamen quelle gestanden und Ammianus diesen ver-ändert hätte. er würde dadurch seine vorlage zu gunsten des Constantius verändert haben, was er sonst nie thut (progr. s. 11). er hält sich vielmehr möglichst genau an seine quelle, weil er die-selbe für gut hält (XVI 1, 3). Libanios dagegen entstellt die ge-schichte zu ungunsten des Constantius, wo er nur kann. er erklärt ausdrücklich, er müsse denselben schlecht machen, damit im gegen-satz zu ihm der ruhm Julians um so heller glänze (progr. s. 15). nun wuste Libanios von einer ähnlichen correspondenz des Constan-tius mit den Alamannen. wenigstens behauptet Julian in seinem briefe an die Athener (286 b), Constantius habe im j. 360 die Ala-mannen zum kriege gegen ihn aufgefordert. das wisse er genau aus einem briefe, den Constantius an die Alamannen geschrieben und den er von diesen bekommen habe. den brief an die Athener aber kannte Libanios (progr. s. 15) und daraus jenen brief des Constantius. dasz er thatsachen an stellen wieder erzählt, wo sie nicht hingehören, ist etwas ganz gewöhnliches, und so hat er auch jenen brief des Con-stantius dort angebracht, wo er sich die gröste wirkung davon ver-sprach. das war aber bei der schlacht bei Straszburg, wo er so den gegensatz bekommt zwischen Constantius, der die Alamannen ins land ruft, und Julian, der sie hinausschlägt.

Dasz Constantius in dem kriege mit Magnentius die hilfe der Alamannen benutzt habe, habe ich nicht geleugnet; auch nicht dasz er schriftlich mit ihnen darüber verhandelt hatte. warum sollte er auch nicht? man nimt im kriege die bundesgenossen wo man sie bekommt. ich bestreite nur, dasz im j. 357 die gesandten der Ala-mannen in Zabern Julian einen brief des Constantius gezeigt haben sollen, in dem er ihnen das land geschenkt hätte. denn das wider-spricht der zuverlässigern darstellung bei Ammianus.

Die sache ist aber auch an und für sich zu unwahrscheinlich.
im j. 356 zogen zwei römische heere gegen die Alamannen, das eine
unter Julian, das andere von Constantius selbst geführt. das letztere
drang in das land der feinde ein und verwüstete es. im folgenden
jahre zogen dieselben heere auf denselben wegen gegen die Alamannen, nur dasz das eine anstatt von Constantius, jetzt von Barbatio
geführt wurde, während Constantius gegen die barbaren an der
Donau zog. nun sollen die Alamannen so naiv gewesen sein zu
Julian zu sagen: 'dasz du hierher kommst, widerspricht dem willen
des Constantius; der hat uns das land geschenkt und du muszt abziehen', obgleich sie doch wissen musten, dasz er von Constantius geschickt war. wie anders passen dagegen Ammians worte, wonach
sie sich auf ihre kraft und ihr gutes schwert berufen, mit denen sie
das land ebenso wohl zu behaupten gedenken, wie sie es erworben
haben! — Dasz Zosimos dasselbe berichtet, beweist nichts. er kannte
den Libanios, hat dieselbe dem Constantius feindliche tendenz und
kann die nachricht aus ihm haben. dasselbe kann bei dem historiker
Sokrates der fall sein. —
    Eine andere stelle des Libanios, auf die Wiegand besonderes ge-
wicht legt und die ihm für sein hauptproblem, die bestimmung des
schlachtfeldes, von groszer bedeutung ist, ist folgende. nach Libanios
und Ammianus legten die Alamannen ihren rechten flügel in einen
hinterhalt. Libanios (541): τῷ δεξιῷ δὲ κέρᾳ cύμμαχον ἔδωκαν
λόχον, ὃν ἔκρυψαν ὑπ᾽ ὀχετῷ μετεώρῳ, καλάμων πυκνῶν (καὶ
γὰρ ἦν ὑδρηλὸν τὸ χωρίον) τοὺς καθημένους ἀφανιζόντων, οὐ
μὴν τούς γε ὀφθαλμοὺς τῶν ἐπ᾽ ἄκρῳ τῷ εὐωνύμῳ τῶν Ῥωμαίων
ἐλάνθανον, ἀλλ᾽ ὡς εἶδον, ἅμα βοῇ δραμόντες, τοὺς μὲν ἀναστή-
cαντεc ἐδίωκον, τῆς cτρατιᾶc δ᾽ εἰc ἥμιcυ δι᾽ ἐκείνων διετάραξαν,
φυγῆc φυγὴν τεκούcηc, τῆς τῶν πρώτων τὴν τῶν δευτέρων. γίγνεται δέ τι παραπλήcιον ἐν τῇ μάχῃ τῷ περὶ τὴν τῶν Κορινθίων
πρὸς τοὺς Κερκυραίους ναυμαχίαν. καὶ γὰρ ἐν ταύτῃ νικᾶcθαί τε
καὶ νικᾶν ἑκατέροιc cυνέβη. τὸ γὰρ εὐώνυμον ἑκατέρων ἐκράτει,
ὥcτ᾽ ἐπιέζετο τὸ περὶ τὸν βαcιλέα Ῥωμαίων δεξιόν, λογάδεc ὑπὸ
λογάδων. Ammianus XVI 12, 27: *Severus dux Romanorum aciem*
dirigens laevam cum prope fossas armatorum refertas venisset, unde
dispositum erat ut abditi repente exorti cuncta turbarent, stetit inpa-
vidus suspectiorque de obscuris nec referre gradum nec ulterius ire
temptavit. quo viso animosus contra labores maximos Caesar ritt um-
her, um den soldaten mut zu machen und sie besser zu ordnen. dann
wird weitläufig der übrige kampf erzählt und endlich fortgefahren
(§ 37): *et cum cornu sinistrum altius gradiens urgentium tot ag-*
mina Germanorum vi nimia pepulisset iretque in barbaros fremens,
equites nostri cornu tenentes dextrum praeter spem incondite discesse-
runt, dumque primi fugientium postremos inpediunt, gremio legionum
protecti fixerunt integrato proelio gradum. in bezug auf den letzten
teil kann Wiegand (s. 31 anm. 4) nicht mit mir finden, dasz Libanios hier beschönige. sehen wir zu was Ammianus erzählt. sobald

die Römer den hinterhalt bemerkten, wagten sie weder vorwärts noch rückwärts zu gehen, und Julian hatte mühe den soldaten wieder mut zu machen. denselben bericht hatte Libanios vor sich. er aber erzählt, sobald die Römer den hinterhalt merkten, stürzten sie sich darauf und trieben die feinde in wilde flucht. ist das nicht beschönigt? die worte τῆϲ ϲτρατιᾶϲ δ' εἰϲ ἥμιϲυ δι' ἐκείνων ἐτάραξαν widersprechen geradezu der schilderung von dem hartnäckigen kampfe im centrum bei Ammianus. es charakterisiert die ganze unredlichkeit des Libanios, dasz er sich von der schilderung der flucht der römischen reiterei, wie sie bei Ammianus lautet und wie sie auch offenbar in der quelle des Libanios stand, die worte borgt, um die flucht der Alamannen zu schildern. denn von der römischen reiterei heiszt es bei Ammianus, dasz sie bei ihrer flucht *pedites calcando* fast *cuncta turbassent* (XVI 12, 38). dies überträgt Libanios als factum auf die Alamannen. und wenn nach Amm. XVI 12, 37 die römische reiterei floh, *dum primi fugientium postremos inpediunt*, wer, der die art des Libanios einigermaszen kennt, möchte leugnen dasz dadurch seine worte von den fliehenden Germanen veranlaszt sind: φυγῆϲ φυγὴν τεκούϲηϲ, τῆϲ τῶν πρώτων τὴν τῶν δευτέρων? und ist nicht dagegen die niederlage der römischen reiterei recht zart ausgedrückt mit den worten ἐπιέζετο δὲ τὸ περὶ τὸν βαϲιλέα δεξιόν? ich finde es jetzt sogar gelinde ausgedrückt, dasz diese partie bei Libanios ʼetwas beschönigtʼ sei. man kann vielmehr sagen, der verlauf des kampfes sei entstellt.

Die hauptsache aber bleibt für Wiegand der hinterhalt. er sieht in den worten des Libanios darüber eine angabe von merkwürdiger bestimmtheit, die nur von einem augenzeugen stammen könne. gewis thut sie das, und sogar von demselben wie diejenige Ammians. wenn nun der μετέωροϲ ὀχετόϲ, wie Wiegand meint, etwas anderes sein soll als *fossae armatorum refertae*, so scheint mir, namentlich bei dieser ohnehin von Libanios so entstellten schilderung, nichts consequent als sich für Ammianus zu entscheiden. seine worte sind einfach und klar, und dasz er seine quelle ungenau wiedergegeben haben sollte, das ist gerade hier von dem alten soldaten nicht zu erwarten. μετέωροϲ ὀχετόϲ aber ist ein merkwürdiger ausdruck, und deshalb hat noch niemand vor W. den worten beachtung geschenkt. der hinterhalt muste zwei eigenschaften haben: er muste die truppen darin unsichtbar machen, und er muste sich für den nach Ammianus beabsichtigten plötzlichen angriff auf die feinde eignen. für diesen passte aber ein mit schilf bewachsener sumpf schlecht. wenigstens dachten Caesar und die Belgier an der Axona über die zweckmäszigkeit eines solchen angriffs anders, und so ganz waren doch die Alamannen nicht mehr neulinge in der kriegskunst, wohl aber Libanios, der nichts davon verstand und der deshalb im stande ist darüber die sonderbarsten dinge zu behaupten. nun aber meint Wiegand, ein sumpf und schilf seien doch ganz bestimmte dinge, und die müste doch einer gesehen haben, von dem es Libanios erfahren hätte. aber

auch bei Ammianus ist von einem sumpfe die rede, in welchen der
könig Chonodomar geriet (XVI 12, 59). dasz es also sümpfe in der
gegend gab, wuste Libanios schon aus seiner quelle, nur erwähnt er
sie wieder an anderer stelle. dasz in sümpfen schilf wächst, weisz
jeder, und die phantasie des Libanios hielt das für geeignet, um ein
heer dahinter zu verbergen., der μετέωρος ὀχετός aber, meint
Wiegand, könne nur ein über der erde gebauter aquaeduct sein, auf
welchem die römische wasserleitung hier das thal des Musaubaches
überschritten hätte. ein aquaeduct aber würde einerseits die truppen
nicht verdeckt haben und anderseits für den plötzlichen angriff
hinderlich gewesen sein, würde sich also für den hinterhalt wenig geeignet haben. offenbar hat daher Libanios und nicht Ammianus hier die
quelle schlecht wiedergegeben. wahrscheinlich aber hat auch Libanios
bei dem μετέωρος nur an die hohen ränder des grabens gedacht.
er wollte es durch diesen zusatz recht klar machen, dasz die truppen
dahinter unsichtbar waren. so faszt auch Nissen die worte (ao. s. 326).

Aus Libanios schliest Wiegand ferner, dasz Julian das gepäck
auf der höhe von Hürtigheim hätte stehen lassen und schlieszlich
auch die troszknechte mit in den kampf eingegriffen hätten (s. 30
u. 35). Ammianus weisz nichts davon. er gibt die marschordnung
an, wie die Römer Zabern verlieszen (XVI 12, 7); von gepäck ist
dabei keine rede. und doch bildet das gepäck einen wichtigen bestandteil, und wo sonst bei Ammianus in dem Perserzuge Julians
die märsche genauer beschrieben werden, wird auch immer mitgeteilt,
wo der trosz seine stelle hatte. nun vollendeten die Römer vor der
schlacht die befestigung von Zabern, offenbar um sich im fall einer
niederlage dahin zurückzuziehen. sie zogen aus mit der absicht die
schlacht zu liefern. wo hätten sie da das gepäck besser unterbringen
können als wenn sie es in Zabern lieszen? nach der schlacht zogen
sie hierher zurück und dann rheinabwärts nach Mainz.[1] es läszt sich
nach dem siege schwer ein anderer grund für den rückmarsch nach
Zabern finden als dasz sie das gepäck dort noch zu holen hatten.
gewöhnlich wurde bei einer schlacht das gepäck auf einem hügel

---

[1] Nissen ao. s. 330 u. 333 meint, Julian hätte bei diesem marsche
und ebenso im j. 356 bei dem marsche von Brumath nach Köln seinen
weg über Metz und Trier genommen. die stellen bei Ammianus, auf die
er sich dafür beruft, beweisen aber gerade das gegenteil. im j. 356
zog Julian von Brumath nach Köln, *per quos tractus nec civitas ulla
visitur nec castellum* auszer Remagen und einem turme bei Köln (Amm.
XVI 3, 1), dh. keine stadt und kein castell, die damals im besitze der
Römer waren. der zusatz soll besagen, dasz der marsch kühn und gewagt war. er passt aber nur auf die strasze am Rhein entlang, während,
wie wir unten sehen werden, auf der von Nissen angenommenen strasze
wahrscheinlich Dieuze, sicher Metz und Trier im besitze der Römer
waren. nach der schlacht von Straszburg aber heiszt es (Amm. XVII
1, 2): *unde cum captivis omnibus praedam Mediomatricos servandam ad
reditum usque suum praecipit et petiturus ipse Mogontiacum* usw. durch
das *ipse* wird hier sein eigner weg gerade in gegensatz gestellt zu demjenigen nach Metz, den die beute und die gefangenen nahmen.

zurückgelassen, und nach dem siege griffen auch wohl die troszknechte mit ein, um ihren teil an der beute zu bekommen. das gepäck
bedurfte dann keines schutzes mehr, und es bezeichnet das einen entschiedenen sieg. so halte ich es recht wohl für möglich, dasz Libanios
diesen zug, den er aus andern beschreibungen kannte, hier hinzugefügt hat, ohne dasz in seiner quelle etwas davon stand. ebenso gut
ist es zwar auch möglich, dasz Ammianus diese nebensächliche bemerkung ausgelassen hat. für uns aber kann das zeugnis des Libanios
allein nicht genügen, um die worte als factum in eine darstellung
der schlacht aufzunehmen. —

   Von einer andern stelle findet es Wiegand 'unbegreiflich', dasz
ich sie für eine erfindung des Libanios erklärt habe. machen wir es ihm
klar. Libanios (542) erzählt über das ende der schlacht, als die barbaren flohen: οὐκ ἦν ὁ μένειν ἔτι βουλόμενος, ὥστ' ἐκαλύπτετο μὲν
τὸ πεδίον ὀκτακιςχιλίοις νεκροῖς· ἐκρύπτετο δ' ὁ Ῥῆνος τοῖς ἀπει-
ρίᾳ τοῦ νεῖν ἀποπνιγεῖςι. μεςταὶ δ' ἦςαν τῶν κειμένων αἱ νῆςοι
τοῦ ποταμοῦ, τῶν νενικηκότων ἐπὶ τοὺς ἐν ταῖς ὕλαις ἐπτηχότας
ἰόντων. τὸ δὲ μέγιςτον· ςαγηνεύοντες γὰρ τοὺς ἐν ταῖς νήςοις,
ἐν ταύτῃ τῇ θήρᾳ καὶ τὸν ἄρχοντα μετὰ τῶν ἀρχομένων εἷλον.
also sie hätten auf den inseln jagd auf die barbaren gemacht, und infolge davon hätten sie voll leichen gelegen. nun wurde aber nach Ammianus Chonodomar nicht auf einer insel gefangen, und von der verfolgung sagt er ausdrücklich (XVI 12, 55), dasz Julian den soldaten
verboten habe den feinden ins wasser zu folgen, und so seien sie am
ufer stehen geblieben und hätten noch geschosse auf sie geworfen
und ihnen zugesehen, wie sie in den wellen umgekommen seien.
das ist doch wohl ein widerspruch. einer von beiden musz falsches
berichten, und danach habe ich es als eine erfindung des Libanios bezeichnet 'dasz die Römer die Germanen auf die inseln verfolgt hätten
und auch diese mit leichen bedeckt gewesen seien.'

   Die gründe, die Wiegand bestimmt haben hier dem Libanios
den vorzug zu geben, sind nicht stichhaltig. Ammianus (XVI 12, 57)
erzählt, die Römer standen am ufer *et velut in quodam theatrali
spectaculo aulaeis miranda monstrantibus multa licebat iam sine metu
videre, nandi strenuis quosdam nescios adhaerentes, fluitantes alios
cum expeditioribus linquerentur ut stipites,· et velut luctante amnis
violentia vorari quosdam fluctibus involutos, nonnullos clipeis vectos
praeruptas undarum occursantium moles obliquatis meatibus decli-
nantes ad ripas ulteriores post multa discrimina pervenire.* hier, sagt
nun Wiegand, tritt uns das bild des breiten, nackten, reiszenden
stromes entgegen; Libanios schildert richtiger manigfach im flusz
verstreute kleine werder. das ist richtig. aber daraus, dasz die
schilderung Ammians falsch ist, folgt doch nicht dasz die des
Libanios richtig sei, ebenso wenig wie daraus, dasz Libanios die
localität richtig schildert, geschlossen werden darf, dasz nun auch
die thatsachen wahr seien, die daselbst stattgefunden haben sollen.
Nissen sieht in diesen worten Ammians einen verzeihlichen irrtum.

er habe den Oberrhein nicht gekannt und sich ihn so wie den Mittelrhein vorgestellt. auch das ist nicht richtig. ich werde unten noch
auf die stelle zurückkommen. die worte Ammians sind nichts als
rhetorischer aufputz, wobei sowohl er als auch Julian weniger an die
geschilderten thatsachen gedacht haben als an den eindruck welchen
die schilderung auf die hörer oder leser machen sollte.

Dieselbe jagd erzählt aber auch Ammianus, nur wieder an
anderer stelle. bei den ereignissen, die der schlacht voraufgiengen,
spricht er ebenfalls von *insulis sparsis crebro per flumen Rhenum*
(XVI 11, 8 f.). dahin hätten die Alamannen sich zurückgezogen; die
Römer aber folgten ihnen und *ad insulam venere propinquam egressi-*
que promiscue virile et muliebre secus sine aetatis ullo discrimine tru-
cidabant ut pecudes, nanctique vacuas lintres per eas licet vacillantes
evecti huius modi loca plurima perruperunt, et ubi caedendi satietas
cepit . . rediere omnes incolumes. hier hat die schilderung in der
quelle gestanden. Libanios aber hat sie an einer stelle wiedergegeben, wo er sich eine gröszere wirkung davon versprach.

Ebenso wenig läszt sich eine andere stelle des Libanios halten,
auf die Nissen ao. s. 323 gewicht legt. danach hätte Julian den
stromübergang der Germanen hindern können; er hätte das aber
nicht gethan, weil es ihm unwürdig schien mit einer kleinen anzahl
zu kämpfen. endlich aber habe er angegriffen, weil er es für unklug
gehalten habe zu warten, bis die zahl der feinde noch vielmal gröszer
geworden sei. denn abgesehen davon dasz die worte den stempel
der renommisterei an der stirn tragen, und dasz es schon unklug
gewesen wäre mit den 13000 mann zu warten, bis ihnen 35000 mann
gegenüberstanden (Amm. XVI 12, 26), widerspricht die nachricht
auch derjenigen Ammians (XVI 12, 19), wonach Julian erst am tage
der schlacht erfuhr, dasz die Germanen in drei tagen und drei nächten
den flusz überschritten hätten. ebenso wenig verträgt sie sich mit
einer andern angabe Ammians (XVI 12, 6 u. 14), nach welcher Julian
dem kampfe nicht ohne besorgnis entgegensah und auch der präfect
Florentius der ansicht war, dasz derselbe nicht ohne gefahr sei, eine
ansicht die durch den verlauf der schlacht bestätigt wurde, da die
Römer die hoffnung auf den sieg schon fast aufgegeben hatten
(Amm. XVI 12, 51). —

Von Zosimos babe ich ebenfalls in der frühern abhandlung gezeigt, dasz seine darstellung auf den commentaren Julians beruht;
noch deutlicher zeigt sich dies bei ihm in dem Perserkriege Julians.
auch er hat seine vorlage bewust und mit überlegung zu gunsten des
kaisers abgeändert. es ist auffallend, dasz Wiegand einer auf diese
weise offenbar entstellten nachricht desselben den vorzug vor Ammianus und Libanios geben will (s. 32 anm. 4). diese berichten
beide, die ganze römische reiterei sei in die flucht geschlagen worden.
Zosimos dagegen sagt, das seien nur 600 mann gewesen. nun
kannte Zosimos doch die darstellung Julians, die wir bei Ammianus
und Libanios haben. warum er statt dessen 600 reiter sagt, ist klar:

er will die römische niederlage abschwächen. das zeigt sich schon darin, dasz er ein μόνοι hinzufügt: οὗτοι μόνοι πρὸϲ φυγὴν τρα-πέντεϲ (III 3, 10). Wiegand hat sich offenbar durch die bestimmte zahl 600 teuschen lassen. das weisz aber jeder lügner, dasz bestimmte angaben leichter geglaubt werden, und dasz er solche machen musz, wenn er glauben finden will.

Ich habe (progr. s. 18) eine vermutung darüber ausgesprochen, wie Zosimos zu der zahl 600 gekommen ist, nemlich dadurch dasz er eine abteilung von 200 reitern, die auch bei Ammianus, allerdings in anderm zusammenhange, vorkommt, mit drei multipliciert habe. die niederlage der ganzen reiterei wollte er nicht eingestehen, 200 mann schienen ihm zu wenig. das klingt allerdings sonderbar. wenn nun aber kurz nach einander drei zahlen bei ihm vorkommen, die ein vielfaches von den entsprechenden zahlen bei Ammianus sind, das doppelte, dreifache und zehnfache, und wenn man weisz dasz Zosimos seine vorlage in tendenziöser weise umgestaltet hat, und wenn schlieszlich jene vervielfältigungen seiner tendenz ent-sprechen, so scheint es mir dasz man doch hier nicht mehr von schreibfehlern sprechen kann, wie Wiegand thut (s. 38 anm. 1 vgl. progr. s. 18). aber wie man über diese frage untergeordneter natur auch denken mag, jedenfalls zeigt die übereinstimmung bei Ammia-nus und Libanios, dasz ihre nachricht bei Julian gestanden hat, und für uns hat nur diese wert. —

Auch mit der benutzung von Julians brief an die Athener durch Wiegand kann ich mich nicht einverstanden erklären. dieser brief ist eine streitschrift der schlimmsten art, in der Julian den Constan-tius schlecht macht und sich selbst lobt. er darf deshalb nur mit groszer vorsicht benutzt werden. darin äuszert sich Julian über den zustand, in welchem er Gallien bei seiner ankunft im lande vorge-funden habe (279ᵃ). 45 städte seien zerstört gewesen ohne die türme und kleinern castelle. den ganzen Rhein entlang von der quelle bis zur mündung hätten die barbaren einen 300 stadien breiten streifen im besitz gehabt, und ein dreimal so groszes gebiet hätte infolge ihrer raubzüge verödet gelegen. hier hätten die Gallier nicht einmal mehr herden gehabt, und wenn das land auch noch von barbaren bewohnt gewesen, so seien die städte doch von ihren frühern be-wohnern verlassen gewesen. aus diesem zustande, fährt er dann fort, habe er das land gerettet. von diesen drei angaben nimt Wiegand éine in seine darstellung auf: 'einen acht meilen breiten strich am linken Rheinufer behielten sie in bleibendem besitz.' warum läszt er die beiden andern aus? ich denke, weil er in ihnen übertrei-bungen sieht, was sie auch sind. ich halte es aber nicht für ratsam eine mitteilung als historisch beglaubigt anzunehmen, die sich mit zwei andern zusammen findet, die dieselbe tendenz haben und unwahr sind. eine genaue prüfung zeigt denn auch, dasz die dritte angabe ebenfalls übertrieben ist. die südlichsten gaue der Alamannen waren die des Gundomad und Vadomar. sie lagen Augst gegenüber auf dem rechten

Rheinufer (Amm. XVIII 2, 16). gegen diese beiden könige unternahm Constantius 354 einen zug, *quorum crebris excursibus vasta-
bantur confines limitibus terrae Gallorum* (Amm. XIV 10, 1). eben-
derselbe unternahm 355 einen zug gegen die 'Lentienses' und einen
andern alamannischen gau *conlimitia saepe Romana latius inrum-
pentibus* (Amm. XV 4, 1). auch im folgenden jahre überschritten
die Römer hier den Rhein und drangen in das gebiet der Alamannen
ein (Amm. XVI 12, 15). von plünderungszügen der Alamannen,
nicht aber von dauernden niederlassungen auf linksrheinischem gebiet ist hier die rede. von solchen hören wir dagegen 357. als in
diesem jahre Barbatio von Augst her und Julian durch die senke
von Zabern gegen die Rheinebene vorrückten, versperrten die barbaren, *qui domicilia fixere cis Rhenum*, teils die wege durch verhaue,
teils flüchteten sie auf die Rheininseln (Amm. XVI 11, 8). später
nennt Julian in einem briefe an Constantius die Läten eine *cis
Rhenum editam barbarorum progeniem* (Amm. XX 8, 13). von denselben wird aus dem j. 357 berichtet, dasz sie einen plünderungszug
bis Lyon unternahmen, trotzdem Barbatio in der gegend von Basel
und Julian bei Zabern stand (Amm. XVI 11, 4). das erstaunen der
Römer hierüber — das liegt in den worten *dum haec tamen rite dis-
posita celerantur* — sowie die bemerkung, dasz sie nicht heil in ihre
heimat hätten zurückkommen können, wenn Barbatio seine pflicht
gethan hätte (Amm. XVI 11, 6), zeigen dasz diese Läten in der Rheinebene zwischen Basel und Straszburg wohnten. die überzeugung
Julians aber, dasz nach dem wiederaufbau von Zabern *ad intima
Galliarum, ut consueverant, adire Germanos arceri* (Amm. XVI
11, 11), beweist dasz sich überhaupt nur in der Rheinebene, nicht
auch westlich von den Vogesen Alamannen niedergelassen hatten.
so erfahren wir denn auch bei dem ersten zuge Julians im j. 356,
dasz Straszburg, Brumath, Zabern, Seltz, Speier, Worms, Mainz in
den händen der barbaren gewesen seien und dasz sie die gebiete
dieser städte bewohnten (Amm. XVI 2, 12). von Straszburg bis
Köln war in diesem jahre am Rhein keine stadt und kein castell
mehr im besitz der Römer auszer Remagen und einem turm bei
Köln (Amm. XVI 3, 1). so hat Julian damals oder kurz nachher[2]
selbst die zustände in seinen commentaren geschildert, aus denen sie
Ammianus hat. es ist unrecht, diesen detaillierten angaben die
worte einer leidenschaftlichen streitschrift vorzuziehen, bei der es
im interesse Julians lag, die zustände Galliens möglichst schlimm
darzustellen.

   Von weiteren niederlassungen der Alamannen auf gallischem

---

   [2] recht beachtenswert ist in den worten *per quos tractus nec civitas
ulla visitur nec castellum* das präsens, während das andere im perfect erzählt wird. zwei jahre später hätte das präsens nicht mehr gepasst.
ebenso wenig passt es für die zeit, in der Ammianus schrieb. dasz trotzdem das präsens stehen geblieben ist, ist charakteristisch für seine
art zu arbeiten: er hat seine vorlage einfach übersetzt.

boden kann nicht die rede sein. auszerdem machten sie raubzüge tief in das land hinein. wir hören von solchen bis Autun, Sens und Lyon. aber so stark, wie sie Julian in dem brief an die Athener darstellt, war die verwüstung des landes nicht. wir kennen orte genug, die keine 24 meilen vom Rheine entfernt und doch von Galliern bewohnt waren: so Autun (Amm. XVI 2, 1 f.), Chalons (ebd. XVI 10, 3 u. XXVII 1, 2) und Metz (ebd. XVII 1, 2), wahrscheinlich auch Dieuze (ebd. XVI 2, 9 u. 18), sicherlich Trier. wenigstens war dieses 368 im besitze der Römer (ebd. XXVI 10, 16). im j. 356 zog Julian über Trier ins winterlager (ebd. XVI 3, 2). gerade unter diesem jahre wird uns bei Ammianus mitgeteilt, welche städte im besitz der Germanen waren. wäre es mit dem alten kaisersitz ebenso gewesen, so würde das, da die stadt doch in der erzählung erwähnt wird, nicht verschwiegen worden sein. unmittelbar nach dem tode Julians hören wir auch wieder von villen, welche die Alamannen plünderten (Amm. XXVII 2, 2), die wahrscheinlich im obern Moselthal lagen.

Vom Mittelrhein erfahren wir nur, dasz Andernach und Bingen von Julian wiedergenommen wurden und dasz Remagen überhaupt nicht verloren gegangen war (Amm. XVIII 2, 4 u. XVI 3, 1). es läszt sich denken, dasz die gebiete des Hunsrücken und der Eifel weniger zu raubzügen und ansiedelungen reizten.

Am Niederrhein hat Julian Bonn, Köln, Neusz, Tricensimae, Quadriburgium und Castra Herculis wiedergenommen (Amm. XVIII 2, 4). an der Maas baute er drei castelle wieder auf, die von den barbaren zerstört worden waren (Amm. XVII 8, 1). aber Köln war erst um die zeit der ernennung Julians zum Caesar in die hände der Franken gefallen (Amm. XV 8, 9 vgl. XV 5, 15 u. 24) und blieb nur zehn monate in ihrem besitz (Julian brief an die Ath. 279 [b]), ein turm in der nähe gieng überhaupt nicht verloren. es ist nicht denkbar, dasz dabei das land weithin im besitz der Germanen gewesen sein soll. — Von den attuarischen Franken wird ausdrücklich bezeugt, dasz sie rechtsrheinisch wohnten. wenn nun Julian durch einen zug in ihr land glaubte *finitimis possessoribus* einen dienst erwiesen zu haben (Amm. XX 10, 2), so kann dabei doch nur an römische bzw. gallische besitzer gedacht sein, die auf dem linken Rheinufer oder doch nicht weit davon wohnten. — Als im j. 357 die Römer über Köln und Jülich ins winterlager zurückkehrten, stieszen sie auf 600 Franken, welche glaubten dasz Julian noch bei den Alamannen beschäftigt sei und sie deshalb dort unten ungestört beute machen könnten (Amm. XVII 2, 1). auch hierbei kann man nur an beute denken, die sie römischen unterthanen abnahmen.

Noch weiter abwärts dagegen hatten sich die salischen Franken längst auf römischem boden niedergelassen und ebenso die Chamaven (Amm. XVII 8). von andern niederlassungen auf dem linken Rheinufer aber hören wir nichts, und bei der ausführlichen beschreibung der kriege Julians, die wir haben, dürfen wir annehmen dasz es auch keine andern gegeben hat. in einer rede, die Julian im j. 360 an die

soldaten hielt, in der er ihre verdienste lobt und möglichst hoch
stellt, sagt er, er sei nach Gallien gekommen, *cum dispersa gentium
confidentia post civitatum excidia peremptaque innumera hominum
milia, pauca, quae semiintegra sunt relicta, cladis inmensitas persul-
taret* (Amm. XX 5, 4). also auch hier ist von verheerungen durch
die raubzüge, nicht aber von dauernden niederlassungen die rede.
bei den friedensschlüssen mit den Germanen hören wir nur éinmal,
dasz ein volk über den Rhein zurückgeschickt wird: das sind die
Chamaven. dagegen wurde bei allen besonderes gewicht darauf gelegt, dasz die gefangenen zurückgegeben wurden, welche sie auf den
raubzügen gemacht hatten (Amm. XVII 9, 5 ua.). die angabe, dasz
das land 8 meilen weit vom Rhein im dauernden besitz der Germanen
und 24 meilen weit verwüstet gewesen sei, ist demnach übertrieben.
45 städte möchte es hier auch nicht gegeben haben. dasz auch
Zosimos berichtet, 40 städte seien von den Germanen erobert worden, beweist nichts: er hat die notiz aus dem briefe Julians an die
Athener (progr. s. 18).

So sind die übrigen berichte, und wir sind somit für die schlacht
einzig und allein auf Ammianus angewiesen. ob wir bei ihm die
ganze schilderung Julians haben, oder ob das buch, das dieser nach
Eunapios der darstellung der schlacht gewidmet haben soll, viel ausführlicher gewesen sei, möchte sich schwer entscheiden lassen, ist
aber auch zur beurteilung dessen was wir haben gleichgültig. Ammianus (XVI 1, 3) nennt seine darstellung, *documentis evidentibus
fulta.* er hielt seine quelle für gut und schrieb sie ab oder aus. es
ist nicht anzunehmen, dasz er sich nebenbei noch bei augenzeugen
viel erkundigt habe. er schrieb dreiszig jahre nach der schlacht; viele
augenzeugen derselben werden damals nicht in Rom gelebt haben.
man musz bedenken, dasz das heer Julians gröstenteils aus Germanen
und Galliern bestand. wenn Ammianus überhaupt für die kriege am
Rhein noch andere quellen benutzt hätte, so könnte bei der darstellung des krieges von 356 der zug des Constantius unmöglich
ganz verschwiegen sein. Ammianus mag zwar den Constantius nicht
leiden; aber so weit geht seine abneigung nicht, dasz er absichtlich
die thaten desselben verschweige: dafür ist er zu gerecht. bei Julian
ist die lücke begreiflich: er beschrieb nur seine thaten. bei Ammianus
wird sie es nur durch den umstand, dasz er in dem glauben die beste
quelle vor sich zu haben dieser einfach folgte.

Wir dürfen demnach annehmen, dasz wir bei ihm den bericht
Julians haben. dieser hat den vorteil, dasz sein verfasser die dinge
so gut kennen konnte wie irgend einer. er hat den nachteil, dasz
sein verfasser mehr als irgend jemand bei den ereignissen inter-
essiert war, und wenn es schon für jeden schwer ist sich in solchen
fällen einen unbefangenen blick und ein objectives urteil zu bewahren, so musz das bei Julian noch viel mehr der fall gewesen sein
wegen seiner groszen eitelkeit und wegen der selbstüberschätzung,
an der er litt. seine ruhmsucht trieb ihn alle ereignisse in einem für

ihn möglichst günstigen lichte darzustellen. schon den ersten feldzug, wo er eben zur armee gekommen war und den oberbefehl gar
nicht führte, sondern, wie er in dem brief an die Athener (278[a]) selbst
sagt, nur als puppe mitgieng, hat er so dargestellt, als ob er die seele
des ganzen unternehmens gewesen wäre. von Constantius samt seinem
heere, das doppelt so stark als dasjenige Julians über den Rhein
gieng und in das land der feinde eindrang, wird kein wort gesagt.
nach der schlacht bei Straszburg nannte er sich in seinen befehlen
den mehrmaligen besieger der Germanen (Amm. XVI 12, 67). kaum
war Constantius tot, so erwähnte er bei seinen titeln nicht nur seine
siege, sondern fügte auch hinzu, dasz unter seiner alleinherschaft
der staat durch keine innern unruhen erschüttert worden sei und
kein barbar es gewagt habe die grenze zu überschreiten (Amm. XXII
9, 1), obwohl doch ein bürgerkrieg, den er selbst angefacht hatte,
nur durch den raschen tod des Constantius glücklich beendet worden
und die ruhe der barbaren die ganze Donau entlang nicht sein verdienst, sondern die folge der feldzüge des Constantius war. seine
rechtspflege aber hielt er für so vorzüglich, dasz er zu sagen pflegte,
die alte Justitia, welche durch die laster der menschen beleidigt und
von Aratus in den himmel entrückt worden sei, sei unter seiner
regierung wieder auf die erde gekommen (Amm. XXII 10, 6). dies
urteil will selbst sein bewunderer Ammianus nicht anerkennen, der
eine reihe von processen mitteilt, bei denen andere sachen als die
gerechtigkeit den ausschlag gegeben haben. Julian aber hatte diese
hohe meinung von sich. man musz daher annehmen, dasz er auch seine
kriegerischen thaten sehr hoch geschätzt hat und dasz sie in seiner
eignen darstellung in besonders günstigem lichte erschienen sind.
dem entsprechend hören wir denn auch, dasz man sich am hofe des
Constantius lustig darüber machte, wie der junge Caesar in seinen
berichten alles übertrieb (Amm. XVII 11, 1). die behauptung Ammians, dasz die höflinge durch die verkleinerung der verdienste
Julians dem Constantius hätten schmeicheln wollen, der das gern
hörte, ist hinfällig: denn das verhältnis zwischen den beiden vettern
war damals durch nichts getrübt, und Constantius hat nichts unterlassen, um den Caesar zu unterstützen und selbst zur vergröszerung
seiner verdienste beizutragen.

Es ist aber nicht nur eine überschätzung seiner thaten, die uns
bei Julian entgegentritt: wir wissen auch, dasz er es oft mit der
wahrheit keineswegs genau nahm. von dem Misopogon, den er gegen
die Antiochener schrieb, gibt Ammianus selbst zu, dasz er viele unwahrheiten enthalten habe (XXII 14, 2); dasselbe ist der fall in dem
briefe an die Athener. nun sind das zwar streitschriften, in welchen
die erregten leidenschaften den schreiber leicht zu weit drängen. aber
bei Julian war auch die ruhmsucht eine starke leidenschaft, und der
wunsch von mit- und nachwelt bewundert zu werden bewog ihn auch
bei der darstellung seiner gallischen kriege den thaten selbst noch mit
der feder etwas nachzuhelfen. dies zeigt sehr deutlich folgender fall.

im december 357 und januar 358 belagerte Julian 600 Franken in
einem castell an der Maas, nahm sie gefangen und schickte sie an
Constantius, der sie ins heer steckte. bei Ammianus (XVII 2, 1 ff.),
der es aus Julians commentaren hat, wird uns nun mitgeteilt, wie
schlau er es angefangen habe, dasz ihm diese kostbare beute nicht
entgangen sei. er habe jede nacht von sonnenuntergang bis tages-
anbruch kleine schiffe auf dem flusz hin und her fahren lassen und
den soldaten darin befohlen das eis zu zerschlagen, damit die belagerten nicht in einer mondscheinlosen nacht entkämen. als ob die
ganze zeit neumond gewesen wäre und die Maas jemals in éiner
nacht so gefroren wäre, dasz 600 mann darüber laufen konnten!
der zweck dieser offenbar unwahren thatsache ist klar. den süd-
ländischen lesern sollten die zu überwindenden schwierigkeiten möglichst grosz dargestellt werden. sie kannten den nordischen winter
ja nicht und werden sich ihn ebenso wie ihre heutigen nachkommen
schlimmer vorgestellt haben als er ist und sie ihn selbst finden,
wenn sie ihn kennen lernen. sie mochten deshalb derartige auf-
schneidereien leicht glauben. überhaupt spielt der winter in der darstellung dieser kriege eine grosze rolle, oft eine gröszere als ihm in
wirklichkeit zukam (vgl. Amm. XVII 8, 1. XVII 1, 10. XX 4, 4).

Ammianus selbst neigt auch zu rhetorischen übertreibungen.
so sagt er an einer stelle, wo er offenbar selbständig ist, das amphi-
theater in Rom sei so hoch, dasz das menschliche auge kaum bis
an die spitze reiche und die Römer hätten bäder so grosz wie
provinzen (XVI 10, 14). sein ganzer gespreizter stil ist eine folge
dieses unglücklichen strebens. man kann also auch nicht annehmen, dasz er wieder gut gemacht hätte, was Julian in dieser
beziehung gesündigt hatte. hatte aber Julian überhaupt diese
tendenz, um wie viel weniger wird er seine hauptwaffenthat, die
schlacht bei Straszburg, der mit- und nachwelt ungeschminkt übergeben haben! mit dieser voraussetzung musz man an den Ammian-
schen bericht von der schlacht hinantreten. der kritik Wiegands
fehlt es auch hier an schärfe. aber selbst ihm haben die verlust-
angaben starke bedenken erregt. auf unkenntnis kann bei dieser
quelle eine falsche angabe hierüber nicht beruhen, sondern nur auf
tendenz. sind aber die zahlen über die verluste falsch angegeben, so
liegt nichts näher als die annahme, dasz es mit der stärke der beiden
heere (13000 und 35000 mann) ebenso ist. indessen beweisen läszt
sich hier nichts, und an einer spätern stelle betont Julian auch
die geringen verluste bei Straszburg (Amm. XX 4, 5).

Offenbar ausgeschmückt dagegen ist das rendez-vous vormittag.
die Römer rücken früh morgens von Zabern aus. gegen mittag läszt
Julian halt machen, das heer in abteilungen um sich treten und macht
in einer rede an dasselbe den vorschlag dort zu bleiben und den weitermarsch auf den folgenden tag zu verschieben. er begründet den vorschlag mit folgenden worten: *iam dies in meridiem vergit, lassitudine
nos itineris fatigatos scrupulosi tramites excipient et obscuri, nox sene-*

scente luna nullis sideribus adiuvanda, terrae protinus aestu flagrantes nullis aquarum subsidiis fultae (XVI 12, 11). man darf nicht mit Wiegand annehmen, dasz diese rede wirklich gehalten worden sei. sie steht im widerspruch mit zwei andern behauptungen Ammians. noch im verlauf der schlacht von Straszburg erzählt er, Julian habe es stets sorgfältig vermieden das ganze heer anzureden, weil Constantius geglaubt habe, dasz das ihm allein zustehe, und Julian sich stets gehütet habe die eifersucht seines vetters zu erregen (XVI 12, 29). indes darauf will ich kein gewicht legen. hier ist vielmehr die letzte stelle falsch. offenbar richtig dagegen ist die weitere behauptung, Julian hätte das ganze heer nicht anreden können, *quoniam nec longitudo spatiorum nec in unum coactae multitudinis crebritas permitteret* (XVI 12, 29). es würde sich dann fragen, ob Julian nicht nach dem vorgang anderer schriftsteller in form einer rede die motive mitzuteilen beabsichtigte, weshalb er den weitermarsch auf den nächsten tag verschieben wollte. denn dasz die rede schon bei Julian stand, geht daraus hervor, dasz Libanios sie kennt. aber auch das ist nicht der fall. die Römer kannten die stellung der feinde und waren nicht mehr weit von ihnen entfernt: denn die soldaten verlangten geführt zu werden *in hostem iam conspicuum* (XVI 12, 13), und als sie dann weiter zogen, stieszen sie wirklich bald auf ihn (ebd. § 19). dasz die soldaten nach dem langen marsche müde waren, ist natürlich, und es genügt dies, um die absicht zu erklären, den angriff auf den folgenden tag zu verschieben. was sollen aber die *tramites scrupulosi*, da sie doch nur eine kleine strecke zurückzulegen hatten? und die *obscuri*, dh. die unbekannten (vgl. *insidiae obscurae* XVI 12, 23 und *Severus . . suspectior de obscuris* XVI 12, 27), da sie doch, wie auch Wiegand annimt, auf der groszen heerstrasze marschierten? und selbst wenn das nicht der fall gewesen wäre, so ist es doch undenkbar, dasz sie sich während des aufenthaltes in Zabern nicht genau über die gegend orientiert hätten. zudem waren sie schon in demselben jahre am Rhein gewesen, im jahre zuvor waren sie denselben weg gezogen, und manche werden die gegend schon früher genau gekannt haben. und was soll man sagen zu den *terrae protinus aestu flagrantes nullis aquarum subsidiis fultae?* als ob die gegend eine wüste wäre und nicht ein bächlein neben dem andern von den bergen herunterrieselte! und was soll die dunkle nacht hier, die durch keinen mond und keine sterne erhellt sein würde? Wiegand selbst sagt, wohl gestützt auf die worte *terrae aestu flagrantes*: 'heisz brannte die augustsonne hernieder' (auf die worte des Libanios καὶ ὁ μὲν ἥλιος τοιοῦτον ἔργον ἐπιδὼν ἔδυ will ich kein gewicht legen). wenn aber am tage die sonne schien, wie konnte Julian dann wissen, dasz in der nacht nicht einmal sterne am himmel stehen würden? zudem wusten sie doch, dasz sie nicht bis in die nacht zu marschieren hatten. woher nun alle diese widersprüche? die rede ist nichts als rhetorische phrasen, die dem leser die lage als recht gefährlich und den sieg deshalb um so glänzender darstellen sollen.

es ist eine blütenlese von schwierigkeiten, die sich einem heere ent-
gegenstellen können, die aber damals nicht vorhanden waren.

Die soldaten aber verlangten den angriff an demselben tage. alle
höhern officiere und namentlich der präfect Florentius rieten ihrem
verlangen nachzugeben, was Julian auch that. es ist sehr natürlich,
dasz der junge feldherr, der erst vor kurzem den oberbefehl übernommen hatte und überhaupt erst seit zwei jahren die uniform trug,
in einer so wichtigen frage sich nach dem rate der erfahrenern männer
richtete. ebenso natürlich sind die worte, mit denen Florentius seinen
rat motivierte: man würde eine meuterei des heeres zu befürchten
haben, wenn die feinde wieder abzögen und den soldaten der
sieg entgienge, auf den sie schon gerechnet hätten. es genügt dies,
um den veränderten entschlusz Julians zu erklären. was dann aber
weiter erzählt wird, dasz die soldaten die schlacht verlangten, weil
sie zu dem glücke, der tapferkeit und umsicht Julians ein besonderes
vertrauen hätten und unter seiner führung mehr zu leisten sich ge-
trauten als früher, das musz wieder gerechtes bedenken erregen.
denn Julian hatte bis dahin keine gelegenheit gehabt proben von
diesen tugenden abzulegen. wenn er sie aber hatte, so hatte er sie
auch am andern tage noch, und es war das kein grund für die soldaten, die schlacht an demselben tage zu verlangen.

Weil nun aber die obige rede samt ihrem inhalt unhistorisch
ist, so ist auch die datierung der schlacht durch Nissen und Wiegand
unhaltbar. beide stützen sich auf die worte *senescente luna*. es war
ernte. am 16 august war vollmond. Wiegand setzt sie deshalb in
die zweite hälfte des august, Nissen genauer gegen den 25 august.
die worte *senescente luna* dürfen aber nicht verwertet werden. das
getreide der Alamannen stand noch auf den feldern (Amm. XVI
11, 12). die Römer kamen an einen hügel *opertum segetibus iam
maturis* (ebd. XVI 12, 19); auch das *iam* verweist auf den anfang
der ernte. die annahme Nissens und Wiegands aber, dasz damals die
ernte vier wochen später begonnen hätte als heute, wird durch die
quellen nicht bestätigt. im j. 358 zog Julian vor dem juli oder doch
im anfang dieses monats aus, nahm für 20 tage lebensmittel mit
und hoffte dann bei den Chamaven reifes getreide auf den feldern zu
finden (Amm. XVII 8, 2). die schlacht musz also etwa ende juli gewesen sein.

Im verlaufe des kampfes zeigen sich keine widersprüche. verdächtig aber scheint mir die stelle, wonach die Alamannen vor dem
beginn des kampfes forderten, dasz ihre fürsten von den pferden
stiegen, damit sie nicht bei einem ungünstigen ausgang leicht entkämen und das unglückliche volk im stiche lieszen. das hätten sie
sofort gethan, von allen zuerst Chonodomar (vgl. Wiegand s. 31).
wie stimmt diese zaghaftigkeit zu der sonst gerühmten siegeszuver-
sicht, tapferkeit und todesverachtung der Alamannen? Chonodomar
führte den linken flügel. hier stand die reiterei. sie überwand die
römische. sollte es denkbar sein, dasz der führer dabei zu fusz ge-

wesen wäre? von diesem gewaltigsten der Alamannenkönige wird
uns näher beschrieben, wie er aussah; dabei heiszt es, er sei *equo
spumante sublimior* gewesen, *erectus in iaculum formidandae vasti-
tatis* (XVI 12, 24). nun können zwar die ersten worte blosz von
der zeit vor der schlacht gemeint sein, der zweite teil aber scheint
uns ihn doch im kampfe selbst zu zeigen, und durch das ausholen
zum wurf gröszer werden konnte er doch wohl nur auf dem pferde.
jedenfalls scheint mir hier ein widerspruch gegen das absitzen vorzuliegen, und entweder ist dieses unhistorisch, oder aber jene beschreibung ist wieder leerer rhetorischer dunst. wo wir aber den Chonodomar endlich wiederfinden, auf der flucht, ist er auch zu pferde
(XVI 12, 59).

Am meisten aber ist die flucht und die verfolgung der Alamannen ausgeschmückt worden. den Römern wurden vom morden
die schwerter stumpf. den einen waren die köpfe abgeschlagen,
andern biengen sie nur noch mit der kehle fest, andere, die unver-
wundet waren, glitten auf dem vom blute schlüpfrigen boden aus
und starben, von der menge derer, die auf sie fielen, erdrückt. das
sind übertreibungen. es finden sich aber auch widersprüche, und auffallender weise hat man da dem Ammianus immer gerade die falschen
angaben nachgeschrieben. *ultimo denique trudente discrimine barbari,
cum elati cadaverum aggeres exitus inpedirent, ad subsidia fluminis
petivere, quae sola restabant eorum terga iam perstringentis* (XVI
12, 54). wenn es nun an und für sich auch denkbar ist, dasz, wenn,
wie es geschildert wird, immer wieder neue Alamannen an die stelle
der gefallenen traten (ebd. § 50), die leichen stellenweise damm-
artig auf einander lagen, so hätten doch die dämme, wenn die Alamannen beim kampfe den flusz im rücken hatten, diesem parallel
liegen und ihnen gerade die flucht zu demselben versperren müssen.
dann aber stehen die worte im widerspruch mit einer andern stelle.
wo die Alamannen sich zum ersten male zur flucht wenden, da heiszt
es: *per diversos tramites tota celeritate egredi festinabant, ut e
mediis saevientis pelagi fluctibus quocumque avexerit ventus eici
nautici properant et vectores* (XVI 12, 51). oben hatten sie éinen
ausweg, hier *diversi*. der schiffer auf dem meere hat sogar unzählige
(*quocumque*), und so flohen die Alamannen, und so konnte auch
Chonodomar auf den weg nach Tribunci und Concordia kommen.
Wiegand hat sich also vergebens bemüht, da er an die bedeutung
der leichendämme doch nicht zu glauben scheint, gründe aufzufinden,
welche den Alamannen die flucht in anderer richtung als nach dem
flusse unmöglich machten. — Ammianus schildert ferner, wie die
Alamannen in den wellen um ihr leben kämpften und wie die Römer
ihnen dabei vom ufer wie im theater zuschauten (s. oben s. 65).
dasz dieser vergleich hier gar nicht passt, ist schon von Wiegand
hervorgehoben worden. auf den ersten blick aber erweisen sich die
worte als übertreibung: *spumans denique cruore barbarico decolor
alveus insueta stupebat augmenta* (§ 57). ebenso ist es mit folgenden:

inaestimabiles mortuorum acervi per undas fluminis ferebantur (§ 64).
wenn sie aber, wie oben gesagt, nach verschiedenen richtungen
flohen, so konnten sie sich auch nicht alle an éiner stelle in den
Rhein stürzen. dem entsprechend wird denn auch an anderer stelle
behauptet, dasz es nur *quidam* gewesen sind *nandi peritia eximi se
posse discriminibus arbitrati*, welche *animas fluctibus commiserunt*
(§ 55). was wahrscheinlicher ist, ob es wenige gewesen seien oder
das ganze heer, das doch noch an 30000 mann zählte, die sich in den
Rhein stürzten, darüber braucht man kein wort zu verlieren.

Ferner müste nach der gewöhnlichen auffassung das ganze
heer dem feinde bis an den flusz gefolgt sein. nun wird aber vom
ende der schlacht gesagt: *quibus ita favore superni numinis terminatis
post exactum iam diem occinente liticine revocatus invitissimus miles
prope supercilia Rheni tendebat scutorumque ordine multi-
plicato vallatus victu fruebatur et somno* (XVI 12, 63). wenn sie aber
zum ufer marschierten, so waren sie doch noch nicht da. denn dasz
man nach dem harten tage die soldaten vom Rhein zurückgerufen
hätte, um sie dann wieder hinzuführen, ist nicht denkbar.

Aus diesen widersprüchen geht hervor, dasz die flucht und die
verfolgung, wie sie bei Ammianus geschildert wird, unwahr ist. der
kampf der Germanen mit den wellen, dem die Römer vom ufer wie
im theater ohne jede gefahr zuschauen, erschien dem Julian als ein
schöner und in der darstellung wirksamer schlusz des tages. darum
hat er ihn hinzugefügt. —

Mit dieser flucht und der verfolgung der Alamannen bis zum
Rhein fällt das gewichtigste bedenken, das bis jetzt dem haupt-
resultate der Wiegandschen untersuchung entgegenstand, dasz nemlich das schlachtfeld in der nähe von Musau zu suchen sei. Nissen
möchte dasselbe weiter nordwärts nach der Lauter verlegen. die
stellen die hierbei in betracht kommen sind folgende:

1) die schlacht fand nach Ammianus statt *prope urbem Argentoratum* (XVI 12, 1 u. 70. XV 11, 8. XVII 1, 13). in einer rede an
die soldaten spricht Julian von dem glücklichen tage *prope Argentoratum* (XX 5, 5). dem entsprechend wird die schlacht auch *Argen-
toratensis pugna* genannt (XVII 1, 1) und an einer andern stelle einfach *Argentoratus* (XVII 8, 1).

2) die Römer befestigten Zabern. dann brachen sie gegen die
Alamannen auf, *et quoniam a loco, unde Romana promota sunt
signa, ad usque vallum barbaricum quarta leuga signabatur et decima,
id est unum et viginti milia passuum* usw. (XVI 12, 8). die entfernung stimmt factisch mit derjenigen zwischen Straszburg und
Zabern.

3) nach der schlacht *rex Chonodomarius reperta copia disce-
dendi . . celeritate rapida properabat ad castra, quae prope Tribuncos
et Concordiam munimenta Romana fixit intrepidus, ut escensis navigiis
dudum paratis ad casus ancipites in secretis se secessibus amendaret*
(XVI 12, 58). die beiden orte sind, wie Nissen selbst zugibt, 'bisher

nicht mit sicherheit auf unsern karten untergebracht worden.' seine vermutung, dasz Concordia = Altenstedt und Tribunci möglicher weise = Seltz sei, ist unhaltbar. denn Chonodomar wollte über den Rhein entkommen und hatte zu diesem zwecke die kähne bei den beiden castellen. aber weder Seltz noch Altenstedt liegen an diesem flusse. auch müssen die beiden castelle nahe bei einander gelegen haben; sonst würde der ort des lagers nicht nach beiden angegeben sein. endlich wird Seltz bei der darstellung der ereignisse von 356 Saliso genannt. es ist nicht wahrscheinlich, dasz derselbe schriftsteller es beim folgenden jahre Tribunci nennen soll. von Concordia gibt das itinerarium Antonini an, dasz es in der mitte zwischen Speier und Brumath gelegen habe. deshalb will Nissen die schlacht in diese gegend verlegen. bei dem *prope Argentoratum*, meint er, müsse man den sprachgebrauch Ammians berücksichtigen. ebenso wie derselbe sage, Remagen sei *apud Confluentes* gelegen, obgleich es 37 kilometer entfernt sei, könne er auch von einer schlacht in der gegend an der Lauter sagen, dasz sie *prope Argentoratum* geschlagen sei. der sprachgebrauch Ammians aber ist hier gar nicht ungewöhnlich. auch wir würden einem ausländer sagen, Remagen liegt bei Coblenz oder Bonn oder gar Köln; niemand aber würde die schlacht bei Königgrätz diejenige bei Prag nennen oder statt von der schlacht bei Belle Alliance von einer solchen bei Brüssel reden.

Zudem ist die gegend an der Lauter mehr als 21 römisché meilen von Zabern entfernt. Nissen weisz sich dagegen zu helfen: er nennt die darstellung Ammians lückenhaft. die ersten marschtage von Zabern habe er übergangen nach seinem grundsatze *nec historiam producere per minutias ignobiles decet*, wie er denn auch die besetzung Straszburgs durch die Römer verschweige, die in dem briefe Julians an die Athener erwähnt sei. den genannten grundsatz spricht Ammianus allerdings öfter aus (XIV 9, 9. XXIII 1, 1. XXVII 2, 11. XXVIII 2, 12. XXVIII 2, 9. XXIX 3, 1), aber auch den entgegengesetzten, *quia fallere non minus videtur, qui gesta praeterit sciens, quam ille qui numquam facta fingit* (XXIX 1, 15). beim beginn der geschichte Julians erklärt er ausdrücklich, er werde sie *pro virium captu limatius* behandeln, *nihil obtrectatores longi, ut putant, operis formidantes* (XV 1, 1). thatsächlich hat er denn auch die geschichte Julians viel ausführlicher geschildert als die aller andern kaiser, und dasz er die besetzung Straszburgs unerwähnt lasse, ist ein irrtum Nissens. denn die Römer haben Straszburg nicht besetzt. Julian sagt in dem briefe an die Athener (279.[b]): πόλιν τε ἀνέλαβον τὴν ’Αγριππίναν ἐπὶ τῷ ’Ρήνῳ .. καὶ τεῖχος ’Αργέντορα πλησίον πρὸς ταῖς ὑπωρείαις αὐτοῦ τοῦ Βοσέγου. das ’Αργέντορα ist verdorben. Nissen schreibt mit Cohet ’Αργεντόρατον. das ist aber nicht richtig: Straszburg liegt nicht am fusze der Vogesen. gemeint ist vielmehr eine stadt in der nähe von Straszburg am fusze der Vogesen, und das ist Brumath, das Julian nach Ammianus (XVI 2, 12) ebenso wie Köln im j. 356 eingenommen hat.

Die darstellung Ammians ist also nicht lückenhaft, und die
21 römische meilen bzw. 32 kilometer müssen von Zabern aus gerechnet werden. dasz aber Wiegand recht hatte, wenn er diese ent·
fernung auf der strasze abmasz, das wird noch klarer durch eine
richtige auffassung der worte Ammians darüber. Wiegand nennt
diese eine ganz zuverlässige officielle angabe, die römischen karten-
werken entnommen sei. Nissen bestreitet dies. 'kartenwerke' sagt
er 'konnte ein römischer geschichtschreiber nicht benutzen, weil dieselben das bild der länder bis zur unkenntlichkeit verzerrten.' es
handelt sich aber nicht um eine karte, die der geschichtschreiber benutzte, sondern um eine die die Römer in Zabern hatten. es sind die
officiellen straszenverzeichnisse, auf welchen alle stationen und ihre
entfernungen angegeben waren. ob das nun förmliche karten waren,
ist gleichgültig. jedenfalls waren es officielle und zuverlässige aufzeichnungen (vgl. Friedländer sittengeschichte II s. 6). die Römer
kannten ihre stellung und die der Alamannen, und nun sahen sie in
ihrem verzeichnis nach und fanden da die entfernung zu 14 leugen
angegeben. wenn es sich hier um die schätzung und meldung einer
patrouille handelte, wie Nissen meint, so könnte es doch nicht *signabatur* heiszen, sondern *aestimabatur* oder *nuntiabatur* oder vielmehr
aestimata oder *nuntiata est.* denn wie viele besonderheiten die sprache
Ammians auch haben mag, der unterschied zwischen imperfectum
und perfectum ist ihm klar. dasz hier nur die officiellen karten gemeint sein können, geht auch daraus hervor, dasz die entfernung
nach leugen angegeben wird, die dann für den römischen leser in
römische meilen umgerechnet worden sind. die Römer hatten den
Galliern ihr nationales wegmasz gelassen (Mommsen RG. V s. 93).
Ammianus bezeugt von seiner zeit ausdrücklich, Gallien beginne bei
Lyon, *exindeque non millenis passibus sed leugis itinera metiuntur*
(XV 11, 17). ein römischer officier dagegen würde eher nach meilen
geschätzt haben, wie es bald darauf geschah, als Julian den Rhein überschritten hatte: *emensaque aestimatione decimi lapidis* (XVII 1, 8).
  Wenn nun aber die Römer die entfernung des *vallum barbaricum,*
in welchem sich die Alamannen befanden, auf ihrem straszenver·
zeichnis erkennen konnten, so folgt daraus, dasz es an der strasze
lag, und dasz man also, wie Wiegand gethan hat, diese nur 14 leugen
weit von Zabern zu verfolgen braucht, um die lage desselben und
damit auch ungefähr das schlachtfeld zu finden. wenn Nissen meint,
keine kunst der interpretation könne das *vallum barbaricum* für ein
anderes erklären als die *castra prope Tribuncos et Concordiam*, so
behaupte ich dagegen, kein unbefangener kann beide für identisch
halten. es kommt noch éin *vallum* bei Ammianus vor (XVI 11, 14),
und zwar ein *vallum Gallicum*, in welchem das heer des Barbatio
lagerte. von diesem sagt Nissen (s. 331): 'der beiname schliesz
die deutung lager aus.' das verstehe ich nicht, warum ein *vallum
Gallicum* kein lager und ein *vallum barbaricum* nichts anderes als
ein lager sollte bezeichnen können. ein *vallum* ist jedenfalls eine

stehende befestigung. deshalb kannten auch die Römer die lage desselben genau:

Auch die bedeutung der schlacht von Straszburg ist überschätzt
worden von Ammianus an, der den krieg von 357 mit den punischen
und teutonischen vergleicht (XVII 1, 14), bis auf Wiegand, der
die schlacht epochemachend in der geschichte des Elsasz nennt. von
da ab, meint er, datiere die deutsche geschichte des Elsasz: die
schlacht sei die letzte glänzende action der Römer auf elsässischem
boden. nun berichtet uns aber Ammianus (XXVII 2), dasz der
magister equitum Jovinus unter kaiser Valentinian im j. 367 die
Alamannen, welche wieder in Gallien eingefallen waren, in drei
schlachten besiegte: bei Scarponna, an einem ungenannten flusse
und bei Catelauni. in der letzten schlacht allein wurden 4000 Alamannen verwundet und 6000 getötet, ein könig, ebenso wie bei
Straszburg, gefangen genommen. die verluste der éinen schlacht über-
treffen also die von Straszburg, um wie viel mehr die des ganzen
jahres. dasz diese schlachten nicht auf elsässischem boden geschlagen
sind, berührt ihre bedeutung für die geschichte des landes wenig.
auch Valentinian selbst brachte den Alamannen eine schwere niederlage bei Solicinium (Sulz am Neckar) bei, und auch darin setzte er die
thätigkeit Julians fort, *quod auxit et exercitus valido supplemento, et
utrubique Rhenum celsioribus castris munivit atque castellis, ne latere
usquam hostis ad nostra se proripiens possit* (Amm. XXX 7, 6). aber
über diese ereignisse haben wir nicht die ausführlichen nachrichten
wie über die thaten Julians, und sie sind deshalb unbekannt. die Alamannen aber machten ihre plünderungszüge nach wie vor der schlacht
bei Straszburg. die Läten hatten sich vor derselben auf elsässischem
boden niedergelassen, die schlacht hat auch daran nichts geändert.
Wiegand selbst sagt, dasz dieser rückstosz der Römer gegen das vordringen der Germanen 'fast wirkungslos verpufft' sei; und so ist es.
ereignisse ohne wirkung sind aber nicht epochemachende.

Ich habe schon früher darauf aufmerksam gemacht, dasz der
krieg der Römer gegen die Alamannen im j. 356 in der darstellung
Ammians ganz einseitig entstellt ist und nur eine zufällige spätere
bemerkung uns über den wirklichen sachverhalt aufklärt. ebenso
finde ich spätere stellen bei Ammianus, die ein eigentümliches licht
auf die Alamannenkriege Julians werfen. zum j. 365, also zum
zweiten jahre nach Julians tode, erzählt Ammianus (XXVI 5, 7):
*Alamanni enim perrupere Germaniae limites, hac ex causa solito
infestius moti. cum legatis eorum missis ad comitatum certa et prae-
stituta ex more munera praeberi deberent, minora et vilia sunt attributa, quae illi suscepta furenter agentes ut indignissima proiecere.
tractatique asperius ab Ursatio tunc magistro officiorum . . regressi
factumque exaggerentes . . gentes inmanissimas concitarunt.* danach
musz auch Julian ihnen die geschenke gezahlt haben, eine thatsache die man doch nach dem, was Amm. über die friedensschlüsse
Julians mit den Alamannen berichtet, nicht vermuten könnte. — Als

Constantius im begriff war gegen Julian zu felde zu ziehen, sagte er
nach Ammianus in einer rede an die soldaten, derselbe sei übermütig
geworden im vertrauen auf unbedeutende treffen, die er gegen halb-
bewaffnete Germanen geliefert habe (XXI 13, 13). das urteil kann
allerdings nicht für objectiv gelten, aber es weicht doch gewaltig ab
von den ansichten, welche Julians anhänger äuszern. dasz aber sein
kriegerischer ruf nicht so grosz war, wie diese glauben machen
möchten, das sieht man auch daraus, dasz man fast allgemein glaubte,
er würde in dem kriege mit Constantius unterliegen (Amm. XXI
7, 1 u. 3. XXI 9, 8). — Als im j. 365 der kaiser Valentinian Gallien
verlassen wollte, um den gegenkaiser Procopius niederzuwerfen, da
hat ihn seine nächste umgebung, *ne interneciva minantibus barbaris
exponeret Gallias, neve provincias desereret egentes adminiculis magnis,
iisque* (dh. der nächsten umgebung) *legationes urbium accessere
nobilium, precantes ne in rebus duris et dubiis inpropugnatas eas
relinqueret, quas praesens eripere poterit discriminibus maximis, metu
ambitiosi nominis sui Germanis incusso* (Amm. XXVI 5, 12). auch
daraus sieht man, dasz Julian seine erfolge weit überschätzte, wenn
er meinte, die schlacht bei Straszburg hätte *quodam modo Galliis perpetuam libertatem* gebracht (Amm. XX 5, 5).

Aus dem gesagten geht hervor, dasz die darstellung Wiegands
immer noch weit entfernt ist uns ein getreues und richtiges bild von
dem verlauf und der bedeutung der Alamannenschlacht bei Straszburg zu geben. sein hauptproblem aber, die auffindung des schlachtfeldes, musz, so weit es mit unsern quellen möglich ist, als gelöst
betrachtet werden, und wenn einmal jemand versuchen sollte mit
hacken und spaten deutlichere spuren der schlacht zu finden, so
wird er in der von Wiegand bezeichneten gegend anfangen müssen.

Bensberg bei Köln. _____ Hermann Hecker.

11.
ZU HORATIUS EPODEN.
———

In unserer editio minor des Horatius (Leipzig 1878) haben Holder
und ich *epod.* 17, 1 drucken lassen: *iam iam efficaci do manus scientiae.*
die hss. geben teils *iam iam* getrennt (so Aalαβg ua.) teils als éin
wort (so zb. ICRδz). es ist aber in solchen fragen bekanntlich
durchaus kein verlasz auf die hss.; selbst wenn sie einig wären, hätte
es geringen wert; ich habe daher diese varianten im apparat auch
der groszen ausgabe gar nicht erwähnt. heute würde ich vorziehen
iamiam drucken zu lassen: denn in den episteln, carmina und epoden
gestattet sich Horatius die elision eines einsilbigen wortes sehr selten
und zwar nur bei einem pronomen (bei *me, mi, tu, te, qui*). bei
Plautus und Terentius schreibt man ja auch *nunciam* seit Ritschl
(vgl. rhein. mus. VIII s. 546) als éin wort. so wird also auch bei
Horatius *iamiam* das richtige sein wie *quamquam, sese* uam.

Prag.   _____   Otto Keller.

ERSTE ABTEILUNG
FÜR CLASSISCHE PHILOLOGIE
HERAUSGEGEBEN VON ALFRED FLECKEISEN.

12.
DE Q. ENNII ANNALIBUS.

In Q. Ennii annalibus, qui multo magis quam fabulae ceteraque
Ennii carmina priscam vetustatem redolent, plurima fuerunt, quae
posteriore aetate e consuetúdine sublata sunt. haec nondum sunt
separatim atque accurate composita. nam Lucianus Muellerus, quamvis multa eiusmodi in libro de Q. Ennio p. 190 sqq. commemoret,
tamen aliud consilium sequitur (cf. p. 191 sq.). itaque mihi iam propositum est ea exponere, quae in annalium fragmentis in
verbis et versibus vel Ennii ipsius vel aetatis eius esse
videntur propria. quam quaestionem ita instituam, ut eis rebus,
quae a viris doctis iam diiudicatae sunt, breviter commemoratis in
illis potissimum verser, quae nova addenda aut melius constituenda
sunt.

I.

Priore igitur huius commentationis parte ea, quae in verbis
Ennii temporum propria esse videntur, ita tractabo, ut ordine
enumerem primum vocabula in posterioris aetatis litteris
non usurpata, deinde eas voces, quae proprio quodam
sensu ab Ennio adhibentur, tum verborum formas posterioribus temporibus ab usu remotas.

A.
Vocabula posteriore aetate non usurpata.
1. Substantiva.

In substantivis perlustrandis exordior a nominibus propriis.

Remoram in v. 85 V. (80 M.). sic nominare novam urbem
Romulus in animo habebat. neque enim est quod *Romamne Remamne*
cum vetustioribus editoribus pro *Romam Remoramne* ponatur, cum

codex Ciceronis (de div. I 48, 107) Leidensis B Baitero teste *romam rem . . amne*, ceteri *romam remoramne* exhibeant.

Herem (*erdem* Vat. Gellii XIII 23, 18, *herclem* reliqui, *Herem* Meursius exerc. crit. II 3, 6) in v. 108 (112). de hac dea unum praeterea superest Festi testimonium (epit. Pauli p. 100, 2): *Herem Marteam antiqui accepta hereditate colebant, quae a nomine appellabatur heredum et esse una ex Martis comitibus putabatur.* unde forsitan colligere liceat vetustiores tantum Romanos Herem deam coluisse. nam quamquam Romani religiones antiquitus traditas plerasque perseveranter retinebant, tamen multarum memoria postea evanuit. hoc vero e Festi verbis apparet, in Enniano frustulo *Nerienem Mavortis et Herem* genetivum *Mavortis* non solum cum nomine *Nerienem* sed etiam cum appellatione *Herem* esse coniungendum. amoris deam hanc fuisse collato Osco *herest* Prellerus (mythol. Rom. I^2 p. 343) suspicatur. contra Corssenus (de pronunt. I^2 p. 470) Herem existimat deam hereditatis et comitem Martis hereditatem tuentis. quae sententia eo fulciri videtur, quod accusativi forma *herem* pro *heredem* non plane inusitata fuit. invenitur enim illud *herem* et in Naevii versu (com. 58 Ribb.) et in titulo anni p. Chr. n. 149 (Orelli n. 4379) in formula *herem non sequitur*.

Sarra in v. 330 (I fr. 56). urbem Tyrum, cui apud Phoenices esset nomen *Sor*, inde antiquiores Romani *Sarram* appellabant (v. Kiepertum de geogr. antiqua p. 170 sq.). qui usus his grammaticorum locis comprobatur: Probi in Verg. georg. II 506 *Tyron Sarram appellatam Homerus docet, quem etiam Ennius sequitur auctorem, cum dicit Poenos Sarra oriundos*; Gellii XIV 6, 4 (*in libro scriptum erat) quibus urbibus regionibusque vocabula iam mutata sint . . quod Tyros Sarra . . ante . . dicta sit*; Servii in Verg. l. l. *quae enim nunc Tyros dicitur, olim Sarra vocabatur.* accedit Festi glossa (p. 322, 23) mutila et depravata: *. . . uae nunc Epiros . . .* quam Pauli (p. 323, 5) libri sic exhibent: *Sarra Epiros* (*Tyros* editores veteres) *insula.* utroque loco fortasse *est Tyros* pro inepto *Epiros* scribendum est, ut Festi verba sic fere resarciantur: ⟨*Sarra insula appellabatur, q*⟩*uae nunc est Tyros.* exemplum nominis Sarrae in antiquis litteris praeterea repperi nullum. nam quod Scaliger in versu Plautino Truc. 539 coniecerat *ex Sara* (*exarat* libri), pro eo nunc rectius *ex Arabia* legitur.

hilum in v. 14 (8). post Lucretium *hilum* nisi in composito *nihilum* usurpatum non invenitur. sunt autem exempla eius maximam partem Lucretiana (III 220. 514. 518. 783. 830. 867. 1087; IV 379. 515. 1268; V 358. 1409). atque ubique apud Lucretium *hilum* ita collocatum est, ut hexameter eo claudatur. pariter se habent duo versus Lucilii (XXX 33 et fr. 815 Baehr.; v. JBeckerus Philol. II p. 37; Ribbeckius com. fragm.^{2} praef. p. CXXXI). in medio hexametro semel est *hilo* ablativus in eiusdem fragmentis (XIV 11). etiam Plauto *hilum* et *hilo* coniectura dedit Schoellius, qui altero loco (Truc. 915) *hilum operis* (*operis quicquam* libri), altero (Truc. 560)

Lambinum secutus *hilo minus* (*nihili omnibus* BCD) in textum recepit. adde compositum *perhilum*, quod in uno Lucretii versu (VI 576) occurrit. denique grammaticorum explicationes habemus hasce: Pauli p. 101, 8 *hilum putant esse, quod grano fabae adhaeret, ex quo nihil et nihilum*; Nonii p. 121, 2 *hilum, breve quoddam*; Placidi p. 51, 12 D. *hilum, quicquam*; cf. Varro de l. L. IX 54 *dictus est nihili, qui non hili erat*; X 81 *quem putamus esse non hili, dicimus nihili*; Paulus p. 175, 3 *nihili, qui nec hili quidem est*.

bellicrepa in v. 105 (l. I fr. 68). bellicrepae vox, quam COMuellerus (ad Festum s. v.) Ennio dedit, apud grammaticos tantum servata est. etenim praecipue agitur de hac Festi explicatione (epit. Pauli p. 35, 3): *bellicrepam saltationem dicebant, quando cum armis saltabant* eqs. inde derivatas iudicat Loewius (prodr. p. 69 sq.) Osberni glossas (VIII p. 64 Mai; p. 75 ᵇ): *haec bellicrepa, ae ·i· quoddam genus ludorum cum armatis hominibus factum*[1] et *bellicrepa: ludi armati genus*. idem Loewius aliam glossam (VI p. 511 ᵃ Mai) ex alio fonte haustam commemorat: *bellicrepa: saltatio, quam dicimus pyrrhicha*. accipiemus igitur vocem illam pro substantivo eamque si non ipsi Ennio at certe vetustiori aetati tribuemus.

ningulus[2] in v. 133 (133). notitia huius vocabuli ex uno Festi loco (p. 177 ᵃ, 30) pendet, ubi codex habet: *ningulus, nullus, ut Ennius l. II: qui ferro minitere atque in te ninculus mederi queat.* collatis Pauli verbis (p. 176, 4) *ningulus, nullus. Marcius vates: ne ningulus mederi queat* Augustinus in Festi textu lacunam esse censuit inde ortam, quod librarius oculo aberrante versum omisisset. mihi quidem glossa sic fere apte suppleri videtur: *ningulus, nullus. Ennius l. II: qui ferro minitere atque in te ⟨ningulus pugnet, et Marcius vates in carmine: ne⟩ ninculus mederi queat.* quae praeterea vocis *ningulus* vestigia viri docti in libris manu scriptis deprehendisse sibi visi sunt, ea multum habent dubitationis.[3]

surum in v. 516 (323). vetustioris usus fuisse suri nomen, quod et ipsum a solis grammaticis traditur, e Varronis testimonio (de l. L. X 73) cognoscimus: *usuis species videntur esse tres: una consuetudinis veteris, altera consuetudinis huius, tertia neutra; vetera, ut cascus casci, surus suri* (*furus furi* F). uberius agitur de eadem voce duabus Festi glossis corruptis ac misere mutilatis: p. 286 ᵃ, 28 *rigido* ... *Ennius locatus* (*iocatus* Augustinus) *videtur* ... *li est enim a manis* (*maris* Ursinus) *no* ... *re usus est et l. II* ... *i caerula prata, cae* ... *et alibi: inde Parum* ... *ulabant; Parum insulam refert; item:*

---

[1] inde fluxit Isidori glossa *bellicerpa, quoddam genus ludorum cum armatis*; v. Loewium l. l.   [2] de etymologia vide Pottii studia etym. I¹ p. 250; Corsseni de pronunt. I² p. 79; cf. p. 673 et 711; II² p. 687. 736.   [3] Ennii trag. 185 R. (fab. 56 M.) *in illis negotium* et *in illo negotium* (*negotio*) libri; *ningulo negotio* Bergkius opusc. I p. 229 sqq. — Cic. de leg. II 8, 19 *laudum delubra sunto nec uncula vitiorum* cod. Heinsianus; pro *nec uncula* exhibet *neculla* in rasura Voss. A, *neuc ulla* Voss. B, *ne uncula* Leid. C, *nec uincula* Ambros. α, *nincula* Vahlenus ephem. gymn. Austr. a. 1860 p. 15; sed v. Jordani symb. p. 248 sqq.

unum usurum surus ferre tamen defendere possunt; suri autem sunt rustes (fustes corr. Augustinus) *et hypocoristicos surculi;* p. 297 [b], 34 *surum dicebant, ex quo ⟨per deminutionem surculus fac⟩tum est; Plau ... non est tibi ... um; item: nam qui ... cus surculis ... m tum poli ... aut asulae ... rus surum ... re possent;* cf. Paulus p. 299, 1 *surum dicebant, ex quo per deminutionem fit surculus; Ennius: unus surus surum ferret tamen defendere possent.* quae glossae nondum probabiliter suppletae aut emendatae sunt [4], ut mirer a LMuellero libri II fragmenta 26—28 tamquam integra in libris tradita vel satis certo restituta exhiberi. iam hoc potissimum quaerendum erit, quomodo frustulum Ennianum, in quo suri vocabulum libris servatum est, probabiliter emendetur. nam verba illa, quamquam diu multumque criticorum ingenia exercuerunt [5], ne hodie quidem satis sanata, sunt. mihi scripturis diversis Festi glossarum inter se comparatis hoc persuasum est, terminationes vocabulorum graviter depravatas, vocabula ipsa non immutanda esse, itaque propono hanc emendationem:

unus sŭrum Surus ferre, tamen defendere posset.

posset iam Columna et Merula nescio quo auctore scripserunt. sedem fragmenti in aliqua belli descriptione fuisse suspicor. nam *Surus* videtur intellegendus esse Syrus aliquis, qui suro si non hostes depellere, at tamen locum defendere poterat. scimus autem Syros fuisse patientissimos (Plauti Trin. 542 sq.; v. Ritschelii parerg. p. 339 sqq.), sed servituti magis quam militiae natos (Liv. XXXV 49, 8). mensuram suri nominis appellativi adhuc ignotam ita constitui, ut prior eius syllaba corripiatur. idem valebit de paenultima compositi *crebrisuro* inc. lib. XLV (inc. fab. rel. XLVII), cuius hoc testimonium est apud Paulum p. 59, 3: *crebrisuro apud Ennium significat vallum crebris suris, id est palis, munitum.* [6] quare vocem illam notabilem nusquam alibi servatam ad annales, quo optime quadret, quam cum COMuellero (ad Festum s. v.) ad tragoedias referri malim. notio suri vocabuli ex adlatis Festi explicationibus satis intellegitur. quibus addenda est Osberni glossa (VIII p. 551 Mai; cf. p. 564 [b]) minus dilucida: *hic surus, ri ·i· truncus, qui remanet post abscisionem arboris; unde hic surculus, li, diminut.* sed hic quoque de arboris trunco ramis

---

[4] unam ex virorum doctorum coniecturis commemoro, quae veri specie non carere videatur. etenim in priore Festi glossa, ubi nostrae aetatis viri docti Scaligero duce ⟨pont⟩i *caerula prata* supplent, fortasse vetustiores Festi et Ennii editores recte scripserunt: ⟨camp⟩i *caerula prata.* nam sumpta esse possunt haec verba ex annalium v. 505 (460) *fert sese campi per caerula laetaque prata.* quod si verum est, totum fragmentum libro XVI a LMuellero tributum inter secundi libri reliquias est referendum. [5] *unus* | *surum surus ferret, tamen .. defendere posset* Merula; *in unum* | *surum ad surum ferte: tamen defendere possent* COMuellerus ad Festum p. 405; *una* | *surum surus ferire, tamen defendere possunt* Ilbergius; *unum surum ferre tamen, defendere possunt* LMueller. [6] Barthius advers. XLI 8 e libro manu scripto hanc lectionem profert: *crebrissurra apud Ennium et Naevium significat vallum crebris suris munitum.*

spoliato cogitandum erit, ut non ipsa arbor sed rami abscisi dicantur.
— Ceterum etiam post Ennium *suri* vel potius *syri* vocabulum in
vulgari sermone usitatum fuisse arbitror. refero enim huc Nonii
glossam (p. 46, 6): *syrus a Graeco magis tractum est, ἀπὸ τοῦ σύρειν*;
has (*hos* Quicheratius) *nos scopas* (*copas* Harl. m. pr.), *rustici eo* (fortasse
eos) *nomine syrus vocant*; *Varro Marcipore* (p. 162, 6 R. fr. 271 B.):
ventique . . secum ferentes tegulas ramos syrus (*serus* Lugd. m. pr.).
in his scopae non idem erunt ac nostrum *besen*, id quod in lexicis
docetur, sed interpretabimur illas principali notione sarmenta.[7] nam
vulgata illa explicatione ne sententia quidem apta efficitur.[8] syllaba
autem prior Varroniani *syrus* corripiatur necesse est.

    pausam in v. 572 (476) et *pausa* (*causa* Philargyrii codex
Vat., *pausa* Bergkius eph. litt. Hal. a. 1842 II 230) in v. 348 (370).
pausae vocem, quam a Graecis mutuati sunt Romani, ideo huc rettuli,
quod optimorum scriptorum aetate nusquam invenitur. accedit quod
Macrobius Sat. VI 4, 22 eius sic mentionem facit: *veteres . . dixerunt
et pausam et machaeram et asotiam et malacen et alia similia.* apud
Ennium etiam in saturis v. 11 (10) *pausam* legitur. reliqua huius
vocis a vetustioribus poetis usurpatae exempla Saalfeldus tens. Ital.
p. 834 sq. congesta praebet. post Lucretium vocabulum exolevit,
donec Gellius (XIX 5, 4) et Apuleius (met. XI 2 fin.) usum eius
redintegraverunt. praeterea illud quattuor locis repperi, apud Arnobium (V 9 Reiff.) et apud Iulium Valerium (de rebus gestis Alex.
M. II 1 fin.), in Itinerario Alexandri (17) et in inscriptione metrica
(p. 690, 5 Grut.).

    trifaci in v. 524 (557). quid sit *trifax*, e Pauli glossa p. 367, 7
intellegimus: *trifax* (*triphax* Monac., Guelf.) *telum longitudinis trium
cubitorum, quod catapulta mittitur; Ennius . . .* cf. Gellius X 25, 1
in historiis veteribus scripta sunt . . trifaces et Labbaei glossa: *trifax*,
τρίχηλον.

    agoea in v. 484 (567). hoc quoque nomen nusquam extat nisi
apud grammaticos neque cuiquam nisi Ennio tribuitur. habemus
enim haec potissimum testimonia: Pauli p. 10, 10 *agea via in navi
dicta, quod in ea maxime quaeque res agi solet*; Isidori orig. XIX 2, 4
agea (lege *ageae*) *viae* (*via* Guelf. 1. 2) *sunt* ⟨*vel*⟩ *loca in navi, per
quae ad remiges hortator accedit.*[9] ex Festo haustam esse Goetzius
(ind. schol. hib. Ien. a. 1885/86 p. VI) iudicat Osberni glossam
(VIII p. 29 Mai): *item ab ago haec agea, ae ·i· locus in navi, per
quem ad remos acceditur.* similes glossas eodem spectantes vir doctissimus hasce commemorat: *agea, via in navi longa, qua remiges
hortantur et solent ambulare* (*qua ad remiges hortatores solent ambu-*

---

    [7] Barthius advers. VI 17 *syrus* interpretatur 'minuta ramenta cuius-
libet arboris aut fruticis'.   [8] itaque non assentior LMuellero (ad Nonii
l. l.) *syrus* perperam explicari suspicanti.   [9] inde emenda glossam,
quam Schefferus de militia navali veterum I 6 e glossario Latino-Germanico
manu scripto affert: *agiaria loca quaedam in navibus, quae per remos hortator accedit.*

lare Goetzius); *agea*, *via in navi longa, qua remiges hortantur, cum nolunt ambulare* (v. etiam Loewii prodr. p. 143); *agela, via navis in qua dextra levaque* et *ageia, via navis in aqua dextra leuaque;* Philox. gloss.: *agear,* παραμένων καὶ πάροδος πλοίου (*agea,* παρὰ Ἐννίῳ, πάροδος πλοίου Scaliger). a constanti librorum scriptura *agea* Fleckeisenus[10] recedit, cum pro *e* vocali *oe* substitui iubet. est enim *agoea* nihil aliud nisi Graecum ἀγυιά. inde derivatum nomen *ageator*[11], quod idem esse dicitur atque *hortator*, Goetzius (arch. lexicogr. II p. 340 sq.) in multis glossis maximam partem corruptis deprehendit.

2. Adiectiva.

casci in v. 24 (12). de usu et significatione adiectivi *cascus* his locis agitur: Varronis de l. L. X 73 *vetera, ut cascus casci* (v. p. 83); VII 28 *cascum significat vetus .. origo Sabina, quae usque radices in Oscam linguam egit* (v. Corssen de pronunt. I² p. 652 ann.); *cascum vetus esse significat Ennius ..*[12]; Ciceronis Tusc. I 12, 27 *unum erat insitum priscis illis, quos cascos appellat Ennius* eqs.[13]; Pauli p. 47, 11 *cascum, antiquum.*[14] Servii in Aen. I 6 *Saufeius Latium dictum ait, quod ibi latuerant incolae, qui .. Cascei vocati sunt, quos posteri Aborigincs cognominarunt* eqs. priscae igitur Latinitatis vocem *cascus* propriam fuisse apparet. quod exemplis eius, quae pauca supersunt, satis confirmatur. antiquissimum est in versu carminis Priami (Varr. de l. L. VII 28): *veteres Casmenas, cascam rem volo profari.* deinde in Naevii fragmento apud Varronem (Romuli v. 1 Ribb.) Hermannus (opusc. V p. 263) codicis Florentini scripturam *asta lana* in *casca lana* probabiliter mutavit. tum Sullanis temporibus in adnominatione hac voce usus est Manilius, cuius carmen apud Varronem l. l. sic incipit: *cascum duxisse cascam.* optimorum scriptorum aetate *cascus* in usu non fuit neque postea videtur revixisse. nam quod Gellius (I 10 lemm.) *nimis casce et prisce loquentem* dicit, eo nihil probatur, cum ille obsoleta vocabula a vetustissimis scriptoribus mutuari soleat. neque aliter iudicandum erit de loco Ausonii (epist. 26 v. 27 Peip.) Ennium saepius imitantis, si quidem vera est codicum lectio: *et nunc paravit (parabit* Peiper) *triticum casco (vesco* Bentleius) *sale novusque pollet emporus.*

dulciferae in 71 (57). alterum compositi *dulcifer* exemplum est apud Plautum Pseud. 1262.

altivolantum in v. 84 (79). hoc adiectivum compositum, quod ab Ennio substantivi loco usurpatur, etiam in Lucretii poemate

---

[10] quinquaginta tituli p. 20 ann.; misc. crit. p. 14. reliquos locos, quibus *agoeae* vox a viris doctis tractatur, vide in Saalfeldi tens. p. 33.
[11] ad hoc nomen iam Cerda advers. sacr. cap. 173 n. 6 glossam Isidorianam de *ageae* voce rettulit.   [12] cf. Petri Diaconi verba, quae Goetzius (ind. schol. hib. Ien. a. 1886/87 p. III) e codice Casinensi 361 affert: *casca antiquitus dicebatur vetustior res.*   [13] cf. Hieron. epist. ad Niceam p. 342 (Migne) *rudes illi Italiae homines, quos cascos appellat Ennius.*
[14] cf. Osberni gloss. (VIII p. 149ᵇ Mai): *cascus, vetus, antiquus, annosus.*

semel (V 433; cf. Macr. VI 2, 23) occurrit. inter posteriores poetas
Ausonius (technop. 80 P.) antiquissimos imitatus eo usus est.
tutulatos in v. 124 (128). *tutuli* vocis et inde derivati
adiectivi *tutulatus* quae fuerit notio, his locis demonstratur: Festi
p. 355[a], 29 *tutulum vocari aiunt flaminicarum capitis ornamentum,
quod fiat vitta purpurea innexa crinibus, et extructum in altitudinem;
quidam pileum lanatum forma metali figuratum, quo flamines ac
pontifices utantur, eodem nomine vocari; Ennius* . .; Varronis de l.
L. VII 44 *tutulati dicti ii, qui in sacris in capitibus habere solent ut
metam; id tutulus appellatus ab eo, quod matres familias crines con-
volutos ad verticem capitis quos habent vitta* (*uti* libri, corr.
COMuel-
lerus) *velatos* (*velatas* F, corr. Laetus) *dicebantur tutuli.*[15] alibi adiectivum illud non extat, nisi quod Pomponius (v. 96 Ribb.) *tutulatam
truam* dixit.

sapientipotentes in v. 188 (207). hoc et quod sequitur
vocabulum numeranda sunt inter ἅπαξ εἰρημένα quae dicuntur. pro
illo tamquam barbarico et insulso LMuellerus (Enn. p. 204) duce
ANauckio (Philol. XII p. 645) *sapientiloquentes* scribi iubet. sed ne
haec quidem vox usquam tradita est. adde quod *sapientipotentes* recte
se habere ipso opposito *bellipotentes* haud obscure indicatur. omnino
talia ab usu Enniano minime aliena sunt.[16]

dentefabres in v. 324 (331). depravatam hanc librorum
scripturam Turnebus mutavit in *dentifabres,* Columna in *dentifabros,*
Hugius in *dentiferos.*

runata[17] in v. 576 (543). Festi testimonium est apud Paulum
p. 263, 1 *runa genus teli significat; Ennius: runata recedit, id est
pilata* (*proeliata* Guelf. et Barthii advers. XXXVIII 11 codex). in
ipsius Festi verbis misere truncatis servato *Naevi* hoc indicari videtur, Naevium quoque adiectivo *runatus* usum esse. a Festi explicatione valde discrepant Isidori glossae: *runa, pugna; runata,
proeliata.*

Furinalem in v. 125 (Naev. b. Pun. 27). flaminis Furinalis
nomen ad hanc quaestionem pertinere verisimile est. videntur enim
Furinae flamines ultima liberae rei publicae aetate non iam fuisse,
cum nomen deae ipsum prope in oblivionem venisset. cuius rei testis
est Varro de l. L. VI 19 his verbis: *Furrinalia Furrinae* . . *cuius
deae honos apud antiquos; nam ei sacra instituta annua et flamen
attributus; nunc vix nomen notum paucis.*[18] duobus aliis locis Var-
ronianis (ibd. VII 45 et V 84; cf. Cic. de nat. d. III 18, 46) *Furinalis*

---

[15] cf. Fulgent. p. 561, 25 Merc. (v. Lersch Fulgent. p. 42 sqq.);
Serv. in Aen. II 683; Tertull. de pallio 4 fin.; gloss. Osberni (VIII p. 594[b]
Mai) *tutulus, vestis, qua sacerdos utitur, dum turificat;* v. etiam Merulam
p. 267. [16] *velut* cf. ann. 310 (561) *navibus explebant sese terrasque
replebant.* [17] de etymologia v. Corsseni symb. p. 143 sq.; de pronunt.
I[2] p. 210. [18] cf. Paulus p. 88, 16 *Furnalia* (*Furinalia* Lips.) *sacra
Furinae, quam deam dicebant;* v. etiam Marquardt de admin. rei publ.
Rom. III[2] p. 327.

in eorum flaminum nominibus numeratur, quorum origo sit incerta. ceterum *Furina* et *Furinalis* modo una *r* littera[19], modo geminata[20] in libris scribuntur.

Falacrem in v. 126 (Naev. b. Pun. 28). in flaminem Falacrem fortasse idem valet atque in Furinalem. nam illius quoque nominis originem Varro de l. L. VII 45 dicit obscuram. accedit quod patrem Falacrem, cui flamen Falacer institutus erat, non novimus nisi e Varrone (ibd. V 84 *sic flamen Falacer a divo patre Falacre*; cf. VII 45) et ex titulo apud Muratorium (p. 100, 6 *T. Flavio Primigenio Falacr deae Pom. T. Flavius T. f. .. d. d.*).

3. Verba.

cluebunt in v. 4 (3). vetustiorum poetarum proprium esse cluendi verbum facile apparet. in Ennii reliquiis semel com. 1 (sat. 31) praeterea illud legimus, in hoc versu: *per gentes Asiae cluebat omnium miserrumus.* deinde huc refer incerti tragici versum (inc. inc. fab. 42 R.), quem LMuellerus (falso adscr. XIII, ed. Ennii p. 143) fictum iudicat: *haec, bellicosus cui pater, mater cluet Minerva.* multa exempla Plautina a Neuio (de formis II² p. 426) collecta sunt, apud quem etiam Lucretiana et Lucilianum (XXX 104 M.) invenies. incerta lectio est in duobus Accii versibus (trag. 533 R.; praet. 39). *clueri* quoque eadem fere notione atque *appellari* interdum occurrit, velut in Pacuvii versu (194 R.): *sed hi cluentur hospitum infidissumi* et loco Plautino (Pseud. 918): *stratioticus qui homo cluear.* tum Varro in satura ῎Ονος λύρας (p. 183, 6 R. fr. 356 B., v. Vahleni coniect. p. 6) dicit: *Pacvi discipulus dicor, porro is fuit Enni, Enniu' Musarum: Pompilius clueor.* hic inflato musico priscum vocabulum apte datur. post Lucretium autem cluendi verbo etiam poetae uti desierunt. nam quod in Senecae apocolocyntosi 7 v. 1 Hercules Claudium affatur *exprome propere, sede qua genitus cluas*, id veteris tragoediae imitatione fieri verbis Senecae antecedentibus *quo terribilior esset, tragicus fit et ait* aperte indicatur (v. LMuellerum Enn. p. 206). posteriore aetate Tertullianus, Iulius Valerius, Ausonius, Prudentius, alii obsoletum illud verbum perraro adhibuerunt, atque ita quidem, ut semper fere tertiae coniugationis formas ponerent. denique glossas ad cluendi vocem spectantes hasce repperi: Nonii p. 87, 26 *cluet, nominatur*; gloss. apud Loewium prodr. p. 364 *cluet, nominatur, in gloria est*; *clues, polles*; *cluere, clarum esse*; *cluet, nominatur vel excellit*; *cluit, clarum est*; *cluit, pollet, viget*, alias; Osberni gloss. (VII p. 103 et p. 142ᵃ Mai): *cluo dicitur pro splendeo teste*

---

[19] *Furinalis* Varro de l. L. VII 45 et bis V 84; *Furinales* ibidem; *Furinalia* Paulus p. 88, 16; *Furina (furida* sive *furrida* F) Varro de l. L. V 84; *Furinae* Cic. l. l. et epist. ad Q. fr. III 1, 4; Paulus l. l.; Aur. Victor 65, 5, alibi; *F. Fur.* in Kalend. Maffeiano (II p. 394 Or.). Baehrensius (Burmannus rediv. p. 9; cf. Enn. fr. 82) hanc scripturam defendit a furendi verbo Furinae nomen derivandum esse arbitratus.
[20] *Furrina* Varro de l. L. VII 45; *Furrinalia* et *Furrinae* VI 19.

Prudentio eqs.; *cluere, resplendere, fulgere, rutilare, coruscare, radiare, micare, gliscere, nitere.*[21]
tuditantes in v. 138 (121). de verbo frequentativo tuditandi extat haec Festi glossa (p. 352ᵃ, 25) ex Paulo (p. 353, 4) suppleta: ⟨*t*⟩*uditantes, tundentes* ⟨*negotium, id est ag*⟩*entes significare ait Cincius* ⟨*... En*⟩*nius l. II: haec inter se totum ... tes, et Lucretius item l. II* (v. 1142): *nec* ⟨*tuditantia*⟩ *rem cessant extrinsecus ullam.* Ennii versus a Paulo omissus quomodo suppleatur, incertum est. sed cum in codice non ita multae litterae excidisse possint, ac propter adlitterationem maxime mihi placet Bergkii (opusc. I p. 269) coniectura: *haec inter* ⟨*se*⟩*se totum* ⟨*tempus tuditan*⟩*tes.* tertium exemplum est apud Lucretium III 394 sq. *tuditantia possint concursare, coire et dissultare vicissim.* utroque autem Lucretii loco principalis notio tundendi servata est. denique in glossariis saepius (v. Hildebrandi gloss. p. 285) invenitur: *tunditantes, saepe tundentes* et semel (Osbern. gloss. VIII p. 589ᵇ Mai): *tuditare, cum malleo percutere.*

carinantibus in v. 229 (232) et *carinantes* in v. 181 (fab. 444). antiquissimae consuetudini hanc vocem in glossis tantum extantem tribuemus. perversa eius etymologia[22] legitur apud Paulum p. 47, 8 *carinantes, probra obiectantes, a carina dicti, quae est infima pars navis; sic illi sortis infimae.* graviora sunt quae Servius in Aen. VIII 361 profert: *Sabini nobiles, quorum genus irridere et carinare solebat; carinare est obtrectare; Ennius: contra carinantes verba atque obscena profatus; alibi: neque me decet hanc carinantibus edere chartis.* accedunt aliquot glossae. etenim Loewius (prodr. p. 14; cf. p. 122) verba *carinantes, inludentes, inridentes* aut *carinantes, inludentes* interdum leviter mutata saepe in codicibus repperit. 'idem bis legi dicit *carinantes, argutantes* et semel *carino, illudo, irrideo.* aliae glossae, quibus et verbum carinandi et substantivum *carinator* (Placidi p. 29, 15) explicantur, ab Hildebrando (gloss. p. 46) compositae sunt. fragmenta Enniana non integra qua ratione sanari possint, infra mihi dicendum erit.

russescunt in v. 266 (268). hoc verbum incohativum, quod est ἅπαξ εἰρημένον, ab adiectivo *russus* derivatum est sicut ab adiectivo *rufus* verbum *rufescere.*

exaugere in v. 290 (314). duo praeterea exempla inveni, alterum Plautinum (Stichi 304 *exaugeam*), alterum Terentianum (Haut. 232 *exaugeant*).

nictit in v. 346 (375). versibus Ennianis, in quibus *nictit*

---

[21] Ennii fragmentum, in quo cluendi verbum inest, in Probi (IV p. 231, 16 K.) codice sic traditur: *Ennius in primo nam latos populos res atque poemata nostra cluebant.* Ilbergius (p. 13 sq.) scripsit: *Ennius in primo annalium: latos* ⟨*per*⟩ *populos terrasque poemata nostra* ⟨*clara*⟩ *cluebunt* (hoc Dousa auctore), quam emendationem omisso vocabulo *clara* recepit Keilius. [22] immo a carendi verbo tertiae coniugationis *carinare* derivatum est; v. Corsseni symb. p. 451 sq; de pronunt. 1² p. 403. 522. 524; II² p. 172; cf. I² p. 420 ann., II² p. 416; v. etiam Ritschelii opusc. IV p. 134, GCurtii etym.⁵ p. 148.

inest, Festus (p. 177ᵃ, 16; cf. Pauli epit. p. 176, 3) haec praemittit: *nictit canis in odorandis ferarum vestigiis leviter ganniens; ut Ennius* ... praeter Ennium illa voce usum esse Caecilium Osberni glossa (VIII p. 372 Mai) traditur: *nicto, as, cii (nicto, is, nixi* Hildebrandus p. 218, *nicto, is, nicti* Georges in lexico) *vel nictui, quod proprie pertinet ad canes, quando bestiarum vestigia sequuntur; unde et Caecilius de quodam cane: bene, inquit, nictit holetque.*²³ omnino in glossis haud raro *nictit* aliaeque huius verbi formae occurrunt. etenim Loewius (prodr. p. 16; cf. Hild. gloss. p. 218) verba *nictit canis, cum acute gannit* e satis multis glossariis, *nictit canis, cum leviter gannit* (v. Loewium gloss. nom. p. 137) et *nictit canis, cum excitatur* e singulis codicibus, *nicto, latro* ex tribus libris affert. adice glossam e codice Vaticano (VII p. 570ᵃ Mai): *necne (nictit* Hildebrandus) *canis, dum gannit* et Osberni glossam (VIII p. 383ᵃ Mai): *nictire, olere, sicut canes faciunt* (cf. Hild. gloss. l. l.). *nictit* igitur tertiaene an quartae coniugationis sit, in medio relinquendum est.

insece in v. 332 (377). de antiquissima insecendi voce accuratius agit Gellius XVIII 9, qui non solum Ennii versum affert sed etiam *insecenda* ex Catonis oratione, *insece* ex notissimo Livii Andronici versu, *insectiones* a veteribus Romanis pro narrationibus vel sermonibus dictas commemorat. huc referendae sunt duae aliae glossae: Pauli p. 111, 11 *inseque apud Ennium, dic*²⁴; *insexit, dixerit*; Placidi p. 59, 16 *insequis, narras, refers, sed interdum pergis.* de ratione, qua verbum insecendi scribatur, Gellius § 2 sqq. duas veterum sententias profert. nam aliis *insequenda* et *inseque* placebat, ut *insequere* idem esset ac pergere dicere, aliis Velium Longum secutis, in quibus erat Gellius, *insece* et *insecenda* probabatur. *insece* Gellius se ipsum in vetusto Livii Andronici libro legisse adfirmat. nihilominus *insecere* ei videtur idem esse atque *insequere.*²⁵

campsant (v. Saalfeldi tens. p. 219) in v. 334 (383). legimus apud Priscianum (II p. 541, 15 H.): *unde* (a κάμπτω) *et campso (camso* Paris. R, Halberst.) *campsas (camsas* Halberst.) *solebant vetustissimi dicere; Ennius: Leucatam campsant (camsant* Bern., Halberst.). cui testimonio adde nonnullas glossas ab Hildebrando (gloss. p. 43) collectas.

verant in v. 370 (407). de hac voce plane nihil scimus praeter ea quae Gellius (XVIII 2, 12; 15 sq.) memoriae prodidit: *quaesitum est, verbum verant, quod significat vera dicunt, quisnam poetarum veterum dixerit .. libris coronisque omnes donati sumus nisi ob unam quaestionem, quae fuit de verbo verant; nemo enim tum commeminerat dictum esse a Q. Ennio id verbum eqs.*

---

²³ cf. Ugucionis verba a Goetzio (ind. scbol. hib. Ien. a. 1885/86 p. VIII) commemorata: *item anicto as nicto vel niccio is ctui niccitum ·i· glatire et proprie canum est, quoniam bestiarum vestigia insequuntur et acute ganniunt, unde Cecilius* eqs. ²⁴ cf. gloss. apud Labbaeum: *inseque, εἰπέ.*
²⁵ v. Curtii etym.⁵ p. 467 sq. et Corsseni de ling. Ital. cogn. p. 70.

longiscunt in v. 429 (492) et *longiscere* in v. 480 (493).[26] notitiam huius vocis Nonio (p. 134, 17) debemus, cuius verba sic scripta sunt in libris: *longiscere, longum fieri vel frangere; Ennius lib. XVII: neque corpora firma longiscunt (longicunt* H) *quicquam;* idem: *cum sola est; eadem facient* (sic Leid.; *faciunt* GH) *longiscere longe.* omitto varias virorum doctorum opiniones, quibus Nonii glossa minime sanata sit. hoc dico, displicere Hugii (in Vahleni edit.) commentum: *langiscere, languidum fieri vel frangi . . langiscunt . . cum soles terras faciunt langiscere longe.* quae nimis longe recedunt a codicum scriptura. immo vero etiam sequenti adverbio *longe* altero loco *longiscere* fulciri apparet. Nonii locum consideranti mihi haec emendatio se obtulit: *longiscere, longum fieri vel frangi . . longiscunt . . cum soles cladem faciunt longiscere longe.* posteriorem Ennii versum sedem habuisse suspicor in pugnae descriptione, ubi cladem solis aestibus auctam esse narrabatur.[27]

degrumare in v. 430 (494). testatur hoc verbum Nonius (p. 63, 4): . . *est autem gruma mensura quaedam, qua fixa viae ad lineam diriguntur, ut est agrimensorum et talium; Ennius libro XVIII gruma dirigere dixit degrumari ferrum; Lucilius lib. III viam quae degrumavis, ut castris mensor facit olim.* adicias glossas a Loewio (prodr. p. 118; gloss. nom. p. 150) prolatas: *grumare, dirigere ⟨aequare⟩* et *grumat, dirigit, aequat (grumat diri* et *git equat* codex). apud Nonium verba *gruma dirigere (derigere* LH²) Vahlenus, L. Muellerus etiam *dixit* interpolata iudicant. probabilius statuemus Neuium (de formis II² p. 282) secuti Ennianum *degrumari ferrum* verbis *gruma dirigere* explicari. sed passivi forma *degrumari* propter glossas supra ascriptas magnam dubitationem movet, ut *degrumabis* in Lucilii versu Salmasius, Vahlenus apud Ennium *degrumare* suo iure coniecisse videantur. altera autem Vahleni coniectura *forum* pro *ferrum* scribentis ideo minus placet, quod ad verba *degrumare forum* illustranda Nonii explicatio *gruma derigere* non quadrat. omnes difficultates facile removentur, si *ferrũ* ex *ferro* factum esse ratus legas: *Ennius . . gruma derigere dixit degrumare ferro.* sic verbis *gruma derigere* explicatur fragmentum Ennianum, ubi ferrum gruma est intellegendum.

erugit in v. 546 (593). *erugere* pro frequentativo *eructare* usurpatum vetustioribus Romanis tribuo, quod nullum praeterea exemplum eius novimus nisi unum apud Gellium (XI 7, 3) *vinum eructum.* Gellii autem usu nihil probari supra dixi. grammaticorum testimonia haec sunt: Pauli p. 83, 2 *erugere semel factum significat, quod eructare saepius; illud enim perfectae formae est, hoc frequentativae;* Macrobii exc. Bob. V p. 651, 34 K. *eructo . . est a verbo erugit; Ennius ..;* eiusdem exc. Paris. V p. 626, 20 K. *eructat frequentativum*

---

est a principali ⟨*erugit* . .⟩ *erugit aquae vis*; gloss. apud Hildebr.
p. 129 *erugit* (*eruit* codex; corr. Hildebrandus), *egerit.*
    consiluere in v. 575 (inc. sed. 30). quod de erugendi vocis
usu dictum est, idem de consilescendi verbo valet. etenim antiquiore
aetate Ennius Paulo (p. 58, 9) teste *consiluere pro conticuere posuit* et
Plautus (Mgl. 583) *consilescunt turbae* dixit, ex posterioribus Gellius
bis (V 1, 6 [*Homerus*] *consiluisse universos dicit*; XII 1, 22) et Hieronymus semel (in Iesai. V 14, 10) vocabulo usi sunt. optimorum vero
scriptorum temporibus nullum eius vestigium reperitur.

4. Adverbia.

    postilla in v. 42 (34). vetustioris sermonis proprium est hoc
compositum sicut *postillac postidea postibi* alia. legitur enim praeterea in incerti poetae tragoedia v. 15 R. (Enn. fab. 11 M.), in Catonis
originum fragmento (apud Gellium III 7, 19), apud Plautum
Lorenzio (ad Most. 134) teste circiter duodeciens, ter apud Terentium (Phorm. 347; Andr. 936 [*post illa* libri; *post ibi* Lachmannus];
Haut. 447), postremo semel in Catulli carminibus (84, 9). disseruit
de hoc et de aliis id genus adverbiis Ritschelius opusc. II p. 269 sqq.
541 sqq.
    atque atque in v. 527 (519). geminatam *atque* particulam ab
Ennio positam esse Gellius X 29, 2 his verbis tradit: (*atque particula*) *si gemina fiat, auget intenditque rem, de qua agitur, ut animad-
vertimus in Q. Ennii annalibus, nisi memoria in hoc versu labor:
atque* (*adque* L m. pr.) *atque* (om. Regin.) *accedit muros Romana
iuventus.* a quo testimonio discrepat alterum Nonii p. 530, 1 *atque
particula, si diligentius intellegitur, multam habet significantiam, ut
vel illud est Ennii: atque accendit muros Romana iuventus, quod est:
festine et intrepidanter accendit.* sed facile intellegitur Nonium, qua
erat levitate et ignorantia, Gellii verba temere immutasse, ut eius
testimonio nihil tribuamus. et ne Gellius quidem, etiamsi Ennii
versus probe meminit, initium eius recte explicavit. nam particulae
atque geminatio prorsus inaudita et incredibilis foret. probabilius est,
quod LMuellero (comm. p. 203 sq.; cf. Enn. p. 211) teste Woelfflinus
proposuit, *atque atque* pro *adque adque* scriptum vertendum esse
'und heran, und beran', ut *ad* loci adverbium sit. tamen ne sic
quidem omnes scrupuli removeri videntur.
    5. Denique huc referenda est vox *taratantara* in v. 452 (537)
ad exprimendum tubae sonum a poeta formata (v. Prisc. II p. 450, 6 H.;
Serv. in Aen. IX 501; cf. Columna p. 102 sq.).

B.
Voces proprio quodam sensu adhibitae.
1. Substantiva.

    nepos in v. 56 (47) pro *neptis* positum. qui usus antiquioribus
Romanis ascribitur a grammaticis, his quidem locis: Festi p. 286ᵇ, 13

recto fronte . . antiquae id consuetudinis fuit, ut cum ait Ennius quo-
que a stirpe supremo et Ilia dia nepos et lupus feta eqs.; Charisii I
p. 90, 24 K. *neptis grammatici volunt dici . . et advocant Ennium,*
quod dixerit ita: .. sed consuetudo nepotem masculino et neptem feminino
genere usurpavit; Nonii p. 215, 6 *nepos dici et femina potest Ennio auc-*
tore, quae nunc neptis dicitur eqs.; Prisc. II p. 253, 2 H. *nepos nepotis,*
quod quidam commune putaverunt, quamvis femininum sit neptis;
Servii in Aen. XII 519 *ab hoc nepote hic et haec nepos; nam ut*
neptis dicamus in iure propter successionis discretionem admissum est.
itaque non multum alii grammatico (Sergio explan. ad Don. IV
p. 563, 15 K.) tribuemus docenti: (*soloecismus per genera est*) *apud*
Ennium: Ilia dia nepos. praeterea in titulis sepulcralibus saepius [28]
nepos pro *neptis* legitur.

lupus femina in versibus 70 (58) et 73 (59). antiquiores ʼsic
pro *lupa* dixisse praeter Festi locum modo ascriptum his testimoniis
affirmatur: Quintiliani I 6, 12 *lupus masculinum; quamquam Varro*
in eo libro, quo initia urbis Romae enarrat, lupum feminam dicit
Ennium Pictoremque Fabium secutus; Festi p. 150, 26 *antiquam*
consuetudinem .. idem antiqui dixerunt .. hanc lupum; Pauli p. 6, 12
apud maiores communis erat generis .. et lupus; p. 60, 8 (*antiqui*)
diverso genere dicebant haec lupus eqs.; Servii in Aen. II 355 *sane*
apud veteres lupus promiscuum erat eqs. praeterea nullum huius usus
vestigium deprehendimus. lupae autem nomen lupum feminei sexus
significans apud antiquiores scriptores nusquam occurrit, cum de
meretrice idem saepius usurpatum sit.

latrones in versibus 60 (52) et 528 (529). ˉvox latronis in
vetustiore sermone Latino eandem fere vim habebat atque Graecum
λάτρις, ut milites conducticios significaret (v. Curtii etym.[5] p. 363).
cui rei testimonio sunt verba Varronis de l. L. VII 52 *latrones dicti*
. . et qui conducebantur; ea enim merces Graece dicitur λάτρον; ab eo
veteres poetae non numquam milites appellant latrones .., et Pauli
p. 118, 16 *latrones eos antiqui dicebant, qui conducti militabant,*
ἀπὸ τῆς λατρείας eqs., et Nonii p. 134, 28 (cf. Placidum p. 61, 1 D.;
Servium in Aen. XII 7) *latrocinari, militari mercede .. Ennius ..*
(ann. 528). praeter Ennium Plautus solus, quod quidem sciam,
nomen illud sic adhibuit, cuius loci a Brixio (ad Trin. 599) et Saal-
feldo (tens. p. 612 sqq.) commemorantur. apud eosdem invenies
tria exempla verbi latrocinandi Graeco λατρεύειν respondentis
(Mgl. 499. Trin. 599. Poen. 704). denique latrocinii nomini haec
notio subiecta est in fragmento Plautino (v. 49 Winter).

occasus in versibus 164. 171. 292 (134. 172. 319) pro *occasio.*
huius usus mentio fit uno Festi loco (p. 178 ᵇ, 12) *occasus .. quo*
vocabulo Ennius pro occasione est usus . . .

· ²⁹ IRN. n. 2706. 3026. 3051. 4960. 6054. 6430; CIL. II n. 389. VIII 2
n. 8732; Orelli n. 3773; Gruteri p. 678, 11; v. Neuium de formis I²
p. 597.

eques in v. 237 (249) et in v. 419 (484) pro *equus. quadrupes eques*, non *quadrupes equus* ab Ennio scriptum esse Gellius docet (XVIII 5 lemm. et § 4 sqq.). ex cuius expositione haec potissimum notanda sunt, quae ab Antonio Iuliano rhetore Gellius se audivisse dicit: *pleraque veterum aetas et hominem equo insidentem et equum, qui insideretur, equitem dixerunt.* etenim rhetorem illum *eques*, non *equus* in libro Ennii vetustissimo Lampadionis manu emendato ipsum legisse (§ 11). eundem de simili verbi equitandi usu haec addidisse (§ 9): *propterea equitare etiam, quod verbum e vocabulo equitis inclinatum est, et homo equo utens et equus sub homine gradiens dicebatur.* secuntur duo et dimidiatus Lucilii versus (inc. 69 sqq. M.), ubi *equitare* et *equitat* binis exemplis de equo usurpantur.[29] epitomen brevem capitis Gelliani Macrobius (VI 9, 9) praebet, atque Ennii fragmentum a Philargyrio (in georg. III 116) quoque affertur. denique in Nonii (p. 106, 24) libris est: *equitem pro equo; . . Ennius annali lib. VII an non quadrupedes equites* (*lib. VII quadrupes eques ac non quadrupes equus* LMuellerus ex lemmate capitis Gelliani). ab eisdem grammaticis affirmatur imitatione eius *equitem* pro *equum* semel (georg. III 116) posuisse Vergilium. nec videtur esse, cur cum Heynio hoc falsum iudicemus, cum in illo Vergilii loco sane equus intellegendus sit. nihil vero ad hanc quaestionem refert, quod Minucius Felix 7, 3 scripsit: *Curtius, qui equitis sui vel mole vel honore hiatum profundae voraginis coaequavit*, qui locus dubius a compluribus viris doctis tentatus est.

peniculamenta in v. 363 (394). de notione et usu huius nominis apud Nonium p. 149, 27 haec legimus: *peniculamentum a veteribus pars vestis dicitur; Ennius lib. XI* (ante ras. *XII* H, *XI* L) *annalis: pendent peniculamenta unum ad quemque pedum; Lucilius lib. XVIIII* (v. 6 M.): *penulamento vere* (*peniculamentum vere* vulg.) *reprehendere noli; Caecilius Feneratore* (132 R.): *volat sanguis* (*exsanguis* Bothius), *simul anhelat, peniculamentum* (*penulamentum* H[1]) *et pallio datur* (*peniculamentum e pallio datur* Buechelerus, *peniculamentum tenet palliolatim* Ribbeckius). pro *annalis pendent* LMuellerus *annali: splendent* scribit. sed verbum *pendent* et propter adlitterationem et quod optime quadrat ad sequentia, tentari nolim.[30]

falae in v. 389 (420). falas hic[31] turres ligneas esse, quales in oppugnationibus adhiberi solebant, ex his veterum explicationibus apparet: Nonii p. 114, 5 *falae turres sunt ligneae*; p. 555, 19 . . *a falis, id est turribus ligneis*; Pauli p. 88, 10 *falarica . . utuntur ex falis, id est ex locis extructis, dimicantes*; p. 88, 12 *falae dictae ab altitudine, a falando, quod apud Etruscos significat caelum*[32]; Servii in Aen. IX 702 *phalarica pugnatur de turribus, quas falas dici mani-*

---

[29] quae omnia Gellius postea etiam in pervulgatis commentariis se legisse adicit; v. Mercklinum annal. philol. supplem. III p. 676 sq.
[30] principali notione servata *peniculamentum* est cauda, velut apud Arnobium adv. nat. V 11.   [31] apud Iuvenalem 6, 590 *falas* aliam vim habet.
[32] de etymologia v. Corsseni symb. p. 473.

festum est.[33] per imaginem hoc nomine usus est Plautus Most. 357
vel isti qui hosticas trium nummum causa subeunt sub falas.

spiras in v. 501 (502). singularem vim spirae voci Graeco
cπεῖρα respondenti[34] apud Ennium subiectam esse Festus p. 330 ᵇ, 15
his verbis testatur: *spira . . Ennius quidem hominum multitudinem
ita appellat . . .* similiter in mysteriis nomen illud adhibebatur.

tonsillas in v. 491 (569). tonsillae vocabulum quid in vetustiore
sermone significaverit, ex his glossis intellegimus: Festi p. 356 ᵃ, 28
(cf. Pauli ep. p. 357, 5) ⟨*tonsillam ait*⟩ *esse Verrius palum dolatum
⟨in acumen et⟩ cuspide praeferratum, ut existi⟨mat, qu⟩em configi in
litore navis re⟨ligandae⟩ causa*; Pauli p. 224, 16 *prymnesius palus,
ad quem funis nauticus religatur, quem alii tonsillam (tosillam*[35] Mon.)
dicunt; Isidori orig. XIX 2, 14 *tonsilla, uncinus ferreus vel ligneus,
ad quem in litore defixum funes navium illigantur; de quo Ennius ...*[36]
ex Pacuvii tragoedia (v. 218 R.) Festus p. 356 ᵃ, 31 affert: *tosillam*
(*tonsillam* Priscianus II p. 523, 19 H.) *pegi lecto in litore* et ex Accii
fabula (trag. 574 R.): *tonsillas lecto in litore edite.* denique in Luci-
lianis (X 3 M.) *consellas praevalidis funibus aptas* pro *consellas* Iunius
probabiliter coniecit *tonsillas.*

cohum in v. 550 (574). grammatici, quibus notitia huius vocabuli omnis debetur, neque de eius scriptura neque de explicatione
inter se consentiunt. nam apud eos haec leguntur: Paulum p. 39, 5
*cohum poetae caelum dixerunt, a chao, ex quo putant caelum esse for-
matum*[37]; Diomedem I p. 365, 18 *cohum apud veteres mundum significat, unde subtractum incohare*; Isid. de nat. rerum 12, 3 (Suet.
prat. p. 202 Reiff.) *partes eius (caeli) hae sunt: cous, axis . . cous est,
quo caelum continetur; unde Ennius: vix solum complere cohum
(choum* Bamb. 1; *cous* Bamb. 2) *terroribus caeli (pilam vix sol mediam
complere cohum t. c.* Scaliger ad Festum p. 39, 5 ex veteri quadam
membrana); Placidum p. 26,17 D. *choum, naturam universam, ⟨a⟩ chao,
id est inani vel vacuo.* habemus igitur quattuor definitiones inter se
discrepantes, ex quibus secunda illa a Diomede relata vera videtur
esse (v. LMuelleri comm. p. 206). sed pro certo nihil affirmari potest,
cum nondum constet, quomodo versus Ennianus sit emendandus.[38]

[*sospite*] in v. 577 (589). Festi glossa p. 301 ᵇ, 15 (*sospitem*)
*Ennius vi⟨detur servatorem signi⟩ficare, cum dix⟨it: quo sospite⟩
liber* suppleta est ab Ursino ex Pauli verbis (p. 300, 10) *sospes,*

---

[33] cf. Hesychius: φάλαι, ὄρη, cκοπιαί (ὄρα, cκόπει codex, emend.
Scaliger); cf. Isidori orig. XVIII 7, 8; Salmasius ad Solin. p. 640.
[34] cf. Hesychius: cπεῖρα, πλῆθος, cτράτευμα, τάγματα; Suidas: cπεῖραι,
πλήθη cτρατευμάτων, φάλαγγες, νούμερα, λεγεών. [35] de formis *tonsilla* et *tosilla* vide Schmitzii symb. ad ling et litt. Lat. cognit. p. 36 sq.
[36] cf. Osberni gloss. VIII p. 590ᵃ Mai: *tonsula, uncinus ferreus.* con-
fusa est alia eiusdem glossa (p. 591ᵃ) *tonsilla, remus, remex, remigium.*
[37] Varr. de l. L. V 19 codicis F scripturam *chouum* Laetus recte
mutavit in *cavum.* [38] *vix* (= *subito*) *sollum complere cohum fervoribus
caeli* Havetius arch. lexicogr. II p. 266; ⟨*terraeque*⟩ *pilam vix Sol mediam
complere cohi torroribus coepit* Baehrensius ibd. p. 474.

salvus; Ennius tamen sospitem pro servatore posuit. huc pertinet
Iunonis Sospitis vel Sispitis cognomen, de quo idem Festus p. 343ᵃ, 14
dicit: *Sispitem Iunonem, quam vulgo Sospitem appellant, antiqui
usurpabant* eqs. unicum illius formae exemplum est in titulo (CIL.
I n. 1110) circiter medii sacculi septimi a. u. c.³⁹

2. Adiectiva.

ratus in v. 78 (65). quod Romuli nomini ita appositum, ut
idem valeat ac firmus vel fortis⁴⁰, vetustioris consuetudinis peculiare
esse videtur. neque enim ullum alium locum repperi, quo homines
rati pro firmis dicantur. contra cum rebus coniunctae huic voci
saepissime vis illa subiecta est.

cata in v. 447 (538) pro *acute sonantia.* a Varrone de l. L.
VII 46 versum Ennianum laudante explicandi causa nihil adicitur
nisi *cata, acuta; hoc enim verbo dicunt Sabini.* sed de sono illud
singulari usu dictum esse ex ipsis Ennii verbis patet.

praepes adiectivum in versibus 97 (91) et 478 (215) de locis
faustis usurpatum a mea quaestione alienum iudico. nam quamquam a nullo alio veterum scriptorum, quantum scimus, *praepes* sic
adhibitum est, tamen in augurali disciplina semper etiam loca sic
appellata esse docet Gellius VII 6, 8 sq. *non ipsae tantum aves,
quae prosperius praevolant, sed etiam loci, quos capiunt, quod idonei
felicesque sunt, praepetes appellantur .. locos porro praepetes et augures
appellant et Ennius .. (cf. Servius in Aen. VI 15). quare id tantum
Ennii proprium existimo, quod ex augurali disciplina usum illum
solus ascivit. hoc altero quoque Gellii loco (IX 4, 1) indicatur, ubi
Ennius portum Brundisinum remotiore paulum sed admodum scito
vocabulo *praepetem* appellasse dicitur.

3. Verba.

*orat*⁴¹ in v. 20 (25) eodem fere sensu atque *agit.* ibi ne codicis
Festi scriptura *te cum* retineatur, obstant ipsius grammatici verba
(p. 198, 23): *orare antiquos dixisse pro agere testimonio .. Ennius
quoque..,* et alio loco (p. 182ᵇ, 12): *antiqui orare dicebant pro agere.*
antiquos cum ait Festus, Ennii aequales intellegit. accedunt enim
exemplo Enniano aliquot Plautina (v. Heerdegen untersuch. p. 20 sq.)
et unum Terentianum (Hec. 686), quibus locis omnibus orandi verbum cum nulla alia voce nisi *mecum tecum secum* coniungitur
(v. Langeni symb. ad crit. et explic. Plauti p. 241; Heerdegen l. l.
p. 21). post Terentium consuetudo illa loquendi non amplius in-
venitur.⁴² ceterum significatio verbi orandi in locutione *cum aliquo*

---

³⁹ v. Ritschelii opusc. IV p. 350 sqq. de etymologia v. Corssenum de
pronunt. I² p. 425 sq. 797; II² p. 212. 365; additam. crit. p. 250.
⁴⁰ cf. Festus p. 274ᵇ, 1 *pro firmo, certo ponitur ratus et ratum; Ennius* ...
⁴¹ v. Heerdegen untersuchungen zur lat. semasiologie III.   ⁴² apud
Caesarem de bello civ. I 22 quod antea legebatur *cum eo de salute sua
orat atque obsecrat,* pro eo Nipperdeius Bentleio duce scripsit: *cum eo
de salute sua ⟨agit,⟩ orat a. o.*

orare proxime abest a principali, qua *orare* idem fere valuit atque cum gravitate quadam sive assidue loqui (v. Heerdegenum 1. 1. p. 11). verum in omnibus illius locutionis exemplis iam rogandi notio inest. eandem agendi vim Paulo (p. 19, 5) teste apud antiquissimos habebat compositum *adorare*.

licitantur in v. 77 (64) pro *certant* vel *pugnant.* huc referenda est Pauli glossa (p. 116, 20) *licitati, in mercando sive pugnando contendentes* et Nonii (p. 134, 11) *licitari, congredi, pugnare; Ennius* ... alterum exemplum est in versu Caecilii (com. 69 R.), ubi verba *machaera licitari adversum ahenum* aliter intellegere non possumus. ex propria autem vocis significatione pugnandi notio ita ducta est, ut pugnantes propter similitudinem licentium dicti sint licitari. eadem ratione explicabimus licitatoris nomen in compluribus glossis servatum.[43]

latrat in v. 570 (474) pro *vehementer poscit* vel *gestit.* Homeri imitatione ortum esse Ennianum *animus cum pectore latrat* vel potius *animusque in pectore latrat* iam Columna (p. 162) intellexit, qui Homerica verba (υ 13) κραδίη δέ οἱ ἔνδον ὑλάκτει in comparationem vocavit. inde fragmenti sententia multo clarius apparet quam ex eis quae leguntur apud Varronem de 1. L. VII 103 *multa ab animalium vocibus tralata in homines . . perspicua, ut Ennii . .* et apud Paulum p. 121, 11 *latrare Ennius pro poscere posuit.* Pauli quidem glossa melius quadrat ad Lucretii verba II 17 *nil aliud sibi naturam latrare, nisi ut . . fruatur.*

mussare in v. 426 (479) pro *tacere.* Ennio talis verbi mussandi usus his locis tribuitur: Pauli p. 144, 14 *vulgo vero (mussare) pro tacere dicitur, ut idem Ennius . .*; Varronis de 1. L. VII 101 *apud Ennium* (trag. 393 R.)*: vocibus concide, faxis musset (facimus et* F; emend. Ribbeckius) *obrutus; mussare dictum, quod muti non amplius quam* μῦ *dicunt;* Philargyrii in Verg. georg. IV 188 (*mussare) ponitur et in tacendi significatione, ut apud Ennium . .*; Servii in Aen. XII 657 *Ennius mussare pro tacere posuit.* idem significat *mussa* in Iuventii versu (1 R.) apud Paulum p. 299, 3 sic tradito: *Terentius (Iuventius* Lindemannus) *mussare pro tacere posuit, cum ait: sile, cela, occulta, tace, tege, mussa,* unde Festi (p. 298ᵃ, 33) verba a Ribbeckio suppleta sunt: *nam mussare silere dicitur; Iuventius in Anagnorizomene: quod potes, sile, cela, occulta, tege, tace, mussa, mane.* etiam cum accusativo obiecti illud *mussare* coniungitur, velut Plauti Aul. 131 *neque occultum id haberi neque per metum mussari.* et ne a frequentativo quidem *mussitare* notionem illam alienam fuisse ex compluribus Plauti (Mgl. 311. 477. Truc. 312. Ps. 501. Cas. III 5, 33) et Terentii (Ad. 207) locis intellegimus. posteriore aetate non tacentes mussare dicebantur, sed murmurantes (sic etiam Ennii

---

[43] Osbernus VIII p. 329 (Mai) *licitator, persecutor, gladiator, apparitor, lictor, grassator, tortor, spiculator, perlitor, occisor, cui multa facere licet*; cf. VI p. 531 *licitator, suasor, provocator*; cf. Isid. gloss. *licitator, gladiator, apparitor, occisor, cui multa licent.*

ann. 185) aut dubitantes (velut Verg. Aen. XII 657. 718. Ennii
ann. 348).

restat in v. 475 (499). singularis hoc loco vocabuli restandi
notio est, si quidem Festi testimonio (p. 282 b, 33) fidem habemus:
restat pro distat ait Verrius Ennium (Ennius codex; *Verrius Ennium*
Ursinus) *ponere, cum hic (his* codex) *dicat: impetus aut (haut* COMuellerus) *longe mediis regionibus restat.* re igitur syllabam standi verbo
praefixam similiter accipiemus atque in voce recedendi, quae interdum idem valet atque *abesse*, et in participiis *repostus* et *remotus*.
verisimile est autem Ennium adlitterationis causa, in qua nimius
fuit, pro *distat* insolentius *restat* adhibuisse. minime vero assentior
Langeno (symb. p. 303), qui de repugnante *restat* intellegi vult.
obstant enim praeter Festi glossam praecipue ablativi *mediis regionibus*, qui multo commodius a verbo *restat* quam ab adverbio *longe*
dependeant.

navibus explebant sese in v. 310 (561) pro *navibus egredie-
bantur.* inepta est Servii (in Aen. VI 545) interpretatio: *explebo est
minuam; nam ait Ennius* . . . immo singularem iudica Ennianam
illam locutionem atque ita explica, ut privativa sit *ex* praepositio
et verbum *explebant* sequenti *replebant* per adnominationem oppo-
natur.

obcensi in v. 388 (419) pro *accensi.* servatum est hoc participium Festi glossa p. 201, 5 *ob praepositione antiquos usos esse pro
ad testis est Ennius, quom ait l. XIIII: omnes occisi obcensique in
nocte serena, id est accensi, et in Iphigenia* (trag. 202 R. = fab. 77 M.):
Acherontem obibo, ubi mortis thesauri obiacent (adibo . . adiacent
codex). in annalium versu non'dubito quin adlitterationis causa minus
usitatum vocabulum poeta adhibuerit.

4. Praepositiones.

ob praepositio non verbo praefixa sed cum nomine coniuncta
in v. 295 (329) pro *ad.* testimonio supra ascripto addas has Festi
glossas: p. 190, 7 *praepositionem ob pro ad solitam poni testis . .
Ennius . .*; p. 178 a, 19 *ob ⟨alias pro ad ponitur, ut Ennius: ob⟩
Romam noc⟨tu legiones ducere coepit, et alibi⟩* (fab. 396 M.): *ob Troiam
duxit*; cf. Paulus p. 179, 7; Pauli p. 147, 11 *mortem obisse dicimus
ea consuetudine, qua dixerunt antiqui ob Romam legiones ductas et
ob Troiam duxit exercitum pro ad* eqs. ad candem aetatem vel antiquiorem etiam spectant quae praeterea extant quattuor exempla:
Festi p. 233 a, 30 et 375 a, 14 (in XII tabulis) *ob portum ito*; Accii
trag. 385 R. *tela ob moenia offerre*; inc. inc. fab. 94 R. *cuius ob os
Grai ora obvertebant sua*; cf. Festus p. 201, 29 *ob os ad os significat*;
Plauti Cas. fragm. apud Nonium p. 397, 2 *sufferam meum tergum ob
iniuriam.* postea nemo, quantum scio, usus est *ob* praepositione a
movendi verbo pendente.

5. Adverbia.

inde loci in versibus 22 (23) et 522 (538) pro *deinde* in tempore designando. fortasse eadem ratione accipienda est locutio illa in saturarum versu 3 (5). accedunt tres versus Lucretii (V 437. 741. 791), post quem nemo *inde loci* de tempore dixisse videtur. nam in Arateis a Cicerone conversis, ubi duodecim zodiaci signa enumerantur, versum 327 (573) *umidus inde loci conlucet aquarius orbe* ita interpretor, ut verbis *inde loci* caeli locus notetur.

parumper in versibus 54 (46). 74 (60). 443 (62). 214 (210) pro *cito ac velociter.* sic enim non solum in versu 54 (46) Nonium p. 378, 16 secuti vocem illam accipiemus, sed etiam ceteris locis, ac praecipue in versu 74 (60), ubi verba *campos celeri passu permensa parumper* aliam interpretationem non admittunt. apud alios eius usus exempla plane desunt. nam quod dicit Vergilius Aen. VI 382 *pulsusque parumper corde dolor*, explicandum est *dolor paulo post rediturus.* nec vero Handio (Turs. IV p. 404 sq.) astipulabimur *parumper* umquam *cito* significavisse prorsus neganti. immo in Ennii versibus supra allatis non dubium est quin trita et principalis[44] huius adverbii notio *per breve tempus* ita sit immutata, ut idem valeat ac *brevi tempore.*

tractim in v. 418 (442) pro *paulatim.* qua ratione praeter Ennium unus Lucretius bis hac voce utitur, cum ait: (*cernimus*) *per artus ire alios tractim gelidi vestigia leti* (III 529 sq.) et (*nubes*) *radentes corpora tractim* (VI 118). cf. glossam codicis Vaticani apud Maium VII p. 583[b] *tractim, lente.*

quippe in versibus 357 (379) et 394 (430) pro *quidni.* insolentem hunc usum nemo testatur nisi Festus p. 257[a], 21 *quippe significare quidni* (*quodni* codex; corr. Ursinus) *testimonio est Ennius l. XI: quippe solent reges omnes in rebus secundis; idem l. XVI: quippe vetusta virum non est satis bella moveri; item alii complures.*[45]

Iam adicio nonnullas locutiones ad hanc quaestionem pertinentes, ac primum quidem ita comparatas, ut ab Ennio ipso inventae esse videantur, deinde eas, quas ab aliis imitatione poeta ascivit aut ex usu communi aequalium recepit.

Hellesponto pontem contendit in alto in v. 371 (404). arcus imago poetae animo obversatur, cum hac insolita locutione utitur.

aedificant nomen in v. 404 (435). complures viri docti in his verbis offenderunt, quod commoda sententia eis non efficeretur. alii igitur alia proposuerunt, ex quibus Vahleni (mus. Rhen. XVI p. 576) inventum ab ipso postea reiectum *aevificant nomen* silentio praeterire nolim. minus etiam dubitationis quam insolitum *aevificant* haberet *augificant*, quod etiam in Ennii fabulis (trag. 68 R. = fab. 182 M.) invenitur. neque tamen emendatione opus esse puto. etenim

---

[44] v. Pottii stud. etym. I² p. 468; Corsseni de pronunt. II² p. 852; cf. p. 300 ann.   [45] de singulari illa *quippe* vocabuli significatione explicanda Ribbeckius disserit de partic. Lat. p. 17 sq.; v. etiam COMuellerum ad Festi p. 399, Corssenum de pronunt. II² p. 846.

nomen aedificant idem est atque *in gloria posteritatis sibi comparanda occupati sunt.* quid mirum in poeta, qui ab imaginibus multo audacioribus non abstineat, si gloriam magis magisque augendam cum aedificio extruendo comparat?[46]

. *clamor ad caelum vagit* in v. 520 (472); cf. Varro de l. L. VII 104.

clamor volvendus per aethera ibidem. participium *volvendus* plane respondere Graeco ἑλισσόμενος Ritschelius (parergon p. 27) intellexit.

(iuventus) sese exsiccat somno in v. 459 (521) pro *expergiscitur.* testis atque interpres huius notabilis locutionis est Lactantius, cum ad Statii Theb. VI 27 *et cornu fugiebat Somnus inani* adnotat: *inani cornu ideo dixit, quia id noctis tempore totum diffuderat . . nam sic a pictoribus simulatur, ut liquidum somnum ex cornu super dormientis videatur effundere; sic Ennius . . .*

succincti corda machaeris in v. 392 (535). Servius in Aen. IX 678, cui hemistichium Ennianum debemus, ei haec praemittit: *ferrea corda habentes, i. e. dura et cruenta cogitantes, ut Ennium sit secutus, qui ait . . .*

irarum effunde quadrigas in v. 464 (581). audaciore imagine poetam uti nemo negabit (cf. Verg. Aen. XII 499).

cava caeli cortina in v. 9 (599).

cauponantes bellum in v. 201 (197). Aeschyleum (Sept. 545) καπηλεύειν μάχην Ennium hic imitatum esse constat. cauponandi verbum, quod in Labbaei glossis Graeco καπηλεύειν explicatur, praeterea uno Cassiodorii loco inveni hist. eccl. IV 24 (LXIX p. 972 Migne) *verbum veritatis cauponati.*

superum lumen in v. 106 (21) pro solis lumine. antiquiori aetati hanc locutionem tribuit Bergkius opusc. I p. 283 ann. nam praeter Ennianum duo eius exempla novimus, quorum alterum est apud Lucretium VI 856 *superum lumen,* alterum *lumine supero privetis* in devotionis carmine, quod Macrobius Sat. III 9, 10 e Furii vetustissimo libro sumptum memoriae prodidit.

in mundost in v. 457 (579). *in mundo esse* sive *habere,* quod praeterea apud comicos tantum poetas legimus, explicatur tribus grammaticorum locis: Pauli p. 109, 11 *in mundo dicebant antiqui, cum aliquid in promptu esse volebant intellegi;* Placidi p. 58, 16 D. *in mundo, in expedito vel ad manum, in procinctu;* Charisii I p. 201, 10 K. *in mundo pro palam et in expedito et cito.* exempla ipsa locutionis Lorenzius ad Plauti Ps. 478 exhibet. idem (p. 265 sq.) falsis quibusdam virorum doctorum opinionibus[47] refutatis cum Gronovio (lect. Plaut. p. 34) aliisque adiectivum, non substantivum *mundus* in locutione illa agnoscit.

---

[46] *aedificant nomen* defenditur etiam a Vahleno in ind. lect. Berolin. a. 1886/87 p. 6.   [47] v. Rostii opusc. Plaut. I p. 277 sq.

C.
Verborum formae posteriore aetate non usitatae.
1. Substantiva.

Initium capio ab eis substantivis, quorum stirps posteriore consuetudine mutata est.

Casmenas in v. 2 (Naevii b. Pun. 2). versus, in quo inest vox Casmenarum, apud Varronem de l. L. VII 26 gravissime depravatus traditur. in codice enim Florentino haec leguntur: *cornua a curvore dicta, quod pleraque curvamus ac quas memorant nosce nos. ēē. Camenarum priscum vocabulum ita natum ac scriptum est: alibi Carmenae ab eadem origine sunt declinatae. in multis verbis in quod antiqui dicebant s, postea dicunt r, ut in carmine Saliorum sunt haec ∴. quare ē Casmena Carmena carmina carmen; r extrito Camena factum.* multis virorum doctorum coniecturis omissis statim quam maxime probabilem iudico emendationem propono: *cornua a curvore dicta, quod pleraque curva.* 'Musae, quas memorant Casmenas esse.' *Camenarum priscum vocabulum ita natum ac scriptum est. alibi Carmentae ab eadem origine sunt declinatae. in multis verbis id, quod antiqui dicebant s, postea dictum r, ut in carmine Saliorum sunt haec .. quare e Casmena Carmena, e Carmena r extrito Camena factum. Musae quas* LSpengelio, *Carmentae* COMuellero, *dictum* LSpengelio, *e Casmena Carmena, e Carmena* (*a Carmena carmen* Jordanus symb. p. 132) ASpengelio debentur. pro *in quod antiqui dicebant s,* quod ferri nequit, ego *id quod antiqui dicebant s* facili emendatione scripsi. ac pro obscura librorum scriptura *nosce nos esse* non dubito quin *Casmenas esse* cum ASpengelio recte substituatur. hanc emendationem Scaligerum (coniect. ad Varr. p. 115 ed. a. 1581) primum protulisse video. quam neque a COMuellero neque a Vahleno neque a LMuellero commemorari profecto est quod miremur. itaque quibus potissimum rebus Scaligeri inventum commendetur, iam breviter indicabo. primum quidem eo accepto non plus quam quattuor litterae mutantur nec Casmenarum nomen aut plura etiam vocabula excidisse statuitur. deinde *Casmenas* ut vox posterioribus temporibus non usitata facile corrumpebatur. tum, id quod maximum est, commodus Scaligeri emendatione fit sententiarum nexus. Varro enim Casmenarum vocem in vetusti poetae versu scriptam explicare sibi proposuit. dicit igitur versu illo allato: haec est principalis Camenarum vocabuli forma; Carmentarum autem nomen eiusdem originis est: nam in multis verbis *s* littera postea in *r* mutata est velut in his e carmine Saliari sumptis ..; itaque e forma *Casmena Carmena,* ex hac *Camena* factum est. inde mea quidem sententia dilucide apparet in illo versu, sive Ennii sive alius poetae est[48], non *Camenas,* quod Bergkio (opusc. I

---

[48] certe non est Naevii versus, cum hexametri non pleni speciem prae se ferat.

p. 268) et Jordano (l. l.) placuit, sed *Casmenas* scriptum fuisse,
praesertim cum ea forma etiam traditae scripturae vestigiis indicetur.
iam Varroniano illi adde duo Festi testimonia: p. 205, 14 *pesnis,
pennis, ut Casmenas dicebant pro Camenis* (sic cum COMuellero lego)
eqs.; Pauli p. 67, 8 *antiqui interserebant s litteram et dicebant cos-
mittere pro committere et Casmenae pro Camenae.* aliud exemplum
formae illius superest in carminis Priami versu a verbis *veteres Casmenas* incipiente (apud Varronem de l. L. VII 28).

  Opscus in v. 294 (327). Oscos antiquiore consuetudine Opscos
nominatos esse Festi glossa (p. 198, 29) docetur: *Oscos quos dicimus
ait Verrius Opscos antea dictos teste Ennio* . . . de eodem nomine
Festus agit altera glossa (p. 189[a], 24): *Obscum duas diversas et contrarias significationes habet* . . *et in omnibus fere antiquis commentariis
scribitur Opicum pro Obsco, ut in Titinii fabula quinta (Quinto* [104 R.]
Scaliger)*: qui Obsce et Volsce fabulantur, nam Latine nesciunt. a quo
etiam verba impudentia et elata appellantur obscena, quia frequentissimus fuit usus Oscis libidinum spurcarum.* conferas Pauli excerptum
p. 188, 3, unde Festi verba ex parte corrigas: *Opicum quoque invenimus pro Osco: Oscis enim frequentissimus fuit usus libidinum
spurcarum, unde et verba impudentia appellantur obscena. Titinnius:
Obsce et Volsce fabulantur* . . . sed ne in his quidem intellego, quomodo forma *Opicum* ad sequentia verba quadret. omnia plana erunt,
si cum Reitzensteinio (Act. philol. Vratislav. I 4 p. 78 ann.) *Obscum
pro Osco (Opscum pro Osco* Huschkius monum. ling. Osc. p. 278) et
apud Festum et apud Paulum restitueris. altera igitur glossa formam
Opscum, altera *Obscum* grammaticus explanat.

  Bruttate in v. 488 (601) pro *Bruttio.* Ennio et Lucilio ob-
soletam illam formam Porphyrio (in Hor. sat. I 10, 30) ascribit, cum
ait: *et Ennius et Lucilius* (III 23 M.) *Bruttace (Brutate* Paris. 7988)
bilingui dixerunt. accedit Pauli glossa (p. 35, 5): *bilingues Bruttates*
(sic Monac.; *Brutaces* Guelf., ut videtur) *Ennius dixit, quod Bruti
et Osce et Graece loqui soliti sint.* Porphyrionem, non Paulum ipsa
poetae verba afferre LMuellerus perspexit. neque tamen ei assentior
apud Ennium *Bruttace* scribenti. nam quid impedit, quin formis
Arpinas Fidenas Capenas aliis collatis *Bruttate* legamus, quod idem
Muellerus prius in Lucilii-editionem receperat?

  Volsculus in v. 166 (166) pro *Volscus.* vox *Volsculus* alibi
non reperitur. alii[49] eam formam deminutivam iudicant, alii[50] para-
gogicam sicut *Aequiculus* et *Ocriculum.*

  puellos in v. 278 (233). de deminutivo *puellus* antiquioris
sermonis proprio habemus testimonium Suetonii (Calig. 8) *quod
antiqui etiam* . . *pueros puellos dictitarent* et alterum Prisciani
(II p. 231, 13 H.) *etiam hic puerus et hic et haec puer vetustissimi
protulisse inveniuntur et puellus puella.* adiciantur tres glossae: Festi

---

  [49] v. Niebuhrii hist. Rom. I p. 77 ann. et LMuelleri Enn. p. 204.
  [50] v. Bergk opusc. I p. 215; Mommsen de dialectis Ital. inf. p. 245. 262.

p. 249ᵃ, 15 *puelli per deminutionem a pueris dicti sunt* ..; Placidi
p. 76, 6 D. *puellos pro pueris legimus*; Nonii p. 158, 14 *puellos*,
pueros. ex Plauto (fr. 76 Wint.) *huic puello* Festus, Priscianus (l. l.
v. 22) *hic puellus* affert. in Lucilii fragmentis bis (IV 28. X 28 M.),
apud Lucretium semel (IV 1252) prisca illa vox invenitur. atque
etiam in Varronis saturis Menippeis semel (p. 228, 1 R. fr. 540 B.)
legitur *puellus*, ter (p. 98, 7. 162, 12. 217, 4 R. fr. 19. 285. 485 B.)
puellum. constat tamen a Varrone saepe obsoleta vocabula ex Ennio
potissimum scaenicisque poetis deprompta praecipue in poematis adhiberi. et ne ex eo quidem posterior vocis usus cognoscitur, quod
in carmine amici Gellii (XIX 11, 4) *puellum savior* et apud Apuleium
(met. VII 21) *tener puellus* legitur.

    solum in v. 99 (93) et *sola* in v. 151 (152) pro *solium* et
solia. utroque loco soli vocabulum non terrae solum significare, sed
idem esse ac *solium* iam Columna (p. 110) intellexit. nam si pro
terrae solo vel fundamento *solum* et *sola* hic acceperimus, vix commoda efficietur sententia. contra *regni scamna soliumque* non minus
apte dicitur quam *imperium et solia regni.* errat igitur Festus, qui
p. 298ᵇ, 33 versui 151 verba *solum, terram* praemittit. quem errorem nemo nostra aetate redarguit, nisi quod Bergkius opusc. I p. 77
in versu 99 *solum* Columnae ratione interpretatur. idem Columna
merito huc revocat aliam Festi glossam (p. 298ᵇ, 14; cf. Paulus
p. 299, 8) sic scriptam: *solla appellantur sedilia, in quibus non plures
singulis possint sedere, ideoque soliar sternere dicuntur, qui sellister-
nium habent, et solaria vocantur Babylonica, quibus (in quibus* Paulus)
eadem sternuntur. quae, ut ait Verrius, omnia ducta sunt solo (a solo
Ursinus). *alvei quoque cavandi (lavandi* idem) *gratia instituti, quo
singuli descendunt, solla dicuntur, quae ascendendo (a sedendo* idem)
potius dicta videntur quam a solo. Pauli libri easdem vocabulorum
formas exhibent quas Festi codex. ex quibus *solla* quater traditum
aut *solaria* commutari nolim. neque vero dubito, quin pro *soliar* non
solum apud Festum cum editoribus ante COMuellerum, sed etiam
apud Paulum *solla* scribendum sit. *soliar* enim non modo a ceteris
formis *i* littera carentibus abhorret, verum etiam sententiae prorsus
repugnat. nam si *soliar* legimus, pronomen *eadem* ad *solla* in initio
glossae positum referendum est. sed praeterquam quod contortior
ita fit oratio, etiam verbo *sternuntur* ad *soliar* illud *eadem* spectare
indicatur. iam addo tertiam Festi glossam (p. 290ᵃ, 26) misere
truncatam, quam alia ratione refici velim ac viri docti adhuc fecerunt.
etenim quae apud illum sub *s* littera leguntur .. *ri carmine ap . . .
pia pro sedilibus di . . . huc in consuetudi . .,* ea collata glossa, quam
modo tractavi, fortasse sic fere supplenda sunt:

    ⟨*sola Aelius dicit in Salia*⟩*ri carmine ap-*
    ⟨*pellari sedilia. so*⟩*lia pro sedilibus di-*
    ⟨*cere habemus ad*⟩*huc in consuetudi*⟨*ne*⟩.

habemus igitur tres eiusdem vocabuli formas *solum sollum solium*,
quarum antiquissima fuit *solum l* consonante non geminata.

volup in v. 247 (303): apud Neuium (de formis II² p. 101 sq.), qui testimonia et exempla vocis *volup* congessit, desidero Frontonis locos (p. 225 Nab.) *qua malum volup* et *tu unquam volup?* atque Arnobii (adv. nat. VII 34) verba *volup . . est.* Ritschelius (opusc. II p. 450 sqq.; v. etiam Buecheleri de decl.² p. 11) cum omnino de hoc vocabulo tum de usu eius Plautino disseruit. Ennii versus corruptus quomodo emendetur, non satis liquet. tamen vix dubium est, quin *volup*, quod plerisque libris tradatur, ibi legendum sit (v. Vahlenum mus. Rhen. XIV p. 558 sqq.). ceterum substantivum esse *volup*, non adverbium Columna (p. 137) et LMuellerus (comm. p. 191 sq.) veteres grammaticos (Diom. I p. 452, 26 K.; Non. p. 187, 6) secuti iure videntur affirmare.[51]

famul in v. 317 (337) pro *famulus* (Mar. Vict. VI p. 56 K.; Non. p. 110, 8). quae de hoc nomine imminuto nota sunt, a Neuio (l. l. I² p. 80), Corsseno (de pronunt. II² p. 71. 593), Bergkio (opusc. I p. 279) commemorantur.

suadae in v. 309 (353). suadae vocem, quae substantivum est etiam apud Ausonium (epist. 27, 7 Peip.), pro nomine appellativo accipio. nam insulsus esset poeta, si Cethegum, id quod LMuellero aliisque videtur, Suadae deae medullam appellaret. recte igitur Vahlenus et Hertzius *suadae*, non *Suadae* ediderunt.

vagore in v. 408 (473) pro *vagitu.* sic Ennium et Lucretium (II 576) dixisse Festus p. 375ª, 7 et Nonius p. 184, 21 duobus illorum versibus allatis testantur.

propagmen in v. 458 (587). libri Nonii versum Ennianum sub vocibus *propages* (p. 64, 34) et *propago* (p. 221, 11) commemorantis altero loco habent *propaginem*, altero *propagimen* et *propagmen.* LMuellerus et Baehrensius Columna duce *propagen* scribunt. quae mutatio mihi non probatur, cum et tradita scriptura potius *propagmen* quam *propagen* indicetur et illud multis similibus substantivis suffixo *men* formatis fulciatur. nam ut *levamen* ad aliquam rem levandam valet, ita *vitae propagmen* ad vitam propagandam valere arbitrabimur.

termo (cf. Saalfeldi tens. p. 1093) in versibus 470 (591) et 471 (592) pro *terminus.* apud Festum p. 363ª, 23 de hac forma leguntur haec: *termonem Ennius Graeca consuetudine dixit, quem nos nunc terminum, hoc modo: ingenti vadit cursu, qua redditus termost et hortatore bono prius quam* (*prius quam iam* Vaticani RS; *prius qui iam* ed. pr.) *finibus termo* (*termo est* ed. pr.[52]). e vulgari sermone poetam hoc sibi assumpsisse putaverim, quod etiam in titulo quodam (CIL. III n. 5036) *Termunibus Auc⟨ustis⟩* invenitur.

---

[51] de etymologia v. Corssenum de pronunt. II² p. 597. 372. 1024.
[52] v. Mommsenum in actis acad. Berol. a 1864 p. 73. conicio: *hortatore bono, proprius qui finibus Termost*; cf. quae de Termino narrat Livius I 55, 3 sqq.

Omitto voces imminutas *do* in v. 563 (553), *cael* in v. 561 (554), *gau* in v. 451 (555). in saturas enim lusus illi grammatici relegandi esse videntur (v. Ribbeckium mus. Rhen. X p. 289).

Burrus[53] in versibus 184 (180) et 275 M. sic utroque loco scribendum est (*Pyrrus*, *Pyrrh*, *Phyrrus* libri) secundum Ciceronis testimonium (orat. 48, 160): *Burrum semper Ennius, numquam Pyrrhum . . ipsius antiqui declarant libri: nec enim Graecam litteram adhibebant* eqs. adice duos alios locos huc spectantes: Quintil. I 4, 15 *b quoque in locum aliarum dedimus aliquando, unde Burrus et Bruges et Belena*; Terent. Scauri p. 14, 5 K. *quem (nos) Pyrrhum, antiqui Burrum (byrrum* libri; corr. Putschius). eodem modo scribebatur Ennii temporibus adiectivum *burrus*, cuius notio aliquot glossis[54] definitur.

Pariter antiquiorem *u* litterae pro Graeca υ ponendae consuetudinem in annalibus v. 38 (30) in nomine *Eurudica* cerni Ribbeckius (ann. phil. 1857 p. 316) ostendit. idem formas *Olumpum* in v. 1 (1), *Olumpi* in v. 198 (193), *Olumpia* in v. 442 (482), *Capus* in v. 31 (17), *Libuam* in v. 303 (273), *Cuclopis* in v. 326 (342), *lucinorum* (hoc duce Ritschelio, quem v. opusc. II p. 479 sqq.) in v. 328 (344) contra librorum scripturam Ennii annalibus restituit.

frus in v. 562 (269) et *frundes* in v. 266 (268). vetustissimis frondis vocem *u* vocali scriptam grammatici his locis tribuunt: Charisius I p. 130, 29 K. *frus, haec frus, quia sic ab Ennio est declinatum . . non frondes* eqs.; Prisc. II p. 26, 25 H. *multa vetustissimi etiam in principalibus mutabant syllabis . . frundes, non frondes*; Velius Longus p. 49, 15 K. *antiqui confusas o et u litteras habuere . . in multis etiam nominibus variae sunt scripturae, ut . . frondes frundes* (cf. Ausonii technop. 161). exemplis talium formarum a Schuchardtio (de vocal. ling. Lat. vulg. II p. 116. 118) et a Corsseno (de pronunt. II[2] p. 185) compositis *frundiferos* ex Naevii fabulis (25 R.) adicias.

moeros[55] in v. 376 (405). muri nomen, cuius cetera exempla in annalibus sunt haec: *murum* v. 599 (501), *muro* v. 29 (98), *muris* dativus v. 558 M., *muros* v. 190. 391. 527 (184. 422. 519), *muris* ablativus v. 294 (327), *oe* diphthongo scriptum praeterea in duobus titulis et in vetustis apud Varronem formulis occurrit, quos locos Corssenus (l. l. I[2] p. 704; cf. p. 708. 372) composuit. verum hoc notandum est, alteram (CIL. I n. 617) illarum inscriptionum, in qui-

---

[53] v. Ritschelii opusc. IV p. 146 sqq. (cf. p. 232 ann. 235 sq. 618 sq.). II p. 477 sqq. (cf. p. 722 sq. 725. parergon p. 410); v. Corssenum de pronunt. I[2] p. 126 sq.; addit. p. 177 sq.; Curtium etym[5] p. 416; alios, quos enumerat Saalfeldus tens. p. 195. [54] v. Hildebrandi gloss. p. 38; Loewii prodr. p. 75 ann. sed glossis apud Hildebrandum basce adice: Pauli p. 36, 12 *burranica potio . . a rufo colore, quem burrum vocant*; Philox. gloss. πυρρόν, *burrum;* πυρρός, *ruseus* (lege *russus*), *rubricus, rufus, barus* (fortasse *birrus*), *burrus*. [55] v. Ritschelii opusc. IV p. 168 (cf. p. 51). 765; Ribbeckium l. l. p. 318; Corsseni addit. p. 78 sq.

bus *moerum* inest, non anno LI post Ch., id quod apud Corssenum legimus, sed anno LI ante Ch. Mommseno (l. l. et IRN. n. 322) teste confectam esse. de altera (CIL. I n. 1012; Ritschelii PLME. p. 71) Mommsenus dicit: 'vereor admodum, ne hic titulus litteris etiam scriptus minime bonis altam antiquitatem, quam prae se fert, totam mentiatur' eqs. ceterum non *moeros* sed *moiros* forma vere Enniana putanda est, cum *oe* diphthongus pro antiquissimo *oi* ac posteriore *u* posita in monumentis non ante annum urbis DCXL inveniatur (v. Ritschelii opusc. IV p. 168. 765).

Sequitur ut ea substantiva commemorem, quae ab Ennio alia ratione atque a posterioribus declinantur. quorum usus quibus terminis circumscribatur, ex locis a Neuio collectis plerumque apparet.

volturus sive *volturis* nominativus in v. 141 (138). grammaticorum de hac singulari forma testimonia diversasque codicum scripturas in LMuelleri editione invenies.

sagus in v. 500 (254) et inc. l. LIV (255) pro *sagum* (v. Neuium de formis I² p. 538).

sale in v. 378 (410) pro *sal.* eis, quae Neuius (l. l. p. 153)[56] exhibet, addendum est corruptissimum Fabii Pictoris fragmentum, cuius Varro apud Nonium p. 223, 17 his verbis mentionem facit: *commentario veteri Fabii Pictoris legi: mustes fit et (muries fit ex* Cuiacius) *sale, quo (quod* idem) *sale sordidum sustum (ustum* Aldina) *est et ollam (in ollam* Scaliger) *rudem facidem (fictilem* Cuiacius) *adiectum est, et postea id sal virgines Vestales serra ferrea secant.* in Ennii versu antecedenti LMuellerus (cf. comm. p. 199) Parrhasium secutus pro *placide* scripsit *placidum,* ut minime opus sit cum Bergkio (opusc. I p. 278 sqq.) *marmore* pro accusativo habere aut aliud quicquam mutare.

frux nominativus in v. 412 (439) et pro *frugi* in v. 318 (338) (v. Neuium l. l. p. 492). Bergkius (symb. crit. p. 78 ann.) alterum *frux,* quod teste Prisciano (II p. 278, 16 H.) idem est ac *frugi homo,* genetivum iudicat e genetivo qualitatis *frugis* contractione ortum.

canes nominativus singularis in v. 518 (596).[57]

Genetivi in *-ai* exeuntes[58] in versibus 16 (483). 34 (66). 122 (125). 197 (192). 209 (205). 347 (369). 479 (605).

vias genetivus in v. 421 (485). viae quidem vocabuli sic declinati exemplum non aliud novimus, nisi quod in locutione *intervias* Bergkius (l. l. p. 80 sq.) et Buechelerus (de decl.² p. 63) *vias* pro genetivo habent. sed nonnulli eiusdem generis genetivi extant antiquis-

---

[56] cf. art. anon. Bern. in Hageni anecd. Helvet. p. 112, 5; v. Corssenum de pronunt. II² p. 596. symb. p. 380.   [57] exempla Neuius collegit (de formis I² p. 183; v. etiam Ritschelii opusc. II p. 654 sqq.; Corsseni de pronunt. II² p. 230 sq.). adde Plauti Most. 849 et Men. 718, ubi libri alii *canes,* alii *canis* habent. Most. 41 pro librorum BCDF lectione *canem (canãē* D) *caprã (caprãn* B) *commixtam (commixta* D) Scaliger *canes capro commixta* restituit.   [58] v. Ritschelii opusc. IV p. 413 ann. (cf. p. 506 sq. 530); exempla congessit Neuius l. l. p. 9 sqq.; v. etiam LMuellerum Enn. p. 192 sq.

simi sermonis proprii, qui apud Neuium (1. 1. p. 5 sqq.; v. Corsseni de pronunt. I² p. 769 sq. 772. II² p. 722. 725; Buechelerum 1. 1. p. 62 sq.) congesti sunt.

Metioeo Fufetioeo sive *Mettoeo Fufetioeo* in v. 129 (129). sic formas illas maxime notabiles, quas Homeri imitatione Ennius assumpsisse videtur, cum GHermanno (ap. Meyerum in Quintiliani editione), Ritschelio (opusc. III p. 711 sqq. 727 sq.), Clausseno (ann. philol. suppl. VI p. 323 sq.), Jordano (symb. p. 243 sq.) secundum codicum scripturas lego. minus enim probabilia sunt, quae Vahlenus (in editione), Bergkius (opusc. I p. 260 sqq.), Buechelerus (de decl.² p. 106), FSchoellius (mus. Rhen. XL p. 320 sq.; v. etiam LMuellerum Enn. p. 193) de frustulo Enniano apud Quintilianum I 5, 12 servato protulerunt. diversas de loco Quintiliani explicando virorum doctorum sententias aut defendere aut refutare hic omitto.

homonem in v. 141 (138). quae grammatici de hac antiquissima substantivi hominis declinandi ratione tradunt, in Neuii libro (I² p. 164; cf. Corsseni symb. p. 242 sqq.) invenies. Ennius in annalibus semel tali forma, formis correpta paenultima sexiens (v. 35. 179. 255. 308. 566. 567) utitur. apud Plautum Bergkius (opusc. I p. 147 sqq. 304) aliquot locis a Neuio indicatis vetustiores formas coniectura restituit, ex quibus Lorenzius in Menaechmon editione *homonis* bis (v. 489. 709), *homoni* semel (v. 98), *homonem* bis (v. 316. 903), *homones* semel (961), *homonum* semel (v. 223) in textum recepit. ipse Lorenzius *homoni* et *homones* singulis exemplis (v. 89. 308) ditavit. in Trinummo v. 1018 Ritschelius Bergkio duce *homonibus* et v. 1130 *homoni* (opusc. II p. 720) scripsit. nonnulla alia eiusmodi Plauto reddita ab Usenero commemorantur.[59] postremo Novius com. 88 R. graviorem illam formam usurpavit, si vera est coniectura Ribbeckii in Novii reliquiis *homonum* pro *homo non* scribentis.

noctu ablativus in v. 153 (157) et 169 (256).[60]

nox in v. 412 (439), quod Bergkius (symb. crit. p. 78 sqq.) pro genetivo habet. hoc idem significare ac *noctu* adverbium vel inde apparet, quod ablativo *luci* respondet. quae sententia insuper confirmatur Macrobii testimonio (I 4, 19) e Gellio (VIII 1 lemm.) petito: *decemviri in XII tabulis inusitatissime nox pro noctu dixerunt . . si nox furtum faxsit* (tab. 8, 11 Sch.). accedit Lucilii versus (III 22 M.) *hinc media remis Palinurum pervenio nox* et fortasse duo loci Plautini: Asin. 579 *nox* (*mox* libri; *nox* Lipsius) *si voles manebo*; Trin. 864 *quo nox* (*mox* libri; *nox* Scaliger) *furatum veniat.*

lapi in v. 390 (421) pro *lapide.* cui formae testimonio est unus

---

[59] Asin. 473. Aul. 111. Cas. III 2, 22. Bacch. 573. Poen. 671. Stich. 171. v. Useneri prooem. ind. schol. Gryphisw. aest. 1866 p. 9; Ritschelii opusc. II p. 493.   [60] v. Neuium 1. 1. I² p. 679 sq., apud quem tamen desidero hos locos: Plauti Amph. 412 *noctu hac*; 404 et 731 *hac noctu*; Laberii 69 R. *hac noctu* (sic Quicheratius; *nocte* libri); Gellii VIII 1 lemmate *hesterna noctu.*

`108`   AReichardt: de Q. Ennii annalibus.

Prisciani locus II p. 250, 9 H. *vetustissimi etiam huius lapis pro-*
tulerunt; Ennius . . .

   speres nominativus pluralis in v. 410 (448) et accusativus in
v. 132 (119); v. Neuium l. l. p. 570.
   volta accusativus pluralis in v. 536 (583); v. eundem l. l.
p. 524.
   armentas accusativus pluralis inc. lib. rel. XII (ann. 603).[61]
   His subiungo ea substantiva, quae alio genere ab Ennio atque
a posterioribus usurpata esse grammatici docent.
   cupressi in v. 267 (265) et *cupressos* trag. 446 (ann. 267)
generis masculini; v. Neuium l. l. p. 622.
   malo cruce in v. 361 (395); v. eundem l. l. p. 666.[62]
   arcus femininum in v. 393 (428); v. eundem l. l. p. 679;
LMuellero (Enn. p. 205) Priscianus (II p. 259, 5 H.), qui hunc usum
testatur, falli videtur, quod Ennii versum sine dubio vox *iris* secuta
sit. sed in hac coniectura traditae scripturae *aspiciunt* et *perhibentur*
plane negleguntur. verisimilius est, quod Vahlenus (mus. Rhen.
XVI p. 575 sq.) proposuit: *arcus subspiciunt, mortalibus quae per-*
hibentur.
   aëre feminini generis in v. 439 (495); v. Neuium l. l. p. 657.
   lapides item in v. 542 (608); v. eundem l. l. p. 661.
   metus item in v. 537 (526); v. eundem l. l. p. 679. Nonius
p. 214, 7 Ennii versus sic mentionem facit: *metus masculino (mascu-*
lini G; *masculino feminino* H[1]; *masculini non feminino* L; v. LMueller
in Nonii editione) *Nevius* . . *Ennius (feminino Ennius* editores)*: ni*
metus ulla (ullu' Ribbeckius ad Enn. trag. 387; sed v. LMueller l. l.)
tenet . . .

2. Adiectiva.

   Laurentis nominativus in v. 35 (15) pro *Laurens.* vetustiorem huius formae aliarumque eiusmodi usum Priscianus II p. 337,
11 H. sic testatur: *veteres huiuscemodi nomina in is proferebant hic*
et haec Arpinatis dicentes . . Laurentis etiam pro Laurens dicebant;
Ennius . ., et p. 133, 24 (cf. p. 129, 2): *in tis quoque inveniuntur*
denominativa, sed antique prolata, paenultimam natura vel positione
longam habentia, ut . . Laurentis quoque pro Laurens . . teste Capro . .
qui tamen nominativi nunc in usu non sunt.
   cuiatis item in v. 283 M.[63]
   veter pro *vetus* in v. 17 (16). ascribo grammaticorum testimonia, quae apud Neuium (de formis II[2] p. 41) non plena inveniuntur: Prisc. II p. 97, 6 H. *veterrimus quasi a veter positivo, quod Capri*
quoque approbat auctoritas et usus antiquissimorum; Ennius . .;

---

[61] v. Neuium l. l. p. 552; sed omitte Servii locum ibi notatum (in
Aen. III 540); cf. Thilonis et Hageni edit.   [62] dubia est Bergkii opinio
cruce pro genetivo accipientis (symb. crit. p. 150).   [63] v. Neuium de
formis II[3] p. 16; omnino de eiusmodi adiectivis agit idem l. l. p. 15 sqq.;
cf. Ritschelii opusc. II p. 371 sq.

p. 264, 14 *quamvis veter etiam analogia exigit, ut bene sit dictum;*
Accius . . *pro vetus, quod Capro quoque prudentissime videtur, cum*
comparativus veterior et superlativus veterrimus veter desiderent posi-
tivum; III p. 481, 11 *antiquissimi veter dicebant;* Aldhelmus V p. 577
Mai *antiquissimi non vetus sed veter, ut Ennius* . . .[64] certum eius
formae aliud exemplum non superest. nam valde dubia est coniectura
Scaligeri, qui in augurum formula apud Varronem de l. L. VII 8
bis *olla veter* pro *ullaber* et *ollaner* codicis Florentini scripturis sub-
stituit (v. Bergkii opusc. II p. 737; symb. crit. p. 22 ann.; Jordani
symb. p. 95). quod LSpengelius Varr. de l. L. VI 2 pro *a vetere*
coniecit *a veter vetus,* a Bergkio (symb. l. l.) merito refutatur.

    debil in v. 329 (341) pro *debilis.* Nonii p. 95, 30 libri Ennii
exemplum sic exhibent: *debilo, debilis; Ennius lib. VIIII: debilo*
homo. quam lectionem Hugius (ed. p. 33) voce Luciliana (II 1 M.)
impuno collata defendit. sed Columna (p. 150) et Lipsius (ant. lect.
IV 5), quos Ritschelius (opusc. II p. 331), Bergkius (opusc. I p. 279),
LMuellerus (comm. p. 194) secuntur, *debilo* in *debil* mutant simile
vocabulum *famul* aliaque in comparationem vocantes.

    acer femininum in v. 406 (471) pro *acris.*[65]

    paluda in v. 510 (597). Ennii versus apud Varronem de l. L.
VII 37 sic commemoratur: *corpore Tartarino prognata paluda virago;*
Tartarino a Tartaro . . *paluda a paludamentis,* cum Probi (in Verg.
buc. 6, 31) libri habeant: *corpora Tartareo prognata palude virago.*
Turnebus Vossiusque (inst. orat. IV 10, 3) de Minerva dea cogitantes ex Probo *palude* assumpserunt, ut paludem lacum Tritonium
intellegerent. quae opinio haud probabilis est, quia Varronis testimonium obstat ac verba Ennii ad Minervam minime quadrant. potius
Scaligero (ap. Columnam p. 201) assentior, cui Alecto furia a poeta
designari videtur. apte enim dira illa dea appellatur virago corpore
Tartarino prognata, de qua Vergilius dicit *virgo sata Nocte* (Aen.
VII 33) et *Cocytia virgo* (v. 479) et *odit et ipse pater Pluton, odere*
sorores Tartareae monstrum (v. 327 sq.). *paluda* autem, quod idem
esse ac *paludata* Varro solus docet, optime convenit deae, quam bella
ciere Vergilius saepius (v. 335. 455. 482) affirmat.

    celerissimus superlativus in v. 448 (505) et 579 (504); v.
Neuium l. l. p. 104.

    hebem libro XVI fr. 23 (fr. 35) pro *hebetem;* v. eundem l. l.
p. 40; Corssenum de pronunt. II² p. 538 ann.

    praecipe in v. 391 (422) pro *praecipite;* v. Neuium l. l. p. 39.

    Tartarino in v. 510 (597) pro *Tartareo.* praeter ea, quae
supra sub voce *paluda* attuli, memoranda est Festi glossa p. 359 ᵇ, 25

---

    [64] cf. art. anon. Bern. in Hageni anecd. Helvet. p. 81, 1.   [65] v. Neuium
l. l. II² p. 10; grammaticorum locis ab eo allatis adde hos duos: Prisc. II
p. 229, 20 H. *acer, acris; et sciendum, quod in utraque terminatione utrius-*
que generis inveniuntur haec: . . *Naevius* . . *Ennius* . .; Capri de verbis
dub. VII p. 107, 6 K. *(dubia) acris et acer, quamvis dicant plerique acris*
femininum, acer masculinum.

Tartarino cum dixit Ennius, horrendo et terribili Verrius vult accipi,
a Tartaro, qui locus apud inferos.
    cracentes in v. 497 (540) pro *graciles.* v. Corssenum l. l. I²
p. 795. vox *cracentes* glossis⁶⁶ tantum servata priscam vetustatem
olet. *c* litteram in ea antiquissima consuetudine pro *g* scriptam
agnoscimus (v. Ritschelii opusc. II q. 424).

3. Pronomina.

me in v. 128 (126) pro *mihi.* magnam dubitationem viris doctis
movit Festi glossa p. 161ª, 6 *me pro mihi dicebant antiqui, ut*
Ennius: si quid mutierit (me fuerit vulg.; *me inciderit* LMuellerus)
humanitus, ut teneatis, et Lucilius: nunc ad te redeo, ut quae res me
impendet agatur. nam apud Lucilium *me* accusativus est, in Ennii
versu ablativus vulgata lectione accepta. Vahlenus igitur et LMuellerus (comm. p. 181) de usu syntactico a Festo agi putant, ita ut
me sive accusativus sive ablativus pro dativo positus esse dicatur.
quod non adducor ut credam, quia grammatico illud accuratius definiendum erat. immo *me* dativum pro *mihi* vel *mi* ab antiquis usurpatum Festus testatur. et quamquam parum apta exempla ille quidem elegit, tamen alia extant ita comparata, ut res ipsa negari non
possit. Neuius l. l. II² p. 181 quattuor eiusmodi locos profert, ex
quibus duo sunt Plautini. etenim Bacch. 565 *me ires consultum male*
et ibd. 684 *hunc . . male me consuluisse* omnes libri habent, nisi
quod posteriore loco in codice B pronomen desideratur. deinde in
formula illa, qua augures in templo faciendo utebantur (Varronis de
l. L. VII 8), tradita verba *item testaque me ita sunto* ab editoribus sic
exhibentur: *templa tescaque me ita sunto.* denique apud Varronem
rerum rust. III 16, 2 *hereditate me cessa* legimus. quod vero ex
Catullo 37, 11 *me* dativum Neuius affert, alienum ab hac quaestione
iudico, cum illic sicut apud eundem 77, 3 cum Schwabio *mei* scribendum esse videatur. sed nonnulla alia repperi, quae illis quattuor
exemplis addam. Plauti Truc. v. 914 pro *mi* BCD *me*, LZ *mea*
exhibent et Trin. v. 53 Studemundus in codice Ambrosiano legit: *si*
quid me malist (si quid mi malist Ritschelius legit). deinde in Afranii
versu (com. 268 R.) ubi pro *nulla inest paratio* Ribbeckius *nulla mi*
est paratio restituit, fortasse *nulla mest paratio* scribendum est. ac
similiter in Varronis saturarum fragmento (p. 204, 4 R. fr. 440 B.)
eo, quod in Nonii (p. 190, 28) codice Harleiano manu prima scriptum
est *medeo mest opus (medico mi est opus* m. sec.), vera lectio *medico*
mest opus indicari videtur. maximi vero momenti esse ea existimo,
quae insunt in formula illa vetustissima, cuius supra mentionem feci.
ibi enim non semel sed ter dativum *me* deprehendi. nam verba depravata *templum tectum quem festo*, quae bis in membris aequalibus
liber Florentinus habet, Turnebi invento *tescumque* accepto sine
dubio sic sananda sunt: *templum tescumque me esto.* facillima sane

---

⁶⁶ collectae exhibentur in Hildebrandi gloss. p. 82; cf. p. 157.

haec est emendatio et quae trium membrorum (*templa tescaque me ita sunto* et bis *templum tescumque me esto*) concinnitate maxime commendetur. ceterum si quis paucis illis Plautinis exemplis quae supra attuli parum probari arbitretur, is meminerit *mi* raro, plerumque *mihi* pro eo in Plauti libris inveniri.

sas in v. 103 (102) pro *suas* et *sis* in v. 150 (151) pro *suis*. Festo p. 325, 17 (cf. Paulus p. 324, 1) priorem versum afferenti *sas* idem esse ac *suas* videtur, cum Verrium pro *eas* illud accepisse dicat. quam quaestionem nos diiudicare non possumus, quod ille Ennii versus propter metrum potissimum corruptelae suspitionem movet. sed utcumque ea res se habet, alii quoque loci, quos Neuius (l..l. p. 189 sq.) collegit, his vetustis possessivi pronominis formis testimonio sunt. inter illos locos etiam duo posterioris aetatis tituli inveniuntur, quorum in altero (CIL. V 1 n. 2007) *coniugi so*, in altero (ann. inst. arch. Rom. a. 1856 p. 23, 132) *sa pecunia* lapidi incisum est. sed cum in eis etiam nonnulla alia vitiose scripta sint, velut *si* pro *sibi* et *um* pro *eum*, non est quod barbarismos illos hic respiciamus. Ennium autem Ritschelius (opusc. IV p. 109) formis illis eo consilio usum esse censet, ut scribendi rationem pronuntiationi accommodaret. ceterum vulgatae formae saepius etiam in Ennianis reliquiis reperiuntur.[67]

mis in v. 131 (145) pro *meis*. Priscianus (III p. 2, 28 H.) quidem Ennii versum sic memoriae prodidit: *ego, mei vel mis . . Ennius in II: ingens cura mis concordibus* (*cum cordibus* Heidelb.; *cum concordibus* Halberst.; *cum concordibus* reliqui) *aequiperare; mis dixit pro mei*. sed in his viri docti compluribus de causis offenderunt. alter scrupulus metri ratione ortus fortasse ita removebitur, ut *curast* pro *cura* cum Ribbeckio (mus. Rhen. X p. 274) scribatur. alterum Vahlenus (ibd. XVI p. 574) attigit, cum dixit dativum potius pronominis quam genetivum expectari. ac profecto neque cum substantivo *cura* neque cum *concordibus* genetivus *mis* commode coniungitur. minime vero cum Vahleno *ingens cura mihist* legi velim, sed *mis* idem esse ac *meis* ratus Ribbeckii emendationem retineo. nam multo aptius quam unus plures concordibus aequiperare dicuntur (*illis* coniecit Baehrensius fr. 90). Priscianum igitur erroris arguere non dubito. ipsius autem formae *mis* alterum exemplum Plauti Trin. 822 libris BC traditur, ubi Ritschelius (opusc. IV p. 466; cf. adn. ad Trin. 822; opusc. IV p. 109) et Buechelerus (de decl.[2] p. 44) eam defendunt.

sum in versibus 102 (99) et 165 (144) pro *eum*, *sam* in v. 228 (225) pro *eam*, *sos* in versibus 22 (23). 152 (153). 261 (236). 358 (380) pro *eos*, *sapsa* in v. 372 (406) pro *ea ipsa*[68]. Festus (v. Neuium de formis II[2] p. 197 sq.), qui has formas solus testatur, pronominis

---

[67] v. LMuelleri indicem verborum. Baehrensius etiam fr.160 (v. 278 V.) *sos* pro *suos* scripsit et fr. 57 (v. 29 V.) *manu sa* coniecit.   [68] v. GMeyer ad hist. stirpium format. et decl. indog. p. 14; Curtium etym.[5] p. 394; Corssenum de pronunt. I[2] p. 777. II[2] p. 847.

non compositi Enniana tantum exempla, compositae vocis *sapsa* etiam Pacuvianum (v. 324 R.) profert. verum alibi quoque talium formarum vestigia viri docti deprehenderunt. ac primum quidem in lege XII tabularum 7, 7 Sch. pro codicum lectionibus *nisandilapidas* (Vat.), *insamdilapides . . . sunt* (Victor.), *dionisam lapides sunt* (Ursin.) Mommsenus (in actis acad. Berol. a. 1864 p. 85) *ni sam dilapidassint* egregia emendatione reposuit (v. Schoellii leg. ed. p. 60 sqq.). deinde in legibus sacris apud Ciceronem de leg. II 8, 21 libri H B (v. Jordani symb. p. 232 ann.) *sisque* pro *isque* habent, idemque Vossiani A scriptura *iisque* in rasura posita non obscure indicatur. Vahlenus (ephem. gymn. Austr. a. 1860 p. 18 sq.) igitur Schoellio (l. l. p. 61 sq.) probante *sisque* scripsit. hoc Jordanus (l. l. p. 247) satis infirmo argumento refutare studet, quod propter perversam in archetypo verborum distinctionem *providentoisque* facile potuerit legi *providentosisque*. tum Plauti Truc. 159, ubi *sumpsit seniteri* codicibus B C D traditur, Schoellius *sumpse enitere* scribit accepta Bergkii (symb. crit. p. 50) coniectura, quam ipse auctor postea (l. l.) reiecit, Buechelerus (ann. philol. 1872 p. 572) tamen probavit. de usu Enniano hoc addendum est, ex formis vulgatis in annalibus praeter *is* nominativum unicam *eos* v. 600 certo tradi, cum a ceteris Ennii poematis antiquissimae illae formae alienae fuisse videantur.

isdem nominativus singularis masculini in v. 468 (560). de hac vetustiore pronominis compositi forma Ritschelius[69] uberius disseruit.

haece accusativus pluralis in v. 239 (294). demonstrativi pronominis *hic haec hoc* formas in *ce* exeuntes *s* littera non antecedente medio fere saeculo urbis septimo ex usu evanuisse primus Ritschelius (opusc. IV p. 89. 132 sq.; v. Corssenum de pronunt. II² p. 603; addit. p. 89 sqq.) titulorum exemplis demonstravit. haec collegit Neuius (l. l. p. 203 sqq.), cuius copiis adicio *hance* in titulo (CIL. X 2 n. 8236), quem Mommsenus anno urbis circiter D C tribuit, et *heice* in inscriptione (CIL. I n. 1049) incertae aetatis. ab codem Neuio praebentur quae grammatici de eiusmodi formis protulerunt, et loci omnes, quibus illae libris manu scriptis traduntur. subiungit vir doctissimus nonnulla exempla, quae Ritschelii (opusc. V p. 415) aliorumque coniecturis debentur. ex his solum commemoro Ennianum (Epich. 11 = sat. 44 M.) *haece propter* pro tradito *hec propter* metri causa a Vahleno scriptum. sed alia addo, quae in Neuii libro desiderantur. nam LMuellerus (de re metr. p. 442) *haece* in Livii Andronici tragoediis v. 8 R., *hice hoce hince* in Lucilii fragmentis (XI 27. IX 62. XXIX 98) contra librorum auctoritatem scripsit. et Ribbeckius *hice* bis apud Accium (trag. 122. 439), semel apud Turpilium (v. 140), *hunce* semel apud Laberium (v. 21), *hoce* nominativum singularis

---

[69] opusc. IV p. 313 sqq. (cf. p. 138 sq. 385. II p. 432; Ribbeckium ann. philol. 1858 p. 181); v. Buechelerum de decl.² p. 28 sq.; Neuium de formis II² p. 198.

semel apud Caecilium (v. 131) pro traditis formis *e* littera carentibus restituit.

Dubius est ablativus *quodcum*, quem Ritschelius (nov. excurs. Plaut. p. 55 sq.; cf. p. 103) in v. 239 (294) Gellii codicum scripturis (*quocum* Thuan. teste Gronovio; *quod eum* Regin.; *quodcum* ceteri) indicari existimavit. nam praeterquam quod illud *d* metri necessitate non exigitur (v. LMuelleri comm. p. 191), id maxime dubitationem movet, quod impertiendi verbo, ubi res accusativo exprimitur, persona dativo casu apponi solet.

4. Verba.

fiere infinitivus in v. 15 (9). *fieri* in omnibus libris legitur, *fiere* Ilbergius (edit. 1. I p. 17) egregia emendatione restituit. etenim et metro forma *fiere* postulatur et hoc grammatici testimonio (Macr. exc. Bob. V p. 645, 8 K.) fulcitur: *a fio fiere esse deberet; sed licet usus aliter obtinuerit (fieri enim nunc dicitur), Ennius tamen in X annalium fiere dixit, non fieri.* reliqui loci, quibus forma *fiere* antiquissima a viris doctis deprehensa est, a Neuio (l. l. II² p. 334) indicantur. disseruit autem de infinitivis *fiere* et *fieri* inprimis LLangius[70], qui etiam *fieri* activi infinitivi formam esse demonstravit, ita ut *fiere* et *fieri* pro antiquiore *fierei* pari iure posita scribendi tantum ratione inter se differant.

luctant in v. 301 (339) pro *luctantur*.[71]

spoliantur deponens in v. 600 (517); v. Neuium l. l. p. 283; cf. p. 332. nonnulli viri docti ex vetustis Donati editionibus *exspoliantur* receperunt, quod in initio hexametri una syllaba desideratur. sed obstant verba grammaticorum Ennii versum commemorantium (de Nonii loco corrupto p. 480, 9 v. Ribbeckium ad Afran. 42).

potestur in v. 594 (inc. sed. rel. XVI).[72]

parire pro *parere* in v. 10 (122). vetustiore consuetudine pariendi verbum non solum tertiae sed etiam quartae coniugationis formas admisisse intellegimus ex grammaticorum locis, quos, cum apud Neuium (l. l. p. 415) non pleni exhibeantur, iam ascribo: Diomedis I p. 383, 5 K. *apud veteres parire dictum reperimus, ut apud Ennium ...*; Prisc. II p. 401, 2 H. (*pario*) *apud antiquissimos quartae coniugationis declinationem habebat; Ennius ...*; p. 500, 19 *vetustissimi tamen et secundum quartam coniugationem hoc (pario) protulisse inveniuntur; Ennius ...*; p. 540, 6 (*pario*), *quod vetustissimi non solum secundum tertiam sed etiam secundum quartam coniugationem declinabant; unde Ennius ...*;

---

[70] denkschriften der Wiener akad., philos.-bist. classe X a. 1860 p. 19 sqq.; v. etiam Ebelium in Kuhnii diurn. V p. 189; Schweizerum ibd. VI p. 446. [71] v. Neuium l. l. II² p. 294; sed praeter locos ibi allatos cf. Donatus IV p. 383, 18 K.; Cledonius V p. 59, 7; Consentius V p. 369, 12; Marius Plotius Sac. VI p. 429, 33. 450, 8. 452, 10. [72] v. Neuium l. l. p. 603; sed cf. Diomedes I p. 441, 19 K.; Donatus IV p. 396, 7; Consentius V p. 388, 7.

p. 438, 23 *veteres et pario quarta coniugatione declinabant*; Nonii
p. 508, 1 *paribit pro pariet; Pomponius* (v. 20 R.) .. *paribis numquam.*
fallitur igitur Probus (IV p. 36, 16 K.; cf. Mar. Plot. Sac. VI
p. 488, 12 K.), cum dicit: *quidam putant hoc (pariendi) verbum ter-*
tiae productae, id est quartae esse, sed errant: nam infinitivum modum
Terentius posuit parere hic divitias, quod si esset tertiae productae, ri
habuisset syllabam ante re, parire eqs.[73] restant pauca exempla.
etenim Ennii trag. v. 424 (fab. 401) pro Varronis libri Florentini
scriptura *Latona parit casta complexu Iovis* metri causa restitutum
est: *Latona pariit (pariet* Ncuius l. l. p. 474) *casta complexu Iovis.*
apud Plautum in Vidulariae fragmento v. 215 W. *parire* legitur.
praeterea Neuius coniunctivum *pariret* e titulo sepulcrali Salonensi
(CIL. III 1 n. 2267) profert. sed propter hanc vulgarem inscrip-
tionem non esse puto, quod vetustioris usus *parire* proprium fuisse
negemus. ac fortasse lapidarii errori scriptura illa tribuenda est,
cum praesertim *peperit* in eodem titulo insit.

fodantes in v. 496 (259) pro *fodientes.* Merula *fodentes,*
quod est in Pauli libris p. 336, 5, in *fodantes* mutavit collata eiusdem
Pauli glossa p. 84, 7 *fodare, fodere.* adıcio Osberni glossam (VIII
p. 229 Mai): *et fodo as et fosso as, ambo pro saepe fodere, et ab istis*
verbalia et hic fossatus, us (cf. p. 244ª *fodare, fossare, saepe fodere*),
quibus respectis, cum praesertim forma *fodentes* nullo testimonio
confirmetur, nescio an Merula eam iure tentaverit.

Non satis certum est *fossari* in v. 569 (506) pro *fodi* vel
percuti. nam apud Varronem de l. L. VII 100 in codice Florentino
scripta sunt haec: *apud Ennium: decretum est stare (fossari* Columna;
stare et fossari Bergkius opusc. I p. 575; *stare et fodicari* ASpengelius)
corpora telis; hoc verbum Ennii dictum a fodiendo, a quo fossa. ac
praeterea apud antiquos scriptores verbi fossandi nullae formae
occurrunt nisi participia vel potius substantiva *fossatum* et *fossatus,*
a quibus insuper percutiendi notio aliena est. tamen adminiculum
datur Columnae lectioni Osberni glossa quam supra ascripsimus.
fodicari ab ASpengelio propositum mihi ideo non probatur, quod hoc
non verbum Ennii, sed ne optimorum quidem scriptorum aetate
inusitatum fuit (Hor. epist. I 6, 51 alibi).

abnueo in v. 283 (290). conferatur *abnuebant* in Ennii tragoediis v. 284 R. (Telam. XI M.). quae formae nusquam inveniuntur
nisi apud Diomedem I p. 382, 11 K. *apud veteres et abnueo dictum*
adnotamus, ut Ennius: ... abnueo ... abnuebant (abnuebunt Par. A
et B m. s.).

sonunt in v. 382 (408) et *resonunt* in v. 364 (390).[74] etiam
in fabulis Ennianis *sonit* (150 R. = 137 M.) et *sonunt* (69 R. =
183 M.) singulis exemplis legimus, vulgarem verbi formam unicum
sonabat in annalibus 196 (191) exhibet. praeterea Pacuvius, Accius,

---

[73] cf. Macrobii exc. Bob. V p. 649, 30 K. *parturio, quod est parire*
meditor.   [74] Baehrensius etiam fr. 288 (v. 433 V.) pro *aerato sonitu*
galeae scribit: *(umbo) aeratus, sonit aes galeae.*

Lucretius illis formis utuntur (v. Neuium 1. 1. II² p. 420 sq.; Cors-senum de pronunt. II² p. 294). *prodinunt* in v. 157 (158) et *redinunt* in v. 466 (159). post saeculum urbis sextum eiusmodi formas amplificatas non inveniri Ritschelius⁷⁵ demonstrat. idem eas inmissa *in* syllaba ortas esse existimat, cum Schweizerus (Kuhnii diurn. II p. 380 sq.) et Corssenus (1. 1. p. 420) suffixum ab *n* littera incipiens statuant. inter Enniana a Bergkio (opusc. I p. 232) etiam *ferinunt obinunt explenunt* (Festi p. 286ª, 14. 189ᵇ, 4. 80, 1) referuntur.

opertat in v. 500 (254). recte tradi Nonii libris *opertat* nus-quam alibi scriptum comprobatur Pauli glossa p. 191, 1 *opertat, saepe operit.*

superescit in v. 486 (322). si exempla apud Neuium 1. 1. p. 596 perlustrabis, videbis compositum *superescit* semel ex Ennio; *escit* saepius ex XII tabulis⁷⁶ afferri ac praeterea semel *escit* apud Lucretium I 619 et *escunt* in legibus publicis apud Ciceronem de leg. III 3, 9 libris tradi. accedit *obescet*, quod unde sumpserit Paulus p. 188, 9 nescimus.⁷⁷ etiam Philoxeni glossam *adescit κολλᾶται* huc referri Loewius (gloss. nom. p. 177) iubet. idem (p. 100; cf. p. 84) apud Placidum p. 41, 15 D. *escit, erit* pro tradito *exsciterit* proponit.

pigret in v. 405 (432) pro *piget*. Nonii testimonio p. 219, 12 *pigret; Ennius . . . Accius . . .* (31 R.) *pigrent* addo quae insunt in Osberni glossis (VIII p. 440 Mai) *pigreo, pigres, verb. neutr.*

bovantes in v. 571 (475) pro *boantes*. a Varrone de 1. L. VII 104 Ennii exemplo haec praemittuntur: *multa ab animalium vocibus tralata in homines . . minus aperta ut . . Ennii . . a bove.* praeterea forma *bovantes* fulcitur Labhaei glossa *bobantes, βοῶντες,* ubi Dacerius *bovantes* emendavit.

potesset in v. 235 M. quibus locis *potesse* infinitivus libris tradatur quibusque ex coniectura *potesse* et *potesset* scribatur, intel-leges ex eis, quae Neuius 1. 1. p. 601 sqq. et Brixius ad Plauti Trin. 884⁷⁸ de variis huius verbi formis proferunt. sed mihi quidem non solum praesens *potissit* sed etiam *potisse* et *potisset* ab illo Enni-ano esse videntur aliena. nam *potisse* pro infinitivo perfecti, *potisset* pro coniunctivo plusquamperfecti cum Neuio (1.1. p. 602 sq.) haberi velim. *potesset* autem ideo potissimum notabile est, quod ante repertum Ennii versum Neuio teste in nullo libro manu scripto forma illa legebatur.

horitatur in v. 350 (367) pro *hortatur* et *horitur* in v. 409 (465). quae de his formis scimus, continentur uno Diomedis loco

---

⁷⁵ opusc. IV p. 134 sq.; cf. Ribbeckius ann. phil. 1858 p. 183. exempla congessit Neuius 1. 1. p. 412 sq.; sed adde eis *inserinuntur* (*interserinuntur* Ritschelius 1. 1.) ex Livii Odissia et Labhaei glossam: *dianunt δίδωσιν* (*danunt, διδόασιν* corr. Vulcanius). ⁷⁶ I 3. V 7. V 5 Sch. (*nescit* libri); adde V 4 (*est* libri; *escit* Cuiacius observ. VII 18); V 7 (*esset, erit, existet,* alia libri; *escit* Bouherius ad Cic. Tusc. III 5, 11). ⁷⁷ explicantur hae formae a Corsseno symb. p. 35 sqq.; de pronunt. II² p. 283. 401 ann. ⁷⁸ v. etiam Lachmannum ad Lucr. p. 316. Fleck-eiseni misc. crit. p. 45 sq.

I p. 382, 21 K. *hortatur, quod vulgo dicimus, veteres nonnulli horitur dixerunt, ut Ennius . . horiturque; idem in decimo: horitatur* (*horitur* libri; emend. Ilbergius) *induperator* (v. etiam Corssenum de pronunt. II² p. 545).

vegebat in v. 477 (361) pro *vegetabat* et *vegetur* (sic Bergkius opusc. I p. 681; *videtur* libri Nonii) in v. 286 (312) pro *vegetatur.* de vegendi verbo, quod antiquioris consuetudinis proprium et semper transitivum esse Brixius (ad Plauti Mgl. 657; cf. Ritschelii opusc. II p. 780) recte monet, unum Nonii testimonium p. 183, 1 habemus: *veget pro vegetat vel erigit vel vegetum est; Pomponius Maiali* (78 R.)*: animos Venus veget voluptatibus; Ennius Ambracia* (praet. 4 R. === sat. 32 M.)*: et aequora salsa veges . .; Varro Manio* (p. 157, 9 R. fr. 268 B.) *viget* (*veget* L, H m. pr.)*, veget ut pote plurimum; idem* Ὄνος λύρας (p. 179, 5 R. fr. 351 B.)*: . . lyram Sol . . motibus diis veget* (*viget* libri Nonii p. 100, 27). in Varronis Manio LMuellerus (Nonii ed.) *veget* pro intransitivo verbo accipit. sed nihil obstat, quin ibi *plurimum* obiectum ab illo verbo pendens iudicemus. Brixius etiam in Plauti versu Mgl. 657, quem libri BC sic habent: *tu quidem omnis moris ad venustatem vacet* (*vicet* C, *vecet* D ᵃ, *vegit* D ᵇ)*, veges* ultimam fuisse vocem coniecit. verum Ritschelius Camerarium secutus *tui . . valent,* Ribbeckius *tui . . vigent* scripserunt. denique *vegere* apud Lucretium V 1298 et *veget* apud Senecam de tranq. an. 17 iniuria olim legebatur. nam illic Lachmannus et alii *vigere* reposuerunt, hic est in libris: (*Liber*) *animum et adserit vegetatque.*

capsit in v. 324 (331), *levasso* in v. 339 (386), *perpetuassint* (*perpetiassint* Nonii codex Leid. m. pr.; *perpetuas sint* H; *perpetuitas sint* reliqui; *perpetuitas sit* libri in lemm.; corr. Bentinus) in v. 322 (333). verbi capiendi formis contractis etiam Plautus et Accius usi sunt. accedunt composita *incepsit* Festi p 107, 20, *occepso* et *occepsit* apud Plautum, *accepso* apud Pacuvium, *recepso* apud Catullum. singulos locos Neuius l. l. p. 544 sqq. indicat⁷⁹, quem tamen fugit codicis Vaticani glossa (VII p. 556 ᵃ Mai) *concapsit, conpraehenderit.* levandi et perpetuandi voces nusquam alibi sic declinantur. sed multae aequales aliorum verborum formae extant, quae in Neuii libro (II² p. 540 sqq.) enumerantur.

adiuero sive *adiuro* (*adiuto* libri plerique; *adiuvero* reliqui) in v. 339 (386); v. Neuium l. l. p. 533 sq.

sultis in v. 521 (522). *sultis* antiquiore tantum tempore inveniri videtur, cum *sis* et *sodes* etiam posteriore aetate in usu fuerint. etenim apud Festum de illa voce composita haec leguntur: p. 343ᵃ, 17 *sultis si voltis significat composito vocabulo . . Ennius: pandite suetigenas* (*sultigenas* Paulus p. 342, 1; *sulpigenas* eiusdem libri boni p. 94, 6) . .; p. 301 ᵃ, 22 *sultis, si voltis; Plautus* (Priv. v. 65 Wint.;

---

⁷⁹ cf. glossas Plautinas in Loewii prodr. p. 264 *capso, cepero*; p. 271 *capsit, ceperit.*

Rud. 820) .. *M. Cato* (p. 63, 1 J.) ... quae praeterea repperi exempla, omnia sunt Plautina.[80]

adgretus in v. 574 (575) pro *adgressus.* notabilem formam *adgretus* similemque *egretus* duabus glossis Paulus testatur: p. 6, 11 *adgretus: apud Ennium adgretus fari pro eo quod est adgressus ponitur, quod verbum venit a Graeco* (ἐγείρομαι) *surgo;* p. 78, 4 *egretus et adgretus ex Graeco sunt ducta, a surgendo et proficiscendo* eqs. quam Festi sententiam, quamvis LMuellero (Enn. p. 200) placcat, non recte se habere intellegitur ex eis quae.Corssenus (addit. p. 417; de pronunt. I² p. 209) de formarum illarum origine exponit.

spexit in v. 402 (437). simplicis verbi spiciendi qui fuerit usus, ex his grammaticorum locis apparet: Festi p. 330ᵇ, 29 *spicit quoque sine praepositione dixerunt antiqui; Plautus* (Mgl. 697; v. Brixium et Lorenzium ad h. v.) .. *et spexit: Ennius* ..; Pauli p. 2, 2 *auspicium ab ave spicienda, nam quod nos cum praepositione dicimus aspicio, apud veteres sine praepositione spicio* (*specio* libri deteriores) *dicebatur;* Festi p. 344ᵃ, 29 *spiciunt antiquos di⟨xisse sine praeposi⟩tione testis est Cato* (p. 40, 11 J.) ..; Varronis de l. L. VI 82 *spectare dictum ab* ⟨*specio*⟩ *antiquo, quo etiam Ennius usus ... spexit ...; et quod in auspiciis distributum est, qui habent spectionem, qui non habeant; et quod in auguriis etiam nunc augures dicunt avem specere.. hinc speculum, quod in eo specimus imaginem;* Prisciani II p. 562, 12 H. *conspicio a specio; [non est in usu];* p. 178, 14 *specto verbum quasi a spicio natum est frequentativum;* p. 400, 10 *spicio, ex quo aspicio* eqs.; p. 435, 4 *nunc in usu simplex non est .. spicio ...*[81] videmus igitur Varronis aetate augures tantum in certa formula vocem non compositam adhibuisse. neque aliud quicquam ex paucis quae restant exemplis cognoscimus. in Ennii fabularum fragmento (trag. 237 R. = fab. 292 M.), ubi in fine versus libri habent *Sol, qui res omnis inspicis*, veram lectionem *Sol, qui res omnis spicis* Vahleni (mus. Rhen. XIV p. 566) acumini debemus. apud Plautum locutio *specimen specitur* bis (Bacch. 399. Cas. III 1, 2) occurrit. denique ex Varronis saturis Menippeis p. 187, 10 R. (fr. 384 B.) verba *ideo dici ... vestispicam, quod vestem spiciat* (*inspiciat* Harl. m. pr.) afferuntur, quibus conferas, quae idem Varro de l. L. VII 12 dicit: *dicta vestispica* (*vestisca* Flor.; corr. Aldus), *quae vestem spiceret* eqs.

apiunt in v. 491 (569). merito LMuellerus Ennio hoc verbum reddidit, quippe quod libro Isidori Guelferbytano tradatur et in Parisinorum scriptura *tonsillam sapiunt* facile agnoscatur. alibi simplicis verbi apiendi exempla nulla supersunt, nisi quod occasione data eius mentionem faciunt grammatici, quorum glossas habemus has: Pauli p. 18, 9 *apex ... dictus est ab eo, quod comprehendere vinculo anti-*

---

qui apere dicebant, unde aptus is, qui convenienter alicui iunctus est;
Servii in Aen. X 270 *hoc (apicis) nomen a veteribus tractum est:
apere enim veteres ritu flaminum adligare dicebant, unde apicem dictum volunt* (cf. Isid. orig. XIX 30, 5); Pauli p. 22, 17 *ape apud antiquos dicebatur prohibc, compesce*; glossae ap. Labb.: *ape, κώλυσον*;
ibd. *apet, ἀποσοβεῖ.*

    quaesentibus in v. 146 (143) pro *quaerentibus. quaeso* et
quaesumus orandi significatione ab optimis scriptoribus saepe usurpantur. etiam infinitivus *quaesere*, quem Festus p. 258 b, 13 antiquis tribuit, Phoca (V p. 436, 4 K.) et Eutyche (V p. 483, 8 K.)
testibus apud Sallustium et apud Ciceronem legebatur. reliquae
tamen huius verbi formae *s* littera scriptae antiquioris sermonis
peculiares sunt. neque enim huc pertinet, quod *quaesunt* et *quaesit*
apud Iulium Valerium (III 2 et 37 Mai), *quaesere* in Itinerario
Alexandri Magni (15 Mai) inveniuntur. *quaesito* autem imperativus
apud Columellam de arb. 26, 8 dubitationem movet, cum libri Sangermanensis et Lipsiensis *quaerito* praebeant. ex ceteris exemplis, quae
Neuius (l. l. p. 487; v. etiam Jordani symb. p. 145 sq.) cum testimoniis[82] collegit, commemoro tantum Enniana *quaesundum* (trag.
97 R. = fab. 322 M.) (*quae secundum* codex Festi; corr. Ribbeckius),
quaesendum (trag. 120 R. = fab. 350 M.), *quaesit* (trag. 199 R. =
fab. 74 M.) (*quid sit* codex Ciceronis; corr. Leopardius). desideratur
tamen et apud Neuium et in lexicis verbum frequentativum quaesitandi, cuius notitiam glossariis debemus. Loewius (prodr. p. 316)
quidem duas glossas adfert: *quaesitat, quaerit, interrogat, sciscitatur*
et *quaesitare, quaerere.* idem alio loco bis *quaesitare* legi testatur.

    remant in v. 72 (54). ultimo loco hoc verbum posui, quia
quomodo explicandum sit etiam nunc minime liquet. etenim una ei
testimonio est Festi glossa p. 282 a, 33 sic scripta: *remanant, reptent;
Ennius l. I: desunt rivos camposque remant,* cui conferas Pauli epit.
p. 283, 7 *remant, repetant; Ennius: rivos camposque remant.* inde
hoc quidem mihi videtur elucere, non vulgatum *remanant,* sed *remant*
poetae iure restitui. Paulus enim manifesto et in lemmate et in
versu Enniano *remant* legit, quod etiam Festi codex servatus altero
loco exhibet. *remanant* autem duplicatis *an* litteris per errorem in
textum irrepere facillime potuit. Klotzius (in lex. s. v. *remeo*) quidem arbitratur *remanant* ampliorem esse formam pro vulgato *remeant.* cui sententiae minime adducor ut astipuler, quae nullo simili
exemplo probetur. nam alienae sunt formae illae vetustissimae *solinunt, ferinunt, obinunt, nequinont, interserinuntur, prodinunt, redinunt, danunt, explenunt.* quidni *remant* pro *remeant* scripserit Ennius,
apud quem etiam *solum* et *sola* pro *solium* et *solia* ac pronomina
possessiva *sos sas sis mis* inveniantur?

    Formas *morīmur, misererent, tetulisti* (v. 56. 175. 384) ut alienas
omisi. nam *moriri* etiam apud Ovidium met. XIV 215, *miserent*

---

    [82] sed cf. etiam Cledonium V p. 59, 2 K.; Pompei comm. V p. 232, 1;
Consentium V p. 380, 1. 382, 14.

apud Valerium Flaccum II 92, *tetulissent* in Macrini versibus (Iul. Capit. v. Macr. 11), *tetuli* in titulo Belgradensi (eph. epigr. II p. 328 n. 485)[83] legimus.

5. Adverbia.

fortunatim in v. 112 (107). traditur hoc adverbium, quod est ἅπαξ εἰρημένον sicut *visceratim* in fabulis (trag. 106 R. = fab. 328 M.), hac Nonii p. 111,39 glossa: *fortunatim, prospere; Ennius* .. omnino tales voces in syllabam *tim* exeuntes praeter ceteros (v. Neuium l. l. p. 662 sqq.; Kuehneri gr. Lat. I p. 682 sqq.) tractavit Corssenus (symb. p. 279 sqq.), qui statuit in vetustiore sermone multo plures fuisse quam optimorum scriptorum aetate et deinde imperatorum temporibus nonnullas vetustiores revixisse ac multas novas ortas esse. idem (p. 283) liberae rei publicae aetatis proprias collegit.

prognariter in v. 215 (211) et *torviter* (*torbiter* codices) in v. 79 (258). *torviter* alibi nusquam occurit nisi in versu Pomponii (18 R.) a Nonio p. 516, 12 ascripto. neque plura vocabuli *prognariter* exempla novimus. huius Nonius duabus glossis mentionem facit, quarum altera p. 150,5 est *prognariter, strenue, fortiter et constanter; Plautus* (Pers. 588) . . . *Ennius* . . ., altera p. 154, 25 *prognariter, audaciter; Plautus* (Pers. 588). . . Lambinus quidem *prognariter*, quod quinquiens omnes Nonii libri ac praeterea Plauti codices exhibent, in *prognaviter*, in *praegnaviter* Acidalius mutari voluit. quos merito refutat Ritschelius (opusc. II p. 266), qui etiam in glossario Plautino *prognariter* legi commemorat. Vahleno (in edit.) igitur credemus a Nonio adverbium illud non recte explicari. omnino autem usus eiusmodi adverbiorum ab adiectivis secundae declinationis derivatorum, id quod ex diligenti Neuii tractatione (l. l. p. 653 sqq.) apparet, in vetustiore sermone multo latius quam postea patuit. atque in Ennii quidem reliquiis praeter duo illa supra allata *proterviter* (com. 2 R. = fab. 385 M. ap. Non. p. 513, 13 et Prisc. III p. 71, 3 H.) et *saeviter* (trag. 145. 266 R. = fab. 136. 374 M.)[84] antiquioris consuetudinis propria esse videntur. ceterum omnium talium vocum exceptis *torviter* et *reverecunditer* etiam formae e vocali terminatae ad nos pervenerunt (v. Kuehnerum l. l. p. 680 sqq.)

poste in v. 235 (244). formae *poste*, de qua inprimis disseruit Ritschelius (opusc. II p. 543 sqq.; cf. Ribbeckius ann. philol. 1858 p. 187; Corssenus de pronunt. I² p. 183. 734), quae extant exempla maximam partem sunt Plautina. praeterea Terentio Fleckeisenus duobus locis (Andr. 483. Eun. 493) *poste* restituit. altero loco (Eun. 493) Fleckeiseni coniecturam glossario Terentiano praeclaro

---

[83] in titulo CIL. V 1 n. 3635 incertum est utrum *tetulisse* an *te tulisse* recte legatur. [84] de vocabulis apud Priscianum sequentibus v. Hertzium Philol. XXI p. 595 sq.

modo confirmari Goetzius ostendit (ind. schol. aest. Jen. a. 1885 p. IV). cf. FSchoellius mus. Rhen. XLIII p. 300.

quianam in v. 130 (130) et 264 (270) pro *quare* vel *cur*.[65] testantur vocem *quianam* hi grammaticorum loci: Festi p. 257ª, 25 *quianam pro quare et cur positum est apud antiquos, ut Naevium* (b. P. 18; sat. p. 168 M.) . . . *et Ennium* . . .; Servii in Aen. X 6 *quianam, cur, quare; Ennianus sermo est*; schol. Veron. ad h. l. p. 102, 29 Keil. *quianam; Asper: ἀρχαισμός*; Quintiliani VIII 3, 25 *olli enim et quianam et moerus et pone et pollicerent aspergunt illam, quae etiam in picturis est gratissima, vetustatis inimitabilem arti auctoritatem; sed utendum modo nec ex ultimis tenebris repetenda* (cf. Prisc. III p. 95, 10. 138, 8. 285, 12 H.). accedunt pauca exempla, quae apud Neuium l. l. p. 803 indicata sunt. omisit tamen vir doctissimus commemorare, quod in Plauti Pseud. 1089 Bergkius (opusc. I p. 678) *quianam* pro *quia* proposuit. Langenus (l. l.) quidem Plauto *quianam* particulam abiudicare studet, sed alter respiciendus est locus Plautinus (Truc. 136), ubi *quianam* codice Vaticano exhibetur. quod vero Vergilius bis in Aeneide (V 13. X 6) vocabulum illud usurpat, id vetustiorum poetarum imitatione factum esse testimoniis quae supra ascripsi satis probatur.

noenum in v. 314 (287) et *noenu* in versibus 479 M. (426 V.) et 161 (inc. fab. rel. V).[86] utraque forma apud Ennium emendatione restituta est. nam primum quidem in versu 314 omnes boni Ciceronis codices duobus locis (Cat. mai. 4, 10. de off. I 24, 84) *non enim* habent, *noenum* scribi Lachmannus (ad Lucr. III 198) iussit. quod sane probabilius est quam *non eni*, de quo Bergkius (opusc. I p. 294) et LMuellerus (comm. p. 190) cogitant. deinde in versu 479, cuius initium est apud Festum p. 144, 14 *non decet mussare bonos*, cum apud Philargyrium in georg. IV 188 *non possunt mussare boni* legatur, primus Ribbeckius (mus. Rhen. X p. 277 ann.) *noenu decet mussare bonos* proposuit. restat versus 161 Ciceronis (de div. II 62, 127) libris sic exhibitus: *aliquot somnia vera, sed omnia non est necesse (non nunc haec esset* Leid. A et Vindob.; *non nunc necesse est* Leid. B; *non necesse est* codex Moseri). quibus scripturis inter se comparatis non dubito, quin Ilbergius (exerc. crit. p. 7 sq.), quem ad annales hoc fragmentum iure rettulisse puto, ultima eius verba recte sic scripserit: *omnia¸noenu necessest.* praeterea in v. 411 (449) *non in sperando cupide rem prodere summam* Vahlenus in editione *noenum* pro *non in* coniecit. sed vera esse mihi videtur Ribbeckii (l. l.) emendatio: *nolim sperando cupide r. p. s.* testimonium vocis *noenum* pro *non* positae est apud Nonium p. 143, 31, ubi singuli loci ex Lucilio (XXX 23 M.) et Varrone p. 259 R. adduntur. duo alia Ritschelius (opusc. II p. 242) ex glossario Plautino affert. porro apud Lucretium bis (III 199. IV 712) *noenu* invenimus. atque etiam Cicero

---

[65] v. Corssenum de pronunt. II² p. 851 et Langeni symb. crit. p. 325 sq.   [86] v. Corssenum de pronunt. I² p. 79. 206. 673. II² p. 594.

semel (ad Att. VII 3, 10) vetusta forma *noenum* sive *noenu* utitur, si
quidem *noen*, quod codex Mediceus m. pr. babet, a correctore recte
in *noenu* mutatum est (v. Lachmannum l. l.). accedunt aliquot poetarum loci, quibus viri docti coniectura *noenum* aut *noenu* reposuerunt.
etenim Plauti Merc. 765 Ritschelius (nov. exc. Plaut. p. 40) *noenum*
(*non non* B, *non* reliqui) *te odisse*, Truc. 674 Bothius *iam noenu*
(*non* libri) *sum truculentus*, Mgl. 654 *Ephesi sum natus, noenum* (*non
enim* B C, *non sum* R.) *in Apulis, noenum* (*non sum* B C, *non* R.)
Animulae Buechelerus (ann. phil. 1863 p. 774) coniecit. idem (l. l.)
Asin. 808 *noenum* (*non enim* libri) *mortualia*, in sorte Praenestina
(CIL. I n. 1451) *ubei profui, gratia noenu* (*nemo* in lapide) proponit.
Ribbeckius ex coniectura scripsit Afranii v. 370 *qui noenum* (*nč* codex
Charisii) *potest*, v. 311 *si noenu* vis (*sine novis* Nonii codex Genev.
et Bern.; *sinen quis* Paris. P; *sine non* vis reliqui), Caecilii v. 214
noenu volt (*nevolt* Nonii Leid. C; *non vult* reliqui), Novii v. 20
noenu scis (*nemo scit* libri), Publilii Syri v. 494 *noenu* (sive *nullus*)
flectit (*non flectit* F).[87] unum addere libet, quod mihi admodum verisimile videtur. etenim versum 229 (232) Servii (in Aen. VIII 361)
libri sic habent: *neque me decet hanc carinantibus edere chartis.*
corruptelae fortasse ita medemur, ut voce *noenum* pro *neque* reposita
sic legamus: *noenum me decet hanc carinantibus edere chartis.*

   cunde in v. 458 (587) num Ennio dandum sit, non satis constat. nam Nonii versum bis laudantis codex Lugdunensis et Harleianus altero loco (p. 221, 12) *boni secunde* babent, cum̃ in reliquis
bonis unde et altero loco (p. 64, 34) in omnibus *novis unde* inveniatur (v. LMuellerum Enn. p. 202 et in edit. Nonii).

6. Praepositiones.

indo in v. 73 (59) et *indu* in versibus 243 (298) et 425 (490).
adde composita *induvolans* in v. 397 (446), *induperantum* in
v. 413 (470), *induperator* in versibus 86. 350. 332. 552 (81. 367.
377. 496). formam *endo* (v. Neuium l. l. p. 773 sq.) in v. 563 (553)
hic omitto, cum verba *endo suam do* ad saturas releganda esse videantur (v. Ribbeckium mus. Rhen. X p. 289). *indo* praeter locum
Ennianum nusquam traditur. neque vero ideo, nisi aliae accesserint

---

[87] etiam aliis locis *noenum* viri docti coniecerunt, ubi editores illud
non receperunt: Ennii trag. 201 R. (fab. 76 M.) *nemo spectat* libri
Ciceronis, *non videt* Donati; *noenu spectant* Fleckeisenus annal. phil. 1865
p. 620 ann.; v. Vahlenum in ephem. gymn. Austr. 1871 p. 25 sqq. Ennii
sat. 9 (21) *nam iis non bene vult tibi* libri Nonii; *nam is noenu bene volt
tibi* Bergkius opusc. I p. 304 sq. Plauti Truc. 340 *me nimo* (sic B; *nimio*
C D) *magis respiciet* B C D; *me noenu magis respicient* Fleckeisenus ann.
phil. 1870 p. 618; v. Vahlenum l. l. p. 27. Truc. 309 *non enim* libri;
noenum Fleckeisenus l. l. Truc. 817 *at* (*ad* B) *nunc nunc tacebo* B C D;
at noenum taceo Fleckeisenus l. l.; v. Seyfferti stud. Plaut. p. 30. Pseud.
1266 *non enim parce* libri; *noenum parcei* Buecheler ann. phil. 1863 p. 774.
Trin. 705 *non enim* libri; *noenum* Ritschelius; v. Brixium ad h. v.

causae, cum LMuellero (Enn. p. 201) illic quoque *indu* legendum
esse putabimus. *indu* formae qui fuerit usus, ex eis quae Neuius[88]
collegit satis perspicitur. nam exempla eius omnia vetustioris aetatis
sunt, nisi quod *induperator* et *induperare* etiam imperatorum temporibus a poetis vetustiores imitantibus interdum usurpantur.[89] ceterum
iam Ennius in annalibus et epigrammatis multo saepius *in* forma
quam amplioribus *endo*, *indo*, *indu* usus est, in fabulis reliquisque
poematis has prorsus evitavisse videtur. unde intellegimus iam Ennii
aetate ampliores illas voces in communi sermone non fuisse usitatas
(v. Jordani symb. p. 260 sq.).

7. Coniunctiones.

quamde in v. 29 (98) et *quande* (*quan dit uas* codex Festi;
quande tuas Ursinus)[90] in v. 139 (132). de huius particulae usu
Festus p. 261, 4 (cf. Pauli p. 260, 1) docet haec: *quamde pro quam
usos esse antiquos cum multi veteres testimonio sunt tum Ennius* (*huius*
codex, corr. Ursinus)... addit Festus exemplis Ennianis Lucretii
versum (I 640) et alibi (p. 352[b], 9) Naevii vel potius Livii Andronici
(cf. Hom. Od. θ 138; v. Hermanni el. doctr. metr. p. 623) verba
quamde mare saevum, quae Buechelerus (ann. phil. 1863 p. 332)
versus Saturnii initium iudicat. porro pro dubio Naevii versus (b. P.
3 M.) initio *postquam aves aspexit* Fleckeisenus (misc. crit. p. 21)
postquámde avés aspéxit probabiliter scripsit. denique in Accii fragmento (267 R.) Bothius et in duobus Plauti versibus (Truc. 627.
Pseud. 140) idem et Bergkius (opusc. I p. 134 ann.) *quam* traditum
in *quamde* mutaverunt.

                    (quae restant posthac edentur.)

_____

[88] adde Catonem apud Nonium p. 152, 20 *indu naves* (*inde ignavis* libri;
çorr. Scaliger); gloss. apud Hildebr. ⟨p. 172 (cf. p. 178) et Loewium
prodr. p. 344. gloss. nom. p. 186 *indupedat*, *impedit* ex compluribus
codicibus; alias quoque glossas Loewius (gloss. nom. l. l.) praebet per-
multa in glossariis inesse affirmans.   [89] poeta apud Hyginum fab. 221;
Iuven. 4, 29. 10, 138, alii; cf. LMuellerus de re metr. p. 393 sq.
[90] v. Ribbeckium de part. Lat. p. 4. Bergkii opusc. I p 16. Corssenum
de pronunt. II[2] p. 855; symb. p. 498.

DRESDAE.   ALEXANDER REICHARDT.

13.

DAS QUELLENVERHÄLTNIS DES TIMOTHEOS VON GAZA ZU OPPIANOS KYNEGETIKOS.

Als Moriz Haupt 1868 im Hermes III s. 1 ff. (wiederholt opusc. III s. 274 ff.) die 'excerpta ex Timothei Gazaei libris de animalibus' des codex Augustanus veröffentlichte, merkte er zu dem capitel περὶ ἵππου an: 'non adcurate scriptor legit Opp. Cyn. I 328—367.' indessen in den auszügen aus jener tiergeschichte, welche uns jetzt in dem codex Athous vorliegen, finden sich in den einzelheiten der darstellung mehrfach so viele abweichungen von den betreffenden versen Oppians, welche dasselbe thema behandeln, dasz man, wie es mir scheint, mit recht daran zweifeln darf, ob der eine autor wirklich direct aus dem werke des andern geschöpft babe. mögen diese verschiedenheiten daher im folgenden mit rücksicht auf das quellenverhältnis beider näher betrachtet werden.

Von der hyäne sagt Timotheos (315 nach dem supplementum Aristotelicum I 1 ed. Lambros s. 100): ἡ ὕαινα ζῷον τῷ λύκῳ μὲν ἰcομέγεθεc, ὀξὺ δὲ τὴν τρίχα ἐcτὶ καὶ λάcιον. bei Oppianos fehlt, obwohl er die hyäne fortwährend mit dem wolf vergleicht (III 262 ff.), jeder hinweis auf ihre gemeinsame grösze, jenem ἰcομέγεθεc entsprechend; das äuszere des tieres schildert er allerdings genauer mit den worten

(273 f.) ἀμφὶ δὲ πάντῃ
λαχνήεccα κυρεῖ, κατὰ δ᾿ ἔγραπται δέμαc αἰνὸν
κυανέῃc ἑκάτερθεν ἐπήτριμα ταινίῃcι.

Timotheos fährt dann fort (ebd.): ἕν τε ὀcτοῦν ἀπὸ τῆc κεφαλῆc αὐτῇ μέχρι καὶ ἐc οὐρὰν διήκει· τῷ τοι καὶ ἀνεπίcτροφοc ὁ αὐχὴν καὶ ὁ δρόμοc ἰθυτενὴc τῷ θηρίῳ. Oppian sagt von dem tier in bezug auf das rückgrat nur (273): ἡ δέ τε κυρτοῦται μεcάτην ῥάχιν und (276): cτεινὴ δ᾿ ἐκτάδιόc τε πέλει κατὰ νῶτα. von dem inhalt des ersten verses finden wir also überhaupt nichts bei dem Gazäer wieder; mit dem zweiten mag man die worte ὁ δρόμοc ἰθυτενὴc τῷ θηρίῳ vergleichen, doch ist zu beachten, dasz eben diese eng mit den unmittelbar vorhergehenden τῷ τοι καὶ ἀνεπίcτροφοc ὁ αὐχήν zusammenhängen. beide teile des satzes geben ja die folgen davon an, dasz das rückgrat nur aus éinem knochen besteht, und diese eigenschaft desselben kennt der dichter gar nicht.

Eingebend schildert Timotheos, wie die byäne durch list und gewalt die hunde zu fangen weisz. er leitet seine erzählung hierüber mit den worten ein (318): ἥδεται μέντοι μάλιcτα κυνείων ἐμφορουμένη κρεῶν und fügt dann in engem anschlusz an die beschreibung hinzu (ebd.): καὶ ὅπερ ἦν ἐδηλώθη, οὐ φίλη αὐτοῖc οὖcα καὶ cυνήθηc, ἀλλ᾿ ἀγρία τὸ ἦθοc καὶ δυcμενήc. dasz nun die hyäne die hunde hasse, weisz Oppianos auch, denn er sagt (265): τὴν δ᾿ ἐχθρὴν

cκυλάκεcciν ἀρειοτέροιc τε κύνεccι (sc. φράζεο); in welcher weise
sie aber den kampf mit ihnen aufnimt, erwähnt er nicht, sondern
begnügt sich mit jener allgemeinen bemerkung, welche ja zum teil
wenigstens dem inhalt der zuletzt citierten worte des Timotheos
gleich ist.

Das resultat unserer vergleichung dieses excerptes mit Oppians
versen liegt auf der band. fast überall, wo Timotheos sich mit dem
dichter berührt, ist er genauer und reichhaltiger; eng aber ist das,
was er mehr bietet als dieser, mit den übrigen teilen seiner darstellung verbunden, trotzdem wir nicht das original, sondern nur
eine epitome vor uns haben.

Ebenso verhält es sich mit dem abschnitt über die bärin. dort
lesen wir (340): τῇ ἄρκτῳ δὲ τὸ cκυμνίον ἄμορφόν τε καὶ ἄναρθρον οὐκ ἐκ τῆc νηδύοc, ἀλλ' ἐκ τοῦ λαιμοῦ προϊέναι λόγοc
κατέχει. äbnlich nennt Oppianos das junge der bärin (III 160)
cάρκα δ' ἄcημον, ἄναρθρον, ἀείδελον ὠπήcαcθαι· jene sage aber
über die art der geburt ist ihm unbekannt, wir lesen bei ihm von
der mutter nur (III 157): νηδὺν ἐξέθλιψε βιάccατό τ' εἰλειθυίαc.
den grund für das häszliche aussehen des jungen sehen beide autoren
in der groszen geilheit der bärin (vgl. Tim. 340, Opp. 146 ff.) und
bemühen sich diese recht ausdrücklich dem wesen der andern tiere
gegenüberzustellen. während aber Timotheos sagt (ebd.): καὶ γὰρ
ἄνευ λαγωοῦ καὶ λύκου θὴρ πᾶcα θήλεια παρ' ὅλον δήπου τὸν
τῆc κυήcεωc χρόνον ἀπαγορεύει τὴν μίξιν, lautet des dichters angabe hierüber:

  III 151 οὐ γάρ τοι θήρεccι νόμοc, γαcτὴρ ὅτε πλήθει,
      ἐc λέχοc ἐρχομένοιc τελέειν φιλοτήcιον ἔργον,
      νόcφι μόνων λυγρῶν ὀλιγοδρανέων τε λαγωῶν.

jener nimt also den basen und den wolf, dieser nur den erstern von
der regel aus. auch hier erkennen wir, wie sehr der Gazäer die angaben des kynegetikers zu vervollständigen weisz.

Das excerpt des Timotheos über den hirsch beginnt mit den
worten (507) οὐχ ἁπλοῦν οὐδὲ ἐλεύθερον ἔοικεν εἶναι τῇ ἐλάφῳ
τὸ ἦθοc. ἡνίκα γὰρ ἀποθέcθαι τὰ κέρατα βουληθείη, εἰc ἐρήμουc
ἔρχεται τόπουc καὶ τὸ δεξιὸν·ἀποκρύπτει κέραc. Oppianos sagt
über dieses vergraben des geweihes nur ganz allgemein:

  II 211 ἢ γὰρ εὐcχιδέων κεράων ὥρηcι πεcόντων,
      βόθρον μὲν κατὰ γαῖαν ὀρυξάμενοι κατέθαψαν.

dasz allein die rechte seite desselben hierbei in betracht kommt,
wird von ihm nicht angedeutet.

Als grund für dieses handeln der tiere gibt Timotheos an (ebd.):
τῆc ἐκεῖθεν ὥcπερ ὠφελείαc βαcκαίνουcα τοῖc ἀνθρώποιc und läszt
sich dann kurz über die art dieser ὠφέλεια aus. der dichter bringt
nichts hierüber; er begnügt sich, das vergraben mit den worten zu
begründen (II 213): ὄφρα κε μή τιc ἕληcιν ἐπ' αὔλακοc ἀντιβολή-
cαc. Timotheos stimmt demnach sowohl darin, dasz er nur von dem

δεξιὸν κέρας spricht, als auch in seinen angaben über den zweck des ἀποκρύπτειν mit Ailianos (III 17) überein; Oppianos folgt wenigstens darin, dasz er beide seiten des geweihes nennt, dem Aristoteles (IX 5).

Ausführlich erzählt der Gazäer (401) von dem fuchse als beweis seiner übergroszen schlauheit, wie er durch list sich nahrung zu verschaffen wisse. regungslos und mit zurückgehaltenem atem bleibe er auf der erde wie tot liegen, ἀγέλαι γοῦν ὀρνίθων ἴσα δὴ καὶ τεθνηκυῖαν αὐτὴν περιπέτονται, καὶ τοῖς ὄνυξι διαξαίνουσι τὴν δοράν. αὕτη δὲ ἐπειδὰν αἴσθηται προσάγον αὐτῇ τὸ θήραμα καὶ ἕτοιμον εἶναι λαβεῖν, ἤρηκεν εὐθὺς ἐγχανοῦσα, καὶ ἅμα συνέσχε πλείους. man vergleiche hiermit die verse unseres dichters:

III 457 εὖτε δὲ χεῖμα πέλῃ κρυερὸν βόσιός τε χατίζῃ,
γυμναὶ δ᾽ ἡμερίδες περὶ βότρυσιν ἰνδάλλωνται,
δὴ τότε καὶ θήρης πικρὴν ἐπὶ μῆτιν ὑφαίνει,
οἰωνούς τε δόλοισιν ἕλεν καὶ τέκνα λαγωῶν.

dies ist alles, was sich überhaupt über diesen gegenstand bei ihm findet. wiederum ist also Timotheos reichhaltiger, insofern er genau ausführt, in welcher weise der fuchs der vögel habhaft werde. wenn aber Oppianos vögel und junge basen als seine opfer nennt, so ist zu beachten, dasz jener die vierfüszler unmöglich hier in éiner reihe mit den vögeln erwähnen konnte, da es sich bei ihnen um eine ganz andere art des fanges handelt, worüber Ailianos XIII 11 eingehend berichtet. eher ist daher anzunehmen, Timotheos habe dies für sich in gleicher ausführlichkeit wie den fang der vögel dargestellt, uns aber seien diese seine worte nicht mehr erhalten, als dasz man glauben könnte, er habe der basen überhaupt nicht gedacht.

Von geringerer bedeutung, aber immerhin der beachtung wert ist, was wir bei Timotheos und Oppianos über den schakal ähnliches finden. das excerpt des Gazäers beginnt mit den worten (291) καὶ ὁ θὼς τὸ ζῷον τῶν ἐκ διαφόρων ἐστὶ θηρῶν γεννωμένων, παρδάλεώς τε καὶ λύκου κοινὴν Ἀφροδίτην ἀσπασαμένων. ἐκμέμακται δὲ τῷ εἴδει τὰς τῶν γεννητόρων μορφάς· σῴζει γὰρ τοῦ πατρὸς μὲν στόμα τε καὶ ὄμματα, καὶ ἔστιν ἐκ τούτων οἷα λύκος ἰδεῖν, μητρὸς δὲ τῷ ποικίλῳ κέχρηται τῆς δορᾶς. von der beschreibung des tieres bei Oppianos sind uns nur folgende verse erhalten:

III 336 δηθάκι δ᾽ αὖτε λύκοι καὶ πορδαλίεσσι δαφοιναῖς
εἰς εὐνὴν ἐπέλασσαν, ὅθεν κρατερόφρονα φῦλα,
θῶες· ὁμοῦ δὲ φέρουσι διπλοῦν μεμορυγμένον ἄνθος,
μητέρα μὲν ῥινοῖσι, προσώποις δ᾽ αὖ γενετῆρα usw.

beide darstellungen decken sich also, so weit man die erste mit der lückenhaften zweiten vergleichen kann, inhaltlich durchaus; genauer aber ist Timotheos in der angabe dessen worin das tier dem wolfe gleicht. er sagt ausdrücklich στόμα τε καὶ ὄμματα, der dichter hat nur die allgemeinere bezeichnung πρόσωπα.

Eine besondere stellung nimt der abschnitt des Timotheos über
den maulwurf ein. hier lesen wir zunächst (421): Ζοφερόν τι ζῷον,
φαςίν, ὁ ἀςπάλαξ, τυφλὸν καὶ ἀνήλιον. Oppianos aber, der das
tier überhaupt nur nebenher erwähnen will, bedient sich zur bezeichnung seiner blindheit weder mehrerer synonyma noch auch irgend
eines jener drei des Gazäers, sondern hat dafür den ausdruck ἀλαός.
er sagt nemlich:

II 612 οὐ μὲν θὴν οὐδ᾽ ἀςπαλάκων αὐτόχθονα φῦλα
          ποιοφάγων, ἀλαῶν, μέλπειν ἐθέλουςιν ἀοιδαί.

beide bringen sodann die sage von der verwandlung des unglücklichen Phineus, im einzelnen jedoch sehr abweichend von einander.
Timotheos erzählt (423): λέγεται μὲν οὖν αὐτὸν εἶναι τὸν Φινέα,
ὃς ὑπὸ Ἡλίου τοὺς ὀφθαλμοὺς ἐκκοπεὶς εἰς ἀςπάλακα μετεβλήθη,
ζῷον οὐδ᾽ ὅλως τὸν ὑπὸ γῆν Ζόφον ἀπολιπεῖν ἀνεχόμενον. ὅθεν
εἴ ποτε αὐτὸν θεάςαιτο Ἥλιος, ἀδυνάτως ἔχει τοῦ λοιποῦ τὴν γῆν
ὑποδῦναι, πλανᾶται δὲ οὕτω τὸν ςυνήθη ςκότον ἐπιζητῶν καὶ τὸ
φίλον πᾶςι φῶς ἀποτετραμμένος. der dichter schildert (II 617 ff.)
ausführlich den zorn des Phaëthon, welcher dem Phineus das augen-
licht genommen und ihm die Harpyien zu ewiger qual gesandt habe.
zwar hätten Zetes und Kalaïs ihn von diesen befreit und ihn mit speise
erquickt, der gott aber sei noch immer nicht besänftigt gewesen und
habe ihn in einen maulwurf verwandelt. er schliest endlich mit
den worten (II 628) τοὔνεκα νῦν ἀλαόν τε μένει καὶ λάβρον ἐδωδαῖς (sc. τὸ γένος ἀςπαλάκων). Timotheos und Oppianos sehen
also beide die blindheit des tieres als eine folge dieser verwandlung
an. während aber der erstere hauptsächlich darauf gewicht legt,
dasz das tier das licht nicht ertragen könne und stets die finsternis
aufsuche, ist eben dies bei dem dichter gar nicht erwähnt. anderseits finden wir bei jenem nichts über die gefräszigkeit der maul-
würfe, dieser aber nennt das γένος ein λάβρον ἐδωδαῖς und zwar
mit offenbarer beziehung auf die von ihm befolgte darstellung der
Phineussage, in welche er im gegensatz zu dem Gazäer die Harpyien
aufgenommen hatte.

Nur kurz will ich schlieszlich noch auf die beiden fragmente des
codex Athous über das wiesel und über den eber hinweisen. in dem
erstern sagt Timotheos (388): πονηρόν τι ζῷον καὶ κακοῦργον ἡ
ἰκτίς, ἐπίβουλόν τε ὄρνιςι μάλιςτα τοῖς κατοικιδίοις. der dichter
will von so kleinen tieren nicht sprechen, seine muse soll auszer
andern auch sie unberücksichtigt lassen,

      (II 572)   αἰλούρους κακοεργούς,
          τοί τε κατοικιδίηςιν ἐφωπλίςςαντο καλιαῖς.

bei beiden autoren kehren, wie man sieht, in den angeführten kurzen
sätzen dieselben epitheta κακοεργός und κατοικίδιος wieder, und
leicht mag man in diesem umstande ein sicheres zeichen dafür erkennen, dasz der eine direct aus dem andern geschöpft habe; zwingend
aber ist dieser grund keineswegs. besonders ist auch zu beachten, dasz
Timotheos das tier anders nennt als Oppianos (jener ἰκτίς, dieser

αἴλουρος*) und wir bei ihm über den αἴλουρος in seinem sinn einen eignen abschnitt (302—307 bzw. s. 22, 3 Haupt) haben.

In dem fragment des Timotheos über den eber ist zu beachten dasz das, was er über den heiszen hauer (566) und die brunst (568) des tieres vorbringt, auch bei Oppianos (III 379—90 u. 364 ff.) zu lesen ist. aber von der breiten und schwülstigen sprache des dichters, wie sie gerade hier besonders hervortritt, kehrt in der ruhigen und einfachen darstellung des Gazäers keine einzige phrase wieder, es sei denn dasz man in den worten (568) cûc δὲ cφριγῶν ἔρωτι einen anklang an den vers III 368 καὶ μάλ' ἐρωμανέων finden wollte. ist ja nun auch nicht zu vergessen, dasz uns das werk des Timotheos nicht mehr im original, sondern nur in excerpten vorliegt, so gewinnt doch, glaube ich, auch diese gegenüberstellung der sprachlichen unterschiede bedeutend an gewicht, wenn wir bemerken, dasz dasselbe verhältnis in den ausdrucksweisen beider autoren stets sich wiederfindet, wo wir ausführlichere abschnitte vergleichen können, besonders aber in denen von der bärin und dem hirsch.

Nur wenig bieten uns für unsere frage die fragmente des codex Augustanus, da sie alle zu sehr verkürzt sind, als dasz sich etwas sicheres aus einer vergleichung derselben mit den betreffenden versen Oppians gewinnen liesze. nur zwei von ihnen mögen hier näher betrachtet werden, die abschnitte περὶ λύκου und περὶ παρδάλεως.

In dem ersten fragment, welches in seiner jetzigen gestalt dem original vielleicht noch am nächsten kommt, lesen wir (s. 9, 2): ὅτι τὸν ψιττακὸν φίλον ἔχει, ὡς δορκὰς τοὺς πέρδικας, ὡς ἔλαφοι τοὺς ἀτταγᾶς, ὡς ἵπποι τὰς ὠτίδας, ὡς αἶγες τοὺς ἰχθῦς τοὺς cαργούς, ὅτε πρὸς τοῖς ὕδαςι λούονται. bereits Haupt und Lambros (suppl. Aristot. s. 89, 24 anm.) haben auf die verse Oppians hingewiesen:

II 404 οἷος μὲν πόθος ἐςτὶν ἀριζήλοις ἐλάφοιςι
ἀτταγέων· ὅccoc δὲ τανυκραίροις ἐπὶ δόρκοις
περδίκων. πῶς δ' αὖτε θοοῖς χαίρουςιν ἐφ' ἵπποις
ὠτίδες, αἷςι τέθηλεν ἀεὶ λαςιώτατον οὖας·
ψιττακὸς αὖτε λύκος τε cὺν ἀλλήλοιςι νέμονται·
αἰεὶ γὰρ ποθέουςι λύκοι ποεςίχροον ὄρνιν.

neben diese aber möchte ich zugleich folgende verse aus dem abschnitt des dichters über den coῦβoc stellen:

II 426 θάμβος, ὅταν κερόεccαν ἀχαϊνέην πτερόεντες
ἀτταγέες νώτοιςιν ἐπὶ ςτικτοῖςι θορόντες,

. . . .

ἢ δόρκοις πέρδικες ἐπὶ πτερὰ πυκνὰ βαλόντες
ἱδρῶ ἀποψύχωςι, παρηγορέωςί τε θυμὸν
430 καύματος ἀζαλέοιο, λατυςςόμενοι πτερύγεςςιν·
ἢ ὁπότε προπάροιθεν ἴῃ καναχήποδος ἵππου

---

* vgl. den zusatz des epitomators im codex Augustanus (s. 22, 11 Haupt), wo es heiszt: ὅτι ἡ λεγομένη ἴκτις, ἣν ἡμεῖς καλεῖν εἰώθαμεν αἴλουρον . .

ὠτὶς ὀλιςθαίνουςα δι᾽ ἠέρος ἱμερόεςςα,
ςαργοὶ δ᾽ αἰπολίοιςιν ἐπέχραον· ἀμφὶ δὲ ςούβῳ
φῦλον ἅπαν νεπόδων τὸ πολύπλανον ἐπτοίηται.

hier sind dieselben tiere in derselben anordnung wie oben aufgezählt; nur ist der ψιττακός übergangen, und der ςοῦβος, gleichsam
um nach einer langen abschweifung wieder zum thema zurückzukehren, erst am schlusz genannt. bei Timotheos haben wir nun
auch die gleichen exempla — denn seinen worten ὡς αἶγες τοὺς
ἰχθῦς τοὺς ςαργούς entspricht wenigstens der vers (433) ςαργοὶ δ᾽
αἰπολίοιςιν ἐπέχραον — aber in ganz anderer reihenfolge. nicht
nur der ψιττακός, von dem er bei seinen vergleichungen ausgieng,
sondern auch die ἔλαφοι und die δορκάς sind umgestellt. ferner
ist zu beachten, dasz Timotheos zu den αἶγες noch hinzusetzt:
ὅτε πρὸς τοῖς ὕδαςι λούονται, bei Oppianos aber nichts derartiges
begegnet.

In dem fragment περὶ παρδάλεως heiszt es (s. 11, 6): ὅτι δύο
γένη ἐςτὶ παρδάλεων, τῶν μὲν μεγάλων καὶ μικρὰν .... οὐρὰν
ἐχουςῶν. Haupt bemerkt hierzu: 'haec fere excidisse, τῶν δὲ
μικρῶν καὶ μεγάλην, et sermonis ratio docet et Oppianus Cyn.
III 63 ss. vidit Matthaei.' dasz aber jener direct hier den dichter
benutzt habe, wird niemand aus dem erhaltenen folgern wollen.

Dies sind die excerpte des Timotheos, welche für unsere frage in
betracht kommen. ist nun auch ihre zahl eine sehr geringe, so zeigen
sie uns doch in ihren einzelheiten ganz bedeutende verschiedenheiten von den darstellungen des dichters, selbst wenn sie auch im
allgemeinen dem inhalt derselben recht nahe kommen. eben diese
verschiedenheiten sind zu grosz als dasz sie durch die annahme einer
nur flüchtigen lectüre des kynegetikers sich erklären lieszen, zumal
da sich das wissen des Gazäers meistens — man denke an die abschnitte über die hyäne, die bärin und den hirsch — als ein weit
genaueres und reicheres erwies. man könnte nun ein indirectes ab-
hängigkeitsverhältnis des Timotheos von dem dichter annehmen;
dann aber hätten dessen darstellungen eine ganz bedeutende um-
änderung erfahren müssen, ehe wir von ihnen zu denen des Gazäers
kämen. ist nun auch diese möglichkeit keineswegs ausgeschlossen,
so möchte ich doch weit eher glauben, beide hätten eine gemeinsame
quelle benutzt. denn weder dem wesen Oppians noch dem des
Timotheos würde es widersprechen, wenn wir annehmen wollten,
der eine habe das, was er bei einem gelehrten naturforscher vorge-
funden, weniger genau wiedergegeben und all sein augenmerk auf
die poetische ausschmückung des stoffes gerichtet — ich erinnere
an seinen schwülstigen stil überhaupt und besonders an die erweiterte darstellung der Phineussage — der andere aber habe
eifrigst danach gestrebt das überlieferte möglichst treu aufzunehmen
bzw. eher zu specialisieren als zu verallgemeinern.

GREIFSWALD.   ERICH BUSSLER.

14.
ZU DEN ILIASSCHOLIEN.

Als Adolf Torstrik sich rüstete im auftrage der Berliner
akademie nach Spanien zu gehen, um die dortigen handschriften der
Aristoteles-commentare zu untersuchen, erbot er sich freiwillig mit
gewohnter liebenswürdigkeit, gelegentlich auch die Ilias-commen-
tare anzusehen und mir einige proben daraus zu collationieren. ich
schickte ihm zu diesem zwecke auf seinen wunsch mehrere blätter
der Bekkerschen ausgabe, die er mit auf die reise nahm und mir
dann nach seiner rückkehr (wenige wochen vor seinem am 22 novbr.
1877 erfolgten tode) mit seinen randbemerkungen und beigelegten
sonstigen notizen zurücksandte. da ich in meinem buche über
Aristarchs Homerische textkritik keine gelegenheit fand von diesen
mitteilungen einen erschöpfenden gebrauch zu machen (vgl. indessen
II s. 522 und 540) und dieselben auch durch die Oxforder ausgabe
der Iliasscholien nicht ganz überflüssig geworden sind (vgl. bd. III
s. VII. X f. XIV. bd. V s. XXIII), so mag es mir gestattet sein an
dieser stelle die aufzeichnungen meines unvergeszlichen freundes,
soweit sie noch nicht von mir ausgenutzt sind, dem allgemeinen gebrauche zu übergeben.

Der wichtige pergamentcodex Matritensis LXXI enthält bekanntlich einen teil der sog. 'scholia Didymi' zur Ilias (D). sie beginnen nach Torstriks zeugnis bei H 89, nicht (wie Maass scholia
in Hom. Il. V s. XXIII behauptet) bei H 69. von den 178 blättern
sind 176 mit scholien bedeckt; fol. 175 und 178[1] dagegen enthalten
arabische schrift. auf fol. 12ᵛ steht: ὑπόθεϲιϲ τῆϲ Θ, in majuskeln
geschrieben. anfang Ζεὺϲ ἀπαγορεύϲαϲ τοῖϲ θεοῖϲ; schlusz φεύγοντεϲ εἰϲ τὰϲ πατρίδαϲ (διὰ τὸ ἡττῆϲθαι steht also wahrschein lich
vor φεύγοντεϲ, gerade so wie im Ambrosianus A 181 p. sup. und
im Harleianus 1771, während die vulgata diese worte hinter φεύγοντεϲ hat): demnach enthält die hs. zu dem achten buche zwei
prosaische inhaltsangaben[2], wie auszer den eben genannten hss. noch
der Vaticanus 33, Ambrosianus L 116 p. sup., Riccardianus 30, Monacensis 111 und gewis noch mehrere andere, die ich nicht näher
kenne. das scholion zu Θ 48 Γάργαρον lautet in Torstriks abschrift
so wie bei Bekker auszer an folgenden stellen: ἀκροτήριον st. ἀκρω-
τήριον, ἀπομεταφορᾶϲ st. ἀπὸ μεταφορᾶϲ, ϲώμαϲιν st. ϲτόμαϲιν,
τούτῳ st. τοῦτο, παχέωϲ st. παχέοϲ, φαλακρή st. Φαλάκρη, ᾱ st.
πρώτῳ.

Der Scorialensis y I 1 ist ebenso wie der folgende seit
Tychsen öfter beschrieben worden. er soll ins elfte jh. gehören und

---

[1] Iriarte nennt fol. 176 und 177.   [2] in der herkömmlichen reihenfolge: s. Bekkers scholiorum in Hom. Il. appendix s. 698. nur die erste,
nicht die zweite ὑπόθεϲιϲ haben der Harleianus 5600 und die Laurentiani XXXII 3. 4. 11. 31.

enthält die Ilias bis Ω 717 mit scholien, aber ohne paraphrase. die ränder sind breit, und die scholien, die darauf stehen, rühren von derselben hand her, die den text schrieb. jede anmerkung ist durch buchstaben auf das betr. wort des textes bezogen. 'der andere codex dieser bibliothek ist viel reicher und interessanter', doch 'vielleicht um höchstens 50 jahre' jünger. die mir von Torstrik mitgeteilten proben decken sich derartig mit B, dasz es genügt sie hier einfach nach der Dindorfschen ausgabe aufzuzählen und nur die wenigen varianten auszuschreiben. A 298 s. 51, 16—19. das lemma fehlt; die zahl $\overline{\text{κθ}}$, welche über dem texteswort μαχέccομαι (so) steht, wiederholt sich vor dem scholion, das keine abweichung aufweist. für B 34 ff. s. 88, 26—91, 2 sind folgende varianten[3] zu verzeichnen: s. 89, 9 ὀρθωθεὶc δ' ἄρ' ἐπ' ἀγκῶνοc. 16 ἀγένητον st. ἀγέννητον. νεήγατον τὸν νεωcτὶ γεγονότα. 34 ἡ vor ἡμέρα fehlt. s. 90, 5 οἱ μὲν πλείουc (und χαριέcτεροι?). 16 χοιροτύποc. 23 ἴcωc fehlt. 25 διcταγμοῦ st. -μὸc. 29 cτυγέει st. -γέη und οὔτε st. οὐδὲ. 32 αὐτῷ st. ἑαυτῷ. das dann folgende lange Porphyrios-scholion ist von Torstrik als fehlend bezeichnet.

In dem Scorialensis Ω I 12 nimt der text der Ilias die linke columne ein, während die rechte von einer prosaischen paraphrase ausgefüllt wird. auf den rändern stehen die scholien, die sehr gelitten haben und teilweise unleserlich geworden sind. aus ihnen teilte mir Torstrik folgendes mit, indem er die allgemeine bemerkung einschaltete: 'die anordnung der scholien[4] ist durchaus anders als im druck. der abschreiber müste vor allem die älteste hand unterscheiden. lange ὑποθέcειc im text und von der ältesten hand.' fol. 5ʳ B 2 πορφυρίου. ἐναντία δοκεῖ ταῦτα . . λύοιτο δ' ἂν κατὰ λέξιν· καὶ γὰρ — 'zerstört'. der anfang beweist die nähere verwandtschaft des Scorialensis mit dem Leidensis Vossianus 64, der ebenfalls mit ἐναντία δοκεῖ ταῦτα beginnt (s. HSchrader Porphyrii qu. Hom. ad Il. pertin. reliq. s. 22), während in B ἐναντίον δὲ δοκεῖ τὸ steht. an mehreren andern stellen, die weiterhin folgen, ist das verhältnis dasselbe. fol. 5ᵛ B 73 πορφυρίου: πρῶτα δ' ἐγὼν ἔπεcιν πειρήcομαι: ἄλογον τὸ πειρή-cομαι . . λύεται δὲ ἐκ τῶν λέξεων . . . 41 ἡ τὸ ὂν φαίνουcα bis ἐπιλελῆcθαι (wie B). 44 πέδιλα bis θερμαίνοντα (wie B); hierauf (zu 42 gehörig) εἴρηται δὲ χιτὼν τὸ ἱμάτιον παρὰ τὸ οἱονεί περι-χεῖcθαι αὐτὸ τῷ cώματι. ἱcτέον δὲ ὅτι ἐπὶ μὲν ἀνδρὸc λέγεται χιτών, ἐπὶ δὲ γυναικὸc πέπλον: χιτὼν δὲ τὸ λεπτότερον

---

[3] abgesehen von den lemmata, die nicht weiter berücksichtigt wurden. sie scheinen durchweg zu fehlen.   [4] ich habe mich in diesem punkte streng an meine vorlage gehalten, auch die seitenzahlen genau abgeschrieben. ob sich in der einen oder andern beziehung versehen eingeschlichen haben, kann ich natürlich nicht beurteilen. nur so viel ist klar, dasz Torstrik gar nicht beabsichtigt hat alle seine mitteilungen in der überlieferten reihenfolge zu geben. die verszahlen sind gröstenteils von mir vermutungsweise zugefügt worden.

ἰμάτιον, wozu eine jüngere hand ὃ προφορεῖται fügte. 48 νῦν
τὸν ὄρθρον λέγει bis φωτίζονται wie B. 40 desgl.; doch αγγελει
st. ἀγγέλλει. 57 ἔcτι δὲ ἀμβροcίη ἀπὸ τοῦ βροτὸc βροτίη, καὶ
τροπῆ τοῦ τ̄ εἰc c̄ βροcίη bis πορεύονται (wie D) von der ältesten
hand; dahinter von jüngerer: τὸ ἐκ cωματικοῦ bis ἴcωc ὀνομάζει
(wie B). 103 von der alten hand «eine sehr lange ἱcτορία», deren
anfang lautet: ἰοῦc τῆc ἰνάχου θυγατρὸc τῶν ἀργείων βαcιλέωc
(die bis Ἥραc ζῆλον ausgeschriebenen worte stimmen im übrigen
mit D überein). — So viel von fol. 5. die erste seite des nächsten
blattes ‘ist auf allen rändern von der alten hand beschrieben’. anfang ὁ πέλοψ ἐζήτει ὕδωρ (Bekker s. 54ᵃ 42; in Torstriks abschrift
fehlt ἡ vor Ἱπποδάμεια und steht μυρτίλου ἐδέετο st. Μυρτίλλου
ἐδεῖτο). fol. 6ᵛ B 145 πόντου ἰκαρίοιο: μετὰ τὴν παcιφάηc πρὸc
τὸν ταῦρον μίξιν usw.; darüber ἱcτορία. jüngere hand, ‘schlecht zu
lesen’ (zu 118 gehörig): πυθαγόραc ἐρωτηθεὶc τί ἐcτιν εἶον⁵, τὸ
πάντων ἔφη κρατεῖν (so), τῷ αἰτίῳ καὶ τοῖc ἄλλοιc, ὥcτε καὶ
πολέμου (so) ἔχειν ἐξουcίαν. τοῦ οὖν ἂν εἴην ἐγὼ⁶, φηcὶν ἀγα-
μέμνων, πρὸc τὸ κράτοc ... alte hand (s. A zu 122): οἱ μὲν
τρῶεc χωρὶc τῶν ἐπηκούρων (so) ἦcαν ἀριθμῷ μυριάδεc πέντε·
τῶν δὲ ἑλλήνων τὸ πλῆθοc τινὲc μὲν φαcὶ μυριάδεc (so)
δώδεκα, ἄλλοι δὲ δεκατέccαραc. jüngere hand (s. Schrader ao.
s. 27): πορφυρίου. πόντου ἰκαρίοιο. τὸ ἰκάριον πέλαγοc πολύ-
κυμόν ἐcτι usw. alte hand (s. D L zu 153): οὐρούc: τὰ ταφροειδῆ
ὀρύγματα, δι’ ὧν αἱ νῆεc καθῆκον εἰc τὴν θάλαccαν. ἡ τὰc ἀν-
τλίαc. — fol. 75ᵛ I 129 alte hand: παρὰ λεcβίοιc ἀγὼν ἄγεται κάλ-
λουc γυναικῶν ἐν τῷ ὄρει, ἤγουν τῆc ἥραc τεμένει, λεγόμενοc
καλλιcτεῖα (s. AD). — fol. 72ʳ l 167 alte hand: ἀπορία. ἐζήτηται
πῶc μᾶλλον ὁ νέcτωρ usw. (Schrader s. 133, 26). — fol. 225ʳ Ω 15
πορφυρίου. διατί ὁ ἀχιλλεὺc τὸν ἕκτορα εἷλκε .. ἔcτι δὲ λύειν,
φηcὶν ἀριcτοτέληc, καὶ εἰc τὰ ὑπάρχοντα ἀνάγων ἔθη, ὅτι τοιαῦτα ἦν, ἐπεὶ καὶ νῦν ἐν τοῖc θετταλοῖc περιέλκουcι περὶ τοὺc
τάφουc (Schrader s. 267 f.). — fol. 116ᵛ N 443 πορφυρίου. τὸ
cπαίρειν καὶ τὸ cκαίρειν τινὲc cυγχέουcι usw. Schrader s. 185, von
dessen text die abschrift Torstriks (die nur bis z. 16 προcηγορεῦcθαι
reicht) an folgenden stellen abweicht: z. 8 zwischen κατὰ und Ἀττι-
κὴν ‘litura’. z. 9 λαβεῖν st. λαβών. ἀcπαίροντι st. ἀcπαίρουcα.
z. 10 οὐριαχὸν πολέμιζεν ‘sic’. z. 11 μολπῆ τ’ ἰυγμῷ. z. 15 f.
καὶ τὸν ἰχθῦν τὸν cπαίροντα καὶ τὸν cκαίροντα κατὰ δια-
φόρουc ἐννοίαc διαφόρωc προcηγορεῦcθαι... dieses διαφόρωc,
welches bei Schrader fehlt, scheint richtig zu sein: s. BT. — Die
nun folgenden excerpte hat Torstrik auf ein besonderes blatt geschrieben. fol. 35ʳ Κ 11 πορφυρίου. ἀδύνατον φαcὶν usw. genau
so wie Schrader s. 143, 3—6. — fol. 35ᵛ Κ 56 «über die bedeutung
von τέλοc». probe: ποτὲ δὲ τὸ δαπάνημα usw. stimmt mit B (Dindorf s. 423, 9—13) überein, auch z. 10 γὰρ und ἐκκαίει, z. 12

---

⁵ Πυθαγόραc τί ἐcτι θεῖον ἐρωτηθεὶc B.   ⁶ τίc ἂν οὖν εἴην ἐγὼ B.

μειδία und z. 13 προсάψομαι. z. 11 steht χειρόνηϲον. — fol. 36
Κ 194 πορφυρίου. ἠπόρηϲεν ἀριϲτοτέλης, διατί ἔξω usw. (Schrader
s. 145, 22). — fol. 37 Κ 153 πορφυρίου. φαύλη δοκεῖ εἶναι usw.
wie bei Schrader s. 145, 13—17 nur mit der abweichung z. 14 f.
λύει δὲ ἀριϲτοτέλης ὅτι τοιαῦτα. bemerkenswert ist, dasz der
Scorialensis z. 14 πεποίηκε und z. 16 ἦν δὲ hat wie B, der Leidensis dagegen πεποίηται und ἦν (ohne δὲ). — fol. 32ᵛ Κ 207
εἰώθαϲιν οἱ πολεμούμενοι bis ἐπετείχιϲαν τὴν δεκέλειαν wie B,
nur s. 433, 3 ἀθήναν st. Ἀθήναϲ und 6 οὕτω st. οὕτωϲ. — 'Porphyrios bringt ἀτρεκέωϲ καταλέξω mit καταλήξω zusammen', nemlich Κ 413 (Schrader s. 156). — «Zu μαινόμενε, φρέναϲ ἠλέ,
διέφθοραϲ [Ο 128] sagt Porphyrios οὐ δεῖ ϲτίζειν ἐν τῷ φρέναϲ
ἠλέ, denn φρέναϲ sei object von διέφθοραϲ» (Schrader s. 201). —
Das letzte blatt der excerpte Torstriks enthält folgende mitteilungen:
fol. 115 (vermutlich zu Ν 295) πορφυρίου. ὁ ἀριϲτοτέλης τὸ τάλαντον οὔτε ἶϲον φηϲὶ usw. Schrader s. 262. die varianten der hs.
sind: z. 4 οὐκ vor ἔχον fehlt; μέτρον δὲ οὐκέτι st. μέτρον δέ τι;
dann τι εἶναι st. τί ἐϲτι. z. 5 ποϲὸν. z. 6 ὑπερφίαλοϲ καὶ ἀτάλαν-
τοϲ. z. 7 ἀμέτρου st. ἐμμέτρου. z. 8 τῇ ἀμέτρω st. τῇ ἀμετρίᾳ.
z. 9 ὁ ἐξηρημένοϲ τοῦ κατὰ τὸ τάλαντον μέτρου (so weit reicht die
abschrift). an allen übrigen stellen herscht übereinstimmung mit
der genannten ausgabe, auch z. 3 ὡϲ, 4 δὲ μέτρον, 6 τὸ ὑπερ-
φίαλον, 7 ὑπερφίαλοϲ γὰρ usw. — fol. 42 Ε 137 πορφυρίου. εἰϲ
τὸ ὂν ῥά τε ποιμὴν ἀγρῷ ἐπ' εἰροπόκοιϲ ὀΐεϲϲιν. ἐν μὲν τοῖϲ
ἀγροῖϲ usw. Schrader s. 327, 22. abweichend z. 23 αὐτῇ st. ταύτη
und 25 ἐκπέμπωϲιν (weiter geht die abschrift nicht). — Ε 290 πορφυρίου. βέλοϲ δ' ἴθυνεν ἀθήνη usw. ζητοῦϲι τινὲϲ, πῶϲ .. διὰ
τοῦ γενείου .. καὶ οὕτω λευκοὺϲ δ' ἐπέρηϲεν ὀδόνταϲ, sonst wie
bei Schrader s. 80, 24 note. — fol. 44ᵛ Ε 385 «lange ἱϲτορία von
Otos und Ephialtes, in drei weisen. die letzte: Homer habe philo-
sophieren wollen und verstehe unter Ares τὸν θυμόν». — fol. 45ᵛ
Ε 453 πορφυρίου. τὸ λαιϲήϊά τε πτερόεντα ἄλλοι ἄλλωϲ ἀπο-
δεδώκαϲιν, ἐγὼ δέ φημι, ἄϲκη (so) λέγει κοῦφα ἤγουν ἐλαφρά ..
(Schrader s. 82, 14). andere hand: λαιϲήϊα τὰ βαρβαρικὰ ὅπλα ἢ
βέλη ἢ μικρὰ ἀϲπιδίϲκια ὠμοβούρϲινα (so). — Eins ergibt sich
hieraus mit gröster deutlichkeit, nemlich dasz diese scholiensamlung,
und zwar gerade in ihren von älterer hand herrührenden bestandteilen, sich die sog. Didymos-scholien (D) in weit gröszerm umfange
aneignete als B dies gethan hat. nicht blosz aus diesem grunde
wäre eine eingehendere untersuchung des inhaltreichen codex sehr
zu wünschen.

KÖNIGSBERG.   ARTHUR LUDWICH.

15.

<small>Polybii historiae. recensuit apparatu critico instruxit Fridericus Hultsch. vol. i. editio altera.</small> Berolini apud Weidmannos MDCCCLXXXVIII. LXXIII u. 339 s. gr. 8.

Als Joh. Schweighäuser mit erstaunlichem fleisze und groszem erfolge den Polybios im j. 1789 ff. herausgab und mit einem commentare versah, welcher die sprachlichen eigentümlichkeiten ebenso berücksichtigte wie den reichen inhalt, fuszte der bedeutende Straszburger gelehrte für die ersten fünf bücher, die einzigen vollständig erhaltenen, hauptsächlich auf drei jüngern hss., die man jetzt nach Bekkers vorgang kurz mit C D E zu bezeichnen pflegt. neben diesen manuscripten, welche Schweighäuser selbst sorgfältig verglichen hatte, konnte er kurze notizen benutzen, welche Jacob Gronov in nicht erschöpfender weise aus einem codex Florentinus (B) gemacht hatte. die ältern codices, einen Vaticanus (A), der alle fünf bücher enthielt, und einen Urbinas (F), welcher excerpte vom ersten buche an bot, konnte Schweighäuser nur in einer nicht gerade zuverlässigen collation Spalettis heranziehen, und so hat seine besonnene kritik zwar manches gute dieser ältern hss. verwendet, konnte jedoch nicht zu dem bewustsein durchdringen, dasz eben diese ältern hss. zur grundlage des textes zu machen seien. Bekker nun gieng zwar von dieser erkenntnis aus, allein da ihm eine genaue collation jener ältern hss. nicht zur hand war, so war es natürlich, dasz er in seiner ausgabe noch oft allzu sehr auf die jüngere überlieferung rücksicht nahm. da war es nun das verdienst Hultschs im j. 1867 den sorgfältig verglichenen codex Vaticanus (A) zum fundament für die herstellung des textes zu benutzen; allein es zeigte sich sofort, dasz in dieser vortrefflichen hs. mehrere bände vertreten waren, deren glaubwürdigkeit näher festgestellt werden muste. auch darüber gab Hultsch in diesen jahrbüchern (1867 s. 291) genaue rechenschaft, indem er ausführte, dasz eine zweite gleichzeitige hand (A^2) den text revidiert hat und zwar aus einer andern alten hs., während ein urteil über die zwei oder drei jüngern hände (A^r) vorerst noch ausstehen muste. diesen darlegungen gegenüber war nun unterz. bei seinen untersuchungen zu dem abweichenden resultate gelangt, dasz A^2 nicht aus einer hs. geschöpft habe, sondern nur conjecturen eines nicht ungeschickten schreibers biete. gegen diese ansicht aber versuchte Kälker einwände zu machen (philol. rundschau 1883 s. 556 f.), welche ref. in diesen jahrb. (1884 s. 111 ff.) zurückwies; doch auch KSchenkl (Bursians jahresber. XXXVIII [1884] s. 242) verwarf dieselbe mit gründen, denen man teilweise[1] eine gewisse berechtigung

---

[1] freilich der haupteinwand Schenkls 'endlich fehlen 51, 22 die unzweifelhaft echten worte κατέβαλον τοὺς δὲ λοιποὺς in A D E, sie sind aber von A^2 nachgetragen' ist, wie schon aus meiner praef. I s. IX ersehen werden konnte, hinfällig: denn es ist durchaus unsicher, ob A^1

nicht absprechen kann. da ist es nun wieder dem rastlosen eifer
Hultschs zu danken, dasz wir auch in dieser schwierigen frage der
wahrheit immer näher kommen. in seiner im august 1888 erschienenen zweiten auflage des ersten bandes seiner ausgabe nemlich
hat H. zum ersten male eine genaue collation des Urbinas (F) für
die ersten drei bücher gegeben, die kein anderer als August Mau
angefertigt hat.[2] vergleicht man nun die lesarten des Urbinas mit
denen des Vaticanus, so ergibt sich, wie unterz. in der praefatio zum
zweiten bande seiner ausgabe näher darlegt, mit positiver sicherheit,
dasz allerdings A^2 viele verbesserungen aus einer alten hs. entnommen hat und zwar aus demselben codex, aus welchem der Vaticanus
und der Urbinas geflossen sind, dh. aus dem codex archetypus.
schwieriger bleibt auch jetzt noch die frage über den ursprung und
wert von A^r; was sich ermitteln liesz, hat ref. ao. weiter ausgeführt.
für den text selbst hat jedoch die neue collation nichts ergeben, es
sei denn die weitere bestätigung dessen was Hultsch und der unterz.
oft genug ausgesprochen haben, dasz wir nemlich in dem Vaticanus
eine unschätzbare hs. besitzen, die mit einer erstaunlichen treue alles
wiederzugeben bestrebt war, was das original bot. allein da nun der
Urbinas gut collationiert für die ersten fünf bücher vorliegt, hat sich
weiter herausgestellt, dasz die jüngern hss. nicht direct aus dem Vat.
abgeleitet, sondern aus demselben archetypus geflossen sind, aus dem
der Urb. geschöpft ist. es gewinnt dadurch der wert dieser jüngern
hss. etwas, obwohl natürlich nur in den seltensten fällen die gute
lesart sich bis zu ihnen herab erhalten hat, während sie schon im
Vat. verdunkelt ist. ja endlich hat drittens für die anordnung der
fragmente vom sechsten buche ab diese neue collation des Urb. uns
einen trefflichen wink gegeben. es steht jetzt nemlich fest, dasz der
Urb. die excerpte genau in der richtigen reihenfolge gibt, da dieselben aus einem vollständigen codex, der die ersten 18 bücher umfaszte, ausgeschrieben worden sind. daraus folgt dasz wir die reihenfolge der fragmente vom sechsten buche an, wie sie der Urb. bietet,
als grundlegend ansehen müssen und nur in den seltensten fällen
von derselben abweichen dürfen. ja sogar die kurzen sentenzen,
welche im Urb. am rande eingetragen sind, sind immer so aus dem
vorliegenden vollständigen Polybios entlehnt, dasz wir mit leichtigkeit den ungefähren ursprünglichen sitz ermitteln können. von welcher wichtigkeit alle diese beobachtungen, die uns erst jetzt durch
Hultschs zweite auflage ermöglicht sind, für die textgestaltung, textgeschichte, sowie die anordnung der fragmente sind, braucht wohl
unterz. nicht weiter zu erörtern. zu bedauern bleibt es nur, dasz es

---

oder A^2 diesen nachtrag gemacht hat (Hultsch s. 55, 16 'dubium primane
an secunda manu').

   [2] dem referenten in der neuen philol. rundschau (1889 s. 1 ff.)
scheint die wichtigkeit dieser neuen collation nicht eingeleuchtet zu
haben: denn er hält es nicht einmal für der mühe wert dieselbe zu
erwähnen.

nicht gelang auch eine neue collation des codex M zu beschaffen,
der ältesten excerpten-hs., die bis heute noch in der nicht ganz zuverlässigen collation[3] ThHeyses vorliegt. denn versprechen wir uns
auch für den text selbst nicht allzu viel von einer solchen neuver-
gleichung, so können wir doch nur dann, wenn auch diese hs. ver-
läszlich collationiert und die jungen hss. BCDE genau verglichen
und deren hände geschieden sind, mit apodiktischer sicherheit, wie
Hultsch richtig praef. s. V ausführt, einen genauen stammbaum der
einzelnen codices geben.

Ist es nun also dem hg. jetzt noch nicht vergönnt gewesen
einen vollständigen abschlusz der geschichte der überlieferung des
Polybios für die ersten drei bücher zu geben — wohl dürfte dies die
kräfte des einzelnen übersteigen — so hat er doch für alle zeiten im
groszen und ganzen das bild des Polybischen textes fixiert, und noch
mehr, er hat nach zwanzig jahren die freude zu sehen, dasz die grundsätze, welche er in jungen jahren über die constituierung des textes
gegeben, auch heute noch unerschütterlich dieselben geblieben sind.
zwei grundpfeiler nemlich richtete H. auf als stützen einer methodischen kritik der vollständig erhaltenen bücher des Polybios: 1) die
unterlage für den text gibt der Vaticanus; 2) Polybios vermied den
hiatus[4] (Philol. XIV s. 288). in der ersten auflage nun hatte H. aus
nahe liegenden gründen (praef. s. XII 'non mediocriter adno-
tationis ambitum auxissem, si in contextu et breves vocales
exeuntes sequentibus vocalibus elisissem et crases nonnullis locis
servatas omnibus intulissem') die hiatusgesetze, welche er selbst
zuerst methodisch entwickelt hatte, nicht selbst auf den text angewendet, sondern immer die lesart des Vat. gegeben und dem leser
die beseitigung der hiate überlassen. in der vorliegenden zweiten
auflage, welche überhaupt breiter[5] angelegt ist, hat sich der hg. dem

---

[3] so ist wohl auch I 57, 2 ann. cr. 10 hinter δή bei M ein fragezeichen zu setzen.   [4] der bereits oben erwähnte ref. hält leider
auch jetzt noch (philol. rundschau 1889 s. 3) an dem satze fest: 'ref.
musz auch hier erklären, dasz er das verfahren, gut bezeugte und dem
sinn nach unbedenkliche lesarten wegen eines hiatus zu ändern, nach
wie vor für unberechtigt hält, bei solchen autoren wenigstens, von denen
nicht anzunehmen ist, dasz sie ihre diction sorgfältig ausgefeilt und
ausschlieszlich nach den grundsätzen der rhetoren gebildet haben.' es
ist unmöglich diese menge von irrtümern mit wenigen worten zu widerlegen; es mag für jetzt genügen anzudeuten, dasz derjenige schriftsteller, der den hiatus vermeidet, durchaus nicht 'ausschlieszlich nach
den grundsätzen der rhetoren' seine diction gestaltet. im übrigen verweise ich auf HNissens treffliche worte (rhein. mus. XXVI s. 242. 282)
über den stil des Polybios und empfehle jenem ref. aufmerksam zu lesen,
was Hultsch im Philol. ao. s. 317 über III 6, 1 gesagt hat und wie sich
überraschend durch den Vaticanus später bestätigt hat (s. Hultsch I[2]
ann. cr. zu s. 204, 10), dasz es durchaus richtig ist 'gut bezeugte und
dem sinne nach unbedenkliche lesarten wegen eines hiatus zu ändern'.
       [5] so sind denn in der neuen auflage auch die geringfügigsten ortho-
graphischen eigentümlichkeiten des Vat. mit recht getreu vermerkt.
auch die scholien dieser alten hs., die ebenfalls wichtig sind für die

vorgange des unterz. angeschlossen und die hiate so weit nötig beseitigt; wie vorsichtig und besonnen H. zu werke gegangen ist,
werde ich in diesen jahrbüchern in beziehung auf den hiatus bei der
partikel καί demnächst näher zeigen. auch das darf mit groszer
freude begrüszt werden, dasz sich der hg. entschlossen hat eine um-
fängliche praefatio von 73 seiten hinzuzufügen, in welcher ausführlich die wichtigsten stellen besprochen werden, nachdem vorher
unter n. VII ein köstlicher abschnitt über die kritik Cobets und
seiner schüler gegeben ist, dessen lectüre ich jedem, der für feine
und doch scharfe kritik ein offenes auge hat, angelegentlichst empfehle.

Es möge mir nun gestattet sein, eine reihe von stellen, an welchen H. in seiner zweiten auflage von der ersten abweicht oder an
seiner meinung gegenüber den darlegungen anderer festhält, zur
kurzen besprechung zu bringen.

Während I 2, 6 das allerdings seltenere ἰσχνῶς εἰπεῖν mit recht
von H. (praef. s. XXX) gegen Dindorf und den ref. in schutz genommen wird, scheint I 3, 1 ὀλυμπιὰς ἑκατοστή τε καὶ τεττara-
κοστή doch nicht Polybianisch zu sein. denn wenn auch Kälker (de
eloc. Polybii s. 287), auf den sich der hg. beruft, richtig ausführt,
dasz wir öfter bei Polybios nur καί erwarten und doch τε — καί dasteht,
so hat er übersehen dasz dieses τε — καί sich dann gewöhnlich getrennt findet. das verbundene τε — καί aber wird, wie ich ausführlich später noch einmal in diesen jahrbüchern zu zeigen gedenke,
nie bei zahlbegriffen verwendet. ich halte demnach auch jetzt
noch daran fest, dasz dieses τε mit Dindorf zu tilgen ist.

Richtig werden (praef. s. XXXI ff.), wie schon früher, für Pol.
die formen γίνεσθαι, γινώσκειν, βύβλος in anspruch genommen;
jedoch möchte ich in bezug auf letztere form daran erinnern, dasz H.
in weiser vorsicht IV 22, 2 βιβλιαφόρους, wie der Vat. gibt, nicht
in βυβλιαφόρους geändert hat. es mag sich eben hier die ältere form
mit iota (s. Meisterhans gramm. d. att. inschr. s. 12) erhalten haben.
ob H. aber recht gethan hat nur ἀθροίζειν mit spiritus lenis und
verwandtes dem Pol. zuzuerkennen, oder ob nicht vielmehr die form
mit spiritus asper überall einzusetzen ist, darüber liesze sich wohl
streiten. οὕτω und οὕτως[6], ἀεί und αἰεί läszt der hg. wie der unterz.

---

erkenntnis des zusammenhangs der hss., werden jetzt angeführt. es wird
dadurch im allgemeinen bestätigt, was bereits Schweighäuser ausgeführt
hatte (s. praef. zu meiner ausgabe I s. XXXIV); nur bei einer einzigen
stelle bleibt ein zweifel: I 32, 1 bemerkt Schweighäuser (bd. V s. 233) zu
dem worte ἀγωγῆς: 'id est παιδεύσεως, ut habet scholion in ora codicis
Vat.', während Hultsch nichts von diesem scholion anführt. vielleicht
liegt ein versehen Schweighäusers vor.

[6] Krebs (die präpositionsartigen adverbia I s. 30) meint, dasz Pol.
der härte aus dem wege gehe, dasz durch die weglassung von οὗ nach
ἕως unmittelbar zwei σ zusammentreffen würden, wie X 49, 12 ἕως οὗ
συνέμιξαν und XXV 5 (XXIV 9), 9 ἕως οὗ συνεχώρησε. dem kann ich
nicht beistimmen; denn es schreibt Pol. IV 73, 7 οὕτως στέργουσι,

neben einander bestehen, indem er auch hier gegen Kälker, Stich und Schenkl sich erklärt. daher wird gewis H. in den folgenden büchern auch αὖθιc neben αὖτιc bestehen lassen; es sind aber auszerdem auch Kälkers (ao. s. 228) gegenteilige ausführungen über den gebrauch jener partikeln, denen man gern grosze beweiskraft einzuräumen pflegte, durchaus unvollständig. das wahre bild ist folgendes. es findet sich allerdings nur die form αὖθιc vom ersten bis dritten buche fünfzehnmal; vom vierten buche an erscheinen beide formen αὖθιc und αὖτιc neben einander und zwar — ich schliesze mich Kälkers citiermethode an — folgendermaszen: αὖθιc erscheint 15mal: 320, 1. 329, 13. 341, 1. 370, 10. 380, 14. 394, 9. 395, 9. 412, 20. 418, 2. 424, 21. 440, 7. 505, 4. 515, 22. 516, 26. 526, 32; αὖτιc[7] findet sich 16mal: 341, 9. 345, 15. 360, 7. 385, 22. 399, 16. 433, 13. 436, 10. 438, 22. 447, 11. 449, 22. 450, 2. 451, 11. 472, 20. 518, 22. 521, 8. 534, 16. hieraus ergibt sich, dasz Pol. in den ersten drei büchern αὖθιc anwendete[8,] dann aber beide formen neben einander zuliesz, wie er ähnlich auch bei eigennamen (s. was unterz. in diesen jahrb. 1884 s. 112 ff. ausgeführt hat) verfährt. dasz nun gar gewicht darauf von Kälker gelegt wird, dasz vom sechsten buche an sich fast[9] nur αὖθιc findet, ist deshalb durchaus hinfällig, weil uns ja vom sechsten buche an die treffliche überlieferung des Vat. verläszt und in den weniger zuverlässigen hss. natürlich das ungewöhnliche αὖτιc verdrängt wurde.

I 6, 8 ist nach vorgang des unterz. τοὺc τὴν Ἰταλίαν οἰκοῦντας (mit A[1] gegen κατοικοῦντας der m. sec. von A) aufgenommen worden; ebenso hat H. I 7, 2 die vulg. Μεccήνην .. ἐπεχείρηcαν παραcπονδεῖν gegen Schweighäusers angebliche besserung Μεccήνη .. ἐπεχείρηcαν παράcπονδοι festgehalten, worüber ausführlicher Krebs (zur rection der casus II s. 23) spricht. — Ferner werden wohl mit H. (praef. s. XXXV f.) die in den hss. überlieferten worte I 9, 8 βαcιλεὺc ὑπὸ πάντων προcηγορεύθη τῶν cυμμάχων als vollständig anzuerkennen und die verschiedenartigen ergänzungsversuche zurückzuweisen sein. — Dagegen kann ich mich nicht dazu verstehen, mit Bekker und dem hg. I 10, 4 τὸ γὰρ μικρῷ πρότερον τοὺc ἰδίουc πολίταc μετὰ τῆc μεγίcτηc ἀνηρηκόταc τιμωρίαc .. παραχρῆμα Μαμερτίνοιc βοηθεῖν ζητεῖν τοῖc τὰ παραπλήcια πεποιηκόcιν .. δυcαπολόγητον εἶχε τὴν ἁμαρτίαν das wort ζητεῖν als glossem auszusondern; es handelt sich doch nur um etwas was die Römer ausführen wollen (ζητεῖν = βούλεcθαι), da gesandte der Mamertiner

---

VI 10, 11 οὕτωc cυcτηcάμενοc, während doch mit οὕτω cτέργουcι und οὕτω cυcτηcάμενοc jene angebliche härte beseitigt wäre.
[7] 410, 18. 470, 20 durfte bei einer statistischen zählung nicht in anrechnung gebracht werden: denn dort ist αὖτιc conjectur.   [8] in wie weit diese beobachtung, der sich wohl noch andere zugesellen lieszen, auf die abfassungszeit der ersten drei bücher einen schlusz gestattet, musz für jetzt noch dahin gestellt bleiben.   [9] Kälker ao. 'post finem libri V forma αὖθιc fere sola reperitur': doch steht αὖτιc zb. VI 49, 3.

den römischen staat zur hilfsleistung zu bestimmen suchen. — I 10, 5
überliefert der Vat. κατὰ τὸ cαρδάνιον . . πέλαγοc. die jüngern
hss. bessern cαρδόνιον, H. schreibt Cαρδῷον. da nun aber bei
Polybios (s. jahrb. 1884 s. 113) Cαρδόνιοc und Cαρδῷοc unbedenklich neben einander[10] beizubehalten sind, so dürfte hier doch die
lesart der jüngern hss. Cαρδόνιον vorzuziehen sein, zumal da der
schriftsteller selbst III 37, 8. 41, 7 sogar τὸ Cαρδόνιον πέλαγοc hat.

Sehr dankenswert ist die ausführliche darlegung H.s über den
gebrauch von ἐγκλίνειν und ἐκκλίνειν (praef. s. XXXVII f.), von
cτρατοπεδεύειν und καταcτρατοπεδεύειν (ebd. s. XXXVI), besonders da Schweighäusers lexicon, das ohne citiert zu werden so gern
ausgeschrieben wird, ganz falsches unter cτρατοπεδεύειν bietet;
auch über den gebrauch des imperfectums bei Pol. gibt der hg.
s. XXXVIII f. s. LX f. eine ebenso klare wie vorsichtige darstellung,
die auch wieder dazu dient die vortrefflichkeit des Vat. ins hellste
licht zu setzen.

I 22, 7 ταῖc cιτοποιικαῖc μηχανήcεcιν hat H. mit recht
beibehalten. Dindorf nahm an μηχανήcεcιν anstosz und corrigierte
μηχαναῖc mit den worten 'non minus absonum quam si latine dixeris
pistoriis machinationibus'. allein da Caesar (de bello Gall. II 31, 2.
IV 17, 4) machinatio im sinne von machina gebraucht, ja sogar de
b. civ. II 10, 7 machinatio navalis 'schiffsmaschine' sich ohne anstosz
findet, so ist ein lateinisches machinatio pistoria für machina pistoria
recht wohl ebenso möglich wie ein griechisches μηχάνηcιc cιτοποι-
ική, und ich habe unrecht gethan mich von Dindorf verführen zu
lassen und μηχαναῖc zu ändern.

Zu I 25, 3 οὐ μὴν ἀλλ᾽ αὕτη μὲν ταῖc ὑπηρεcίαιc ἐξηρτυμένη
καὶ ταχυναυτοῦcα διέφυγε παραδόξωc τὸν κίνδυνον bemerkte
Ernst Schulze (rhein. mus. XXIII s. 427 f.): 'offenbar musz der
sinn der stelle sein: das schiff des feldherrn, mit vorzüglichen
ruderern bemannt, entkam. Schweighäuser . . glaubt dasz man die
worte ναῦc ταῖc ὑπηρεcίαιc ἐξηρτυμένη übersetzen könne: das schiff
wohl ausgerüstet mit ruderern. aber hierin irrt er entschieden.
seine beweisstellen III 18, 8; I 36, 5. 8; V 2, 11; Diod. III 36;
Herod. VII 147; Thuk. VI 31 und andere zahlreiche belege aus Pol.,
wie I 46, 8; III 18, 8; V 69, 7. 92, 10; X 12, 1; XIV 1, 2 zeigen
ganz deutlich, dasz ἐξαρτύειν nichts weiter bedeutet als «ausrüsten».
es fehlt demnach der durchaus notwendige begriff der vorzüglichen ausrüstung und bemannung, welche das feldherrnschiff vor
den übrigen auszeichnete und rettete.' diese worte glaubt unterz.
auch heute noch gegen H.s gegenteilige ansicht (ao. s. XXXIX f.) festhalten zu müssen, und so wird doch wohl mit dem ref. hinter μέν
ein εὖ zu ergänzen sein. — Sehr erfreulich war es dagegen für den
unterz., dasz H. zu derselben zeit, in welcher ref. im zweiten bande

---

[10] schon Aristoteles (s. Bonitz index Aristot. s. 671 u. Cαρδώ) hat
ähnliche schwankungen.

seiner ausgabe darauf hinwies, wie verkehrt es sei daran anstosz zu
nehmen, dasz Pol. dieselben worte mehrere male hinter einander
gebraucht[11], ganz dieselbe beobachtung machte und praef. s. XLI ff.
zahlreiche belegstellen anführt.

Die schwierige stelle I 37, 4 μὴ πλεῖν παρὰ τὴν ἔξω πλευρὰν
τῆς Cικελίας .. διὰ τὸ πλαγίαν εἶναι καὶ δυςπροςόρμιςτον verbessert H. auch jetzt noch mit Schweighäuser, indem er mit einer
jüngern hs. πελαγίαν für πλαγίαν schreibt. 'hanc .. oram' schreibt
der hg. s. XL 'quae Africo mari opposita est, propter scopulos et
portuum paucitatem in alto mari, id est navigatione πελαγίᾳ caque
procellis obnoxia, praetervehi oportet.' nach längerer, reiflicher
überlegung glaube ich auch hier H. recht geben zu müssen gegen
die vielen verbesserungen, die der hg. ao. gewissenhaft anführt und
kurz abweist.

In gewis richtiger weise hat sich H. dem unterz. angeschlossen
bei beurteilung der verbindung I 40, 7 πρὸ τοῦ τείχους καὶ τάφρου
für πρὸ τ. τ. καὶ τῆς τάφρου; es zeigt sich auch hier[12], dasz Pol.
selbst von der festen regel, bei der verbindung zweier appositions-
loser substantiva verschiedenen geschlechts den artikel zu wiederholen, manchmal ausnahmen zuläszt. ich füge zu den drei stellen
I 40, 7 τοῦ τείχους καὶ τάφρου, III 48, 2 οὔτε τὰς ὁδοὺς οὔτε
τόπους, III 81, 11 κατὰ τὰς ἐπιβολὰς καὶ cυλλογιςμούς noch
hinzu[13]: VI 31, 5 τῆς ἀγορᾶς καὶ cτρατηγίου καὶ ταμιείου. hier
tilgt H. freilich καὶ cτρ. καὶ ταμιείου, während Nissen (das templum
s. 29) mit den jüngern hss. auch nicht ganz richtig καὶ τοῦ cτρ.
καὶ τοῦ ταμιείου liest. zu diesem uns so merkwürdig erscheinenden
sprachgebrauch der Griechen (s. Winer gramm. des neutest. sprachid.
s. 115) findet sich ein schlagendes analogon bei den Lateinern.
Caesar *de b. Gall.* VII 8, 4 wird jetzt nach den hss. *haec fama ac
nuntii* (= *haec fama atque hi nuntii*) gelesen, worüber Dinter quaest.
Caes. s. 28 ff. nach den anführungen Kraner-Dittenbergers s. 394
sich weiter ausspricht.

Ob I 41, 2 διὸ καὶ πάλιν ἐπερρώcθηcαν διὰ ταῦτα H. und nach
ihm Herwerden (Mnem. 1874 s. 76, s. praef. s. XXVIII) recht gethan

---

[11] Schenkl (jähresber. ao. s. 243): 'an der stelle 144, 19 ergänzt er
(Büttner-Wobst) εὔφθαρτον ⟨τὸ τῶν βαρβάρων πλῆθος τοῖς cὺν νῷ
κινδυνεύουσι⟩ τὴν ἔφοδον (st. τὸ φῦλον) αὐτῶν ὑπομένουσι, wobei übersehen ist, dasz .. τὴν ἔφοδον .. schon wegen des vorhergehenden
ἐφόδους nicht glaublich erscheint.' [12] wenn doch endlich die erkenntnis durchdringen wollte, dasz, wenn wir von dem gesetze der
hiatusvermeidung absehen, feste starre gesetze der syntax des Pol.
nicht vorhanden sein können, sondern gelegentliche abweichungen
immer zuzulassen sind! wie schade ist es um den fleisz, den Lammert
(jahrb. 1888 s. 617 ff.), ohne überzeugen zu können, darauf verwendet
hat, nachweisen zu wollen, dasz Pol. neben χάριν τοῦ c. inf. den
bloszen genitiv des zweckes nicht verwendet habe! [13] VIII 34, 3
τῷ τείχει τῆς ἀκροπόλεως καὶ τῷ πρὸ τούτου τάφρῳ corrigiert Ursinus
mit recht καὶ τῇ πρὸ τούτου τάφρῳ.

haben διὰ ταῦτα als unnötige und schleppende wiederholung das διὸ
in klammern zu schlieszen, möchte ich nach Kälker (ao. s. 273 f.)
und Krebs (präpos. s. 15) bezweifeln, da viele ähnliche stellen für
diese breite ausdrucksweise zu sprechen scheinen. — I 55, 10 hat
sich der hg. nunmehr an Schweighäuser und den ref. angeschlossen,
indem er ἐτήρει φιλοτίμως ἀμφοτέρους τοὺς τόπους, καὶ μᾶλλον
ἔτι τὸν τῆς ἀναβολῆς für das frühere καὶ μᾶλλον [ἐπὶ] τὸν ..
liest, ohne in seiner schweigsamen art die nahe liegenden gründe
dieser meinungsänderung weiter anzuführen. — Zu I 62, 5 ann. cr. 9
dürfte nachzutragen sein, dasz auch in C die andere lesart κατέλιπε
angedeutet ist, wie Schweighäuser bd. V s. 310 «κατέλειπε τῶν ed. 1. 2.
Reg. B cum Bav. in quo tamen et indicatur altera scriptura κατέλιπε»
bemerkt.

Nur zu billigen ist die zurückweisung von Hertleins conjectur
I 65, 4 πολλοὺς καὶ μεγάλους ὑπομείναντες πόνους (für φόβους)
und der angeblichen besserung von Schanz und Wunderer, welche
I 70, 3 (Μάθω τὸν στρατηγὸν ἀπαιτεῖν ἐκέλευεν) das durchaus
klare ἀπαιτεῖν, zu welchem aus dem vorhergehenden αὐτοὺς τὰς
σιταρχίας zu ergänzen ist, in ἀπαίρειν oder ἀπάγειν [14] ändern wollten,
während doch schon die lat. version und die deutschen übersetzer
Benicken (s. 86), Campe (I s. 108), Haakh (I s. 81) das richtige
geben.

II 5, 5 hatte der hg. in der ersten auflage für das ganz vereinzelt (s. Krebs präpos. s. 53) sich findende τὸν παρὰ τῇ πόλει
ῥέοντα ποταμόν in der ann. crit. vorgeschlagen τὸν πρὸς τῇ
πόλει ῥ. π. (s. Krebs ao. s. 114 f.); in der neuen auflage hat H.
diese vermutung zurückgezogen zu gunsten einer conjectur van Bentens, der in seinen observ. crit. in Polybium (Leiden 1878), übrigens
einem recht ungleichmäszigen werkchen [15], παρὰ τὴν πόλιν vermutet. vergleicht man nun Xen. anab. V 3, 8 παρὰ τὸν τῆς Ἀρτέ-
μιδος νεὼν Σελινοῦς ποταμὸς παραρρεῖ. Plut. Brut. 30 τοῦ δὲ
ποταμοῦ παρὰ τὴν πόλιν παραρρέοντος. Polyb. IV 78, 2 τὸν
Ἀλφειὸν ποταμόν, ὃς ῥεῖ παρ' αὐτὴν τὴν τῶν Ἡραιέων πόλιν.
V 110, 1 τοῖς περὶ τὸν Ἄῳον ποταμὸν τόποις, ὃς ῥεῖ παρὰ τὴν
τῶν Ἀπολλωνιατῶν πόλιν. IX 27, 5 ῥεῖ .. παρὰ μὲν τὴν νότιον
πλευρὰν ὁ συνώνυμος τῇ πόλει. XII 18, 1 τοῦ ποταμοῦ ῥέοντος
παρ' αὐτὴν τὴν στρατοπεδείαν. XXII 9 (XXI 26), 4 τὸν Ἄρατθον
ποταμὸν ῥέοντα παρὰ τὴν πόλιν. XXXIV 10, 1 ῥέοντας παρὰ
πόλεις ὁμωνύμους, so dürfte man wohl der van Bentenschen emendation geneigt sein. es kommt noch dazu dasz ein rein locales παρά
mit dem dativ bei sächlichen objecten in der attischen prosa

---

[14] merkwürdig Schenkl ao. s. 249 f.: 'Wunderers , . conjectur ἀπα-
γαγεῖν oder ἀπάγειν scheint mir annehmbarer.' [15] diese schrift scheint
in Deutschland ganz unbekannt zu sein; Schenkl erwähnt dieselbe im
jahresbericht gar nicht. um so dankenswerter ist es, dasz H. uns mit
derselben bekannt gemacht hat; so ist es wohl auch zu erklären, dasz
er van Benten öfter anzieht als andere überall bekannte schriften.

nicht sicher zu belegen ist. aus Thukydides darf II 89, 9 ὑμεῖc δὲ εὔτακτοι παρὰ ταῖc τε ναυcὶ μένοντεc nicht angeführt werden, da Krüger παρά, Classen παρὰ ταῖc τε ναυcί streicht, auch Böhme schon wegen des unverständlichen τε einen fehler vermutet; ebenso wenig kann aus demselben schriftsteller VII 80, 5 ἐπειδὴ γένοιντο παρὰ τῷ ποταμῷ τῷ Κακυπάρει angezogen werden, weil jetzt überall für παρά nach hsl. zeugnis ἐπὶ gelesen wird. aus den rednern führt Lutz 'präpos. bei den att. rednern' s. 145 ein einziges beispiel an: Andok. 1, 116 cτήλη παρ' ᾗ ἕcτηκαc: sieht man näher zu, so verliert auch dieses beispiel an beweiskraft, denn cτήλη erscheint hier personificiert, da es heiszt ἡ δὲ cτήλη, παρ' ᾗ ἕcτηκαc, χιλίαc δραχμὰc κελεύει ὀφείλειν. so bleiben denn, so weit ich unterrichtet bin, aus der attischen prosa nur zwei stellen übrig: Plat. Ion s. 535ᶜ παρὰ τοῖc πράγμαcιν οἴεταί cου εἶναι ἡ ψυχὴ οἷc λέγειc ἐνθουcιά- ζουcα und Xen. anab. VI 2, 2 ὡρμίcαντο παρὰ τῇ Ἀχερουcιάδι Χερρονήcῳ. erstere stelle[16] ist nicht ganz passend, da παρά hier nicht locale bedeutung hat, sondern mit ἐνθουcιάζουcα zu verbinden ist; an der stelle aus Xenophon gibt cod. M ἐπί. aus der spätern Gräcität ist zu nennen: 1 Macc. 13, 29 καὶ ἐποίηcεν ἐπὶ τοῖc cτύλοιc πανοπλίαc εἰc ὄνομα αἰώνιον, καὶ π α ρ ὰ τ α ῖ c π α ν ο π λ ί α ι c πλοῖα ἐπιγεγλυμμένα εἰc τὸ θεωρεῖcθαι ὑπὸ πάντων τῶν πλεόν- των τὴν θάλαccαν (nach Wahl clavis libr. vet. test. apocr. s. 377 ff.) Ioh. 19, 25 εἰcτήκειcαν δὲ π α ρ ὰ τ ῷ c τ α υ ρ ῷ τοῦ Ἰηcοῦ (nach Winer s. 352). diesen zeugnissen gegenüber glaube ich aber dennoch nicht auch für Polybios diese singularität in anspruch nehmen zu dürfen: denn wenn auch die Gräcität der LXX und des neuen testaments durchaus nicht zu vernachlässigen ist, so durfte doch Stich (philol. rundschau 1888 s. 111) jene nicht ohne weiteres schlecht- hin als quellen des vulgärgriechischen hinstellen. denn — abge- sehen davon dasz eine wirklich zuverlässige ausgabe der LXX heute noch ein pium desiderium ist — es wird doch wohl niemand leug- nen, dasz ganz andere verhältnisse die Septuaginta und das neue testament entstehen lieszen als das geschichtswerk des Polybios.[17] daher glaube ich dasz, obwohl auch Plut. Lyk. 1 (s. 433ᵉ) παρὰ ταῖc θύραιc hat, dieser Plutarchische gebrauch eine Homerische

---

[16] eben dahin gehört γενόμενοc παρ' ἀμφοτέροιc τοῖc πράγμαcιν, was Krüger § 68, 35 aus Xenophon anführt. [17] ich greife nur die verschiedenheit der formenbildung heraus; in den LXX und dem NT. ist es an der tagesordnung, dasz die dritte plur. imperf. oder des starken aorists auf -οcαν gebildet wird (s. Sophocles greek lex. [New-York 1888] s. 39) und dasz die verba contracta auf -άω infolge dessen die dritte plur. des imperf. auf -ῶcαν, die auf -έω auf -οὔcαν, die auf -όω auf -οὔcαν bilden. wo findet sich aber bei Polybios εἴχοcαν (Joh. 15, 24), εἴποcαν (Ruth 4, 11), ἐγεννῶcαν (Gen. 6, 4), ἠνομοῦcαν (Ezech. 22, 11), ἐῶcαν (für εἴων Jer. 41, 10)? es ist eben in den LXX und dem NT. in formenlehre und syntax der analogiebildung, vielleicht im anschlusz an die volkssprache, ein viel weiterer einflusz eingeräumt als bei Polybios (s. Sophocles ao. ff.)

reminiscenz ist (s. zb. Il. H 346), dasz aber für Polybios, da jedwede schlagende analogie selbst aus dem sprachgebrauch der dichter fehlt, nur ein παρὰ τὴν πόλιν ῥέοντα ποταμόν richtig ist, wie ich nach dem vorgange van Bentens auch geschrieben habe.

Ganz hinfällig ist Dindorfs streichung von αὐτούς II 9, 8 μὴ περιιδεῖν ϲφᾶϲ αὐτοὺϲ ἀναϲτάτουϲ γενομένουϲ, daher ist auch dieser vermutung nur eine stelle in der ann. cr. angewiesen. es findet sich zwar natürlicher weise ϲφῶν αὐτῶν, ϲφίϲιν αὐτοῖϲ gewöhnlich direct reflexiv (I 8, 1. 10, 1. 65, 4. 82, 4; II 6, 8. 30, 4. 60, 5; III 19, 4. 118, 5 uö., freier I 26, 1. III 109, 7), doch kommen diese wendungen, wie im attischen [18], bei stärkerer betonung auch als indirecte reflexiva vor: I 53, 10 οἱ δὲ νομίϲαντεϲ οὐκ ἀξιόχρεωϲ ϲφᾶϲ αὐτοὺϲ εἶναι. I 10, 2 δεόμενοι βοηθήϲειν ϲφίϲιν αὐτοῖϲ [19] ὁμοφύλοιϲ ὑπάρχουϲιν. VII 4, 5 ὃν μόνον κατὰ προαίρεϲιν καὶ κατ' εὔνοιαν Ϲικελιῶται πάντεϲ εὐδόκηϲαν ϲφῶν αὐτῶν ἡγεμόν' εἶναι καὶ βαϲιλέα. daher ist an unserer stelle ϲφᾶϲ αὐτοὺϲ ruhig mit H. und dem ref. zu belassen, besonders da offenbar Pol. hier die seltnere wendung gebraucht im bewusten gegensatz zu dem kurz vorhergehenden δεόμενοι ϲφίϲι βοηθεῖν.

Zu II 15, 1 ϲίτου τε γὰρ τοϲαύτην ἀφθονίαν ὑπάρχειν ϲυμβαίνει κατὰ τοὺϲ τόπουϲ hatte Naber τούτουϲ τοὺϲ τόπουϲ vorgeschlagen. mit recht weist dies H. zurück und bezieht sich auch auf Kälker (ao. s. 276). allein schon Reiske (animadv. s. 105), dessen grosze verdienste um Pol. neidlose anerkennung verdienen, hatte die eigentümlichkeit im gebrauche des artikels, der fast für ein demonstrativ zu stehen scheint, mit hinreichenden beispielen aus Pol. und andern schriftstellern belegt; nach ihm hat auch vor Kälker Hertlein (jahrb. 1877 s. 33) darauf hingewiesen, dasz sich der artikel gerade bei τόποϲ fast demonstrativ findet, und dies durch folgende beispiele (die bei H. in der ann. cr. angeführten stellen übergehe ich) erhärtet: III 40, 11 ἐπὶ τῶν τόπων. 47, 9 περὶ τοὺϲ τόπουϲ. IV 21, 1 ἐν τοῖϲ τόποιϲ. V 21, 10 ἡ τῶν τόπων φύϲιϲ. 46, 5 τῆϲ περὶ τοὺϲ τόπουϲ δυϲχρηϲτίαϲ. scheint also danach die thatsache festzustehen, dasz bei Pol. der artikel in verbindung mit τόποϲ eine eigentümliche deiktische kraft besitzt, so geht weiterhin aus Aischines 2, 28 ἀφικομένου δ' Ἰφικράτουϲ εἰϲ τοὺϲ τόπουϲ μετ' ὀλίγων τὸ πρῶτον νεῶν .. ἐνταῦθα .. μετεπέμψατο αὐτὸν Εὐρυδίκη hervor, dasz auch dem attischen derselbe gebrauch nicht ganz fremd war.

II 18, 4 θεωροῦντεϲ ἐκ παραθέϲεωϲ τὴν παραγεγενημένην αὐτοῖϲ εὐδαιμονίαν führt der hg. die vermutung Schweig-

---

[18] Krüger § 51, 2, 7: 'wie ἑαυτοῦ, so findet sich auch ϲφίϲιν αὐτοῖϲ, ϲφᾶϲ αὐτούϲ zuweilen als indirectes reflexiv, blosz nachdrucksvoller.'

[19] Kälkers erklärung (ao. s. 281): «αὐτοῖϲ coniungendum esse cum ὁμοφύλοιϲ ὑπάρχουϲι i. e. auxilium ferre sibi, qui cum iis (αὐτοῖϲ) eiusdem sint nationis» musz ich daher für gezwungen und verkehrt halten.

häusers περιγεγενημένην in der ann. cr. an, um stillschweigend [20]
dem verdienten Schweighäuser das prioritätsrecht zuzuerkennen, da
Hertlein ao. dieselbe conjectur als eigne vorbringt. natürlich hat H.
dieselbe nicht in den text aufgenommen, da bereits Schweighäuser
selbst, um die vulgata zu schützen, Xen. apomn. II 1, 2 οὐκοῦν τὸ
μὲν βούλεϲθαι ϲίτου ἅπτεϲθαι, ὅταν ὥρα ἥκῃ, ἀμφοτέροιϲ εἰκὸϲ
παραγίγνεϲθαι verglich. noch treffender könnte vielleicht Xen.
Κυrup. IV 1, 14 ἐμοὶ δὲ δοκεῖ τῆϲ μεγίϲτηϲ ἡδονῆϲ πολὺ μᾶλλον
ϲυμφέρειν ἐγκρατῆ εἶναι. μεῖζω δὲ ἡδονὴν τί παρέχει ἀνθρώποιϲ
εὐτυχίαϲ, ἢ νῦν ἡμῖν παραγεγένηται herangezogen werden. — Mit
Kälker (ao. s. 280 f.) und dem unterz. hat der hg. ferner II 18, 6
(s. praef. s. L f.) den hsl. überlieferten acc. ἀθροίϲαντα ϲ beibehalten
(οὐκ ἐτόλμηϲαν ἀντεξαγαγεῖν Ῥωμαῖοι τὰ ϲτρατόπεδα διὰ τὸ
παραδόξου γενομένηϲ τῆϲ ἐφόδου προκαταληφθῆναι καὶ μὴ κατα-
ταχῆϲαι τὰϲ τῶν ϲυμμάχων ἀθροίϲανταϲ δυνάμειϲ), für welchen
Bekker ἀθροίϲαντεϲ eingesetzt hatte. es scheint die bemerkung
nicht überflüssig, dasz solche anakoluthe, in denen Pol. für den
logisch erwarteten nominativ in freierer weise den accusativ setzt,
nur bei dem infinitiv mit artikel vorzukommen pflegen.

Die vielumstrittene stelle II 18, 9 ἀπὸ δὲ τούτου τοῦ φόβου
τριακαίδεκα μὲν ἔτη τὴν ἡϲυχίαν ἔϲχον hat Matzat röm. chronologie I s. 89, wie H. gewissenhaft anführt, seinem chronologischen
system dadurch angepasst, dasz er für τριακαίδεκα schrieb ἑκκαίδεκα.
dasz dies unmöglich ist, werde ich demnächst in diesen jahrb. zeigen.
auch die neueste 'verbesserung' die WLackner im programm des
gymn. zu Gumbinnen (de incursionibus a Gallis in Italiam factis qu.
hist. I) s. 25 vorschlägt: 'nostra ratione chronologica adhibita pro
τριακαίδεκα ἑπτακαίδεκα legendum est' ist stilistisch unmöglich
wegen des schweren hiatus φόβου ἑπτακαίδεκα. ich glaube auch
hier (s. u. s. 26 ff.) an einen irrtum des Polybios, der bei zahlenangaben wie es scheint geneigt war sich zu teuschen.

Sehr beachtenswert ist H.s verbesserung von II 19, 1 ἐπὶ δὲ
Ῥωμαίουϲ παρώξυναν καὶ μετέϲχον αὐτοῖϲ τῆϲ ϲτρατείαϲ. wie

[20] es ist mit besonderer anerkennung zu betonen, wie H. überall
den ersten urheber der betr. verbesserung und nur diesen namhaft
macht, alle diejenigen, die dieselbe emendation noch einmal vorbringen,
mit recht einfach übergeht. lehrreich ist II 7, 4 ἃ δὴ καὶ τότε παρὰ
τῶν Ἑλλήνων εἰκότωϲ ἂν τοῖϲ Ἠπειρώταιϲ ἀπηντήθη. H. citiert kurz
«ἂν del. Herwerdenus Mnem. NS. II 76.» da diese NS. Mnem. 1874
erschien, ist Herwerden der eigentliche urheber dieser übrigens hinfälligen conjectur. wiederholt wurde dieselbe durch Hertlein 1877 (ao.
s. 33) und van Benten 1878 (ao. s. 51); Stich (de Pol. dic. gen. s. 190)
widerlegt diese vermutung richtig, schreibt sie aber Hertlein zu. noch
ein beispiel möge verstattet sein, um zu zeigen, wie jene kurzen angaben des hg. über den eigentlichen vater einer conjectur auf sorg-
fältigster forschung beruhen und einen sehr wesentlichen beitrag zur
textgeschichte des Pol. geben. II 17, 11 vermutete Bekker für περια-
γαγεῖν 1844 περιάγειν, dasselbe 1857 Naber Mnem. VI s. 355, endlich
auch 1878 van Benten ao. s. 14. H. gibt treffend nur an «περιάγειν
coni. Be.»

die lat. übersetzung 'in Romanos eundem (sc. impetum) irritarunt, atque adeo comites ipsi fuerunt' und Campes übertragung 'und reizten sie gegen die Römer auf, nehmen auch selbst an dem zuge derselben teil' ohne weiteres lehren, wird allerdings durch den zusammenhang der ausdruck dessen, dasz sie auch selbst am zuge teilnehmen, verlangt. daher schlägt der hg. glücklich αὐτοί vor für αὐτοῖς, ohne jedoch seine vermutung in den text aufzunehmen.

II 26, 1 wird mit unrecht Hertlein die vermutung zugeschrieben, es sei καὶ vor κατὰ cπουδήν zu tilgen: denn schon Schweighäuser (bd. I s. 281) sagt zu dieser stelle «per errorem irrepsisse videtur καὶ ante κατὰ». — II 27, 1 musz es in der ann. cr. 30 heiszen: «πύcαc A F R πίccαc C corr. D²», wie aus Schweighäuser (bd. V s. 407) zu entnehmen ist. — II 37, 3 wird die vermutung von MSchanz (rhein. mus. XXXVIII s. 140), dasz das hsl. δ’ ἄν für δᾶν (= δὴ ἄν) stehe, wie es scheint absichtlich, übergangen: denn es ist auch mir eine derartige krasis bei Pol. beispiellos und ermangelt jeder analogie aus dem sprachgebrauch desselben. — Entschieden besser als Benseler und der unterz. hat H. II 63, 1 für die wegen des hiatus anstöszige verbindung δέκα ἡμέραιc geschrieben ἡμέραιc δέκα.

Die verzweifelte stelle II 47, 5 τοὺc δὲ βαcιλεῖc cαφῶc εἰδὼc φύcει μὲν οὐδένα νομίζοντας οὖτ’ ἐχθρὸν οὖτε πολέμιον, ταῖc δὲ τοῦ cυμφέροντοc ψήφοιc ἀεὶ μετροῦντας τὰc ἔχθρας καὶ τὰc φιλίαc hat in der neuen auflage (praef. s. LVI f.) eine neue behandlung gefunden. dasz dem folgenden satzgliede τὰc ἔχθρας καὶ τὰc φιλίαc im vorausgehenden ein ähnliches glied parallel laufen musz, sah schon der Byzantiner der den cod. C schrieb und 'verbesserte'. derselbe corrigierte οὖτ’ ἐχθρὸν οὖτε φίλον: natürlich kann jedoch diese gewaltsame correctur — aus der stellung, die die hs. C zu den übrigen einnimt, geht hervor dasz es eine correctur sein musz — nicht in den text aufgenommen werden. wenn aber Wunderer (s. 13 ff.) dennoch diese lesart für die einzig richtige erklärt und glaubt, dasz πολέμιοc als glossem für ἐχθρόc in den text gedrungen sei, so ist dem entgegenzuhalten, dasz einerseits auch nicht eine spur von wahrscheinlichkeit vorhanden ist, als ob ein dem byzantinischen sprachgebrauch so geläufiges wort wie ἐχθρόc einer erklärung bedurft hätte, anderseits atticistische glosseme sich bei Pol. nicht finden. gegen meine verbesserung οὖτ’ ἐχθρὸν οὖτε πολέμιον (οὖτε φίλιον) macht H. (praef. s. LVII) den richtigen einwand, dasz der parallelismus der glieder eine zweifache, nicht eine dreifache entsprechung des folgenden τὰc ἔχθρας καὶ τὰc φιλίαc nötig mache. dasz aber unsere stelle stark corrupt sei, gibt der hg. jetzt im gegensatz zu seiner frühern ansicht (quaest. Pol. I s. 9 f.) ohne weiteres zu. da sich nun sehr häufig die verbindung von cύμμαχοc und φίλοc (s. ao.) findet, so ist H. geneigt οὖτε cύμμαχον οὖτε πολέμιον zu schreiben, so dasz die folgenden glieder τὰc ἔχθρας καὶ τὰc φιλίαc mit chiasmus angefügt sind. dasz der verdiente gelehrte uns den richtigen weg gezeigt hat diese stelle zu heilen, davon bin ich über-

zeugt, allein ich glaube dasz für cύμμαχον ein entsprechendes syno-
nymon zu setzen sei 'ut·saltem aliqua scripturae antiquae similitudo
servetur'. somit schreibe ich οὔτε cυνεργὸν οὔτε πολέμιον: οὔτε
cυνεργὸν konnte bei wegfall des cυνε, welcher durch das vorhergehende sehr ähnliche οὔτε veranlaszt wurde, sehr leicht in ουτεργον
verdorben und dann ungeschickt in οὔτ' ἐχθρὸν corrigiert werden.
der chiasmus aber ist ganz ohne anstosz, da Pol. diese redefigur öfter
verwendet (V 35, 2 ἐκεῖνος μὲν. μετήλλαξε, προήει δ' ὁ χρόνος.
V 69, 8 ἀφ' ἑνὸς cημείου καὶ παραγγέλματος ἑνός uö., s. Stich de
Pol. dic. gen. s. 207).

II 68, 8 hatte H. in der ersten auflage zu dem scheinbar auf-
fälligen εἰς τοῦτο δυcχρηcτίας ἦλθον, ὥcτε δι' αὐτῆς τῆς τοῦ
λόφου κορυφῆς διαμάχεcθαι πρὸς τοὺς βιαζομένους die vermutung
ὥcτ' ἐπ' hinzugefügt. mit recht ist diese conjectur jetzt getilgt:
denn zu dem was Krebs präpos. s. 65 ff. (unvollständig Stich s. 158)
über die locale bedeutung von διά mit dem genitiv aus Pol. angeführt hat, ist noch hinzuzufügen, dasz auch anderwärts jener gebrauch sich findet (Kühner gr. gr. II s. 416 ff.; Bernhardy wiss.
syntax s. 234; Winer gr. d. neutest. sprachid. s. 337 ff ; Berliner
philol. woch. 1888 s. 1302 über Athen. V 214ᵃ). — II 71, 5 ist
nunmehr für das unrichtig überlieferte παραπλήcιον γὰρ δή τι
cυνέβη τούτοις πρώτοις μετὰ τὴν Ἀλεξάνδρου τελευτὴν κατα-
cχοῦcι τὰς ἀρχὰς ταύτας mit Bekker geschrieben worden τούτοις
καὶ τοῖς πρώτοις, wie es auch der unterz. (s. praef. I s. LVI) gethan hatte.

Dasz die trefflichen untersuchungen von Dittenberger im Hermes
VI 129 ff. 281 ff. über römische eigennamen im griechischen von
dem hg. auf das sorgfältigste berücksichtigt worden sind, versteht
sich von selbst. daher erscheinen nunmehr im texte nur noch die
formen Τεβέριος (s. praef. s. LVIII f. zu III 40, 2), Λυτάτιος (s. ebd.
zu III 21, 2) für Τιβέριος und Λουτάτιος. es möge mir bei dieser
gelegenheit verstattet sein auf die bis jetzt übersehene eigentümliche
bildung eines römischen eigennamens bei Pol. aufmerksam zu
machen, bei welcher uns allerdings die den ausschlag gehenden
zeugnisse der inschriften — so weit ich unterrichtet bin — im stiche
lassen. allein da sich die trefflichkeit des Vaticanus, sobald die controle durch die angaben der inschriften möglich war, aufs schlagendste
bewährt hat, sind wir bei einem einstimmigen zeugnisse des Vat.
über irgend ein römisches nomen proprium nicht ohne weiteres berechtigt zur tagesordnung überzugehen, wenn zufälliger weise angaben von inschriften fehlen sollten. ein solcher fall liegt vor in
der überlieferung des Vat. für die griechische form der stadt *Ariminum*. der name dieser stadt wird bei Pol. neunmal erwähnt und
es bietet der Vat. an diesen stellen folgendes: II 21, 5 ἕως ἀριμηνου
(ohne accent), 23, 5 ἐπαριμήνου, III 61, 10 ἐν ἀριμήνωι, 68, 13²¹

---

²¹ im index der ausgabe von Hultsch (bd. IV s. 11) ist hinter
3, 68, 13 hinzuzufügen s. und bei 3, 61, 10 das s. zu tilgen.

εἰc ἀριμηνον (ohne accent), 68, 14 εἰc ἀριμηνόν, 75, 6 εἰc ἀριμηνόν, 77, 2 ἐπὶ ριμήνου, 86, 1 κατ᾽ ἀριμηνὼν (A² corr. ἀριμηνὸν), 88, 8 ἀπ᾽ ἀριμηνοῦ. einstimmig bewahren diese zeugnisse alle das η in der vorletzten silbe, schwankend sind sie in der setzung des tones, indem drei stellen für die accentuation ᾿Αρίμηνον, vier für die betonung ᾿Αριμηνόν sprechen, während an zwei stellen wahrscheinlich schon im archetypus der accent fehlte. es findet sich nun ferner nach den angaben von Schweighäuser und Mendelssohn bei Appian (s. zu b. civ. I 67. II 35. IV 3) in den hss. die form ἀρίμηνον nicht selten, in manchen überwiegt sie sogar. endlich kommt uns noch eine hilfe hinzu aus der zeit der Byzantiner. die hs. A (cod. Paris. n. 1715) der annalen des Zonaras, die uns genauer aus der im j. 1839 angefertigten collation Haases bekannt ist, ist unter den bis jetzt bekannt gewordenen hss. des Zonaras, wie unter den hgg. Dindorf bereits erkannt hat und ich in meiner ausgabe des dritten bandes des Zonaras, der den abschlusz der Pinderschen ausgabe bilden soll, seiner zeit noch klarer darlegen werde, die bei weitem älteste und wertvollste. es ist dies um so wichtiger, als nach den ausführungen von WASchmidt 'über die quellen des Zonaras' (zs. f. d. aw. 1839 n. 30—36, wiederholt in Dindorfs ausgabe band VI) und Zander 'quibus e fontibus Ioannes Zonaras hauserit' (Ratzeburg 1849) kein zweifel darüber obwalten kann, dasz in den meisten partien der römischen geschichte Zonaras zumeist den Cassius Dion, und zwar gewöhnlich wörtlich, abkürzend ausschrieb. so ist auch das 18e cap. des achten buchs aus Dion geschöpft, und es findet sich in diesem (II s. 165, 17 Pinder) im cod. A die form ἀρίμηνον; freilich an der andern stelle, die aus Dion geschöpft ist und in der Ariminum erwähnt wird (VIII 20 bd. II s. 172, 22 P.) hat Haase eine variante aus A nicht notiert. doch fällt dies wenig ins gewicht, da derselbe nur ausnahmsweise, wie aus seinen mir vorliegenden briefschaften hervorgeht, orthographische eigentümlichkeiten notierte. obwohl nun Sturz zu Dion XLI 4. LIII 22. LV 34, an welchen stellen Ariminum erwähnt wird, keine variante angibt, so glaube ich doch in verbindung mit den obigen angaben sogar aus diesem einzigen späten zeugnis für Dion die form ᾿Αρίμηνον als möglich in anspruch nehmen zu dürfen. so würde sich, wenn wir richtig geschlossen haben, das resultat ergeben, dasz bei Pol. nur die éine form ᾿Αρίμηνον anzunehmen ist, dasz dieselbe sich bei den griechischen historikern [22] bis hinab auf Dion erhalten hat, wobei natürlich die möglichkeit offen bleibt, dasz daneben sich frühzeitig nach Pol. die zweite form ᾿Αρίμινον entwickelt hat.

III 8, 10 τί ἂν εἰπεῖν ἔχοι πρὸc αὐτά; läszt H. mit recht unangetastet, da der hiatus bei τί, wie er selbst im Philol. XIV s. 292 weiter ausführt, durchaus ohne anstosz ist. daher ist ebenso meine

---

[22] auch bei Stephanos Byz. s. 119, 1 Mein. finden sich schwankungen in der vorletzten silbe des eigennamens *Ariminum*.

vermutung τίν' ἂν usw. zurückzuweisen wie Lammerts (jahrb. 1888
s. 632) τί γ' ἂν usw. — III 9, 7 ἐκεῖνος γὰρ οὐχ ἡττηθεὶς τῷ περὶ
Cικελίας πολέμῳ τῇ ψυχῇ τῷ δοκεῖν αὐτὸς μὲν ἀκέραια διατετηρη-
κέναι τὰ περὶ τὸν Ἔρυκα cτρατόπεδα ταῖς ὁρμαῖς ἐφ' ὧν
αὐτὸς ἦν usw. vermutet der hg. wie in der ersten auflage cτρατόπεδ'
ἐν ταῖς ὁρμαῖς, ohne jedoch diese conjectur in den text aufzunehmen.
es bietet auch die vulg., wie es scheint, keine schwierigkeiten, wenn
man den dativ ταῖς ὁρμαῖς und ἀκέραια verbindet: 'weil er glaubte
seine heere vom Eryx, die er befehligte, in ihrem kriegseifer unver-
sehrt erhalten zu haben.' dasz ἀκέραιος bei Pol. mit dem dativ verbunden wird, beweist XV 16, 4 (Schweighäuser lex. Pol. s. 17) τοὺς
δὲ μαχιμωτάτους . . τῶν ἀνδρῶν ἐν ἀποστάcει παρενέβαλε χάριν
τοῦ προορωμένους ἐκ πολλοῦ τὸ cυμβαῖνον καὶ διαμένοντας ἀκε-
ραίους τοῖς τε cώμαcι καὶ ταῖς ψυχαῖς cὺν καιρῷ χρήcαcθαι ταῖς
cφετέραις ἀρεταῖς. endlich kann die merkwürdige wortstellung
nach dem, was Kälker ao. s. 259, Götzeler de Pol. eloc. s. 36 f. und
ich selbst in der praef. zu bd. II s. LXVII f. bemerkt haben, nicht
auffällig erscheinen.

III 10, 1 f. καθάπερ ἐν ταῖς πρὸ ταύτης βύβλοις . . δεδηλώ-
καμεν, ὧν χωρὶς οὐχ οἷόν τε ἦν cυμπεριενεχθῆναι δεόντως οὔτε
τοῖς νῦν λεγομένοις οὔτε τοῖς μετὰ ταῦτα ῥηθηcομένοις ὑφ' ἡμῶν.
das imperfect οἷόν τε ἦν ist verschieden aufgefaszt·worden. die lat.
übersetzung von Casaubonu slautet 'absque quibus foret, nec quae iam
dicimus, nec quae deinceps dicentur, capi commode possent', so dasz
also der sinn wäre 'ohne welche weder das hier gesagte noch das
folgende hätte richtig begriffen werden können'. derselben schlieszt
sich Haakh an, welcher jedoch, wie auch möglich, den fraglichen ausdruck auf die gegenwart zu beziehen scheint, indem er übersetzt
'ohne welche so wenig was wir jetzt sagen, als was wir in der folge
erzählen werden, richtig verstanden werden könnte'. ganz einfach
faszt Campe den indicativ des imperf. als modus der wirklichkeit
und übersetzt 'ohne die es nicht möglich war, weder dem jetzt erzählten noch dem, was später von uns erzählt werden wird, recht zu
folgen'. letztere anschauung scheint mir auch die richtige zu sein;
bekanntlich findet sich im griechischen (Kühner gr. gr. II s. 125.
Krüger § 53, 2, 5) das imperfect nicht selten scheinbar für das
präsens, wenn der sprechende sich in den zeitpunkt der hinter ihm
liegenden vergangenheit zurückversetzt. so will denn auch Pol. sagen,
dasz er zwar ursprünglich den plan gefaszt hatte, zum ausgangspunkt der geschichtlichen darstellung den bundesgenossenkrieg und
den Hannibalischen krieg zu nehmen, dasz er aber dann einsah, dasz
eine προκαταcκευή von zwei büchern nötig war., ohne die es nicht
möglich war das in den folgenden büchern (III. IV. V usw.) erzählte
richtig zu verstehen. ist diese auffassung die richtige, so befindet
sich, wenn wir von dem durch elision zu beseitigenden hiatus τε ἦν
absehen, keine schwierigkeit in der ganzen stelle. daher müssen wir
die bemerkung Bentens s. 23 «expungendum censeo vocabulum ἦν.

saepissime verbum εἶναι omittitur apud οἷόν τε. cf. III 48, 9. si adscribitur, opus est praesenti ἐcτι, non imperfecto ἦν» zurückweisen. es dürfte auch ganz unwahrscheinlich sein in ἦν ein glossem zu vermuten, da einem jeden leser, der einen erklärenden zusatz zu οἷόν τε machen wollte, ἐcτι viel näher liegen muste als das immerhin auf den ersten blick befremdliche ἦν. somit kann ich mich auch dem hg., der Bentens tilgung des ἦν in den text aufgenommen hat, nicht anschlieszen.

III 18, 8 heiszt es in allen hss. und bei Suidas u. διαφέρων: πυνθανόμενοc . . τήν τε (τε läszt Suidas weg) πόλιν ὀχυρὰν εἶναι (Suidas ὠχυρῶcθαι) καὶ πλῆθοc ἀνθρώπων διαφερόντων εἰc αὐτὴν ἠθροῖcθαι. an dem eigentümlichen absoluten gebrauch ἀνθρώπων διαφερόντων nahm Reiske keinen anstosz, indem er schrieb «subaudi ἀρετῇ vel ἀνδρείᾳ vel ῥώμῃ». und in der that scheint es, als ob dem um Pol. wohlverdienten gelehrten der Polybianische sprachgebrauch recht gehe: denn es findet sich bei unserm schriftsteller wirklich (s. Schweighäusers lex. u. διαφέρειν s. 153 f.) διαφέρων vollständig absolut gebraucht in der bedeutung 'eximius, egregius, praecipuus, singularis'. diese gebrauchsweise bestätigen auch mehrere stellen anderer schriftsteller (s. Stephanus Thes. II s. 1376ᵈ und 1377ᶜ ff.); allein an obigen stellen findet sich das absolut gebrauchte διαφέρων nur in verbindung mit sachen, für denselben gebrauch dieses wortes bei personen bringen die üblichen wörterbücher, soweit ich unterrichtet bin, keinen beleg. da ist es nun erfreulich, dasz ein buch, das wegen seiner unhandlichen anordnung und der vielen falschen citate recht wenig gebraucht zu werden scheint, ich meine den index Graecitatis zu Plut. moralia von Wyttenbach, uns s. 433 u. διαφέρω eine stelle nachweist, welche diesen absoluten gebrauch von διαφέρων bei personen in unzweifelhafter weise belegt: Plut. de genio Socr. III s. 577ᵃ Wytt. Εὐμολπίδαν δὲ καὶ Cαμίδαν . . οὐκ ἀποθήcεcθαι τὰ ξίφη, πρὶν ἐμπλῆcαι τὴν πόλιν ὅλην φόνων καὶ διαφθεῖραι πολλοὺc τῶν διαφερόντων = 'Eumolpidam autem et Samidam . . gladios non ante posituros, quam totam urbem caedibus impleverint et multos praecipuos viros interfecerint.' somit halte ich es auch für möglich, dasz Pol. an unserer stelle διαφέρων ebenso absolut bei personen gebraucht hat. H. nahm dagegen schon quaest. Pol. I s. 13 anstosz und vermutete für διαφερόντων entweder διαφέρον oder διαφέρον τότ', während Campe in der übersetzung s. 260 anm. 1 εἰc ἀρετὴν ergänzte und endlich Benten s. 24 πλῆθοc ἀνθρώπων ἱκανὸν διαφερόντωc schrieb. ist die stelle wirklich corrupt (woran ich nach obigem zweifeln musz), so hat der hg. jetzt die beste verbesserung gegeben, indem er liest: τήν τε πόλιν ὀχυρὰν εἶναι διαφερόντωc καὶ πλῆθοc ἀνθρώπων εἰc αὐτὴν ἠθροῖcθαι.

III 29, 4 überliefert der Vat. ἐν ταῖc περὶ Cικελίαν cυνθήκαιc, während die jüngern hss. ἐν ταῖc περὶ Cικελίαc cυνθήκαιc vorziehen mit ausnahme des Monacensis N, der mit weglassung des περὶ den

acc. Cικελίαν bietet. nach den beobachtungen von Krebs präpos.
s. 105 und den ergänzungen, welche ich zu denselben in diesen jahrbüchern 1884 s. 120 gegeben habe, kann kein zweifel sein, dasz
der accusativ durchaus berechtigt ist (verkehrt, wie gewöhnlich,
Dindorf in seiner ausgabe bd. IV s. XII f.), wie auch Hultsch in der
ann. cr. zeigt. — Mit recht hat III 36, 3 in der neuen auflage der hg.
das hsl.[23] überlieferte οὐ μικρὰ μεγάλα δὲ cυμβάλλεcθαι πεποίηκε
πρὸc ἀνάμνηcιν ἡ τῶν ὀνομάτων παράθεcιc festgehalten, während
sonst für πεποίηκε gelesen zu werden pflegte πέφυκε oder ἐκπε-
ποίηκε. — Selbstverständlich hat H. die treffliche verbesserung
Wölfflins, der auf grund von Livius XXI 25, 9 in unserm texte
III 40, 13 für ἐπεὶ δὲ τῶν ὑψηλῶν ἥψαντο χωρίων emendierte
ἐπεὶ δὲ τῶν ψιλῶν ἥψαντο χωρίων ohne weiteres aufgenommen.
beiläufig hat dieselbe verbesserung unabhängig von Wölfflin gefunden und ausführlich erörtert GConstantinides in der Berliner philol.
woch. 1887 s. 324 f.

Nachdem III 47, 4 unterz. gleichzeitig mit Krebs ao. s. 20 λαμβάνουcαι τὴν ἀρχὴν ἀπὸ Μαccαλίαc ἕωc ἐπὶ τὸν τοῦ παντὸc
Ἀδρία μυχόν emendiert hatte für ὡc ἐπὶ τὸν usw., hat H. diese
besserung in den text aufgenommen. allein Wunderer, dessen coni.
Polyb. H. selbst in der Berl. philol. woch. 1887 s. 1144 ff. scharf
aber gerecht bespricht, hat ao. s. 4 diese emendation für unnötig erklärt, da Pol. zwischen ὡc ἐπὶ und ἕωc ἐπὶ bzw. ὡc πρὸc und ἕωc
πρὸc gar keinen groszen unterschied mache ('scriptor duarum vocum
vim saepius commiscuit, quam ut uno vel altero loco lectionem codd.
in dubium vocare nobis liceat'). es bezeichnet also nach Wunderer
ὡc in verbindung mit ἐπί, εἰc, πρόc bald die richtung, bald die begrenzte ausdehnung, so dasz diese wendungen manchmal dem deutschen 'in richtung auf', manchmal unserm 'bis' entsprächen. ohne
nun darauf hinweisen zu wollen, wie unwahrscheinlich eine solche
gebrauchsweise ist, und ohne zu betonen, dasz bei keinem einzigen
schriftsteller der κοινή — soweit ich unterrichtet bin — sich eine
derartige verquickung findet, komme ich sofort zur sache. bei den
Attikern bezeichnet (Kühner gr. gr. II s. 409 anm.) ὡc in verbindung mit εἰc, ἐπί, πρόc eine vergleichung = wie, ut und deutet eine
vorgestellte, beabsichtigte richtung nach einem orte an. ganz denselben gebrauch finden wir bei Pol.: I 9, 3 ἐξάγει cτρατείαν ὡc ἐπὶ
τοὺc βαρβάρουc τοὺc τὴν Μεccήνην κατασχόνταc 'quasi barbaros
Messanam obtinentes peteret, copias educit'; I 23, 3 πάντεc ἔπλεον

---

[23] Schweighäuser bemerkt bd. I s. 464 «scripti libri omnes πεποίηκε».
danach gibt H. an: πεποίηκε AR; allein derselbe Schweighäuser bemerkt bd. V s. 561 «ex cod. Flor. . . video aliquid notatum . . scil. ibi
scribitur ἃ πεποίηκε», es ist demnach zu berichtigen πεποίηκε AR
ἃ πεποίηκε B. — Ich füge noch eine andere kleinigkeit bei. Max K. P.
Schmidt füllt in seiner diss. de Pol. geogr. s. 10 die lücke III 39, 7
mit den worten aus: ἀπὸ δὲ Ἐμπορίου πόλεωc εἰc Νάρβωνα περὶ
ἑξακοcίουc (also mit dem unmöglichen hiatus δὲ Ἐμπορίου). danach ist
s. 241, 15 ann. cr. zu verbessern.

.. ὡς ἐπὶ λείαν τινὰ πρόδηλον 'velut ad praedam non dubiam'; VIII 4, 12 ἐκπέμπουσι .. τινας ὡς ἐπὶ λῃστείαν, I 23, 8 τὸ .. λοιπὸν πλῆθος .. ἐποιεῖτο .. τὸν ἐπίπλουν ὡς εἰς ἐμβολήν 'velut impetum .. factura'; III 68, 14 τὰς .. παρασκευὰς ἐποιεῖτο πάσας ὡς πρὸς μάχην, V 56, 12 ἀπονεύσαντος τοῦ βασιλέως ὡς ἐπί τι τῶν ἀναγκαίων, VIII 26, 3 ὡς ἐπ' ἐξοδείαν ὁρμήσαντες, VIII 27, 4 ποτὲ μὲν ὡς ἐπ' ἐξοδείαν ποτὲ δὲ πάλιν ὡς ἐπὶ κυνηγίαν ποιούμενοι τὰς .. ἐξόδους uö. aus dieser gebrauchsweise entwickelte sich mit einer abschwächung der ursprünglichen bedeutung von ὡς ein ausdruck, in welchem, wie Krebs ao. s. 18 nach H.s vorgang (jahrb. 1858 s. 815) ausführt und treffend belegt, ὡς fast pleonastisch steht, so dasz ὡς ἐπί fast gleich ἐπί, ὡς πρός fast gleich πρός, ὡς εἰς fast gleich εἰς war. da nun keine dieser drei präpositionen je bei Pol. schlechthin 'bis' heiszt, so ist es schon von vorn herein unwahrscheinlich, dasz durch hinzufügung von ὡς diese bedeutung sich entwickelt habe. und dies bestätigt vollauf der gebrauch selbst. um die richtung des himmels zu bezeichnen, verwendet Pol. die phrasen ὡς ἐπὶ τὴν ἕω III 47, 1; ὡς πρὸς τὰς θερινὰς ἀνατολάς XVI 16, 8; ὡς πρὸς μεσημβρίαν III 23, 2; ὡς ἐπὶ μεσημβρίαν II 16, 6; ὡς πρὸς τὰς ἄρκτους III 23, 1. 37, 7. 47, 2; ὡς πρὸς τὰς δυσμάς II 16, 2; ὡς πρὸς τὰς δύσεις III 37, 6. XI 11, 4. XV 5, 3; ὡς πρὸς τὰς χειμερινὰς δύσεις XVI 16, 8. soll dagegen die abgegrenzte ausdehnung bezeichnet werden, so tritt für ὡς ein ἕως, μέχρι oder ἄχρι. ein lehrreiches beispiel bietet hier III 37, 6 f., eine stelle in der Pol. selbst die verschiedenen ausdrücke scharf unterscheidet: αὖται .. αἱ χῶραι .. τὸν πρὸς τὴν μεσημβρίαν τόπον ἐπέχουσι τῆς καθ' ἡμᾶς θαλάττης ἀπὸ τῶν ἀνατολῶν ὡς πρὸς τὰς δύσεις (von osten in westlicher richtung). ἡ δ' Εὐρώπη ταύταις ἀμφοτέραις ὡς πρὸς τὰς ἄρκτους (in nördlicher richtung) ἀντιπαράκειται κατὰ τὸ συνεχὲς ἀπὸ τῶν ἀνατολῶν παρήκουσα μὲν ἄχρι πρὸς τὰς δύσεις .. (von osten .. bis westen). ähnlich heiszt es von Medien V 44, 11 ἡ Μηδία διέζευκται πλείοσιν ὄρεσιν ἀπὸ τῆς ἠοῦς ἕως πρὸς τὰς δύσεις 'Media montibus multis ab ortu (usque) ad occasum porrectis dividitur'. hätte Pol., wie auch möglich, sagen wollen, dasz diese gebirge nur in der richtung von osten nach westen liefen, so hätte er ὡς πρὸς τὰς δύσεις schreiben müssen. allein durch ἕως πρὸς τὰς δύσεις wird scharf hervorgehoben, dasz dieselben bis an die westliche grenze Mediens sich erstrecken. — Ferner wird ὡς mit den genannten präpositionen verbunden, um allgemein die richtung anzugeben, nach der irgend ein punkt liegt: I 29, 2 τὴν ἄκραν τὴν Ἑρμαίαν ἐπονομαζομένην ἣ .. προτείνει .. ὡς πρὸς τὴν Σικελίαν. V 3, 9 ἣ .. Κεφαλληνία κεῖται .. κατὰ τὸν Κορινθιακὸν κόλπον ὡς εἰς τὸ Σικελικὸν ἀνατείνουσα πέλαγος. V 80, 3 Ῥαφίας, ἣ κεῖται .. πρώτη τῶν κατὰ Κοίλην Συρίαν πόλεων ὡς πρὸς τὴν Αἴγυπτον. XVI 17, 2 πρόκειται .. τῆς Τεγέας ἡ Μεγάλη πόλις ὡς πρὸς τὴν Μεσσήνην. II 16, 6 Πάδος .. ἔχει .. τὰς πηγὰς ἀπὸ

τῶν Ἄλπεων ὡς πρὸς τὴν κορυφὴν .. τοῦ προειρημένου cχήμα-
τος. IX 43, 1 Εὐφράτης .. διαρρεῖ .. ὡς ἐπὶ Βαβυλωνίαν. V 59, 6
τὴν Cελεύκειαν .. περικλωμένην ὡς ἐπὶ θάλατταν. III 45, 5 τοὺς
.. ἱππεῖς προέθετο πάντας ὡς πρὸς θάλατταν. I 42, 8 προσάγειν
ἔργα .. ὡς πρὸς τὸ Λιβυκὸν πέλαγος. VIII 35, 4 (τάφρον) μικρὸν
ἀπὸ τοῦ χάρακος ἀποcτήcαc ὡς πρὸς τὴν πόλιν uö. zu den zuletzt
genannten stellen gehört auch IX 41, 9 ἀπὸ .. τῆς παρεμβολῆς ὡς
πρὸς τὰς χελώνας τὰς χωcτρίδας πεποίηντο cύριγγες κατάcτεγοι,
dh. es wurden bedeckte syringen in der richtung nach den sturmdächern gezogen. die parallelstellen beweisen es ja deutlich, dasz
Pol. bei beschreibung von belagerungsanlagen uä. die richtung der
linien anzugeben pflegte. ebenso unrichtig, wie nun Wunderer die
eben angeführte stelle erklärt 'bis zu den sturmdächern', ist er
auch an einer zweiten stelle verfahren, die ebenfalls hierher gehört.
II 17, 7 heiszt es: τὰ δὲ πέραν τοῦ Πάδου, τὰ περὶ τὸν Ἀπεννῖνον,
πρῶτοι μὲν Ἄναρες, μετὰ δὲ τούτους Βοῖοι κατῴκηсαν, ἑξῆς δὲ
τούτων ὡς πρὸς τὸν Ἀδρίαν Λίγγωνες, τὰ δὲ τελευταῖα πρὸς
θαλάττῃ Cήνωνες 'circa Apenninum primi occurrunt Anarcs, deinde
Boii; post istos versus Hadriam Lingones, postremi omnium ad mare
Senones'. wie hier Wunderer ὡς πρὸς τὸν Ἀδρίαν gar hat erklären können 'bis an den Adria', trotzdem πρὸς θαλάττῃ Cήνωνες
folgt, ist seltsam. — Natürlich findet sich weiter ὡς mit den genannten präpositionen ἐπί, εἰς, πρός sehr häufig bei den wörtern,
welche marschieren, fahren uä. bedeuten, um die richtung der bewegung zu bezeichnen. ich beschränke mich auf diejenigen parallelstellen, welche nötig sind, um Wunderers irrige ansichten zurückzuweisen. neben φεύγειν finden sich bei Pol. zwei ausdrucksweisen:
soll nur bezeichnet werden, in welcher richtung sich die flüchtigen
bewegen, so steht selbstverständlich ὡς mit ἐπί oder πρός. so
fliehen die Epeiroten nach einer bedeutenden niederlage II 5, 8 ὡς
ἐπ' Ἀτιντάνων 'in der richtung des landes der Atintanen'; die leute
des Demetrios wenden sich (III 19, 7) bei ihrer flucht ὡς πρὸς τὴν
πόλιν 'der stadt zu'; endlich die Illyrier und panzerträger sind dem
heere des Machanidas so wenig gewachsen, dasz sie in wilder flucht
auf Mantineia zueilen (XI 14, 1 προτροπάδην ὡς ἐπὶ τῆς Μαντι-
νείας). handelt es sich dagegen um eine flucht, welche der gegner
nicht stillschweigend geschehen läszt, sondern bei der die fliehenden
kräftig verfolgt und gröstenteils niedergemetzelt werden, so begnügt
sich der schriftsteller nicht damit zu sagen, in welcher richtung die
geschlagenen flohen, sondern er hebt, um den panischen schrecken
zu charakterisieren, gern hervor, dasz selbst das lager, die mauern
uä. den flüchtigen nicht sofort schutz boten, sondern dasz der sieger
bis zu diesen punkten hin seine metzelei ausdehnte.[24]. so heiszt
es I 11, 14 ἐπεκράτηcε τῶν πολεμίων καὶ κατεδίωξε τοὺς ὑπεναν-

---

[24] III 64, 6 πολλοὺς ἀποβαλόντας αὑτῶν φυγεῖν αἰσχρῶς μέχρι
τῆς ἰδίας παρεμβολῆς usw.

τίους ἕως εἰς τὸν χάρακα πάντας, I 34, 4 τρεψάμενοι δὲ τούτους
ἐπέκειντο καὶ κατεδίωκον αὐτοὺς ἕως εἰς τὸν χάρακα, III 112, 4
τῶν δὲ Νομάδων ἕως πρὸς αὐτὸν τὸν χάρακα προσπιπτόντων,
V 14, 6 τὸ . . πολὺ μέρος αὐτῶν ἕως εἰς τὰς πύλας καὶ πρὸς τὰ
τείχη cυνεδίωξαν oder endlich XVIII 5 (22), 6 οὐκέτι cυνηλάcθη-
cαν ἕως εἰς τοὺς ἐπιπέδους τόπους. wenn somit I 19, 4 die hss.
bieten πολλοὺς μὲν αὐτῶν ἀπέκτειναν, τοὺς δὲ λοιποὺς ὡc εἰc
τὸν χάρακα cυνεδίωξαν und die zweite hand im codex E ἕως εἰc
corrigierte, so haben dies in hinsicht auf obige stellen alle hgg. mit
recht angenommen: ὡc εἰc τὸν χάρακα könnte nur 'versus vallum'
(Schweighäuser bd. V s. 199), nicht 'usque ad vallum' bezeichnen. so
bleibt von den kritisch sichern stellen, welche Wunderer anführt,
um zu zeigen dasz ὡc ἐπί 'bis' heiszen könne, nur eine einzige
übrig: II 25, 6 ποιηcάμενοι τὴν ἀποχώρηcιν ὡc ἐπὶ πόλιν Φαιcόλαν, αὐτοῦ παρενέβαλον 'quod est usque ad Faesulas'
(Wunderer ao. s. 4). die Gallier waren 529/225 ungehindert, wie
Pol. erzählt, in Etrurien eingerückt und drangen sengend und bren-
nend bis Clusium vor, so dasz sie drei tagemärsche von Rom entfernt standen. da erhielten sie die nachricht, dasz das römische heer
in Etrurien, welches sich im rücken der Gallier zusammengezogen
hatte, ihnen folge. sofort machen die Gallier kehrt, um demselben
eine schlacht zu liefern. so lagen sich denn die heere in der nähe
von Clusium in mäszigem abstand gegenüber. die nacht brach an.
die Gallier zündeten ihre wachtfeuer an, lieszen aber im lager nur
die reiterei zurück, während das fuszvolk in der richtung nach Faesulae abzog und dort auf dem wege auf passendem gelände lagerte.
die absicht war, die Römer glauben zu machen, um zu fliehen sei
das fuszvolk abgezogen; sollten dann die Römer der bei tage sich
rasch in derselben richtung entfernenden reiterei nachsetzen, so
wollten die Gallier das römische heer, das abgetrieben heranrückte,
wider vermuten mit dem gesamten fuszvolk auf dem marsche angreifen. die list gelang. als es tagte, sahen die Römer, wie die
reiterei in der richtung nach Faesulae abzog; das fuszvolk fehlte
ganz. es muste sich also nach römischer ansicht um eine flucht der
verhaszten feinde handeln. eilig setzte das römische heer nach.
'eben darauf hatten die Gallier gerechnet; ihr ausgeruhtes und wohl-
geordnetes fuszvolk empfieng auf dem wohlgewählten schlachtfeld
die römische miliz, die ermattet und aufgelöst von dem gewalt-
marsch herankam. 6000 mann fielen nach heftigem kampfe' usw.
(Mommsen röm. gesch. I⁴ s. 562). so ist die ganze unternehmung,
die sich natürlich auf der strasze von Clusium nach Faesulae abspielte, klar und deutlich. wäre die gallische infanterie bis Faesulae, das mehrere tagemärsche von Clusium und dem gallischen
lager entfernt war, marschiert, so würde der sinn der gallischen list
vollkommen unverständlich sein. wie hätten die Gallier erwarten
können, dasz nach dem marsche von mehreren tagen es sich gerade
so getroffen hätte, dasz sie die römischen truppen mitten auf dem

marsche (παραδόξωc ἐνοχλῆcαι τὴν τῶν πολεμίων ἔφοδον) überraschen würden? daher kann bei Pol. ὡc ἐπὶ πόλιν Φαιcόλαν nur 'in der richtung nach Faesulae' heiszen, wie es auch Mommsen ao. und Ihne (röm. gesch. II s. 113 anm. 12) selbstverständlich gefaszt haben.

Wird also überall durch ὡc mit den präpositionen ἐπί, εἰc, πρόc entweder das vorgestellte verhältnis oder die richtung angegeben, so bezeichnet ἕωc in verbindung mit den genannten präpositionen die begrenzte ausdehnung. am deutlichsten ist dies, wenn der ausgangspunkt, von dem aus zu messen ist, genau angegeben wird. so findet sich bei der zeitlichen messung: III 21, 10 τῶν ἀπὸ τῆc ἀρχῆc ὑπαρξάντων δικαίων .. ἕωc εἰc τοὺc καθ᾽ ἡμᾶc καιρούc, III 27, 10 ἀπὸ τῆc ἀρχῆc ἕωc εἰc τοὺc κατ᾽ Ἀννίβαν καιρούc, III 41, 1 ἀπὸ τῆc ἀρχῆc ἕωc εἰc τὴν Ἀννίβου παρουcίαν. demgemäsz muste Schweighäuser anstosz nehmen an dem IV 1, 5 hsl. überlieferten ἀπὸ μὲν τούτου βαcιλευθῆναι .. ὡc εἰc Ὤγυγον, da es sich hier nur um angabe des anfangs (ἀρξάμενοι .. ἀπὸ Τιcαμενοῦ) der achäischen dynastie und des endes derselben handeln konnte. da nun weiter jeder, der je mit griechischen hss. zu thun gehabt hat, weisz, dasz ἕωc und ὡc deshalb so leicht verwechselt werden, weil ε und ω bei ἕωc in éinen buchstaben zusammengezogen werden, ferner auszerdem III 53, 5 ἐφεδρεύοντα τούτοιc, ὡc ἐν ὅλῃ τῇ νυκτὶ ταῦτα μόλιc ἐξεμηρύcατο τῆc χαράδραc und VIII 7, 6 ὡc ἀνδρομήκουc ὕψουc κατεπύκνωcε τρήμαcι τὸ τεῖχοc auch in den hss. des Pol. ὡc mit ἕωc verwechselt erscheint, so war es unabweisbar, zumal wenn man auszerdem II 41, 5 ἀπὸ τούτου κατὰ τὸ cυνεχὲc καὶ κατὰ τὸ γένοc ἕωc Ὠγύγου βαcιλευθέντεc verglich, IV 1, 5 ἕωc εἰc Ὤγυγον zu schreiben. sogar Wunderer scheint, wenn man aus seinem stillschweigen schlieszen darf, dies zuzugeben. ähnlich verhält es sich bei örtlicher messung. um die ausdehnung der makedonischen herschaft in Europa anzugeben, heiszt es I 2, 4 Μακεδόνεc τῆc .. Εὐρώπηc ἦρξαν ἀπὸ τῶν κατὰ τὸν Ἀδρίαν τόπων ἕωc ἐπὶ τὸν Ἴcτρον ποταμόν 'von den küsten des adriatischen meeres bis zum Istrosflusz'; in ähnlicher weise wird die ausdehnung der karthagischen herschaft in Libyen scharf begrenzt durch die angabe (III 39, 2) Καρχηδόνιοι .. τῆc μὲν Λιβύηc ἐκυρίευον πάντων τῶν ἐπὶ τὴν ἔcω θάλατταν νευόντων μερῶν, ἀπὸ τῶν Φιλαίνου βωμῶν .. ἕωc ἐφ᾽ Ἡρακλέουc cτήλαc. das Pyrenäengebirge erstreckt sich (III 37, 9) ἀπὸ τῆc καθ᾽ ἡμᾶc θαλάττηc ἕωc εἰc τὴν ἐκτόc 'vom mittelländischen meere bis zum äuszern meere'. Hannibal zieht eine mauer vor Tarent (VIII 35, 6) ἀπὸ τῆc Cωτείραc ἕωc εἰc τὴν Βαθεῖαν προcαγορευομένην 'von der Soteira bis zur sog. Batheia'. wer von der jenseitigen küste die strecke vom iapygischen vorgebirge bis Sipus (X 1, 8 ἀπὸ .. ἄκραc Ἰαπυγίαc ἕωc εἰc Cιποῦντα) besuchen und in Italien landen wollte, fuhr nach Tarent. endlich beträgt die entfernung vom meere bis zu den vorbergen in der nähe des flusses

Pinaros (ἀπὸ θαλάττης ἕως πρὸς τὴν παρώρειαν), wenn man nach stadien miszt, nicht mehr als 14 stadien (XII 17, 4). Will also Pol. eine genaue grenze mit oder ohne zahlen angeben, so setzt er zur präp. ἕως hinzu. da nun II 14, 4 ff. gezeigt wird, dasz Italien ein dreieck bildet, dessen spitze das südliche vorgebirge Kokynthos bildet, dessen östliche seite das ionische und adriatische meer, die westliche das sicilische und tyrrhenische meer abgrenzt, während die basis das Alpengebiet bildet, musz Pol., um das bild klar zu gestalten, die einzelnen teile dieses dreiecks genau abgrenzen. in betreff der basis, auf die es hier ankommt, heiszt es daher § 6 λαμβάνουσα τὴν μὲν ἀρχὴν ἀπὸ Μασσαλίας καὶ τῶν ὑπὲρ τὸ Σαρδῷον πέλαγος τόπων, παρήκουσα δὲ συνεχῶς μέχρι πρὸς τὸν τοῦ παντὸς Ἀδρίου μυχόν. allein auch Oberitalien bildet ein dreieck, dessen spitze durch die vereinigung des Apenninus und der Alpen oberhalb Massilias gebildet wird, dessen nördliche seite die Alpen, die südliche der Apenninus darstellt, während die stelle der basis die küste des adriatischen golfs einnimt. da seiten und basis genau gemessen werden sollen, wird die länge der nördlichen seite auf 2200 stadien, die der südlichen auf 3600 stadien angegeben. die länge der grundlinie aber, heiszt es weiter (§ 11), beträgt ἀπὸ πόλεως Cήνης ὡς ἐπὶ τὸν μυχὸν ὑπὲρ τοὺς δισχιλίους σταδίους καὶ πεντακοσίους. vergleicht man nun den zusammenhang, die oben angeführte stelle und was sonst über die verwechslung von ὡς und ἕως gesagt worden ist, so musz — wie H. längst klar und deutlich (jahrb. 1858 s. 815) gezeigt hat — für ὡς eben ἕως corrigiert werden. es findet sich ja auch im ganzen Pol. keine sichere stelle, wo bei messungen mit genauen zahlangaben je zur bezeichnung der einen grenze ὡς ἐπί stünde für ἕως ἐπί.[25] was nun aber der schriftsteller II 14, 6 ausführlich mit den worten beschrieb λαμβάνουσα τὴν μὲν ἀρχὴν ἀπὸ Μασσαλίας .. παρήκουσα δὲ συνεχῶς μέχρι πρὸς τὸν τοῦ παντὸς Ἀδρίου μυχόν, dies gibt er mit ausdrücklicher zurückbeziehung auf jene stelle (ὑπὲρ ὧν ἡμῖν εἴρηται διὰ πλειόνων) noch einmal kurz III 47, 4 λαμβάνουσαι τὴν ἀρχὴν ἀπὸ Μασσαλίας ὡς ἐπὶ τὸν τοῦ παντὸς Ἀδρίου μυχόν. wären diese worte richtig überliefert, so könnten sie nach obigem nur bedeuten, dasz die gebirgskämme von Massilia anfangen in der richtung nach dem innersten Adriabusen. dies würde mit der stelle, auf die der schriftsteller ausdrücklich zurückverweist, nicht übereinstimmen, ist jedoch auch logisch unmöglich. wo der anfang eines sich hinstreckenden gebirges angegeben wird, erwartet man bei dem sorgfältigen Polybios auch über das ende eine genaue angabe. somit übersetzten

---

[25] in verbindung mit der oben (s. 18) angeführten stelle vergleiche man noch III 39, 9 ἀπὸ δὲ τῆς διαβάσεως τοῦ Ῥοδανοῦ πορευομένοις παρ' αὐτὸν τὸν ποταμὸν ὡς ἐπὶ τὰς πηγὰς (in der richtung nach den quellen) ἕως πρὸς τὴν ἀναβολὴν τῶν Ἄλπεων τὴν εἰς Ἰταλίαν (bis zum beginn des weges über die Alpen nach Italien) χίλιοι τετρακόσιοι (sc. στάδιοι).

Casaubonus 'quae a Massilia .. usque Hadriae recessum porriguntur', Benicken s. 275 'welches sich von Massilia bis gegen die äuszerste spitze des adriatischen meerbusens erstreckt', Haakh 'das von Massilien ausgeht und sich bis zu dem innersten Adriasbusen erstreckt', Campe 'welche bei Massilia beginnen und bis zu dem innersten winkel des Adria reichen'. dies kann aber griechisch nur mit ἕωc ἐπί gegeben werden, und dies hat Krebs, der unterz. und Hultsch vollkommen mit recht wiederhergestellt. [26]

So bleibt in Wunderers auseinandersetzungen nur noch eine einzige stelle übrig: V 99, 5. Philippos — erzählt Pol. daselbst — hatte die absicht das sog. phthiotische Theben zu erobern, welches von den Aitolern besetzt gehalten wurde. dieselben machten nemlich von dort aus streifzüge und fügten den bewohnern von Demetrias, Pharsalos, Pherai groszen schaden zu. ja sogar die stadt Larisa, welche von Theben 300 stadien entfernt liegt, hatte von den räuberischen Aitolern zu leiden: πολλάκις γὰρ ἐποιοῦντο τὰς καταδρομὰς ὡc ἐπὶ τὸ καλούμενον ᾿Αμυρικὸν πεδίον. da es nun hier nicht darauf ankommt zu sagen, dasz nur nach der richtung von Amyros hin die ausfälle geschahen, sondern dasz die Aitoler bis nach Amyros (doch gewis in einer unternehmung, die das masz eines tages überschritt) kamen und sich hier festsetzten, um von hier aus das nahe gelegene Larisa zu beunruhigen, so hat mit recht Casaubonus ἕωc ἐπὶ hergestellt und alle hgg. sind ihm gefolgt.

Fassen wir nun das resultat zusammen, so hatte bereits Schweighäuser zu I 19, 4 im allgemeinen richtig den unterschied von ὡc ἐπί und ἕωc ἐπί uä. angegeben; H. führte ao. die scheidung schärfer durch, und endlich Krebs und unterz. zogen — das einzige was noch zu thun war — für unsere stelle III 47, 4 die consequenz. Wunderer dagegen hat die sorgsam geordneten bausteine noch einmal tüchtig durch einander geschüttelt, so dasz ref. eine erneute, hoffentlich nun endgültige sonderung vornehmen zu müssen glaubte, um H.s klarer und umsichtiger beurteilung unserer stelle gerecht werden zu können.

Die verzweifelte stelle III 49, 9 ἐπιcπωμένου τοῦ πρεcβυτέρου καὶ παρακαλοῦντος εἰc τὸ cυμπρᾶξαι καὶ cυμπεριποιῆcαι τὴν ἀρχὴν αὐτῶν | αὐτῶ υπηνουcε (so A) erscheint auch in der zweiten auflage mit dem ominösen sterne. dasz ein fehler in υπηνουcε vorliegt, ergibt der mangel des spiritus und accentes; daher corrigierte der kritiker, den wir kurz mit A[r] zu bezeichnen pflegen, wahrscheinaus einer hs. (s. meine praef. II s. XXII) ὑπήκουcε. aber damit war der anstosz noch nicht beseitigt; infolge dessen tilgte Reiske αὐτῶν als dittographie. jedoch die nunmehr sich ergebende lesart τὴν ἀρχὴν αὐτῶ ὑπήκουcε litt an einem schweren hiatus, über dessen

---

[26] Stichs notiz (philol. rundschau 1889 s. 5) «entspricht ἕωc dem deutschen 'bis', ὡc dem 'in der richtung auf', so passt zu λαμβάνουcαι τὴν ἀρχὴν besser das ὡc der hss. als das vermutete ἕωc» ist ganz unverständlich.

zulässigkeit wir uns vorerst ein urteil bilden müssen. bekanntlich
ist der hiatus in seltenen fällen bei pausen (s. Hultsch im Philol.
XIV s. 299 ff.) zulässig; allein prüft man die von H. angeführten
stellen, von denen auszerdem bei weitem die meisten längst emendiert sind, nach, so findet sich keine einzige, welche sich mit der
unsrigen decken würde. es kann daher keine pause angenommen
werden, und mit recht verschmähte Bekker selbst das komma vor
ὑπήκουϲε. so liegt denn ein hiatus vor, der dem Pol. auf keinen fall
zugetraut werden kann[27], und von diesem fehler, meine ich, ist auszugehen. entweder ist ὑπήκουϲε eine falsche 'verbesserung' oder es
liegt der fehler in αὐτῷ. da nun aber das absolute ὑπακούειν bei
Pol. selbst[28] (III 60, 9) und auch anderwärts (Plut. Arat. 38 καίτοι
Κλεομένηϲ ἤτει τὴν ἀρχὴν παρὰ τῶν Ἀχαιῶν . . Ἀντίγονοϲ δὲ . .
οὐχ ὑπήκουϲε) sicher belegt ist, so glaube ich an demselben festhalten zu müssen[29] und suche den fehler in den vorhergehenden
worten αὐτῶν | αὐτῷ. mit Reiske an eine dittographie zu denken,
hat an und für sich keine bedenken: denn dasz im Vaticanus sehr
oft dittographien vorliegen, bei welchen die beiden lesarten des
archetypus auch einmal einfach hinter einander geschrieben sein
können statt über einander, ist klar. allein mit dieser annahme
kämen wir zu dem resultate, dasz die eine lesart τὴν ἀρχὴν αὐτῷ
ὑπήκουϲε stilistisch richtig, aber mit unentschuldbarem hiatus behaftet wäre, während der andern lesart τὴν ἀρχὴν αὐτῶν ὑπήκουϲε
zwar kein hiatus vorzuwerfen wäre, wohl aber eine stilistische unmöglichkeit. da mir nun ein solcher fall von dittographie im Vat.
nicht bekannt ist, so bleibt nur der ausweg die beiden worte αὐτῶν |
αὐτῷ für verderbt zu halten. da nun ϲυμπρᾶξαι und ϲυμπεριποιῆϲαι
einen dativ zu fordern scheinen, ist αὐτῶν ohne weiteres in αὐτῷ
zu corrigieren. das ν am ende kann nun entweder aus dem beigeschriebenen iota (αὐτῶι) entstanden sein oder — was mir wahrscheinlicher ist — vielmehr mit dem folgenden worte zu verbinden sein. beachten wir nun, dasz in dem nachfolgenden satze προ-
δήλου ϲχεδὸν ὑπαρχούϲηϲ τῆϲ πρὸϲ τὸ παρὸν ἐϲομένηϲ αὐτῷ
χρείαϲ der grund für Hannibals entschlusz angegeben wird, so
scheint es nicht unmöglich, dasz in dem rätselhaften ΝΑΥΓΩ irgend
ein adverbium versteckt ist, welches angeben soll, dasz Hannibal
rasch, gern, bereitwillig sich dem bittenden gefügig zeigte. gern
pflegt Pol. mit ϲυνυπακούειν das adverbium ἑτοίμωϲ zu verbinden
(I 70, 9. V 56, 9. XXI 2 (4), 8. XXVII 2, 12), für das ich hier, um
den hiatus zu vermeiden, νουνεχῶϲ oder προθύμωϲ vorschlagen
möchte, bis besseres gefunden wird. es würde also die stelle zu

---

[27] daher ist Wunderers vermutung (ao. s. 14) ἀδήριτον αὐτῷ ὑπήκουϲε
zurückzuweisen (s. Hultsch in Berliner philol. woch. 1887 s. 1147).
[28] in Schweighäusers lexicon Polybianum fehlt ὑπακούειν vollständig.
[29] Hultsch schlägt in der ann. cr. ϲυνυπήκουϲε vor (über dieses
wort vgl. Mollenhauer de eis verbis cum praep. comp. quae a Pol.
novata sunt, Merseburg 1888, s. 25 n. 35).

lauten haben . . εἰc τὸ cυμπρᾶξαι καὶ cυμπεριποιῆcαι τὴν ἀρχὴν
αὐτῷ νουνεχῶc bzw. προθύμωc ὑπήκουcε usw.
III 50, 3 ann. cr. 12 wird wohl für «εἰc om. F» zu setzen sein
«εἰc om. CDEF», da diese notiz wichtig ist für den nachweis, dasz
die jüngern hss. mit dem Urbinas näher verwandt sind als mit dem
Vaticanus. — III 55, 1 ἐπὶ γὰρ τὴν προϋπάρχουcαν χιόνα καὶ
διαμεμενηκυῖαν ἐκ τοῦ πρότερον χειμῶνοc ἄρτι τῆc ἐπὶ τοὺc
πεπτωκυίαc hatte H. mit groszer wahrscheinlichkeit für das sinnlose τῆc ἐπὶ τοὺc schon in der ersten auflage τῆc ἐπετοῦc geschrieben, und dies ist auch in der zweiten beibehalten worden. Wunderer
(ao. s. 18) wendet sich gegen die vermutung des ref., welcher τῆc
ἐπ' ἔτουc geschrieben, da das von H. eingesetzte ἐπετήc sonst nicht
belegt zu sein scheint, mit folgenden worten 'B. Wobstius proposuit
ἐπ' ἔτουc, quod mihi non probandum videtur; nam si scriptor anni-
versariam nivem dicere voluisset, scripsisset ἐπέτειοc, cf. VI 49, 8
ἐπετείων καρπῶν, XV 29, 8 διά τινα θυcίαν ἐπέτειον, neque praepositio ἐπὶ genetivo adiuncta hanc significationem habet.' dasz ἐπί
mit dem genitiv, um mit dem letzten vorwurf zu beginnen, in der
κοινή zeitlich fast gleichbedeutend mit κατά c. acc. in weitester ausdehnung vorkommt, zeigen ausführlich Bernhardy wiss. syntax
s. 246 f. und für Polybios Krebs präpos. s. 80. der andere einwurf gegen meine vermutung aber, der auch gegen H.s verbesserung
gelten würde, hat mir einige mühe gemacht; doch glaube ich jetzt
verstanden zu haben, was Wunderer meint. weil Polybios 'jährig'
sonst mit ἐπέτειοc bezeichnet, ist er sklavisch an dieses wort gebunden und darf bei leibe nicht irgend eine andere synonyme wendung gebrauchen. ich denke, diese polemik bedarf keiner widerlegung.
III 59, 7 τοὺc κινδύνουc καὶ τὰc κακοπαθείαc τοὺc cυμβάνταc
tilgt der hg. auch jetzt noch mit recht das glossem καὶ τὰc κακοπαθείαc und widerlegt in der praef. s. LXII ff. ausführlich die
entgegengesetzte ansicht Wunderers, der eine vermutung, welche
Schweighäuser nach den damals bekannten hss. methodisch gefunden
hatte, nach den jetzt vorliegenden zeugnissen der hss. in unmetho-
discher weise (ao. s. 15) wiederholt bzw. für die seinige ausgibt.
Nach gemeinsamer arbeit ist man der heilung der sehr schwierigen stelle III 64, 5 ὅταν δὲ . . καὶ τῶν νῦν παρόντων ἀνδρῶν
ἔχωμεν ἐπὶ ποcὸν πεῖραν ὅτι μόνον οὐ τολμῶcι κατὰ πρόcωπον
ἰδεῖν ἡμᾶc, τίνα χρὴ διάληψιν ποιεῖcθαι περὶ τοῦ μέλλοντοc τοὺc
ὀρθῶc λογιζομένουc; glücklich näher gekommen, wenn auch eine
vollständige übereinstimmung leider noch nicht erzielt worden ist.
nachdem Bekker, La Roche und Hultsch (in der ersten auflage) vergeblich das unverständliche μόνον οὐ zu beseitigen versucht hatten,
vermutete unterz. für μόνον das part. μένοντεc; in der neuen auflage hat H. diese verbesserung angenommen, aber für μένοντεc . .
τολμῶcι . . ἰδεῖν mit doppelter correctur μένειν . τολμῶcι . . ἰδόν-
τεc geschrieben mit vergleichung von I 31, 5 οὐδ' ἀκούοντεc ὑπο-

μένειν ἐδύναντο τὸ βάρος τῶν ἐπιταγμάτων und VI 55, 2 ὑπέμενε τραυμάτων πλῆθος ἀναδεχόμενος. ich musz offen gestehen, dasz ich die notwendigkeit auch ἰδεῖν in ἰδόντες abzuändern nicht einsehe; einen ähnlichen gebrauch von μένειν hat Herodotos IX 48 μένοντες . . ἢ ἀπόλλυτε τοὺς ἐναντίους ἢ αὐτοὶ ἀπόλλυσθε und Xen. Kyrup. III 3, 45 ἅτε οὖν νίκης ἐρῶντες μένοντες μάχεσθε.

III 70, 7 wird die conjectur von Kondos τοὺς ἐπικαθεσταμένους στρατηγοὺς für τοὺς ἐπικαθιςταμένους στρ. zwar erwähnt, aber mit recht zurückgewiesen; doch war wohl nicht auf Stich zu verweisen, welcher lediglich behauptet, dasz die consuln zwar ernannt waren, aber ihr amt nicht angetreten hatten. die chronologische frage entscheiden für die hss. Unger im Philol. XLVI s. 332 ff. und Thouret im rhein mus. XLII s. 428 ff.

III 116, 6 geben die hss. ἀποκτείναντες τοὺς περὶ τὸν ποταμὸν ἱππεῖς. Wölfflin schlug für περὶ vor παρά. H. erwähnt diese vermutung, nimt sie aber mit recht nicht in den text auf. περὶ τὸν ποταμόν ist der weitere begriff und heiszt 'um den flusz herum, in der gegend des flusses' (s. Krebs ao. s. 101), παρὰ τὸν ποταμόν schränkt die bedeutung ein 'längs des flusses, an den ufern desselben'. ähnlich hat Polybios III 96, 3 ἡ . . ἐφεδρεία τῶν πεζῶν ἡ περὶ τὸν αἰγιαλόν, V 110, 1 τοῖς περὶ τὸν Ἄῳον ποταμὸν τόποις und Xen. anab. IV 4, 3 κῶμαι δὲ πολλαὶ περὶ τὸν ποταμὸν ἦσαν.

In der schlacht bei Cannae kämpften (III 107, 10 f.) acht legionen Römer, von denen jede fünftausend mann zu fusz und 300 reiter hatte, also zusammen 40000 mann zu fusz und 2400 reiter; von den bundesgenossen aber machte man die zahl des fuszvolks mit der der römischen legionen ziemlich gleich, an reiterei jedoch nahm man das dreifache (τριπλάσιον), dh. 40000 mann zu fusz und 7200 reiter. zählt man diese beiden contingente zusammen, so kämen wir zu einer summe von 80000 mann zu fusz und 9600 reitern. jedoch gibt Pol. selbst (III 113, 5) die summe auf 80000 mann zu fusz und wenig mehr als 6000 reitern an. es stimmt somit die zahl der reiter bei Pol. an den verschiedenen stellen (auch III 117, 2 spricht er nur von 6000 reitern) mit der durch rechnung gefundenen zahl nicht überein. um nun diesen widerspruch zu beseitigen, hat man seit alter zeit für τριπλάσιον vorgeschlagen διπλάσιον, und Tell (Philol. XI s. 107) stimmt dem bei. allein selbst wenn διπλάσιον aufgenommen würde — Hultsch thut dies mit recht nicht — kämen wir auf eine summe von 2400 + 4800 = 7200 reitern dh. wenig mehr als 7000, aber nicht wenig mehr als 6000 mann. jedoch auch weiterhin sind die zahlenangaben des Pol. nicht ohne bedenken. er gibt nemlich III 113, 5 die zahl der römischen fuszsoldaten, welche wirklich bei Cannae kämpften, auf etwa 80000 mann an; er vergiszt also — wie schon längst bemerkt worden ist — offenbar, dasz 10000 mann von diesen 80000 im römischen lager zurückgeblieben waren (wie er selbst III 117, 8 nachträglich erzählt), somit die gesamtzahl der

bei Cannae kämpfenden fusztruppen nur 70000 mann betrug. diesen
fehler berichtigt nun Pol. selbst an der stelle, an welcher er die ge-
samtverluste der Römer zusammenstellt. daselbst (III 117, 2) heiszt
es, dasz von den 6000 reitern 70 nach Venusia, 300 in die benachbarten bundesgenössischen städte entkamen; weiter aber fährt der
schriftsteller fort: ἐκ δὲ τῶν πεζῶν μαχόμενοι μὲν ἑάλωσαν εἰς
μυρίους, οἱ δ᾽ ἐκτὸς ὄντες τῆς μάχης, ἐξ αὐτοῦ δὲ τοῦ κινδύνου
τρισχίλιοι μόνον ἴσως εἰς τὰς παρακειμένας πόλεις διέφυγον. οἱ
δὲ λοιποὶ πάντες ὄντες εἰς ἑπτὰ μυριάδας ἀπέθανον εὐγενῶς. es
sind also von den fusztruppen gegen 10000 mann gefangen worden, gegen 3000 entkommen. alle übrigen gegen 70000 fielen im
kampfe. ich stimme nun H. vollkommen bei (praef. s. LXX), wenn er
darauf hinweist, dasz diese berechnung des Pol. ohne jeden anstosz sei.
da es sich nur um ungefähre zahlenangaben handelt, kann recht wohl
gesagt werden, dasz von ungefähr 80000 ungefähr 13000 abzuziehen
sind und ungefähr 70000 übrig bleiben. eigentümlich und befremdend bleibt nur der zusatz οἱ δ᾽ ἐκτὸς ὄντες τῆς μάχης. wie oben
gezeigt, hatte Pol. nicht angeführt, dasz 10000 mann im römischen
lager zurückblieben; jetzt wo es sich um die gesamtzahl der ge-
töteten bzw. entkommenen oder gefangenen Römer handelt, erinnert
er sich zwar an seine ungenauigkeit nicht (denn sonst würde er dieselbe einfach corrigiert haben); allein er merkt doch, dasz auszer
den kämpfern bei Cannae auch noch die lagertruppen in frage kommen. er sucht daher, ohne zu bedenken dasz er oben noch nichts
von der absonderung jener 10000 mann erzählt hatte, in kurzer
weise auch deren verluste mit in rechnung zu ziehen. gegen 70000
mann (genauer 67000 m.) — führt er aus — fielen auf dem schlachtfelde tapfer kämpfend; diejenigen fusztruppen aber, die am leben
erhalten blieben, sind in zwei [30] beziehungen zu betrachten. 3000
von jenen 70000 kämpfern auf dem schlachtfeld von Cannae konnten
aus der schlacht selbst (ἐξ αὐτοῦ . . τοῦ κινδύνου) entfliehen,
während gegen 10000 mann (genauer 8000) kämpfend, wie es einem
Römer geziemt, gefangen genommen wurden, da ihnen die flucht
unmöglich war. [31] allein damit dem leser verständlich werden sollte,
dasz jene 10000 mann nicht etwa zu den truppen gehörten, welche
an der schlacht selbst beteiligt waren, fügt Pol. als parenthetischen
zusatz hinzu οἱ δ᾽ ἐκτὸς ὄντες τῆς μάχης 'diese aber als unbeteiligt
an der schlacht'. demgemäsz würde der obige satz zu interpungieren
und zu übersetzen sein 'von dem fuszvolke wurden kämpfend gegen
10000 gefangen (doch diese als an der schlacht unbeteiligte), fliehend
entkamen aber aus der schlacht selbst kaum etwa 3000 in die be-

---

[30] in der schlacht selbst wurden keine gefangene gemacht.
[31] es bilden also die gegensätze μαχόμενοι μὲν ἑάλωσαν und ἐξ αὐτοῦ
δὲ τοῦ κινδύνου διέφυγον. weil die erklärer den gegensatz suchten in
μαχόμενοι μὲν und οἱ δ᾽ ἐκτὸς ὄντες τῆς μάχης, ist man unrichtig dazu
gekommen, die stelle für verderbt zu halten und auf verschiedene weise
(s. Hultsch zdst.) zu corrigieren.

nachbarten städte. alle übrigen gegen 70000 starben den heldentod'. doch mag Pol. selbst dunkel gefühlt haben, dasz er dem verständnis der leser ziemlich viel zutraue: denn sofort fügt er § 8—10
eine ins einzelne gehende schilderung über jene 10000 mann und
deren schicksal hinzu. ist also obige oft behandelte stelle durchaus
richtig überliefert — eine anschauung in der ich zur zeit allein stehe
— so mag man wohl daran anstosz nehmen, dasz der sonst so genaue
Polybios hier sich doch etwas dunkel ausdrückt. jedoch ein schriftsteller, welcher bei angabe der zahl der bei Cannae kämpfenden
infanterie 10000 mann abzurechnen vergiszt, welcher ferner in
den allgemeinen angaben über die stärke der reiterei sich in offenbaren widerspruch setzt mit seinen spätern speciellen ausführungen,
scheint — bei aller bcobachtung, die ich dem groszen Megalopoliten
entgegenbringe — doch in éinem punkte nicht ganz taktfest gewesen zu sein: im rechnen. da nun, wie ich zufällig weisz, auch noch
von anderer seite binnen kurzem dem Polybios rechnungsfehler werden nachgewiesen werden*, so meine ich, dasz wir auch an unserer
stelle eine gewisse undeutlichkeit[32] dem Polybios zur last legen
können, da es sich um zahlen handelt.

Werfen wir nun zum schlusz auf diesen ersten band der zweiten
auflage des Polybios, der nebenbei ein muster von correctheit[33] ist,
einen rückblick, so erfüllt es den unterz. mit groszer freude, dem so
hoch verdienten herausgeber für reiche belehrung und allseitige förderung dank sagen zu können. möge dem gelehrten Friedrich Hultsch,
nachdem er die schwere bürde des schulamts zum groszen schmerze
seiner vaterstadt niedergelegt hat, noch ein recht langer geistes-
frischer lebensabend beschieden sein, damit er als πολύβιος seinem
Polybios noch viele treue und ersprieszliche dienste leisten kann!

---

[32] das angeblich anstöszige οἱ δ' ἐκτὸς ὄντες τῆς μάχης als glossem
zu tilgen hiesze die undeutlichkeit bis zur unverständlichkeit erhöhen.
    [33] an druckfehlern habe ich, um die abgesprungenen accente uä.
nicht zu erwähnen, bemerkt: s. XLI z. 20 ἀποχώρησιν für ὑποχώρησιν,
s. XLVII z. 3 Haakkius für Haakhius, s. 27, 23 ἕν für ἐν; s. 264, 26
fehlt die capitelbezeichnung 59.

    DRESDEN.   THEODOR BÜTTNER-WOBST.

[* diese andeutung bezieht sich auf die hier sogleich folgende abhandlung von FGiesing. A. F.]

16.
ROTTENABSTÄNDE IN DER PHALANX
UND DER MANIPULARLEGION UND DIE GRÖSZE
DER INTERVALLE.

Rüstow und Köchly haben in der geschichte des griechischen kriegswesens (s. 238 anm.) die angabe des Polybios (XVIII 29 ff.) über rotten- und gliederabstand in der phalanx und acies für verderbt erklärt, weil hier sowohl dem phalangiten wie dem legionar drei fusz frontraum zugewiesen werde, während doch Polybios wenige sätze später auf éinen mann in der phalanx zwei leute der römischen front rechne, oder was dasselbe sagt, auf die waffen éines legionars zehn speere der phalanx, da bei der länge der makedonischen lanzen die waffen von fünf gliedern über die front hinausragten. später haben dann beide an einer andern stelle (griech. kriegsschriftsteller II 1 s. 114 ff.) die echtheit der stelle zu erweisen gesucht. ich ziehe hier nur die für meinen zweck nötigen worte des Polybios heran: c. 29 heiszt es von der phalanx: ὁ μὲν ἀνὴρ ἵσταται cὺν τοῖc ὅπλοιc ἐν τριcὶ ποcὶ κατὰ τὰc ἐναγωνίουc πυκνώcειc, c. 30 von der acies: ἵcτανται μὲν οὖν ἐν τριcὶ ποcὶ μετὰ τῶν ὅπλων καὶ Ῥωμαῖοι. darauf heiszt es weiter: τῆc μάχηc δ᾽ αὐτοῖc κατ᾽ ἄνδρα τὴν κίνηcιν λαμβανούcηc διὰ τὸ τῷ μὲν θυρεῷ cκέπειν τὸ cῶμα, cυμμετατιθεμένουc αἰεὶ πρὸc τὸν τῆc πληγῆc καιρόν, τῇ μαχαίρᾳ δ᾽ ἐκ καταφορᾶc καὶ διαιρέcεωc ποιεῖcθαι τὴν μάχην, προφανὲc ὅτι χάλαcμα καὶ διάcταcιν ἀλλήλων ἔχειν δεήcει τοὺc ἄνδραc ἐλάχιcτον τρεῖc πόδαc κατ᾽ ἐπιcτάτην καὶ κατὰ παραcτάτην, εἰ μέλλουcιν εὐχρηcτεῖν πρὸc τὸ δέον. ἐκ δὲ τούτου cυμβήcεται τὸν ἕνα Ῥωμαῖον ἵcταcθαι κατὰ δύο πρωτοcτάταc τῶν φαλαγγιτῶν, ὥcτε πρὸc δέκα caρίcαc αὐτῷ γίνεcθαι τὴν ἀπάντηcιν καὶ τὴν μάχην usw. Köchly und Rüstow haben diese worte so erklärt: vor beginn der schlacht standen die Römer ebenso wie die leute der phalanx ἐν τριcὶ ποcίν, im kampfe selbst aber brauchten sie mehr frontraum zur bequemen handhabung ihrer waffen, so dasz sie ihre reihen lockern und noch drei fusz abstand nehmen musten. dann wurde also der frontraum des legionars verdoppelt, von drei auf sechs fusz vergröszert.

HDelbrück verwirft in seinem aufsatze 'die manipularlegion und die schlacht von Cannae' (Hermes XXI s. 83 ff.) diese erklärung mit fug und recht. einmal ist von dem wörtchen 'noch', auf das hier alles ankommen würde, bei Polybios nichts zu finden, und zum andern sind sechs fusz front oder rund 4½ fusz zwischenraum von mann zu mann ohne zweifel zu viel; die acies würde dann zu durchsichtig geworden sein, überall musten sich dem gegner lücken zum eindringen und zertrümmern der römischen gefechtslinie bieten: eine überlegung, durch welche Rüstow offenbar selbst veranlaszt worden ist, an einem andern orte (heerwesen Caesars c. II § 14) nur vier fusz

front oder $2^1/_2$ fusz abstand von dem nebenmanne auf den legionar
zu rechnen. während aber Delbrück jene auslegung als unmöglich zu-
rückweist, erklärt er zugleich die angabe des Polybios für falsch oder
die stelle für verderbt. ich meine mit leichter mühe die glaubwürdigkeit wie die echtheit dieser worte des geschichtschreibers erweisen
und damit zugleich die frage nach dem rottenabstande in phalanx
wie acies auf grund eines intacten, classischen zeugnisses lösen zu
können. nur ist dem Polybios bei der nutzanwendung richtiger
grundzahlen ein leicht erklärlicher rechenfehler zugestoszen.

Was heiszen jene worte des Polybios? die phalangiten stehen
cùν τοῖc ὅπλοιc ἐν τριcὶ ποcὶ κατὰ τὰc ἐναγωνίουc πυκνώcειc, dh.
in der für den kampf geschlossenen stellung nimt der phalangite
drei fusz frontraum ein. ebendasselbe wird von den Römern ausgesagt. da aber bei den Römern die freie bewegung jedes einzelnen
mannes eine hauptbedingung für den erfolg ist, da jeder mann mit
dem schilde den körper decken, sich unaufhörlich dabei je nach
dem stosze hin und her wenden musz und das schwert zugleich
zum hieb und stosz gebraucht, so ist klar, dasz der mann mindestens
drei fusz zwischenraum und entfernung von seinem neben-
und hintermann haben musz. zuerst also redet Polybios von dem
frontraume, den ein phalangite und zunächst auch der legionar
einnimt; im kampfe aber, fügt er hinzu, musz der legionar mindestens
drei fusz abstand haben, dh. er musz den ursprünglichen frontraum um so viel vergröszern, dasz nun der abstand von mann zu
mann drei fusz beträgt; in jener grundstellung aber, in welcher
phalangit und legionar gleichen frontraum haben, hat der abstand
von mann zu mann — so viel selber uns herauszurechnen mutet uns
allerdings Polybios zu — nur anderthalb fusz betragen, da die
andere hälfte der drei fusz der einzelne mann mit seinem körper deckt. [1]
für den kampf selbst verdoppelt also der legionar nicht seinen frontraum, wie Köchly und Rüstow erklären, sondern den abstand von
dem nebenmanne: er erhöht diesen von anderthalb fusz auf drei
fusz, so dasz er nun $4^1/_2$ fusz frontraum anstatt der früheren drei
fusz einnimt. Köchly und Rüstow irren also darin, dasz sie die begriffe frontraum (ἐν τριcὶ ποcί) und abstand (χάλαcμα) vermischen
oder, was dasselbe sagt, vergessen, dasz Polybios bei der ersten angabe den raum, den jeder einzelne mann mit seinem körper deckt,
mit eingerechnet hat, das andere mal aber nur von dem zwischen-
raume oder wirklichen abstande von mann zu mann spricht.

Wie aber haben wir uns nun jene doppelte aufstellung
der acies zu erklären? weshalb war sie unmittelbar vor der schlacht
eine andere, engere, als sie es im kampfe selbst sein konnte?
dasz mit dieser unterscheidung von 'bereitschaftsstellung' und
eigentlicher 'kampfesformation' Polybios nichts erdichtetes be-

---

[1] man glaube nicht, dasz die mannsbreite mit $1^1/_2$ fusz oder rund
45—50 cm. zu knapp bemessen wäre. in unsern schieszvorschriften
wird die mannsbreite nur auf 40 cm. berechnet.

richtet, ist leicht zu erweisen aus einer betrachtung, die zugleich ein neues licht auf eine andere, vielumstrittene taktische frage werfen wird. Polybios wie Livius verbürgen bekanntlich intervalle zwischen den einzelnen manipeln. dasz diese regelmäszig wiederkehrenden zwischenräume zwischen den taktischen einheiten für die schlacht selbst, für den nahkampf unmöglich beibehalten werden konnten, ist von Delbrück, Fröhlich und Soltau (Hermes XX s. 262 ff.) klärlich nachgewiesen worden. vor der eigentlichen schlacht aber waren sie nötig für das schnelle, bequeme vor- und zurückgehen der leichtbewaffneten. aus diesem umstande also erklärt sich die notwendigkeit einer doppelten aufstellung noch nach dem aufmarsche; hatten die leichtbewaffneten ihre aufgabe vor der front erfüllt und waren sie durch die intervalle hinter die gefechtslinie zurückgegangen, so lockerten die manipeln des ersten treffens die rotten, sie schlossen die intervalle und giengen so in die eigentliche gefechtsformation über, in welcher der mann nicht mehr drei fusz, sondern $4^1/_2$ fusz frontraum einnimt. dasz das abstandnehmen und umgekehrt das anschlieszen zu den einfachsten bewegungen einer truppe gehört und ein minimum von zeit in anspruch nimt, wird jeder soldat bezeugen können. in der römischen acies, wo diese bewegung nur innerhalb der einzelnen manipeln stattfand, hat diese ausdehnung der front nach dem rechten oder linken flügel zu, bei der geringen frontlänge der taktischen einheiten, entschieden nur wenige secunden beansprucht.

Die einfachen zahlen unserer Polybiosstelle erleuchten uns aber das bild der römischen acies noch weiter: sie geben uns zugleich die grösze jener intervalle genau an. eine einfache rechnung mit den zahlen 3 und $4^1/_2$ gibt uns die lösung dieser frage. da in der bereitschaftsstellung der mann 3, in der kampfesformation aber $4^1/_2$ fusz frontraum bedurfte, so musten jene zwischenräume für jeden mann $1^1/_2$ fusz, die differenzgrösze der beiden flächen, bieten. die intervalle musten also gleich sein der hälfte der front der ersten, oder dem dritten teile der front der zweiten aufstellung. rechnen wir zb. für den manipel bei 6 mann tiefe 20 mann in der front, so betrug die länge der bereitschaftsstellung 18, die der kampfesformation 27 meter. die differenz zwischen beiden zahlen ergibt die grösze des intervalls — 9 meter. diese bescheidene ausdehnung stimmt trefflich zu den worten des Livius VIII 8,5 *distantes* (sc. *manipuli*) *inter se modicum spatium*. schon dieser ausdruck hätte warnen sollen vor der fixierung jenes in seinen linien so verführerisch gleichmäszigen bildes, nach welchem die intervalle der grösze der manipelfronten entsprochen hätten. wenn dies der fall gewesen wäre, so hätte Livius die genaue angabe dieses umstandes nicht versäumt, da derselbe ja auf das trefflichste zu seiner theorie der treffenablösung gepasst hätte. da er aber überliefert fand dasz die intervalle kleiner waren als die fronten, so begnügte er sich mit dem unbestimmten beiworte *modicus*, weil er eben den grund nicht einsah, weshalb sie nur so grosz und nicht gröszer waren. endlich stimmt zu der aus Polybios zahlen gewonnenen grösze der intervalle auch das zahlenverhältnis zwischen den *manipulares* und den jedem manipel beigeordneten *velites*: 120 : 40, also auch hier das verhältnis 3 : 1. es war demnach für das bequeme vor- und zurückgehen der leichtbewaffneten ein intervall, welches ein drittel der eigentlichen kampfesfront ausmachte, völlig ausreichend.

Doch nun zurück zu unserer stelle des Polybios. für den kampf, sahen wir, gab Polybios den zwischenraum von mann zu mann in der acies auf drei fusz an; dieser abstand betrug in der phalanx bei einem frontraum von drei fusz nur anderthalb fusz. der zwischenraum von mann zu mann war also in der acies doppelt so grosz wie in der phalanx. aus dieser ganz richtigen erkenntnis, die er uns freilich nicht hingeschrieben hat, sondern aus seinen zahlen selber herausfinden läszt, zieht nun Polybios den naheliegenden schlusz: wenn in der acies der abstand doppelt so grosz ist wie in der phalanx, so kommt auf zwei phalangiten immer nur éin legionar oder zehn sarissen auf die waffen éines Römers. für dieses verhältnis hätte aber nicht der abstand von mann zu mann, sondern der frontraum verdoppelt werden müssen. das versehen des Polybios ist also ein auszerordentlich naheliegendes und würde auch heute noch leicht einem militärisch geschulten schriftsteller bei den einfachsten taktischen fragen zustoszen können. und selbst wenn Polybios so weit gieng in der genauigkeit seiner eignen rechnung, dasz er sich mit dem griffel das bild der einander gegenüberstehenden phalanx und acies vergegenwärtigte, so war jene teuschung sehr naheliegend. denken wir uns die ersten rotten des rechten flügels der phalanx und die letzten des linken der acies einander gegenübergestellt. die sarissen des zweiten bis fünften gliedes musten entweder rechts oder links von ihrem vordermann aus dem ersten gliede vorragen; ich nehme an, da nichts darauf ankommt, die phalangiten hätten, wie unsere truppen im zweiten gliede zur zweigliedrigen salve, rechts chargiert. dann ergibt sich folgendes bild:

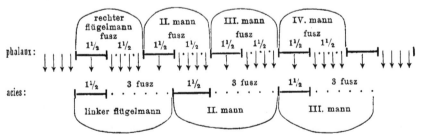

die mit strich bezeichnete fläche bedeutet den raum, den jeder mann mit seinem körper deckt, die punctierte den reglementarischen zwischenraum von mann zu mann, wie ihn Polybios angibt.

Der linke flügelmann der Römer hat also wirklich zwei phalangiten oder zehn speere gegen sich, der zweite mann freilich nur
noch 9, der dritte 6, der vierte wieder 9; der wechsel zwischen 6
und 9 ist dann ein regelmäsziger. mathematisch ausgedrückt ist
also der rechenfehler, der Polybios bei anwendung richtiger grundzahlen unterläuft, der, dasz er das verhältnis von 1 : 1$^1/_2$ vertauscht
mit 1 : 2. auch wenn sich Polybios die aufstellung der römischen
acies zum zwecke seiner schilderung praktisch vorführen liesz —
die aufstellung der phalanx kannte er, der sohn des Lykortas, genau
genug — so war das natürliche, dasz er von dem flügel aus seine
rechnung anstellte, und da erkannte er eben, dasz auf den römischen
flügelmann zwei phalangiten kommen musten. doch mag dem sein
wie ihm wolle, der trugschlusz: der legionar hat den doppelten
abstand des phalangiten, folglich stehen éinem legionar zwei
phalangiten gegenüber, war ein so naheliegender, dasz er auch einem
Polybios widerfahren konnte. von diesem irrtum werden indes jene
grundzahlen durchaus nicht angegriffen, zumal da sie, auch wenn sie
von einem schlechtern als Polybios verbürgt wären, doch als wahr
angenommen werden müsten, weil sie der sache entsprechen. auch
Delbrück kommt schlieszlich nach verwerfung der Polybiosstelle
durch eigne construction, die der natur der dinge mehr entsprechen
soll, zu keinem nennenswert andern resultate: für den phalangiten
möchte er 2$^1/_2$, für den legionar 3$^1/_2$ fusz frontraum annehmen;
er gibt aber zu, dasz man sich den frontraum des legionars recht
gut gröszer denken könnte, so dasz dann ungefähr das verhältnis
2 : 1 sich herausstellen würde. gibt aber Delbrück für den legionar
4 fusz frontraum zu, wie es ja auch Rüstow im 'heerwesen Caesars'
thut, so ist es unnötig die angabe des Polybios zu verwerfen, da
dieser 15 cm. mehr angibt. dasz gerade diese reichliche handbreite
hätte vom übel sein müssen, davon wird er niemand überzeugen.
dasz er aber den frontraum dem phalangiten um einen halben oder
gar einen fusz verkümmert, dazu hat er noch weniger recht. denn
einmal verdient doch Polybios als sohn des achäischen bundesfeld-
herrn für angaben über griechische taktik mehr glauben als eine
construction des neunzehnten jh.; zum andern wird er keinen taktiker finden, der ihm bezeugen wollte, dasz für die verhältnisse der
phalanx mannsbreiter abstand von mann zu mann unnatürlich sei.
zwischen mann und mann vier sarissen, denen doch auch für den
kampf ein gewisser spielraum gegeben sein musz! wenn Homer von
der phalanx singt: ἀcπὶc ἄρ' ἀcπίδ' ἔρειδε, κόρυc κόρυν, ἄνερα δ'
ἀνήρ, so liegt in diesen worten natürlich nur eine dichterische hyperbel, die in keinem widerspruch mit unserer annahme steht. dasz aber
die angabe des Polybios nicht verderbt ist, ist klar, da wir sie auch
an einer andern stelle seines geschichtswerkes finden.
    Dies führt mich zu einer besprechung anderweitiger zeugnisse
aus dem altertum für diese frage. was zunächst die acies betrifft,
so haben wir meines wissens weder eine nachricht, welche die an-

gabe des Polybios stützen, noch auch eine andere, die diese zweifelhaft machen könnte. denn die stelle des Vegetius (III 14) ist völlig
verworren; entweder treibt der biedere Vegetius dort auf eigne faust
taktik, die freilich kläglich genug wäre, oder er berichtet aus seinen
quellen gänzlich misverstandenes. Delbrück hat recht gethan ihn
hier aus der reihe glaubwürdiger zeugen zu streichen. besonders die
bei ihm als regelmäszig erwähnten sechs fusz gliederabstand empfehlen den taktiker und verehrer des kaisers Theodosius. bestimmte
bestätigung haben wir dagegen für die angabe jenes rottenabstandes
in der phalanx. im 12n buche (c. 18 ff.) eifert Polybios gegen die
darstellung der schlacht bei Issos durch Kallisthenes. hier gibt er
uns (19, 7) aufschlus über den frontraum, der auf den phalangiten
während des marsches gerechnet wird: τοῦ γὰρ cταδίου λαμβάνον-
τοc ἄνδρας ἐν τοῖc πορευτικοῖc διαcτήμαcιν, ὅταν εἰc
ἑκκαίδεκα τὸ βάθος ὦcιν, χιλίουc ἑξακοcίουc, ἑκάcτου τῶν ἀνδρῶν ἐξ πόδαc ἐπέχοντοc usw. c. 21, 3 heiszt es dann weiter: εἰ δ'
ὅλωc cυνήcπιcαν κατὰ τὸν ποιητὴν οὕτωc ὥcτε cυνερεῖcαι πρὸc
ἀλλήλουc, ὅμωc εἴκοcι cταδίων ἔδει τὸν τόπον ὑπάρχειν: das ergibt bei 32000 mann und acht mann tiefe für den mann drei
fusz. gleich darauf freilich geschieht dem Polybios dasselbe, was
ihm auch in b. 18 widerfahren sollte: er läszt sich einen elementaren
rechenfehler zu schulden kommen. bei der berechnung, wie tief 32000
mann auf 11 stadien gestellt werden müsten in dem cυναcπιcμόc,
hat er die zahl der fusz eines stadions mit sechs anstatt mit drei
dividiert, dh. den frontraum im marsche mit dem für die kampfesaufstellung vertauscht, so dasz, wenn man nachrechnet, auf einmal
6 fusz für den mann in der πύκνωcιc kommen. dasz an die richtigkeit dieser angabe nicht zu denken ist, sondern dasz eben ein einfacher rechenfehler vorliegt, ist so klar, dasz jedes weitere wort überflüssig ist. ebenso klar ist es aber auch, dasz durch dieses versehen
die unmittelbar vorhergehende richtige angabe nicht im geringsten
beeinträchtigt wird. — Asklepiodotos c. 4 unerscheidet drei verschiedene fronträume für den mann in der phalanx: zu sechs, drei
(πύκνωcιc) und anderthalb fusz (cυναcπιcμόc). die beiden ersten
zahlen stimmen also mit Polybios überein: die erste gibt den frontraum für den marsch, die zweite für die kampfesstellung. die unterscheidung zwischen πύκνωcιc und cυναcπιcμόc ist entschieden die
zuthat späterer zeit, hervorgegangen wahrscheinlich gerade aus der
falsch verstandenen stelle des Polybios XVIII 29, wo die anfügung
der worte Homers noch auf eine engere stellung, als die πύκνωcιc
es nach Polybios ist, zu deuten schien. dasz deshalb aber die ganze
nachricht des Asklepiodotos in das gebiet der 'grauen theorie' zu
verweisen sei, wie Delbrück sich ausdrückt, möchte doch wohl zu
zelotisch geurteilt sein. doch lege ich auch auf die bestätigung der
angabe des Polybios durch diese stelle Asklepiodots keinen besonders
hohen wert. die nachricht des Polybios spricht für sich selbst genug,
einmal weil sie von einem in der griechischen taktik hinreichend er-

fahrenen autor stammt und auszerdem durch die wiederholung an
einer andern stelle als intact nachgewiesen wird, zweitens aber weil
sie völlig der natur der dinge entspricht.

Was ist also aus der von Köchly und Rüstow misverstandenen,
von Delbrück aber verworfenen stelle zu lernen?

1) Der abstand von mann zu mann beträgt in der phalanx
$1\frac{1}{2}$ fusz, da der frontraum 3 fusz ist.

2) In der acies sind zwei aufstellungen noch nach dem aufmarsche zu unterscheiden, die kampfbereitschaftsstellung
mit intervallen für das vor- und zurückgehen der leichtbewaffneten, und die eigentliche kampfesaufstellung ohne intervalle. diese intervalle schlieszen sich durch den übergang der ersten
zur zweiten formation.

3) Der abstand in der acies beträgt für die erste aufstellung
anderthalb fusz, für die zweite drei fusz; die legionare haben also
den doppelten abstand der phalangiten im kampfe selbst.

4) Die intervalle der ersten aufstellung müssen für jeden mann
anderthalb fusz raum bieten, da in der zweiten aufstellung jeder
mann anderthalb fusz mehr abstand hat als in der ersten. die grösze
der intervalle entspricht daher der halben frontlänge der
ersten aufstellung, da in dieser der mann drei fusz frontraum
einnimt, oder einem drittel der zweiten, in welcher $4\frac{1}{2}$ fusz
frontraum auf den mann kommt. kurz: die länge der intervalle
ist gleich der differenz der manipelfronten der beiden aufstellungen.

Und zuletzt das fünfte nicht zu vergessen: dasz wir auch
an Polybios die wahrheit des wortes erfahren: zahlen sind heim-
tückisch; oder dasz man nicht überall bei Polybios emendieren musz,
wo ein widerspruch oder eine unmöglichkeit in zahlenangaben vorliegt, sondern dasz man nachspüren soll, ob dem geschichtschreiber
nicht ein irrtum im rechnen zugestoszen sei, was ja bei der um-
ständlichkeit und schwierigkeit ihrer rechenkunst den alten doppelt
leicht widerfahren konnte.

DRESDEN.   FRIEDRICH GIESING.

17.

ZU THUKYDIDES.

Bei dem jammervollen rückzuge der Athener in Sikelien bemühen sich die verwundeten und kranken den abziehenden kriegern
zu folgen, müssen aber groszenteils zurückbleiben (VII 75, 4 οὐκ
ἄνευ ὀλίγων ἐπιθειασμῶν καὶ οἰμωγῆς ὑπολειπόμενοι, ὥστε
δάκρυσι πᾶν τὸ στράτευμα πλησθὲν usw.). alle hgg. auszer JClassen
nehmen an ὀλίγων anstosz und mit recht: denn die beispiele, welche
Classen für die bedeutung 'leise, unterdrückt' beibringt (Hom. Ξ 492
φθεγξάμενος ὀλίγῃ ὀπί, Thuk. VII 44, 4 κραυγῇ οὐκ ὀλίγῃ χρώμενοι),

beweisen für den plural nichts. von den manigfachen verbesserungsvorschlägen empfiehlt sich am meisten die ansicht JMStahls, welcher
ein glossem ὀλολυγῶν zu ἐπιθειαϲμῶν annimt, das in verdorbenem
zustande in den text geraten sei. indessen ist ἐπιθειαϲμόϲ gar kein
so dunkles wort, und ich möchte daher mit einem andern vorschlage
hervortreten, welcher, wie ich glaube, der ganzen darstellung einen
interessanten hintergrund verleiht. so sehr sich nemlich auch Thukydides einer nüchternen objectivität befleiszigt, so müste er doch
kein mensch gewesen sein, wenn ihn nicht die erinnerung an das
furchtbarste unglück, das Athen je betroffen, aufs tiefste bewegt
hätte. daher finden sich in unserer stelle, welcher es an tragischem
pathos wahrlich nicht fehlt, anklänge an die tragiker, so das wort
κατήφεια (vgl. κατηφήϲ, κατηφεῖν). welche tragödie aber wäre
mehr geeignet dem untergange der athenischen see- und landmacht
als folie zu dienen und zugleich den ungeheuren unterschied von
einst und jetzt vor augen zu stellen als des Aischylos 'Perser'? die
erschütternden töne des schmerzes um des reiches fall passen ganz
hierher. eine offenbare reminiscenz nun aus dieser tragödie ist es,
wenn πληϲθέν, statt wie gewöhnlich mit dem genitiv, mit dem dativ
construiert wird und zwar in derselben verbindung, hier δάκρυϲι
πληϲθέν, bei Aischylos (Perser 134) πίμπλαται δακρύμαϲιν. so
möchte ich denn für ὀλίγων schreiben λιγέων, absichtlich dieses
poetische wort wählend, als reminiscenz nemlich an Perser 332
λιγέα κωκύματα und ebd. 468 ἀνακωκύϲαϲ λιγύ.
BRESLAU.   HERMANN KOTHE.

18.
ZU CAESAR DE BELLO CIVILI.

I 3, 3 *completur urbs et ius comitium tribunis, centurionibus,
evocatis.* eine grosze anzahl verbesserungsvorschläge der offenbar cor-
rupten stelle ist gemacht worden: Oudendorps geschmackloses *urbs
et eius comitium*, das viel anklang gefunden hat, ist hoffentlich für
immer beseitigt; Nipperdey: *urbs militibus, comitium* usw.; Linker:
urbs, clivus, comitium; Heller: *campus Martius, comitium*; Hug im
Philol. XI s. 671: *urbs et ipsum comitium*; Schanz ebd. XXVII s. 776:
completur urbs, Pompeius coit cum tribunis usw. bei heilung der
stelle ist sicher davon auszugehen, dasz *urbs* und *comitium* neben
einander nicht verträglich sind und dasz also die corruptel entweder
in *urbs et ius* oder in *et ius comitium* zu suchen sein wird. ich vermute das erstere und sehe in den worten *urbs et ius* nichts anderes
als ein entstelltes *ṭurbulḗtius* (*turbulentius*), was ja zur situation
ganz vortrefflich passt (vgl. c. 5, 2 *turbulentissimi illi tribuni*).
BLASEWITZ BEI DRESDEN.   ALFRED ERDMANN SCHÖNE.

19.
ZU PLAUTUS.

1. Ist die exposition des Rudens, wie sie uns heute vorliegt,
Plautinisch, so dürfen wir auch annehmen, dasz der dichter in einem·
prolog die zuschauer auf das drama selbst vorbereitet hat. es kann
also auch der dies bezweckende teil des uns überlieferten prologs
v. 32 ff. von Plautus herstammen. Dziatzko 'über den Rudensprolog
des Plautus' im rh. museum XXIV s. 576 ff. glaubt dies erwiesen
durch v. 50 *scelestus Agrigentinus, urbis proditor.* es sind zwei
möglichkeiten: entweder der vers stand schon bei Diphilos, oder er
ist eine erfindung sei es des Plautus sei es eines nachdichters. im
erstern falle wäre für den ursprung des prologs nichts bewiesen, da
Plautus selbst das griechische original meist weniger getreu wiedergab als seine nachdichter. es findet sich aber im verlaufe des stückes
auch nicht die geringste anspielung auf diesen *proditor urbis.* hätte
der kuppler zu einer solchen nicht die beste gelegenheit gehabt,
etwa nach v. 506 oder gar v. 522? konnte er dem Agrigentiner nicht
sagen: 'ich thor, ich hätte doch wissen sollen, dasz dich stadtver-
räter der götter rache treffen muste; ich hätte mich deshalb hüten
sollen mit dir ein schiff zu besteigen, da ich unschuldiger mit dir
dem schuldigen zu leiden erwarten muste'? der Grieche hätte
dies jedenfalls verwertet und Plautus sicher herübergenommen. wir
kennen endlich gar kein ereignis aus der geschichte Agrigents (vgl.
Dziatzko s. 576), auf das sich Diphilos hätte beziehen können. ich
halte so mit Dziatzko für sehr wahrscheinlich, dasz Plautus selbst den
abfall der Agrigentiner des j. 540 d. st. im sinne hatte, als er jene
worte schrieb. die Agrigentiner galten eben damals alle für *pro-
ditores urbis,* entweder, wie Dziatzko erklärt, für solche die ihre stadt
an die feinde der Römer verrieten, oder für solche die die stadt an
Rom preisgaben.

Dann aber ist Plautus selbst der verfasser des prologs, mindestens von v. 32 an. in diesem teile finden sich einige anstöszige
stellen: v. 52 werden *aliae mulierculae* erwähnt neben Palaestra,
während im ganzen stücke stets nur von zweien die rede ist. dies
stimmt mit v. 74. wir können aber auch v. 52 nicht gut ausscheiden wegen v. 63 *avehit meretriculas.* Dziatzko hält den vers für
Plautinisch, traut aber dem dichter diese ungenauigkeit zu. da aber
Labrax, wie aus der scene II 6 klar hervorgeht, nur Palaestra und
Ampelisca besasz — es müste denn doch irgendwo angedeutet sein,
dasz er die andern *meretrices* vor seiner abreise verkaufte — so
möchte ich lieber lesen: *et alterae itidem quae eius erat mulierculae.* v. 56 ist wohl mit recht von Fleckeisen für unecht erklärt
worden. den v. 71 halte ich mit Dziatzko für eine gelehrte randglosse:
die worte sind hier ganz zwecklos, da sonst Arcturus beim weggeben
von der bühne auch seine worte hätte wahr machen müssen. es kam
hier auch nur darauf an zu erwähnen, dasz er als *signum acerrumum*

auch ohne Juppiters urteilsspruch zu erwarten, eigenmächtig vorgehen konnte. doch v. 78 ist unentbehrlich. in wenigen versen
nemlich gibt uns der dichter das verständnis der folgenden scene:
die villa ist die des verbannten greises. ihr aussehen ist eine folge
des nächtlichen sturmes. der herauskommende sklave ist der des
verbannten usw. auch das übrige v. 32—82 ist (mit ausnahme von
56 und 71) aus éinem gusz und nach v. 50 zu schlieszen Plautinisch.

  Wie verhält es sich nun mit dem anfang des prologs? Dziatzko
glaubt, verse wie etwa 13 ff. hätten für unsern weitern prolog gar
keinen sinn. denn wozu melde Arcturus erst alles an Juppiter,
wenn er doch v. 67 ff. thätig eingreife? nach Dziatzko ist alles von
v. 8 an bis 30 unplautinisch. in v. 8 tadelt er *accidunt*; er verlangt
dafür *descendunt* oder ein ähnliches wort. doch warum konnte Plautus nicht mit absicht ein so bezeichnendes wort wie *accidunt* anwenden? wie die äpfel von den bäumen, so fallen die sterne vom
himmel herunter. Plautus konnte dabei sehr leicht an meteore denken. jedenfalls ist man unberechtigt aus subjectivem gefühl v. 8 für
unecht zu halten.

  Wenn man weiter an v. 7 gleich v. 31 anschliesst — man kann
dies ja sprachlich sehr gut — so entsteht trotzdem eine gedanken-
lücke. man fragt mit recht: was thut denn Arcturus bei tage auf
der erde? darüber musten die zuschauer belehrt werden. wenn
ferner Arcturus im ersten teile sagt, Juppiter werde die übelthäter
strafen, so konnte er, wie ich bereits erwähnt, doch als *signum acerrumum* eigenmächtig vorgehen: er vermochte das urteil des Juppiter nicht zu erwarten, sondern handelte selbst, da er wuste dasz
Juppiter seine handlungen billigen werde. Dziatzko sagt ao. s. 581:
Juppiter werde im ganzen stücke nicht erwähnt, anstöszig sei es
ferner, dasz mit der breiten darlegung der für die bösen in aussicht
stehenden schlimmen folgen die ereignisse des stückes nicht im ein-
klange stehen. er erwartet dasz schlieszlich der kuppler und sein
gesinnungsgenosse einen schlimmen lohn davon tragen. es ist möglich, dasz in dem griechischen original eine solche strafe die beiden
missethäter wirklich traf und mit ihr Zeus wieder im hintergrunde
erschien. aber sind nicht auch bei Plautus der kuppler und sein ge-
nosse schon durch ihren schiffbruch hart genug gestraft? jene worte
des prologs von der belohnung der guten und der bestrafung der
bösen sind aber weniger für den weitern verlauf des stückes berechnet — sie stehen ja auch v o r dem eigentlichen *argumentum* —
als auf die zuschauer, vgl. v. 38 ff. endlich ist Dziatzko entgangen,
dasz v. 13 nicht auf den vorhergehenden folgen kann — v. 21 nemlich, den Dziatzko für eine randglosse erklärt, hängt jedenfalls zusammen mit v. 15 ff. — da v. 21 nur eine wiederholung des gedankens von v. 11/12, und v. 17 nur mit andern worten wiederholt, was
schon in v. 13 gesagt worden war. die verse 26/27 findet Dziatzko
sehr ungeschickt: ich weisz nicht warum. wie die belohnungen der
guten (11/12) und die bestrafungen der bösen (16—20), so werden

nun die gebete der bösen und die der guten sowie ihre erfolge neben-
einandergestellt. Arcturus geht aber geschickt von Juppiter auf alle
götter über und gedenkt somit auch der gewalt der übrigen götter
über die menschen. ich erkenne darum zwei neben einander laufende
recensionen: die Plautinische in den versen 11/12. 17—20. 22 ff.
und die des nachdichters in v. 13—16. 21 (22 ff.). für unplautinisch
halte ich also im prolog zum Rudens die verse 13—16. 21. 56. 71.

2. Die überlieferte ordnung der mittlern verse des M e r c a t o r -
prologs ist folgende: 46. 49. 50. 54. 55. 47. 48. 51. 52. 53. 56—58.
59. 60. die verse 49 und 50 gehören eng zusammen (*lenonum —
illorum*), und man darf nicht etwa 49 mit Dziatzko tilgen und in 50
illorum mit Ritschl in *illius* verwandeln. v. 50 besagt übrigens nur
dasselbe was in v. 56—58 auseinandergesetzt wird; ferner läszt sich
meines erachtens doch annehmen, dasz v. 54 und 55 nicht in derselben recension gestanden haben können wie v. 47 und 48. nach
conclamitare wäre *summo haec clamore* eine unerträgliche iteration.
es hindert aber gar nichts v. 54/55 an ihrem platze hinter v. 49/50
zu belassen. auf der andern seite schlieszt sich in den hss. v. 56—58
ausgezeichnet an v. 51—53 an, wie wiederum v. 61 gut nur an
v. 58. so scheide ich zwei recensionen: *a*) 46 + 47/48 + 51—53
+ 56—58; *b*) 46 + 49/50 + 54/55 + 59/60. in v. 46 weist Charinus mit *haec* auf das eben vorhergehende. in v. 47/48 wird nun
der vater geschildert, wie er in der stadt dem sohne allen credit entzieht; v. 51—53 nennen die gründe, die er für seine handlungsweise
öffentlich anführt. 56—58 führen dies weiter aus und leiten dann
zu v. 61 über. die zweite recension möchte ich für die nachplauti-
nische halten wegen der erwähnung der *lenones*; den plural haben
Ritschl, Dziatzko, Reinhardt und andere verworfen. die verallge-
meinerung ist für einen dichterling ungeschickt genug.

Wollten wir mit Reinhardt die verse 40—60 für unecht erklären, so müsten wir ebenfalls mit ihm v. 61—105 ausscheiden.
dagegen hat sich schon Dziatzko mit recht verwahrt. allerdings geht
mit gewisheit aus v. 7 ff. und besonders 10/11 hervor, dasz in der
recension, welcher die versgruppe 7—11 angehört, das ganze frühere
leben des Charinus nicht erwähnt worden war, sondern nur ausgesprochen, wie er zu seiner geliebten in Rhodus, nicht aber, weswegen er überhaupt nach Rhodus gekommen war. jene kurze recension (7—11) mag nur eine darstellung ähnlich der vorhandenen von
v. 92 ab enthalten haben. zu der kürzern recension gehören, glaube
ich, auch die verse 3/4 und 5/6 (Götz), in der ordnung der hss.:
5/6. 7—11. 3/4. der kopf der recension fehlt: denn v. 1/2 gehören
nicht dazu, da erstlich der name der *fabula* nicht zum *argumentum*
gehört, sodann darin die *amores* erwähnt werden, welche eben nur
in der weitern recension standen, während die kürzere nur die letztere liebe des Charinus kennt. v. 7 aber schlieszt sich — will man
nicht eine lücke annehmen, die vielleicht nach art des Poenuluspro-
logs hätte ausgefüllt sein können — an v. 6 an durch die beziehung

des *mercatum* (7) zu *mercator* (6). gehört aber 1/2 nur zur weitern
recension, so ist, da v. 3/4 denselben gedanken geben wie v. 12 ff.,
gar kein grund sie hinter v. 2 zu stellen, sondern wir werden sie
passend hinter v. 11 belassen können, zumal wir nicht wissen, was
auf sie in der kürzern recension folgte. die weitere recension enthielt die verse 1/2. 12—39 ff. doch dürfen wir in 39 das hsl. *conata*
nicht in *coepta* oder *incohata* umändern, da ja in der weitern recension Charinus überhaupt noch nichts erzählt hatte. *conata* bezieht
sich eben auf v. 1/2. es musz also bei der conjectur des Camerarius
certum ut conata eloquar (*certum et c. e.* die hss.) sein bewenden haben.
da wir in den versen 49—60 eine doppelte recension fanden, so
haben wir im ganzen drei verschiedene prologbearbeitungen vor uns.
dies wird uns weiter bestätigt, wenn wir den anfang der gruppe
12—39 aufmerksam durchlesen. v. 19 besagt doch eigentlich, abgesehen von der so zu sagen an den haaren herbeigezogenen *elegantia* nichts anderes als was in v. 25 viel bezeichnender durch *in-
somnia, aerumna, error* ausgedrückt ist. ich halte die verse 19/20
elegantia: haec non modo illum qui amat, sed quemque attigit
usw. für einen litterarischen hieb meinetwegen des Luscius Lanu-
vinus oder eines gesinnungsgenossen gegen — Terentius. man
erinnere sich, was Cicero schreibt *ad Att.* VII 3, 10 *Terentium,
cuius fabellae propter elegantiam sermonis putabantur a C. Laelio
scribi*; Quintilianus X 1, 99 *licet Terentii scripta ad Scipionem Afri-
canum referantur*, und was Terentius selbst in seinen prologen sagt,
zu den Adelphoe 1 *postquam poeta sensit scripturam suam ab
iniquis observari* usw., v. 15 *nam quod isti dicunt malevoli, homines
nobiles eum adiutare adsidueque una scribere* usw.; zum Phormio 4
(*poeta vetus*) *dictitat, quas antehac fecit fabulas, tenui esse oratione et
scriptura levi.* vielleicht bezieht sich das *malum grande*, von dem als
einer folge der *elegantia* der dichter von v. 20 ff. des Mercatorprologs
spricht, auf die verunglückte erste aufführung der Hecyra (a. 165
vor Ch.). ist diese vermutung — es ist nur eine vermutung —
richtig, so stammen die verse 19—24 aus jener zeit des Terentius
und sind bei einer wiederaufführung des Plautinischen Mercator —
denn ich halte den Mercator für Plautinisch — von einem diese
leitenden dichter eingeschoben worden. es müssen alsdann die verse
1/2. 12 ff. älter sein als Terentius: aller wahrscheinlichkeit nach
rühren sie von Plautus her, wie die verse 5—11. 3/4 einem zur
dritten Mercatoraufführung gedichteten prolog aus der nachteren-
zischen zeit angehören mögen. die verse 49/50. 54/55. 59/60
weise ich demselben nachdichter zu, der auch die verse 19—24 eingeschoben hat.

   3. In v. 116 des Mercator ist in B überliefert: *currenti pro-
peranti heu quisquam dignum habet decedere.* die andern hss. bieten
haud. der vers ist ein iambischer vers: man hat ihn verschiedentlich zu heilen versucht. für verkehrt halte ich was Götz bietet *hodie
hau.* das dem sinne nach beste wäre wohl *hau quisquam ⟨umquam⟩*:

vgl. Poen. 269, weil eben das 'niemals' betont werden soll, nicht gerade das 'nirgends' (Bücheler) *hau quisquam ⟨usquam⟩*, da der ort im allgemeinen vorher angegeben war. doch da B *heu* überliefert, so glaube ich den vers leichter durch annahme eines *nequisquam* zu heilen; so gut wie *nequiquam, nequidquam, nequaquam* im gebrauche war (vgl. *ne-uter, ne-utiquam, ne-cubi, ne-cunde* usw.), konnte *nequisquam* vorkommen. diesem entspräche das ebenfalls nur im Mgl. 599 adjectivisch vorkommende *nequis = nullus: unde inimicus nequis nostra spolia capiat auribus.*

4. In demselben stücke nach v. 195 hat Ritschl und nach ihm Götz eine lücke angenommen; mit recht nahm nemlich Ritschl an der wiederholung des *saevis* anstosz: *saevis tempestatibus* (195) — *saevis fluctibus* (198). prüfen wir genau die älteste überlieferung (B), so finden wir dasz *saevis tempestatibus* nur auf den hss. C und D beruht, während B bietet *subt'atuis temptatibus.* es liesze sich denken, dasz *subt'* nur eine fehlerhafte wiederholung des vorhergegangenen *subter* und in *atuis* etwa ein *actus* enthalten wäre; der ganze vers wäre dann mit hiatus gebaut. doch würden wir uns kaum erklären können, wie in C D *saeuis* entstanden wäre. es musz im archetypus etwas gestanden haben, woraus sowohl die lesung von B als die von C D entstand. dies kann nur *sumptus* gewesen sein. *sumptus* in der bedeutung 'mitgenommen, gequält' kennt zb. (Ennius?) bei Cicero: *curis sumptus suspirantibus* (Cic. *de div.* I 21, 42. Ribbeck trag. Rom. fragm.² s. 236). eine lücke wäre dann nicht anzunehmen.

Cleve.   August Eduard Anspach.

* * *

1. Im eingange des prologs zum T r u c u l e n t u s erzählt Plautus, dasz er zum zwecke seiner heutigen aufführung Athen ohne baumeister auf die bühne bringen wolle; er fordert also die zuhörer scherzweise auf ihm den dazu nötigen raum, der ja nur einen verschwindend kleinen teil ihrer stadt bilde, zu überlassen. da ihm dies allgemein bewilligt wird und er weiter die frage an die zuschauer richtet, ob sie ebenso bereitwillig wären, wenn es sich um ihren p r i v a t b e s i t z handelte, da erhält er eine ablehnende antwort. das original dieser stelle lautet nach der ausgabe von FSchöll (Leipzig 1881) folgendermaszen (v. 4 ff):

> *quid nunc? daturin estis an non? — adnuont!*
> *meo ore aio equidem me adlaturum sine mora.*
> *quid si de uostro quippiam exorem? — abnuont!*

doch beruht die fassung des mittlern verses nur auf einer conjectur Schölls und scheint mir ebenso unwahrscheinlich zu sein wie die künstlich zugestutzten deutungsversuche anderer gelehrten, um so mehr da sie sich alle von der überlieferung zu weit entfernen. die bss. haben nemlich: *melior me (meliorem) quidĕ uobis me abiaturum (ablaturum* Z) *sine mora.* nun glaube ich aber, dasz uns den faden aus diesem verworrenen labyrinth der lesart der folgende vers an die hand gibt: denn wenn da gesagt ist, dasz die zuschauer von

ihrem privatbesitz nichts abzugeben gesonnen sind, so wird
naturgemäsz erwartet, dasz unser vers sie im gegensatz dazu als
mit dem gemeingute der stadt freigebig schaltend darstellt, und
dieser sinn wird auch erzielt, wenn im engsten anschlusz an die hss.
gelesen wird: *me si orem quid de urbe ablaturum sine mora.*
das zweite *me* der hss. ist vor *ablaturum* eingeschoben worden, als
sich das erste *me* mit den folgenden worten verschmolzen hatte, ein
acc. *me* aber durch den sinn durchaus geboten war. unnötig scheint
mir ferner in v. 6 die änderung von *orem* der hss. in *exorem* behufs vermeidung des hiatus; dieser hat hier nichts auffallendes, da
zwischen *orem* und *abnuont* eine längere pause, als sonst üblich,
anzunehmen ist, ausgefüllt durch das warten des schauspielers auf
antwort und die ablehnende bewegung der zuschauer. demnach wird
man lesen müssen:

> *quid nunc? daturin estis an non? — adnuont*
> *me si orem quid de urbe ablaturum sine mora.*   •
> *quid si de vostro quippiam orem? — abnuont.*

2. Poenulus 869 ff. lesen wir in der ausgabe von Götz-Löwe
(Leipzig 1884):

SY. Diespiter me sic amabit   MI. Vt quidem edepol dignus es.
SY. Vt ego hanc familiam interire cupio. MI. Adde operam, si cupis.
SY. Sine pinnis volare hau facilest: meae alae pinnas non habent.

wem sollte hier nicht die ganz unvermittelte antwort des Syncerastus
in v. 871 auffallen, welcher, von dem wunsche beseelt die familia
seines gottlosen herrn, des leno, in ein wohlverdientes unglück zu
stoszen und von Milphio aufgefordert diesen entschlusz ernstlich zur
ausführung zu bringen, plötzlich entgegnet, dasz es schwer sei ohne
federn zu fliegen? die hss. stimmen zwar in der lesart überein, aber
wer mit der so groszen neigung des Plautus zu wortspielen vertraut
ist, der musz auf den gedanken verfallen, dasz in den worten *adde
operam, si cupis* ursprünglich eine äuszerung enthalten gewesen sei,
die von Syncerastus scherzweise in einem andern sinne ausgelegt ihn
zu einer solchen antwort veranlaszt hat. und zwar deutet das wort
volare darauf hin, dasz es ursprünglich geheiszen haben musz: *adde
operam, si voles.* Syncerastus faszt *voles* als conj. von *volare* auf
(= sieh zu, ob du fliegen kannst), während es im munde des Milphio
das fut. von *velle* sein soll im sinne von *cupis*, wodurch es auch
später verdrängt worden ist von einem abschreiber, der eine übereinstimmung mit dem in demselben verse vorkommenden *cupio*
herbeiführen wollte. die vermutung vom wortspiele wird auch dadurch bestätigt, dasz im folgenden Milphio seinem freunde nicht nach-
stehen will und ebenfalls mit einem wortspiel (*alae* Sy. = flügel,
Mi. = achseln) antwortet. sehr charakteristisch und vor allen andern
lehrreich für diese vorliebe des Plautus ist die bekannte stelle Truc.
262 ff., wo Astaphium den ungehobelten sklaven Stratulax besänf-
tigend die worte spricht: *comprime sis eiram* (= *iram*), dieser aber
sie in dem sinne von *comprime sis eram* versteht und darüber in eine

unbändige wut gerät. ebenso interessant ist Truc. 421 f., wo, indem Phronesium zu ihrem liebhaber Diniarchus sagt: *postid ego tecum, mea voluptas, usque ero a d s i d u o* (= 'beständig'), dieser im scherze *adsiduo* in dem sinne von 'beisitzend' auffaszt und antwortet: *immo hercle vero a d c u b u o* (= 'beiliegend') *mavelim.* man vergleiche auch den doppelsinn, in welchem *consutus* gebraucht ist Amph. 366 ff. *ME. Ne tu istic hodie malo tuo compositis mendaciis advenisti, audaciai columen, c o n s u t i s dolis. SP. Immo equidem tunicis c o n s u t i s huc advenio, non dolis. ME. At mentiris etiam: certo pedibus, non tunicis venis.*

3. Rudens 497 f. lesen wir in Schölls ausgabe (Leipzig 1887):

utinam quom in aedis me ad te adduxisti, l u t u m,
in carcere illo potius cubuissem die.

da die hss. den ersten vers um einen fusz zu kurz überliefert haben, so hat ihn Schöll durch das wort *lutum* ergänzt. wiewohl nun die conjectur des Camerarius *tuas*, der sich auch Fleckeisen in seiner ausgabe angeschlossen hat, viel ansprechender ist, so könnte doch auch der vermutung Schölls der anspruch auf glaubwürdigkeit nicht unbedingt versagt werden, wenn nicht einerseits der umstand, dasz C hier eine lücke von acht buchstaben zeigt, anderseits die weitern worte des Charmides, des gastfreundes des Labrax (v. 500), *omnis tui similis h o s p i t e s habeas tibi* und die antwort des Labrax (v. 501)* *malam fortunam* (sc. *non hospitem*) *in aedis te adduxi meas* darauf hinwiesen, dasz vielmehr zu lesen sei: *utinam quom in aedis me ad te adduxisti h o s p i t e m.* man vergleiche damit v. 583 *barbarum h o s p i t e m mihi in a e d i s nil moror.*

4. In der dritten scene des zweiten actes des Mercator (ed. Götz, Leipzig 1883) treten vater und sohn, Demipho und Charinus, auf und rivalisieren um den besitz der Pasicompsa, indem jeder von ihnen vorgibt, dasz er von seinem freunde beauftragt sei dieselbe zu kaufen. es entspinnt sich ein heftiger wortstreit: keiner von ihnen will nachgehen. es heiszt nun v. 483:

DE. Numquam edepol me vincet hodie. CH. C o m m o d i s poscit, pater.

wenn man die übereinstimmende überlieferung *commodis* beibehalten will, so bleibt füglich nichts anderes übrig als *minis* zu ergänzen und zu übersetzen: 'er verlangt (das mädchen) für gute münze.' doch die notwendige ergänzung zweier worte in einem so kurzen satze und die erklärung sind zu geschraubt, als dasz die lesart annehmbar sein könnte. wie viel natürlicher wäre es, dasz der sohn seinem vater zur antwort gäbe: 'für deinen freund, der ja ein greis ist (426 *senex est quidam*), ziemt es sich nicht meinem jungen freunde (427 *at mihi quidam adulescens, pater, mandavit*) das mädchen streitig zu machen: der anspruch des jünglings kann also nur billig heiszen.' und in der that, dieser sinn ergibt sich, wenn man den vers, ohne dasz sein klang eine veränderung erleidet, folgendermaszen liest: *Numquam edepol me vincet hodie. ⸏ A e q u o m m o d o is poscit, pater.*

NEUMARK IN WESTPREUSZEN.   JULIUS LANGE.

Curculio 551 ff.

TH. Stúltior stultó fuisti, qui hís tabellis créderes.
LY. Quís res publica ét privata géritur, non eis créderem?
égo abeo: tibi rés solutast récte. bellatór, vale.
TH. Quíd, valeam? LY. At tu aegróta, si lubet, per me quidem aetatem.
vers 554 ist, wie das metrum beweist, in falscher wortstellung überliefert. deshalb hat schon Pylades die beiden letzten worte *quidem
aetatem* umgestellt und so folgenden septenar gebildet: *Quíd, valeam?*
⸨ *At tu aegróta, si lubét, per me aetatém quidem.* dies mittel den vers
dem metrum anzupassen ist so einfach, dasz jeder zweifel an seiner
richtigkeit ausgeschlossen erscheint. daraus erklärt sich die thatsache, dasz die umstellung des Pylades in alle mir bekannten Plautus-
ausgaben, die seit 1506 erschienen sind, als ganz selbstverständlich
aufgenommen worden ist. trotzdem halte ich den vers in dieser faß-
sung für mangelhaft. schon der rhythmus mit den einschnitten vor
und nach *si lubet* und mit dem an dieser versstelle weniger üblichen
wortaccent *lubét* hat mich stets unangenehm berührt; doch dies ist
mehr sache des geschmacks. aber geradezu beweisen läszt sich, dasz
quidem nicht zu *aetatem*, sondern zu *per me* gehört und somit in den
hss. an richtiger stelle überliefert ist. weniger gewicht lege ich darauf,
dasz *aetatem* ʻzeitlebensʼ an den andern stellen bei Plautus (Asin.
21. 274. 284. Amph. 1023. Men. 720. Poen. 636. Pseud. 515 und
Rud. 715), wo es doch nicht geringern nachdruck hat als Curc. 554,
ohne *quidem* steht, desto mehr aber auf die überaus häufige verbindung von *quidem* mit einem personalpronomen, wobei *quidem* zugleich hervorhebt und beschränkt. es wird genügen hier nur auf
folgende beispiele hinzuweisen: Curc. 564 *nil apud mé quidem* (am
ende), Curc. 499. 514 und Poen. 232 *meo quidem animo*, Rud. 139
mea quidem hercle causa salvos sis licet, Men. 727 *mea quidem hercle
causa vidua vivito*, Men. 1029 *mea quidem hercle causa liber esto,*
Men. 792. Merc. 1020 *per nos quidem hercle egebit* und Rud. 1165
filiam meam esse hanc oportet, Gripe. ⸨ *Sit per mé quidem* (am ende).
aus der zusammengehörigkeit der worte *per me quidem* ergibt sich
zugleich, dasz der septenar ursprünglich ebenso wie Rud. 1165 mit
den worten *per mé quidem* abschlosz, und weiter dasz *aetatem* nach
aegrota einzusetzen ist:
     Quíd, valeam? ⸨ *At tu aegróta aetatem, si lubet, per mé quidem.*
die ähnlichkeit von *aegrota* und *aetatĕ* mag schuld daran gewesen
sein, dasz *aetatem* zuerst weggelassen und dann am versende nachgetragen wurde. in rhythmischer beziehung ist nun der vers tadel-
los; die einschnitte vor und nach *si lubet* sind als diäresis und cäsur
vor der letzten dipodie durchaus berechtigt, desgleichen der wortaccent *lubét* im drittletzten iambus.

WEIMAR.   ERNST REDSLOB.

20.

STUDIEN ZU DEN GRIECHISCHEN ORTSNAMEN. MIT EINEM NACHTRAG
ZU DEN GRIECHISCHEN STICHNAMEN. VON DR. L O R E N Z G R A S -
B E R G E R, ORD. PROFESSOR AN DER UNIV. WÜRZBURG. Würzburg,
Stahelsche universitäts-buch- u. kunsthandlung. 1888. IX u. 391 s.
gr. 8.

Seitdem durch die erstehung des königreichs der Hellenen die
topographischen studien auf diesem classischen boden einen unge-
ahnten aufschwung genommen haben, hat sich, gewissermaszen unter
dem schutz dieser studien, auch eine wissenschaftliche, auf festen
principien ruhende behandlung der altgriechischen ortsnamen entwickelt. bahnbrechend hat hier vor allen übrigen forschern E r n s t
C u r t i u s gewirkt. sowohl in seinem herlichen werke 'Peloponnesos'
wie auch in verschiedenen kleinern schriften, so zb. den 'Ioniern vor
der ionischen wanderung' (Berlin 1855), besonders aber in den 'beiträgen zur geographischen onomatologie der griechischen sprache'
(Gött. nachrichten 1861 n. 11) sind die fruchtbarsten anregungen und
gediegensten ausführungen für die altgriechische ortsnamenkunde
gegeben. treffend sagt Egli in seiner geschichte der ortsnamenkunde s. 181 über die letztgenannte abhandlung: 'philologische
meisterschaft und ein feiner geographischer sinn haben sich in glücklicher weise verbunden, so dasz die beiträge unter die besten leistungen der namenkunde gehören.' und weiterhin erkennt er dankbar
an, wie die darin niedergelegten allgemeinen gesichtspunkte ihn angeregt und in seinen wissenschaftlichen principien bestärkt haben.
sicherlich ist es für alle, die toponomastische studien treiben, eine
grosze freude gewesen, dasz sich noch jüngst ECurtius entschlossen
hat in den sitzungsberichten der k. preusz. akademie der wiss.
bd. XLVII s. 1209—1229 'beiträge zur terminologie und onomatologie der alten geographie' zu veröffentlichen. in sinniger weise hat
der vf. darin gezeigt, wie die alten Hellenen das wesen ihrer flüsse
aufzufassen pflegten und wie sich ihre betrachtungsweise in ihren
flusznamen widerspiegelt. ohne zweifel ist die annahme berechtigt,
dasz diese onomatologischen studien in Ernst Curtius angeregt und
gefördert worden sind durch seinen jüngern bruder G e o r g C u r t i u s,
den schöpfer der wissenschaftlichen etymologie der griechischen
sprache. hat doch auch dieser in dem hauptwerke seines lebens, den
grundzügen der griechischen etymologie, ein reiches material für die
ortsnamenkunde niedergelegt.

Vieles hat nach derselben richtung hin auch der altmeister der
etymologie, A F P o t t, in seinen zahlreichen schriften an verschiedenen stellen zusammengebracht. manche gelungene namendeutun-
gen finden sich auch in G B e n s e l e r s bearbeitung von Papes wörterbuch der griechischen eigennamen. namentlich verdient die heranziehung des Hesychios und der Etymologika anerkennung, während

sonst das daselbst verfolgte princip der übersetzung vielfach einen
etwas dilettantenhaften eindruck macht.

Von geographen sind besonders auf die ortsnamenkunde vielfach eingegangen B u r s i a n in seiner 'geographie von Griechenland'
und K i e p e r t in seinem 'lehrbuch der alten geographie'. dagegen
hat L o l l i n g in seinem sonst so verdienstlichen werke diese seite
leider ziemlich vernachlässigt. auf die semitischen elemente unter den
griechischen ortsnamen haben abgesehen von Gesenius und Movers
nach einander näher hingewiesen J O l s h a u s e n im rhein. museum VIII
und im Hermes XIV, O K e l l e r im rhein. museum XXX und E O b e r -
h u m m e r in seiner schrift 'Phönizier in Akarnanien' (München
1882). ferner scheint eine reiche ausbeute für die griechischen ortsnamenkunde die mir bis jetzt noch unbekannte schrift des Engländers
H e n r y F a n s h a w e T o z e r 'lectures on the geography of Greece'
(1873) zu bieten. weiter sind altgriechische flusz- und städtenamen
von mir im programm der fürstenschule Meiszen 1883 behandelt
worden. hoffentlich finde ich endlich in den nächsten jahren bei
meinem arbeitsreichen schulamt die nötige zeit, um den längst ge-
hegten plan der abfassung eines etymologischen wörterbuchs der
altgriechischen ortsnamen, wofür ich schon seit anderthalb jahr-
zehnten eifrig gesammelt habe, zur ausführung zu bringen. ich
musz mir versagen an dieser stelle auf das in verschiedenen zeitschriften, zahlreichen programmen und monographien verstreute
material, das einzelne gelehrte gelegentlich beigebracht, näher einzugehen. nur die namen Sonne, Vaniček, Fick, Baunack, Weck,
Nadrowsky seien hier genannt.

Um nun auf das vorliegende werk selbst überzugehen, so sei von
vorn herein bemerkt, dasz der vf. in demselben eine reiche fülle von
stoff angehäuft hat, der, wenn man das inhaltsverzeichnis überblickt,
auch gut geordnet zu sein scheint. vorangestellt sind die ortsnamen,
die eine ähnlichkeit, sei es mit menschen und menschlichen gliedern,
mit tierkörpern oder andern gegenständen zum ausdruck bringen.
dann folgen diejenigen, welche an die beschaffenheit des bodens sowie
an die flora und cultur einer gegend, ferner die welche an zahlen und
abstracte begriffe anknüpfen. auch der nichtgriechischen ortsnamen
ist in einem besondern abschnitt gedacht. natürlich erkläre ich mich
auch mit dem in der einleitung unter berufung auf meine schrift aufgestellten princip einverstanden, dasz keine deutung von ortsnamen
zulässig ist, die in ausgesprochenem widerspruch mit der jeweiligen
örtlichen beschaffenheit steht.

Trotz alledem kann ich jedoch nicht umhin, dem vf. wegen der
behandlung seines stoffes nach zwei seiten hin entschiedene vorwürfe
zu machen. einerseits nemlich zeigt er zu wenig bekanntschaft und
vertrautheit mit den jetzt allgemein anerkannten principien der
sprachwissenschaft, insbesondere mit den elementarsten lautgesetzen.
anderseits ist er oft allzu nachlässig in der wiedergabe der ansichten
anderer gelehrten. dasz nach dieser seite hin bei einer derartigen

arbeit fehler und misverständnisse nur allzu leicht mit unterlaufen, ja fast unvermeidlich sind, weisz ich aus eigner erfahrung; aber hier sind derselben so viele, dasz der wert des ganzen werkes fast auf null herabsinkt. überhaupt möchte ich auch mit rücksicht auf den sprachlichen, oft höchst nachlässigen ausdruck behaupten, dasz dem buche die ruhig erwägende, kritisch sichtende und besonnen nachprüfende letzte durchsicht fehlt. das ganze macht den eindruck einer groszen eilfertigkeit, die sich in vielen fällen begnügt hat auf wohl schlecht geschriebene excerpte, nicht auf die quellen selbst zurückzugehen.

Um den ersten vorwurf, den der unbekanntschaft mit den elementarsten lautgesetzen zu begründen, sei auf folgendes hingewiesen. s. 75 wird der name Φινεύϲ mit Ϲφιγγεύϲ zusammengebracht. wenn auch der abfall von ϲ am wortanfang sehr wohl möglich ist, so sehe ich doch keine brücke zwischen ν und der lautgruppe γγ. höchstens könnte man den ersten namen auf eine wurzel *spa* zurückführen, von der die wz. *spak*, die dem zweiten namen zu grunde liegt, eine erweiterung durch determinativ *k* wäre. — S. 88 wird die alte zusammenstellung von ἀίϲϲω und αἴξ wiederholt. doch wie denkt sich der vf. das lautliche verhältnis? müste man nicht analog dem attischen ἄϲϲω statt αἴξ auch ᾄξ erwarten? doch mit solchen lautlichen kleinigkeiten gibt sich der vf. offenbar principiell nicht ab. — S. 93 hätte die von Benseler gegebene deutung von Ϲαρνοῦϲ als 'Schafstädt' nicht wiederholt werden sollen. denn wer glaubt denn heutzutage noch, was für Benseler nach dem vorgange Savelsbergs allenfalls verzeihlich war, an die gleichwertigkeit von F und ϲ? — S. 136 wird der gebirgsname Κράγοϲ zu deutschem *kragen* gestellt, ohne dasz dem vf. das gesetz der lautverschiebung irgend welchen kummer bereitet. sicherlich ist dieser name richtig von Fick wörterbuch I³ 547 mit skr. *çṛṅga* 'horn, bergspitze' zusammengestellt worden. leicht möchte man sich versucht fühlen auch den bisher noch nicht befriedigend erklärten namen Ἀκράγας in diesen zusammenhang zu bringen. — S. 143 heiszt es: 'vielfach ist aber auch eine abstoszung des anlautenden kehllautes erweislich.' als belege dafür werden Καυλωνία = Αὐλωνία, καπήνη = ἀπήνη sowie Ϲκάμανδροϲ und Κάμανδροϲ gebracht. seit wann, um von allem übrigen abzusehen, ist ϲ ein kehllaut? — ebd. wird Ἀκάμας aus wz. καμπ abgeleitet. wohin soll sich das π der letztern verflüchtigt haben? — S. 151 wird der name der sikelischen stadt Ὕκκαρα neben Ὑπέρεια, Ὑπάτη usw. gestellt. nun aber ist Ὕκκαρα nach Thuk. VI 62 ein πόλιϲμα Ϲικανικόν, gehört also einem volksstamm an, dessen Indogermanentum zwar wahrscheinlich, aber doch noch nicht erwiesen ist. jedoch auch dies angenommen, wie kann ursprüngliches *p*, das offenbar in ὑπέρ und seinen ableitungen vorliegt, sich in κ verwandeln? — S. 158 wird ϲτυφνόϲ, Ϲτύμφαλοϲ mit Ϲτύξ in verbindung gebracht. dem vf. schwebt hier wohl eine wz. *stu* vor, die in diesen namen verschieden determiniert sei. denn an eine gleich-

12 *

setzung von φ und γ denkt er doch hoffentlich nicht. aber warum
spricht er sich nicht klar und bestimmt aus? — S. 199 wird *Latium*
und *latus* ʻseite' mit gr. πλατύς verglichen. wo in aller welt ist
aber bis jetzt für das latein ein abfall von *p* vor *l* nachgewiesen?

Nach all dem gesagten wird es nicht wunder nehmen, wenn der
vf. bei Κολοφών an κοῖλος denkt, Κάλπη mit κάρα vergleicht,
῎Αλτις auf wz. *ard* zurückführt und Θάσος zu δασύς stellt. auffällig
ist ferner, dasz öfters zweisilbige wurzeln erwähnt werden, so s. 120
astam, 180 κιμο, 296 *açā*. ebenso wird Vaniček s. 177 zugemutet,
weil er λεπρός nicht unter wz. *lap* erwähne, dasz er wohl das ρ
jenes wortes für wurzelhaft gehalten habe. sicherlich wuste aber
Vaniček recht gut, dasz eine indogermanische wurzel λεπρ ein sprach-
liches unding ist.

Auch über das verhältnis des semitischen zum indogermanischen
hat sich der vf. offenbar kein klares bild gemacht. so trägt er kein
bedenken s. 164 den namen der kilikischen stadt Μαλλός für semi-
tisch zu erklären und damit das keltische *meall* zu vergleichen.
ebenso wird s. 297, allerdings nach dem vorgang Oberhummers, der
in vielen indogermanischen sprachen erscheinende stamm καρν oder
richtiger *karno* mit dem phönikischen *qeren* zusammengebracht. bei
dem so ganz verschiedenen bau der indogermanischen und semitischen sprachen sowie dem völlig von einander abweichenden laut-
system beider sprachstämme halte ich alle solche anklänge für rein
zufällig und demgemäsz derartige vergleichungen für verfehlt.

Zur begründung meines zweiten gegen den vf. erhobenen vor-
wurfs, der grösten nachlässigkeit in der wiedergabe der ansichten
anderer mitforscher, sehe ich mich genötigt zunächst als anwalt in
eigner sache aufzutreten. laut index habe ich siebzehnmal die ehre
citiert zu werden. von diesen siebzehn citaten sind nicht weniger
als sieben ungenau oder falsch. so ist s. 180 meine aufstellung über
die deutung des namens Κίμωλος höchst ungenau wiedergegeben.
misverständlich ist ferner das s. 214 über Τροία, Τροιζήν gesagte,
da man denken musz, dasz ich der schöpfer dieser etymologie sei
und GCurtius sie von mir entlehnt habe, während das umgekehrte
der fall ist. ebensowenig habe ich jemals, wie s. 145 behauptet wird,
gesagt, dasz ᾿Αθῆναι eine kurzform sei. jeder, der meinen artikel
über ᾿Αθῆναι, ᾿Ατθίς, ᾿Αττική in diesen jahrbüchern 1888 s. 3 ff.
liest, wird mir zugeben, dasz Grasberger den inhalt ganz confus
wiedergibt. ebenso falsch ist die s. 150 aufgestellte behauptung,
dasz ich den namen Θῆβαι zu wz. *dhab*, θίβρος, *dhabra* lat. *faber*
stellte. denn in meinem programm s. 25 heiszt es ausdrücklich:
ʻvielmehr wird man an die s. 14 behandelte wz. *dhabh* anknüpfen
müssen, deren aspiraten Θῆβαι in derselben weise wiedergibt wie
θίβρος die von ursprünglichem *dhabhra*, lat. *faber* (Fick I³ 633) oder
φόβος die von wz. *bhabh*.' noch stärker ist folgendes stück, welches
zugleich ein grelles schlaglicht auf die leichtfertige art und weise
Grasbergers im lesen und excerpieren wirft. s. 134 heiszt es nem-

lich: 'auch Κορϲϵαί oder Κορϲιαί bedeutet hügelstadt. . . Angermann dagegen stellt auch diese namensform zu χόρτοϲ = *hortus*, gleichwie Νϵμέα und 'Αρίαρτοϲ.' es geht dieses citat auf s. 4 meines programms zurück, wo ich auseinandergesetzt habe, dasz zur auffindung der richtigen etymologie es nötig sei auf die älteste gutbeglaubigte namensform zurückzugeben, als die ich in diesem falle Χορϲιαί, nicht Κορϲιαί ansehe. es heiszt dann bei mir: 'demnach wird dieser name von Κόρϲη zu trennen sein und sich vielmehr zu χόρτοϲ stellen, also gleich Νϵμέα ua. die bedeutung «weideplätze, viehhöfe» haben. ebenso bietet 'Αρίαρτοϲ, die legende der ältesten münze von Haliartos, den weg zur richtigen erklärung dieses namens, der, wie Meister I 252 richtig erkannt hat, aus ἀρι «sehr» und ἀρτο «gefügt» zusammengesetzt ist, also wohl im sinne von «die starke festung».' — Auch gegen das citat auf s. 216 musz ich entschieden verwahrung einlegen. es heiszt daselbst: 'nach Hekataios führte Mykenai diesen namen, weil Perseus daselbst das ende seiner schwertscheide, das sogenannte ortband (μυκῆν, gewöhnlich μύκην, μύκητα) verloren hatte. und wirklich hat neuerdings Angermann s. 22 zu Μυκῆναι die wz. μυ = binden angezogen.' dasz ich aber nicht an μυκῆν und die von Hekataios mitgeteilte fabel gedacht habe, wird jeder ersehen, der mit etwas mehr aufmerksamkeit als hr. Grasberger s. 23 — nicht 22 — bei mir nachliest, wo es heiszt: 'leicht könnte man sich versucht fühlen den namen des achäischen 'Αμύκλαι, das ja wegen seiner starken mauern berühmt war, auf ἀμύνω zurückzuführen. ja sogar Μυκῆναι liesze sich in diesen zusammenhang bringen (wz. *mu* «binden, festigen» Fick I³ 726).' den stärksten beweis seiner nachlässigkeit hat aber der vf. wohl auf s. 181 gelegentlich der etymologie des namens Ἄρτοϲ gegeben. dort heiszt es: 'auch Angermann (s. 10), der bei dem namen Argos an das slavische *rěka* = flusz sich erinnert und ἀργὸν πεδίον als den nassen boden nimt, der dem pfluge noch nicht zugänglich ist, entfernt sich mit dieser auslegung zu weit von dem bekannten stehenden beiwort πολυδίψιον Ἄρτοϲ, dh. das quellenarme' usw. ich gestehe dasz ich förmlich betroffen war, dasz ich jemals solchen unsinn behauptet haben sollte, tröstete mich aber sehr bald, als ich sah, dasz auf der citierten s. 10 lediglich stand: 'auch das slav. *rěka* flusz (vgl. deutsch *regen*) liegt wohl den in Deutschland vorkommenden flusznamen wie *Regen*, *Regnitz*, *Rega*, *Reglitz* zu grunde.' das wort Ἄρτοϲ kommt auf jener ganzen seite überhaupt gar nicht vor. vielmehr habe ich s. 4 ausdrücklich hinsichtlich dieses namens meine zustimmung zu der von Unger aufgestellten etymologie ausgesprochen. ist übrigens, um hier eine philologische conjectur zu wagen, Grasbergers irrtum darauf zurückzuführen, dasz er eine in seinen excerpten schlecht geschriebene abbreviatur meines namens für Argos gelesen hat?

Jedoch kann ich mich über diese misverständnisse trösten, da es andern gelehrten nicht besser ergangen ist. so werden zb. s. 80 die brüder Curtius als gewährsmänner für die ganz verfehlte etymo-

logie von Ὄθρυς = ὀρθός citiert, während diese vielmehr jenen
namen mit ὀφρύς in verbindung bringen. auch Kiepert musz sich
s. 115 eine völlig falsche auslegung seiner worte gefallen lassen.
nach Grasberger soll er nemlich den namen Τραπεζοῦς als 'zeltberg'
deuten, während er in wahrheit an der citierten stelle dies nur als
übersetzung des jetzigen türkischen namens *Tschatyr-Dagh* gibt.
einen weitern beweis seiner nachlässigkeit liefert der vf. auf der
seite vorher.   dort heiszt es von Sicilien: 'die volkslegende begrub
unter das land eine göttersichel, wonach diese gestalt entstanden
sei, Thuk. VI 4; Ov. *fast.* IV 474; Welcker kl. schr. II s. 44 anm. 88.'
hierzu ist zu bemerken, dasz der satz selbst wörtlich aus Welcker
entlehnt ist, dasz die angeführten stellen aus Thukydides und
Ovidius gar nichts von der volkslegende enthalten, sondern sich auf
Zankle-Messana oder Drepana beziehen, dasz endlich bei Welcker
die anmerkung 88 sich ebenfalls nicht auf die volkslegende bezieht,
sondern erst anm. 89, dasz aber anm. 88 jene citate aus Thuk. und
Ovidius bringt, die, obgleich sie ausgeschrieben sind, der vf. gar
nicht gelesen haben kann.

Noch manche andere beispiele, die Bursian, Keller ua. betreffen,
könnte ich beibringen.   jedoch genügen wohl die angeführten als
illustrationsprobe für die nachlässige art und weise, mit der Grasberger zu arbeiten pflegt.

Nach diesen auseinandersetzungen will ich mich noch zur besprechung einiger einzelner punkte wenden. s. 49 sagt der vf.: 'alle
eigennamen sind als ursprüngliche appellativa zu betrachten.'   in
dieser allgemein lautenden fassung möchte ich wenigstens für ortsnamen die gültigkeit dieses satzes bestreiten.   sollte es nicht vielmehr heiszen: 'jeder wahre ortsname geht ursprünglich zurück auf
einen appellativen begriff, der verbunden ist mit einem attribut'?
erst das hinzutreten des letztern hebt den geographischen einzel-
begriff aus der sphäre der allgemeinheit heraus.   natürlich kann das
attribut in der verschiedensten weise mit dem appellativum verbunden sein, so zb. adjectivisch wie in Καλὴ ἀκτή oder Μεγάλη πόλις,
oder durch zusammensetzung wie in Καλλικολώνη, Θερμοπύλαι,
oder genitivisch wie Κωνσταντίνου πόλις, Κυνὸς κεφαλαί usw.   im
ersten falle ist nun vielfach oder meist das appellativum weggelassen
worden, daher namen wie Ἡραία, Σπάρτη (die zerstreute) sc. πόλις,
oder flusznamen wie Ἐρασῖνος (der liebliche), Εὐρώτας (der schön-
flieszende) sc. ποταμός. im zweiten falle, dem der zusammensetzung,
wird nicht selten aus einer art bequemlichkeit der erste bestandteil
unterdrückt, so dasz das appellativum schlieszlich in die stelle des
eigennamens eintritt.   charakteristisch hierfür ist Herodotos VII 201
καλέεται δὲ ὁ χῶρος οὗτος ὑπὸ μὲν τῶν πλεόνων Ἑλλήνων Θερμοπύλαι, ὑπὸ δὲ τῶν ἐπιχωρίων καὶ περιοίκων Πύλαι. ebenso reden wir
Sachsen mit beziehung auf das Erzgebirge schlechtweg vom 'gebirge'.
es ist von selbst einleuchtend, dasz solche allgemeine namen wie
obiges Πύλαι wirkliche eigennamen nur dann werden können, wenn

innerhalb eines gröszern geographischen raumes der betreffende geographische begriff nur éinmal vorhanden ist, so dasz eine verwechslung ausgeschlossen ist. so hat der ursprünglich allgemeine name *hard* für isolierte gebirgszüge wie den *Harz* schlieszlich eigenname werden können. und ebenso erklärt es sich, dasz die namen groszer flüsse vielfach die appellative bedeutung flusz, strom haben. auf ursprünglich genitivisches attribut könnte man griechische namen wie Ἄκραι, Δελφοί, Οἰνιάδαι zurückführen als stadt der höhen, schluchten, der weinbauern. ja selbst solche uns in ihrer bedeutung wunderbar berührende städtenamen wie Ἀστακός (krabbe), Ἐρινεός (wilder feigenbaum) werden sich so erklären.

Selbstverständlich lassen sich jedoch keineswegs alle geographische namen durch dieses attributsprincip erklären, schon deshalb nicht, weil nicht allein der verstand, sondern auch die phantasie bei der schaffung der ortsnamen, zumal der griechischen, mitgewirkt hat. so sind nun solche übertragungen zu erklären, wenn zb. ein flusz Cûc oder Λύκος genannt wird, oder bergkuppen und spitzen als köpfe oder hörner aufgefaszt werden. gerade nach dieser seite hin hat ja Grasberger reiches material zusammengebracht.

Recht unklar ist ferner das, was der vf. an verschiedenen stellen über den bergnamen Ὄθρυς sagt. er weist nemlich die übliche zusammenstellung mit ὀφρύς zurück und schliszt den namen bald an die wurzel «ἀθ, όθ, θο» an, bald an ὀρθός durch eine metathesis, über deren bedenklichkeit er sich selbst gar keine rechenschaft gegeben hat. oder hält er es etwa auch ὀρθός, trotzdem es ein anlautendes F besessen, für einen spröszling jener wurzel? übrigens hätte Gr. mit recht gegen die übliche zusammenstellung mit ὀφρύς die lautverhältnisse ins feld führen können. denn wenn auch der übergang von θ in φ dialektisch gesichert ist, so ist der entgegengesetzte doch nur sehr schwach begründet. man vergleiche hierüber GCurtius grdz.⁵ s. 495 ff. unter diesen umständen bin auch ich geneigt Ὄθρυς auf die meines wissens zuerst von mir in die geographische namendeutung eingeführte wz. ἀθ 'hoch, spitz sein' zurückzuführen. der vocal verhält sich zu dem α der wurzel genau wie ὄκρις zu dem von wz. ἀκ. das suffix ρυ findet seine analogie im skr. *bhí-ru* 'furchtsam', *dâ-ru* 'freigebig', lit. *bud-rus* 'wachsam'. übrigens hätte Gr., um Ὄθρυς an die wz. ἀθ anzuschlieszen, nicht nach Benselers vorgang das fabelhafte ἄθρυς auferstehen lassen sollen, eine schöpfung Herodians, wie es scheint, um jenen namen an ἀθρεῖν anzuknüpfen. hätte der vf. die betreffenden stellen des Etym. M. und Etym. Or. nachgelesen, so hätte ihm dieser umstand nicht entgehen können, wie denn auch dies wort keine aufnahme im Thesaurus gefunden hat. beiläufig sei bemerkt, dasz in dem zweiten teil des gebirgsnamens Ἐρύμ-ανθος wohl nur eine nasalierte form jener wz. ἀθ steckt.

S. 147 adoptiert Gr., wenn ich ihn recht verstehe, die ansicht Johanssons, die derselbe in Bezzenbergers beiträgen XIII s. 111 entwickelt hat, dasz nemlich ein groszer teil der griechisch-lateinischen

pluralia tantum von ortsnamen der ersten und zweiten declination
ursprüngliche locative seien, die das schwindende sprachbewustsein
aus misverständnis für nominativi pluralis genommen habe. ich
kann mich dieser ansicht in keiner weise anschlieszen. erstens habe
ich das principielle bedenken, einer so frühen sprachperiode ein derartiges misverständnis aufzubürden, wie es allerdings mit dem lat.
gen. plur. *sestertium* und den deutschen dativi plur. von völker-
namen wie *Sachsen*, *Franken* usw. stattgefunden hat. zweitens
scheint mir der accent einspruch zu erheben: denn es heiszt loc.
οἴκοι, nom. plur. οἶκοι, und vom relativstamm loc. οἶ, nom. plur. οἴ.
endlich aber scheint mir das wesen des griech.-lat. pluralis bei jener
auffassung nicht richtig erkannt zu sein. dieser numerus drückt ja,
wie namentlich der gebrauch bei dichtern lehrt, der doch seine stütze
in der gesprochenen rede finden muste, nicht immer eine mehrheit von gegenständen aus, sondern er veranschaulicht uns oft nur
das ganze in seinen einzelnen teilen. mag zb. Δελφοί wirklich nur
in éiner schlucht liegen, der plural führt uns gewissermaszen die
einzelnen stationen derselben vor.

Wie an so vielen andern stellen, so komme ich auch s. 151 f.
nicht zu voller klarheit über des vf. etymologie von Οἰχαλία. will
er wirklich diesen namen mit Ὄχη, ὀχυρός im sinne von 'festung',
trotzdem dasz die lautverhältnisse es unmöglich machen, etymologisch zusammenbringen? mir scheint mit rücksicht auf die lage
der festungen dieses namens doch zusammenhang mit οἴχομαι und
weiterhin mit εἴκω wz. Ϝικ 'weichen' zu bestehen im sinne von
'rückzugs- oder zufluchtstätte'. — In bezug auf den s. 153 erwähnten namen *Praeneste* sowie den des volksstammes der *Vardaei*
(s. 157) bemerke ich ausdrücklich, dasz die von Grasberger gegebenen
erklärungen zuerst von mir in diesen jahrbüchern 1888 s. 10 f. aufgestellt worden sind. — S. 194 wird der name Δεκέλεια entsprechend der antiken sage und der derselben folgenden übersetzung
Benselers 'Meldegg' an δείκνυμι anknüpft. doch würde in diesem
attischen namen der verlust des stammhaften ι, der sonst nur in
neuionischen formen vorkommt, höchst befremdlich sein. ich stehe
daher nicht an den namen von δέκομαι, δέχομαι im sinne von
'herberge, aufnahmeort oder zufluchtstätte' abzuleiten. diese namens-
auffassung hat für eine gewisse epoche der althellenischen geschichte
gewis ihre volle berechtigung. — S. 210 hätte bei Πέρινθος die
höchst ansprechende erklärung Wörners in Curtius studien IX s. 462
als 'ringmauer' erwähnung verdient. — S. 218 wird das Λήλαντον
πεδίον auf Euboia als 'steinfeld' genommen, also mit λᾶς in verbindung gebracht. bei der ausgesprochenen fruchtbarkeit dieser
ebene möchte ich jedoch lieber an λήιον, λαῖον 'saatfeld' denken.
doch ist die bildung nicht recht klar. liegt etwa reduplication vor?
— Das s. 225 besprochene Κρομμυών ist sicherlich = 'zwiebelstadt'.
der hinweis auf Κρῶμοι passt nicht, da dieser name doch wohl nach
dem von Jakob Wackernagel entdeckten lautgesetz (Kuhns zs. XXX

s. 293) π vor μ eingebüszt hat, also sich zu Κρωπία und ähnlichem
stellt. — S. 226 heiszt es: 'der Demeter gehörte auch Ἰουλιόπολις
in Bithynien, unter mehreren gleichnamigen städten benannt nach
ἴουλος, οὖλος dh. garbe.' sollte aber dieser stadtname wirklich
nicht einfach auf den römischen namen *Iulius* zurückgehen ebenso
gut wie Πομπηιόπολις auf *Pompeius*? — S. 232 wird Σφακτηρία zu
Σκαπτὴ ὕλη gestellt, was nicht nur lautlich, sondern auch sachlich
die höchsten bedenken erregt. der letztere name ist ja sicherlich mit
Benseler im sinne von 'Rodewald' zu nehmen. die insel Σφακτηρία
oder Σφαγία dagegen war nach Thukydides ausdrücklichem zeugnis
ursprünglich menschenleer und dichtbewaldet. ich stehe daher nicht
an den namen derselben mit ECurtius Pelop. II s. 198 anm. 51 von
σφάζω abzuleiten, im sinne von 'schlachtstätte'. pflegten etwa
vorüberfahrende schiffer dort zu landen und nach art der gefährten
des Odysseus daselbst weidende herden zu rauben und zu schlachten?
oder war die insel in alter zeit ein weide- und schlachtplatz der
herscher des gegenüberliegenden Pylos? — Der s. 234 gegebenen
auffassung der Δωριεῖς als 'Bäumer', dh. von aussehen wie bäume,
kann ich keinen geschmack abgewinnen. eher könnte ich mich noch
mit GCurtius auffassung als 'Holsaten' befreunden. jedoch mit rücksicht auf das kriegerische wesen der alten Dorier und die bedeutung,
die das δόρυ noch in historischer zeit bei den Spartanern hat, bleibe
ich bei meiner früher gegebenen deutung als *hastati*. demnach mögen
die griechischen Dorier als 'speergenossen' den deutschen Sachsen
als 'schwertgenossen' zur seite treten. — Wie s. 235 der stadtname
Ψωφίς, wenn auch nur vermutungsweise, 'Buch, Buchau' gedeutet
werden kann, ist mir unklar. eher denkt man an zusammenhang
mit ψῆφος. dagegen erscheint die s. 245 gegebene auffassung von
Μυοῦς als 'mückenstadt' nicht 'mäusestadt' ansprechend. — Wenn
s. 252 Σκανδεία ein 'später' name genannt wird, so ist dies befremdlich, da derselbe schon in den Homerischen dichtungen (Κ 268) vorkommt und ebenso bei Thuk. IV 54. — Der gebirgsname Λάκμων
(s. 259) ist nicht zuerst von Tozer als 'rifted' erklärt worden, sondern bereits von GCurtius grdz.[5] s. 160. — S. 261 wird der offenbar phönikische name Μάλακα als 'saline' gedeutet, dagegen s. 286
als 'officina'. — Die s. 289 gegebene zusammenstellung von Τίρυνς
mit τύρρις *turris* ist lautlich nicht ohne bedenken.

Endlich noch ein wort über Grasbergers etymologie von Συράκουσαι. s. 219 heiszt es: «Συράκουσαι ist benannt von Συρακώ
dh. sloten, sloter meer, von σύρη = schlamm, nach Steph. Byz.»
und s. 307: «Συρακώ für Συράκουσαι, von σύρη = sumpf, ὑράξ =
μίγδην, ἀναμίξ, nach Steph. Byz.» ich leugne nicht, dasz diese
etymologie bei der terrainbeschaffenheit von Syrakus für mich etwas
bestechendes hatte. aber bedenklich machte mich der umstand,
dasz ich bei Steph. Byz. weder σύρη noch ὑράξ finden konnte, vielmehr ersteres nur bei Hesychios und zwar durch πλῆθος, σύρματα
ναυμαχίας erklärt. meine vermutung, dasz wie in so vielen andern

fällen Benseler Gr.s orakel gewesen sei, betrog mich nicht. denn dort heiszt es: «cύρη = πλῆθος, von cύρω mit sich fortspülen oder schlemmen» usw. hieraus hat nun Gr. sich ohne weiteres das oben mitgeteilte zurechtgeschmiedet. nun ist es ja richtig, dasz das verbum cύρω immerhin jenen namen zu grunde liegen kann; aber unerklärt bleibt immer die endung -ακώ -άκουcαι, die schwerlich auf griechischem boden eine analogie finden dürfte. Corssen hat daher Cυράκουcαι = Soracte im sinne von 'glanzspitze' genommen, aus wz. svar 'glänzen' und ak 'scharf, spitz sein', was mir nicht recht einleuchten will. ich möchte aus historischen gründen den namen für phönikisch halten. liegt etwa wie dem namen von Tyros צוֹר 'fels' zu grunde? freilich weisz ich dann für die endung immer noch keine erklärung. Cavallari-Holm fassen den namen auch als phönikisch, im sinne von 'Ostland', was jedoch nach Lupus seine sprachlichen bedenken hat. liegt etwa die wurzel צרח vor, welche die bedeutung 'hoch sein, glänzen' hat, wovon hebr. צְרִיחַ, das von Gesenius durch 'arx, turris, specula' erklärt wird? dasz diese deutung sachlich auf den gewis schon früh besiedelten boden von Achradina im gegensatz zu Ortygia gut passt, wird jeder zugeben. auch der angebliche sumpf Cυρακώ scheint mir dieser deutung nicht im wege zu stehen, da sumpf und felsenhöhen sich dort unmittelbar berühren, also der phönikische name von den eindringenden und die Phöniker verdrängenden Griechen leicht falsch bezogen werden konnte.

Doch genug der ausstellungen und bemerkungen, die noch leicht vermehrt werden könnten. leider wird aus denselben klar geworden sein, dasz das besprochene werk nicht zu denen gehört, die geeignet sind deutsche gründlichkeit und deutschen forschungseifer zu ehren zu bringen.

Die äuszere ausstattung des buches ist gut. nur sind der druckfehler, auch der unberichtigten, allzu viele stehen geblieben. höchst unzweckmäszig ist das register eingerichtet. da das werk studien zu g r i e c h i s c h e n ortsnamen bieten will, so hätte man doch wohl ein von dem übrigen register gesondertes, nach dem griechischen alphabet entworfenes register der griechischen ortsnamen erwarten können. wie störend ist es für das aufsuchen, wenn man zb. unmittelbar hinter einander Λῆνοc, Lentulitas, λέων findet!

MEISZEN.   CONSTANTIN ANGERMANN.

21.

CAESARS ZWEITER ZUG NACH BRITANNIEN.

Nachdem Caesar in Britannien gelandet ist (*b. Gall.* V 8), schlägt er am ufer ein lager auf, läszt eine hinlängliche besatzung zum schutze der flotte zurück und zieht $2^1/_2$ meile landeinwärts dem feinde entgegen. diesen schlägt er in die flucht (c. 9) und verfolgt ihn eine strecke, da bekommt er die nachricht, dasz die schiffe infolge eines plötzlich entstandenen sturmes sehr beschädigt seien (c. 10). er läszt sein heer halt machen, eilt zur flotte, um die nötigen sicherheitsmaszregeln zu treffen, und kehrt alsdann zum heere zurück. daselbst wird ihm gemeldet, dasz unterdessen gröszere truppenmassen der Britannen sich an éinem punkte concentriert haben und dasz der oberbefehl über dieselben dem Cassivellaunus, der das gebiet jenseit des Tamesis behersche, übertragen sei (c. 11). hier wird die erzählung unterbrochen, um einer beschreibung des landes und der bewohner von Britannien platz zu machen (c. 12—14). es entsteht nun die frage, ob eine derartige unterbrechung des flusses der erzählung durch die sonstige gewohnheit Caesars sich rechtfertigen lasse: denn an einem punkte, wo gerade die erwartung den höchsten grad der spannung erreicht hat, eine pause zu machen, um eine beschreibung einzuflechten, das ist zwar ein wohlberechneter kunstgriff der modernen litterarischen sensationsproducte, aber von der schlichten und einfachen erzählungsweise, in der sich Caesar bewegt, läszt sich dieses ohne directe beweise schwerlich annehmen. viel eher am platze wäre diese beschreibung vor beginn der militärischen operationen überhaupt, die zu ihrem bessern verständnis naturgemäsz eine genauere kenntnis des landes und der bewohner erfordern. nun liegt aber der gedanke sehr nahe, die art und weise, wie Caesar den britannischen feldzug beschrieben hat, mit seiner erzählung des germanischen krieges zu vergleichen, um daraus etwaige anhaltspunkte zur entscheidung der uns beschäftigenden frage zu gewinnen. hierbei überrascht uns die wunderbare analogie, die zwischen der beschreibung beider kriege herscht. nach Germanien unternimt Caesar zwei expeditionen (IV 17—19 und VI 9—29), ebenso viele nach Britannien (IV 23—36 und V 8—23); land und leute von Germanien beschreibt er aber erst bei der zweiten expedition[1]: dasselbe ist der fall bei Britannien. auch der eingang zur beschreibung der zweiten britannischen und germanischen expedition zeigt eine auffallende übereinstimmung. hier und dort zieht Caesar zuvor noch in das gebiet der Treverer:

V 2, 4 *ipse . . in fines Treverorum proficiscitur.* | VI 6, 4 *ipse in Treveros proficiscitur.*

---

[1] die kurze beschreibung der sitten der Sueben im eingange zu buch IV (c. 1—3) steht in einem andern zusammenbange und wird erst in buch VI weiter ausgeführt.

die gründe waren beidemal die, dasz sie nicht zu den *concilia* kamen
(V 2, 4 und VI 3, 4) und die Germanen aufwiegelten:

V 2, 4 *Germanosque Trans-rhenanos sollicitare dicebantur.*	VI 2, 1 *finitimos Germanos sollicitare . . non desistunt.*

nachdem er ihre übergabe angenommen, verschafft er dem Cingetorix
eine überwiegende machtstellung im staate:

V 4, 3 *cuius tam egregiam in se voluntatem perspexisset.*	VI 8, 9 *quem ab initio permansisse in officio demonstravimus.*

hier und dort läszt er eine besatzung zurück:

V 8, 1 *Labieno in continente . . relicto, ut . . ipse cum quinque legionibus et pari numero equitum . . naves solvit.*	VI 9, 5 *firmo in Treveris . . praesidio relicto, ne . . reliquas copias equitatumque traducit.*

hier und dort erfährt er, dasz die feinde grosze truppenmassen zusammengezogen, aber bei der ankunft der Römer sich weiter zurückgezogen haben:

V 8, 6 *ut postea Caesar ex cap-tivis cognovit, cum magnae manus eo convenissent . . se in superiora loca abdiderant.*	VI 10, 1 *paucis post diebus fit ab Ubiis certior, Suebos omnes in unum locum copias cogere . . penitus ad extremos fines se recepisse.*

unmittelbar daran wird bei der germanischen expedition die beschreibung des landes geknüpft. was ist natürlicher als denselben
hergang der erzählung auch bei der britannischen expedition vorauszusetzen und auch hier an demselben punkte die schilderung des
landes (c. 12—14) anzureihen, um so mehr, da unter dieser voraussetzung die analogie in der erzählung, von der oben gesprochen,
noch weiter durchgeführt ist. denn nach der beschreibung heiszt es
nun weiter so:

V 9 *Caesar . . ubi ex captivis cognovit, quo in loco hostium copiae consedissent, cohortibus decem . . relictis et equitibus trecentis, qui praesidio navibus essent . . ad hostes contendit, eo minus veritus navibus, quod . . et praesidio navi-busque Quintum Atrium praefecit. ipse . . progressus . .*	VI 29 *Caesar postquam per Ubios exploratores comperit Suebos sese in silvas recepisse, inopiam frumenti veritus, quod . . consti-tuit non progredi longius . . prae-sidiumque cohortium XII pontis tuendi causa ponit . . ei loco prae-sidioque Gaium Volcatium Tullum adulescentem praefecit. ipse . . profectus . .*

Doch auch abgesehen von der immerhin höchst auffallenden
analogie beider beschreibungen gibt es noch eine menge innerer,
nicht minder stichhaltiger gründe, die für die notwendigkeit einer
umstellung sprechen. wäre nemlich c. 9 ff. ursprünglich an c. 8 angereiht, so wäre es nicht ersichtlich, warum nach den worten (c. 8, 6)
*ut postea Caesar ex captivis cognovit, cum magnae manus eo con-
venissent, multitudine navium perterritae . . a litore discesserant ac*

se in superiora loca abdiderant, gleich darauf im folgenden satze dieselbe sache noch einmal wiederholt werden muste (c. 9, 1): *Caesar
.. ubi ex captivis cognovit, quo in loco hostium copiae consedissent.* [2]
wird jedoch die notwendigkeit der einschiebung von c. 12—14 zwischen c. 8 und 9 zugestanden, so ist es ganz klar, dasz bei der wiederaufnahme der erzählung der inhalt des der schilderung unmittelbar
vorhergehenden satzes nach der unterbrechung noch einmal ins gedächtnis zurückgerufen und daran die weitere erzählung angeknüpft
wird. dasselbe ist auch der fall bei der erzählung vom zweiten germanischen feldzuge. dort lautet nemlich der satz, welcher der beschreibung unmittelbar vorausgeht (VI 10, 4): *illi (Ubii) . . paucis
diebus intermissis referunt: Suebos omnes, posteaquam certiores nuntii
de exercitu Romanorum venerint, cum omnibus suis sociorumque copiis,
quas coëgissent, penitus ad extremos fines se recepisse: silvam esse ibi*
usw. unmittelbar nach der beschreibung aber wird der faden der
erzählung wieder aufgenommen mit den worten (VI 29, 1) *Caesar
postquam per Ubios exploratores comperit Suebos sese in silvas recepisse.*
umgekehrt, wenn die umstellung nicht vorgenommen und die ent-
stellte überlieferung bewahrt wird, so befremdet die ganz unvermittelte weiterführung der erzählung durch den satz (c. 15): *equites
hostium essedariique acriter proelio cum equitatu nostro in itinere con-
flixerunt.*

Aber hiermit sind die gründe, die meiner ansicht nach für die
notwendigkeit der umstellung sprechen, noch nicht erschöpft. verfolgen wir nemlich aufmerksam den weitern hergang der erzählung
in c. 15—19 und fragen uns offen, ob wir uns denn wirklich so ganz
und gar in den zusammenhang derselben hineindenken können. nachdem in c. 11 davon die rede gewesen, dasz die Britannen dem Cassivellaunus, dessen reich jenseit des Tamesis liegt, den oberbefehl
im kriege übertragen haben, sollte man doch wohl erwarten, dasz
Caesar auf die nachricht davon sofort den hauptschlag führen und
in das gebiet jenes häuptlings ziehen würde. statt dessen was lesen
wir? in c. 15 erfahren wir dasz unterwegs (*in itinere*) mit den
feindlichen reitern und essedarii scharmützel stattgefunden haben.
aber was bedeuten die worte *in itinere,* da ja in c. 11, 8 f. nur davon berichtet wird, dasz Caesar vom schiffslager zu seinem heere zurückgekehrt sei, und kein wort von seinem aufbruch gegen den feind
vorkommt?

Weiter: in c. 17 hören wir, dasz die feinde wiederum angegriffen haben, jedoch so aufs haupt geschlagen sind, dasz sofort die
hilfstruppen (wessen?) sich in ihre heimat zerstreuen und die feinde
seitdem nicht mehr vereint und en masse kämpfen (*ex hac fuga pro-*

---

[2] so wird zb. nach dem ersten übergange über den Rhein die dem
Caesar überbrachte botschaft, dasz die Sueben ihre frauen und kinder
in wäldern untergebracht und sich an éinem punkte versammelt haben,
auf folgende weise weiter fortgeführt (IV 19, 4): *quod ubi Caesar comperit* usw.

tinus, quae undique convenerant, auxilia discesserunt, neque post id tempus umquam s u m m i s nobiscum c o p i i s hostes contenderunt). und nach allem dem, da ja der hauptschlag geführt und der krieg als so gut wie vollendet zu betrachten ist[3], wird uns doch in c. 18 zugemutet zu glauben, dasz jetzt erst Caesar in das gebiet des Cassivellaunus jenseit des Tamesis, also (nach c. 11, 8) den sammelpunkt und hauptherd der feindlichen streitkräfte, ziehe. und wie stimmen zu der kurz vorhergehenden behauptung, dasz die feinde den Römern fortan keine truppenmassen mehr entgegenzustellen wagen, die worte *animum advertit ad alteram fluminis ripam m a g n a s esse c o p i a s hostium instructas?* und noch nicht genug. am anfang dieses cap. lesen wir: *Caesar c o g n i t o c o n s i l i o e o r u m ad flumen Tamesim in fines Cassivellauni exercitum duxit.* von welchem *consilium* ist hier die rede? im vorhergehenden cap. ist nicht das geringste davon berichtet; es aber auf das folgende cap. zu beziehen, wie Kraner und Doberenz es thun, nemlich auf den plan des Cassivellaunus die römischen legionen durch nachstellungen und entziehung von lebensmitteln in ihrem marsche aufzuhalten, das möchte doch wohl etwas zu gewagt erscheinen. nun wollen wir uns aber ganz unbefangen fragen, welcher feindliche plan wohl den Caesar bestimmen konnte in das gebiet des Cassivellaunus zu ziehen. doch offenbar einzig und allein der, von welchem in c. 11, 8 die rede gewesen, nemlich dem Cassivellaunus die oberleitung des krieges zu übertragen: *summa imperii bellique administrandi c o m m u n i c o n s i l i o permissa Cassivellauno.* daraus ergibt sich aber die unabweisliche notwendigkeit für uns c. 18 aus seinem jetzigen zusammenhange, wohin es mit unrecht geraten, herauszunehmen und es unmittelbar an c. 11 anzureihen. dadurch schwinden auch mit éinem schlage alle die schwierigkeiten, die uns bei der analyse der capitel 15—18 entgegentraten. bei der sich als notwendig ergebenden umstellung nemlich zieht Caesar sofort nach dem sammelplatz der feinde jenseit des Tamesis und schlägt dieselben in die flucht (c. 18). auf dem weitermarsche (*in itinere*), der durch das j e n s e i t des Tamesis gelegene gebiet führt (nicht, wie ohne die umstellung zu verstehen wäre, noch d i e s s e i t desselben), wird er von den feindlichen guerillatruppen belästigt und liefert dem feinde eine hauptschlacht, deren erfolg von so durchschlagender wirkung war, dasz die vereinigten hilfsvölker (*a u x i l i a*, sc. *Cassivellauni*) sich sofort auflösten und in ihre heimat wieder zerstreuten. nachdem so dem Cassivellaunus die kraft und die lust zum weitern kampfe vergangen war, beschränkt er sich jetzt nur darauf, die Römer auf dem marsche zu beunruhigen. dasz sich aber jetzt, nachdem c. 18 aus diesem zusammenhange ausgeschieden, c. 19 besser an c. 17 anschliest, ergibt sich auszerdem aus folgen-

---

[3] auch V 58 ist der krieg beendigt durch die thatsache, dasz sich die feindlichen truppen in ihre heimat zerstreuen: *hac re cognita omnes Eburonum et Nerviorum, quae convenerant, copiae discedunt, pauloque habuit post id factum Caesar quietiorem Galliam.*

dem grunde. c. 19 beginnt mit den worten *Cassivellaunus, ut supra demonstravimus, omni deposita spe contentionis, dimissis amplioribus copiis* usw. die erklärer beziehen die worte *ut supra demonstravimus* mit recht auf c. 17, 5. doch wo ist in jenem und in den vorhergehenden capiteln von Cassivellaunus die rede, und zieht nicht erst in c. 18 Caesar in dessen gebiet? dann aber, wie könnte von Cassivellaunus in c. 17 gesagt werden, dasz er alle hoffnung auf weitern kampf aufgegeben, wenn er in c. 18 noch wagt eine grosze truppenmacht (*magnas copias*) dem Caesar entgegenzustellen? wird man da nicht zugeben, dasz c. 18 höchst gewaltsam und unpassend die beiden zusammengehörigen capitel 17 und 19 aus einander reiszt? mit entfernung dieses störenden eindringlings schwinden auch die angeführten schwierigkeiten: denn nun schlieszt sich 17, 5 (*neque post id tempus umquam summis nobiscum copiis hostes contenderunt*) ganz ungezwungen und natürlich an 19, 1 (*dimissis amplioribus copiis*); dasz aber Cassivellaunus in eigner person sich bei dem in c. 17 besiegten heere befunden, das ergibt sich durch die versetzung von c. 18 und seine anreihung an c. 11 von selbst. diese anreihung musz aber ferner eine unmittelbare sein und darf nicht durch die beschreibung Britanniens unterbrochen werden, dergestalt dasz c. 18 erst auf c. 14 folgen würde. denn in den worten (18, 1) *Caesar cognito consilio eorum* bezieht sich *eorum* auf die worte (11, 9) *permoti Britanni*, würde aber diese beziehung wieder verlieren durch eine längere digression von 3 capiteln (12—14) und demnach durch eine deutlichere hinweisung zu ersetzen sein.[4] auf diese weise aber hängen die capitel 9—11. 18. 15—17. 19 ff. so eng und so fest mit einander zusammen, dasz sie durch nichts, am allerwenigsten durch eine längere beschreibung, von einander getrennt werden können: ein grund mehr, und, wie ich glaube, ein sehr stichhaltiger, die capitel 12—14 in ihrer jetzigen stellung nicht weiter zu belassen.

Zum schlusz möchte ich mir noch erlauben auf einen kleinen, leicht zu beseitigenden irrtum in der überlieferung aufmerksam zu machen, der sich in 11, 8 findet. nachdem nemlich erzählt ist, dasz Caesar von der beschädigten flotte zum heere, das unterwegs hatte halt machen müssen, zurückgekehrt ist, heiszt es dort weiter: *eo cum venisset, maiores iam undique in eum locum copiae Britannorum convenerant.* wie aus der sich als notwendig ergebenden umstellung ersichtlich ist, hat eben jene concentrierung der feindlichen truppen jenseit des Tamesis stattgefunden, wohin Caesar erst ziehen will, und nicht an eben demselben orte, wo das römische heer ruhig die wiederkunft seines feldherrn abwartete; das letztere anzunehmen

---

[4] ein ähnlicher zusammenhang wie der hier geforderte findet statt in der erzählung von der ersten heerfahrt Caesars nach Britannien. denn nachdem IV 30 die rede gewesen ist von der empörung der Britannen, heiszt es am anfange des folgenden cap. weiter: *at Caesar, etsi nondum eorum consilia cognoverat* usw.

hindert ohnehin schon die sachliche unwahrscheinlichkeit, ganz abgesehen davon dasz Caesar statt *in eum locum* sich fast ausschlieszlich der form *eo* zu bedienen pflegt. wir werden also nicht fehlgehen,
wenn wir mit einer leichten änderung von *eum* in *unum* schreiben:
maiores iam undique in unum locum copiae Britannorum con-
venerant. lesen wir doch ebenfalls in der beschreibung der zweiten
germanischen expedition, die mit der zweiten britannischen so viel
analogie bietet, VI 10, 1 *fit ab Ubiis certior Suebos omnes in unum*
locum copias cogere.[5]

Das resultat obiger untersuchung läszt sich also kurz in die
forderung zusammenfassen: im fünften buche des *bellum Gallicum*
sind die capitel 8—19 in folgender ordnung zu lesen: 8. 12. 13. 14.
9. 10. 11. 18. 15. 16. 17. 19.

---

[5] ebenso heiszt es IV 19, 2 bei gelegenheit der erzählung vom ersten
übergang über den Rhein, dasz die Sueben nach allen richtungen hin
boten geschickt haben mit der weisung: *omnes, qui arma ferre possent,*
unum in locum convenirent.

NEUMARK IN WESTPREUSZEN.   JULIUS LANGE.

22.

ZU CICEROS POMPEIANA.

Eine viel umstrittene stelle in § 18 der Pompeiana ist hand-
schriftlich also überliefert: *etenim illud primum parvi refert, nos*
publicanis amissis vectigalia postea victoria recuperare. diese suchte
CHammer in den blättern f. d. bayr. gymn.-schulw. XXIII (1887)
s. 165 lesbar zu machen, indem er vorschlug: *posse publicanos amissa*
vectigalia postea victoria recuperare. diese fassung würde dem geforderten sinne entsprechen, wenn nicht *victoriā* entgegenstände. denn
ohne nähere bezeichnung, wessen sieg gemeint ist, könnte sich *vic-*
toriā nur auf das subject *publicanos* zurückbeziehen. niemand aber
wird an einen sieg der staatspächter denken wollen. da lesen wir
nun bei Cic. *in Verrem* II § 86 eine stelle, welche mit der unsrigen
eine auffallende ähnlichkeit hat: *qui hoc dignum populo Romano*
arbitraretur, bello confecto socios sua per nostram victoriam recuperare.
schreiben wir im einklang hiermit an unserer stelle *nostra* statt
postea — so gut *posse* in *nos*, ebenso gut konnte *nostra* umgekehrt
in *postea* verschrieben werden — so liegt der geforderte sinn klar
zu tage: 'denn der einwand will nicht viel sagen, es könnten ja die
staatspächter die verlorenen gefälle durch unsern sieg (dh. den sieg
der Römer oder unserer truppen) wieder erlangen.' dasz Cicero *in*
Verrem II § 86 nicht *nostra victoria*, sondern *per nostram victoriam*
sagte, hat seinen grund offenbar darin, dasz er das lästige und
störende zusammentreffen von *sua* und *nostra* vermeiden wollte.

BURGHAUSEN IN OBERBAYERN.   ANDREAS DEUERLING.

23.

ZU MANILIUS.*

I 25 *quem primum interius licuit cognoscere terris?*
munera caelestum. quis enim condentibus illis
clepsisset furto mundum quo cuncta reguntur?
einig sind Scaliger, Bentley und Jacob darin dasz *licet* hier frei construiert sei = *cui primo licuit* usw., einig auch darin dasz sie den
satz als frage fassen; natürlich setzen Scaliger und Bentley das
fragezeichen hinter *caelestum.* sie nehmen beide anstosz an *interius*
(V 1. 2 *internis*), corrigieren daher — jener *infernis terris*, dieser
              t   *e*
cognoscere caelum. dem zufolge wählen sie aus der lesart G *munera*
— jener *munera* (ω), dieser *munere.* Jacob nimt keinen anstosz an
der verbindung *interius cognoscere.* ich stimme ihm zu und verbinde
auch in v. 31 'per te iam caelum interius, iam sidera nota' *interius*
mit *nota.* wer nimt an *interior, intima cognitio, ars, disputatio* anstosz? in ähnlicher übertragung sagt Manilius *penitus scire* (I 17),
propius rimatur (I 737), *propius scrutantibus* (I 11). anstosz aber
nehme ich an *quem licuit,* zumal da der gedankengang etwas anderes
verlangt. der dichter fragt doch nicht nach dem e r s t e n astrologen,
sondern er stellt den satz auf: die e r s t e w i s s e n s c h a f t l i c h e
k e n n t n i s der gestirne beruht auf f r e i e r g a b e der himmlischen,
und er begründet diesen satz mit der argumentierenden frage: *quis
e n i m* usw. es ist demnach zu interpungieren und zu lesen:
22   . . *certa cum lege canentem*
   mundus et immenso vatem circumstrepit orbe,
   vixque soluta suis immittit verba figuris.
   quem (sc. *mundum*) *primum interius licuit cognoscere terris*
   munere caelestum. quis enim usw.
I 218 *sed quaerent helicen, quibus ille* (sc. *canopus*) *supervenit*
                ignis,
   quod laterum tractus habitant, medioque tumore
   eripiunt terrae caelum visusque coërcent.
der fehler liegt in *habitant,* wie Bentley sah, doch weicht seine änderung *obstant* zu weit von den schriftzügen ab. man wird zu lesen
haben *latitant*; dabei fasse ich *terrae* als subject im folgenden
satze, und verstehe unter *laterum tractus* das gebiet, in welchem der
grosze bär sichtbar ist. — *terrae* im plur. = *orbis terrae* häufig im
gegensatz zu *caelum, pontus, aër.*

---

  * ich citiere nach FJacobs ausgabe (Berlin 1846), bezeichne die
handschriften wie Jacob: G = Gemblacensis, C = Cusanus (zweite
Brüsseler hs.), L = Lipsiensis (Lc = Lips. correctus), V 1. 2 = Lei-
denses. der kürze halber bezeiche ich mit o die übereinstimmung der
genannten hss.; mit ω diejenige der nicht besonders angeführten unter
ihnen; mit P meine abhandlung 'de emendatione Manilii' (Hamm 1854).

I 228 *quodsi plana foret tellus, semel orta per omnem*
deficeret (sc. *luna*), *pariter toto miserabilis orbi.*
toti G L c, *toto* ᴜ. jenes ist herzustellen, *orbi* ist nicht ablativ, sondern dativ (v. 223 *confundis sidere gentes*). merkwürdig ist die
übereinstimmung mit Plinius *n. h.* II 180 *quod si plana esset terra,*
simul omnia apparerent cunctis, und es dürfte auch bei Manilius zu
schreiben sein:

> *quod si plana foret tellus, s i m u l orta per omnem*
> *deficeres* (so Bentley) *pariter toti miserabilis orbi.*

I 245 *nos in nocte sumus somnosque in membra locamus.*
somnosque in haben L C, *somnos et* V 1. 2, *somnos in* G. die verbindung *in membra locare* findet Jacob nicht anstöszig. *locare* gebraucht Manilius recht häufig. aber wenn es heiszt: (II 732 ff.)
tunc summa relicta in binas sortes adiecta parte locetur dimidia, so
liegt die sache da etwas anders. *in* mit acc. bezeichnet hier wie so
oft bei Man. resultat, absicht der handlung, = *ita summa locetur,*
ut binae sortes adiecta parte dimidia efficiantur. in unserm verse ist
der fehler offenbar. ich empfehle zu schreiben *v o c a m u s.*

I 354   — — *Cassiepia*
> *in poenas signata suas iuxtaque relictam*
> *Andromedam vastos metuentem pristis hiatus*
> *expositam ponto deflet scopulisque revinctam,*
> *ni veterem Perseus caelo quoque servet amorem*
> *auxilioque iuvet fugiendaque Gorgonis ora*
> *sustineat* usw.

in 355 ist wohl *r e l i c t a* zu lesen. die schwierigkeit liegt in *ni . .*
servet: so schreibt Scaliger im commentar. Jacob sagt dazu: ʻ*ni*, ut
saepe, levi structurae mutatione locum particulae *sed* occupat: metuit
Andromeda, *sed* servat amorem Perseus.ʼ aber überall und namentlich in dem citierten beispiele (Verg. *ge.* IV 455 *tibi has miserabilis*
Orpheus hautquaquam ob meritum poenas, ni fata resistant, suscitat)
behält *ni* seine eigentliche bedeutung, dasz es den fall angibt, in welchem der hauptsatz zu verneinen ist. demnach darf Kassiepeia in dem
falle nicht weinen, wenn Perseus etwa seine liebe noch festhält. sie
ist nun aber einmal als wehklagende dargestellt. Jacob zieht freilich
ni zu *metuentem*, und Bentley erleichtert sich das, indem er v. 357
expositam ponto usw. ausstöszt und 356 so umformt: *Andromede vastos*
metuat iam . . (ʻnisi Perseus prope adsit, prisco amore devinctus . . ut
olim in terrisʼ). *ni* bieten aber nur die jüngern hss. V 1. 2; G L C
                                                              seruet
haben *in.* ferner hat G *feruet, seruet* die übrigen. ich schreibe ohne
bedenken:

> *i n veterem Perseus caelo quoque f e r v e t amorem*
> *auxilioque iuvet fugiendaque Gorgonis ora*
> *sustineat.*

das erste stellt Man. als thatsache hin; *iuvet* und *sustineat* wählt er,
insofern aus der stellung und haltung des Perseus im bilde sich ab-

nehmen läszt, dasz er den kampf gegebenen falls wiederholen möchte
(vgl. die tafel in Bentleys ausgabe). zu *fervere in amorem* vgl. I 408
micantis in radios; V 529 *spumantis in aurum* ua.

I 382 ff. heiszt es von dem südlichen gestirnten himmel:

> *nec minor est illis mundus nec lumine peior,*
> *nec numerosa minus nascuntur sidera in orbe.*
> *cetera non cedunt; uno vincuntur in astro*
> *Augusto, sidus nostro quod contigit orbi,*
> *Caesar nunc terris, post caelo maximus auctor.*

387 *cernere vicinum geminis licet Oriona* . .

395 *hoc duce per totum decurrunt sidera mundum.*

wäre mit *astro augusto* ein gestirn bezeichnet, so könnte man nur
an Plinius *n. h.* II 178 erinnern: *nec canopum (cernit) Italia* . . *item
quem sub divo Augusto cognominavere Caesaris thronon, insignis ibi
stellas.* dies ist nicht gemeint, da Italien dies gestirn eben nicht
sieht. das hier bezeichnete gestirn aber — *nostro contigit orbi.* nun
könnte man *sidus* bildlich fassen (vgl. *Iulium sidus* bei Hor. *ca.* I
12, 47); Augustus wäre selbst *sidus*, jetzt noch lebend, später unter
den gestirnen waltend. in der that sind diese verse benutzt, um die
lebenszeit des Manilius festzustellen. aber diese schmeichelei wäre
recht unglücklich, ja beleidigend für Augustus. da wird doch stärker aufgetragen, wenn man von dem *praesens divus* spricht: vgl.
I 800 *caelum quod regit Augustus socio per signa* (? *regna*) *tonante*;
oder IV 935 *maius et Augusto crescet sub principe caelum*; I 926
cumque deum caelo dederit, non quaerat in orbe. auch grammatisch
sind beide verse bedenklich: *in astro augusto* oder *Augusto* gefiel schon
Bentley nicht ('immo vel legendum *qui contigit* vel *Augustum sidus*');
ganz lahm schlieszt sich an: *Caesar nunc terris, post caelo maximus
auctor*; beide verse sind endlich recht holperig gebaut. sollten sie
nicht derselben schmiede entstammen, welche IV 776 lieferte (*qua
genitus Caesarque meus nunc condidit urbem*)? ich glaube, beide
verse sind interpolation. beziehe man nur *cetera non cedunt* auf die
borealia signa, so schlieszt sich alles sachgemäsz zusammen:

> *cetera non cedunt; uno vincuntur in astro:*
> *cernere vicinum geminis licet Oriona* usw.

denn dieser überstrahlt in der that alle *signa borealia* (vgl. V 12
Orion magni pars maxima caeli; V 58 *maximus Orion, magnumque
amplexus olympum*).

I 755 ff. die placita der philosophen und poeten über die milch-
strasze sind von Manilius ausführlich (v. 684 bis 805) erörtert, wobei
er der zusammenstellung des Poseidonios folgt (vgl. Diels im rhein.
mus. XXXIV s. 490). in der textkritischen behandlung dieses abschnittes hat Jacob wenig glück: am wenigsten bei dem fünften
placitum. er schreibt:

> *an maior densat stellarum turba corona*
> *connexas flammas et crasso lumine candet*
> *et fulgore nitet caelato clarior orbis?*

13*

die hss. geben folgendes: v. 755 *densa* G. *densat* ɯ   756 *conuexit*
G L. *contexit* C V 1. 2   757 *collato* G L C. *caelato* V 1. 2. für seine
schreibung führt er an: 'in coronam connexas flammas turba stella-
rum densat. *coronam* eam tantopere ornat verbis, quia domus principum virorum caelestis est.' dabei merkte er nicht, dasz Man. erst
im sechsten placitum, v. 758 ff. *an fortes animae* usw. die milch-
strasze als sitz der helden schildert. — v. 755—57 enthalten das
placitum des Demokritos (Diels doxogr. s. 365): πολλῶν καὶ μικρῶν
καὶ cuνεχῶν ἀcτέρων cuμφωτιΖομένων ἀλλήλοιc διὰ τὴν πύκνωcιν
cuναυγαcμόν, und dies tritt wieder klar hervor, wenn man überall
dem G folgend schreibt (P s. 7):

> *an maior densa stellarum turba corona*
> *convexit flammas et crasso lumine candet,*
> *et fulgore nitet collato clarior orbis?*

    I 758. die milchstrasze ist nach ansicht der ältern Pythagoreer
(Diels ao. s. 490) sitz der *fortes animae, dignataque nomina caelo*
                                                    † *numina*
(*nomina* G. *nomine* L. *lumina* C V 1. *lumine* V 2. *numina* schrieb
Bentley wegen des folgenden *corporibus resoluta suis*: denn 'an
nomina corporibus vestiuntur?' man kann dieselbe frage auch für
numina stellen). in dieser reihe bedeutender namen finden wir v. 766:
castra ducum et caeli, victamque sub Hectore Troiam. könnte man
auch *castra ducum et caeli* als apposition zu *Pergama* v. 765 gelten
lassen, so geht das nicht mit *victamque sub Hectore Troiam.* Scaliger
warf den vers aus, Bentley formte ihn gänzlich um: *Assaracum atque
Ilum totamque sub Hectore Troiam*; aber sind denn a l l e Trojaner
auserwählte helden? Jacob sucht vergeblich durch die correctur
invictamque zu helfen; ich glaube dasz der vers echtes gepräge des
Manilius trägt, hierher aber nur durch ein wirrnis gelangt ist (s. u.).
    I 776 *Persidis et victor, strarat quae classibus aequor.*
quae geben Bentley und Jacob. die hss. haben *qui*, und dies ist festzuhalten. natürlich ist Themistokles gemeint, *strarat* aber wie in
Hor. ca. III 17, 9 *cras foliis nemus multis et alga litus inutili . .*
tempestas sternet zu verstehen.
    I 842 *quin etiam tumidis exaequant dolia flammis*
        procere distenta utero, pandosque capellos
        mentitur parvos ignis glomeratus in orbes,
        hirta figurantis tremulo sub lumine menta.
                                                            i
uteros G L. *utero* ɯ (Lc)   *partes* V 2. *partos* ɯ   *capellos* L C.
capillos ɯ. hiernach schrieb Bentley *uteros parvasque capellas,* diesmal also nicht wie sonst an der wiederholung (*parvas* und *parvos*
in 844) anstosz nehmend. die hsl. überlieferung weist, glaube ich,
hin auf *procere distenta utero sparsosque capellos.*
    II 1 ff.
Maximus Iliacae gentis certamina vates
et quinquaginta regum regemque patremque
Hectoreasque facis tutamque sub Hectore Troiam (sc. *cecinit*).

in drei versen gibt Manilius den inhalt der Ilias. in v. 3 geben die hss. *hectoreumque facit*. *hectoreamque facem* schrieb Scaliger, *facis* Jacob, welcher doch sonst *faces* schreibt (I 867. V 301). Bentley wirft den vers ganz aus. der vereinzelte zug — die fackel Hektors — schien ihm kaum der erwähnung wert. nun findet sich die zweite hälfte de verses I 766 *victamque sub Hectore Troiam*, die erste hälfte aber stammt wohl aus V 301 *Hectoris ille faces arcu teloque fugavit*. verse wandern wohl einmal bei Manilius: so kehren II 318 und 319 wieder v. 343. 344; I 142 findet sich in verderbter gestalt wieder in V 728; das bemerkenswerteste beispiel jedoch ist II 232 *parsque marina nitens fundentis semper aquari*, ein vers der dort gar keinen sinn hat, aber in IV 490, wohin Bentley ihn mit geringer änderung stellt (*pars est prima nocens umentis semper aquari* — er hätte nur das häufig absolut gebrauchte *fundentis* belassen sollen), eine offenbare lücke ausfüllt. ich halte es nicht für zu kühn, hier I 766 *castra ducum et caeli victamque sub Hectore Troiam* einzusetzen (*sub Hectore*: denn in der person Hektors wird Troja besiegt, wie es von Aeneas heiszt: *Troia sub uno non eversa viro* IV 24). damit ist verlauf und abschlusz der Ilias bündig angegeben.

II 4—6. den inhalt der Odyssee geben ebenfalls drei verse:
erroremque ducis totidem quot vicerat annis
instantem bello geminata per aequora ponto
ultimaque in patria captisque penatibus arma.
in v. 5 geben G und L *agmina*, das tautologe *aequora* nahm Jacob aus ⲱ auf. man wird dem G folgen können. *instantem* für *instantis* scheint mir nicht zu kühn; *geminata per agmina* wird man als zweiten heereszug, nun aber gegen das element des Poseidon fassen. so dürfte Man. hier seine I 763 gegebene charakteristik des Odysseus wiederholen: *terraeque marisque triumphis naturae victorem Ithacum.*

II 7 ff. *ore sacro cecinit, patriae quem iura petentem*
dum dabat eripuit, cuiusque ex ore profusos
omnis posteritas latices in carmina duxit.
patria quae o *profusas* G *lances* o. mit übergehung zahlreicher vermutungen (zb. Schmidts zs. f. d. gw. IX 422 *Graecia diripuit*) biete ich folgende: *patriae cui iura petenti dum dabat, eripuit* usw. es wird erlaubt sein hier nur *posteritas*, nicht *omnis posteritas* als subject zu nehmen (gegen Schmidt).

II 33 *silvarumque deos sacrataque munia nymphis.*
munia gibt Jacob, die hss. haben *numina*; *munia* kann doch nicht zu *silvarum deos* in parallele treten. ich schlage vor: *sacrataque numina lymphis*, ähnlich wie II 434 *adiectaque numina signis*.

II 136 ff. *haec ego divino cupiam cum ad sidera flatu*
ferre nec in turbam, nec turbae carmina condam,
sed solus vacuo veluti vectatus in orbe
liber agam currus non occursantibus ullis,
nec per iter socios commune gerentibus actus,
sed caelo noscenda canam —

zunächst nimt Bentley anstosz an der tautologie *nec in turbam nec
turbae carmina condam* und schreibt deshalb *in terram.* diese änderung zieht andere nach sich. denn nun musz der gegensatz zu *in
terram* möglichst nahe an v. 136 herantreten. deshalb wirft er die
drei verse 138. 139. 140 weg ('quid, malum, currus ad carmina pertinet? quorsum *veluti vectatus?* aut vectare, aut, si non potes,
cade'). ich schlage folgendes vor. in 137 schreibe man *ferre, nec
in turba nec turbae carmina condam.* der dichter meidet das gewühl der menge (man denke an stellen wie *urbis relinquam, coetusque
volgaris et udam spernet humum fugiente penna*), er will nicht unter
ihr, auch nicht für sie dichten, sondern er weilt in einsamen himmels-
höhen, wenn er des himmels gesetze kundmacht. freilich nicht auf
den sonst üblichen schwingen der dichter, sondern wie es dem astrologen ziemt. doch sehen wir in v. 139 die lesarten genauer an:

† umbrato
umbrato G. *u bra tā* C. *Ubera tam* L. *libera tam* V 1. 2   *curru*
G L. *currus* ω   *non occursantibus* G. *nolo cursantibus* C V 1. 2.
daraus machte Scaliger *verbere agam currus*, Bentley, wenn er den
vers halten müste, *liber agam currus*, was Jacob aufnimt. ich
schreibe der hsl. überlieferung (*l* und *u* wechseln sehr oft) am nächsten *librato curru* (P 12). *libratus* ist technischer ausdruck von
den frei schwebenden himmelskörpern (*quodni librato penderet pondere tellus* I 173. *suspenduntque suo libratum examine mundum*
II 921). also im einsamen äther getragen gleichsam auf luftigem
wagen will er singen, und hören soll es der himmel und die kleine
schar derjenigen, welchen die gestirne heilige wege vergönnten
(v. 144). ganz ähnlich sagt Man. II 58 *soloque volamus in caelum
curru.*

II 216 *cetera nec numero consortia nec vice sedis
        interiecta locis totidem nocturna feruntur —*

so die hss. und Scaliger. Bentley wirft den ersten vers aus ('certe
cetera numero paria sunt diurnis; sed quid omnino sit *consors numero*,
non video; nec quid sit *consors vice sedis*, nec quid omnino sit *vice
sedis*'). Jacob corrigiert *ter numero consortia, ter vice sedis* (etwa
= *ter consortia* 'dreifach verwandt'?). die sechs vorher genannten
gestirne sind (v. 215) *simili sorte diurna*, die übrigen sind jedenfalls als *nocturna consortia.* nun aber waren die sechs *diurna* nach
v. 214 *aut vicina loco, divisa aut partibus aequis.* nicht anders verhält es sich mit den *signa nocturna.* dies zeigt folgende übersicht:

1. *diurna*:

9 — 5 — 1 ‖ 12 — 4 — 8
arcitenens leo aries ‖ pisces cancer scorpios

die verbundenen sind *loco vicina*, die nebeneinander stehenden sind
getrennt durch je drei *signa.* ebenso ist es aber in betreff der

2. *nocturna*:

10 — 6 — 2   ‖   3 — 7 — 11
capricornus virgo taurus   gemini libra aquarius

daher ist *nec .. nec* falsch, und es ist dafür *vel .. vel* zu schreiben.
II 226 *ut quae terrena censentur sidera sorte* —
die sternbilder werden von v. 223 eingeteilt in *marina* (*quin nonnulla .. loquuntur*), in *ambigua* (v. 230 *sunt etiam mediae legis* usw.)
und in *terrena*; aber *ut* hat nichts worauf es sich bezieht, und es ist
zu schreiben (Markland setzte *aut*): *sunt quae terrena censentur
sidera sorte.*

II 253 liest Scaliger:
contra iacet cancer patulam distentus in alvum.
mit recht bemerkt Bentley: 'aufer te cum ista tua barbarie, si revera
posteriorem in *contra* corripueris': denn in II 322 geben zwar die
hss.: *ter triginta quadrum partes per sidera reddant*, wofür Bentley
nongentae (sic! 'quod mirum est non attendisse doctissimum virum'
sagt Pingré in seiner ausgabe zdst.) schrieb. *triginta* ist aber sonst
bei Man. richtig gemessen, und man kann sich mit Jacobs verbesserung in der vorrede zu seiner ausgabe: *ter quadra tricenas partes* einverstanden erklären. — In metrischer hinsicht ist Manilius
peinlich genau. dasz er neben zweimaligem *Prŏpontidos* éinmal *Prō-
pontidos* (IV 679) gebraucht, ist wohl seine stärkste licenz, gedeckt
durch *Prŏserpina* bei Horatius. ob er neben stetigem *dŭo* sich éinmal *dŭo* gestattet habe, wie Bentley in III 580 (*lustra decem tribuet
solis cum mensibus octo* haben o) schreibt, darf man mit Bechert de
M. Manilii emend. ratione s. 56 bezweifeln, da *lustrum solis* nicht
notwendig einen zeitraum von fünf jahren bedeuten musz. neben *leŏ*
geben die hss. zweimal *leō*: in II 229 hat Bentley bereits die unent-
behrliche copula eingesetzt (*praedatorque leo et dumosis scorpios
arvis* — freilich Jacob läszt sie wieder weg); in der zweiten stelle
V 698 *et pariter vastusve leo vel scorpios acer* mag man den hss. folgen, wenn der vers gehalten werden soll. bei Horatius nimt niemand
an *Gaetulusve leō* anstosz. fast alle licenzen, die Jacob im index
u. *metrica* und *hiatus* anführt oder im text stehen läszt, bzw. eingeführt hat, sind ohne berechtigung. ich gebe folgende beispiele:

I 89 f. liest man bei Bentley und Jacob: *tum belli pacisque
artes commenta vetustas; semper enim ex aliis alia proseminat usus*
('producit finalem *alia* cum caesurae virtute tum geminae consonantis'
sagt Bentley); aber bereits Scaliger gibt das richtige *alias*, nemlich
artes. — II 115 geben V 1. 2 *humanas indē species*, welche lesart
Jacob zufolge seiner wunderlichen vorliebe für V 2 im index u.
metrica billigt, während die bessern hss. *etiam* bieten. — Dieselbe
vorliebe verhilft ihm sogar zu prosodischen schnitzern: III 89 schreibt
er mit V 2 *utcunque stellae septem laeduntve iuvantve*, während

L C V 1 haben: *ut cum stellae VII*, G *ut sit cum*, weshalb Scaliger
ut fit cum, Bentley aber *utcumque aut* besserte (der vers dürfte zu
streichen sein, wie die mehrzahl derjenigen, welche planetarische einflüsse andeuten: diese will Man. erst später behandeln: III 156 ff.).
— II 547 gibt er: *in cancro genitos capricorni fĕmina laedunt*
(*femora* haben V 1. 2, *femina* L C. dasz kein druckfehler im spiele
ist, zeigt die adnot. crit.); das richtige *semina* geben vulg., Scaliger,
Bentley aus G. — III 250 hat er *regulaque exactă primum formetur
in horas* (*horas* haben freilich alle hss., der fehler entstand durch die
gleichen ausgänge der nachbarverse. aber der sinn verlangt, was
Bentley schrieb). die stunden sind von wechselnder dauer. es handelt sich darum die *hora certae mensurae* zu bestimmen. dazu geht
man aus von der *hora* zur zeit des *aequinoctium*. diese ist *hora exacta*.
daher ist mit Bentley zu lesen: *regulaque exacta primum formetur in
hora, quae* usw. — V 136 liest Jacob: *suspensa strepitus* sc. *corda*;
während C V 1 *trepidis*, L *trepidus* bieten, hat V 2 *trepitus*. aber aus
den schriftzügen *suspensastrepit* (G) folgt *suspensa ad strepitus*, nicht,
was Bentley gab, *in strepitus*. Jacob scheint die ergänzung der präp.
für zulässig zu halten, vgl. was er im index u. *accusativus* anführt.
— Ein hiatus ist dreimal hsl. überliefert. I 793 *censu Tullius oris
emeritus caelum et Claudi magna propago* ¦(G *claudu*, ɯ *Claudia*).
LMüller de re metr. s. 110 duldet den hiatus; Bentley sagt: 'facile
est *caelos* substituere; sed numquam alias plurali isto auctor utitur'
und corrigiert *fasces*. ich kann *fasces* nicht für passend halten, denn
darauf kommt es hier nicht an. Manilius zählt die männer auf
qui caelum meruere. darf man aber *caelos* nicht einsetzen, so liegt es
nahe in der hsl. überlieferung *Claudia* ein glossem zu erkennen, von
welchem das ursprüngliche *C l a u s o r u m* verdrängt ist (vgl. Ov. *fast.*
V 155 *dedicat hoc veteris Clausorum nominis heres* und die stellen
des Tacitus ann. IV 9. XI 24). — IV 248 geben die hss. *materiam-
que manu certa duplicari et arte*, und Jacob behält dies im texte; er
sieht also mit Huët *duplicari* als deponens an. dann hätte er mit
der vulgata gleich *duplicarier* einsetzen können. nun ist aber *duplicari* als deponens nicht nachzuweisen, jedenfalls nicht dem Manilius
zuzuschreiben. doch ist der vers nicht mit Scaliger ('ut ab homine
alchymista infarctus') und Bentley zu tilgen. *duplicare* ist die kunst
des *bractearius* (*qui malleo diducit metalla*), und dessen thätigkeit
war in diesem zusammenhange nicht zu übergehen. vom *capricornus*
heiszt es (246 ff.): *sub te censendum est: scrutari caeca metalla*; aber
auch die verarbeitung des gefundenen, die anwendung lehrt er
(v. 251 *tua munera surgent*). LMüller ao. s. 398 schreibt *duplicare
metalli*; näher liegt, glaube ich, *duplicabis et arte*; doch mag der vorschlag von Pingré *duplicare per artem* das richtige treffen. — II 831
hic tenet arbitrium vitae, hic regula morum est hat G *hunc . . hic,*
C *hc̄*. um den hiatus zu tilgen, schrieb Bentley *vitaï*, Lachmann
vitale. man wird zu lesen haben: *n u n c tenet arbitrium vitae, n u n c
regula morum est*. — Verlängerung consonantisch auslautender end-

silbe vor vocal scheut Jacob selbst in der thesis nicht. er schreibt
III 4 *conor et dignos in carmina ducere cantus.* aber G hat *indignos*
und GLC *in carmine.* *in carmina ducere* gebraucht Manilius II 9
und IV 469: *mille alius rerum species in carmina ducent* = 'gegenstände in die dichtung einführen'. hier dürfte *indignos in carmine
cantus ducere* zu verbinden sein. zu diesem bescheidenen urteile des
dichters über sich vgl. III 31 ff. und IV 431 ff. — III 188 *a sole ad
lunam numerabis ordine partes.* diesen vers hat überhaupt nur V 2.
die hgg., Jacob ausgenommen, fügen *in* ein (vgl. II 296 *redduntur in
ordine vires).* — Verlängerung in der arsis nimt Jacob an II 372
*transversos igitur fugiunt subeuntia visus, quod nimis inclināt acne,
limisque videntur.* die verlängerung erkennt LMüller ao. s. 329
an, indem er den vers in Jacobs schreibung citiert. aber *acne* ist
nicht hinreichend beglaubigt, ja Jacob vermag es selbst nicht zu erklären (vgl. index s. 200 'virgam dicere videtur, unde *acnua* [?]
sunt'). nun haben G *inclinat anne.* L $\overset{+\ ac\ ne}{anne.}$ C V 1. 2 *ac ne.* hieraus entstand die vulgata: *ac ne limisque videntur.* es ist aber zu
schreiben: *quod nimis inclinata acie limisque videntur, vicinoque
latent: ex recto certior ictus.* *inclinata acies* ist gegensatz zu *recta
acies* (der gerade aus gerichtete blick) III 377. — II 108 *descendit
deus atque habitat ipsumque requirit* führt Jacob aus C V 1. 2 wieder
ein ('*ipsumque* plane Manilianum est': gewis, aber wenn man die
stellen zählt, ist *se ipse* häufiger bei ihm, vgl. P s. 8, Bechert ao.
s. 51), und mit recht haben Scaliger und Bentley *seque ipse requirit*
aus G bzw. L geschrieben. — IV 280 *adde gubernandi studium.
pervenit in astra et pontum caelo vincit. et noverit orbem, fluminaque*
usw. die vulgata und noch Bentley hatte *coniunxit. noverit orbem.*
wer *coniunxit* las, deutete den vers mit Scaliger auf die Argo (*quae
nunc quoque navigat astris* V 13). davon ist hier keine rede. vielmehr wird ausgeführt, welcherlei künste das *studium gubernandi*
bedinge. wer das steuer lenken soll, musz die gestirne kennen: durch
die kenntnis des himmels bemeistert er den pfadlosen *pontus* (*vincit*);
aber das genügt nicht — auch die länder, flüsse, häfen musz er
kennen. so fordert der sinn was LMüller ao. s. 333 vorschlägt *et
pontum caelo vincit. set noverit orbem.* — IV 920 findet man bei
Jacob: *ipse vocat animos nostros* wohl infolge eines druckfehlers, da
die hss. *nostros animos* bieten. — V 385 hat Bentley, allerdings nur
auf V 2 gestützt, *pascere aves Veneris gaudent et* usw. mit recht geschrieben (in ɯ *gaudent Veneris et*). — Nachdem I 10 das *animum
viresque facis ad tanta canenda* von Lachmann (zu Lucr. VI 385) in
viresque excis geändert ist, bleibt nur noch I 876 *numquam futilibus
excanduit ignibus aether,* und ich glaube dasz man auch diese stelle
zu ändern hat, etwa in *futilibus non umquam e. i. a.* (P s. 8). —
Manilius ist ja sonst ein metriker strengster observanz: *contra iacet*
II 253 ist also zu ändern. um den überlieferten schriftzügen nahe
zu bleiben, schrieb Bentley *strata iacent.* ähnliche absicht hatte

Jacob, doch begegnete ihm das ungeheuerliche, dasz er mit seiner
änderung:

> *tuque tuo, capricorne, gelu contractus in astris,*
> *prone, iaces: cancer patulam distentus in alvum,*
> *scorpios incumbens plano sub corpore terrae,*
> *in latus obliqui pisces semperque iacentes* —

drei *signa currentia*, drei *stantia*, zwei *sedentia* und vier *iacentia*

† corpore

vorführt. auch *corpore* ist verschlechterung. aus G *pectore* hat
Bentley das allein sachgemäsze, die lage des *scorpios* im gegensatz
zu der des krebses und der fische scharf bezeichnende *pectore* genommen. die corruptel ist aber besonderer art. G zeigt es. während
L C V 1. 2 *contra iacet* geben, liest man in G *contrat iacæ*, und
Bentley[1] meinte, es sei dies aus *ctrat* entstanden. vielmehr haben
wir hier eine dittographie zu erkennen. aus dem vorhergehenden
verse nahm der schreiber des sog. archetypus *contractus* zum teil
herüber, wie dies bei ihm so häufig sich findet. wenn dies aber so
ist, so musz die besserung sich begnügen eine sinngemäsze zu sein.
wir haben eine ganz schlichte aufzählung, wie in 223 ff.: 1) *quod
sunt currentia quaedam, ut leo* — v. 245. 46; 2) *aut quae recta suis
librantur* (G; *librentur* ω und Jacob) *stantia membris, ut virgo* —
v. 247. 48; 3) *vel quae fessa sedent* v. 249. daher wird man in v. 253
folgen lassen: *quaeve iacent* usw.

 II 361 *nam cum per tales formantur singula limos*
> *sidera, et alterno devertitur augulus astro* —

Man. bespricht die *signa sexangula* 1. 3. 5 usw. und 2. 4. 6 usw.).
die hss. geben *limes*, Scaliger corrigierte *limas* (erg. *lineas*), für
Jacobs *limos* ('*limus* ad obliquam virgam transfertur' index s. 212)
fehlt jeder nachweis. aber der fehler steckt anderswo. 'dic modo
verum,' sagt Bentley 'an ipsa sidera *formantur* per tales lineas?'
seine änderung *nam cum pertransit formatus singula limes* bringt

---

[1] wunderlicher weise bezweifelt Bechert ao. s. 9, dasz Bentley den
G selbst benutzt habe: nicht blosz die vorrede des herausgebers ('hisce
usus est codicibus manuscriptis: Gemblacensi DCCC annorum, omnium
optimo et vetustissimo, quem per aliquod tempus penes se habuit et ad
editionem Scaligeri posteriorem ipse bis exegit' usw. s. XIV der Lon-
doner ausgabe von 1739) sagt das gegenteil; jede seite der genialen
ausgabe läszt die genaue benutzung erkennen — einzelne versehen
laufen ja mit unter —; endlich glaube man Bentley selber, wenn er
sagt (zu I 479): 'falsus est Scaliger, cum ex Gemblacensi citat *tum credere*: nam et Gemblacensis (ut meis oculis vidi) et alii universi *tum
cernere.*' Bechert citiert die autorität eines Elias Stoeber ('in editione
Londina anni 1828'). Stoeber sagt in den 'notae selectae' seiner ausgabe (Straszburg 1767) s. 429 zu IV 637: 'Lips. quidem codex et, Bentleio legente, Gemblac. habent *sola*. in hoc autem Scaliger non tam
obsequentem sibi habuit variarum indicem lectionum, quam Bentleius
(neuter autem horum illustrium virorum ipsum codicem oculis usurpavit' — aber wer wird dem gänzlich kritiklosen Stoeber glauben,
dessen leistung Pingré in der einleitung seiner ausgabe s. XXXII mit
recht 'un recueil d'inepties' nennt!

uns das seltene *pertransit*, welches noch dazu für einfaches *transit* stehen soll, und das unerklärliche *limes formatus*. einfacher scheint mir:

nam cum per talis feriuntur singula limas
sidera et alterno devertitur angulus astro —

ferire ist dafür typisches wort. Bentley setzt es selbst v. 393 ein: (*virgula*) *duo signa ferit mediis summota quaternis.* nun sagt Bentley freilich: 'in hexagono linea *pertransit singula sidera* et alterna tantum *ferit*'; aber in v. 358 ist ja schon gesagt, dasz *alterna signa* zur behandlung kommen, und diese werden einzeln aufgezählt. im folgenden empfehle ich umstellung von v. 368 und 369:

369 *utque ea praetereas, qaae sunt mihi singula dicta,*
368 *alterius ductus locus est per transita signa,*
370 *flexibus et totidem similis fit circulus illi.*

diese reihenfolge hat G. in v. 370 hat G *it*, ω *sit*, letzteres behält Jacob mit unrecht.

II 379 ff.

sed tamen est illis (sc. *sexangulis*) *foedus sub lege propinqua;*
quod non diversum genus est, quod euntibus astris
mascula sex maribus respondent, cetera sexus
feminei sex coniungunt commercia mundi.

in v. 380 läszt G *est* weg. Bentley nimt mit recht anstosz an dem zweiten *quod* und an *euntibus astris*. in seinem streben nach vollster klarheit schreibt er hier: *alternantibus astris*, wie er schon oben v. 371 für *subeuntia* einsetzte *sexangula* ('cur *subeuntia* magis quam *stantia?* cum aspectus hexagonorum fixi sint'). der gegensatz zu *subeuntia signa* ist doch nicht *stantia*, sondern *praecedentia*. im ersten sechseck führt *aries*, im zweiten *taurus*, es folgen (*subeunt*) *gemini*, bzw. *cancer* usw. daher empfehle ich:

quod non diversum genus est subeuntibus astris;
mascula sex maribus respondent.

II 410 *sed quamquam adversis fulgent contraria signis,*
natura tamen interdum sociata feruntur,
et genera amplexis concordia mutua surgit,
miscua si paribus vel si diversa duorum est.
respondent generi pisces et virginis astra usw.

amplexis schreibt Jacob für *exemplis* der hss., *duorum* für *suorum*. v. 413 ist nach form und inhalt (*miscua! suorum!*) barbarisch und zu beseitigen. in v. 411 und 412 *natura tamen interdum sociata feruntur et genere: exemplis concordia mutua surgit* liegt die disposition der folgenden *exempla*. die *contraria signa: pisces* und *virgo* sind weiblich, hier siegt *genus*, *natura* über die stellung (*locus*); *cancer* und *capricornus* sind weiblich, aber über *genus* siegen *tempora*; *aries* und *libra* sind männlich: sie sind einander feindlich, aber nicht gänzlich.

II 419 *hinc rigor et glacies, nivibusque albentia rura,*
hinc sitis et sudor nudusque in collibus orbis,
aestivosque dies aequat nox frigida brumae.

die hss. haben *aequant*. dies führt aber nicht auf *aequat*, sondern
auf *aequans*. ferner scheint sich die umstellung von v. 419 und
420 zu empfehlen.

    II 428 *temporaque efficiunt simili concordia textu,*
        permixtosque dies mediis hiemem inter et aestum
        articulis, uno servantia tempore utrumque (sc. *tempus*).
mit recht nimt Bentley anstosz an *tempora uno servantia tempore
utrumque*. der anstosz fällt weg, wenn man statt *servantia* schreibt
servantis (sc. *dies*).

    II 581 *idcirco nihil ex semet natura creavit*
        pectore amicitiae maius, nec rarius umquam,
        unus erat Pylades, unus qui mallet Orestes
        ipse mori; lis una fuit post saecula mortis:
   585 *alter quod raperet fatum, non cederet alter.*
        et duo qui potuere sequi. vix noxia poenis
              * * * *
        optavitque reum sponsor non posse reverti usw.

v. 586 hat viel anstosz erregt: Scaliger schreibt *sequi vadimonia
sponsi*, Bentley *sequi vestigia tum cum*. Jacob meint, es sei ein vers
ausgefallen, übrigens werde *vis noxia* zu schreiben sein. ich halte
dafür, dasz nichts ausgefallen und nichts zu ändern ist. *vix noxia
poenis* ist ein kurzes epiphonema, in welchem, wie so oft bei Manilius, das zeitwort fehlt. aus v. 584 ergänze man *fuit*. 'in jenem falle'
sagt Man. 'war die strafe vorhanden, aber es fehlte für sie das verbrechen', insofern der unschuldige sich zu ihr drängte. dagegen
heiszt es v. 602 *poenas iam noxia vincit*, die verbrechen sind so
massenhaft, dasz die strafen nicht mehr ausreichen. zu *sequi* ergänze
man *fatum* (vgl. *sequi merces* V 248. *usuram* V 275. *fortunam*
III 151. V 42). reminiscenzen aus Cicero sind bei Man. nicht selten.
die nachahmung ist manieriert. für unsere stelle *lis una fuit mortis
.. duo qui potuere* usw. findet sich das vorbild bei Cicero *de off.*
III 90 *quid? si una fabula sit, duo naufragi eique sapientes, sibi
neuter rapiat, an alter cedat alteri?*

    II 643 —686. eine klare disposition ist vorausgeschickt: nach-
dem hasz und freundschaft zwischen den einzelnen sternbildern besprochen worden (v. 643), folgen die beziehungen der *quadrata,
trigona, sexangula, opposita*. letztere werden in v. 652 kurz abge-
macht. somit lassen sich interpolationen leicht erkennen. ausgelassen sind mit recht von Bentley v. 644, *contemplare locum caeli
sedemque vagarum* und v. 651 *distat enim surgatne eadem subeatne
cadatne* — jener, weil er zur sache gar nicht gehört, dieser als sinnlos und barbarisch (zum teil aus I 181 *qua cadat et subeat caelum
rursusque resurgat* entlehnt). nicht anders ist es, glaube ich, mit
folgenden vier versen: ,
        quotquot cardinibus proprie variante moventur,
        quae quamquam in partis divisit quattuor orbis.

sidera quadrata efficiunt, non lege quadrati
censentur. minor est numeri quam cardinis usus.
sie stehen in allen hss. am schlusse des ganzen abschnittes, hinter
686 *sic astrorum servabitur ordo.* Scaliger trennt und stellt den
e r s t e n vers vor 685: *quotquot cardinibus proprio quadrante moven-*
tur, proxima vicinis subscribunt usw. Bentley nimt 685 bis *cardinis*
usus mit zahlreichen änderungen im einzelnen vor v. 677 *longior in*
spatium usw.; endlich Jacob stellt die vier verse hinter 672 *unaque*
tenent sub imagine natos. dies ist um so wunderlicher, als Jacob
allein den kern der schwierigkeit erkannt hat. Scaliger und Bentley
fassen den vers *proxima vicinis subscribunt tertia quaeque hospitibus*
(684 f.) ganz falsch. weil Man. alle drei *quadrata* aufzählt (1. ♈ ♋
♎ ♑ die vier jahreszeiten, v. 658 f. 2.)(II ♍ ♐ *duplicia.* 3. ♉ ♌
♏ ≈ *simplicia*), die er aber doch als gleichwertig hinstellt:
sic quaecumque manent quadrato condita templo —
idcirco adfines signant gradibusque propinquis
accedunt unaque tenent sub imagine natos,
so meinen beide, nur dem ersten *quadratum* gehöre die *adfinitas,*
dem zweiten die *iura vicinorum,* dem dritten die *iura hospitum;* aber
da den *trigona* (677—684) die *amicitiae* zufallen, so giengen dann die
hexagona ganz leer aus, was doch der disposition widerspricht. läszt
man aber die erwähnten vier verse auf dem hsl. ihnen angewiesenen
platze — hinter v. 686 — so ist im übrigen alles in klarer ordnung.
v. 652 behandelt die *opposita,* es folgt die besprechung der *quadrata*
bis v. 672 *unaque tenent sub imagine* (= constellation wie IV 307;
weder *ab sanguine* was Bentley, noch *origine* was Pingré vorschlägt,
ist zu billigen) *natos.* es schlieszt sich mit v. 677 *longior in spatium*
porrecta est linea maius die erörterung der *trigona* und ihres ein-
flusses bis zu *foedus sub sanguine fallunt,* und nun folgen die *hexa-*
gona in v. 685 *proxima vicinis subscribunt tertia quaeque hospitibus.*
vicina signa oder *haerentia* sind ♈ ♉ II (1. 2.·3 usw.), *proxima vicinis*
sind ♈ II ♌ (1. 3. 5 usw.), also = *tertia quaeque* oder *alternantia,*
hexagona. die bande der freundschaft gelten dem Manilius für fester
als die der verwandtschaft (die *trigona* haben mehr macht als die
quadrata): losere bande knüpfen sich unter dem einflusz der *hexa-*
gona (vgl. oben 359 *nec magno consensu foedera servant*), bande der
gastfreundschaft. damit ist die reihe erschöpft (*sic astrorum serva-*
bitur ordo). was wird nun mit den oben erwähnten vier versen?
gleich der erste *quotquot cardinibus proprie variante moventur* — für
proprie ist alles mögliche conjiciert — bringt hier die *cardines* zur
sprache, welchen Man. von v. 788 an einen besondern abschnitt
widmet; er scheint übrigens nach III 90 *cardinibusve movens divina*
potentia mundi und II 790 *cardinibus, qui per mundum sunt quattuor*
omnes dispositi semper mutantque volantia signa — gebildet zu sein.
die drei übrigen verse sollen — nach etlichen änderungen — den
unterschied der drei *quadrata* angeben. dann widersprechen sie
geradezu den versen 668—72, in welchen, wie schon bemerkt, die

drei *quadrata* — in dieser beziehung wenigstens — als gleichwertig bezeichnet werden. endlich hängt der erste dieser verse mit den drei letzten gar nicht zusammen. darf man hiernach die versuche, die verse durch einschiebung an dieser oder jener stelle zu retten, als verfehlt ansehen, so wird man sie als eine aus zwei zusammenhanglosen bestandteilen erwachsene interpolation bezeichnen dürfen. mit v. 687 *adde suas partes signis* beginnt Man. die erörterung der *dodecatemoria*. eine lücke ist da nicht anzuerkennen (was Jacob meint); in v. 692 ist statt *perdiscere* wohl mit Pingré *discernere* zu lesen.

II 693 ff. bespricht Manilius sehr ausführlich die *dodecatemoria*. zunächst in v. 696—721 die *dodecatemoria signorum*. das gebiet jedes ζώδιον wird in zwölf teile zerlegt (δωδεκατημόρια). der erste teil $(2\frac{1}{2}^{0})$ gehört dem ζώδιον selbst, die folgenden elf den übrigen ζώδια, *ut sociata forent alterna sidera sorte* usw. nun folgen (v. 722 ff.) die *dodecatemoria planetarum*. nur diese hat Firmicus (II 15 *pone solem in ariete esse p. 5 et mi. 5. duodecies 5 p. faciunt p. 60. item duodecies 5 mi. faciunt similiter 60, quae 60 mi. unam faciunt p., ac per hoc fiunt p. 61. ex quibus da arieti, in quo solem esse diximus 30 et tauro 30. invenietur solis dodecatemorion in p. prima geminorum*). dieselbe methode erörtert Man. v. 726—30 *quaeque dehinc fuerint partes numerare memento* (*quae & hinc de fuerant* G). in seinem beispiele (*dodecatemorion lunae*) multipliciert auch er mit 12 und zählt je 30 teile den folgenden *signa* zu. aber mit v. 731 *proxima tricenas pariter sententia* [2] *ducit* beginnt die schilderung eines compliciertern verfahrens. man beginnt ebenso je 30 teile abzuzählen, aber ein etwa verbleibender rest unter 30 (v. 732) wird in *sortes* von je $2\frac{1}{2}$ teil zerlegt und diese *sortes* weiter an die *signa* verteilt, bis endlich: *in quo destituent* (sc. *sortes*), *eius tum luna tenebit dodecatemorion signi. post cetera ducet ordine quaeque suo, sicut stant astra locata* (735—737). unter *astra* kann man an dieser stelle füglich nur die planeten verstehen. denn nur diese kann *luna* führen. diese bedeutung hat aber *astra* auch bei Man. II 737 und III 110. alle interpreten bürden nun dem Man. noch eine dritte art der *dodecatemoria* auf, nemlich das *dodecatemorion dodecatemorii*. denn er sage:

II 738 *haec quoque te ratio ne fallat, perspice paucis:*
   maior in effectu, minor est, quod partibus ipsis
   dodecatemorii quid sit, quod dicitur esse
   dodecatemorion. namque id per quinque notatur
   partis: nam totidem praefulgent sidera caelo,
   quae vaga dicuntur. ducunt et singula sortes
   dimidias viresque in eis et iura capessunt.

dh. 'bedeutender in ihrer wirkung ist die kleinere, compliciertere methode. denn in den teilen des dodekatemorion dürfte etwas sein, was man als dodekatemorion bezeichnen kann.' ich glaube nicht dasz dies richtig ist. der fünfte teil eines *dodecatemorion* (*pars*

---

[2] *sententia* o   *ducit* G   *pariter* o.

dimidia) bleibt ein fünftel und wird nimmermehr zu einem zwölftel.
ferner *quod quid sit* ist doch zu stark. nach verba sentiendi hat Man.
ein paar mal den coniunctiv (II 19 und IV 250); hier erkenne ich
für diesen modus keinen grund. sodann ein *dodecatemorion* soll es
heiszen, weil es f ü n f teile enthält! fünf teile aber e n t h ä l t es,
weil — fünf planeten am himmel leuchten! — versuche man einmal
folgendes stück herauszuschälen: *quid sit, quod dicitur esse dodecate-*
morion. namque id per quinque notatur partis. nam totidem prae-
fulgent sidera caelo, quae vaga dicuntur — und man erkennt sofort
eine randglosse, in welcher v. 728 *sublimi totidem quia fulgent sidera*
caelo benutzt ist. wirft man das glossem hinaus, so ist alles klar.
es bleibt übrig: *quod partibus ipsis*
dodecatemorii ducunt et singula sortes
dimidias viresque in eis et iura capessunt,
dh. im *dodecatemorion lunae* erhalten die übrigen planeten (*singula*
astra) je einen halben teil. der grund ist derselbe wie bei den *dode-*
catemoria der *signa*: nemlich *ut sociata forent alterna sidera sorte*
hiesz es von den ζῴδια; hier von den planeten heiszt es v. 749
undique miscenda est ratio, per quam omnia constant. hiernach dürfte
man ein *dodecatemorion dodecatemorii* bei Manilius nicht mehr suchen:
bei Firmicus findet man es auch nicht, wer ist der erfinder?

(fortsetzung folgt.)

HANNOVER.　　　　　　　　　　　　　THEODOR BREITER.

24.
ZU CICEROS REDE FÜR DEN DICHTER ARCHIAS.

§ 5 *hac tanta celebritate famae cum esset iam absentibus*
notus, Romam venit usw. der dativ *absentibus* kann nur bedeuten
'denen welche fern (von ihm) waren, in der ferne', allgemein, nicht
etwa 'u n s in oder aus der ferne': denn in diesem falle wäre der zusatz *nobis* erforderlich. wäre aber die jetzige lesart richtig, so ent-
hielte der ausdruck nicht nur eine unerträgliche abschwächung des
früher gesagten, sondern machte auch die änderung des *esset iam*
in *esset etiam* notwendig. Cicero will aber nach dem gange der erzählung augenscheinlich sagen, dasz Archias ihm und seinen zu-
hörern bereits vor seiner ankunft in Rom bekannt gewesen sei. es
wird daher statt *absentibus* wohl zu lesen sein *absens nobis.* so
heiszt es auch *pSestio* § 130, wo doch *absente* so natürlich gewesen
wäre, mit beziehung auf das subject und den hauptbegriff der stelle
absens: mecum absens beneficio suo rediit in gratiam. vgl. *in Verrem*
I 101 *absens non in oblivione iacuisset, sed in adsidua commemora-*
tione omnibus omnium flagitiorum fuisset.

§ 9 *an non est professus? immo vero iis tabulis professus,*
quae solae ex illa professione collegioque praetorum obtinent
publicarum tabularum auctoritatem. so viel aus den commentaren
zu ersehen ist, soll *ex* hier heiszen 'infolge' und zu erklären sein:

ex professione apud illud collegium praetorum facta. indes hat die
liste das ansehen eines amtlichen actenstückes doch nicht infolge
der meldung, sondern durch die strenge rechtlichkeit des beamten,
welcher die liste führt. nun weist Cicero im folgenden satze nach,
dasz Metellus (*homo sanctissimus modestissimusque omnium*, *pBalbo*
§ 50 *vir sanctissimus et summa religione ac modestia*), der einzig zuverlässige praetor des j. 89 war. deshalb auch das hendiadyoin. *ex*
wird also partitive bedeutung haben. Archias meldet sich mittels
der liste, der praetor führt die meldung weiter, die gesamtheit der
praetoren macht eine umfassende *professio*. von dieser gesamtliste
bildet die liste des Metellus einen teil. die übersetzung lautet demnach: 'er hat sich in diejenige liste eintragen lassen, welche allein
von den angaben (dem verzeichnis) des praetorencollegiums jener zeit
das ansehen amtlicher actenstücke hat.' so kann Cicero § 31 in der
zusammenfassung die *tabulae Metelli* als ein durchschlagendes be-
weisstück verwerten. dasz übrigens *professio* auch 'die schriftliche
angabe' heiszen kann, zeigt *in Verrem* III 115 *professio est agri
Leontini ad iugerum* $\overline{XXX}$, während § 113 derselben rede zu lesen
ist: *in Leontino iugerum subscriptio non est plus* $\overline{XXX}$.

  § 10 *etenim cum mediocribus multis et aut nulla aut humili
aliqua arte praeditis † grauat in civitatem in Graecia homines impertiebant, Reginos credo . . quod scaenicis artificibus largiri solebant, id
huic summa ingenii praedito gloria noluisse.* die lesart *gratuito
civitatem* wird von verschiedenen hgg. mit recht verworfen und nun
entweder auf eine nähere bestimmung zu *impertiebant* verzichtet oder
mit anschlusz an das corrumpierte *grauat in* der besten hs. die änderung *non gravate* oder *haud gravatim* versucht. ein zusatz zu *impertiebant* ist indes hier, wo Cicero die farben so stark aufträgt, meines
erachtens notwendig, besonders da jenes *grauat in* vorliegt; er ergibt sich leicht bei richtiger auffassung des folgenden *largiri. largitio non habet fundum*, die *largitio civitatis* bedingt eine reichliche
verteilung des bürgerrechts. vgl. *pBalbo* § 50 *nimium parcus in
largienda civitate.* § 31 *largitio et communicatio civitatis.* es folgt
für die richtige deutung des *largiri: itaque et ex Latio multi, ut Tuscu-
lani et Lanuvini, et ex ceteris regionibus gentes universae in civitatem sunt receptae.* ich möchte daher lesen: *gregatim civitatem . .
impertiebant.* so sagt Cicero auch *in Verrem* V 148: *videtis cives Romanos gregatim coniectos in lautumias.* vgl. Plinius *n. h.* IV § 89
domus iis nemora lucique et deorum cultus viritim gregatimque. für
die änderung spricht auch der umstand, dasz der redner, wie die
folgenden worte zeigen, unter den *homines humili aliqua arte praediti*
hauptsächlich die schauspieler verstanden hat. diese erschienen aber
vereinigt zu *greges*, sie übten ihre kunst *gregatim* und wurden *gregatim* in die bürgergemeinde aufgenommen. die verderbnis wird
entstanden sein durch den seltenen gebrauch des wortes *gregatim*.

DÜSSELDORF.   KARL KOCH.

25.

CN. FLAVIUS UND DAS WEIHUNGSJAHR SEINES CONCORDIATEMPELS.

Über das leben des Cn. Flavius wird in den verschiedensten schriften noch immer viel ungenaues und unrichtiges angegeben; eine ganze reihe solcher versehen und daraus gezogener falscher schlüsse findet sich in WSoltaus prolegomena zu einer röm. chronologie von s. 7 an beisammen. was wir von Cn. Flavius wissen, verdanken wir zumeist dem Livius, dessen darstellung (IX 46) aber zum glück durch eine stelle bei Plinius (*n. h.* XXXIII 17 ff.) ergänzt und dadurch zugleich vor misdeutungen gesichert wird.

Schon die alten hatten über die thätigkeit des Flavius wie seines gönners, des censors Appius Claudius Caecus, sehr verschiedene ansichten, je nachdem sie der aristokratischen oder demokratischen partei näher standen oder angehörten. zu den heftigsten gegnern beider männer ist vor allen der erste römische annalist Q. Fabius Pictor zu zählen, dessen berühmter geschlechtsgenosse ja schlieszlich als censor die neuerungen des Appius, soweit es angieng, wieder beseitigt hat. aber auch Calpurnius Piso, der gegner der Gracchen, konnte in der person des Appius Claudius nur einen vorläufer der Gracchen sehen und muste darum einem manne wie Flavius ebenso feindlich entgegentreten. dagegen dürfen wir voraussetzen, dasz Licinius Macer bei seiner volksfreundlichen gesinnung und ausgesprochenen gegnerschaft gegen den senat sich gegen jede unberechtigte verunglimpfung des Flavius zum verteidiger desselben aufgeworfen habe.

Livius steht nun zwar mit seinem herzen wie Fabius und Piso auf der seite der aristokraten und folgt daher hier wie sonst ihren berichten, ohne sie zu nennen. doch ist er ehrlich genug wenigstens hinzuzufügen, das Licinius über Flavius einen abweichenden bericht gegeben und diesen auch begründet habe. in dem ersten teile seiner darstellung (§ 1—9) folgt er, wie sich für uns mit ziemlicher sicherheit ergibt, wenn wir seine worte mit einem uns bei Gellius VII 9 erhaltenen fragment des Piso vergleichen, diesem; von § 10—15 hingegen, wo er von Appius Claudius sagt, dasz er den senat durch aufnahme von söhnen freigelassener befleckt, die volksversamlungen durch zulassung der niedrigsten elemente verdorben und eine spaltung zwischen der senatspartei, die sich auf die *plebs rustica* stützte, und der *turba forensis*, die zu Appius hielt, herbeigeführt habe, vernimt man den leidenschaftlichern ton des Q. Fabius Pictor, der dann auch zum schlusz das verdienst seines ahnherrn, des censors Q. Fabius Maximus, nachdrücklich hervorhebt.

Des Plinius bericht dürfen wir schon deshalb auf Licinius Macer zurückführen, weil er das bei Livius nach Licinius erwähnte volkstribunat des Flavius ebenfalls enthält, überhaupt seine erzählung für

Flavius eine gewisse teilnahme und anerkennung zeigt, endlich aber, worauf später noch näher einzugehen ist, die für die einweihung der capelle der Concordia von Plinius angegebene jahreszahl der catonischen aera angehört, welcher Licinius bekanntlich auch sonst folgt. Stellen wir nun die aus dem leben des Flavius uns überlieferten thatsachen im anschlusz an Livius zusammen, so fällt uns zunächst auf, dasz derselbe fast regelmäszig von den annalisten als *Gnaei* oder *Anci filius* besonders bezeichnet wird, während der vatersname doch stehend nur in öffentlichen urkunden hinzugefügt zu werden pflegt und in diesem falle obendrein von keiner bedeutung war. wenn man zwischen den beiden angaben wählen soll, wird man sich ohne bedenken für *Anci filius* als das seltnere wort entscheiden, dessen verderbnis in *Cnei filius* ja leicht begreiflich erscheint. eine andere frage wäre aber die, ob nicht ursprünglich *anci filius* 'der sohn des dieners (oder knechtes)' geheiszen habe und erst später irrtümlich für einen eigennamen angesehen sei. vielleicht kam das wort *Ancus* überhaupt nur bei dem könig Ancus Martius gewissermaszen als eigenname vor. die schon erwähnte stelle des Piso bei Gellius, in der die worte *Anci filius* dreimal wiederkehren und die gerade wegen ihrer scherzhaftigkeit von Gellius angeführt wird, würde dann eine spitze mehr gegen Flavius enthalten, während die dreifache wiederholung des bloszen namens doch entschieden etwas matt klingt und erst durch den doppelsinn des wortes einen gewissen reiz gewinnen würde.

Als der sohn eines freigelassenen von untergeordneter lebensstellung bahnte sich Flavius durch die beihilfe des Appius, dessen schreiber er wurde, ein weiteres feld für seine thätigkeit. später trat er als mitglied der schreiberzunft in den dienst der höhern beamten und erwarb sich allmählich eine gewisse kenntnis und erfahrung in staatsgeschäften. Piso behauptete sogar, dasz er bis zu seiner erwählung zum aedilis curulis, welches amt er varr. 450 unter dem consulat des P. Sulpicius und P. Sempronius bekleidete, dem die wahl leitenden aedilen schreiberdienste geleistet habe. dies klingt freilich an sich wenig wahrscheinlich, wurde aber auch von Licinius Macer geradezu widerlegt, welcher nachwies dasz Flavius seine schreiberstelle bedeutend früher aufgegeben haben müsse, da er vor seiner aedilität zuerst zweimal triumvir (nocturnus und coloniae deducendae), dann sogar volkstribun gewesen sei. Livius selbst nennt den Flavius klug und beredt. durch solche eigenschaften empfahl er sich ebenso sehr dem Appius wie der plebs und wurde daher im übereinstimmenden interesse beider teile zum volkstribun für 449 erwählt. als tribun veröffentlichte er, wie aus Plinius hervorgeht, ein verzeichnis der gerichtstage, wie Livius hinzufügt, auch das bürgerliche recht, das bisher von den pontifices geheim gehalten wurde. auch nach Livius musz aber die bekanntmachung der fasti in das j. 449 dh. vor die aedilität des Flavius fallen, da Livius sie vor der gelobung des Concordiatempels erwähnt, die doch sicherlich spätestens in den anfang des j. 450 zu setzen ist.

Hierdurch gewann Flavius (nach Plinius) die gunst des volkes in dém masze, dasz er zusammen mit Q. Anicius, einem erst kürzlich nach Rom gezogenen Pränestiner, durch die tributcomitien zum aedilis curulis für varr. 450 erwählt wurde, während die söhne zweier plebejischer consulare mit ihrer bewerbung um dieses amt scheiterten. auszerdem verfügte das volk noch, dasz Flavius vom 1 bis 9 december gleichzeitig tribun und aedilis sein sollte, weil das aedilenamt in diesem jahre wie das consulat am 1 december begann, das tribunat aber erst mit dem 9 december ablief. da die aedilität die erste stufe zu den höhern staatsämtern bildete und die ganze nobilität sich in ihren bei der wahl durchgefallenen standesgenossen mit verletzt fühlte, so legten die adligen senatoren ihre goldenen ringe, die ritter den schmuck an haupt und brust ihrer pferde wie in tiefster trauer ab. ihre erbitterung gegen Flavius war so grosz, dasz dieser gelobte, wenn er das volk mit den vornehmen wieder auszusöhnen vermöge, wolle er der Eintracht einen tempel weihen. aber freilich war auch dies gelübde in den augen der vornehmen nur eine neue anmaszung des Flavius. blosz ein consul oder feldherr, meinte die senatspartei, dürfe ein solches gelübde im namen des staates aussprechen. man verweigerte also dem Flavius die geldmittel zum bau seines votivtempels. dieser wuste jedoch, wenn auch in den bescheidensten grenzen, seinen willen gleichwohl durchzusetzen. er sammelte die strafgelder, die er als aedilis hauptsächlich von verurteilten wucherern erhob und über die den aedilen das verfügungsrecht zu gemeinnützigen zwecken schon immer zugestanden hatte, und liesz davon wenigstens eine eherne capelle auf dem Griechenstand am Vulcansplatze erbauen und mit der inschrift versehen, dasz sie 204 jahre nach der einweihung des capitolinischen tempels, die in das stadtjahr 245 fiel, errichtet worden sei. dasz die capelle nicht schon 450, sondern erst varr. 451 erbaut und geweiht ward, ergibt sich einfach daraus, dasz Flavius erst das geld beisammen haben muste, ehe er den bau beginnen konnte, dh. nach dem ablauf seiner aedilität. bestätigt wird aber diese auffassung noch ausdrücklich durch Plinius, welcher hinzufügt, dasz die weihung a. u. 449 erfolgt sei. während Plinius nemlich sonst fast immer varronisch zählt, folgt er hier, jedenfalls nach dem vorgang seines gewährsmanns Licinius Macer, der catonischen zählweise. dieselbe finden wir noch mindestens an zwei andern stellen bei Plinius, nemlich XXXV 19, wo er die weihung des Salustempels, die in varr. 452 gehört, in das j. 450 verlegt, und VIII 16, wo als das jahr der ankunft des Pyrrhus in Italien 472 (= 474 varr.) genannt wird. in allen drei fällen haben wir es mit der alten officiellen aera zu thun, welche dem Licinius Macer in den *libri lintei* des tempels der Juno Moneta vorlag. dieselbe unterschied sich von der varronischen dadurch, dasz sie die drei ersten dictatorenjahre noch nicht kannte, dagegen bis zur schlacht an der Allia ein jahr mehr zählte und also nach dem dritten dictatorenjahre hinter Varro um zwei jahre zurückstand.

14*

Fällt somit die einweihung des Concordiatempels unzweifelhaft in das varronische jahr 451, so ergibt sich für uns noch nebenbei, dasz Livius an unserer stelle, wie das Diodoros so oft thut, die ereignisse mehrerer jahre unter dem éinen jahre 450 erzählt hat. in dasselbe jahr 451 gehört aber auch die thätigkeit des censors Q. Fabius, von der Livius am schlusz des cap. spricht. denn da die nächste censur varr. 455 begann und die alte officielle zählung das vierte dictatorenjahr 453 schon wie Varro mitrechnete, so ergibt sich das j. 451, das davon um vier amtsjahre zurückliegt, als der anfang der Fabischen censur, dasselbe jahr, in welches wir die einweihung des Concordiatempels zu setzen hatten.*

Schlieszlich möge nicht unerwähnt bleiben, dasz der senat sogar die einweihung des tempels noch zu hintertreiben versuchte, indem er den oberpriester P. Cornelius Barbatus jene schon angeführte erklärung abgeben liesz, dasz nur consuln und imperatoren einen tempel geloben dürften. als sich aber der allgemeine unwille des volkes gegen den pontifex wegen seiner weigerung erhob, gab derselbe zwar endlich nach und vollzog die weihung, dafür aber wuste der senat einen scheinbar beide parteien befriedigenden volksbeschlusz zu erwirken, nach welchem künftig niemand mehr ohne ausdrücklichen auftrag von seiten des senats oder der mehrzahl der volkstribunen einen tempel oder altar geloben sollte.

---

* die censuren dieser zeit gebören in die varronischen jahre 442. 447. 451. 455. da die catonische aera das dictatorenjahr 445 nicht zählte, wohl aber 453, so liegen wirklich zwischen den censuren jedesmal vier amtsjahre. dasz die censur des Fabius in das j. 451, nicht in 450 fällt, wird auch durch die worte des Livius bestätigt, dasz die erwählung des Flavius zum aedilis für 450 die veranlassung zur spaltung der bürgerschaft gegeben und erst die censur des Fabius die versöhnung herbeigeführt habe, indem doch mindestens ein jahr als der zeitraum der spannung und des zerwürfnisses anzunehmen ist. für 455 s. Livius X 9, 14 *lustrum conditum* und X 9, 10 *M. Paetus T. Manlius Torquatus novi consules*, während die censoren Sempronius und Sulpicius bei Mommsen CIL. I s. 566 allerdings unter den consuln des vorhergehenden jahres 454 (Valerius und Apulejus) stehen.

Kreuznach.   Ludwig Triemel.

26.
DAS DATUM DES PANNONISCHEN TRIUMPHES
DES TIBERIUS.

Den triumph, welcher dem Tiberius im j. 9 nach Ch. nach glücklicher beendigung eines dreijährigen pannonisch-dalmatischen krieges zuerkannt, damals aber wegen der niederlage des Varus von ihm verschoben und erst später gefeiert wurde, verzeichnet der kalender von Praeneste (CIL. I s. 312) unter dem 16 januar; in welchem jahre derselbe stattgefunden, ist uns weder dort noch anderswo überliefert. es können aber nur zwei jahre für den triumph in frage kommen. Suetonius berichtet nemlich (*Tib.* 18. 20): *proximo anno* (dh. im jahre nach bewilligung des triumphes) *repetita Germania . . a Germania in urbem post biennium regressus triumphum quem distulerat egit.* da nun jetzt wohl allgemein anerkannt wird, dasz die beendigung des pannonischen krieges und die Varusschlacht ins j. 9 fallen (s. zuletzt Mommsen RG. V s. 43 mit anm.), so ist unter *proximus annus* das j. 10 zu verstehen. entweder kehrte nun Tiberius, nachdem er im frühlinge dieses jahres nach Deutschland aufgebrochen, ende des folgenden, also bevor das zweite jahr seines aufenthaltes in Deutschland voll abgelaufen war, zurück und triumphierte am 16 januar 12, oder er kehrte etwa im sommer 12, nach verlauf von zwei vollen jahren, zurück und triumphierte am 16 januar 13. denn nach dem sprachgebrauch Suetons erscheint auch die zweite auffassung zulässig: wie er (*Tib.* 16) auf den im sommer 6 begonnenen und im herbst 9 beendigten pannonischen krieg ein *triennium* rechnet, indem er nicht die kalenderjahre berücksichtigt, sondern die wirklich verflossene zeit[1], ebenso konnte er die zeit vom frühling 10 bis zum sommer 12 als ein *biennium* bezeichnen (hiernach ist die bemerkung jahrb. 1876 s. 546 oben — vgl. Matthias ebd. 1884 s. 195 — zu modificieren).[2] auf den ersten blick könnte

----

[1] in der wendung *bellum ˙triennio gessit* ist das zahlcollectiv in derselben weise gebraucht wie bei Tacitus (vgl. *triennio* ann. VI 23), bei welchem nach FViolet (Leipziger studien V⋅ s. 216 ff.) das zahlcollectiv einen zeitraum nach der zahl der von datum zu datum verflossenen kalenderabschnitte zusammenfaszt und als abgeschlossen hinstellt, mag der wirkliche abschlusz schon eingetreten sein (wie in unserer stelle) oder nicht, und der differenz der kalenderjahre entspricht (wie hier: 9 — 6 = 3). [2] bei Tacitus faszt das zahlcollectiv auch mit *ante* (*biennio ante, ante quadriennium*) nach Violet einen abgeschlossenen zeitraum unter éinen begriff zusammen und entspricht auch hier der differenz der kalenderjahre; wollten wir auch an unserer Suetonstelle (*post biennium*) diese differenz ins auge fassen, so würde sich das jahr (10 + 2 =) 12 als das der rückkehr und mithin der 16 januar 13 als tag des triumphes ergeben; das *biennium* wäre dann zur zeit der rückkehr bereits abgeschlossen gewesen. es kann aber natürlich die zulässigkeit der übertragung jener regel auf Suet. nicht von vorn herein zugegeben werden;

sogar die zweite erklärung hier deshalb den vorzug zu .verdienen
scheinen, weil Suetonius nach dem triumphe von keinem feldzuge
des Tiberius nach Germanien mehr zu berichten weisz, den des
j. 12 (vgl. unten anm. 12) bei der ersten deutung also unberücksichtigt gelassen hätte; doch ist darauf kein gewicht zu legen, da
derselbe auch den von Tiberius nach der niederlage des Varus dorthin unternommenen zug unerwähnt läszt; nicht minder scheint er
des Tiberius germanischen krieg im j. 7 vor Ch. nicht zu kennen,
vgl. *Tib.* 9 — alle drei kriegszüge waren höchst unbedeutend.

Man kann mithin in der datierung des triumphes nur schwanken zwischen dem 16 januar 12 und dem 16 januar 13 nach Ch.
die gewöhnliche, ua. auch von Orelli und Mommsen in ihren bemerkungen zu jener notiz der fasti Praen. und von SPeine de ornam.
triumph. s. 4 anm. 2 geteilte meinung setzt nun den triumph in das
j. 12. doch hat es auch bis in die jüngste zeit nicht an vertretern
der ansicht gefehlt, dasz der triumph in das j. 13 falle. ausgesprochen, aber nicht begründet wurde dieselbe schon von Micyllus zu
Ov. *ex Ponto* III 4. Masson ferner (Ovidii vita zum j. 12 n. III)
und Pagius (critica zu demselben jahre), denen das datum des
16 januar unbekannt war, behaupteten, der triumph sei gegen ende
des j. 12 gehalten worden, da erst um diese zeit Tiberius nach Rom
zurückgekehrt sein könne; hätten sie die angabe der fasti Praen.
gekannt, so würden sie natürlich den triumph auf den 16 januar 13
gesetzt haben. dasz jene rückkehr aber erst ende 12 erfolgt sei,
folgerten beide aus der stelle des Vellejus II 104, 3 *hoc tempus me
.. castrorum Ti. Caesaris militem fecit: quippe protinus ab adoptione
missus cum eo praefectus equitum in Germaniam* (vgl. ebd. § 2,
Dion LV 13, 2 mit Zon. X 36 [II 449, 13 ff. Ddf.], auch Suet. *Tib.*
15 f.) .. *caelestissimorum eius operum per annos continuos VIIII
praefectus aut legatus spectator et .. adiutor fui.* Vellejus hat nemlich die feldzüge des Tiberius von dessen adoption durch Augustus
an bis zu dem pannonischen triumphe (II 121, 2 f.), an welchem er
im gefolge des Tiberius teilnahm, im auge; da nun die adoption am
26 juni 4 nach Ch. stattgefunden (fasti Amit. CIL. I 323; Vell. II
103, 3; vgl. Mommsen zu jener stelle s. 395 und RStR. II¹ s. 754
anm. 3), so umfassen die *anni continui novem* die zweite hälfte des

gewis ist dasz Suet. das zahlcollectiv in verbindung mit *intra* in
anderer bedeutung verwendet hat als Tacitus. bei letzterm gilt die
aufgestellte regel auch in diesem falle: s. ann. XIII 42, wo *intra quadriennium* sich auf die jahre 54 bis 58 nach Ch. bezieht (58 — 54 = 4;
Violet s. 217); Suet. dagegen sagt: Lucius und Gaius Caesar, von denen
dieser am 21 februar 4 nach Ch., jener am 20 august 2 nach Ch., also
anderthalb jahr früher (wie er selbst d. *Aug.* 65 sagt: *C. et L. in duodeviginti mensum spatio amisit ambos*; Vell. II 102, 3 *ante annum ferme)*
verschied, seien gestorben *intra triennium* (*Tib.* 15 *Gaio et Lucio intra
triennium defunctis*); 4 — 2 ist aber = 2. er bezeichnet hier also weder
das voll abgelaufene éine jahr noch das noch nicht abgeschlossene
biennium, sondern berücksichtigt die drei jahre 2, 3 und 4.

j. 4, die als ein volles jahr gerechnet wird[3] und die jahre 5—12. ist
also diese lesart richtig, so musz der triumph auf den 16 januar 13
gesetzt werden; die versuche von Clinton (fasti Hell. III s. 278
zum j. 12), Fischer (röm. zeittafeln zum j. 12 s. 446) und Kritz (zu
Vell. ao.), jene lesart und die ansetzung des triumphes auf den
16 januar 12 mit einander zu vereinigen, sind zurückzuweisen, da es
sich eben um neun jahre der kriegführung handelt, der dem triumph
vorhergehende halbe januar also unmöglich mitgezählt werden
kann. der angegebenen lesart der ed. pr. steht aber gegenüber die
der Amerbachschen abschrift *per annos continuos VIII*, wonach jene
kriegführung mit dem ende des j. 11 ablief und der triumph am
16 januar 12 gefeiert wurde; wenn nun auch diese abschrift in vielen
fällen die worte des Vellejus richtiger wiedergibt als die ed. pr., so
sind wir doch nicht berechtigt ihr an unserer stelle von vorn herein
vor jener den vorzug einzuräumen. diese kritische unsicherheit
gerade des wortes, auf das es hier ankommt, verbietet uns die stelle
zur entscheidung unserer frage heranzuziehen. auch der umstand,
den man vielleicht geneigt sein könnte zu gunsten der lesart der ed.
pr. und des 16 januar 13 als triumphtages geltend zu machen, dasz
bei der gegenteiligen annahme der für das j. 12 feststehende germanische feldzug des Tiberius von dessen lobredner gar nicht erwähnt worden wäre (wie von Suetonius: s. o.), kann in keiner weise
ins gewicht fallen: denn ebenso hat er, nachdem er den bericht über
den kriegszug seines helden nach Deutschland vom j. 8 vor Ch.
(II 97, 4) mit den worten *tum alter triumphus cum altero consulatu
ei oblatus est* (der antritt dieses consulats und der triumph fallen auf
den 1 januar 7 vor Ch.: Dion LV 8, 1 f.) beschlossen, desselben zug
nach Deutschland vom j. 7 vor Ch., der dem des j. 12 nach Ch. an
bedeutungslosigkeit gleichkam (Dion LV 8, 3. 9, 1), mit stillschweigen übergangen, und so konnte es ihm auch angemessen scheinen,
mit der erwähnung des letzten von Tiberius gefeierten triumphes
(vgl. II 122, 1 *tribus [triumphis] contentus fuit*) die erzählung von
dessen kriegszügen zum abschlusz zu bringen. aus Vellejus läszt sich
also schlechterdings kein argument weder für die eine noch für die
andere ansicht beibringen.

Eckhel sodann setzt den triumph auf den 16 januar 12, doch
erregen ihm die münzen bedenken, ob nicht der 16 januar 13 das ·
wahre datum sei, weil nemlich die ältesten derjenigen münzen,
welche diesen triumph verewigen, den Tiberius bezeichnen als *Ti.
Caesar Aug. F. Tr. Pot. XV* (DN. VI s. 186=118, nach HSchulz

---

[3] vgl. II 122, 2 *triennii militia* umfassend die zweite hälfte des j. 4,
das j. 5 und die erste hälfte des j. 6 (vgl. jahrb. 1887 s. 863 anm. 2).
anders erklärt diesen ausdruck HSchulz (s. u.) s. 17, indem er von
datum zu datum zwei volle jahre und einige monate rechnet; dann
müsten also der juli und august des j. 6 noch in diesen germanischen
krieg fallen, in der that aber befand sich Tiberius im sommer 6 schon
in Pannonien, vgl. Dion LV 29 f. Vell. II 111, 4. 112, 1.

auch bei Cohen I s. 103 der neuen auflage). nun erhielt Tiberius
zum erstenmal die *tribunicia potestas* im j. 6 vor Ch. und zwar auf
fünf jahre: Dion LV 9, 4 zu diesem jahre: τῷ Τιβερίῳ τὴν ἐξουσίαν
τὴν δημαρχικὴν ἐc πέντε ἔτη ἔνειμε (ὁ Αὔγουcτοc). Suet. *Tib.* 9 ae.
(*Tiberius*) *magistratus . . percurrit, quaesturam praeturam consulatum*
(13 vor Ch.), *interpositoque tempore consul iterum* (7 vor Ch.) *etiam*
(nemlich im jahre darauf) *tribuniciam potestatem in quinquennium
accepit.* Vell. II 99, 1 *Ti. Nero duobus consulatibus* (13 und 7 vor
Ch.) *totidemque triumphis actis* (pannon. ovation 9 vor Ch., german.
triumph 1 januar 7 vor Ch., vgl. II 96 ae. u. 97 ae.) *tribuniciae potestatis consortione aequatus Augusto.* Tac. ann. III 56 (*Augustus*)
Marcum Agrippam socium eius (*trib.*) *potestatis* (vor Ch. 18, erneuert 13), *quo defuncto* (12) *Tiberium Neronem delegit* (vor Ch. 6,
erneuert nach Ch. 4), *ne successor in incerto foret . . esse illi —*
habe Tiberius seinem sohne Drusus geschrieben — *coniugem et tres
liberos eamque aetatem, qua ipse quondam a divo Augusto ad capessen-
dum hoc munus* (nemlich *trib. pot.*) *vocatus sit*, was sich natürlich
auf die erste verleihung im j. 6 bezieht; vgl. allgemein ebd. I 7
tribuniciae potestatis sub Augusto acceptae und Suet. *Tib.* 23 aa.
zum zweitenmal erhielt er die tribunicische gewalt im j. 4 nach Ch.,
und zwar, wie es scheint[4], zugleich mit seiner adoption am 26 juni,
jedenfalls (s. Vell. II 103, 3) erst nach dem 21 februar, dem todestage des Gaius Caesar. einen genauern terminus a quo (als den
21 februar) und zugleich einen terminus ad quem gibt der umstand
an die hand, dasz 'allem anschein nach Augustus und Tiberius tribunicische gewalten von demselben kalendertag an laufen' (Mommsen
ao.). nun wurden aber die jahre der tribunicischen gewalt von der
zeit an gezählt, da Augustus den elften consulat (23 vor Ch.) nieder-
legte (fasti Capit. zdj. CIL. I s. 441: [*Augustus postquam consu*]*latu
se abdicavit, tr*[*ib. pot . .*], vgl. Dion LIII 32, 3. 5), was im juni oder
juli geschah (jahrtafel der feriae Latinae CIL. I s. 472 = VI 2014
s. 456, vgl. Mommsen ao. s. 812 anm. 2; Dion ao. § 3 ἀπεῖπε τὴν
ὑπατείαν ἐc Ἀλβανὸν — zum Latinerfeste — ἐλθών . . ἔξω τοῦ
ἄcτεωc αὐτὸ ἐποίηcεν): sei es nun dasz die tribunicische gewalt
ihm damals erst verliehen wurde oder dasz er sie bereits seit dem
j. 36 vor Ch. als lebenslängliche gewalt besasz, jetzt aber mit der
perpetuität derselben noch die annuität verbunden ward.[5] man wird

---

[4] so nimt auch Mommson an RStR. II[1] s. 754 anm. 3.   [5] bei der
ersten annahme, welche die gangbare und ua. auch von Mommsen mon.
Anc.[1] s. 28 vertretene ist, hätten wir in der angezogenen stelle der
Capit. fasten mit Henzen zu suppliren: *tr*[*ib. pot. accep.*]; verdient aber,
wie ich es glaube, die zweite, von Mommsen RStR. II[1] s. 813 mit anm. 5
u. 6 s. 752 vorgetragene meinung den vorzug, so wird die von demselben ao. s. 752 anm. 1 vorgeschlagene ergänzung: *tr*[*ib. pot. annua
facta est*] sachlich wenigstens das richtige treffen. wenn CPeter einen
unterschied annimt zwischen dem *tribunicium ius*, das Octavian nach
Tac. ann. I 2 im j. 28 bereits besasz, und der *trib. potestas* (I 9. III 56),
die er nach seiner meinung erst 23 erhielt, und unter dem erstern nur

aber wohl nicht irren, wenn man annimt dasz der von Vellejus (in übereinstimmung mit den fasti Amit.) für die adoption angegebene tag 'nach Ch. 4 juni (27 bzw.) 26' auch derjenige der zusammen mit der adoption erwähnten übertragung der tribunicischen gewalt gewesen ist. damit stehen im einklang die angaben der fasti Capit. über die *tribuniciae potestates* des Augustus und des Tiberius, sowie für Augustus das mon. Anc. I 29 f. und Tac. ann. I 9, über welche stelle zu vergleichen ist Violet ao. s. 209 ff.[6] diese zweite erteilung der *trib. potestas* an Tiberius geschah wiederum auf fünf jahre: Suet. *Tib. 16 adoptatur ab Augusto . . nihil ex eo tempore praetermissum est ad maiestatem eius augendam . . data rursus potestas tribunicia in quinquennium, delegatus pacandae Germaniae status* usw. vgl. über diese verleihung auch Vellejus II 103, 3 (*Caesar Augustus*) *quod post Lucii (Caesaris) mortem adhuc Gaio vivo facere voluerat atque vehementer repugnante Nerone erat inhibitus, post utriusque adulescentium obitum facere perseveravit, ut et tribuniciae potestatis consortionem Neroni constitueret multum quidem eo cum domi tum in senatu recusante et eum Aelio Cato C. Sentio consulibus VI Kal. Iulias . . adoptaret* und Tac. ann. I 3 (*Nero*) *filius, collega imperii, consors tribuniciae potestatis adsumitur.* Dion berichtet nun freilich abweichend von Suetonius, Augustus habe diese würde damals dem Tiberius auf zehn jahre gegeben und sie ihm dann vor ablauf dieser zehnjährigen frist im j. 13 von neuem verliehen: LV 13, 2 Τιβέριον καὶ ἐποιήcατο καὶ ἐπὶ τοὺς Κελτοὺς . .[7] τὴν ἐξουcίαν αὐτῷ τὴν δημαρχικὴν ἐc δέκα ἔτη δούc. LVI 28, 1 τῷ Τιβερίῳ τὴν ἐξουcίαν τὴν δημαρχικὴν αὖθις ἔδωκε. diese beiden angaben sind aber unrichtig: nach Tac. ann. I 10 hat Augustus ihm die *trib. pot.* zum

die tribunicische unverletzlichkeit und das recht bei öffentlichen gelegenheiten neben den volkstribunen zu sitzen (s. GR. II⁴ s. 482) oder (ebd. III⁴ s. 30) die unverletzlichkeit und das intercessionsrecht versteht, so hätte ihm Dräger darin nicht folgen sollen; in demselben sinne (= *potestas*) steht *ius* I 1 *tribunorum militum consulare ius.*

[6] an demselben tage wurde dem Tiberius vermutlich auch schon das erste mal, 6 vor Ch., die trib. gewalt verliehen, also für die zeit vom 26 juni 6 bis 25 juni 1 vor Ch. anlangend die betreffs des datums der adoption zwischen dem kalender von Amiternum, der den 26, und Vellejus, der den 27 juni nennt, obwaltende differenz um éinen tag läszt es Mommsen ao. s. 754, 3 dahingestellt, ob bei Vellejus ein abschreiberversehen anzunehmen sei oder nicht. mir scheint ein solches vorzuliegen, wenigstens möchte ich nicht mit JAsbach im rh. mus. XXXV s. 187 den 27 deswegen für das richtigere datum halten, weil, wenn vom 27 juni 23 vor Ch. an die kalenderjahre der trib. gewalt des — damals den consulat abgebenden — Augustus gezählt wurden, dieses tagesdatum jenem entsprechen würde, an welchem er, ebenfalls unter rücktritt vom consulate, im j. 43 vor Ch. sich mit Antonius und Lepidus zum *triumviratus r. p. c.* verband, zumal da letzteres nicht am 27 juni, sondern am 27 november erfolgte. [7] die lückenhafte stelle wird ergänzt durch Zonaras X 36 (II 449, 13 ff. Ddf.) μετὰ δὲ ταῦτα Κελτικοῦ πολέμου κεκινημένου, αὐτὸς ὑπό τε γήρους καὶ νόcου κεκμηκὸς ἔχων τὸ cῶμα καὶ ἐκcτρατεύcαι μὴ οἷός τε ὤν, τὸν Τιβέριον . . υἱοθετήcατο καὶ τὴν ἐπὶ τοὺς Κελτοὺς ἐκcτρατείαν ἐπέτρεψεν.

letztenmal einige jahre vor seinem tode erneuert: *Augustus paucis
ante annis cum Tiberio tribuniciam potestatem a patribus rursum
postularet* usw., dh. als das *quinquennium* 4—9 abzulaufen im begriff
war, also wahrscheinlich vor dem 26 juni 9.[8] an diesem tage trat
Tiberius also seine elfte *trib. pot.* an, juni 10 die zwölfte, juni 13 die
fünfzehnte. dazu stimmt dasz die fasti cos. Capitolini (CIL. I 442)
zum j. 8 nach Ch. seine neunte *trib. pot.* erwähnen, als welche am
anfang dieses jahres — wahrscheinlich seit dem 26 juni 7 — lief
(vgl. Henzen CIL. I s. 450), zum j. 9 die zehnte, zum j. 10 die elfte,
zum j. 11 die zwölfte, zum j. 12 die dreizehnte, zum j. 13 die vier-
zehnte.   die münzen mit der aufschrift *Ti. Caesar Aug. F. Tr.
Pot. XV* sind also geprägt in der zeit vom 26 juni 13 bis zum 25 juni
14, jedenfalls erst nach dem 21 februar 13, also auch erst nach dem
triumph des Tiberius, auch wenn dieser auf den 16 januar 13 fiel.
wenn daher Eckhel, um zu zeigen dasz die ansicht der 'recentiores',

---

[8] so auch Nipperdey zdst. uud Peter GR. III[4] s. 76, während
Heraeus zu Tac. *hist.* I 15, Eckhel VI s. 115. 118. 184. 186, Fischer
RZ. s. 419. 446 — der jedoch s. 431 die erste angabe Dions dahingestellt sein läszt — und Mommsen mon. Anc.[1] s. 17 und RStR. II[1]
s. 1057, 3 dem Dion folgen. die dritte erteilung der gewalt an Tiberius,
von Vellejus und Suetonius anscheinend deshalb übergangen, weil er
sie seit der zweiten verleihung nicht mehr verloren hat, fand vielleicht
statt im frühjahre 9, das er in Rom verbrachte, während er vorher und
nachher in Pannonien war; im übrigen wurde ihm später die gleich-
stellung mit Augustus (s. u.) während seiner abwesenheit bewilligt.
dieses dritte mal mag Tiberius die trib. gewalt, wie Nipperdey annimt
(vgl. auch Mommsen ao. s. 1059), auf immer erhalten haben; wäre sie
ihm wieder nur auf fünf jahre verliehen worden, so müste sie ihm vor
dem 26 juni 14, also im j. 13 oder 14, erneuert worden sein, da er sie,
wie wir aus den Capit. fasten ersehen, vom j. 4 an ununterbrochen gehabt hat; eine solche vierte verleihung aber widerspräche nicht nur
der bestimmten angabe des Tacitus *paucis ante annis*, wofür es heiszen
müste *paucis ante mensibus* oder *anno ante*, sondern auch dem zeugnis
des Augustus (oder des überarbeiters seiner denkschrift) im mon. Anc.
Gr. III 21—23 καὶ ταύτης αὐτῆς τῆς ἀρχῆς (sc. τῆς δημαρχικῆς ἐξου-
cίας) cυνάρχοντα αὐτὸc ἀπὸ τῆc cυνκλήτου πεντάκιc αἰτήcαc ἔλαβον,
wonach er nur fünfmal einen collegen in der trib. gewalt erhielt: zweimal nemlich den Agrippa — im j. 18 auf 5 jahre und wieder im j. 13 auf
den gleichen zeitraum: Dion LIV 12, 4. 28, 1* — und dreimal den
Tiberius. auch setzt Dion bei der dritten verleihung der gewalt an
Tiberius, wenn er auch nicht ausdrücklich bemerkt, sie sei ihm auf
lebenszeit übertragen worden, doch, wie Mommsen ao. s. 1059 anm. 1
hervorhebt, keine frist hinzu. die entscheidung über den zeitpunkt der
dritten übertragung der *trib. pot.* an Tiberius ist übrigens für die frage,
die uns hier beschäftigt, ohne belang.

---

* sind übrigens diese zeitangaben Dions richtig, so kann die an
sich naheliegende vermutung Mommsens (ao. s. 756 anm. 1), dasz Augustus
dem Agrippa die trib. gewalt an oder zu dem 26 juni (18) verliehen
habe, nicht bestehen: denn nach den Capit. fasten lief für Agrippa, als
er im märz des j. 12 starb (vgl. Fischer zdj. s. 409), bereits die *trib.
pot. VII* (CIL. I 441 zum j. 742 *M. Agrippa L. f. tribunic. potest. VII.
in hoc honore mort. e.*), wonach die erstmalige verleihung nicht später
als in den ersten monaten des j. 18 erfolgt sein kann.

der triumph gehöre in das j. 12, mit dem zeugnis der münzen nicht
unvereinbar sei, bemerkt (s. 186): 'ceterum potuit huius triumphi
memoria in nummis serius signatis renovari, ut certe in nummis
anni sequentis [14/15] renovata est', so hätte er sich bestimmter
ausdrücken können: die münzen, welche den Tiberius als triumphator
zeigen, stellen sämtlich eine memoriae renovatio dar, jene mit der
legende *Tr. Pot. XV* ebensowohl wie die mit der legende *Tr. Pot.
XVI* (Eckhel s. 186/7)[9] bzw. *Tr. Pot. XVII* (s. 187) versehenen.
sollte aber jemandem etwa deswegen die feier des triumphes im j. 13
glaublicher erscheinen als im j. 12, weil bei der erstern annahme
der triumph doch wenigstens $^1/_2$ bis 1, bei der letztern aber erst
$1^1/_2$ bis 2 jahre später auf den münzen seinen ausdruck fand, so
wäre auch das eine irrige schluszfolgerung. ich erinnere daran dasz
die eroberung Ägyptens durch Octavianus im august des j. 30 vor
Ch. erfolgte[10], die zum gedächtnis dieses wichtigen factums geschlagenen münzen aber, so weit sie auf uns gekommen sind, erst den
jahren 28 (Cohen méd. imp. I[1] s. 47: Aug. 41. 42. 43; letztere auch
bei Eckhel VI s. 83) und 27 vor Ch. (Cohen ao. n. 44) entstammen.[11]
es lassen sich also die münzen weder als beweis für das j. 12 noch
für das j. 13 verwerten. — Im übrigen hätte Eckhel, da er die beendigung des pannonischen krieges und die Varusschlacht ins j. 10
setzt (VI s. 117. 185. 208), folgerichtig den triumph auf den
16 januar 13 ansetzen müssen. denn dann ist mit *proximus annus*
bei Suetonius oben s. 213 das jahr 11 gemeint, das *biennium* umfaszt die zeit vom frühling 11 bis ende 12 oder bis sommer 13, und
der triumph fällt sonach auf den 16 januar 13 oder 14; das letztere

---

[9] diese sind nach dem obigen geschlagen zwischen 26 juni 14 und
25 juni 15 (vgl. Mommsen ao. s. 755, 2) und zwar erst nach dem tode
des Augustus 19 august 14, denn sie nennen den Tiberius schon kaiser.
[10] Dion LI 10 ff., Vell. II 87, 1, Orosius VI 19, 14 ff. (s. 416, 5 ff.
Zangem.), Cassiodorius chron. ad a. 724 s. 626 (Mommsen), senatsbeschlusz
aus dem j. 8 vor Ch. bei Macrobius *Sat.* I 12, 35, endlich fasti Ant.
CIL. I s. 328 und Amit. ebd. s. 324, wonach die einnahme von Alexandria
am 1 august stattfand, auf welchen tag von Orosius ao. § 16 s. 416, 15 ff.
irrig die letzte niederlage des Antonius gesetzt wird (Drumann GR. I
s. 496). vgl. auch die Venusinischen fasten CIL. I s. 471 und das Eph.
epigr. IV 192 f. publicierte fragment der Amiternischen s. 193, welche
übereinstimmend das *bellum Alexandreae* (Venus.; *bellum classiarium confectum* Amit.) setzen den in den vierten consulat des Augustus (30 vor Ch.)
und den consulat des C. Antistius Vetus, der, wie die Venus. fasten
angeben, vom 1 juli bis 13 sept. fungiert hat.   [11] eine die eroberung
Ägyptens verherlichende münze von Nemausus mit dem ägyptischen
datum L$^{1\Delta}$ ist nach JFriedländers vermutung im j. 30 selbst geprägt
worden, wahrscheinlicher aber, entsprechend der officiellen ägyptischen
kaiseraera, die erst mit der eroberung Ägyptens anhebt, erst 14 jahre
später, vgl. Mommsen ao. s. 759, 1. eine ähnlich späte memoriae renovatio aus Augustischer zeit finden wir betreffs der rückgabe der
römischen feldzeichen seitens der Parther, welche, im j. 20 vor Ch.
stattgefunden (vgl. Mommsen zum mon. Ancyr.[1] s. 84 ff.), sogar noch
von einer nach Augustus tode geschlagenen münze (Eckhel VI s. 128)
gefeiert wird.

datum ist nun ausgeschlossen, da im j. 13 Tiberius überhaupt nicht, sondern Germanicus allein in Deutschland war[12], es bleibt also nur übrig der 16 januar 13. zwar glaubte auch ASchaefer (jahrb. 1876 s. 249) trotz jener datierung der Varusschlacht auf das j. 10 den triumph auf den 16 januar 12 setzen zu können, indem er das *biennium* auf die zeit von ende 10 bis ende 11 bezog; aber erstens läszt ja Suetonius den Tiberius gar nicht mehr im jahre der Varusschlacht, sondern erst *proximo anno* nach Deutschland ziehen; stünde aber auch da *eodem anno*, so erschiene es kaum glaublich, dasz Suet. die zeit bis zur rückkehr (herbst 10 bis ende 11) als *biennium* bezeichnet haben sollte. dasz die Varusschlacht ins j. 9 gehört, ist schon vorhin kurz bemerkt und zugleich gezeigt worden, dasz dabei der triumph nach Suet. sowohl ins j. 12 als ins j. 13 fallen kann (s. 213).

EvLeutsch, der wie Masson und Pagius das triumphdatum des 16 januar nicht kannte, setzt den triumph — ohne gründe anzugeben — in den spätsommer des j. 765 = 12 (art. Ovidius s. 52 in Ersch und Grubers encycl.).

AHaakh, von der voraussetzung ausgehend, dasz die beendigung des pannonischen krieges und die Varusschlacht ins j. 10 fallen[13], versteht unter *biennium* die jahre 11 und 12 (Stuttgarter realenc. III s. 839) und kommt so zu dem schlusz, dasz Tiberius den pannonischen triumph am 16 januar 13 feierte (s. 840). mit dieser zeitbestimmung, meint er (ebd. anm.), harmonierten auch die münzen, und verweist auf Eckhel VI s. 186. vgl. hierüber das zu Eckhel ausgeführte.

Ferner weist HWölffel zu Ov. *ex Ponto* II 1 den in rede stehenden triumph in das j. 13, ohne dafür gründe anzuführen (das ende des pannonischen krieges setzt er ins j. 9: zu *trist.* II 225).

Dann hat HBrandes, der das j. 10 als jahr des zu ende gehenden pannonischen krieges und der Varusschlacht ua. auch aus den Ovidischen Tristien und Pontusbriefen erweisen zu können glaubte, den triumph dem j. 13 zugewiesen. schon oben (s. 219 f.) ist auseinandergesetzt dasz, wenn jene ereignisse dem j. 10 angehörten, der triumph in der that nicht vor dem j. 13 gehalten sein könnte; hier mag zunächst der kurze hinweis genügen, dasz mit dem ergebnis, welches man aus den angaben der historiker gewinnt, wonach das ende des pannonischen krieges und die Varusschlacht, sowie auch der dann zunächst folgende zug des Tiberius nach Deutschland ins

---

[12] im j. 12 war Rom im kriegszustand mit den Germanen (Dion LVI 26, 2), Germanicus aber nicht am Rhein (Suet. *Cal.* 8 vgl. Dion ao. § 1), also stand dort Tiberius. da dieser aber nach seiner eignen äuszerung bei Tac. ann. II 26 nur neun feldzüge nach Germanien gemacht hat und diese neunzahl mit dem zuge vom j. 12 voll wird (jahrb. 1887 s. 863 f.), so kann er im j. 13 dort nicht geweilt haben.   [13] ebenso rechnet er in einem gemeinsam mit Teuffel verfaszten artikel der realenc. I[2] s. 2310; dagegen setzt er ebd. VI s. 372 die Varusschlacht ins j. 9, wie auch Teuffel ebd. V s. 839 und VI s. 1934; dieser setzt an der letztern stelle den triumph auf den 16 januar 12.

j. 9 fallen, auch die richtige chronologie derjenigen gedichte, welche
Ovidius in der im herbst des j. 8 über ihn verhängten verbannung
verfaszt hat, übereinstimmt[14]: *trist.* II 169 ff. — im j. 9 geschrieben
— bezieht sich entweder auf Tiberius als oberfeldherrn in dem pannonischen kriege, dessen letzte phase sich im sommer 9 abspielte,
vgl. v. 225, oder auf den germanischen feldzug des Tiberius nach
der Varusschlacht ende des j. 9, vgl. v. 229 f.; auf den letztern zug
geht sicher III 12, 41 ff. aus dem frühlingsanfang des j. 10, vgl.
auch die verse *fast.* I 637 ff., welche der im exil nach dem tode des
Augustus begonnenen zweiten redaction der *fasti* angehören (IV 2
— etwa sommer 10 — gedenkt Ov. des germanischen krieges des
Tiberius vom j. 10). was aber die stellen angeht, in denen der
dichter den pannonischen triumph des Tiberius als vergangen erwähnt, so enthalten die betreffenden gedichte mit ausnahme eines
unten zu besprechenden keinen hinweis auf die zeit ihrer entstehung,
so dasz wir nach ihnen uns weder für das j. 13, wie Brandes, noch
für das j. 12, wie EMeyer glaubte (zs. f. d. gw. 1878 s. 460), entscheiden können. im übrigen suchte Brandes seinen ansatz des
triumphes auf den 16 januar 13 erstlich zu stützen durch Dion LVI
26, 2 ἐπὶ τῇ τοῦ Κελτικοῦ πολέμου προφάσει, welche stelle beweise
dasz der krieg in Germanien auch noch im j. 12 fortgedauert habe
(jahrb. 1877 s. 359). das ist ebenso richtig wie seine weitere annahme, dasz Tiberius diesen krieg führte (vgl. oben anm. 12)[15]; nur
folgt hieraus nicht, dasz der triumph erst ins j. 13 falle, da ja
Tiberius auch am ende des j. 11 zurückkehren, am 16 januar 12
triumphieren und dann aufs neue nach Deutschland ziehen konnte.
die stelle ist daher für unsere frage so wenig entscheidend wie die

---

[14] die ansicht, dasz die relegation im j. 8 ausgesprochen wurde,
bewiese sich am einfachsten durch die stelle *ex P.* IV 13, 39 f., wenn
der ausdruck *bruma* dort — was sich allerdings nicht beweisen läszt —
im eigentlichsten und engern sinne = wintersolstitium gebraucht wäre;
denn wie das lateinische gedicht auf den verstorbenen Augustus von
Ovidius nicht lange nach dem eintreffen der todesnachricht (vgl. *ex P.*
IV 6, 17 *de caelite recenti* = *de caelite novo* IV 9, 132) und gleich darauf
auch die epistel *ex P.* IV 6, die dieses gedichts gedenkt, geschrieben
wurde, so wird man nicht fehlgehen, wenn man auch das denselben stoff in
getischer sprache behandelnde gedicht sowie unsere epistel IV 13, worin
desselben erwähnung geschieht, derselben zeit, also dem winter 14/15
zuweist. *sexta bruma* bedeutet nun entweder, das wort im weitern sinne
gefaszt, den sechsten winter in der verbannung (winter 14/15) oder das
sechste wintersolstitium in der verbannung; dieses wäre dann aber
nicht, wie Wartenberg (s. u.) s. 91 annimt, das des folgenden jahres 15
(16/769 ist ein versehen), sondern das des j. 14; daraus würde dann
folgen, dasz Ovidius im december 9 sich schon in Tomi befand, die
verbannung also im j. 8 erfolgte.   [15] mit unrecht also meinte ich
jahrb. 1876 s. 545 schon daraus, dasz Dion nach dem j. 11 keinen feldzug des Tiberius in Germanien mehr kenne (richtiger: beschreibe),
schlieszen zu können, dasz der triumph im j. 12 stattgefunden. meinen
damaligen irrtum teilt SPeine 'de ornamentis triumphalibus' (= Berliner
studien für class. philol. II 2, 1885) s. 32 'Tiberii expeditionis post a. 11
in Germaniam factae ne umbra quidem apud Cassium Dionem exstat.'

des Vellejus II 104, 3, auf welche sich Brandes ferner beruft (s. 359 f.),
oder wie die zuletzt (s. 360) von ihm angeführte münze bei Eckhel
VI s. 118 = 186: vgl. oben s. 214 ff.

In neuester zeit hat endlich HSchulz s. 15—24 seiner diss.
'quaestiones Ovidianae' (Greifswald 1883) das j. 13 als jenes, in
welchem der triumph gefeiert worden, verteidigt und Mommsen, der
früher (CIL. I 384 und RStR. I² s. 133 anm. 2) sich für das j. 12
erklärt hatte, für seine ansicht gewonnen (s. RG. V s. 45 anm.);
auch GWartenberg quaest Ovid. (Berlin 1884) s. 76 f. pflichtet ihm
bei. [16] prüfen wir nun die von Schulz vorgebrachten argumente.
zunächst macht er darauf aufmerksam dasz nach Suetonius und
Vellejus der triumph von Tiberius nach beendigung seiner germanischen kriege gehalten worden sei, dasz mithin, wenn für das j. 12
sich noch ein germanischer feldzug des Tiberius herausstelle, der
triumph nicht diesem, sondern nur dem folgenden jahre angehören
könne. dasz dieser schlusz aber nicht berechtigt ist, dürfte aus dem
oben s. 214. 215 angeführten hervorgehen. er citiert dann die stelle
des Vellejus II 104, 3, die, wie oben s. 214 f. bemerkt, unsere streitfrage entscheiden würde, wenn der text feststünde, wegen ihrer kritischen unsicherheit aber nichts beweisen kann, wie übrigens Schulz
selbst zugibt. dann führt er die stelle Suet. *Tib.* 20 aa. an, die er
so verstehen zu müssen glaubt, dasz der aufenthalt des Tiberius in
Deutschland in der zeit zwischen dem 16 januar 10, an welchem tage
er in Rom den tempel der Concordia weihte, und seinem pannonischen triumph zwei volle jahre dh. vom frühling 10 bis zum frühling
oder sommer 12 gewährt habe, der triumph also auf den 16 januar
13 zu verlegen sei; während dieselbe nach meiner oben s. 213
dargelegten meinung uns keine gewisheit verschafft, sondern zwischen dem 16 januar 12 und dem 16 januar 13 die wahl läszt. Schulz
findet aber eine stütze für seine auslegung in den worten, mit welchen der schriftsteller nach erwähnung des triumphes das 21e capitel
eröffnet. dieselben lauten: *ac non multo post, lege per consules lata
ut provincias cum Augusto communiter administraret simulque censum ageret, condito lustro in Illyricum profectus est. et statim ex
itinere revocatus . . spirantem adhuc Augustum repperit.* das hier erwähnte gesetz wurde nach der angabe des zeitgenössischen Vellejus
noch während der abwesenheit des Tiberius in Germanien und
Gallien vor seinem pannonischen triumphe erlassen: II 121, 1 f.
cum . . senatus populusque Romanus postulante patre eius, ut aequum

---

[16] bei dieser gelegenheit mache ich auf die von Wartenberg s. 49
gegebene richtige interpretation von *trist.* V 4, 7 ff. aufmerksam, wonach
die stelle weder eine anspielung auf die damalige jahreszeit enthält,
wie Brandes und Matthias glaubten, noch auf den ort der verbannung
sich bezieht, wie ich und Schulz angenommen haben. nach Schulz s. 41
wird auch in einer diss. von Wolters, die mir nicht zu gesicht gekommen,
'de epigrammatum graecorum anthologiis' (Bonn 1882) s. 40 der triumph
in das j. 13 verlegt, wie es scheint, ohne dasz gründe beigebracht werden.

*ei ius in omnibus provinciis exercitibusque esset quam erat ipsi, decreto
complexus esset . . in urbem reversus . . egit triumphum.* wir dürfen
daher, wie Schulz richtig bemerkt, das *non multo post* in der Sueto-
nischen stelle nicht etwa auf das zunächst folgende *lege lata*, das
vielmehr nur eine nachträgliche bemerkung zur anknüpfung des
folgenden ist (*simulque* [= *cum Augusto communiter*] *censum ageret,
condito lustro*), sondern nur auf den hauptsatz *condito . . profectus
est* beziehen, so dasz also die in gemäszheit jenes gesetzes im j. 13/14
von Augustus und Tiberius gemeinschaftlich ausgeführte schatzung,
die das hier erwähnte *lustrum* beschlosz, dem erlasz des gesetzes nicht
unmittelbar folgte.[17] Suetonius behauptet also: *Tiberius non multo*

---

[17] Nipperdey findet in der angeführten Vellejusstelle und den worten
Suetons *lege . . administraret* die übertragung des proconsularischen
imperium an Tiberius bezeichnet und zieht daher beide stellen zur erklärung von Tac. ann. I 3 heran, wo die genannte übertragung mit der
adoption des Tiberius und der verleihung der tribunicischen gewalt an
denselben zusammengestellt wird: *filius, collega imperii* (dh. inhaber der
secundären proconsulargewalt), *consors tribuniciae potestatis adsumitur
omnisque per exercitus ostentatur*, eine stelle ganz ähnlich der des Plinius
paneg. 8 über Trajan: *simul filius, simul Caesar, mox imperator et consors
tribuniciae potestatis . . factus es.* mit dem dritten jener drei ausdrücke
meint Tacitus augenscheinlich (so auch Nipperdey zu ann. I 10, Dräger
zu unserer stelle) die zweite erteilung der tribunicischen gewalt, die,
wie die adoption (*filius adsumitur*), 4 nach Ch. und wahrscheinlich (s. oben
s. 216 f.) mit ihr zusammen (26 juni) stattfand; wäre nun bei dem
zwischenstehenden *collega imperii* an eine andere zeit zu denken, so erschiene hier die zeitliche aufeinanderfolge gestört. dieselbe ist nun
zwar ebenso wenig innegehalten in der bald darauf folgenden stelle:
Germanicum Druso ortum octo apud Rhenum legionibus inposuit (13 nach Ch.)
adscirique per adoptionem a Tiberio iussit (4 nach Ch.); immerhin wäre
die vernachlässigung der chronologie an unserer stelle deshalb auffällig,
weil, wie bemerkt, die adoption und die zweite erhebung zum *consors
trib. pot.* wahrscheinlich zeitlich zusammenfielen. nun hat Mommsen,
von der beobachtung ausgehend, dasz unter der Julisch-Claudischen
dynastie regelmäszig erst die proconsularische als die niedere, dann die
tribunicische als die höhere gewalt, die mit jener zusammen die mit-
regentschaft bildet, verliehen wird, die vermutung aufgestellt, dasz
Tiberius, der die trib. gewalt zuerst 6 vor Ch. erhielt, das procons.
imperium im j. 8 vor Ch. für den germanischen krieg 8/7 empfangen
habe, da er den pannonischen krieg 12—9 nach der angabe des Augustus
im mon. Anc. V 44 f. noch als dessen legat führte (RStR. II¹ s. 1050
anm. 5). für diese vermutung spricht auch die bewilligung des triumphes
an Tiberius im j. 8: denn seit der constituierung des principats 27 vor
Ch. pflegte, wie Mommsen ao. I² s. 127 gezeigt hat, der triumph nicht
anders bewilligt zu werden als bei eignem imperium; es ist aber anderseits von diesem zeitpunkt an (s. Mommsen ebd. s. 123) in der regel
kein anderes eignes imperium mehr vorgekommen als das mit der kaiserlichen oder der secundären proconsularischen gewalt verknüpfte; vgl.
Mommsen ao. II¹ s. 242 f. sie wird endlich bestätigt und zugleich unbedeutend modificiert durch die angabe Dions LIV 34, 3, dasz dem
Tiberius im j. 11 vor Ch. wegen seines pannonischen krieges die
gleichen ehren zuerkannt worden seien wie gleichzeitig dem Drusus
wegen der erfolge in Deutschland, dh. (s. ebd. 33, 5) die *ornamenta
triumphalia* (vgl. Peine ao. s. 16), die ovation (gehalten im j. 9) und die

post actum triumphum lustrum condidit et deinde in Illyricum pro-
fectus est. als zeitpunkt dieses lustrums können wir aus demselben

---

proconsularische gewalt nach beendigung des krieges (τῇ τοῦ ἀνθυπάτου
ἐξουcίᾳ, ἐπειδὰν διαcτρατηγήcῃ, χρήcαcθαι ἔλαβε) — ein beispiel gleichzeitiger verleihung dieser gewalt an zwei personen, wie ein zweites
(Germanicus und der jüngere Drusus) Mommsen ao. II s. 1050, 5 beibringt. Tiberius dürfte also die proconsulargewalt ende des j. 9 angetreten haben und hierin die erklärung liegen für die an sich auffällige thatsache, dasz ihm sowie dem Drusus, der gleich ihm legat
war, die ovation im j. 11 bewilligt und dieselbe nach beendigung des
krieges im j. 9 von Tiberius gehalten und die des Drusus nur durch
dessen tod vereitelt ward, während Augustus noch im j. 12 den vom senat
dem Tiberius zuerkannten triumph abgelehnt und dafür die triumphal-
ornamente substituiert hatte, ohne zweifel — wie auch Mommsen ao.
I ² s. 127, 5 glaubt — mit rücksicht darauf, dasz Tiberius damals eignes
imperium nicht besasz. auch seine spätern kriege (nach dem germanischen 8/7) wird Tiberius mit selbständigem commando geführt haben,
jedenfalls den pannonischen 6/9 nach Ch., wegen dessen ihm der imperator-
titel — dessen führung ihm Augustus 12 vor Ch., wahrscheinlich weil
er damals als kaiserlicher legat des selbständigen commandos entbehrte,
nicht gestattet hatte (Mommsen ao. s. 123 anm. 4) — und der triumph
bewilligt wurde. wie aber Germanicus das procons. imperium während
seines commandos in Germanien im j. 14 und dann wieder bei seinem
abgang nach dem orient im j. 17 empfieng (Mommsen ao. II s. 1051, 1.
1055, 1), es also inzwischen verloren hatte, so wird dieselbe gewalt auch
dem Tiberius nicht auf lebenszeit verliehen (vgl. Mommsen s. 1055),
mag ihm aber bei seiner adoption dh. vor eröffnung des von 4—6
während germanischen krieges erneuert worden sein. es bleiben dann
von den feldzügen des Tiberius nur noch übrig seine letzten germanischen in den jahren 9—12; auch diese hat er jedenfalls mit eignem
commando gemacht, und es könnte daher die von Mommsen ao. II s. 1051
anm. 1 mit recht verworfene angabe Dions LVI 25, 2, dasz der dem
Tiberius in dem germanischen kriege 10/11 beigegebene Germanicus
schon damals proconsularisches imperium gehabt habe, auf einer verwechslung der personen beruhen, so dasz der schriftsteller anstatt
Τιβέριος καὶ Γερμανικὸς ἀντὶ ὑπάτου ἄρχων hätte sagen müssen: Τιβ.
ἀντὶ ὑπάτου ἄρχων καὶ Γερμ.; möglich freilich auch dasz hier nur um
einige jahre zu früh dem Germanicus jene gewalt beigelegt wird, die
er erst nach Augustus tode oder allenfalls im j. 13 zum erstenmal erhielt. nehmen wir nun an, die proconsularische gewalt sei dem Tiberius
bei seiner adoption zum zweitenmale verliehen worden, so würde Tacitus also drei gleichzeitige facta zusammenstellen: die adoption, die
zweite erteilung der proconsularischen und desgleichen der tribunicischen
gewalt; ähnlich empfiengen später Nero die adoption und das procons.
imperium, Titus, Trajanus, Pius und Marcus das letztere und die tribunicische gewalt zusammen (s. Mommsen II s. 1051 anm. 1 u. 2.). die
festsetzung aber, welche von Vellejus und Suetonius ao. erwähnt wird,
bedeutet nicht eine abermalige bekleidung mit der proconsularischen
gewalt, sondern stellt eine neue, über jene gewalt hinausgehende con-
cession dar (vgl. Mommsen II s. 1056). zugleich mit dieser mitverwal-
tung der provinzen wurde dem Tiberius die befugnis übertragen, den
nächsten census gemeinschaftlich mit Augustus zu veranstalten; dieser
census wurde von ihnen vermutlich im j. 13 begonnen und schlosz mit
dem lustrum des 11 mai 14 (mon. Anc. II 8 ff. Suet. *d. Aug.* 97 s. 82,
12 ff. R.). es ist dies der dritte census des Augustus: den ersten hatte
er 29/28 mit Agrippa (mon. Anc. II 2 ff. fasti Venus. CIL. I s. 471. Dion
LII 42. LIII 1, 3), den zweiten 8 vor Ch. allein gehalten (mon. Anc.

Suetonius *d. Aug.* 97 den 11 mai des j. 14 ermitteln, die abreise nach Illyrien fällt in die diesem datum folgende zeit, also in die letzte lebenszeit des Augustus, der den Tiberius noch bis Benevent begleitete; die zeit vom 11 mai 14 an heiszt also hier: *non multo post triumphum.* Schulz meint nun, diese wendung passe doch besser, wenn der triumph am 16 januar 13 als wenn er am 16 januar 12 stattgefunden hätte. dasz jedoch die anwendung des gedachten ausdrucks auf zwei jahre und einige monate dem sprachgebrauch durchaus entspricht, dürften folgende stellen beweisen. Tacitus ann. I 53 aa. berichtet den tod der ältern Julia im j. 14 nach Ch.: *eodem anno Iulia supremum diem obiit, ob impudicitiam olim a patre Augusto Pandateria insula, mox oppido Reginorum qui Siculum fretum accolunt clausa.* Julia wurde auf die genannte insel verbannt im j. 2 vor Ch., wahrscheinlich in der zeit von anfang juli bis ende september (vgl. JAsbach ao. s. 188 f.): Dion LV 10, 4. Vell. II 100, 2 ff. vgl. Suet. *d. Aug.* 65; von dort wurde sie im j. 4 nach Ch. nach Reggio di Calabria gebracht: Xiphilinos auszug aus Dion LV 13 aa., also, wie Suet. ao. s. 67, 7 f. R. ganz richtig sagt: *post quinquennium.*[18] der ausdruck *mox* des Tacitus steht hier also für 'nach fünf jahren'. ähnlich heiszt es ann. I 3: *Augustus .. M. Agrippam .. geminatis consulatibus extulit* (28/7), *mox defuncto Marcello* (23) *generum sumpsit* (21). Suetonius selbst aber gebraucht für einen gleichen zeitraum wie der ist, für den er bei datierung des triumphes auf das j. 12 *non multo post* verwendet haben würde, nemlich für einen zeitraum von über zwei jahren, das wort *brevi: d. Aug.* 65 s. 66, 31 ff. schreibt er nemlich: *tertium nepotem Agrippam simulque privignum Tiberium adoptavit .. ex quibus Agrippam brevi ob ingenium sordidum ac ferox abdicavit seposuitque Surrentum.* die adoption des Tiberius und des Agrippa Postumus durch Augustus erfolgte am 26 juni 4 nach Ch. (fasti Amit. CIL. I s. 323. Vell. II 103, 3. 104, 1. Suet. *Tib.* 15); die verbannung des Agrippa aber nach Dion LV 32 aa. erst im j. 7, also wenigstens zwei und ein halbes jahr später.[19] es wird

---

II 5 ff.; auf diesen angaben des Augustus selbst beruht die bemerkung Suetons *d. Aug.* 27 ae. *censum populi* usw., während Dion irrtümlich einen zweiten und einen dritten census des Augustus unter den jahren 11 vor Ch. und 4 nach Ch. verzeichnet LIV 35, 1 ff. LV 13, 3 ff.). — Die von Vellejus und Suetonius angeführte erweiterung seiner competenz wurde dem Tiberius entweder im j. 11 nach Ch. verliehen (vgl. Mommsen s. 1056 anm. 2), wenn nemlich der triumph am 16 januar 12 stattfand, oder im j. 12 (so Nipperdey und Dräger zu Tac. ann. I 3), wenn derselbe am 16 januar 13 gehalten wurde, keinesfalls aber im j. 13, wie Eckhel DN. VI s. 118. 186, Fischer RZ. s. 446, Heraeus zu Tac. *hist.* I 15, CPeter GR. III[4] s. 77 und Mommsen RStR. II an mehreren stellen annehmen.

[18] der ausdruck entspricht der differenz der kalenderjahre: 757—752 = 5; ob das *quinquennium* schon abgelaufen war, wissen wir nicht, da die jahreszeit ihrer überführung nach Reggio nicht bekannt ist.

[19] nach Dion ao. und Tac. ann. I 3 wäre er gleich anfangs auf die insel Planasia verwiesen worden, nach dem hier genauern Suetonius

daher geraten sein bei beantwortung unserer frage von Suetonius abzusehen.

Weitere beweise für die richtigkeit der von ihm verfochtenen
ansicht erblickt Schulz in der oben s. 221 mitgeteilten stelle des
Dion LVI 26, 2 und in den worten, mit welchen Tacitus ann. II 26
den inhalt von briefen des kaisers Tiberius an Germanicus wiedergibt: *se noviens a divo Augusto in Germaniam missum* usw., indem
er daraus unter hinzunahme von Suet. *Cal.* 8 mit recht folgert, dasz
der letzte feldzug des Tiberius nach Deutschland erst in das j. 12,
nach Ch. falle: vgl. jahrb. 1887 s. 863 f. und oben anm. 12.[20] nur

---

d. Aug. 65 ao. und s. 67, 12 ff. zuerst nach Surrentum, dann auf die
insel. wahrscheinlich dauerte der aufenthalt in Surrentum nur kurze
zeit, so dasz entweder die verbannung dorthin und die internierung auf
Planasia beide ins j. 7 fallen oder etwa die erstere noch der letzten
zeit des j. 6 angehört. für die letztere annahme, die eine nicht wesentlich verschiedene mit *brevi* bezeichnete zwischenzeit ergäbe, würde ich
mich entscheiden, wenn die gewöhnliche ansicht, dasz die schluszworte
von II 113 des Vellejus: *ipse (Tiberius) asperrimae hiemis initio regressus
Sisciam legatos . . partitis praefecit hibernis* vom beginnenden winter 6/7
zu verstehen seien, keinen zweifel zuliesze; dann nemlich könnte man
die II 112, 7 stehende notiz über Agrippa Postumus in ihrem ersten
dessen verbannung betreffenden teile ebenfalls nur auf das j. 6 beziehen, dessen erzählung bei 109, 5 *proximo anno* beginnt. diese notiz
lautet: *hoc fere tempore Agrippa . . mira pravitate animi atque ingenii in
praecipitia conversus patris atque eiusdem avi sui animum alienavit sibi
moxque crescentibus in dies vitiis dignum furore suo habuit exitum.* mit
den zu *hoc fere tempore* gehörigen worten *patris* bis *alienavit sibi* deutet
der schriftsteller die relegation Agrippas, mit den darauf folgenden
durch *mox* eingeleiteten seinen tod an. thatsächlich wurde zwar Agrippa
nicht 'bald' nach seiner verbannung, sondern erst im j. 14 gleich nach
Augustus tode umgebracht (Tac. ann. I 6. Suet. *Tib.* 22. Dion LVII
3 ae.); Vellejus aber ignoriert dies und geht in der angeführten kurzen
und unbestimmten wendung über die sache hinweg, um die meinung
bei seinen lesern nicht aufkommen zu lassen, dasz jene ermordung im
auftrage des Tiberius vollzogen sei: vgl. JStanger 'de M. Vellei Pater-
culi fide' (München 1863) s. 25 und FAbraham 'Vellejus und die parteien in Rom unter Tiberius' (progr. Berlin 1885) s. 6. 7 f. — Jener
gewöhnlichen ansicht, vertreten von Dodwell ann. Vell. § 18, HSaupe
im schweiz. mus. I s. 140, SPeine ao. s. 29, auch von mir in meiner
diss. 'de scriptoribus rerum Aug. temp. gestarum' s. 70 gebilligt, steht
aber gegenüber die nicht unbedingt abzuweisende annahme AFAbrahams
'zur geschichte der germ. und pannon. kriege unter Augustus' (progr.
Berlin 1875) s. 19, dasz bei den worten des Vellejus *asperrimae hiemis
initio* an den anfang des winters 7/8 zu denken sei, auf welchen winter
zweifelsohne 114, 4 *hiems emolumentum patrati belli contulit* sich bezieht.
trifft nun die letztere annahme das richtige, so kann das *hoc fere tempore* ebensowohl das j. 7 wie das j. 6 bezeichnen.

[20] jahrb. 1887 s. 863 habe ich bei erklärung des *noviens* vom j. 9 vor Ch.
absehen zu müssen geglaubt, weil Tiberius in diesem jahre in Germanien
nicht als feldherr auftrat; Schulz hält an diesem jahre fest und schlieszt
dagegen das j. 9 nach Ch. aus, indem er sich entschieden gegen die annahme eines zuges des Tiberius nach Deutschland in der zeit zwischen
der Varusschlacht und dem 16 januar 10, an welchem er in Rom den tempel
der Concordia weihte, ausspricht. er meint nemlich, diese zeit sei zu
kurz gewesen, um das auszuführen, was Dion LVI 23 und Vellejus

ist, wie ich schon vorhin (s. 221) bemerkte, damit noch keineswegs
erwiesen, dasz der triumph nicht vor dem j. 13 gehalten wurde.

II 120 berichten; dieses könne also erst ins j. 10 fallen, was Suetonius
bestätige, nach dessen klaren worten *Tib.* 18 Tiberius erst im j. 10 nach
Deutschland gegangen sei (vgl. Teuffel realenc. VI s. 1934: 'Tiberius
eilt aus Pannonien nach Rom, erhält den oberbefehl über die neu aus-
gehobene mannschaft und zieht mit ihr im frühling 763 an den Rhein').
dagegen bemerke ich folgendes. da im texte des Dion zwischen LVI 1, 1,
wo die consuln des j. 9, und LVI 25, 2, wo diejenigen des j. 11 genannt
sind, sich zweimal eine lücke — jedesmal vom umfange eines blattes
im codex Venetus — findet, so darf man voraussetzen, dasz das consuln-
paar des j. 10 (das im inhaltsverzeichnis dieses buches aufgeführt
wird: s. Dindorfs ausgabe bd. V s. XXIV unten) in einer dieser beiden lücken erwähnt war. die erste lücke nun c. 22, 2, wo die schilderung der endkatastrophe der Varusschlacht abgebrochen ist, hat uns,
wie aus Zonaras zu ersehen, die erzählung der belagerung Alisos bis
zum ausbruch der garnison entzogen; nach der lücke wird dieser ausbruch berichtet. es ist nun allerdings grund zu der annahme vorhanden,
dasz der ausfall der römischen garnison aus Aliso erst ins j. 10 fällt;
trotzdem hatte Dion die erzählung über jene belagerung nicht durch
eine bemerkung über den eintritt des neuen jahres während derselben
unterbrochen, vielmehr kehrt er, nachdem er noch angeführt dasz später
(μετὰ τοῦτο) einige von den Germanen gefangene von den ihrigen los-
gekauft worden seien, mit der bemerkung (im anfang von c. 23) τοῦτο
μὲν ὕστερον ἐγένετο· τότε δὲ μαθὼν ὁ Αὔγουστος τὰ τῷ Οὐάρῳ cυμ-
βεβηκότα . . zu der zeit zurück, als die niederlage des Varus in Rom
bekannt wurde. der inhalt von c. 23 und 24 gehört also nach Dion
noch in das jahr der schlacht, und es bleibt nur übrig anzunehmen,
dasz der übergang zum j. 10 auf dem 24, 5 fehlenden blatte enthalten
war. wir müssen demnach den ersten germanischen zug des Tiberius
nach der Varusschlacht allerdings noch dem j. 9 vindicieren, eine ansetzung die durch das schweigen des Suetonius über diesen kurzen und
ereignislosen zug nicht erschüttert werden kann, aber bestätigung findet
durch Ovidius *fast.* I 645 ff., der, wie ich schon jahrb. 1876 s. 547 hervorhob, jene weihung des Concordiatempels am 16 januar 10 in verbindung bringt mit der glücklichen heimkehr des Tiberius aus Germanien. der von Vell. II 120 erwähnte Rheinübergang des Tiberius
freilich, auf den Schulz besondern nachdruck legt, gehört erst ins j. 10
(von Dion irrig ins j. 11 gesetzt), mag nun Vellejus den feldzug des
j. 9 ganz auszer acht lassen oder, wie Peine ao. s. 27 anm. 2 glaubt,
die feldzüge von 9 und 10 eng mit einander verbinden, ohne auf die
zwischen beide fallende rückkehr nach Rom und weihung jenes tempels
rücksicht zu nehmen; die letztere annahme dürfte wohl in anbetracht
der teilnahme des Vellejus an diesen kriegszügen vorzuziehen sein. —
In der erwähnten zweiten lücke aber, die nach den worten καὶ ταῦτα
μὲν οὕτω τότε cυνέβη. τούτων τε οὖν ἕνεκα καὶ ἔτι (Ddf. ὅτι) καὶ
beginnt, erzählte Dion nach nennung der consuln des j. 10, dasz in
diesem jahre Tiberius den Rhein nicht überschritt; dann vervollstän-
digte er den bericht über das j. 9 noch durch irgendwelche notizen,
von welchem nachtrage nur die jetzt unverständlichen worte μετὰ τὴν
cτρατηγίαν ἔχων übrig geblieben sind. dann heiszt es weiter: τῷ δὲ
δευτέρῳ (sc. ἔτει) 'im folgenden jahre', dh. im j. 10, erfolgte auszer
dem schon vorhin berichteten auch die weihung des Concordiatempels.
der folgende satz (25, 2) beginnt dann die erzählung über das j. 11.
das j. 10 beginnt also weder 12, 2 (Bekker und Dindorf) noch 23 (Teuffel
und Schulz), sondern in der lücke am ende von c. 24; das j. 11 nicht
bei 24, 1 (Bk. und Ddf.), sondern 25, 2.

Ferner beruft sich Schulz darauf, dasz die älteste münze, auf
der wir den triumph dargestellt finden, während der funfzehnten *trib.
pot.* des Tiberius geprägt ist; wir sahen indes schon oben s. 215 ff.,
dasz dieser umstand nichts weniger als beweiskräftig ist.

Als letzten zeugen für seine zeitbestimmung des triumphes führt
Schulz den Ovidius ins feld. dieser, sagt er, beziehe sich *ex Ponto*
III 3 auf den bevorstehenden pannonischen triumph des Tiberius,
dieses gedicht sei aber später abgefaszt als *ex P.* I 2, welches nach
v. 26 in den winter 12/13 falle; mithin könne der triumph nicht
vor dieser zeit, sondern müsse erst am 16 januar 13 gehalten sein.
dasz *ex P.* I 2 im winter 12/13 entstand, ist richtig (vgl. Schrader
jahrb. 1877 s. 847, Matthias ebd. 1884 s. 210); auch dasz III 3 nach
jenem gedicht, also frühestens in demselben winter 12/13 geschrieben worden sei, wird zuzugeben sein, da Ovidius in der einleitung
von I 2 die befürchtung ausspricht, der adressat Fabius Maximus
werde, sobald er sehe dasz der brief von ihm (Ovidius) herrühre,
unwillig werden (v. 7 f.), während III 3, an denselben gerichtet,
einfach beginnt: *si vacat exiguum profugo dare tempus amico.* ob
man aber die verse 83 ff. der letztern epistel auf den pannonischen
triumph zu deuten hat, wie allerdings auch andere (Fischer, Wölffel,
Matthias und ich selbst früher) gethan haben, dürfte fraglich erscheinen. Ovidius selbst gibt nicht an, welchen triumph des Tiberius
er erwarte, und wenn man vergleicht, mit welcher bestimmtheit er
in dem folgenden gedicht einen triumph desselben über die Germanen
voraussagt (v. 88 *alter enim de te, Rhene, triumphus adest*), so wird
man einräumen müssen, dasz die hier v. 86 gebrauchte wendung
cunctaque laetitiae plena triumphus habet die möglichkeit keineswegs
ausschliesze, dasz der dichter auch hier lediglich das bevorstehen
eines triumphes über Germanien fingiere.[21] so musz denn auch dieser
stelle die beweiskraft abgesprochen werden.

Wenn es nun nach den vorstehenden ausführungen denen, welche
den triumph dem j. 13 zuweisen, nicht gelungen ist die richtigkeit
ihrer behauptung mit überzeugenden gründen darzuthun, so ist auf der
andern seite auch für die ansetzung dieses factums auf das j. 12 bisher kein durchschlagendes moment beigebracht worden. doch glaube
ich dasz wir uns nicht mit einem non liquet zu bescheiden brauchen,
sondern dasz die frage zur entscheidung gebracht werden kann, und
zwar durch aufmerksame lectüre der Ovidischen elegie *ex Ponto*
III 4. der erste teil derselben beschäftigt sich mit dem pannonischen
triumphe, nach dessen feier schon einige zeit verflossen ist und den
Ov. in einem gröszern — uns nicht erhaltenen — gedichte verherlicht hat, zu dessen übersendung an Rufinus unsere epistel das be-

---

[21] an sich kann in den versen 85 f. sowohl eine beziehung auf
einen bereits stattgefundenen triumph liegen (wie zb. Fischer RZ. s. 447
und Gräber quaest. Ovid. I s. VIII darin eine solche auf den gefeierten
pannonischen triumph finden) als auch (wie Schulz glaubt) auf einen
noch bevorstehenden.

gleitschreiben bildet. um das späte erscheinen (v. 51 ff.) seines
Triumphus zu entschuldigen, sagt der dichter v. 59 f.:

> *dum venit huc rumor properataque carmina fiunt*
> *factaque eunt ad vos, annus abisse potest;*

womit zu vergleichen ist IV 11, 15 f.:

> *dum tua pervenit, dum littera nostra recurrens*
> *tot maria ac terras permeat, annus abit.*

dasz er durch das gerücht von dem triumphe erfahren, sagt er ausdrücklich auch II 1, 19 ff., II 5, 27 und in unserm gedicht v. 20:
oculi fama fuere mei; daneben lesen wir freilich v. 41 f. die unbestimmte wendung:

> *pars quota de tantis rebus, quam fama referre*
> *aut aliquis nobis scribere posset, erat?*

es führen nun jene beiden stellen, wenn man sie wörtlich nimt, darauf,
dasz die elegie III 4 ein halbes jahr nach dem tage des triumphes
(16 jan.), also im sommer des triumphjahres abgefaszt wurde; offenbar übertreibt aber der dichter (vgl. Wartenberg ao. s. 78)[22], und
jedenfalls ist wohl die mitte des jahres als späteste zeit der abfassung
anzunehmen, war doch auch (vgl. v. 90) der lorbeer des triumphes
noch nicht verwelkt. ob dieses aber das jahr 12 oder 13 war, das
geht allerdings aus dieser erwähnung des stattgehabten triumphes
an sich ebensowenig wie aus den andern hervor (vgl. oben s. 221).
wohl aber läszt sich das jahr erschlieszen, wenn man nun den zweiten
teil unseres gedichtes (von v. 87 an) ins auge faszt. dieser enthält
nemlich die prophezeiung eines baldigen neuen triumphes desselben
Tiberius und zwar über Germanien: vgl.

> v. 88 *alter enim de te, Rhene, triumphus adest.*
> 95 ff. *quid cessas currum pompamque parare triumphis,*
> *Livia? dant nullas iam tibi bella moras.*
> *perfida damnatas Germania proicit hastas:*
> *iam pondus dices omen habere meum.*
> *crede, brevique fides aderit. geminabit honorem*
> *filius et iunctis ut prius ibit equis . . .*
> *ipsa potest solitum nosse corona caput . . .*
> *squalidus inmissos fracta sub harundine crines*
> *Rhenus et infectas sanguine portet aquas.*

Ovidius hat also vernommen dasz Tiberius, nachdem er den pannonischen triumph gefeiert, wiederum an der spitze eines heeres nach
Deutschland abgegangen ist. wäre nun der triumph am 16 januar 13
gehalten worden, so müste Tiberius im frühling des j. 13 wieder
nach Germanien gegangen sein; nun wissen wir aber bestimmt, einerseits dasz der letzte germanische feldzug des Tiberius der vom j. 12
war (s. oben anm. 12), anderseits dasz im j. 13 Germanicus am

---

[22] dazu stimmt auch dasz wir II 5, 27, wo schon die ankunft des
Triumphus in Rom vorausgesetzt wird, lesen: *nuper ut huc magni per-*
venit fama triumphi.

Rhein war (Suet. *Cal.* 8 s. 122, 3 ff.). das gedicht musz also notwendig bereits im j. 12 geschrieben sein und Tiberius am 16 januar
d i e s e s jahres über die Pannonier triumphiert haben.

Die *epistulae ex Ponto* II 1. 2 gehören mithin, da zur zeit ihrer
abfassung das gedicht *Triumphus* noch nicht geschrieben war, II 1
auch augenscheinlich auf die erste kunde von dem triumph verfaszt
wurde, einer noch frühern zeit des j. 12 an als III 4 (vgl. Wartenberg s. 78), II 5 aber, da dort v. 33 der *Triumphus* als schon in Rom
eingetroffen vorausgesetzt wird, der zeit bald nach entstehung von
III 4. vor III 4 ist auch I 3, I 7 noch vor II 2 gedichtet, beide zu
einer zeit, wo Ov. von dem pannonischen triumphe noch keine kunde
hatte (vgl. Wartenberg s. 68 f.), nach Wartenberg s. 80 ff. in der
ersten zeit der verbannung. III 3 aber wird, im winter 12/13 verfaszt, auf einen vom dichter vorhergesagten g e r m a n i s c h e n triumph
des Tiberius zu deuten sein, wie er einen solchen ausdrücklich vor-
hersagt *ex P.* III 4 und II 8: den anlasz zu dieser prophezeiung bot
ihm jedesmal derselbe zug des Tiberius vom j. 12, der zur zeit der
abfassung von III 3 schon beendigt war.[23]

---

[23] misverständlich lassen Gräber ao. s. VIII, Schulz s. 24 und
Wartenberg s. 80 Ovidius in der el. II 8 einen baldigen triumph des
Tiberius über Pannonien herbeiwünschen, da er doch ausdrücklich, den
Tiberius anredend, sagt v. 37 ff.

> *et tua, si fas est, a Caesare proxime Caesar,*
>   *numina sint precibus non inimica meis:*
> *sic fera quam primum pavido G e r m a n i a vultu*
>   *ante triumphantis serva feratur equos,*

und an Livia sich wendend v. 43 ff.:

> *tu quoque, conveniens ingenti nupta marito,*
>   *accipe non dura supplicis aure preces: . . .*
> *sic quem dira tibi rapuit G e r m a n i a Drusum,*
>   *pars fuerit partus sola caduca tui,*
> *sic tibi mature f r a t e r n i f u n e r i s u l t o r*
>   *.purpureus niveis filius instet equis.*

eine anspielung auf den pannonischen triumph finden Gräber und Schulz
ao. und Wartenberg s. 77 auch in III 1, wo Ov. seine gattin beschwört
bei Livia für seine begnadigung sich zu verwenden, sie aber zugleich
ermahnt einen güustigen zeitpunkt für ihre bitte zu wählen. dort heiszt
es v. 132 ff.:

> *ipsaque non omni tempore fana patent.*
> *cum status urbis erit, .q u a l e m n u n c a u g u r o r e s s e,*
>   *et nullus populi contrahet ora dolor:*
> *cum domus Augusti, Capitoli more colenda,*
>   *laeta, quod est et sit, plenaque pacis erit:*
> *tum tibi, di faciant, adeundi copia fiat,*
>   *profectura aliquid tum tua verba putes.*

diese stelle hat ähnlichkeit mit III 3, 85 ff., wo Amor zum dichter
spricht:

> *neve moram timeas: tempus quod quaerimus instat,*
>   *cunctaque laetitiae plena triumphus habet.*
> *dum domus et nati, dum mater Livia gaudet,*
>   *dum gaudes, patriae magne ducisque pater,*
> *dum sibi gratatur populus totamque per urbem*
>   *omnis odoratis ignibus ara calet,*

Haben wir nunmehr den pannonischen triumph bestimmt dem 16 januar 12 zugewiesen, so ergeben sich für die letzten kriegszüge des Tiberius folgende zeitansätze. nachdem er am 16 januar 10 den Concordiatempel in Rom eingeweiht hatte, begab er sich etwa um frühlingsanfang dieses jahres mit Germanicus nach Deutschland, verweilte dort mit ihm längstens bis zum november des j. 11 und kehrte dann mit ihm nach Rom zurück; ende november scheint nemlich Germanicus schon wieder in Rom gewesen zu sein, da ihm nach Suet. *Cal.* 8 aa. am 31 august des j. 12 Caligula geboren wurde (vgl. EMeyer ao. s. 461). am 16 januar 12 feierte Tiberius seinen pannonisch-dalmatischen triumph und brach dann, während Germanicus als consul in Rom blieb, im frühling 12 zu seinem letzten feldzuge nach Germanien auf. endlich schickte im sommer 14[24] Augustus den Tiberius nach Illyricum (*ad firmanda pace quae bello* [6—9] *subegerat,* wie Vell. sagt), begleitete ihn bis Benevent, wandte sich dann nach Nola und liesz, bevor er hier am 19 august starb, durch einen eilbrief der Livia den Tiberius auffordern zurückzukehren. dieser brief traf den Tiberius entweder, ehe er Illyricum erreicht hatte (Suetonius) oder gleich nach seiner ankunft daselbst (Tac., Dion); jedenfalls führte er dort nichts aus, sondern kehrte sogleich um und eilte nach Nola

---

dum faciles aditus praebet venerabile templum,
   sperandum est nostras posse valere preces.
es ist daher wohl möglich, dasz Ov. auch III 1 die freude des kaiserlichen hauses und des volkes über einen triumph des Tiberius bezeichnet; dies müste dann entweder der pannonische sein, den der dichter nach Gräber und Wartenberg schon stattgefunden, nach Schulz noch bevorstehend denkt, oder der germanische, den er wegen des zuges des Tiberius vom j. 12 erwartete.
   [24] nach dem 11 mai: s. oben s. 225; man würde noch genauer sagen können: nicht vor ende juni/anf. juli, wenn es sicher wäre dasz die worte des mon. Anc. I 29 f. *cum scribebam haec, annum trigesimum septimum tribuniciae potestatis agebam* von Augustus selbst in dieser form niedergeschrieben wären (vgl. Mommsens commentar[1] s. 4); indes ist Mommsen jetzt der ansicht, der kaiser habe diese denkschrift nicht erst wenige wochen vor seinem tode sei es verfaszt sei es vollendet, sie sei vielmehr früher von ihm aufgesetzt und durch überarbeitung von fremder hand auf das datum das sie trägt umgeschrieben worden (s. Mommsen 'der rechenschaftsbericht des Augustus' — in vSybels zeitschrift LVII [1887] s. 385 ff. — s. 397, wo er auf s. 194 der mir nicht zugänglichen 2n auflage seines commentars verweist). dann hat also jedenfalls das späteste in derselben enthaltene datum, das 37e jahr seiner tribunicischen gewalt betreffend, erst durch die überarbeitung die uns vorliegende fassung erhalten, wozu ja, wie auch Mommsen bemerkt, eine änderung der ziffer genügte; ist das aber richtig, so läszt sich natürlich diese stelle für die bestimmung des zeitpunktes der abreise des Augustus mit Tiberius von Rom nicht verwerten, und es kann dieselbe nur allgemein in die zeit zwischen mitte mai und august gesetzt werden. — Übrigens hat neuestens PGeppert 'zum mon. Ancyr.' (progr. Berlin 1887) diese ansicht Mommsens bekämpft und nach GZippels urteil (wochenschr. f. class. philol. IV sp. 1516) die ursprünglichkeit der aufzeichnung allerdings nicht sicher bewiesen, aber doch wahrscheinlich gemacht.

an das lager des sterbenden oder bereits verstorbenen Augustus. —
Wenn nun Suetonius *Tib.* 20 sagt: *a Germania in urbem post bien-*
nium regressus triumphum quem distulerat egit, so ist der ausdruck
post biennium hier nicht im wörtlichen sinne = 'nach 24 monaten'
zu nehmen; vielmehr war bei der rückkehr aus Deutschland c. november des j. 11, von der ankunft daselbst im frühjahr 10 an gerechnet,
noch kein volles *biennium* abgelaufen.

Aus der gewonnenen chronologischen fixierung des pannonischen
triumphes folgt nun weiter, dasz in der oben s. 214 angeführten
Vellejusstelle II 104, 3 mit der Amerbachschen abschrift gelesen
werden musz *per annos continuos VIII.*

Endlich läszt sich auch das jahr sicher feststellen, in welchem
die gewalt des Tiberius erweitert ward durch zuerkennung des
rechtes die provinzen gemeinschaftlich mit dem kaiser zu verwalten,
vgl. oben s. 222 und anm. 17: es geschah dies im j. 11 nach Ch.
vor der gegen november erfolgten rückkehr des Tiberius aus Germanien und Gallien.

DÜREN.   KARL SCHRADER.

27.
ZU CICERO DE OFFICIIS.

III 1 *P. Scipionem, Marce fili, eum qui primus Africanus appel-*
latus est, dicere solitum scripsit Cato, qui fuit eius fere aequalis, num-
quam se minus otiosum esse quam cum otiosus, nec minus solum quam
cum solus esset: magnifica vero vox et magno viro ac sapiente digna:
quae declarat illum et in otio de negotiis cogitare et in solitudine secum
loqui solitum, ut neque cessaret umquam et interdum colloquio alterius
non egeret. wer von sich sagen kann, dasz er niemals weniger
allein sei als wenn er allein sei, der bedarf der unterhaltung mit
einem andern überhaupt nicht, und umgekehrt, wer nur bisweilen
der unterhaltung mit einem andern nicht bedarf, dem kann es sehr
leicht begegnen dasz er, wenn er einmal allein ist, sich sehr einsam
fühlt. überdies, wer könnte das nicht von sich sagen, dasz er bisweilen der unterhaltung mit einem andern nicht bedürfe? dazu
gehört nicht notwendig die sich selbst genügende geistesgrösze eines
Scipio. das *interdum* scheint aus dem folgenden paragraphen (*e coetu*
hominum frequentiaque interdum tamquam in portum se in solitudinem
recipiebat) hierher gekommen zu sein; wie wohl es an unserer stelle
entbehrt wird, kann man sich auch klar machen, wenn man, wie man
ja musz, *non egeret* zu éinem begriffe zusammen nimt und übersetzt
'entbehren konnte'.

COTTBUS.   KARL SCHLIACK.

ERSTE ABTEILUNG
FÜR CLASSISCHE PHILOLOGIE

HERAUSGEGEBEN VON ALFRED FLECKEISEN.

28.
ZUR GESCHICHTE UND COMPOSITION DER ILIAS.
(fortsetzung von jahrgang 1888 s. 513—522.)

VII. WAPPNUNG UND AUSZUG DES ACHILLEUS IN DER ALTEN ΜΗΝΙϹ ΑΧΙΛΗΟϹ.

Die in der vorliegenden zeitschrift von mir veröffentlichten Homerischen abhandlungen bilden ein ganzes, welches hinfällig werden würde, sobald ein teil dieses ganzen unhaltbar geworden wäre. nun wird meine fünfte abhandlung 'über eine zweite bearbeitung der alten epopöe vom zorne des Achilleus' jahrb. 1888 s. 81—102 von dem recensenten des Berliner philologischen vereins, CRothe, (zs. f. d. gw.) 1888 s. 355 ff. gänzlich verurteilt und für ein spitzfindiges, unklares und unbesonnenes opus erklärt. demnach würde meine ganze theorie über die entstehung und composition der Ilias als völlig verfehlt erscheinen müssen, wenn es mir nicht gelänge jene angriffe vorher zurückzuweisen. dies ist denn allerdings sehr leicht, da der rec. eine ganze reihe falscher thatsachen anführt und seine beweisführung durchaus hinfällig ist.

'Ist es wirklich denkbar' sagt mein kritiker 'dasz jemals eine Ilias aus A (selbst wenn der schlusz anders lautete), B—H 312, Λ usw. bestanden habe, in welcher so unvermittelte gegensätze, wie der verfasser richtig zeigt, mit einander verbunden waren?' man sieht dasz der rec. etwas thatsächlich falsches zum ausgangspunkt seiner auseinandersetzungen gemacht hat. denn die zweite gestalt der Ilias denke ich mir ja gar nicht so, wie der rec. es darstellt, sondern, wie aus dem programm von Königsberg (Neumark) 1887 s. 16 hervorgeht, wesentlich anders: A 1—348, lücke, B 42—H 312, kleinere lücke, B 1—41, Λ 1 ff. dasz der rec. dies übersehen konnte, ist übrigens um so merkwürdiger, als er im jahresbericht des Berliner philol. vereins 1887 s. 283 ganz richtig über meine ansicht referiert hatte.

Welches sind nun aber jene unvermittelten gegensätze, welche
in diesem gedichte vorhanden waren und welche ich richtig aufge-
zeigt habe? 1) in B 42—H 312 wird mauer und graben nirgends
erwähnt, während beides in Λ ff. eine hauptrolle spielt. aber ist dies
denn ein widerspruch, den jeder notwendig in dem gedichte finden
muste? durchaus nicht. in B 42—H 312 sind die Achaier siegreich,
sie werden also die Troer von den schiffen fort in die ebene gedrängt
haben, und dort gab es nicht mauer und graben. folglich hatte der
dichter dieser partie gar keine veranlassung beides zu erwähnen. dagegen in Λ ff. werden die Achaier geschlagen und nach mauer und
graben hin zurückgedrängt. es ist daher ganz natürlich, dasz jetzt
plötzlich mauer und graben hauptpunkte für den dichter werden.
und wie schön ist die abwechslung — Rothe selbst hebt das richtig
hervor — wenn der kampf zuerst in der ebene, dann um mauer und
graben tobte! man sieht klar und deutlich, dasz von einem widerspruch durchaus nicht die rede sein kann, dasz die handlung vielmehr durchaus künstlerisch gestaltet war. dies war also überhaupt
kein widerspruch, wohl aber konnte ein leser, der in die intentionen
des ersten bearbeiters nicht eingedrungen war, einen widerspruch
darin finden und dadurch zu verbessern suchen, dasz er schnell mauer
und graben bauen liesz. 2) in B 42—H 312 sind die Troer vertrags-
brüchig, in Λ ff. hilft Zeus den vertragsbrüchigen Troern. aber habe
ich nicht in meiner erwähnten programmarbeit s. 7 ausdrücklich und
ausführlich auseinandergesetzt, dasz der pfeilschusz des Pandaros
nach auffassung des dichters von B 42—H 312 gar kein vertrags-
bruch war, sondern durch Zeus eignen willen herbeigeführt worden
ist? auch dies war also kein widerspruch, wohl aber konnte der
zweite Iliasbearbeiter, der den pfeilschusz des Pandaros als eidbruch
auffaszte, dies für einen widerspruch halten und deshalb den vorschlag des Antenor, die Helene auszuliefern, und das dazugehörige
einfügen.

Noch etwas tadelt Rothe an der Ilias zweiter gestalt, wie ich
sie mir denke. 'nach den langen siegreichen kämpfen der Griechen
ist die ankündigung von Zeus willen im anfang von Θ notwendig.'
aber Rothe hat nicht beachtet, dasz in der Ilias zweiter gestalt nach
B 42—H 312 erst noch B 1—41 folgte. es bestand also der folgende zusammenhang. Zeus hatte dem Achilleus erfüllung seines
wunsches und besiegung der Achaier zugenickt. doch läszt er zunächst noch einen tag den ereignissen ihren lauf, erst in der dann
folgenden nacht kommt er zu einem entschlusz, wie er es anfangen
will den Achaiern verderben zu bringen. so ist ausreichend motiviert, weshalb bis dahin die Troer besiegt wurden und von jetzt an
siegreich sind. eine götterversamlung und feierliche ankündigung
wie in Θ war nicht nötig. somit ist die Ilias zweiter gestalt, wie
ich sie annehme, sehr wohl lebensfähig.

Dagegen hat Rothe das richtige getroffen, wenn er sagt: 'auch
würde vf. in diesen büchern (H 313—K) vielleicht keine von der

ersten (B 42—H 312) verschiedene «erweiterung» annehmen, wenn
er nicht in der darstellung selbst einen groszen unterschied zwischen
B 42—H 312 und H 313—K zu finden glaubte.' das ist richtig.
dieser unterschied ist evident, alle namhaften kritiker haben ihn erkannt, und ich habe mich bemüht alles zusammenzufassen, was in
dieser beziehung richtiges von andern und von mir gefunden worden ist. der rec. scheint aber an diesen unterschied trotzdem noch
immer nicht zu glauben. vielmehr sucht er die beweiskraft meiner
darlegungen durch den hinweis auf jene hyperkritik, welche selbst
die schönsten partien nicht verschone, zu entkräften. allein wenn
von andern gute stellen für schlecht erklärt worden sind, so folgt
daraus noch keineswegs, dasz auch ich einen derartigen fehlgriff gemacht habe. nur an drei beispielen sucht rec. zu erweisen, wie weit
ich in dem streben gehe 'dem dichter etwas am zeuge zu flicken'.
da Rothe aus den unzähligen stellen, denen ich 'etwas am zeuge ge-
flickt' habe, nur drei ausgewählt hat, so werden diese doch gewis
einen deutlichen beweis der 'spitzfindigkeit' und 'peinlichkeit' geben,
mit der ich zu werke gehe. man höre also: 'in H 313 f. findet er es
anstöszig, dasz kurz gesagt ist: «sie führten Aias zu Agamemnon; als
sie aber in dessen zelt waren —» statt «sie führten Aias zu Agamemnon; beide begaben sich sodann mit den andern fürsten in das
zelt des letztern. als sie dort —». nach diesem recept müste es z. b.
im «ring des Polykrates» nach den worten des fischers heiszen: «Polykrates nahm den fisch dankbar an, er gab ihn einem diener, welcher
ihn dem koch gab. und als der koch den fisch zerteilet —» solche
unerträgliche breite meidet der dichter.' aber der wahrheit die ehre!
eine solche lächerliche anforderung habe ich nicht an den dichter
gestellt. ich habe nur gesagt: 'die meinung des dichters ist', nicht
'der dichter hätte sagen müssen'. zwischen dem beabsichtigten
gedanken und dem ausdruck desselben ist von mir an jener
stelle deutlich unterschieden worden.

Doch betrachten wir das zweite beispiel: 'ebensowenig verstehe
ich es, wenn B. in den worten H 382 f. zwei widersprüche auf einmal findet.' wiederum berichtet der rec. falsches. ich habe etwas
ganz anderes behauptet, nemlich dasz H 373 mit 382 und beides
mit 385 in widerspruch steht. denn Idaios soll das wort dem Agamemnon und Menelaos überbringen, er aber überbringt es den
Danaern (erster widerspruch), richtet jedoch die anrede an Agamemnon und die könige (zweiter widerspruch).

Und nun fährt der rec. fort: 'geradezu kleinlich musz ich es
nennen, wenn B. aus dem auftrage des Priamos an Idaios heraus-
liest: «die Troer wollten also beides zugleich, den frieden und krieg.»
es ist dabei die bedeutung des καὶ δέ in H 375 und 394 übersehen,
welches eine ellipse voraussetzt («und wenn sie auf diesen vorschlag
nicht eingehen, so mache ihnen folgenden»).' diese bedeutung des
καὶ δέ ist mir allerdings gänzlich unbekannt. solche ellipsen gibt
es nicht, und wenn es sie gäbe, würde sich aus allem alles heraus-

übersetzen lassen. καὶ δέ heiszt hier wie sonst 'aber auch', wie auch bei Ameis erklärt ist, und dieses 'aber auch' ist für den beabsichtigten gedanken gänzlich unangemessen.

Somit ist erwiesen, dasz durch die besprochene recension das resultat meiner Homerforschungen in keiner weise erschüttert worden ist. ich werde mich daher nun einem erfreulichern gegenstande zuwenden können und darzulegen versuchen, wie die wappnung und der auszug des Achilleus in der alten μῆνις Ἀχιλῆος gestaltet war.

Thetis überbringt dem sohne die von Hephaistos geschmiedeten waffen. schon der blosze anblick dieser erregt in allen furcht und zittern, in dem ohnehin schon rachedürstenden Achilleus aber wilde kampfgier. nur eins ist es, was ihn bei den schiffen zurückhält, die sorge, dasz während des rachekampfes der leichnam des freundes verwesen möchte. da verspricht die göttliche mutter dafür sorgen zu wollen, dasz der körper des Patroklos wohl erhalten bleibe, und ermahnt den sohn die waffen und kraft zum streite anzulegen. dann träufelt sie dem Patroklos ambrosia und nektar in die nase, Achilleus aber geht am ufer des meeres entlang mit furchtbarem geschrei, so dasz alle Achaier aufspringen und aus den zelten strömen, zahlreich wie die schneeflocken. in den händen tragen sie ihre waffen, deren glanz bis an den himmel dringt. alle rüsten sich, unter ihnen zieht Achilleus seine rüstung an, glänzend wie Hyperion besteigt er seinen wagen und ermahnt seine rosse ihn aus dem kampfe zu retten. da nickt das rosz Xanthos mit dem kopfe, dasz die wallende mähne bis zum erdboden herabreicht, und prophezeit dem Achilleus, dasz der tag seines todes nahe sei. 'das weisz ich sehr wohl' entgegnet da der Peleïde, 'aber trotzdem will ich nicht eher aufhören zu streiten, als bis ich die Troer kampfessatt gemacht habe.' mit diesen worten und mit wildem geschrei lenkt er seine rosse in die vordersten reihen der streiter.

Dies war der zusammenhang in der alten μῆνις Ἀχιλῆος. ganz anders ist die handlung in der jetzigen Ilias gestaltet. der rachedürstende, kampfgierige Achilleus ruft die Achaier nicht zum streite, sondern zur volksversamlung; es ist ihm nicht um schlachtgetümmel, sondern um redenhalten zu thun; es wird nicht die frage, ob der Peleïde Hektor erlegen werde oder nicht, mit den waffen ausgemacht, sondern es wird über die hochwichtige frage, ob man vor dem kampfe essen solle oder nicht, in endloser wechselrede disputiert.

Indessen alles, was die versöhnung des Achilleus und Agamemnon behandelt und vorbereitet, dh. Τ 42—356 und Τ 34 von εἰς ab bis 36 μάλα, ist spät und werk desselben verfassers, der das buch Ι der Ilias einfügte, dh. werk des zweiten bearbeiters. diesem genügte nicht die thatsächliche genugthuung, die Zeus dem Peleïden verschafft hatte; Agamemnon sollte auch ausdrücklich sein unrecht eingestehen, und Achilleus sollte aussprechen dasz er versöhnt sei, auch sollten die geschenke, welche in Ι versprochen waren, jetzt thatsächlich übergeben werden.

Es bedarf indessen wohl kaum der auseinandersetzung, dasz diese versöhnungsscene völlig überflüssig, ja störend war. Agamemnon war verwundet, die Achaier gänzlich geschlagen, nach dem wiedereingreifen des Achilleus hingegen war die niederlage der Troer eine völlige, selbst Hektor, der beste held der Troer, war von dem Peleïden erlegt. war damit nicht dem Achilleus durch die thatsachen eine gröszere genugthuung gegeben, als sie durch worte gegeben werden konnte? war es nicht selbstverständlich, dasz alles dem Achilleus zujubelte und den Agamemnon verurteilte, dasz auch Agamemnon die versöhnung mit Achilleus suchen muste? muste noch erst weitläufig erzählt werden, dasz auch eine förmliche versöhnung stattfand? gewis nicht. der dichter konnte es sehr wohl der phantasie des hörers bzw. lesers überlassen sich alles dieses selbst zu denken und weiter auszumalen. er durfte die erzählung von der versöhnung weder nach der tötung Hektors einschieben und dadurch den gewaltigen schluszeindruck abschwächen noch dieselbe vor den auszug des Achilleus verlegen und so den rachedürstenden helden durch langweiliges reden zurückhalten.

Dasz die partie T 42—356 in der that werk des zweiten bearbeiters ist, geht aus einer genauern betrachtung derselben deutlich hervor. die mängel der verse 42—53 sind schon von Düntzer, Naber und Hentze genügend auseinandergesetzt: die schwierige construction von v. 43, die unterscheidung der steuerleute und schaffner von den übrigen, das hinken des Odysseus, der doch an der seite verwundet war, und die entlehnung der verse 45 f. aus C 247 f. dasz aber die citierten verse wirklich in C ursprünglich sind, ist klar: denn in T 46 passt weder ἐξεφάνη noch μάχης. nicht das erscheinen, sondern das rufen des Achilleus hatte alle herbeigelockt. auch erscheint er nicht im kampfe, sondern um einer volksversamlung willen. dagegen in C jagte der blosze anblick, das erscheinen des Achilleus den Troern schreck ein, auch erschien er dort in der schlacht. man wirft daher die verse 42—53 als unecht aus. aber man kann sie nicht so einfach fortlassen, sie sind für den zusammenhang notwendig. dasz der grollende Achilleus eine volksversamlung beruft, ist ein auszerordentliches ereignis und musz daher auch eine auszerordentliche wirkung haben, wie sie in 42 ff. geschildert wird; und dasz Agamemnon in der versamlung erscheint, obgleich er verwundet war und obgleich er dem Achilleus zürnte, durfte ebenfalls nicht übergangen werden. durch die athetese der anstöszigen partie wird also der zusammenhang verstümmelt, der dichter dieser Μήνιδος ἀπόρρησις kann von den behandelten versen eben nicht befreit werden. auch ist das folgende nicht besser, so dasz ihm die gerügten fehler wohl zugetraut werden können.

T 65 f. ist aus C 112 f. entnommen. in C hat nach den schrecklichen schmerzausbrüchen des Achilleus 1) darüber dasz Patroklos gefallen ist, und 2) darüber dasz er dem freunde den tod nicht abwehrte, das ἀχνύμενοί περ und der entschlusz das geschehene geschehen sein zu lassen, sowie das θυμὸν δαμάσαντες ἀνάγκῃ ein ganz anderes gewicht als in T. dasz aber die verse nicht ausgeworfen werden können, geht aus dem νῦν δέ (v. 67) hervor. dieses findet in dem τὰ μὲν προτετύχθαι ἐάσομεν (v. 65) seinen ursprünglichen gegensatz, der ihm durch die athetese der beiden verse verloren gehen würde. dieses νῦν δέ findet sich auch C 114. es ist ebenfalls aus C herübergenommen, es ist von den beiden vorhergehenden versen unzertrennlich und beweist, dasz T 65 f. ebensowenig entfernt werden kann wie eben dieses νῦν δέ.

Ferner sagt Achilleus gar nicht, dasz ihn der tod des Patroklos dazu veranlasse das geschehene geschehen sein zu lassen. vielmehr bedient er sich nur allgemeiner und nichtssagender redensarten: οὐδέ τί με χρὴ ἀσκελέως αἰεὶ μενεαινέμεν, vgl. Π 721. 61.

T 69 ist aus B 443 entlehnt. mit den worten ὄτρυνον, ὄφρα πειρήσομαι (rufe du die Achaier in den kampf, damit ich versuche) sagt Achilleus, dasz er selbst ohne den befehl des oberkönigs an die Achaier nicht in den streit gehen könne. er ordnet sich damit dem Agamemnon unter, was nicht passend ist. man erwartet: 'ich will (oder: wir wollen) in den kampf ziehen.'

Während sonst unsere partie die alte μῆνις und den ersten bearbeiter benutzt, sind die verse T 72 f. offenbar, mit H 118 f. verglichen, das original. hätte unser dichter die verse aus H herübergenommen, so hätte er keine veranlassung gehabt das αἴ κε in ὅς κε und das καὶ αἰνῆς δηϊότητος in ὑπ' ἔγχεος ἡμετέροιο zu ändern. dagegen war das ὅς κε und das ὑπ' ἔγχεος ἡμετέροιο in H nicht zu verwenden, muste also geändert werden. übrigens sind die in H 118 f. vorgenommenen veränderungen keineswegs glücklich. denn αἰνῆς δηϊότητος ist dem δηίου ἐκ πολέμου ziemlich gleichbedeutend, ja das δηίου kehrt in δηϊότητος wörtlich wieder. wie unpassend ist es überhaupt, dasz in H 117—19 so verächtlich von Hektor gesprochen wird, von dem Agamemnon selbst doch so eben noch gesagt hatte, dasz sogar Achilleus ihm ungern im kampfe begegne! offenbar sind diese verse zusätze eines patrioten, der den Hektor recht herabsetzen wollte. Köchly hat diese verse schon längst für unecht erklärt. auch H 174 ist zu verwerfen, da er offenbar nur dadurch in den text gekommen ist, dasz irgend einer sich bei dem αἴ κε φύγῃσι (= H 118 b) an H 119 erinnerte. somit ist H 117—19 ein später zusatz, und man kann mit den versen T 72 f. = H 118 f. nicht erweisen, dasz der verfasser von H 1—312 die besprochene partie von T gekannt und benutzt habe.

In der folgenden rede des Agamemnon ist die erzählung von der bethörung des Zeus durch Ate allgemein für unecht erklärt worden, so von Welcker, Nitzsch, Bernhardy, Bergk, Jacob, La Roche, Düntzer, Naber, Hentze. die genannten gelehrten haben darin ganz gewis recht, dasz diese partie nicht zu dem ursprünglichen bestande der Ilias gehört hat. dies ist so unzweifelhaft, dasz es keiner weitern erörterung bedarf. von den vielen bedenken, zu denen die erzählung des Agamemnon anlasz bietet, hebe ich deshalb nur das éine, was mir das wichtigste scheint, hervor: die situation fordert schnelles handeln, nicht langwieriges erzählen. trotzdem halte ich es für verkehrt, die anstöszige partie als eine interpolation auszuscheiden. sie passt anderseits wieder vorzüglich in den zusammenhang und würde nach ihrer entfernung eine klaffende lücke zurücklassen. Agamemnon ist aufs tiefste gedemütigt: er ist verwundet, gänzlich besiegt und musz dem beleidigten sein unrecht eingestehen. da ist es nicht blosz sehr angemessen, sondern geradezu nötig, dasz er irgend eine, wenn auch noch so wenig haltbare entschuldigung hervorholt, um sich wenigstens einigermaszen zu rechtfertigen. hierzu ist das heranziehen der Ate und die erzählung, wie selbst Zeus von ihr geblendet worden sei, ganz vorzüglich geeignet. wenn ferner der ursprüngliche dichter auch nicht in solche längen verfallen ist, so gibt es doch andere partien, welche sich gerade in dieser breite gefallen, so die Πρεϲβεία, welche sich ebenfalls durch endloses reden hervorthut. auch die allegorie von der Ate hat unsere partie mit I gemeinsam.

Somit gebe ich zu, dasz die erzählung von Zeus bethörung gar viele anstösze bietet, behaupte aber, dasz unser ganzes buch von T 42 ab so späten ursprungs ist, dasz einem solchen epigonen dergleichen fehlgriffe durchaus zuzutrauen sind. aber gesetzt den fall, dasz 90 bzw. 95—133 auszuscheiden wäre, so müste auch 79—84 ausfallen. denn diese verse, welche zur ruhe und geduld ermahnen, bereiten offenbar auf eine lange rede vor. diese consequenz haben denn auch Jacob und Hentze und ähnlich Naber gezogen. nun taugen zwar die verse 79—84 ebensowenig wie die erzählung von Zeus und Ate: denn dasz die Danaer still sein sollen, wird dreimal gesagt, und dasz lärm für einen redner unangenehm ist, ebenfalls dreimal. aber auch diese einleitung der rede ist ursprünglich und kann nicht ausgeschieden werden. denn 1) passt sie vorzüglich zu der art, in welcher Agamemnon in gewissen partien der Ilias, zb. in I, geschildert wird. denn in unsern versen, wie in I, erscheint er aufs äuszerste gedemütigt, er wird durch schimpfreden unterbrochen und kann sich nur schwer ruhe verschaffen. 2) stimmt das tosen der menge vortrefflich zu dem in 42 ff. geschilderten zusammenströmen endloser volksmassen.

Aber wenn wir auch wirklich selbst diese verse noch preisgeben, so bleibt doch noch etwas auffälliges zurück. in v. 85 nemlich hat das τοῦτον μῦθον nach entfernung des vorhergehenden ebensowenig eine beziehung, wie wenn man es nicht entfernt. man müste also, wenn man jeden anstosz beseitigen wollte, mit Düntzer auch noch die verse 85—90 ausscheiden.

Am schlusz der rede hat Naber 140 f. ausgeworfen. in der that ist das χθιζός in hohem grade unpassend, da ja nicht gestern, sondern vorgestern Agamemnon dem Achilleus die geschenke angeboten hat. nun sind die verse allerdings sehr wohl entbehrlich, scheinen sie doch sogar den zusammenhang zu unterbrechen. indessen wenn

unser dichter nicht weisz, dasz Odysseus in der seite und nicht am
fusze verwundet ist (47 f.), braucht er sich auch nicht darüber klar
zu sein, an welchem tage die πρεcβεία stattfand. ferner ist der
zusammenhang bei ihm oft nicht untadellich. immerhin bleibt die
möglichkeit, dasz v. 140 f. ein späterer zusatz ist.

Höchst wunderlich sind nun auch die folgenden verse 142—44.
wie kann Agamemnon glauben, dasz Achilleus, der so glühend nach
dem kampfe verlangt, noch erst die geschenke zu sehen wünscht,
bevor er in den kampf zieht? ganz sicher sind diese verse höchst
geschmacklos. aber trotzdem sind sie nicht zu entbehren. schon
Hentze (anhang VII s. 12) sagt sehr richtig, dasz zu Achilleus erneuter dringender forderung einer sofortigen aufnahme des kampfes
(146 ff.) die verse 142—44 die notwendige voraussetzung bilden.
nun sind aber die verse 146 ff. für den zusammenhang durchaus notwendig und auf keinen fall zu entbehren. hieraus folgt dasz unser
dichter von den geschmacklosen versen 142—44 nicht befreit werden kann und dasz unsere partie durch athetesen nicht zu heilen ist,
dasz sie vielmehr durch und durch und vers für vers das gepräge
späten ursprungs trägt.

Vers 139 endlich ist aus Δ 264 und O 475 zusammengesetzt.
er widerspricht dem verse 69. denn in v. 139 soll Achilleus, in
v. 69 Agamemnon den auszug der Achaier veranlassen. oder sollte
v. 139 die bescheidenheit und höflichkeit des Agamemnon zum ausdruck bringen? diesen zweck würde er doch nur sehr kümmerlich
erfüllen. auch v. 139 ist schon für unecht erklärt worden, und zwar
von Heyne.

Demnach bleiben von den 67 versen der rede Agamemnons nur
3 übrig, die noch niemals für unecht erklärt worden sind: v. 78 und
137. 138. diese sind also doch gewis untadellich und von auszerordentlicher schönheit! nein, keineswegs. v. 78 ist = B 110 und
137 f. = I 119 f. der erstere vers ist zu inhaltlos, als dasz man ihm
beikommen könnte. anders ist es mit 137 f., welche offenbar aus I
entlehnt sind. in I ist das ἀλλ' ἐπεὶ ἀαcάμην nach dem ἀαcάμην
von 116 sicher ursprünglich, und das ἂψ ἐθέλω ἀρέcαι δόμεναί τ'
ἀπερείc' ἄποινα bezieht sich auf die worte Nestors (I 112 f.) φρα-
ζώμεcθ' ὥc κέν μιν ἀρεccάμενοι πεπίθωμεν δώροιcίν τ' ἀγανοῖcιν
ἔπεccί τε μειλιχίοιcιν. dagegen in T hat Achilleus nichts gesagt,
worauf das ἂψ ἐθέλω ἀρέcαι δόμεναί τ' ἀπερείc' ἄποινα sich beziehen könnte, und anderseits ist es sehr wunderbar, dasz Agamemnon
auf das ἐγὼ παύω χόλον (67) gar nicht bezug nimt. somit sind
selbst die eliteverse 137 f. mit benutzung einer stelle von I gedichtet,
ein deutlicher beweis dasz unsere partie später ist als dieses buch.

Von der folgenden rede des Achilleus ist v. 146 formelhaft, die
verse 147—49 müssen späten ursprungs sein, weil sie auf die besprochenen wunderlichen verse 142—44 antwort geben. der schlusz
ist schon von vielen für unecht erklärt worden, 150—53 von Düntzer,
151—53 von Bekker und Jordan, 153 von Franke und Bergk.

Mit v. 154 tritt nun Odysseus als hauptsprecher in der sache der versöhnung auf, ganz wie in I. v. 154 ist ein formelvers, der auszer in unserer partie nur noch in K und in der Odyssee vorkommt. 155 ist aus A 131 entnommen. unsere stelle nimt sich, mit der in A verglichen, wie travestie aus, da es sich in T um die wenig poetische, aber nichtsdestoweniger auszerordentlich gründlich erörterte magenfrage handelt. 161 ist aus I 706 entlehnt, nicht sonderlich passend, da nach v. 161 das μένος von der speise kommt, nach 159 von einem gott eingeblasen wird. v. 162 kommt auszer an einigen späten stellen der Ilias (A 601. Ω 773) nur in der Odyssee und dort ziemlich häufig vor. 163 ἄκμηνος findet sich nur noch in den späten teilen dieses buches (207. 320. 346). in v. 176 ist zugestandenermaszen I 133 benutzt, da in T 176 das τῆς keine beziehung hat, während in I 132 κούρη Βρισῆος steht. man hat deshalb 175—78 und 186 von καί bis 188 δαίμονος auswerfen wollen. aber auch darauf ist schon hingewiesen worden, dasz der nicht zu entbehrende v. 191 ohne die beiden stellen unverständlich ist, weil man ohne sie nicht wissen würde, wozu die ὅρκια πιστά dienen sollten, zumal da das aus Γ 94 entnommene ὅρκια πιστὰ τάμωμεν gewöhnlich den abschlusz eines vertrags bezeichnet. auch ist mit recht gesagt worden, dasz das ἵλαος ἔστω von v. 178 ebenfalls nicht fehlen kann, da es nötig ist dasz Achilleus dem Agamemnon verzeiht, was er später (270 ff.) auch wirklich thut. folglich ist es unmöglich v. 176 zu entfernen, und wir haben damit einen weitern sichern beweis, dasz die uns beschäftigende partie um des 9n buches willen und mit wörtlicher benutzung mehrerer verse desselben gedichtet ist.

Agamemnon (185—97) bezieht sich nun im anfang seiner rede (185—91) auf jene worte des Odysseus zurück, die sich wegen der nachahmung des verses I 133 als entschieden spät herausgestellt haben. er sagt nemlich: ταῦτα δ᾽ ἐγὼν ἐθέλω ὀμόσαι . . οὐδ᾽ ἐπιορκήσω . . ὅρκια πιστὰ τάμωμεν. im zweiten teile der rede des Agamemnon (192—97) widerspricht κούρητας ἀριστῆας (193), wie Naber erkannt hat, dem θεράποντες (143). das χθιζόν widerspricht wie 141 dem gange der Ilias. Naber hat deshalb und wegen der langwierigkeit der folgenden verhandlungen über das einnehmen des frühstücks die verse 192—95 und 198—241 ausgeworfen. aber die verse 192—95 sind nicht zu entbehren. · von dem befehl μίμνετε δ᾽ ἄλλοι πάντες ἀολλέες (190) muste Agamemnon im folgenden (192 ff.) notwendig eine ausnahme machen. alle konnten doch nicht dableiben, dann hätten die geschenke ja von selbst kommen müssen; es musten doch etliche abgeschickt werden, um sie herbeizuholen. wenn ferner namentlich genannt wird, wer den eber holen soll, so ist es doch sehr wahrscheinlich, dasz auch derjenige bezeichnet wurde, der für die herbeischaffung der geschenke sorgen soll. und dasz hierzu Odysseus gewählt wird, ist sehr angemessen und in übereinstimmung mit I. übrigens kommt κούρητας nur noch τ 248 vor.

In v. 198 — 237 kommen nun noch zwei reden über die schon

in v. 155—70 von Odysseus breit behandelte, sehr wenig poetische
frage, ob die Achaier frühstücken sollen oder nicht. es ist ja gewis
recht brav von Achilleus, dasz er seinen freund sofort rächen will;
wenn er aber verlangt, dasz die Achaier ganz nüchtern von morgen
bis abend kämpfen sollen, so ist das doch höchst albern. 198 f.
= 145 f. die form ᾗcιν (202) kommt nach La Roche nur noch
θ 147 vor. 204 = Θ 216. Λ 300. weder in Τ noch in Θ hat das
ὅτε οἱ Ζεὺc κῦδοc ἔδωκεν eine so deutliche beziehung wie in Λ
(vgl. Λ 191 ff.). βρωτύν 205 nach La Roche nur noch c 407. in
207 begegnen wir wieder dem oben erwähnten ἄκμηνοc. 207ᵇ =
A 592. C 210. 211ᵇ = C 236 δεδαϊγμένοc ὀξέι χαλκῷ. erst in
v. 203 hiesz es κέαται δεδαϊγμένοι.

215 kehrt der schon oben behandelte vers 154 wieder. 216 =
Π 21. λ 478. der aus dem herlichen anfang von Π entnommene
vers ὦ ’Αχιλεῦ, Πηλέοc υἱέ, μέγα φέρτατ’ ’Αχαιῶν nimt sich hier
schlecht aus, weil v. 217 dem sinne nach so ziemlich dasselbe sagt
und das φέρτατε gar fast wörtlich wiederkehrt: φέρτεροc οὐκ ὀλίγον περ. 219 = N 355. Φ 440. das πλείονα οἶδα ist zur begründung des vorhergehenden nicht recht geeignet, da es mit dem ἐγὼ
δέ κε cεῖο νοήματί γε προβαλοίμην einigermaszen identisch ist.
224 = Δ 84. in Δ heiszt es passend ταμίηc πολέμοιο, da es sich
dort um zuerteilen von krieg oder frieden handelt, während hier von
dem zuerteilen von sieg oder niederlage die rede ist. v. 225 ‘mit
dem magen dürfen die Achaier nicht trauern’ wirkt offenbar komisch.
und wenn der vielkluge Odysseus sagt: ‘es sterben zu viele, als dasz
man alle betrauern könnte’, so ist dies für Achilleus verletzend, da
keiner von den vielen demselben so am herzen lag wie Patroklos. auch
der gedanke ‘man musz die toten nicht zu sehr betrauern’ und ‘die
überlebenden müssen sich tüchtig stärken, damit sie besser kämpfen
können’ ist doch wahrlich zu materiell, und den Achilleus muste
eine so herzlose art zu sprechen aufs tiefste empören. Odysseus
charakterisiert sich durch diese verse als gefühlloser verstandes-
mensch, als welcher er im fünften jh. und später zuweilen aufgefaszt
wurde. 233 χροΐ statt περὶ χροΐ oder ἀμφ’ ὤμοιcιν kommt nach
La Roche auszer in Ι 596 hauptsächlich in der Odyssee vor. 237 =
Δ 352 ist gänzlich unpassend. er gibt nur einen sinn, wenn man
zu dem ‘laszt uns gegen die Troer ziehen’ hinzudenkt ‘später, nachdem wir das mahl eingenommen haben’.

Um der stelle aufzuhelfen, hat man 221—24 und 233—37 auswerfen wollen. aber erstens werden hierdurch nicht alle anstösze
beseitigt, und zweitens ist es schwer zu sagen, was einen interpolator
dazu veranlassen konnte so zwecklose und überflüssige zusätze zu
machen. radicaler verfährt Naber, der 198—241 ausscheidet. aber
die verse 192 ff., deren echtheit nach dem oben gesagten wahrscheinlich ist, beweisen die ursprünglichkeit auch von 238 ff. wollte man
aber nur 198—237 auswerfen, so würde das ἦ καί, was nur von
Odysseus gesagt sein kann, sich an die rede des Agamemnon nicht

anschlieszen. man sieht, dasz selbst ein sehr energischer operativer eingriff dieser partie nicht aufhelfen kann.

In v. 242 ist unklar, was mit μῦθος gemeint ist. die verse T 243 f. sind nach I 121—23 gebildet. die letztere stelle lautet: ὑμῖν δ᾽ ἐν πάντεσσι περικλυτὰ δῶρ᾽ ὀνομήνω, ἕπτ᾽ ἀπύρους τρίποδας, δέκα δὲ χρυσοῖο τάλαντα, αἴθωνας δὲ λέβητας ἐείκοσι, δώδεκα δ᾽ ἵππους. dafür ist gesetzt worden: ἑπτὰ μὲν ἐκ κλισίης τρίποδας φέρον, οὕς οἱ ὑπέστη, αἴθωνας δὲ λέβητας ἐείκοσι, δώδεκα δ᾽ ἵππους. die stelle in I ist die ursprüngliche. denn 1) kann φέρον wohl von dreifüszen und kesseln, aber nicht von pferden gesagt werden. 2) können die zwölf pferde doch nicht gut aus dem zelte herausgeführt werden. so viel raum war doch wohl nicht darin. sonst pflegen die pferde auf der weide zu sein (T 281). 3) ist es nicht klar, was subject zu ὑπέστη ist, und 4) sind doch nicht nur die dreifüsze, sondern auch die andern geschenke versprochen worden. somit haben wir wieder einen deutlichen beweis, dasz unsere partie später als I ist.

T 252 f. ist aus Γ 271 f. entnommen: denn es heiszt χείρεσσι, obgleich Agamemnon an der éinen hand verwundet war. 254ᵇ = E 174ᵇ. das Διί ist hier nicht besonders passend, da Agamemnon ja auch noch andere götter anruft. 258 = τ 303. Ξ 158ª. 266 = Γ 292. dieser vers ist offenbar in Γ ursprünglich, denn dort wird die handlung viel schöner und genauer durchgeführt. die verse 270—74 drücken die absicht des Achilleus sich mit Agamemnon zu versöhnen nur sehr undeutlich aus. 275 ist aus B 381 entnommen: denn 1) ist an unserer stelle nicht ersichtlich, weshalb sich Achilleus plötzlich zu der erst so ausführlich besprochenen und widerlegten ansicht des Odysseus, dasz erst gegessen werden müsse, bekehrt hat. 2) ist in T nirgends erwähnt, dasz das mahl, zu dem hier aufgefordert wird und welches der dichter für so auszerordentlich wichtig erachtet, wirklich eingenommen wurde. 3) hat die aufforderung zu essen um zu kämpfen nicht die groszartige wirkung wie in B, wo die Achaier derselben mit gewaltigem getöse nachkommen. 276 f. = β 257 f. in β ursprünglich: denn hier bezieht sich ἐσκίδναντο auf das vorhergehende σκίδνασθε, während in T weder zu der aufforderung ἔρχεσθε eine ausführung noch zu der ausführung ἐσκίδναντο eine aufforderung ist. 284 = θ 527. dasz sich eine gattin auf ihren sterbenden gatten wirft, finde ich natürlicher und angemessener, als wenn Briseïs auf dem leichnam eines ihr verhältnismäszig fernstehenden mannes liegt. 292: das δεδαϊγμένον ὀξέι χαλκῷ = C 236ᵇ scheint dem verfasser dieser partie ganz besonders gefallen zu haben. schon 211 und erst ganz vor kurzem 283 hat er diese worte verwendet. wunderlich ist es ferner, dasz Patroklos die Briseïs zur ehegemahlin des Achilleus machen will und dasz er es ihr, wie es scheint, sogleich bei der gefangennahme verspricht.

T 301 = X 515. an unserer stelle wird durch diesen vers die

situation nicht mit hinreichender klarheit gezeichnet. ist nicht auch
Achilleus (277) mit seiner begleitung zu seinem schiffe und in sein
zelt gegangen, wie alle andern? und 315 ff. redet er den toten
Patroklos an, er ist also doch in dem zelte anwesend. weshalb also
heiszt es: ἐπὶ δὲ ϲτενάχοντο γυναῖκεϲ? seufzten die männer,
Achilleus und seine begleiter, nicht auch? etwas wunderlich ist auch
die bemerkung, dasz die weiber die klage um Patroklos zum vor-
wand nahmen und thatsächlich ihr eignes leid beklagten.

Man hat 278—302, 280—302 oder 282—302 auswerfen wollen.
allein konnte der dichter die Briseïs, um die der ganze zorn des
Achilleus entstanden und welche die erste ursache zu allen in der
Ilias erzählten ereignissen war, so ganz als null betrachten, dasz er
von ihrer rückkehr in das zelt des Achilleus durchaus gar nichts erzählte?

Was nun die folgende scene (303—356) angeht, so bleibt den
beobachtungen früherer kritiker kaum etwas hinzuzufügen übrig (vgl.
Hentze anhang VII s. 19 ff.). die beziehung des αὐτόν (303) ist nach
dem vorhergehenden nicht klar. häszlich ist der gleichklang λιϲϲό-
μενοι (304) und λίϲϲομαι (305). das ὃ δ' ἠρνεῖτο ϲτεναχίζων in
304 ist ungewöhnlich als ankündigung der directen rede. unter den
freunden des Achilleus (310 f.) vermissen wir Aias (Ι 204. 640 ff.),
während das plötzliche auftreten des Nestor auffällig ist. in 319
κεῖϲαι δεδαϊγμένοϲ kehrt die lieblingsphrase unseres dichters noch
einmal wieder. 326 ist die einzige stelle, wo von einem sohne des
Achilleus in der Ilias die rede ist. 328 ff. steht im widerspruch mit
Ϲ 9 ff. nach unserer stelle hat Achilleus geglaubt, Patroklos werde
zurückkehren, in Ϲ ist ihm geweissagt worden, der beste der Myrmidonen werde vor ihm fallen. 333 kommt sonst nur noch in der
Odyssee vor: η 225. τ 526. in 338 f. haben wir denselben gedanken
und zum teil dieselben worte wie in 301 f. 340 ist aus Ρ 441 entnommen. das τούϲ γε ἰδὼν ἐλέηϲε Κρονίων ist unpassend: denn
im folgenden zeigt sich, dasz Zeus und Athene nicht mit den fürsten,
sondern mit Achilleus mitleid haben. diese verschwinden im folgenden überhaupt gänzlich. sollten sie Achilleus verlassen und sich
zum mahle begeben haben? hierauf scheinen die verse 345 f. οἳ δὲ
δὴ ἄλλοι οἴχονται μετὰ δεῖπνον hinzuführen. 344 ist aus Ϲ 3 entlehnt. das προπάροιθε νεῶν steht mit dem vorhergehenden in
widerspruch. hier sitzt der um Patroklos klagende Achilleus vor
den schiffen, im vorhergehenden im zelte. 356 ἀπάνευθε νεῶν steht
im widerspruch mit 360 νηῶν ἐκφορέοντο. dort sind die Achaier
schon fern von den schiffen, hier tragen sie erst ihre rüstungen aus
den schiffen hervor.

Somit ist erwiesen, dasz die partie Τ 42—356 das werk des
zweiten bearbeiters ist. unursprünglich sind natürlich auch die worte
εἰϲ ἀγορὴν καλέϲαϲ ἥρωαϲ Ἀχαιούϲ, μῆνιν ἀποειπὼν Ἀγαμέμνονι,
ποιμένι λαῶν, αἶψα μάλ' (Τ 34—36). in der alten μῆνιϲ Ἀχιλῆοϲ
hiesz es einfach: ἀλλὰ ϲύ γ' ἐϲ πόλεμον θωρήϲϲεο, δύϲεο δ' ἀλκήν.

dies beweist schon der zusammenhang der stelle. Thetis sagt (v. 8
—11): 'lasz den leichnam, nimm die waffen.' hierauf antwortet
Achilleus chiastisch, erst auf das letztere, dann auf das erstere: 'mit
den schönen waffen will ich mich zum kampfe rüsten, doch fürchte
ich dasz der leichnam verwese.' wiederum chiastisch antwortet
Thetis: 'was den leichnam betrifft, so sei unbesorgt; du aber —.'
nun? was kann nach dem zusammenhange einzig und allein folgen?
nichts als: 'du aber rüste dich zum kampfe.' v. 35 hat wegen der
quantität des o in ἀπŌϜειπών schon Hoffmann quaest. Hom. II s. 167
ausgeworfen.

Wenn wir nunmehr die ursprünglichen teile von T, die verse
1—41. 357—424 ins auge fassen, so ist einleuchtend, dasz dieselben
gar nicht zum schlusse des buches C passen. denn die göttin, welche
C 616 vom Olympos springt, langt T 3 während des erscheinens der
morgenröte bei den schiffen an. folglich müste der aufenthalt der
Thetis bei Hephaistos und das schmieden der waffen in der zeit vor
der morgenröte, also in der nacht stattgefunden haben, was doch
sehr unpassend sein würde. dagegen schlieszt sich T 1 ff. vortrefflich an C 355 bzw. 367: denn Thetis findet Achilleus und dessen gefährten am morgen in derselben situation, in welcher sie sich nach
C 355 die ganze nacht befanden, nemlich weinend und klagend. sodann werden die neuen waffen künstlerischer und groszartiger geschildert als in der langen beschreibung C 368—617. es wird nemlich nur der eindruck geschildert, den sie auf Achilleus und die
Myrmidonen machten; ähnlich wie auch nicht nase und stirn und
auge der Helene, sondern nur der eindruck beschrieben wird, den
die troischen greise von der schönen Griechin empfiengen. und zwar
war die neue rüstung so herlich, dasz das klirren derselben in den
Myrmidonen zittern und graus und ihr anblick in Achilleus wilde
kampfgier erregte. diese groszartige schilderung stellt sich den gewaltigsten scenen von C 1—367 würdig zur seite. sonderbarer weise
ist sie jedoch mehreren gelehrten geschmacklos erschienen.

Auch hat man anstosz genommen 'an der ängstlichen sorge, dasz
der leichnam des Patroklos während des rachekampfes verwese, da
derselbe doch schon am dritten tage bestattet wird' (Hentze anhang
VII s. 6). dieser einwand ist ebenfalls durchaus hinfällig. denn
1) schwärmten die fliegen am zweiten tage·ebenso sehr um die leiche
des Patroklos wie an irgend einem folgenden. 2) machte die ver-
wesung am zweiten tage schon fortschritte, besonders wohl in einem
südlichen klima. 3) hatte Achilleus C 334 f. gesagt: οὔ ϲε πρὶν
κτεριῶ, πρίν γ' Ἕκτοροϲ ἐνθάδ' ἐνεῖκαι τεύχεα καὶ κεφαλήν, μεγα-
θύμου ϲοῖο φονῆοϲ. nun konnte Achilleus offenbar doch nicht vorher wissen, wie lange es dauern würde, bis es ihm gelänge den
Hektor zu töten. das konnte unter umständen mehrere tage währen,
und der leichnam des Patroklos konnte inzwischen gänzlich verwesen. hat doch Achilleus selbst seine meinung dahin ausgedrückt,
dasz es mehrere tage dauern werde: vgl. C 340 ἤματα. endlich hat

man daran anstosz genommen, dasz nicht erzählt wird, wie sich
Thetis wieder ins meer begibt. allein wird denn im anfang von A
erzählt, dasz Apollon, nachdem er genug geschossen, wieder in den
Olympos steigt? haben wir nicht schon oft beobachtet, dasz die
ereignisse in der götterwelt nicht immer mit derjenigen ausführlichkeit geschildert werden wie die in der welt der sterblichen?

Dreierlei ist es demnach, weswegen uns die verse T 1—41 zur
alten μῆνιϲ zu gehören scheinen: 1) der mangel jedes fehls, 2) der
umstand dasz diese partie vorzüglich zu den ursprünglichen teilen
von C und gar nicht zu dem ende desselben buches passt, und 3) die
schönheit der ganzen partie, besonders die der waffenschilderung.

Vortrefflich schlieszen sich nun die verse 357 ff. an v. 41. das
mächtige gewimmel der sich rüstenden streiter und das gewaltige
blitzen der rüstungen entspricht dem furchtbaren schlachtruf des
Achilleus. dieser legt die waffen, deren anblick in ihm wilde kampfes-
wut erregt hatte, sofort an, und wie er auf den wagen steigt, erinnern
die unsterblichen rosse den kampfgierigen helden, dasz sie ihn diesmal noch retten werden, dasz aber bald ein mächtiger gott und die
gewaltige Moira ihm den tag des verderbens herbeiführen werden.
diese prophezeiung bewirkt, dasz wir dem ausziehenden Achilleus
mit wehmütigen blicken folgen; auch steht sie sehr schön mit jenen
stellen in einklang, wo der dichter der μῆνιϲ ebenfalls das ahnungs-
volle wirksam verwendet hat, so mit dem proömium, wo auf das
nahende unheil hingewiesen wird, und mit Λ 53 ff., wo vor beginn
des ersten schlachttages der μῆνιϲ blutiger tau vom Kroniden gesandt wird, weil er viele gewaltige heldenhäupter in den Hades
hinabschicken will. dieses gesamturteil über den schlusz von T kann
durch das urteil über einzelne angezweifelte stellen nicht erschüttert
werden. — So lenkte Achilleus die rosse in die vordersten reihen.
wer aber von den Troern oder bundesgenossen war der unglückliche,
der ihm zuerst begegnete?

FRIEDEBERG IN DER NEUMARK.   KARL BRANDT.

29.

ZU TACITUS.

hist. I 71 *Marium Celsum, consulem designatum, per speciem
vinculorum saevitiae militum subtractum, acciri in Capitolium iubet;
clementiae titulus e viro claro et partibus inviso petebatur. Celsus constanter servatae erga Galbam fidei crimen confessus, exemplum ultro
imputavit. nec Otho quasi ignosceret, sed ne hostes † metueret,
conciliationes adhibens, statim inter intimos amicos habuit et mox bello
inter duces delegit.* aus den worten *nec Otho quasi ignosceret, sed ne
hostes † metueret* geht hervor, dasz derselbe nicht aus versöhnlicher
gesinnung sich mit Celsus zu vergleichen trachtete, sondern aus einem

andern grunde, über den der finalsatz *ne hostes* †*metueret* aufschlusz
gegeben hat. die conjectur *ne hostem metueret* (was im sinne von
ne sibi Celsus hostis metuendus esset zu nehmen wäre) ist unbefriedigend: denn wenn Otho furcht vor Celsus gehabt hätte, so würde
er denselben der wut der soldaten, welche ihn töten wollten (c.
45), gewis nicht entzogen haben. vielmehr lehrt *clementiae titulus
e viro claro et partibus inviso petebatur*, dasz Otho darauf gewicht
legte durch die schonung des Celsus auf seine feinde eindruck zu
machen und denselben im lichte versöhnlicher gesinnung zu erscheinen. demnach ist die corruptel nicht in *hostes*, sondern in
metueret zu suchen, wofür *metu terreret* (= *metu a deditione deter-
reret*) zu schreiben ist. Otho schonte also den Celsus deshalb, um in
den feinden die hoffnung auf gleich milde behandlung für den fall
ihrer unterwerfung zu erwecken und um sie nicht durch blutige
strenge zu verzweifeltem widerstande aufzubringen. auch sonst
spielte er damals aus rücksichten der klugheit den versöhnlichen und
milden, vgl. c. 47 *adnitentibus cunctis* (*patribus*) *abolere convitia ac
probra, quae promiscue iacta haesisse animo eius* (*Othonis*) *nemo sensit;* c. 45 (*Otho*) *avidum et minacem militum animum voce vultuque
temperans;* sowie sein würdeloses benehmen gegen Vitellius: c. 74
*crebrae interim et muliebribus blandimentis infectae ab Othone ad Vitel-
lium epistulae offerebant pecuniam et gratiam et quemcumque quietis
locum prodigae vitae legisset.* zum ausdruck *metu terreret* vgl. Sall. *Cat.*
51, 30 *iuxta bonos et malos lubidinose interficere, ceteros metu terrere*
(= *deterrere a resistendo*); Livius X 14, 18 *signa . . metu terruere
Samnitium animos;* ebd. XXIII 34, 7 *metu territi;* Celsus II 9 *cognitis
indiciis, quae nos vel spe consolentur vel metu terreant;* Cic. *p. Sestio* 35
cum alii metu ac periculo terrerentur; Curtius IV 4, 6 *cetera ingenti
terruerunt metu;* ebd. VI 7, 10 *aversari scelus perseverantem mortis
metu terret;* Caesar *b. G.* V 6, 5 *sevocare singulos hortarique coepit,
ut in continenti remanerent: metu territare* usw. — Heräus liest: *nec
Otho quasi ignosceret, sed deos testes mutuae reconciliationis adhibens.*

ebd. IV 23 *ubi pleraque telorum turribus pinnisque moenium
inrita haerebant et desuper saxis vulnerabantur, clamore atque impetu
invasere vallum, adpositis plerique scalis, alii per testudinem
suorum.* dasz das anstöszige *suorum* in *scutorum* zu ändern ist,
ergibt sich aus Curtius VII 9, 3 *reliqui, qui post tormenta constiterant,
remigem lorica non indutum scutorum testudine armati pro-
tegebant.*

Unterz. benutzt diese gelegenheit zu näherer begründung zweier
in seinen 'studien zu Curtius und Tacitus' '(München 1887) s. 1 f.
veröffentlichter conjecturen, welche Helmreich in seinem jahresbericht
über Tacitus 1885—87 (Bursian-Müllers jahresber. bd. LV s. 8) mit
einer reihe anderer vorschläge des vf. abgelehnt hat, allerdings ohne
dieses urteil auch nur mit einem worte zu begründen.

ann. XI 35 *admotusque Silius tribunali non defensionem, non
moras temptavit, precatus, ut mors adceleraretur. eadem constantia et*

inlustres equites Romani †*cupido maturae necis fuit.* die bisherigen
verbesserungsvorschläge (von Haase: *eadem constantia* . . *cupidi
maturae necis fuerunt*, von Urlichs: *eadem constantia et in-
lustribus equitibus R. ac cupido maturae necis fuit*) haben
schon deshalb keine wahrscheinlichkeit für sich, weil sie von der
überlieferung sehr weit abgehen, was um so bedenklicher ist, als
die corruptelen des Mediceus groszenteils nicht auf verderbnis, sondern auf lückenhaftigkeit der überlieferung zurückzuführen sind.
hiernach wird auch diese stelle zu behandeln und der fehler in einer
lücke, und zwar vor *cupido*, zu suchen sein. wahrscheinlich ist blosz
das epiphonematische *ea* ausgefallen und also zu lesen: *eādem con-
stantiā et inlustres equites Romani* (sc. *egerunt* = 'dieselbe seelen-
grösze zeigten' usw.): *ea cupido maturae necis fuit.* zum satzbau vgl.
hist. III 84 *cecidere omnes contrariis vulneribus, versi in hostem: ea
cura etiam morientibus decori exitus fuit,* ferner *Germ.* 24 *quamvis
iuvenior, quamvis robustior adligari se ac venire patitur: ea est in re
pravā pervicacia.* — *egerunt* ist aus dem zusammenhang zu ergänzen,
wie *egit* ann. XIV 7 *post Seneca hactenus promptius, ut respiceret
Burrum ac sciscitaretur, an militi imperanda caedes esset.*

    ebd. XV 58 *atque ubi dicendam ad causam introissent,* †*latatum
erga coniuratos* (nemlich die teilnehmer an der verschwörung des
Piso) *et fortuitus sermo et subiti occursus, si convivium, si spectaculum
simul inissent, pro crimine accipi.* Halm vermutete in dem verderbten
latatum sinngemäsz *clam actum,* der überlieferung näher liegt aber
late actum ('es wurde eingehende verhandlung gepflogen') und
wird durch die im text folgenden worte *et fortuitus sermo* usw. treffend erläutert. *late* und *latus* finden sich in der bedeutung 'ausführlich, ausgedehnt, umfangreich' nicht selten, vgl. Seneca *ep.* 100, 4
*sensus honestos et magnificos, non coactos in sententiam, sed latius
dictos*; Seneca *contr.* 7, 7 exc. *describenti discipulo late Alexandri vic-
torias*; Quint. *decl.* s. 59, 15 (Ritter) *si latius agendum esset, illud
dicerem : abdicare (filiam) propter matrimonium non potes*; Livius
IX 26, 9 *latior* . . *quaestio fieri*; ebd. XXXVIII 54, 7 *Furius latius
rogandum censebat, non quae ab Antiocho modo pecuniae captae
forent, sed quae ab aliis regibus gentibusque*; ebd. XLV 31, 13 *quaerendo deinde latius, qui publice aut privatim partium regis fuissent,
in Asiam quoque cognitionem intendere*; Caesar *b. civ.* II 17, 4 *haec
latius perscribebat*; Cicero *de fin.* II 17 *latius loquerentur rhetores, dia-
lectici autem compressius*; Tac. *hist.* I 90 *genus orandi latum et sonans*;
Plinius *ep.* VIII 4, 1 *bellum Dacicum scribere paras; quae tam recens,
tam copiosa, tam lata* . . *materia?* ebd. I 20, 19 *non enim amputata
oratio et abscisa, sed lata et magnifica et excelsa tonat, fulgurat*; ebd.
VI 8, 2 *amicitiam meam latissima praedicatione circumfert.* die verbindung des perf. ind. (*actum*) mit dem inf. hist. (*accipi*) ist nicht
auffallend, vgl. bes. Livius XXXVII 11, 9 *tum vero ingens pariter
militum nautarumque trepidatio orta et velut fuga in naves fieri.*

MÜNCHEN.   ——————————   FRIEDRICH WALTER.

30.

ZUR HOMERISCHEN FRAGE.

Dasz selbst wörtliche anführungen aus einer rede oder einer abhandlung, wenn der zusammenhang, in dem sie sich finden, nicht angegeben wird, die ansicht des verfassers ungenau, ja ganz verkehrt ausdrücken können, ist schon oft festgestellt und beklagt worden. hier ein neues beispiel davon. KBrandt schreibt jahrb. 1888 s. 513: 'was die erste hälfte des buches C betrifft, so hat im gegensatz zu der so eben aufgestellten behauptung CRothe (jahresber. des Berliner philol. vereins 1887 s. 281) die ansicht vertreten, dasz diese partie den spätesten teilen der Ilias angehöre. diese ansicht halte ich jedoch für falsch . . sie beruht auf der ebenfalls irrtümlich meinung desselben gelehrten, dasz die älteste Ilias nichts davon wisse, dasz Patroklos von Hektor getötet wird und Achilleus jenen rächt. Rothe sagt hierüber (ao. s. 291): «wenn Zeus Achilleus versprochen hat ihn zu ehren, wenn Achilleus erst dann wieder am kampfe teilnehmen will, wenn die Griechen in der grösten not sind, dann musz er wirklich in dieser not eingreifen und nicht erst durch den tod seines besten freundes dazu gebracht werden.» allein in der alten μῆνις sagt Achilleus nirgends, dasz er in der äuszersten not der Achaier wieder in den kampf eingreifen will, sondern in dem späten buche l' usw.

Dieser ausführung gegenüber bemerke ich von vorn herein, dasz es weder meine ansicht ist, dasz die ganze erste hälfte von C zu den spätesten teilen der Ilias gehöre, noch dasz es eine Ilias gegeben habe, in welcher Patroklos nicht von Hektor getötet worden sei. in ersterer beziehung habe ich ao. s. 281 geschrieben: 'zunächst läszt sich aus Π 236 und C 74 f. überhaupt nicht die vermutung Lachmanns begründen (dasz nemlich hiernach Achilleus, nicht Thetis an Zeus die bitte um genugthuung gerichtet habe), da diese verse mit ihrer umgebung gewis zu den letzten teilen der Ilias gehören.' zu der 'umgebung' von v. 74 f. gehört in C nicht die ganze erste hälfte des buches, sondern nur alles was auf den verkehr der Thetis mit Achilleus bezug hat, dh. v. 35—150. diese verse hat Köchly unter beistimmung von Christ mit recht aus seiner Patrokleia ausgeschlossen, da sie offenbar die einleitung zu dem besuche der Thetis bei Hephaistos bilden, dh. zum zweiten teile von C. dieser zweite teil wird nun ziemlich allgemein als späte dichtung angesehen. von ihr die einleitung trennen zu wollen, nur weil sie zu einer vorgefaszten meinung passt, nenne ich reine willkür. das nähere behalte ich mir vor an anderm orte zu zeigen.

Um nun weiter den oben aus meinem jahresberichte wörtlich angeführten satz zu verstehen, ist es nötig zu wissen, dasz ich im vorangehenden ausführlich die ansichten der verschiedenen gelehrten besprochen habe, welche die Ilias aus einem 'kern' durch allmäh-

liche erweiterung und überarbeitung entstehen lassen, und dabei
zum schlusz die frage aufgestellt habe, ob sich auf diesem wege die
Homerische frage lösen lasse. dabei habe ich als 'bedenklich' die
grosze verschiedenheit der ansichten über den umfang des 'kernes'
betont und scbliesziich wörtlich geschrieben: 'dasz zwar an sich die
annahme eines «kernes» möglich sei, ja manches für sich habe, dasz
es aber noch keinem gelungen sei mit irgend welcher
wahrscheinlichkeit diesen kern aus dem jetzigen bestande der Ilias herauszuschälen, dasz vielmehr alle versuche entweder zu widersprüchen führen oder so willkürlich seien,
dasz man mit gesunder kritik dagegen protestieren müsse.' da
Brandt diese gesperrt gedruckte stelle auf s. 291 gelesen haben
musz, so musz ich es geradezu als absichtliche entstellung meiner
ansicht ansehen, deren grund ich freilich nicht begreife, wenn er
mir die am anfang seiner erörterung ausgesprochene vorstellung
unterschiebt. diese vermutung gehört vielmehr, wie ich unmittelbar vor der angezogenen stelle (ao. s. 290 u.) sage, E H Meyer
('Homer und die Ilias'), und ich habe (s. 286) diese ausschälung
des kernes 'von allen, die mir bekannt sind, die consequenteste (bis
auf éinen punkt), dafür auch reines spiel der phantasie' genannt, bei
der man strenge philologische kritik nicht suchen dürfe. das letztere
urteil gründet sich darauf, dasz in unserer jetzigen Ilias nichts darauf
hinweist, dasz jemals Achilleus ohne den tod des Patroklos in den
kampf zurückgekehrt sei, dasz überhaupt Achilleus ohne Patroklos
nicht gedacht werden kann. das hindert aber nicht anzuerkennen,
dasz die vermutung Meyers in sich 'folgerichtig' (ao. s. 290 u.) ist.
Meyer läszt nemlich Zeus an Achilleus, als die Griechen in der
grösten not sind, die Iris schicken und ihn nun, nachdem er 'geehrt'
ist, zum kampfe auffordern, welcher aufforderung Achilleus auch
nachkommt. wenn nun Brandt meine behauptung, dasz dies 'folgerichtig' sei (denn nur dies behaupte ich ao. s. 290), damit zu widerlegen sucht, dasz er sagt, in der alten μῆνιc (nemlich wie er sie
sich herstellt) gebe Achilleus das versprechen nicht, so ist doch
diese begründung etwas naiv. sie erklärt sich kaum aus der be-
neidenswerten sicherheit, mit der der vf. die ergebnisse seiner untersuchungen immer als 'erwiesen' dh. allgemein angenommen betrachtet.

     Wie wenig er übrigens dazu ein recht hat, möge zum schlusz
noch an einem beispiel gezeigt werden. noch in seiner letzten untersuchung (jahrb. 1888 s. 518) schreibt er: 'wie schon erwiesen wurde,
lag ursprünglich zwischen den kämpfen der Ἀγαμέμνονοc ἀριcτεία
in Λ und denen um die mauer in M eine nacht.' nun habe ich (ao.
s. 280) auf den widerspruch aufmerksam gemacht, in den sich dabei
Brandt verwickelt, wenn er zwischen Λ und M die nacht eintreten
läszt. Λ 193 heiszt es nemlich, Zeus wolle Hektor ruhm geben
κτείνειν, εἰc ὅ κε νῆαc ἐυccέλμουc ἀφίκηται, δύῃ τ᾽
ἠέλιοc καὶ ἐπὶ κνέφαc ἱερὸν ἔλθῃ. wenn Hektor bis sonnen-

untergang zu den 'wohlumbordeten schiffen' gelangen soll, dann kann
doch nicht gut erst am nächsten morgen der kampf um mauer und
graben stattfinden. darauf hat nun Brandt jahrb. 1888 s. 81 geantwortet: 'dies ist kein widerspruch: denn «schiffe» ist so viel als «das
mit mauer und graben umgebene schiffslager». oder sollte Zeus, damit ein misverständnis ja vermieden würde, umständlich sagen «bis
zu dem mauer und schiffslager umschlieszenden graben der Achaier»?'
ich könnte zunächst darauf erwidern dasz, wenn auch Homer die 'um-
ständlichkeit' hätte meiden können, der vf. jedenfalls gut gethan
hätte, in seiner untersuchung (jahrb. 1885 s. 659) nicht kurz zu
schreiben: 'lücke, in der die Achaier bis zu den schiffen getrieben
werden', sondern lieber deutlicher zu sagen 'hinter die mauer des
schiffslagers'; sodann aber durfte sicher auch Homer, wenn er den
'mauerkampf' und den 'kampf bei den schiffen' schilderte, sich nicht
so kurz ausdrücken. die hier vom vf. angenommene kürze ist um
so auffälliger, als er bald darauf (ao. s. 83) den dichter tadelt, dasz
er H 312 f. kurz sage 'sie führten den Aias zu Agamemnon. als sie
aber in dessen zelt angekommen waren' usw., statt 'sie führten Aias
zu Agamemnon. beide begaben sich dann mit den übrigen königen
in das zelt des letztern. als sie dort angekommen waren' usw. freilich in der letzten abh. (jahrb. 1888 s. 515) finden wir wieder eine
andere ansicht entwickelt, denn hier schreibt er: 'wenn sodann
Athene C 204 die aigis trägt, welche P 593 Zeus hatte, so ist das
nicht besonders merkwürdig. Zeus, der seinen schild O 229 dem
Apollon gegeben hatte, um Achilleus zu ehren, hat ihn hier zu demselben zwecke der Athene überlassen. der dichter brauchte
dies nicht genau zu erzählen. er berichtet ja auch nicht, dasz
Apollon, nachdem er die aigis genug gebraucht hatte, dieselbe dem
Zeus wiedergab, und doch hat dieser sie in P wieder und benutzt
sie.' wenn der vf. dies schweigen des dichters hier und bald darauf
(s. 516 f.) dadurch erklärt, dasz 'die götter alles leicht und ohne
mühe thun', so scheint mir diese begründung wieder naiv oder mit
der andern verglichen willkürlich.

Doch genug. jeder aufmerksame leser wird selbst die willkür-
lichkeiten und die rein subjective kritik, welcher der vf. leider mehr
und mehr zuneigt, herausfinden; auch gehört eine weitere erörterung darüber nicht hierher. um aber zum ausgangspunkt zurückzukehren, möchte ich doch dem vf. raten, ehe er eine ansicht widerlegt und ihre begründung als 'hinfällig' bezeichnet, genauer zu lesen
und zuzusehen, was die wirkliche ansicht des gegners und seine
gründe sind.

FRIEDENAU BEI BERLIN.   CARL ROTHE.

31.
OILEUS UND ILEUS.

Bekanntlich wurden die Homerischen verse B 527 Λοκρῶν δ᾽ ἡγεμόνευεν ΟΙΛΗΟC ταχὺς Αἴας, Ξ 442 ἔνθα πολὺ πρώτιστος ΟΙΛΗΟC ταχὺς Αἴας ua. im altertum von vielen lesern so verstanden, als hätte der dichter gemeint ὁ Ἰλῆος ταχὺς Αἴας, und ähnlich liesz sich zb. auffassen Ξ 446 τὸν μὲν ΟΙΛΙΑΔΗC δουρικλυτὸς ἐγγύθεν ἐλθών. so kam es dasz der vater des lokrischen Aias bald Oïleus[1] bald Ileus genannt wurde: ja falls der scholiast B zu B 527 (ψιλωτέον Ὀϊλῆος· οὐ γάρ ἐστιν ἄρθρον. ὁ δὲ Ἡcίοδος διχῶς) und Eustathios ebd. (s. 277, 2 Ἡcίοδος δέ, φαcι, καὶ Cτηcίχορος διχῶς αὐτὸ προάγει· οὐ γὰρ μόνον τριcυλλάβως Ὀϊλεύς, ἀλλὰ καὶ διcυλλάβως Ἰλεύς) uns recht berichten, bedienten sich Hesiodos und Stesichoros sogar beider formen. beweisstellen dafür sind wenigstens von Stesichoros keine erhalten (vgl. fr. 84 Bergk), von Hesiodos nur die éine, aber sichere, in welcher Ileus vorkommt (fr. 136 Marcksch.). das davon gebildete Ἰλιάδα hat Pindar Ol. 9, 112; es wird hier durch die hsl. überlieferung, durch das metrum und durch den alten scholiasten geschützt (s. Böckhs und Mommsens ann. crit.). sicher ist Ileus ferner bei Lykophron 1150. noch in dem Nachhomer des Tzetzes (v. 644) kommt es vor (s. Wernicke zu Tryphiod. v. 165). dem letztern war die thatsache sehr wohl bekannt, dasz gewiegte autoritäten jene zweisilbige form als eine fälschlich aus Homer erschlossene verwarfen. eine solche autorität nennt er selbst in der einleitung zu seiner erklärung der Ilias (s. 4, 10 Herm. 746, 26 Bachm.): Ποcειδώνιος ὁ Ἀπολλωνιάτης ὁ τῷ Ἡcιόδῳ μέμψιν ἐπάγων, ὡς παραφθείραντί τινας τῶν Ὁμήρου λέξεων, τὸν Ὀϊλέα Ἰλέα εἰπόντι καὶ τὸν νήδυμον ἥδυμον. jedoch in dem scholion dazu (s. 126, 20 H. 826, 6 B.) polemisiert er ausdrücklich gegen diese autorität, freilich mit gründen, aus denen deutlich erhellt, dasz er nicht einmal gemerkt hat, worauf es hierbei ankommt.

Mir scheint es so gut wie gewis zu sein, dasz der bei dieser gelegenheit von Tzetzes genannte Poseidonios aus Apollonia kein anderer ist als derjenige, den Aristonikos zu Z 511 und Nikanor zu P 75 übereinstimmend als 'vorleser'[2] Aristarchs bezeichnet. er wird hinsichtlich der anschauung über die corrumpierten formen Ἰλεύς und ἥδυμος lediglich der lehre des meisters gefolgt sein, die uns Aristonikos aufbewahrt hat (s. Lehrs Arist.[3] s. 152 und 176). danach las Aristarch B 2 Δία δ᾽ οὐκ ἔχε νήδυμος ὕπνος, gestützt auf Ξ 253 νήδυμος ἀμφιχυθείς, und verwarf die ua. von Simonides

---

[1] attisch auch Οἰλεύς, zweisilbig: s. GHermann de emend. rat. gr. gramm. s. 42. das schwanken zwischen den beiden andern formen verglich Herodian mit κέλλω ὀκέλλω, κλάζω ὀκλάζω, Βριάρεως Ὀβριάρεως: s. Eust. s. 650, 48. Lentz Her. II 173, 13 note.   [2] ἀναγνώcτης. in den betr. scholien wird das wort fälschlich ἀναγνωcτής betont.

(fr. 79 Bergk) und Antimachos (fr. 97 Stoll, 74 Kinkel) gebrauchte
form ἥδυμος. ebenso misbilligte er Ἰλεύς, indem er dieserhalb
wiederholt die διπλῆ περιεςτιγμένη gegen Zenodotos richtete, der
nicht allein B 527 und Ξ 442 ὁ Ἰλῆος verstanden, sondern sogar
M 365 αὐτίκ' ἄρ' Ἰλιάδην st. αὐτίκ' Ὀιλιάδην, N 203 κόψεν ἄρ'
Ἰλιάδης st. κόψεν Ὀιλιάδης und 712 ἀλλ' οὐκ Ἰλιάδη st. οὐδ' ἄρ'
Ὀιλιάδη geschrieben hatte. ob Zenodotos diese lesarten aus eigner
vermutung oder aus irgend einer obscuren quelle schöpfte, wissen
wir nicht. consequent scheint er in der austreibung von Ὀιλεύς
nicht verfahren zu sein.[3] sonst würde ihm Aristarch zum beweise
für die richtigkeit dieser dreisilbigen form schwerlich die stelle
N 694 = O 333 ἤτοι ὁ μὲν νόθος υἱὸς Ὀιλῆος θείοιο haben ent-
gegenhalten können (s. Ariston. zdst.).[4]

Die sache ist in alter und neuer zeit viel besprochen worden.
auch in dem Florentiner Etymologicum, mit welchem uns EMiller
in seinen 'mélanges de littérature grecqne' (Paris 1868) näher bekannt gemacht hat, wird ihrer gedacht, und zwar s. 224 mit folgenden worten: Ὀϊλῆος· τινὲς τῶν νεωτέρων ἀνέγνωςαν χωρὶς τοῦ
ō, ὡς ὄντος, ὁ δὲ Ὅμηρος cὺν τῷ ō λέγει τὸν Ὀϊλέα ἀπὸ τοῦ
Ὀϊλεύς. dasz dies nicht richtig sein könne, sah Nauck, der sich
hierüber in den 'mélanges gréco-romains' III s. 136 folgendermaszen
äuszerte: «in dem unverständlichen ὡς ὄντος musz der name eines
dichters enthalten sein, und zwar ist zu lesen, so gewaltsam die
änderung auch sein mag, ὡς Ἡςίοδος.» dies billigte Rzach Hesiodi
fr. 142. allein weder die prämisse Naucks ist richtig noch seine
schluszfolgerung; vielmehr ist ἄρθρου zwischen ὡς und ὄντος
ausgefallen. dies ergibt sich deutlich aus Ariston. B 527 Ὀϊλῆος:
ὅτι τινὲς τῶν νεωτέρων ἀνέγνωςαν χωρὶς τοῦ ō, ὡς ἄρθρου
ὄντος, εἶτα «Ἰλῆος». ὁ δὲ Ὅμηρος cὺν τῷ ō λέγει τὸν Ὀϊλῆα.
interessant ist, dasz der grammatiker, welcher dieses notat dem
Etymologicum einverleibte[5], es bereits so verdorben vorfand: denn
vermutlich nur aus diesem grunde liesz er die worte εἶτα «Ἰλῆος»
ganz weg. natürlich können dieselben neben χωρὶς τοῦ ō nicht

---

[3] so urteilte wohl auch Wolf; ich schliesze dies namentlich aus
seiner bemerkung proleg. s. CCVII: 'cum eum unus locus Λ 93 [αὐτόν,
ἔπειτα δ' ἑταῖρον Ὀιλῆα πλήξιππον] ad verum ducere debuisset.' anders
Eust. s. 1018, 59 und HDüntzer de Zenodoti studiis Hom. s. 51. [4] aus
dem scholion T (V) zu O 336, welches Bekker richtiger zu 333 stellte,
. . γελοῖον δὲ τὸ παρ' Ὁμήρῳ οὕτως ἀκούειν· οὐ γὰρ ἂν αὐτὸ καὶ ἐπὶ
δοτικῆς προσέθηκε πτώςεως, «οὐδ' ἄρ' Ὀϊλιάδη μεγαλήτορι Λοκροὶ
ἕποντο» [N 712]. καὶ νῦν δὲ ἠδύνατο εἰπεῖν «ἣν ἔχεν Ἰλεύς»,
möchte nicht gerade unbedingt der schlusz zu ziehen sein, dasz Zenodotos diesen vers (O 336) wirklich unangetastet gelassen hatte. denn
wie wenig dieser scholiast über Zenodotos orientiert war, beweist seine
bemerkung über N 712, durch welche Zenodotos sich gar nicht getroffen fühlen konnte, da er ἀλλ' οὐκ Ἰλιάδη las. wenn indessen Zenodotos an O 333 nichts änderte, wird er vermutlich auch an O 336 nicht
gerüttelt haben. [5] es kommt zu den von OCarnuth 'de Etymologici
Magni fontibus' (Berlin 1873) aufgeführten stellen hinzu.

bestehen bleiben, wohl aber neben χωρὶc τ ὸ ō: und diese einfache,
längst gemachte correctur hätte Dindorf in seiner ausgabe der scholien A nicht verschmähen sollen. sie auch in das Et. Flor. aufzunehmen müste ich aus dem angeführten grunde widerraten.

Herodian gedenkt des schwankens zwischen Oïleus und Ileus
ebenfalls. A 264 Καινέα τ᾽ Ἐξάδιόν τε: παρὰ τῷ ποιητῇ ἀπὸ
τοῦ ē τὸ ὄνομα ἤρξατο, παρὰ δὲ τοῖc νεωτέροιc καὶ χωρὶc τοῦ ē
εὑρέθη, ὡc καὶ Ὀϊλεὺc μὲν παρὰ τῷ ποιητῇ καὶ παρ᾽
Ἡcιόδῳ. mich wundert, dasz weder Lehrs (Her. s. 197) noch
Lentz (Her. II 25, 25) an diesen worten anstosz nahmen. ich kann
sie nicht für richtig überliefert halten. dem Ὀϊλεὺc μὲν musz ein
Ἰλεὺc δὲ entsprochen haben, welches vor παρ᾽ Ἡcιόδῳ ausgefallen
oder in καὶ corrumpiert ist.

Was in dem rätselhaften satze ταῦτα παρατίθεται ἐν δ᾽ Cιμω-
νίδηc oder -δαc oder -δου steckt, mit welchem das Ileus-citat aus
Hesiodos im Et. Gud. s. 276, 46 (s. Marckscheffel ao. Ritschl opusc.
I s. 687) schlieszt, ist schwer zu sagen: vielleicht ἐν Ἰλιάδοc cημείοιc
Ἀριcτόνικοc? in dem ursprünglichen buche des Aristonikos, von
welchem uns ja nur fragmente vorliegen, könnte das citat sehr wohl
gestanden haben.

KÖNIGSBERG. ———————— ARTHUR LUDWICH.

32.
ZU SOPHOKLES ELEKTRA.

466 f. δράcω· τὸ γὰρ δίκαιον οὐκ ἔχει λόγον
δυοῖν ἐρίζειν, ἀλλ᾽ ἐπιcπεύδειν τὸ δρᾶν.

die durch die scholien vermittelte erklärung οὐκ ἔχει λόγον τὸ φιλο-
νεικεῖν περὶ τοῦ δικαίου, ὥcτε περὶ αὐτοῦ δύο ὄνταc ἐρίζειν· δεῖ
γὰρ τὸν ἕτερον τῷ ἑτέρῳ πείθεcθαι oder, wie es neuere ausdrücken,
'quod iustum est, non habet rationem cur duo inter se contendant,
i. e. de iusto non est cur quis dissentiat' kann unmöglich jemand
befriedigen. die gerechtigkeit der von Elektra vertretenen sache
oder auch nur des von ihr jetzt geforderten schrittes liesz sich der
ängstlichen Chrysothemis nie und nimmer als beweggrund in den
mund legen, ihr die wegen ihrer eingestandenen unterwürfigkeit
gegen die augenblicklichen machthaber so eben noch die heftigsten
vorwürfe und beleidigungen über ihre rechts-, pflicht- und ehrver-
gessenheit ruhig eingesteckt hat. auch nun, wo sie sich gewis
schweren herzens entschliesz das opfer der mutter zu unterschlagen,
sucht sie sich doch aufs ängstlichste des schweigens der mitwisser
zu versichern. was soll ferner die bestimmung δυοῖν = 'für zwei'?
wenn es sich um die erwägung handelte, für wen das rechte einen
grund zu streiten abgeben könnte, da liesze sich doch zunächst nur
an den einen teil allein denken, der mit dem vorgeschlagenen rechten
nicht einverstanden ist: man würde dann also hier ein ἄλλῳ oder
unter anwendung der allgemeinen wahrheit auf den vorliegenden be-

sondern fall ἐμοὶ erwarten dürfen. so lieszen sich noch andere gesichtspunkte geltend machen, wie auch zum teil geschehen, aber wenn man
auch alle andern bedenken abweisen wollte, das éine bliebe bei der
herkömmlichen deutung unbedingt bestehen, dasz Chrysothemis nur
das eiserne gesetz der macht anerkennt und zur richtschnur nimt.
    Ihrem charakter getreu wird daher Chrysothemis zu einer
gegen die machthaber gerichteten that nur dann die hand bieten,
wenn sie, um mich so auszudrücken, auch hierbei sich überwältigt
fühlt. und das ist in diesem augenblick der fall. der chor, der sich
beim ersten teile des schwesterlichen zwiegespräclis nur vermittelnd
einmischte, hat sich jetzt durch ein entschiedenes wort auf Elektras
seite gestellt und von der erfüllung ihres wunsches die weitere anerkennung gesunder einsicht bei Chrysothemis abhängig gemacht. da
musz sich diese denn doch für überstimmt erklären und thut es auch,
wie bei folgender auslegung der stelle herauskommt: δίκαιον gehört
zu λόγον, τὸ ist substantiviert und nichts als der vorläufer des infinitivs, welcher das subject zu ἔχει bildet, und δυοῖν hängt ab von
ἐρίζειν. demnach die übersetzung der ganzen stelle: 'ich werde es
thun: denn das hat keinen rechten sinn, gegen (euch) zwei (die
schwester und den chor) anzukämpfen, wohl aber (hat es rechten
sinn), die that zu beschleunigen.' ein solches wort ist in jeder beziehung den umständen gemäsz.

    1485 f. τί γὰρ βροτῶν ἂν ςὺν κακοῖς μεμιγμένων
        θνήςκειν ὁ μέλλων τοῦ χρόνου κέρδος φέροι;
diese zwei verse, welche Dindorf unter dem beifall von Schneidewin-
Nauck als 'futiles et inutiles' gebrandmarkt hat, werden, soviel ich
sehe, allgemein so verstanden, dasz τί mit κέρδος verbunden, der
genitiv βροτῶν ςὺν κακοῖς μεμιγμένων als partitiv entweder unmittelbar oder vermittelt durch ein zu ergänzendes τις ὤν dem
ὁ μέλλων zugewiesen, der infinitiv θνήςκειν von μέλλων abhängig
gemacht wird und τοῦ χρόνου als genetivus explicativus von κέρδος.
nur GHermann weicht insofern ab, als er βροτῶν ςὺν κακοῖς μεμιγμένων als concessiven gen. absolutus faszt. mag man nun ferner
κακοῖς auf die schlechte lage oder auf die begangenen missethaten
deuten, auf jeden fall kommt bei der angegebenen syntaktischen auffassung der stelle eine erwägung heraus, die sich mit der denkart
und dem ganzen auftreten Elektras durchaus nicht verträgt. wie
sollte es dieser barten, unerbittlichen rächerin des vaters in den sinn
kommen, den gedanken, dasz der endlich dem tode verfallene urheber alles elendes einen noch so kleinen aufschub der hinrichtung
haben möge, wofern ihm das wirklich vorteil brächte, auch nur leise
zu streifen? auch von ihrem bruder Orestes wird sie nicht annehmen
wollen, dasz er aus unzeitigem mitleid auf die bitte des Aigisthos
um ein letztes wort eingehen werde. sie wird allein von den rücksichten auf ein sicheres gelingen des rachewerkes geleitet. wenn
somit die hergebrachte grammatische erklärung der beiden verse

nicht umzustoszen wäre zu gunsten einer solchen, die einen der natur
der sache angemessenen sinn erschlieszt, so würde, um ganz abzusehen von sprachlichen bedenken, auch ich der ansicht beipflichten,
dasz die verse dem Sophokles abgesprochen und eingeklammert
werden müssen.

    Allein ich habe auch hier eine auslegung an die stelle zu setzen,
die allen anforderungen des inhalts wie der form gerecht wird, und
zwar unbeschadet des überlieferten wortlauts. man lege einmal beim
lesen der zwei verse eine pause je hinter den ersten fusz und gebe
sich rechenschaft über die bedeutung der dadurch gewonnenen zuteilung. zuvörderst ist klar, dasz wir θνήϲκειν aus der verbindung
mit ὁ μέλλων lösen und dem vorhergehenden zuweisen. das ist
möglich, sobald wir es als ausdruck der unausbleiblichen wirkung
zu βροτῶν ϲὺν κακοῖϲ μεμιγμένων ziehen. für dieses selbst erhalten wir eine ganz gefällige, dichterisch anmutende deutung, wenn
wir μίγνυϲθαι in der echt Homerischen verwendung für 'zusammen-
kommen, verkehren, besuchen' fassen, nur dasz hier bei dem unper-
sönlichen abstracten wesen des verkehrsgegenstandes — κακοῖϲ von
κακά = 'schlechtigkeiten' — etwa 'sich einlassen in . .' oder eine
ähnliche redensart eintreten würde; ϲύν, das einfach den begriff des
μεμιγμένων verstärkt, kann so gut als präposition zu κακοῖϲ, wie in
tmesi zu μεμιγμένων gezogen werden. nunmehr βροτῶν ϲὺν κακοῖϲ
μεμιγμένων als absoluten genitiv mit hypothetischem, aus causale
streifendem satzwert genommen, ergibt sich die übersetzung: 'wenn
sterbliche sich (so) in schlechtigkeiten eingelassen haben, dasz sie (zu
sterben haben bzw.) den tod verdienen.' was wird nun aber aus
ὁ μέλλων? das regierende wort zu τοῦ χρόνου, ein fall des gen.
part., den Krüger gr. spr. I⁴ 47, 28 anm. 9 behandelt, und zwar
deckt sich ὁ μέλλων τοῦ χρόνου = ὁ μέλλων χρόνοϲ im sprachgebrauch mit dem ao. aus Demosthenes angeführten πρὸϲ τὸν λοιπὸν
τοῦ χρόνου = πρὸϲ τὸν λοιπὸν χρόνον. zwar weisz ich diesen gebrauch aus Sophokles sonst nicht zu belegen, aber was verschlüge
es, wenn eine solche, immerhin gewählte ausdrucksweise, die echt
attisch und gewis des dichters nicht unwürdig ist, auch nur für diese
einzige stelle anzunehmen wäre? übrigens stellt nun ὁ μέλλων τοῦ
χρόνου als subject zu φέροι einen satz her, der sich in den bruchstücken, die unter dem namen desselben dichters gehen, fr. 725, 2
(Dindorf) fast wörtlich wiederfindet in den worten εἰδὼϲ τὸ μέλλον
οὐδὲν εἰ κέρδοϲ φέρει. lassen wir endlich das τί, besser denn attribut zu κέρδοϲ, adverbialen accusativ sein = 'inwiefern', so lautet
die vollständige übertragung der beiden verse mit zugrundelegung
meiner erklärung: 'denn inwiefern könnte, wenn sterbliche sich in
schlechtigkeiten eingelassen haben, dasz sie sterben müssen, die zu-
künftige zeit (dh. hier ein längeres warten) von nutzen sein?' das
aber ist ein dem charakter Elektras wie der sachlage durchaus entsprechender gedanke, und auch Sophokles kommt nicht zu kurz dabei.

    Metz.   ————————   Ferdinand Weck.

33.
DAS NEUE WIENER FRAGMENT DES EPICHARMOS.

Aus Wien kommt die für jeden philologen höchst erfreuliche
mitteilung, dasz unter der masse ägyptischer papyrusstücke, welche
die samlung des erzherzogs Rainer bilden, sich ein fragment eines
verlorenen griechischen dichters gefunden hat, des komikers Epicharmos. das bruchstück ist klein und keine zeile unverstümmelt; aber
bei alledem hilft es doch für unsere kenntnis und anschauung dieser
berühmten komödien. die veröffentlichung geschieht im fünften bande
der 'mitteilungen aus der samlung der papyrus erzherzog Rainer'
(Wien 1889), durch prof. ThGomperz, der nicht nur den verfasser
dieser reste richtig erkannt hat, sondern auch das stück, dem sie angehörten, den Ὀδυccεὺc αὐτόμολοc. gegenstand dieses stückes war
die bereits in der Odyssee (δ 242 ff.) erzählte geschichte, wie Odysseus sich als bettler verkleidet in Troja einschleicht und kundschaft
von dort zurückbringt.

Das betreffende bruchstück einer papyrusrolle, welches bei
Gomperz in lichtdruck in natürlicher grösze wiedergegeben ist, enthält 10 zeilen text in schöner majuskelschrift, den anfang einer
columne, und darüber den zugehörigen obern rand, der mit scholien
in cursivschrift ausgefüllt ist. rechts und links ist das bruchstück
gerade abgeschnitten, so dasz am anfange aller zeilen gleich viel
fehlt; auch am schlusz ist keine zeile vollständig. die zeit wird von
KWessely, auf grund der cursive, als die des Augustus bestimmt,
und auch ich möchte nicht viel anders bestimmen. die cursive hat
nemlich mit der des Alkmanpapyrus die gröste ähnlichkeit, welcher
dieser zeit anzugehören scheint, und zeigt anderseits noch nicht die
im zweiten jh. nach Ch. auftretenden eigentümlichkeiten. auch im
majuskeltexte ist noch etwas von altertümlicher accentuation, gleichwie bei Alkman.

Ich gebe zunächst den text in umschrift, indem ich die unsichern
oder verstümmelten buchstaben bzw. zeichen mit einem punkte kenntlich mache.

ṆΘШΝΤΕ͂ΙΔΕΘШΚΗСШ͡ΤΕ˙ΚὰΙΛΕΞΟΎ̂

Ι̣ΜΕΙΝΤὰΥΤὰ˙ΚὰΙΤΟΙСΔΕΞΙШΤΕΡΟΙС̣

ΕΜΙΝΔΟΚΕΙΤΕΠὰΓΧΥΚὰΙΚὰΤὰΤΡΟΠ

Ο̣ΤШСΕΠΕΥΞὰСΘὰΊΤΙСΕΝΘΥΜΕ͂ΙΝΓ̣

Γ˙ШΦΕΙΛΟΝὲΝΘὲΝΎ̈СΠΕΡΕΚΕΛΉС̣   5

Τ̣ШΝὰΓὰΘΪ̈Κ͡ШΝ˙ΚὰΚὰΠΡΟΤΙ͞ΜὰСὰΙΘ̣

ΔΥΝΟΝΤΕΛΕССὰΙ˙ΚὰΙΚΛΈΟСΘΕΙΟΝΛ̣

ṆΜῸΛὼ̈ΝΕСὰСΤΥ˙ΠὰΝΤὰΔ˙ΕΎ̈Сὰ̀Φὰ͞

ṆΟСΔΪ̈ΟΙСΤ˙ὰΧὰΙΟΙС˙ΠὰΙΔΊΤ˙ὰΤΡΕΟСΦ̣Ι̣

Γ̣ΕΊΛὰΙΤὰΤΗΝΕΪ̂˙ΚὰΥΤΟСὰСΚΗΘΗС̣   10

Accentuation, interpunction usw. z. 1 könnte das zeichen
über dem verstümmelten Υ auch acut gewesen sein. nach ΤΕ ϲτιγμὴ
τελεία, oberhalb des buchstabens. — 2 nach ταῦτα ϲτ. μέϲη,
einigermaszen in halber höhe. — 4 Gomperz bezeugt einen sp. lenis
(⊣) über ἀΙ, von dem der lichtdruck nichts deutlich erkennen läszt. —
5 die βαρεῖαι über den beiden silben von ΕΝΘΕΝ sind unzweideutig;
derartige mehrfache betonung findet sich auch bei Alkman und auf
Iliaspapyri, und sie entspricht eben der alten weise. ursprünglich
aber war hier, wie noch ganz deutlich ist, ΕΝΘΕΙΝ geschrieben. —
6 hinter ἀΓἀΘΪΚῶΝ die ὑποϲτιγμή am fusze des buchstabens; also
ist das dem Aristophanes von Byzanz beigelegte system des dreifach
verschieden gestellten punktes angewendet. — 7 nach ΤΕΛΕϹϹἀΙ
μέϲη, wiewohl in éiner höhe mit dem obern ende des Ι. — 8 nach
ἀϹΤΥ τελεία. über Cἀ glaube ich eine βαρεῖα zu erkennen; über
dem letzten verstümmelten ἀ den anfang eines längestrichs. —
8 ΔΙΟΙϹ erst fälschlich mit dem circumflex auf Ι versehen; dann
darüber längestrich und acut. nach ἀΧἀΙΟΙϹ ὑποϲτιγμή. — 10 nach
ΤΗΝΕῖ μέϲη.

Gomperz nun stellt die verse, in denen bereits Wessely tro-
chäische tetrameter erkannt hatte, folgendermaszen her:

Τῆλ' ἀπε]νθὼν τεῖδε θωκηϲῶ τε καὶ λεξοῦ[μ' ἐγὼν
πᾶϲιν ὑ]μεῖν (1. ὑμῖν) ταῦτα καὶ τοῖϲ δεξιωτέροιϲ [ἀμᾶι·
ϲοφὸϲ] ἐμὶν δοκεῖ τε πάγχυ καὶ κατὰ τρόπ[ον φρονῶν
ὅτιϲ ἔφα βρ]οτὼϲ ἐπεύξαϲθ', αἴ τιϲ ἐνθυμεῖν γ[α λῆι,
μὴ τάπερ] γ' ὤφειλον· ἔνθεν ὓϲπερ ἐκελή[θην ἵμεν   5
οὔ ποκ' εἶμ', οὐ] τῶν ἀγαθικῶν κακὰ προτιμάϲαι θ[έλων.

                    *

τόν τε κίν]δυνον τελέϲϲαι καὶ κλέοϲ θεῖον [λαβεῖν,
Τρωϊκὸ]ν μολὼν ἐϲ ἄϲτυ, πάντα δ' εὖ ϲάφα [δρακὼν
ἄϲμε]νοϲ δίοιϲ τ' Ἀχαιοῖϲ παιδί τ' Ἀτρέοϲ φί[λωι
ϲκέθρ' ἀπαγγ]είλαι τὰ τηνεῖ καὐτὸϲ ἀϲκηθὴϲ [φανείϲ....   10

dasz diese erste herstellung eine vollkommene sei, war nicht zu erwarten und nicht zu verlangen; in der that fällt alsbald das auf,
dasz bei dem überall gleichen verlust am anfange der zeilen doch so
sehr verschiedene summen von buchstaben ergänzt sind: so z. 3
fünf, aber z. 4 neun; wiederum z. 5 sieben, dagegen z. 6 zehn, und
gar z. 9 nur vier, während z. 10 wieder zehn fehlen sollen. das kann
also unmöglich alles richtig sein. nehmen wir nun z. 8 Τρωϊκὸ]ν
als richtig gefunden, so ist die wirkliche zahl etwa sechs, und demgemäsz z. 9 πυθόμε]νοϲ, woran Gomperz ebenfalls gedacht hat, dem
ἄϲμενοϲ vorzuziehen. übrigens ist in diesen beiden zeilen von dem
beginnenden Ν nur ein rest da; setzen wir also sechs bis sieben als
die regelmäszig durch die ergänzung zuzufügende summe. für die
zeilenenden ist kein masz gesetzt; aber für z. 8 ergibt sich die ergänzung jetzt sehr einfach: εὖ ϲαφα[νέωϲ, wozu die zeichen stimmen. weil εὖ hier eignes wort, deshalb wurde der circumflex gesetzt, und damit nicht jemand ϲάφα lese, der gravis über dem

ersten α, dazu der längestrich über dem zweiten. für εὖ cάφα vergleicht Gomperz Aisch. Perser 784 εὖ γὰρ cαφῶc τόδ' ἴcτε, und
Arist. Fri. 1302 εὖ γὰρ οἶδ' ἐγὼ cαφῶc. ich schreibe nun die vier
letzten verse so:

    .... κίν]δυνον τελέccαι καὶ κλέοc θεῖον λ[αβὲν
Τρωϊκὸ]ν μολὼν ἐc ἄcτυ· πάντα δ' εὖ cαφα[νέωc
πυθόμε]νοc δίοιc τ' Ἀχαιοῖc παιδὶ τ' Ἀτρέοc φί[λωι
ἂψ ἀπαγ]γείλαι τὰ τηνεῖ, καὐτὸc ἀcκηθὴc μ[ολέν?.....
weshalb λαβὲν und nicht λαβεῖν? natürlich wegen ἐνθὲν z. 5, was
nur mit gewalt von Gomperz zum adverbium gemacht wird, während die accentuation wie die schreibung von erster hand ενθειν so
bestimmt wie möglich auf den infinitiv = ἐλθεῖν weist, den G. gleichwohl um des zusammenhanges willen verschmähen zu müssen glaubt.
um nun in den sinn der ersten sechs verse und den zusammenhang
einzudringen, müssen wir, wie auch G. thut, die scholien zu rate
ziehen. dieselben füllen, wie gesagt, den obern rand aus, sie werden vermutlich sowohl links als rechts weiter gereicht haben als die
columne des textes, so dasz das rechts und links verlorene weder
bestimmbar noch unbeträchtlich ist. der schreiber kürzt vielfach,
wiewohl durchaus nicht mit consequenz, die worte ab, wobei der
letzte geschriebene buchstab etwas höher gesetzt wird; was jedesmal zu ergänzen ist, ergibt der zusammenhang. von notae findet
sich der acut rechts vom letzten buchstaben, mitunter für ov, mitunter (bei κ' = καί) für αι, sowie ein übergeschriebener, nach unten
offener bogen, der links oben einen ansatz hat; dies zeichen steht
nach allem anschein für μαι. die schrift würde bei besserer erhaltung bequem lesbar sein, wiewohl accente und spiritus fast durchweg fehlen. Wessely nun gibt von den scholien nachstehende lesung
(ich bezeichne das in der abkürzung ausgelassene durch runde
klammern):

1 ...] π(άν)τ(α) πα(ρὰ) [π]ροcδοκ(ίαν) ὡcεὶ ἔλεγ(ε) κ(αὶ) τοῖc
    ἐμπ[λ]ηττομ(ένοιc) ττο¹ το καθ[...
2 ...]η πάλιν πρό(c) τοὺc τραγικοὺc λέγετ(αι), ἐπεὶ ἐδόκ(ουν)
    ἐκεῖνοι ε(oder c)[....
3 ...]ητ( ) δ' παραλέλειπται cτιχίδια, δι' [ὧν] ἡ cυνάρτηcι[c....
4 ...]ετιμ' τῶι Ἀριcτοξένωι προcέχειν ἀκηκοέναι δ' [.....
5 ...]ομενο(c)² ἀναcτρέφειν ..... ὤφειλον ἤδη τιc λόγο(c)
    ελ[.....
6 ...]ει (?) τοιοῦτον ³ μετριον .... η ἀνθρωπίν(η)· πρό(c) δ
    αντι [...
7 πόρρωι καθεδοῦ(μαι)⁴ κ(αὶ) προcποιήcο(μαι)⁴ πάντ(α) δια-
    πεπρᾶχθ(αι)

---

¹ dies ττo, von dem ich in der abbildung nichts finde, möchte doch
wohl dittographie in der abschrift sein.   ² oμεν mit o rechts hoch;
nach Wessely auch -όμενον oder -oμένου zu lesen möglich.   ³ hier
ein zeichen wie ein durchstrichenes Θ aussehend; nach W. orientierungs-
zeichen.   ⁴ s. oben über das hier gebrauchte zeichen.

Betrachten wir zuerst die letzte zeile, welche im vergleich mit
den übrigen einen merklich verschiedenen ductus zeigt und auch
durch einen etwas gröszern zeilenabstand getrennt ist. Gomperz
bezieht dies scholion auf den ersten vers des textes, weil das hier
stehende θωκηϲῶ durch das καθεδοῦμαι des scholions paraphrasiert
zu werden scheint; auch folgt hier und dort καὶ mit einem zweiten
verbum. ist nun diese auffassung richtig, so musz dies scholion eine
anmerkung für sich sein, wahrscheinlich früher geschrieben als der
weiter oben stehende commentar, und das aussehen des scholions
stimmt in der that hierzu. danach also ergänzt G. den anfang des
v. 1 τῆλ' ἀπε]νθὼν (τῆλε = πόρρω). aber was er weiter ergänzt,
hat mit προϲποιήϲομαι πάντα διαπεπρᾶχθαι nichts zu thun, musz
folglich, wenn die prämissen richtig sind, falsch ergänzt sein. auszerdem ist der verstümmelte erste buchstab in z. 2 keinenfalls ein Υ
gewesen, wie G. annimt, sondern ein Η oder Ι. — Was nun die übrigen scholien betrifft, so scheint die erste zeile, mit καὶ τοῖϲ, auf v. 2
καὶ τοῖϲ δεξιωτέροιϲ zu gehen, und ich meinerseits glaube auch zu
anfang dieser zeile viel eher ein Ξ mit τ, dh. δε]ξ(ιω)τ(έροιϲ), als ein
π mit τ zu erkennen. das wort hinter τοῖϲ ist arg zerstört; aber
ἐμπληττομένοιϲ ist doch kaum etwas; ich rate auf ἀμαθεϲτάτοιϲ, indem so ein guter sinn herauskommt: τὸ δε]ξ(ιω)τ(έροιϲ) παρὰ
προϲδοκίαν, ὡϲεὶ ἔλεγε καὶ τοῖϲ ἀμαθεϲτάτοιϲ. — Sehr unsicher
ist mir ferner, ob in z. 3 der ausfall von vier versen bezeugt wird,
was G. annimt, und ob man danach mit ihm nach v. 6 eine lücke
setzen darf. warum soll nicht gerade umgekehrt bezeugt sein, dasz
von den versen dieses textes einige in der und der ausgabe fehlten?
denn auch δι' ὧν ἡ ϲυνάρτηϲιϲ ... kann ebenso gut bedeutet haben
'durch welche der zusammenhang gestört wird' wie 'durch welche
der zusammenhang hergestellt wird'. und meinte der scholiast was
G. will, so wäre er auch wohl in der lage gewesen die vier verse bei-
zuschreiben. ist auch überhaupt Δ' hier zahlbuchstab? sonst werden doch die numerorum notae in alter zeit durch wagerechten strich
bezeichnet. und ob nicht nach ϲτιχίδια vielmehr δύο .. geschrieben
steht, ist mir sehr zweifelhaft; man könnte dann diese bemerkung
auf v. 3 f. beziehen, welche danach etwa in einigen ausgaben fehlten.
indes dergleichen läszt sich ohne autopsie des originals eben nur
vermuten, nicht behaupten oder beweisen. — In z. 5 scheint ὤφειλον
auf v. 5 zu gehen, wo dasselbe wort steht: εἰ γὰρ] ὤφειλον ἤδη
τὶϲ (so scheint dazustehen) λόγοϲ ἐλ[θεῖν ... das τὶϲ λόγοϲ musz
parenthetisch sein und eigentümliches scholiastengriechisch: 'so zu
sagen, möchte ich sagen.' — Endlich z. 6 lese ich ohne lücke μέτριον
ἢ ἀνθρώπινον: nach dem facsimile hat zwischen μέτριον und ἢ in
der that wohl nichts gestanden. es ist dies eine erklärung für irgend
etwas weiterhin im texte folgendes: denn die erhaltenen verse scheinen
keine stelle dafür zu bieten.
    Mit benutzung der scholien nun möchte ich die ersten sechs
verse und mit diesen das ganze etwa so ergänzen:

Τῆλ᾽ ἀπε]νθὼν τεῖδε θωκηϲῶ τε, καὶ λεξού[μ᾽ ἅπερ
εὔχομ᾽ ε]ἶμειν, ταῦτα, καὶ τοῖϲ δεξιωτέροιϲ [ϲάφα.
εὖ γὰρ ὢν] ἐμὶν δοκεῖ τε πάγχυ καὶ κατὰ τρόπ[ον
καὶ ἐοικ]ότωϲ ἐπεύξαϲθ᾽, αἴ τιϲ ἐνθυμεῖν γ[α λῇ.
αἴθ᾽ ἐγών]γ᾽ ὤφειλον ἐνθὲν ὕϲπερ ἐκελήϲ[αντό με·   5
εἶτα μή τι] τῶν ἀγαθικῶν κακὰ προτιμάϲαι θ[ανών,
ἀλλὰ κίν]δυνον τελέϲϲαι καὶ κλέοϲ θεῖον [λαβὲν
Τρωϊκὸ]ν μολὼν ἐϲ ἄϲτυ· πάντα δ᾽ εὖ ϲαφα[νέωϲ
πυθόμε[νοϲ δίοιϲ τ᾽ Ἀχαιοῖϲ παιδί τ᾽ Ἀτρέοϲ φί[λωι
ἂψ ἀπαγ[γείλαι τὰ τηνεῖ, καὐτὸϲ ἀϲκηθὴϲ μ[ολέν.   10

V. 1 τῆλε versteht G. vom schiffslager aus. — λεξούμ᾽ scheint
unumgänglich, wiewohl das medium äuszerst auffällig und auch
aus Homer nicht ausreichend zu belegen ist. den acutus habe ich
nach unserer sonstigen kenntnis des dorischen accents gesetzt, zu
der προτιμάϲαι und ἀγγείλαι stimmen. — ἅπερ ist für Epich. so
gut zulässig wie τάπερ, s. Ahrens de dial. II 276.

V. 2. dasz Epicharmos die infinitive, die attisch -ναι haben,
auf -μειν ausgehen liesz, macht Ahrens ao. s. 315 f. aus spuren in
der hsl. überlieferung genügend wahrscheinlich, wiewohl daneben
auch das gewöhnliche dorische -μεν gesichert ist. meine gesamte
herstellung aber wird auch der überlieferten starken interpunction
nach θωκηϲῶ τε mehr gerecht als die von Gomperz. — In καὶ τοῖϲ
δεξιωτέροιϲ . . musz nach dem scholion eine witzige wendung
stecken; vor καὶ ist schwächere interpunction.

V. 3 f. ich nehme von G. αἴ τιϲ ἐνθυμεῖν γα λῇ an; um das activ
ἐνθυμεῖν (vgl. ἐννοεῖν) statt ἐνθυμεῖϲθαι kommen wir nicht herum.
es mag auch sowohl ein spiritus lenis über ΑΙ, den G. bezeugt, als
ein apostroph nach επευξαϲθ in der handschrift stehen; denn auch
von diesem zeichen hat die abbildung eine gewisse spur. aber βροτώϲ
= βροτούϲ ist für Epicharmos unzulässig, vgl. Ahrens; Theokrits
dialekt, auf den sich G. beruft, ist ein ganz verschiedener. dann
aber musz -οτωϲ (das ο ist trotz der verstümmelung wohl unzweifelhaft) der rest eines adverbiums sein, und καὶ (F)ε(F)οικ]ότωϲ entspricht sowohl der fehlenden buchstabenzahl als dem dialekte, indem
bei Epicharmos wenigstens ein ungeschriebenes digamma in vielen
fällen sich bemerklich macht (Ahrens ao. s. 44; ἀγρόθεν ἔοικε Epich.
fr. 81 Lorenz, 113 Ahrens). wenn wir nun den anfang von v. 3 mit
εὖ γὰρ ὢν ergänzen, so kommt der sinn heraus: 'denn ich habe vor
(ἐμὶν δοκεῖ) ganz trefflich und angemessen und gebührend, wenn es
jemand bedenken will, zu wünschen: möchte ich' usw. die redensart
κατὰ τρόπον hat schon G. aus Epich. (fr. 23 Lorenz, 134 Ahrens)
belegt; der zusatz αἴ τιϲ usw. geht auf die lobenden adverbia.

V. 5 ὤφειλον (st. ὤφελον) vergleicht sich mit dem Homerischen ὡϲ πρὶν ὤφελλ᾽ ἀπολέϲθαι (Il. Η 390), αἴθ᾽ ὤφελλεϲ . .
ϲημαίνειν (Ξ 84); das imperfect ist also zulässig. — Am schlusse
kann ich nur C lesen, nicht Θ, und ergänze darum ἐκελήϲαντό με,

zumal da der aoristus pass. ἐκελήθην, wenn auch nach analogie von
ἐκελεύcθην vollkommen möglich, doch nicht bezeugt ist.
　　　V. 6. über ἀγαθικόc gibt G. die nachweise: die lexikographen
(Bekkers anecd. I 324, Zonaras s. 31, Suidas udw.) erklären ἀγαθικά
mit cπουδαῖα. am schlusse θέλων zu ergänzen (G.) ist des dialekts
wegen bedenklich: denn der dorismus hat ja λῆν, und das findet sich
auch bei Epicharmos oftmals, dagegen θέλειν nie. was aber dann
auszer θανών zu ergänzen bliebe, wüste ich nicht. zu anfang des
verses gebe ich εἶτα μή τι nur als allenfalls mögliche ergänzung; für
den raum ist es etwas viel, zumal auch das folgende Τ gröstenteils
ergänzt werden musz.

　　　Der gesamtsinn, wie ich ihn herstelle, weicht also von dem
durch Gomperz hergestellten nicht wenig ab, was bei dem zustande
unseres bruchstücks auch niemanden wundern kann. immerhin, trotz
aller dunkelheiten und zweifel, lehrt es uns für diesen dichter gar
manches, und gibt auch ein klein wenig von anschauung über den
aufbau dieser komödien. denn das möchte sicher sein: es gehört der
exposition an, wohl dem prologe, in welchem der held in eigentümlich gewählter form des wünschens die zuschauer über das was vor
sich gehen sollte in angemessener weise orientierte. wir wollen
hoffen, was ja recht gut möglich wäre, dasz sich baldigst ein zweites
bruchstück dieser schönen Epicharmos-hs. hinzufinde, wollen aber
vorläufig für das gegebene aufrichtig dankbar sein.
　　　KIEL.　　　　　————————　　　　　FRIEDRICH BLASS.

(17.)
ZU THUKYDIDES.
————

　　　II 89, 5 sagt Phormion zu den Athenern, die mit 20 schiffen
77 peloponnesischen bei Rhion gegenüberliegen: πολὺ δὲ ὑμεῖc
ἐκείνοιc πλέω φόβον παρέχετε . . κατά τε τὸ προνενικηκέναι καὶ
ὅτι οὐκ ἂν ἡγοῦνται μὴ μέλλοντάc τι ἄξιον τοῦ παρὰ πολὺ
πράξειν ἀνθίcταcθαι ὑμᾶc. Classen hält jede ergänzung bei παρὰ
πολύ wie νενικηκέναι oder προνενικηκέναι für verfehlt. er selbst
gibt für das selbständige τὸ παρὰ πολύ als erklärung 'der grosze
unterschied', das heiszt in diesem falle 'die bei weitem geringere
zahl der schiffe', und der gesamte ausdruck μὴ . . πράξειν soll dann
bedeuten 'wenn nicht vorauszusehen wäre, dasz ihr euch so halten
werdet, wie es ein so groszer unterschied der streitkräfte erfordert'. eine ergänzung hat man nun offenbar des
ἄξιον wegen für nötig gehalten, und da sonst für dieses wort in der
that nur eine einigermaszen gezwungene deutung übrig zu bleiben
scheint, so schlage ich vor statt ἄξιον zu lesen ἀντάξιον. der ausdruck τὸ παρὰ πολύ würde dann hier vielmehr besagen 'die bei
weitem gröszere zahl der schiffe' (auf seiten der Peloponnesier),
und das ganze würde zu übersetzen sein: 'eine viel gröszere furcht
flöszet ihr jenen ein sowohl wegen eures vorausgegangenen sieges

als auch weil sie glauben, dasz ihr ihnen gar nicht entgegentreten
würdet, wenn nicht thaten von euch zu erwarten wären, welche die
gewaltige überzahl aufzuwiegen geeignet sind.' die folgenden
sätze können diese auffassung nur bestätigen. das ἀντάξιον besteht
in der γνώμη oder dem βέβαιον τῆς διανοίας, welches auf seiten der
Athener (entsprechend der groszen übermacht der feinde) μέγα τι ist.
    In derselben rede heiszt es II 89, 9: τούτων μὲν οὖν ἐγὼ ἔξω
τὴν πρόνοιαν κατὰ τὸ δυνατόν· ὑμεῖς δὲ εὔτακτοι παρὰ ταῖς
τε ναυσὶ μένοντες τά τε παραγγελλόμενα ὀξέως δέχεσθε,
ἄλλως τε καὶ δι' ὀλίγου τῆς ἐφορμήσεως οὔσης, καὶ ἐν τῷ ἔργῳ
κόσμον καὶ σιγὴν περὶ πλείστου ἡγεῖσθε usw. Böhme und Stahl
streichen das τὲ zwischen ταῖς und ναυσί, Krüger auch παρά, das
er als sinn- und sprachwidrig bezeichnet, Classen endlich möchte
den ganzen ausdruck παρὰ ταῖς τε ναυσί ausschlieszen, in dem er
eine durch erinnerung an Homerische stellen veranlaszte einschaltung vermutet. mit rücksicht auf das folgende καὶ ἐν τῷ ἔργῳ,
welches auf einen vorausgehenden gegensatz hinzudeuten scheint,
würde ich es aber vielmehr für empfehlenswert halten, das τὲ zwischen τά und παραγγελλόμενα zu streichen und παρὰ ταῖς τε ναυσὶ
μένοντες als in sich zusammengehörig und dem καὶ ἐν τῷ ἔργῳ
entgegengesetzt aufzufassen; εὔτακτοι wäre dann den beiden für
zwei verschiedene und auf einander folgende lagen geltenden auffor-
derungen als gemeinsamer begriff vorausgeschickt. 'hiergegen will
ich nach möglichkeit vorkehrungen treffen. ihr aber bewähret eure
treffliche mannszucht einerseits dadurch, dasz ihr euch in der nähe
eurer schiffe haltet und auf die erteilten befehle genau acht gebet,
zumal wir uns in so groszer nähe gegenüberliegen, anderseits dadurch dasz ihr in dem kampfe selbst auf ordnung und stille den
höchsten wert leget.' mit der bezeichnung des gegensatzes wäre
also in dem ersten gliede gleich ein teil der aufforderung selbst verbunden. dasz aber die mannschaft, so lange die beiden flotten einander gegenüber vor anker lagen, sich in der that nicht auf, sondern
bei den schiffen befand, geht ja ganz deutlich aus II 90, 3 hervor:
ἄκων καὶ κατὰ σπουδὴν ἐμβιβάσας (schol. τοὺς στρατιώτας)
ἔπλει usw., und παρά in dieser bedeutung findet sich gerade bei
ταῖς ναυσί, wie Krüger selbst anführt, noch Thuk. VIII 95, 4. da
nun die flotten sich in groszer nähe (7 stadien) gegenüberliegen,
war es um so nötiger stets ganz nahe bei den schiffen zu bleiben und
τὰ παραγγελλόμενα ὀξέως δέχεσθαι, um bei gegebenem signale sofort die schiffe besteigen zu können.
    In der ansprache, welche bei derselben gelegenheit die pelo-
ponnesischen führer an ihre mannschaften richten, heiszt es II 87, 3:
οὐδὲ δίκαιον τῆς γνώμης τὸ μὴ κατὰ κράτος νικηθέν, ἔχον
δέ τινα ἐν αὑτῷ ἀντιλογίαν, τῆς γε ξυμφορᾶς τῷ ἀποβάντι
ἀμβλύνεσθαι. Classen verwirft, wie mir scheint mit vollem rechte,
die auffassungen, nach denen τὸ μὴ κατὰ κράτος νικηθέν entweder
'das nicht gänzlich besiegte' oder 'das nicht durch gewalt, tapfer-

keit besiegte' (so Krüger) bedeuten soll, und will seinerseits entweder dem Vat. folgend μή streichen oder es durch μέν ersetzen,
indem er die stelle folgendermaszen erklärt: 'geschlagen sind die
Peloponnesier ja einmal unzweifelhaft . .; es kommt aber darauf
an dies verhältnis im günstigsten lichte darzustellen: dies geschieht
1) durch den partiellen ausdruck τῆς γνώμης τὸ . . νικηθέν, dh.
euer mut ist keineswegs ganz besiegt; 2) durch das part. aor. νικηθέν,
dh. in dem éinen treffen, und gewis nicht für immer; 3) durch κατὰ
κράτος, dh. mit dem aufgebot aller kräfte und mittel von
seiten der feinde, so dasz der schlimme ausgang . . nicht zu ver-
wundern ist; und 4) durch die rasche gegenüberstellung dessen was
die ungünstige beurteilung der sache aufzuheben vermag: gerade
die chiastische stellung des part. ἔχον δέ weist auf einen voraufgehenden gegensatz hin: der ist aber nur in dem νικηθέν, nicht in
dem μὴ κατὰ κράτος νικηθέν . . enthalten.' dem ersten, zweiten
und vierten punkte dieser erklärung musz ich beipflichten, während
mir der dritte unhaltbar erscheint. dasz die Peloponnesier nur mit
dem aufgebot aller kräfte und mittel von seiten der feinde geschlagen
seien, widerspricht sowohl dem thatsächlichen verhalten — denn es
standen 20 athenische gegen 47 peloponnesische schiffe (II 83, 3) —
als auch den unmittelbar vorausgehenden bemerkungen, wonach sich
die niederlage 1) daraus dasz die Peloponnesier gar nicht auf einen
kampf zur see gefaszt waren, 2) aus widrigen glücksumständen,
3) aus ihrer unerfahrenheit erklären soll. nun sagt Classen, κατὰ
κράτος bedeute bei Thuk. niemals 'völlig, gänzlich', sondern mit
ausnahme der fälle, wo es sva. βίᾳ (im gegensatz zu ὁμολογίᾳ) sei,
stets 'mit dem aufgebot aller kraft, mit aller anstrengung'. den
ersten, negativen teil der behauptung erkenne ich als richtig an,
nicht den zweiten, finde vielmehr, dasz an zwei der von Classen
selbst und Krüger angeführten stellen, nemlich III 103, 1 und VIII
70, 1, der zusammenhang diese deutung von κατὰ κράτος nicht zuläszt. Krüger übersetzt den ausdruck an der ersten stelle 'mit her-
rischer gewalt', an der zweiten 'gewalthaberisch'. ich glaube demnach, dasz κατὰ κράτος je nach dem zusammenhang alle die bedeutungen annehmen kann, welche der gebrauch von κράτος überhaupt
gestattet, und übersetze τὸ μὲν κατὰ κράτος νικηθέν an unserer
stelle 'das dem obsiegen, dh. dem äuszern erfolge nach über-
wundene'. die von Classen gebotene übersetzung der ganzen stelle
wäre demgemäsz folgendermaszen zu ändern: 'und nicht darf der
entschlossene mut, der allerdings dem äuszern erfolge nach
für den augenblick unterlegen ist, aber in sich doch das
recht zu einer gewissen widerrede trägt (nemlich eben zu
der entgegnung, dasz die niederlage aus den erwähnten drei gründen
erfolgte und nicht etwa durch feigheit herbeigeführt wurde) sich
durch den éinen (ungünstigen) ausfall des (wechselnden) geschickes
niederschlagen lassen.'

LEER IN OSTFRIESLAND.   HUGO VON KLEIST.

34.
DIE BEZEICHNUNG DES RECIPROKEN VERHÄLTNISSES
BEI CAESAR.

Es war meine absicht meine mitteilungen über die bezeichnung
des reciproken verhältnisses bei Caesar anzulehnen an die behand·
lung desselben gegenstandes in irgend einem bekanntern ausführlichen lehrbuch. aber die meisten gehen über diesen punkt sehr
rasch hinweg. auch Kühner unterscheidet die einzelnen fälle nicht,
sondern spricht nur von den sprachmitteln und ist auch hierbei
nicht vollständig; fast ebenso ist es bei Nägelsbach, der aber wenigstens die 'eigentlichen' gegenseitigkeitsverhältnisse von den un-
eigentlichen unterscheidet (stil.[6] s. 257). unzutreffend ist die definition des verhältnisses bei Gossrau lat. spr. § 128 'dasz der besprochene durch seine thätigkeit eine gleiche gegen sich hervorruft', und
unzulänglich ist die behandlung desselben in § 379, wo neben 'eigentlich' reciproken beispielen ohne unterscheidung auch angeführt wird
vir virum legit (= jeder sucht seinen mann aus)[1] und *Atticus moriens
ex domo in domum* (= aus einem hause in ein anderes) *migrare videbatur*. am ausführlichsten spricht Hand Turs. III 397 über den
punkt, aber nur soweit *inter se* in frage kommt. von ihm stammt
die behauptung, dasz das reflexivum an stelle des reciprocum bei
classischen schriftstellern nicht vorkomme. er hebt auch die spracherscheinung hervor, dasz zu 'verba quaedam, quae ipsa communionem
et mutuum negotium significant' doch *inter se* hinzutrete, und meint
dasz dies 'ex vulgari sermone copioso in libros translatum esse'.
auch Dräger in der historischen syntax bespricht ausführlicher blosz
inter se und berührt nur § 56 *uterque alterum* und *uterque utrumque*.
Unter diesen umständen schien es richtiger in eine erörterung
einzutreten über die a r t e n und das w e s e n des reciproken
v e r h ä l t n i s s e s. da ich mich aber nicht gern von dem boden ent-
ferne, auf dem ich heimisch bin, so werde ich mich begnügen das
allgemeine festzustellen, soweit es sich aus den spracherscheinungen
bei C a e s a r ergibt, während ich Cicero und andere nur gelegentlich
zur ergänzung heranziehe.
A. Die nächstliegende gattung ist die, wo die z w e i oder
m e h r e r e n t e i l e e i n e s s u b j e c t s s i c h (oder eigentum, ange·
hörige, handlungen usw. von s i c h) g e g e n s e i t i g z u m (directen
oder indirecten) o b j e c t ihrer thätigkeit machen, zb. sie ermahnen
sich unter einander, sie misbilligen gegenseitig ihre handlungsweise.

---

[1] offenbar hat er hierbei an die aus Livius (**IX** 39, 5) bekannte
formelhafte wendung gedacht, nicht an Verg. *Aen.* XI 632 (nicht 620),
wo in nachahmung von Homer Δ 472 *legitque virum vir* offenbar in streng
reciprokem sinne steht; vgl. Landgraf im archiv f. lat. lexikogr. V s. 161.

Die sprachmittel, durch welche die verschiedenen verhältnisse ausgedrückt werden, sollen mit der sonderung aufgeführt werden, dasz ich stets erst von den fällen spreche, wo von einem zweigeteilten begriffe die rede ist.

I. *a*) *alter alterum*: 1) *ut alter alteri inimicus auxilio salutique esset, neque diiudicari posset, uter utri virtute anteferendus videretur*: *b. Gall.* 5, 44, 14. 2) *abscisum in duas partes exercitum, cum altera* (*alter* die hss.) *alteri auxilium ferre non posset*: *b. civ.* III 72, 2. 3) *ut paene unam ex duabus* (*legionibus*) *efficeret, atque alteram alteri praesidio esse iusserat*: III 89, 1. 4) *neve alter alteri noceret*: III 16, 5. aus Cicero[2] stehen mir blosz zwei beispiele zu gebote: 5) *ipsi inter se censores sua iudicia tanti esse arbitrantur, ut alter alterius iudicium non modo reprehendat, sed etiam rescindat*: *p. Cluentio* 122. 6) *numquam fore ut atomus altera alteram posset attingere*: *de fin.* I 6, 19 (die einzige mir bekannte stelle, wo bei dem verdoppelten pronomen unmittelbar vorher ein substantiv geht).

b) *uter utrum* 5, 44, 14 s. oben satz 1.

c) *uterque utrumque* finde ich nur im *b. Alex.*: 7) *cum uterque utrique insidiaretur*: 4, 1. es ist dies eine unlogische form; sie ist wohl eine weiterbildung von *uter utri*, das sich genau so findet bei Cicero *p. Mil.* 23 und 31; übrigens vgl. RSchneider in seiner ausgabe des *b. Alex.*

d) ferner findet sich die formel, die wir nach dem stets angeführten typus nennen wollen *civis civem*: 8) *fore uti pars cum parte civitatis confligat*[3]: 7, 32, 5 und bei Cicero mit zufügung von *uterque*, was Kühner nicht mit anführt: 9) *uterque censor censoris opinione standum non putavit*: *p. Cluentio* 132.

e) *uterque alterum* findet sich in Ciceros Tusc.: 10) *ita est utraque res sine altera debilis*: II 5, 13. bei Livius steht 11) *convenerant duces, sicuti inter se nondum satis noti, ita iam imbutus uterque quadam admiratione alterius*: XXI 39, 7.

f) *inter se* Liv. XXI 39, 7 s. satz 11.

g) *ipsi inter se . . sua* Cic. s. satz 5.

h) das reciproke verhältnis bleibt unbezeichnet: 12) *dum sibi uterque confideret et pares ambo viderentur*: III 10, 7.

II. Von mehreren teilen:

a) *alius alium*: 13) *cum alius alii subsidium ferret* (die hss.-classe β liest *ferrent*, was aber nicht aufnahme gefunden hat): 2, 26, 2. 14) *ut alios alii* (fehlt in TU) *deinceps exciperent*: 5, 16, 4. 15) *ut milites inermi sublevatique alii ab aliis magnam partem itineris conficerent*: I 68, 2. aus Cicero finde ich in Merguets lexikon zu den reden für *alius alium* kein beispiel. in den Officien steht I 7, 22 *ut*

---

[2] Merguet hat in seinem lexikon diese verwendung von *alter alterum* nicht beachtet.   [3] handelt es sich bei diesen beispielen auch nicht um das grammatische object, so doch um das logische. wir werden auch sonst finden, dasz die angewandten sprachmittel das logische verhältnis verhüllen.

ipsi inter se alii aliis prodesse possent, aber hier ist *alii aliis* wohl alternativ zu fassen, wie auch *de nat. d.* I 43, 121.

In vergleich gezogen werden darf 16) *latissime patens hominibus inter ipsos, omnibus inter omnes societas haec est*: Cic. *de off.* I 16, 51 und 17) *statuere . . quid quemque cuique praestare oporteat*: *de off.* III 17, 70.

b) *civis civem*: nicht eigentlich gehört hierher 18) *non facile Gallos Gallis negare potuisse*[4]: 5, 27, 6: denn in diesem falle liegt eine wirkliche gegenseitigkeit nicht vor; es ist eine weiterbildung des zu grunde liegenden, völlig reciproken *Galli Gallis negare non possunt.*

c) *inter se*: 19) *quoniam obsidibus cavere inter se non possint*: 7, 2, 2. 20) *tum nostri cohortati inter se*: 4, 25, 5. 21) *Galli cohortati inter se*: 6, 8, 1. 22) (*milites*) *inter se cohortati*: 6, 40, 4. 23) *iure iurando inter se confirmant*: 6, 2, 2. 24) *ut idem illud intervallum servetur neque inter se contingant trabes*: 7, 23, 3. 25) *ut contingant* (*stationes*) *inter se*: I 21, 3. 26) *ne quis enuntiaret . . inter se sanxerunt*: 1, 30, 5. ähnliche fälle sind bei Cicero häufig, vgl. Nägelsbach § 89 A. *inter se* bezeichnet hier also das o b j e c t i v e v e r h ä l t n i s. — Wenn Hand erklärt Turs. III 397 'Latini ut dicunt *novimus nos*, quod est *novi te et tu novisti me*, sic etiam *n o v i m u s n o s i n t e r n o s*', so ist wohl der beweis für diese behauptung noch nicht erbracht.

d) *ipsi se* oder *se ipsi*: 27) *ubi suos urgeri signisque in unum locum collatis XII legionis confertos milites sibi ipsos ad pugnam e s s e i m p e d i m e n t o vidit*: 2, 25, 1. 28) (*barbari*) *perrumpere nituntur seque ipsi a d h o r t a n t u r*: 6, 37, 10. 29) *cum* (*hostes*) *angusto exitu portarum se ipsi premerent*: 7, 28, 3. 30) *hostes in fugam coniecti se ipsi multitudine impediunt*: 7, 70, 3. und mit der stellung *ipsi se*: 31) *ut intra silvas aciem ordinesque constituerant atque ipsi sese confirmaverant*: 2, 19, 6. diese wendung scheint sich bei Cicero, in den reden wenigstens, nicht zu finden: denn n i c h t hierher gehört der mir von hrn. director dr. Fries freundlichst bezeichnete satz Cic. *in Catil.* III 13 *sic enim obstipuerant, sic terram intuebantur, sic furtim non numquam i n t e r s e aspiciebant, ut non iam ab aliis indicari, sed indicare s e i p s i viderentur*, wo der folgesatz eine r e f l e x i v e handlung bezeichnet: 'sie zeigen sich selbst an, und zwar durch drei verschiedene handlungen, von denen die erste (*obstipuerunt*) intransitiv, die zweite (*intuebantur*) transitiv und blosz die d r i t t e reciprok ist. wenn die worte *sic . . intuebantur* fehlten, könnte man vielleicht zweifelhaft sein, ob nicht der f o l g e s a t z r e c i p r o k zu fassen sei. aus Curtius IX 9, 21 führt Nägelsbach s. 253 als auffällig an: *congregata vero tot milia* (*elephantorum*) *ipsa se elidunt*. unsere Caesarstellen hat also der so belesene gelehrte nicht gekannt. deshalb bemerkt er zu der ihm wunderlich erscheinenden Curtiusstelle: 'hier d e n k t (!) man sich die *milia* als eine gesamtheit, welche

---

[4] ich vermisse dieses beispiel bei Landgraf ao. s. 161 f.

sich selbst erdrückt.' das ist doch aber gerade bei der hier geschilderten handlung des gegenseitigen zerquetschens ganz unmöglich. genau dasselbe gilt von den oben angeführten sätzen 27 und 29. es liegt vielmehr so. man musz immer scheiden zwischen dem t h a t - b e s t a n d der geschilderten handlung und den zur schilderung angewandten s p r a c h m i t t e l n. je klarer und selbstverständlicher an sich eine handlung durch ort, zeit und verhältnisse ist, um so lässiger dürfen die schriftsteller im ausdruck sein und sind es auch. die erklärung für jene stellen musz also lauten: das reciproke verhältnis ist hier so selbstverständlich, dasz der schriftsteller darauf verzichten konnte es b e s o n d e r s auszudrücken. er nimt die einfache reflexivconstruction, welche die beziehung der einzelnen t e i l e des g e s a m t s u b j e c t s auf einander unbezeichnet läszt. es wird jedermann zugestehen, dasz an den fraglichen Caesarstellen *ipsos inter se* stehen könnte, ohne dasz der leser sich die sache auch nur ein wenig anders vorzustellen hätte — wenn nicht C a e s a r gerade die verbindung *ipsi inter se* durchaus miede.[5] was von satz 27 und 29 gesagt wurde, dasz der vorgang reciprok sei, gilt ebenso von 30; und auch 28 *se ipsi adhortantur* läszt sich doch unmöglich anders als reciprok vorstellen. ebenso 31 *ipsi sese confirmaverant.* anders liegt es 32) *se ipsi interficiunt* 5, 37, 6, wo ich die gegenseitigkeit blosz dann annehmen würde (vgl. meine Caesarausgabe), wenn es erwiesen wäre, dasz man '*se interficere* = sich töten' nicht von einem soldaten sagen dürfe, der sich mit der waffe selbst den tod gibt.

Auffällig erscheint es, dasz in all den obigen fällen, wo das durch die s a c h l a g e g e g e b e n e r e c i p r o k e v e r h ä l t n i s durch das r e f l e x i v u m ausgedrückt ist, zu diesem stets *ipse* hinzutritt. bei der erörterung hierüber läszt sich vom d e u t s c h e n ausgehen. der zusatz 'unter einander' hat, wenn er b e t o n t wird, den sinn, dasz ein dritter ausdrücklich ausgeschlossen wird. man vergleiche 'sie e r m a h n t e n sich unter einander' und 'sie ermahnten sich unter e i n a n d e r'. das erste betont blosz die thätigkeit, die in d é m fall zufällig eine reciproke war. das zweite kann einen doppelten sinn haben je nach dem vorliegenden gegensatze. entweder hebt es an der thätigkeit hervor, dasz sie eine reciproke war in d é m sinne, dasz die handlung nicht auf ein a u s z e n s t e h e n d e s o b j e c t sich erstreckt, oder in d é m sinne, dasz die handlung nicht von einem a u s z e n - s t e h e n d e n s u b j e c t e ausgeht. in dem letztern falle nun, wo das object keinen accent hat, die handlung aber durch die ganze s a c h - l a g e sich n o t w e n d i g als r e c i p r o k e r g i b t, dieser umstand also einer besondern hervorhebung nicht bedarf, s e t z t C a e s a r für

---

[5] bei Livius findet sie sich mehrfach, vgl. Weissenborn zu XXXIX 39, 13. in Ciceros reden scheint sie nicht vorzukommen, vgl. Merguets lexikon. dagegen steht *de off.* I 7, 22 *ut ipsi inter se aliis alii prodesse possent* und ganz ähnlich *de nat. d.* I 43, 121 *ut ipsi dei inter se ab aliis alii neglegantur. ut nostras inimicitias ipsi inter nos geramus* findet sich p. *Balbo* 60.

das reciproke verhältnis *se ipsi* oder *ipsi se.* hiermit ist wohl das erledigt, was in diesen jahrb. 1888 s. 272 weder ganz zutreffend noch erschöpfend von anderer seite behandelt worden ist.

Aber ein reciprokes verhältnis liegt nicht nur vor, wenn die subjectsteile sich gegenseitig zu objecten machen, sondern auch wenn

B. die zwei (oder mehreren) teile des subjects eine gleiche thätigkeit (intransitiv oder auf ein auszerhalb liegendes object bezogen) üben, bei der sie in ein verhältnis der gegenseitigkeit treten,

I. von zwei teilen:

a) *uterque utriusque*: 33) *cum uterque utriusque exisset exercitus in conspectu, fere e regione castris castra ponebant*: 7, 35, 1 (so lese ich mit möglichstem anschlusz an die hss., die teils *utrique* teils *utrimque* bieten).

b) *civis civem*: 34) *e regione castris castra ponebant*: 7, 35, 1. 35) *non amplius pedem milibus duobus ab castris castra distabant*: I 82, 4.

c) *inter se*: 36) *erant* . . *T. Pulio et L. Vorenus. hi perpetuas inter se controversias habebant, quinam (uter alteri* T U H) *anteferretur*: 5, 44, 2; vgl. satz 39 und 40. bei Livius zweimal, nemlich XLIV 24, 8; XXV 12.

d) *uterque inter se* (was Kühner nicht kennt) findet sich bei Cicero: 37) *ut aut uterque inter se aut neuter satisdaret: p. Quinctio* 30.

e) das reciproke verhältnis bleibt unbezeichnet: 38) *hi* (forts. von satz 36) *omnibus annis de locis summis simultatibus contendebant*: 5, 44, 2 neben 39) *hi cum* . . *de potentatu inter se contenderent*: 1, 31, 4 und 40) *duo de principatu inter se contendebant*: 5, 3, 2.

II. von mehreren teilen:

a) *alius ex alio*: 41) *alius ex alio causam tumultus quaerit*: 6, 37, 6. in dem satze 42) *alius alii tradiderat*: II 29, 2 können die worte auch distributiv gefaszt werden.

b) *inter se*, das sich natürlich unter grammatischen einflüssen auch verwandelt in *inter eos, inter ipsos* (zb. *quod obsides inter eos dandos curasset*: 1, 19, 1. *sancta sit societas civium inter ipsos*: Cic. *de leg.* II 7, 16). hier sind die beispiele so zahlreich, dasz es nicht thunlich ist sie aufzuführen. denn es gehören hierher die verba der annäherung, des verkehrs, der verbindung usw. und deren gegenteil, sowie entsprechende phraseologische wendungen, zb. *agere, cavere, coire, colloqui, concurrere, contingere, obsides dare, concilia indicere, colloquia habere*, aber auch wendungen mit *spatium* usw., vgl. Menge-Preuss lexicon Caesarianum s. 626. hierher dürfen wir wohl auch ziehen 43) *uxores habent deni duodenique inter se communes*: 5, 14, 4, die einzige stelle Caesars, wo *inter se* bei einem adjectivum steht.

c) *cives civibus*: aus Caesar kann hier nicht angeführt werden 44) *castra castris convertunt*: I 81, 3 noch 45) *fratrem a fratre renuntiatum*: 7, 33, 3 noch 46[a]) *pro vita hominis nisi hominis vita reddatur*: 6, 16, 3; 46[b]) *diem ex die ducere Haedui*: 1, 16, 4: denn hier findet keine gegenseitigkeit statt. aus Cicero habe ich mir angemerkt 47) *homines hominum causa esse generatos*: *de off.* I 7, 22 und 48) *latissime patens hominibus inter ipsos, omnibus inter omnes societas haec est*: ebd. I 16, 51.

d) mit einiger berechtigung dürfte man auch *ultro citroque* ansetzen, teils mit teils ohne *inter se*: 49) *saepe ultro citroque cum legati inter eos mitterentur*: 1, 42, 4. 50) *internuntiis ultro citroque missis*: I 20, 4.

e) d a s r e c i p r o k e v e r h ä l t n i s w i r d n i c h t b e z e i c h n e t 51) *ex equis ut colloquerentur*: 1, 43, 3 neben *colloqui inter se* 4, 30, 1. I 20, 1. 52) *priusquam concurrerent acies*: III 86, 1 neben *concurrunt equites inter se*: II 25, 5. 53) *omnem provinciam consentire* I 30, 3 und ähnlich II 17, 4 neben *nisi omnia consentiant inter se* fr. 126 z. 30 (Dinter). 54) *si sunt plures pares, . . non numquam etiam armis de principatu contendunt*: 6, 13, 9 neben *iamque inter se palam de provinciis* (so lese ich mit Kraffert beitr. s. 73; *praemiis* haben hss. und ausgaben) *ac de sacerdotiis contendebant*: III 82, 4. 55) *quantum summae fossae labra* (*summa labra* β) *distarent*: 7, 72, 1, während an fünf andern stellen *inter se* bei *distare* steht usw. usw.

C. Die gegenseitigkeit ist aber nicht auf zwei oder mehrere s u b j e c t e beschränkt, wie wir fälschlich bei der abfassung des artikels *inter* für das lexicon Caesarianum angenommen haben, sondern sie entsteht auch, wenn éin subject zwei oder mehrere o b j e c t e in ein gegenseitiges v e r h ä l t n i s bringt, zb. sie verbinden die pfeiler unter einander.

I. bei zwei objecten:

a) *neutrum alterius*: 56) *se neutrum eorum contra alterum iuvare*: I 35, 5.

b) *inter se*: 57) *tigna bina . . inter se iungebat*: 4, 17, 3. vgl. damit 58) *vitam utriusque inter se conferte*: Cic. *pro QRoscio* 20.

c) *civem cum cive* findet sich wohl nicht bei Caesar, der vielmehr in einem falle das reciproke verhältnis in seine zwei bestandteile zerlegt: 59) *hanc* (*silvam*) . . *pro nativo muro obiectam Cheruscos a Suebis Suebosque a Cheruscis iniuriis incursionibusque prohibere* (die bestimmungen *a Suebis*, *a Cheruscis* sind dabei rein räumlich zu fassen, wie *a Sequanis* 1, 1, 5): 6, 10, 5. aus Cicero gehört hierher 60) *hominem cum homine et tempus cum tempore et rem cum re comparate*: de domo sua 130.

d) d a s r e c i p r o k e v e r h ä l t n i s w i r d n i c h t b e z e i c h n e t: 61) *duo* (*tigna*) *ad eundem modum iuncta* (*diiuncta* β): 4, 17, 4, fast unmittelbar hinter satz 57.

II. bei mehreren objecten:

a) *inter nos, inter se*: 62) *has (columellas) inter se capreolis molli fastigio coniungunt*: II 10, 3. 63) *pedalibus lignis coniunctis inter se*: II 2, 3. 64) *quini erant ordines (stipitum) coniuncti inter se atque implicati (complicati* T U V[1])*: 7, 73, 4.* interessant ist aus Cicero 65) *quin* . . *res publica nos inter nos conciliatura coniuncturaque sit*: *epist.* V 7, 2. stilistisch anders gewendet, aber doch ähnlich ist ein verwandter gedanke ausgedrückt: 66) *esse quiddam nobis inter nos commune atque coniunctum*: Cic. *in Verrem* III 98.

Auszerdem findet sich bei Cicero *causas inter se comparare* (*pro Marcello* 16), *feras inter se conciliare* (*pro SRoscio* 63) usw.

b) *nos a nobis* führe ich wegen seiner seltenheit aus den briefen des Pompejus an (in den briefen *ad Att.* VIII 12 B): 67) *antequam copiae, quas instituit Caesar contrahere, coactae nos a nobis distrahant.*

c) das reciproke verhältnis wird nicht bezeichnet: 68) *has* . . *carris iunctis devehit*: I 54, 3. 69) *navibus iunctis pontem imperant fieri*: I 61, 6. aus Cicero 70) *eos, quos crimine coniungis, testimonio diiungere*: *in Vat.* 41.

D. Es ist aber gar nicht nötig, dasz die fraglichen dinge objecte des verbums sind, sondern es reicht aus, dasz von einem subject ein prädicat ausgesagt wird, durch welches zwei oder mehrere dinge in ein gegenseitiges verhältnis gebracht werden, zb. er vereinbarte frieden unter ihnen. hier wird überall *inter* verwendet, zb. 71) *quod tempus inter eos committendi proelii convenerat*: 2, 19, 6. besonders häufig ist dies bei passiven verben, zb. 72) *quae (res) inter eos agi coeptae* . . *essent*: 1, 47, 1. 73) *proelio equestri inter duas acies contendebatur* (wenn man dies nicht rein räumlich fassen will): 2, 9, 2. 74) *haec dum inter eos aguntur*: I 36, 1. hierher gehören auch viele sätze mit phraseologischen wendungen aus dem gebiete der einigkeit und des zwistes, zb. 75) *arbitros inter civitates dat, qui litem aestiment*: 5, 1, 9. 76) *quos inter controversia esset*: 7, 33, 1. 77) *magna inter eos* . . *fuit controversia*: III 82, 4 und ähnlich 5, 28, 2 und III 112, 11.

E. Dem falle *C* verwandt ist der noch übrige, dasz die zwei oder mehreren teile des subjects; jeder teil sich selbst (reflexiv) zum object ihrer thätigkeit machen und dabei sich in ein gegenseitiges verhältnis bringen, zb. die legionen verbinden sich unter einander. hier wird der natürliche ausdruck zur bezeichnung des verhältnisses (*se inter se*) geflissentlich gemieden. wendungen wie *se addicunt inter se, se applicant inter se, se comparant* (vergleichen) *inter se, se coniungunt inter se, se inplicant inter se, se interponunt inter se* usw., die grammatisch durchaus correct sind, insofern sie die doppelte beziehung der thätigkeit bezeichnen, nemlich erstens die reflexive, zweitens die adverbiale (übers kreuz gehende), scheinen in der ganzen latinität nicht vorzukommen.

der wunsch des hrn. collegen Devantier in zs. f. d. gw. 1888 s. 523, es möge im Ellendt·Seyffert ein beispiel mit aufgeführt werden 'wie *reges inter se coniunxerunt*' läszt darauf schlieszen, dasz er auch keinen classischen satz dieser art kennt. auch *nos inter nos* in dér weise, dasz *nos* bei gleichem subject das object bezeichne, *inter nos* das adverbiale verhältnis, habe ich noch nicht finden können, denn Cic. *de div.* I 58, das man wohl angeführt hat, ist *nos* subject. man lese nur den ganzen satz 78) *me . . contremuisse, tum te repente laetum extitisse . . nosque inter nos esse complexos*, so wird man erkennen, dasz dies ein fall von gattung *A* ist. das beispiel *epist.* V 7, 2 gehört auch nicht hierher, sondern nach *C*, wo wir es an seinem orte (65) erwähnt haben.

Wie um geht nun der Lateiner die oben bezeichneten wendungen?

a) durch verdoppelung eines specialisierenden substantivs. dies findet sich meines wissens nicht bei Caesar, aber Livius sagt nach Weiszenborns vermutung 79) *corpora corporibus applicant*: XXIII 27, 7.

b) statt der person wird éin specialisierendes substantiv genommen und die construction passiv gewendet: 80) *vobis inter vos . . voluntatem fuisse coniunctam*: Cic. *div. in Caec.* 34.

c) die construction wird passiv gewendet. hierbei findet sich dann unbedenklich *inter se*, zwar nicht bei Caesar, aber bei Cicero, zb. 81) *homines scelerum foedere inter se . . coniunctos*: *in Catil.* I 33. 82) *quod par . . amicitiae consularis fuit . . coniunctius quam fuimus inter nos ego et Cn. Pompeius*: *de domo sua* 27.

d) auch das blosze passivum ohne *inter se* wird angewendet, zb. 83) *ne . . tantae nationes coniungantur*: 3, 11, 3. und aus Cicero 84) *quoniam in re publica coniuncti sumus*: p. *Sulla* 92. wie kühn solche auslassungen sein können, beweist 85) *cum nihil tam coniunctum sit* (= nirgends so nahe gegenseitige beziehungen stattfinden) *quam negotiatores nostri cum Siculis usu re ratione concordia*: *in Verrem* V 8.

e) man ändert die construction so, dasz man statt *inter* anwenden kann *cum*: 86) *copias Petrei cum exercitu Afranii esse coniunctas*: II 17, 4.

f) an éiner stelle hat Caesar die reflexive construction angewendet, aber die bezeichnung der vorliegenden gegenseitigkeit durch *inter se* einfach unterlassen: 87) *tribunos militum monuit, ut paulatim sese legiones coniungerent et conversa signa in hostes inferrent*: 2, 26, 1. der fall liegt genau so wie oben bei *C* II *c*, wo neben der angabe des objects die reciproke verbindung weggelassen wurde, wenn sich das verständnis von selbst ergab.[6] (es läge ja nahe anzunehmen, dasz an unserer Caesarstelle hinter *paulatim* ausgefallen sei *inter*, wodurch der satz insofern glatter werden würde, als *tribuni*

---

[6] wenn Dräger hist. syntax I § 273 bemerkt: 'in solchen fällen fehlt stets das object *se*', so ist das wohl blosz auf die unter *A* von uns behandelten fälle zu beziehen.

militum dann subject für den satz würde[7]; aber das scheint nicht nötig[8]: denn, wie ich schon sonst bemerkt habe, Caesar trägt kein bedenken von der von uns aufgestellten grammatischen regel abzuweichen, wenn er nur verständlich ist.) doch wäre es immerhin interessant, wenn parallelstellen nachgewiesen würden. ich habe trotz längerer achtsamkeit noch keine gefunden.

Nicht zu den reciproken verhältnissen können wir natürlich diejenigen zählen, wo eine g e g e n s e i t i g k e i t in keiner weise stattfindet, sondern blosz zwei oder mehrere ähnliche oder gleiche personen oder sachen in irgend ein anderes verhältnis zu einander treten, s. satz 44—46 (vgl. Landgraf im archiv f. lat. lex. V 162): denn dasz die doppelung des substantivs auch hier angewandt werden kann, ist nicht von belang.

Das ergebnis unserer erörterung ist folgendes:

I. reciprok heiszen die verhältnisse, wo eine gegenseitigkeit zwischen teilen *a*) des subjects, *b*) des objects vorliegt.

II. diese gegenseitigkeit liegt entweder in einem objectivverhältnisse (*A*) oder in einem adverbiellen (*B—E*) vor.

III. der Lateiner behandelt bei dem mangel eines pronomen reciprocum das reciproke verhältnis in folgender weise:

1) er läszt das reciproke verhältnis u n b e z e i c h n e t, wenn es sich aus der ganzen sachlage (satz 12. 54) oder aus der natur des sonst gewählten ausdrucks[9] von selbst ergibt (38. 51—53. 61. 68—70).

2) er wendet (abgesehen von dem nachclassischen *invicem*) folgende e r s a t z m i t t e l an:

a) verdoppelung eines pronomens, nemlich *alter* (1—6), *alius* (13—15. 41, anscheinend nicht bei Cicero), *uterque* (7. 33), *omnis* (16), *quisque* (17). bei verdoppelung des pronomens findet sich nur in satz 6 ein substantiv unmittelbar zu dem pronomen gesetzt.

b) verdoppelung eines substantivs, sowohl wenn es sich um zwei (8. 34. 35. 60) als wenn es sich um mehrere teile handelt (18. 47. 48), aber dieses mittel ist nicht sehr häufig angewandt.

c) verdoppelung eines substantivs unter zusatz von *uterque* (nur satz 9).

d) *uterque alterum* (10. 11), *neuter alterum* (56).

---

[7] somit ist wohl ersichtlich, dasz die bemerkung in diesen jahrb. 1888 s. 271 nur durch ein misverständnis des vf. hervorgerufen ist.
[8] auch 7, 9, 2 sind das object zu *monet* und das subject des *ut*-satzes verschiedene personen: *hunc monet, ut in omnes partes equites quam latissime pervagentur*; ähnlich bei *hortari* 7, 24. 2. vgl. meine bemerkung zu *b. Alex.* 51, 3 in der n. philol. rundschau 1889 s. 121.   [9] so fehlt die bezeichnung bei *coniungere* sehr häufig. bei *constituere*, wenn es bedeuten soll ʻunter einander verabredenʼ, darf sie natürlich nicht fehlen, vgl. 7, 83, 5. bei *colloqui* ergibt sich die gegenseitigkeit von selbst, sobald mehrere subjecte verschiedener parteien genannt sind, ebenso bei *concurrere* usw.

e) inter se (nos, eos, ipsos) sowohl von zwei (11. 36. 57. 58) als von mehreren teilen (19—26. 62—66. 71—77, auszerdem besonders s. 269). dies ist jedenfalls das gebräuchlichste sprachmittel.

f) uterque inter se (37), *ipsi inter se* (5).

g) se, wenn die gegenseitigkeit sich aus dem zusammenhang ergibt und das subject der reciproken handlung durch *ipse* hervorgehoben ist (27—31, lauter beispiele aus Caesar). ähnlich im griechischen und deutschen.

Zusatz. zu vermeiden pflegt der Lateiner reciproke verhältnisse dér art, wo die zwei oder mehreren teile des subjects, jeder teil sich selbst (reflexiv) zum object ihrer thätigkeit machen und dabei sich in ein gegenseitiges verhältnis bringen. wie er sie vermeidet, ist besprochen s. 272.

Diese regeln beanspruchen natürlich bei dem immerhin geringen umfange des durchforschten materials keine allgemeine gültigkeit. sie sollen vielmehr kenner besonders des Ciceronischen sprachgebrauchs zur prüfung auffordern, damit über diesen bisher ziemlich dunkel gebliebenen punkt der grammatik sich ein helleres licht verbreite.[10]

---

[10] es ist schade, dasz Landgraf in seinem schätzbaren aufsatz 'substantivische parataxen' im archiv f. lat. lex. V 161—191 nur auf die form und nicht auf die bedeutung der doppelung hat achten wollen. vermiszt habe ich aus Caesar *diem ex die ducere:* 1, 16, 4. *pro vita hominis nisi hominis vita reddatur:* 6, 13, 3; aus Cicero *de off.* I 9, 22 *homines hominum causa.*

HALLE.   RUDOLF MENGE.

35.

ZU CICEROS REDEN.

Der kürzlich im rhein. museum XLIII s. 419 ff. erschienene aufsatz von FSchöll über 'interpolationen, lücken und sonstige verderbnisse in Ciceros rede *de domo* [*sua*]' veranlaszte mich ein altes heft mit verbesserungsvorschlägen zu derselben rede wieder vorzunehmen. durch LLanges erklärung des ersten drittels derselben im sommerhalbjahr 1880 angeregt und demselben im seminare vorgelegt, haben sie nunmehr das 'nonum premantur in annum' erfahren. da überdies inzwischen der eine oder andere meiner damaligen vorschläge bereits von anderer seite gemacht worden ist, darf ich es wohl wagen die übrigen zu veröffentlichen; hatten doch einzelne durch das den schülern Langes so wohlthuende 'gut' am rande die volle billigung meines um die verbesserung der rede so hochverdienten verehrten lehrers gefunden.

I. Interpolationen:

1) § 45 lautet in den hss.: *nam cum tam moderata iudicia populi sint a maioribus constituta, primum ut ne poena capitis cum pecunia coniungatur, deinde ne improdicta die quis accusetur, ut ter ante magistratus accuset intermissa die, quam multam irroget aut iudicet, quarta sit accusatio trinum nundinum prodicta die, qua die iudicium sit futurum, tum multa etiam ad placandum atque ad misericordiam reis concessa sint, deinde exorabilis populus, facilis suffragatio pro salute, denique etiam si qua res illum diem aut auspiciis aut excusatione sustulit, tota causa iudiciumque sublatum sit* usw. gewis richtig schob hier Lange vor *iudicet* ein ⟨*capitis*⟩; wenn er dagegen im colleg wie im spic. crit. in Cic. or. de domo s. 23 vorschlug *tum multa* in *cum multa* zu ändern und dadurch in dem allerdings etwas langen vordersatze zwei gleichgeordnete glieder herzustellen, so will mir dies auch heute noch nicht logisch erscheinen, da auch die zulassung vieler mittel zur erregung des mitleids in gleicher weise wie die ansetzung mehrerer termine ein beweis für die vorhergehende behauptung ist, dasz die einrichtung der volksgerichte von weiser mäszigung zeuge. vielmehr gilt es die gleichartigkeit der glieder mit *ut* wiederherzustellen, indem die worte *deinde exorabilis . . pro salute* gestrichen werden. sie sind dem inhalte nach nichts als zwei von den zur erregung des mitleids gestatteten mitteln, durch *deinde* aber verkehrt als ein neues glied eingeführt. sie erregen auszerdem dadurch verdacht, dasz dieses mit *deinde* beginnende, scheinbar neue glied allein unsymmetrisch ohne verbum gebildet ist.* überdies wird durch ihre entfernung die übliche und natürliche folge der vier glieder (*primum — deinde — tum — denique*) wiederhergestellt.

2) Wie an jener stelle, so wird auch § 121 in den worten *nihil loquor de pontificio iure, nihil de ipsius verbis dedicationis, nihil de religione, caerimoniis* der aus der inconcinnität des, wie es jetzt scheint, vierten gliedes *caerimoniis* entstehende verdacht durch andere erwägungen als berechtigt erwiesen. die vierzahl ist nur scheinbar. Cicero thut dann doch mehr oder weniger, was er in den obigen worten nicht thun zu wollen erklärt. noch § 121 bringt er nemlich einige fragen aus dem *ius pontificium*, gibt die verfolgung derselben allerdings § 122 mit der frage *quid de vestro iure et religione contra quam proposueram disputo?* auf, erörtert aber dafür des längern § 122—137 die ebenfalls vorher schon angeregte frage der *dedicatio*; diese untersuchung schlieszt er § 138 aa. deutlichst mit den worten

---

* dieses manchem noch immer als äuszerlich nicht durchschlagend genug erscheinende kriterium findet vielleicht mehr würdigung, wenn ich darauf hinweise, dasz in den hsl. sicherern und zeitlich nächstfolgenden reden Ciceros derartige inconcinnitäten gar nicht (so *de prov. cons.*) oder nur an kritisch so wie so unsichern stellen vorkommen; zb. in der so umfangreichen Sestiana nur éinmal, § 59 aa. in verbindung mit einer lücke, desgleichen nur éinmal *pro Balbo*, wo § 64 wegen des vorhergehenden *sed* vom schreiber einmal *de* übersehen worden ist.

ab: *si* . . *neque is cui licuit neque id quod fas fuit dedicavit*, und
geht dann zu den *caerimoniae* über mit der frage: *quid me attinet
iam illud tertium quod proposueram docere, non eis institutis ac verbis,
quibus caerimoniae postulant, dedicasse?* daraus geht denn doch wohl
hervor, dasz in der ankündigung der ganzen untersuchung § 121
das *religione* zwischen *verbis dedicationis* und *caerimoniis* nicht am
platze sein kann; nichts ist klarer als dasz es ein aus § 122 (*de
vestro iure et religione*) geflossenes, in den text gekommenes glossem
zu *de pontificio iure* ist.

3) Nur die sonst ungleichmäszige bauart dagegen ist es, die
§ 113 im dritten der von *inventi sunt* abhängigen relativsätze (*quibus inspectantibus domus mea disturbaretur, diriperetur*) die streichung des zweiten verbums *diriperetur* erfordert; dasselbe dürfte
einem vergleiche mit § 98 (*disturbari tecta, diripi fortunas*) seine
einschiebung verdanken.

4) § 60 enthalten die worte . . *cum alteri totam Achaiam, Thes-
saliam, Boeotiam, Graeciam, Macedoniam omnemque barbariam* eine
handgreifliche interpolation, nur kann sie kaum, wie Schöll ao. s. 426
annimt, in dem éinen worte *Graeciam* bestehen. da durch *totam*
vor *Achaiam* dieses wahrlich überdeutlich als das gesamte Griechenland bezeichnet wird, sind vielmehr alle teilbezeichnungen überflüssig; auch als das eigentliche Hellas läszt sich überdies *Graecia*
nicht auffassen, da es sich dann nicht mit *Boeotia* vertragen würde.
wenn übrigens nach meinem vorschlage nur *Achaia, Macedonia
omnisque barbaria* erwähnt wird, so entspricht das genau dem was
de prov. cons. § 4 ff. von *Macedonia*, den *domitis iam gentibus finitimis barbariaque compressa* und den erpressungen von den *Achaei*
gesagt wird.

5) Teilweise zu weit geht dagegen Schöll wohl in § 55: dort
heiszt es in den hss.: . . *ut tibi omnia permitterent, te adiuvarent, tibi
manum, copias, tibi speratos centuriones, tibi pecuniam, tibi familias
compararent, te suis sceleratis contionibus sublevarent, senatus auctoritatem inriderent, equitibus Romanis mortem proscriptionemque minitarentur, me terrerent minis, mihi caedem et dimicationem denuntia-
rent, meam domum refertam viris bonis per amicos suos complerent
proscriptionis metu, me frequentia nudarent virorum bonorum, me
praesidio spoliarent senatus, pro me non modo pugnare amplissimum
ordinem, sed etiam plorare et supplicare mutata veste prohiberent* usw.
ich stimme hier mit Schöll s. 424 f. überein in der streichung von
me terrerent minis; ich finde gleichfalls die unmittelbare wiederholung von *viri boni* anstöszig, doch meine ich aus letzterer einen
andern schlusz ziehen zu müssen. in verbindung mit *meam domum
per amicos suos complerent* ist nemlich *refertam viris bonis* uner träg-
lich, es müste dann wenigstens *quondam* dabei stehen; *refertam viris
bonis* wird also vielmehr als eine aus dem eben dadurch als echt er-
wiesenen gliede *me frequentia nudarent virorum bonorum* gezogene
erklärung zu tilgen sein. ebenso sicher musz *proscriptionis metu*

entfernt werden: denn die worte zu dem folgenden zu ziehen, was wenigstens der sinn gestatten würde, verbietet sich deshalb, weil dann die streng beachtete anaphora zerstört würde; in verbindung mit den worten *meam domum per amicos suos complerent* aber sind sie geradezu sinnlos; sie können also nur eine aus dem frühern gliede *equitibus R. mortem proscriptionemque minitarentur* hervorgegangene randbemerkung gewesen sein. endlich würde die von Schöll vorgeschlagene tilgung der worte *me praesidio spoliarent senatus* einen verstosz herbeiführen gegen die auch *pSestio* c. 11 in der ausführlichern darstellung der hier nur angedeuteten ereignisse beobachtete gepflogenheit, die bezeichnung des senates als *ordo amplissimus* nur dann anzuwenden, wenn vorher schon angegeben ist, um welchen *ordo* es sich handelt. halte ich somit die am ende des § von Schöll gestrichenen worte durchaus für Ciceronisch, so meine ich anderseits, dasz am anfange die worte *te adiuvarent* als recapitulation der von *tibi manum . . sublevarent* folgenden worte zu entfernen sind, und ebenso das hinter *manum* überlieferte *copias* als glossem zu jenem, als welches es sich auch allein durch die inconcinnität, durch das fehlen des *tibi* allein vor diesem worte, verrät. für das falsche *speratos* dürfte es am richtigsten sein, das in ähnlichem zusammenhange *in Catil.* II 3, 5 erscheinende *desperatos* herzustellen.

II. Lücken:

6) § 76 ist überliefert . . *ut tua mihi conscelerata illa vis non modo non propulsanda, sed etiam emendanda fuisse videatur.* das sinnlose *emendanda* hat der eine so, der andere anders, Schöll s. 442 äuszerlich bequem in *commendanda* verbessert; doch liegt in diesem verbum nicht sowohl der hier erforderte begriff von etwas für den sprechenden selbst begehrens- und wünschenswertem als vielmehr der des anpreisens einem andern gegenüber. sollte *emendanda* nicht aus überresten der in gleichem zusammenhange auch *in Pis.* 32 gebrauchten gerundiva *expetenda et optanda* entstanden sein?

7) § 81 f. lautet nach den hss.: *quid? si ne scriptum quidem umquam est in ista ipsa rogatione, quam se Fidulius negat scivisse, tu autem, ut acta tui praeclari tribunatus hominis dignitate cohonestes, auctorem amplecteris* (die lesart *amplexeris* in P G kommt nicht in betracht) — : *sed tamen si nihil de me tulisti* usw. die worte *sed tamen . . tulisti,* zumal verglichen mit dem anfang der periode, lassen erkennen, wie Cicero selbst gefühlt hat, dasz er nicht in der strengen construction geblieben ist. vielmehr hat er dieselbe durch einen selbständigen zwischensatz *tu autem . . amplecteris* unterbrochen, so dasz der gedankenstrich auch vor *tu* stehen sollte; der gedanke des zwischensatzes aber kann nur gewesen sein: 'während Fidulius erklärt jene rogation nicht eingebracht zu haben, klammerst du dich doch an ihn als ihren urheber.' demnach ist kein grund für Orellis änderung *auctoritatem,* vielmehr ist *auctorem* beizubehalten und dahinter *eum* einzufügen. auszerdem scheint mir in dem *huius,* das in

M statt des in den andern hss. stehenden *autem* steht, eine spur der
ursprünglichen gestalt des satzes verborgen; dieses *huius* ist nemlich erforderlich zu *hominis*; nach *tribunatus* in leicht erklärlicher
weise ausgefallen und am rande über *autem* nachgetragen ist es in
den andern abschriften des archetypus ganz vergessen und nur in
der M zu grunde liegenden an stelle von *autem* aufgenommen worden. der ganze zwischensatz dürfte also gelautet haben: — *tu autem,
ut acta tui praeclari tribunatus ⟨huius⟩ hominis dignitate cohonestes,
auctorem ⟨eum⟩ amplecteris.*

   8) § 131 schlieszt in den hss.: *tu in civis optime de re publica
meriti cruore ac paene ossibus simulacrum non libertatis publicae, sed
licentiae conlocasti*, unmöglich ganz richtig, da Clodius nicht ein
denkmal der öffentlichen, sondern der eignen zügellosigkeit gesetzt
hat; hinter *licentiae* wird also *tuae*, das dort sehr leicht ausfallen
konnte, wiederherzustellen sein. der gedanke entspricht dann dem
in § 112 .. *signum magis istorum ⟨licentiae* Markland⟩ *quam publicae
libertatis.*

   III. Sonstige verderbnisse:

   9) § 63 beginnt: *hanc ego vim, pontifices, hoc scelus, hunc furo-
rem meo corpore opposito ab omnium bonorum cervicibus depuli
omnemque impetum discordiarum, omnem diu conlectam vim impro-
borum, quae inveterata compresso odio atque tacito iam erumpebat
nancta tam audaces duces, excepi meo corpore.* hierin ist das im
ersten wie im zweiten gliede wiederkehrende *vim* anstöszig; es ist
unpassend im zweiten, da hier der relativsatz (*inveterata compresso
odio atque tacito erumpebat*) nicht dazu passt; es wird zu schreiben
sein *omnem diu conlectam iram.**

   10) Auch gleich im nächsten § (64) dürfte sich der letzte satz
in folgender gestalt weit rhetorischer ausnehmen als in der her-
gebrachten: *legeram clarissimos nostrae civitatis viros se in medios
hostis ad perspicuam mortem pro salute exercitus iniecisse: ego pro salute
universae rei publicae dubitarem? hoc meliore condicione essem
quam Decii, quod* usw.

   11) § 99 wird der eingeschobene satz jetzt nach Baiters ergänzung meist also gelesen: *dirumpatur licet ista furia atque ⟨pestis
patriae⟩, audiat haec ex me, quoniam lacessivit.* ohne zweifel ist das
futurum *audiet* herzustellen: 'mag die bestie auch platzen, sie wird
es doch zu hören bekommen.'

   12) § 109 hat in der periode *quo magis est istius furor ab auribus vestris repellendus, qui quae maiores nostri religionibus tuta nobis
et sancta esse voluerunt, ea iste non solum contra religionem labefactavit, sed etiam ipsius religionis nomine evertit* der relativsatz *qui
.. labefactavit* auszer dem relativen subjecte noch ein zweites in
iste; für *qui* dürfte daher zu schreiben sein *quia.*

   * [ebenso Nägelsbach in Baiter-Halms ausgabe.]

Bei dieser gelegenheit füge ich noch zwei verbesserungen zu zwei andern reden, eine zur rede *de haruspicum responsis* sowie eine zu der *pro Sestio* an.

13) *de har. resp.* § 43 steht in den hss.: *atque hic ei gradus* . . *P. Clodio gradus ad rem publicam hic primus est aditus ad popularem iactationem atque adscensus.* hier beruht das zweite *gradus* unzweifelhaft auf dittographie. da aber dann weiter das zweimalige *hic* auf ursprünglich symmetrischen, anaphorischen bau der glieder schlieszen läszt, so vermute ich dasz das *ei*, dessen *i* überdies in P in rasur steht, wohl als nicht mit *e* zusammenzulesen, aus $\tilde{E} = est$ und $I = primus$ entstanden ist, so dasz also der satz gelautet hat: *atque hic est primus gradus* . . *P. Clodio ad rem p.*, *hic primus est aditus ad popularem iactationem atque adscensus.* an *est* anstosz zu nehmen, wie CFWMüller, welcher *hic primus fuit aditus* schreibt, sehe ich keinen grund.

14) *pro Sestio* 24 beginnt: *ex his adsiduis eius* (sc. *Pisonis*) *cotidianisque sermonibus et quod videbam quibuscum hominibus in interiore parte aedium viveret* . . *statuebam sic, boni nihil ab illis nugis esse exspectandum* usw. darin ist *illis nugis* ohne rechte beziehung; auch bedarf es keiner besondern erwähnung, dasz aus solchem geschwätz, wie es dem Piso in § 23 beigelegt wird, und aus schlechtem umgange nichts gutes zu erwarten ist; wohl aber hatte Piso nach den ausführungen von § 19 f. und 21 viele durch sein mürrisches, altfränkisches äuszere geteuscht, so dasz sie von dem biedermanne, den er äuszerlich ganz trefflich spielte, wohl gutes erwartet hatten. dieser thatsache wird sofort entsprochen, wenn wir statt *nugis* schreiben *rugis*. diese vermutung erhält eine bestätigung, wie sie selten möglich ist, durch *post red. in sen.* 15 *isne quemquam, me quidem non* . . *sed vos populumque R. non consilio neque eloquentia, quod in multis saepe accidit, sed rugis supercilioque decepit?* wie sich nemlich (vielleicht einmal bei anderer gelegenheit) beweisen läszt, dasz die rede *post red. ad Quir.* ein im wesentlichen aus der rede *post red. in sen.* zusammengeflicktes schülermachwerk ist, so läszt sich auch beweisen, dasz letztere rede in mehreren stücken nach teilen der Sestiana, nemlich § 3—8 nach *pSestio* 69—79, § 10—18 nach *pSestio* 17—35 gearbeitet ist, doch so dasz aus einigen andern reden, besonders der *in Pisonem*, einzelne lumina auf- bzw. zugesetzt sind.

ZITTAU.   THEODOR MATTHIAS.

36.

ZU CAESARS BELLUM GALLICUM.

V 19, 3 *relinquebatur, ut neque longius ab agmine legionum discedi Caesar pateretur, et tantum in agris vastandis incendiisque faciendis hostibus noceretur, quantum labore atque itinere legionarii milites efficere poterant.* nach den vorhergehenden worten verhinderte der feind den Caesar weitere streifzüge zu machen (*latius vagari prohibebat*). daher blieb, wie wir weiter lesen, nichts anderes übrig als dasz einerseits die truppen (dh. reiter) sich nicht zu weit von dem zuge der legionen entfernen durften, anderseits aber die feinde so viel wie möglich geschädigt wurden. da diese vorher menschen und vieh aus der gegend, durch welche die Römer ihren marsch nahmen, entfernt hatten, so konnte Caesar ihnen hauptsächlich nur durch verwüstung der ländereien und verbrennung der häuser und der in diesen aufbewahrten habseligkeiten schaden. weil aber die reiterei ohne zweifel unablässig ihr augenmerk auf die nachstellenden feinde richten muste, so fiel die aufgabe der zerstörung der feindlichen besitzungen den legionssoldaten zu, wie Caesars worte deutlich erkennen lassen. die überlieferung des textes aber steht dieser, wie es scheint, allein richtigen erklärung im wege. zunächst können wir nicht, wie der sinn erfordert, die worte *in agris vastandis incendiisque faciendis* übersetzen 'd u r c h verwüstung der äcker und anlegen von feuerbränden', weil dies die präp. *in* verbietet. sodann sind die ablative *labore atque itinere* schwerlich anders denn als ablative des mittels zu fassen, geben aber als solche keinen guten sinn. daher glaube ich dasz hier eine alte verderbnis vorliegt. die präp. *in* scheint mir an die verkehrte stelle geraten zu sein. nicht vor *agris*, sondern vor *labore* ist dieselbe an ihrem platze. die beiden ablative *labore atque itinere* aber sind als ἓν διὰ δυοῖν zu nehmen und mit der präp. *in* zu übersetzen 'auf dem beschwerlichen marsche'.

VII 64, 1 *ipse imperat reliquis civitatibus obsides; diemque ei rei constituit [diem; huc] omnes equites, XV numero, celeriter convenire iubet.* so hat Holder in seiner ausgabe (1882) geschrieben und damit Hotmans conjectur *diemque* für das *denique* sämtlicher hss. gebilligt. ich halte diese änderung nicht für richtig, weil infolge davon die beiden wörter *diem huc* ausgeschieden werden müssen. letztere behalte ich bei und schreibe *itemque* für *denique*, so dasz wir zu lesen haben: *ipse imperat . . obsides itemque ei rei constituit diem; huc omnes* usw. allerdings gebraucht Caesar gewöhnlich *item* ohne angehängtes *que*; aber *itemque* hat er im *b. Gall.* sonst wenigstens noch éinmal gesagt: I 3, 5 *itemque Dumnorigi* usw.

AURICH.   HEINRICH DEITER.

37.

ZU CICEROS TOPICA.

Auf wesentlich neuer grundlage und abweichend von der bis dahin gültigen überlieferung baute zuerst Orelli seinen text der topica Ciceros auf. es waren der hauptsache nach die Einsiedler (a) und die drei St. Gallener hss. (b c d), welche er seiner recension zu grunde legte. in gleicher bahn ist dann Kayser fortgeschritten, nur dasz dieser auf Halms veranlassung die beiden Vossiani 84 und 86 hinzuzog, denen er den vorzug noch vor Orellis haupt-hss. einräumen zu müssen glaubte, ein verfahren welchem in jüngster zeit CHammer in seiner 'commentatio de Ciceronis topicis' (Landau 1879) zuge-stimmt hat, während ThStangl in den bl. f. bayer. gymnw. XVIII 245 ff. meint, dasz Kayser in der wertschätzung jener zwei bekannten Leidener hss. zu weit gegangen sei. und, wie ich glaube, nicht mit unrecht. ich führe zunächst mein gesamtes hsl. material an, bevor ich zu einer behandlung des textes dieser kleinen schrift Ciceros selbst übergehe. dasselbe besteht aus folgendem: 1) Voss. 84 (A) und Voss. 86 (B) saec. X. in letzterm fehlen § 1—3 *suavi-* (*tate*) und § 28 (*divisionum autem* usw.)—73 *haec* (*ergo*) ganz, in ersterm stammen sie von einer um ungefähr hundert jahr jüngern hand und sind von Pluygers hier aus Voss. 86 eingeschaltet, ohne jedoch auch zu dieser hs. ursprünglich gehört zu haben (vgl. Hammer s. 30). 2) die 4 Schweizer hss. a b (saec. X) c d (saec. XI), von denen c bis zu *haec in comparatio*(*ne*) in § 70 reicht. 3) der Erfurtensis (e) saec. XII (mit einem defect von $1\frac{1}{2}$ §§ am schlusz) und der Vitebergensis (f) laut der subscriptio 1432 in Rom ge-schrieben. ferner 4) der Ottobonianus 1406 (O) saec. X, der Vos-sianus 70 (V) saec. X, der Leidensis 90 (L) saec. XI, der Bernensis 219c (β) saec. XI und der Marcianus 257 (m) saec. X. die letzten fünf hss. wurden für die textkritik bis jetzt noch nicht benutzt. von e verdanke ich eine neue collation hrn. dr. GWartenberg in Berlin, die kenntnis von m hrn. dr. PSchwenke in Göttingen. alle übrigen hss. sind von mir selbst verglichen worden. m (vgl. Philol. suppl. V s. 524) enthält nur die von B und A alter hand überlieferten stücke und stimmt im wesentlichen mit A² über-ein, ist jedoch ebenso wenig wie B aus A abgeschrieben, sondern entstammt einer hss.-classe, nach deren vertreter einem A durch-corrigiert worden ist. β reicht auf 8 pergamentblättern (29 cm. hoch, 20 cm. breit) bis zu den worten *artis expers: in tes* in § 73; der rest ist verloren gegangen. die tinte ist erdig braun; die buchstaben sind grosz und schön, aber die worttrennung ist sehr mangelhaft. ab-kürzungen hat die hs. wenige. dasselbe gilt von L, 81 gelblich rauhen pergamentblättern von 18/19 cm. breite und 24 cm. höhe. die tinte ist jedoch hier in einem teils hellern, teils dunklern gelb gehalten. der an die topica sich anschlieszende commentar des

Boëthius stammt zum teil von anderer hand. nach lesarten wie
visiosum, posius, praetermistas, disiunta, adiuntis zu schlieszen, wurde
die hs. in Italien geschrieben. V (vgl. progr. des gymn. in Mühlhausen 1889) umfaszt die ersten 73 blätter des jetzt in drei teile
zerlegten alten Voss. 91, welche stellenweise durch die ungunst der
zeiten stark mitgenommen, wo es nötig war, 1870 durch pflanzen-
papier restauriert und zwischen stärkere bogen eingelegt wurden.
da alle von ziemlich gleicher höhe (etwa 28 cm.) und breite (21/22 cm.)
und in doppelter zeilenreihe geschrieben sind, so war wohl dieser
äuszere umstand die ursache ihrer einstmaligen vereinigung. ihr
manigfacher inhalt ist von **7** verschiedenen händen im IX—XII jh.
hergestellt. der codex beginnt mit der topik, welche noch das erste
drittel der zweiten spalte von 5ᵛ füllt. die blätter 10ʳ—44ʳ enthalten den commentar des Boëthius. die in denselben eingestreuten
lemmata der topik bezeichne ich mit v. schlieszlich O ist eine hs.
von starken und vergilbten pergamentblättern in einer breite von
17/18 cm. und höhe von 27/28 cm. sie besteht aus 23 quaternionen,
von denen jedes achte rückblatt mit einem buchstaben des lateinischen alphabets rot ausgezeichnet ist, und stammt nach zwei notizen
auf fol. 1ᵃ und 2ᵃ von Monte Cassino, kam in die bibliothek der her-
zöge von Altaemps und von da in die Ottoboniana des Vatican. das
letzte blatt des quat. F ist leer bis auf das untere viertel der rückseite,
welches in schönen capitalen vermischt mit uncialen die überschrift
trägt: MARCI TVLLII CICERONIS TOPICORVM LIBER IN CI PIT.
an die topik schlieszt sich auch in dieser hs. der commentar des
Boëthius an. die ganze hs. ist gleichmäszig in schönen langobardi-
schen schriftzügen geschrieben. der von mir verglichene teil, die
topik, zeigte wenig abkürzungen, correcturen nur zwei und eine
variante von später hand. bemerkenswert ist noch die grosze zahl
von zeilenbrechungen und den damit verbundenen bunten, allerdings
ganz einfach gehaltenen initialen.

    Die genannten bss. nun zerfallen in zwei gruppen, welche auf
eine ältere und eine jüngere recension unserer schrift zurückzuführen
sind. jene war nach schlichtern grundsätzen gehandhabt worden,
diese nicht frei von mancherlei änderungen und aufputz. sie liegt
dem vulgären text zu grunde, welcher bis auf Orelli gültig war. ihr
ältester mir unter den hss. bekannter, aber von den alten hgg. nicht
benutzter vertreter ist O. doch gehört hierher auch f, nur dasz diese
sicherlich um 500 jahre jüngere hs. eine vielfach durch die andere
gruppe herbeigeführte beeinflussung aufweist. auf die ältere recension gehen alle übrigen hss. zurück, welche insgesamt auch aus ein
und derselben mutter-hs. geflossen sind (vgl. § 43). doch bilden sie
wieder verschiedene familien in der art, dasz A B m sich verwandt-
schaftlich am nächsten stehen, ebenso a d und b c L, nicht ohne dasz
jedoch wiederum die eine oder die andere hs. in die andere familie
hineinähnelte, so dasz ersichtlich ist, eine wie grosze reihe von
zwischengliedern zwischen ihrem archetypus und ihnen selbst ver-

loren gegangen sein musz. ABm an gehalt ebenbürtig stehen ab zur seite. flüchtiger als a ist d, c als b geschrieben. aber auch diese sind nicht unverächtlich, weil sie, obwohl um 100 jahr jünger, auf die gleichen vorlagen wie ab zurückgehen und somit zur controle derselben benutzt werden können. L ist wichtig, weil er von einer zwillingsschwester der vorlage von b abstammt und wir somit einen schlusz auf das diesen beiden vorlagen übergeordnete glied machen dürfen. zwischen der ad- und bcL-gruppe steht V mit etwas stärkerer neigung nach ad, nicht ohne manche nur ihm eigentümliche lesart und wortstellung. manche berührung mit ihm weist β auf, sowie e mit d. doch scheinen βe aus vorlagen übertragen, welche an einzelnen stellen correcturen oder varianten aus hss. der jüngern recension in sich aufgenommen hatten. da nun O eine hss.-classe für sich repräsentiert, ferner O gleich alt mit A(Bm) a b V ist, eine gegenseitige beeinflussung durch einander daher nicht gut angenommen werden kann, so werden wir sicherlich stets auf die lesart oder wortstellung des über beiden recensionen stehenden textes des urarchetypus da treffen, wo O auch mit einer andern gruppe als der von A(Bm) übereinstimmt und sich diese übereinstimmung nicht auf die commentationen des Boëthius zurückleiten läszt. denn dasz auch A(Bm) einen guten teil nachlässigkeiten aufzuweisen hat, welche die andern ihm verwandten gruppen nicht kennen, zeigen abgesehen von verschreibungen gewöhnlicher art lesarten wie folgende: § 10 *agitur* für *elicitur*. ersteres ist in β als glosse übergeschrieben. in A steht freilich *ac* und der hochstrich von dem *d* des vorausgehenden *aliquod* in einer vier buchstaben groszen rasur, und beides stammt erst von zweiter hand. § 33 *cuicumque generi* (auch β), die auslassungen von *illud* nach *liminium* § 36, von *et* vor *ornatus* § 77, von *vel incommoda* (nicht m) § 89, wofür B² nach *externa* ein *damna* einsetzte. § 63 *aliis est* statt *aliïs inest* (mit βf). § 77 *deinde* statt *deinceps*, *aeris* st. *aerii*, § 83 *divisio ē* st. *divisio et*, § 84 *et de iniquo* (2 mal) und ebenso § 90 (wo B *demi quo* hat), § 89 *in quo de quo*, wovon das letztere *quo* in B ausradiert, von A²m zu *equo* und von m² zu *aequo* umgestaltet ist, § 94 *laudatur* (mit f), § 96 *ambiguum sit* (nur B¹ *ambiguumst*). § 82 ist *finis scientiae* aus misverstand entsprungene änderung, ohne verstand aber der vorlage nachgeschrieben § 14 *pecunia. p̄. ē. cum non iam.* in A fehlt der erste punkt, die zwei andern sind radiert, drei punkte aber etwas tiefer von 2 untergesetzt, ferner sind *p* und *c* von alter hand nachgezogen, was sehr häufig in dieser hs. geschehen ist. in B fehlen die zwei striche, die ganze stelle aber zwischen *pecunia* und *in manum* ist von dritter hand erst am rande nachgetragen. in m ist blosz der mittlere punkt vorhanden und beide striche sind radiert, doch ist noch der tilgungsstrich über *iā* bewahrt. denn was ist denn das *p̄. ē. cum non iam* anderes als das zum zweiten mal geschriebene und wieder getilgte *p̄ecūn̄iā* der vorlage? Hammer hat daher vergeblich an dieser stelle seinen kritischen scharfsinn versucht.

Ich gehe nun zu einer anzahl von stellen über, an denen auch
meine hss. die einwendungen Stangls gegen Kaysers textgestaltung
unterstützen oder an denen ich eine von der seit Orelli geübten textkritik abweichende meinung vertrete, sei es auch nur damit die mitteilung meines materials zu weitern untersuchungen anrege.

§ 1 *maiores nos res .. et his libris, quos brevi tempore satis multos
edidimus, digniores e cursu ipso revocavit voluntas tua.* mit *res maiores
et digniores* sind die im j. 44 verfaszten philosophischen schriften
(Boëthius 271, 29) und vor allem die noch unvollendeten bücher de
officiis, mit *his libris quos* aber die im j. 46 verfaszten kleinen rhetorischen schriften Brutus, Orator, part. or., de opt. gen. or. gemeint,
die ein der topik verwandtes gebiet behandeln, auf das ihn jetzt
der wunsch des Trebatius zurückruft. vgl. or. 148 *nec vero talibus
modo rebus, quales hic liber continet, sed multo etiam gravioribus et
maioribus* usw. mit recht schreiben wir daher *his libris.* so Valla
und N (ed. Norimb. 1497). von den bss. bieten *iis* nur A a, *hiis* seiner
schreibweise gemäsz d. — § 4 *cum tu mihi* C und alle ausgaben.
der ausfall von *tu* bei Kayser ist druckfehler. — § 6 *cum omnis ratio
diligens disserendi duas habeat artis* K. mit A B m a v [1]. aber *partis* C
mit der vulg. vgl. § 90. zu *artis* würde nur ein ähnliches verbum
wie *tributa sit in* (de fin. II 17) oder *constat ex* (de or. I 83) passen,
nicht *habeat.* die änderung ist durch das folgende *inveniendi artem*
hervorgerufen. — *in altera semper elaboraverunt* V, ohne *semper* C.
doch ist in B die stelle nicht ganz rein, insofern als *e* vor *lab.* erst
3 einklemmte und das vorausgehende *a* in einer rasur einsetzte. in
O steht *in alteram lab.* — *quaeque et ad* nur A B m, *quaeque ad* β f.
mit Orelli-Stangl *quae et ad* richtig C. — § 8 *sed ex his locis, in
quibus* C und die ausgaben bis auf Orelli, welcher nach a d (*hiis*) *iis*
schrieb. so B. doch ist hier *ex iis* von 3 in verwischter tinte nachgezogen. aber *his* ist an unserer stelle notwendig, dh. ʽden eben genannten'. — *tum ex partibus* ohne *eius* β Valla. auch *part. or.* § 7
(vgl. Orelli) sämtliche hss. — § 9 in der vorlage von A B stand *sed
ad id totum ad id de quo quaeritur* und nach *totum* war *de quo disseritur tum definitio adhibetur quasi involutum evolvitur* nachträglich
übergeschrieben, nachdem der schreiber mit wiederholung von *ad* in
die nächste zeile geraten war. A fügte die übergeschriebenen worte
in den text, und der corrector machte aus *tum* ein *cum*, aus *ad* ein *at*
nach seiner vorlage. so m. in B sind die fehlenden worte von 3 am
rande nachgetragen, und das zweite *ad id* ist in *id* geändert. auch B
gibt *cum* mit β f [3] Valla. ferner *qua quasi involutum evolvitur* a [2] b d L V,
aber *evolvit* a [1], ohne *involutum* e, ohne *evolvitur* c, ohne *qua* β f. in O
dagegen steht *quae quasi involutum*, und *evolvit* hat sich hinter *quaeritur* verlaufen. ich bleibe, da *quae* vor *quasi* ebenso leicht wie *qua*
verloren gehen, *evolvit* aber sich leichter dem vorausgehenden und
folgenden passivum assimilieren als die passive endung abstoszen
konnte, bei der vulg. stehen und vergleiche § 26 *definitio est oratio
quae .. explicat.* — § 10 die vulg. lautet *locupletem iubet locupleti;*

locuples enim est assiduus usw. seit Lambin. bei Aldus und in
der Richardiana (Paris·1556) ist *est* weggelassen. die hss. geben für
die gesperrt gedruckten worte *locupletis · ẽ ·* A B¹ m, *locupletis is est*
B², *locuples is ẽ* a¹ b¹, *locuples eẽ* c, *locuples ẽ* d e, *locupleti locuples est*
L V β a², *locupleti locuplesis est* b²ˌ *locupleti esse* f. alle diese wirrnisse
lösen sich einfach und schön durch die in O erhaltene lesung *locupletem iubet locupleti. is est enim assiduus* usw. für Kaysers *L. Aelius*
könnte auszer A B a d noch L V sprechen, sowie m, in dem *Licelius*
steht, wo *ic* aus dem offenen *a* verschrieben ist. aber da O mit
b c (β e f) in der vulg. *Aelius* übereinstimmt, so halte ich diese lesart
für die richtige. — § 11 *quae quodam modo adfectae sunt* C mit Stangl.
nur A B m stellen *sunt* vor *q. m.* ein. — § 14 *si ea viri in manum
non convenerat* schreibt Kayser. aber *viri* fehlt in den hss. hier und
ist in b f erst von 2r hand hinter *manum* gesetzt. beide schreib-
weisen sind falsch. denn die juristische genauigkeit verlangt éinmal
einen jeglichen zweifel aufhebenden zusatz, zu wem Fabia in das
genannte verhältnis n i c h t getreten war, nemlich zu dem erblasser
und keinem andern; anderseits ist, um diesen zu bezeichnen, der
zusatz *viri* viel zu unbestimmt. dasz aber *viri* bei Quint. V 10, 62
fehlt, hat für unsere stelle deshalb keine beweiskraft, weil Quintilian
dieses sowie auch das vorausgehende beispiel an genannter stelle
nur dem inhalt nach referiert. nun steht in A¹ *ea c̃r̄. in manum* (g̃r̄.
A² B m), und da in A *s* und *r* häufig zum verwechseln ähnlich geschrieben sind, so vermute ich dasz dieses siglum mit *eius* aufzu-
lösen sei. — *genus enim est* schrieb Klotz nach den hss. mit recht,
denn *enim* fehlt nur in A B³ m, in B¹ aber steht *ẽ c̃*, in β est *enĩm*. —
*una matrumfamilias, e a e s u n t q u a e in manum convenerunt; altera
earum quae tantummodo uxores habentur* Orelli-Kayser nach a¹ d.
vor ihnen *u. m. earum quae* usw. nach A B³ m (*earumq;* B¹) die hgg.
von den varianten der übrigen hss. sehe ich hier ab, da sie alle mit
geringfügigem wechsel in der schreibweise auf die lesart von a¹ oder
a², welcher *ut* nach *eae* einschiebt, hinauslaufen. Hammer nun empfiehlt *una earum quae*, Stangl *una matrumfamilias, eae quae*. mir
scheint nach des Nizolius vorgang Iwan Müller das richtige zu
treffen, wenn er die worte *earum* (*eae sunt*), *quae in m. convenerunt*
beanstandet: denn sie sind vollständig überflüssig, nachdem zwei
zeilen vorher *materfamilias* mit dem gleichen ausdruck erklärt war.
von hier sind sie dann auch wohl als randglosse in unsere stelle
übergegangen. im zweiten gliede muste sich Cicero des relativsatzes
mit dem einschränkenden *tantummodo* bedienen, weil ihm der ausdruck für den *matrumfamilias* gegenüberstehenden artbegriff fehlte.
— *ei legatum* V, *legatum* O, *legatum ei* C. demnach scheint *ei* erst
später im archetypus der ältern recension übergeschrieben gewesen
zu sein und O das richtige zu bieten. so oben § 13 *non esse legata.*
vgl. auch c. 13 § 53. — § 15 *vitiumve faciunt* C. nur e mit den
ausgaben *fecerunt*. an der überlieferung war nichts zu ändern.
vitium facere erklärt Boëthius mit *ruinam minari*. vgl. auch Reisigs

vorles. über lat. sprachw. § 382. — § 16 *debeatur* strich Hotman
mit recht. es stammt in C aus Boëthius, welcher *positum esse in
tabulis* mit *in nominibus deberi* erklärte. — § 18: der beseitigung
der klammer um *praetoris* durch Stangl stimmen alle meine hss. zu.
— *adiungitur* C. in A steht *adiunger etur* und nur in B m *adiun-
getur.* — *puerorum* ist mit Kayser zu lesen, nicht mit Orelli nach
a b c d e V β v *puerulorum*, welches durch angleichung an das vorausgehende *exulum* entstanden ist. — § 21 *amittet* C und alle ausgaben
vor Orelli, bei dem *amittit* offenbar druckfehler ist und als solcher in
Kaysers text mit übergieng. — *quod enim semel testamento alicui
datum est* usw. C (*alii* f). nur A B m a^{1}β (V?) *cui.* ich sehe in letzterer lesart keinen vorzug und misbillige sie um der kakophonie
willen bei sogleich folgendem *cui datum est.* — *repugnat*, welches
Orelli um des vorausgehenden *repugnantibus* willen beibehielt, steht
nur in O, in allen übrigen hss. *pugnat.* aber die silbe *re* konnte hinter *potē* leicht verloren gehen, vgl. § 53 und 56. — § 22 *ab efficientibus rebus* C. *a causis efficientibus* β v. *ab efficientibus* b ^{1} (Quintil.
V 10, 86). aber vgl. § 53 *rerum efficientium.* — Die von Orelli zwischen *eius vitio* gesetzte glosse (zum folgenden *operis*) *parietis* steht
nur in a b c d L V. — *ut suspendi non posset* ist mit a b c d O L V zu
lesen, nicht *possit* mit C, denn die annahme ist die, dasz die mauer
eingestürzt sei. — § 23 *huius modi* O b c. — In § 19 geben die ausgaben mit recht nach A B m *si viri culpa factum est*, nicht *sit* nach C,
denn auch die folgenden bedingungssätze haben den ind. (*remisit,
legavit*). demgemäsz ist nach O mit der vulg. auch bei *reguntur* zu
beharren. beide stellen setzen gleiche behandlung voraus. die lesart
regantur ist durch angleichung an *valeat* und *arceatur* entstanden.
— *quod in re minore* O L V Valla. in C fehlt *re*, konnte aber vor
minore leicht ausfallen. indessen mag dasselbe aus Boëthius 308, 10
stammen. — *usus auctoritasque* Kayser nach A B m. *usus auctoritas* C
(in f fehlt *auctoritas*). aber der copula bedarf es hier ebenso wenig
wie in den zusammenstellungen *tutore auctore* (§ 46), *melius aequius*
(§ 66), *rutis caesis* (§ 100) und dem in unserer schrift mehrfach
wiederkehrenden *usus fructus.* ebenso geben nur *usum auctoritatem*
in *pCaec.* § 54 die besten hss. vgl. Kühner lat. gr. II 177 d und
Kalb im Nürnberger progr. 1886 s. 25. — *rerum* steht in keiner
meiner hss. ausgenommen in f^2, ist aber schon den commentaren des
Visorius und Latomus bekannt. das vorausgehende *ceterarum* ist
in A von erster hand aus *ceterorum* hergestellt. damit fällt der
änderungsversuch Hammers. — § 24 *quo parietis c. t. c. tectum pro-
iceretur* schreibt man jetzt. aber *quo* beruht nur auf d. in f steht $\overset{a}{q}$,
in O β e v *quantum*, in C *quod.* Valla und Lambin schrieben *quoad.*
ich halte *quod* für einen freiern accusativ des raumes, über den eine
thätigkeit sich erstreckt. — 25 *his igitur locis, qui sunt expositi,
ad omne argumentum reperiendum tamquam elementis quibusdam
significatio et demonstratio ad reperiendum datur.* so f und N. die

worte *ad reperiendum* fehlen in O und den texten bis auf Orelli, welcher nach C das erste *reperiendum* beseitigte. mir scheinen beide lesungen als randglossen aus des Boëthius notiz (310, 26) *est enim significatio quaedam et demonstratio ad reperiendum argumentum data* entstanden und so in den text gekommen zu sein. — § 27 in der definition der concreta lautet die bessere überlieferung *quae cerni tangique possunt*. Orelli-Kayser schrieben nach der vulg. und A B m *tangive*. die berufung auf das folgende *quae tangi demonstrarive non possunt* ist dabei unzulässig, weil der letztere satz negativ ist und dem erstern nicht nur dieser teil, sondern das ganze glied bis *intellegi possunt* gegenübersteht. — *penus et cetera* O L β b c d e V (?) a² (mit einer rasur nach *penus*). vgl. § 30. 48. 52. 59. — *usus capionem* ist hier die alleinige hsl. überlieferung, wie *de leg.* I 55. dagegen haben allerdings *usucap.* in *de or.* I 173 und *pCaec.* 74 die besten hss. — Unrichtig ist ferner in A B m *qualium* statt *quarum* überliefert, denn der relativsatz musz das wesen der eben aufgezählten begriffe erörtern, während *qualium* alle ähnlich beschaffenen in einem schluszsatz zusammenfassen würde. — Der text fährt fort: *rerum nullum subest quasi corpus* usw. um den concreten gehalt zu bezeichnen wählt Cic. nicht selten den ausdruck *corpus*, vgl. *de or.* II 358. *acad.* I 24. II 121 und 125. *Tusc.* I 40 ff., *de nat. deor.* I 65. II 84. *de fin.* I 17. derselbe bedarf daher keiner einschränkung oder entschuldigung. vielmehr weckt das hinzugefügte *quasi* ganz falsche vorstellungen, wenn man zur vergleichung stellen wie *de nat. d.* I 49. 68. 71 ff. heranzieht. Visorius kennt in seinem commentare dieses *quasi* nicht, und Proust in seiner ausgabe (Paris 1687) hat es gestrichen. es stammt zweifellos aus Boëthius 320, 12, wo es die ganze satzbildung wenigstens erträglich erscheinen läszt. in b änderte der glossator die stelle so: *rerum nullum subest. subest quasi corpus.* — *inpressa intellegentia* C. *inpressa intellegentiae* O Lamb.; zu ersterm vgl. *de leg.* I 26. 30. 59. *de fin.* III 21. — Am schlusz schreibt Kayser nach A B m β *explicanda sunt.* aber in A war die ursprüngliche lesart *sunt explicanda sunt*, in B *sunt explicandas.* in O steht *est explicanda*, in C *expl. est.* denn in a stützt sich *sunt* allein auf die allerdings, wie es scheint, von erster hand herrührende randbemerkung *explenda sunt.* ich sehe bei dieser sich so widersprechenden überlieferung in der copula eine zuthat der abschreiber und klammere sie daher ein. — *ut si quis ius civile dicat id esse* C (auszer A B m) und Stangl. — § 28 die juristisch sachliche genauigkeit im ausdruck verlangt *iuris peritorum auctoritate* in der aufzählung der teile des *ius civile.* Kayser durfte daher *iuris* nicht einklammern. es steht noch in O b c L V β a² m² und konnte in den übrigen hss. nach *iudicatis* leicht ausfallen. — *nexo* A B m a¹ v. *nexu* C. aber auch *de or.* I 173. III 159. *parad.* 5, 35 haben *nexo* die besten hss. — § 29 *ut hoc* die vulg. mit β f, *ut haec* C. ersteres scheint durch assimilation an *proprium* entstanden. dieses selbst aber folgt nicht, sondern vor unsern augen vollzieht sich durch beschränkende zusätze

zum ersten commune *pecunia* der aufbau der definition, in welchem
das proprium gipfelt. mit recht lesen wir daher nach C *haec*, welches
auf jene zusätze hinweist, die bis auf den letzten communia sind und
aus deren vereinigung erst das proprium sich ergibt. vgl. Boëthius
330, 45. — *commune est adhuc* Kayser. so nur A²b². in C fehlt *est*.
— Die vulg. *teneri mortuorum pecuniae* kennt nur β. *pec. ten. mort.*
stellt b, *pec. mort. ten.* e. alle übrigen stimmen Kaysers wortstellung
ten. pec. mort. bei. — *itemque ut illud* A O V b ¹β d e. in a steht *uti*,
nicht *ut*, in L *ut* über der zeile. in b ist aus diesem *ad* gemacht, *ut*
aber übergeschrieben und über *illud* vom glossator *vel aliud* gesetzt.
itemque aliud hat c, *item quod ut illud* f. die lesart der hss. *ut haec*
oben zeigt, dasz *ut illud* neben dem ein zweites beispiel einführenden
itemque späterer zusatz der schreiber ist, vgl. § 56. — § 30 schrieb
erst Orelli nach b c *possit quidem dici*, und Kayser setzte ohne
quellenangabe *quidem possit dici* in den text. die vulg. aber lautet
auf grund der übrigen hss. *quidem dici possit.* — *his casibus* C mit
bezugnahme auf die genannten formen *specierum* und *speciebus.*
daher ist Orellis *iis* unrichtig. dasselbe bietet a und in rasur A²;
d hat *hiis.* — § 31 lautet der stark verderbte text in A a b ¹ c d V *ea ē*
insita & ante percepta cui'q; cognitionis indigens. doch wurde *ea ē*
insi von A² erst in leerem raume eingesetzt. die abweichungen der
übrigen hss. von jenen sind folgende: *ex ante* O ³ e. *et ex ante* β mg. f.
cuiusque forma O. *cuiusque formae* β im text, *cuius forma* β mg.
formae cuiusque e. *cognitio enodationis* O β mg. e f. *cognitio enodationi*
β im text; *cognitionis* änderte L² in *enodationis*, b² in *cognitio & eno-*
dationis. Kayser nun schrieb auf grundlage der vulg. und mit zuhilfenahme einer conjectur von Schütz: *ea est insita et praecepta*
cuiusque r e i cognitio enodationis indigens und ihm folgt Hammer,
nur dasz dieser aus dem nach *et* einstimmig überlieferten *ante* nach *de*
nat. d. I 43 *animo* herstellt. ist dieses *animo* richtig, so bedürfen wir
bei *cuiusque* keines zusatzes mehr und lassen dasselbe sc. *hominis*
(vgl. ao. *omnium animis eorum notionem inpressisset*) von *animo*
abhängen. zu *cuiusque* vgl. *de or.* II 63. III 35. *part. or.* 136. —
Das folgende *igitur* stellen A a d V β e nach, O L b c vor *sunt.* es wird
daher wohl nach f mit Ernesti zu streichen sein. — § 32 *per trans-*
lationem O e f und die vulg., *translatione* mit A²a b c L Kayser, aber
tra(ns)lationem A ¹V d β. das abgekürzte *per* konnte nach *poetae*
leicht ausfallen. — *quos ad id pertinebat* C. nur O stellt *ad quos*
und mit weglassung von *id* f. zu ersterer stellung vgl. *de nat. deor.*
II 10 und Madvig zu *de fin.* IV 42. — § 33 *partitione tum sic uten-*
dum est A a c d b²V²O²; *sic tum* stellen b¹L, *tum* fehlt in V ¹β e f v.
für *tum* gibt *autem* O ¹. die bessere überlieferung spricht also für
Kayser und die beibehaltung von *tum.* ich kann jedoch mit ihm und
Volkmann (rhetorik der Gr. u. R. s. 178) keinen ausfall eines zweiten mit *tum sic* beginnenden gliedes annehmen, sondern sehe in der
dahin veränderten satzform, dasz das beispiel vorausgeschickt wird
und die formel nachfolgt, eine anakoluthie in folge lässiger und

dabei doch nicht unklarer aufzeichnung. grammatisch regelrecht hätte Cic. allerdings nach *praetermittas* fortfahren können mit *tum sic uti licet, ut in re infinita praetermittas aliquid, ut si stip. aut iud. form. partiare.* — *diductio* O und Visorius in seinem commentar, *deductio* C. ersteres ist allein richtig: vgl. *de or.* III 23. Quintil. V 13, 13. — § 34 *vocantur* O β f. *vocant* C, auch ed. N. ersteres ist durch *praecipitur* hervorgerufen. — *videantur* C. *videntur* v (vgl. Stangl ao. s. 252). *videbantur* Orelli. — 35 *appellant* C. *vocant* β f und vulg. vielleicht ist beides zu streichen, vgl. § 95. — *itaque hoc quidem Aristoteles* σύμβολον *appellat, quod* usw. O, *hoc idem* C. aber erstere lesart empfiehlt sich deshalb, weil Cic. mit den vorausgehenden worten *verbi non satis apti* an *veriloquium* nicht die wortbildung, sondern das unzutreffende in der bedeutung tadeln wollte, ein tadel der also ebenso den griechischen ausdruck ἐτυμολογίαν treffen musz. Aristoteles hat daher wenigstens für *nota* den entsprechendern ausdruck σύμβολον angewendet, während er keinen dem lat. *notatio* analogen und somit richtigern für ἐτυμολογία zu setzen wuste. nur so läszt sich *itaque* an unserer stelle wirklich verstehen, und die mit *sed* im folgenden satze eingeleitete entschuldigung für die anwendung des wortes ἐτυμολογία gewinnt einen verständigen sinn. vgl. Quintil. I 6, 28. — § 37 *putat esse* O L β f und die vulgata, *esse putat* C (*esse putat esse* d). die erstere wortstellung scheint mir die ursprüngliche, vgl. § 43 ae. — *& ea cum* A¹ L a b d e. *ut ea cum* c. *et huc cum* V. *hinc cum* O f, β¹ mit einer rasur für etwa fünf buchstaben am anfang, *et ea hinc cum* β². *ea cum* A² N. mir scheint in dieser definition von *postliminium* bei vollständigem ersten gliede auch im zweiten der dem *ad hostem* entsprechende terminus a quo nicht fehlen zu dürfen, und es wird daher wohl nach Valla *hinc ea cum redierint* zu lesen sein. *hinc* konnte nach *exierint* leicht verloren gehen. — § 38 *coniugata* O f b³ und die ausgaben vor Orelli, welcher *iugata* aus C aufnahm. aber *iugatus* findet sich in unserer schrift sonst nirgends (s. § 11. 12. 71), bei Cic. überhaupt nur noch *Tusc.* III 17 und bei Quintilian nur VI 3, 66 zweifellos bezeugt. so ist *con* auch vor *iugatio* in a¹ d § 12, *com* vor *mutatio* in C (A²m) § 82 weggefallen. — § 39 *ut aqua pluvia ultimo genere ea est, quae de caelo veniens crescit imbri, sed propiore, in quo quasi ius arcendi continetur, nocens* schreibe ich. die vulg. gibt nach den hss. vor *nocens* noch die worte *genus est aqua pluvia.* aber *propiore genere genus est* zu construieren ist einfach unmöglich, *aqua pluvia,* das an der spitze des satzes steht, zu wiederholen überflüssig. und dasz diese worte ursprünglich randglosse waren, zeigen noch die lesarten von d e *sed propius est* (*prius est et propius* e) *genus aqua pluvia nocens, in quo quasi* (letzteres om. e) *ius a. c. eius generis* usw. wenn nicht selbständigen ursprungs, so mag sie aus Boëthius 338, 40/43 geflossen sein. — Im folgenden schrieben *quorum alterum* — *alterum* Orelli-Kayser nach C. aber bei *nocens* an etwas anderes als *aqua pluvia* zu denken erscheint mir nicht annehmbar. mit recht behalten wir

daher die vulg. nach O f *quarum altera — altera* bei. der hinweis
Orellis auf Boëthius 338, 44 ist hinfällig, denn hier bezieht sich
hoc .. quod manu fit noxium auf das vorausgehende *genus*. — § 40
commode etiam tractatur haec argumentatio [*quae ex genere sumitur*],
cum usw. für *ex genere* steht in O bezeichnend *ex pro forma*, in f *ex
forma*, was Wetzel aufnahm. ich streiche diese alte und bei vorausgehendem *haec* überflüssige zuthat, denn *haec argumentatio* heiszt
'die in der eben angeführten weise vollzogene form der schluszfolgerung'. — § 42 *appelletur inductio* A L V a b ' c. schreibt man mit
Hammer so, dann musz man auch mit A ' V a² *quoniam* folgen lassen,
wie es Orelli § 93 gethan hat, wofür vielleicht Quintil. V 10, 73
sprechen könnte, wenn nicht *de inv.* I 51 dagegen spräche. — § 43 :
nur O f geben hier den text in der gestalt, wie er in der vulg. uns
vorliegt, doch lassen beide *fines* nach *quia* weg. in allen übrigen hss.
sind die wörter *fines* mit dem zusatze *qui* bis *urbis* zwischen *quemadmodum* und *si* geschoben , *quia* fehlt und vor *sic* steht die ver-
schreibung *ex eodem similitudinis loco* auszer in β³ e. die worte *quia
magis* (bzw. *fines qui magis*) *agrorum videntur esse quam urbis* scheinen
randglosse zu sein , welche sich in den archetypi beider hss.-classen,
in dem einen nach *est,* in dem andern hinter *quemadmodum* geschoben
hatten. andernfalls scheint *res tota* dh. *fines regendi et aqua pluvia
arcenda* nicht recht verständlich. Madvigs reconstructionsversuch
(adv. crit. II 192) der stelle gründet sich auf die falsche mitteilung
Orellis, dasz *finibus regendis* in a b c d fehle. — § 44 : die *causa
Curiana* ist aus *de or.* I 180. 242. II 141. *Br.* 145. 195. *pCaec.* 53
hinreichend bekannt. es war die reiche manigfaltigkeit sich darin
ä h n l i c h e r fälle, dasz dem gewollten gedanken der schriftlich gegebene ausdruck widersprach und um des rechtes und der billigkeit
willen zu gunsten des erstern entschieden werden muste, welche
Crassus dem Scaevola entgegenstellte, fälle die sich auf testamen-
tarische, aber auch auf alle andern gebiete des lebens umfassende
schriftstücke erstreckten. vgl. besonders *Brut.* 198 und *de or.* I 243.
was jedoch besagen hier die Orelli-Kayserschen texte? beide lassen
den Crassus eine anzahl von beispielen anführen, wo die testamen-
tarische bestimmung sich merkwürdiger weise so vollständig mit
dem falle Curius deckte, dasz dieser process überhaupt aufgehört
hatte ein s e l t e n e r fall zu sein und in den vielfach erfolgten richterlichen entscheidungen auch für diesen process die entscheidung gegeben war, ohne dasz es von seiten der beiden redner so gewaltiger
anstrengung bedurft hätte. schon Boëthius lag der text in dieser
sinnlosen form vor, vgl. 341, 24. die jüngere recension suchte in die
überlieferung dadurch einen verständigen gedanken zu bringen, dasz
sie die worte einfach referierend auf die *causa Curiana* selbst bezog
und demgemäsz neben einigen andern änderungen vor *qui* ein *agens
de eo* einschob (vgl. die ausgaben vor Orelli). aber dadurch verliert
der folgende satz *quae commemoratio* seine bezüglichkeit. kurz die
worte *qui .. obtinerent* bzw. *obtinuissent* sind eine uralte aus den

genannten Cicerostellen zusammengeflickte randglosse und somit zu
streichen. — § 45 *mortui* O β Boëthius 341, 35. *mortuis* f, über der
linie ersteres V und hinter *ab inferis* b als glosse. in C fehlt das
wort. aber *excitari* bedarf eines subjectes, und *muta* zu ergänzen ist
einfach unmöglich. vgl. *or.* 85. *de or.* I 245. *Br.* 322. *pMil.* 79. —
et [*in*] *maximis et minimis* [*in*] *quaestionibus argumenta ducuntur.*
das erste *in* kennen blosz A O f, das zweite setzen O f vor *minimis*
und läszt V weg. die präpositionen verdanken dem miskannten
dativ ihre entstehung, vgl. § 41. — § 46 *sequitur similitudinem*
differentia, rei maxime contraria superiori usw. so interpungieren
die meisten meiner hss. in f v steht *res.* — § 47: Hammers conjectur
ducitur (so v) ist vulg. von Manutius bis auf Schütz, welcher nach
einigen ältern ausgaben und f (*dicatur*) *dicitur* in den text setzte
und es begründete. so C mit recht, denn zu *ducitur* kann nicht *locus,*
sondern nur *argumentum* subject sein, wie § 8. 11. 13. 17. das bei
locus gebräuchliche verbum ist in unserer schrift *adsumere.* — § 52
pedum crepitus, strepitus hominum, corporum umbrae C. *pedum stre-*
pitus crepitus hominum corporum umbrae O. da der weitschweifige
Boëthius an alle beispielsweise gebrauchten ausdrücke seine erläuterungen anknüpft, eine solche aber zu *strepitus hominum* bei ihm
fehlt (346, 26), so scheinen ihm diese worte auch nicht in seinem
exemplar vorgelegen zu haben. und in der that führt die lesart
von O darauf, dasz *strepitus* über *crepitus* als variante (vgl. Boëthius
349, 19. 21. 22. 23), *hominum* über *corporum* ursprünglich als
glosse gestanden haben und von da in den text gekommen sind. —
et si quid eius modi O b² d β V f. daher ist *et* hier beizubehalten, vgl.
§ 27. — Dem vorausgehenden *quae talia sunt* entsprechend bietet
die vulg. mit recht *possunt,* so O V L'b c d e v. — § 53 *argumenti*
locus simplex est lautete die ursprüngliche wortstellung. so O e und
die vulg.; in A a¹ d L V¹ fehlt *simplex,* in a² ist es über *locus* gesetzt, in
b c steht es vor *locus,* in β V² nach *est,* in f ist *locus est* vor *argumenti*
simplex geschoben. — § 55 *non quod omnis sententia proprio nomine*
ἐνθύμημα *non dicatur* O V¹ d e f. vor *dicatur* ist in A eine rasur, in
welcher der buchstabenrest auf *non* hindeutet. zu anfang des satzes
haben *non qui nominis* A¹ a b¹ c L. *non quia non omnis* A² β². *non*
quia omnis b². *non quod non omnis* β¹ V² (ohne streichung des
andern *non*) und die vulg. vor Orelli, welcher nach b² mg. *non quin*
omnis aufnahm. die verwechslung von *omnis* mit *hominis, nominis*
in den hss. ist nichts seltenes und hier vielleicht noch durch das
folgende *nomine* veranlaszt. die annahme, dasz *non* vor *dicatur* conjectur sei, scheint ausgeschlossen. auch Boëthius musz unsere lesart
vorgelegen haben, vgl. 364, 24. — Nur in a¹ steht das einzig richtige
merere; vgl. Heerdegens ausgabe des Orator proleg. s. XXXVII. —
§ 56: das von Orelli zuerst nach einer einzigen hs. hinter *magis* eingeschobene *est* findet sich in keiner meiner hss. — § 57 *haec quidem*
Kayser nach A f. aber *hae* C, ein *e* nur a¹, die vulg. lautet *eae.* —
§ 58 *posui equidem,* was Stangl verlangt, haben O β f. — *causarum*

enim C. *causarum igitur* Oβf und vulg. darum klammert Orelli
die partikel mit recht ein. — *aes statuae causam* O b c. — § 59 *et
cetera* Oβef. — *per sese quaestio* C. *per se q.* nur d e f und die ausg.
— § 60 *in parentibus causa fuit* O b c. — § 61 *in quo certe fit* C
und die ältesten ausgaben. *per quod* f. *a quo* Lambin nach 2 hss.;
aber vgl. Hand Turs. III 274. Reisig (Schmalz-Landgraf) § 417.
— § 62 *vel ut omne intereat* Aβb[2]. *velut o. i.* C N Rich. Ald. *velut
ut o. i.* vulg.; vgl. Reisig § 254, 3; Zumpt § 734. so ist auch *de or.*
III 65 *vel quod omnis* zu verstehen, das vorausgehende *utrumque*
aber, wofür neuere *utique* oder *nimirum* schreiben, dahin zu erläutern: *id quod virtutem et id quod sapientiam esse dicunt.* — *quod
ortum sit* C. erst Aldus schrieb *est.* vgl. Stangl ao. XXIII 96. —
Vallas lesart *efficiunt* steht in e. — *habitu ut qui facile et cito iras-
citur* O e. *irascaris* b[1]c. *irascatur* C. aber der als beispiel ge-
nommene satz gilt ohne einschränkung. daher wird hier der indicativ
verlangt wie im ersten beispiele (*cum . . legis*), während das zweite
eine annahme (*si quis*) enthält. von N an bis auf Orelli ist in den
ausgaben *qui* gestrichen. — § 63 *in natura et arte* O b L (c fehlt).
in a ist *in* vor *arte* durch punkte getilgt. vgl. Boëthius 371, 18
und 37. — *cum enim nihil sine causa fiat, hoc ipsum est fortunae
eventus: obscura causa et latenter efficitur.* zu dieser vielbesprochenen
stelle lauten die varianten meiner hss. wie folgt: *hoc enim* L; *est*
fehlt in O und steht in L hinter *fortunae*, dafür *scilicet* f; *et* fehlt in
O f, dafür *quae* e; *latens* d und in b gloss., darauf folgt in d noch
qua, latent f; *efficiat* e. da *hoc ipsum* eine nähere bestimmung dessen
verlangt, was in den bereich der *fortuna* fällt, so scheint nach Orelli
die einfügung von *quod* vor *obscura* am platz, dann musz aber *eventus*
fallen, denn *quod efficitur* ist ja *eventus*, vgl. *de inv.* I 42. diese
ursprüngliche wendung scheint noch in Boëthius 374, 4 zu stecken.
— *etiam ut ea . . sint* C. nach A[1] ist *ut . . sint* durch *efficitur* hervorgerufen, welches daselbst mit groszem anfangsbuchstaben geschrieben war. doch ist *sint* erst correctur von 2 aus *sin.* in O steht
atque etiam, in f *atque et*, beide ohne *ut.* den ind. *sunt* kennt nur f.
— § 64 *quae autem fortuna vel ignorata vel voluntaria* C. *quae
autem* f. *ignorata sunt* O f, letzterer mit beibehaltung des ersten *vel.*
mit recht strich Schütz nach N diese den zusammenhang störenden
worte aus dem text. — *ille subicitur* stellen O V dβf und die vulg.
vor Orelli. — *in* vor *inprudentiam* kennt keine meiner hss. — § 66
ubi vero etiam C. *ubi etiam* O d e f (β fehlt). das hier ganz unpas-
sende *vero* war variante zu *etiam.* — Hinter *agier* haben alle meine
hss. *oportet.* vgl. *de off.* III 70; *epist.* VII 12, 2. erst Lambin strich
dasselbe. — *melius aequius* C. — Kaysers hinter *parati* eingestelltes
pronomen *iis* ist in A erst von 2r hand über die zeile hinaus nachgetragen. — *argumentorum cognitis* O b c. — § 67 *e causis* A a L V d.
causis c. *ex causis* C. *a causis* v, Boëthius 377, 44. daher ist wohl
e causis vorzuziehen. — *sed his qui* C N.| das energischere *his* ist
hier besser am platze als das *iis* der vulg. — *copiose loqui* C und vulg.

vor Orelli; vgl. *or.* 62. *part. or.* 79. — § 68 *reliquus . . positum est ut ceterorum: nunc* usw. so interpungieren A O a Ald. Rich. Lamb. Proust Ern. Wetzel: vgl. § 58. — § 69 *atque adventiciis* O V b c f. — § 70 *quae se ipsa* C. *ipsis* O e f Boëthius 382, 1 und vulg. letzteres ist vorzuziehen, weil nur so der gegensatz zu *aliis* scharf hervortritt. — § 71 *multa autem sunt quae . . comparantur* O L b f. *comparentur* C. die zu gunsten der letztern lesart von Orelli citierte stelle aus § 73 (*adferant*) ist anderer art. an letzterer liegt auf dem begriffe der qualität, an unserer auf dem zahlbegriffe der nachdruck; vgl. Reisig ao. § 332. — *et ita fit quod primum est par id quod sequitur. igitur* A V L a b d (*ei* für *id* A², *par. par* b). *at quod primum est quod sequitur igitur. igitur* O β f. *at quod primum est. igitur id quod sequitur* e. *et quod primum est quod sequitur igitur* v. und so wird zu lesen sein. eines doppelten *est* bedarf es nicht für den verständigen leser. über *et* in der assumptio vgl. Dräger hist. syntax II 24. *neque* findet sich so gebraucht in § 10. — *a formis* C N. *a forma* β, Boëthius 385, 4 und vulg.; aber vgl. § 31 und 39. — § 72 *ut quam plurimum his* O β N. *eis* b gloss. das pronomen fehlt in C. aber das energische *his* entbehrt man ungern, da es dem sinne nach so viel wie 'unsere gesinnungsgenossen' bedeutet im gegensatze zu denjenigen, welche solchen studien abhold waren; vgl. Piderit zu *de or.* einl. I § 8. — § 73 die wortstellung Kaysers *ab aliqua externa re* findet sich nur in A B m Boëthius 386, 33 Lamb. dagegen vgl. *de leg.* I 45. — *inest* C. *est* O f Boëthius 391, 27. *maxime* O. *maxima* C. es ist mit Boëthius *est maxima* zu lesen. — *tempore* A B m a¹. *e tempore* a² d e. *et tempore* b¹ L V. *ex tempore* b³. *in tempore* O f vulg. demnach scheint doch die präp. *e* aus der variante *maxime* entstanden. — An die aufzählung der artbegriffe *ingenium, opes, aetas* schlieszt sich der gattungsbegriff *fortuna* an; vgl. *de inv.* II 30. *part. or.* 35. Cornif. III 10. während jene in der folgenden auseinandersetzung alle einzeln erörtert werden, fehlt eine solche über diesen. *fortuna* ist daher zu streichen. — *his quas dixi* C. *iis* B a d L. ersteres verlangt der sinn der stelle. — § 74 *quamquam in his* C. *iis* B a d. — § 75 *imprudenter inciderunt* C. *imprudentes inc.* nur A B m. letzteres scheint glosse aus Boëthius 388, 6. — *huic simile quiddam de Lacedaemonio Pausania accepimus.* davon findet sich bei Boëthius auch nicht eine spur. das einschiebsel ist zu streichen. — § 76 *Palameden* B O. — *excellet* A B m a¹ d V f. *excellit* C. jenes ist durch assimilation an *valet* entstanden. — § 77 *inest his* O f V L b e. *iis* a d. *in his* A m. *in iis* B. vgl. Stangl jahrb. 1883 s. 202. — ebd. verteidigt Stangl die einklammerung von *a* vor *dormientibus*. indessen wie vorher *per exta*, so zeigt hier *a dormientibus* die mittelbaren willenlosen werkzeuge an, deren sich die götter zu mitteilungen an die menschen bedienen. man fasse nur *significata* als participium coniunctum. mit *quibus ex locis* hebt dann ein neuer die frage über die *testimonia divina* abschlieszender satz an. — § 78 *quos studio, quos doctrina* stellen alle meine bss. auszer A B m. — *reque* C. *atque*

re nur A B m. — § 79 *illud primum* C. *pr. illud* A B m. — *in qua
non aliquis locus incurrat* O f a d L V e. *in quo* b. dagegen haben *in
quam* A B m. aber auch Visorius las *in qua*, und *part. or.* 107 ist
der abl. die besser bezeugte lesart. zu dem absoluten gebrauch des
verbums vgl. § 94 und *part. or.* 51. — *genera sunt* O f. *generas* L.
sunt genera V. daher möchte ich hier die copula beibehalten. — *alt.
inf. def. alt.* C. *alt. def. alt. inf.* nur A B m. — § 80 *propositum autem
aut in aliquo* O entsprechend der vorausgehenden gliederung *aut
in omnibus* und der folgenden *aut una.* — § 81 *quaestionum autem
quacumque de re sunt duo genera sunt* d. aber *de re sint* C, in rasur
A², *de resisti* a¹. das *sunt* am schlusz setzt f und vulg. nach *duo*
und läszt die Ascensiana ganz weg. ich halte dasselbe für die rand-
correctur des fehlerhaften *sint* und schreibe nach *de or.* I 65 ʻ*quacumque de re*ʼ *sunt duo genera.* — § 82 *sit necne sit* C. *sitne necne
sit* A B m. *sit necne* N. *sit necne sic*ʹ Lambin. die vorausgehende
fragestellung lautet nur *sitne aliquid.* demgemäsz schreibe ich an
unserer stelle nur *sitne sic.* zudem wird die hinzufügung des zweiten
gliedes der doppelfrage *necne sit* durch das folgende *an haec tantum
in opinione* unmöglich gemacht. an letzteres fügen die hss. *sint*;
aber O läszt dieses ganz weg, b schiebt *sunt* mit der glosse *sint* hinter *haec* ein, B³ f haben *sit.* — § 83 *et natura et vita* O f, vgl. § 90.
— § 86 *ut cum quaeritur* vulg. *ut cum* fehlt in a b d e V L und ist
von Orelli gestrichen. da jedoch *cum* von O N, *ut* von B¹ erhalten
ist, so ist auch die vulg. mit A B² m f beizubehalten. — § 87 *ut
diximus* O f und, wie es scheint, b¹. — *et de altero* A B m L f. *de
altero* a. *et altero* b V N. *altero* O. demgemäsz ist auch § 85 und 87
de eodem et altero nach dem ausdrücklichen zeugnis Quintilians VII
3, 8 zu schreiben. vgl. Aristoteles topik VII c. 1. — § 88: dasz *adiuncti* den vorausgehenden begriffen nicht beigeordnet werden kann,
hat Hammer nachgewiesen. aber gegen streichung des wortes spricht
die einstimmige überlieferung. auch nicht *adiunctis* mit O und vulg.
möchte ich lesen, sondern in engerm anschlusz an die übrigen hss.
bei vorausgehendem semikolon *adiuncti etiam eis* (so A¹B¹O) sc.
convenient in eius generis quaestionem loci, qui usw. — Da nach § 67
causa und *effectum* in wechselbeziehung zu einander stehen und somit
als eine einheit aufgefaszt werden können, so ist die wiederholung
der präp. *ex* mit A B m vor *effectis* unnötig. — 89 *fugiendoque* C.
fugiendoue A B f. aber in B ist zwischen *o* und *u* raum für einen
buchstaben gelassen. vgl. § 84. *de or.* III 116. *de off.* I 153. — § 90
colliguntur O f a¹. *colligentur* C. — *duas* läszt Hammer nach A B m
weg. aber auf seine richtigkeit musz man aus dem folgenden *tri-
pertita* schlieszen. in jenen hss. ist einfach das zahlzeichen *II* zwischen den beiden *t* ausgefallen. — *tributionem sui cuique* will Hammer
nach A B m. *tributionem sui* wenigstens bestätigen auch a b d V L.
— § 91 *tria sunt igitur* C. *tria sunt enim* b L. *tria sunt* O N. demnach ist die partikel zu streichen. — § 91 *cuius eae partes, quae modo
expositae, rerum expetendarum.* die letzten worte *rer. exp.* entbehren

der bezüglichkeit und sind daher, auch um die satzbildung der vorausgehenden und folgenden anzugleichen, zu streichen. — § 92 *sed definitae·quaestiones a suis quaeque locis* C. *a suis quoque locis* OfN Visorius. die fundstätten für die beweise sind teils allgemeiner art und haben als solche sowohl für die quaestio infinita (propositum) als für die quaestio definitiva (causae) geltung, teils sind sie besonderer art und gelten nur für die causae. daher ist *quoque* die bessere lesart; vgl. § 34 und 74. — Nach *instruuntur* (ABm, *instiuntur* a) oder *instituuntur* (C) fiel *ut iudiciorum* aus, wenn nicht die lesart von B¹ *partita* (A¹f *partite*) auf *ut iudicia* schlieszen läszt. — § 93 *quae Graece* erst A²B³mf; daher war *quoniam* beizubehalten, vgl. § 42. — *nam et negantur saepe ea futura, quae ab aliquo in sententia dicta sunt fore, si aut omnino fieri non possunt aut sine summa difficultate non possunt* lautet in der Rich., bei Lambin und den neuern der text. an erster stelle haben *possent* A¹B¹, *possint* A²B²Oad, *possunt* VLbem, an zweiter *ponsint* A, *possint* BOmdaVL. in f steht beidemal *possit*, in e fehlen *non possunt* am schlusz, in b überhaupt die worte *aut sine summa difficultate non possunt*, in a sind sie von 2 übergeschrieben. N liest *possint — possunt*, Aldus *possint — possint*, Proust *possunt — possint*. was absolut unmöglich oder doch nicht wahrscheinlich ist, kann unmöglich ein häufig vorkommendes object der behauptung und bestreitung in einer beratenden versamlung bilden. vgl. *part. or.* 83 *nam et si quid effici non potest, deliberatio tollitur.* aber auch dann, wenn wir die conjunctive *possint* wieder in ihre rechte einsetzen, wird der verlangte gedanke noch nicht erreicht. die frage über die unmöglichkeit oder unwahrscheinlichkeit des streitigen objects musz vollständig aus dem objectivern beurteilungskreise der unbeteiligten in den subjectiven der streitenden parteien (*suasori aut dissuasori videnda, quid aut possit fieri aut non possit* ao.) gerückt werden, um *saepe* zu rechtfertigen. statt eines hypothetischen untersatzes verlange ich daher einen causalen satz, wie schon Visorius, der die stelle dahin erklärte: *propterea sane negantur, quod vel fieri non possint.* einen solchen satz gewinnen wir, wenn wir hier die so häufig in hss. vorkommende verwechslung von *si* und dem bekannten compendium von *sed* annehmen und *quae* aus dem ersten affirmativen satzgliede in das zweite, dann mit *sed* (*quae eius modi sint, ut*) anhebende negative noch nachwirkend uns vorstellen. — § 94 *deue eis rebus* A, B (*de ue*), e (*his*). *deque iis rebus* adm. *deque his rebus* C. demgemäsz ist *deque* besser bezeugt. — § 95 *appellant* ABm. *vocant* C. vorzuziehen würde daher *vocant* sein. indessen da derartige verbale zuthaten in unserer schrift sich mehrfach als spätere einschiebsel nachweisen lassen und das verbum sich leicht aus den folgenden inf. ergänzt, so möchte ich die stelle so lesen: *eam Graeci κρινόμενον, mihi placet id, quoniam quidem ad te scribo, QVA DE RE AGITVR vocare.* den inf. act. am schlusz habe ich eingesetzt nach Quintil. III 11, 18. — § 96 *defenditur* ABma¹e. *defendunt* f. *defendentur* b. *defendetur* C.

die letzte lesart ist mit Orelli vorzuziehen, weil der satz *tum enim defendetur* dem gedanken nach in einem causalen verhältnis zu dem vorausgehenden imperativischen satze *sed appellentur legitimae disceptationes* steht. — *id autem contingit cum scriptum .. cum opponitur .. cum legi* usw. schreibt Kayser für das an den beiden letzten stellen vulgäre *tum.* und in der that ist wenigstens das letzte *cum* durch V hsl. bezeugt. indessen ist an dem parataktischen satzgefüge nichts auszusetzen, sobald man nur beide male *tum* als verkürzte ausdrucksweise für *tum contingit cum* auffaszt, wobei ein *primum* an erster stelle entbehrt werden kann. — *valere debeat* Orelli-Kayser nach ABmf, aber *debeant* C. somit ist letzteres vorzuziehen. — *ita sunt tria genera* C wie *de or.* II 113. aber *ista sunt tria genera* A²B²mOf, Valla und die Ascensiana. durch die letztere lesart werden die drei *genera* als zu der speciellen aufgabe des juristen Trebatius (§ 4 *iuris interpreti*) gehörig hingestellt, und ihre sonst zwecklose wiederaufzählung gewinnt eine verständige bezüglichkeit. eine solche hinwendung an Trebatius kehrt ja in unserer schrift vielfach wieder: vgl. § 27. 32. 41. 44. 45. 51. 56. 58. 64. 65. 72. 95. vgl. auch *de or.* I 180. 181. Piderit einl. II § 3. *Br.* 145. Quintil. VII 6, 1. — § 97 *ut in principiis ut benivoli .. efficiendum est propriis locis; itemque narrationes ut* usw., natürlich von einem aus dem vorhergehenden satze zu nehmenden *efficiendum est* abhängig. die hss. schieben nach *ut in principiis* ein *quibus* ein. aber diese lesart setzt *ut principia* voraus. zur stellung von *ut* vgl. § 2. 69. *de opt. g.* § 8. *de or.* II 177. 182. III 15. 39. 51. 144. 178. — § 98 *quae autem consequitur* mit ABmf vulg., *sequitur* CN Visorius. in jenen hss. ist *c̃* aus der endung des vorausgehenden *autẽ* entstanden, vgl. § 46. 88. *fides* ist seiner bedeutung nach so viel wie *argumentatio.* — *ut aut augeat eorum motus aut sedet oratio* ist dem vorausgehenden gliede *ut aut perturbentur animi aut tranquillentur* entsprechend mit f zu schreiben. in ABm steht *ut adaugeat.* — § 99 in ABmO fehlt *et* vor *iracundia.* sollte das zufall und nicht vielmehr *iracundia* als eine glosse zu streichen sein, welche in C durch *et* in den satzbau eingefügt wurde?

MÜHLHAUSEN.   WILHELM FRIEDRICH.

ERSTE ABTEILUNG
FÜR CLASSISCHE PHILOLOGIE

HERAUSGEGEBEN VON ALFRED FLECKEISEN.

38.
DIODORS VERHÄLTNIS ZUM STOICISMUS.

Bei einer untersuchung zur geschichte der römischen revolutions-
zeit fielen mir in den bruchstücken Diodors mancherlei den stoikern
eigne oder wenigstens gerade ihnen geläufige ausdrücke und gedanken auf, die ich zunächst durchweg der quelle Diodors zuzuschreiben
geneigt war. aber es galt doch, Diodoros selbst darauf hin zu prüfen,
und da dies bisher nicht geschehen ist, so muste ich mich zu diesem
zeitraubenden parergon entschlieszen. es ist ein hauptfehler unserer
quellenuntersuchungen, dasz sie ohne genügende kenntnis des autors
angestellt werden, dessen quellen aufgedeckt werden sollen.

RHirzel bemerkt in seinen 'untersuchungen zu Ciceros philosophischen schriften' bd. II (Leipzig 1882) excurs VII, dasz, wo uns
im altertum der gedanke einer zusammenhängenden, zu einem ganzen
geordneten weltgeschichtlichen darstellung entgegentrete, derselbe
deutliche spuren stoischen ursprungs trage. er weist das bei Polybios
nach und sagt dann am schlusse (s. 907), dasz auch die einleitung
Diodors solche spuren erkennen lasse. es handelt sich um I 1, 3,
wo es von den verfassern der κοιναὶ ἱστορίαι heiszt: ἔπειτα πάντας
ἀνθρώπους, μετέχοντας μὲν τῆς πρὸς ἀλλήλους cυγγενείας, τόποις
δὲ καὶ χρόνοις διεστηκότας, ἐφιλοτιμήθηcαν ὑπὸ μίαν καὶ τὴν
αὐτὴν cύνταξιν ἀγαγεῖν, ὥсπερ τινὲς ὑπουργοὶ τῆς θείας προνοίας
γενηθέντες. ἐκείνη τε γὰρ τὴν τῶν ὁρωμένων ἄστρων διακόсμηcιν
καὶ τὰς τῶν ἀνθρώπων φύσεις εἰς κοινὴν ἀναλογίαν cυνθεῖcα
κυκλεῖ cυνεχῶς ἅπαντα τὸν αἰῶνα, τὸ ἐπιβάλλον ἑκάστοις ἐκ τῆς
πεπρωμένης μερίζουca, οἵ τε τὰς κοινὰς τῆς οἰκουμένης πράξεις
καθάπερ μιᾶς πόλεως ἀναγράψαντες ἕνα λόγον καὶ κοινὸν χρη-
ματιστήριον τῶν cυντετελεσμένων ἀπέδειξαν τὰς ἑαυτῶν πραγ-
ματείας. dazu macht Hirzel die bemerkung: 'wer kann insbesondere
in der anerkennung der πρόνοια und in der auffassung der welt als
éiner πόλις den einflusz der stoischen lehre verkennen?' Hirzel hat

Jahrbücher für class. philol. 1889 hft. 5.   20

sich auf diese bemerkung beschränkt, ohne die spur weiter zu verfolgen. die angeführten sätze atmen allerdings den geist der stoa,
aber am ende könnte Diodoros, der allerlei ausdrücke und betrachtungen aus seinen quellen entlehnt, seine einleitung, wie mancher
weit höher stehende autor, mindestens teilweise abgeschrieben haben,
ohne selbst von der stoischen lehre beeinfluszt zu sein. in der that
hat er in einem andern abschnitte seiner einleitung (I 3, 8) zweifellos Polybios (III 32) vor augen gehabt. warum sollte er nicht jene
sätze, deren gedankentiefe schon ihre entlehnung verrät, etwa aus
Poseidonios — was ich auch glaube — entnommen haben? um so
weniger scheint Diodoros selbst von der stoischen lehre innerlich
berührt zu sein, als er gleich darauf (I 7 f.) sich über die weltbildung und die erste entwicklung des menschengeschlechts nach
atomistisch-Epikureischen quellen verbreitet (vgl. Zeller philosophie
d. Gr. III³ 1, 415 f.).

      Fassen wir zunächst den stoischen abschnitt aus der einleitung
mit rücksicht auf die folgenden ausführungen etwas näher ins auge.
durchaus stoisch ist der kosmopolitische gedanke, dasz die menschen,
obschon nach zeit und ort getrennt, doch als weltbürger alle mit
einander verwandt seien. Platon und Aristoteles hatten noch, wie
Zeller ao. III³ 1, 298 sagt, das vorurteil der Hellenen gegen die
barbaren geteilt; auch die vorgänger der stoa, die kyniker, hatten
mehr in negativem sinne die unabhängigkeit des philosophen von
vaterstadt und heimat betont als positiv die wesentliche zusammengehörigkeit aller menschen ausgedrückt. erst durch die stoische
philosophie ist der gedanke des über dem stadtbürgertum stehenden
weltbürgertums mit einem positiven inhalt erfüllt und fruchtbar
gemacht worden.

      Diese menschliche gemeinschaft wird nun nach der lehre der
stoiker, wie der lauf des weltganzen überhaupt, durch das göttliche
urwesen oder die alles durchdringende weltseele nach demselben
allgemein geltenden vernunftgesetze bestimmt und von der göttlichen vorsehung (πρόνοια) beherscht.[1] jedes ding wird bis ins
einzelne durch seinen zusammenhang mit dem ganzen bestimmt
und von der gemeinsamen weltordnung umfaszt. die welt bildet
eine organische einheit. die uns sichtbaren himmelskörper, die
in ihren streng gesetzmäsigen bewegungen die reinsten erscheinungen des göttlichen wesens sind, stehen nicht nur unter einander,
sondern auch mit der erde in einem wesentlichen zusammenhange.
alles sein und geschehen steht unter der ausnahmslosen notwendig-

_____

[1] Cic. de fin. III 19, 64 mundum autem censent regi numine deorum
eumque esse quasi communem urbem et civitatem hominum et deorum, et
unum quemque nostrum eius mundi esse partem usw. der stoiker sagt bei
Cic. de nat. d. II 65, 164 nec vero universo generi hominum solum, sed
etiam singulis a *dis inmortalibus consuli et provideri solet. der ausdruck
πρόνοια findet sich in dem stoischen sinne noch nicht bei Platon: vgl.
Zeller ao. II³ 1, 788.

keit des verhängnisses, der εἱμαρμένη oder πεπρωμένη, die ihrem
physischen grunde nach nichts anderes ist als das göttliche urwesen,
die weltvernunft oder weltseele selbst.

Man sieht dasz sich die ausführungen Diodors mit diesen
grundsätzen der stoiker vollständig decken. die universalgeschicht-
schreiber sind gleichsam diener der göttlichen vorsehung: denn wie
diese die welt als organische einheit lenkt, so sind jene bestrebt die
thaten der menschen éiner und derselben darstellung einzuordnen,
als ob sie die geschichte einer stadt schrieben. im übrigen betrachtet
Diodoros die universalgeschichte als eine grosze, gemeinsame quelle
(I 3, 7), aus der jeder einzelne ohne eigne fährlichkeiten und mühen
aus den fehlern und tugenden, den erfolgen und miserfolgen anderer
erfahrung und belehrung für das richtige handeln schöpfen kann.
diese ansicht harmoniert nicht nur mit dem empirismus der stoiker,
sondern auch mit ihrer durchaus praktischen richtung. das sittliche
leben war der mittelpunkt, auf den sich bei ihnen alle andern untersuchungen bezogen. selbst die physik hielt Chrysippos nur deshalb
für notwendig, weil sie uns die mittel an die hand gibt, um über die
güter und übel, über das was wir thun und lassen sollen zu entscheiden. die wissenschaftliche erkenntnis war den stoikern nicht
selbstzweck, sondern nur ein mittel zur erzeugung des richtigen sittlichen verhaltens. die praktische richtung tritt auch bei dem von
der lehre der stoa stark beeinfluszten Polybios hervor.

Die geschichte verleiht, wie Diodoros auseinandersetzt, den
jüngern männern die einsicht der ältern und vervielfältigt den von
den letztern gewonnenen schatz von lebenserfahrungen; sie spornt
ferner durch den unvergänglichen ruhm, den sie groszen und tapfern
männern verleiht, die staatsmänner zu den schönsten werken an und
macht die krieger bereitwilliger, sich für das vaterland allen gefahren zu unterziehen. anderseits veranlaszt sie durch die ewige
schande, die sie den übelthätern hinterläszt, die schlechten menschen,
von ihrem triebe zum bösen sich abzuwenden. bis zum überdrusz
wiederholt Diodoros bei jeder gelegenheit in seiner bibliothek, dasz
der geschichtschreiber den guten das ihnen gebührende lob, den
bösen den verdienten tadel zollen soll, damit die πονηροί oder φαῦλοι
διὰ τῆς κατὰ τὴν ἱστορίαν βλασφημίας ἀποτρέπωνται τῆς ἐπὶ τὴν
κακίαν ὁρμῆς[2], die ἀγαθοί oder cπουδαῖοι διὰ τοὺς ἐκ τῆς αἰωνίου
δόξης ἐπαίνους ἀντέχεcθαι τῶν καλῶν ἐπιτηδευμάτων ὀρέγωνται:
vgl. X 11. XI 46. XV 1. XV 88. XXIII 15. XXX 15. XXXVII 4 usw.

Noch ein punkt ist in der einleitung Diodors bemerkenswert.

---

[2] die ὁρμή spielt in der stoischen lehre von den affecten eine grosze
rolle. sie ist nach der definition der stoiker die durch eine vorstellung
hervorgerufene φορὰ ψυχῆς ἐπί τι. alle unsere triebe bestehen in dem
streben nach dem was uns als ein gut, und in dem widerstreben gegen das
was uns als ein übel erscheint. der vernünftige trieb ist auf das natur-
gemäsze, das mit der allgemeinen weltvernunft übereinstimmende oder
sittlich gute gerichtet.

er eiwähnt Odysseus und Herakles, jenen als den am meisten er-
fahrenen unter den heroen, diesen als wohlthäter der menschheit.
gerade diese beiden gestalten behandelten aber die stoiker mit besonderer vorliebe, um ihr ideal des weisen an ihnen aufzuzeigen
(Zeller ao. III³ 1, 334 ff.).

Sehen wir nun, ob sich spuren des stoicismus auch sonst in
Diodors bibliothek wiederfinden. namentlich werden dabei die bücher
XI bis XV ins auge zu fassen sein, weil hier, abgesehen von den
kurzen auf die römische geschichte bezüglichen stücken, Ephoros und
Timaios zweifellos durchweg seine leitenden quellen waren. finden
wir in diesen büchern stoische gedanken, so rühren sie jedenfalls von
Diodoros selbst her. ähnliches gilt auch von den folgenden büchern
bis zum ersten punischen kriege: denn wenngleich die quellenfrage
für diese stücke noch nicht durchgängig mit sicherheit gelöst ist, so
steht doch so viel fest, dasz hier auszer Timaios hauptsächlich die
fortsetzer des Ephoros, dann der Aristoteliker Kallisthenes, der zu
den schülern des Megarikers Stilpon zählende Kleitarchos, endlich
Duris und Hieronymos als quellen in betracht kommen, dh. autoren
die auch keine beziehungen zur stoischen schule hatten.

Zunächst ist eine stelle aus dem mit Isokrateischen gedanken
(paneg. 92. Panath. 187) versetzten epilog auf die Thermopylen-
kämpfer hervorzuheben. hier (XI 11, 2) heiszt es: χρὴ γὰρ οὐκ ἐκ
τῶν ἀποτελεσμάτων κρίνειν ἀγαθοὺς ἄνδρας, ἀλλ' ἐκ τῆς προ-
αιρέσεως· τοῦ μὲν γὰρ ἡ τύχη κυρία, τοῦ δ' ἡ προαίρεσις δοκιμάζεται. ähnlich sagt dann Diodoros XXVI 24, 2 in bezug auf Hasdrubal: διόπερ χρὴ τὴν ἀρετὴν τἀνδρὸς ἐξετάζειν οὐκ ἐκ τῶν
ἀποτελεσμάτων, ἀλλ' ἐκ τῆς ἐπιβολῆς καὶ τόλμης· τούτων μὲν γὰρ
συμβαίνει τοὺς πράττοντας εἶναι κυρίους, ἐκείνων δὲ τὴν τύχην
ἔχειν ἐξουσίαν. an diesen stellen kommt der determinismus und die
sittliche beurteilung nach stoischer auffassung zum ausdruck.

Die stoiker lehrten ja, dasz alles in jeder beziehung durch den
zusammenhang des weltganzen und die notwendigkeit des geschickes
oder die vorsehung bestimmt sei. sie suchten dabei jedoch den sittlichen anforderungen gerecht zu werden und die möglichkeit der
sittlichen zurechnung zu wahren. eine willensfreiheit im vollen,
eigentlichen sinne des wortes konnten sie nicht anerkennen, aber sie
meinten, wirke auch in allem éine und dieselbe alles bestimmende
macht, so wirke sie doch in jedem wesen seiner eigentümlichen natur
gemäsz. sei auch jede handlung durch gewisse im zusammenhange
der dinge und in der beschaffenheit des handelnden liegende ursachen
bestimmt, so sei sie doch nichtsdestoweniger aus dem eignen triebe
und entschlusz hervorgegangen und insofern freiwillig. was aus
unserm willen hervorgeht, wird uns als unsere that angerechnet,
gleichviel ob wir anders handeln konnten oder nicht. der wille,
welchem die mittel zur ausführung fehlen, ist so viel wert wie die
that. was die tugend zur tugend, den fehler zum fehler macht, das
ist einzig und allein die gesinnung (Zeller ao. III³ 1, 163 ff. 244. vgl.

Cic. *parad.* 3, 1 *nec enim peccata rerum eventu, sed vitiis hominum metienda sunt. acad.* I 10, 38 *ipsum habitum per se esse praeclarum*).

In voller übereinstimmung mit dieser lehre sagt Diodoros τοῦ δ' ἡ προαίρεcιc δοκιμάζεται: denn was darüber hinausgeht, das hängt von der τύχη ab. diese τύχη ist aber nichts anderes als die εἱμαρμένη als object des beschränkten menschlichen geistes, der sie nicht in ihrem ganzen zusammenhang erfassen und alles ursächliche als solches erkennen kann. die stoiker definierten die τύχη als αἰτία ἀπρονόητος καὶ ἄδηλος ἀνθρωπίνῳ λογιcμῷ. das walten der εἱμαρμένη erscheint uns, sofern es unerforschbar und unbekannt ist, als τύχη. von diesem gesichtspunkte aus konnten die stoiker die τύχη als ein θεῖον καὶ δαιμόνιον erklären, indem sie ihre identität mit der εἱμαρμένη, in der sich die göttliche vorsehung offenbart, voraussetzten (Zeller ao. III³ 1, 158 anm. 1. 164 anm. 3). zu welchem ausgange das was wir vorhaben führen wird, darüber ist die τύχη herrin, wie Diod. sagt: denn das hängt von allerlei umständen ab, die in der allgemeinen weltordnung ihre ursachen haben, für uns aber, mögen wir auch das höchste masz an menschlichem verstande besitzen, aus ungenügender kenntnis unberechenbar sind. bei Diod. flieszen daher auch die begriffe τύχη, πεπρωμένη und gottheit oder göttliche vorsehung·in einander. man vergleiche zb. XIII 21, 4 οὐδεὶc γάρ ἐcτιν οὕτω φρόνιμοc ὥcτε μεῖζον ἰcχῦcαι τῆc τύχηc usw. und XV 74, 4 οὐ μὴν ἠδυνήθη γε τῇ πανουργίᾳ κατασοφίcαcθαι τὴν ἐκ τῆc πεπρωμένηc ἀνάγκην usw.

Dann heiszt es XVI 11, 1 τὸ cκυθρωπὸν τῆc τυραννίδοc εἰc πανηγυρικὴν ἱλαρότητα τῆc τύχηc ἀγούcηc usw. (befreiung der Syrakusier von der tyrannis), dagegen XIV 67, 2 θεῶν γάρ τιc πρόνοια μετὰ τῶν cυμμάχων ἐν τοῖc ὅπλοιc ἡμᾶc (die Syrakusier) cυνήγαγε πρὸc τὸ τὴν ἐλευθερίαν ἀνακτήcαcθαι.

Ferner XVIII 53, 7 τῆc τύχηc αὐτῷ (Eumenes) cυνεργούcηc τηλικαύτην ἔλαβεν αὔξηcιν usw. XIII 112, 2 καθάπερ θεῶν προνοίᾳ πάντα ὑπουργεῖν πρὸc τὴν κατάλυcιν τῆc δυναcτείαc.

XVIII 13, 4 ἡ τύχη τι παράδοξον ἀπένειμε τοῖc Μακεδόcιν εὐκλήρημα. XVII 116, 1 δοκοῦντοc (Alexander) ἰcχύειν τὸ πλεῖcτον καὶ μάλιcτ' εὐδαιμονεῖν ἡ πεπρωμένη cυνῄρει τὸν ὑπὸ τῆc φύcεωc αὐτῷ cυγκεχωρημένον τοῦ ζῆν χρόνον. während er XVIII 59 die unbeständigkeit des geschickes, den wechsel von gutem und schlimmem dem walten eines gottes zuschreibt und sagt (§ 6): ὁ γὰρ κοινὸc βίοc ὥcπερ ὑπὸ θεῶν τινοc οἰακιζόμενοc ἐναλλὰξ ἀγαθοῖc τε καὶ κακοῖc κυκλεῖται πάντα τὸν αἰῶνα, heiszt es XXVII 15, 3 οὐδὲν παρὰ ἀνθρώποιc οὔτε κακὸν οὔτε ἀγαθὸν ἑcτηκυῖαν ἔχει τὴν τάξιν, τῆc τύχηc ὥcπερ ἐπίτηδεc πάντα μετακινούcηc. vgl. XVIII 67 ἀcτάτου καὶ κοινῆc ἅπαcι τῆc τύχηc οὔcηc usw. man vergleiche dazu auch die rede des Syrakusiers Nikolaos bei Diod. XIII 21, 4 προcκυνοῦντεc τὴν τύχην μηδὲν ὑπὲρ ἄνθρωπον πράξητε .. ὁ γὰρ ἀμετάθετον ἔχων τὴν περὶ τῶν ἀτυχημάτων

302   GBusolt: Diodors verhältnis zum stoicismus.

ὠμότητα cυναδικεῖ τὴν κοινὴν ἀνθρώπων ἀcθένειαν· οὐδεὶc γάρ
ἐcτιν οὕτω φρόνιμοc ὥcτε μεῖζον ἰcχῦcαι τῆc τύχηc, ἢ φύcει ταῖc
ἀνθρωπίναιc ἡδομένη cυμφοραῖc ὀξείαc τῆc εὐδαιμονίαc ποιεῖται
τὰc μεταβολάc.
Bleibt uns auch der ursächliche zusammenhang des geschehens,
insofern er durch die causalität des weltganzen bestimmt ist, verborgen, so gibt uns doch der thatsächliche verlauf der ereignisse
erfahrungsgemäsz aufschlüsse darüber, wie die τύχη zu wirken pflegt.
Diodoros beobachtet das walten des geschickes mit vorliebe namentlich nach éiner seite hin. bei jeder gelegenheit betont er, dasz sich
die tyche in raschen, unerwarteten wendungen und veränderungen
gefalle, und dasz darum der mensch weder im glücke übermütig
werden noch im unglücke verzweifeln dürfe: vgl. oben XIII 21, 4;
XIV 76, 1 οὕτω μὲν οὖν τοῖc Καρχηδονίοιc ἡ τύχη τάχιον τὴν
μεταβολὴν ἐποίηcε καὶ πᾶcιν ἀνθρώποιc ἔδειξεν ὡc οἱ μεῖζον τοῦ
καθήκοντοc ἐπαιρόμενοι ταχέωc ἐξελέγχουcι τὴν ἰδίαν ἀcθένειαν.
Eumenes liesz sich durch unfälle nicht beugen, cαφῶc εἰδὼc τὴν
τύχην ὀξείαc τὰc εἰc ἀμφότερα τὰ μέρη ποιουμένην μεταβολάc
XVIII 42, 1. vgl. XVIII 59, 5 τίc γὰρ οὐκ ἂν λαβὼν ἔννοιαν τῆc
κατὰ τὸν ἀνθρώπινον βίον ἀνωμαλίαc καταπλαγείη τὴν ἐπ' ἀμφότερα τὰ μέρη τῆc τύχηc παλίρροιαν; .. διὸ καὶ τὴν ἱcτορίαν προc-
ηκόντωc ἄν τιc ἀποδέξαιτο· τῇ γὰρ τῶν πράξεων ἀνωμαλίᾳ καὶ
μεταβολῇ διορθοῦται τῶν μὲν εὐτυχούντων τὴν ὑπερηφανίαν,
τῶν δ' ἀκληρούντων τὴν ἀτυχίαν. XV 33. XVI 66, 4. XVII 47.
XVIII 13. XXVI 4.
Aber nicht nur im hinblick auf die raschen umschläge des geschickes, sondern auch mit rücksicht auf die gemeinsame schwäche
der menschlichen natur, infolge deren auch der trefflichste oft fehl
geht, musz der mensch von überhebung sich fern halten, gegen besiegte und unglückliche milde und menschenfreundlichkeit üben,
lieber verzeihen als rächen und feindschaft in freundschaft zu verwandeln suchen: XIII 21, 4. 24, 4. XIV 76. XVII 38. XVIII 59, 5.
XXVI 1. XXVI 11. empfehlungen von milde, menschenfreundlichkeit und versöhnlichkeit begegnen uns in der ganzen bibliothek (vgl.
zb. XIII 22. XXI 14. 21. XXVII 14. 15. 16), und wiederholt erklärt Diod. dasz nur ein wohlwollendes und billiges regiment eine
herschaft erhalte und befestige, während druck, gewaltthätigkeit,
einflöszung von furcht und schrecken bei den untergebenen hasz er-
zeuge und den sturz der herschaft herbeiführe: vgl. XIII 22. XV 1.
XVII 38. XIX 86. XXVII 16. XXXII 2.
In der starken hervorhebung der menschlichen schwäche[3] und
der humanität im verhalten gegen die mitmenschen dürfen wir in

---

[3] auszer der oben angeführten stelle (XIII 21, 4) vgl. namentlich
XVII 38 ὑπερήφανοι δ' ἐν ταῖc εὐτυχίαιc γενόμενοι τῆc ἀνθρωπίνηc καὶ
κοινῆc ἀcθενείαc ἐπιλάθονται. XXVI 1 ἄνθρωποι γὰρ ὄντεc καὶ τῶν
ἐγχειρουμένων ὑπεροχαῖc ἐπιτυγχάνοντεc ὅμωc διὰ τὴν ἀνθρωπίνην
ἀcθένειαν διέπιπτον ἐν πολλοῖc. XXVI 11 ἡ ἀνθρωπίνη φύcιc τὴν

anbetracht der bereits beobachteten einwirkung der stoischen
lehre auf Diodoros wohl auch den einflusz derselben erkennen.
alle menschen waren ja nach den stoikern nicht nur dem geschick
unterworfen, sondern auch, da sie fast ausnahmslos den unweisen
zugezählt werden musten, gleich sehr und durchaus schlecht. Kleanthes drückte die allgemeine ansicht der schule aus, wenn er klagte,
dasz der mensch sein leben lang in schlechtigkeit wandle, und dasz
kaum der einzelne nach langem irrtum am abend seines lebens
zur tugend durchdringe. wer über die laster der menschen zürnen
wollte, statt ihre irrtümer zu beklagen, der fände in der masse
der frevel kein ende (Zeller ao. III³ 1, 253). vereinzelt wäre der
mensch das hilfloseste aller geschöpfe. der trieb nach gemeinschaft
ist daher der grundtrieb der menschen, und der vernünftige kann
sich nur im wirken für die gemeinschaft wohl fühlen. jede thätigkeit des menschen soll mittel- oder unmittelbar der gesamtheit
dienen. insbesondere hoben die stoiker in unserm verhalten gegen
die mitmenschen die beiden pflichten der gerechtigkeit und menschen-
liebe hervor. selbst feindschaft und mishandlung darf unser wohlwollen nicht auslöschen. die freundschaft wurde von den stoikern
besonders hoch gehalten und zu den gütern gerechnet: vgl. Diod.
XIII 23, 1 δεῖ γὰρ τὴν πρὸς τοὺς φίλους εὔνοιαν ἀθάνατον
φυλάττειν, τὴν δὲ πρὸς τοὺς ἐναντίους ἔχθραν θνητήν. ähnlich
XXVII 16.

Mit der ansicht von der groszen verbreitung des moralischen
übels in der welt contrastierte im stoischen system die nachdrück-
liche betonung der vollkommenheit des weltganzen um so schärfer,
als ja alles sein und geschehen von der göttlichen vorsehung mit
absoluter gesetzmäszigkeit und notwendigkeit bestimmt sein sollte.
ihr determinismus verbot es eigentlich den stoikern die verantwortung für das moralische übel von der gottheit oder dem naturgesetz
ohne weiteres auf den menschen abzuwälzen, während es doch anderseits bedenklich war eine mitschuld der gottheit am bösen anzunehmen. aus diesem dilemma bemühten sie sich in verschiedener
weise herauszukommen (Zeller ao. III³ 1, 175). sie verwiesen ua.
auf den freien willen und die absicht des menschen (vgl. oben s. 300)
und machten ihn dadurch für das moralische übel doch verantwortlich. daraus ergab sich dann weiter die rechtfertigung der
bestrafung und die möglichkeit der annahme göttlicher strafen,
von denen der böse betroffen wird.[4] dem weisen kann allerdings
kein wirkliches übel zustoszen: denn er ist gegen alles äuszere
unglück gewaffnet und wird, wenn ihn solches trifft, es nur als

---

ἀςυνήθη τῶν πόνων ἄςκηςιν καὶ δίαιταν εὐτελῆ δυςχερῶς προςίεται,
τὴν δὲ ῥαςτώνην καὶ τρυφὴν ἑτοίμως διώκει.

[4] Plut. de stoic. rep. 35, 1 τὸν θεὸν κολάζειν φηςὶ τὴν κακίαν καὶ
πολλὰ ποιεῖν ἐπὶ κολάςει τῶν πονηρῶν usw. 15, 2 ταῦτά φηςι τοὺς
θεοὺς ποιεῖν, ὅπως τῶν πονηρῶν κολαζομένων οἱ λοιποὶ παραδείγμαςι
τούτοις χρώμενοι ἧττον ἐπιχειρῶςι τοιοῦτόν τι ποιεῖν.

göttliches erziehungsmittel und erwünschte übung seiner kräfte betrachten.

Die schwierigkeiten, in die sich das deterministische system in bezug auf die moralische verantwortlichkeit und das verhältnis der gottheit zum bösen verwickelte, sind auch bei Diodôros nicht ganz verhüllt. in der geschichte offenbart sich ihm das walten der unerforschlichen πεπρωμένη oder τύχη: sie zeigt uns in dem thatsächlichen verlauf der ereignisse, dasz sie raschen wechsel vom guten zum schlimmen, vom schlimmen zum guten liebt. das liegt nun einmal in der weltordnung. wir werden dadurch gewarnt dem glücke zu vertrauen und uns zu überheben, aber niemals ist bei Diod. davon die rede, dasz das verhängnis den bösen bestraft und den guten belohnt. Diod. war jedoch ein zu einfacher, frommer mann, als dasz ihn die starre notwendigkeit des weltgesetzes befriedigt hätte, und er besasz auch nicht die geistesstärke, um den druck dieser notwendigkeit mit ihren consequenzen ertragen zu können. seinem schlicht gläubigen sinne entsprach mehr der, wie wir sahen, nicht ohne zwang mit der lehre der stoa zu vereinigende volksglaube, dasz derjenige der frevelt und sich überhebt von der gottheit bestraft wird. Diod. ist, wie Platon, der ansicht, dasz ebenso wenig, wie der gute von der gottheit im stiche gelassen wird, der übelthäter seiner strafe entgeht. der rechtschaffenheit und dem unrecht wird in der regel schon in diesem leben, jedenfalls aber im jenseits ihr lohn zu teil (VIII 15). für diese lohnende und strafende gottheit bedient sich Diod. abgesehen von den stellen, wo er der vulgären sprache sich anschlieszend einfach θεοί sagt, neben den bezeichnungen ὁ θεός und τὸ θεῖον gern des ausdrucks δαιμόνιον: vgl. zb. XX 70, 4 ὁ θεὸς ὥσπερ ἀγαθὸς νομοθέτης διπλῆν ἔλαβε παρ' αὐτοῦ τὴν κόλασιν. XVI 83, 2 (τὸ θεῖον). XVI 31, 4 (Philomelos) τοῦτον τὸν τρόπον δοὺς τῷ δαιμονίῳ δίκας κατέστρεψε τὸν βίον. XVI 64, 1 οἱ μὲν οὖν τῆς ἱεροσυλίας μετασχόντες τοῦτον τὸν τρόπον ὑπὸ τοῦ δαιμονίου τιμωρίας ἠξιώθησαν. XVI 61, 1 (allen teilnehmern am tempelraube) ἀπαραίτητος ἐκ τοῦ δαιμονίου ἐπηκολούθησε τιμωρία, vgl. XIII 103, 1. XIV 69, 2. 70, 4. 73, 5. 74, 4. 76, 4. 112, 3. XV 58. XVI 83, 2. XVIII 28. XXV 5.

In der einleitung zum 14n buche setzt Diodoros auseinander, dasz am wenigsten ein auf einen höhern posten gestellter hoffen dürfe, dasz seine schlechtigkeit (κακία) bis ans ende verborgen bleibe. selbst wenn es ihm gelänge lebend seine unwissenheit (ἄγνοια) vor den menschen zu verbergen, so käme doch nachher die wahrheit sicherlich an den tag. χαλεπὸν οὖν τοῖς φαύλοις τοῦ παντὸς βίου καθάπερ ἀθάνατον εἰκόνα μετὰ τὴν ἰδίαν τελευτὴν ἀπολιπεῖν τοῖς μεταγενεστέροις· καὶ γὰρ εἰ μηδέν ἐστι πρὸς ἡμᾶς τὰ μετὰ τὸν θάνατον, καθάπερ ἔνιοι τῶν φιλοσόφων θρυλοῦσιν, ὅμως ὅ γε προγεγενημένος βίος γίνεται πολὺ χείρων τὸν ἅπαντα χρόνον ἐπὶ κακῷ μνημονευόμενος. immerhin bemerkenswert ist bei dieser auseinandersetzung Diodors zunächst die gleichsetzung von κακία und ἄγνοια: denn sie entspricht der lehre der stoiker, die, sich an die bekannten Sokratischen sätze anschlieszend, die richtige erkenntnis als die wurzel und bedingung des vernunftgemäszen handelns hinstellten und die tugend überhaupt als wissenschaft, die untugend als unwissenheit erklärten: vgl. La. Diog. VII 93 εἶναι δ' ἀγνοίας τὰς κακίας, ὧν αἱ ἀρεταὶ ἐπιστῆμαι. bemerkenswerter ist dann aber der scharfe ausfall gegen die philosophen, die da schwatzten 'das nach dem tode gienge uns nichts an'. Diod. berührt damit einen hauptunterschied zwischen den stoikern und Epikureern und zeigt, dasz er mindestens in gewissen fragen eine bestimmte stellung einnahm. nach dem Epikureischen materialismus war ja die seele nur ein aus den feinsten, leichtesten und beweglichsten atomen bestehender körper, der sich unmittelbar nach dem tode auflöst. Epikuros sagte daher: ὁ θάνατος οὐδὲν πρὸς ἡμᾶς. denn mit dem leben hört jede empfindung auf, und die zeit, in der wir nicht mehr sind, berührt uns so wenig wie die, in der wir noch nicht gewesen sind (Epikuros bei La. Diog. X 124 und bei Sextos Pyrrh. III 229). die stoiker dagegen mit ausnahme des Panaitios nahmen eine fortdauer der seele im jenseits an. die seelen der guten sollten nach einer läuterung im äther bis zum weltbrande fortleben, um dann in den urstoff oder die gottheit zurückzukehren, die der unweisen eine schwächere existenz nach dem tode haben, sich nicht bis zum weltbrande erhalten und in der zeit ihres fortlebens in der unterwelt bestraft werden (Zeller ao. III³ 1, 202). der wörtliche anklang bei Diod. an den ausspruch Epikurs ist nicht zufällig: denn er hatte, wie aus XXV 1 hervorgeht, die κυρίαι δόξαι oder den grundrisz der ethik Epikurs gelesen: Ἐπίκουρος ὁ φιλόσοφος ἐν ταῖς ἐπιγεγραμμέναις ὑπ' αὐτοῦ κυρίαις δόξαις ἀπεφήνατο τὸν μὲν δίκαιον βίον ἀτάραχον ὑπάρχειν, τὸν δὲ ἄδικον πλείστης ταραχῆς γέμειν, βραχεῖ παντελῶς λόγῳ πολὺν ἀληθῆ νοῦν περιλαβὼν καὶ τὸ σύνολον δυνάμενον τὴν κακίαν τῶν ἀνθρώπων διορθοῦσθαι. Diod. hält sich in diesem so kurzen referat an den wortlaut Epikurs: vgl. diesen bei La. Diog. X 144 ὁ δίκαιος ἀταρακτότατος, ὁ δ' ἄδικος πλείστης ταραχῆς γέμων.[5]

Das was Diodoros über Epikurs ethik sagt ist für ihn und sein verhältnis zur philosophie in zwiefacher hinsicht charakteristisch. er hebt aus der Epikureischen ethik die ἀταραξία des weisen hervor, dh. einen punkt, in welchem sich vorzugsweise ein stoiker mit der Epikureischen lehre befreunden konnte. denn wenngleich die Epikureer die stoische apathie des weisen für unnatürlich hielten, so erklärten sie doch, dasz begierden und leidenschaften, körperlicher schmerz und sonstige unfälle die ruhe des gemüts, die wesentliche bedingung der glückseligkeit, nicht stören dürfen. Zenon und Epikuros

---

[5] über die κυρίαι δόξαι Epikurs vgl. Zeller ao. III³ 1, 367, wo diese Diodorstelle übersehen ist. ebenso wäre ebd. s. 488 anm. 2 darauf zu verweisen gewesen.

stimmen darin überein, dasz der mensch eine unbedingte und blei-
bende befriedigung nur dann finde, wenn er durch sein wissen zur
sicherheit eines in sich ruhenden selbstbewustseins und zur unabhängigkeit von allen äuszern reizen und schicksalen gelangt sei
(Zeller ao. III³ 1, 470). Epikuros schreibt seinem weisen eine herschaft über den schmerz zu, welche der stoischen apathie in nichts
nachsteht. auch in anderer hinsicht enthielt die reine und ernste
ethik Epikurs trotz aller principiellen unterschiede zwischen seiner
und der stoischen lehre mancherlei, womit sich ein stoiker einverstanden erklären konnte. der allgemeine charakter des philosophierens
war in beiden schulen nicht wesentlich verschieden, und namentlich
muste Diod. mit der vorwiegend ethisch-praktischen richtung Epikurs, die er mit der stoa teilte, durchaus sympathisieren. von diesem
gesichtspunkte aus fand er in Epikurs grundrisz vieles, was ihm als
wahr und geeignet erschien die schlechtigkeit der menschen zu
bessern. freilich von dem materialismus und der freigeisterischen
aufklärung der Epikureer, von ihrer leugnung der unsterblichkeit
der seele und ihrer ansicht, dasz die götter sich um die welt und die
menschen nicht kümmern, konnte er sich seiner ganzen sinnesart
nach nur abgestoszen fühlen. gegen diese letzterwähnte ansicht
der Epikureer, dasz den göttern eine sorge um die welt und die
angelegenheiten der menschen nicht auferlegt werden dürfe, wendet
sich Diod. XXXIV 2, 47 ὅτι τὰ ἐξηλλαγμένα δυστυχήματα, εἰ καί
τινες πεπεισμένοι τυγχάνουσι μηδενὸς τῶν τοιούτων ἐπιστροφὴν
ποιεῖσθαι τὸ θεῖον, ἀλλ᾽ οὖν γε σύμφορόν ἐστι τῷ κοινῷ βίῳ τὴν
ἐκ θεῶν δεισιδαιμονίαν ἐντετηκέναι ταῖς τῶν πολλῶν ψυχαῖς·
ὀλίγοι γὰρ οἱ δι᾽ ἀρετὴν ἰδίαν δικαιοπραγοῦντες, τὸ δὲ πολὺ
φῦλον τῶν ἀνθρώπων νομικαῖς κολάσεσι καὶ ταῖς ἐκ θεοῦ τιμωρίαις
ἀπέχεται τῶν κακουργημάτων. Diod. bedient sich hier derselben
wendung wie in der einleitung zum 14n buche: wenn es auch nicht
so wäre, so ist es doch usw. in dem hinweis auf den κοινὸς βίος
und die menschliche sündhaftigkeit tritt der geist der stoa hervor.
auszerdem hielten die stoiker von demselben bei Diod. geltend gemachten standpunkte der opportunität aus die aufrechterhaltung des
volksglaubens für notwendig. wie Platon den volkstümlichen glauben als erziehungsmittel für die grosze mehrheit der wissenschaftlich
nicht gebildeten menschen benutzen und aufrecht erhalten wollte,
so erklärten die stoiker die volksreligion für nötig, um die begierden
der menschen im zaume zu halten. vgl. Zeller ao. III³ 1, 312 und
auszerdem Polybios VI 56, 10 mit den ausführungen Hirzels ao.
II 865. dieselbe ansicht läszt Diod. I 2, 2 durchblicken: εἰ γὰρ ἡ
τῶν ἐν ᾅδου μυθολογία τὴν ὑπόθεσιν πεπλασμένην ἔχουσα πολλὰ
cυμβάλλεται τοῖς ἀνθρώποις πρὸς εὐσέβειαν καὶ δικαιοσύνην, πόσῳ
ὑποληπτέον τὴν προφῆτιν τῆς ἀληθείας ἱστορίαν usw.
    Ebenso wie Diodoros die Epikureische lehre von dem verhältnis
der gottheit zur welt ablehnt, vermag er auch ihre mechanisch-
physikalischen erklärungen auszerordentlicher naturerscheinungen

nicht zu teilen. mit den stoikern erblickt er in ihnen vielmehr zeichen des waltens der gottheit, insbesondere auch vorzeichen kommender ereignisse: vgl. XV 50. 48. voll und ganz hat Diodors gläubiges gemüt die stoische lehre von der mantik in sich aufgenommen. bei den stoikern spielte die mantik eine grosze rolle. sie priesen die weissagung als den augenscheinlichsten beweis für das dasein der gottheit und des wirkens der vorsehung. mehrere ihrer schulhäupter verfaszten besondere schriften περὶ μαντικῆς, und zugleich sammelten sie eifrig fälle von eingetroffenen weissagungen aller art, damit auch der erfahrungsbeweis für ihren glauben nicht fehle. das vermögen zur erkenntnis und deutung der vorzeichen beruhte nach ihrer ansicht teils auf natürlicher begabung, teils auf kunst und wissenschaft, daher konnte es auch wie bei jeder kunst geschehen, dasz die auslegung von vorzeichen bisweilen fehl gieng. in Diodors bibliothek finden sich zahlreiche beispiele aller möglichen vorzeichen, durch welche die gottheit das kommende vorher verkündigt hat: vgl. XV 50. XVI 56. 66. 92. XVII 10. 103. 116. XIX 2. XX 30. XXI 3. es fehlt auch nicht an fällen falscher auslegung: XVI 33. 91.

Eine natürliche befähigung zum weissagen schrieben die stoiker namentlich den sterbenden zu: denn der sinn für höhere offenbarungen gienge uns um so reiner auf, je vollständiger sich der gottverwandte geist aus der sinnenwelt und aus allen auf das äuszere gerichteten gedanken zurückzöge: vgl. Poseidonios bei Cic. *de div.* I 30, 63. Zeller III³ 1, 343. nun sagt Diod. XVIII 1 Πυθαγόρας ὁ Cάμιος καί τινες ἕτεροι τῶν παλαιῶν φυσικῶν ἀπεφήναντο τὰς ψυχὰς τῶν ἀνθρώπων ὑπάρχειν ἀθανάτους, ἀκολούθως δὲ τῷ δόγματι τούτῳ καὶ προγινώσκειν αὐτὰς τὰ μέλλοντα καθ' ὃν ἂν καιρὸν ἐν τῇ τελευτῇ τὸν ἀπὸ τοῦ ςώματος χωριςμὸν ποιῶνται. τούτοις δὲ ἔοικε ςυμφωνεῖν καὶ ὁ ποιητὴς Ὅμηρος, παρειςάγων τὸν Ἕκτορα κατὰ τὸν τῆς τελευτῆς καιρὸν προλέγοντα τῷ Ἀχιλλεῖ τὸν μέλλοντα ςυντόμως αὐτῷ ςυνακολουθήςειν θάνατον. ὁμοίως δὲ καὶ κατὰ τοὺς νεωτέρους χρόνους ἐπὶ πολλῶν καταςτρεφόντων τὸν βίον ἱςτορεῖται γεγονέναι τὸ προειρημένον, καὶ μάλιςτ' ἐπὶ τῆς Ἀλεξάνδρου τοῦ Μακεδόνος τελευτῆς usw. die berufung auf den consensus und erfahrungsthatsachen war bei den stoikern ebenso beliebt wie das citieren Homers. bei Cic. *de div.* ao., wo er sich nach Poseidonios über die weissagungen sterbender verbreitet, steht dasselbe beispiel von Hektor, der dem Achilleus den baldigen tod weissagt. Poseidonios hatte auszerdem auch fälle solcher eingetroffenen weissagungen aus neuerer zeit angeführt. endlich legte Poseidonios wert auf die übereinstimmung mit der Pythagoreischen lehre (Zeller ao. III³ 1, 578), mit der sich die stoiker überhaupt gern beschäftigten, da sie ihnen in mancherlei hinsicht, so in bezug auf die mantik, sympathisch war. sie entnahmen aus ihr zum teil die lehre von der gleichheit der aufeinanderfolgenden welten. es fehlte daher auch nicht an stoisierenden darstellungen der Pythagoreischen lehre (vgl. Zeller ao. III³ 1, 155. I³ 385 ff.). jenen einleitenden abschnitt

zum 18n buche hat Diod. offenbar aus einer stoischen quelle entnommen. wenn er sagt: καθ' ὃν ἂν καιρὸν (αἱ φυχαὶ) ἐν τῇ τελευτῇ
τὸν ἀπὸ τοῦ cώματος χωρισμὸν ποιῶνται, so stimmt das wörtlich
mit Chrysippos definition des todes bei Plut. de stoic. rep. 39, 2, wo
er heiszt: ἐπεὶ γὰρ ὁ θάνατος μέν ἐcτι ψυχῆς χωρισμὸς ἀπὸ τοῦ
cώματος. dasz diese stoische quelle Poseidonios war, ist nach der
angeführten Cicerostelle sehr wahrscheinlich, zumal Diod. diesen
autor während der abfassung seiner ganzen bibliothek nicht aus der
hand legte und gelegentlich längere oder kürzere abschnitte aus ihm
in die breite masse des aus seinen leitenden quellen entnommenen
stoffes einschob, bis er ihn nach dem ende des Polybischen werkes
selbst zur hauptquelle machte. so hat, wie schon OSieroka (die
mythographischen quellen für Diodors 3s und 4s buch, Lyck 1878,
s. 24) gesehen hat, Diodoros in die erzählung der thaten des Herakles
IV 20 einen kurzen excurs über die Ligyer aus Poseidonios eingeschoben. im 5n buche hat er ihn dann für die groszen ethnographi-
schen stücke über die Kelten, Iberer, Ligyer und Tyrrhener als
einzige quelle benutzt. für die folgenden bücher bot ihm Poseidonios
keinen stoff. er hat ihn aber keineswegs bis zum ende des Polybischen werkes ganz aus der hand gelegt. im 12n buche, wo er die
geschichte Griechenlands und Sikeliens von der kyprischen expedition
Kimons bis zum groszen sikelischen kriegszuge der Athener ausschlieszlich nach Ephoros und Timaios erzählt, hat er gelegentlich
der erzählung von der gründung von Thurioi und der annahme des
stadtrechts des Charondas seitens der Thurier einen excurs über
Charondas und Zaleukos aus Poseidonios eingeflochten.[6] bei dieser

---

[6] dasz dieser excurs XII 12—22, den ich in meiner gr. gesch. I 592
anm. 1 irrtümlich dem Ephoros zugeschrieben habe, unmittelbar aus
Poseidonios stammt, der allerdings jenen mit benutzt haben dürfte, ergibt sich aus folgendem. Zaleukos wird bei Diod. XII 20 zu einem
schüler des Pythagoras gemacht; das steht im widerspruch mit Ephoros.
denn dieser bezeichnete das stadtrecht des Zaleukos als das erste hellenische, welches schriftlich fixiert wurde (Strabon VI 259; ps.-Skymnos
315). nach ihm war also Zaleukos älter als Drakon und folglich auch
nicht schüler des um ein jahrhundert jüngern Pythagoras. ebenso wenig
kann der sonst von Diod. für die sikelisch-italische geschichte benutzte
Timaios die quelle dieses excurses gewesen sein, da dieser die existenz
des Zaleukos überhaupt in frage stellte (Timaios fr. 69 Müller). nun
hatte aber Poseidonios den Zaleukos und Charondas zu schülern des
Pythagoras gemacht (Seneca epist. 90, 6 hi non in foro nec in consul-
torum atrio, sed in Pythagorae tacito illo sanctoque secessu didicerunt iura,
quae florenti tunc Siciliae et per Italiam Graeciae ponerent — eine ansicht
die uns sonst nicht begegnet). das προοίμιον τῆς ὅλης νομοθεςίας, von
dem Diod. einen kurzen auszug gibt, ist eine nach Platon entstandene
fälschung, da dieser ein prooimion in irgend einer gesetzgebung nicht
kannte, vgl. Ges. IV 722[d]. es ist im sinne Pythagoreischer lehre gehalten, aber mit stoischer färbung. Diod. sagt zb. c. 20. 2 εὐθὺς γὰρ ἐν τῷ
προοιμίῳ τῆς ὅλης νομοθεςίας ἔφη δεῖν τοὺς κατοικοῦντας ἐν τῇ πόλει
πάντων πρῶτον ὑπολαβεῖν καὶ πεπεῖсθαι θεοὺς εἶναι, καὶ ταῖς διανοίαις
ἐπισκοποῦντας τὸν οὐρανὸν καὶ τὴν διακόςμηςιν καὶ τάξιν κρίνειν οὐ
τύχης οὐδ' ἀνθρώπων εἶναι ταῦτα κατασκευάσματα usw. der anblick

vorliebe für Poseidonios ist es auch mindestens wahrscheinlich, dasz Diodors stoische anschauungen auf seinen einflusz zurückzuführen sind. als Diod. seine lehr- und wanderjahre antrat, war Poseidonios noch am leben. auszerdem kommen für die verbreitung der stoischen philosophie im westen hauptsächlich Panaitios und Poseidonios in betracht. ersterer kann in bezug auf Diod., von andern gründen ganz abgesehen, schon deshalb nicht in frage kommen, weil er die fortdauer der seele nach dem tode leugnete.

Diodoros teilte mit den stoikern nicht nur den glauben an die mantik, an die göttliche vorsehung und die notwendigkeit des verhängnisses, sondern auch teilweise wenigstens ihre ansicht von den gewordenen göttern. die stoiker unterschieden mit Platon von dem ungewordenen, unvergänglichen gott die gewordenen und vergänglichen götter, oder von der allgemeinen, in der welt wirkenden göttlichen kraft als einheit die einzelnen äuszerungen derselben. im abgeleiteten sinne schrieben sie vielen dingen die gottheit zu und zwar zunächst und vor allem den gestirnen, die schon Platon als gewordene götter, Aristoteles als ewige, göttliche wesen bezeichnet hatte. dann aber verehrten sie auch den alles durchdringenden göttlichen geist in den abgeleiteten formen des wassers, der erde, der luft, des elementaren feuers. auch alles übrige, was durch seine brauchbarkeit für die menschen ein besonderes masz der wohlthätigen göttlichen wirksamkeit offenbart, schien ihnen göttliche ehre zu verdienen, die sie freilich nicht auf diese dinge als solche, sondern auf die in ihnen wirkenden göttlichen kräfte bezogen. sie erkannten demgemäsz auch neben andern wohlthätigen wesen, namentlich den helden der vorzeit, die von der sage als wohlthäter der menschheit gepriesen wurden, religiöse verehrung zu, und solche vergötterte menschen lieferten nach ihrer ansicht, die hierin mit der theorie des Euhemeros zusammentrifft, einen bedeutenden beitrag zu den volksgottheiten (Zeller III[3] 1, 315). der glaube des volkes und die mythische darstellung der dichter war nach ihrer meinung voll von aberglauben

---

der wohlgeordneten bewegung und schönheit des himmels war nun der hauptbeweis der stoiker für das dasein gottes, weil er mit unmittelbarer, überzeugender kraft wirkte. Cicero *de nat. d.* II 5, 13 ff. referiert nach Poseidonios (Hirzel ao. I 215) über die beweise des Kleanthes und Chrysippos für das dasein gottes und sagt ua.: *quartam causam esse eamque vel maximam aequabilitatem motus in conversione caeli, solis, lunae siderumque omnium distinctionem, varietatem, pulchritudinem, ordinem, quarum rerum aspectus ipse satis indicaret non esse ea fortuita* usw. es heiszt dann weiter: *atqui res caelestes omnesque eae, quarum est ordo sempiternus, ab homine confici non possunt: est igitur id, a quo illa conficiuntur, homine melius* usw. diese übereinstimmung bis auf den wortlaut besagt wohl genug und bestätigt auszerdem die obigen bemerkungen über die einleitung zum 14n buche. da nun endlich die gesetze des Zaleukos und Charondas bei Diod. auszerordentlich gelobt werden und Seneca ao. von Poseidonios ausdrücklich sagt: *Zaleuci leges Charondaeque laudantur*, so dürfen wir es wohl als erwiesen betrachten, dasz der excurs Diodors aus Poseidonios stammt.

und unwürdigen märchen. sie suchten in den göttern des volksglaubens, insoweit sie nicht wie Asklepios, die Dioskuren, Herakles
ua. für vergötterte menschen erklärt wurden, und in den erzählungen von diesen göttern naturphilosophische und moralische ideen
mittels allegorischer mythendeutung nachzuweisen.

Auch Diodoros sagt I 2, 2: ἡ τῶν ἐν ᾅδου μυθολογία τὴν ὑπό-
θεcιν πεπλαcμένην ἔχουcα, erklärt sie aber für nützlich (vgl. oben
s. 306). dann heiszt es VI 2, 3: τῶν δὲ μυθολόγων Ὅμηρος καὶ
Ἡcίοδος καὶ Ὀρφεὺς καὶ ἕτεροι τοιοῦτοι τερατωδεcτέρους μύθους
περὶ θεῶν πεπλάκαcιν: vgl. III 62, 2. jüngere stoiker, wobei, wie
Zeller III³ 1, 269 anm. 5 mit recht bemerkt hat, namentlich an
Poseidonios zu denken ist, lieszen nach Sextos math. IX 28 den
glauben an die götter durch die weisen der urzeit gestiftet sein: vgl.
Seneca *epist.* 90. auch der vom stoicismus so stark beeinfluszte
Polybios sagt VI 56: um das von schlechten leidenschaften bewegte
volk im zaume zu halten, οἱ παλαιοὶ δοκοῦcί μοι τὰς περὶ θεῶν
ἐννοίας καὶ τὰς ὑπὲρ τῶν ἐν ᾅδου διαλήψεις οὐκ εἰκῆ καὶ ὡς
ἔτυχεν εἰς τὰ πλήθη παρειcαγαγεῖν usw. die deisidaimonie hält τὰ
Ῥωμαίων πράγματα zusammen. dieselbe anschauung hatte Diod.,
wie sich aus I 6 ergibt, wo es heiszt: περὶ μὲν οὖν θεῶν τίνας
ἐννοίας ἔcχον οἱ πρῶτοι καταδείξαντες τιμᾶν τὸ θεῖον, καὶ τῶν
μυθολογουμένων περὶ ἑκάcτου τῶν ἀθανάτων, τὰ μὲν πολλὰ cυν-
τάξαcθαι πειραcόμεθα κατ' ἰδίαν usw. man vergleiche dazu, was
Diod. XXXIV 2 (vgl. oben s. 306) über die opportunität der der
menge eingepflanzten deisidaimonie sagt.

Wie die stoiker ist Diodoros der ansicht, dasz helden der vorzeit als wohlthäter der menschheit göttlicher und heroischer ehren
teilhaftig geworden seien, und er findet das ganz in der ordnung:
IV 1, 4 μέγιcται γὰρ καὶ πλεῖcται cυνετελέcθηcαν πράξεις ὑπὸ
τῶν ἡρώων τε καὶ ἡμιθέων καὶ πολλῶν ἄλλων ἀγαθῶν ἀνδρῶν·
ὧν διὰ τὰς κοινὰς εὐεργεcίας οἱ μεταγενέcτεροι τοὺς μὲν ἰcοθέοις,
τοὺς δ' ἡρωικαῖς θυcίαις ἐτίμηcαν usw., vgl. VI 2, 12. insbesondere
zählte er dazu mit stoikern (Cic. *de nat. d.* II 59; Zeller III³ 1, 566)
die Dioskuren und Herakles, dessen von den mythologen überlieferte
thaten man nicht nach dem maszstabe der eignen zeit messen dürfe.
überhaupt müsse man die mythengeschichten nicht allzu genau auf
die wahrheit prüfen, sondern auch wunderbares zur ehre des gottes
hinnehmen, wie man ja auch auf dem theater allerlei sehe, ohne es
zu glauben, ὅμως προcδεχόμεθα τὰς τοιαύτας μυθολογίας, καὶ ταῖς
ἐπιcημαcίαις cυναύξομεν τὴν θεοῦ τιμήν (IV 8, 5); VI 7 διὰ δὲ
τὴν ὑπερβολὴν τῆς ἀρετῆς Διὸς υἱοὺς νενομίcθαι (Kastor und
Polydeukes), καὶ ἐξ ἀνθρώπων μεταcτάντας τιμῶν τυχεῖν ἀθανάτων. von diesem gesichtspunkte aus hält er es auch für richtig,
dasz Caesar, den er mit Herakles auf éine stufe zu stellen geneigt
ist, θεός genannt wird: I 4, 7. IV 19, 2. V 21, 2. XXV 4. XXXII 27.

Auch die bei den stoikern so beliebte physiologisch-etymo-
logische mythendeutung kommt bei ihm hier und da, namentlich in

GBusolt: Diodors verhältnis zum stoicismus.   **311**

bezug auf Dionysos, zum vorschein (III 62 ff. IV 5); doch erklärt er
sich damit nicht ausdrücklich einverstanden, sondern stellt sie nur
als eine andere relation neben der mythographischen erzählung dar.
da die allegorische mythendeutung nach Chrysippos bei den stoikern
in miscredit gekommen zu sein scheint und im besondern Poseidonios
sich wahrscheinlich nicht damit befaszte (Hirzel ao. I 224), so ist es
erklärlich, dasz sich Diod. mehr dem Euhemerismus zuwandte, dem
ohnehin die stoiker einen gewissen spielraum gaben. er hatte nicht
nur Euhemeros selbst gelesen, sondern legte auch seiner mythen-
erzählung gern Euhemeristisch gefärbte darstellungen zu grunde.[7]

Schlieszlich möchte ich noch auf einzelne punkte aufmerksam
machen, in denen Diodoros mit den stoikern übereinstimmt. durchaus
im einklang mit ihnen und im widerspruch nicht nur mit Platon,
sondern auch mit der auszerhalb der philosophischen kreise fast allgemein geltenden anschauung (Hirzel ao. II 857) betrachtet er den
selbstmord als etwas unter umständen zulässiges, ja sogar in not-
fällen als eine lobenswerte, sittliche that. so wird X 21 der selbstmord der Lucretia gepriesen, die sich das leben nimt ἵνα τὸν πάν-
τως ὀφειλόμενον παρὰ τῆς φύσεως θάνατον βραχὺ προλαβοῦςα
τῆς αἰςχύνης ἀλλάξηται τοὺς μεγίςτους ἐπαίνους· τοιγαροῦν οὐ
μόνον θνητοῦ βίου δόξαν ἀθάνατον ἀντικατηλλάξατο διὰ τῆς ἰδίας
ἀρετῆς usw. der fall, dasz man zu einer unerlaubten handlung gezwungen wird, gehörte zu den von den stoikern ausdrücklich angegebenen, in denen sie den selbstmord für gestattet hielten (vgl.
Zeller III³ 1, 308). dann erzählt er XVII 107 die selbstverbrennung
des Inders Kalanos, der als greis von zunehmender kränklichkeit
gedrückt aus dem leben zu scheiden beschliesst. auch in diesem falle
gestattete die stoische lehre den selbstmord. Diod. sagt von Kalanos,
dasz er von Alexander geehrt war und ἐν φιλοσοφίᾳ μεγάλην προ-
κοπήν hatte, was vom stoischen standpunkte ein hohes lob war (vgl.
über die προκόπτοντες der stoiker Zeller III³ 1, 255). er ver-
schweigt dann nicht, dasz im ganzen die that des Kalanos eine ungünstige beurteilung fand, erzählt sie aber mit sichtlicher sympathie
und hebt am schlusse hervor, dasz sie von einigen bewundert wurde:
ὁ δὲ Κάλανος ἀκολουθήςας τοῖς ἰδίοις δόγμαςι τεθαρρηκότως
ἐπέςτη τῆ πυρᾶ, καὶ μετὰ ταύτης καταφλεχθεὶς ἐτελεύτηςε. τῶν
δὲ παρόντων οἱ μὲν μανίαν αὐτοῦ κατέγνωςαν, οἱ δὲ κενοδοξίαν
ἐπὶ καρτερίᾳ, τινὲς δὲ τὴν εὐψυχίαν καὶ τὴν τοῦ θανάτου κατα-
φρόνηςιν ἐθαύμαςαν. auch über die selbstverbrennung einer indischen
witwe berichtet er XIX 34 nicht ohne sympathie: denn sie gieng,
allerdings nach gesetzlicher bestimmung, in den tod, um der ihr
drohenden schande zu entgehen. nachdem er geschildert, wie die
witwe ὑπὸ τοῦ ςυνδραμόντος ἐπὶ τὴν θέαν πλήθους θαυμαςθεῖςα

---

[7] vgl. VI 2 ff. I 11 ff. III 57 ff. V 70 ff. auf die quellenfrage, die
doch auch nach EBethes scharfsinnigen 'quaestiones Diodoreae mytho-
graphae' (Göttingen 1887) noch nicht in vollem umfauge befriedigend
gelöst ist, darf ich hier nicht weiter eingehen.

κατέστρεψεν ἡρωικῶc τὸν βίον und τῶν ὁρώντων τοὺc μὲν εἰc
ἔλεον, τοὺc δ᾽ εἰc ὑπερβολὴν ἐπαίνων προεκαλέcατο, bemerkt er
trocken: οὐ μὴν ἀλλ᾽ ἔνιοι τῶν Ἑλλήνων ἐπετίμων τοῖc νομίμοιc
ὡc ἀγρίοιc οὖcι καὶ χαλεποῖc.

Aber die stoiker wollten auch nicht, dasz man sich ohne not
den tod gebe, sie erklärten vielmehr, dasz nur dann genügender
grund zum austritt aus dem leben gegeben sei, wenn umstände, die
nicht in der macht des menschen lägen, wie altersschwäche, unheil-
bare krankheit, die tyrannei eines despoten usw., das längere verweilen in demselben nicht mehr wünschenswert erscheinen lieszen.
ein fall, wo nach diesem gesichtspunkte die zulässigkeit des selbstmordes als mindestens höchst zweifelhaft erscheint, ist der des
Atheners Dioxippos (Diod. XVII 100). er läszt sich zu einem zwei-
kampfe mit dem Makedonen Korragos verleiten und besiegt ihn
unter dem jubel der Hellenen, während Alexander über die niederlage des Makedonen höchlich verstimmt ist und sich immer mehr
von ihm entfremdet. die freunde des königs und alle hofleute sind
ihm misgünstig und suchen ihn dadurch, dasz bei einem gelage ein
goldener becher unter sein kissen gelegt wird, des diebstahls zu verdächtigen und in schimpf und schande zu bringen. Dioxippos schreibt
darauf einen brief an den könig, in dem er die umtriebe seiner
feinde enthüllt, und gibt sich selbst den tod: ἀβούλωc μὲν εἰc τὴν
μονομαχίαν cυγκαταβάc, πολὺ δ᾽ ἀφρονεcτέραν τὴν τοῦ βίου κατα-
cτροφὴν ποιηcάμενοc. in diesem falle war der selbstmord nicht
gerechtfertigt: denn er hatte nur die folgen seiner unbesonnenen that
zu tragen, und es lag noch in seiner hand den intrigen seiner feinde
mit der möglichkeit des erfolgs entgegenzuwirken. im übrigen
unterläszt es aber Diod. nicht nachdrücklich zu bemerken, dasz,
wenn auch die meisten seinen unverstand tadelten und sagten, χαλεπὸν εἶναι δύναμιν μὲν cώματοc ἔχειν μεγάλην, νοῦν δὲ μικρόν,
doch der könig πολλάκιc ἐπεζήτηcε τὴν ἀρετὴν αὐτοῦ und ἔγνω
τὴν καλοκἀγαθίαν τἀνδρὸc ἐκ τῆc τῶν διαβαλόντων κακίαc.

Mit den stoikern legte Diodoros, wie bereits bemerkt, den schwer-
punkt auf das sittliche handeln, in dem sich allein der wahre philosoph als solcher bethätigt. insbesondere vertrat diesen standpunkt
auch Poseidonios. mit geringschätzung behandelte er diejenigen,
die sich in ihren reden als philosophen gebärdeten, ohne sich in
ihrem handeln als solche zu bewähren: Cic. Tusc. II 25. de off.
I 45, 160 (nach Poseidonios, vgl. Hirzel ao. II 721 ff.). de fin. V 31.
Poseidonios fr. 41 (Müller). auf schöne worte gaben die stoiker
nichts: eine streng dialektische darstellung, die allen redeschmuck
verschmähte, wurde von spätern als eine eigentümlichkeit der
stoischen schule betrachtet (Zeller ao. III³ 1, 60). man versteht daher,
dasz Diodoros gelegentlich des auftretens des Gorgias in Athen im
j. 427 über dessen rhetorische kunststücke, die damals gewaltigen
eindruck machten, sich nicht enthält eine sehr wegwerfende bemerkung zu machen: XII 53, 4 πρῶτοc γὰρ ἐχρήcατο τοῖc τῆc λέξεωc

cχηματιcμοῖc περιττοτέροιc καὶ τῇ φιλοτεχνίᾳ διαφέρουcιν, ἀντι-
θέτοιc καὶ ἰcοκώλοιc καὶ παρίcοιc καὶ ὁμοιοτελεύτοιc καί τιcιν
ἑτέροιc τοιούτοιc, ἃ τότε μὲν διὰ τὸ ξένον τῆc καταcκευῆc ἀπο-
δοχῆc ἠξιοῦτο, νῦν δὲ περιεργίαν ἔχειν δοκεῖ καὶ φαίνεται κατα-
γέλαcτα πλεονάκιc καὶ κατακόρωc τιθέμενα.

Mehrfach wendet er sich gegen diejenigen, deren philosophie
im handeln nicht die probe besteht. vgl. X 7, 2 πολλοὺc δὲ ἔπειθεν
(Pythagoras) ἀπύροιc cιτίοιc χρῆcθαι καὶ ὑδροποcίαιc πάντα τὸν
βίον ἕνεκεν τοῦ τἀγαθὰ θηρᾶcθαι τὰ κατὰ ἀλήθειαν. τῶν δὲ καθ’
ἡμᾶc εἴ τιc ἀπαγορεύcειεν ἢ ἑνὸc ἢ δυεῖν ἀπέχεcθαι τῶν ἡδέων
εἶναι δοκούντων ἐπ’ ὀλίγαc ἡμέραc, ἀπεῖπον τὴν φιλοcοφίαν,
φήcαντεc εὔηθεc ὑπάρχειν τἀφανὲc ἀγαθὸν ζητεῖν ἀφέντα τὸ
φανερόν usw. IX 8 ὅτι Χίλων τῷ λόγῳ cύμφωνον ἔcχε τὸν
βίον, ὅπερ cπανίωc εὕροι τιc ἂν γενόμενον. τῶν γὰρ καθ’ ἡμᾶc
φιλοcόφων τοὺc πλείcτουc ἰδεῖν ἔcτι λέγονταc μὲν τὰ κάλλιcτα,
πράττονταc δὲ τὰ χείριcτα, καὶ τὴν ἐν ταῖc ἀπαγγελίαιc αὐτῶν
cεμνότητα καὶ cύνεcιν διὰ τῆc πείραc ἐλεγχομένην. an ersterer
stelle wird gegenübergestellt der sinnlichen lust als einem scheinbaren gut das wahrhafte gut, dem φανερόν das ἀφανέc dh. das un-
sichtbare, innerliche gut, wie es die philosophie lehrt. von jenem
sollen wir uns fernhalten, diesem nachjagen. diese äuszerungen sind
durchaus im geiste der stoischen philosophie gehalten.

Fassen wir kurz das ergebnis unserer untersuchung zusammen.
Diodoros steht sichtlich unter dem einflusz der stoischen philosophie,
insbesondere des Poseidonios, doch zeigt er nur lebhaftes interesse
für ethik und religion. er steht auf dem kosmopolitischen standpunkte der stoiker[8], er teilt deren ansicht von der allgemeinen sündhaftigkeit und schwäche der menschlichen natur, betont, wie sie,
namentlich die menschenfreundlichkeit in unsern beziehungen zu den
mitmenschen und legt das hauptgewicht auf die praktische bethätigung der sittlichkeit. dann ist er durchdrungen von dem glauben
der stoa an die auf den vorsatz beschränkte freiheit des individuums,
an das alles geschehen unabänderlich bestimmende verhängnis und
das walten der göttlichen vorsehung. auch in bezug auf den glauben
an die mantik steht er durchaus auf dem boden der stoiker. über
die davon abweichenden lehren der Epikureer, die er aus Epikurs
abrisz der ethik kannte, macht er absprechende bemerkungen.
stoisch ist ferner seine beurteilung des selbstmordes, seine unterscheidung der gewordenen götter von der éinen allwaltenden ewigen
gottheit und seine ansicht von der vergötterung der helden der vorzeit. indessen hat er doch nicht das system der stoa voll und ganz

---

[6] ob die von Diod. XXXIV 2, 40 gemachte bemerkung über die
aufständischen sklaven ὑπέφαινον ὡc οὐ δι’ ὠμότητα φύcεωc, ἀλλὰ
διὰ τὰc προγεγενημέναc εἰc αὐτοὺc ὑπερηφανίαc ἐλύπων πρὸc τὴν προ-
αδικηcάντων κόλαcιν τραπέντεc von ihm selbst herrührt oder ob er sie
bereits in seiner quelle (Poseidonios) gefunden hat, läszt sich nicht mit
sicherheit entscheiden.

in sich aufgenommen. ohne bedenken trägt er die Epikureische
lehre von der weltbildung vor. die physik hatte allerdings für ihn
wenig interesse. er war kein wirklicher philosoph, sondern ein
frommer dogmatischer moralist. darum beklagt er es auch, dasz bei
den Griechen immer neue philosophische schulen entstanden seien,
die unter einander in den wichtigsten theoremen entgegengesetzte
meinungen vertreten, so dasz die lernenden vom zwiespalt erfüllt
werden und ihre seelen unstät umherirren, τὸν πάντα βίον ἐν αἰώρᾳ
γενομέναc καὶ μηδὲν ὅλωc πιcτεῦcαι δυναμέναc βεβαίωc (II 29).
der widerstreit der philosophischen systeme, die διαφωνία, war ein
hauptgrund der skeptiker, die ihre angriffe damals vorzugsweise
gegen die stoiker richteten. diesen angriffen treten sie mit der behauptung entgegen, dasz in der hauptsache die philosophischen
systeme doch einig seien, und dasz mit dem wissen überhaupt jede
möglichkeit des handelns und sittlichen lebens abgeschnitten würde:
La. Diog. IX 104 πάλιν οἱ δογματικοί φαcι καὶ τὸν βίον αὐτοὺc
ἀναιρεῖν, ἐν ᾧ πάντα ἐκβάλλουcιν ἐξ ὧν ὁ βίοc cυνέcτηκεν. vgl.
Cic. acad. IV 10. La. Diog. VII 129 δοκεῖ δὲ αὐτοῖc μήτε (διὰ) τὴν
διαφωνίαν ἀφίcταcθαι φιλοcοφίαc· ἐπεὶ τῷ λόγῳ τούτῳ προ-
λείψειν ὅλον τὸν βίον, ὡc καὶ Ποcειδώνιόc φηcιν ἐν τοῖc προτρεπτι-
κοῖc. Diod. muste die diaphonie beklagen, da es ihm weniger auf
das dogma einer schule als auf die moralische wirkung der philosophie überhaupt und auf die festigkeit des glaubens, insbesondere
an eine fürsorgende, lohnende und strafende gottheit ankam.
nichts betont er neben dem oft wiederholten, vor übermut und
verzweiflung warnenden hinweise auf den raschen wechsel des
geschickes so sehr wie die überzeugung, dasz der böse von der gottheit bestraft und der gute belohnt werde. dieser wie jener musz den
ihm gebührenden lohn auch durch den tadel und das lob des geschichtschreibers erhalten.

   Auszer diesen populären gedanken finden sich philosophische
sätze bei Diod. nur in den einleitungen, nachrufen, reden und an
einzelnen stellen, wo der gerade behandelte gegenstand eine derartige bemerkung nahe legte. aber diese fast durchweg in populäre
form gekleideten äuszerungen sind doch im allgemeinen dem mechanisch zusammengestellten geschichtlichen stoffe blosz wie ein bei-
werk angefügt, ohne diesen selbst innerlich zu berühren. trotz der
im geiste der stoa gehaltenen einleitung ist Diodors weltgeschichte
keineswegs von einer wahrhaft philosophischen auffassung durchdrungen und getragen. dazu fehlte es ihm an geistiger kraft und
selbständigkeit. es hängt sogar von seinen quellen ab, inwieweit er
die ihm am meisten vertrauten gedanken zum ausdruck bringt oder
sie vollends zu gunsten der in der quelle vertretenen auffassung
zurückdrängt.[9] unter diesen umständen darf man im allgemeinen

   [9] so beginnt die hauptmasse der wunder und vorzeichen bei ihm
erst mit dem heiligen kriege, dh. mit dem schlusse des rationalistischen

mit hoher wahrscheinlichkeit annehmen, dasz gedanken, die in einem abschnitte der bibliothek vorkommen und ihrem verfasser sonst nicht geläufig sind, aus der betreffenden quelle entlehnt worden sind.

Ephoros, dessen auffassung er trotz seines festen glaubens an die mantik in den büchern, in denen er ihm folgt, zweimal zum ausdruck bringt. Herodotos IX 100 erzählt von der wunderbaren göttlichen fügung dasz, als die Hellenen bei Mykale sich zum angriff rüsteten, sich, sie mit gröszerem mute erfüllend, das gerücht von dem an demselben tage bei Plataiai errungenen siege verbreitete, und dasz ein heroldsstab in der brandung gesehen wurde. Ephoros meinte dagegen, die entfernung wäre zu grosz gewesen, als dasz eine kunde von dem siege in Boiotien an demselben tage hätte in Mykale eintreffen können. es wäre das gerücht eine schlaue erfindung des Leotychidas gewesen. Diod. XI 35 folgt unbedenklich seiner rationalisierenden quelle. ebenso erzählt er dann XV 53 nach Ephoros, wie Epameinondas trotz aller mahnungen der ältern leute die berücksichtigung der ungünstigen vorzeichen mit den worten εἷc οἰωνὸc ἄριcτοc ἀμύνεcθαι περὶ πάτρηc ablehnt und das heer ins feld führt ἡγούμενοc τὸν ὑπὲρ τῶν καλῶν λογιcμὸν καὶ τὴν ὑπὲρ τῶν δικαίων μνήμην αἱρετωτέραν εἶναι τῶν παρόντων cημείων. es gelingt ihm auch das heer von seiner deisidaimonie zu befreien. Epameinondas erhält für sein verhalten und seine auf philosophischer bildung beruhenden erwägungen alles lob.

KIEL. GEORG BUSOLT.

(4.)
ZU DEN EPISCHEN FRAGMENTEN DER GRIECHEN.

Dasz ich in den opuscula philologica Bergkiana auch gelegentliche randnotizen veröffentlicht habe, welche Bergk selbst vielleicht nie veröffentlicht haben würde, ist namentlich von MNiemeyer in der besprechung des ersten bandes der kleinen schriften (wochenschrift f. class. phil. 1884 sp. 1187) gemisbilligt, von mir selbst aber bereits früher im rh. museum XL s. 620 anm. gerechtfertigt worden. in derthat hat man mein verfahren nicht überall so ungünstig beurteilt. obwohl sich der natur der sache nach unter den bemerkungen manche notiz von zweifelhaftem oder gar keinem werte, ja sogar falsches findet, so ist ihre veröffentlichung durch das brauchbare, was sie enthalten, doch vollkommen gerechtfertigt: die Baehrenssche ausgabe des Lucilius zb. hat, wie mir eine flüchtige durchsicht zeigt, sechs dieser 'bedauerlichen indiscretionen' der erwähnung für wert gehalten (vgl. zu fr. 34. 176. 390. 552. 604. 750), éine (ex tecto fr. 478) hat sogar den weg in den text gefunden; von den randnotizen zu Ennius annalen hat Baehrens fünf (zu fr. 63. 217. 306. 332. 381) erwähnt und zwei (zu fr. 130 und nochmals zu 306) aufgenommen. dasz man diese unscheinbaren bemerkungen sehr mit unrecht verachten würde, zeigt mir auch eine vor kurzem in diesen jahrb. oben s. 19 veröffentlichte miscelle, die mich überhaupt veranlaszt hat auf diesen punkt zurückzukommen.

Max Schneider behandelt dort einen von GKinkel zur Alexandra des Lykophron 1352 Κίμψον τε καὶ χρυσεργὰ Πακτωλοῦ ποτά in seiner scholienausgabe zuerst veröffentlichten vers, welcher (s. 188) mit den worten eingeführt wird: Πακτωλὸς ποταμὸς Λυδίας χρυσοῦ ψήγματα ἔχων· ὥς φηςι καὶ ἄλλως

   Πακτωλοῦ χρυςέοιςιν ἐπ’ ἀνδήροιςι* θᾶςςον.

Schneider hat erkannt, dasz in dem verdorbenen schlusz das verbum θαάςςειν liegt: ich habe dieselbe vermutung in den kl. schriften II s. 777 als Bergksche vermutung angeführt, nur mit dem unterschiede, dasz Bergk θαάςςων, Schneider aber θάαςςον schreibt. dasz aber auch die einführungsworte ὥς φηςι καὶ ἄλλως unmöglich richtig sein können, hat Schneider nicht erkannt. ein neues scholion zu einer bereits erklärten stelle wird durch ein vorgesetztes ἄλλως eingeführt, aber kein citat; ἀλλαχοῦ wäre denkbar — wenn die stelle aus Lykophron selbst stammen könnte (s. s. 127). wörtliche anführungen erfolgen in den Lykophronscholien gewöhnlich durch einfaches καὶ und ὥς, worauf dann der name folgt, oder durch ὥς καὶ, ὥς φηςι, καί φηςι, μέμνηται δὲ καὶ, καθὰ καὶ fast stets mit folgendem namen: ὥς φηςι καὶ ’Αντίμαχος lesen wir s. 88, ὥς φηςι καὶ Φιλοςτέφανος s. 182. es unterliegt also wohl keinem zweifel, dasz in den schluszworten der einführung der name des verfassers des verses zu suchen ist. wenn man nun nach demjenigen dichter fragt, dessen name mit den formen der überlieferten buchstaben am meisten übereinstimmt, so drängt sich Kallimachos name, welcher in den Lykophronscholien nach Kinkels index 27 mal, dh. nächst Homer am meisten von allen dichtern citiert wird, von selbst auf. auf ihn kann auch ἄνδηρον hinweisen, ein der frühern zeit vollständig fremdes, zuerst aus einem citat des Hypereides bei Harpokration (fr. 116 Blass) bekanntes wort, welches dann aber in der zeit nach Alexander nicht ganz selten (von Lykophron selbst v. 629) gebraucht worden ist. Hecker comm. crit. de anthol. s. 24 wies dem Kallimachos einen vers im Et. Gud. u. κρόκαλα zu, worin sich dasselbe wort findet: ἧχι πολυκροκάλοιο παρ’ ἀνδήροιςι Νεμείης. solche erwägungen, und vielleicht noch andere, waren es nun, welche Bergk bewogen haben werden aus ὥς φηςι καὶ ἄλλως zu machen ὥς φηςι καὶ Καλλίμαχος. gewöhnlich lautet in diesem falle der übergang einfach ὥς καὶ Καλλίμαχος ohne verbum: dasz aber ὥς φηςι καὶ . . ebenfalls dem sprachgebrauch der scholien entspricht, habe ich oben angedeutet.

SEEHAUSEN IN DER ALTMARK.   RUDOLF PEPPMÜLLER.

---

* [leider ist oben s. 19 nicht weniger als fünfmal statt ἀνδήροιςι (ἄνδηρον) gedruckt worden ἀνθήροιςι (ἄνθηρον) infolge undeutlicher schreibung des manuscripts; eine correctur konnte dem hrn. vf. nicht mehr zugesandt werden.   A. F.]

39.
THEOKRITOS VON CHIOS.

Unter dem namen des bukolikers Theokritos ist ein epigramm
(22) überliefert, welches mit den worten beginnt:

einen Theokritos gibts von Chios; ich, schreiber des buchs hier,
bin syrakusischen volks — —.

der hier erwähnte Theokritos von Chios lebte ungefähr gleichzeitig
mit seinem bekanntern namensvetter aus Syrakus. er leitete die
demokratische partei seiner vaterstadt, als Alexander der grosze
nach Asien zog, organisierte den abfall derselben von Makedonien
nach Alexanders tode und wurde schlieszlich bei der wiedereroberung
von Chios durch Antigonos hingerichtet.

Eine kurze biographische notiz über ihn geben Suidas und das
lexikon der Eudokia: 'Theokritos aus Chios war ein rhetor und
schüler des Isokratikers Metrodoros. er schrieb chrien und war ein
politischer gegner des Theopompos. überliefert wird von ihm eine
geschichte Libyens, briefe über wundergeschichten und epideiktische
reden.' seine geburtszeit sowie die namen seiner eltern sind nicht
überliefert, nur ein bruder Demoteles wird einmal (Athen. I 14[e]) als
διαβοητὸς ἐπὶ τῇ cφαιρικῇ erwähnt.[1] seine eltern waren von geringer herkunft, und der knabe wuchs in dürftigen verhältnissen
auf. noch viel später, als er schon längst zu ansehen und wohlstand
gekommen war, wuste sein gegner Theopompos in hämischer weise
zu erzählen, dasz seine mutter keinen ganzen topf im hause gehabt
habe (Athen. VI 230[f]). so konnten denn auf seine erziehung keine
groszen kosten verwendet werden. er konnte nicht, wie der reiche
Theopompos, auf der hochschule zu Athen den groszen Isokrates
hören, sondern muste sich mit einem geringern lehrmeister begnügen. dies war der sonst gänzlich unbekannte Isokratiker Metrodoros. unter diesem machte er die gewöhnlichen übungen durch,

---

[1] einen sohn Theokrits glaubte CMüller (FHG. II s. 86 anm.) entdeckt zu haben. Arrianos erwähnt nemlich IV 13, 4 als teilnehmer an
der verschwörung des Hermolaos gegen Alexander auch einen Ἀντι-
κλέα τὸν Θεοκρίτου. hier soll unser Theokritos gemeint sein. 'quodsi'
sagt Müller 'is noster est Theocritus Chius, vel hinc facile intelligitur,
cur infensissimo in Alexandrum animo fuerit.' dagegen ist aber zu bemerken zunächst, dasz der blosze name Theokritos doch nicht zu einer
identificierung mit unserm Theokritos genügt. sodann aber sagt Arrianos
ausdrücklich, die verschwörer gegen Alexanders leben seien söhne makedonischer groszen (παῖδες τῶν ἐν τέλει Μακεδόνων) gewesen. seit
Philippos war es nemlich brauch, die kinder der vornehmen Makedonier
an das hoflager zu schicken, wo sie, gleich den pagen des mittelalters,
in allen ritterlichen künsten und fertigkeiten unterrichtet wurden. das
war die *regia cohors* (Curtius VIII 6), das *seminarium ducum praefectorum-*
que apud Macedones, und in diese hocharistokratische gesellschaft sollte
ein sohn des demokraten von Chios aufnahme gefunden haben?

die auf das öffentliche auftreten vorbereiteten, und wird sich bald
den demokraten angeschlossen haben.

In der that war er durch die stellung seiner familie durchaus
auf die demokratische partei hingewiesen: nur in verbindung mit
ihr konnte er sich hoffnung auf unterstützung und emporkommen
machen. so begann er auf dem markt und vor gericht in ihrem
interesse zu wirken und wurde in kurzer zeit durch seine populäre
art zu sprechen ihr erster redner und durch seine satirischen bonmots
allgemein bekannt und gefürchtet. bald sollte für ihn und seine
partei die zeit ernsthafter kämpfe kommen.

Seine vaterstadt Chios, die seit dem bundesgenossenkrieg selbständig war, hatte sich auf der tagsatzung zu Korinth dem bunde
mit Philippos angeschlossen. trotzdem ergab sie sich, als Alexander
nach Asien kam, auf veranlassung der oligarchen, die damals am
ruder waren, den Persern und nahm eine besatzung auf. das war
angesichts eines starken, alte griechische traditionen verfechtenden
heeres ein schwerer politischer fehler, und die demokraten ver-
säumten nicht denselben auszunutzen. sie begannen im geheimen
gegen den adel zu wühlen und für den anschlusz an Alexander und
erhebung gegen den persischen erbfeind zu agitieren. auf die nachricht von dem siege bei Issos brach eine revolte gegen das aristo-
kratische regiment aus; die demokraten riefen die makedonischen
admirale Amphoteros und Hegelochos herbei, welche die stadt be-
setzten, die persische besatzung über die klinge springen lieszen und
den demokraten die communalverwaltung übergaben.

Alexander war damals gerade in Ägypten; deshalb teilte sich
das makedonische geschwader, und Hegelochos überbrachte dem
könige persönlich die nachricht von den erfolgen der seemacht. zugleich führte er auf seinen schiffen die vornehmsten der aristokraten
von Chios gefangen mit sich, welche vom könige mit deportation
nach der ägyptischen stadt Elephantine[2] bestraft wurden. Amphoteros, der andere admiral, war indessen vorläufig in dem occupierten
gebiete als befehlshaber zurückgeblieben. aber seine truppen be-
nahmen sich nicht allzu löblich. als Alexander aus Ägypten zurückkam, erteilte er in Tyros mehreren gesandtschaften aus Athen,
Rhodos und Chios audienz. die Athener baten um freilassung ihrer
am Granikos gefangenen landsleute, *Rhodii et Chii de praesidio quere-*

---

[2] hierauf beziehe ich eine bemerkung des Laërtios Diogenes
V 1, 11, der erzählt, Theokritos habe τὴν εὐμορφίαν eine ἐλεφαντίνην
ζημίαν genannt. in dieser form kann der bericht des Diogenes nicht
richtig sein, wenigstens haben wir keinen einzigen wahrscheinlichkeits-
grund dafür, dasz der demagoge von Chios sich in seinen muszestunden
mit ästhetischen fragen über wesen und wert der schönheit beschäftigt
habe. ich glaube dasz diese bemerkung Theokrits sich nicht auf die
εὐμορφία, sondern auf die εὐγένεια (den adel) bezog. Aristoteles sagte,
die εὐγένεια sei ein ἀρχαῖος πλοῦτος (pol. IV 6, 5); Theokritos meinte
dagegen, sie sei eine ζημία, freilich eine glänzende (ἐλεφαντίνη), denn
die εὐγενεῖς seien ja nach Ἐλεφαντίνη gekommen.

bantur. omnes aequa desiderare visi inpetraverunt (Curtius IV 8,12),
καὶ τοὺς αἰχμαλώτους ἀφῆκεν Ἀθηναίοις (Arrianos III 6, 2). die Chier
hatten um einen wechsel im commando gebeten, weshalb der könig
Ἀμφοτερὸν πέμπει βοηθεῖν Πελοποννησίων ὅσοι ἔς τε τὸν Περσι-
κὸν πόλεμον βέβαιοι ἦσαν καὶ usw. Chios wurde wahrscheinlich dem
neu ernannten gouverneur für Lydien, Menandros, mit unterstellt,
wenigstens wird ein besonderer commandant von Chios nicht erwähnt.[3] der neue gouverneur scheint ein mildes regiment geführt
zu haben, er konnte das mit gutem grunde. die perserfreundlichen
optimaten waren ja verbannt, und die demokraten, die jetzt das stadt-
regiment führten, muste man völlig auf makedonischer seite glauben,
war die stadt doch *incolis ultro vocantibus* (Curtius IV 5, 14) von
den Makedoniern besetzt worden.

Aber man irrte sich. allerdings hatten die patrioten sich makedonischer unterstützung gegen aristokraten und Perser bedient, aber
sie hatten gar keine lust die eine abhängigkeit mit der andern zu
vertauschen und aus persischen unterthanen makedonische zu werden. bald begann sich unzufriedenheit mit der makedonischen occupation zu äuszern, und diese unzufriedenheit griff weiter um sich, als
man einsah, dasz es sich durchaus nicht nur um das ideale gut der
freiheit handle, sondern ebenso sehr um die höchst realen güter des
geldbeutels. denn abgesehen von den kosten, welche die besatzungs-
truppen verursachten, waren die lieferungen, welche Alexander den
unterworfenen städten auflegte, nicht gering und konnten auch einer
reichen stadt wie Chios wohl drückend werden. Chios hatte, wie
viele städte am Mittelmeer, bedeutende purpurfärbereien. deshalb
hatte Alexander einst, so erzählen Athenaios und Plutarchos, seine
befehlshaber in Kleinasien angewiesen in den ionischen städten und
besonders in Chios den für seine hofhaltung nötigen purpur zu
requirieren. es war eine enorme leistung; im stadtrate von Chios
zerbrach man sich vergebens den kopf wegen der aufbringung der
nötigen gelder, und allgemein hiesz es, Chios würde nicht im stande
sein einen solchen schlag auszuhalten. Theokritos aber, der zugegen
war, meinte ironisch, man solle doch nicht alles nur vom finan-
ziellen standpunkt aus betrachten. für die Homerexegese zb. sei das

---

[3] ASchaefer (Demosthenes III 170) meint in bezug auf jene gesandtschaften: 'Alexander empfieng alle aufs gnädigste und liesz keine bitte
unerhört. Chios und Rhodos wurden von der eingelegten makedonischen besatzung befreit.' davon wird aber nirgends etwas erzählt;
es ist auch nicht wahrscheinlich, weil dann die Chier mit der austreibung
des ihnen misliebigen Theopompos gar nicht bis μετὰ τὸν Ἀλεξάνδρου
θάνατον (Photios s. 120) hätten zu warten brauchen, weil dann überhaupt
der ganze bald beginnende kampf zwischen der makedonischen und patriotischen partei gegenstandslos und unmöglich gewesen wäre. auszerdem
beweisen die Chios auferlegten drückenden lieferungen (wie die Athen.
XII 539[f] erwähnte), dasz es vollständig als unterworfenes gebiet behandelt wurde. dann versteht es sich aber ganz von selbst, dasz ein zur
bewachung genügendes detachement auf der insel zurückbleiben muste.

schreiben Alexanders sehr instructiv. jetzt wisse man doch wenigstens
was Homer Ε 83 habe sagen wollen: 'und es ergriff ihn der purpurne
tod und das grause verhängnis.'⁴ man kann sich denken, wie dieses
bittere wort von mund zu mund gieng und die herschende ver-
stimmung des volkes noch verschärfen muste.   \

Theokritos, der schon früher hervorgetreten sein mochte, war
nach der revolution gegen den adel bald das haupt einer partei geworden. sein programm war: unabhängigkeit, wie früher von Persien,
so jetzt von Makedonien. und so entbrannte denn unter seiner führung nach dem weitermarsch des königlichen heeres in Chios der
kampf zwischen der regierungspartei und den patrioten. die erstere
hatte sich natürlich wesentlich unter dem einflusz der makedonischen
sarissen gebildet, zum groszen teil bestand sie aber auch aus wirklichen feinden der demokratischen partei. der hervorragendste unter
den letzteren war der geschichtschreiber Theopompos, der zur zeit
des zweiten attischen bundes mit seinem vater ἐπὶ λακωνιϲμῷ τοῦ
πατρὸϲ ἁλόντοϲ (Photios ao.) hatte fliehen müssen. andere Makedonierfreunde, die aus irgend einem grunde die reiche handelsstadt
zu ihrem wohnsitze ausgesucht hatten, verstärkten die partei. zu
diesen gehörte Anaximenes aus Lampsakos.

Anaximenes war lehrer Alexanders gewesen und folgte ihm
nach Suidas bericht auf dem zuge nach Persien. lange aber kann
diese begleitung jedenfalls nicht gedauert haben: denn er spielt auf
dem Alexanderzuge gar keine rolle und wird überhaupt sonst von
niemand unter den begleitern Alexanders erwähnt. man wird daher
annehmen müssen, dasz er einen teil des zuges mitmachte, später
aber zurückblieb. wohin gieng er nun damals? nach Chios. dies
musz man daraus schlieszen, dasz ein so gewissenhafter und glaubwürdiger historiker wie Hermippos von Smyrna (Athen. I 21ᶜ) von
einem verkehr zwischen Anaximenes und Theokritos zu erzählen
wuste und auch andere anekdoten einen solchen verkehr zur voraussetzung haben (Stobaios anth. II 39). da nemlich von einer reise
Theokrits, auf welcher er mit Anaximenes zusammengetroffen sein
könnte, gar nichts bekannt ist, so bleibt nur die annahme übrig,
dasz jener verkehr in Chios stattgefunden, Anaximenes also eine zeit
lang dort gewohnt habe. und diese annahme wird dadurch bestätigt,
dasz Anaximenes thatsächlich auch ὁ Χῖοϲ genannt wird. so spricht
Lukianos (Herod. c. 3) von der sitte der alten historiker teile ihrer
schriften vorzulesen und sagt, auszer Herodotos hätten dasselbe auch
die sophisten Hippias, Prodikos, sowie Anaximenes von Chios gethan.
meiner meinung nach ist hier niemand anders gemeint als unser
Anaximenes, von dessen öffentlichen vorträgen uns auch durch La.
Diogenes (VI 2, 6) berichtet wird. Lukianos worte bestätigen also, was

⁴ der witz gefiel den alten, deshalb wurde er auch dem universal-
witzbold Diogenes in den mund gelegt. dieser θεαϲάμενόϲ ποτε πορ-
φυροκλέπτην πεφωραμένον ἔφη · «ἔλλαβε πορφύρεοϲ θάνατοϲ καὶ μοῖρα
κραταίη» (La. Diog. VI 2, 6).

man schon aus andern gründen vermuten muste, dasz Anaximenes längere zeit in Chios gelebt habe und deshalb auch als Chier bezeichnet worden sei.[5] die veranlassung zu dieser übersiedlung nach Chios scheint mir die freundschaft mit Theopompos gewesen zu sein. allerdings widerspricht dieser vermutung auf den ersten blick die thatsache, dasz Theopompos und Anaximenes eine zeitlang verfeindet waren. Pausanias VI 18 berichtet nemlich, dasz Anaximenes, ὥc οἱ διαφορὰ ἐc Θεόπομπον ἐγεγόνει, diesen durch ein pamphlet discreditiert habe. aber dieser διαφορά musz ein freundschaftliches verhältnis der beiden vorhergegangen sein. denn Theopompos und Anaximenes waren bekenner derselben philosophischen lehre, sie waren beide kyniker. Anaximenes war directer μαθητὴc Διογένουc τοῦ Κυνόc (Suidas udw.), und Theopompos, der sonst als Isokratiker alle philosophie für μικρολογία halten muste, lobte den Antisthenes ausnehmend (La. Diog. VI 1, 8) und warf selbst Platon plagiate aus ihm vor (Athen. XI 508 c). bei solcher harmonie in den philosophischen grundsätzen musz man wenigstens anfängliche freundschaft zwischen den beiden annehmen. ich lege mir daher die sache so zurecht, dasz Theopompos nach der eroberung von Chios sich an seinen philosophischen collegen Anaximenes gewandt, wie zb. auch die stadt Lampsakos gethan hatte (Paus. ao.), und um seine vermittlung bei Alexander betreffs der rückkehr gebeten hat. Alexander genehmigte die bitte seines lehrers, und Theopompos lud zum danke dafür Anaximenes nach Chios ein, wo sie an die spitze der makedonischen partei traten, später aber allerdings selbst an einander gerieten.

Als bekannter historiker, freund des Theopompos, besonders als lehrer Alexanders wurde Anaximenes natürlich von seiner partei mit groszer auszeichnung behandelt. durch seine persönlichkeit freilich konnte er nicht viel wirken. er war ein herzlich unbedeutender mensch, sehr gründlich und sehr pedantisch. er verfaszte in zwölf büchern eine griechische geschichte, die mit Adam und Eva anfieng oder sogar noch etwas früher, nemlich ἀπὸ θεογονίαc καὶ ἀπὸ τοῦ πρώτου γένουc τῶν ἀνθρώπων (Diod. XV 89). nach damaliger historikerunsitte liesz er seine feldherrn vor beginn jeder schlacht höchst gewaltthätige reden halten, auf die er sich jedenfalls viel zu gute that, von denen aber der vernünftige Plutarch (πολιτ. παραγγ. 6 s. 803 b) meinte: οὐδεὶc cιδήρου ταῦτα μωραίνει πέλαc. sein stil war unbeholfen und farblos (τετράγωνοc καὶ ἀcθενήc Dion. Hal. Isaios 19 s. 626 R.), und die worte flossen ihm durchaus nicht, wie weiland Nestor, gleich honig von den lippen. dennoch hielt er es für angezeigt bisweilen zum volke zu reden. wie aber sein eigner lehrmeister Diogenes über sein redetalent dachte, steht bei La. Diogenes VI 2, 6 sehr erbaulich zu lesen. wenn er in Chios auftrat, machte

---

[5] eine veränderung des 'Αναξιμένηc in Ξενομήδηc, wie Müller (FHG. II s. 43) vorschlägt, scheint mir daher nicht begründet.

Theokritos sich gewöhnlich aus dem staube. sein gerede kam ihm
immer vor wie 'ein tropfen verstand in einem meer von phrasen'
(Stob. anth. II 39).[6] im übrigen war Anaximenes ein wohlbeleibter
herr, als schüler des hundes Diogenes im costüm natürlich durchaus
'echt'. Theokritos unterliesz es daher auch nicht sich bei gelegenheit weidlich über kynische 'ruppigkeit' lustig zu machen. er erklärte
es einfach für ein zeichen von mangelhafter bildung, mit weinbergs-
pfählen und philosophenmähnen umherzulaufen, blosz weil irgend
ein anderer narr das vorgemacht habe.[7] Anaximenes aber liesz sich
derartiges wenig anfechten: ὅcοι γὰρ τὰ καλῶc ῥηθέντα ἢ πρα-
χθέντα διὰ φθόνον οὐκ ἐπαινοῦcι, πῶc οὗτοι ἂν τοῖc ἔργοιc ὠφε-
λήcειαν; (Stob. anth. II 52.)

Weit weniger harmlos als Anaximenes war der andere vertreter
der regierungspartei, T h e o p o m p o s. aus einer reichen aristokraten-
familie von Chios entsprossen hatte er früh seine heimat verlassen
müssen, war weit herumgekommen, der beste schüler des Isokrates,
gleich gewandt mit der feder wie auf der tribüne, und allgemein gefürchtet wegen seiner scharfen zunge. ihn konnte Theokritos nicht so
einfach bei seite schieben wie die schwerfällige nullität Anaximenes.
schon in ihrer jugend mögen die beiden sich oft gegenübergestanden
haben, der witzige vorstadtjunge und der arrogante aristokraten-
sohn, der in fremder leute küche so gut bescheid wuste. sie sollten
ihr leben lang feinde bleiben. kaum war Theopompos nach Chios
zurückgekehrt, als der alte streit wieder entbrannte, und der preis,
um den es gieng, war die freiheit von Chios. die geschichte dieses
kampfes ist für uns nicht mehr zu verfolgen. die berichte der alten
über denselben haben sich verflüchtigt bis auf die namen der vor-
kämpfer Theokritos und Theopompos: Θεόπομποc ὁ cυγγραφεὺc
καὶ Θεόκριτοc ὁ cοφιcτὴc ἀντεπολιτεύcαντο ἀλλήλοιc (Strabon
XIV 645. Suidas u. Θεόκριτοc).

---

[6] dasz er auch zu recitieren pflegte, berichtet Lukianos. nun sind
uns von Theokr. zwei äuszerungen über schlechte recitatoren erhalten:
'einst fragte ihn ein jämmerlicher recitator, was ihm an seinem vortrag
am besten gefallen hätte; «das was du nicht gesagt hast» war die antwort' (Stob. anth. IV 283). in einer andern anekdote ist der schlechte
recitator ein schulmeister (Stob. anth. I 104). diesen fragte Theokr.:
'weshalb docierst du eigentlich nicht mathematik?' «das habe ich nicht
gelernt.» 'ja, das recitieren hast du aber auch nicht gelernt.' ich möchte
glauben, dasz diese dicta ursprünglich an die adresse éines und desselben, nemlich unseres Anaximenes, gerichtet gewesen .seien.
[7] Athen. I 21.ᶜ Ἕρμιπποc δέ φηcι Θεόκριτον τὸν Χῖον ὡc ἀπαίδευτον
μέμφεcθαι τὴν Ἀναξιμένουc περιβολήν. RGeier (scriptores hist. Alex.
s. 283) erklärt περιβολή als 'oratio circumiecta' und bezieht den tadel
Theokrits auf die 'oratio nimis ornata' des Anaximenes. wer den
Athenaios aufschlägt, sieht dasz diese erklärung unmöglich ist. denn
Athen. spricht an der bezeichneten stelle gar nicht von stilarten oder
dgl., sondern von der cτολῆc εὐπρέπεια καὶ cεμνότηc. hierauf, sagt
er, hätten die alten sehr viel gehalten: ἔμελε δὲ αὐτοῖc καὶ τοῦ κοcμίωc
ἀναλαμβάνειν τὴν ἐcθῆτα καὶ τοὺc μὴ τοῦτο ποιοῦνταc ἔcκωπτον.

Nur das ist thatsache, dasz in diesem streite zwischen der patriotischen und der makedonischen partei die letztere in der bürgerschaft immer mehr an boden verlor, so dasz die wenigen treu gebliebenen endlich in eine.wenig beneidenswerte lage gerieten. der makedonische gouverneur von Lydien, Menandros, mochte den ganzen streit für müsziges bürgergezänk halten, jedenfalls that er nichts zur unterstützung der regierungspartei. Theopompos sah ein, dasz dieselbe der auflösung verfallen sei, wenn ihr nicht wenigstens moralische hilfe zu teil würde. und da diese von der zunächst vorgesetzten behörde nicht zu erlangen war, so beschlosz er sich über ihren kopf hinweg direct klageweise an den könig selbst zu wenden: ἐπέϲτελλέ τε πολλὰ κατὰ Χίων Ἀλεξάνδρῳ (Suidas u. Ἔφοροϲ b).

Alexander war gerade aus Indien zurückgekommen, als er auszer vielen anderen klagen über die von ihm eingesetzten statthalter auch die eingabe Theopomps erhielt. von derselben sind zwei bruchstücke auf uns gekommen. in dem ersten berichtet Theopompos über die privatverhältnisse Theokrits. 'dieser mensch' schreibt er entrüstet 'trinkt jetzt aus gold und silber, und sein tafelgeschirr ist ebenso kostbar. dieser mensch, der früher nicht an silber dachte, ja nicht einmal zinnernes geschirr hatte, sondern aus einem irdenen napfe trinken muste, der oft genug nicht einmal ganz war' (Athen. VI 230ᶠ). 'geschmackloser klatsch' werden wir sagen und deshalb von Theokritos nicht geringer denken. auch Theokritos meinte kaltblütig, es sei ja eine alte geschichte τοὺϲ πολλοὺϲ τῶν πλουϲίων ἐπιτρόπουϲ εἶναι, ἀλλὰ μὴ δεϲπόταϲ τῶν χρημάτων (Stob. anth. I 275), Theopompos würde auch wohl einer von diesen geizkragen sein. wenn sein namensvetter aus Syrakus damals schon gelebt hätte, würde er vielleicht auch citiert haben:

thoren! was nützen euch denn im kasten die haufen des goldes? das ist nicht der gebrauch, den verständige machen vom reichtum (16, 22).

Theopompos aber dachte über diesen punkt anders. er hielt es für eine heilige pflicht alles auf das schärfste zu tadeln, was seinen anschauungen von ehrbarer lebensführung und zulässigem comfort nicht entsprach. er war kyniker und bewunderte den Antisthenes καί φηϲι δεινόν τε εἶναι καὶ δι᾽ ὁμιλίαϲ ἐμμελοῦϲ ὑπαγαγέϲθαι πάνθ᾽ ὁντινοῦν.[8] besonders gefielen ihm an den kynikern ihre lakonischen allüren, die ja auch im hause Theopomps träditionell waren. Diogenes hatte trotz seiner laterne auf der ganzen welt nirgends männer gefunden, knaben allein in Lakedaimon (La. Diog. VI 2, 4). so preist denn auch Theopompos in seinen schriften die lakonischen haudegen Lysandros und Agesilaos, rühmt spartanische sitte und einfachheit (FHG. I 21. 22. 23), während ihm alles zuwider ist, was irgend nach luxus aussieht. obgleich er Philippos von Makedonien sehr

---

[8] La. Diog. VI 1, 8. hierdurch veranlaszt scheint das urteil des La. Diog. VI 2, 10 über den kyniker Diogenes: θαυμαϲτὴ δέ τιϲ ἦν περὶ τὸν ἄνδρα πειθώ, ὥϲτε πάνθ᾽ ὁντινοῦν ῥᾳδίωϲ αἱρεῖν τοῖϲ λόγοιϲ.

hoch schätzte, konnte er es doch nicht lassen gelegentlich über seine
eleganten höflinge zu spotten. 'gab es da' so fragt er in komischem
eifer 'nicht männer, die sich sogar jeden tag sorgfältig zu rasieren
pflegten?' (FHG. I 320. 239.) wenn ihm aber schon das rasieren
als der gipfel von ausschweifung erschien, was muste er erst von
dem leben Theokrits denken, abgesehen davon dasz der sünder in
unserm falle ein parvenu und noch dazu ein demokratischer war?
aber trotz alledem drängt sich einem doch die frage auf: was be-
zweckte eigentlich Theopompos mit diesen expectorationen über den
luxus Theokrits? wie konnte das erwähnte bruchstück platz finden
in einer anklageschrift gegen Theokritos? sollte er vielleicht wegen
verschwendung unter curatel gestellt werden?

Auf diese fragen wird uns das zweite bruckstück antwort geben.
dasselbe handelt über eine ganz andere persönlichkeit, über Harpalos,
den schatzmeister Alexanders (FHG. I 277. 278). dieser war vom
könige zur verwaltung der groszen cassen in Ekbatana zurückgelassen, hatte aber statt dessen auf staatskosten ein lustiges leben geführt und manche zarte liaison angeknüpft. der letzte punkt war
natürlich Theopompos vor allem ein gräuel: er verbreitet sich in
seiner eingabe sehr ausführlich über denselben und bekundet hier
stellenweise höchst verdächtige pornologische kenntnisse. 'besonders bitte ich die beiliegenden berichte von Babylon über das begräbnis der Pythionike beachten zu wollen. besagte Pythionike war
nemlich eine sklavin der flötenspielerin Bakchis. diese Bakchis gehörte zu dem bordell der Thrakerin Sinope, die mit ihren weibern
von Aigina nach Athen gekommen war. Pythionike war also erst
eine sklavin und h— dritter garnitur. und diesem frauenzimmer,
das, wie stadtbekannt, für jeden zu haben war, hat Harpalos einen
tempel unter dem namen Aphrodite Pythionike geweiht und ihr
zwei denkmäler errichtet, die mehr als 900000 mark gekostet haben.
die sache hat natürlich um so mehr anlasz zu allgemeiner entrüstung
gegeben, als es weder ihm noch irgend einem andern gouverneur bis
jetzt eingefallen ist den tapfern, die für den thron des königs und
für die freiheit von ganz Hellas bei Issos geblutet haben, eine an-
ständige grabstätte zu bereiten. sodann hat er nach ihrem tode sich
von Athen die Glykera verschrieben. diese erhielt als wohnsitz das
königliche schlosz in Tarsos und liesz sich vom volke als königin verehren' usw.

Man erkennt leicht, worauf Theopompos hinaus will; Harpalos
hatte ja das zu allen diesen nobeln passionen nötige geld aus den
ihm anvertrauten königlichen cassen entnommen. zugleich ergibt
sich auch aus der stelle über die gefallenen von Issos, wo er sagt
dasz οὔτε Ἅρπαλος οὔτε ἄλλος οὐδεὶς τῶν ἐπιστατῶν sich um sie
bekümmert habe, das oben angedeutete durchaus nicht freundschaft-
liche verhältnis des briefschreibers zu den gouverneuren Alexanders.
nur éine frage drängt sich einem auch bei der lectüre dieses brief-
fragmentes wieder auf: wie in aller welt kommt Theopompos dazu

in einem briefe κατὰ Χίων diesen Harpalosskandal anzubringen?
was hatte Harpalos denn mit Chios zu thun? Droysen (gesch. Alex.
s. 494) ist auf diese frage nicht eingegangen; Müller (FHG. I
s. LXXIII) meint: 'in hac epistola Theopompus egit de statu Chio-
rum civitatis perstrinxitque hominum, qui tunc rem publicam ad-
ministrabant, perversitatem morumque pravitatem. princeps eorum
fuit Theocritus ille, quem noster tamquam hominem corruptis moribus et luxuria sua insignem cum Harpalo composuisse videtur.'
ich kann diese vermutung Müllers nicht für glücklich halten, da mir
ein derartiger höchst überflüssiger vergleich zwischen Theokritos
und Harpalos dem charakter einer anklageschrift wenig zu entsprechen scheint.

Meiner meinung nach gibt es auf obige fragen nur éine antwort: da Harpalos in einer anklageschrift gegen Chios figuriert, so
musz er eben damals in Chios gewesen sein. er war ja auch keineswegs in seinem stillen cassenbureau zu Ekbatana geblieben, sondern
war fröhlich im neuen makedonischen reiche umhergezogen, war
nach Babylon gekommen, nach Rhossos und Tarsos, und so kam er
zuletzt, schon entschlossen nach Griechenland hinüberzugehen, auch
nach Chios. er kam mit vollem beutel, die bürgerschaft war nicht
so zimperlich wie etwas später die athenische: er wurde trotz des
widerspruchs der makedonisch gesinnten aufgenommen. böse zungen
sprachen von bestechung der beamten; besonders verdächtigte man
éinen, Theokritos — und nun wissen wir auch was Theopomps
tiraden über den luxus seines gegners sollen. da war der reiche
Harpalos mit all dem gestohlenen gelde angekommen, zugleich ent-
faltete Theokritos, der früher so arm gewesen war wie eine kirchen-
maus, einen ungemessenen luxus. wo kam das geld her? natürlich
war Theokritos bestochen, er war also indirect an der beraubung der
königlichen cassen beteiligt. der gouverneur Menandros aber steckte
offenbar mit beiden unter éiner decke, jedenfalls hatte er in keiner
weise das interesse seines königs wahrgenommen. deshalb hielt ein
guter patriot wie Theopompos es für seine pflicht, sich direct an
den könig zu wenden und ihn über das saubere trio Harpalos,
Menandros, Theokritos aufzuklären, wobei denn auch für die übrigen gouverneure hier und da eine bösartige bemerkung abfallen
konnte. so gestaltete sich das cuμβουλευτικὸν πρὸς Ἀλέξανδρον zu einer klage- und beschwerdeschrift über einen bedeutenden
teil der von Alexander eingesetzten verwaltung. sie zeigte dem
groszen könig, auf wie schwachen füszen sein junges reich stand
und wie wenig er sich auf die männer verlassen konnte, die ihm
alles verdankten.

Als Alexander aus Indien zurückkehrte, verhängte er über die
im westen zurückgelassenen satrapen ein furchtbares strafgericht
(Arr. VI 27. Plut. Alex. 68. Just. XII 10. Diod. XVII 106. Curtius
X 1). das schreiben Theopomps konnte auf diese maszregel des
königs nicht ohne einflusz geblieben sein. so wurde er bei den make-

donischen generalen ebenso verhaszt, wie er es bereits in Chios war, und bald sollte dieser hasz ihm verhängnisvoll werden.

Der grosze könig war gestorben. mitten unter den umfassendsten rüstungen zu einem neuen zuge hatte in Babylon ihn der tod ereilt. und sofort zeigten sich an dem riesenbau der makedonischen weltmonarchie die spuren des beginnenden verfalls. unter den feldherrn Alexanders erhob sich streit über die nachfolge, und die Griechen im mutterlande und in den colonien beeilten sich die hierdurch entstandene verwirrung zur wiedererlangung ihrer freiheit zu benutzen. in Griechenland begann der lamische krieg, Rhodos und Ephesos vertrieben ihre makedonischen besatzungen, überall ward die unabhängigkeit erklärt. auch in Chios regten sich aufs neue alte hoffnungen und wünsche. kaum war die todesnachricht eingelaufen, als die bürgerschaft sich auf dem markte versammelte und Theokritos die rednerbühne bestieg. 'ihr männer von Chios' so begann er 'man pflegt wohl zu sagen, dasz in unserer zeit keine wunder mehr geschehen. aber ich kann dieser meinung nicht zustimmen. kommt uns doch so eben die nachricht, dasz in Babylon der sohn des Zeus gestorben ist. so sterben also heute die götter vor den menschen. wo aber solche wunder und zeichen geschehen, da brauchen auch wir noch nicht zu verzweifeln'[9] — und dann entwickelte er seine pläne zur befreiung von Chios. unter seiner führung wurde die makedonische besatzung zur capitulation gezwungen, und mit ihr musten die wenigen Makedonierfreunde abziehen. an ihrer spitze Theopompos. dieser wandte sich um beistand an das nächste militärische commando. aber kein mensch wollte mit dem denuncianten von Chios etwas zu thun haben, man erklärte ihn für einen lästigen πολυπράγμων, der sich in dinge mische, die ihn nichts angiengen, und freute sich über sein unglück. so πανταχόθεν ἐκπεσών, erzählt Photios, sei er endlich nach Ägypten geflohen und habe hier mit mühe bei Ptolemaios aufnahme gefunden.

Wir haben kein directes zeugnis über den abfall von Chios, derselbe wird nirgends wie der von Rhodos und Ephesos ausdrücklich erzählt. selbst die verbannung Theopomps kann nicht als genügender beweis für den abfall gelten: denn diese hätte, bei der feindschaft die gegen Theopompos auch unter den makedonischen generalen herschte, ja allenfalls im einverständnis mit ihnen bewirkt werden können. soviel ich sehe, gibt es nur éinen beweis dafür, dasz Chios wirklich abfiel: das sind die vorgänge bei der besetzung von Chios durch Antigonos. als Antigonos nach Chios kommt, fordert er Theokritos zu einer unterredung auf, um λόγον δοῦναι καὶ λαβεῖν (Plut. de puer. educ. 14), und gibt ihm sein ehrenwort *quod ei parsurus esset* (Macrobius *Sat.* VII 3, 12). hieraus folgt direct:

---

[9] Clemens Alex. cohort. ad gent. s. 61 ed. Paris. Θεόκριτος πρὸς τοὺς πολίτας «ἄνδρες» εἶπεν «θαρρεῖτε ἄχρις ἂν ὁρᾶτε τοὺς θεοὺς πρότερον τῶν ἀνθρώπων ἀποθνήσκοντας». er erhielt für diesen witz von Clemens das prädicat θεῖος σοφιστής.

1) es war in Chios keine makedonische behörde, mit der Antigonos unterhandeln konnte;

2) er unterhandelte mit Theokritos wie mit einem gleichberechtigten souverän (λόγον δοῦναι καὶ λαβεῖν);

3) Theokritos lebte mit den Makedoniern auf kriegsfusz, so dasz ihm persönliche sicherheit garantiert werden muste.

Dies alles ist aber nur unter der bedingung möglich, dasz Chios unabhängig von Makedonien, also abgefallen war. dasz dieser abfall sofort nach Alexanders tod geschah, als auch die andern griechischen staaten abfielen, ist durchaus wahrscheinlich, wenn es auch nicht positiv bewiesen werden kann.

So war denn Chios befreit, die bürgerschaft ganz demokratisch und Theokritos ihr unumschränkter gebieter. wie ungemein beliebt er gewesen sein musz, erkennt man an den vielen anekdoten und witzigen aperçus, die noch lange von ihm im volke umliefen und durch die samler der spätern zeit auch auf uns gekommen sind. alle sind charakteristisch durch treffenden witz und eine gewisse rücksichtslose grobheit, die vielfach an die kynischen witze des Diogenes erinnert. er wurde einmal von einem schwätzer gefragt, wo er morgen zu sehen wäre: 'da, wo du nicht zu sehen bist' war die antwort (Stobaios anth. II 32). dem schlemmer Diokles war seine frau gestorben. als er nun dieser das leichenmahl angerichtet hatte und jämmerlich heulend zu tische sasz, übrigens einen ganz gesegneten appetit entwickelte, meinte Theokritos: 'so höre doch auf so gefräszig zu trauern, damit wird sie auch nicht wieder lebendig.'[10] ein anderer witz über denselben Diokles läszt sich im deutschen nicht wiedergeben. es ist allerdings nur ein gewöhnlicher Kalauer: τοῦ δ' αὐτοῦ καὶ τὸν ἀγρὸν καταβεβρωκότος εἰς ὀψοφαγίαν, ἐπειδὴ θερμόν ποτε καταβροχθίσας ἰχθὺν ἔφησε τὸν οὐρανὸν (gaumen) κατακεκαῦcθαι «λοιπόν» ἔφησεν «ἐςτίν» ὁ Θεόκριτος «coὶ καὶ τὴν θάλασσαν ἐκπιεῖν, καὶ ἔςῃ τρία τὰ μέγιστα ἠφανικώς, γῆν καὶ θάλασσαν καὶ οὐρανόν» (himmel). diese und andere dicta des gefeierten demagogen wurden lange zeit von mund zu mund getragen, verändert, willkürlich und unwillkürlich, neue wurden hinzugemacht und der name Theokrits so allmählich ein collectivbegriff, unter dem man alle

---

[10] diese anekdote wird verschieden erzählt, die obige fassung steht bei Athen. VIII 344ᵇ. ich halte dieselbe für die ältere, weil der an sich bedeutungslose name des feinschmeckers und die ebenso gleichgültige veranlassung des leichenschmauses erwähnt wird. je länger ein witz erzählt wird, desto abgegriffener wird er, dh. alles zufällige und für die hauptsache gleichgültige wird abgestreift, dagegen der eigentliche witz womöglich immer schärfer pointiert. Stobaιos anth. IV 133 erzählt ganz einfach: Θεόκριτος ἐν περιδείπνῳ τοῦ πενθοῦντος λαιμάργως ἐςθίοντος· «θάρρει, βέλτιστε» εἶπεν «οὐ coὶ μόνῳ ταῦτα γέγονεν.» der zufällige name Diokles und die veranlassung des leichenschmauses ist verschwunden, dagegen ist die harmlose motivierung in der ältern fassung ('sie wird ja doch nicht wieder lebendig') durch eine neue grobheit ersetzt (οὐ coὶ μόνῳ ταῦτα γέγονε): 'lasz andern auch etwas — zu trauern übrig.'

mögliche gute oder auch schlechte witze vereinigte. gewöhnlich erkennt man diese 'dicta pseudotheocritea' daran, dasz sie mit dem
ganzen sonstigen charakter Theokrits in widerspruch stehen. derselbe war, nach allem was wir wissen, eine durchaus satirische natur,
ein witzling, der kränken und verletzen wollte, der thatsächlich für
eine bissige sottise aufs schafot gieng. hierzu wollen aber manche
anekdoten nicht besonders passen. als Theokritos von einem streit-
süchtigen menschen gefragt wurde, ob die tugend nützlich sei (für
einen Theokritos gewis eine höchst spaszige anfrage), schüttelte er
den kopf, um ihm durch seine antwort keine gelegenheit zum disputieren zu geben (Stobaios anth. II 40). und als ein anderer streit-
süchtiger ihm eifrig und zänkisch opponierte, sagte er: ὡc ἔρις
ἐκ τε θεῶν ἐκ τ' ἀνθρώπων ἀπόλοιτο (Hom. N 108). für einen
volksmann vom schlage Theokrits, einen agitator, der von streit und
opposition lebt, scheinen solche scherze wirklich zu zahm." ein
richtiger biedermannswitz ist auch der folgende. als Theokritos gefragt wurde, welches die gefährlichsten tiere seien, antwortete er:
'in dem gebirge sind es die bären und löwen, in den städten aber die
zöllner und denuncianten.'[12] selbst die ehrbaren sieben weisen wurden in maiorem gloriam unseres Theokritos geplündert. derselbe
wurde von jemand gefragt: was ist schwer? 'sich selbst zu kennen'
lautete die prompte antwort; und was göttlich? 'was keinen anfang
und kein ende hat'; und wie lebt man am besten und gerechtesten?
'wenn man das unterläszt, was man an andern tadelt'.[13] als die erinnerung an den historischen Theokritos erloschen und von der ganzen
persönlichkeit nichts übrig geblieben war als seine witze, glaubte
man selbst derartige harmlosigkeiten von ihm. schlieszlich wurde
alles, echtes und unechtes, von einem sammelgenie zu nutz und
frommen lachlustiger leser unter dem titel 'anekdoten von Theokritos' (χρεῖαι Θεοκρίτου) vereinigt. Suidas machte daraus ἔγραψε

---

[11] vielleicht liegt aber eine verwechslung mit dem bukoliker Theokritos vor; vgl. eid. 16, 96 f. ἀράχνια δ' εἰς ὅπλ' ἀράχναι λεπτὰ διαστή-
caιντο, βοᾶc δ' ἔτι μηδ' ὄνομ' εἴη. auch sonst scheinen die beiden
Theokrite verwechselt zu sein. so erzählt der scholiast zu Ov. Ibis 549,
der bukoliker Theokritos habe auf den sohn des königs Hieron ein
schmähgedicht verfaszt, letzterer habe ihn deshalb festgenommen und
sich gestellt als wolle er ihn hinrichten lassen, vorher jedoch gefragt,
ob er aufhören werde zu schmähen, worauf denn der dichter so heftig
losgebrochen sei, dasz Hieron ernst mit seiner drohung gemacht habe.
diese erzählung erinnert ganz an den tod unseres Theokritos, wie ihn
Macrobius Sat. VII 3, 12 berichtet.   [12] Stob. anth. I 66 vgl. La. Diog.
VI 2, 6 Διογένης ἐρωτηθεὶς τί τῶν θηρίων κάκιστα δάκνει, ἔφη «τῶν
μὲν ἀγρίων cυκοφάντηc, τῶν δὲ ἡμέρων κόλαξ». höchst wahrscheinlich
war Diogenes an diesem witz ebenso unschuldig wie Theokritos.
[13] Stob. anth. IV 283. bei La. Diog. I 199 werden diese aussprüche
mit denselben worten von Thales erzählt. bei Stobaios folgen sie allerdings auf einen witz des Theokritos, werden aber eingeleitet durch
ὁ αὐτός. es ist daher wohl möglich dasz vor dem ὁ αὐτός eine andere
anekdote von Thales ausgefallen ist, Stobaios also jene dicta dem
Theokritos überhaupt nicht hat zuschreiben wollen.

χρείας, als ob der gute Theokritos am abend seines lebens sich hingesetzt und eine samlung seiner eignen witze veranstaltet hätte!

Aber dieses witzbuch war nach Suidas nicht die einzige frucht seiner musze. auch grundgelehrte werke der verschiedensten art sollte dieser allerweltsmensch geschrieben haben. ʻman schreibt ihm zu (φέρεται αὐτοῦ)ʼ so berichten Suidas und Eudokia ʻeine geschichte Libyens, briefe über wundergeschichten und prunkreden.ʼ schon Suidas zeigt durch sein φέρεται, dasz er an diese schriften nicht recht glaubt, ein urteil dem wir a priori zustimmen müssen. prunkreden oder geschichten von Libyen und dem märchenlande schreibt kein Theokritos. gegen die geschichtschreibung Theokrits haben wir auszerdem noch ein directes zeugnis. er wurde einst gefragt, weshalb er denn keine geschichte schreibe (einem Isokratiker gegenüber war das eine sehr naheliegende frage, vgl. Blass att. bereds. II 45): ʻachʼ meinte er ʻwenn ich lust habe, habe ich keine zeit, und wenn ich zeit habe, dann habe ich keine lust (Stob. anth. I 317). dasz dieser witz wirklich von Theokritos sei, läszt sich natürlich nicht beweisen; das ist aber auch nicht wesentlich. jedenfalls hätte derselbe gar nicht entstehen können, wenn von Theokritos überhaupt etwas historisches bekannt gewesen wäre.

Trotz alledem ist nun aber unter dem namen des Theokritos eine stelle erhalten, die aus irgend einem historischen oder mythologischen werke entnommen sein musz. das fragment — es ist eine Euhemeristische ausdeutung des Perseusmythos — steht bei Fulgentius (*mythol.* I 26) und scheint den gelehrten viel kopfzerbrechen gemacht zu haben. ʻTheocritus, ein *historiographus antiquitatum*, erzählt, es habe einst ein könig Phorcus gelebt, der bei seinem tode drei töchter mit vielem reichtum hinterliesz. die älteste und reichste von ihnen hiesz Medusa. diese hatte durch ansiedelungen und pflege des landbaus ihr reich zu wohlstand gebracht, weshalb sie auch Gorgo genannt wurde, das heiszt «die bäuerin», denn die bauern heiszen im griechischen γεωργοί. sie war aber auch listiger als ihre schwestern, und deshalb schrieb man ihr ein schlangenhaupt zu. in ihr reiches land brach nun Perseus ein und tötete sie selbst. er kam zu schiff, und deshalb sagte man, er sei beflügelt gewesen. ihren kopf, soll heiszen ihr geld (das wäre unter andern umständen kein übler witz), nahm er mit sich und wurde dadurch reich und erlangte eine grosze herschaft. zuletzt brach er auch in das reich des Atlas ein, gewissermaszen mit dem haupte der Gorgo, dh. mit ihrem gelde, und zwang ihn auf einen berg zu fliehen. daher sagte man, Atlas sei in einen berg verwandelt worden.ʼ man hat sich beeilt unsern Theokritos als unschuldig an dieser tiefsinnigen leistung hinzustellen. die stelle war natürlich wieder einmal corrupt überliefert, und als das einfachste mittel den schaden zu reparieren erschien eine conjectur. deshalb ʻverbesserteʼ Schweighäuser Θεόκριτος in Θεόλυτος, Müller (FHG. II 87) aber in Θεόχρηστος; er fügte hinzu ʻutut est, noli cogitare de Chio Theocritoʼ. letztere forderung ist unabweisbar; nur

musz man fragen, was berechtigt überhaupt dazu bei den worten des
Fulgentius an unsern Theokritos von Chios zu denken? nennt Fulgentius ihn denn etwa *sophista* oder *rhetor* oder *Chius*? wer wird
bei dem *antiquitatum historiographus* an den witzigen gegner Theopomps denken? nein, es ist eben irgend ein anderer Theokritos, ein
historiographus, der gewis auch die libysche und andere wundergeschichten auf seinem conto hat, dessen nähere bekanntschaft uns
aber leider oder glücklicherweise (wie man will) versagt ist. zu conjecturen ist nicht der mindeste grund.

Hat das altertum denn aber gar keine schriften unseres Theokritos gekannt? soviel wir wissen, nein. das einzige, was er geschrieben haben soll, ist ein gelegenheitsgedicht, bestehend aus zwei
distichen auf Aristoteles und den tyrannen Hermias. dieser Hermias
besasz nemlich als nachfolger eines andern tyrannen Eubulos die
herschaft über einen ehemaligen besitz von Chios, die fruchtbare
küstenlandschaft Atarneus.[14] seine tyrannis fand ein ende um das
j. 344 (Ranke weltgesch. I 157 anm.), indem der persische satrap
Mentor ihn verräterischer weise gefangen nehmen und hinrichten
liesz. ein freund des toten, der philosoph Aristoteles, liesz ihm ein
kenotaphion errichten und feierte ihn durch einen noch erhaltenen
poetischen nachruf (Bergk PLG. II⁴ s. 361). dieses vielbewunderte

---

[14] Herod. VI 28. VII 42. VIII 106. Xen. anab. VII 8, 8. die über
Hermias von verschiedenen schriftstellern berichteten skandalgeschichten
scheinen chiischen ursprungs und durch diese occupation von Atarneus
hervorgerufen zu sein. man darf dieses wohl daraus schlieszen, dasz das
älteste zeugnis jener angriffe auf Hermias, eben jenes epigramm des
Theokritos, von Chios stammt. Böckh kl. schriften VI 190 meint allerdings, Hermias sei jenen verleumdungen als emporkömmling und als
ein freund des Aristoteles preisgegeben gewesen. aber als die Chier
ursache hatten den Aristoteles als anhänger Makedoniens zu ihren
feinden zu zählen, war Hermias schon längst tot. die verleumdungen
über ihn müsten also lange nach seinem tode entstanden sein, zu einer
zeit wo sich gewis kein mensch mehr für ihn interessierte. und das
ist mir eben unwahrscheinlich. meiner meinung nach liegt die sache
vielmehr umgekehrt. Chios hatte grund zum hasse gegen Hermias;
dieser äuszerte sich in schmutzgeschichten, in welche auch sein freund
Aristoteles hineingezogen wurde. wie viel von diesen geschichten
zu glauben ist, läszt sich natürlich nicht ausmachen. Ilgen 'scolia
Graecorum' XXXI hat sogar bezweifelt dasz Hermias überhaupt ein
eunuch gewesen sei. er führt dafür an dasz Hermias nach Demetrios
von Magnesia (La. Diog. V 1, 5) eine tochter und nach pseudo-
Aristippos (Diog. ao.) eine concubine gehabt habe, beides dinge die
mit seiner angeblichen eunuchenschaft nicht zu vereinigen seien. wer
die stelle des Diogenes aufschlägt, findet dasz Demetrios die erzählung
von der tochter auch nur als ein gerücht gibt, übrigens Hermias einen
δοῦλος nennt, dasz aber die erzählung von der concubine nichts ist
als eine etwas andere brechung des allgemeinen klatsches über Hermias,
also gar nichts beweist. Theokritos nennt ihn εὐνοῦχος, und der wird
es wohl gewust haben. wenn er aber dem Hermias blosz etwas an-
hängen wollte, so haben wir wenigstens kein mittel ihm das nachzuweisen. vgl. übrigens Böckh ao. s. 188, wo sich alles über Hermias
bekannte sorgfältig zusammengestellt findet.

gedicht ist ein hymnos auf die ἀρετή und ihre verehrer, unter denen
neben Achilleus und Aias am schlusse auch Hermias genannt wird:

> coîc δὲ πόθοιc ᾽Αχιλεὺc Αἴαc τ᾽ ᾽Αΐδαο δόμουc ἦλθον ·
> câc δ᾽ ἕνεκεν φιλίου μορφᾶc ᾽Αταρνέοc ἔντροφοc ἀελίου χήρω-
> cεν αὐγᾶc.

dasz die patrioten von Chios mit dem verfasser dieses lobliedes auf
einen staatsfeind höchlich unzufrieden waren, bedarf keines beweises.
die gefühle, von welchen man gegen Aristoteles beseelt war, lernen
wir aus den ironischen versen Theokrits kennen, welche er jenem
begeisterten hymnos auf die tugend entgegensetzte:

> ῾Ερμίου εὐνούχου τε καὶ Εὐβούλου τόδε δούλου
> μνῆμα κενὸν κενόφρων τεῦξεν ᾽Αριcτοτέληc ·
> ὃc διὰ τὴν ἀκρατῆ γαcτρὸc φύcιν εἵλετο ναίειν
> ἀντ᾽ ᾽Ακαδημείαc Βορβόρου ἐν προχοαῖc. (Bergk ao. II s.374.)

wie man sieht, bezieht Theokr. sich auf das gedicht des Aristoteles.
er spricht dem verfasser wie einem gänzlich verkommenen subject
das recht zu derartigen expectorationen über die tugend ab. Achilleus
und Aias freilich giengen in den Hades der tugend wegen, Aristoteles
aber διὰ τὴν ἀκρατῆ γαcτρὸc φύcιν. der Βόρβοροc ist der ort der
verdammten in der unterwelt, dort εἵλετο ᾽Αριcτοτέληc ναίειν, um
auch nach seinem tode im unrat wühlen zu können. zugleich enthalten aber die worte eine deutliche anspielung auf das angebliche
unsaubere verhältnis zwischen Aristoteles und Hermias.[15] durch
diese zusammenstellung mit dem gedicht des Aristoteles erhält das
epigramm Theokrits seine richtige beleuchtung und überhaupt erst
eine pointe. denn die blosze notiz, dasz Aristoteles dem Hermias
ein denkmal gesetzt habe, kann füglich niemand interessieren, selbst
wenn die erwähnten personen dabei mit einigen schimpfwörtern bedacht werden. bedeutungsvoll wird das epigramm Theokrits erst in
verbindung mit dem Aristotelischen gedicht, gewissermaszen als ein
höchst bösartiger commentar zu demselben. wenn aber Theokritos
ein epigramm verfaszte mit rücksicht auf das gedicht des Aristoteles,
dann müssen die beiden gedichte ursprünglich auch zusammengehört
haben. deshalb möchte ich glauben, dieselben hätten beide auf dem
kenotaphion des Hermias gestanden in der weise, dasz ursprünglich
nur der hymnos auf die tugend da stand und erst später, bei ver-

---

[15] Plut. de exilio c. 10 meint, v. 3 und 4 spielten auf den makedonischen aufenthalt des Aristoteles an: ἔcτι γὰρ ποταμὸc περὶ Πέλλην, ὃν
Μακεδόνεc Βόρβορον καλοῦcι. nun ist aber ein flusz Borboros in Makedonien gar nicht nachweisbar, zudem würde bei der erklärung Plutarchs
die in den fraglichen versen enthaltene obscene anspielung verloren
gehen, da sich an den aufenthalt des Aristoteles in Makedonien derartige
verleumdungen nicht geknüpft haben. wohl aber ist es bekannt, dasz
Aristoteles nach Platons tode dessen nachfolger in der akademie Speu-
sippos aus dem wege gieng und sich zu Hermias begab, welche freundschaft dann in der bekannten weise verdächtigt wurde (La. Diog. ao.
Dionysios ad Amm. I 5). ich kann daher Plutarchs erklärung nicht für
richtig halten.

änderten politischen verhältnissen, Theokritos sein hämisches 'gesehen und genehmigt' hinzusetzen liesz._für uns ergibt sich aus diesen betrachtungen, dasz wir das epigramm nach dem tode des Aristoteles in die zeit der selbständigkeit von Chios zu setzen haben.

Laërtios Diogenes citiert das epigramm Theokrits nach einer schrift περὶ Θεοκρίτου des sonst unbekannten Ambryon. doch hat er diese monographie selbst gewis nicht benutzt. Diogenes arbeitete nemlich, wie überhaupt seine zeitgenossen, wesentlich mit compendien, und citate aus monographien, die als ornamentaler schmuck hier und da vorkommen, sind blosz aus jenen abgeschrieben. von vorn herein musz man dies annehmen, wenn sich, wie an unserer stelle, in einem capitel über Aristoteles eine monographie über Theokritos citiert findet. nun hat Diogenes, wie ein citat zeigt (V 1, 5), für sein leben des Aristoteles auszer anderm benutzt das compendium des Demetrios von Magnesia über berühmte männer, die denselben namen geführt haben. in diesem werke stand ein capitel über Aristoteles. man erkennt dies aus der bei Diogenes V 1, 14 erhaltenen samlung von namensvettern des Stagiriten, die nur aus Demetrios stammen kann. sodann aber kannte Demetrios offenbar das gedicht des Theokritos: ἔπειτα μέντοι ἀπῆρε (Aristoteles) πρὸς Ἑρμίαν τὸν εὐνοῦχον, Ἀταρνέως ὄντα τύραννον. ὃν οἱ μέν φασι παιδικὰ γενέσθαι αὐτοῦ, οἱ δὲ καὶ κηδεῦσαι αὐτῷ δόντα τὴν θυγατέρα ἢ ἀδελφιδῆν, ὥς φησι Δημήτριος ὁ Μάγνης ἐν τοῖς περὶ ὁμωνύμων ποιητῶν τε καὶ συγγραφέων. ὃς καὶ δοῦλον Εὐβούλου φησὶ γενέσθαι τὸν Ἑρμίαν, γένει Βιθυνὸν ὄντα καὶ τὸν δεσπότην ἀνελόντα. vergleicht man dieses excerpt aus Demetrios mit den oben citierten versen Theokrits, so sieht man, dasz es im wesentlichen eine prosaische paraphrase jenes epigramms ist. wenn Demetrios aber das gedicht Theokrits kannte, wenn er ferner nachweislich von Diogenes benutzt worden ist, so musz man schlieszen, dasz Diogenes auch das gedicht nebst dem zugehörigen citat aus ihm entnommen hat.

Ob Demetrios unsern Theokritos auch besonders behandelt hat, ist nicht bekannt. das that, auszer Ambryon, auch Hermippos von Smyrna. von seiner biographie Theokrits, die sich wahrscheinlich in dem gröszern werke über Isokrates und seine schule (Dion. Hal. Isaios s. 586) befand, ist uns aber nur ein citat bei Athenaios I 21ᶜ erhalten.

Jenes epigramm auf Hermias ist alles, was von Theokritos auf uns gekommen ist; auch läszt sich nicht wahrscheinlich machen, dasz er auszer derartigen gelegentlichen poesien irgend etwas geschrieben habe. er war eben ein mann des regen praktischen lebens. das war sein element, in ihm hatte er sich aus kleinen verhältnissen zum ersten mann von Chios aufgeschwungen. wie alle Isokratiker wuste er nur das zu schätzen, was im leben zu ansehen bringt, vertraute sich und seinem gesunden menschenverstande und verachtete gründlich contemplative naturen wie den κενόφρων Aristoteles. die

letzten jahre der unumschränkten herschaft im freien Chios machten
ihn auch in anderer beziehung schroff und einseitig. je mehr anerkennung und verehrung er fand, desto mehr verlernte er sich nach
andern zu richten und auch einen gegner zu schonen. er wurde
immer älter und seine witze immer rücksichtsloser. nur so läszt sich
psychologisch das merkwürdige ereignis erklären, welches ihm endlich den tod bringen sollte.

In den wirren der diadochenkämpfe wurde Chios von Antigonos
dem einäugigen [16] besetzt. der feindliche stratege forderte Theokritos
auf behufs der notwendigen unterhandlungen zu ihm zu kommen
und versprach ihm persönliche sicherheit. als abgesandten bediente
er sich eines vertrauten, der wie Taillefer vom koch zum officier
avanciert war. [17] Theokritos nahm von seiner meldung zuerst gar
keine notiz: in die rolle des besiegten wuste der alte demagoge sich
nicht mehr hineinzufinden. als der abgesandte dringender wurde,
fragte ihn Theokritos höhnisch, ob er ihn denn für den tisch seines
kyklopen braten wolle, und kam doch nicht. das war eine arge grobheit und eine unklugheit zugleich. der ehemalige koch fühlte sich
aufs äuszerste beleidigt und meldete die sache seinem herrn. Antigonos aber, der auch in betreff seiner einäugigkeit keinen spott vertragen konnte, liesz Theokritos gefangen nehmen und hinrichten.

Hierdurch kam Chios wieder unter die makedonische herschaft.
mit dem tode Theokrits war auch seine rolle ausgespielt, und schon
in den folgenden kämpfen der diadochen tritt es nicht mehr hervor.
es ist nicht direct überliefert, wann Chios von dieser katastrophe betroffen wurde, doch ist eine vermutung möglich. Chios wird von
Antigonos persönlich erobert: denn Antigonos läszt ja den beherscher
der insel zur unterhandlung vor sich fordern. der tod Theokrits
kann also nur in eine zeit fallen, in der Antigonos selbst an der küste
des ägäischen meeres war. dies ist aber, soviel wir wissen, nur éin-

---

[16] Jacobs zur anth. gr. XIII s. 958 nennt ihn durch ein versehen
Antigonos Gonatas.   [17] weit harmloser und deshalb unglaubwürdiger
wird die anekdote bei Plutarch quaest. symp. II 1, 9 und danach von
Macrobius Sat. VII 3, 12 erzählt. die obige fassung ist aus Plut. de lib.
educ. 14 s. 11ᵇ. es heiszt dort: τὸν γὰρ ἀρχιμάγειρον Εὐτροπίωνα
γεγενημένον ἐν τάξει ἐκπέμψας παραγενέσθαι πρὸς αὐτὸν ἠξίου καὶ λόγον
δοῦναι καὶ λαβεῖν. in den übersetzungen (zb. von Kaltwasser und Bähr)
wird diese stelle so wiedergegeben: 'Antigonos schickte nemlich seinen
mundkoch Eutropion, der sehr viel bei ihm galt, zu demselben und liesz
ihn bitten, dasz er kommen und ihn mit einem gespräche unterhalten
sollte.' meiner meinung nach fällt in den zitierten worten zunächst die
stellung der apposition vor dem eigennamen (τὸν ἀρχιμάγειρον Εὐτροπίωνα) auf. sodann ist γεγενημένον ἐν τάξει ganz unverständlich, ebenso
unverständlich wie die verwendung eines koches als gesandten. endlich konnte sich durch das dictum Theokrits doch nur jemand beleidigt
fühlen, der zwar früher koch gewesen, aber jetzt höher gestiegen war.
der verlangte sinn ist: 'er schickte seinen koch, der im kriege zum
feldherrn geworden war.' diesen sinn erhält man etwa durch veränderung von Εὐτροπίωνα iu ἡγεμόνα. vielleicht findet sich aber eine
paläographisch leichtere emendation.

mal geschehen, nemlich im j. 319. im sommer dieses jahres vertrieb
Antigonos den satrapen Kleitos, den nachfolger des Menandros, aus
seiner satrapie Lydien, rückte bis an die ionischen küstenstädte vor,
besetzte unter andern Ephesos, befand sich also gerade Chios gegenüber auf dem festlande. er blieb dann an der westküste Kleinasiens
bis ende 318 und ist später nicht mehr in diese gegend zurückgekehrt. daher musz der fall von Chios und der tod Theokrits in
die zeit von 319—318 fallen, am wahrscheinlichsten noch in den
sommer 319, in dem auch Ephesos genommen wurde (Droysen
Hellenismus I 215 f.).

So starb Theokritos von Chios, ohne zweifel eine höchst interessante persönlichkeit, schon wegen der bedeutenden rolle, die er zu
seiner zeit gespielt hat. Droysen hat deshalb auch gemeint (Hellenismus I 322 anm.): ‘dieser Theokritos, von dem viele anekdoten
bei Stobaios und sonst aufbewahrt sind, verdiente wohl einmal eine
monographie.’ dasz dieser wunsch bis jetzt unerfüllt geblieben ist,
liegt wohl darin begründet, dasz alle jene anekdoten in der that
nicht im stande sind uns ein ganzes bild unseres helden zu geben.
den witzbold Theokritos lernt man aus ihnen allenfalls kennen, der
ganze übrige mensch, vor allem seine thätigkeit als parteihaupt und
politischer agitator ist uns leider verschlossen.

CLEVE.   ——————————— FERDINAND SCHRÖDER.

40.
ZU HYPEREIDES.

In der rede für Euxenippos col. 45 z. 26 ff. heiszt es: ἔϲτι γάρ,
ὦ ἄνδρεϲ δικαϲταί, οὐχ οὗτοϲ ἄριϲτοϲ πολίτηϲ, ὅϲτιϲ μικρὰ δοὺϲ
πλείω βλάπτει τὰ κοινά, οὐδ’ ὅϲτιϲ εἰϲ τὸ παραχρῆμα ἐξ ἀδίκου
πορίϲαϲ κατέλυϲε τῆϲ πόλεωϲ τὴν ἐκ δικαίου πρόϲοδον, ἀλλ’ ὅτῳ
μέλει καὶ τῶν εἰϲ τὸν ἔπειτα χρόνον ὠφελίμων τῇ πόλει καὶ τῆϲ
ὁμονοίαϲ τῶν πολιτῶν καὶ τῆϲ δόξηϲ τῆϲ ὑμετέραϲ. im anfang des
satzes ist der superlativ ἄριϲτοϲ erst hergestellt durch den ersten
herausgeber Babington; erhalten sind nur die buchstaben ϲτοϲ am
anfang einer zeile, während das ende der vorhergehenden eine lücke
in breite von ungefähr drei buchstaben aufweist. die spätern hgg.
sind samt und sonders dem ersten gefolgt, meines erachtens mit unrecht. denn welche berechtigung hat an dieser stelle ein superlativ?
die relativsätze mit ὅϲτιϲ charakterisieren schlechte bürger; der einfache gegensatz dazu heiszt: ein guter bürger, nicht der beste. auch
der dritte relativsatz ὅτῳ μέλει usw. bezeichnet nur das was pflicht
des bürgers überhaupt, eines normal-, nicht eines idealbürgers ist.
der bei den rednern übliche ausdruck für durchschnittliche bürger-
tugend aber ist χρηϲτόϲ, wie sich aus unzähligen belegen ergibt
(vgl. Leopold Schmidts ethik der alten Griechen I s. 293); demnach
ist χρηϲτόϲ, nicht ἄριϲτοϲ herzustellen.

LIEGNITZ.   ——————————— HEINRICH MEUSS.

41.

EIN BEITRAG ZUR KENNTNIS
DES VOLKSTÜMLICHEN RECHNENS BEI DEN RÖMERN.

Die nachfolgenden zeilen sind angeregt worden durch hrn. professor Ludwig Friedländer in Königsberg, der im januar d. j. gelegentlich einer freundschaftlichen zuschrift folgende anfrage an mich stellte: 'welche rechnung ist bei Petronius cap. 46 *et iam tibi discipulus crescit cicaro meus. iam quattuor partis dicit*, cap. 75 *puerum basiavi frugalissimum, non propter formam, sed quia frugi est: decem partes dicit, librum ab oculo legit* usw., cap. 58 *non didici geometrias, critica et alogias menias, sed lapidarias litteras scio, partes centum dico ad aes, ad pondus, ad nummum*, CIL. XI 1 n. 1236 (Placentia): ATTICO · SER | QVI · VIXIT · ANN | XX · LITTERATVS | GRAECIS · ET · LAN̄S | LIBRARIVS | PARTES · DIXIT · CCC | zu verstehen?' da in bezug auf die hier angedeuteten rechnungsweisen, soweit mir bekannt ist, anderweitige überlieferungen nicht vorlagen, so versuchte ich es, einen gang der untersuchung einzuschlagen, welcher der apagogischen beweisführung der alten mathematiker einigermaszen entsprach. die verschiedenen möglichkeiten der erklärung waren durchzunehmen, unter ihnen diejenigen, welche zu einem ersichtlichen ἄτοπον führen, zu beseitigen, endlich die deutung, welche an keinem offenbaren widerspruch leidet, als wahrscheinlich hinzustellen. also nur zu einer wahrscheinlichkeit werden wir gelangen, nicht, wie der mathematiker durch den apagogischen beweis, zu einem unanfechtbaren satze.

An allen vier angeführten stellen kehrt die formel *partes dicere* so gleichmäszig wieder, und auch der zusammenhang mit den nächststehenden gedanken, so weit dieselben hier in betracht kommen, ist ein so ähnlicher, dasz wohl niemand der behauptung widersprechen wird, *dicere* habe an allen diesen stellen dieselbe bedeutung.

Mit den worten des Petronius *partes centum dico ad aes, ad pondus, ad nummum* ist in verbindung zu bringen die bekannte stelle des Horatius *epist.* II 3, 325

Romani pueri longis rationibus assem
discunt in partis centum diducere.

beide stellen gleichen sich darin, dasz von einer teilung in hundertstel die rede ist; verschieden sind jedoch sowohl die ausdrücke für das was geteilt werden soll als auch die verba welche die betreffende rechnungsoperation bezeichnen.

Die erstere differenz läszt sich ungezwungen ausgleichen: denn das was Petronius mit aes[1], *pondus*, *nummus* ausdrückt, ist im sinne

---

[1] bei Petronius unterscheidet der durchaus in volkstümlichem tone sprechende freigelassene münzen und gewichte als die gegenstände, auf welche das *partes dicere* seine anwendung finde. als münzen führt er an den *nummus* dh. *sestertius*, die zu seiner zeit allgemein übliche rech-

der römischen bruchrechnung jedenfalls ein *as*, nur dasz diese einheit sowohl nach Horatius als nach Petronius nicht duodecimal, sondern centesimal geteilt wird.

Es bliebe also nur übrig den bedeutungsunterschied zwischen *diducere* bei Horatius und *dicere* bei Petronius zu erörtern; doch nötigen uns die bei Hor. zunächst folgenden worte noch einmal auf die *partes centum* zurückzukommen. 'durch lange rechnungen lernen die römischen knaben den as in hundert teile zerlegen', so sagt Hor. ausdrücklich und veranlaszt den kundigen leser sofort zu der frage, warum er nicht vielmehr die allgemein übliche duodecimalteilung (metrologie s. 144 f.) erwähnt habe. die antwort gibt der dichter selbst, freilich in der weise, dasz er ein noch weit schwierigeres problem uns entgegenstellt. denn es folgen unmittelbar im texte einige beispiele dafür, wie das *assem diducere* beim unterricht eingeübt wurde, nemlich $\frac{5}{12} - \frac{1}{12} = \frac{1}{3}$ und $\frac{5}{12} + \frac{1}{12} = \frac{1}{2}$. das sind bekanntlich die ersten elemente der teilung des asses, wobei es nicht blosz auf ein rechnen mit zahlen, sondern zugleich auf die kenntnis und richtige anwendung der 13 besondern bezeichnungen für alle zwölftel (*unciae*) ankam.[2] und weiter hindert nichts anzunehmen, dasz der dichter an derselben stelle auch die weitere duodecimale teilung bis zum *scripulum* $= \frac{1}{288}$ im sinne gehabt habe. damit scheint nun freilich jenes anfängliche *assem in partis centum diducere* nicht zu stimmen: denn die centesimalteilung läszt sich nicht mit der duodecimalteilung in éine rechnungsweise verschmelzen (vgl. unten s. 340 ff.). deshalb meinen die meisten erklärer der stelle, Hor. habe durch *centum* nur unbestimmt eine grosze vielheit der teile, nemlich nach duodecimaler rechnung, bezeichnen wollen. nun gibt es aber in der ganzen uncialrechnung auszer den oben erwähnten 13 benennungen nur noch 3 andere, nemlich *sicilicus*, *sextula* und *scripulum*, oder höchstens 6, wenn wir die brüche *binae sextulae*, *dimidia sextula* und *dimidium scripulum* noch als besondere benennungen zählen wollen. also zusammen höchstens 19 benannte brüche[3]; diese konnten aber doch unmöglich als *centum*

---

nungsmünze (Hultsch griech. und röm. metrologie[2] s. 293 ff.), auszerdem *aes*, das sind kleinere geldbeträge, welche das volk in assen auszudrücken pflegte (ebd. s. 297 mit anm. 3). da nicht anzunehmen ist, dasz solche beträge noch in hundertstel geteilt wurden, so meint der redende offenbar die ausrechnung des quotienten in assen. so und so viele sesterze waren 4mal so viele asse, und oft genug mochte es bequemer sein die fälligen zinsen in assen als in sesterzen und bruchteilen derselben zu berechnen. sollen zb. 75 sesterze durch 100 geteilt werden, so ist nach römischer weise der einzige gangbare weg, 300 asse zu setzen und nun *tres aeris* oder *tressis* als quotienten auszusprechen.
    [2] metrologie s. 148. dreizehn bezeichnungen für die zwölftel gibt es, weil zu der reihe *deunx* $= \frac{11}{12}$, *dextans* $= \frac{10}{12}$ ... *uncia* $= \frac{1}{12}$ noch die werte *sescuncia* $= 1\frac{1}{2}$ zwölftel und *semuncia* $= \frac{1}{2}$ zwölftel hinzukommen.   [3] Columella V 1 (vgl. anm. 4) beginnt zwar mit dem *dimidium scripulum* als kleinstem teile, läszt aber bei der weitern aufzählung die *binae sextulae* und die *sescuncia* weg, so dasz er zusammen nur 17 teile erwähnt.

partes bezeichnet werden. wollte man nun ferner sagen, Hor. habe sich die ganze reihe der *scripula* (287, 286 bis 1) als die *partes* gedacht, so ist dagegen erstens einzuwenden, dasz man doch vernünftiger weise 287 teile nicht als *centum partes* bezeichnen kann, und ferner, dasz beim alltäglichen praktischen rechnen diese lange reihe der einzelnen *scripula* niemals als solche verwendet wurde, mithin auch die vielheit dieser *partes* gar nicht in betracht kommen konnte. denn das *scripulum* tritt erst hervor bei der immer weiter fortgesetzten, nicht bei der ersten teilung eines ganzen. die erbschaft zb. zerfällt zunächst in zwölftel; von diesen zwölfteln wird vielleicht das eine oder das andere noch weiter geteilt, sei es in hälften (*semunciae*) oder viertel (*sicilici*) oder noch weiter bis auf vierundzwanzigstel (*scripula*); aber niemals wird die ganze erbschaft von vorn herein in scripula zerlegt und noch weniger wird je anlasz gewesen sein die einzelnen 287 scripula aufzuzählen und etwa auf die erben zu verteilen. dasselbe gilt von andern fällen der teilung einer gegebenen grösze, wie zahlreiche uns überlieferte beispiele lehren.[4] also bleibt nur die éine durchaus natürliche erklärung übrig, von der man nie hätte abgehen sollen, nemlich dasz Hor. genau das gemeint hat, was der wortlaut der stelle besagt: 'die römischen knaben lernen durch lange rechnungen das ganze in 100 teile zerlegen', womit das *partes centum dico* des Petronius offenbar in nahem zusammenhange steht.

Selbst wenn nun jede anderweitige überlieferung über das vorkommen einer centesimalteilung bei den Römern fehlte, würden wir aus dem zeugnisse des Hor., welcher sowohl die *centum partes* als *semis*, *quincunx* und *triens* erwähnt, entnehmen können, dasz zu des dichters zeiten beim elementaren rechenunterricht sowohl die altüblichen duodecimalbrüche als die teilung durch 100 eingeübt wurden, und zwar bildete jedenfalls die uncialrechnung die erste und hauptsächliche stufe dieses unterrichts; dann erst kamen die *centum partes* als etwas der alten uncialrechnung fremdartiges, also wohl als eine neuerung damaliger zeit hinzu. die knaben lernten ein gegebenes ganze auch durch 100 teilen, und das war für sie durchaus keine so leichte aufgabe wie für die heutige schuljugend, welche das decimale zahlensystem von früh auf kennt und daher die decimalbrüche ohne schwierigkeit anwenden lernt. wie anders, wenn wir römische

---

[4] vgl. metrol. script. II s. XXV ff. Marquardt röm. staatsverwaltung II s. 49. Hultsch metrologie s. 76. 148 f. auch die tabelle bei Columella V 1 (übersichtlich geordnet in metrol. script. II s. 55 f.) bestätigt das oben gesagte unmittelbar, sobald wir sie von unten nach oben lesen: die aufzählung beginnt mit den *unciae* und steigt bis zum *dimidium scripulum* herab, bezeichnet aber überhaupt nur 17 teile des asses. aber auch wenn wir die tabelle in der vom schriftsteller selbst gegebenen folge lesen, finden wir, dasz ihm nichts ferner lag als etwa die 287 *scripula* nach einander aufmarschieren zu lassen. er erwähnt im einzelnen die brüche ½, 1, 2, 4, 6, 12, 24, 48, 72, 96, 120, 144, 168, 192, 216, 240, 264 *scripula*, läszt aber alle andern weg.

ziffern und die ausführung aller rechnungen nur durch gesprochene
worte uns denken! sollte zb. ein capital von HS $\boxed{X}$ $\overline{\text{DCCC}}$ oder in
worten *sestertium decies et octingenta milia*[5] geteilt werden, so waren
der reihe nach auszusprechen die *partes centesimae* von HS $\boxed{X}$, dh.
decem milia, und von HS $\overline{\text{DCCC}}$, dh. *octo milia*, und der gesamte
quotient war HS $\overline{\text{XVIII}}$, dh. *duodeviginti milia sestertiorum* (oder
sestertium oder *nummum* usw.: s. metrologie s. 294). dies ein verhältnismäszig leichtes beispiel. ungleich umständlicher würde gewesen sein, die *centesimae* von *HS vicies ducenta triginta quinque
milia quadringenti XVII nummi*[6] zu berechnen. also schon das
waren für römische knaben *longae rationes*, noch weit umständlicher
aber wurden sie dadurch, dasz auszerdem teils vielfache, teils brüche
dieser *centesimae* zu berechnen waren. damit kommen wir auf die
seit Sulla übliche zinsenberechnung.[7] als *as* gilt erstens, wie überall,
das capital; dieses wird durch 100 geteilt, und 1 hundertstel gilt als
der normalzins auf 1 monat (dh. $12\,^0/_0$ jährliche zinsen). in der regel
deckt sich aber der normalzins nicht mit den thatsächlich verein-
barten zinsen. um nun die letztern kurz und deutlich auszudrücken,
wurde jene *centesima* ihrerseits als *as* betrachtet und, wenn es galt
einen geringern zins auszudrücken, nach dem duodecimalsystem
geteilt. so bedeuten zb. *usurae trientes* oder *tertia centesimae pars*
einen zinsfusz von monatlich $^1/_3$, dh. jährlich 4 procent. und so
kommen *usurae quadrantes, quincunces, semisses* usw. vor. wenn
also die römischen schulknaben die verzinsung beliebiger capital-
summen zu 3, 4, 5, 6 procent usw. auszurechnen hatten, so lag ihnen
bei jedem solchen exempel erstens die teilung des capitals durch
100, zweitens die teilung dieses quotienten durch 4 (*usurae qua-
drantes*), 3 (*trientes*), $2\frac{2}{5}$ (*quincunces*), 2 (*semisses*) usw. ob. es kamen
also auszer der neuern centesimalteilung die verschiedensten anwen-
dungen der althergebrachten duodecimalrechnung vor[8], oder, um mit

---

[5] Cic. *in Verrem* I 39, 100.   [6] ebd. 14, 36.   [7] Marquardt röm.
staatsverwaltung II s. 58 ff. AKiessling zu Hor. *epist.* II 3, 325.
[8] die obige erklärung zeigt, dasz die uncialteilung in jedem falle, wo
ein niedrigerer zinsfusz als der zwölfprocentige zu berechnen war, zur
anwendung kam, und diese fälle bildeten, wie gesagt, die regel. stand
doch schon gegen ende der republik der übliche zinsfusz unter 12 procent, worauf mit der begründung einer festen staatsordnung durch
Augustus ein weiteres und stetiges sinken folgte (Marquardt staatsverw.
II s. 61, Friedländer sittengeschichte Roms I[6] s. 256). Kiessling ao.
läszt die uncialrechnung nur für den fall eintreten, dasz bei der teilung
der capitalsumme durch 100 ein rest blieb. im wirklichen leben wird
das selten genug vorgekommen sein, denn beträge unter 100 sesterzen
(= 21 mark) pflegte man nicht auf zinsen auszuleihen. nun läszt sich
wohl annehmen, dasz beim unterricht auch solche rechnungen der ein-
übung halber nicht ausgeschlossen waren (die bei Cicero an der oben
angeführten stelle auslaufenden X*VII nummi* zb. würden vermutlich auf
68 münzasse umgerechnet und dann der bruch 0,68 als *semis* des münz-
asses gerechnet worden sein — denn der noch verbleibende rest 0,18
muste, weil kleiner als ein *quadrans*, wegfallen). allein derartige bruchrechnungen konnten immer nur eine ausnahme bilden, während die ver-

Hor. zu sprechen, es wurde sowohl das *diducere in centum partes* als das rechnen mit den *unciae* eingeübt, und dabei konnte es nicht fehlen, dasz formeln wie die vom dichter angeführten *si de quincunce remota est uncia, superat triens* und *si ad quincuncem redit uncia, fit semis* immer und immer wieder von dem lehrer abgefragt und von den schülern aufgesagt wurden.

Nachdem somit die stelle des Horatius eine befriedigende erklärung gefunden hat, kehren wir zu den eingangs erwähnten ausdrücken *partes quattuor, decem, centum, trecentas dicere* zurück. der erste deutungsversuch musz dahin gehen, ob etwa *dicere* in dem wörtlichen sinne von 'aufsagen, ansagen' genommen werden kann. zunächst ist klar, dasz nicht an ein bloszes aufzählen der teile, nemlich *centesima pars, duae centesimae, tres centesimae* usw. gedacht werden kann: denn das wäre lediglich ein *numerare*, nicht aber eine wenn auch elementare rechenkunst, welche letztere doch offenbar an allen den angeführten stellen gemeint ist. weiter würde dann zu denken sein an ein derartiges aufsagen, dasz die nach einem gewissen teilungssystem aufgezählten teile auf ein anderes teilungssystem der reihe nach reduciert werden.

Nehmen wir beispielsweise an, die frage wäre so gestellt: was heiszt *partes sedecim dicere* oder *partes octo dicere*? dann brauchten wir uns lediglich auf die distributio des Volusius Maecianus zu berufen. denn dieser gibt § 48—62 eine übersicht über die sechzehntel des denar und § 65—72 über die achtel des sesterz. beide übersichten haben das gemeinschaftliche merkmal, dasz die der reihe nach aufgeführten teile $\frac{1}{16}$, $\frac{2}{16}$ usw., $\frac{1}{8}$, $\frac{2}{8}$ usw. reduciert werden auf reihen von brüchen, welche in ihren nennern nicht blosz, wie 16 und 8, die primzahl 2, sondern noch je eine andere primzahl als factor haben. nemlich die sechzehntel des denar werden reduciert auf duodecimale brüche nach der allgemeinen regel der römischen bruchrechnung, die achtel des sesterz aber werden ausgedrückt in *libellae*, *sembellae* und *teruncii*, dh. in zehnteln, zwanzigsteln und vierzigsteln der einheit. beide rechnungsweisen sind nun im hinblick auf das uns vorliegende problem kurz zu erläutern.[9]

Bei Maecianus § 48—62 gilt der denar, dh. eine silbermünze, als einheit. sein sechzehntel ist der gemünzte as. die asse von 1—16 aufführen und auf uncialbrüche des denar reducieren heiszt also so viel als *partes sedecim dicere*; also

$\frac{1}{16} = \frac{1}{24} + \frac{1}{48}$, dh. *semuncia sicilicus*,

$\frac{2}{16} = \frac{1}{8}$, dh. *sescuncia*,

$\frac{3}{16} = \frac{1}{6} + \frac{1}{48}$, dh. *sextans sicilicus*,

und so weiter bis

$\frac{15}{16} = \frac{11}{12} + \frac{1}{48}$, dh. *deunx sicilicus*.

---

schiedensten uncialbrüche bei der berechnung der unter 12 procent stehenden zinsen regelmäszig vorkamen.

[9] vgl. Marquardt staatsverw. II s. 49 f. privatalt. I s. 102 f. Hultsch metrol. scriptores II s. 18 f. metrologie s. 276 anm. 1.

Weiter setzt Maecianus § 65—72 den sesterz als die einheit, deren teile als zehntel, zwanzigstel und vierzigstel auszudrücken sind. die concreten teile dieser einheit sind aber $\frac{1}{2}$ münzas $= \frac{1}{8}$ sesterz, 1 münzas $= \frac{2}{8}$ sesterz, $1\frac{1}{2}$ münzas $= \frac{3}{8}$ sesterz usw. um diese brüche auf vierzigstel zu erweitern, bedürfte es lediglich der multiplication mit 5; doch sind gemäsz der libellenrechnung aus den vierzigsteln die zwanzigstel und zehntel herauszulösen. also

$\frac{1}{2}$ münzas $= \frac{1}{8} = \frac{5}{40}$ des sesterz, dh. $\frac{1}{10} + \frac{1}{40} = libella\ teruncius$,

1 „ $\quad = \frac{2}{8} = \frac{10}{40}$ „ „ dh. $\frac{1}{10} + \frac{1}{20} = duae\ libellae$
$$singula,$$

und so weiter bis

$3\frac{1}{2}$ münzas $= \frac{7}{8} = \frac{35}{40}$ des sesterz, dh. $\frac{8}{10} + \frac{1}{20} + \frac{1}{40} = octo$
$$libellae\ singula\ teruncius.$$

Maecianus bemerkt, dasz man diese rechnung nicht über den *semis* hinaus zu führen pflege (denn das war zu seiner zeit die kleinste noch allgemein cursierende kupfermünze); doch könne auch die hälfte des *semis*, dh. der *quadrans*, in der libellenrechnung noch ausgedrückt werden, denn dieser ist $= \frac{1}{16}$ münzas $= 2\frac{1}{2}$ vierzigstel des sesterz, dh. $\frac{1}{20} + \frac{1}{80} = singula\ et\ dimidius\ teruncius$.

Denken wir uns alle übrigen sechzehntel des sesterz dem entsprechend ausgedrückt, so können wir die von Maecianus gegebenen rechnungsweisen zu folgender formel zusammenfassen: es lassen sich der reihe nach aufführen die *sedecim partes* sowohl des denar wie des sesterz, und zwar sind die sechzehntel des denar zu reducieren auf duodecimale brüche und die des sesterz auf libellen usw.

Hiernach wird der versuch zu machen sein, ob etwa auch die von Petronius angeführten ausdrücke *quattuor, decem, centum partes dicere* in ähnlicher weise sich erklären lassen. da nun sowohl 4 als 10 in 100 enthalten sind, wird es genügen den versuch mit den *centum partes* zu machen, wobei noch der weitere vorteil sich ergibt, dasz wir dann die bereits behandelte stelle des Horatius unmittelbar vergleichen können.

Also wir versuchen die *centum partes* in ähnlicher weise, wie Maecianus es mit den *sedecim (octo) partes* thut, entweder auf duodecimale brüche oder auf libellen usw. zu reducieren. das letztere erweist sich sofort als unthunlich: denn der kleinste in der libellenrechnung mögliche bruch ist, wie eben gezeigt wurde, $\frac{1}{80}$; es lassen sich aber bei weitem die meisten brüche der reihe 0,01 0,02 ... 0,99 nicht in stammbrüchen, deren nenner keine andern als 10 20 40 80 sein dürfen, ausdrücken.

Allein auch der versuch die hundertstel in duodecimale teile umzuwandeln musz scheitern. als kleinster bruch erscheint hier $\frac{1}{576}$ $= \frac{1}{2^6 . 3^2}$. um nun $\frac{1}{100} = \frac{1}{2^2 . 5^2}$ genau auf duodecimale brüche zu reducieren, müsten wir bis zu dem winzigen wert $\frac{1}{2^6 . 3^2 . 5^2} = \frac{1}{14400}$ herabsteigen, was nach römischer rechnungsweise nicht statthaft ist. es bliebe also nur noch die möglichkeit, dasz man, wie so viel-

fach im altertum, sich mit näherungswerten begnügt habe; doch
auch dies ist höchst unwahrscheinlich, wie zunächst die hier folgende
versuchsweise begonnene ausrechnung zeigt:

0,01 ist mehr als *dimidia sextula* $= \frac{1}{144}$, und zwar beträgt das
mehr nahezu 1 (genau $\frac{22}{25}$) *scripulum*; es könnte also annähernd gesagt werden: *assis pars centesima facit dimidiam
sextulam et scripulum*;

0,02 ist mehr als *sextula* $= \frac{1}{72}$, und zwar beträgt das mehr genau
$1\frac{19}{25}$ *scripula*, eine etwaige abrundung auf 2 *scripula* wich
also noch mehr von dem wirklichen werte ab als die bei dem
vorigen posten versuchte annäherung;

0,03 ist mehr als *binae sextulae* $= \frac{1}{36}$, und zwar beträgt das mehr
genau $\frac{1}{450}$ des ganzen, das ist etwas mehr als 1 *dimidium
scripulum*.

Es würde ganz überflüssig sein diesen versuch noch weiter fort-
zuführen: denn mit alleiniger ausnahme der brüche 0,25, 0,50 und
0,75 bleiben die schwierigkeiten dieselben auch bei den übrigen
gliedern dieser reihe. dazu kommen andere bedenken. wenn Maecianus die sechzehntel des denar und die achtel des sesterz der reihe
nach aufzählte, so that er das mit gutem grunde: denn das ganze wie
die teile waren concrete gröszen, münzen, die alltäglich umliefen,
und jene *semisses*, *asses*, *dupondii*, *sestertii* waren rechnungsmäszig
in uncialbrüche bzw. libellen usw. umzusetzen, um die rechnungen
nur nach éiner münzgattung und bruchteilen derselben zu führen.
was sollte aber die aufführung der 99 *centesimae partes* je für einen
praktischen nutzen haben? um den zinsfusz zu berechnen, genügte
für die allermeisten fälle die ausrechnung éiner *centesima*, welche
dann noch weiter zu teilen war (oben s. 338); zwei *centesimae* stellten
schon hohe wucherzinsen dar, welche auszurechnen doch nicht als
eine in den schulen gelehrte löbliche kunst gelten konnte. und wollten wir weiter versuchsweise drei, vier *centesimae*, also zinsen bis
48 procent setzen, so würden mit jeder höhern zahl die fälle der
praktischen anwendung unwahrscheinlicher.[10] andere fälle der anwendung aber lassen sich schwerlich anführen. denn um etwa die
quadragesima bei den indirecten steuern zu berechnen, wird man
doch nicht in umständlicher weise erst die hundertstel berechnet,
diesen quotienten *a*) mit 2 multipliciert, *b*) mit 2 dividiert, endlich
die beträge *a* und *b* addiert haben, anstatt von vorn herein mit 40
zu dividieren. es handelt sich also nur noch darum, ob etwa éine
centesima in uncialbrüchen ausgedrückt wurde. auch das ist entschieden in abrede zu stellen. es ist oben gezeigt worden, auf welche
weise die Römer das hundertstel irgend einer gegebenen summe

---

[10] die von Marquardt staatsverw. II s. 60 angeführten beispiele
für *binae, ternae, quaternae*, ja *quinae centesimae* bezeichnen ausnahme-
fälle. am bekanntesten ist das wucherische verfahren des M. Brutus, der
die provincialen durch forderung von *quaternae* (48%) aussog: Cic. *ad
Att.* V 21, 11 f. VI 1, 5 f. 2, 7. 3, 5.

geldes (wofür natürlich auch jede andere in zahlen ausgedrückte
grösze gesetzt werden kann) ausrechneten. das war umständlich
genug, aber doch unendlich kürzer und leichter als wenn wir nach
ausweis der oben s. 341 gegebenen übersicht von derselben summe
erst $\frac{1}{144}$ (*dimidia sextula*), dann wieder davon die hälfte (*scripulum*)
ausrechnen und beide werte addieren wollten. und endlich, um das
absurdum voll zu machen, würden wir auf diesem umwege doch
nur einen unzuverlässigen näherungswert erhalten, während bei der
directen teilung durch 100 die näherungswerte erst in dem verhältnismäszig seltenen falle hinzutreten, dasz ein betrag unter 100
noch zu teilen ist.

    Nach allem dürfen wir wohl mit recht behaupten, dasz in keiner
weise das *centum partes dico* bei Petronius cap. 58 als ein aufsagen
der hundertstel nach analogie der übersichten des Maecianus gedeutet werden kann. es bleibt also meines erachtens nur noch übrig
dieses *dico* in nächste beziehung zu setzen zu dem *diducere* des
Horatius. die eine ausdrucksweise deckt sich nicht völlig mit der
andern, aber beide schriftsteller meinen genau dasselbe. Hor. läszt
die schulknaben den as durch lange rechnungen in hundertstel teilen;
bei Petronius sagt der freigelassene, er verstehe nichts von gelehrtem
krimskrams, aber die notwendigen hausbackenen kenntnisse habe
er, insbesondere wisse er von jeder summe von assen, von pfunden,
von sesterzen die hundertstel auszurechnen und anzusagen.

    Dieser freigelassene nun ist unter den rechenkünstlern, welche
Petronius aufführt, der gelehrteste; ein junger sklave des Trimalchio
wird von seinem herrn als tüchtig und brauchbar gelobt, weil er die
zehntel ausrechnen kann (cap. 75 *decem partes dicit*), eine kenntnis
die in gleiche linie mit der fertigkeit ein buch ohne langes buch-
stabieren lesen zu können gesetzt wird; endlich ein anderer kleiner
sklave ist noch nicht weiter vorgedrungen als bis zum ausrechnen
der viertel (cap. 46 *quattuor partes dicit*).

    Indem wir das *centum partes dico* des Petronius mit der ähn-
lichen stelle des Horatius verglichen, fanden wir volle übereinstimmung betreffs der teilung eines ganzen in hundertstel, und es darf
nun wohl auch die vermutung hinzugefügt werden, dasz Petronius
ebenso wie Horatius hierbei an zinsenberechnung gedacht habe. indes stellte, wie wir gesehen haben, die ermittelung der *centesimae*
nur den anfang der in der praxis vorkommenden zinsrechnungen
dar: denn der wirkliche zins, welcher in der regel niedriger als zu
12 procent ausgeworfen war, muste durch weitere teilung der *centesima* ermittelt werden. also zb. ein zinsfusz von 4 procent durch
ausrechnung des drittels. so mag zur zeit des Hor. in den knaben-
schulen gerechnet worden sein (oben s. 338); allein kürzer und sach-
gemäszer war es wohl, gleich mit éinem male durch 300 zu dividieren. das hat offenbar der von seinem herrn noch über das grab
hinaus belobte, von ihm einst als secretär beschäftigte sklave auszuüben verstanden (CIL. XI 1 n. 1236 *litteratus Graecis et Latinis*

librarius, partes dixit CCC). wir entnehmen aus dieser kurzen, aber
für die vorliegende frage höchst wichtigen notiz erstens eine weitere
bestätigung dafür, dasz die zinsen auf den monat berechnet, also
auch eingefordert zu werden pflegten, und zweitens, dasz der zinsfusz von 4 procent jährlich zu der zeit, wo die inschrift abgefaszt
worden ist, dergestalt üblich war, dasz man statt 'zinsen berechnen'
sagen konnte '$1/_3$ procent (monatlich) berechnen'.

Dieses letzte ergebnis lohnt reichlich die mühe der langen vorhergegangenen untersuchung. auszerdem darf wohl noch darauf hingewiesen werden, dasz alle diese divisionen durch 10, durch 100, ja
auch durch 300, anläufe dazu waren, von der schwerfälligen uncialrechnung sich loszumachen. doch noch auf viele jahrhunderte hinaus
ist es bei diesen anläufen geblieben; trennen uns doch nur wenige
jahrzehnte von der zeit, wo die elle, der fusz, der zoll, der groschen
noch duodecimal geteilt wurden, ja wo auszer diesem römischen
teilungssystem noch die ägyptische binäre und die babylonische sexa-
gesimale bruchrechnung in den ansätzen des scheffels zu 16 metzen,
des pfundes zu 32 lot, des gulden zu 60 kreuzern sich erhalten hatten,
wo man endlich einen groszen fortschritt gemacht zu haben glaubte,
wenn man dem thaler 30 groschen anstatt der frühern 24, und dem
pfunde 30 lot anstatt der frühern 32 zuteilte. den jüngern unter der
jetzt lebenden generation mag es kaum glaublich erscheinen, dasz jene
reste uralter überlieferung noch so nahe an die gegenwart heran sich
haben erhalten können, und es ist vielleicht nicht überflüssig auf die
masze und gewichte Groszbritanniens hinzuweisen, die noch heute
ein nur wenig abgeändertes bild der masze und gewichte der römischen provinz Britannia darstellen. solche überlieferungen haben
ein zähes leben; aber wenn staat und gesellschaft einmal mit ihnen
gebrochen haben, da entschwinden sie auch schnell aus der erinnerung, und für spätere generationen wird das verständnis solcher
antiquitäten immer schwieriger. deshalb war es vielleicht günstig,
dasz die obige frage in einer periode zur besprechung kam, wo die
ältern leute noch aus ihrer schulzeit es im gedächtnis haben, wie
sie mit endlosen und höchst unerquicklichen bruchrechnungen sich
herumschlagen musten. das waren aufgaben und übungen, die trotz
der veränderten zeiten und verhältnisse eine nahe verwandtschaft
mit den *longae rationes* der römischen schulknaben bewahrt hatten.

DRESDEN-STRIESEN.   FRIEDRICH HULTSCH.

42.

ZU ARCHILOCHOS.

Über fr. 32 hat neuerdings OSchrader in der zs. für vergl. sprachf. XXX s. 470 in einer weise gehandelt, mit der man sich nicht wird einverstanden erklären können. er will schreiben ὥσπερ δι᾽ αὐλοῦ (statt αὐλῷ) βρῦτον ἢ Θρῇιξ ἀνὴρ | ἢ Φρὺξ ἔβρυζε, κύβδα ἦν πονευμένη und übersetzt ‘gleichwie der Thraker oder Phryger durchs rohr sein bräu hinuntergurgelt, also mit vorgeneigtem haupt’ usw. hierbei ist, um mit dem schlusz zu beginnen, das hinter κύβδα über- lieferte δ᾽ einfach weggelassen (κύβδ᾽ ἦν hat eine wertlose abschrift) und der durch die weglassung entstehende monströse hiatus nicht be- achtet. wie das imperfectum ἔβρυζε durch vergleichung mit aoristen wie Γ 23 oder Δ 75 möglicher weise verteidigt werden könne, ist nicht einzusehen. läszt man, wie man es thun musz, δ᾽ stehen, so kann von der verknüpfung der beiden sätze, wie sie Schrader an- nimt, nicht weiter die rede sein. für die worte κύβδα δ᾽ ἦν πονευ- μένη, von denen Schrader meint, sie seien ‘nicht klar und wohl auch nicht klar zu machen’, vgl. die anmerkung von Liebel. die von Scaliger herrührende erklärung ‘durchs rohr’ steht mit dem sonsti- gen gebrauch von αὐλός nicht in einklang. was endlich das ander- weitig nicht vorkommende verbum βρύζω anlangt, so sucht es zwar Schrader durch zusammenstellung mit wörtern anderer indogerma- nischer sprachen zu rechtfertigen, allein dies scheitert an dem um- stande, dasz die verkürzung vor βρ bei Archilochos eine unmöglich- keit ist. fr. 15 (πάντα πόνος τεύχει θνητοῖς μελέτη τε βροτείη) läszt sich dafür nicht anführen, weil hier die autorschaft des Archi- lochos nicht blosz, wie Bergk bemerkt, für schwach, sondern für gar nicht bezeugt gelten musz. der name des Archilochos beruht auf der behauptung des Ioannes Sikeliotes; aber dieser hat, ebenso wie Planudes, das fragment aus dem von beiden ausgeschriebenen Syrianos entnommen (vgl. Walz rhet. gr. IV s. V f. V s. III f. VII s. V und s. 869 anm. 29), und Syrianos nennt keinen autor. wird hiernach jemand bezweifeln, dasz der name geschwindelt ist?

Es wird also dabei bleiben, dasz ἔβρυζε corrupt und dasz Din- dorfs ergänzung παρ᾽ (was nach ὥσπερ leicht ausfallen konnte) höchst wahrscheinlich ist. Bergk vermutete βρυάζει statt ἔβρυζε (‘ut Athenaeus non integrum attulerit locum’) oder ἢ Θρῇιξ ἂν ἢ Φρὺξ ἐβρύαζε. aber die erklärungen, die Hesychios für ἐβρύαζε und βρυάζει bietet, stimmen dazu nicht recht; beim zweiten vorschlage misfällt auch die wortstellung und der rhythmus. ich möchte daher eher vermuten, dasz die silbe βρυ durch nachlässigkeit des abschrei- bers aus v. 1 wiederholt worden und auf diese weise ἔβρυζε an die stelle irgend eines wohl ganz anders lautenden verbums mit der be- deutung ‘zechen’ getreten ist.

HALLE.   EDUARD HILLER.

43.
DIODORS BERICHT ÜBER DIE CENSUR DES APPIUS CLAUDIUS CAECUS.
EIN BEITRAG ZUR ZEITRECHNUNG DES FABIUS UND PISO.

Mommsens behauptung (röm. forschungen II s. 221 ff.), dasz sowohl Diodors consularfasten als auch seine geschichtserzählung der hauptsache nach den annalen des Fabius Pictor entnommen seien, hat anfangs fast allgemeinen beifall, später aber auch sehr beachtenswerten widerspruch gefunden.

Zunächst wies EMeyer (rh. mus. XXXVII s. 610 ff.) darauf hin, dasz in den beamtenverzeichnissen wie in der geschichtserzählung Diodors an mehreren stellen unzweifelhaft eine lateinische quelle benutzt sei. die zahl dieser stellen würde sich bei wiederholter beobachtung wohl noch erheblich vermehren lassen. zwei von ihnen indessen, die für den verlauf unserer nachfolgenden untersuchung von besonderer bedeutung sind, müssen wir deshalb eingehender besprechen.

Erstens liest man nemlich bei Diod. XX 44, 8 οἱ ὕπατοι Μαρcοῖc πολεμουμένοιc ὑπὸ Caμνιτῶν βοηθήcαντεc, als ob die Marser bundesgenossen der Römer und gegner der Samniten gewesen wären, während die sachlage nach Livius IX 41, 4 *ni Marsi eo primum proelio cum Romanis bellassent* sich gerade umgekehrt verhält. wenn jedoch Diod. XX 101, 5 schreibt ὁ δὲ δῆμοc ὁ 'Ρωμαίων πρόc τε Μαρcοὺc καὶ Παιλιγνούc, ἔτι δὲ Μαρρουκίνουc cυμμαχίαν ἐποιήcατο, so sagt er damit zugleich, dasz die Römer vorher mit den Marsern krieg geführt haben. jene erste stelle musz also auf einem misverständnis Diodors beruhen, welches eben durch seine lateinische quelle herbeigeführt wurde. Diodoros übersetzte wahrscheinlich, was die stelle des Livius ja so nahe legt, das lateinische *bellare cum aliquo* fälschlich durch πολεμεῖν cύν τινι oder μετά τινοc statt durch πολεμεῖν τινι.

Zweitens heiszt es bei Diod. XX 101, 5 kurz vor der eben erwähnten stelle 'Ρωμαῖοι καὶ Caμνῖται εἰρήνην cυνέθεντο πολεμήcαντεc ἔτη εἴκοcι δύο καὶ μῆναc ἕξ.[1] hier sind, wie ich weiter

---

[1] diese stelle bereitete den auslegern bisher die grösten verlegenbeiten; einige wollten sogar daraus folgern, dasz Diod. und seine quelle sämtliche dictatorenjahre (hier das zweite und dritte von 430 und 445) mitgerechnet hätten. alle diese schwierigkeiten schwinden, wenn, wie ich behaupte, lediglich ein versehen Diodors vorliegt. auch die andere stelle Diodors XIX 10, 1 nemlich 'Ρωμαῖοι ἔνατον ἔτοc ἤδη διεπολέμουν πρὸc Caμνίταc, welche unter ol. 115, 4 steht und für die mitzählung des zweiten dictatorenjahres (varr. 430) bei Diod. geltend gemacht wird, liefert bei genauerer betrachtung vielmehr den gegenteiligen beweis. denn schon L. Cornelius, der consul von ol. 113, 4 (= varr. 427) hatte den krieg nach Livius VIII 23, 13 *quia ne Cornelium quidem in Samnium*

unten zeigen werde, 18, nicht 22 jahre gemeint. Diod. las mithin
irrtümlich *duo et viginti* statt *duodeviginti*, wie sein gewährsmann
schrieb. wie leicht aber beide zahlen selbst von Römern verwechselt
wurden, erhellt zb. aus Gellius *n. A.* V 4.

　　Wenn somit nicht mehr bezweifelt werden darf, dasz Diod.
öfters einer lateinischen quelle folgte, so ist zunächst zu erwägen,
ob diese etwa der lateinische Fabius war, mag man sich denselben
nun als eine eigentliche übersetzung oder als eine kürzere bearbeitung des gleichnamigen griechischen werkes denken.

　　Abgesehen aber davon dasz es schwer zu begreifen wäre, weshalb der Grieche Diodoros anstatt des für ihn jedenfalls bequemern
griechischen Fabius den lateinischen benutzt haben sollte, werden
wir gewis KWNitzsch beipflichten, welcher in seiner röm. annalistik
s. 227 f. ausführt, dasz sowohl die schlacht bei Lautulae wie die an der
Allia von Diod. nicht in Fabischem sinne dargestellt sei. ebenso wenig
ist Diodors bericht über den censor Appius Claudius direct aus Fabius
geflossen. denn wenn wir auch nicht mit Nitzsch s. 229 behaupten
wollen, dasz derselbe geradezu eine lobrede auf Appius sei, so steht
doch Diod. dem Appius jedenfalls lange nicht so feindselig gegenüber wie Fabius und der auf Fabius dort zurückgehende Livius. so
heiszt es zb. bei Livius IX 46, 10 von Appius: *qui senatum inqui-
naverat*, bei Diod. XX 36, 3 blosz: κατέμιξε τὴν cύγκλητον. ferner
faszt Livius mit Fabius die spätere blindheit des Appius als eine
strafe der götter auf; Diod. meint jedoch, Appius habe sich aus besorgnis vor dem hasz des senates nach der censur nur blind gestellt.
anderseits nennt Diod. den Appius einen gegner des senates und
gönner des volkes, der deshalb beim volke in hoher gunst stand. so
τῷ δήμῳ τὸ κεχαρισμένον ποιῶν οὐδένα λόγον ἐποιεῖτο τῆς cυγ-
κλήτου und εἰς κοινὴν εὐχρηστίαν φιλοτιμηθείς und ὁ δῆμος τῷ
Ἀππίῳ cυμφιλοτιμούμενος. Diodoros und seine quelle standen also
nicht gerade auf seiten des damaligen senates, der unter seinem ob-
mann Fabius Maximus für das landvolk (*plebs rustica*) gegen Appius
und das stadtvolk (*turba forensis*) ankämpfte. darum erkennt Diod.
die verdienste, die sich Appius durch seine bauten um das vaterland
erworben hatte, unbedenklich an, fügt jedoch tadelnd hinzu, dasz er
dafür viel (an anderer stelle sogar alles) staatsgeld ohne erlaubnis
des senates ausgegeben habe. anderseits sieht man jedoch wieder,
dasz er es nicht ganz mit Appius und dessen partei hält, wenn er
des Appius schützling Cn. Flavius kurzweg einen freigelassenen und
sohn eines sklaven nennt (vgl. oben s. 210) und (doch wohl um
es zu misbilligen) erwähnt, dasz Appius als censor kein anrüchiges
mitglied des senates ausgestoszen, auch niemandem sein ritterpferd
genommen habe. Diodors gewährmann musz hiernach ein vornehmer

---

iam ingressum revocari ob impetu belli placebat eröffnet, und ol.· 115, 4 ist
also für Diod. seit 113, 4 ganz richtig das neunte kriegsjahr; für Varro
wäre es das zehnte.

Römer gewesen sein, der nicht die anschauungen des Fabius, aber auch nicht völlig die des Appius teilte. endlich ist der umstand nicht zu übersehen, dasz Livius mit Fabius die censur des Fabius, welche die neuerungen des Appius zumeist wieder beseitigte, geradezu rühmend hervorhebt, während Diod. hingegen zwar von des Appius censur, inwiefern sie dem staate nutzen oder schaden brachte, berichtet, aber von der des Fabius gänzlich schweigt, die er doch, wenn er den Fabius benutzte, nicht wohl übergehen konnte.

Wir werden daher mit Nitzsch der ansicht sein, dasz Diodors bericht über Appius nicht unmittelbar aus Fabius stammt.

Auffallend ist nun aber, dasz Nitzsch, indem er nach einem andern gewährsmann für Diod. suchte, auf Cn. Flavius verfiel. dieser würde nemlich, wenn wir auch davon absehen wollten, dasz über ein von Flavius verfasztes geschichtswerk gar nichts zuverlässiges feststeht, sich in einem ganz andern tone, viel eifriger für Appius und viel heftiger gegen Fabius geäuszert haben. das richtige traf hier zuerst OClason (Heidelberger jahrb. 1872 s. 835), indem er behauptete, Diodors quelle sei L. Piso gewesen. allein er wie seine nachfolger Klimke und LCohn vermochten ihre gegner nicht zu überzeugen. und doch schildert Nitzsch selbst die art und weise des Piso gerade so, als wenn er dabei den gewährsmann Diodors vor augen gehabt hätte: Piso war ein heftiger gegner der Gracchen und der *plebs rustica*, also auch des Fabius. er suchte die alte einfachheit geschmacklos zu beleben und widersprüche auszugleichen. dahin gehört ebenso die erheuchelte blindheit des Appius bei Diod. wie die anekdote von der enthaltsamen nüchternheit des Romulus bei Gellius XI 14 und die annahme, dasz Tarquinius Superbus der enkel, nicht der sohn des Priscus gewesen sei. Piso hielt es auch nach Plinius *n. h.* XVIII § 42 mit der *turba forensis* und den freigelassenen und liesz darum die *plebs*, wo er die einsetzung des volkstribunats erzählte, nach dem Aventinus (Livius II 32, 3) anstatt nach dem heiligen berge auswandern.

Indessen würden unsere bisherigen ausführungen die gegner unserer ansicht schwerlich zu uns herüberziehen, wenn sie vielleicht auch zugäben, dasz Piso gerade so gut von Diod. benutzt worden sein konnte, wie er thatsächlich von dessen zeitgenossen Livius und Dionysios benutzt wurde, wenn wir nicht noch andere, zwingendere beweise dafür beizubringen vermöchten. diese gewinnen wir, indem wir nachweisen, dasz Piso sich der zeitrechnung des Fabius bediente und dasz somit Diodoros, wo er Fabisch rechnete, diese zählung dem Piso entlehnen konnte. dann erklären sich sowohl die abweichungen Diodors von den Fabischen berichten wie die öfters mit Fabius übereinstimmende, also von der gewöhnlichen zählung abweichende zeitrechnung bei Diodoros. endlich werden wir sogar sehen, dasz Diodors erzählung, wo sie auf Piso zurückgeht, seiner eignen fastenliste geradezu widerspricht.

Nach Holzapfels erörterungen röm. chronologie s. 173. 184 dürfen wir jetzt wohl als allgemein bekannt und anerkannt voraussetzen[2], dasz die Catonische ära nach amtsjahren rechnete, die man, obgleich sie nicht selten kürzer waren, doch der bequemlichkeit halber den vollen natürlichen jahren gleichsetzte. dies thaten auszer Cato: Polybios, Dionysios, Livius und die meisten geschichtschreiber der republicanischen zeit. Fabius dagegen versuchte durch auslassung gewisser jahrescollegien die zahl der amtsjahre und der natürlichen jahre in übereinstimmung zu bringen. dasselbe war also auch bei Piso der fall, wenn er, wie wir behaupten, Fabisch rechnete.

Ebenso wenig glauben wir mit der annahme auf widerspruch zu stoszen, dasz Fabius die schlacht an der Allia am 18 juli in ol. 99, 3 setzte, wenn ihm auch der anfang dieses amtsjahres mit dem 1 juli noch in ol. 99, 2 fiel. Cato zählte also nach der Alliaschlacht fünf beamtencollegien mehr als Fabius. zwei von diesen fünf übergieng Fabius, wie wir aus Gellius V 4, 3 erfahren: *tum primum ex plebe alter consul factus est duoetvicesimo anno postquam Romam Galli ceperunt*, während sonst 24 jahre gerechnet werden, schon vor dem ersten plebejischen consul; wahrscheinlich war es das erste jahr der groszen anarchie, so dasz Fabius dieselbe nur zu vier jahren berechnete, und das letzte jahr der kriegstribunen vor ol. 104, 2. Fabius muste also später noch weitere drei amtsjahre auslassen, um schlieszlich mit der Catonisch-Polybischen zählweise vollständig übereinzustimmen. wir sind nun in der glücklichen lage nachweisen zu können, dasz Piso wirklich nach dem consulat des Sextius drei Catonische amtsjahre auswarf, und glauben daher behaupten zu dürfen, dasz er dies nach dem vorgange des Fabius that.

Zunächst berichtet nemlich Livius IX 44, 3, dasz Piso die consuln der Varronischen jahre 447 und 448 (bei Diod. ol. 118, 2 und 3)

---

[2] WSoltau ist zwar röm. amtsjahre s. 36 vorläufig der entgegengesetzten ansicht, obwohl er Holzapfels zahlreiche gründe durchaus nicht widerlegt. doch hoffe ich dasz er von derselben ebenso bald zurückkommt, wie er nunmehr zu meiner freude von seinem (und Ungers) angeblich Catonischen gründungsjahre Roms 744 vor Ch. s. 59 stillschweigend zurückgekommen zu sein scheint. übrigens g e t er die sache am unrechten ende an: nicht weil man den zug der Gallier gegen Rom mit ihrem übergang über den Padus verwechselte, meinen wir, setzte man die Alliaschlacht zu früh an, sondern weil man die kürzern römischen amtsjahre mit den olympiadenjahren glich, setzte man sie zu früh an und verwechselte dann vielleicht den übergang der Gallier über den Padus mit ihrem zug gegen Rom. für unsere untersuchung über die zeitrechnung des Fabius und Piso macht es indessen, ob wir mit Holzapfel die Catonische ära als die nach amtsjahren und die Fabische als die nach natürlichen jahren, oder ob wir mit Soltau die angeblich Flavisch-Varronische ära als die nach amtsjahren und die Catonische als die daraus nach natürlichen jahren gekürzte ansehen, weiter keinen unterschied, als dasz wir im letztern falle uns noch nach einem besondern erklärungsgrunde für die Fabisch-Pisonischen fastenverkürzungen umsehen müsten, während ich anderseits oben s. 209 ff. nachgewiesen zu haben glaube, dasz die angeblich Flavisch-Varronische rechnung der weihinschrift eben nur die Catonische war. vgl. Soltau proleg. s. 14.

übergangen habe. sodann erkennt man aus Livius X 9, 12, dasz
Piso das vierte dictatorenjahr (varr. 453) nicht zählte, welches wenigstens die alte fastenliste, die noch Licinius Macer benutzte, als ein
besonderes amtsjahr ansah. denn da für jedes neue amtsjahr auch
neue curulische ädilen erwählt wurden und dies amt patricier und
plebejer abwechselnd verwalteten, 450 varr. aber der plebejer Cn.
Flavius es inne hatte, so ist bei Catonischer zählung die angabe des
Livius zutreffend, dasz 455 der patricier Q. Fabius ädil gewesen sei.
während aber bei Cato das vierte dictatorenjahr als amtsjahr mitzählte, wurde es von Piso, der wie Fabius die herstellung einer rechnung nach natürlichen jahren anstrebte, nicht gerechnet, zumal es
nach Holzapfel chron. s. 106 mit dem vorhergehenden amtsjahre
zusammen gerade ein natürliches jahr ausmachte. Piso begieng nun
den fehler, dasz er die patricischen ädilen des j. 453 zugleich mit
den betreffenden oberbeamten zu tilgen vergasz, sie vielmehr in das
nächste Varronische jahr 454 versetzte und daher für 455 plebejische
ädilen erhielt. dasz jedoch in der officiellen fastenliste das Varronische jahr 453 ursprünglich als ein besonderes amtsjahr gezählt
wurde, ergibt sich schon aus dem umstande, dasz die benachbarten
censuren in die jahre 451 und 455 varr. fallen (s. oben s. 212 anm.).
  Wenn mithin Piso wirklich drei jahre weniger rechnete als
Cato, so musz er Fabisch gerechnet haben, da gerade die Fabische
zeitrechnung die ausstoszung dreier jahre erforderte. Holzapfel freilich ist bei Piso, wie auch sonst, sofort bereit eine besondere ära
anzunehmen. wir dürfen dieselbe aber unbedingt zurückweisen, gestützt auf jene stelle des Dionysios (I 74), wo die verschiedenen ären
angeführt werden. Dionysios, der den Piso häufig nennt und genau
kannte, würde dort die zeitrechnung desselben neben der des Timaios,
Cincius, Fabius, Cato erwähnt haben, wenn sie nicht eben die des
Fabius gewesen wäre.
  Dasz Piso Fabisch rechnete, wird sodann durch die angabe des
Censorinus (*de die nat.* 17, 11) bestätigt, dasz nach dem zeugnis des
Antias, Varro, Livius im Varronischen jahre 605 säcularspiele gefeiert wurden, nach den gleichzeitigen schriftstellern Piso, Cn. Gellius,
Cassius Hemina aber drei jahre später (608 varr.). hier ist Censorinus, der Varronisch rechnet, durchaus im irrtum, wenn er meint,
es hätten nicht kurz hinter einander (605 und 608) zweimal säcularspiele gefeiert sein können. unbegreiflich aber erscheint es, wenn wirklich bisher niemand daran gedacht haben sollte, dasz die doppelten
säcularfeiern genau der doppelten zählweise des Cato und Fabius
entsprechen. da die beiderseitigen gründungsdaten (ol. 7, 2 und
8, 1) nemlich drei jahre auseinanderliegen, so musten auch die betreffenden säcularfeiern drei jahre auseinanderfallen. das Varronische
jahr 605 sollte demnach das Catonische 601, das Varronische jahr
608 das Fabische 601 bedeuten.
  Hier erhebt sich allerdings die schwierigkeit, dasz die säcularspiele ja dann beidemale ein jahr zu spät stattgefunden hätten. denn

das Varronische jahr 605 ist = ol. 157, 3 = 149 vor Ch., und 608
= ol. 158, 2 = 146 vor Ch., während wir die säcularfeiern in den
jahren 150 und 147 vor Ch. (= ol. 157, 2 und 158, 1) erwarten
würden. aber es liesze sich wohl eine erklärung dafür finden, wie
die Römer zu diesem irrtum kommen konnten. wer nemlich mit
Fabius das gründungsjahr ol. 8, 1 ansetzte, rechnete darum doch
ol. 8, 2 als das erste römische jahr. wenn derselbe nun zwar die
Alliaschlacht in ol. 99, 3, den anfang des amtsjahres jedoch noch in
ol. 99, 2 annahm, so zählte er bis zum amtsantritt dieser consulartribunen nur 364 verflossene olympiadenjahre dh. das 365e olympiadenjahr, indem er die zwei monate von ol. 8, 1 hierbei nicht in
anrechnung brachte; bis zur Alliaschlacht aber 365 olympiadenjahre
oder das 366e olympiadenjahr. in derselben weise war bei Varro
ol. 6, 3 das gründungsjahr, ol. 6, 4 aber das erste römische jahr;
und wenn Varro dann die Alliaschlacht in das 364e jahr Roms setzte,
so fiel ihm der 1 juli dh. der anfang dieses amtsjahres noch in ol. 97, 2,
die Alliaschlacht aber mit dem 18 juli schon in ol. 97, 3. anders
verhält es sich bei Polybios, der wahrscheinlich nach dem vorbilde
seines achäischen jahres alles, was vor dessen anfang dh. den 21 sept.
fiel, noch zu dem eigentlich um die mitte des juli schon abgelaufenen
olympiadenjahr rechnete. wenn also Polybios ol. 7, 2 als gründungsjahr annahm, so war für ihn dasselbe jahr zugleich das erste römische
jahr, und die königsflucht am 1 sept. fiel ihm noch in ol. 68, 1, die
Alliaschlacht am 18 juli noch in ol. 97, 2 dh. scheinbar ein jahr zu
früh. da aber die Polybische zählweise in Rom bald zu fast allgemeiner geltung gelangte und deshalb zb. Dionysios ol. 68, 1 als das
245e, ol. 97, 1 als das 365e jahr Roms und ol. 7, 1 nicht blosz als
gründungsjahr, sondern zugleich auch als erstes jahr Roms ansah,
so konnte nun unter dem einflusz von Polybios und dessen zählweise, da bei Fabius die schlacht an der Allia richtig unter ol. 99, 3
stand, später in Rom auch irrtümlich für Fabius der amtsantritt der
consulartribunen in ol. 99, 3 statt in ol. 99, 2 und demgemäsz die
gründung Roms nach Fabischer rechnung fälschlich in ol. 8, 2 angesetzt werden.

Ebenso liesze sich bei Catonischer zählung die möglichkeit eines
fehlers denken, wenn man das Varronische jahr 460, welches nach
Holzapfel ao. s. 106 vom 1 dec. 294 bis zum 1 mai 293 reichte, dh.
nur 5 monate währte und keinen geburtstag Roms enthielt, bei der
zählung der geburtstage Roms übergieng, dagegen bei der zählung
der amtsjahre natürlich mitrechnete.

Jedenfalls ist aber nicht mehr grund vorhanden wegen der
säcularspiele von 608 wieder ein neues gründungsjahr Roms anzunehmen, als wenn man die säcularspiele von 605 zu eben diesem
zwecke verwenden wollte. doch ist nicht blosz jenes geschehen, sondern noch mehr. aus den worten des Censorinus, welche unmittelbar
auf jene stelle folgen, hat Holzapfel ao. s. 235 noch ein besonderes,
sonst ganz unbekanntes gründungsjahr Roms für Piso erschlossen.

nachdem nemlich Censorinus gesagt hat, dasz die alten Römer die dauer eines *saeculum* auf 100 jahre festgesetzt hätten, beruft er sich dafür auf diese stelle des Piso, deren hsl. lesart bei Censorinus nach Holzapfel ao. lautet: *testis est Piso, in cuius annali septimo scriptum est sic Roma condita anno D septimo saeculum accipit* (wofür *occipit* einzusetzen ist) *his consulibus, qui proximi sunt consules M. Aemilius M. filius Lepidus, G. Popilius II absens.* da dies die consuln vom Varronischen jahre 596 sind, so nimt Holzapfel ohne weiteres an, dasz Pisos gründungsjahr Roms in das j. 758 vor Ch. dh. noch fünf jahre vor Varros fällt. wie steht es aber, wenn die consuln erst ein späterer zusatz sind und die stelle einen doppelten fehler enthält? wenn allein die worte *saeculum occipit his consulibus, qui proximi sunt* von Piso herrühren, die jahreszahl 507 (zu bessern in 607) aber die Varronische ist, da ja Censorinus Varronisch rechnet? der sinn der stelle würde dann sein: Piso schreibt unter dem j. 607: das *saeculum* begann unter den nächsten consuln, nemlich denen vom j. 608. dann stimmt die stelle, was doch sehr wünschenswert ist, mit der kurz vorhergehenden, welche die säcularspiele vom j. 608 erwähnt, vollständig überein. ein leser des Censorinus hat also vermutlich zuerst *proximi* falsch verstanden und auf 606 statt auf 608 bezogen, da sprachlich ja beides möglich ist, hat dann beim aufsuchen in seiner fastenliste, in welcher von 10 zu 10 collegien die laufende zahl daneben stand, die consuln von 596 mit denen von 606 verwechselt und diese dem texte des Censorinus beigefügt. so verschwindet das angebliche gründungsjahr des Piso, das um so unwahrscheinlicher ist, als wir schon wissen, dasz Piso nach dem consulat des Sextius drei Catonische amtsjahre auswarf, und uns gar nicht denken können, wie oder wo er in der frühern zeit so viele jahre hätte einlegen sollen.

Aber nicht blosz Piso, sondern auch dessen schon genannte zeitgenossen Cn. Gellius und Cassius Hemina rechneten Fabisch. beide bezeichneten zunächst nach Macrobius *Sat.* I 16, 22 das Varronische jahr 365 mit den consulartribunen Manlius, Aemilius, Postumius als 363. da jedoch durchaus keine ära bekannt ist, welche die schlacht an der Allia in das j. 362 verlegte, so ist hier wieder ein fehler anzunehmen. häufig genug wird *III* mit *VII* vertauscht, auch liesz sich wohl *VI* mit *III* verwechseln. wenn Fabius die Alliaschlacht in das j. 366 setzte, so fiel für ihn die von den nächstfolgenden consulartribunen berufene senatssitzung vermutlich in das j. 367, und dies jahr werden wir also bei Macrobius herstellen müssen. wem jedoch die richtigkeit dieser besserung zweifelhaft erscheint, dem beweist eine andere stelle des Cn. Gellius bei Macrobius III 17, 3 ganz unwiderleglich, dasz wenigstens Gellius Fabisch rechnete. dort heiszt es: *post annum XXII legis Orchiae Fannia lex data est post Romam conditam secundum Gellii opinionem DLXXXVIII.* bei Plinius *n. h.* X § 139 lesen wir nun aber *hoc primum antiquis cenarum interdictis exceptum invenio iam lege C. Fanni cos. XI annis ante tertium Punicum bellum*, dh. nach Plinius, der in der regel Varro-

nisch rechnet, fiel die *lex Fannia* 160 vor Ch. = 594 nach Varro-
nischer ära. da Varros gründungsjahr sechs jahre vor dem des
Fabius liegt, so ist das Varronische jahr 594 eben gleich dem Fabischen jahre 588.

Es ergibt sich demnach, dasz um 146 vor Ch. Piso, Cn. Gellius,
Cassius Hemina Fabisch rechneten und dasz gerade deswegen, weil
die Fabische zählung damals noch so üblich war, das Fabische säcular-
fest gefeiert werden konnte. dasz aber auch in spätester zeit die
Fabische rechnung oder die rechnung nach natürlichen jahren nicht
ganz vergessen war, erhellt aus Io. Lydos de mag. I 38, wo der anfang der groszen anarchie in ol. 103, 1 und in das 136e jahr der republik gesetzt wird. bei Diodoros XV 75, der hier Fabisch zählt,
steht die anarchie zwar unter ol. 103, 2. doch diese abweichung läszt
sich wohl dadurch erklären, dasz Lydos (nach Holzapfel ao. s. 88)
die anarchie, die eigentlich 4 jahre und 8 monate dauerte, mit weglassung des vorhergehenden amtsjahres, welches auch bei Livius
fehlt, zu fünf jahren, Fabius hingegen mit hinzufügung dieses amtsjahres nur zu vier jahren berechnete. nach Lydos fällt dann das
erste jahr der republik in ol. 69, 2. dasselbe jahr ergibt sich für
Fabius, wenn man bei ihm das erste jahr *ab urbe condita* = ol. 8, 2,
das erste jahr *post reges exactos* = 245 ansetzt, dh. bei Fabius 244
jahre der könige und 121 der consuln vor dem an der Allia geschlagenen collegium der kriegstribunen annimt. für Fabius wie für
Lydos fällt dann die Alliaschlacht in ol. 99, 3, der anfang dieses
amtsjahres noch in ol. 99, 2.

Kehren wir nun, nachdem wir festgestellt haben dasz Piso
Fabisch rechnete, zu Diodors bericht über Appius zurück, so wurde
nach demselben Appius ol. 117, 4, dh. im Varronischen jahr 444
censor, während Livius die ernennung des Appius zwei jahre früher
unter 442 varr. berichtet. wenn aber Diodoros vorher von der erwählung des Cn. Flavius zum ädilen, die nach Livius 450 (genauer
ende 449) varr. stattfand (s. oben s. 211), darauf erst von der
abdankung des Appius redet, so kann die letztere nach Diodoros
nicht vor ende 450 stattgefunden haben. dann folgte auf Appius
unmittelbar Fabius als censor, dh. Diod. kannte die von Livius dazwischen erwähnte censur des Junius Bubulcus (Livius IX 43, 25)
nicht. dies war aber nur möglich, wenn er nicht blosz wie Cato und
Livius das dictatorenjahr 445 nicht mitzählte, sondern auch wie Piso
die Varronischen jahre 447 und 448 auswarf. dann liegen zwischen
444 und 451 wirklich nur 7 — 3 = 4 jahre. wenn also Livius die
censur des Appius um zwei jahre früher ansetzte, so that er das deswegen, weil er die jahre 447 und 448 mitzählte und ein lustrum
mehr kannte. in derselben weise ergibt sich, wenn wir nach der
ausdrücklichen behauptung des Livius annehmen, dasz Appius sich
länger als $1\frac{1}{2}$, also auch wohl länger als 2 jahre in der censur behauptete (und die groszen bauten, die er nach Livius IX 29, 6
a l l e i n ausführte, musten ja in der that mehr als zwei jahre in an-

spruch nehmen, zumal da ein groszer teil des ersten amtsjahres schon durch die übrigen censorengeschäfte ausgefüllt wurde), dasz Appius auch aus diesem grunde nach Diodors darstellung 447 nicht consul gewesen sein kann, jedoch auch nicht später, weil er sich nach der niederlegung der censur blind stellte und zu hause hielt. in Diodors quelle war demnach das consulat des Appius getilgt, dh. er benutzte Piso, der freilich darin nur dem beispiel des. Fabius folgte. hierdurch geriet Diodoros mit seiner eignen fastenliste in widerspruch, die wie die Catonische jene beiden bei Fabius und Piso fehlenden consulate enthält.

Denselben widerspruch zwischen dem text und der fastenliste Diodors finden wir bei der angabe Diodors XIV 93, dasz Lipara 137 jahre nach der absendung des delphischen weihgeschenkes von den Römern eingenommen wurde. die sendung nach Delphi fällt nemlich nach Diodoros, dessen fasten hier Catonisch berechnet sind, in ol. 96, 4 dh. 6 jahre vor der schlacht an der Allia. bei Fabius fällt, wie schon öfter bemerkt, die Alliaschlacht in ol. 99, 3, der amtsantritt der damaligen consulartribunen aber noch in ol. 99, 2. deshalb müssen wir die sendung nach Delphi Fabisch in ol. 97, 4 setzen. da nun nach Pólybios I 39, 13 Lipara ol. 132, 1 eingenommen wurde und dies durch Zonaras VIII 14, der Varronisch rechnet, bestätigt wird, indem er die eroberung Liparas in das Varronische jahr 502 (= ol. 132, 1) setzt, so erhalten wir zwischen ol. 95, 4 und 132, 1 die von Diodoros nach Fabischer zählung angegebenen 137 jahre.[3]

Wenn aber die quelle Diodors im bericht über des Appius censur Fabisch zählte, so war dieselbe auch nicht ein werk des Cn. Flavius, der 100 jahre vor Fabius eben nur der alten officiellen fastenliste der pontifices folgen konnte, welche später die Catonische ära beibehielt, die nach unserer meinung (s. oben s. 211) in der von Plinius uns überlieferten inschrift auf des Flavius Concordiatempel vorlag und also auch höchst wahrscheinlich von Flavius selbst herrührte.

Wer unsern bisherigen ausführungen beipflichtet, wird nun auch unbedenklich zugeben, was zu anfang dieses aufsatzes behauptet wurde, dasz jene $22^{1}/_{2}$ jahre, welche nach Diodoros der zweite Samniterkrieg währte, auf der dort erwähnten verwechselung von *duo et viginti* und

---

[3] auch die viel besprochenen Gallierzüge bei Polybios, die derselbe natürlich direct dem Fabius entlehnte, erweisen sich folgendermaszen als Fabisch berechnet: in ol. 99, 3 fällt die schlacht an der Allia, 29 jahre später (ol. 106, 4) der zug nach Alba, 11 jahre später (ol. 109, 3) ein neuer angriff, dann 13 jahre der ruhe bis ol. 112, 4, dann friede auf 30 jahre bis ol. 120, 2. in diesem jahre erfolgt wieder ein zug der Gallier, dann drei jahre später die schlacht bei Sentinum (ol. 121, 1); darauf 10 jahre der ruhe bis ol. 123, 3; im nächsten jahre der kampf bei Arretium und die besiedelung von Sena (ol. 123, 4), im folgenden (ol. 124, 1) die schlacht am vadimonischen see; im nächsten jahre noch eine niederlage der Gallier und der friede (ol. 124, 2) zwei jahre vor Pyrrhus ankunft (ol. 124, 4).

duodeviginti beruhen. wir fanden nemlich bereits oben in anm. 1, dasz der beginn des krieges in ol. 113, 4 zu setzen sei. da sein ende von Diodoros unter ol. 119, 1 und zwar gleich zu anfang erzählt wird, so ersehen wir daraus, dasz die bruchteile der olympiadenjahre 113, 4 und 119, 1 zusammen mit sechs monaten berechnet wurden. die dazwischen liegenden fünf olympiaden betragen aber 20 jahre. so lange dauerte also der krieg nach Catonischer rechnung, in der wie hier in der fastenliste Diodors die consulate von 447 und 448 mitgezählt waren. wer jedoch wie Piso und Fabius die beiden consulate auswarf, erhielt nur 18 natürliche jahre für die dauer des krieges. diese zahl musz demnach Diodoros bei Piso vorgefunden, dann aber infolge der verwechselung der beiden zahlwörter dafür 22 geschrieben haben.

Betrachten wir zum schlusz, wie Diodoros zu seiner eigentümlichen zeitrechnung gelangte, so ist uns jetzt klar geworden, dasz er Catonisch rechnen wollte. daher sind bei ihm die epochenjahre ol. 7, 2—98, 2—104, 2 und von letzterm an wahrscheinlich alle folgenden jahre Catonisch angegeben. weil er aber vorwiegend den Piso benutzte, der Fabisch zählte, so irrte er frühzeitig auch in der fastenliste von der Catonischen zur Fabischen zählung ab. diese liegt gleich zu anfang seiner römischen berichte vor, soweit sie uns nemlich von buch XI an erhalten sind, wo das consulat des Sp. Cassius und Proculus Virginius in ol. 75, 1 gesetzt wird. ebenso sind alle folgenden jahre bis zum schlusz des 12n buches mit ol. 91, 1 Fabisch datiert. hier geht Diodoros jedoch mit dem anfang des 13n buches plötzlich zur Catonischen zählung über, wahrscheinlich um wie Polybios die schlacht an der Allia in ol. 98, 2 zu bringen. deswegen liesz er dort fünf beamtencollegien aus. umgekehrt wiederholte er die letzten fünf beamtencollegien bis zur schlacht an der Allia nach dieser schlacht, um wieder zur übereinstimmung mit seiner Fabisch zählenden quelle zu gelangen. endlich aber brauchte er, um das erste plebejische consulat Catonisch zu datieren, die bei Fabius und Piso auf vier jahre berechnete anarchie nur noch um drei jahre zu kürzen, weil Fabius zwischen der Alliaschlacht und dem consulat des Sextius schon zwei jahre weniger als Cato zählte. nach dem ersten plebejischen consul gibt Diodoros jedoch, abgesehen von einigen unwesentlichen umstellungen, anscheinend die Catonische fastenliste wieder, jedenfalls behält er wie Cato die von Fabius ausgeworfenen consulate von 447 und 448 bei und gerät dadurch aufs neue, wie schon früher bei der datierung der einnahme von Lipara, mit seiner geschichtserzählung, die dem Fabisch rechnenden Piso folgt, in offenbaren widerspruch.

KREUZNACH.   LUDWIG TRIEMEL.

44.

DIE ABFASSUNGSZEIT DER PLAUTINISCHEN BACCHIDES.

In seinen Bacchides legt der dichter v. 215 dem darsteller der hauptrolle Pollio es zur last, dasz sein Epidicus bei den Römern eine schlechte aufnahme gefunden habe. es geht daraus hervor, dasz der Epidicus älter ist als die Bacchides. nun setzt weiter Epid. 224 voraus, dasz die lex Oppia sumptuaria bereits aufgehoben war. dies geschah im j. 559 d. st. (195 vor Ch.). damit ist der terminus ante quem non für den Epidicus und zugleich für die Bacchides gegeben. wir gewinnen aber mit ziemlicher sicherheit für die Bacchides als jahr der aufführung 187, wenn wir die gleichzeitigen römischen verhältnisse näher ins auge fassen. Ritschl hat bereits in den parerga s. 425 mit recht darauf aufmerksam gemacht (vergebens hatte dies Osann analecta crit. s. 182 bestritten), dasz in v. 1072 *sed, spectatores, vos nunc ne miremini, quod non triumpho: pervolgatumst, nil moror* Plautus auf die häufigen triumphe seiner zeit (speciell die vier triumphe des j. 189 vor Ch.) bezug genommen hat. doch ist es deswegen nicht nötig das stück gerade ins j. 189 zu setzen. die worte des Chrysalus weisen hin auf den groszen damals aufsehen erregenden streit, der sich um des Cn. Manlius[1] triumph im frühjahre 187 entspann: bei welcher gelegenheit die anhänger des Manlius sagten: (*nullum*) *exemplum proditum memoriae esse, ut imperator, qui devictis perduellibus, confecta provincia* (*binis castris expugnatis*, was Manlius von sich selbst sagt bei Livius XXXVIII 47, 6) *exercitum reportasset, sine curru et laurea privatus inhonoratusque urbem iniret* (Livius XXXVIII 50, 3). Chrysalus sagt also in seinen versen versteckt: 'obwohl es etwas nie dagewesenes ist, nach solchen meinen leistungen nicht zu triumphieren, so will ich es doch nicht machen wie Manlius (der sich einen triumph erst im senate erkämpfte), sondern lieber darauf verzichten (was auch Manlius besser gethan hätte). *nil moror*: ich mache mir nichts daraus, denn *pervolgatumst*: jeder der nur eben ins feld zieht, triumphiert, wenn er zurückkehrt.'

Manlius hatte als consul von L. Scipio Asiaticus in Ephesus die truppen erhalten im frühjahre 189: vgl. Livius XXXVIII 12, 2 *vere primo Ephesum consul venit acceptisque copiis a L. Scipione* usw. seine abwesenheit von Rom betrug demnach etwa zwei jahre.[2] damit vgl. man, was Mnesilochus und Chrysalus von sich sagen: v. 388 *nam ut in Ephesum hinc abii — hoc factumst ferme abhinc biennium.* 170 *erilis patria salve, quam ego biennio postquam hinc in Ephesum abii conspicio lubens.* gewis war mit Cn. Manlius eine

---

[1] dessen kriegsthaten in Asien sogar Hannibal in griechischer sprache beschrieb (vgl. Nepos *Hann.* 13, 2). [2] die abwesenheit des L. Scipio dauerte etwas länger als 1½ jahr; auszerdem brachte er das heer nicht nach hause zurück, was Chrysalus von sich sagt: *domum reduco . . exercitum.*

menge römischer jünglinge nach Ephesus gegangen, so dasz Plautus mit gutem rechte auch seinen Mnesilochus zwei jahre von hause kann fern bleiben lassen.

Dasz der dichter mit v. 332 *quin habeat auro soccis suppactum solum* an die von Val. Maximus IX 1 *ext.* 4 erwähnte sitte des königs Antiochus, (*quem*) *imitatus in luxuria exercitus magna ex parte aureos clavos crepidis subiecit* usw., habe erinnern wollen, hat Ladewig im Philol. XVII s. 267 gesagt. obwohl, wie ich in meiner diss. 'de Bacchidum Plautinae retractatione scaenica' (Bonn 1882) s. 16 anm. 1 unter vergleichung von Plut. Alex. 40 aa. bemerkt habe, ein solcher übermut in Griechenland leicht sprichwörtlich werden und gewesen sein konnte, so hatte, sind überhaupt die verse 331 f. von Plautus (vgl. m. diss. ao.), diese bemerkung für römische zuschauer doch nur dann einen zweck, nachdem diese durch den krieg mit Antiochus und dessen gewohnheiten näher bekannt geworden waren. auch dieses weist uns auf die zeit von und nach dem j. 189 hin.

Vergleichen wir aber die breite ausführung des Chrysalus von der niederlegung des geldes im tempel der Diana zu Ephesus und die sorge des alten, ob auch wirklich das geld sicher dort sei: 312 ff. Chr. *quin in eapse aede Dianai conditumst: ibidem publicitus servant.* Nic. *occidistis me: nimium hic privatim servaretur rectius* und v. 335 f. *sed qui praesente id aurum Theotimo datumst?* Chr. *populo praesente: nullust Ephesi, quin sciat* mit Nepos *Hann.* 9: nachdem Antiochus geschlagen, flieht Hannibal 189 nach Kreta zu den Gortyniern, vor deren habsucht er seine schätze nur auf folgende weise zu sichern weisz: *amphoras complures complet plumbo, summas operit auro et argento: has praesentibus principibus deponit in templo Dianae, simulans se suas fortunas illorum fidei credere.* die schätze selbst behält er zu hause. die Gortynier aber *templum magna cura custodiunt, non tam a ceteris quam ab Hannibale, ne ille inscientibus iis tolleret secumque duceret.* dies konnte man kaum 189, wohl aber 187 zu Rom erfahren haben, da man dort an allem, was den Hannibal betraf, ein reges, wenn auch feindliches interesse nahm, und Hannibal zwei männer bei sich hatte, welche für verbreitung der jenen betreffenden ereignisse sorgten: Seilenos und Sosilos aus Lakedaimon (Nepos *Hann.* 13, 3). wenn daher Nicobulus bei Plautus sagt: *nimium hic servaretur rectius* (*pecunia*), so mochten er und die zuschauer wohl an das erlebnis Hannibals auf Kreta denken.[3] wie bei Hannibal der gortynische senat, so ist bei Plautus (vgl. übrigens m. diss. s. 16 ff.) angeblich der ephesische populus bei der deponierung des geldes zugegen.

In dem kriege gegen Antiochos war neben L. Scipio der eigent-

---

[3] wohl weisz ich, dasz gerade die stelle v. 307 ff. auch im griechischen original vorhanden war; aber einesteils gerade die benutzung dieses sujets zu jener zeit, sowie die einzelnen wendungen erweisen meines erachtens die beziehungen auf die Plautinische zeit.

liche führer dessen bruder Publius, etwa wie neben Antiochus selbst
Hannibal (vgl. Livius XXXVII 59); ähnlich dünkt sich Chrysalus
neben Mnesilochus als eigentlicher 'führer'. wenn er sagt: *uno
ictu extempulo cepi ab eo spolia* (965), so erinnert dies sehr an das
was man zur damaligen zeit sich in Rom erzählte (*bellum contra
Antiochum*) *uno memorabili proelio debellatum .. esse* (Livius
XXXVII 58, 7) von L. Scipio mit hilfe seines bruders. Chrysalus singt
v. 645 ff. *nunc amanti ero, filio senis .. regias copias aureasque
obtuli, ut domo sumeret neu foris quaereret*; diese worte erhalten einen ganz andern hintergrund, wenn wir uns jenes gewaltigen processes gegen Publius und nach dessen tode gegen L. Scipio
(und genossen) erinnern, dessen endergebnis war: *L. Scipio et
A. Hostilius legatus et C. Furius damnati: quo commodior pax
Antiocho daretur, Scipionem sex milia pondo auri, quadringenta
octoginta argenti plus accepisse, quam in aerarium rettulerit* usw.
(Livius XXXVIII 55, 5 f.). besteht nicht eine grosse ähnlichkeit zwischen jenem paar der Scipionen, die das geld des Antiochus, welches sie von Ephesus nach Rom brachten, zum teil für sich behielten
(*extat oratio eius* (*Catonis*) *de pecunia regis Antiochi* Livius XXXVIII
54, 11, womit man die *regias copias aureasque* des Plautus vergleiche),
mit Mnesilochus und Chrysalus, die auch von Ephesus herkommend
das geld zum teil dem vater vorenthalten? muste nicht, wenn Chrysalus sagte 'ich habe königsschätze in gold meinem jungen herrn
verschafft', jeder zuhörer an Publius Scipio denken, gegen den anfangs
der process allein gerichtet war? gewinnt nicht ferner die scene, in
der Chrysalus den Nicobulus zum ersten male überlistet, einen ganz
andern charakter? *sed vos nilne attulistis inde auri domum?* ist
dann sehr doppelsinnig: 'habt ihr nichts mit hierher gebracht?'
jeder zuhörer aber verstand es: 'habt ihr nichts von dem golde nach
(eurem) hause getragen?' Chrysalus antwortete, was wohl jeder
sich in betreff der Scipionen sagte: *immo etiam: verum quantum attulerit nescio*: 'denn wenn er es gethan hat, mich hat er
nicht eingeweiht: er war in der nacht heimlich bei Theotimus.' ähnlich mochte L. Scipio ohne wissen des Publius heimlich mit Antiochus
unterhandelt haben. aus Livius XXXVIII 55, 12 (*P. Scipionem*) *indignantem quod, cum bis milliens in aerarium intulisset, quadragiens
ratio ab se posceretur* geht hervor, dasz man den P. Scipio anklagte
die hälfte des geldes des Antiochus unterschlagen zu haben. nun
sehe man die worte des Nicobulus an Chrysalus: *etiam dimidium
censes* (*Mnesilochum domum attulisse*)*?* was in bezug auf Scipio den
sinn hat: 'meinst du, er habe die hälfte des geldes für sich behalten?'
man mochte dies, selbst den dritten teil noch für zu viel halten: so
verstehen wir des Chrysalus worte (321) *non edepol scio, verum haud
opinor* mit der bemerkung *verum verum nescio*, die für die zuhörer
den sinn hatte: 'aber möglich ists doch.'

Ich glaube demnach, dasz die Bacchides geschrieben und aufgeführt worden sind, als der process schon schwebte, etwa zur zeit

als Lucius ihn für sich annahm, vor dem tode des Publius sowie ehe man noch genossen des Lucius beschuldigte. nach Livius XXXVIII 50, 4 *oppressit deinde mentionem memoriamque omnem contentionis huius maius et cum maiore et clariore viro certamen ortum* usw. fand die erste öffentliche anklage gegen P. Scipio nach dem triumphe des Manlius statt. dieser fiel in den anfang des j: 187 nach Livius XXXIX 6. in demselben jahre sind unsere Bacchides aufgeführt worden. damit stimmt, wie wir vorhin sahen, auch die berücksichtigung des triumphes des Manlius.

CLEVE.   AUGUST EDUARD ANSPACH.

45.
VERGILIUS UND TIMAIOS.

Bekanntlich ist Timaios einer der frühesten vertreter der Aineiassage in der litteratur: er weisz von den in Lavinium verwahrten troischen penaten zu berichten (fr. 20), und die opferung des October equus auf dem campus Martius deutet er als eine erinnerung an das troische pferd (fr. 151). doch ist nicht anzunehmen, dasz er die aus Homeros Υ 302 ff. herausgesponnene sage selbständig weiter ausgeführt und somit die römische tradition beeinfluszt habe, sondern es steht fest und ist allseitig als richtig anerkannt, dasz er der bereits ausgebildeten volksansicht folgt, die er auf seinen reisen in Rom selbst kennen zu lernen gelegenheit gehabt hatte. wenn aber eine derartige überlieferung im geiste des römischen volkes wurzelte, so brauchte Vergilius nicht zu einem griechischen schriftsteller seine zuflucht zu nehmen, um so weniger als Timaios den Aineias keineswegs mit Dido in verbindung gebracht hatte. dies ist neuerdings wieder von ChClasen (untersuchungen über Timaios von Tauromenion, Kiel 1883, s. 30) behauptet worden. da jedoch Timaios einerseits die gründung Roms in dasselbe jahr setzt wie die gründung von Karthago durch Dido, in das j. 814 vor Ch. (fr. 21), anderseits aber die zerstörung Trojas, an die sich die auswanderung des Aineias unmittelbar angeschlossen haben musz, in das j. 1334 (fr. 53 und 66): so müste er einen enormen chronologischen fehler, bei dem es sich um eine differenz von mehr als 500 jahren handelt, sich haben zu schulden kommen lassen, falls Aineias bei ihm Rom gründete. dazu kommt dasz in fr. 23 erzählt wird, Dido, ihrem von Pygmalion ermordeten gemahle treu bleibend, habe sich selbst verbrannt, weil ihre unterthanen sie zwingen wollten sich mit einem libyschen könige, der um sie warb, zu vermählen. wo ist denn hier der raum für Aineias? so sehr wir gerade von unserm standpunkte aus geneigt sind dem Timaios jeden chronologischen fehler zuzutrauen, so verlangen wir doch dasz, wo die äuszern anhaltspunkte fehlen, ein zureichender innerer grund beigebracht werde. bis dahin bleiben wir dabei, dasz die verbindung der Dido mit Aineias auf

Vergilius selbst zurückzuführen ist, bei dem jedoch Rom und Karthago durchaus nicht in demselben jahre gegründet werden. denn *Aen.* I 255 ff., wo Juppiter der Venus die zukunft enthüllt, gründet Aeneas Lavinium, Ascanius Alba und erst 300 jahre nachher Romulus Rom. da nun aber bei Vergilius Karthago schon besteht, als Aeneas landet, so ergibt sich dasz das von Timaios angegebene gründungsjahr Karthagos hier ganz und gar keine geltung hat. sonach geht der grundgedanke der Aeneis erwiesenermaszen nicht auf Timaios zurück.

Prüfen wir nun die einzelheiten, so ergeben sich anscheinend berührungspunkte in ziemlich groszer zahl: die sage von dem mythischen hirten Daphnis *ecl.* 5, 20 ff. und Tim. fr. 4, Diomedes in Italien *Aen.* XI 243 ff. und Tim. fr. 13, Herakles in Italien *Aen.* VII 662 ff. und Tim. fr. 10, die troischen penaten *Aen.* II 292 ff. und Tim. fr. 20, die weichlichkeit der Tyrrhener *Aen.* XI 736 ff. und Tim. fr. 18, die Tyrrhener aus Lydien eingewandert *Aen.* VIII 479 und Tim. fr. 19, Sikelien als *Trinacria* bezeichnet *Aen.* III 384 und Tim. fr. 1. die beschreibung der küste Sikeliens *Aen.* III 687—708, wo Verg. sehr eingehende geographische kenntnisse entwickelt, könnte vollständig für Timaios in anspruch genommen werden. aber diese berührungspunkte beweisen gleichwohl nicht, dasz Verg. aus Timaios geschöpft habe, da ihm fast überall auch andere quellen zu gebote standen. die geschichte des hirten Daphnis war seit Stesichoros (fr. 63 Bergk) ein lieblingsgegenstand der sikelischen dichter, namentlich der bukoliker, von denen Verg. ja in den eclogen vielfach abhängig ist. die einwanderung der Tyrrhener aus Lydien berichtet schon Herodotos (I 94). die weichlichkeit der Etrusker war allgemein bekannt (Catullus 39, 11 *aut pastus Umber aut obesus Etruscus*). der name *Trinacria* wird durch münzen sikelischer städte als weit verbreitet erwiesen. in der sage über die quelle Arethusa auf Ortygia, mit der sich der flusz Alpheios verbindet, weicht Verg. von Timaios etwas ab, indem dieser, die unwahrscheinlichkeit der volkssage mildernd, den Alpheios ὑπὸ γῆϲ nach Sikelien flieszen läszt, während Verg., den bukolikern folgend (Moschos eid. 7, 4 τὰν δὲ θάλαϲϲαν νέρθεν ὑποτροχάει), den flusz durch das meer seinen weg sich bahnen läszt (*Aen.* III 695). die pracht und grösze von Akragas hatte allerdings Timaios ausführlich geschildert (fr. 111 —114), wo er auch sagt, dasz die Akragantiner den rennpferden (τοῖϲ ἀθληταῖϲ ἵπποιϲ) denkmäler errichtet hätten; gleichwohl braucht *Aen.* III 703 f. nicht auf Timaios zurückzugeben, denn auch Pindaros (Ol. 2 und 3) preist den Akragantiner Theron und dessen ἀκαμαντόποδες ἵπποι. für die geschichte von der ἀκίνητος Καμάρινα fehlt ein entsprechendes fragment des Timaios, wenn auch das was Servius zu *Aen.* III 701 erzählt von unserm historiker herrühren könnte: *palus est iuxta eiusdem nominis oppidum, de qua quodam tempore, cum siccata pestilentiam creasset, consultus Apollo, an eam penitus exhaurire deberent, respondit:* μὴ κίνει Καμάριναν· ἀκίνητος γὰρ ἀμείνων. *quo contempto exsiccaverunt paludes et caren-*

tes pestilentia per eam partem ingressis hostibus poenas dederunt. die
bezeichnung von Selinus als *palmosa* kann auf Cicero in *Verrem*
V § 87 beruhen: *posteaquam paullum provecta classis est et Pachy-
num quinto die denique appulsa est, nautae fame coacti radices pal-
marum agrestium, quarum erat in illis locis sicut in magna parte
Siciliae multitudo, colligebant.* überhaupt finden sich sprachliche und
sachliche anklänge an die Verresreden des Cicero (*mecum pariter
Aen.* I 572 == in *Verrem* V § 173, *media mors Aen.* II 533 == *in
Verrem* V § 12, die verehrung der Magna mater in Sicilien *Aen.*
IX 584 == in *Verrem* IV § 97. V § 186). daher läszt sich auch die
gründung von Segesta durch Aeneas (*Aen.* V 755 ff.) vergleichen
mit Cic. *in Verrem* IV § 72 *Segesta est oppidum pervetus in Sicilia,
quod ab Aenea fugiente a Troia atque in haec loca veniente conditum
esse demonstrant.*

Nicht sehr beweiskräftig sind also diese ähnlichkeiten; es treten
uns jedoch auch nicht unerhebliche abweichungen entgegen. Caieta
heiszt *Aen.* VII 1 ff. so nach der amme des Aeneas, bei Timaios
(fr. 6) erhält der hafen den namen von den Argonauten. Timaios
hatte (fr. 2) den Philistos getadelt, weil dieser die Sikaner aus
Iberien hatte einwandern lassen, während sie doch autochthonen
seien; Verg. scheint aber der ansicht des Philistos den vorzug zu
geben, indem er *Aen.* IX 582 einen Siculer mit einer iberischen
chlamys ausstattet. der name *Italia* wird *Aen.* I 533 von einem
könige *Italus* abgeleitet, während Timaios (fr. 12) das wort ἰταλός
(== *vitulus*) zu grunde legt. sowohl in diesem punkte als die iberische
herkunft der Sikaner betreffend scheint Verg. dem Thukydides zu
folgen, der VI 2 beide ansichten vorträgt. endlich konnte Timaios
unmöglich die städte Gela, Kamarina, Akragas usw. schon zu der
zeit existieren lassen, wo Aineias an der küste Sikeliens vorbeifuhr,
wie dies *Aen.* III 700 ff. der fall ist. hat also Verg. den Timaios
benutzt, was bei den ausgebreiteten vorstudien des dichters nicht
unwahrscheinlich ist, so hat er mit dem stoffe so frei geschaltet, dasz
jetzt nur schwache spuren auf eine benutzung des Timaios deuten.

BRESLAU.   ——————   HERMANN KOTHE.

46.
ZU JUVENALIS.

Wenn der schiffer in gefahr ist, sagt Juvenalis *sat.* 12, 55, so
kappt er den mast *ac se explicat angustum*, wie in unsern texten
steht. mag nun *angustum* erklärt werden *in angustias coniectum*
oder *in angusto conclusum*: jedenfalls ist die befreiung aus der be-
drängnis die beabsichtigte folge jener maszregel, was genau ausgedrückt heiszen müste *se explicat angustum* (*ex*) *angusto*; daraus
konnte durch contraction und attraction nur werden *se explicat
angusto*, und so ist wohl auch bei Juvenalis zu schreiben.

HALLE.   ——————   CARL HÄBERLIN.

47.

DER BERICHT DES FLORUS ÜBER DIE VARUSSCHLACHT.

Bekanntlich hat Ranke in seiner weltgeschichte (III 1 s. 25 ff. 2 s. 272 ff.) die behauptung aufgestellt, nach dem bericht des Florus von der schlacht im Teutoburger walde sei 'das römische lager in seinem ruhigen bestand in einem augenblick angegriffen worden, in welchem Varus auf seinem tribunal zu gericht sasz'. indem nun der berühmte historiker den 'letzterwähnten bericht in der hauptsache' für 'wahrheitsgetreu' erklärt, so musz nach ihm die erzählung von der Varusschlacht, wie sie sich bei Cassius Dion findet und wie sie bisher in unsern geschichtsbüchern regelmäszig wiederholt worden ist, verworfen werden.

Dasz indessen eine solche plötzliche überrumpelung des römischen sommerlagers, welche die vernichtung von drei legionen nebst einer anzahl bundesgenossen zur folge gehabt haben soll, an sich schon sehr unwahrscheinlich ist, dasz vielmehr ein überfall des feindlichen heeres auf dem marsche viel eher für die Deutschen den gewünschten erfolg haben muste, dürfte durch die römische kriegsgeschichte hinlänglich erwiesen sein. ich erinnere in dieser beziehung nur an die bekannten ereignisse, welche sich im gallischen kriege unter Cotta und Sabinus, sowie im germanischen kriege unter Caecina zugetragen haben. die von Ranke vertretene annahme wird aber um so unwahrscheinlicher, als nach der darstellung des Florus, falls dieselbe in einem dem Dion entgegengesetzten sinne verwertet werden soll, der überfall in einem augenblicke stattgefunden haben müste, wo der feldherr ruhig eine gerichtsverhandlung leitete, also am hellen, lichten tage, ohne dasz die römischen posten von dem herannahen der feindlichen massen, welches von allen seiten her erfolgt sein soll, nur das geringste merkten.[1] ja, es müste sich das alles zugetragen haben, trotzdem dasz der römische feldherr durch die anzeige des Segestes von der absicht der Deutschen vorher hinlänglich in kenntnis gesetzt worden war.

Wir haben es also mit einer mehrfach gesteigerten unwahrscheinlichkeit zu thun, und Mommsen hat gewis in der hauptsache recht, wenn er (RG. V s. 41) sagt: 'die friedliche rechtspflege des Varus und die erstürmung des lagers kennt die bessere überlieferung beide auch und in ihrem ursächlichen zusammenhang; die lächerliche schilderung dasz, während Varus auf dem gerichtsstuhl sitzt und der

---

[1] ich sehe hier von der wunderlichen idee ab, welche neuerdings Höfer aufgestellt hat, dasz die Deutschen in der zahl von 15—20000 mann von den Römern selbst arglos in ihr lager eingelassen worden seien. die Höfersche hypothese von der Varusschlacht, sowie die angriffe desselben autors auf meine untersuchungen über die Römerfeldzüge sind in einem vor kurzem erschienenen 'nachtrag zu den kriegszügen des Germanicus' (Berlin 1889) hinreichend widerlegt worden.

herold die parteien vorladet, die Germanen zu allen thoren in das
lager einbrechen, ist nicht überlieferung, sondern aus dieser ver-
fertigtes tableau.'²
      Ich bin auch überzeugt, dasz ein versuch mit verwerfung der
Dionischen quelle den verlauf der Teutoburger schlacht nach Florus
herzustellen von vorn herein keine aussicht auf beifall gehabt haben
würde, wenn es eben nicht ein Ranke gewesen wäre, der diesen versuch gemacht hat. beweis dafür ist, dasz bereits 20 jahre vor dem
bekanntwerden der Rankeschen hypothese Schierenberg in seiner
schrift 'die Römer im Cheruskerlande' die ansicht aufgestellt hatte,
der bericht des Florus sei mit Dion unvereinbar, dasz aber diese ansicht von der gesamten gelehrtenwelt einfach mit stillschweigen übergangen worden ist, bis erst in unsern tagen der frisch entbrannte
streit zu der beachtung der thatsache führte, dasz ähnlich wie
Mommsen in Müller von Sondermühlen, so Ranke in Schierenberg
einen vorgänger gehabt hat.
      Auch musz wohl beachtet werden, dasz Ranke der behandelten
frage längst nicht mit derjenigen sicherheit gegenübergestanden hat,
welche erwartet werden durfte, wenn es sich um eine zu erweisende
sache handelte. es fällt denn doch nicht wenig ins gewicht, dasz
der berühmte historiker seiner darstellung von der schlacht im
Teutoburger walde zunächst den Dionischen bericht wirklich zu
grunde legt und zu demselben die bemerkung macht: 'die erzählung hat einen groszartigen charakter; man wird sie nicht aufgeben
dürfen.' sein urteil über die divergenz der vorliegenden quellen
lautet ferner äuszerst zurückhaltend, wenn er sagt: 'die beiden berichte (die des Dion und des Florus) sind grundverschieden, und ich
wage keinen versuch sie zu einem ganzen zu gestalten. darf ich eine
meinung über die differenz aussprechen, so würde sie dahin gehen,
dasz der letzterwähnte bericht in der hauptsache wahrheitsgetreu
ist.' dasz Ranke ferner selbst in seinem urteil geschwankt und
seinen gründen keine überzeugende beweiskraft zugemessen hat,
geht aus den worten hervor: 'die auffassung der beiden Römer
scheint mir in allen punkten die glaubwürdige zu sein, und anfangs
war ich der ansicht, dasz die erzählung des Dio als unglaubwürdig
verworfen werden müsse. aber bei dem studium der werke des Dio

---

      ² die unmöglichkeit der Mommsenschen hypothese, nach welcher
auf grund der münzfunde uuweit des groszen moores bei Barenau die
Varusschlacht in die dortige gegend verlegt werden soll, stellt sich
immer mehr heraus. schon Göze bezeugte, dasz die ältere Barenauer
samlung auch münzen des kaisers Tiberius enthielt, und JMöser, der
die samlung einer besichtigung unterzog, fand heraus, dasz sämtliche
münzen vor dem jahre 16 nach Ch. geprägt seien, so dasz dieselben
nicht auf die Teutoburger schlacht, wohl aber auf die des j. 15 nach
Ch. bezogen werden können. die bei Damme gefundene münze mit der
aufschrift *Iulia Augusta* (vgl. meinen 'nachtrag' s. 52) spricht aber ebenfalls für meine ansicht, da der name *Iulia Augusta* nicht vor dem j. 14
nach Ch. vorgekommen ist.

Cassius hatte ich mich doch überzeugt, dasz er nirgends erdichtet,
sondern nur das, was er vorfand, zuweilen freilich ohne kritische erörterung, aufnimt . . ich weisz, bei der auffassung dieser für die anfänge der deutschen geschichte so unendlich wichtigen begebenheit
werde ich keineswegs allgemeine beistimmung finden; ich habe aber
keine andere lösung entdecken können.' es darf deswegen gewis
nicht als eine verletzung der pietät unserm groszen geschichtschreiber gegenüber angesehen werden, wenn wir ihm in einer sache zu
widersprechen wagen, welche er selbst mehr oder weniger als contro-
vers bezeichnet und der gegenüber er selbst zu verschiedenen zeiten
eine wechselnde stellung eingenommen hat.

Wenn aber neuerdings die Rankesche ansicht, und zwar nicht
nur bei wissenschaftlichen abenteurern, sondern auch bei ernsten
forschern entschiedenen beifall gefunden hat, so erscheint es geradezu
als eine pflicht, von neuem die frage zu erörtern, ob denn wirklich
die darstellung des Florus zu der auffassung berechtigt, dasz die
Römer in ihrem sommerlager von den Deutschen überfallen worden
sind, oder ob die erzählung, welche wir von jugend auf gelernt
haben, nach wie vor geltung haben darf.

Nun ist es aber vor allem eine sache von wichtigkeit, dasz die
ansicht, es sei das römische sommerlager in seinem ruhigen bestand
von den Deutschen überfallen worden, in den übrigen quellen keine
stütze findet. sehen wir von Cassius Dion ab, mit dessen bericht
eine solche auffassung von vorn herein in widerspruch steht, so läszt
sich dieselbe weder dem Vellejus noch dem Tacitus noch sonst irgend
einem schriftsteller entnehmen. Vellejus, der den ereignissen am
nächsten steht, redet freilich von einem römischen lager, welches
durch die Deutschen bedroht wurde. aber Tacitus erwähnt zwei
römische lager, welche auf dem Teutoburger schlachtfelde nach einander aufgeschlagen wurden, und es würde somit, auch wenn wir
von den verhältnissen weiter keine kunde hätten, mindestens zweifelhaft erscheinen, welches von den beiden lagern von dem erstgenannten
schriftsteller gemeint wäre. nun sagt aber Vellejus ausdrücklich,
Cejonius, einer der präfecten des lagers, habe dasselbe den feinden
übergeben wollen in einem augenblicke, wo bereits der weitaus gröste
teil des römischen heeres in der schlacht gefallen war. demnach bleiben nur zwei möglichkeiten übrig: entweder das römische heer liesz
im ersten lager eine besatzung zurück; dann aber müste der aus-
marsch des hauptheeres in ordnungsmäsziger weise stattgefunden
haben und das lager hätte nicht durch einen unvermuteten überfall
in die hände der Deutschen kommen können, wie man doch aus
Florus schlieszen will. oder aber die von Vellejus erwähnte begebenheit gehört, wie ich bereits an einem andern orte angenommen habe,
dem zweiten römischen lager an. erwähnt also nach der allein möglichen auffassung Vellejus von dem angriffe der Deutschen auf das
sommerlager nichts, so darf dieser schriftsteller, welcher doch unzweifelhaft die genaueste kenntnis von den fraglichen verhältnissen

besasz, mit recht als ein wichtiger zeuge gegen die auffassung Rankes angeführt werden.

Dasz die Rankesche hypothese auch mit Tacitus in widerspruch steht, ist in meinem 'nachtrag' s. 177 ff. hinlänglich dargelegt worden. Aber auch die stelle des Florus selbst bietet keine ausreichende stütze für die fragliche ansicht. Mommsen erkennt in der darstellung dieses schriftstellers ein aus der bessern überlieferung hergestelltes tableau. ich habe dagegen bereits in meiner eben erwähnten schrift 'die kriegszüge des Germanicus' s. 114 die ansicht ausgesprochen: 'der ausdruck «während er sie vor seinen richterstuhl berief» kann nur in dém sinne gefaszt werden, dasz damit der allgemeine charakter der thätigkeit des Varus im lande der Deutschen hat bezeichnet werden sollen, welcher darin bestand, dasz der feldherr, anstatt auf seine sicherheit bedacht zu sein, nur mit rechtsprechen und processen die zeit hinbrachte. um diesen contrast, welcher in den aufgaben des feldherrn und seiner wirklichen thätigkeit bestand, zu verschärfen, ist dann von dem schriftsteller die zusammenstellung *ex inproviso adorti, cum ille ad tribunal citaret, undique invadunt* usw. gewählt.'

An dieser ansicht musz auch jetzt noch festgehalten werden. es ist nemlich wohl zu beachten, dasz die darstellung des Florus keineswegs in einer bloszen erzählung der ereignisse besteht, sondern dasz die letztern ein gepräge erhalten haben, welches sehr deutlich die hand des autors uns erkennen läszt. auch der fragliche abschnitt, welcher von dem germanischen kriege handelt, macht hiervon keine ausnahme. schon die worte, mit denen die begebenheiten eingeleitet werden, weisen darauf hin, dasz die letztern von einem bestimmten gesichtspunkte aus betrachtet werden sollen. so heiszt es im anfange des cap. (II 30): *Germaniam quoque utinam vincere tanti non putasset! magis turpiter amissa est quam gloriose adquisita.* ebenso, wo zu den begebenheiten unter Varus übergegangen wird: *sed difficilius est provincias obtinere quam facere.* diese worte bilden gleichsam das thema zu dem nachfolgenden stücke. der schriftsteller will zeigen, dasz die behauptung einer provinz eine sehr schwierige aufgabe sei, dasz Varus diese seine aufgabe aber viel zu leicht genommen habe und dasz darüber Germanien schimpflich verloren gegangen sei.

Demnach kommt es dem schriftsteller gar nicht darauf an eine erzählung der ereignisse in ihrem zeitlichen verlauf vorzuführen, sondern sowohl die wahl des stoffes wie die gruppierung der thatsachen ist wesentlich in rücksicht auf den leitenden gedanken erfolgt.

Dasz dem wirklich so ist, läszt sich leicht erweisen. so musz es zb. doch gleich sehr auffallen, dasz Florus auf Drusus sofort als statthalter von Germanien den Varus folgen läszt, trotzdem dasz eine geraume zeit voll wichtiger ereignisse dazwischenliegt. es heiszt bei ihm (§ 30): *quippe Germani victi magis quam domiti erant, moresque nostros magis quam arma sub imperatore Druso suspiciebant; postquam ille defunctus est, Vari Quintilii libidinem ac superbiam haut secus quam saevitiam odisse coeperunt.* man könnte geneigt sein diese stelle als einen beweis dafür zu betrachten, dasz der von Florus benutzte bericht unzuverlässig gewesen sei. ich urteile nicht so. der schriftsteller wollte eben nur das thema *difficilius est provincias obtinere quam facere* behandeln, und so muste denn dem eroberer des landes sofort derjenige mann gegenübergestellt werden, welcher durch sein fehlerhaftes verfahren den verlust der provinz verschuldet hatte.

Ein zusammendrängen der begebenheiten findet auch sonst statt. von Vellejus erfahren wir, dasz die processe von den Deutschen absichtlich in die länge gezogen wurden. es heiszt daselbst (II 118, 1): *at illi, quod nisi expertus vix credat, in summa feritate versutissimi natumque mendacio genus, simulantes fictas litium series et nunc provocantes alter alterum in iurgia, nunc agentes gratias* usw. nach Florus dagegen greifen die Deutschen gleich zu den waffen, sobald sie toga und römisches recht gesehen haben. er sagt (§ 32): *at illi, qui iam pridem robigine obsitos enses inertesque maererent equos, ut primum togas et saeviora armis iura viderunt, duce Arminio arma corripiunt.* es liegt mir auch hier fern die abweichung des schriftstellers von unsern sonstigen überlieferungen auf eine fehlerhafte quelle zurückzuführen; wohl aber dürfen die angeführten beispiele als beweise dafür angesehen werden, dasz wir bei Florus nicht einen objectiven bericht, sondern eine durch bestimmte rhetorische rücksichten zugestutzte darstellung besitzen.

Dasz unter diesen umständen auch die reihenfolge nicht streng festgehalten wird, darf nicht wundernehmen. ein kritiker hat gegen meine annahme, dasz der ausdruck des Florus *castra rapiuntur* auf das zweite marschlager der Römer zu beziehen sei, geltend gemacht: dann hätte es nicht heiszen dürfen *castra rapiuntur, tres legiones opprimuntur*, sondern es hätte die umgekehrte reihenfolge gewählt werden müssen. indessen abgesehen davon dasz nach meiner darlegung die völlige vernichtung des römischen heeres wirklich erst erfolgte, nachdem das lager in die gewalt der Deutschen geraten war, läszt auch die gewohnheit des schriftstellers eine solche folgerung nicht zu. heiszt es doch zb. auch von dem untergange des heeres unter Cotta und Sabinus im gallischen kriege (I 45, 8): *itaque et castra direpta sunt et Aurunculeium Cottam cum Titurio Sabino legatos amisimus*, trotzdem dasz nach der mitteilung Caesars der tod der beiden feldherrn stattgefunden hat, bevor das lager eingenommen wurde.

Auch an unserer stelle ist für die zusammenstellung der ereignisse nicht die chronologische ordnung bindend gewesen, sondern es waren ganz andere rücksichten maszgebend. wollte man zb. die meinung vertreten, in der stelle (§ 33) *duce Arminio arma corripiunt, cum interim tanta erat Varo pacis fiducia, ut ne prodita quidem per Segestem unum principum coniuratione commoveretur* habe Florus mit den worten *cum interim* usw. entsprechend dem sonstigen gebrauch dieser wörter das zeitliche zusammentreffen der handlungen des

haupt- und nebensatzes bezeichnen wollen, so würde das darauf
hinauskommen, dasz die anzeige des Segestes in einem augenblicke
erfolgte, als bereits Arminius zu den waffen gegriffen hatte. bei
Vellejus heiszt es aber (§ 4): *tempus insidiarum constituit. id Varo
per virum eius gentis fidelem clarique nominis, Segesten, indicatur.*
bei Tacitus insbesondere erfahren wir ann. I 58 aus dem munde des
Segestes: *ergo raptorem filiae meae, violatorem foederis vestri Armi-
nium aput Varum, qui tum exercitui praesidebat, reum feci. dilatus
segnitia ducis, quia parum praesidii in legibus erat, ut me et Armi-
nium et conscios vinciret, flagitavi. testis illa nox, mihi utinam potius
novissima!* hieraus geht denn doch hervor, dasz zu der zeit, als der
verräter seine anzeige machte, Arminius noch nicht die waffen gegen
Varus erhoben hatte, dasz sämtliche verschworene vielmehr damals
noch in der gewalt des römischen feldherrn sich befanden.

Will man also Florus nicht mit Vellejus in einen widerspruch
versetzen, so wird man auch hier von der annahme ausgehen müssen,
dasz der schriftsteller sich durch andere als zeitliche rücksichten zu
der zusammenstellung der sätze hat bestimmen lassen. welches diese
rücksichten gewesen sind, ergibt sich wiederum aus dem, was über
das thema des ganzen stückes gesagt worden ist. es kann dem schriftsteller nur darauf angekommen sein, den contrast hervorzuheben,
welcher zwischen der gefahr und der sorglosigkeit des römischen
feldherrn bestand.

Überhaupt spielt dieser contrast bei Florus eine grosze rolle.
es sei mir gestattet nur auf folgende stellen aufmerksam zu machen:
I 5, 14 (Halm) heiszt es: *sic expeditione finita rediit ad boves rursus
triumphalis agricola.* ferner I 18, 4 *ille rudis, ille pastorius
populus vereque terrester ostendit nihil interesse virtutis, equis an
navibus, terra an mari dimicaretur.* I 18, 5 *adeo non est ex-
territus, ut illam ipsam ruentis aestus violentiam pro
munere amplecteretur.* I 22, 12 *tum callidissimi hostes . . homines
a meridie et sole venientes, nostra nos hieme vicerunt.*
I 22, 22 *si quidem invictum Alpibus indomitumque armis
Campani — quis crederet? — soles et tepentes fontibus
Baiae subegerunt.* I 36, 18 *sed ille quoque, quamvis victus
ac vinctus, vidit urbem quam venalem et quandoque peritu-
ram.* I 47, 7 *Syria prima nos victa corrupit.* II 6, 4 *eadem
fax, quae illum cremavit, socios in arma et expugnationem urbis accendit.* II 6, 7 *cum regum et gentium arbiter populus ipsum
se regere non posset, et victrix Asiae et Europae a Corfinio
Roma adpeteretur.* II 9, 2 *decora et ornamenta saeculi sui, Marius
et Sulla, pessimo facinori suam etiam dignitatem praebuerunt.*
II 13,49 *nec ulla res magis exitio fuit quam ipsa exercitus magni-
tudo.* II 13, 52 *ut denique . . imperio vilissimi regis, consiliis
spadonum et, ne quid malis deesset, Septimii desertoris sui gladio
trucidatus . . moreretur.*

Diese beispiele werden genügen. sie beweisen dasz es Florus

liebt durch überraschende zusammenstellungen gegensätzlicher begriffe das interesse der erzählung zu beleben. dieselbe neigung hat ihn auch geleitet, nicht aber war es ihm darum zu thun den moment der handlung näher zu bezeichnen, als er die zusammenstellung *duce Arminio arma corripiunt, cum interim tanta erat Varo fiducia, ut* usw. wählte.

Wir können dieses verhältnis noch an einem andern beispiele deutlich machen. I 46 ist von dem Partherkriege des Crassus die rede. nun ist bekannt, dasz dieser feldherr sich durch eine grosze geldgier leiten liesz. dieselbe spielt auch in dem genannten kriege eine gewisse rolle und kann mit einigem recht auch als die ursache seines unglücks angesehen werden. keineswegs aber kann angenommen werden, dasz in dem augenblicke, wo die katastrophe für Crassus hereingebrochen war, die hoffnung auf den gelderwerb noch fortdauerte, dasz er in dem augenblicke, wo er seinen tod fand, noch daran gedacht habe sich mit den schätzen der feinde zu bereichern. solche gedanken hätten ihm angesichts der niederlage, angesichts des eignen todes doch wohl vergehen müssen. und doch sagt der schriftsteller I 46, 2: *adversis et dis et hominibus cupiditas consulis Crassi, dum Parthico inhiat auro, undecim strage legionum et ipsius capite multata est.*

Mit diesem beispiele steht aber die entscheidende stelle (§ 34) *itaque inprovidum et nihil tale metuentem ex inproviso adorti, cum ille — o securitas! — ad tribunal citaret, undique invadunt* auf ganz gleicher stufe. Ranke und diejenigen, welche seiner ansicht folgen, fassen die stelle so auf, als wenn der mit *cum* eingeleitete satz den augenblick bezeichnen solle, in welchem die haupthandlung *itaque inprovidum undique invadunt* sich vollzogen habe. die zusammenstellung ist aber nur gewählt, um den gegensatz zwischen dem allgemeinen verfahren des Varus und der gefahr, in der er schwebte, zu bezeichnen, und die betreffenden sätze haben gar keine chronologische, sondern nur eine logische beziehung zu einander. wie Crassus das beispiel eines bestraften geldgierigen ist, wie aber nicht seine bestrafung in einem augenblicke erfolgt, wo er diese habsucht momentan gezeigt hat, so ist Varus das beispiel eines mannes, der für seine sorglosigkeit, für seine sucht alles durch processe entscheiden zu wollen bestraft wird, ohne dasz diese strafe in einem augenblicke eingetreten wäre, in dem ein solcher fall des processierens vorgelegen hätte, und wie in I 46, 2 die conjunction *dum* nicht die gleichzeitigkeit bezeichnen soll, so nötigt auch an unserer stelle der gebrauch der conjunction *cum* nicht dazu, die handlung des hauptsatzes, den angriff der Deutschen auf das römische heer, zeitlich von der handlung des nebensatzes abhängig zu machen.

Unter diesen umständen können wir uns auch nicht dafür entscheiden, Florus habe mit den worten *itaque inprovidum et nihil tale metuentem ex inproviso adorti, cum ille — o securitas! — ad tribunal citaret, undique invadunt* ausdrücken wollen, dasz die Deutschen in einem augenblick in das römische lager eingedrungen wären, in welchem der römische feldherr auf seinem tribunal zu gericht zu gericht sasz. es liegt deswegen zwischen der darstellung des Florus und derjenigen der übrigen quellen auch kein zwiespalt vor. der schriftsteller steht mit der auffassung, dasz Varus auf dem marsche durch den Teutoburger wald von den Deutschen überfallen worden ist, in keinem widerspruch, und wir dürfen nach wie vor an der erzählung festhalten, welche wir bisher in unsern schulen gelernt und gelehrt haben.

ZERBST.   ——————   FRIEDRICH KNOKE.

48.

ZU SALLUSTIUS.

————

Cat. 60, 2 *postquam eo ventum est, unde a ferentariis proelium committi posset, maxumo clamore cum infestis signis concurrunt.* hier wird die präp. *cum* durch alle hss. geschützt. die hgg. machen auf den ungewöhnlichen gebrauch derselben aufmerksam, da regelmäszig *infestis signis* gesagt wird; vgl. auch Garbari 'de quisbusdam stili Sall. propr.' s. 11; Constans 'de sermone Sall.' s. 135, Christ 'de abl. Sall.' s. 54. Kritz hält den ausdruck für analog mit *esse cum telo*, Schmalz dagegen glaubt, die präp. sei der variatio wegen beigegeben, weil schon ein abl. *maxumo clamore* vorausgehe, ihm folgen PThomas und Cook. zuerst klammerte Dietsch 1864 — vgl. anm. zdst. — die präp. ein, ganz weggelassen haben sie mehrere hgg. wie Wirz, Long-Frazer, Prammer, der aber s. XXXVIII seiner ausgabe bemerkt: 'ich musz mit bedauern constatieren, dasz ich in keiner Wiener hs. *infestis signis* ohne das höchst befremdliche *cum* gefunden habe.' beibehalten aber wird die präp. auch von Jordan, Eussner, Scheindler. *cum* einfach zu streichen dürfte wegen der übereinstimmung der überlieferung nicht angebracht sein. nimt man jedoch *concurrere* nicht absolut, sondern läszt davon *cum* abhängen, so ist die präp. gerechtfertigt. der nicht selten metonymische gebrauch von *signa* = *manipuli, cohortes, legiones* — vgl. zb. Livius VIII 9, 11. XXVIII 14, 18. 15, 3. XXXIV 28, 4 — ist auch für Sallustius nachzuweisen, vgl. die erklärer zu *Cat.* 59, 2. die angriffscolonnen des einen heeres stürmen also unter lautem geschrei gegen die des andern, oder: die angriffscolonnen beider heere stürmen unter lautem geschrei gegen einander. *concurrere* findet sich mit *cum* bei Sall. zwar nicht mehr, zweifelhaft ob mit *in Iug.* 97, 4 (andere lesart *incurrere*), wird aber, wie Schmalz Antib. I[6] s. 289 sagt, 'im militärischen sinn gewöhnlich mit *cum* verbunden'. zu *infestus* vgl. *Iug.* 46, 5.

PLAUEN IM VOGTLAND.   ALFRED KUNZE.

ERSTE ABTEILUNG
FÜR CLASSISCHE PHILOLOGIE

HERAUSGEGEBEN VON ALFRED FLECKEISEN.

49.

VARIAE LECTIONIS SPECIMEN PRIMVM.

I. Miram de Stesichori patria famam Suidas u. Cτηcίχορος indicat: οἳ δὲ ἀπὸ Παλλαντίου τῆς Ἀρκαδίας φυγόντα αὐτὸν ἐλθεῖν φαcιν εἰς Κατάνην κἀκεῖ τελευτῆcαι καὶ ταφῆναι πρὸ τῆς πύλης ἥτις ἐξ αὐτοῦ Cτηcιχόρειος προcηγόρευται. quam confusionem quis expediret, nisi constaret ex Pausania VIII 3, 2 Pallantii urbis Arcadicae mentionem factam esse in Stesichori carmine de Geryone? hic igitur narratum fuisse oportet Herculem reducem in Latium cum bouibus uenisse et ab Euandro hospitio acceptum esse, cf. Dionysius Hal. antiq. I 40. uides unde illa Suidae memoria fluxerit. Euandrum Herculi fata sua narrantem Stesichorus fecerat, ut uaticinia referentem Herculi fabula Dionysii facit. itaque illa ἀπὸ Παλλαντίου τῆς Ἀρκαδίας φυγόντα αὐτὸν ἐλθεῖν ad Euandrum pertinent, non ad poetam, cuius inter fragmenta post fr. 9 Bergkii hoc Geryoneidos uestigium recipiendum erit.

II. Alcestidos Euripidiae uersus 19
ἡ νῦν κατ' οἴκους ἐν χεροῖν βαcτάζεται
ψυχορραγοῦcα,
quoniam quis tandem mulierem moribundam sustentet plane obscurum est, ferri nequit. lenissima medela uitium sublatum erit, si pronomini ἣ quam dempsit nox proxima reddideris litteram ἥν .. βαcτάζεται ψυχορραγοῦcαν, cf. u. 201 κλαίει γ' ἄκοιτιν ἐν χεροῖν φίλην ἔχων.

In eadem fabula praepositio ad poeticum genetiui usum inlustrandum a magistro ascripta effecit ut sollemnis forma, qua persona in scaenam ingrediens nuntiari solet, corrumperetur. sermonis usus postulat ut u. 136 restituatur
ἀλλ' ἤδ' ὀπαδῶν γὰρ δόμων τις ἔρχεται
δακρυρροοῦcα, τίνα τύχην ἀκούcομαι;
expulso glossemate ἐκ.

III. Medeae uersus 1322

δίδωσιν ἡμῖν, ἔρυμα πολεμίας χερός

ut in huius aetatis fabula ferri nequit propter duplicem solutionem. sed ne sermo quidem sanus, nisi forte currum ἔρυμα πολεμίας χερός dicere licuit. poetis tragicis ἔρυμα non quoduis propugnaculum est, sed locus editus, tumulus, arx: cf. Aesch. Choeph. 154 πρὸς ἔρυμα τόδε, Soph. Ai. 467 ἰὼν πρὸς ἔρυμα Τρώων, Eur. Bacch. 55 Τμῶλον ἔρυμα Λυδίας, neque facile quisquam ea licentia usus est qua qui cantica Iphigeniae Aulidensis scripsit u. 189 ἀσπίδος ἔρυμα. legebatur sane ac legitur locis non paucis hoc uocabulum uitiose. quod ipsi libri non semel respuunt. in Hippocratis qui fertur libro de morbo sacro c. 1 extr. τὰ γοῦν μέγιστα τῶν ἁμαρτημάτων καὶ ἀνοσιώτατα τὸ θεῖόν ἐστι τὸ καθαῖρον καὶ ἁγνίζον καὶ ἔρυμα γενόμενον ἡμῖν ludit scriptor duplici significatione uocis τὸ θεῖον: quid dicat paulo planius intelleges, cum noris quid ei libri testentur, in quibus solis auctoritas inest: καὶ ῥύμμα γινόμενον. aliud latet in epistula Hippocratea XI μακάριοί γε δῆμοι ὁκόσοι ἴσασι τοὺς ἀγαθοὺς ἄνδρας ἐρύματα ἑωυτῶν: an fidem negabimus eis libris qui non ἐρύματα, sed ἔρματα tradunt, ut est apud Homerum ἔρμα πόληος (Π 549. ψ 121)? contra Eur. Phoen. 983 quod Kirchhoffius et Guil. Dindorfius (non Ludouicus frater neque Nauckius) ex Musgrauii coniectura ediderunt τί δὴ τόδ' ἔρυμά μοι γενήσεται, cum libri τί δῆτ' ἔρυμα (ἔρυγμα cod. Vaticanus) exhibeant et scholia p. 353, 23 Schwartzii φύλαγμα interpretationem adhibeant, olim et rectissime et certissime a Valckenario correctum est τί δῆτα ῥῦμά μοι γενήσεται; uide Aeschylum Suppl. 82 ἔστι δὲ κἀκ πολέμου τειρομένοις βωμὸς ἀρῆς φυγάσιν ῥῦμα, δαιμόνων σέβας, fr. 353 N.² (314 Herm.) θάνατον . . ὅσπερ μέγιστον ῥῦμα τῶν πολλῶν κακῶν, Sophoclem Aiacis 158 καίτοι σμικροὶ μεγάλων χωρὶς σφαλερὸν πύργου ῥῦμα πέλονται, Euripidem Heraclid. 260 ἅπασι κοινὸν ῥῦμα δαιμόνων ἕδρα, Lycophronem Alex. 507 ὧν ὀστράκου στρόβιλος ἐντετμημένος κόρσην σκεπάζει, ῥῦμα φοινίου δορός. haec qui reputauerit, iam non dubitabit, opinor, quin Medeae loco, unde profecti sumus, Euripides non ἔρυμα, sed ῥῦμα πολεμίας χερός scripserit. eadem opera duo alii loci emendantur. Aeschylus Eum. 701 ἔρυμά τε χώρας καὶ πόλεως σωτήριον quamquam Areopagum dicit, tamen hoc loco non tam situm quam iudicium ibi institutum praedicat; ac turbarum indicium particulae τε sedes est, quae ad χώρας refertur: igitur scriptum fuit χώρας τε ῥῦμα, quod cum grammatici ex more χώρας τ' ἔρυμα interpretati essent, necessario numeros uerbis traiectis ἔρυμά τε χώρας restituere sibi uisi sunt. neque magis recte Euripides Medeae u. 597 Iasonem nouas nuptias sic excusantem facere creditur σῷσαι θέλων σέ καὶ τέκνοισι τοῖς ἐμοῖς ὁμοσπόρους φῦσαι τυράννους παῖδας, ἔρυμα δώμασιν: scripsisse eum puto ἔρμα δώμασιν.

IV. De interpolatione Euripideis fabulis inlata cum tanta inter uiros doctos dissensio sit, scio equidem non tam singulis obseruationibus quam re uniuersa examinata opus esse. interim non plane operam perdidisse mihi uideor, si certa quaedam uestigia histrionum notabo. in Medea u. 499

> ἄγ' (ὡc φίλῳ γὰρ ὄντι coι κοινώcομαι),
> 500 [δοκοῦcα μὲν τί πρόc γε coῦ πράξειν καλῶc;
> ὅμωc δ'· ἐρωτηθεὶc γὰρ αἰcχίων φανεῖ.]
> νῦν ποῖ τράπωμαι; πότερα πρὸc πατρὸc δόμουc; eqs.

sermo ipse uersus duos spurios esse arguit. illud enim quod praemittitur ἄγε uitiosum est, nisi arte cum interrogatione νῦν ποῖ τράπωμαι iunctum sit == age uero (dic mihi), quo me uertam? neque in illis uersibus deest quod Euripide indignum sit, uelut ineptum hoc ἐρωτηθεὶc γὰρ αἰcχίων φανεῖ. at egregius erat locus quo histrio artem sese interpellandi, dubitandi, motum animi uocemque mutandi praestaret. ibidem u. 709 sq.

> ἀλλ' ἄντομαί cε τῆcδε πρὸc γενειάδοc
> 710 [γονάτων τε τῶν cῶν ἱκεcία τε γίγνομαι],
> οἴκτιρον, οἴκτιρόν με τὴν δυcδαίμονα

amplificatio cum otiosa tum uitiosa expungenda est. duplicem solutionem trimeter Medeae non fert, neque uerba ἱκεcία τε γίγνομαι habent quo post praedicta excusentur: cf. u. 853 πρὸc γονάτων cε πάντῃ πάντωc ἱκετεύομεν. eadem fere sententia etiam in Heraclidis u. 226 sq. male inculcata est

> ἀλλ' ἄντομαί cε καὶ καταcτέφω χεροῖν
> [καὶ πρὸc γενείου, μηδαμῶc ἀτιμάcηc]
> τοὺc Ἡρακλείουc παῖδαc εἰc χεῖραc λαβεῖν,

ubi χεῖραc Enthoueno, λαβεῖν (λαβών libri) Elmsleio debetur.

V. Hippolyti u. 1013 sqq.

> ἀλλ' ὡc τυραννεῖν ἡδὺ τοῖcι cώφροcιν;
> ἥκιcτά γ', εἰ μὴ τὰc φρέναc διέφθορε
> θνητῶν ὅcοιcιν ἁνδάνει μοναρχία

sententiam uitiosam esse nemo, opinor, monitus infitiabitur. rem plane alienam datiuus τοῖcι cώφροcιν occupationi ἀλλ' ὡc τυραννεῖν ἡδύ infert; neque minus inepte refutatio eo corrumpitur, quod enuntiatiuo relatiuo ὅcοιcιν ἁνδάνει μοναρχία illud ponitur, quod non poterat nisi consequens esse mentis corruptae (τὰc φρέναc διέφθορε). uitium antiquo tempore locus contraxit, cum uox ΤΕΙΜΗ falso dirimeretur in Γ' ΕΙ ΜΗ. uide iam qualia emergant

> ἀλλ' ὡc τυραννεῖν ἡδύ; τοῖcι cώφροcιν
> ἥκιcτα· τειμὴ τὰc φρέναc διέφθορε
> θνητῶν ὅcοιcιν ἁνδάνει μοναρχία.

cf. Bellerophontis fr. 293 N.[2] τιμή c' ἐπαίρει τῶν πέλαc μεῖζον φρονεῖν et in ipsa Hippolyto u. 1281 βαcιληΐδα τιμάν.

Contrario uitio locus Alcestidos u. 434 deformatur

> ἀξία δέ μοι
> τιμᾶν, ἐπεὶ τέθνηκεν ἀντ' ἐμοῦ μόνη.]

quod Nauckius optime sensit qui τέτληκεν .. θανεῖν coniecit. sed leniore medela quae postulatur sententia restituetur

ἐπεί γ' ἔθνῃcκεν ἀντ' ἐμοῦ μόνη.
de hoc imperfecto cf. Herculis u. 537 καὶ τἄμ' ἔθνῃcκε τέκν', ἀπωλ-
λύμην δ' ἐγώ et 550 καὶ πρὸc βίαν ἐθνῄcκετ'; ὦ τλήμων ἐγώ.
VI. In Iphigenia Taurica u. 96 sqq. Orestem de salute ac
fuga cum Pylade sic deliberantem inducit poeta

    τί δρῶμεν; ἀμφίβληcτρα γὰρ τοίχων ὁρᾷc
    ὑψηλά· πότερα κλιμάκων προcαμβάcειc
    ἐκβηcόμεcθα; πῶc ἂν οὖν λάθοιμεν ἄν;
    ἢ χαλκότευκτα κλῆθρα λύcαντεc μοχλοῖc;
100 ὧν οὐδὲν ἴcμεν. ἢν δ' ἀνοίγοντεc πύλαc
    ληφθῶμεν εἰcβάcειc τε μηχανώμενοι,
    θανούμεθ'. ἀλλὰ πρὶν θανεῖν, νεὼc ἔπι
    φεύγωμεν ἧπερ δεῦρ' ἐναυcτολήcαμεν;

uersum 97 Kirchhoffius egregie sanauit κλιμάκων posito pro δωμά-
των, quod miro modo interpretabantur: cf. Aeschyli Septem 466
ἀνὴρ δ' ὁπλίτηc κλίμακοc προcαμβάcειc cτείχει πρὸc ἐχθρῶν πύρ-
γον. recte enim ad ἐκβαίνειν accusatiuus uiae qua quis exit uel eius
rei quae pro uia est adponitur, cf. Eur. Alc. 610 ἐξιοῦcαν ὑcτάτην
ὁδόν: in qua fabula u. 1000 sq.

    καί τιc δοχμίαν κέλευθον
    ἐμβαίνων τόδ' ἐρεῖ·
    αὗτα ποτὲ προῦθαν' ἀνδρόc

mallem Prinzius cum deteriore librorum genere ἐκβαίνων scripsisset. nam uiatorem non tum consentaneum est Alcestidis laudes
dicere, cum de uia deflectit ad illius sepulcrum, sed cum contempla-
tus monumentum et lecto elogio in uiam, unde deflexerat illud in-
specturus, redit. structura uerbi etiam lenior est quam si κατιέναι
uerbum cum accusatiuo loci, unde quis descendit, coniungitur: ut
legitur in Odyssea c 206 κατέβαιν' ὑπερώια cιγαλόεντα et in Iliade
Z 128 Aristarchus sine dubio librorum cedens auctoritati edidit

    εἰ δέ τιc ἀθανάτων γε κατ' οὐρανὸν εἰλήλουθαc

itemque Euripidem Baccharum u. 554 libri testantur scripsisse

    μόλε, χρυcωπέ (χρυcῶπα libri), τινάccων,
    ἄνα, θύρcον κατ' Ὄλυμπον

quod non necessarium erat corrigi. accusatiui enim in his formulis
ea uis est, ut priorem spatii percurrendi aut percursi partem indicet.
    Duobus consiliis simul propositis ac reiectis Orestes grauissimam
aduersus utrumque obiectionem subiungit, deprehensis mortem cer-
tam fore. antecedentem deliberationem, ut solent, sic respicit, ut
secundi consilii priorem faciat mentionem, posteriorem prioris. iuuat
hoc meminisse ut intellegas non εἰcβάcειc dici potuisse u. 101, sed
ἐκβάcειc opus esse.
    Vtor his ut explicationem Medeae uersui 279 multum uexato
adferam

    κοὐκ ἔcτιν ἄτηc εὐπρόcοιcτοc ἔκβαcιc.

Weilio auctore interpretationem ex re nauali repetunt, unde uersu
antecedenti poeta similitudinem repetiit ἐχθροὶ γὰρ ἐξιᾶcι πάντα

δὴ κάλων. quod etiamsi in ἔκβασιν cadere potest, non uideo quo
modo εὐπρόcoιcτoc dici potuerit ἢ προcφέρεcθαι ῥᾴδιον. sed nulla
causa erat qua poeta cogeretur eandem imaginem etiam ei sententiae quae de Oreste ac Pylade est adhibere. itaque εὐπρόcοιcτον
ἔκβασιν statuendum est adminiculum exeundi et fugiendi dici i. e.
scalam. nam ex infima miseria quasi ex puteo profundo non emer-
gas, nisi tamquam scalam admoueas qua escendas. εὐπρόcοιcτoc cur
dicatur, iam intellegetur.

     VII. Vesparum Aristophaneae primum canticum v. 273
—290 Godofredi Hermanni curis iteratis (de metris p. 326 sq. elem.
doctr. metr. p. 502 sq. ᾳpusc. VIII p. 253 sqq.) egregie inlustratum
est. sed eidem debetur, quod numeris ualde ignobilibus et quasi
humi serpentibus illud conceptum esse nunc uideatur. qui ut digni
sunt familiari senum de plebe confabulatione, ita cum poetae consilio aperte pugnant. neque enim obscurum spectatoribus esse poeta
uoluit, quod genus carminis cantantes iudices edituri essent. non
solum Philocleonem indicat u. 269 ueteres Phrynichi nenias cantare,
dum collegis iudicia adeuntibus praeit, sed ipsum quoque chorum
adnuntiat Phrynicheo carmine Philocleonem ex domo euocaturum
esse u. 219

     λύχνουc ἔχοντεc καὶ μινυρίζοντεc μέλη
     ἀρχαιομελιcιδωνοφρυνιχήρατα,
     οἷc ἐκκαλοῦνται τοῦτον.

oportuit igitur hoc cantico Phrynicheorum uersuum grauitatem leui-
tate ac uilitate argumenti ridiculam fieri. quod si uerum est, in Her-
manniana numerorum discriptione iam non licet acquiescere. uerum
autem esse examinatis uersuum commissuris nemo non intelleget.
comparemus strophae antistrophaeque eos uersus qui praemissos
ionicos excipiunt

μῶν ἀπολώλεκε τὰc | ἐξαπατῶν τε λέγων ⟨θ᾽⟩
ἐμβάδαc ἢ προcέκοψ᾽ ἐν | ὡc φιλαθήναιοc ἦν καὶ
τῷ cκότῳ τὸν δάκτυλόν που | τὰν Cάμῳ πρῶτοc κατείποι:

non mehercle casu accidere potuit, ut in utraque stropha bini uersus
uocabulis ad proximum pertinentibus terminarentur. indicium hoc
est, non in tria cola concisos, sed eodem uersu continuatos esse
numeros. idem statim postea obserues

ἦ μὴν πολὺ δριμύτατόc | ἀλλ᾽ ὦγάθ᾽ ἀνίcταcο μηδ᾽
γ᾽ ἦν τῶν παρ᾽ ἡμῖν | οὕτω cεαυτόν
et infra saltem in stropha
ἀλλ᾽ ὁπότ᾽ ἀντιβολοίη | καὶ γὰρ ἀνὴρ παχὺc ἥκει
τιc, κάτω κύπτων ἂν οὕτωc | τῶν προδόντων τἀπὶ Θράκηc.

semel moniti indicia certa strophae doricae emergere uidemus, mixtos
tripodiis dactylicis epitritos, quo genere Phrynichum in trilogia belli
Persici usum esse ex uno saltem constat fragmento hoc (9 p. 722 N.[2])
     Cιδώνιον ἄcτυ λιποῦcαι καὶ δροcερὰν Ἄραδον,
et hanc fere carminis Aristophanici formam fuisse conicimus

στρ. Τί ποτ' οὐ πρὸ θυρῶν φαίνετ' ἄρ' ἡμῖν ὁ γέρων οὐδ'
                                ὑπακούει;
μῶν ἀπολώλεκε τὰc ἐμβάδαc ἢ προcέκοψ' ἐν τῷ cκότῳ
           τὸν δάκτυλόν που ⟨λίθῳ⟩, εἶτ' ἐφλογώθη
τὸ cφυρὸν γέροντοc ὄντοc, καὶ τάχ' ἂν βουβωνιῴη;
ἢ μὴν πολὺ δριμύτατόc γ' ἦν τῶν παρ' ἡμῖν,
5   καὶ μόνοc οὐκ ἂν ἐπείθετ',
ἀλλ' ὁπότ' ἀντιβολοίη τιc, κάτω κύπτων ἂν οὕτω
    «λίθον ἕψειc» ἔλεγεν.
    ⟨ὕπαγ', ὦ παῖ, ὕπαγε⟩.

ἀντιcτρ. Τάχα δ' ἂν διὰ τὸν χθιζινὸν ἄνθρωπον ὃc ἡμᾶc διεδύετ'
10 ἐξαπατῶν τε λέγων ⟨θ'⟩ ὡc φιλαθήναιοc ἦν καὶ τὰν
           Cάμῳ πρῶτοc κατείποι, διὰ τοῦτ' ὀδυνηθείc
(ἔcτι γὰρ τοιοῦτοc ἀνήρ), εἶτ' ἴcωc κεῖται πυρέττων.
ἀλλ', ὦγάθ', ἀνίcταcο μηδ' οὕτω cεαυτὸν
    ἔcθιε μηδ' ἀγανάκτει·
καὶ γὰρ ἀνὴρ παχὺc ἥκει τῶν προδόντων τἀπὶ Θρᾴκηc·
15   ὃν ὅπωc ἐγχυτριεῖc.
    ὕπαγ', ὦ παῖ, ὕπαγε.

pauca adnotabo. u. 2 μῶν ἀπολώλεκεν τὰc et 10 ἐξαπατῶν, λέγων
ὡc | καὶ (ἐξαπατῶν καὶ λέγων ὡc libri) GHermannus scripserat:
ego u. 2 librorum lectionem seruaui u. 10 uitium librorum omissa
altera particula τε natum esse opinatus. λίθῳ εἶτ' ἐφλογώθη scripsi
cum Hermanno antistropham secutus, cum libri εἶτ' ἐφλέγμηνεν
αὐτοῦ exhibeant: unde si profectus fueris, sine uiolentia locus anti-
strophae in numeros necessarios redigi non poterit. u. 5 et 13 separantur ab antecedentibus syllaba ultima ancipiti uersus 12, a sequentibus eadem condicione uersus 5. u. 8 intercalarem recte reposuit
Hermannus. u. 11 coion ἔcτι γὰρ τοιοῦτοc ἀνήρ libri proximo εἶτ' . .
πυρέττων postponunt: anteponendum erat, ut uersui strophae aequa-
retur, qui non ab epitrito geminato, sed a dimetro trochaico incipit.

    Carmen igitur sic componitur, ut strophae doricae systemate
ionico et duabus eiusdem generis dipodiis includantur, quibus sequenti
carmini amoebaeo quasi praeludatur. hoc quoque, si cantici ionici
ab Aeschylo Persarum u. 65 sqq. anapaestis subiecti meminerimus,
ad Phrynichi exemplum institutum esse necessario statuemus. et
exstat ionicum Phrynichi fragmentum (14 p. 723 N.²) ab Hephae-
stione c. 12 p. 72 Gaisf. seruatum.

    Ipsum quoque argumentum carminis tragici suspiceris aliqua
tenus a poeta comico ridicule exprimi. sed scio equidem quam incertae ac lubricae omnes de fabulis illis quibus Phrynichus bellum
Persarum tractauerat coniecturae sint. itaque hoc unum addo can-
ticum illud ad Cυνθώκουc referendum esse.

    VIII. In eadem fabula v. 106 sqq.

          ὑπὸ δυcκολίαc δ' ἅπαcι τιμῶν τὴν μακρὰν
        ὥcπερ μέλιττ' ἢ βομβυλιὸc εἰcέρχεται,
        ὑπὸ τοῖc ὄνυξι κηρὸν ἀναπεπλαcμένοc

illud εἰcέρχεται non intellegere me fateor. senex cum lineas in tabulae iudiciariae cera non stilo, sed unguibus ducere soleat, ungues cera sublitos non in iudicium adfert, sed exiens illinc refert. atqui εἰcέρχεται non est 'domum redit' sed 'in iudicium introit'. contrariae igitur sententiae uerbum exspectandum erat, uelut ἀπέρχεται aut ἐξέρχεται. sententiam et opinor uerba quoque poetae restituemus, si ὥcπερ μέλιττ' ἢ βομβυλιός τις ἔρχεται correxerimus. nam simplex ἔρχεcθαι ἐλθεῖν ἥκειν ita adbibetur ut sit 'domum redire': cf. Odysseae β 30

ἦέ τιν' ἀγγελίην cτρατοῦ ἔκλυεν ἐρχομένοιο
κ 267 οἶδα γὰρ ὡc οὔτ' αὐτὸc ἐλεύcεαι οὔτε τιν' ἄλλον
ἄξεις cῶν ἑτάρων

et quae Kruegerus ad Anabaseos Xenophonteae libri II initium ὡc ἐπὶ τὸ cτρατόπεδον ἐλθόντεc οἱ Ἕλληνεc ἐκοιμήθηcαν attulit.

In uerbis 247 μή που λαθών τις ἐμποδὼν ἡμᾶς κακόν τι δράcῃ lectio codicis Veneti λίθος τις facile ueriorem monstrat: λίθων τις: cf. 199 πολλοὺς τῶν λίθων al.

IX. Operta quae uidebantur, saepe satis aperta sunt, modo oculis apertis adspexeris. nonnumquam audendum est scire ut scias. experiri hoc olim mihi uisus sum in Gerytade fabula Aristophanea, quae quo anno edita sit, ad scaenae Atticae potissimum tragicae historiam inlustrandam operae pretium est definire. constat hanc fere illius fabulae fictionem fuisse: ut scaenae summa poetarum tragicorum penuria laboranti auxilium ferretur, electos esse a populo Atheniensi legatos ex eo genere hominum, qui propter famem aut tabem Orco digni essent (Ἁιδοφοῖται), et ad inferos missos qui illic poetarum consilia expeterent. hi quae in itinere famis documenta ediderint, non attinet memorare. magis ad rem pertinet, quod eidem etiam Liberum patrem adeunt (ἦcαν εὐθὺ τοῦ Διονυcίου fr. 32 Bergkii). magna igitur Gerytadae ac Ranis argumenti consiliique fuit similitudo. eaque tanta uisa est, ut etiam rerum eadem condicio poetam ad utramque fabulam scribendam inpulisse statueretur. non ante Euripidis Sophoclisque mortem Gerytadem scribi potuisse Bergkius edixit, reliqui adsenserunt. quod ut fateor primum inspicienti tantum non necessarium uideri, ita iterum reputanti minime probabile erit. uix enim ac ne uix quidem intellegas, quid poetam commouerit, ut post felicissimam Ranarum actionem argumentum et simillimum et multo minus graue spectandum dare auderet. sed grauiora argumenta in ipsius Agathonis rebus insunt.

Exstat in codice Bodleiano doctissimum ad prima Symposii Platonici uerba scholion, transcriptum in adnotatione Luciani Rhett. praec. 11 ex codice Vindobonensi n. 123 a Jacobitzio Luc. t. IV p. 222, ex Barocciano a Cramero Anecd. Oxon. t. IV p. 269 edita: Ἀγάθων τραγῳδίαc ποιητὴc εἰc μαλακίαν cκωπτόμενοc Ἀριστοφάνει ἐν [om. Vind.] Γηρυτάδῃ. ἦν δὲ Τιcαμενοῦ τοῦ Ἀθηναίου υἱόc, παιδικὰ γεγονὼc Παυcανίου τοῦ τραγικοῦ, μεθ' οὗ πρὸc Ἀρχέλαον τὸν βαcιλέα ᾤχετο, ὡc Μαρcύαc ὅ γε (ὅ τε cod. Vind. et Barocc.] νεώτεροc. nouimus porro ex scholio Ar. Ran. 85 ὅτι Ἀρ-

χελάῳ τῷ βαcιλεῖ (Agatho) μέχρι [τῆc add. Venetus, non Ravennas]
τελευτῆc μετὰ ἄλλων πολλῶν cυνῆν ἐν Μακεδονίᾳ. ergo Agatho
Pausania amatore comite ad Archelaum profectus ibi diem supremum obiit, antequam Archelaus moreretur, i. e. ante a. 399. afuit
autem Athenis, cum Ranas Aristophanes doceret: ibi Herculi, cum
mirabundus quaesiuerit u. 84 Ἀγάθων δὲ ποῦ 'cτί, Liber pater tristis
respondet ἀπολιπών μ' οἴχεται, ἀγαθὸc ποιητὴc καὶ ποθεινὸc τοῖc
φίλοιc, nec quo poeta abierit, tacetur ἐc μακάρων εὐωχίαν: quibus
uerbis luxuriam aulae Macedonicae significari ueteres interpretes non
fugit. constat igitur ante Lenaea anni ol. 93, 4 (405) uel potius
ante a. 406 Agathonem Athenas reliquisse neque umquam rediisse,
anno fere 400 aut 401 in Macedonia morte oppressum. neque obliuisci par est quod Plato cum Conuiuii sermonem primorem et ánte
Socratis et ante Agathonis mortem haberi fingat, ibidem diuturnam
Agathonis absentiam testatur p. 172ᵈ πολλῶν ἐτῶν Ἀγάθων ἐνθάδε οὐκ ἐπιδεδήμηκεν. atqui Gerytadem cum Aristophanes scriberet, Agathonem oportet non modo uiuum fuisse, sed etiam Athenis
ita arti tragicae operam nauasse, ut aut primus aut inter primos
existimaretur. id quod cum eo tantum tempore conuenit, quo Euripidis praesidium Liberalibus Atticis deerat: nam Sophoclis propter
nimiam senectutem poterat ratio non haberi. de Euripide uero hoc
est testimonium uitae (in scholiis ab ESchwartzio recensitis t. I p. 2, 7)
μετέcτη δὲ ἐν Μαγνηcίᾳ καὶ προξενίᾳ ἐτιμήθη καὶ ἀτελείᾳ. ἐκεῖθεν
δὲ εἰc Μακεδονίαν παρὰ Ἀρχέλαον γενόμενοc διέτριψε . . καὶ
μάλα ἔπραττε παρ' αὐτῷ [Suidas τῆc ἄκραc ἀπολαύων τιμῆc], ὅτε
[lege ὥcτε] καὶ ἐπὶ τῶν διοικήcεων ἐγένετο. nouissimam fabulam
Euripides Orestem Athenis Liberalibus a. 408 ipse docuerat: quo
facto necesse est eum sine mora Athenis profectum esse et aliquot
menses apud Magnetes commoratum regiam Macedonum adiisse: ubi
mortuum esse praetore Callia a. 406 certum est. quodsi absente
Euripide Aristophanes Agathonem ut primarium eius aetatis poetam
tragicum in Gerytade perstrinxit idque mordacius eum quam Thesmophoriazusis a. 411 acta fecisse uidemus (necessaria enim haec
coniectura est, ut explicetur cur scholii Platonici auctor Agathonem
Gerytade potius quam Thesmophoriazusis exagitatum dicat), nihil
relinquitur nisi ut Gerytadem proximo post Euripidis Orestem anno
i. e. 407 spectatam, poetam ipsum Atheniensium odio commotum
Archelai plausum ac fauorem quaesiuisse statuamus.

X. Apud Herodotum I 67 οἱ δὲ ἀγαθοεργοί εἰcι τῶν
ἀcτῶν inepte dici, postquam proximis uerbis Lichas dictus est τῶν
ἀγαθοεργῶν καλεομένων Cπαρτιητέων, nemo monitus non perspexerit. ut enim illos ex ciuibus genuinis sumi et necessarium est et
antea dictum, ita non liquet idque ut dicat postulatur a rerum scriptore, sintne magistratus et in quo genere sint. ipsum nomen, ne casu
quidem mutato, seruauit qui hoc in lexico rhetorico Bekkeri Anecd.
p. 305, 20 glossema scripsit Cτατῶν: ἄρχοντέc εἰcι παραπληcίαν
ἔχοντεc τοῖc ἀγαθοεργοῖc ἀρχήν (cf. Hesychius cτάτοι: ἀρχή τιc).

quod testimonium eo certius est, quo magis apparet grammaticis ne tum quidem quicquam notum fuisse de hoc magistratu nisi quod ex hoc ipso Herodoti loco enucleari posset. XI. In Phaedro Platonico p. 249ᵈ μανίας, ἥν ὅταν τὸ τῇδέ τις ὁρῶν κάλλος τοῦ ἀληθοῦς ἀναμιμνῃσκόμενος πτερῶταί τε καὶ ἀναπτερούμενος, προθυμούμενος ἀναπτέςθαι, ἀδυνατῶν δέ .. αἰτίαν ἔχει ὡς μανικῶς διακείμενος etsi Schanzius post πτερῶται apodosin subiungi probe intellexit, tamen particulas τε καὶ ut interpolata seclusit non probabiliter. debebat totum illud γρ. καὶ ἀναπτερούμενος (an ἀναπτερῶται?) relegare, quae uaria lectio facile olim ex proximo uerbo ἀναμιμνῃσκόμενος nasci potuit.

XII. Gorgiam Platonicum saepe, ut par est, Philodemi in libris rhetoricis repetit disputatio: ipsa dialogi uerba aut fallit memoria aut rarissime adponuntur. semel longiorem locum p. 486ᵃ prompsit liberius mutatum, cuius nunc in voll. Hercul. collectione altera t. VIII f. 134 haec fere dispicias:

λαβό]μενος εἰς τὸ δεc[μωτή-
ρ]ιον ἀπάγοι φάcκ[ων
ἀ]δικεῖν οὐθὲν ἀδ[ι-
κ]οῦντα, μὴ ἂν ἔχειν
5 ὅ],τι χρήcαιο cαυτῶι,
ἀλ]λ᾽ ἰλιγγιᾶν καὶ χαcμᾶc-
θα]ι ἀπορίαι τοῦ τί εἰ-
π]εῖν, καὶ ἐν δικαcτη-
ρί]ωι κατηγόρου τυ-
10 χό]ντα πάνυ φαύλ[ου
καὶ μο]χθηροῦ θαν[άτου?
ὀφλεῖν]. πῶc δὲ coφ[ὸ]ν
τοῦτό] ἐcτιν, ἤ τιc [ἂ]ν κ[α-
λόν τινα λα]βοῦcα τέχ[ν]η
15 θῇ μηθὲν δυνά]μεν[ον] λέ[γειν usw.

XIII. Vetus et graue mendum Symposii diu mihi desperatum sanasse nunc mihi uideor. de amore Athenienses quid statuant, sic Pausanias disserit p. 182ᵉ καὶ πρὸς τὸ ἐπιχειρεῖν ἑλεῖν ἐξουcίαν ὁ νόμος δέδωκε τῷ ἐραcτῇ θαυμαcτὰ ἔργα ἐργαζομένῳ ἐπαινεῖcθαι, ἃ εἴ τις τολμῴη ποιεῖν ἀλλ᾽ ὁτιοῦν διώκων καὶ βουλόμενος διαπρά- ξαcθαι πλὴν τοῦτο φιλοcοφίας τὰ μέγιcτα καρποῖτ᾽ ἂν ὀνείδη. nube coniecturarum haec uox φιλοcοφίας obruta est, quas non solum recensere Iongum est, sed plerasque etiam pudet publice propositas esse. uerum est illam uocem neque explicari ita posse, ut sententiae satisfiat, neque deleri fas esse quae quomodo nata sit causa cogitari nulla possit. emendari igitur oportet, idque sic ut non ad τοῦτο referatur, quod absolute ponitur (sc. τὸ ἑλεῖν), sed ad ὀνείδη. quale autem genus opprobrii dicat, Pausanias non obscure indicat, dum mirabilia illa amantium facinora, quorum statim aliquot recenset ἱκετείας τε καὶ ἀντιβολήcεις ἐν ταῖς δεήcεcι καὶ κοιμήcειc ἐπὶ θύραις, his uerbis summatim comprehendit: καὶ ἐθέλοντες δουλείας

δουλεύειν οἴαc οὐδ' ἂν δοῦλοc οὐδείc. scilicet grauissimum opprobrium homini ingenuo et liberali hoc esse, seruitutem subire ac pati
lubentem. quod si opprobria illa scriptor definire uoluit grauissimo
enuntiati loco, non potuit nisi eo uocabulo usus, quo animum seruilem acerbissime notaret. idque, nisi fallor, Plato ipse finxit, non
illud cum φιλεῖν uerbo compositum', quoniam φιλόδουλοc est qui
seruos diligit, sed cum ἐθέλειν. non illud in Atticis scriptoribus
nisi semel legitur, nimirum in hac ipsa Pausaniae oratione eoque
loco ubi quod nunc recte probro uerti uidetur, quando cum honore
et recte fiat, definiatur. lege p. 184ᶜ μία ἐρωμένων δουλεία
ἑκούcιοc λείπεται οὐκ ἐπονείδιcτοc, αὕτη δ' ἐcτὶν ἡ περὶ
τὴν ἀρετήν. νενόμιcται γὰρ δὴ ἡμῖν, ἐάν τιc ἐθέλῃ τινὰ θεραπεύειν
ἡγούμενοc δι' ἐκεῖνον ἀμείνων ἔcεcθαι.. αὕτη αὖ ἡ ἐθελοδου
λεία οὐκ αἰcχρὰ εἶναι οὐδὲ κολακεία, et uide ipse quanto haec
rectius fortiusque dicantur, si illi turpi seruitio opponantur. paene
necessario eo loco quode quaeritur deprauatio fuit, postquam uerbis
male discretis ex eo quod τοῦτ' ἐ- fuerat factum est τοῦτο. sed in
ipso mendo inest ueri uestigium non contemnendum, quo uel sani
loci scriptura ἐθελοδουλεία emendetur. iam GDindorfius auctore
fratre ἐθελοδουλία edidit non sine librorum subsidio in Luciani
Nigrino c. 24 p. 61 Hemst. et de merc. cond. 5 p. 659; uide quae
dixit in praefatione Luciani nimis paucis cognita t. I p. XVI, eoque
modo nomen in optimis Suidae libris scribitur t. I 2 p. 111, 12. id
quod necessario factum est. neque enim a formula φιλεῖν δουλείαν
id nomen repetitur, sed declinatur ab eo quod est ἐθελόδουλοc,
quod nomen idem Plato praestat de re publ. VIII p. 562ᵈ προπη
λακίζει ὡc ἐθελοδούλουc τε καὶ οὐδὲν ὄντας. eodem modulo facta
ἐθελόπορνοc Anacreontis fr. 21, 7 Bergkii, ἐθελόcυχνοc Cratetis
comici, ἐθέλεχθροc Cratini, ἐθελοπρόξενοc Thucydidis, ἐθελο
φιλόcοφοc Antiatticistae et ἐθελόκακοc Hesychii et Herodiani (ap.
Theognostum Crameri Anecd. Oxon. II p. 82, 2) testimoniis firmata.
corrigemus igitur p. 182ᵉ .. πλὴν τοῦτ', ἐθελοδουλίαc τὰ
μέγιcτα καρποῖτ' ἂν ὀνείδη.

XIV. Socrates opinionem a Theaeteto p. 151ᵉ propositam,
scientiam esse sensuum perceptionem, ad Protagorae dictum reuocans
his uerbis p. 152ᶜ summam colligit: αἴcθηcιc ἄρα τοῦ ὄντος ἀεί
ἐcτιν καὶ ἀψευδέc, ὡc ἐπιcτήμη οὖcα; ⟦ φαίνεται. merito in his
uiri docti offenderunt emendatione probabili non proposita. nec
licet uerba inportuna et dictione et sensu abicere auctore Schanzio,
quoniam sic demum hic quasi prologus seuerioris quaestionis recte
finitur, cum disputatio a Protagorae dicto profecta ad illud quod
explanandum erat, αἴcθηcιν ἐπιcτήμην εἶναι perducta erit. sed
sana omnia erunt, modo breuem aliquam assentiendi significationem
interlocutori dederis: CΩ. αἴcθηcιc ἄρα τοῦ ὄντοc ἀεί ἐcτιν καὶ
ἀψευδέc; ⟨ΘΕΑΙΤ. ἔcτιν οὕτωc. CΩ.⟩ ὡc ἐπιcτήμη οὖcα; ΘΕΑΙΤ.
φαίνεται.

XV. Theaet. p. 156ᵉ καὶ ἐγένετο οὐ λευκότηc αὖ ἀλλὰ λευκόν,

εἴ τε ξύλον εἴ τε λίθος εἴ τε ὅτουν οὖν ξυνέβη χρῶμα χρωcθῆναι τῷ τοιούτῳ χρώματι. sic libri, quorum uitiis quales medicinas excogitauerint, uidere licet in Schanzii adnotatione. et χρῶμα
quidem quin socordia librarii posuerit pro cῶμα, non dubitabit qui
meminerit in uno Stobaei eclogarum capite I 16 bis idem uitium
commissum esse t. I p. 149, 18 Wachsmuthii (in Doxographis Dielsii
p. 314, 12) τὰ ἐν τῷ cκότῳ cώματα (χρώματα libri) χρόαν οὐκ
ἔχειν et p. 150, 1 ἐν δὲ τῷ cκότῳ τὰ cώματα (iterum χρώματα
libri) χρόαν δυνάμει μὲν ἔχειν, ἐνεργείᾳ δὲ μηδαμῶc. in pronomine
autem sententiae iam librarius apographi Parisini cod. 1811 satisfecit, cum ὁτιοῦν scriberet; propius nos a testimonio exemplorum
aberimus, cum ὁποῖον οὖν proponemus.

XVI. Alcibiadem a Schanzio expolitum dum pertracto, aliquot emendationes exemplo meo ascriptas uideo non esse a uiro
doctissimo occupatas: p. 110 ᵇ Socrates Alcibiadem monet iam
puerum iniurias aegerrime tulisse. respondet hic ἀλλὰ τί ἔμελλον
ποιεῖν eqs., quod responsum ut accuratius definiatur, Socrates
uicissim ex eo quaerit: cὺ δ' εἰ τύχοιc ἀγνοῶν εἴ τε ἀδικοῖο εἴ τε
μὴ τότε, λέγειc, τί cε χρὴ ποιεῖν; et res praeteriti temporis
postulat et optatiuus εἰ τύχοιc (pro quo si χρή uerum esset, ἐὰν
τύχηc dicendum erat) suadet ut χρῆν restituatur.

p. 120 ᵇ πρὸc τούτουc cε δεῖ, οὕcπερ λέγω, βλέποντα cαυ
τοῦ δὲ ἀμελεῖν uitiose propagantur. sufficiet uno uerbo monuisse
scribendum esse πρὸc τούτουc cε δή .. βλέποντα cαυτοῦ δεῖ
ἀμελεῖν. minus recte mihi Maduigius uidetur δεῖ seruasse et δὲ in
δή mutasse.

p. 125 ᶜ bonos uiros Alcibiades definitione pedetemptim aucta
dicit esse τοὺc δυναμένουc ἄρχειν ἐν τῇ πόλει ἀνθρώπων τῶν καὶ
cυμβαλλόντων ἑαυτοῖc καὶ χρωμένων ἀλλήλοιc. in priore
parte genetiui uitium inesse qui non ultro perspexerit, intelleget postquam infra p. 125 ᵈ in eandem sententiam uerba κοινωνούντων ..
πολιτείαc καὶ cυμβαλλόντων πρὸc ἀλλήλουc legerit. nemo
enim facile secum cυμβόλαια fecit. sanatus locus erit resecto glossemate ἑαυτοῖc, ut iam datiuus ἀλλήλοιc perinde ad cυμβαλλόντων
pertineat atque ad χρωμένων.

p. 126 ᵃ Alcibiades εὐβουλίαν, quam dixerat artem rei publicae
gerendae esse, sic definit ut pertinere dicat εἰc τὸ ἄμεινον τὴν
πόλιν διοικεῖν καὶ cώζεcθαι. ubi infinitiuum actiuum cum
passiuo consociari non potuisse quis est quin sentiat? ac statim
ἄμεινον δὲ διοικεῖται καὶ cώζεται legimus iterumque ἄμεινον
διοικεῖται cῶμα καὶ cώζεται. sed διοικεῖcθαι cauebit ne corrigat,
qui meminerit scriptoribus Atticis οἰκεῖν etiam genere neutro dici
solitas esse ipsas urbes, ut est apud Platonem de re publ. IV p. 421 ᵃ
τοῦ εὖ οἰκεῖν καὶ εὐδαιμονεῖν (τὴν πόλιν). V 462 ᵈ τοῦ τοιούτου
ἐγγύτατα ἡ ἄριcτα πολιτευομένη πόλιc οἰκεῖ. VIII 543 ᵃ τῇ μελ
λούcῃ ἄκρωc οἰκεῖν πόλει. X 599 ᵈ τίc τῶν πόλεων διὰ cὲ βέλτιον
ᾤκηcεν; uel haec quod attuli nimium dicas. apparet enim illo loco

τὴν πόλιν οἰκεῖν καὶ ςῴζεςθαι scriptum fuisse idque ex uerbis proximis inepte mutatum esse.

XVII. Axiochi p. 371 ᵇ τά δὲ προπύλαια τῆς εἰς Πλούτωνος ὁδοῦ ςιδηροῖς κλείθροις καὶ κλειςὶν ᾠχύρωται unicus uidetur inter libros Platonicos locus esse, quo κλεῖθρον uel potius κλῆθρον legitur. huc igitur referendum testimonium epimerismorum Homer. a Cramero editorum Anecd. Oxon. I p. 224, 24 ὅθεν καὶ κλῆθρον ὑπό τινων εἴρηται, καὶ Ξενοφῶν καὶ Πλάτων καὶ οἱ κωμικοὶ διὰ τοῦ ἦτα. apud Aristophanem Vesp. 1484 κλῆθρα et Lysistr. 264 κλήθροιςι recte traditur. Xenophonti Anab. VII 1, 17 διακόπτοντες ταῖς ἀξίναις τὰ κλεῖθρα formam Atticam Cobetus demum reddidit.

XVIII. Licebit hoc loco etiam patrocinari traditae lectioni. Arrianus Stobaei ecl. phys. 29, 2 p. 235, 13 Wachsm. fulminum genera sic distinguit: διάπυροι μὲν κεραυνοί, ἀθρόοι δὲ καὶ ἡμίπυροι πρηςτῆρες, ὅςοι δὲ ἔρημοι πυρὸς τυφῶνες, οἱ δὲ ἔτι ἀνειμένοι ἐκνεφίαι. ultima Wachsmuthius corrupta dixit neque ego aliter sentiebam. ille satisfieri sententiae statuebat, si ἔτι ἀνειλούμενοι scriberetur, quo uerbo idem scriptor infra utitur p. 236, 11 et 15. sed illic ἐκνεφίας et τυφών sic distinguntur: ἐκνεφίας δὲ ἄνεμος, ἐπὰν δινούμενος ἐκπέςῃ νέφους ῥαγέντος, τυφὼν κλήζεται, atque illud ἀνειλεῖςθαι non tam in ἐκνεφίαν quam in eius speciem, τυφῶνα cadit. igitur si recte ἀνειλούμενοι pro ἀνειμένοι diuinatum esset, eadem opera oportuit sedem nominum τυφῶνες et ἐκνεφίαι permutari. atqui omnia recte legi Olympiodorus fideiussor est in comm. in Arist. meteor. f. 46ʳ οὐδὲν γὰρ ἕτερόν ἐςτιν ἐκνεφίας ἢ τυφὼν ἀνήνεμος (corrige ἀνειμένος), καὶ τυφὼν οὐδὲν ἄλλο ἐςτὶν ἢ ἐκνεφίας ἐπιτεταμένος· ᾧ δῆλον ὅτι ταὐτόν ἐςτιν ἐκνεφίας καὶ τυφών, ὅςον κατὰ τὸ εἶδος, ἀλλὰ παρὰ τὴν ἐπίταςιν καὶ ἄνεςιν διαλλάττουςιν, οὐ τῷ εἴδει. aduerbium ἔτι ita posuisse Arrianus uidetur, ut uim ex nube prorumpentem etiam magis deminutam diceret in ecnephia nec solum igni eum carere ut τυφῶνα, sed etiam magis remissum esse. quare ne hoc quidem offendemur.

XIX. Inter Plutarchi libros Lampriae qui fertur catalogus n. 191 commentationem περὶ γεωφάγων recenset. suspecta haec memoria editori optime merito Maximiliano Treu[1] uisa est. uidelicet eum almae matris Georgiae Augustae alumnum non fuisse. nobis enim, qui cibos illos concoquebamus, quibus a Cafirorum gente feroce nomen erat *aschanti*, haeret in memoria fabula illa, quam studiosa iuuentus commenta erat, ut stomachum indignantem risu consolaretur. scimus igitur gentes esse terra uel luto uescentes, ut

[1] ʻder sog. Lampriaskatalog der Plutarchschriften' (progr. Waldenb. 1873) p. 49: ʻdas wort γεωφάγος finde ich sonst nicht.' at legitur γαιοφάγος in Nicandri ther. 784, γαιηφάγοι in fr. Numenii apud Athen. VII p. 305ª, γαιηφαγοῦν in Aristotelis fr. 361 p. 251, 10. 14 editionis tertiae Rosianae; γαφάγας glossam Syracusanam testantur grammatici, cf. MSchmidtius ad Hesych. t. I p. 418, 21.

faciunt non solum Otomaci, sed alii quoque populi permulti qui sub tropico circulo uiuunt.[2] nota res est etiam sub caelo mitiore mulieres grauidas et puerulos insana cupiditate ad terram degluttiendam incitari, notaque ea ueteribus, cf. Aristoteles eth. Nic. VII 6 p. 1148[b] 28 et Hippocrates qui fertur de morbis IV 55 t. II p. 372, 11 Kuehn. t. VII p. 604, 1 Littr.: eandem gentium barbararum in Africa et fortasse alibi consuetudinem cur negabimus ueteribus obseruatam esse? praesto est Callimachi auctoritas: cui si in Hecale γηφάγοι (fr. 58, cf. Naekii opusc. II 107 sq.) re uera fuerunt ut grammatici uolebant πένητες, ἄποροι, ὡς τὰς ἐκ γῆς βοτάνας cιτιζόμενοι, τροφῆς ἀμοιροῦντες (Hesychius u. γηφάγοι, BAG. p. 232, 17), manifestum opinor est translate dictos esse, neque τὰ ἀπὸ γῆς ἐcθίοντας umquam proprie γηφάγους dici potuisse. ex proprio autem usu si translatus nascitur, miram illam australium gentium uoluptatem oportet iam Callimachi aequalibus cognitam fuisse. nec mirabimur quod et Plutarchus et ante eum homines docti causam rei et naturam studiose quaesiuerunt.

XX. In Plutarcheae contra uoluptatem dissertationis fragmento apud Iohannem Stobaeum seruato flor. VI 46 uerbis his ἀποκόψαντες οὖν αὐτὰ (τὰ πάθη) γυμνὰς βλέπωμεν τὰς ἡδονάς· μεθύουσιν εἰς ἀναισθησίαν, λαγνεύουσιν εἰς α ἰ ῶ ν α, καθεύδουσιν εἰς ἔ ρ γ α frustra uiri docti mederi studuerunt. uide feliciorne ego sim, cum propono λαγνεύουσιν εἰς ἔ ω, καθεύδουσιν εἰς ἑ c π έ ραν. conicias insolentiorem declinationem ἕων effecisse ut cum hoc nomine sequens corrumperetur.

XXI. Vna cum opusculis Plutarchi moralibus libellus traditur εἰ αὐτάρκης ἡ κακία πρὸς κακοδαιμονίαν. quem nemo leget quin sentiat fragmentum potius esse amplioris dissertationis, fortasse eius quam Lampriae catalogus memorat n. LXXXIV Ἀμμώνιος ἢ περὶ τοῦ μὴ ἡδέως τῇ κακίᾳ cυνεῖναι. in illius tertio capite tantum non Bioneo hanc legimus exclamationem p. 499[a]: Τύχη, πενίαν ἀπειλεῖς; καταγελᾷ cου Μητροκλῆς, ὃc χειμῶνος ἐν τοῖc π ρ ο β ά τ ο ι c καθεύδων καὶ θέρους ἐν τοῖc προπυλαίοιc τῶν ἱερῶν τὸν ἐν Βαβυλῶνι χειμάζοντα καὶ περὶ Μηδίαν θερίζοντα Περcῶν βασιλέα[3] περὶ εὐδαιμονίαc εἰc ἀγῶνα προὐκαλεῖτο. miramur philosophum cynicum inter oues dormientem, quem longe commodiore uti consuesse cubiculo hiberno constat. Teles enim Stobaei flor. XCVII 31 p. 272 Gaisf. de eodem testatur καὶ ἐκάθευδε τὸ μὲν θέρος ἐν τοῖc ἱεροῖc, τὸν δὲ χειμῶνα ἐν τοῖc βαλανείοιc. eandem Bion Borysthenita ibd. V 67 p. 158 sententiam Paupertati hominem luxuriosum increpanti dedit: ἢ οἰκήcειc οὐ παρέχω cοι, πρῶτον μὲν χειμῶνοc τὰ βαλανεῖα, θέρουc δὲ τὰ ἱερά; ποῖον γάρ cοι τοιοῦτον οἰκητήριον, φηcὶν ὁ Διογένηc, τοῦ θέρουc, οἷον ἐμοὶ ὁ παρθενὼν οὗτοc εὔπνουc καὶ πολυτελήc; in balneis igitur cynici hiemabant, non mehercules in

---

[2] uide Alex. Humboldtii librum 'ansichten der natur' (ed. III 1849) t. I p. 231 sqq. [3] alio modo hanc regis Persarum consuetudinem ad se reuocat Diogenes Dionis Chrysostomi or. VI p. 197 sqq. R.

ouilibus.   Plutarcho quoque balnea memoranda erant, ac memorata sunt.   nemo enim qui sermonem graecum inferioris aetatis norit non statim perspiciet illo loco ἐν τοῖc πρıβάτοıc scriptum olim fuisse. exempla qui desiderat, uideat uitam Aesopi a Westermanno editam p. 23, 13 δραμὼν ἐν τῷ πριβάτῳ locosque Prochori a Zahnio p. 255 indicatos.   latina uoce balnea priuata distincta sunt a publicis (uelut δημόcιον Malalas suppeditat p. 359, 19 Bonn.), cf. schol. Iuuenalis 7, 233 priuatae balneae quae Dafnes appellantur, edictum Diocletiani CIL. III p. 831 c. 7, 76. balneatori priuatario graece βαλανεῖ πριβάτῳ.   hinc igitur Graeculi illud πριβάτον sibi sumpserunt, cuius ex litteris latinis unum tantum mihi innotuit exemplum simile in Benedicti ordine Romano c. 51 a Mabillone edito Musei Italici t. II p. 143 descendit (papa) ante priuatam (lege priuata) Mamertini. iam uero cum Plutarchum hac uoce usum esse inprobabile sit, fragmentum illud, cuius antiquior testis non est codice Parisino 1955 membranaceo, sacculi XII qui fertur esse⁴, non una cum aliis Plutarchi opusculis antiquitus traditum esse uidetur, sed potius a scriptore quodam Byzantino seruatum et ex eius libris excerptum.

Regem Persarum in contentionem cum paupertate cynica uocat etiam Diogenis sententia in gnomologio Vaticano a Sternbachio edito Studiorum Vindobon. t. X p. 48 n. 201.   quae si contuleris cum Epicuro Iouem ipsum in certamen beatitudinis prouocante (fr. 602), facile intellegas consulto Epicurum ultra cynicorum gloriationem cuchi.

XXII.   Nondum emendatum est Aetii II 24, 8 p. 355 Dielsii de Aristarcho testimonium: Ἀρίcταρχοc τὸν ἥλıον ἵcτηcı μετὰ τῶν ἀπλανῶν, τὴν δὲ γῆν κıνεῖcθαı (sic Stobaeus) περὶ τὸν ἡλıακὸν κύκλον καὶ κατὰ τὰc ταύτηc ἐγκλίcεıc cκıάζεcθαı τὸν δίcκον.   terrae inclinatione qui fieri possit ut sol obscuretur et deficere uideatur, haud facile quisquam dixerit.   leuiusculo scribae antiqui non dico errore sed uitio orthographiae remoto sana omnia erunt.   constat non raro in libris παρεγκύκλημα scribi quod esse nequit nisi παρεκκύκλημα: cf. EDroyseni quaestt. de Aristophanis re scaenica (Bonnae 1868) p. 25 adn., similiterque in scholiis Clementis Alex. (t. IV p. 97 sq. ed. Klotz.) ἐγκυκλήcω et ἐγκύκλημα plus semel leguntur; in Epicuri sententia XIV p. 74, 13 libri fide digni omnes ἐγχωρήcεωc τῶν πολλῶν, non ἐκχωρήcεωc testantur; contra in Dionysii epistula ad Pompeium 3, 1 p. 50, 10 ἐκκρίνω libri scribunt quod est ἐγκρίνω.   nimirum illo loco Aristarchus docuisse ferebatur κατὰ τὰc ταύτηc (terrae) ἐκκλείcεıc cκıάζεcθαı τὸν δίcκον h. e. terra cum intercedente luna excluderetur a solis radiis, orbem solis obumbrari: cf. Lucretius V 753 cur luna queat terram secludere solis lumine.

---

⁴ dixit de hoc libro MTreu 'de codicibus nonnullis Parisinis Plutarchi moralium' (1871) p. 9 sq.; de codd. Par. 1671 et 1672, in quibus sylloge Maximi Planudis inest, idem 'zur geschichte der überlieferung von Plutarchs moralia' fasc. I p. IV sqq.

XXIII. In Sexto empirico etiam post Bekkeri et Kayseri curas qui attentius legat non pauca uideat relinqui quae emendatiouem exspectent. pauca delibabo. loci de Democrito grauissimi adu. math. VII 135 exordium hoc est Δημόκριτος δὲ ὅτι μὲν ἀναιρεῖ τὰ φαινόμενα ταῖς αἰcθήcεcιν eqs.: illud ὅτι unde pendeat frustra circumspicias. ac sic de Democrito Sextus refert, ut diuersas eiusdem sententias recenseat: igitur primam sententiam particulis ὁτὲ μὲν (cf. ibd. 223. 243) introducit, eo obscuratis quod post longius interuallum secunda sententia uerbis ἐν δὲ τοῖς Κρατυντηρίοιc (136) subiungitur.

Deinde ibd. 137 καὶ δὴ ἐν μὲν τούτοις πᾶcαν cχεδὸν κινεῖ κατάληψιν, εἰ καὶ μόνων ἐξαιρέτωc καθάπτεται τῶν αἰcθήcεων corrigendum κρίνει.

Ibd. IX 132 εἰ μὴ εἰcὶ θεοί, οὐδὲ μαντικὴ ὑπάρχει .. οὐδὲ μὴν θεοληπτικὴ καὶ ἀcτρομαντική, οὐ λογική, οὐχ ἡ δι' ὀνείρων πρόρρηcιc. sodalicium plus quam mirum artis logicae cum artibus deorum nutum explorantibus. corrige ἀcτρομαντικὴ ⟨καὶ⟩ ὀνειροπολική. rariorem uocem ne glossema quidem antiquitus ascripium ἡ δι' ὀνείρων πρόρρηcιc a labe defendere potuit.

I 253 ὑποτάccεcθαι δὲ τῷ ἱcτορικῷ κοινῶc φηcι .. τὸ περὶ τὰc γλώττας .. ὡcαύτωc δὲ καὶ τὸ περὶ παροιμιῶν καὶ ὅρων: noua pars historices grammaticae: tu scribe ἑορτῶν. apertiora etiam ibd. 269 ὥcτ' ἐπεὶ pro eo quod fertur ὥcτε εἰ et 278 ὁπόcα μὲν βιωφιλῆ .. εὑρίcκεται παρὰ ποιηταῖc .. ταῦτα cαφῶc αὐτοῖς πέφραcται καὶ οὐ δεῖται γραμματικῆc, ὁπόcα δὲ (καθάπερ τὰ libri) ἐν ξέναιc ἱcτορίαιc κείμενα ἢ αἰνιγματωδῶc ἐκφερόμενα, ταῦτ' ἔcτιν ἄχρηcτα.

Ibd. VII 90 γραμμῆc δὲ ῥυείcηc πλάτος ἐποιήcαμεν: immo ἐπενοήcαμεν.

XXIV. Oenomaus Eusebii praep. euang. V 27, 3 p. 221 [d] εἰ δέ γε οἱ ἐν καρτερικοῖc ἦcαν (Lacedaemonii) νόμοιc οὕτω τεθραμμένοι, ἐκαρτέρουν ἂν ἐπὶ τοῖc ὀλίγοιc. exigit his uerbis praecepta continentiae cynicae a Lacedaemoniis Messeniae terrae inhiantibus. prima uerba sine structura sunt, nisi quis forte in articulo οἱ pronomen demonstratiuum inuestigaturus est. in libris subsidium nullum, solitos itacismi errores codex Arethae praebet οἱ δέ γε εἶεν καρτερικοῖc. latet εἰ δ' ἐτεῇ ἐν καρτ. uox est notissima Democriti, cf. FHeimsoethius in Democriteis p. 23 sq. 32 sq. quam quod sermoni suo multis coloribus uario Oenomaus intexuit, non miror. etiam Parmenidem conicio illa uoce usum esse in nobili carminis exordio u. 3 δαίμονος ἡ κατὰ πάντ' ἐτεῇ (πάντα τῇ libri) φέρει εἰδότα φῶτα i. e. uirum ἐτεῇ εἰδότα.

XXIV. Laertius Diogenes VII 41 τὸ δὲ λογικὸν μέρος φαcὶν ἔνιοι εἰc δύο διαιρεῖcθαι ἐπιcτήμαc, εἰc ῥητορικὴν καὶ εἰc διαλεκτικήν· τινὲc δὲ καὶ εἰc τὸ ὁρικὸν εἶδος τὸ περὶ κανόνων καὶ κριτηρίων· ἔνιοι δὲ τὸ ὁρικὸν περιαιροῦcι: tresne partitiones discernantur an duae, dubites. quamquam ut uerba leguntur, paene

necessario eos qui τὸ ὁρικὸν περιαιροῦcιν eosdem statuas esse atque
qui duas partes logices tradere dicuntur. sed diuersum esse locum
de notione ac definitione eumque quo de percipienda iudicandaque
ueritate agebatur, non ea solum clamant quae statim § 42 subiciun-
tur, sed etiam rerum dispositio quam Diocles Laertii sequitur. is
enim alterum περὶ κανόνων καὶ κριτηρίων dialecticae praeponit
§ 49—54, τὸ ὁρικὸν εἶδοc priori parti quae est de uoce subiungit
§ 60—62: fuit igitur inter eos qui τὸ ὁρικὸν περιήρουν. quod si
recte statuo, alterius partitionis auctores non tres sed quattuor
logices partes uoluere esse, eoque particula coniunctiua opus est.
intellexit hoc CFHermannus (zs. f. d. aw. 1834 p. 105) qui εἰc τὸ
ὁρικὸν εἶδοc καὶ τὸ suadebat; probabilius εἶδοc τό τε περὶ κανόνων
mihi uideor proponere.

Simile mendum § 43 minore haesitatione auferas, ubi postquam
inde a uerbis 42 καὶ τὴν μὲν ῥητορικὴν αὐτὴν εἶναι λέγουcι τρι-
μερῆ de rhetoricae partitionibus dictum est, pergit scriptor τὴν
διαλεκτικὴν διαιρεῖcθαι εἴc τε eqs. mirabere quod uel Cobetum
fugit non τὴν, sed τὴν δὲ scribendum esse.

45 εὐχρηcτοτάτην δέ φαcιν εἶναι τὴν περὶ τῶν cυλλογιcμῶν
θεωρίαν· τὸ γὰρ ἀποδεικτικὸν ἐμφαίνειν, ὅπερ cυμβάλλεcθαι πολὺ πρὸc διόρθωcιν τῶν δογμάτων, καὶ τάξιν καὶ
μνήμην τὸ ἐπιcτατικὸν κατάλημμα ἐμφαίνειν. perspicua
sententia est: ex syllogismorum disciplina fructum aiunt non solum
facultatem argumentandi percipi, sed etiam ordinem ac memoriam.
subiectum igitur est τὸ ἐπιcτατικὸν κατάλημμα. hoc substantiuum
ut nusquam alias legatur, nemo tamen dubitabit quin recte dictum
sit τὸ κατειλημμένον, ut κατάληψιc. itaque ἐπιcτατικόν, quod
quid sit discas ex Sexto adu. dogm. I 182 ἐπιcτατικῶc δοκιμάζομεν
uel Syriano in metaph. p. 843ᵇ 18 κρίcεωc ἐπιcτατικωτέραc, more
solito (ut apud Syrianum p. 840ª 3) corruptum est ex ἐπιcτημονι-
κόν, cf. Sextus l. s. I 110 κατάληψιν . . τὴν ἐπιcτημονικήν, et
Laertius ipse infra 47 αὐτήν τε τὴν ἐπιcτήμην φαcὶν κατάληψιν
ἀcφαλῆ. praeterea geminatum uerbum ferri nequit, priore eiecto
structura enuntiati plana fiet. tractauit hunc locum etiam RHirzelius
'untersuchungen zu Ciceros philos. schriften' II p. 795 sq.

46 αὐτὴν δὲ τὴν διαλεκτικὴν ἀναγκαίαν εἶναι καὶ ἀρετὴν ἐν
εἴδει περιέχουcαν ἀρετὰc τήν τε ἀπροπτωcίαν ἐπιcτήμην τοῦ πότε
δεῖ cυγκατατίθεcθαι καὶ μή, τὴν δὲ (l. τήν τε) ἀνεικαιότητα
ἰcχυρὸν λόγον πρὸc τὸ εἰκὸc ὥcτε μὴ ἐνδιδόναι αὐτῷ eqs.
uirtutes hae mentis rationisque omnes ut par est nomine abstracto
definiuntur. sic statim ἀνελεγΞία uocatur ἰcχὺc ἐν λόγῳ, ἀπροπτω-
cία est ἐπιcτήμη, ἀματαιότηc ἕξιc. igitur uitiosum esse ἰcχυρὸν
λόγον manifestum esset, etiam si non sequeretur τὴν ἀνελεγΞίαν
ἰcχὺν ἐν λόγῳ. nescio quid probabilius sit quam ἰcχυρόνοιαν,
quod ad exemplar uerborum κακόνοια βραδύνοια fingere non minus
licuit quam ἐχυρόφρων ἰcχυρόφρων ἰcχυρογνώμων, ut ea mentis
constantia significaretur quae itidem ut cωφροcύνη aduersus cupidita-

tum inlecrebas, aduersus rationum splendidam probabilitatem hominem tutum reddit.

50 νοεῖται δὲ φαντασία ἡ ἀπὸ ὑπάρχοντος κατὰ τὸ ὑπάρχον ἐναπομεμαγμένη καὶ ἐναποτετυπωμένη καὶ ἐναπεσφραγισμένη, οἷα οὐκ ἂν γένοιτο ἀπὸ μὴ ὑπάρχοντος. necessarium in his est κατ' αὐτὸ τὸ ὑπάρχον scribi, ut qui eandem definitionem integriorem seruauit Sextus scripsit adu. dogm. I 402 ἡ ἀπὸ ὑπάρχοντος [καὶ ex praepositione ortum deleatur] κατ' αὐτὸ τὸ ὑπάρχον ἐναπομεμαγμένη καὶ ἐναπεσφραγισμένη, ὁποία οὐκ ἂν γένοιτο ἀπὸ μὴ ὑπάρχοντος: etiam Laertius supra 46 neque pronomine caret et interpolatione καὶ ἐναποτετυπωμένη liber est. sed interpolatio in his libris conspicua cum Laertio ipso saepenumero antiquior sit, hoc loco profecto non scriptori sed librariis uitio uertenda, quippe quae a duobus libris eisque antiquissimis Laurentiano F et Borbonico (saltem eius primitiuo contextu) aliena sit.

55 ζῴου μέν ἐστι φωνὴ ἀὴρ ὑπὸ ὁρμῆς πεπληγμένος, ἀνθρώπου δὲ ἐστὶν ἔναρθρος καὶ ἀπὸ διανοίας ἐκπεμπομένη secundum Diogenem Babylonium. recte ἀπὸ διανοίας, non ὑπὸ dicitur, sed uitiose ὑπὸ ὁρμῆς, cum minus etiam quam mens uocem emittere, appetitus aërem uerberare dici possit. solent in his rebus librarii neglegentiores esse, sic § 47 τό τε γὰρ ἀληθὲς καὶ τὸ ψεῦδος διαγιγνώσκεσθαι ὑπ' αὐτῆς (sc. τῆς διαλεκτικῆς) unus Borbonicus uerum seruauit ἀπ' αὐτῆς, h. e. non fieri illud a dialectica, sed ut fiat per eam effici; § 96 τὸν μὲν οὖν φίλον καὶ τὰς ἀπ' αὐτοῦ γινομένας ὠφελείας et Suidas et codex F ὑπ' αὐτοῦ uitiose exhibent; contra § 153 quod libri tradunt ὑετὸν δὲ ἐκ νέφους μεταβολὴν εἰς ὕδωρ, ἐπειδὰν ἡ (editur inepte ἢ) ἐκ γῆς ἢ ἐκ θαλάττης ἀνενεχθεῖσα ὑγρασία ἀφ' ἡλίου μὴ τυγχάνη κατεργασίας, cum τυγχάνειν κατεργασίας locutio uerbi passiui uice fungatur, corrigendum est ὑφ' ἡλίου.

60 ποίησις δέ ἐστι σημαντικὸν ποίημα, μίμησιν περιέχον θείων καὶ ἀνθρωπείων. nouimus uoces et σημαντικάς et ἀσήμους, non nouimus carmina ἀσήμαντα, et ut sint, eo quod σημαντικόν est ποίημα non fit ποίησις. quid dixerint stoici diuinare licet, cum audieris scholiasten Dionysii Thracis Bodleianum (in Crameri Anecd. Oxon. t. IV p. 313, 4) ποίησις δὲ κυρίως ἡ διὰ μέτρων ἐντελὴς ὑπόθεσις ἔχουσα ἀρχὰς καὶ μέσα καὶ πέρατα· ποίημα δὲ μέρος ποιήσεως: cf. Anecd. Bekkeri p. 768, 23 ποίησις γὰρ ἡ πᾶσα Ἰλιάς, ποίημα δὲ ἑκάστη ῥαψῳδία. uides his Platonicum subesse praeceptum Phaedri p. 264ᶜ δεῖν πάντα λόγον ὥσπερ ζῷον συνεστάναι σῶμά τι ἔχοντα αὐτὸν αὐτοῦ, ὥστε μήτε ἀκέφαλον εἶναι μήτε ἄπουν ἀλλὰ μέσα τε ἔχειν καὶ ἄκρα πρέποντ' ἀλλήλοις καὶ τῷ ὅλῳ γεγραμμένα. quod ad poesin translatum esse iam apertius elucet ex Mario Victorino I 15 (GLK. VI p. 56, 19) *poesis et poema distant eo quod poema uno tantummodo clauditur carmine ut tragoedia uel rhapsodia, poesis autem ex pluribus id* (fort. *et*) *est corpus operis perfecti, ut Ilias Homeri et Aeneis Vergilii* (prope abest etiam Aristo-

teles poet. c. 7). et sic scriptor περὶ ὕψους 9, 13 τῆς μὲν Ἰλιάδος
.. ὅλον τὸ cωμάτιον δραματικὸν ὑπεςτήςατο καὶ ἐναγώνιον,
τῆς δὲ Ὀδυςςείας τὸ πλέον διηγηματικόν et Heraclitus alleg. c. 60
ἐν ἑκατέροις τοῖς cωματίοις ὅμοιον εὑρίςκομεν Ὅμηρον et c. 1
δι᾽ ἀμφοτέρων τῶν cωματίων: cf. Hesychius u. Ἰλιάς. itaque nulla
mihi dubitatio est quin apud Laertium scriptum primitus fuerit non
cημαντικόν sed cωματικόν. quo adiectiuo stoici continuum rerum
nexum significabant, cf. Laertius Diog. VII 198 (τὰ) περιέχοντα
cποράδην καὶ οὐ cωματικὰς ζητήςεις λογικάς, ubi etiamsi aduerbium cποράδην opponitur, non necessarium erit cωματικῶς
corrigi.

61 ὑποδιαίρεςις (uel potius ut est in Borbonico ἐπιδιαίρεςις)
δέ ἐςτι διαίρεςις ἐπὶ διαιρέςει, οἷον Τῶν ὄντων τὰ μέν ἐςτιν
ἀγαθά, τὰ δ᾽ οὐκ ἀγαθά, καὶ Τῶν οὐκ ἀγαθῶν τὰ μέν ἐςτι κακά,
τὰ δὲ ἀδιάφορα. liquet subdiuisionem alteram hanc esse Τῶν οὐκ
ἀγαθῶν eqs., sed ea non διαιρέςει subicitur, sed ἀντιδιαιρέςει. hoc
enim nomen, ut paucis ante Laertius docuit, stoici eius diuisionis
uoluerunt esse, qua genus in species contrarias, modo affirmatiuo et
negatiuo indicatas secatur. scribendum igitur διαίρεςις ἐπ᾽ ἀντιδιαιρέςει. id quod manifesto latebat in codicis Borbonici lectione
διαίρεςις ἐν παντὶ διαιρέςει: dele Ν litteram male inuectam:
habes quod desideratur.

93 τὴν δὲ μεγαλοψυχίαν ἐπιστήμην [ἕξιν] ὑπεράνω ποιοῦςαν
τῶν cυμβαινόντων κοινῇ φαύλων τε καὶ cπουδαίων.
egregia editorum oscitantia hoc patienter tulit, esse uirtutem aliquam bona ac pulchra (τὰ cπουδαῖα) contemnendi. corrige sodes
τῶν cυμβαινόντων κοινῇ φαύλῳ τε καὶ cπουδαίῳ.

100 καλὸν δὲ λέγουςι τὸ τέλειον ἀγαθὸν παρὰ τὸ πάντας
ἀπέχειν τοὺς ἐπιζητουμένους ἀριθμοὺς ὑπὸ τῆς φύςεως, ἢ τὸ
τελείως cύμμετρον. ubi ἀπέχειν quid sit, me non intellegere fateor,
desidero περιέχειν.

133 ἑτέραν δὲ αὐτοῦ (h. e. τοῦ κόςμου) cκέψιν εἶναι ἥ τις
μόνοις τοῖς φυςικοῖς ἐπιβάλλει, καθ᾽ ἣν ζητεῖται ἥ τε οὐςία αὐτοῦ
καὶ εἰ ὁ ἥλιος καὶ οἱ ἀςτέρες ἐξ ὕλης καὶ εἴδεος καὶ εἰ
γενητὸς ἢ ἀγένητος eqs. enuntiatum καὶ εἰ.. εἴδεος totum seclusit
Huebnerus: debebat solum uerba καὶ οἱ ἀςτέρες ἐξ ὕλης καὶ εἴδεος
relegare, quibus carent exempla uetera Laurentianus F et Borbonicus,
carent etiam editiones Frobenii et Aldobrandini, uersiones Ambrosii
et Sambuci: inuexit ea primus HStephanus ex codice nouicio et inter-
polato (cf. quae dixi ad Epic. p. XV). sed quid faciemus his quae
relinquuntur καὶ εἰ ὁ ἥλιος καὶ εἰ γενητὸς ἢ ἀγένητος? librarii
recentiores, ut corrector codicis Laurentiani H, eosque secuti Am-
brosius et Sambucus deleto altero καὶ εἰ unum enuntiatum fecere
καὶ εἰ ὁ ἥλιος γενητὸς eqs. at subiectum uerborum γενητὸς eqs.
non potuit esse nisi ὁ κόςμος. sciunt qui codices graecos tractauere
quo compendio scripturae sol indicari soleat. quo male intellecto
cum alii errores commissi sunt tum hoc euenit ut in Theophrasti

de sensibus libro 54 (p. 514, 26 in Dielsii Doxographis) τό γε τὸν
ἥλιον ἀπωθοῦντα ἀφ' ἑαυτοῦ . . πυκνοῦν τὸν ἀέρα, καθάπερ
φησίν, ἄτοπον legeretur τό γε τὸν ὅτι ἀπωθοῦντα eqs. similiter
hoc quoque loco accidit: in uerbis καὶ εἰ ὁ latet καὶ ἡ ἡλίου (sc.
οὐσία), uitium male correctum erat ascripto nominatiuo ἥλιος.
ceterum mundi mentioni hoc unum ex reliquis ea causa additum est,
quod antea prioris generis quaestionum physicarum idem sol exemplo
fuerat.

134 τὰ δὲ ποιοῦν (sc. εἶναι) τὸν ἐν αὐτῇ (i. e. τῇ ὕλῃ) λόγον,
τὸν θεόν· τοῦτον γὰρ ὄντα ἀίδιον διὰ πάσης αὐτῆς δημιουργεῖν
ἕκαστα. cum uerbo δημιουργεῖν ἕκαστα nullo pacto coniungi διὰ
πάσης (τῆς ὕλης) potest. discrepant optima exempla, uelut Borbonicus, saltem ordine uerborum, dum ἀίδιον ὄντα exhibent. sufficit hoc scire, ut sana sententia restituatur et facillime et euiden-
tissime: τοῦτον γὰρ ἀίδιον ἰόντα διὰ πάσης αὐτῆς δημιουργεῖν ἕκαστα.

XXVI. Maximilianus Treu qui fere unus de Plutarchi praeter
uitas librorum exemplis manu scriptis certiores nos facere studet, dum
de codice Parisino 1955 membranaceo sacculi XII refert, etiam
scholia quaedam illi ascripta protulit[5], quorum duo saltem non
carent pretio. quae ne diutius neglecta iaceant, non inutile erit iterum
proponi.

Commentarii in Platonis Rempublicam Procliani nouum pro-
dit testimonium libro Plutarchi περὶ πολυφιλίας p. 93ᵃ ascriptum
ἡ προσπάθεια καὶ ἐν ἀλόγοις ζώοις ἐστὶ καὶ μάλιστα φυσική,
φιλία δὲ ἐν θεοῖς· καὶ οὔτε προσπάθεια παρὰ θεοῖς (ἀπαθεῖς
γάρ), οὔτε φιλία ἐν τοῖς ἀλόγοις. ἡμεῖς δὲ μέσοι τούτων
ὄντες τὴν μὲν ἔχομεν ἀτελεῖς ὄντες, τὴν δὲ τελειωθέντες·
προσπάσχομεν γὰρ καὶ χρήμασι καὶ τέκνοις καὶ γαμεταῖς,
ἐμπαθεῖς ὄντες καὶ τῇ φυσικῇ ζωῇ θητεύοντες· φιλοῦμεν δὲ
εἰς νῦν [scr. νοῦν] ἀναδραμόντες καὶ λυθέντες ἀπὸ τῶν
ἰδιούντων ἡμᾶς πρὸς τὰ ἥττω παθῶν. οὕτω Πρόκλος ἐν
Ἐπισκέψει τῶν ὑπ' Ἀριστοτέλους ἐν β̄ Πολιτικῶν πρὸς τὴν
Πλάτωνος Πολιτείαν [adde ἀντειρημένων].

nouissimo eorum quae RSchoellius nuper singulari sollertia expolita
edidit capiti mutilato p. 129—133 (in Pitrae cardinalis Analectis
t. V 2 p. 188—192 praeter pauca uerba in lacunis natantia nihil
noui prouenit) hoc accedit supplementum. plurium intererit nosse
scholion in principio dissertationis περὶ δυσωπίας p. 528ᶜ positum
οἱ περὶ Ἀττικῆς γράψαντες συνηθείας ἐπιλαμβάνονται τοῦ
ὀνόματος τῆς δυσωπίας ὡς ἀδοκίμου· τὸ γὰρ δυσωπεῖσθαι
οὐκ ἐπὶ τοῦ αἰδεῖσθαι ἀλλ' ἐπὶ τοῦ ὑφορᾶσθαι καὶ δεδιέναι
ἐκλαμβάνονται. καὶ Διονύσιος δὲ ἐν τῇ πενταβίβλῳ τῶν
Ἀττικῶν ὀνομάτων τῆς πρώτης ἐκδόσεως («οὐ δύσερις»

---

⁵ in programmate gymnasii Jaueriani 1871 quod 'de codicibus nonnullis Parisinis Plutarchi Moralium narratio' inscribitur p. 10.

φησίν [φησὶ cod.] «οὐκ ἐριστική») οὕτωc φησίν, ὅτι Δυcω-
πεῖcθαι οὐ τὸ αἰδεῖcθαι, ἀλλὰ τὸ μεθ᾽ ὑπονοίαc φοβεῖcθαι οἱ
᾽Αττικοὶ λέγουcιν.
duas fuisse lexici Attici ab Aelio Dionysio scripti editiones etiam
Photius testatur bibl. cod. 152. qui etiamsi differentiam utriusque
editionis indicauit et ut in unum ambae redigerentur suasit, non
illud uirum acutiorem Naberum retinuit quominus in proleg. Photii
t. I p. 48 fallaci specie Photium deceptum epitomen quandam pro
priore editione habuisse statueret. refutauit hanc coniecturam qui
reliquias lexici Dionysiani collegit C. Th. Ph. Schwartzius p. XX sq.:
nunc certo testimonio constat etiam citra Photii aetatem diuersa
huius lexici exempla eaque notis πρώτηc ἐκδόcεωc et δευτέραc ἐκδόcεωc distincta fuisse. accedit nouum aliquid. aut enim (ut utar
LSpengelii dicto) talpa caecior sum aut uerba οὐ δύcεριc φηcὶ οὐκ
ἐριcτική ex uerbis lexico Dionysii praescriptis sumpta sunt, fortasse
ex uersu soluta tali fere Οὐ δύcεριc ἥδε βύβλοc, οὐκ ἐριcτική. quod
si recte conicio, Dionysium apparet Atticistarum studiis quidquid
ipsis tritum non esset ad Solenses ac barbaros relegantium syllogen
dictionum Atticarum opposuisse. fragmentum Dionysii maxime cum
Etym. m. p. 292,52 comparabitur; quamuis truncatum etiam Suidae
i. e. Photii opera (t. I p. 1482, 18 Bernh.) seruatum erat Δυcω-
πεῖcθαι: ὑφορᾶcθαι καὶ ὑπόπτωc ἔχειν. φοβεῖcθαι μεθ᾽ ὑπονοίαc: priorem glossematis partem Suidas Timaei lexico Platonico
p. 90 R. debet, unde etiam scholion Plat. Legum XI p. 933ᵃ fluxit.

XXVII. In Iustini apologia priore c. 9 legitur ἀλλ᾽ οὐδὲ
θυcίαιc πολλαῖc καὶ πλοκαῖc ἀνθῶν τιμῶμεν οὓc ἄνθρωποι
μορφώcαντεc καὶ ἐν ναοῖc ἱδρύcαντεc θεοὺc προcωνόμαcαν. non
hoc refert, plurane sacrificia an pauciora fiant, sed fiantne an non.
oportet igitur scriptum fuisse οὐδὲ θυηπολίαιc, non θυcίαιc
πολλαῖc.

Ibidem c. 12 ὅπερ θεοῦ ἔργον ἐcτί, πρὶν ἢ γενέcθαι εἶπε καὶ
οὕτωc δειχθῆναι γινόμενον ὡc προείρηται: sententiae recte con-
suluerunt editores, dum εἰπεῖν scribunt, non restituerunt quod
Iustinus dederat i. e. εἶπαι formam illi aetati magis magisque usi-
tatam.

Ibidem c. 61 mirum quod editorum oculos uitium non rarum
fugit ἐπειδὴ τὴν πρώτην γένεcιν ἡμῶν ἀγνοοῦντεc . . ἐν ἔθεcι
φαύλοιc καὶ πονηραῖc ἀνατροφαῖc γεγόναμεν: non de alimentis,
sed de studiis et quasi deuerticulis uitae agitur, igitur ἀναcτρο-
φαῖc Iustinus scripsit. ineptirem si exempla adponerem. neque
minus apertum est c. 59 ὕλην ἄμορφον οὖcαν cτρέψαντα τὸν
θεὸν κόcμον ποιῆcαι contrarium accidisse uitium: ubi non potuit
nisi τρέψαντα scribi, ut scribitur c. 67 τὴν ὕλην τρέψαc κόcμον
ἐποίηcε.

XXVIII. Iohannes Chrysostomus or. adu. Iudaeos I 3 t. I
p. 592ᵃ ed. Montef. οὕτω δὴ (ut uernae personis ridiculis puerulos
terrent) καὶ τοὺc ἀτελεcτέρουc τῶν Χριcτιανῶν μορμολύτ-

τονται οἱ Ἰουδαῖοι. homines de plebe artibus non excultos *simplices* vel *simpliciores* Latini, ἀφελεϲτέρουϲ Graeci dicunt, cf. Ioh. Chrys. t. II p. 362ᵉ πολλοὶ τῶν Ἑλλήνων ἀκούοντεϲ, ὅτι θεὸϲ ἐτέχθη ἐν ϲαρκί, καταγελῶϲι διαϲύροντεϲ καὶ πολλοὺϲ τῶν ἀφελεϲτέρων θορυβοῦϲι καὶ ταράττουϲιν. uides, supra quid Iohannes scripserit.

Idem bom. de m. Babyla t. II p. 533ᶜ ἀλλ' ἐπειδὴ πηγῶν ἐμνήϲθην, δεῦρο λοιπὸν .. τὸν λόγον πρὸϲ τὰ τοῦ μάρτυροϲ κατορθώματα ϲυνελάϲωμεν. καίτοι γε ἐπιθυμεῖτε τὰϲ Ἑλληνικὰϲ ἐκπομπεύειν ἀϲχημοϲύναϲ ἔτι, ἀλλ' ὅμωϲ καὶ οὕτωϲ αὐτὸϲ ὢν ἀπάγωμεν· πάντωϲ γὰρ ὅπου μαρτύρων μνήμη, ἐκεῖ καὶ Ἑλλήνων αἰϲχύνη. ferri non posse quae in medio enuntiato leguntur nemo non uidet. dicit orator desiderio auditorum uel sic satisfactum iri, nam Babylae memoriam celebrari non posse sine gentilium inrisione. sententiam et sermonem restituemus, cum reponemus καὶ οὕτωϲ αὐτόϲε ἂν ἀπάγοιμεν: 'sic quoque ad eandem rem feremur.'

XXIX. Non recte neque qua par est constantia facimus, quod qui perfecta et polita publice edere quanta possumus diligentia studeamus, eidem amicorum libris, dum in operarum manibus uersantur, ut quidque primum in mentem uenerit, inponamus haud scio honori potius etiam an honeri. me quidem paenitet pudetque quod eclogarum Iohannis Stobaei editioni uere principi Wachsmuthianae interpositae non paucae sunt coniecturae meae illo loco non dignae. quamquam aequos iudices scio ueniam facile daturos eis quae mihi aut in summa negotiorum mole festinanti aut oculorum morbo inpedito aut omni librorum subsidio carenti exciderunt. sic quod in Iamblichi uerbis I p. 457, 23 ὁ δὲ παρὰ Πλάτωνι Τίμαιοϲ, ἧπερ ἐϲπάρηϲαν (αἱ ψυχαὶ) διαφερόντωϲ ὑπὸ τοῦ δημιουργοῦ nunc cum stupore uideo me proposuisse ἢ παρεϲπάρηϲαν. scripsi id quidem in uiculo litoris Italici plane inlitterato, domi quominus scriberem inpeditus essem opinor loco Timaei Platonici p. 41ᵉ δέοι δὲ ϲπαρείϲαϲ αὐτὰϲ eqs., quem ipse olim exemplo meo Gaisfordiano adposueram.

XXX. Idea in definitione Platonici alicuius uetustioris a doxographo seruata uocatur in Stobaei eclogis phys. p. 134, 12 αἰτία τῆϲ τούτων (sc. τῶν ἀμόρφων ὑλῶν) διατάξεωϲ, a personato Plutarcho I 10, 1 αἰτία τῆϲ τούτων δείξεωϲ. alterum sententia ipsa reprobat; illud falsa ueri specie facile arguitur ab arguto homine interpolatum esse, ut ueteri uulneri mederetur. emendaturo proficiscendum a Plutarchei libri sincera fide. nil potest in δείξεωϲ latere nisi λήξεωϲ, quo nomine ordo cuique rei quasi sorte adsignatus bene significatur. uti hoc nomine iam ipsos Platonis discipulos coepisse idem testatur doxographus p. 304ᵇ 9 D., ubi quod Xenocratem tradit dyadem statuisse ὡϲ θήλειαν, μητρὸϲ θεῶν δίκην, τῆϲ ὑπὸ τὸν οὐρανὸν λήξεωϲ ἡγουμένην, uerba sine dubio ipsius philosophi seruauit.

XXXI. Iohannis Stobaei in florilegii VI 41 ecloga quod prae-
scriptum habet εἰc φιλοcοφίαν λόγων ne Meinekius quidem certo
ausus est ad Iamblichi protrepticum i. e. de philosophia Pythagorea
librum primum referre. sed uerba illa ex Platonis de re publica l. IX
p. 590ᵃ paucis mutatis sublata apud Iamblichum leguntur p. 86 sq.
Kiessl. igitur quae ceteris locis placuit Stobaeo (II 40. XLIII 71.
XLVI 70) eadem hic quoque formula restituenda erit ⟨'Ιαμβλίχου ἐκ
τῶν προτρεπτικῶν⟩ εἰc φιλοcοφίαν λόγων. alio loco I 58 sq. cum
duo eiusdem libri fragmenta se exciperent, eundem titulum librarii
dissectum inter ambo distribuerunt. notum hoc est in Iohannis sylloge uitiorum genus, cuius luculenta exempla AElter composuit 'de
Ioannis Stobaei codice Photiano' p. 5 sqq. leuiora sunt non pauca
quae editores patientius quam par est ferunt; uelut cum floril. LXV 9
traditur ἐκ τοῦ Μελαγκόμα, de quo primus recte iudicauit Wesse-
lingius observ. II 19 p. 226: supplendum ⟨Δίωνοc⟩ ἐκ τοῦ Μελαγκόμα.

XXXII. De legibus II 8, 20 Cicero tria sacerdotum genera
constituit eorumque alterum sic definit: *quod interpretetur fatidico-
rum et uatium ecfata incognita, quorum senatus populusque Romanus
adsciuerit.* quindecimuirum sacris faciundis exemplum exprimit: quos
constat non tamquam grammaticos incubare libris fatidicis solitos
esse, ut si quid rei publicae fatale inuenisse sibi uiderentur, ad senatum referrent, sed iussos a senatu adire libros, euoluere, inuenta
interpretari. scribendum igitur fuit *quom senatus populusque Romanus adsciuerit.* a Tullio neque *quorum* scribi potuit, quod Vahlenus
tutari posse sibi uidetur interpretatus *quorum ecfata,* neque *quae
eorum,* quod Mommseno auctore Halmius edidit. nam sacerdotes
illi singula uatum ecfata interpretantur, populus Romanus non singula oracula, sed oraculorum uolumina uel eorum auctores uates ad-
sciscere dici recte potest: in quibus publice admittendis quam cautus
fuerit, nemo ignorat.

XXXIII. Cicero de natura deorum II 6, 17 *an ne hoc quidem intellegimus, omnia supera esse meliora, terram autem esse in-
fimam, quam crassissimus circumfundat aër? ut ob eam ipsam causam, quod etiam quibusdam regionibus atque urbibus contingere uidemus, hebetiora ut sint hominum ingenia propter caeli pleniorem
naturam, hoc idem generi humano euenerit, quod in terra hoc est
in crassissima regione mundi conlocati sunt.* argumentum est Posi-
donii, qui locum iam a Panaetio ex Platone et Aristotele sublatum,
hominum ingenia secundum caelum temperari, accuratissime per-
secutus est, cf. Galenus de plac. Plat. et Hippocr. V p. 442 Muell.
(t. V p. 463 sq. K.) et qui Posidoniana amplissime refert Vitruuius
VI 1, 3—12.⁶ quo inspecto etiam hoc lucramur, qua re *pleniorem*
Cicero dicat caeli naturam, quod, ut uerba nunc leguntur, haud

---

⁶ uide RHirzelium unters. II p. 892 sqq. Har. Fowler in Panaetii
et Hecatonis fragmentis (Bonnae 1885) p. 42 ad fr. 32.

facile quisquam expedierit. uide quo modo Vitruuius ab umoris uaria temperatura et corporum et ingeniorum discrimina repetat et in gentibus septentrionalibus *umoris plenitatem* (§ 3 p. 135, 10 Ros.) uel *umoris abundantiam* (8 p. 137, 8) causetur. constat igitur in Tullii loco intercidisse ablatiuum *umore* et scriptum fuisse *propter caeli pleniorem ⟨umore⟩ naturam.*

XXXIV. Volcani ab academico de nat. deor. III 22, 55 distinguuntur complures: *quartus Memalio natus, qui tenuit insulas propter Siciliam, quae Volcaniae nominabantur,* is nimirum in cuius dicione sunt ignea montium uiscera. patris nomen corruptum clamant omnes. causam eius iudicii nullam scio, nisi forte nefas est in doctissimis illis theologiae Graecae reliquiis quicquam legi quin aliunde testatum teneamus. confirmare dubitantes debebat qui apud Homerum Π 194 est Pisander Μαιμαλίδης, quippe qui patrem aut Μαίμαλον prae se ferat aut (ut Κλυτίδης Κλύτιον) eum ipsum quem desideramus Μαιμάλιον. hoc nomen Μαίμαλος et inde declinatum Μαιμάλιος cum a uerbo μαιμᾶν ducantur (de quo meliora ANauckius docuit mél. Gréco-Rom. II p. 650 sqq.) ut a φυcᾶν φύcαλος et ab ἀμᾶν ἀμάλη (cf. Lobeckius proleg. pathol. p. 90), tam apta fuerunt Volcano ex montium cauernis prorumpenti quam ἀμαιμακέτη epitheton Chimaerae ignem uomenti Z 169 aut uerbum μαιμάει igni per saltus grassanti Υ 490.

XXXV. Cicero de diuinatione I 9, 16 relato ex Arateis u. 1051 sqq. lentisci signo

> *lentiscus triplici solita grandescere fetu*
> *ter fruges fundens tria tempora monstrat aratri*

pergit *ne hoc quidem quaero, cur haec arbor una ter floreat aut cur arandi maturitatem ad signum floris accommodet.* in quibus uerbum accommodandi contra usum et rationem ponitur. sed facilis opinor medela praesto est ut *commodet* scribamus, quod ut corrumperetur *ad signum* causa erat. sic recte lentiscus tamquam signum diuinum tempora arandi tribuere agricolae dicitur.

In uersibus Tullianis de diuin. I 11, 17 haec legimus de stellis fixis et planetis

> *et si stellarum motus cursusque uagantis*
> *nosse uelis, quae sint signorum in sede locatae,*
> *quae uerbo et falsis Graiorum uocibus errant,*
> *re uera certo lapsu spatioque feruntur,*
> *omnia iam cernes diuina mente notata.*

planetas dicit nomine tantum stellas errantes esse, re uera definitis motibus per certa spatia ferri. hoc planum est, non ita quod rerum ueritati opponitur non *uerbo* uel *uerbo falso,* sed *uerbo et falsis Graiorum uocibus.* at uerum ab ipsis Grais Romani didicerant, nomen πλανῆται etiam doctiorum sermo seruabat. scripsit igitur Cicero

> *quae uerbo ex falso Graiorum motibus errant.*

Ibidem I 45, 101 *saepe etiam et in proeliis Fauni auditi et in rebus turbidis ueridicae uoces ex occulto missae esse dicuntur. cuius generis duo sunt ex multis exempla, sed maxima.* haec uerba, quibus ad ipsa exempla enarranda transitus fit, sana non esse, sed uitium in uerbo *sunt* latere Maduigius optime perspexit. qui quod scriptum uoluit *sint*, uereor ut uerum adsecutus sit. exspectatur grauius uerbum idque in ea re sollemne *sumo*.

Ibd. II 20, 47 *et eo quidem loco et prognostica nostra pronuntiabas et genera herbarum scammoniam aristolochiamque radicem.* radix non aristolochia solum est (cf. Plinii n. h. XXV 96), sed scammonia quoque eo loco quem Marcus indicat a Quinto dicta erat I 10, 16. igitur plurali numero Cicero usus est *radices*.

XXXVI. Vexarunt multi uerba sanissima de diuin. I 26, 56 *Gaius uero Gracchus multis dixit . . sibi in somnis quaesturam petenti Tiberium fratrem uisum esse dicere, quam uellet cunctaretur, tamen eodem sibi leto quo ipse interisset esse pereundum.* sic enim statuunt, cunctantem Gaium a Tiberio ad quaesturam petendam instigari eo tantum tempore potuisse, cum nondum esset quaesturae candidatus. itaque non petenti quaesturam, sed petere dubitanti uel si dis placet non petenti fratrem uisum esse uolunt. naturae humanae illi mihi obliuisci uidentur. scilicet idoneum hoc fuit somnium quo Gaius sex fere annis in otio peractis ad rem publicam capessendam commoueretur. at distrahi animum inter spem ac paenitentiam incertum quando magis erat consentaneum quam cum fatigatum amicorum precibus et tandem destinatum uitae quas ante probauerat rationes reuocare a coeptis uiderentur?

Alio quoque loco traditae scripturae patrocinium mihi subeundum est de diuin. I 53, 121 *sic castus animus .. et ad astrorum et ad auium reliquorumque signorum et ad extorum ueritatem est paratior.* 'reliqua signa' cum ordinem signorum turbare uiderentur, Hottingerus ea post uerba *et ad extorum* traiecit. non uituperabat Christius, plausit sermonem sanum corrumpenti Baiterus. iterata praepositione *ad* tria grauissima diuinationis artificiosae genera, apotelesmaticam auguralem haruspicinam, Cicero ita indicat, ut quo reliquorum signorum mentio spectet nequeat obscurum esse. non opus erit quae praeter aues signa auguri obseruanda sint doceri scientes: sufficiebat loci gemelli meminisse II 33, 70 *non enim sumus ii nos augures, qui auium reliquorumue signorum obseruatione futura discamus.*

XXXVII. Conclamari nuper et desperari uideo libri de fato locum 10, 22 de disciplina Epicurea *quam* (sc. atomorum) *declinationem sine causa fieri, si minus uerbis, re cogitur confiteri. non enim atomus ab atomo pulsa declinat: nam qui potest pelli alia ab alia, si grauitate feruntur ad perpendiculum corpora indiuidua rectis lineis, ut Epicuro placet? sequitur enim ut, si alia ab alia numquam depellatur, ne contingat quidem alia aliam.* quam difficultatem hoc corollarium uiris acutissimis pepererit, nil attinet dicere, quando

quidem iam Dauisius recte intellexit. iussit is *autem* pro particula
causae scribi. ego et aptiorem ratiocinationi et leniorem medelam
existimo *etiam* esse. de confusis *enim* et *etiam* cf. MSeyffertus ad
Laelium 10, 35 p. 236 ed. pr.

Stoicam causarum seriem deridens Cicero de fato 15, 35 Euri-
pidea utitur nutrice Medeae mala ex ipsis Pelii montis abietibus
repetente, pergitque *quorsum haec praeterita? quia sequitur illud*
 nam numquam era errans mea domo ecferret pedem
 Medea animo aegro, amore saeuo saucia,
non ut eae res causam adferrent amoris. clausulae aperte ac necessario hic sensus est: non eae res, quippe quas casus fato Medeae ad-
iunxerit, poterant causam amoris adferre. subiungitur enim *nulla
igitur earum* (h. e. quas modo dixit *res*) *est causa, quoniam nulla
eam rem sua ui efficit, cuius causa dicitur* (nam quae nunc secuntur
interesse autem . . necesse sit etsi Tulliana esse credo, tamen scriptorem inprudentem postea adiecisse ac male conlocasse existimo). sed
ut nunc uerba leguntur, nihil significant. quod unus, nisi quid me
fugit, Lambinus sensit biare locum opinatus: non puto feliciter.
exspectamus enim scriptorem cauillationem institutam non inter-
rumpere, sed perficere: *an ut eae res causam adferrent amoris?*
quorsum, inquit, putas illa de abietibus deque Argo naui memorari?
respondebis cum nutricis uerbis *nam numquam* eqs. at ego ex Pe-
liaca silua nego amorem Medeae repeti posse.

Ibidem 20, 48 *nam si atomis ut grauitate ferantur tributum est
necessitate naturae, quod omne pondus nulla re inpediente moueatur
et feratur necesse est, illud quoque necesse est declinare?* non uideo
quo modo atomi moueri et ferri, non *deorsum* moueri et ferri
dici possint. hoc aduerbium interponendum erit post participium
inpediente.

XXXVIII. Quintilianus quod dicit inst. or. I 4, 11 *quaeret
hoc etiam* (grammaticus), *quo modo duabus demum uocalibus in se
ipsas coëundi natura sit, cum consonantium nulla nisi alteram frangat*
sanum non esse intellexerant qui olim *cum consonantium nulla coëat
nisi* eqs. soloece edebant. uitium frequentissimum, syllaba negle-
genter iterata, ut fit, interpolationem traxit. dele coniunctionem
cum ex proxima syllaba ortam: sponte emerget quod Quintilianum
dedisse credas *quo modo duabus demum uocalibus in se ipsas coëundi
natura sit, consonantium nulli nisi alteram frangat.* uocales duae
adeoque tres (ut *praeitor*) in unam syllabam, siue diphthongum siue
longam uocalem, coëunt, consonantes uno sono non comprehenduntur nisi altera fracta, ut *conlabi collabi, adcolo accolo.*

Idem I 4, 15 *B quoque in locum aliarum dedimus aliquando,
unde Burrus et Bruges et Belena.* iam Priscianum Belenam hoc loco
legisse discimus ex eius inst. I 23 p. 18, 11 H. sed quae uel inuasori
iura adserit uetustas non tantum ualet ut errorem in ueritatem uertat.
cedat igitur mulier formosissima inmani beluae *balaenae.* hoc
enim exemplum eius fuit, quem in orthographia auctorem Quinti-

lianus sequitur, Verri Flacci, cf. quae Paulus ex Festo seruauit
p. 31, 4 *balaenae nomen a graeco descendit*. *hanc illi φάλαιναν
dicunt antiqua consuetudine, qua πυρρόν burrum, πύξον buxum
dicebant*. Burrum et Bruges antiquiores grammatici memorauerant
cumque eis Cicero orat. 48, 160.

Et et *ut* particulas quam facile Quintiliani librarii confuderint,
uel uno loco I 4, 8 sq. intellegi potest. quod si I 6, 6 legas *deminutio genus modo detegit, et ne ab eodem exemplo recedam, 'funem'
masculinum esse 'funiculus' ostendit*, dubitabisne quin exemplum
more solito *ut* particula usus Quintilianus admouerit? idem uitium
haeret II 4, 3 *admonere illud satis est ut sit* (narratio) *neque arida
. . neque rursus sinuosa et arcessitis descriptionibus . . lasciuiat*, ubi
cum sententiam negatiuam adnectere *et* coniunctio non possit, scriptorem apparet sinuosum illud quid diceret adposito enuntiato con-
secutiuo *sinuosa ut . . lasciuiat* explanasse.

Grammaticus nemo (id quod Lachmannus quoque sensit ad
Lucretium p. 137) tam inportunus esse potuit analogiae sectator ut
'*conire*' non '*coire*' praeciperet esse scribendum, ut est apud Quintilianum I 6, 17. obstabat enim, non dico uera praepositionis forma
quom cum, sed ipsa similitudo nominis *comitium*, 'qui locus a
coëundo . . est dictus' (Paulus ex Festo p. 38, 12 M.), et uerbi
comedere. quamobrem illos quos Quintilianus carpit *comire* proba-
uisse conicio.

I 8, 1 *quando attollenda uel submittenda sit uox, quid quoque
flexu, quid lentius celerius, concitatius lenius dicendum*. sic libri,
ediderunt Spaldingio auctore non concinne *quo quidque*, scribendum
erat *quid uoce flexa*.

I 9, 1 *finitae sunt partes duae quas haec professio* (grammaticae)
*pollicetur, id est ratio loquendi et enarratio auctorum, quarum illam
methodicen, hanc historicen uocant*. itane uero? ἱστορικήν umquam
enarrationem scriptorum uocatam esse? alia testantur qui candem
artis partitionem norunt Marius Victorinus I 1, 5 p. 4, 2 Keilii *huius
plerique quot partes tradiderunt? duas. quas?* ἐξηγητικήν atque
ὁριστικήν, Diomedes p. 426, 15 *grammaticae partes sunt duae, altera
quae uocatur exegetice, altero horistice. exegetice est enarratio, quae
pertinet ad officia lectionis; horistice est finitiua quae praecepta demonstrat* eqs., alii. certum est, opinor, Quintilianum notissimae
partis nomen non adposuisse, alterius duo dedisse: *quarum illam
methodicen alii, alii horisticen uocant*.

I 12, 7 *adeo facilius est multa facere quam diu* intercidit quo
quod *multis* opponitur compleatur *unum* uel potius *quicquam*.

Egregium socordiae specimen hodieque conspicitur II 5, 2 *et
robusti fere iuuenes nec hunc laborem desiderantes exemplum nostrum
sequebantur*. hoc enim Quintilianus exponit, quibus inpedimentis
factum sit ut exemplum quod ipse praeiuerat, scilicet ut adulescentes
lectione historiae et orationum instrueret, non ualeret. qui igitur
robusti iuuenes Quintiliano instituendos se dederant, ei lectionis

labore declinato exemplum *nostrorum* i. e. rhetorum (cf. III 5, 7. 8, 25 al.), non Quintiliani sequebantur.

II 16, 5 *et in medicis uenena et in his, qui philosophorum nomine male utuntur, grauissima non numquam flagitia deprehensa sunt* uitium sententiae non senserunt qui aduerbium *male* patienter tulerunt. scriptor ut contraria magis acueret dixerat *qui philosophorum nomine nobili utuntur.* cf. Liuius XXXI 18, 4 *Macedonum nomen haud minus quam Romanum nobile sentietis.* Silius Italicus XVII 453 *Herium, cui nobile nomen Marrucina domus clarumque Teate ferebat* al.

XXXIX. Rhetorum latinorum principi subiungo grammaticos, ad quos Henrici Keilii opera strenua et benemerentissima aditum late patefecit.

Definitio, ut recte uidit Keilius, stoicorum haec τέχνη ἐcτὶ cύcτημα ἐκ καταλήψεων cυγγεγυμναcμένων πρός τι τέλοc εὔχρηcτον τῷ βίῳ cυντεινουcῶν (sic enim iam Camerarius recte edidit) a Mario Victorino I 1, 3 (t. VI p. 3, 12 K.) hoc modo expressa est *ars est summa rerum comprehensarum atque exercitatarum ad aliquem utilem uitae finem tendentium.* omisi quod post *rerum* libri exhibent *dictio,* Keilius contra sententiam *ratio* scripsit, quod genuinum non esse uerba graeca docent: natum est, ni fallor, ex uocis *summa* glossemate *clectio.* reddidi scriptori quod syllabis proximis haustum est *utilem* (εὔχρηcτον).

In altero capite p. 4, 16 uox articulata *a plerisque explanata* dici fertur, quae *explanatiua* dicebatur, ut paulo post p. 4, 23 recte scribitur.

Ibidem c. 4 § 9 p. 9, 13 corrupta haec est librorum lectio *item ad bonae fruges quoque nos bonae frugi, quamuis nullum nomen singulare latinum per omnia genera numerosque omnes et per casus I littera terminetur, tantum omissa parte eius solum frugi scribimus.* de sententia dubitare nequit qui meminerit quid scriptor exemplis antecedentibus docere uoluerit: *nec solum litteras eximimus, sed uoces quoque ipsas commutamus.* scilicet nunc etiam uocis exemptae exemplum profert: *frugi* nunc dici posse omisso adiectiuo *bonae,* ut per omnes casus nominibus adhibeatur non declinatum. edendum erat *item quod 'bonae frugis' proprie, nos 'bonae frugi', quamuis nullum nomen singulare latinum per omnia genera numerosque omnes et per casus I littera terminetur, tamen omissa parte eius solum 'frugi' scribimus.*

Non debebat Mario relinqui quod I 5, 1 p. 26, 17 legitur *minima ergo est syllaba unius litterae, ut ea maxima est quae ex pluribus constat ut stirps.* nam ut recte poneretur coniunctio comparatiua, quot litteras syllaba maxima caperet indicatum oportuit. sed exemplum ut maximae profertur, ita ne minimae quidem defuisse par est. igitur scribe *minima ergo est syllaba unius litterae ut E A, maxima* eqs.

Artis labentis auctori, ut apparet ex eis quae de saturnio docuisse fertur, nomen suum reddam *Theomestus* in libris Marii

l. III extr. p. 140, 3 macula obscuratum. qui quod *Thacomestus* ibi scribitur et nunc certatim appellatur, litterae ac ex diphthongo quo *e* breuis tam saepe expressa est perinde natae sunt atque in commentis Lucani p. 196, 24 *uactabant* e *uetabant*, p. 214, 20 *lactaeis* e *Lethaeis*; contrarium quoque accidit ut l. s. p. 44, 22 *euellit* factum est quod erat *ac uelut*, p. 214, 27 *frete* pro *fractae* uel p. 253, 11 *&nerum* pro *cinerum*. altera pars nominis quod *-mestus* sonat, non *-mnestus*, post ea quae Ribbeckius in Ritschelii opusculis t. II p. 517 sq. composuit nemo mirabitur. duplicis consonae asperitas etiam ita mollita est, ut *m* elisa *Theonestus* fieret, quod nomen est episcopi in Canisii lect. ant. t. IV p. 158 sqq. ed Basn.

XL. Hermae Pastor quod dicit mandat. XII 5, 3 ταχὺ γὰρ τὰ ἀπόκενα (fort. ὑπόκενα) κεράμια ὀξίζουσι, codex Palatinus sic dedit latine uersum *cito enim sema uasa acetant*: ubi *sema* cum editores temptassent, Georges in lexici editione septima recte intellexit. testatur enim glossarium Philoxeni p. 182, 3 Goetzii *semum*: ἡμίκενον. uetus fuit plebeii sermonis adiectivum *semus* i. e. deminutus et inde declinatum uerbum *semare*: quorum usum cum linguae romanenses seruauerunt (cf. Diezii lexicon etymol. p. 284 sq. ed. V), tum haec exempla a Cangio indicata praebent: in concilio Aurelianensi tertio a. DXXXVIII cauetur c. VI (in Brunsii sylloge t. II p. 193) ne quis clericus ordinetur *semus corpore*; legis Alamannorum ueteris fragmentum est (Mon. Germ. hist. Legum t. III p. 34, 20) *qui auriculam simauerit, soluat solidos XX. si totum excusserit aut si plagauerit ut audire non possit, soluat solidos XL aut cum XII iuret*; edictum Liutprandi Langobardorum regis (a. DCCXXXI) c. 121 poenam mulieris sic definit *uerum tamen non occidatur nec ei sematio corporis fiat* et *nam non in occisionem aut in semationem* (Mon. Germ. hist. Leg. t. IV p. 158, 19. 22). ab illo adiectiuo facile intellegitur Romanos compositum *semissem* et decurtatum *semis* repetiuisse. sed ueterem uocem demonstrari posse puto ne florentibus quidem Romae litterarum studiis inauditam fuisse. in Asconii commentario orationis Cornelianae p. 52, 7 exempli Berolinensis haec feruntur: *aliam deinde legem Cornelius . . tulit, ut praetores ex edictis suis perpetuis ius dicerent: quae res eumaut gratiam ambitiosis praetoribus, qui uarie ius dicere assueuerant, substulit*. non opus est percenseri quae uiri doctissimi ut portentum lectionis *eumaut* expedirent moliti sint. nam opinor manifestum est *s* littera geminata restituendum esse *quae res semauit gratiam ambitiosis praetoribus*, tollendum autem esse glossema *substulit*.

Ex eadem Hermae uersione haud scio an aliam uocem liceat sermoni plebeio uindicare. similit. IX 2, 7 *et de reliquis noli persertus esse* (*est* codex: correxit Dresselius), graece καὶ περὶ τῶν λοιπῶν μὴ περιεργάζου: quid enim obstat quominus, cum *disertus* et *exsertus* et aduerbium *praesertim* in usu fuerit, a plebe adiectiui *praesertus* (eo fere sensu quo nostrum *naseweis*) consuetudinem seruatam esse statuamus?

Veterem declinationem ibidem simil. I 3 *dominus huius urbis
aut his qui habent potestatem regionis huius* pro *hi* codex seruauit.
alia emendanda sunt, ut mandat. IV 3, 6 *qui post illam magnam et
sanctam paenitentiae dignationem, qua homines suos ad uitam perpetuam dominus uocauit, posteaquam* (corrige *postea quicquam*)
a diabolo temptatus peccauerit uel simil. IX 5, 2 *si quos lapides nugas
inuenerit*, ubi quid scriptum fuerit, ex proximis c. 6, 4 *lapidum illorum qui in structura nugaces sunt reperti* constat.

BONNAE.   HERMANNVS VSENER.

<hr/>

50.
ZUM HOMERISCHEN SELENEHYMNOS.

<hr/>

Im 32n Homerischen hymnos auf Selene heiszt es v. 5 f. von dem
goldenen strahlenkranze der göttin:

> . . . . . cτίλβει δέ τ' ἀλάμπετος ἀὴρ
> χρυσέου ἀπὸ cτεφάνου, ἀκτῖνες δ' ἐνδιάονται.

in diesem zusammenhange erregt der singuläre ausdruck ἐνδιάονται
grosze bedenken, obwohl meines wissens bisher noch niemand sonderlichen anstosz daran genommen hat. die beiden neuesten herausgeber
und erklärer der Homerischen hymnen, Baumeister und AGemoll,
erklären nach dem vorgange von Ruhnken und Matthiae (s. 582)
das nach ihrer ansicht vom adjectivum ἔνδιος abzuleitende verbum
ἐνδιᾶcθαι mit 'per aëra fundi (vagari), in aëre versari', dh. 'unter
dem himmel sich ausbreiten' (Gemoll), können aber keine einzige
stelle anführen, wo wirklich diese bedeutung nachweisbar ist.

Ein ausschlieszlich in a c t i v e r form gebrauchtes verbum ἐνδιᾶν, welches schon die scholiasten mit βιαιτᾶcθαι, διατρίβειν,
διάγειν, οἰκεῖν erklären, findet sich seit Theokritos öfters in der spätern poesie, wird aber immer nur von l e b e n d e n wesen oder personificierten begriffen gebraucht, wie aus folgenden stellen deutlich
hervorgeht: Theokr. eid. 22, 44 ἔνθα δ' ἀνὴρ ὑπέροπλος ἐνήμενος
ἐνδιάαcκε (schol. διῆγεν, διέτριβεν). ebd. 16, 38 μύρια δ' ἂμ
πεδίον Κραννώνιον ἐνδιάαcκον ἐμμενὲς [so Bücheler] ἔκκριτα
μῆλα (schol. ἔνδιον ἢ διατριβή, ἔνδειον δὲ τὸ δειλινόν. —
διητῶντο, διέτριβον). genau dieselbe bedeutung hat ἐνδιᾶν auch bei
Oppianos (kyn. III 314 f. ἔcτι δέ τις [λύκος] Ταύροιο νιφοβλήτους
ὑπὲρ ἄκρας ἐνδιάων [schol. οἰκῶν]. ebd. IV 81 ἔνθα περὶ cπή-
λυγγας ἐρίβρομος ἠύκομος λῖς ἐνδιάει) sowie bei mehreren'spätern dichtern der anthologie, wo es auch hie und da mit personificierten begriffen wie ἐλπίς und μνήμη verbunden erscheint: vgl.
anth. Pal. II 122 Πυθαγόρας . . ἐν Ὀλύμπῳ ἐνδιάειν ἐδόκευε.
ebd. V 292, 5 ἡ δ' ὀλολυγὼν τρύζει, τρηχαλέαις ἐνδιάουcα
βάτοις. ebd. IV am ende v. 9 ὄλβιοι ὦν μνήμῃ πινυτῶν ἐνὶ τεύ-
χεcι βίβλων . . ἐνδιάει. ebd. V 270, 10 ὄμμαcι . . οἷς ἐλπὶς

μείλιχος ἐνδιάει. diese belege genügen, um zu zeigen, wie sehr
der sonstige gebrauch von ἐνδιᾶν von dem ἐνδιάονται im hymnos
auf Selene verschieden ist: weder form noch bedeutung stimmen
überein, und an eine personification der von dem χρύσεος στέφανος
ausgehenden strahlen ist kaum zu denken.

Zu diesen verdachtsmomenten gesellen sich noch weitere, erstens
nemlich der umstand, dasz weder ἐνδιᾶν noch ἐνδιᾶσθαι für Homer,
Hesiodos und die Orphiker[1], deren gedichte doch sonst für die dichter
der Homerischen hymnen maszgebend waren, nachweisbar ist; zweitens dasz auch die etymologie von ἐνδιᾶν = διαιτᾶσθαι, διατρίβειν,
οἰκεῖν gegen die bis jetzt geltende erklärung von ἐνδιάονται = 'per
aëra funduntur (vagantur)' spricht. wie nemlich aus dem oben angeführten scholion zu Theokr. eid. 16, 38 erhellt, leiteten die alten
ἐνδιᾶν in der bedeutung von διατρίβειν von einem ebenfalls nur in
der spätern poesie vorkommenden substantivum ἔνδιον = διατριβή ab. vgl. Oppianos hal. IV 371 φεύγουσι . . σαργοὶ . . καὶ
μορφὴν καὶ δαῖτα καὶ αὐτῆς ἔνδια πέτρης (schol. διατριβάς: vgl.
zur sache Ailianos π. ζώων I 23). Hesych. ἔνδια . . διατριβαί.
dichterfr. bei Suidas u. ἐνδιάει: τρισσὰ μὲν ἀντολικῶν ἀναπέπτα-
ται ἔνδια κύκλων, wo κύκλοι 'himmelsräume, himmelszonen' zu
bedeuten scheint. inschrift bei Kaibel epigr. gr. 473, 6 (aus Lukianos
zeit) σοὶ δὲ Λυκαονίη ἔνδιον ἢ Πιτάνη. vgl. auszerdem Eustathios
zu Od. δ s. 1505, 14. anth. Pal. IX 426, 2. XI 63, 4. Nonnos Dion.
XXVI 293 Εὔκολλα μαχήμονος ἔνδιον 'Ηοῦς. da also ἔνδιον
in der that die bedeutung von διατριβή (aufenthaltsort oder wohnsitz) hat, so haben wir allen grund die schon von den alten grammatikern aufgestellte ableitung des verbums ἐνδιᾶν = διατρίβειν
für durchaus richtig zu halten, was abermals die form ἐνδιάονται
im hymnos auf Selene höchst verdächtig erscheinen läszt, weil an
ein 'wohnen' oder einen 'aufenthalt' der ἀκτῖνες in oder auf dem
χρύσεος στέφανος doch kaum gedacht werden kann. forschen wir
nun aber weiter nach dem ursprung des substantivums ἔνδιον =
διατριβή, so bieten sich, wenn ich recht sehe, zwei wege dar, um
zum etymologischen verständnis dieses wortes zu gelangen. entweder nemlich kann man ἔνδιον vom adverbium ἔνδον = 'drinnen,
daheim' ableiten, in welchem falle wörter wie ἔνδινα = ἐντόσθια
(-ίδια) = intestina, ἔνεροι von ἐν, περαία und περάτη von πέραν
gute analogien darbieten würden; oder es läszt sich dieselbe wurzel
δι (ursprünglich gi) = 'leben' zu grunde legen, von welcher auch
ζάω = δι-άω, δί-αιτα (auch = 'wohnsitz, aufenthalt'), δι-αιτᾶσθαι
(auch = 'wohnen') usw. abgeleitet werden (vgl. Curtius gr. etym.[5]
s. 476 f. 491). in letzterm falle hätte ἔνδιον (διατριβή) genau dieselbe bedeutung wie das bei Diodoros V 19 vorkommende ἐμβιωτή-
ριον[2] = 'aufenthaltsort, wohnung', ἐνδιᾶν aber würde mit dem von

---

[1] vgl. Gemoll s. 358. Baumeister s. 103. Gerhard trinkschalen s. 15.
[2] hinsichtlich der wurzelverwandtschaft von ζάω (διάω) und βιόω
vgl. Curtius ao. s. 491. die altdorische form für βιόω ist δίόω, wie aus

Herodotos und Xenophon gebrauchten ἐνδιαιτᾶϲθαι gleichbedeutend sein, wie es ihm ja auch etymologisch nahe verwandt sein könnte. ich möchte die letztere annahme für die wahrscheinlichere halten, zumal da ja auch der scholiast zu Theokritos eid. 16, 38 ἐνδιάαϲκον mit διητῶντο, διέτριβον erklärt. welche von beiden etymologien aber auch richtig sein mag, in jedem falle begreifen wir, dasz ἔνδιον und ἐνδιᾶν nur von lebenden wesen oder von personificierten begriffen gebraucht werden können und ἀκτῖνεϲ ἐνδιάονται jeder vernünftigen analogie entbehrt.

Vollständig zu trennen von ἐνδιᾶν = διαιτᾶϲθαι, διατρίβειν ist ἐνδιᾶν im sinne von μεϲημβριάζειν, wofür Plutarch (Rom. 4, 1. Luc. 16, 4. symp. VIII 6, 5, 3) auch die form ἐνδιάζειν gebraucht. wir kennen dieses ἐνδιᾶν lediglich aus folgenden glossen des Hesychios: ἐνδιάω· μεϲημβρίαϲ ὥρᾳ ⟨καθεύδω⟩. — ἐνδιῶνται· μεϲημβριάζουϲιν. vgl. auch Hesychios u. ἔνδια .. ἢ μεϲημβρία .. natürlich ist dieses verbum vom adj. ἔνδιοϲ 'mittäglich' oder vom subst. ἔνδιον 'mittagszeit' (Apoll. Arg. I 603. Plut. symp. VIII 6, 5, 3) abzuleiten und hat mit dem oben behandelten ἐνδιᾶν = διαιτᾶϲθαι nur die äuszere form gemein.

Haben wir somit gesehen, dasz ἐνδιᾶν in keiner seiner so eben nachgewiesenen bedeutungen zu den am ϲτέφανοϲ der Selene befindlichen ἀκτῖνεϲ passt und überhaupt als episches ἅπαξ εἰρημένον und etymologisches rätsel höchst verdächtig ist, so fragt es sich, ob nicht durch eine geringfügige änderung des überlieferten ein guter sinn hergestellt werden könne. so dürfte es denn wohl einigermaszen gerechtfertigt erscheinen, wenn ich mit umstellung zweier buchstaben vorschlage zu lesen:

χρυϲέου ἀπὸ ϲτεφάνου, ἀκτῖνεϲ δ᾽ ἐνδαίονται,

dh. 'an' oder 'auf dem goldenen ϲτέφανοϲ (oder im ἀήρ?) funkeln oder leuchten strahlen'. dasz das verbum ἐνδαίεϲθαι Homerisch ist, lehrt Od. ζ 132 ἐν δέ οἱ ὄϲϲε δαίεται = 'seine beiden augen leuchten oder funkeln' (vgl. auch Il. M 466 πυρὶ δ᾽ ὄϲϲε δεδήει. Ϲ 227 πῦρ .. δαιόμενον· τὸ δὲ δαῖε θεὰ γλαυκῶπιϲ Ἀθήνη. Apoll. Soph. lex. 57,19 δεδήει· ἐφαίνετο, ἐκαίετο). activ gebraucht erscheint ἐνδαίω bei Pindaros Py. 4, 184 (328) τὸν δὲ παμπειθῆ γλυκὺν ἡμιθέοιϲιν πόθον ἔνδαιεν Ἥρα ναὸϲ Ἀργοῦϲ (schol. ἐπέκαιε .. καὶ ἐνεβάλλεν). ganz ähnlich sagt Apoll. Arg. III 286 vom pfeile des Eros: βέλοϲ δ᾽ ἐνεδαίετο κούρῃ νέρθεν ὑπὸ κραδίῃ, φλογὶ εἴκελον. wenn wir demnach an unserer hymnosstelle ἀκτῖνεϲ δ᾽ ἐνδαίονται lesen, so erhalten wir ein durchaus passendes bild, insofern die strahlen am stephanos der Selene feurig oder wie flammen leuchtend gedacht werden, was durchaus antiker anschauung entspricht. vgl. zb. Hom. hy. 31, 10 λαμπραὶ δ᾽ ἀκτῖνεϲ ἀπ᾽ αὐτοῦ αἰγλῆεν ϲτίλβουϲι (ähnlich Pind. Py. 4, 198), Aisch.

___

dem ἐνδεδιωκότα = ἐμβεβιωκότα der ersten tafel von Herakleia (CIG. III s. 700 zeile 120. Curtius studien IV s. 453) hervorgeht. vgl. über ἐνδεδιωκότα meinen aufsatz im rhein. museum XLIV (1889) s. 312 ff.

Perser 364 φλέγων ἀκτῖcιν ἥλιοc χθόνα. Soph. Trach. 685 ἀκτῖνοc
θερμῆc. Aristoph. Vö. 1091 θερμὴ . . ἀκτὶc τηλαυγὴc θάλπει
(vgl. Kaibel epigr. 321, 3 f.). Lucr. V 753. VI 618. VI 860 *radiis
ardentibus.* Ov. *met.* II 40 *micantes deposuit radios.* ebd. I 768
iubar . . radiis insigne coruscis. Orph. Arg. 1219 ἔθειραι πυρcαῖc
ἀκτίνεccιν ἀλίγκιοι. Kaibel epigr. 987, 2 Μέμνων ἀκτεῖcιν βαλ-
λόμενοc πυρίναιc. Mart. Cap. I 13 s. 6, 29 Eyss. *Solis caput radiis
perfusum circumactumque flammantibus.*

Da auf kunstwerken die bildliche darstellung der strahlenkrone
für Helios und Selene nicht vor dem ende des fünften jh. vor Ch.
nachweisbar ist (Rapp im lexikon d. gr. u. röm. mythol. I sp. 2004),
so erhalten wir durch die berücksichtigung dieser thatsache einen
willkommenen fingerzeig hinsichtlich des terminus a quo der ent-
stehungszeit der beiden offenbar zusammengehörigen Homerischen
hymnen 31 und 32.

WURZEN.   WILHELM HEINRICH ROSCHER.

51.

ZU PLATONS KRITON.

Sokrates sagt s. 49ª: οὐδενὶ τρόπῳ φαμὲν ἑκόντας ἀδικητέον
εἶναι, ἢ τινὶ μὲν ἀδικητέον τρόπῳ, τινὶ δὲ οὔ; ἢ οὐδαμῶc τό γε
ἀδικεῖν οὔτε ἀγαθὸν οὔτε καλόν, ὡc πολλάκιc ἡμῖν καὶ ἐν τῷ
ἔμπροcθεν χρόνῳ ὡμολογήθη· ὅπερ καὶ ἄρτι ἐλέγετο· ἢ πᾶcαι ἡμῖν
ἐκεῖναι αἱ πρόcθεν ὁμολογίαι ἐν ταῖcδε ταῖc ὀλίγαιc ἡμέραιc ἐκ-
κεχυμέναι εἰcί, καὶ πάλαι, ὦ Κρίτων, ἄρα τηλικοίδε γέροντες
ἄνδρεc πρὸc ἀλλήλουc cπουδῇ διαλεγόμενοι ἐλάθομεν ἡμᾶc
αὐτοὺc παίδων οὐδὲν διαφέροντεc; der sinn dieses satzes ist klar
und bedarf keiner weitern erläuterung; die form aber ist nicht ganz
correct: in den worten τηλικοίδε γέροντεc ἄνδρεc liegt mindestens
eine tautologie, wie schon Jacobs und im anschlusz an ihn Schanz gesehen haben. ersterer hat deshalb γέροντεc eingeklammert. auszerdem vermissen wir aber das gerade bei altersbestimmungen mit causaler oder concessiver bedeutung häufige part. ὄντεc. es liegt nahe
dasselbe in γέροντεc zu vermuten und danach etwa τηλικοίδε γ᾽
ὄντεc ἄνδρεc zu schreiben. indessen noch näher liegt τηλικοίδε περ
ὄντεc ἄνδρεc, und so, denke ich, hat Platon auch in der that geschrieben. die hierdurch entstandene häufung von participien könnte
ein oberflächlicher beurteiler für unschön erklären; allein bei dem
ganz verschiedenen range, den ὄντεc, διαλεγόμενοι und διαφέροντεc
in demselben satze einnehmen, liegt gerade darin eine besondere
feinheit echt Platonischen stils.

HALLE.   CARL HÄBERLIN.

52.
DES PROTAGORAS SATZ ÜBER DAS MASZ ALLER DINGE.

Mitten in den streit über die zuverlässigkeit der berichterstattung Platons über die Protagorische philosophie fällt eine äuszerung Hans Heusslers in der besprechung der 14n auflage der Schweglerschen geschichte der philosophie (zs. f. philos. u. philos. kritik bd. XCII heft 1), welche geeignet erscheint in betreff der auffassung des hauptsatzes des sophisten geradezu grundstürzend zu wirken. Heussler betrachtet nemlich in der durch Platon (Theait. 152ᵃ) als den ältesten gewährsmann überlieferten fassung des satzes πάντων χρημάτων μέτρον ἄνθρωπον εἶναι, τῶν μὲν ὄντιων, ὡc ἔcτι, τῶν δὲ μὴ ὄντων, ὡc οὐκ ἔcτιν, nicht χρήματα als subject der sätze mit ὡc, sondern ἄνθρωπος, so dasz die übersetzung lauten würde: ʻaller dinge maszstab ist der mensch, der seienden, wie er ist, der nichtseienden, wie er nicht istʼ, und wirft Platon vor, in der stelle Theait. 160ᶜ (καὶ ἐγὼ κριτὴc κατὰ τὸν Πρωταγόραν τῶν τε ὄντων ἐμοί, ὡc ἔcτι, καὶ τῶν μὴ ὄντων, ὡc οὐκ ἔcτιν) die beziehung des ἔcτιν ganz verkehrt aufgefaszt zu haben — ein irrtum welcher bis zum erscheinen des eben genannten heftes ganz allgemein geteilt worden ist.

Am ausführlichsten behandelt Platon die Protagorische erkenntnislehre im Theaitetos, wo der ganze abschnitt 151ᵉ—186ᵉ ihrer darlegung und bekämpfung bzw. richtigstellung gewidmet ist. hierbei ist beachtenswert, wie beinahe ängstlich bemüht Platon ist einzuschärfen, dasz er dem sophisten nichts leibe, was dieser nicht entweder selbst gesagt habe oder was sich durch unzweifelhafte schluszfolgerungen aus dem von Protagoras gesagten ergebe.

In gewisser beziehung kann man diesen zweck schon aus dem einleitenden gespräche zwischen Eukleides und Terpsion entnehmen, dessen inhalt kurzgefaszt dér ist, dasz ersterer seinem freunde erzählt, Sokrates habe kurz vor seinem tode eine unterredung mit Theaitetos gehabt und diese ihm — Eukleides — mitgeteilt. da erwähnt wird, Theaitetos sei im kampfe verwundet worden, so kann das gespräch zwischen den beiden freunden nicht eher als zur zeit des korinthischen krieges stattgefunden haben, der im j. 395 ausbrach. somit waren doch mindestens vier jahre verflossen, seitdem Eukleides den inhalt des gespräches erfahren hatte, und diese art der einkleidung konnte der vermutung raum geben, als habe Platon sie gewählt, um sich der vollen verantwortlichkeit für die echtheit der in dem gespräche enthaltenen fremden meinungen zu entziehen. um diesem eindruck vorzubeugen, läszt er Eukleides das gespräch, sofort nachdem er es von Sokrates gehört hat, niederschreiben und bei seinen wiederholten besuchen diesen selbst über das, was seinem gedächtnis entfallen war, um rat fragen, so dasz das gespräch, wie es dann von einem sklaven des Eukleides vorgelesen wird, als getreue wiedergabe von Sokrates ursprünglicher unterredung mit Theaitetos angesehen werden kann. dabei hat diese selbst nur kurze zeit vor Sokrates tode stattgefunden (Theait. 142ᶜ. 210ᵈ), so dasz sie ihm noch frisch im gedächtnis war, als er Eukleides davon mitteilung machte.

Ein anderer umstand, der dafür spricht, dasz Platon sich bewust war Protagoras lehre treu dargestellt zu haben, ist die wahl von Theodoros als mitunterredner. dieser war, wie aus dem gespräche selbst hervorgeht, des angegriffenen freund und schüler gewesen (Theait. 161ᵇ. 162ᵃ. 164ᵉ. 179ᵃ), welcher sich allerdings schon vor längerer zeit von der philosophie zurückgezogen und sich ganz der mathematik gewidmet hatte (Theait. 165ᵃ). nichtsdestoweniger bietet seine anwesenheit eine bürgschaft für die echtheit der darstellung der Protagorischen lehrmeinungen.

Entscheidend aber ist folgendes. Sokrates hatte scherzhaft seine verwunderung darüber ausgesprochen, dasz Protagoras nicht das schwein oder den affen zum masz aller dinge gemacht habe (161ᶜ). darauf läszt er sich selbst von Protagoras in sehr derber weise zurechtweisen, welcher ihm vorwirft sich dadurch nicht nur selbst als ein schwein zu zeigen, sondern auch andere dazu zu verleiten (166ᶜ).[1] Protagoras erinnert daran, dasz sein werk nur so laute und deswegen auch so aufgefaszt werden müsse, wie er es geschrieben habe, warnt Sokrates späterhin noch einmal vor unredlichkeit im untersuchen und erklärt dann, wie er wünsche dasz die untersuchung geführt werde, nemlich so dasz man dem gegner nur diejenigen fehler aufbürde, zu denen er durch sich selbst und seine bisherigen untersuchungen verleitet worden sei. wenn Sokrates auf diese weise verfahre, fügt er hinzu, werde er ehre von seinen bemühungen haben und der philosophie viele anhänger erwerben, im entgegengesetzten falle würden ihn seine schüler später hassen, und er würde sie zu feinden der philosophie gemacht haben.[2]

Da sich nun die polemik, welche Platon in der folge gegen den Protagorischen satz richtet, wie wir weiter unten sehen werden, mit in erster reihe auf die von Heussler getadelte auffassung desselben stützt, so würde sich Platon in diesen worten selbst das urteil gesprochen haben, wenn er in leichtfertiger weise den sätzen seines gegners einen sinn untergelegt hätte, den dieser selbst nicht anerkannt haben würde.[3] auch wäre es schwer verständlich, wenn bei dem lebhaften getriebe, in welchem sich zu Platons zeiten die philosophischen studien befanden, seine gegner, an denen es ihm ja nicht fehlte, diese gelegenheit nicht zu angriffen auf ihn benutzt

---

[1] dasz Platon hier auf Antisthenes anspielt, ändert nichts an der sache.   [2] dazu kommt noch die stelle, in welcher Sokrates auf eine frage von Theodoros antwortet, er verstehe nichts als nur das wenige, auf die rede eines weisen einzugehen und dieselbe gehörig aufzufassen (161ᵇ vgl. 157ᶜ).   [3] vgl. PNatorp 'forschungen zur geschichte des erkenntnisproblems im altertum' (Berlin 1884) s. 4 f. 38 ff.

hätten, und diese kämpfe hätten wohl auch eine spur in der uns überlieferten litteratur zurücklassen müssen (vgl. Natorp ao. s. 7). vor allen dingen aber hätte es Aristoteles bei den vielen hinweisen auf Protagoras, die sich bei ihm finden, wohl nicht mit stillschweigen übergangen, dasz die angriffe Platons auf denselben nicht begründet gewesen wären.

Aber wir haben nicht nur diese formellen gründe dafür, dasz Platon den sinn des Protagorischen satzes richtig aufgefaszt habe, sondern der betreffende abschnitt des Theaitetos bietet auch eine überreiche fülle von materiellen gründen für unsere behauptung.

Die gelegenheit, bei welcher Platon auf Protagoras zu sprechen kommt, ist folgende. Theaitetos hatte auf Sokrates frage nach dem wesen der erkenntnis geantwortet: οὐκ ἄλλο τί ἐστιν ἐπιστήμη ἢ αἴσθησις. Sokrates meint nun, diese definition besage dasselbe, was Protagoras mit seinem satze 'der mensch ist das masz aller dinge' habe ausdrücken wollen (152ᵃ κινδυνεύεις μέντοι λόγον οὐ φαῦλον εἰρηκέναι περὶ ἐπιστήμης, ἀλλ᾽ ὃν ἔλεγε καὶ Πρωταγόρας. τρόπον δέ τινα ἄλλον εἴρηκε τὰ αὐτὰ ταῦτα· φησὶ γάρ που πάντων χρημάτων μέτρον ἄνθρωπον εἶναι, τῶν μὲν ὄντων, ὡς ἔστι, τῶν δὲ μὴ ὄντων, ὡς οὐκ ἔστιν. ἀνέγνωκας γάρ που; ΘΕ. ἀνέγνωκα καὶ πολλάκις. ΣΩ. οὐκοῦν οὕτω πως λέγει, ὡς οἷα μὲν ἕκαστα ἐμοὶ φαίνεται, τοιαῦτα μέν ἐστιν ἐμοί, οἷα δὲ σοί, τοιαῦτα δὲ αὖ σοί· ἄνθρωπος δὲ σύ τε κἀγώ; ΘΕ. λέγει γὰρ οὖν οὕτως). die von Heussler getadelte auffassung findet sich also schon hier, nicht erst 160ᶜ. weiter ist aus dem φησί, dem ἀνέγνωκας γάρ που; und Theaitetos antwort ἀνέγνωκα καὶ πολλάκις klar, dasz die auf φησί folgenden worte von Protagoras selbst herrühren. die bedenken, welche WHalbfass 'die berichte des Platon und Aristot. über Prot.' (jahrb. suppl. XIII) s. 161 in betreff des zusatzes τῶν μὲν ὄντων usw. in dieser beziehung aus dém grunde hegt, dasz sich derselbe nur zweimal im Theaitetos finde (160ᶜ. 166ᵈ), sonst aber weder bei Platon noch Aristoteles, sondern erst wieder bei spätern schriftstellern (Sextos Emp. Pyrrh. hyp. I 216. adv. math. VII 60. La. Diog. IX 51. Aristokles bei Eusebios praep. evang. XIV 20, 1), sind nicht stichhaltig, weil durch dieses übergehen die ganz bestimmte angabe Platons nicht entkräftet wird. dazu kommt einerseits, dasz 160ᶜ fast genau dieselben worte wiederkehren, und ferner dasz nicht ohne weiteres anzunehmen ist, dasz die genannten spätern schriftsteller ausschlieszlich aus Platon geschöpft haben, da bei allen drei τῶν οὐκ ὄντων für τῶν μὴ ὄντων steht (vgl. Natorp ao. s. 55). in der zurückführung des wortlautes des genannten satzes auf Protagoras stimmen wir also mit Heussler überein.

Um die folgenden worte οὐκοῦν οὕτω πως λέγει usw. dreht sich die ganze streitfrage. aus dem λέγει ist allerdings noch nicht mit bestimmtheit zu schlieszen, dasz dieser satz von Protagoras entlehnt sei und nicht auch die (möglicher weise irrige) auffassung Platons von dem vorhergehenden satze enthalten könnte: denn

27*

λέγειν wird, wie das lateinische *dicere*, nicht nur bei wörtlichen anführungen, sondern genau wie unser 'meinen' auch bei umschreibenden erklärungen angewandt. aber ganz abgesehen von den weitern ausführungen des Theaitetos, auf welche wir sofort zu sprechen kommen, werden die worte oder wenigstens ihr sinn (vgl. Natorp ao. s. 15) in hinreichender weise durch drei stellen des Kratylos gesichert: 386 [a c d].

Wäre nun die vorgetragene deutung des Protagorischen satzes nicht die richtige gewesen, so würde wohl die kritik hier eingesetzt haben, und da der Kratylos wahrscheinlich älter ist als der Theaitetos, so hätte sich Platon bei abfassung des letztern ihr schon gegenüber gefunden. die nichtbeachtung begründeter einwände seiner gegner würde sich aber an Platon selbst gerächt haben, und dies um so mehr als Protagoras schrift, welcher der in rede stehende satz entnommen ist, zu Platons zeiten durchaus nicht zu den seltenheiten gehört haben kann, trotzdem die bücher des sophisten in Athen verbrannt worden waren. denn Sokrates fragt in der angeführten stelle (Theait. 152 [a]) Theaitetos ganz unbefangen, ob er die schrift gelesen habe. wäre sie selten gewesen, so hätte er dies wohl hinzugefügt, da er sich gewöhnlich solche kleine züge nicht entgehen läszt, welche geeignet erscheinen die unterredung zu beleben, und er hätte hier wohl auch die gelegenheit benutzt Sokrates seinen jugendlichen mitunterredner loben zu lassen. dieser antwortet denn auch einfach: ἀνέγνωκα καὶ πολλάκις. da nun Theaitetos in dem gespräch als ein ganz junger mensch dargestellt ist, so scheint Protagoras schrift zur zeit von Sokrates tode in Athen als eine art von einleitung in das philosophische studium gegolten zu haben, welche junge leute mit zuerst in die hand nahmen, um sich im allgemeinen über die wesentlichen grundsätze philosophischer forschung zu unterrichten.

Doch wenden wir uns zu dem weitern gedankengange im Theaitetos. Sokrates macht zunächst das zugeständnis, dasz Protagoras satz in bezug auf die unmittelbaren sinnlichen wahrnehmungen seine volle gültigkeit habe: denn der wind ist wirklich für den der dabei friert kalt, für den der nicht friert nicht kalt, wie es beiden in gleicher weise auch scheint. nachdem nun das φαίνεcθαι mit dem passivum zu αἰcθάνεcθαι identificiert worden ist, wird das ergebnis noch einmal in ganz ähnlicher weise wie oben in die worte zusammengefaszt: οἷα γὰρ αἰcθάνεται ἕκαcτος, τοιαῦτα ἑκάcτῳ καὶ κινδυνεύει εἶναι. hier wird also nicht auf den satz πάντων χρημάτων μέτρον ἄνθρωπον εἶναι, sondern auf οἷα μὲν ἕκαcτα ἐμοὶ φαίνεται, τοιαῦτα μέν ἐcτιν ἐμοί, οἷα δὲ coí, τοιαῦτα δὲ αὖ coí bezug genommen. so ist also die behauptung von Halbfass, dasz 'der beweisgang stets auf den bis jetzt allein als authentisch anzusehenden satz des sophisten (nemlich den eben zuerst genannten) recurriert', schon hierdurch hinlänglich widerlegt.

Nachdem nun Sokrates halb spottend darauf hingewiesen hat, dasz so alles flieszend wird und nichts mehr an sich ist, Protagoras

also als consequenter Herakleiteer gar nicht vom sein hätte sprechen
dürfen, sondern nur vom werden, kehrt er 153 ^{e} zu dem eben gefundenen zurück und erörtert jetzt ausführlich die erkenntnislehre,
welche der auffassung, dasz nichts an sich sei, zu grunde liege. für
die wahrnehmung ist dann nemlich weder das wahrnehmende subject allein maszgebend, noch auch das wahrgenommene object für
sich genommen, sondern sie entsteht durch ein zusammentreffen von
bewegungen, welche von beiden zu gleicher zeit ausgehen: denn,
wird nun näher ausgeführt, wäre das wahrgenommene etwas an sich,
so würde dasselbe object zwei verschiedenen subjecten nicht verschieden erscheinen können, ebenso wie es unerklärlich bleibe, dasz
ein und dasselbe subject verschiedene wahrnehmungen habe, wenn
der grund für eine bestimmte wahrnehmung nur im subject selbst
liege. dadurch wird die erklärung Heusslers zurückgewiesen, da
nach ihr die wahrnehmung nur vom subject und seinen wechselnden
zuständen abhängt.

Noch eingehender behandelt Platon denselben gedanken 156 ^{a}
—157 ^{c}. diese ausführlichkeit beweist, welches gewicht Platon auf
diese begründung gelegt hat. dabei ist zu beachten, dasz das ganze
an die leugnung des ansichseins anknüpft, diese aber wiederum an
den satz οἷα μὲν ἕκαστα ἐμοὶ φαίνεται, τοιαῦτα μέν ἐϲτιν ἐμοί usw.
somit wendet sich der ganze abschnitt direct gegen den erklärungsversuch Heusslers: denn wäre die auffassung des Protagorischen
satzes, an welche er sich anschlieszt, nicht die echte, so würde die
ganze erörterung vollständig in der luft schweben und somit für die
wahrheit oder falschheit von Protagoras lehre gar nichts beweisen.
und Platon muste um so mehr einen festen anknüpfungspunkt haben,
da er in nicht miszuverstehender weise andeutet, dasz die ganze erörterung nicht von Protagoras herrührt, sondern entweder von dessen
nachfolgern oder gar von ihm selbst. [4]

Mit 157 ^{e} beginnt die polemik gegen Protagoras. zuerst weist
Sokrates auf traum und wahnsinn und überhaupt sämtliche sinnes-
teuschungen hin, welche geeignet seien die eben vorgetragene lehre
zu widerlegen: denn weit entfernt, dasz hier jedem das ist was ihm
scheint, ist im gegenteil nichts von dem was ihm scheint (158 ^{a}).
gleich im folgenden faszt Sokrates den inhalt des Protagorischen
satzes nochmals in die worte zusammen, dasz jedem das ist was ihm
scheint.

Daran schlieszt sich eine untersuchung über den unterscheidungsgrund zwischen traum und wachen, in deren verlaufe Sokrates

---

[4] die letztere möglichkeit ist denn doch nicht so unbedingt ahzu-
weisen, wie es Natorp ao. s. 23 f. will: denn in den stellen 157 ^{c} und
161 ^{b}, welche er anführt, ist nicht zu vergessen, dasz Sokrates in seinem
und nicht in Platons namen spricht. was uns zu dieser behauptung
gebracht hat, sind die worte 157 ^{a} τὸ δ' εἶναι πανταχόθεν ἐξαιρετέον
vgl. mit 152 ^{d}, wo Sokrates in seiner polemik sagt: ἔϲτι μὲν γὰρ οὐδέ-
ποτ' οὐδέν, ἀεὶ δὲ γίγνεται. doch dem sei wie ihm wolle.

gleichfalls wieder auf die eben erwähnte deutung des Protagorischen satzes zurückkommt.

Im folgenden geht Sokrates näher auf die gründe ein, welche man für die verteidigung des in rede stehenden satzes vorbringen könnte, indem er mit bezugnahme auf die oben dargelegte erkenntnislehre darauf hinweist dasz, wenn von den beiden elementen, welche danach zum zustandekommen einer wahrnehmung notwendig sind, sich éines ändert, sich auch das ergebnis ändern müsse, somit dasjenige, was für den menschen im gesunden zustand gelte, nicht mehr auf ihn zutreffe, wenn er krank sei. er faszt dabei das resultat der ganzen untersuchung (158ᵉ—160ᵉ) in die worte zusammen: ἀληθὴς ἄρα ἐμοὶ ἡ ἐμὴ αἴϲθηϲιϲ· τῆϲ γὰρ ἐμῆϲ οὐϲίαϲ ἀεί ἐϲτι. καὶ ἐγὼ κριτὴϲ κατὰ τὸν Πρωταγόραν τῶν τε ὄντων ἐμοί ὡϲ ἔϲτι, καὶ τῶν μὴ ὄντων ὡϲ οὐκ ἔϲτιν (160ᶜ; s. oben s. 401).

Aus dem ἂν λέγοιεν, wie aus dem ὡϲ ἐγὼ οἶμαι (158ᵉ) geht hervor, dasz diese ganze ausführung nicht von Protagoras oder seinen anhängern und nachfolgern herrührt, sondern dasz sie eigentum von Platon selbst ist. diese erörterungen decken sich nun mit dem gedanken, welchen Heussler dem satze des Protagoras unterlegen will; aber, und das ist wichtig, bei Platon findet sich der gedanke nicht als inhalt des satzes selbst, sondern nur als eines der ihn begründenden momente aufgeführt. nun ist es beinahe spaszig, dasz Heussler etwas, was Platon deutlich als ihm gehörend bezeichnet, als auffassung von Protagoras nimt, während er die, wie schon jetzt erhellt und noch weiter erhellen wird, authentische auslegung desselben als Platonische misdeutung hinstellt.

Theaitetos wird jetzt als mitunterredner fallen gelassen, und Theodoros tritt für ihn ein. dies ist beachtenswert (s. oben s. 402 und dazu Bonitz Plat. studien³ s. 55. 68). Sokrates bemerkt hier, dasz Protagoras wohl darin recht habe, dasz jedem das sei, was ihm scheine (.. ὡϲ τὸ δοκοῦν ἑκάϲτῳ τοῦτο καὶ ἔϲτι 161ᶜ). aber auch die tiere hätten wahrnehmungen, und der mensch würde sich danach gar nicht von ihnen unterscheiden. auch unter den menschen selbst zeichne sich niemand vor dem andern durch weisheit aus, so dasz Protagoras mit unrecht sich einen lehrer nenne und sich viel geld bezahlen lasse, wenn für jeden seine eigne weisheit maszstab sei. am meisten lächerlich werde aber er selbst — Sokrates — mit seiner maieutik und seiner sucht sich zu unterreden erscheinen: denn anderer meinungen untersuchen und widerlegen wollen, während sie doch für jeden wahr seien, seien eitel narrenspossen, wenn Protagoras wirklich im ernst und nicht scherzend aus dem heiligtum seines buches heraus geredet habe (161ᵉ f.).

Schon der erste blick auf diese stellen lehrt, dasz sie für unsern zweck von der grösten bedeutung sind. denn Platon hätte schwerlich das recht gehabt Protagoras in dieser scharfen persönlichen weise anzugreifen und ihm vorzuwerfen, dasz er unberechtigt geld von seinen schülern verlangt habe, wenn er sich dabei nicht auf eigne aussprüche des sophisten hätte stützen können. und auch der weitere wortlaut bestätigt dies: denn erstens wird auch hier Protagoras sehr heftig angegriffen, dasz er jede wissenschaftliche untersuchung unmöglich mache, und dann wird am ende geradezu auf den wortlaut des buches von Protagoras bezug genommen. und was wird hier als aus dem heiligtum der schrift selbst heraustönend bezeichnet? nicht etwa der satz, dasz der mensch das masz aller dinge sei, sondern die von Heussler angegriffene 'deutung', dasz jedermanns φαντασίαι und δόξαι richtig seien. dies ist aber nur eine andere ausdrucksweise für den satz, dasz für jeden das ist, was ihm scheint.

Nachdem so der sinn, vielleicht sogar der wortlaut der erklärungen von Protagoras festgestellt ist, kann Theaitetos wieder in die unterredung eintreten, und gleich seine ersten worte bekunden, dasz es sich jetzt um den satz handelt, dasz dasjenige, was jedem scheint, für den betreffenden auch ist (.. τὸ δοκοῦν ἑκάστῳ τοῦτο καὶ εἶναι τῷ δοκοῦντι 162ᶜ). zugleich wird derselbe auch als ausspruch nicht von Sokrates, bezeichnet, sondern auf dritte personen zurückgeführt.

Aber Sokrates macht sich selbst vorwürfe, dasz er vielleicht die lehre seines gegners nicht treu dargestellt habe, indem er die rede von Protagoras fingiert, auf welche wir schon oben zu sprechen gekommen sind und welcher wir dort formelle gründe für die genauigkeit der berichterstattung Platons entnommen haben. aber nicht minder reich ist auch die materielle ausbeute, welche wir hier gewinnen.

167ᶜ werden die folgerungen gezogen, welche sich aus Protagoras lehre für das sittliche und staatliche leben ergeben, und zwar so, dasz die auffassung, welche uns bisher einzig und allein entgegengetreten ist, auch hier zu tage kommt (ἐπεὶ οἷά γ' ἂν ἑκάστῃ πόλει δίκαια καὶ καλὰ δοκῇ, ταῦτα καὶ εἶναι αὐτῇ, ἕως ἂν αὐτὰ νομίζῃ). zum schlusz wird Sokrates noch ermahnt nicht unwillig zu sein, sondern mit gemütsruhe zu prüfen, was sein gegner meine, wenn er sätze aufstelle wie den, dasz für jeden das sei, was ihm scheine (.. τό τε δοκοῦν ἑκάστῳ τοῦτο καὶ εἶναι ἰδιώτῃ τε καὶ πόλει 168ᵇ). besonders diese worte sind für uns wertvoll, weil hier Protagoras selbst eingeführt wird, wie er als ausgangspunkt der untersuchung die angebliche Platonische misdeutung seines satzes bestimmt.

Aber damit begnügt sich Sokrates noch nicht, weil es immer noch heiszen kann, Protagoras habe dies nicht selbst zugegeben, sondern nur Sokrates in seinem namen. um nun diesen übelstand zu beseitigen, fordert Sokrates seinen mitunterredner — und diesmal ist es wieder Theodoros — auf, diesen punkt noch genauer zu untersuchen. und nach der beistimmenden antwort von Theodoros sagt er: μὴ τοίνυν δι' ἄλλων, ἀλλ' ἐκ τοῦ ἐκείνου λόγου ὡς διὰ βραχυτάτων λάβωμεν τὴν ὁμολογίαν (170ᵃ). von welchem punkte beginnt nun die untersuchung? nicht etwa von dem satze 'der mensch ist das masz aller dinge', sondern Sokrates fragt in übereinstimmung mit den weisungen, welche er sich kurz vorher durch Protagoras hat geben lassen: τὸ δοκοῦν ἑκάστῳ τοῦτο καὶ εἶναί φησί που ᾧ δοκεῖ; und Theodoros, der genaue kenner der Protagorischen philosophie, der schüler und freund des urhebers derselben, antwortet einfach φησὶ γὰρ οὖν.

Wer hier noch behaupten wollte, Platon hätte nicht Protagoras eigne meinung dargestellt, der müste in einer weise über den schriftstellerischen charakter des athenischen philosophen urteilen, welche uns wenigstens völlig unvereinbar erscheint mit der stellung, die Platon thatsächlich in der geschichte des menschlichen geistes einnimt. denn dann würde er durch eine unerhörte fälschung das denkbar frivolste und dreisteste spiel mit seinen lesern getrieben haben, das ihm nicht einmal etwas genützt hätte, da jedermann aus Protagoras werk selbst die hinfälligkeit einer solchen art von darstellung ersehen hätte. der als unausbleiblich vorauszusehende erfolg wäre im gegenteil nur der gewesen, den schriftstellerischen credit eines mannes, der sich derartiges erlaubt hätte, auf das schwerste zu erschüttern.

Unsere ansicht wird ferner durch den umstand bestätigt, dasz sich die polemik, welche unmittelbar hierauf folgt (170ᵃ), lediglich gegen den satz richtet: τὸ δοκοῦν ἑκάστῳ τοῦτο καὶ εἶναι ᾧ δοκεῖ. da wir es aber hier weniger mit den gründen zu thun haben, welche Platon gegen den satz anführt, so mag es genügen nur die stellen aufzuzählen, in denen diese thatsache klar zu tage tritt.[5] es sind dies: 170ᶜ. 170ᵈ. 170ᵉ f. 171ᵃ. 171ᶜ. 171ᵉ. 172ᵃ f. 177ᶜ f. 178ᵇ f.[6]

---

[5] nur auf éinen punkt möchten wir etwas genauer eingehen, zumal auch hieraus die ungemeine sorgfalt erhellt, mit welcher Platon jede abweichung von Protagoras lehre oder jeden zusatz zu derselben als solche bezeichnet. Protagoras hatte 167ᵇ zugegeben, dasz zwar niemand weiser sei als der andere und somit auch niemand einem andern wahrheit beibringen könne, aber es sei sehr wohl möglich, die vorstellungen des mitmenschen aus schlechtern zu bessern zu machen. Sokratez bemerkt nun hierzu (169ᵈᵉ), dasz dies nicht von Protagoras selbst zugestanden sei, sondern nur von ihm selbst in dessen namen. aber hieraus folgt, wie Susemihl (genet. entw. der Plat. philosophie I s. 187) ausführt, noch nicht dasz wir hier eine willkürliche deutung von Platons seite vor uns haben. ῾denn woher sollte Platon das recht genommen haben es ihm anzudichten?᾽ wenn er nun nichtsdestoweniger erklärt, er wolle die zustimmung dazu aus Protagoras eignen worten ableiten, so kam es ihm darauf an zu zeigen, dasz diese offenbare inconsequenz von seiten seines gegners nicht nur zufällig sei, sondern mit dem grundstocke von dessen wissenschaftlichen überzeugungen zusammenhänge.   [6] in dieser letzten stelle gebraucht Platon das wort κριτήριον (verwandte begriffe κριτής und κρίνειν 160ᶜ. 179ᵃ). Halbfass bestreitet allerdings Platon das recht diesen begriff als gleichbedeutend mit μέτρον zu verwenden, aber er hat sich offenbar nicht klar gemacht, dasz μέτρον bei Protagoras weiter nichts bedeuten kann als das oberste erkenntnisprincip. in dieser bedeutung ist das wort auch in die Aristotelische philosophie übergegangen (vgl. metaph. I 1, 1052ᵃ 25 ff. N 1, 1088ᵃ 7. Nikom. ethik I 6, 1113ᵃ 33. K 5, 1176ᵃ 17). oberstes erkenntnisprincip ist aber auch κριτήριον.

Nun liegt ja allerdings in diesem bloszen festhalten an der einmal aufgestellten erklärung immer noch kein beweis dafür, dasz Protagoras meinung wirklich getroffen sei; aber wir haben die zahlreichen momente hervorgehoben, welche nach unserer meinung dies ganz unzweifelhaft darthun. und dann beachte man noch eins. irgendwie musz doch Protagoras seinen satz näher ausgeführt haben; er kann sich unmöglich auf den wortlaut, welchen Heussler als echt anerkennt, beschränkt haben. nun gehört in solchem falle schon ein sehr begründeter verdacht gegen den hauptquellenschriftsteller dazu, die angaben, welche er über den weitern inhalt des werkes macht, zu bezweifeln; und dasz ein solcher auf Platon anwendung finden könne, wird Heussler selbst nicht behaupten wollen.

Mit der auffassung des satzes, welche wir im Kratylos und Theaitetos gefunden haben, steht auch die stelle der Nomoi IV 716ᶜ ὁ δὴ θεὸς ἡμῖν πάντων χρημάτων μέτρον ἂν εἴη μάλιστα καὶ πολὺ μᾶλλον ἤ πού τις, ὥς φασιν, ἄνθρωπος im einklang. auch hier handelt es sich, wie der zusammenhang lehrt, um das sein und nichtsein von dingen. in beantwortung der frage nach der gott wohlgefälligen handlungsweise führt nemlich Platon aus, dasz das gleiche dem gleichen, welches das masz bildet, angenehm ist. gott ist das masz aller dinge. derjenige nun, der gott angenehm sein will, musz ihm gleich sein. der cώφρων ist gott angenehm, weil er ihm gleich ist.

Das gewicht dieser stelle wird noch erhöht durch die ausführungen, welche sich im Politikos über den begriff des μέτριον finden. da stoszen wir zb. 283ᵉ auf worte, in denen das μέτριον als der unterscheidungsgrund zwischen gut und böse angegeben wird.

Ihre richtige beleuchtung erhält die Platonische auffassung des Protagorischen satzes jedoch erst durch die beobachtung, dasz das gesamte altertum, soweit wir hier äuszerungen über unsern gegenstand finden, dieselbe teilt.

Beginnen wir mit Xenophon. hier kommt die stelle Kyrup. I 3, 18 in betracht, wo es von Kyros' vater Kambyses im gegensatz zum absoluten Mederkönige Astyages heiszt: καὶ ὁ ςὸς πρῶτος πατὴρ τὰ τεταγμένα μὲν ποιεῖ τῇ πόλει, τὰ τεταγμένα δὲ λαμβάνει, μέτρον δὲ αὐτῷ οὐχ ἡ ψυχὴ ἀλλ᾽ ὁ νόμος. dasz diese letzten worte eine anspielung auf Protagoras lehre enthalten, unterliegt keinem zweifel, und ebenso wenig, dasz Xenophon in ihnen als den kernpunkt der lehre des sophisten die auffassung bezeichnet: τὸ δοκοῦν ἑκάςτῳ τοῦτο καὶ εἶναι ᾧ δοκεῖ. diese stelle des durchaus parteilosen Xenophon ist für unsern zweck um so wertvoller, als daraus hervorgeht, dasz Protagoras worte, wie sie Platon verstanden hat, schon verhältnismäszig früh in den allgemeinen sprachgebrauch übergegangen waren, sich also hieraus ein weiteres moment für die echtheit der Platonischen auffassung ergibt.

Ein weit gewichtigerer zeuge als Xenophon ist Aristoteles. er erwähnt Protagoras ziemlich häufig. metaph. K 6, 1062ᵇ 13 ff.

heiszt es von diesem: καὶ γὰρ ἐκεῖνος ἔφη πάντων χρημάτων εἶναι μέτρον ἄνθρωπον, οὐθὲν ἕτερον λέγων ἢ τὸ δοκοῦν ἑκάστῳ τοῦτο καὶ εἶναι παγίως, und z. 19 heiszt es nochmals: μέτρον δ᾽ εἶναι τὸ φαινόμενον ἑκάστῳ. hier haben wir also den wortlaut der Platonischen fassung wieder. man wird zugeben, dasz Aristoteles Protagoras' werk selbst gelesen und sich nicht durch die darstellung Platons hat beeinflussen lassen.[7] um so wichtiger ist die wörtliche übereinstimmung beider männer in der berichterstattung über Protagoras, und wenn sich überhaupt etwas über derartige dinge ausmachen läszt, so können wir, glaube ich, mit voller sicherheit behaupten, dasz die in rede stehenden worte von Protagoras selbst herrühren. ist dies aber der fall, so fällt Heusslers ansicht von selbst. auch in den zuletzt angeführten worten wird dieselbe auffassung bestätigt, sowie durch metaph. Γ 5, 1009[a] 38 ff. ὁμοίως δὲ καὶ ἡ περὶ τὰ φαινόμενα ἀλήθεια ἐνίοις ἐκ τῶν αἰσθητῶν ἐλήλυθεν, wo Protagoras unzweifelhaft mit gemeint ist.

Aus metaph. I 1, 1053[a] ff. läszt sich weniger für unsern zweck entnehmen, da sich Aristoteles hier nicht so bestimmt ausdrückt; aber es findet sich auch hier der hinweis auf das αἰσθάνεσθαι, so dasz diese stelle unserer auffassung wenigstens nicht widerspricht. wohl aber wird diese noch durch περὶ ψυχῆς Γ 3, 427[b] 3 unterstützt, wo Aristoteles zwar nicht mit wörtlichem hinweis, aber doch mit unverkennbarer bezugnahme auf Protagoras sagt: διὸ ἀνάγκη ἤτοι ὥσπερ ἔνιοι λέγουσι, πάντα τὰ φαινόμενα εἶναι ἀληθῆ, sowie durch diejenigen stellen, in denen Protagoras unter den gegnern des satzes vom widerspruch aufgezählt wird, so metaph. Γ 4, 1007[b] 20 ff., wo es als notwendige folgerung aus Protagoras lehre bezeichnet wird, dasz dreiruderer, mauer, mensch identisch seien: εἰ γάρ τῳ δοκεῖ μὴ εἶναι τριήρης ὁ ἄνθρωπος, δῆλον ὅτι οὐκ ἔστι τριήρης, ὥστε καὶ ἔστιν, εἴπερ ἡ ἀντίφασις ἀληθής. man hat nun allerdings gegen dieses beispiel bedenken erhoben, aber so viel geht aus den worten hervor, dasz Aristoteles hier Protagoras lehre in dém sinne auffaszt, dasz für jeden das, was ihm scheint, auch ist; ja wir haben hier ein directes beispiel zu den worten τῶν ὄντων, ὡς ἔστι, τῶν δὲ μὴ ὄντων, ὡς οὐκ ἔστιν[8] und zwar in der Platonischen auffassung.

Diese vollkommene übereinstimmung zwischen Platon und Aristoteles als den beiden hauptquellen für unsere kenntnis von Protagoras und seiner lehre würde schon mehr als hinreichend sein Heusslers ansicht über den haufen zu werfen und die auszerordentliche kühnheit zu beleuchten, welche darin liegt, auf grund zweier zeilen, die noch dazu so und so erklärt werden können, der auffassung entgegenzutreten, welche männer wie die zwei genannten

---

[7] Natorp neigt zur entgegengesetzten ansicht (ao. s. 52).   [8] hierdurch wird auch, wenigstens mittelbar, die echtheit dieses zusatzes erwiesen. s. oben s. 403.

sich aus der genauen kenntnis des ganzen werkes heraus gebildet haben.

Aber um die frage von grund aus zu erledigen, wollen wir im folgenden noch die übrigen zeugnisse, die wir aus dem altertum über unsern gegenstand besitzen, einer nähern besprechung unterziehen.

Wir beginnen mit Cicero. man kann über dessen philosophische leistungen urteilen wie man will, und man mag noch so wenig von der schärfe seines verständnisses halten, so viel wird ihm jedermann zugestehen müssen, dasz er auszerordentlich viel gelesen hat und dasz somit die möglichkeit vorliegt, er habe Protagoras schrift selbst gekannt. [9] Cicero kommt in den Academica auf Protagoras zu sprechen, und dort heiszt es II 46, 142 *aliud iudicium Protagorae est, qui putat id cuique verum esse, quod cuique videatur.* wir begegnen hier ganz derselben auffassung wie bei Platon und Aristoteles.

Schwerer wiegt das zeugnis von Sextos Empeirikos. dieser wurde schon im allgemeinen durch den charakter seiner philosophie auf Protagoras zurückgeführt, und besonders waren es die untersuchungen über das kriterion, die bei Sextos einen so bedeutenden raum einnehmen, welche einen weitern anknüpfungspunkt an Protagoras darboten. denn der begriff des κριτήριον bei Sextos deckt sich vollkommen mit dem des μέτρον bei Protagoras (s. oben anm. 6). demzufolge erwähnt Sextos den sophisten auch häufiger. so wird Pyrrh. hyp. I 216 der wortlaut unseres satzes angeführt und dann fortgefahren: καὶ διὰ τοῦτο τίθηςι τὰ φαινόμενα ἑκάςτῳ μόνα, καὶ οὕτωc εἰcάγει τὸ πρόc τι. die ersten worte geben nur einen sinn, wenn man sie als Protagoras eigne meinung auffaszt: denn sonst könnte Sextos im folgenden nicht von der ersten aufstellung (εἰcάγειν) des πρόc τι durch diesen sprechen. wenn nun auch Natorp (ao. s. 57 f.) bedenken gegen unsere stelle erhebt, so sind dieselben doch anderer art und berühren die thatsache nicht, dasz wir hier ganz dieselbe auffassung antreffen wie bei Platon und Aristoteles.

Noch deutlicher wird dies aus adv. math. VII 60 καὶ Πρωταγόραν . . ἐγκατέλεξάν τινεc τῷ χορῷ τῶν ἀναιρούντων τὸ κριτήριον φιλοcόφων, ἐπεί φηcι πάcαc τὰc φανταcίαc καὶ τὰc δόξαc ἀληθεῖc ὑπάρχειν καὶ τῶν πρόc τι εἶναι τὴν ἀλήθειαν διὰ τὸ πᾶν τὸ φανὲν ἢ δόξαν τινὶ εὐθέωc πρὸc ἐκεῖνον ὑπάρχειν (s. § 48). hier läszt das φηcί nur éine erklärung zu, nemlich dasz das folgende die meinung von Protagoras selbst wiedergebe. aus den letzten worten aber geht auch hervor, dasz Sextos den sophisten genau so verstanden hat wie Platon und Aristoteles. und dem entspricht auch das unmittelbar folgende. Sextos nemlich erörtert hier den umstand, dasz der betreffende satz gar nicht widerlegt werden könne, da der-

---

[9] noch im dritten jh. nach Ch. lag dieselbe vor; s. Porphyrios bei Eusebios praep. evang. X 3 u. dazu Frei quaestiones Protagoreae s. 176 ff.

jenige, der das gegenteil behaupte, seinen inhalt lediglich bestätige;
der dies thue, sei nemlich selbst mensch und behaupte dasz das, was
ihm scheine, auch in wirklichkeit bestehe (vgl. Natorp ao. s. 55).
Aus Laertios Diogenes können wir nichts entnehmen, da dieser
IX 51 nur den wortlaut des satzes anführt, ohne weitere erörterungen
daran zu knüpfen.

Auch Aristokles erwähnt Protagoras bei Eusebios praep.
evang. XIV 20, 1, wo es nach anführung des satzes heiszt: ὁποῖα
γὰρ ἑκάστῳ φαίνεται τὰ πράγματα, τοιαῦτα καὶ εἶναι. doch ist
wenig gewicht auf dieses zeugnis zu legen, da sich der schriftsteller
unmittelbar auf Platon beruft. aber so viel wenigstens scheint hieraus
hervorzugehen, dasz eine entgegenstehende ansicht im altertum nicht
vertreten gewesen ist.

Schlieszlich ist noch Hermias zu erwähnen, der in seinem
διασυρμὸς τῶν ἔξω φιλοσόφων c. 4 den satz folgendermaszen faszt:
ὅρος καὶ κρίσις τῶν πραγμάτων ὁ ἄνθρωπος, καὶ τὰ μὲν ὑποπίπτοντα ταῖς αἰσθήσεσιν ἔστι πράγματα, τὰ δὲ μὴ ὑποπίπτοντα οὐκ
ἔστιν ἐν τοῖς εἴδεσι τῆς οὐσίας. man sieht, auch hier begegnet uns
ganz dieselbe auffassung, welche wir bisher stets angetroffen haben.

Unsere übersicht ist zu ende. nachdem wir so gezeigt haben,
dasz das gesamte altertum den sinn des Protagorischen satzes genau
so faszt wie Platon, bleibt uns noch übrig die auffassung Platons
gegen die angriffe, welche Heussler von sprachlicher seite aus gegen
sie richtet, zu verteidigen. Heussler hebt das μή in τῶν δὲ μὴ ὄντων
heraus und thut sich viel darauf zu gute, dasz aus seiner erklärung
einzig und allein hervorgehe, warum die 'subjective oder hypothe-
tische verneinungspartikel der absoluten oder assertorischen negation' gegenübergestellt sei. dies scheint uns aber dicht an eine
überschätzung des eignen urteils zu grenzen, da Platon doch auch
ein mann war, dem man allenfalls einiges gefühl für seine mutter-
sprache zutrauen kann. hat er sich also nicht durch das μή abhalten
lassen χρήματα und nicht ἄνθρωπος als subject der sätze mit ὡς
anzunehmen, so wäre, meinen wir, für einen Deutschen des neunzehnten jh. einige vorsicht geboten gewesen, und er hätte schärfer
zusehen sollen, ob nicht der unterschied zwischen den beiden negationen[10] auch bei der erklärungsweise Platons zu tage tritt. und in
der that liegt dies nahe genug. wir dürfen nur die — wie wir gesehen haben — authentische deutung τὸ δοκοῦν ἑκάστῳ τοῦτο καὶ
ἔστιν zu hilfe nehmen. erstreckt sich dieses δοκεῖν auf nichtseiende
dinge, so sind dies μὴ ὄντα; das μή wird aber zu οὐ, wenn durch
bezugnahme des menschen auf sich selbst als μέτρον das nichtsein
seine bestätigung findet und nun thatsächlich gilt. in den sätzen
mit ὡς ist also das ergebnis des satzes πάντων χρημάτων μέτρον
ἄνθρωπον εἶναι in betreff des seins oder nichtseins der dinge ent-

---

[10] vgl. denselben wechsel der negationen in der oben angeführten
Aristotelischen stelle metaph. Γ 4, 1007ᵇ 23 ff.

halten [11], und Protagoras schrift reihte sich somit an die grosze zahl
derjenigen an, welche seit der zeit der Eleaten über diesen gegenstand
erschienen waren. wenn dem so ist, so erhält die schon oben (anm.
9) erwähnte notiz des Porphyrios erhöhte bedeutung, welche von einem
Protagorischen werke περὶ τοῦ ὄντος zu berichten weisz. ist nun
dies, wie es höchst wahrscheinlich ist, identisch mit dem von Platon
ἀλήθεια genannten, so ist auch hierin ein fingerzeig über seinen inhalt gegeben, der unsere ansicht auf das deutlichste unterstützt.
denn mag der titel von Protagoras selbst oder von spätern herrühren,
so viel ist klar, dasz die inhaltsangabe περὶ τοῦ ὄντος nur passt,
wenn die Platonische auslegung die richtige ist, da lediglich bei ihr
das schwergewicht auf der natur der dinge liegt, während bei der
Heusslerschen auffassung nicht diese, sondern die natur des menschen
im vordergrunde der erörterung stehen würde. ein solcher anthro-
pologismus ist aber der philosophie des gesamten altertums noch
völlig fremd.   -

---

[11] vgl. die ganz ähnliche stelle Politeia V 477[b] οὐκοῦν ἐπιστήμη
μὲν ἐπὶ τῷ ὄντι πέφυκε γνῶναι ὡς ἔςτι τὸ ὄν;
BERLIN.   PAUL SELIGER.

53.
ZUM HOMERISCHEN HERMESHYMNOS.

---

6 ἄντρον ἔςω ναίουςα παλίςκιον, ἔνθα Κρονίων
  νύμφη ἐυπλοκάμῳ μιςγέςκετο νυκτὸς ἀμολγῷ,
  ὄφρα κατὰ γλυκὺς ὕπνος ἔχοι λευκώλενον Ἥρην,
  λήθων ἀθανάτους τε θεοὺς θνητούς τ’ ἀνθρώπους.

zu diesen und einigen andern versen desselben gedichtes besitzen
wir bekanntlich ein duplicat unter den kleinern Homerischen hymnen
(17), welches mehrere nicht ganz uninteressante abweichungen enthält. die obige stelle finden wir daselbst in folgender weise umgestaltet:

  ἄντρῳ ναιετάουςα παλιςκίῳ, ἔνθα Κρονίων
  νύμφη ἐυπλοκάμῳ μιςγέςκετο νυκτὸς ἀμολγῷ,
  εὖτε κατὰ γλυκὺς ὕπνος ἔχοι λευκώλενον Ἥρην·
  λάνθανε δ’ ἀθανάτους τε θεοὺς θνητούς τ’ ἀνθρώπους.

wenn irgend etwas, so beweist die letzte variante, dasz dieser kleine
hymnos nur mit einigen redactionellen änderungen direct aus dem
gröszern geflossen ist (vgl. Schneidewin im Philol. III 660 f.): denn
wäre λάνθανε δ’ die ursprüngliche lesart, so würde kein mensch
auf den gedanken verfallen sein, λήθων daraus zu machen, welches
k e i n e n p a s s e n d e n a n s c h l u s z hat, während jenes durchaus
tadelfrei ist. und hieraus ergibt sich zugleich, dasz der redactor,
auf dessen rechnung das kleine gedicht kommt, das gröszere bereits

in verdorbener gestalt vor sich sah. die lesart λάνθανε δ' ist
seine eigne verbesserung gerade so wie vorher ἄντρῳ ναιετά-
ουcα παλιcκίῳ st. ἄντρον ἔcω ναίουcα παλίcκιον. der unterschied
zwischen beiden correcturen ist nur der, dasz die erstere wirklich
einen wunden punkt traf, schwerlich aber die letztere, so bestechend
sie auch aussieht (s. Lehrs Arist.[3] s. 135). gebunden sind wir unter
den obwaltenden umständen natürlich an keine von beiden: da indessen λήθων im unmittelbaren anschlusz an einen satz, in
welchem ὕπνοc, nicht Zeus das subject ist, nach meinem dafürhalten
wirklich nicht geduldet werden kann, so fragt sich, wie dem ahzu-
helfen sein möchte. einfacher als die conjectur jenes unbekannten
redactors λάνθανε δ' erscheint mir die umstellung der beiden hier
in betracht kommenden verse:

ἔνθα Κρονίων,

8 ὄφρα κατὰ γλυκὺc ὕπνοc ἔχοι λευκώλενον Ἥρην,
7 νύμφῃ ἐυπλοκάμῳ μιcγέcκετο νυκτὸc ἀμολγῷ
9 λήθων ἀθανάτουc τε θεοὺc θνητούc τ' ἀνθρώπουc,
12 ἔcτε φόωc δ' ἄγαγεν ἀρίcημά τε ἔργα τέτυκτο.

über v. 12, der vermutlich so wiederherzustellen und hier einzufügen
ist, habe ich in der Berliner philol. wochenschrift 1886 s. 806 gesprochen.

373 μηνύειν δ' ἐκέλευεν ἀναγκαίηc ὑπὸ πολλῆc,
    πολλὰ δέ μ' ἠπείληcε βαλεῖν ἐc Τάρταρον εὐρύν.

dasz der dichter hier ἀναγκαίηc adjectivisch gebraucht und ursprünglich ἀναγκαίηc ὑπ' ὁμοκλῆc geschrieben haben sollte, wie Stadtmüller (jahrbücher 1881 s. 540) annimt, halte ich nicht für wahrscheinlich. doch scheint auch mir eine corruptel in den betreffenden
worten zu stecken: denn wäre auch an und für sich gegen das epitheton πολλῆc nicht gerade viel einzuwenden, so ist es doch für
den vorliegenden fall keineswegs sehr passend und geschickt gewählt, noch viel weniger aber notwendig, und dies will doch etwas
bedeuten gegenüber der thatsache, dasz μηνύειν kein näheres
object hat, dessen es doch hier nach dem vorangegangenen οὐδὲ
θεῶν μακάρων ἄγε μάρτυραc οὐδὲ κατόπταc dringender zu bedürfen
scheint als ἀναγκαίηc jenes seines überlieferten epithetons. steht
doch auch 254 μήνυέ μοι βοῦc, und dies bestärkt mich in dem
verdacht, dasz an der obigen stelle πολλῆc aus ποίμνην verdorben und der vers so zu schreiben sein dürfte: μηνύειν δ' ἐκέλευεν
ἀναγκαίηc ὕπο ποίμνην.

378 πείθεο — καὶ γὰρ ἐμεῖο πατὴρ φίλοc εὔχεαι εἶναι —,
    ὡc οὐκ οἴκαδ' ἔλαccα βόαc — ὡc ὄλβιοc εἴην —
380 οὐδ' ὑπὲρ οὐδὸν ἔβην· τὰ δέ τ' ἀτρεκέωc ἀγορεύω.
    Ἥέλιον δὲ μάλ' αἰδέομαι καὶ δαίμοναc ἄλλουc,
    καί cε φιλῶ καὶ τοῦτον ὀπίζομαι· οἶcθα καὶ αὐτόc,
    ὡc οὐκ αἴτιόc εἰμι usw.

wer diese worte liest, musz fühlen 1) wie wenig die von Hermes ab-
gegebene versicherung der hochachtung und liebe (v. 381 und 382)
hier an ihrem platze ist, da sie sich weder an das vorhergehende
noch an das nachfolgende einigermaszen zwanglos anschlieszt; 2) wie
übel ὡc οὐκ αἴτιόc εἰμι dem inhalte nach zu οἶcθα καὶ αὐτόc passt,
und 3) wie sehr Hermann recht hat, wenn er (s. LXVII) diese verbindung auch in formeller hinsicht anstöszig findet: «οἶcθα καὶ αὐτόc
non ad praegressa, sed ad sequentia relatum.» trotzdem glaube ich
kaum, dasz die vier verse 379—382 mit Hermann als fremdartige
interpolation auszuscheiden seien. sie können zwar aus den angedeuteten gründen nimmermehr so neben einander gestanden haben,
immerhin aber doch recht wohl von demselben dichter herrühren,
ja sogar für dieselbe rede gedichtet sein. wenn mich nicht alles trügt,
gehören 381 und 382 an diese stelle:

368 Ζεῦ πάτερ, ἤτοι ἐγώ coι ἀληθείην καταλέξω·
369 νημερτήc τε γάρ εἰμι καὶ οὐκ οἶδα ψεύδεcθαι,
381 Ἥλιον δὲ¹ μάλ' αἰδέομαι καὶ δαίμονας ἄλλους,
382 καὶ cὲ φιλῶ καὶ τοῦτον ὀπίζομαι — οἶcθα καὶ αὐτόc —.
370 ἦλθεν ἐc ἡμετέρου διζήμενοc εἰλίποδαc βοῦc usw.

hier findet die versicherung der hochachtung und liebe an der vorausgehenden beteuerung der wahrhaftigkeit ihren passenden anschlusz. auszerdem gewinnen wir nunmehr endlich ein subject für
ἦλθεν, welches bei der bisherigen ordnung der verse mangelte, aber
unmöglich entbehrt werden kann. sehen wir uns dann noch nach
der partie um, welcher das verspaar entnommen wurde, so springt
gleich in die augen, dasz sie dadurch ebenfalls nur gewonnen hat:

πείθεο — καὶ γὰρ ἐμεῖο πατὴρ φίλος εὔχεαι εἶναι —·
ὡc οὐκ οἴκαδ' ἔλαccα βόαc, ὡc ὄλβιος εἴην,
380 οὐδ' ὑπὲρ οὐδὸν ἔβην. τόδε δ'² ἀτρεκέωc ἀγορεύω,
383 ὡc οὐκ αἴτιόc εἰμι usw.

über ὥ . . ὥc (wie . . so) in v. 379 vgl. Kühner ausf. gr. gramm.
II² § 581, 7. die anstösze, welche Hermann im übrigen hieran genommen hat, kann ich nicht teilen.

385 καί π ο υ ἐγὼ τούτῳ τίcω ποτὲ νηλέα φώρην,
καὶ κρατερῷ περ ἐόντι· cὺ δ' ὁπλοτέροιcιν ἄρηγε.

dies ist jetzt zur vulgata geworden. που st. ποτ' rührt von Hermann
her und φώρην st. φωνήν aus dem cod. M. ersteres dürfte richtig
sein, letzteres schwerlich. mir wenigstens ist es nicht gelungen zu
entdecken, welchen passenden sinn φώρην hier haben könnte. dasz
Apollon den knaben unbarmherzig aus der höhle schleppte und vor
den richterstuhl des Zeus zu gehen zwang, kann doch unmöglich ein
'diebstahl' heiszen. somit bliebe allein der ausweg übrig, φώρην
mit 'haussuchung' zu übersetzen; aber ist es denn denkbar, dasz in

---

¹ δὲ hat M; in den übrigen hss. fehlt die conjunction.   ² dies ist
die überlieferung, die Hermann und andere mit ihm in τὸ δέ τ' veränderten.

Hermes weder die gegen ihn erhobene beschuldigung noch die
üble behandlung noch die arge bedrohung (374) rachegedan-
ken zu erwecken im stande waren, sondern lediglich die haussuchung, die doch nicht entfernt so 'unbarmherzig' war wie die
sonstige ihm widerfahrene behandlung? läszt man das von der mehrzahl der hss. gebotene νηλέα φωνήν im texte, so sichert man sich
wenigstens einen begriff, der die beschuldigung und die bedrohung
in den vordergrund rückt, nicht aber wie φώρην beide unpassender-
weise bei seite schiebt.

405   πῶς ἐδύνω, δολομῆτα, δύω βόε δειροτομῆcαι,
        ὧδε νεογνὸc ἐὼν καὶ νήπιοc; αὐτὸc ἔγωγε
        θαυμαίνω κατόπιcθε τὸ cὸν κράτοc· οὐδέ τί cε χρὴ
        μακρὸν ἀέξεcθαι, Κυλλήνιε, Μαιάδοc υἱέ.

weil die überlieferung augenscheinlich unhaltbar ist, so änderte Hermann αὐτὰρ ἔγωγε θαμβαίνω κατόπιcθε τὸ cὸν κράτοc. aber
θαμβαίνω hat vor θαυμαίνω nichts voraus; eins wie das andere verträgt sich nicht mit κατόπιcθε. und derselbe vorwurf trifft doch
wohl auch, wenngleich nicht ganz in der nemlichen stärke, die von
HStephanus herrührende conjectur δειμαίνω, die mir überdies zu
Apollons charakter sehr wenig zu stimmen scheint. da seine letzten
worte οὐδέ τί cε χρὴ μακρὸν ἀέξεcθαι auf eine vorausgegangene
drohung schlieszen lassen, so möchte ich vorschlagen: αὐτὰρ ἔγωγε
αὐαίνω κατόπιcθε τὸ cὸν κράτοc. vgl. Soph. El. 819 ἀλλὰ τῇδε
πρὸc πύλη παρεῖc' ἐμαυτὴν ἄφιλοc αὐανῶ βίον. Phil. 954 ἀλλ'
αὐανοῦμαι τῷδ' ἐν αὐλίῳ μόνοc (schol. ξηρανθήcομαι; die vulgata
war ἀλλ' αὖ θανοῦμαι). Nikandros ther. 428 χροιῇ δὲ μόγῳ αὐαίνεται ἀνδρόc. Suidas αὐαίνεται: ξηραίνεται· αὖοι γὰρ οἱ ξηροί.
καὶ αὐαcμόc, ξηραcία. ἡ πρώτη δαcύνεται· καὶ Ἀριcτοφάνηc «ἐνταῦθα δὴ παιδάριον ἐξαυαίνεται», καὶ ἑτέρωθι «ὥcτ' ἔγωγ' ηὐαινό-
μην θεώμενοc». καὶ αὐαίνοιτο, ξηραίνοιτο, ἀφανιζέcθω. ἐν ἐπι-
γράμματι [Cαμίου anth. Pal. VI 116,5] «ὁ φθόνοc αὐαίνοιτο, τεὸν
δ' ἔτι κῦδοc ἀέξοι». ders. ἐπαφαυάνθην: ἐξηράνθην. Ἀριcτοφάνηc
Βατράχοιc [1089] «ὥcτ' ἀπεφαυάνθην Παναθηναίοιcι γελῶν». das
gegenteil von κράτοc αὐαίνειν ist κράτοc ἀέξειν: Hom. M 214 cὸν
δὲ κράτοc αἰὲν ἀέξειν. in dem oben citierten verse des Samios stehen
sich beide verba gegenüber gerade so wie in unserm hymnos, falls
hier meine conjectur das richtige trifft.

KÖNIGSBERG.   ARTHUR LUDWICH.

54.

DIE BEDEUTUNG DER REGULUSODE DES HORATIUS.

So viel auch über die fünfte ode des dritten buches geschrieben
worden ist, eine erklärung, welche vollkommen befriedigte und ein
weiteres forschen überflüssig machte, ist bis jetzt noch nicht gefunden. im folgenden wage ich es eine neue ansicht über das gedicht
zu veröffentlichen, welche wenigstens die möglichkeit gewährt zu
einer klaren und einheitlichen auffassung desselben zu gelangen.

Folgende analyse hat der neuste hg. des Horatius, AKiessling,
dieser ode vorausgeschickt: '«Ists möglich dasz, während Juppiter
im himmel und Augustus auf erden walten, des Crassus entartete
soldaten sich so weit vergessen haben, in der gefangenschaft zu freien
und ihrer parthischen schwieher waffen zu tragen? (1—12). solche
schmach hatte einst Regulus geahnt, als er dazu riet schonungslos
die in der Punier bände gefallenen gefangenen ihrem schicksal zu
überlassen (13—18).» es folgt des Regulus rede, die in dem gedanken
nec vera virtus si semel excidit, curat reponi gipfelt: die einmal verlorene kriegerehre kann durch nichts wieder ersetzt werden (19—40).
«und somit ist Regulus selbst, ohne einen augenblick zu zaudern,
gegangen seine eigne gefangenschaft mit qualvollem tode zu sühnen
(41—56).»'

Eine genaue zergliederung der einzelnen teile, aus welchen das
gedicht zusammengesetzt ist, ergibt mit notwendigkeit, dasz die her-
kömmliche auffassung, wie sie in dieser inhaltsangabe zum ausdruck
gelangt, unmöglich die richtige sein kann. eine reihe von bedenken
und widersprüchen erhebt sich, bei welchen schwierigkeiten auf
schwierigkeiten sich häufen. zunächst der eingang. wie kann den
gefangenen soldaten des Crassus ein vorwurf wegen ihres verhaltens
in hinsicht auf die groszthaten des A u g u s t u s gemacht werden?
insbesondere die erwähnung ihrer vermischung mit den Parthern
hat vom zeitlichen standpunkt aus betrachtet in diesem zusammenhange gar keinen sinn. ehe noch an des Augustus herschaft zu denken war, konnten jene soldaten, falls sie sonst lust hatten sich mit
den töchtern ihrer überwinder zu verheiraten, schon längst würdige
familienväter sein. was erfuhren sie überhaupt im fernen osten
mitten unter den Parthern im einzelnen viel über die verdienste des
Augustus? und Regulus hatte 'solche schmach geahnt' und v e r -
h ü t e n wollen, nemlich, wie zunächst aus dem zusammenhange zu
ergänzen ist, dasz die gefangenen Römer ihre nationalität aufgäben,
er der in Rom eifrig darauf bestand ein g e f a n g e n e r und nichts
weiter zu sein und zu bleiben und sich selber aus dem römischen
gemeinwesen ausschlosz, trotzdem er mit offenen armen wieder aufgenommen worden wäre? welch schiefer und ungereimter gegensatz! das verhalten der soldaten des Crassus entspricht von einem
gewissen gesichtspunkt aus betrachtet ganz dem wunsche des Regu-

lus. konnte er ferner wirklich ins auge fassen durch seinen rat zur
strenge und sein eignes beispiel für die zukunft ähnliche katastrophen,
wie eine solche ihn selbst zermalmt hatte, zu verhüten? niederlage und gefangenschaft sind oft mehr folgen unglücklicher verhältnisse und hängen wahrlich nicht einzig und allein von der tapferkeit
der soldaten ab. auch dieser gedanke genügt nicht, um uns erkennen
zu lassen, weswegen Horatius den Regulus in diesem gedichte gefeiert hat. hat schlieszlich die rede und das beispiel des Regulus,
wobei Hor. insbesondere verweilt, keinen zweck weiter, als dasz der
dichter seinen zeitgenossen vor augen führen wollte, wie fleckenlos
los die römische kriegerehre sein müsse? ThPlüss ist es besonders gewesen (Horazstudien s. 246 ff.), welcher den inhalt des gedichtes nach dieser seite hin nach seiner art mit schönen farben
ausgemalt hat: der entrüstung des dichters über das schmachvolle
verhalten der soldaten des Crassus stehe seine begeisterung für die
handlungsweise des Altrömers Regulus gegenüber. die grundstimmung, aus welcher das gedicht erwachsen sein soll, faszt er am
schlusz seiner ausführungen (ao. s. 267) in folgenden worten zusammen: 'das empfindungsvolle allgemeinbild ist, wie der Musen-
priester vor der jugend Roms die möglichkeit, dasz junge Römer die
schmach der entnationalisierung auf sich genommen haben und darin
alt geworden seien, nicht glauben kann und in den worten und thaten
des Regulus den wirklichen Römersinn, wie er in solchen lagen sich
zeige, sieht und bewundert.' was müste Hor. demnach von den gefangenen erwartet haben? eine reihe von jahren dachten die Römer
nicht daran den untergang des Crassus zu rächen. Caesars ermordung setzte seinen plänen den orient zu unterwerfen ein ziel. Ven-
tidius schlug zwar 39 und 38 die Parther wiederholt, aber auf römischem grenzgebiet, und machte nur ihren einfällen ein ende. des
Antonius feldzug im j. 36 war schmachvoll genug. wenn nun die
beziehung auf Augustus festgehalten wird in der fassung, wie sie
von Plüss insbesondere verteidigt worden ist (ao. s. 248 ff.), sollten
da die gefangenen vielleicht noch in spätern jahren ermutigt durch
den ruhm des neuen imperators und durch den aufschwung des römischen namens es auf eigne faust versuchen in römisches gebiet sich
durchzuschlagen? wenn anderseits der gefangene Regulus als
vorbild ihnen gegenübersteht, sollten sie vielleicht ebenso wie jener,
ehe sie ihre nationalität aufgaben, hinterher noch von ihren herren
den tod sich gefallen lassen oder ihn mit eigner hand sich selbst
geben? lauter fragen, auf welche sich keine antwort erteilen läszt.
und wie steht es mit Regulus als vorbild im weitern sinne? kann
er wirklich der römischen jugend als muster hingestellt werden,
auf welche dies gedicht besonders berechnet sein soll? kurz vor der
oben angeführten stelle sagt Plüss: 'der einheitliche logische gedanke des ganzen gedichtes ist: der echte Römer stirbt lieber als
dasz er um seines persönlichen lebens willen durch vertrag mit dem
unbesiegten feinde die ehre der römischen nation verletzt.' aller-

dings ist Regulus einen heldentod gestorben, aber nicht denjenigen, welchen der soldat vor augen haben soll. Regulus ganzes schicksal stellt uns eine tragödie dar: schuld und sühne stehen sich gegenüber. so kann man wohl aus seinem verhalten eine lehre entnehmen, aber als vorbild für einen soldaten, für die römische jugend kann Regulus nicht gelten. wäre er der Musterrömer wie er sein soll, dann hätte er vorher, ehe ihn der feind in seine hand bekam und hinwegführte, zeit genug finden müssen, um sich den dolch in die brust zu stoszen. aber auch er flehte gewis um gnade für sein leben (vgl. Polybios I 35, 3 μικρῷ πρότερον οὐ διδοὺϲ ἔλεον οὐδὲ ϲυγγνώμην τοῖϲ πταίουϲι παρὰ πόδαϲ αὐτὸϲ ἥγετο δεηϲόμενοϲ τούτων περὶ τῆϲ ἑαυτοῦ ϲωτηρίαϲ). was Regulus h i n t e r h e r gethan hat, ist für das verhalten im k a m p f e, wofür das gedicht im besondern nach dieser auffassung eine norm enthalten soll, gleichgültig. jedenfalls hätte Hor., wäre die von Plüss aufgestellte ansicht die richtige, sich in der wahl der von ihm als vorbild hingestellten persönlichkeit eines innern widerspruchs schuldig gemacht, über welchen man vergeblich hinwegzukommen versucht. das gedicht kann gar nicht direct an die römische jugend gerichtet sein.[1]

Wenn man über den zweck des gedichtes klarheit gewinnen will, musz man in der untersuchung von der rede des Regulus und dem von ihm gegebenen beispiel ausgehen; hier ist ohne weiteres ein sicheres erfassen des von Hor. entwickelten gedankens möglich. was der dichter mit der einführung des Regulus im sinne hat, ist zunächst in den worten *dissentientis condicionibus foedis et exemplo trahenti(s) perniciem veniens in aevum, si non periret inmiserabilis captiva pubes* von vorn herein angedeutet: 'die von den Karthagern gefangene jugend soll zu grunde gehen, damit kein präcedenzfall

---

[1] die oben zur geltung gebrachten bedenken, welche Plüss zum teil auch seinerseits erhoben hat, hat derselbe dadurch abzuschwächen gesucht, dasz er in den worten *hoc caverat mens provida Reguli dissentientis condicionibus foedis et exemplo trahenti(s) perniciem veniens in aevum, si non periret inmiserabilis captiva pubes* die interpunction so ändert, dasz er nach *periret* ein punctum setzt und die worte *inmiserabilis captiva pubes* als eröffnung der rede des Regulus faszt (ao. s. 257). er übersetzt die stelle demnach: 'dem hatte vorgebeugt Regulus, weil er das entehrende in den vorschlägen der Karthager unwillig fühlte und d u r c h s e i n p e r s ö n l i c h e s b e i s p i e l noch künftige generationen verderben muste, w e n n e r n i c h t s t a r b.' *inmiserabilis captiva pubes* soll dann aufruf und zuruf sein, der in pathetischer form ein urteil ausspricht wie ein vollständiger satz. danach wäre es der opfertod des Regulus, welchen Hor. in seiner ganzen grösze gleich hier dem behaglichen weiterleben der gefangenen in Parthien gegenüberstellt. aber durch den ganzen sinn, in welchem das gedicht abgefaszt sein soll, bleiben die erhobenen bedenken in ihrem vollen umfange bestehen. im übrigen ist die von Plüss gegebene übertragung nur eine künstlich hineingelegte, da bei *exemplo* notwendig im diesem zusammenhange *suo* stehen müste. auszerdem wird die änderung durch die stellung von *dixit* hinterher, das so erst im zweiten satze der rede wider den lateinischen sprachgebrauch stände, illusorisch.

(*exemplum*) geschaffen wird, dasz man mit gefangenen erbarmen gehabt hat, auf welchen spätere geschlechter sich berufen können.'
ob man dabei im texte *trahentis* (sva. *trahi dicentis* nach Nauck) oder *trahenti* liest, ist für den gedanken an und für sich gleichgültig. warum diese härte für das gedeihen des römischen staates notwendig ist, erläutert die pathetisch ausgeführte rede des Regulus im senate. nach einem gefühlvollen eingang über die schmach, welche er mit eignen augen gesehen: römische feldzeichen und waffen in den tempeln der Punier, ohne kampf ihnen überliefert, römische soldaten gefesselt und später vor den offenen thoren Karthagos, als herschte der tiefste friede, bei der feldarbeit beschäftigt, warnt er unter ironischen wendungen vor dem *damnum*, welches die Römer sich zufügen würden, wenn sie die gefangenen soldaten mit gold ausgelöst (als würde dadurch ihr innerer wert gesteigert) wieder in die heimat zurückführen wollten. ein krieger, der freiwillig die waffen gestreckt hat, kann nimmer wieder das vertrauen einflöszen, dasz er bei erneuter teilnahme am gefecht dem feinde gegenüber seine schuldigkeit thun werde; er bleibt gewissermaszen sein ganzes leben hindurch ein soldat zweiter classe. solche bürger in den staat wieder aufzunehmen ist das *damnum*, welches Regulus im sinne hat, nicht die einbusze an geld, woran Plüss, Kiessling ua. denken, welche der loskauf der gefangenen verursacht hätte. schande genug schon, dasz sie dem feinde sich ergeben haben, schaden obendrein noch, wenn dieselben wieder eingereiht in jedem augenblicke die zuversicht, welche der feldherr zu seinem heere haben musz, unmöglich machen, da sie einmal schon berückt von der süszigkeit des lebens dem feinde sich auf treu und glauben ergeben haben! bei nächster gelegenheit würden sie im drange der not es nicht besser machen. der hauptgedanke der rede des Regulus liegt deshalb in den worten *flagitio additis damnum*[2]; sie bilden das thema des ganzen. alles was folgt enthält dazu nur nähere begründungen bzw. beteuerungen. sein endurteil faszt Regulus in den worten zusammen: *hic unde vitam sumeret inscius, pacem duello miscuit.* was für mittel im kriege erlaubt sind — unter umständen sogar auch die flucht — hat ein solcher vergessen: indem er freiwillig die waffen gestreckt, hat er mit dem feinde seinen privatfrieden geschlossen, unbekümmert um das vaterland, welches im kriegszustande verharrt. dem gefühlvollen eingang entspricht der ebenso getragene schlusz, welcher, wie Kiessling schön bemerkt, die gewaltige nebenbuhlerin vor augen

---

[2] zur bestätigung der oben gegebenen auffassung dieser worte mag die erklärung von HSchütz zdst. (s. 194) hier platz finden, welcher fast dieselbe ansicht hat: 'das *flagitium* lag in der niederlage; ein schade würde durch auslösung der gefangenen hinzukommen, weil dies beispiel schädlich wirken, die ausgelösten aber nicht tapferer sein würden als vorher. dies wird durch das gleichnis vom färben der wolle erläutert. ist die wolle gefärbt, so erhält sie die weisze farbe nicht wieder; ist die wahre tugend ausgegangen, so läszt sie sich nicht wiederschaffen.'

rückt, 'wie sie ihr haupt um so höher hebt, da sie ihren fusz auf
die in trümmer gesunkene italische ehre setzen darf.'

Was rät also Regulus? ein bürger, der sich hat gefangen nehmen
lassen, gehört nicht mehr in den römischen staat. als ein feiger und
ehrloser steht er dem vaterlande gegenüber: denn den eid, mit welchem er sich diesem verpflichtet hatte, hat er gebrochen. mit dem
augenblick, in welchem er sein leben aus der hand der feinde als
geschenk entgegengenommen, hat er sich gewissermaszen selbst ent-
nationalisiert. er bleibe deshalb auch auszerhalb dieses gemeinwesens und gehe zu grunde!

Aus dieser betrachtung ergibt sich klar, was die der rede voraus-
geschickten worte *si non periret inmiserabilis captiva pubes* mit beziehung auf den rat des Regulus die gefangenen nicht auszulösen für
eine bedeutung haben. an eine leibliche tötung hat Regulus wahrlich nicht gedacht. Plüss (ao. s. 255) zerbricht sich bei der erklärung der worte *hoc caverat* usw. vergeblich den kopf, wie es mit der
verantwortung des Regulus bestellt wäre, wenn die Römer zwar den
rückkauf der gefangenen auf das andrängen desselben abgelehnt, die
Karthager ihrerseits aber nun doch die gefangenen nicht hätten um-
kommen lassen, sondern ihnen das leben geschenkt hätten. *perire*
ist nichts weiter als die *capitis deminutio maxima*, der ausschlusz
aus dem römischen staatsverband. tot soll der gefangene sein als
'Römer', im übrigen mag er nach umständen glücklich oder unglücklich weiter existieren als 'Nichtrömer'. dies ist die staatsraison des
Regulus, welche derselbe als bindend für alle zeiten aufgestellt hat;
dasz er um ihren wert zu bezeugen für dieselbe in den tod gegangen
ist, hat ihn trotz der schmach, welche er durch seine gefangennahme
auf sich geladen, zum nationalhelden gemacht und ihn den groszen
Altrömern an die seite gestellt, einem Brutus, der im interesse der
freiheit seine söhne hinrichten liesz, einem Manlius, welcher im interesse der disciplin seinen tapfern mit der siegesbeute triumphierend
ins lager zurückkehrenden sohn zum tode verurteilte. auch sie lieszen
gegenüber dem nutzen des staates alle andern rücksichten und gefühle verstummen, und in starrer grösze straften sie ihr eignes fleisch
und blut; Regulus strafte und opferte sich selbst. deswegen die bedeutungsvolle schilderung bei Hor., wie er sich als ausgeschlossenen,
als Nichtrömer, als für sein vaterland toten (*ut capitis minor*) betrachtet und gattin, kinder und freunde als für sich nicht mehr vorhanden ignoriert. in diesem zusammenhange erklärt es sich auch,
warum Hor. es vollständig bei seite läszt die treue zu verberlichen,
mit welcher Regulus das dem feinde gegebene versprechen unver-
brüchlich hält, falls die anträge der Punier nicht angenommen würden, nach Karthago zurückzukehren.

Wenn der dichter somit in dem rate und verhalten des Regulus
den grundsatz einschärft: wer sich hat gefangen nehmen lassen, verdient nicht mehr Römer zu sein, was für eine beziehung ergibt sich
dann für die soldaten des Crassus? soll das gedicht einen einheit-

lichen logischen gedanken enthalten, den wir doch wohl für ein erzeugnis der muse des Hor. als selbstverständlich voraussetzen dürfen, so bleibt nichts anderes übrig als zunächst gleichsam a priori zu schlieszen, dasz der rat des Regulus auch für die soldaten des Crassus geltung haben musz. die parallele ergibt sich ja im grunde ganz von selbst: in weit beträchtlicherer anzahl als Regulus und die seinen — es waren ungefähr 10000 mann — hatten auch sie sich 'treulosen[3] feinden', den Parthern, ergeben; eine reihe von jahren verweilten sie schon in feindesland. mögen sie bleiben, wo sie sind; dem römischen staatsverband können sie auf keinen fall wieder einverleibt werden! nur dies kann der gedanke sein, durch welchen die einführung des Regulus für die soldaten des Crassus bedeutung gewinnt.

Nachdem so der das ganze gedicht beherschende gedanke klar gestellt zu sein scheint, wird es möglich sein auch über die den eingang bildenden strophen eine richtigere und dem ganzen sinne des gedichtes entsprechendere ansicht zu gewinnen. zunächst erhebt sich die frage: sind es wirklich die soldaten des Crassus, über deren verhalten der dichter seine entrüstung äuszert? die besten legionen Italiens waren es, welche Crassus hinwegführte: Marser und Apulier bildeten den kern des heeres. wie konnte Hor. meinen, dasz gerade bei ihnen die sittliche fäulnis, an welcher die hauptstadt krankte, sich in erschreckender weise gezeigt? *epod.* 16, 3 hebt Hor. in erster linie als ein für Roms grösze bemerkenswertes ereignis hervor, dasz es im bundesgenossenkriege nicht der kraft der benachbarten Marser erlag, und *carm.* II 20, 18 steht die *Marsa cohors* typisch für die italische tapferkeit. und ebenso zeichnet Hor. *epod.* 2, 41 ff. den schnellfüszigen Apulier nicht als einen mann, dem man es zutrauen könnte, dasz er so leicht den 'heiligen herd' vergäsze, an welchem des abends nach schwerer tagesarbeit im trauten kreise die familie sich versammelte (vgl. dazu *ca.* III 16, 26 *quidquid arat inpiger Apulus*). und tapfer hatten sich die soldaten des Crassus auch geschlagen; erst nach dem tode des feldherrn ergaben sie sich in einem anfall von bestürzung den ihnen rettung zusichernden feinden (vgl. Plut. Crassus c. 31 ἐπελθόντων δὲ τῶν Πάρθων καὶ λεγόντων ὅτι Κράccοc μὲν δίκην δέδωκε, τοὺc δ᾽ ἄλλουc κελεύει Coυρήναc κατιέναι θαρροῦντac, οἱ μὲν ἐνεχείριcαν αὑτοὺc καταβάντεc, οἱ δὲ τῆc νυκτὸc ἐcπάρηcαν usw.). aber die gefangennahme als solche wird bei Hor. gar nicht erwähnt, nicht der geringste tadel wird deswegen ausgesprochen. betont wird es, dasz die gefangenen schon so viele jahre in feindesland verweilen. deswegen *vixit turpis maritus coniuge barbara* 'er hat schon ein menschenalter hingebracht', deswegen *consenuit* 'er ist schon ergraut'. wer der menschlich fühlt kann es ihnen im grunde

---

[3] die treulosigkeit der Parther war ebenso sprichwörtlich wie die der Punier: vgl. Hor. *epist.* II 1,111 ff. *ipse ego .. invenior Parthis mendacior.*

verdenken, dasz sie schlieszlich ihr vaterland vergessen haben? wen
trifft hierfür die schuld? kann man wirklich die soldaten selbst dafür verantwortlich machen? (vgl. auch das oben s. 418 gesagte.)
nun findet sich aber in diesen strophen ausdrücklich eine hindeutung,
wem die verantwortung dafür beizumessen ist, dasz eine so unerhörte
thatsache geschaffen worden ist. *pro curia inversique mores* heiszt
es mit schmerzlichstem affecte. was soll hier in diesem zusammenhange die c u r i e? Nauck bemerkt: 'die curie bezeichnet römisches
recht und gesetz, wie das capitol die macht des staates.' da man
inversi mores immer nur mit beziehung auf das verhalten der soldaten des Crassus gefaszt hat, als äuszere der dichter über diese seine
entrüstung, so hat man auch die erwähnung der curie so aufgefaszt,
als hätten gegen diese, den mittelpunkt des staats- und national-
gedankens, die soldaten des Crassus dadurch gefrevelt, dasz sie sich
mit den Parthern vermischten. aber ist es nicht ohne weiteres gestattet die curie, den sitz des senates, für den s e n a t s e l b s t und somit für die römische regierungsgewalt zu nehmen? mit dem ausruf
pro curia inversique mores steigt die erinnerung an alles das empor,
was die 'verkehrten sitten' während jener zeit, wo die soldaten des
Crassus bei den Parthern weilten, im römischen staatswesen zur folge
gehabt haben. nicht gegen die feinde Roms, sondern gegen sich
selbst hat man sich gewandt.[4] der zeit der republik insbesondere —
denn diese bezeichnet die curie und der senat schlechthin — wird
nebenbei die schuld beigemessen, dasz man nicht dafür gesorgt hat
10000 zeugungskräftige männer in den staat zurückzuführen. ruhig
hat man sie im barbarenlande heiraten lassen, sie die in Italien
honesti mariti geworden wären, nunmehr *turpes coniuge barbara*, und
so viel männerkraft dem derselben bedürftigen vaterlande entzogen.
die klage hierüber steht nicht ohne absicht im vordergrund. alt
sind die gefangenen nunmehr schon geworden, aber ist es nicht zeit
sie auch jetzt noch ins vaterland zurückzuführen und überhaupt die
schmach zu tilgen, dasz die Parther noch immer nicht gezüchtigt
sind? wer ist dazu berufen das was die letzte zeit der republik gesündigt wieder gut zu machen? einzig und allein Augustus. er soll
was die erste strophe ausspricht 'die schlimmen Perser' dem reich
hinzufügen. damit wären dann auch die soldaten des Crassus ihrer
heimat wiedergegeben worden. ohne weiteres sehen wir, wie die
erste strophe des gedichtes in dem hier entwickelten gedanken-
zusammenhange mit den beiden folgenden zusammenschlieszt.

Aber ehe wir von der composition des gedichtes weiter handeln,
ist noch folgender punkt zu erledigen. wäre eine möglichkeit die
soldaten des Crassus in die heimat zurückzuführen denkbar, wenn
dieselben *socerorum in a r m i s* gegen ihr vaterland gekämpft hätten?
der ganze sinn, welchen wir für diese strophen gewonnen haben,

---

[4] zu dem ganzen gedanken vgl. *ca. I 2, 21 ff. audiet cives acuisse*
ferrum, quo graves Persae melius perirent, audiet pugnas vitio
parentum rara iuventus.

nemlich dasz die lange dauer der gefangenschaft betont wird, spricht zunächst gegen diese lesart. und da ist es kein geringerer als RBentley, der ebenfalls sich gegen dieselbe ausgesprochen und nach dem vorgange von Tanaquil Faber und Nicolaus Heinsius *socerorum in arvis* in den text gesetzt hat. die gründe für diese lesart sind von Bentley mit gewohnter schärfe gegeben: einerseits könnten die worte *socerorum in armis* nicht richtig sein wegen des folgenden ausrufs *sub rege Medo Marsus et Apulus* — 'quomodo in *socerorum armis*,' fragt Bentley 'si sub *rege Medo* erant? certo non *soceri*, sed *rex ipse* militibus arma ministrabat'; anderseits aus dem sinne der ganzen ausführungen heraus[5] und weil sachlich ein solches verhältnis mehr als zweifelhaft sei. man habe sich die lage der gefangenen so zu denken, wie es sonst bei ähnlichen fällen von den schriftstellern des altertums überliefert worden sei: 'per Mediam in *arvis* consenuerunt, hi pastores facti, illi casarum custodes.' und historisch ist darüber in der that nichts bekannt, dasz die gefangenen soldaten des Crassus gegen die Römer gekämpft. bei Florus (II 20) findet sich im gegenteil eine erzählung, nach welcher einer aus der zahl dieser gefangenen durch sein patriotisches verhalten in dem feldzuge des Antonius das heer errettete. wenn von einigen hgg. (Schütz ua.) bemerkt wird, es scheine bei den worten *socerorum in armis* vorzugsweise an T. Labienus, den sohn des bei Munda gefallenen einstigen legaten Caesars, gedacht zu sein, welcher von Brutus zum Partherkönige entsandt nach der niederlage bei Philippi dort verblieb und im kampfe gegen die Römer sein leben einbüszte, so steht dieser zu den gefangenen soldaten des Crassus ja in gar keiner beziehung. die lesart *socerorum in armis* hat nur deswegen die richtige verdrängt, weil bei der herkömmlichen auffassung, Hor. spreche seine entrüstung über das verhalten der soldaten des Crassus aus, natürlich die schande noch viel gröszer wird, falls dieselben wirklich als söldlinge für ihre neuen schwiegereltern gegen ihr vaterland waffendienste gethan hätten. als die einzig berechtigte und durch den ganzen sinn des gedichtes gebotene lesart erscheint uns *socerorum in arvis*; die folgenden ausführungen über die ganze composition des gedichtes werden die richtigkeit derselben in noch hellerm lichte erscheinen lassen.[6]

Aber noch eine andere schwierigkeit ist aus dem wege zu räumen, welche der neuen auffassung des gedichtes, die wir schon genügend angedeutet haben, hinderlich zu sein scheint. dieselbe betrifft die

---

[5] die in betracht kommenden worte Bentleys sind folgende: 'non queritur Crassi milites captivos contra patriam tulisse arma; quod et falsum et inauditum: sed illud indignatur, quod verum erat, vivos captos in servitute apud Parthos consenuisse, quin et uxores ibi duxisse, Romani nominis oblitos.'   [6] abgesehen davon dasz durch die hss. die lesart *arvis* nicht bezeugt ist, verwirft Keller (epileg. zu Hor. I s. 208) dieselbe deswegen, weil *arva* in v. 23 wiederkehre. aber wird, frage ich, die parallele, welche zwischen den gefangenen soldaten des Crassus und den mit Regulus hinweggeführten von dem dichter gezogen wird, nicht gerade durch das doppelt gesetzte *arva* erst recht deutlich?

worte *hoc caverat mens provida Reguli,* mit welchen Hor. den zweiten
teil des gedichtes eröffnet und diesen zugleich mit dem ersten teile
verknüpft. gewöhnlich werden dieselben im sinne der über den eingang herschend gewordenen vorstellung übersetzt: 'diese schmach
hatte verhüten wollen des Regulus weitschauender geist.' musz
denn *cavere* geradezu mit 'verhüten' übersetzt werden? die grundbedeutung von *cavere* ist bekanntlich 'bedächtig umschau halten,
fürsorglich ins auge fassen'; häufig bedeutet es geradezu 'positive
anordnungen treffen' in dem sinne, dasz der entgegengesetzte fall
ein für alle mal als ausgeschlossen betrachtet werden soll. hält man
an dieser ganz allgemeinen bedeutung von *cavere* fest, für welche
beispiele beizubringen überflüssig ist, so läszt sich nunmehr die ganze
gedankenreihe, welche in dem gedichte enthalten ist, in folgender
weise zur darstellung bringen.

    Caelo tonantem credidimus Iovem regnare — so beginnt die ode:
'den glauben haben wir schon längst, dasz Juppiter im himmel könig
ist' dh. seiner macht und ehre kann nichts mehr hinzugefügt werden
(vgl. *ca.* I 12, 17 ff. *unde nil maius generatur ipso nec viget quicquam
simile aut secundum*). dem himmelskönig, welchem an vollkommenheit nichts gebricht, wird Augustus gegenübergestellt: *praesens
divus habebitur Augustus adiectis Britannis imperio gravibusque
Persis.* aus dem gegensatze ergibt sich dasz *habebitur* nicht einfaches futurum ist, sondern zugleich imperativische bedeutung enthält. 'auf erden soll Augustus nur dann als gott gelten (für uns der
irdische Juppiter sein, der hier dann ebenfalls die höchste stufe der
macht und ehre erreicht hat), wenn er die Britannier erst unterworfen
hat und die schlimmen Perser dh. Parther' (*adiectis = si adiecerit*).
statt dies durch ein causales verhältnis näher zu begründen, setzt sich
die rede mit beziehung auf den zuletzt ausgesprochenen gedanken in
der form einer unwilligen frage fort: *milesne Crassi coniuge barbara
turpis maritus vixit* usw.: 'haben wirklich die soldaten des Crassus
in schimpflicher ehe mit barbarenfrauen schon ihr leben hingebracht
(ein ganzes menschenalter gelebt)? sind sie wirklich schon ergraut
auf den hufen ihrer schwiegerväter, welche einst ihre feinde waren?
o schmach für die römische regierungsgewalt und ein zeichen verkehrter sinnesart ruhig es mitangesehen zu haben, dasz Marser und
Apulier, kernbevölkerung Italiens, unterthanen des Partherkönigs
geworden sind und noch sind, dasz sie ihre nationalität und alles
was ihnen sonst heilig war vergessen musten, *incolumi Iove et urbe
Roma!*' wenn ein solches verhältnis noch weiterhin bestehen bleibt
— so tönt es aus der ersten strophe herüber — wie könnte da für
uns Augustus ein gott auf erden sein? verlangt musz von ihm werden, dasz er durch die besiegung der Parther einem so schmachvollen
zustande ein ende mache und somit die soldaten des Crassus in den
römischen staat zurückführe, wie sichs gebührt. wenn auch die
unterwerfung Britanniens in derselben ersten strophe gefordert
wurde, so kommt diese für das folgende nicht weiter in betracht.

die erwähnung des fernsten westens dient nur zur ausmalung der
unbegrenzten römischen weltherschaft; die italische ehre ist dort
nicht verpfändet.

Auf dies verlangen, welches die ersten strophen aussprechen,
erfolgt nunmehr eine a n t w o r t. bis jetzt hat die tagesmeinung des
volkes sich geäuszert, daher die erste pluralperson in *credidimus*;
die kriegspartei so zu sagen hat ihre stimme erhoben; jetzt beginnt
die entgegnung des d i c h t e r s: *hoc caverat mens provida Reguli*
usw. ʻwas in einem solchen falle für eine maszregel zu treffen sei,
das hatte einst schon fürsorglich ins auge gefaszt der weitschauende
geist des Regulus.ʼ *hoc* nimt ganz allgemein die vorher geschilderte
lage der soldaten und das stillschweigend zugleich gestellte verlangen dieselben dem römischen staatsverbande wiederzugeben auf.
wir übersetzen ganz unbestimmt: ʻfür einen solchen fall hatte anordnungen einst getroffenʼ usw. was für eine norm des verhaltens
Regulus aufgestellt, gibt sodann, abgesehen von den worten, die
seinen widerspruch gefangenen soldaten gegenüber milde walten zu
lassen gleich von vorn herein charakterisieren (*dissentientis condicionibus* usw.), die rede desselben, die mit dramatischer lebendig-
keit einsetzt, deutlich genug an: römische bürger, die sich haben gefangen nehmen lassen, gehören nicht wieder in den staat; deshalb
hat auch Regulus selbst, fügt Hor. noch besonders hinzu, durch keine
bitten sich bewegen lassen in Rom zu bleiben. in die gefangenschaft
gieng er wieder zu den Karthagern, seinem eide getreu, wegen seines
hochherzigen rates zum nutzen des vaterlandes, für welchen ihm der
tod gewis war, *egregius exsul.* ganz von selbst springt jetzt der gedanke auf die soldaten des Crassus zurück, und die unbestimmten
worte *hoc caverat mens provida Reguli* erhalten ihre volle beziehung:
ʻmögen denn auch die soldaten des Crassus ruhig im feindeslande
verbleiben! in den römischen staatsverband gehören sie nicht mehr.
ihretwegen einen krieg zu unternehmen, um sie wieder in die heimat
zurückzuführen, wäre ein verstosz gegen das was uns Römern seit
alter zeit für die behandlung derjenigen bürger unseres eignen
volkes, die sich haben gefangen nehmen lassen, als heiliger grundsatz der väter überliefert worden ist. wer es dahin hat kommen
lassen, in gefangenschaft zu geraten, hat damit aufgehört für seine
mitbürger zu existieren.ʼ

Unwillkürlich musz mit diesem grundsatze des Regulus jedem
leser des gedichtes die erinnerung an die behandlung der nach der
schlacht bei Cannae in die hand des Hannibal gefallenen römischen
soldaten vor die seele treten. man vergleiche nur die debatten im
senat, wie sie Livius XXII 59 ff. darstellt. dort begegnet in der rede
des Manlius derselbe gedanke, nur wie natürlich bei dem prosaiker
juristisch schärfer gefaszt: *liberi atque incolumes desiderate patriam*
— heiszt es daselbst — *immo desiderate, dum patria est, dum
cives eius estis. sero nunc desideratis, deminuti capite, ab-
alienati iure civium, servi Carthaginiensium facti* (60, 15). und

trotzdem der wortführer der von den gefangenen abgeschickten gesandtschaft M. Junius verspricht: *utemini nobis etiam promptiori-*
bus pro patria (im vergleich mit den durch flucht entkommenen),
quod beneficio vestro redempti atque in patriam restituti fuerimus,
trotzdem das weinen und jammern der angehörigen vor der curie
erschallt, gibt das *exemplum civitatis minime in captivos iam inde*
antiquitus indulgentis den ausschlag. dasz Hor. diesen grundsatz
des römischen gemeinwesens an dem zeitlich noch vorausliegenden
und viel poetischere seiten darbietenden fall des Regulus, wo ein
gefangener s e l b s t dies verhalten den schwankenden vätern einschärft, auf die soldaten des C r a s s u s bezogen wissen wollte, war
seinen zeitgenossen aus den ganzen verhältnissen heraus, während
deren das gedicht verfaszt ist, jedenfalls viel verständlicher als uns.
einzelnes wissen wir ja nicht; aber das steht zur genüge fest, dasz
die tagesmeinung immer wieder auf den Partherkrieg zurückkam
und dasz man im stillen dem Augustus es zum vorwurf machte, dasz
er diesen makel, der an der römischen ehre hafte, noch immer nicht
getilgt habe. im sinne dieser tagesmeinung ruft Propertius in einem
gedichte (IV 3, 9 f.), das jedenfalls nach dem unsrigen von ihm an
Augustus gerichtet worden ist, als dieser im j. 22 ernstliche an-
stalten zum kriege gegen die Parther machte, den gegen den osten
mobilgemachten scharen zu: *Crassos clademque piate! ite et Romanae*
consulite historiae!
    Unsere untersuchung ist im grunde zu ende geführt. das haupt-
ergebnis derselben ist, dasz die beiden teile, in welche das gedicht
zerfällt, zu einander in entgegengesetztem verhältnisse stehen und
der zweite die forderung, welche der erste enthält, abschläglich beantwortet. die art der composition, dasz der dichter gewissermaszen
in der form des dialogs, in rede und gegenrede, seine ansicht vorträgt, hat weiter nichts, was zum widerspruch gegen die von uns
vorgetragene ansicht herausfordern könnte. es bleibt noch übrig
darauf hinzuweisen, wie passend unser gedicht durch den für dasselbe festgestellten gedanken sich an das vorhergehende anschlieszt.
als f r i e d e n s f ü r s t war Augustus in der vierten ode gefeiert worden, welchem zu dienen die M u s e n sich herablassen. von diesen
friedlichen bestrebungen des herschers heiszt es dort insbesondere
(v. 37 ff.): *vos Caesarem altum, militia simul fessas cohortes abdidit*
oppidis, finire quaerentem labores Pierio recreatis antro. keinen neuen
krieg weiter! ruft Hor. seinen landsleuten in unmittelbarem anschlusz an das vorhergehende gedicht zu. ruhe soll den kriegs-
müden legionen beschieden sein, wie Augustus dieselbe ihnen gönnt.
und wenn einige meinen, Augustus habe seine mission noch nicht
erfüllt, er könne den Römern noch nicht ein gott auf erden sein,
weil er die Parther noch nicht besiegt und die gefangenen soldaten
des Crassus noch nicht in die heimat zurückgeführt habe, so verleugnen diese den altrömischen standpunkt, der es verbietet für gefangene irgend welches interesse zu hegen. so unterstützt bei der

von uns gegebenen auffassung das gedicht einerseits die p o l i t i k
d e s A u g u s t u s, der bekanntlich wegen der unsicherheit des erfolgs zu einem zug gegen die Parther geringe neigung besasz und
überhaupt für seine auswärtige politik sich bald zu dem grundsatz
bekannte, dem er auch später in seinem testamente ausdruck verliehen hat (vgl. Tac. ann. I 11), dasz die grenzen des reichs nicht
erweitert werden sollten; anderseits bleibt dem gedichte der charakter bewahrt, der seine stellung in dieser ganzen gruppe rechtfertigt: seinen zeitgenossen schärft Hor. die z u c h t d e r. a l t v ä t e r
ein, welche kein erbarmen mit dem gefangenen kannte. in letzter
reihe endlich kommt das gedicht für die r ö m i s c h e j u g e n d in betracht, für welche es in diesem geiste altrömischer zucht keine weitere
alternative geben soll, wie es Cicero (*de off.* III 32) schön ausdrückt,
als *aut vincere aut emori.* wenn schlieszlich der dichter durch die
ganze art der composition s e i n e m e i n u n g über den Partherkrieg
mehr angedeutet als geradezu ausgesprochen hat, so können wir uns
darüber gar nicht wundern. Hor. hat selbst früher der tagesmeinung
gehuldigt und derselben in seinen vorher entstandenen gedichten
oft genug ausdruck verliehen, ja geradezu den Augustus aufgefordert
die niederlage des Crassus an den Parthern zu rächen und im geiste
ihn schon als triumphator gefeiert (vgl. bes. *ca.* I 2, 51 und ebd.
12, 53 ff.). unser gedicht enthält sein gereifteres abschlieszendes
urteil, dasz der Partherkrieg unzweckmäszig und unnötig sei. bezeichnend ist es auch, dasz in den weiter folgenden gedichten des
dritten buches, dem 8n und dem 29n, welche beide an Maecenas gerichtet sind und in denen noch der Parther gedacht wird, Hor. seinen
freund ermahnt sich die sorgen um diese aus dem sinne zu schlagen.
in dem später herausgegebenen vierten buche der oden und in der
ersten epistel des zweiten buches findet sich gleichfalls keine aufforderung an Augustus mehr die Parther zu unterwerfen. Hor. begnügt sich damit (*ca.* IV 5, 25. 14, 42. 15, 6 ff. *epist.* II 1 256)
den respect zu verherlichen, welchen die herschaft des Augustus den
Parthern einflöszt, und die zurückgabe der erbeuteten römischen
feldzeichen an denselben zu feiern. als begründet musz daher die
annahme erscheinen, dasz es f e i n e b e r e c h n u n g gewesen ist,
wenn Hor. in der Regulusode eine form gewählt hat seinen veränderten standpunkt zum ausdruck zu bringen, welche den widerspruch, in den er mit sich selbst geraten war, nicht zu deutlich hervortreten läszt.

EBERSWALDE.   AUGUST TEUBER.

55.

DE PHAEDRI SENARIO.

Phaedrus hac lege versum composuit, ne syllaba paenultima vocis plus duarum syllabarum, quae accentum haberet, in alteram quartam sextam thesin admitteretur: quam legem olim de Terentii iambis disputantes demonstravimus (Hermae tomo XV p. 238). unum certe versum inseruit abhorrentem (III epil. 34)

palám muttire plébeio piáculum est

sed eum Ennianum. legem vero illam adeo non violavit, ut brevem syllabam paenultimam, quae accentum non haberet, ne in alteris quidem sedibus collocaret, qualia viri docti excogitaverunt (I 16, 2 et app. 9, 2)

non rem éxpedire séd mala indere éxpetit
iucúnditatis caúsam repperít Venus.

sed haec simplicia sunt, subtiliora enim habent Phaedri carmina: quae ut cognoscantur, etiam de bisyllabis et de iis vocabulis, quae in antepaenultima accentum habent, accuratius exponendum est. illa sunt iambica et spondiaca, haec anapaestica: nam ea, quae in brevem exeunt, quoniam trochaei instar exitum habent, ad iambos nostros non pertinent, dactylum vero, si pro iambo ponatur, uno vocabulo constare nefas.

Atque iambicis quidem passim utitur Phaedrus in prima quarta sexta sedibus, spondiacis anapaesticisque in prima et quinta. hoc perspexit Langenus (mus. Rhen. vol. XIII p. 198), comprobavit Lucianus Muellerus, nisi quod perplexius rem describit, quam ut rei causa appareat. in quintum enim pedem admitti iambum ait (praef. p. X), si terminetur versus vocabulo plus quam trisyllabo: quasi illo syllabarum numero iambus muniatur. ceterum choriambica vocabula eodem quo trisyllaba anapaestica iure adhibuit: quae in quinto pede haud raro occurrunt. aliena igitur non solum a sexto pede, sed etiam ab altero tertio quarto sunt anapaestica, nec licebat Phaedro talia attribuere (I 2, 23 et 26, 6)

inútilis quoniam ésset qui fuerát datus
gustáre posset ésuriens ciccónia,

ut taceam de Neveleti versu (I 13, 13)

hac ré probatur ingenium quantúm valet.

contra ipsi anapaesti in mediis scilicet vocibus passim inveniuntur: in altero pede II 4, 9. 5, 1. 8, 1; IV 2, 7. 5, 8; app. 8, 4. 27, 4; in tertio I 10, 10. 15, 8. 25, 4. 26, 5. 27, 4; IV 9, 9. 24, 16 si verum est Muelleri illud *ideoque*; V 4, 9. 7, 17; in quarto I 14, 6 et 15. 26, 7. 27, 5; II 6, 2; III 3, 10. 10, 39. 17, 7; IV 5, 32. 22, 11 et 18; app. 2, 3. huius rei quae esset causa — nimirum quod anapaestica excluderentur, non excluderentur anapaesti — ante non explicabatur: est autem posita in accentu, quo uno anapaestica ut *esuriens* differunt ab iis quae anapaestum medium habent ut *insidiosum*.

das auch thatsächlle war und auf gleichzeitigen documenten so genannt wird (s. Mommsen RStR. II³ 794 mit anm. 2). immerhin wäre dieser fehler ein gängerer als den Augustus *dictator perpetuus* zu nennen; doch dürft wir den text des Florus von diesem gröbern versehen nicht reinsen, sondern müssen es (wie EEgger examen critique des histories d'Auguste, Paris 1844, s. 240 und Mommsen selbst zum mon. As. so.) dem Florus selbst oder vielmehr dessen quelle zur last legt. denn dieser irrtum begegnet auch in andern berichten, wo er auf dieselbe quelle wie bei Florus zurückgeht (vgl. OWagener im Phil. XLV s. 519) und von denen sich mit Florus am engsten berührt der in der schrift *de viris ill.* 79, 7 *dictator in perpetuum factus a senatu ob res gestas.* es ist also jedenfalls ein fehler nicht der überlieferung, sondern des schriftstellers als vorliegend anzunehmen, ungeachtet wir in einer an Florus § 66 anklingenden stelle as epitomators des Aurelius Victor (I 1) lesen: *.. mos Romae repetus uni prorsus parendi pro rege imperatori vel sanctiori nomine Aresto appellato.*

Wenn aber auch der gedanke des historikers durch die abschreiber nicht verdacht worden ist, so bezweifle ich doch dasz sie den ausdruck dessen genau wiedergegeben haben: man vermiszt ein verbum finituwoder ein participium. bei dem anonymus *de viris ill.* heiszt es: *dictus in perpetuum factus a senatu* (ganz ebenso von Caesar dem vater 3, 10); dieses particip verbietet sich an unserer stelle wegen des *ob hae tot facta ingentia*; ich glaube dasz *dictus*, was, wie es schein, in einigen geringern hss. hinter *pater patriae* steht und nach Mommsens conjectur in dem ersten teil von *dictator* stecken sollte, ... mehr vor diesem wort ausgefallen ist, so dasz zu lesen wäre: ... *ob hae tot facta ingentia* ... *perpetuus et* ... mangent dann *dictus* ent... rip oder auch

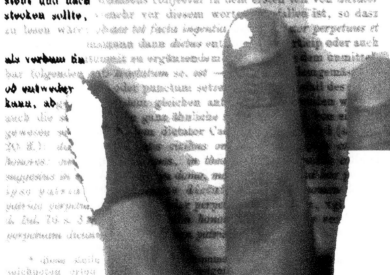

als verbum finitum ... ob ... kann, ab ...

ERSTE ABTEILUNG
FÜR CLASSISCHE PHLOLOGIE
HERAUSGEGEBEN VON ALFRED FECKEISEN.

57.
DAS CHARAKTERBILD DER ELEKTR. BEI AISCHYLOS.

Die königstochter Elektra duldet in dem ֊use der Klytaimestra das unglücklichste loos; dem chore gegenüber rklärt sie: κἀγὼ μὲν ἀντίδουλος (v. 132 Ddf.-Weil), und diese alἐmeine zeichnung erfährt später in dem wechselgesang eine bestimtere, das mitgefühl energischer herausfordernde färbung: ἐγὼ ἐ ἀπεστάτουν ἄτιμος, οὐδὲν ἀξία. μυχοῦ δ' ἄφερκτος πολυϲινοῦ κυνὸς δίκαν ἑτοιμότερα γέλωτος ἀνέφερον λίβη (v. 445—44? diese mishandlung steigert die empfindungen des abscheus und es hasses gegen Klytaimestra, von welchen ihre seele erfüllt ist: ἐῃ γε μήτηρ, οὐδαμῶς δ' ἐπώνυμον φρόνημα παιϲὶ δύϲθεον πεπαμ֊η (v. 190). seit dem tode Agamemnons ist sie für Klytaimestra eἰ֊ lebendige mahnung an ihre schuld; die erniedrigung aber, mit elcher die rachsucht der mutter sie dafür bestraft, erscheint in deɪ zweiten teile des trilogischen aufbaus der handlung als ein weiᴛer zuwachs der verschuldung: das unglück der schwester wird ɪr Orestes ein neuer ֊trieb auf dem beschrittenen wege der gottgwollten sühne zu be- ֊ᴛen (v. 17 ff. 252 ff.). so erweist sich di einführung der rolle ֊ᴛektra, von deren teilnahme am racheacdas Homerische epos ֊eisz, als im interesse der dramatische wirkung gelegen, in· ᴛgangene schuld in einer noch geᴤnwärtigen fortwirkt, ֊enschaftliche erregung des trägᴛs der handlung stei- ֊ᴛon einer andern seite springdie bedeutung dieser ֊indem der dichter Elektralem Orestes zur seite ֊ᴛer entwicklung dieses ᴛarakters gelegenheit ֊ᴛzusetzen, welche dierevelthaten der Kly- ֊ᴛweibliches gemüt auᴛben. aus der folgen- ֊ᴛgeben, in wie weiᴛer dichter diese wir- ֊ᴛieden wissen willwelche auf die männ- ֊ᴛgeübt wird. eᴅlich ermöglichte die

29

von uns gegebenen auffassung das gedicht einerseits die politik
des Augustus, der bekanntlich wegen der unsicherheit des erfolgs zu einem zug gegen die Parther geringe neigung besasz und
überhaupt für seine auswärtige politik sich bald zu dem grundsatz
bekannte, dem er auch später in seinem testamente ausdruck verliehen hat (vgl. Tac. an. I 11), dasz die grenzen des reichs nicht
erweitert werden sollen; anderseits bleibt dem gedichte der charakter bewahrt, der eine stellung in dieser ganzen gruppe rechtfertigt: seinen zeitgenossen schärft Hor. die zucht der altväter
ein, welche kein erbarmen mit dem gefangenen kannte. in letzter
reihe endlich kommt ds gedicht für die römische jugend in betracht, für welche es in diesem geiste altrömischer zucht keine weitere
alternative geben soll, vie es Cicero (de off. III 32) schön ausdrückt,
als aut vincere aut cmri. wenn schliesslich der dichter durch die
ganze art der composion seine meinung über den Partherkrieg
mehr angedeutet als gradezu ausgesprochen hat, so können wir uns
darüber gar nicht wundern. Hor. hat selbst früher der tagesmeinung
gehuldigt und derselln in seinen vorher entstandenen gedichten
oft genug ausdruck verehen, ja geradezu den Augustus aufgefordert
die niederlage des Crasus an den Parthern zu rächen und im geiste
ihn schon als triumphtor gefeiert (vgl. bes. ca. I 2, 51 und ebd.
12, 53 ff.). unser gedcht enthält sein gereifteres abschlieszendes
urteil, dasz der Partherkrieg unzweckmäszig und unnötig sei. bezeichnend ist es auch dasz in den weiter folgenden gedichten des
dritten buches, dem 8 und dem 29n, welche beide an Maecenas gerichtet sind und in denn noch der Parther gedacht wird, Hor. seinen
freund ermahnt sich d sorgen um diese aus dem sinne zu schlagen.
in dem später herausgegebenen vierten buche der oden und in der
ersten epistel des zwen buches findet sich gleichfalls ke
forderung an Augustus mehr die Parther zu unterwerfen
gnügt sich damit (ca. IV 5, 25. 14, 42. 15, 6 ff. epist
den respect zu verberlihen, welchen die herschaft des A
Parthern einflöszt, und die zurückgabe der erbeutet
feldzeichen an denselbn zu feiern. als begründet m
annahme erscheinen, asz es feine berechnung
wenn Hor. in der Regulusode ein
änderten standpunkt in au
spruch, in den er mit
vortreten l

55.

DE PHAEDRI SENAR).

Phaedrus hac lege versum composuit, e syllaba paenultima
vocis plus duarum syllabarum, quae accenta haberet, in alteram
quartam sextam thesin admitteretur: quam gem olim de Terentii
iambis disputantes demonstravimus (Hermae tno XV p. 238). unum
certe versum inseruit abhorrentem (III epil. 4)

    palám muttire plébeio piáculum es

sed eum Ennianum. legem vero illam adeo in violavit, ut brevem
syllabam paenultimam, quae accentum non aberet, ne in altera
quidem sedibus collocaret, qualia viri docti cogitaverunt (I 16, 2
et app. 9, 2)

    non rem éxpedire séd mala inderéxpetit
    iucúnditatis caúsam repperit Venu

sed haec simplicia sunt, subtiliora enim habnt Phaedri cara m
quae ut cognoscantur, etiam de bisyllabis etle iis vocabuks. que
in antepaenultima accentum habent, accuratiexponendam et le
sunt iambica et spondiaca, haec anapaestica: jm ea, quae in brem
exeunt, quoniam trochaei instar exitum habt, ad iambes s
non pertinent, dactylum vero, si pro iambo natur, que vocabar
constare nefas.

    Atque iambicis quidem passim utitur Plidrus in prm quarta
sexta sedibus, spondiacis anapaesticisque in rima et
perspexit Langenus (mus. Rhen. vol. XIII 19), c
Lucianus Muellerus, nisi quod perplexius redescribit,
causa appareat. in quintum enim pedem adsti iambum a
p. X), si terminetur versus vocabulo plus quatrisyllabo q
syllabarum numero iambus muniatur. ceter ber e
eodem quo trisyllaba anapaestica iure adhib que m
haud raro occurrunt. aliena igitur non solum te pe
ab altero tertio quarto sunt anapaestica,
attribuere (I 2, 23 et 26, 6)

    inútilis quoniam éssel qui fuel
    posset ésuri

ut facea i v

con
in

von uns gegebenen auffassung das gedicht einerseits die politik des Augustus, der bekanntlich wegen der unsicherheit des erfolgs zu einem zug gegen die Parther geringe neigung besasz und überhaupt für seine auswärtige politik sich bald zu dem grundsatz bekannte, dem er auch später in seinem testamente ausdruck verliehen hat (vgl. Tac. an. I 11), dasz die grenzen des reichs nicht erweitert werden sollte; anderseits bleibt dem gedichte der charakter bewahrt, der sıne stellung in dieser ganzen gruppe rechtfertigt: seinen zeitgenossen schärft Hor. die zucht der altväter ein, welche kein erbarmen mit dem gefangenen kannte. in letzter reihe endlich kommt das gedicht für die römische jugend in betracht, für welche es in einem geiste altrömischer zucht keine weitere alternative geben soll, ie es Cicero (*de off.* III 32) schön ausdrückt, als *aut vincere aut emori.* wenn schlieszlich der dichter durch die ganze art der composition seine meinung über den Partherkrieg mehr angedeutet als geradezu ausgesprochen hat, so können wir uns darüber gar nicht wundern. Hor. hat selbst früher der tagesmeinung gehuldigt und derselbe in seinen vorher entstandenen gedichten oft genug ausdruck verliehen, ja geradezu den Augustus aufgefordert die niederlage des Crassus an den Parthern zu rächen und im geiste ihn schon als triumphator gefeiert (vgl. bes. ca. I 2, 51 und ebd. 12, 53 ff.). unser gedicht enthält sein gereifteres abschlieszendes urteil, dasz der Partherkrieg unzweckmäszig und unnötig sei. bezeichnend ist es auch, dasz in den weiter folgenden gedichten des dritten buches, dem 8n nd dem 29n, welche beide an Maecenas gerichtet sind und in denen noch der Parther gedacht wird, Hor. seinen freund ermahnt sich diesorgen um diese aus dem sinne zu schlagen. in dem später herausgegebenen vierten buche der oden und in der ersten epistel des zweiten buches findet sich gleichfalls keine aufforderung an Augustus mehr die Parther zu unterwerfen. Hor. begnügt sich damit (ca. I 5, 25. 14, 42. 15, 6 ff. *epist.* II 1 256) den respect zu verherlichn, welchen die herschaft des Augustus den Parthern einflöszt, und die zurückgabe der erbeuteten römischen feldzeichen an denselben zu feiern. als begründet musz daher die annahme erscheinen, dasz es feine berechnung gewesen ist, wenn Hor. in der Regulusode eine form gewählt hat seinen veränderten standpunkt zu ausdruck zu bringen, welche den widerspruch, in den er mit sic selbst geraten war, nicht zu deutlich hervortreten läszt.

EBERSWALDE.   AUGUST T

DE PHAEDRI SENARO.

Phaedrus hac lege versum composuit,ne syllaba paenultima vocis plus duarum syllabarum, quae accentum haberet, in alteram quartam sextam thesin admitteretur: quamegem olim de Terentii iambis disputantes demonstravimus (Hermaeomo XV p. 238). unum certe versum inseruit abhorrentem (III epil34)

palám muttire plébeio piáculum t

sed eum Ennianum. legem vero illam adeo on violavit, ut brevem syllabam paenultimam, quae accentum nothaberet, ne in alteris quidem sedibus collocaret, qualia viri doctixcogitaverunt (I 16, 2 et app. 9, 2)

non rem éxpedire séd mala inderéxpedit
iucúnditatis caúsam repperít Vets.

sed haec simplicia sunt, subtiliora enim haent Phaedri carmina: quae ut cognoscantur, etiam de bisyllabis tde iis vocabulis, quae in antepaenultima accentum habent, accurate exponendum est. illa sunt iambica et spondiaca, haec anapaestica nam ea, quae in brevem exeunt, quoniam trochaei instar exitum habent, ad iambos nostros non pertinent, dactylum vero, si pro iamboponatur, uno vocabulo constare nefas.

Atque iambicis quidem passim utitur Phaedrus in prima quarta sexta sedibus, spondiacis anapaesticisque in prima et quinta. hoc perspexit Langenus (mus. Rhen. vol. XIII p. 198), comprobavit Lucianus Muellerus, nisi quod perplexius rei describit, quam ut rei causa appareat. in quintum enim pedem aditti iambum ait (praef. p. X), si terminetur versus vocabulo plus qun trisyllabo: quasi illo syllabarum numero iambus muniatur. ceteru choriambica vocabula eodem quo trisyllaba anapaestica iure adhibt: quae in quinto pede haud raro occurrunt. aliena igitur non solum sexto pede, sed etiam ab altero tertio quarto sunt anapaestica, n licebat Phaedro talia attribuere (I 2, 23 et 26, 6)

inútilis quoniam ésset qui fuerát ilus
gustáre posset ésuriens cicónia,

ut taceam de Neveleti ·· ˙˙13, 13)

... hac ré prǽ ... quantis valet.
contr˙ anapaesti i. † vocils passim inveniuntur:
in/ ˙ II 4; 9. 5, 7. 5ȝ; app. 8, 4. 27, 4; in
te˙ 15, 8. 25, '; I 9, 9. 24, 16 si verum
es˙ d ideoque, i quarto I 14, 6 et 15.
26 2; III 3, ˙ V 5. 32. 22, 11 et 18;
app i quae e d anapaestica
exc cluder xplicabatur:
est accen suriens dif-
feru pa˙ rum.

Apparet ex illa dipodiae iambicae natura, cur in quarto et sexto
pede iambicae potius voces collocentur, spondiacae et anapaesticae
in primo et quinto: non apparet, cur in altero pede non inveniantur
iambicae aut cur nec iambicae nec spondiacae aut anapaesticae in
tertio. eae vero leges, quas plurimas viri doctissimi perscripserunt,
gravem mihi dubitationem movent: qui enim fieri potest, ut duodecim vel plura praecepta unus homo atque is poeta sibi ipse pro-
ponat servanda? unam esse rhythmi naturam eamque sentiri sen-
sumque arte ac diligentia excoli dico: quamobrem si possit una res
reperiri, unde illae leges deriventur, eam pro vera harum rerum
natura habere non dubitem.

Vidimus ad Phaedri leges rhythmicas non tam omnium ac ne
finalium quidem syllabarum quantitatem quam paenultimae et ante-
paenultimae naturam pertinere: quare quid obstat quin, qua ratione
Vergilii artem perquisivimus (in his annalibus 1884 p. 70), eadem
Phaedri quoque investigemus? est sane aliqua versus pars, in qua
cum verborum accentu pedum ictus congruat, quae pro unius cuiusque poetae indole et doctrina aut longior aut brevior est. eam in
Phaedri fabellis contineri pedibus altero et tertio cognosco.

Non congruere in ceteris pedibus accentus ubique apparet ut
I 2, 13
   patér deorum rísit atque illís dedit.
congruere non ita raro omnium pedum ictus cum verborum pro-
nuntiatione primi omnium versus doceant
   Aesópus auctor quám materiam répperit
   hanc égo polivi vérsibus senáriis.
alterum vero et tertium pedem illa discrepantia prorsus vacare mihi
quidem perlegenti Muellerianae editionis exemplar tam perspicuum
fuit, ut, ubicumque offenderem, oculos in adnotationes demitterem
quaerens scilicet, cuiusnam in coniecturam incidissem: invitum autem
me adscribere illorum inventorum nomina non est cur pluribus ad-
firmem. legimus I 1, 12
   pater hércle tuus ibi ínquit maledixít mihi:
versus est Langeni, quem ita correxit Riesius:
   pater hércle tuus tunc ínquit maledixít mihi.
in quarto libro hoc extat (13, 1):
   utílius nihil esse hómini quam recté loqui,
quem Bentlei versum male Muellerus excusavit (praef. p. XII). in
appendice plura eiusmodi leguntur, ut 5, 6
   osténdit hominum esse ínfinitas míserias —
versus Muelleri est, cui ipsi displicuit — et 7, 4
   numquíd tibi inquit vísus sum supérbior:
item Muelleri versus. ibd. 21, 11
   at mále tibi sit ínquit ales péssime
Iannellius scripsit. fabulae novae, quas ipse Muellerus composuit,
hunc versum exhibent (2, 19)
   nova ín domo se mórti credens próximum.

similiter errat Hartelius, cum scribit (III praef. 22 et 13, 13)

> *et laúde invitante hánc in vitam incúbuerim*
> *tunc îlla talem istís tulit senténtiam.*

in hoc autem versu (IV 24, 9)

> *labóro nihil atque óptimis rebús fruor,*

quem non satis excusat Muellerus (praef. p. XII), propter ipsum metrum offendit Nauckius, qui etiam illum versum, quem supra notavimus, in hunc modum restituit

> *osténdit infinitas hominum miserias.*

vellem denique, tutatus ne esset (praef. p. XII) Muellerus IV 25, 4 et app. 4, 20

> *Simónides idem îlle de quo réttuli*
> *tunc fálsa imago atque óperis furtiví labor.*

Restant tres versus haud amplius (IV 4, 2; app. 10, 12. 25, 4)

> *dum sése aper volútat turbavít vadum*
> *et tú nisi istum técum assidue détines*
> *placés tibi inquit quía cui non debés places,*

quos item sanandos propono criticis: neque enim corrupta probabilibus mutare, dum vera inveniantur, meum est. navare operam satis habui Phaedrianae arti explicandae poetaeque ab hominum doctorum conatis defendendo, quem et dipodiae iambicae et verborum accentus quodammodo rationem habuisse docui.

BEROLINI.   IOANNES DRAHEIM.

56.

ZU FLORUS.

II 34 § 65 s. 123, 20 ff. (Jahn) *hinc conversus ad pacem (Caesar Augustus) pronum in omnia mala et in luxuriam fluens saeculum gravibus severisque legibus multis coercuit, ob haec tot facta ingentia dictator perpetuus et pater patriae.* bekanntlich hat Augustus die ihm angetragene dictatur abgelehnt: s. die von Mommsen zum mon. Anc. I 31 f. und RStR. II³ s. 705 anm. 2 gesammelten zeugnisse und vgl. auszerdem Tac. ann. I 9 *non regno tamen neque dictatura sed principis nomine constitutam rem publicam* und III 56 *id summi fastigii vocabulum (potestatem tribuniciam) Augustus repperit, ne regis aut dictatoris nomen adsumeret ac tamen appellatione aliqua cetera imperia praemineret.* daher schlug Mommsen (in Halms praef. zu Florus s. XIX) einst vor an unserer stelle statt *dictator perpetuus* zu lesen *dictus imperator perpetuus,* und Halm nahm diese vermutung in den text auf (s. 105, 14), indem er annahm dasz die überlieferten worte aus einer frühern, auf Caesar den vater bezüglichen Florusstelle (II 13, 91 s. 104, 23 *ad hoc pater ipse patriae perpetuusque dictator*) hier eingedrungen seien. auch mit dieser änderung stünde der schriftsteller nicht fehlerlos da, da Augustus wohl den titel *imperator* geführt, *imperator perpetuus* aber officiell nicht geheiszen hat, wenn er das auch thatsächlich war und auf gleichzeitigen documenten so genannt wird (s. Mommsen RStR. II³ 794 mit anm. 2). immerhin wäre dieser fehler ein geringerer als den Augustus *dictator perpetuus* zu nennen; doch dürfen wir den text des Florus von diesem gröbern versehen nicht reinigen, sondern müssen es (wie EEgger examen critique des historiens d'Auguste, Paris 1844, s. 240 und Mommsen selbst zum mon. Anc. ao.) dem Florus selbst oder vielmehr dessen quelle zur last legen. denn dieser irrtum begegnet auch in andern berichten, wo er auf dieselbe quelle wie bei Florus zurückgeht (vgl. CWagener im Philol. XLV s. 519) und von denen sich mit Florus am engsten berührt der in der schrift *de viris ill.* 79, 7 *dictator in perpetuum factus a senatu ob res gestas.** es ist also jedenfalls ein fehler nicht der überlieferung, sondern des schriftstellers als vorliegend anzunehmen, ungeachtet wir in einer an Florus § 66 anklingenden stelle des epitomators des Aurelius Victor (I 1) lesen: .. *mos Romae repetitus uni prorsus parendi pro rege imperatori vel sanctiori nomine Augusto appellato.*

Wenn aber auch der gedanke des historikers durch die abschreiber nicht verfälscht worden ist, so bezweifle ich doch dasz sie den ausdruck desselben genau wiedergegeben haben: man vermiszt ein verbum finitum oder ein participium. bei dem anonymus *de viris ill.* heiszt es: *dictator in perpetuum factus a senatu* (ganz ebenso von Caesar dem vater 78, 10); dieses particip verbietet sich an unserer stelle wegen des *ob haec tot facta ingentia*; ich glaube dasz *dictus*, was, wie es scheint, in einigen geringern hss. hinter *pater patriae* steht und nach Mommsens conjectur in dem ersten teil von *dictator* stecken sollte, vielmehr vor diesem worte ausgefallen ist, so dasz zu lesen wäre: *ob haec tot facta ingentia dictus dictator perpetuus et pater patriae.* man kann dann *dictus* entweder als particip oder auch als verbum finitum mit zu ergänzendem *est* — wie in dem unmittelbar folgenden satze *tractatum* sc. *est* — fassen und demgemäsz vor *ob* entweder komma oder punctum setzen. auf den ausfall des *dictus* kann, abgesehen von dem gleichen anfange des folgenden wortes, auch die schon berührte ganz ähnliche stelle II 13, 91 von einflusz gewesen sein, ·wo von dem dictator Caesar berichtet wird (s. 104, 20 ff.): *itaque non ingratis civibus omnes in principem congesti honores: circa templa imagines, in theatro distincta radiis corona, suggestus in curia, fastigium in domo, mensis in caelo, ad hoc p a t e r i p s e p a t r i a e p e r p e t u u s q u e d i c t a t o r* (statt *cognomen patris patriae perpetuique dictatoris* oder *perpetuaque dictatura*, vgl. Suet. d. Iul. 76 s. 31, 1 ff. R. *non enim honores modo nimios recepit:* .. *perpetuam dictaturam* .. *cognomen patris patriae* usw.).

---

* diese stelle durfte also von Mommsen an den beiden zuerst bezeichneten orten nicht unter den zeugnissen für die ablehnung der dictatur durch Augustus mit aufgeführt werden.

DÜREN.   KARL SCHRADER.

ERSTE ABTEILUNG
FÜR CLASSISCHE PHILOLOGIE

HERAUSGEGEBEN VON ALFRED FLECKEISEN.

57.

DAS CHARAKTERBILD DER ELEKTRA BEI AISCHYLOS.

Die königstochter Elektra duldet in dem hause der Klytaimestra das unglücklichste loos; dem chore gegenüber erklärt sie: κἀγὼ μὲν ἀντίδουλος (v. 132 Ddf.-Weil), und diese allgemeine zeichnung erfährt später in dem wechselgesang eine bestimmtere, das mitgefühl energischer herausfordernde färbung: ἐγὼ δ' ἀπεστάτουν ἄτιμος, οὐδὲν ἀξία. μυχοῦ δ' ἄφερκτος πολυcινοῦc κυνὸc δίκαν ἑτοιμότερα γέλωτοc ἀνέφερον λίβη (v. 445—448). diese mishandlung steigert die empfindungen des abscheus und des hasses gegen Klytaimestra, von welchen ihre seele erfüllt ist: ἐμή γε μήτηρ, οὐδαμῶc δ' ἐπώνυμον φρόνημα παιcὶ δύcθεον πεπαμένη (v. 190). seit dem tode Agamemnons ist sie für Klytaimestra eine lebendige mahnung an ihre schuld; die erniedrigung aber, mit welcher die rachsucht der mutter sie dafür bestraft, erscheint in dem zweiten teile des trilogischen aufbaus der handlung als ein weiterer zuwachs der verschuldung: das unglück der schwester wird für Orestes ein neuer antrieb auf dem beschrittenen wege der gottgewollten sühne zu beharren (v. 17 ff. 252 ff.). so erweist sich die einführung der rolle der Elektra, von deren teilnahme am racheact das Homerische epos nichts weiss, als im interesse der dramatischen wirkung gelegen, indem die vergangene schuld in einer noch gegenwärtigen fortwirkt, welche die leidenschaftliche erregung des trägers der handlung steigert. und noch von einer andern seite springt die bedeutung dieser rolle in die augen: indem der dichter Elektra dem Orestes zur seite stellt, gewinnt er in der entwicklung dieses charakters gelegenheit die wirkung auseinanderzusetzen, welche die freveltaten der Klytaimestra auf ein weiches weibliches gemüt ausüben. aus der folgenden erörterung wird sich ergeben, in wie weit der dichter diese wirkung von derjenigen unterschieden wissen will, welche auf die männliche sinnesart des Orestes ausgeübt wird. endlich ermöglichte die rolle der Elektra dem dichter, der zeichnung eines dämonischen, den finstern mächten verfallenen weibes, der Klytaimestra im Agamemnon, das bild einer weiblichen seele entgegenzustellen, deren leidenschaft vollberechtigt ist und welche dennoch sich bestrebt das übermasz derselben zu meiden. indem wir so in mehrfacher richtung, in bezug sowohl auf den gang der handlung als auch auf die kunst der charakterzeichnung, eine hinreichende motivierung der rolle der Elektra erkennen, glauben wir damit die bedenken erledigt zu haben, welche noch in der neusten ausgabe der Elektra des Sophokles von Schneidewin-Nauck in dieser beziehung geltend gemacht werden: 'noch bei Aischylos, in dessen Agamemnon sich keine spur vom dasein der tochter findet, begreift man die rolle durch innere gründe gar nicht: sie hat weder den bruder gerettet noch zur that getrieben, noch denkt sie an ihn, bevor der chor an ihn erinnert' (s. 30).

Wenn bei dieser motivierung der rolle der Elektra hervorgehoben werden muste, dasz ihr hasz gegen Klytaimestra durch die erniedrigung, welche sie fortdauernd duldet, gesteigert wird, so ist damit zugleich gesagt, dasz eignes leid nicht die erste und entscheidende ursache desselben ist. dieser hasz, die grundstimmung ihrer seele, erscheint zunächst wie der des Orestes als unausweichliche folge der an Agamemnon verübten frevelthat (v. 367 ff. 429 ff.). das schwere verhängnis des Pelopidenhauses, welches im ersten drama der trilogie sich vollzogen hat, lastet mit einer das wesen des charakters bestimmenden wucht auch auf Elektra; wer in solche lage versetzt ist, den beherscht das gefühl der abhängigkeit des menschen von einer unentrinnbaren schicksalsmacht: τὸ μόρσιμον γὰρ τόν τ' ἐλεύθερον μένει καὶ τὸν πρὸς ἄλλης δεσποτούμενον χερός (v. 103). das grab des vaters, an welchem der dichter die handlung der Choёphoren beginnen läszt, bedeutet für die kinder die strenge gebundenheit ihres seins und wollens an grausige ereignisse, an eine schicksalsfügung, deren übermächtiger wirkung das menschliche gemüt sich um so weniger entziehen kann, je tiefer es selbst von der heiligkeit göttlicher ordnungen und von der sie schützenden göttlichen gerechtigkeit durchdrungen ist. es ist unleugbar, dasz Aischylos durch den im ersten teile der handlung mit durchgreifender kunst entwickelten hinweis auf das unerbittliche fortwirken vorausgegangener schuld in dieser tragödie wie nirgends mehr die freiheit der handelnden personen eingeschränkt hat. dieser erkenntnis hat bereits JVWestrick 'de Aeschyli Choephoris deque Electra cum Sophoclis tum Euripidis' (Leiden 1826) s. 151 sehr entschiedenen ausdruck gegeben: 'primas partes in Choephoris agit iustitia illa divina . . primas partes agit necessitas illa atque aeterna lex, quae par pari refert . . primas partes agit Agamemnonis umbra'; ebenso Patin 'études sur les tragiques Grecs' I s. 340: 'Agamemnon, tout mort qu'il est, et le Destin invisible, voilà les véritables personnages de ce drame singulier: ceux qui paraissent sur la scène n'en sont, pour ainsi dire, que les représentants'; s. auch Paul de Saint-Victor 'les deux masques' I s. 467. dem gegenüber ist doch hinwiederum auch das masz selbständiger willensentscheidung nicht auszer acht zu lassen, welches trotzdem den handelnden personen verblieben ist; in bezug auf Elektra ergibt sich dabei ein besonders interessantes resultat.

Die betrachtung des charakterbildes des Orestes bei Aischylos zeigt, dasz zwar der entschlusz desselben bereits im beginn der handlung feststeht, dasz aber durch die im verlauf des dramas entwickelten motive ein rückschlusz ermöglicht ist, wie sich der dichter das allmähliche reifen des entschlusses oder das werden des charakters gedacht hat (s. meine kritischen studien über die kunst der charakteristik bei Aisch. und Soph. [Nürnberg 1875] s. 18). das beispiel der Elektra ist ein zeugnis dafür, dasz Aischylos entgegen dem von GFreytag (tecknik des dramas s. 137) für Sophokles behaupteten gesetz auch beobachten läszt, wie ein charakter um den entschlusz kämpft, wie er sich gegenüber dem, was geschehen soll, eine sichere und feste haltung zu erringen sucht. in der ansprache an die dienerinnen v. 84—105 enthüllt Elektra das bangen ihrer seele, als sie sich gezwungen sieht gegenüber dem ihr von Klytaimestra erteilten auftrag stellung zu nehmen. Klytaimestra, durch den unheilkündenden traum aus ihrer sichern ruhe aufgeschreckt, hat die tochter mit den dienerinnen ausgesandt, um auf dem grabe Agamemnons eine sühnende spende darzubringen; in abhängiger lage kann dieselbe dem gebote den gehorsam nicht verweigern, aber am grabe des vaters, gewissermaszen in seinem schutze macht sich ihre seele von dem unnatürlichen zwange los und gewinnt die freiheit nach innerster überzeugung zu handeln. indem sie nach den worten sucht, mit welchen die spende begleitet werden soll, hat sie das gefühl vor eine notwendige entscheidung gestellt zu sein: die worte der heuchelei im sinne der Klytaimestra πότερα λέγουσα παρὰ φίλης φίλῳ φέρειν γυναικὸς ἀνδρί, τῆς ἐμῆς μητρὸς πάρα; (v. 89 f.) widerstreiten ihrem eigensten wesen und können für sie nur die bedeutung bitterster ironie haben[1]; dagegen hebt sich scharf ab der gedanke, dem sie in wahrheit mit all ihrem sinnen und streben zugewandt ist: ἢ τοῦτο φάσκω τοὔπος, ὡς νόμος βροτοῖς, ἴς' ἀντιδοῦναι τοῖσι πέμπουσιν τάδε στέφη, δόσιν γε τῶν κακῶν ἐπαξίαν; (v. 93—95); doch der entschlusz wird ihr schwer; daher zieht sie noch eine dritte möglichkeit in erwägung, ob sie nicht schweigend die spende darbringen könne, das eigne gewissen dadurch wahrend, dasz sie mit abgewandtem blick das gefäsz danach wegwerfe, um sich von sündhafter befleckung zu reinigen: ἢ σῖγ' ἀτίμως, ὥσπερ οὖν ἀπώλετο

---

[1] ironisch verhält sich Elektra nur der ersten möglichkeit gegenüber; daher ist es ungenau, wenn P. de Saint Victor ao. s. 472 die ansprache der Elektra überhaupt mit den worten einleitet: 'le cortège s'est rangé autour du tombeau; Électre s'en détache et interroge ses compagnes avec une sombre ironie.'

πατήρ, τάδ' ἐκχέαϲα, γάποτον χύϲιν, ϲτείχω, καθάρμαθ' ὥϲ τιϲ
ἐκπέμψαϲ πάλιν δικοῦϲα τεῦχοϲ ἀϲτρόφοιϲιν ὄμμαϲιν; v. 96—99).
aber der ausdruck dieses gedankens enthält schon in sich das ge-
ständnis, dasz es der tochter unmöglich ist ihn zu verfolgen und damit zu thun, was dem vater zur unehre gereicht.[2] Elektra fühlt
sich aber nicht stark genug selbständig den notwendigen entschlusz
zu fassen; daher verlangt sie nach dem beirat der dienerinnen; wohin aber ihr eigner wille neigt, läszt sie noch daraus erkennen, dasz
sie den chor ermutigt und mahnt nicht aus furcht die wahre gesinnung zu verleugnen (v. 100—105). in dem folgenden dialoge mit
dem chor v. 106—123 reifen die gedanken, welche ihre seele bewegen, zu festem wollen heran; aber auch hier noch erscheint sie
zweifelnd, fragend, zurückhaltend; der chor, nicht sie selbst, behauptet das was geschehen soll, und zuletzt faszt sie das wieder auf-
tauchende bedenken gegenüber der aufforderung den rächer herbei-
zuflehen in die worte zusammen: καὶ ταῦτά μοὐϲτὶν εὐϲεβῆ θεῶν
πάρα; in dieser zögernden, erst unter dem beirat anderer zum entschlusz kommenden haltung, in dieser frommen scheu hat der dichter
die empfindung eines zarten weiblichen gemütes gezeichnet, welches
inmitten eines grausigen verhängnisses zur teilnahme an furchtbarem thun fortgerissen wird; ihre edle weiblichkeit steht in den
Choëphoren im contrast zu der mit festem schritt zur that schreiten-
den mannheit des Orestes; zugleich aber hebt sich das bild einer
nach mut und kraft ringenden, auch im tiefsten unglück edel und
rein bewahrten mädchenseele wirksam ab von der in frevelhaftem

---

[2] die darstellung im texte geht von der annahme aus, dasz v. 91 f.
τῶνδ' οὐ πάρεϲτι θάρϲοϲ, οὐδ' ἔχω τί φῶ, χέουϲα τόνδε πέλανον ἐν
τύμβῳ πατρόϲ entweder von Weil nach v. 95 an stellen oder nach dem
vorschlage von Sievers in den Actα societ. philol. Lips. I s. 392 überhaupt zu tilgen seien. nach dem aussprechen der ersten möglichkeit
scheinen diese worte deshalb am wenigsten am platze, weil doch Elektra
des mutes bedarf zu dem entschlusse selbständig aufzutreten und um
rache zu fleben, und all ihr erwägen darauf abzielt diesen mut zu gewinnen; der ´gehorsam und anschlusz an die heuchelei der mutter
erfordert nicht mut; θάρϲοϲ könnte hier nur in dem sinne von dreistigkeit
oder rücksichtslosigkeit gebraucht sein, soweit durch den gehorsam
gegen die mutter die pietät gegen den vater verletzt würde; daher ist
auch die beziehung der worte τῶνδ' οὐ πάρεϲτι θάρϲοϲ auf die erste
und zweite möglichkeit zugleich nicht wahrscheinlich; als abschlusz
der zweiten möglichkeit könnte man v. 91 f. eher gutheiszen, indem
Elektra damit dem chor ausdrücklich bedeuten würde, wohin ihr herz
neigt und woran es ihr gebricht, aber die wiederaufnahme des inhalts
von v. 87 f. in v. 91 f. läszt die echtheit der letztern überhaupt zweifelhaft erscheinen. man kann hinzufügen, dasz durch dieselben der in
dreimal gesetzter frageform fortschreitende flusz der rede unnötigerweise unterbrochen wird, da sich aus den fragen selbst hinreichend
ergibt, in welcher richtung der beistand des chors erstrebt wird. die
interpolation würde sich daraus erklären, dasz der urheber derselben
richtig erkannte, wie die ganze erwägung der Elektra darauf abzielt
zu einem mutigen entschlusz (θάρϲοϲ) zu gelangen, der ihr während der
erwägung noch abgeht (οὐ πάρεϲτιν).

wollen sichern entschlossenheit und thatkraft der Klytaimestra im
Agamemnon.

Man hat die unentschlossenheit der Elektra auch in anderer
weise zu erklären gesucht. Patin ao. I s. 345 rühmt als völlig zutreffend die auffassung des kritikers La Harpe, welcher sagt: 'si
Électre balance à implorer l'ombre d'Agamemnon et à maudire ses
assassins, c'est qu'elle est bien sûre que sa prière ne sera point vaine,
qu'elle sera entendue des dieux infernaux, et qu'ils se chargeront de
l'exaucer . . parmi nous elle balancerait moins à prononcer des malé-
dictions, dont l'effet ne nous paraîtrait pas devoir être si prompt et
si infaillible, et qui d'ailleurs semblent être le cri naturel des op-
primés et la consolation de l'impuissance.' aber Elektra hat doch
v. 122 in der frage, ob das rachegebet auch gottgefällig sei, den
grund ihres zauderns deutlich ausgesprochen; ihr steht nicht wie
dem Orestes der befehl des gottes zur seite; um so gerechtfertigter
erscheint die weibliche scheu auszusprechen, wozu das herz sie drängt,
und ohne die entgegenstehenden bedenken überwunden zu haben,
mit dem fluchwort gewissermaszen den racheact einzuleiten. erst
nachdem sie die überzeugung gewonnen hat, dasz der wille der gottheit dem rachegebet nicht entgegenstehe, kann sie den glauben an
die wirkung desselben gewinnen. dieser glaube ist aber auch, nachdem sie um rache gefleht hat, noch keine feste, des erfolges in jedem
falle sichere zuversicht, als ob der fluch, einmal ausgesprochen, un-
fehlbar die wirkung nach sich ziehe. mit welch bangem gefühle betrachtet sie die locke v. 195 f. εἴθ' εἶχε φωνὴν ἔμφρον' ἀγγέλου
δίκην, ὅπως δίφροντις οὖσα μὴ 'κινυσσόμην! wie schwankt sie
noch zwischen hoffnung und furcht, als sich Orestes ihr zu erkennen
gibt, v. 220 ἀλλ' ἢ δόλον τιν', ὦ ξέν', ἀμφί μοι πλέκεις; und v. 222
ἀλλ' ἐν κακοῖσι τοῖς ἐμοῖς γελᾶν θέλεις. wenn die bedenken wegen
der erfüllung des rachegebetes auch nach demselben nicht geschwunden sind, wie kann man behaupten, dasz sie vor demselben nicht
vorhanden waren, als Elektra selbst ihre unsicherheit über den beifall der gottheit bekannte? es ist vielmehr die gemeinsamkeit
menschlichen und in diesem falle weiblichen empfindens, welche aus
der zeichnung der Elektra bei Aischylos erhellt, als dasz hier ein
unterschied des antiken und des modernen glaubens an die kraft des
gebetes auffiele. das schüchterne, mädchenhafte wesen der Elektra
in der ersten scene hat dagegen ganz richtig erkannt JLKlein gesch.
des dramas I s. 279 ff.; derselbe bemerkt zu v. 122: 'bewunderns-
würdig! diese mädchenfrage, in einer solchen situation, von Agamemnons tochter — die christliche tragik, die hochromantische mit
einbegriffen, hat keine schönere, mädchenhaftere, schamselig süszere
schmerzensfrage aufzuweisen.'

Dem unter dem beirat des chors gereiften entschlusse der Elektra
folgt unmittelbar das ergebnis desselben, das gebet um hilfe zum
vollzug der rache (v. 123—151). nicht mehr zweifelhaft, dasz die
sache des vaters auch die der kinder ist, beschwört sie durch ver-

mittlung der unterirdischen gewalten den geist des vaters herauf zu
vereintem wirken; sein beistand bedeutet die befreiung der kinder
aus ihrer unwürdigen lage, zugleich aber die vernichtung der feinde
als die unausweichliche sühne der vom vater erlittenen schmach.
in dem bevorstehenden kampfe sieht Elektra die götter und das
recht auf ihrer seite, aber in diesem glauben ist für sie auch eine
warnung vor übermut, eine mahnung an die dem weibe angewiesenen
schranken enthalten: αὐτῇ τέ μοι δὸς cωφρονεcτέρᾳ πολὺ μητρὸc
γενέcθαι χεῖρά τ᾽ εὐcεβεcτέρᾳ (140 f.). hierin offenbart Elektra
trotz der nunmehr gewonnenen entschlossenheit eine mäszigung er-
strebende sinnesart, welche auch sonst aus der fassung des rache-
gebets ersichtlich ist: die hilfe erheischende notlage der kinder ist
in den vordergrund gerückt, und in dem fluchwort gegen die feinde
v. 142—146 ist es vermieden die mutter zu nennen; die absicht des
dichters in solchen zügen edler weiblicher empfindung ein gegenbild
der Klytaimestra zu zeichnen ist auch hier unverkennbar.

Diesem gebete, welches Elektra mit zuversichtlicher hoffnung
erfüllt, ist in der handlung des dramas die erhörung insofern vorausgegangen, als der rächer Orestes bereits erschienen und damit die
schicksalswendung, ohne dasz Elektra noch darum weisz, nahe gerückt ist. erst in der folgenden erkennungsscene v. 164—245 tritt
diese thatsache in ihr bewustsein.   Aristoteles bezeichnet in der
poetik c. 11 diejenige art der erkennung als die wirksamste, welche
mit schicksalswendung verbunden ist. im vorliegenden falle ist zwar
die erkennung und die den umschwung entscheidende that zeitlich
getrennt und entspricht insofern nicht dem von Aristoteles aufgestellten und durch die erkennung im 'Oidipus' beleuchteten ideale;
doch ist Aischylos der jener vollkommensten art der erkennung
eigentümlichen wirkung nahegekommen: für Elektra liegt in dem
erscheinen des Orestes die bestätigung ihrer hoffnung auf den untergang der feinde; in ihrem geiste knüpft die schicksalswendung unmittelbar an die erkennung an, was sie in den die erkennungsscene
abschlieszenden worten v. 235—245 bekundet.[3]   dem dichter er-
wuchs hier eine doppelte aufgabe: einmal den seelenzustand der
Elektra zu zeichnen, als ihr herz infolge der unsicherheit der er-

[3] Patin ao. s. 346 bekämpft die verurteilung dieser erkennung,
welche Dacier auf grund der regeln des Aristoteles ausgesprochen hat,
'parce qu'elle est trop éloignée de la péripétie'; Patin meint, dieser
tadel hätte nur sinn, 'si c'était par cette reconnaissance, que s'opérât
le dénoûment'. ich sehe nicht, ob Dacier so weit gegangen ist, aus
dem angeführten grunde der vorliegenden scene die rechte poetische
wirkung überhaupt abzusprechen; die kritik ist aber insoweit berechtigt, als eben Aristoteles gerade darin die vollkommenste art der erkennung erblickt, dasz sich der umschwung in und mit der erkennung
vollzieht und dies hier nicht zutrifft, es müste denn sein dasz Patin
grund hätte diese lehrmeinung des Aristoteles überhaupt zu verwerfen.
in dem oben gegebenen nachweis, wie weit doch hier die kunst des
Aischylos jener vollkommensten art der erkennung sich genähert hat,
liegt die notwendige ergänzung der kritik Daciers.

kennungszeichen zwischen hoffnung und furcht zerrissen ist, dann ihre empfindung, als aller zweifel an dem erscheinen des rächers geschwunden und damit der glaube an die schicksalswendung gefestigt ist. in v. 164—224 ist der seelenzustand desjenigen geschildert, der sich den anzeichen der verwirklichung einer sein ganzes sein erfüllenden hoffnung gegenübergestellt sieht. Elektra ist durch all das, was in der entwicklung des dramas vorausgegangen ist, in solche seelenstimmung versetzt, dasz der anblick der locke auf dem grabe des vaters keinen andern gedanken hervorrufen kann als den an Orestes; aber der in peinlicher lage hoffende gerät sofort in furcht, dasz er sich dennoch teuschen könne; er mistraut den eignen sinnen, den eignen gedanken; daher wagt es Elektra nicht dem chor gegenüber den namen des Orestes auszusprechen; ihre fragen zielen vielmehr dahin ab aus dem munde des chors die bestätigung des gedankens zu vernehmen, der ihre seele in dem momente durchzuckte, als sie die locke erblickte. und als der chor ihre hoffnung nährt, da erhebt sich erst recht in ihrem innern der sturm zwiespältiger empfindung, der zunehmenden hoffnung auf Orestes und des immer wiederkehrenden bangen zweifels; gerade in jener angst des zweifels offenbart sich das bewustsein von der ohnmacht des weibes und seiner abhängigkeit von der rettenden that des mannes, anderseits gestaltet die gesteigerte hoffnung zugleich den ausdruck des abscheus vor den feinden leidenschaftlicher: ἀλλ' εὖ cάφ' ἦν ἢ τόνδ' ἀποπτύcαι πλόκον, εἴπερ γ' ἀπ' ἐχθροῦ κρατὸς ἦν τετμημένοc (v. 197 f.). mitten in diesem aufruhr der empfindung fällt ihr blick auf fuszspuren am grabe; sie sind verschiedener art und rühren offenbar von denjenigen her, welche zum grabe geschritten sind, um die locke niederzulegen. wenn nun die locke vom bruder kommt, so mag er sie immerhin gesandt haben; das war auch ihre nächste vermutung: ἔπεμψε χαίτην κουρίμην χάριν πατρόc· ein zweites zeichen aber legt die vermutung nahe, dasz Orestes selbst gekommen sei; die hoffende liebe, durch die locke angeregt, glaubt jetzt auch in den umrissen der fuszspuren des einen der männer, welche am grabe waren, ähnlichkeit mit denen des eignen fuszes zu erkennen, ja sie findet bei näherem zusehen völlige übereinstimmung (ἐc ταὐτὸ cυμβαίνουcι). so trefflich der dichter bis dahin alles motiviert hat, so dasz wir ihm ohne bedenken auch noch folgen, wenn Elektra in der heftigsten erregung, in einer peinlichen lage, in welcher sich der mensch an alles klammert, was irgendwie die hoffnung bestärken könnte, eine ähnlichkeit der umrisse in den fuszspuren zu entdecken glaubt, so auffallend ist es, dasz er mit der folgenden betonung des völligen zusammentreffens der fuszspuren über die natürliche bedingung des unterschiedes des weiblichen und männlichen fuszes ganz hinweggesehen hat.[4] abgesehen davon ist die psycho-

---

[4] die kritik der erkennungszeichen bei Euripides El. 508 ff. ist im allgemeinen nicht beweiskräftig, weil dabei auf das kunstvolle dramatische gefüge und die darstellung des seelenzustandes der Elektra bei

logische entwicklung meisterhaft. die nächste wirkung auch des
zweiten auf die anwesenheit des Orestes hindeutenden erkennungszeichens ist eine steigerung des bangens der seele, welche durch das
bewustsein der trotz alledem vorhandenen möglichkeit einer teu-

---

Aischylos keine rücksicht genommen ist. insbesondere hat man die
locke als erkennungszeichen nicht mit der naivetät der Aischylischen
poesie zu entschuldigen, wie Wecklein will in seiner ausgabe der Orestie
(1888) zu Choëph. 175; der dichter hat vielmehr, wie wir oben nachgewiesen haben, alles so vorbereitet, dasz Elektra beim anblick der
locke an Orestes denken musz; und dieser gedanke wäre ganz natürlich, selbst wenn die ähnlichkeit wegfiele, wie ja auch Elektra dem
chore gegenüber zuerst v. 170 der ähnlichkeit nicht erwähnung thut
und doch zugleich erklärt, dasz die richtige deutung naheliege: εὐξύμ-
βολον τόδ' ἐcτὶ παντὶ δοξάcαι· indem die ähnlichkeit der farbe hinzukommt, gewinnt die vermutung an wahrscheinlichkeit; diese auffassung
teilt auch Patin ao. I s. 345: 'et la ressemblance qu'elle remarque
entre ces cheveux et les siens la confirme encore dans cette pensée
toute naturelle.' auch die hinzunahme eines zweiten erkennungszeichens
ist, wie wir oben gesehen haben, schon dadurch wohl begründet, dasz
die locke noch keineswegs die persönliche anwesenheit des Orestes bedeutet, und es ist daher unrichtig, wenn Patin ao. s. 345 dieses zweite
erkennungszeichen überhaupt 'assez inutile' nennt. dagegen ist einzuräumen, dasz es 'malheureusement inventé' ist, weil hier die phantasie des dichters in der poetischen nachahmung der handlung mit
einem gesetze der wirklichkeit in widerspruch gerät. es reicht nicht
aus auf die von dem dichter allerdings so energisch gezeichnete erregung der Elektra als grund einer selbsttäuschung hinzuweisen, wie
dies geschieht von Klein ao. I s. 282, von FHüttemann 'die poesie der
Orestessage' I s. 21 und von MMagne 'anthol. dramat. du théâtre grec'
s. 90, welcher meint, Aisch. sei der kritik selbst zuvorgekommen in
den von Orestes an Elektra gerichteten worten v. 227 ἀνεπτερώθης
κἀδόκεις ὁρᾶν ἐμέ, s. Patin ao. s. 352; dagegen spricht die bestimmtheit
des ausdrucks bei Aischylos πτέρναι τενόντων θ' ὑπογραφαὶ μετρού-
μεναι ἐc ταὐτὸ cυμβαίνουcι τοῖc ἐμοῖc cτίβοιc (v. 209 f.). hätte der dichter
eine momentane sinnestäuschung der Elektra zulassen wollen, so durfte
sie nicht messend die völlige übereinstimmung der füsze behaupten, und
diese bestimmtheit des ausdrucks gestattet auch nicht etwa nur an eine
ähnlichkeit der umrisse zu denken trotz der verschiedenheit der grösze
des männlichen und weiblichen fuszes, wie Al. Dumas in seiner Orestie
die verteidigung des alten dichters in poesievollen versen geführt hat
(s. Patin ao. s. 350). bei der aufführung im antiken theater kam dem
dichter wohl der umstand zugute, und vielleicht hat er damit auch gerechnet, dasz infolge der besetzung der frauenrollen mit männern der
verstosz gegen die natürliche wirklichkeit weniger schroff hervortrat.
wenn ferner mit Hermann und Weil nach v. 208 αὐτοῦ τ' ἐκείνου καὶ
cυνεμπόρου τινός eine lücke anzunehmen ist, welche mit einer schärfern
betonung der verschiedenheit der am grabe sichtbaren fuszspuren auszufüllen wäre, so hat der dichter eben mit solcher darlegung dieser
verschiedenheit den gedanken einer anderweitigen vergleichung nahe
gerückt. 'nam cum duorum vestigia cerni dicat Electra, altera Orestis,
altera comitis cuiuspiam, quis dubitabit, praesertim cum etiam ad
orationis integritatem aliquid desideretur, quin alterius istorum vestigia
suis dissimilia alterius similia esse dixerit?' bemerkenswert ist noch
dasz Aristoteles in der poetik c. 16 als beispiel der erkennung mittels
eines schlusses gerade die vorliegende erkennungsscene ohne weitern
anstand anführt.

schung hervorgerufen ist v. 211 πάρεcτι δ' ὠδὶc καὶ φρενῶν κατα-
φθορά. in diesem stürmischen wechsel zwischen beglückender hoffnung und verzweifelnder furcht, dem die kraft des weiblichen gemütes
kaum mehr gewachsen ist, wirft dasselbe den rettenden anker auf
den festen boden des glaubens an die hilfe der gottheit v. 201—204;
dieser glaube an die rettung durch die götter scheucht das bangen
und richtet die seele wieder auf: εἰ δὲ χρὴ τυχεῖν cωτηρίαc, cμικροῦ
γένοιτ' ἂν cπέρματοc μέγαc πυθμήν.[5]

In diesem momente erscheint Orestes und gibt sich zu erkennen
v. 212—219: die hoffnung ist zur wirklichkeit geworden. aber
wiederum gerade angesichts der erfüllung all ihrer sehnsucht er-
greift die seele der Elektra jener bange zweifel, welcher tiefer
empfindenden naturen in kritischer lage so eigentümlich ist: man
könne sie mit hinterlist umgarnen, man könne ihrer spotten wollen
(v. 220—223). und erst als der fremde nach wiederholter versicbe-
rung, dasz er Orestes sei, auf die frühern erkennungszeichen hin-
weisend ein neues hinzufügt, ein gewand mit bunter stickerei, welches Elektra selbst gefertigt hat, da ist sie überzeugt und mit ganzer
zuversicht erfüllt. ihr erster gedanke ist aber auch jetzt der nemliche, der sie vom beginn der handlung an beherscht, dem sie auch
im rachebete vor allem ausdruck gegeben hat, dasz Orestes das
haus des vaters wieder aufrichte (v. 235—237). in diesem gedanken
trifft gegenwärtig alles empfinden und wollen des bruders und der
schwester wie in einem brennpunkt zusammen. in rücksicht darauf,
dasz die handlung des dramas allein auf die durchführung dieses gedankens abzielt, hat der dichter auch in dieser erkennungsscene
strenge zurückhaltung geübt und sie dem letzten dramatischen
zwecke entsprechend gestaltet. daher drängt er auch die tiefe der
empfindung, mit welcher das liebende herz der schwester dem bruder entgegenschlägt, der ihr alles ist, in wenige worte zusammen
v. 238—243. in ihrer ergreifenden wahrheit zeugen diese worte
von der kraft der liebe, deren das nemliche herz fähig ist, das sich
in glühendem hasz verzehrt, und sie werfen einen lichtschimmer auf
das düstere gemälde einer unter der schwere des unentrinnbaren
verhängnisses leidenden seele. und wie wenn es ein frevel wäre
jetzt vor der entscheidung einem andern gefühle raum zu geben als
dem der rache, kehren ihre gedanken alsbald wieder zurück zu der
that welche bevorsteht, deren notwendigkeit ihr ebenso unzweifelhaft ist wie dem Orestes; in dem glauben an die hilfe der gottheit
hat ihr frommes gemüt wieder ruhe gefunden, als die sinne sich zu

---

[5] der oben entwickelte gedankengang der rede der Elektra ergibt
sich durch die umstellung von v. 201—204, welche von Butler angeregt
wurde und welche Weil und jetzt auch Wecklein durchgeführt haben;
für die richtigkeit dieser änderung verweist Wecklein im anhang s. 237
treffend auf v. 212 εὔχου τὰ λοιπά usw. an der überlieferten gedankenfolge nahm auch Hermann anstosz und wies jene verse dem
chore zu.

verwirren drohten; in diesem neu gefestigten glauben schlieszt sie
auch jetzt ihre rede ab mit dem heiszen wunsche, dasz die gottheit
durch Orestes starken arm dem rechte zum siege verhelfen möge:
μόνον Κράτος τε καὶ Δίκη ϲὺν τῷ τρίτῳ πάντων μεγίϲτῳ Ζηνὶ
ϲυγγένοιτό ϲοι (v. 244 f.).[6]

In dem folgenden wechselgesang zwischen dem chor, Orestes
und Elektra v. 306—478 wird die schuld der feinde mit flammen-
den zügen dargestellt und dadurch die kommende that gerechtfertigt; zugleich aber wird dieses rachewerk dadurch gefördert,
dasz sich die kinder der hilfe des vaters versichern, dasz er in der
stunde der gefahr bei denen sei, welche für ihn und in seinem geiste
handeln; endlich wird die sich vollziehende sühne aufs neue in den
schutz der götter gestellt, als der schirmer des rechts. alle diese gedanken erhöhen den kampfesmut, steigern die thatkraft: so erweist
sich dieser wechselgesang als lebendiges glied im fortschritte der
handlung. so entschieden und glaubensstark jetzt Elektra, durch
die vereinigung mit dem bruder gestärkt, für die notwendigkeit der
rache eintritt, so beobachten wir doch auch hier in dem ausdruck
ihrer empfindung gegenüber dem des Orestes gewisse schranken
weiblicher sinnesart, in welchen der dichter ihr charakterbild festhalten wollte. in ihrem gesange findet die klage ob der schmach
des vaters, welcher durch Klytaimestra auch des ehrenvollen be-
gräbnisses verlustig gieng, energischen ausdruck v. 429—433; und
als Orestes, einen moment des dranges der furchtbaren wirklichkeit
sich entschlagend, dem wunsche raum gibt, dasz doch der vater vor
Troja gefallen und ehrenvoll bestattet sein möchte, stellt Elektra
diesem wunsche einen andern dem gerechtigkeitsgefühl entsprechendern entgegen: nicht der vater hätte vor Troja fallen, sondern vor
ihm hätten die feinde den untergang finden sollen; diese empörung
der seele und dieser hasz wird genährt durch die tiefste empfindung
des unerträglichen looses, welches dadurch den kindern des königs-
hauses geworden ist: τί τῶνδ᾽ εὖ, τί δ᾽ ἄτερ κακῶν; οὐκ ἀτρίακτος
ἄτα; (332—339) und ebenso v. 405—409 mit dem abschlusz: πᾶ
τίς τράποιτ᾽ ἄν, ὦ Ζεῦ; und sie entrollt dem bruder, um sein herz
zugleich zu rühren und zu entflammen, das traurige bild der persönlichen mishandlung, welcher sie ausgesetzt war, v. 445—450; die
sühne erhofft sie von dem beistand des Zeus und der aus der unterwelt wirkenden rachegewalten, v. 380—384 und 405—408. auch
Elektra drängt zur that, auch sie kennt keinen andern ausweg; den-

---

[6] in der erklärung von v. 235—245 habe ich mit Hermann und
Kirchhoff an der überlieferten gedankenfolge festgehalten und gefunden,
dasz dieselbe mit der sonstigen strengen führung der handlung in diesem drama in einklang steht. von diesem gesichtspunkt aus hat auch
Klein ao. I s. 281—287 die verteidigung dieser erkennungsscene überhaupt gegenüber der des Sophokles sehr entschieden zu gunsten des
Aischylos geführt; er kommt zu dem resultat 'dasz Aischylos charaktere
durchhin, ähnlich wie bei Shakespeare, von der grundstimmung ihrer
tragischen missionsidee erfüllt sind'.

noch hat sie in der bekundung ihres willens nicht vergessen, was
sie von der gottheit erfleht hat: αὐτῇ τέ μοι δὸc cωφρονεcτέρᾳ
πολὺ μητρὸc γενέcθαι χεῖρά τ᾽ εὐcεβεcτέρᾳ. ein wort so wilder,
dämonischer leidenschaft, wie es Orestes ausspricht: λύκοc γὰρ
ὥcτ᾽ ὠμόφρων ἄcαντοc ἐκ ματρόc ἐcτι θυμόc (v. 421 f.), kommt
nicht über ihre lippen, und ebensowenig hat sie ihre gedanken der
ausführung der that selbst zugewandt, während Orestes mehrmals
davon spricht: κάρανα δαΐξαc v. 396 und ἔκατι δ᾽ ἀμᾶν χερῶν·
ἔπειτ᾽ ἐγὼ νοcφίcαc ὀλοίμαν (437 f.).[7]
   In dem auf diesen wechselgesang folgenden dialog zwischen
Orestes und Elektra v. 479—509 werden diejenigen gesichtspunkte
noch einmal herausgehoben und zusammengefaszt, durch welche die
gemeinsamkeit des interesses des vaters und der kinder begründet
ist; dadurch wird die zuversicht auf den beistand des vaters in dem
bevorstehenden kampfe erhöht; je enger und fester das geistige band

---

[7] in diesem wechselgesange fehlen im Med. durchaus die bezeichnungen der personen; doch stimmen unter den neuern hgg. Hermann
(abgesehen von v. 439—450), Dindorf, Weil und Kirchhoff in derjenigen
zuteilung der einzelnen strophen überein, welcher ich gefolgt bin und
aus welcher sich die oben gegebene zeichnung der Elektra ergibt.
Wecklein hat sowohl in seiner textausgabe (1885) als auch in der ausgabe der Orestie (1888) im anschlusz an Portus und Schütz für die
strophen v. 380—384, 394—399, 405—409 und v. 418—422 eine andere
zuteilung durchgeführt, indem die sonst mit dem namen der Elektra
bezeichneten strophen dem Orestes zugewiesen werden und umgekehrt.
danach würde die grausige vorstellung der that selbst in v. 396 φεῦ
φεῦ, κάρανα δαΐξαc und gerade der leidenschaftlichste ausdruck des
hasses v. 421 f. λύκοc γὰρ ὥcτ᾽ ὠμόφρων usw. der Elektra zufallen,
und Wecklein gelangt daher in der einleitung zur Orestie s. 25 zu folgender kurzer zeichnung ihres charakters: ʻElektra hat zwar nicht die
heroische thatkraft wie bei Sophokles, aber bei aller milde, wie sie
ihrer weiblichen natur und ihrem mädchenhaften wesen zukommt, zeigt
sie doch eine gewisse heftigkeit, durch welche die charakteristik des
Sophokles vorgezeichnet ist.ʼ ein ausreichender beweis für eine an
die Elektra des Sophokles erinnernde heftigkeit ergibt sich aber nur,
wenn wir der von Wecklein durchgeführten verteilung der strophen zustimmen. dagegen kommt in betracht, dasz in diesem falle eine abweichung des dichters von dem bisher festgehaltenen grundzug vorhanden wäre, welche in das bild des charakters einen schroffen widerspruch bringen würde. eingehende betrachtung zeigt, dasz Elektra erst
nach überlegung schwerer bedenken um rache und hilfe fleht und
dasz sie auch dann noch entschlossen ist sich in bestimmten schranken
zu halten, und die nemliche Elektra, welche zuvor gesprochen hat:
αὐτῇ τέ μοι δὸc cωφρονεcτέρᾳ πολὺ usw., sollte plötzlich dem ausdruck
wildester leidenschaft raum geben, um sprechen zu können λύκοc γὰρ
ὥcτ᾽ ὠμόφρων —? wenn wir diese letzten worte der Elektra zuteilen,
so ist Aischylos einem grundsetz der charakterzeichnung untreu geworden, welches Aristoteles in der poetik c. 15 also festgestellt hat:
τέταρτον δὲ τὸ ὁμαλόν· κἂν γὰρ ἀνώμαλόc τιc ᾖ ὁ τὴν μίμηcιν παρέχων
καὶ τοιοῦτον ἦθοc ὑποτιθείc, ὅμωc ὁμαλῶc ἀνώμαλον δεῖ εἶναι. Sophokles geht bei seiner zeichnung der Elektra von andern voraussetzungen
aus und hat ein neues, in sich wiederum einheitliches charakterbild
geschaffen.

geschlungen ist, welches vater und kinder umschlieszt, desto stärker treten sie den gemeinsamen feinden entgegen. damit sind wir bei der vorbereitung der that angelangt; die weitere teilnahme der schwester beschränkt sich nach dem willen des bruders darauf an ihrem teile sorge zu tragen, dasz der listige anschlag verborgen bleibe und dasz die ausführung durch nichts gestört werde (v. 554 ff. und 579 ff.); die that selbst kommt allein dem manne zu, der auch allein die verantwortung zu tragen hat.

Überblicken wir das von Aischylos entrollte seelengemälde. die grundstimmung der seele der Elektra, hasz und abscheu vor Klytaimestra und ihrem buhlen, ist durch thatsachen hervorgerufen, welche der handlung der Choëphoren vorausgehen; dadurch ist ihr wille mit notwendigkeit in die richtung des strebens nach gerechter sühne gelenkt, und die mishandlung von seiten der Klytaimestra steigert diesen hasz und bewirkt, dasz die tochter ein fortwirkendes zeugnis der schuld der mutter darstellt. aber erst die sendung an das grab des vaters bietet ihr gelegenheit in den lauf der dinge einzugreifen und feste stellung zu dem bevorstehenden kampfe zu nehmen. die dabei erfolgende entfaltung ihres unter dem druck einer unabänderlichen notwendigkeit stehenden charakters hat der dichter in strenge beziehung gesetzt zu der grundidee des dramas; die wesentlichen züge desselben sind nicht breit, aber hinreichend wirksam entwickelt, sie offenbaren eine wunderbare kraft des dichters in die tiefe der seele einzudringen und die im widerstreit sie erregenden motive in ergreifender weise darzustellen: der entschlusz die rächende that zu unterstützen erfolgt nicht ohne schweren seelenkampf; den erkennungszeichen gegenüber ist die hoffnung gemischt mit dem schmerzlichsten bangen, welches nahe hinführt an den rand der verzweiflung; erst die anwesenheit des bruders erfüllt die bis dahin zagende und bangende mädchenseele mit zuversicht und festigt den glauben an die göttliche hilfe; die innige liebe zu dem bruder hebt Elektra auch einen moment hinaus über den jammer der gegenwart, aber sie vergiszt darüber nicht ihre aufgabe die thatkraft des Orestes zu steigern und so an ihrem teile den sieg der guten sache zu fördern. und bei aller tiefe und stärke der empfindung wahrt sie im gegensatz zu Klytaimestra den charakter edler weiblicher sinnesart, sie ringt nach kraft um die heftigkeit der leidenschaft zu hemmen; dieser weibliche sinn heiszt sie auch die ausführung der that dem mut und der kraft des mannes anheimgeben, so sehr sie von der notwendigkeit derselben überzeugt ist. so wirkt ihr gesamtbild mit der macht innerer wahrheit gleich einer auf grund fester gesetze sich entwickelnden naturerscheinung.

Hof.   Johann Karl Fleischmann.

58.

DIE VORSTELLUNGEN VON GOTTHEIT UND SCHICKSAL
BEI DEN ATTISCHEN REDNERN.

EIN BEITRAG ZUR GESCHICHTE DER GRIECHISCHEN VOLKSRELIGION.

Die attischen redner zum gegenstand einer religionsgeschichtlichen sonderuntersuchung zu machen ist ein unternehmen,
das seine berechtigung hat in der ganz besondern, bisher nicht genügend hervorgehobenen bedeutung, die gerade sie als quellen
für die geschichte der griechischen volksreligion zu beanspruchen haben. nicht durch ihren reichtum an religionsgeschicht-
lichem stoff: in dieser beziehung stehen sie hinter vielen andern schriftstellern, besonders hinter den tragikern, weit zurück. der eigentümliche wert ihrer äuszerungen beruht darauf, dasz dieselben ohne
weiteres als allgemein gültige volksanschauungen ihrer zeit angesehen
werden dürfen.[1] jeden andern schriftsteller sind wir zunächst nur
berechtigt als individuum zu betrachten; erst die vergleichung mit andern kann die bei ihm auftretenden religiösen anschauungen als allgemein gültig erweisen, was zb. bei vielen äuszerungen eines Aischylos
mindestens für die zeit ihres ursprungs nicht möglich ist. anders bei
den rednern. der rein praktische zweck ihrer worte vor gericht und
in der volksversamlung, die absicht eine abstimmung in ihrem sinne
zu bewirken zwingt sie nur solche anschauungen auszusprechen, die
dem religiösen denken des athenischen durchschnittsmenschen, bei
dem die entscheidung lag, entsprechen. ein widerspruch gegen diese
ist so gut wie ausgeschlossen (Isokr. XV 273), ein darüberhinaus-
gehen gefährlich, wie das beispiel der selbstverteidigung des Sokrates
zeigt. beides ist bei den rednern auch deshalb von vorn herein kaum
denkbar, weil sie an sich als männer des praktischen lebens, rechts-
anwälte und politiker, religiöser speculation fernstehen. als anwälte
schreiben sie zudem ja zum groszen teil nicht im eignen namen. wir

---

[1] auch Nägelsbach, dessen verdienstvolle 'nachhomerische theologie
des griechischen volksglaubens' (Nürnberg 1857) als grundlage für religionsgeschichtliche studien zwar ersetzungsbedürftig, aber thatsächlich
noch heute nicht ersetzt ist, hat diese bedeutung der redner nicht genügend berücksichtigt, so sehr auch gerade ihm die ermittelung des
allgemeingültigen am herzen lag (vorrede s. IX). seine versäumnisse
holt Leopold Schmidt in seiner vortrefflichen 'ethik der alten Griechen'
(2 bände, Berlin 1882) für dies besondere gebiet nach; die eigentlich religiösen vorstellungen behandelt er mehr andeutungsweise im ersten
capitel seines buches. da sich auf jeder seite der vorliegenden arbeit
berührungen mit den einschlägigen teilen der genannten werke finden,
so verzichte ich im allgemeinen auf das citieren einzelner stellen,
spreche aber an dieser stelle summarisch meinen dank aus für die viel-
fachen anregungen, die beide männer mir geboten. das gleiche gilt,
wenigstens in bezug auf die grundgedanken, von Schömanns griechischen altertümern' und den vorlesungen meines verehrten lehrers August
Rossbach in Breslau über griechische mythologie.

dürfen demnach die von ihnen ausgesprochenen anschauungen als
allgemein gültige betrachten. das bestehen individueller unterschiede
darf uns darin nicht irre machen; sie sind nur die abspiegelungen
von widersprüchen, die eben auch im volksglauben selbst vorhanden
waren, und es wäre geradezu wunderbar, wenn sie uns bei den
rednern nicht begegneten. dasz anderseits auch manche anschauung
der zeit bei ihnen nicht belegt erscheint, ist selbstverständlich und
thut dem wert dessen was vorhanden ist keinen eintrag.

Fassen wir also die redner im allgemeinen als zeugen des athenischen volksglaubens für die zeit von etwa 425—325 vor Ch., und soll
daher die folgende darstellung eine samlung zuverlässigen stoffes für
eine geschichte desselben werden, so müssen ohne rücksicht auf den
überlieferten autornamen alle quellen für uns den gleichen
wert haben, wofern sie überhaupt der bezeichneten zeit
angehören und ursprünglich einem praktischen zwecke
beim volke zu dienen bestimmt waren. von unechten reden
sondern wir also von vorn herein aus nur die dem vierten jh. nicht
mehr angehörenden, dh. die 11e und 26e der unter Demosthenes
namen überlieferten reden, den epitaphios und den erotikos, natürlich auch die briefe des Demosthenes und Aischines. dagegen war
die 10e, 13e und 25e rede, weil wenigstens zum teil Demosthenisch,
zu berücksichtigen. ebenso auch die stücke, über deren echtheit
oder unechtheit die untersuchung noch nicht abgeschlossen ist, nemlich die als Demosthenisch überlieferten prooimia, und von den unter
dem namen des Lysias gehenden reden die gegen Andokides und
der epitaphios; zum teil wird hier die untersuchung selbst beiträge
zur entscheidung der schwebenden fragen liefern können. von Isokrates habe ich nur die gerichtsreden benutzt, die nicht für unmittelbar praktische zwecke geschriebenen, wenn auch verführerisch er-
gibigen epideiktischen reden dagegen ausschlieszen zu müssen geglaubt.

Wir behandeln zunächst die vorstellungen von der gottheit, die uns bei den rednern entgegentreten. dasz es götter für sie
überhaupt gibt, ist selbstverständliche voraussetzung dafür. spuren
einer theoretischen gottesleugnung finden sich streng genommen gar nicht. denn wenn Lysias[2] von Eratosthenes zu wissen
behauptet, ὅτι οὔτε θεοὺς οὔτε ἀνθρώπους νομίζει (XII 9), so zeigt
ja der zusatz von ἀνθρώπους, dasz es sich hier nicht um die leugnung des daseins der götter handelt, sondern um eine davon noch
sehr verschiedene nichtachtung derselben, wie sie sich im handeln
ausspricht. nicht anders werden wir zu verstehen haben, was in der

---

[2] ich citiere nach den Teubnerschen textausgaben, also Antiphon,
Andokides, Isokrates, Hypereides, Deinarchos nach Blass, Lysias,
Isaios, Lykurgos nach Scheibe, Aischines nach Franke, Demosthenes
nach Dindorf.

vermutlich spätern rede gegen Andokides gesagt wird: ἐπεδείξατο δὲ καὶ τοῖϲ Ἕλληϲιν, ὅτι θεοὺϲ οὐ νομίζει (§ 19). Auch ein anzweifeln alter göttersagen, soweit sie überhaupt erwähnt werden, ist nicht nachzuweisen. die anführungen derselben sind allerdings sehr selten, eine thatsache die natürlich nicht gegen den götterglauben der zeit an sich zeugt, sondern höchstens die alte form des glaubens als damals nicht mehr recht lebendig erweist. den mythos von der besitzergreifung Attikas durch Athena streift ganz flüchtig Lykurgos: καὶ οἱ μὲν πατέρεϲ ὑμῶν τὴν Ἀθηνᾶν ὡϲ τὴν χώραν εἰληχυῖαν ὁμώνυμον αὐτῇ τὴν πατρίδα προϲηγόρευον Ἀθήναϲ, ἵν' οἱ τιμῶντεϲ τὴν θεὸν τὴν ὁμώνυμον αὐτῇ πόλιν μὴ ἐγκαταλίπωϲι (§ 26), eine stelle die freilich recht bedenklich erscheint gerade in den worten auf die es uns ankommt. die übrigen erwähnungen beziehen sich auf die sagen, die sich an die alten blutgerichtsstätten anknüpfen, den rechtsstreit des Poseidon gegen Ares und den der Eumeniden gegen Orestes; beide werden von Demosthenes (XXIII 66. 74. 81) und Deinarchos (I 86) angeführt.

Die grosze bedeutung, die der götterglaube und die götterverehrung bei dem Athener des vierten jh. in anspruch nimt, spiegelt sich bei den rednern, abgesehen von unmittelbaren äuszerungen darüber, in den häufigen erwähnungen von culten und einzelnen culthandlungen, im vorkommen von gebeten, beschwörungen usw., dingen die uns hier nur insoweit angehen, als sie aufschlusz über allgemeine religionsanschauungen der zeit bieten. die äuszern formen des cultus kommen für uns nicht in betracht.

Äuszerungen über das wesen der götter an und für sich sind erklärlicher weise sehr selten und immer an menschliche angelegenheiten geknüpft. alle heben die göttliche vollkommenheit hervor. so sucht Demosthenes die resignierte mutlosigkeit seiner mitbürger zu wenden durch den hinweis darauf, dasz Philippos kein gott sei, dessen glück in unerschütterlicher festigkeit bestehe (IV 8), und in einem der ihm zugeschriebenen prooimia (41) heiszt es, nur ein gott würde ohne eignes zuthun der Athener ihre lage bessern, dh. das unmögliche möglich machen können. in der rede gegen Aristokrates kommt er auf das götterurteil über Orestes zu sprechen, durch das dessen that als φόνοϲ δίκαιοϲ hingestellt worden sei: οὐ γὰρ ἂν τά γε μὴ δίκαια θεοὺϲ ψηφίϲαϲθαι (XXIII 74), worin also die göttliche vollkommenheit in sittlicher oder intellectueller beziehung vorausgesetzt erscheint. ferner gehört hierher eine anzahl von stellen, an denen es heiszt, den göttern entgehe eine sonst verborgene sünde nicht. ganz allgemein gehalten tritt uns dieser gedanke entgegen als die voraussetzung einer stelle des Antiphon, wo der angeklagte zu seiner entlastung die ϲημεῖα ἀπὸ τῶν θεῶν anführt; die götter, sagt er, hätten ihn durch nichts als den schuldigen kenntlich gemacht, was sie sonst wohl zu thun pflegten: πολλοὶ δὴ καταφανεῖϲ ἐγένοντο οὐχ ὅϲιοι ὄντεϲ, διακωλύοντεϲ τὰ ἱερὰ μὴ γίγνεϲθαι τὰ νομιζόμενα (V 82). dieselbe vorstellung liegt folgenden worten des Demosthenes zu grunde: ὃϲ γὰρ ἂν ὑμᾶϲ (sc. τοὺϲ δικαϲτάϲ) λάθῃ, τοῦτον ἀφίετε τοῖϲ θεοῖϲ κολάζειν (XIX 71). in besonderer anwendung auf die sünde des meineids sagt Lykurgos (§ 79): τοὺϲ δὲ θεοὺϲ οὔτ᾽ ἂν ἐπιορκήϲαϲ τιϲ λάθοι οὔτ᾽ ἂν ἐκφύγοι τὴν ἀπ᾽ αὐτῶν τιμωρίαν. mehrfach werden die richter darauf aufmerksam gemacht, dasz eine falsche abstimmung den göttern nicht verborgen bleiben würde: οὐ γὰρ εἰ κρύβδην ἐϲτὶν ἡ ψῆφοϲ, λήϲει τοὺϲ θεούϲ und weiter οἱ θεοὶ δὲ εἴϲονται καὶ τὸ δαιμόνιον τὸν μὴ τὰ δίκαια ψηφιϲάμενον heiszt es bei Demosthenes (XIX 239); ähnlich g. Neaira 126 und Lyk. g. Leokr. 146. auch die bemerkung in der rede gegen Andokides, dasz die götter nichts vergessen (§ 33), können wir hierher rechnen. dasz neben derartigen in worten ausgedrückten erwägungen auch anrufungen aller art, alle eide, gebete und flüche sowie die gesamte mantik als zeugnisse für den glauben an die göttliche allwissenheit anzusehen sind, ist selbstverständlich (vgl. Nägelsbach nachhom. theol. s. 23). einzelne beispiele werden in anderm zusammenhang zu besprechen sein.

Wir wenden uns daher sogleich zu der erörterung des göttlichen waltens, das, mit dem menschenleben aufs engste verknüpft, den rednern anlasz zu einer fast unerschöpflichen fülle von höchst beachtenswerten bemerkungen gibt. die eben angeführten stellen von der allwissenheit der götter gegenüber der menschlichen schuld führen uns naturgemäsz zunächst zur betrachtung dér seite ihres waltens, die wir unter dem namen der göttlichen strafgerechtigkeit zu begreifen gewohnt sind. die beschaffenheit des stoffes der gerichtsreden bedingt es von selbst, dasz gerade sie die reichste ausbeute hierfür bieten.

Die götter werden im allgemeinen nicht als gesetzgeber dessen, was für fromm und gerecht gilt, angesehen. im gegensatz zu den von den einzelnen staaten erlassenen satzungen, den νόμοι γεγραμμένοι, sind die für alle menschen geltenden sittengesetze, die νόμοι ἄγραφοι, von natur, φύϲει, vorhanden.[3] so heiszt es in der kranzrede von den für die beurteilung menschlicher handlungen allgemein gültigen normen (§ 275): φανήϲεται ταῦτα πάντα οὕτωϲ οὐ μόνον ἐν τοῖϲ νομίμοιϲ, ἀλλὰ καὶ ἡ φύϲιϲ αὐτὴ τοῖϲ ἀγράφοιϲ νόμοιϲ καὶ τοῖϲ ἀνθρωπίνοιϲ ἔθεϲι διώρικεν, und für den hier gebrauchten ausdruck ἄγραφοι νόμοι wendet Demosthenes anderswo die bezeichnungen τὰ τῆϲ φύϲεωϲ οἰκεῖα (XLV 53) und ὁ κοινὸϲ ἁπάντων ἀνθρώπων νόμοϲ (XXIII 61) an, beidemal in gegenüberstellung zu γεγραμμένοι νόμοι, wie auch ps.-Lysias g. And. 10; ein inhaltlicher gegensatz zwischen beiden besteht natürlich nicht. die gesetze des staates werden im allgemeinen als menschenwerk betrachtet; wo von ihrer vortrefflichkeit die rede ist, da er-

---

[3] vgl. LDissen kl. schriften s. 165, wo aber göttlicher und natürlicher ursprung der νόμοι ἄγραφοι nicht genügend geschieden ist.

schallt das lob des νομοθέτης, nicht der götter. wenn Demosthenes
es in der rede g. Aristokrates (§ 70) offen läszt, ob heroen oder
götter οἱ ταῦτ' ἐξ ἀρχῆς τὰ νόμιμα διαθέντες gewesen, so ist zu
beachten, dasz die besprochenen νόμιμα die gesetze des blutrechts
sind, die zwar von Drakon formuliert, wie der redner selbst mehrfach ausspricht (XX 158. XXIII 51), aber vermutlich durch delphische anweisungen angeregt waren (vgl. LSchmidt griech. ethik
I s. 121). auch Antiphon meint jedenfalls nur diese gesetze, wenn
er (I 3) von den νόμοι οὓς παρὰ τῶν θεῶν καὶ τῶν προγόνων δια-
δεξάμενοι . . δικάζετε spricht. ein späterer rhetor, der verfasser
der ersten rede gegen Aristogeiton, erklärt allerdings jedes gesetz
als εὕρημα μὲν καὶ δῶρον θεῶν, δόγμα δ' ἀνθρώπων φρονίμων
(§ 16). mehr als die erste anregung des gedankens dürfen wir aber
auch danach den göttern nicht zuschreiben; wir sehen darin nur ein
mittel ihrer staatserhaltenden thätigkeit, von der wir später zu reden
haben.

Die strafgerechtigkeit der götter leitet sich also nicht
daraus her, dasz sie die urheber des sitten- oder staatsgesetzes, also
ihr eignes werk zu schützen bestrebt wären (vgl. Schömann gr. alt.
II s. 2). man kann auch nicht behaupten, dasz das böse dem göttlichen wesen als solchem so durchaus entgegengesetzt wäre, dasz
die götter infolge ihrer heiligkeit dagegen einschritten (vgl. Isokr.
Panath. § 64). freilich der schuldige wird den göttern verhaszt.
das wird wenigstens von dem richter, der eine seinem eide wider-
sprechende abstimmung sich zu schulden kommen läszt, in der rede
gegen Andokides geradezu ausgesprochen (§ 53), und der bei Demosthenes sehr häufige gebrauch von θεοῖς ἐχθρός und θεοισεχθρία[4]
zur bezeichnung eines ruchlosen, verworfenen menschen berechtigt
uns den gedanken auch allgemein gefaszt als volksanschauung anzunehmen. aber als ausdruck eines heiligen sündenhasses dürfen
wir die strafende thätigkeit der götter nicht ansehen. sie sind dem
Hellenen thatsächlich hüter des rechts, hasser und rächer
des unrechts, ohne dasz das volksbewustsein eine streng aus
ihrem wesen folgende ableitung dafür sucht oder überhaupt für
nötig hält. der glaube an diese seite ihres waltens ist dem Griechen
des vierten jh. so in fleisch und blut übergegangen, dasz es ihm
trivial erschienen wäre einen satz auszusprechen, der denselben
schlechthin, ohne irgend eine besondere beziehung ausdrückte. die
einzige stelle, die man allenfalls aus den rednern anführen könnte
als so zu sagen dogmatisch festgestellten ausdruck dafür, bietet
Lykurgos (§ 94): ἡγοῦμαι δ' ἔγωγε, ὦ ἄνδρες, τὴν τῶν θεῶν ἐπι-

---

[4] von andern rednern gebrauchen merkwürdiger weise nur zwei den
bei Demosthenes zwanzigmal vorkommenden ausdruck, und zwar je éinmal, nemlich der gleichzeitige verfasser der rede g. Theokrines (§ 66)
und der jüngere nachahmer, dem die erste rede g. Aristogeiton zuzuschreiben ist (§ 66); beide wohl in anlehnung an Demosthenes, vgl.
Blass att. bereds. III 1 s. 439 ff. 360 ff.

μέλειαν πάcαc μὲν τὰc ἀνθρωπίναc πράξειc ἐπιcκοπεῖν, aber auch
das nur gesagt zur vorbereitung des folgenden: μάλιcτα δὲ τὴν·
περὶ τοὺc γονέαc καὶ τοὺc τετελευτηκόταc καὶ τὴν πρὸc αὐτοὺc
εὐcέβειαν.

Auf der unausgesprochenen voraussetzung der göttlichen strafgerechtigkeit beruht der fluch und damit zugleich der eid, der ja
im grunde immer einen fluch enthält (vgl. LSchmidt ethik I s.
88), wie besonders deutlich die stellen zeigen, in denen schwören und
fluchen verbunden erscheint (Aisch. I 114. ps.-Dem. g. Timotheos 67).
denn immer werden hier die götter auf grund einer schon vorhandenen oder einer möglichen schuld angerufen, über den betenden
selbst oder andere böses oder geradezu vernichtung zu verhängen.
wir haben solche flüche, abgesehen von der erzählenden form (Aisch.
I 114. Dem. XXIII 67. ps.-Dem. g. Neaira 10) in verschiedenen ab-
stufungen der feierlichkeit, von der vollsten form an, wie sie der von
Aischines mitgeteilte Amphiktyonenfluch zeigt (III 110 ff.), bis zu
dem einfachen wunsche: τούτοιc μὲν οὖν ὁ θεὸc ἐπιθείη τὴν δίκην
(Antiphon IV β 8). näheres eingehen darauf ist für unsern zweck
überflüssig.[5]

Die verfluchungen, die sich auf eine eventuelle verschuldung
beziehen, haben den zweck vor derselben zu bewahren; begeht jemand
die betreffende sünde dennoch, so zeigt er dadurch, dasz er sich um
den fluch nicht kümmert und die furcht vor den göttern vergiszt. so heiszt es in der rede gegen Timotheos (§ 67): ὃc οὖν
οὔθ᾽ ὑμᾶc ἠcχύνθη ἐξαπατῆcαι ὑποcχόμενοc .. οὔτε τοὺc θεοὺc
ὀμόcαc καὶ ἐπαραcάμενοc ἑαυτῷ ἔδειcεν, οὓc ἐπιώρκηcε, und so
ist mehrfach die rede von einem eid oder fluch, der vom unrecht
hätte zurückhalten sollen (Lysias XXXI 31. Aisch. III 127. Dein.
I 48. III 10). aber auch ohne die vorangegangene verfluchung tritt
die furcht vor der göttlichen strafe in dieser bedeutung uns häufig
entgegen. am deutlichsten in den worten, mit denen bei Lysias dem
habgierigen Diogeiton seine schuld von der eignen tochter vorge-
worfen wird: καὶ εἰ μηδένα ἀνθρώπων ἠcχύνου, τοὺc θεοὺc ἐχρῆν
cε δεδιέναι (XXXII 13), deren inhalt sich kurz darauf in anderer
form wiederholt (§ 17). in gleichem sinne redet Isaios von der
scham vor den göttern: οὔτε τοὺc θεοὺc τοὺc πατρῴουc οὔθ᾽
ὑμῶν αἰcχυνόμενοc οὐδένα (II 1), und die beiden motive zur fern-
haltung der sünde, furcht und scham, kehren einzeln oder verbunden häufig wieder (Ant. I 27. VI 4. Andok. I 125. Lysias IX 17.
ps.-Lysias g. And. 11. Lyk. g. Leokr. 17. Aisch. I 50. Dem. XXI
61. 104. ps.-Dem. g. Neaira 44). auf stellen, an denen von furcht
und scham ohne bestimmten hinweis auf götter oder menschen die
rede ist, genüge es zu verweisen: Lysias XII 96. ps.-Lys. g. And. 54.
Lyk. g. Leokr. 10. Dem. IV 10. VIII 51. Hyper. fr. 211). endlich

---

[5] vgl. Dem. XVIII 89. 141. 267. 290. 324. XIX 71. LIV 16. im allgemeinen vgl. ELasaulx studien des class. altert. s. 159 ff.

gehören hierher auch stellen, an denen misachtung der götter geradezu als charakteristisches merkmal der sünde hingestellt wird. so bezeichnet Lysias die dreiszig als ἡγούμενοι τὴν αὐτῶν ἀρχὴν βεβαιοτέραν εἶναι τῆς παρὰ τῶν θεῶν τιμωρίας (XII 96), und Aischines betrachtet es als folge des lasters, dessen er den Timarchos anklagt, dasz die ihm ergebenen καταφρονοῦντες μὲν τῶν θεῶν, ὑπερορῶντες δὲ τοὺς νόμους, ὀλιγώρως δὲ ἔχοντες πρὸς ἅπασαν αἰσχύνην seien (I 67).

Nachdem wir bisher den glauben an die göttliche strafgerechtigkeit im allgemeinen nachgewiesen, wenden wir uns nun zu den einzelnen damit zusammenhängenden punkten. zunächst erhebt sich die frage: was i·st als schuld und sünde anzusehen? die erschöpfende beantwortung derselben gehört in eine darstellung der ethik; wir haben hier nur von der abschätzung der vergehen nach ihrer grösze zu handeln, als welche für das masz der bestrafung in betracht kommt.

In der rede über den mord des Herodes sagt Antiphon: καὶ μὴν εἰ δέοι ἁμαρτεῖν τι, τὸ ἀδίκως ἀπολῦσαι ὁσιώτερον ἂν εἴη τοῦ μὴ δικαίως ἀπολέσαι· τὸ μὲν γὰρ ἁμάρτημα μόνον ἐστί, τὸ δὲ ἕτερον καὶ ἀσέβημα (§ 91), und in der rede g. Meidias heiszt es (§ 104): ἀλλ' ὃ καὶ δεινόν, ὦ ἄ. Ἀ., καὶ σχέτλιον καὶ κοινὸν ἔμοιγ' ἀσέβημα, οὐκ ἀδίκημα μόνον τούτῳ πεπρᾶχθαι δοκεῖ, τοῦτ' ἐρῶ. an beiden stellen wird das ἀσέβημα an schwere über das ἀδίκημα gestellt, ohne dasz der eigentliche grund dafür aus ihnen selbst klar würde. er wird aber sofort klar, wenn wir Lykurgos sagen hören (§ 76): οὐ μόνον ὑμᾶς ἠδίκηκεν, ἀλλὰ καὶ εἰς τὸ θεῖον ἠσέβηκεν, und noch deutlicher läszt sich der sachverhalt erkennen durch folgende worte desselben redners (§ 129): οὐδὲν γὰρ πρότερον ἀδικοῦσιν ἢ περὶ τοὺς θεοὺς ἀσεβοῦσι, τῶν πατρῴων νομίμων αὐτοὺς ἀποστεροῦντες. sünde gegen die götter unmittelbar ist demnach die besondere bedeutung von ἀσεβεῖν gegenüber den allgemeinen bezeichnungen der schuld, wie ἀδικεῖν ἁμαρτάνειν ὑβρίζειν ua. das geht aus zahlreichen gegenüberstellungen der betreffenden verba mit den nähern bestimmungen εἰς τοὺς θεούς einerseits, εἰς ὑμᾶς, εἰς τὴν πόλιν uä. anderseits hervor: vgl. Ant. IV α 2, Lys. XIV 42. Aisch. III 106. 107. Dem. XXI 130. ps.-Dem. g. Neaira 12. 43. 74. 77. 107. einzelne stellen anzuführen, an denen ohne eine solche gegenüberstellung ἀσεβεῖν und die verwandten wörter ebenso wie die opposita εὐσεβεῖν usw. in bezug auf die götter angewandt sind, wäre zwecklos: fast jedes blatt bietet beispiele. natürlich werden auch andere ausdrücke zur bezeichnung der sünde gegen die götter selbst verwandt: vgl. Lys. fr. 53. ps.-Lys. epit. 9. g. And. 3. 45. And. I 137. Aisch. III 124. Dem. XXI 126. ps.-Dem. g. Olymp. 52. anderseits finden wir auch εὐσεβής und ἀσεβής mit ihren ableitungen, ohne dasz eine unmittelbare beziehung auf die götter vorliegt. so an den beiden oben angeführten stellen aus Antiphon, wo die verurteilung eines unschuldigen wegen mordes (V 91, vgl. ebd. 88. VI 6; das gegenteil III β 11), und aus Demosthenes, wo die unbegründete beschuldigung des vatermordes (XXI 104) als ἀcέβημα bezeichnet wird. wer das erstere sich zu schulden kommen läszt, lädt eine blutschuld auf sich, und nichts geringeres thut nach der ansicht des Demosthenes Meidias mit seiner ruchlosen verleumdung (XXI 106). inwiefern nun der mit einer blutschuld beladene gegen die götter frevelt, führt Antiphon zunächst aus durch den hinweis auf die erschaffung des menschen durch gott, der sich dadurch als schützer des lebens offenbare (IV α 2. β 7). aber es kommt noch ein zweiter umstand hinzu: der mörder ist mit einer geradezu ansteckenden unreinheit behaftet[6], aus der fast mit notwendigkeit eine befleckung heiliger stätten, dh. unmittelbarer frevel gegen die gottheit folgt (Ant. II α 10. β 11. IV α 3, vgl. auch VI 4). so rechtfertigt sich also die bezeichnung ἀcέβημα in ihrer anwendung auf die blutschuld, und wir verstehen den sinn der worte Antiphons ἡγοῦμαι μέντοι γε καὶ ἡμῖν τοῖc δικαcταῖc περὶ πολλοῦ εἶναι τὰc φονικὰc δίκαc ὀρθῶc διαγιγνώcκειν, μάλιcτα μὲν τῶν θεῶν ἔνεκα καὶ τοῦ εὐcεβοῦc, ἔπειτα δὲ καὶ ὑμῶν αὐτῶν (VI 3). in noch andern beziehungen angewandt findet der ausdruck seine erklärung in der schon angeführten stelle des Lykurgos, wo er sagt (§ 94): τὴν τῶν θεῶν ἐπιμέλειαν πάcαc μὲν τὰc ἀνθρωπίναc πράξειc ἐπιcκοπεῖν, μάλιcτα δὲ τὴν περὶ τοὺc γονέαc καὶ τοὺc τετελευτηκόταc καὶ τὴν πρὸc αὐτοὺc εὐcέβειαν, zugleich eine weitere erläuterung der strengern beurteilung der ἀcεβήματα. was nun zunächst die 'frömmigkeit'[7] gegen die verstorbenen betrifft, so kommt wenigstens in bezug auf ihre bestattung und was damit zusammenhängt wieder die rücksicht auf die liturgische reinheit in betracht. so fühlten sich nach der darstellung des ps.-Lysianischen epitaphios die Athener zu ihrem zuge gegen Theben, durch den die Thebaier zur bestattung der mit Polyneikes gefallenen Argeier bestimmt werden sollten, veranlaszt ἡγηcάμενοι ἐκείνουc μέν, εἴ τι ἠδίκουν, ἀποθανόνταc δίκην ἔχειν τὴν μεγίcτην, τοὺc δὲ κάτω τὰ αὑτῶν οὐ κομίζεcθαι, ἱερῶν δὲ μιαινομένων τοὺc ἄνω θεοὺc ἀcεβεῖcθαι (§ 7). danach erklärt sich folgende stelle des Aischines: τελευτήcαντα δὲ αὐτόν, ἡνίκα ὁ μὲν εὐεργετούμενοc οὐκ αἰcθάνεται ὧν εὖ πάcχει, τιμᾶται δ' ὁ νόμοc καὶ τὸ θεῖον, θάπτειν ἤδη κελεύει (sc. ὁ νομοθέτηc) καὶ τἄλλα ποιεῖν τὰ νομιζόμενα (I 14). bei dem verhältnis der kinder zu den eltern vermag ich die besondere fürsorge der götter nicht durch ein persönliches beteiligtsein im sinne griechischer volksanschauung zu erklären: denn die hauptstelle bei Aischines, der die eltern als die bezeichnet, οὓc ἐξ ἴcου δεῖ τιμᾶν τοῖc θεοῖc (I 28), beweist dafür nichts. hier wie bei dem gastfreundschaftsverhältnis, dessen verletzung Aischines auch als

---

6 vgl. LSchmidt ethik I s. 118 ff. II s. 106 ff.   7 ich wage den ausdruck nach Goethes vorgang: 'wie denn die Deutschen immer gegen früh abgeschiedene, gutes versprechende talente eine besondere frömmigkeit bewiesen haben' (ausg. letzter hand XXV s. 74).

ἀϲέβημα bezeichnet (III 224), haben wir uns zur rechtfertigung des ausdrucks mit der thatsache zu begnügen, dasz eben die götter dem Hellenen als besondere beschützer der betreffenden verhältnisse galten. so bleibt es denn dabei: ἀϲεβεῖν heiszt 'gegen die götter selbst freveln', und wo diese bedeutung nicht sofort zu tage tritt, läszt sie sich doch leicht nachweisen im hinblick auf die ungemein zahlreichen beziehungen zur gottheit, von denen das ganze leben des Griechen durchdrungen ist (vgl. Schömann gr. alt. II³ s. 1 ff.). dies im einzelnen zu thun gehört, wie gesagt, nicht in den bereich der vorliegenden untersuchung.

Für uns ist das wesentliche die schon oben ausgesprochene that-sache, dasz die götterfrevel als die schwersten vergehun-gen angesehen werden. zur weitern begründung führe ich noch zwei stellen an, wo von freveln gegen die himmlischen in steigender gegenüberstellung gegen andere verschuldung die rede ist. bei Iso-krates heiszt es einmal (XVI 23): ὥϲπερ οὐ πάντας εἰδότας ὅτι καὶ τοῖϲ φαυλοτάτοιϲ τῶν ἀνθρώπων ἔξεϲτιν οὐ μόνον περὶ τῶν ἀνδρῶν τῶν ἀρίϲτων, ἀλλὰ καὶ περὶ τῶν θεῶν ὑβριϲτικοὺϲ λόγουϲ εἰπεῖν, und in der leichenrede des Hypereides lesen wir (col. 8, 16 ff.): ὅπου δὲ τὰ πρὸϲ τοὺϲ θεοὺϲ ὅϲια διὰ τὴν Μακεδόνων τόλμαν ἀνήρηται, τί τὰ πρὸϲ τοὺϲ ἀνθρώπουϲ δίκαια χρὴ νομίζειν; vgl. auch Dem. XIX 86. natürlich werden derartige frevel von den göttern auch schwerer bestraft als alle andern. dies spricht ein längeres fragment des Lysias klar aus. Kinesias gehörte einem club an, der sich den parodierenden namen der kakodaimonisten bei-gelegt hatte und auch im ganzen thun und treiben seine götter-verachtung zeigte: ἐκείνων μὲν οὖν, wird weiter erzählt, ἕκαϲτοϲ ἀπώλετο, ὥϲπερ εἰκὸϲ τοὺϲ τοιούτουϲ, τοῦτον δὲ τὸν ὑπὸ πλείϲτων γιγνωϲκόμενον οἱ θεοὶ οὕτω διέθεϲαν, ὥϲτε τοὺϲ ἐχθροὺϲ αὐτὸν βούλεϲθαι ζῆν μᾶλλον ἢ τεθνάναι, παράδειγμα τοῖϲ ἄλλοιϲ, ἵν' ἴδωϲιν ὅτι τοὺϲ λίαν ὑβριϲτικῶϲ πρὸϲ τὰ θεῖα διακειμένουϲ οὐκ εἰϲ τοὺϲ παῖδαϲ ἀποτίθενται τὰϲ τιμωρίαϲ, ἀλλ' αὐτοὺϲ κακῶϲ ἀπολλύουϲι, μείζουϲ καὶ χαλεπωτέραϲ τὰϲ ϲυμφορὰϲ καὶ τὰϲ νόϲουϲ ἢ τοῖϲ ἄλλοιϲ ἀνθρώποιϲ προϲβάλλοντεϲ (fr. 53). dadurch dasz die strafen der ἀϲεβήματα besonders schwer sind, gewinnt ein besonderes gewicht die häufige mahnung an die richter ihres eides eingedenk zu sein, die εὐϲέβεια zu wahren, die sich zb. im prooimion der kranzrede nicht weniger als dreimal findet (§ 1. 7. 8). andere beispiele, zu denen auch die oben angeführten stellen über das nicht-verborgensein der geheimen abstimmung gehören, finden sich in menge; den von LSchmidt (ethik II s. 239) angeführten ist noch hinzuzufügen ein denselben gedanken erläuternder satz des Deinar-chos, der dem Demosthenes den Timotheos gegenüberstellt unter anderm durch die worte οὐδ' οἰόμενοϲ δεῖν τοὺϲ ὀμωμοκόταϲ κατὰ τοὺϲ νόμουϲ οἴϲειν τὴν ψῆφον ἄλλο τι προυργιαίτερον ποιεῖϲθαι τῆϲ εὐϲεβείαϲ (I 17).

Die angezogenen stellen führen uns auf die bedeutung des

richteramtes, die darauf beruht, dasz dasselbe eigentlich eine
stellvertretung der götter ist. wo gesetze des staates das rechte abgrenzen, da übertragen im allgemeinen die götter ihre strafgerechtigkeit auf die richter, die sie natürlich nur dann ausüben können,
wenn das betreffende vergehen überhaupt einen ankläger findet.
geschieht dies, so handelt der kläger wie die richter in stellvertretung der götter. der ausdruck, den dieser gedanke findet, ist sehr
manigfaltig. in bezug auf den kläger ist besonders bezeichnend die
entrüstete frage des Andokides (I 139): εἶτα οἱ μὲν θεοὶ ἐκ τοσού-
των κινδύνων ἔcωζόν με, cφῶν δέ αὐτῶν προύcτήcαντο τιμωρὸν
γενέcθαι Κηφίcιον, τὸν πονηρότατον Ἀθηναίων, wo der gedanke
einer stellvertretung aufs deutlichste hervortritt. auf demselben beruhen ferner stellen, wo der kläger behauptet ὑπὲρ τῶν θεῶν oder
τιμωρῶν τοῖc θεοῖc zu handeln; freilich ist hier vielfach auch das
interesse der götter ausgedrückt, mit dem sich öfters das des staates,
den die richter vertreten, oder das persönliche des klägers verbindet.
so beginnt Lykurgos seine anklage gegen Leokrates mit den worten
δικαίαν, ὦ Ἀ., καὶ εὐcεβῆ καὶ ὑπὲρ ὑμῶν καὶ ὑπὲρ τῶν θεῶν τὴν
ἀρχὴν τῆc κατηγορίαc Λεωκράτουc τοῦ κρινομένου ποιήcομαι, und
bittet im folgenden die götter ihn zu einem würdigen ankläger zu
machen. dieselbe bitte spricht auch Aischines aus (I 116). der ankläger der Neaira sagt: ἐγὼ μὲν οὖν, ὦ ἄ. δ., καὶ τοῖc θεοῖc, εἰc
οὓc οὗτοι ἠcεβήκαcι, καὶ ἐμαυτῷ τιμωρῶν κατέcτηcά τε τουτουcὶ
εἰc ἀγῶνα καὶ ὑπὸ τὴν ὑμετέραν ψῆφον ἤγαγον: dann den richtern
ihre verantwortung vorhaltend fährt er fort: καὶ ὑμᾶc δὲ χρὴ νομί-
cανταc μὴ λαθεῖν τοὺc θεοὺc .. ὅ τι ἂν ἕκαcτοc ὑμῶν ψηφίcηται,
ψηφίcαcθαι τὰ δίκαια καὶ τιμωρεῖν μάλιcτα μὲν τοῖc θεοῖc, ἔπειτα
δὲ καὶ ὑμῖν αὐτοῖc (§ 126, vgl. ebd. § 15). eine anzahl ähnlicher
stellen erläutert ebenso die bedeutsamkeit des richterlichen amtes
(Dem. XXI 227. XXIV 125. Lyk. g. Leokr. 76. 146. ps.-Lys. g. And.
29. 54). am deutlichsten erscheint dasselbe als stellvertretung der
götter in folgenden worten des Deinarchos (III 14): αἰcχρὸν γάρ ..
ὑπολείπεcθαί τιναc τῶν ἀδίκων καὶ πονηρῶν ἀνθρώπων, ὅτε οἱ
θεοὶ φανεροὺc ὑμῖν ποιήcαντεc παρέδοcαν τιμωρήcαcθαι. bisweilen werden die götter und die richter als gemeinsam strafend
hingestellt. in der ersten rede des Antiphon heiszt es: die schuldige
wird ihre strafe erhalten, ἐὰν ὑμεῖc τε καὶ οἱ θεοὶ θέλωcιν (§ 20);
ähnlich bei Deinarchos: der angeklagte wird dem tode nicht entgehen, ἂν θεὸc θέλῃ καὶ ὑμεῖc cωφρονῆτε (II 3), und im anfang
der Lysianischen rede gegen Agoratos, wo die verschiedene stellung
der drei bei der bestrafung mitwirkenden factoren besonders klar
hervortritt: ἔπραξε γὰρ οὗτοc τοιαῦτα, δι' ἃ ὑπ' ἐμοῦ νυνὶ εἰκότωc
μιcεῖται, ὑπό τε ὑμῶν, ἂν θεὸc θέλῃ, δικαίωc τιμωρηθήcεται (§ 1);
vgl. ps.-Dem. g. Arist. I 2. Aischines beginnt seine rede gegen
Ktesiphon mit den worten τὴν μὲν παραcκευὴν ὁρᾶτε .. ἐγὼ δὲ
πεπιcτευκὼc ἥκω πρῶτον μὲν τοῖc θεοῖc, δεύτερον δὲ τοῖc νόμοιc
καὶ ὑμῖν (§ 1 vgl. § 57), und wie in erwiderung darauf schleudert

ihm in der gegenrede sein todfeind die charakteristischen worte entgegen: κακὸν κακῶc cε μάλιcτα μὲν οἱ θεοί, ἔπειτα οὗτοι πάντεc
ἀπολέcειαν (§ 267), wo wir eine uns unmögliche, untrennbare verbindung von eigentlichem, strengem fluch und einfachem wunsch
sehen. die stellvertretende bedeutung des richteramts enthält natürlich an und für sich, auch abgesehen vom eide, die verpflichtung den
schuldigen zu strafen, wie es den richtern oft nahegelegt wird mit
dem hinweis darauf, dasz sie sich durch das unterlassen der hestra-
fung selbst schuldig machen. besonders bezeichnend heiszt es in der
rede gegen Neaira (§ 109): ἐπειδὴ δὲ καὶ ἴcτε πάντεc καὶ ἔχετε
ἐφ' ὑμῖν αὐτοῖc καὶ κύριοί ἐcτε κολάcαι, ὑμέτερον ἤδη τὸ ἀcέβημα
γίγνεται τὸ πρὸc τοὺc θεούc, ἐὰν μὴ ταύτην κολάcητε: vgl. Lykurgos 15. 148. Aisch. III 120. Dem. XIX 71. dagegen gilt anderseits von den richtern: ὃc γὰρ ἂν ὑμᾶc λάθῃ, τοῦτον ἀφίετε τοῖc
θεοῖc κολάζειν (Dem. XIX 71), und in diesem falle handeln umgekehrt die götter für, dh. an stelle der richter (ebd.).

Die eben angestellten erörterungen haben uns schon in das gebiet dessen geführt, was über die art der bestrafung zu sagen
ist. erfolgt diese durch vermittlung der richter, so gehört ihre behandlung in den bereich des attischen gerichtswesens, das uns hier
nichts angeht. es ist nur noch zu erwähnen, dasz die gottheit als
mittel, um den schuldigen in die arme der staatlichen gerechtigkeit
zu treiben, die verblendung benutzt. dasz Leokrates trotz seiner
schweren verschuldung gegen das vaterland dahin zurückgekehrt ist,
erklärt Lykurgos durch den satz (§ 92) οἱ γὰρ θεοὶ οὐδὲν πρότερον
ποιοῦcιν ἢ τῶν πονηρῶν ἀνθρώπων τὴν διάνοιαν παράγουcι: er
unterstützt diese seine begründung dann durch ein dichtercitat gleiches inhalts. eine bedeutende rolle spielt der glaube an die göttliche
verblendung auch in den beiden uns erhaltenen reden, die sich auf
den mysterienprocess des Andokides beziehen. auch seine rückkehr
in die heimat hatten die gegner als folge göttlicher bethörung bezeichnet (And. I 137. ps.-Lysias g. And. 19. 27. 32). bethörungen
anderer art, die aber auch den schuldigen der strafe zuführen
sollen, werden in denselben reden angeführt (And. I 114. ps.-Lys.
g. And. 22). in Antiphons zweiter tetralogie handelt es sich um den
unglücklichen speerwurf eines knaben im gymnasion, der einem andern das leben gekostet; der vater des letztern sagt in seiner anklage gegen jenen darüber: εἰ μὲν γὰρ ὑπὸ ⟨μηδενὸc τῶν ἔξωθεν⟩
μηδὲ δι' ἐπιμελείαc τοῦ θεοῦ ἡ ἀτυχία γίγνεται, ἁμάρτημα οὖcα
τῷ ἁμαρτόντι, cυμφορὰ δικαία γενέcθαι ἐcτίν· εἰ δὲ δὴ θεία κηλὶc
τῷ δράcαντι προcπίπτει ἀcεβοῦντι, οὐ δίκαιον τὰc θείαc προc-
βολὰc διακωλύειν γίγνεcθαι (III γ 8); danach wird also die nicht
vorsätzliche tötung hingestellt als ein mittel zur bestrafung für eine
frühere schuld. auch Demosthenes teilt diesen glauben (XXI 121).
besonders interessant aber ist das, was wir über denselben gegenstand bei Aischines angedeutet finden. in der rede gegen Ktesiphon
spricht er vom untergang Thebens mit dem zusatz εἰ καὶ δικαίωc,

περὶ τῶν ὅλων οὐκ ὀρθῶc βουλευcάμενοι, ἀλλὰ τήν τε θεοβλά-
βειαν καὶ τὴν ἀφροcύνην οὐκ ἀνθρωπίνωc, ἀλλὰ δαιμονίωc κτη-
cάμενοι (§ 133). hier ist zunächst zu beachten, dasz im gebrauch
von θεοβλάβεια die eigentliche bedeutung völlig geschwunden erscheint: es bedeutet nichts als bethörung schlechthin. ob diese bethörung von dem redner als ein mittel der göttlichen strafe angesehen wird, ist nicht sicher, obwohl das vorangehende δικαίωc diese
erklärung empfiehlt. bei einer andern erwähnung der bethörung
spricht in der stelle an und für sich nichts für eine solche annahme:
ἀναβοήcαc τιc τῶν Ἀμφιccέων, ἄνθρωποc ἀcελγέcτατοc καί, ὡc
ἐμοὶ ἐφαίνετο, οὐδεμιᾶc παιδείαc μετεcχηκώc, ἴcωc δὲ καὶ δαιμονίου τινὸc ἐξαμαρτάνειν αὐτὸν προαγομένου usw. (Aisch. III 117).
dasz nun leichtfertige unsittlichkeit gern geneigt war ohne weiteres
eine göttliche verführung zur entschuldigung der eignen fehltritte
anzunehmen, ohne darin ein mittel göttlicher strafgerechtigkeit zu
sehen, zeigt der einspruch, den Aischines selbst dagegen erhebt
(I 190). damit ist aber noch keineswegs erwiesen, dasz er an jener
andern stelle wirklich die im angegebenen sinne geläuterte anschauung vertritt; der strenge eiferer der Timarchea wirft in den andern
reden gar manchmal den heiligenschein von sich.[8] wir haben demnach das nebeneinanderbestehen zweier ansichten über die göttliche
verblendung zur sünde oder thorheit festzustellen, der alten Homerischen einerseits und anderseits der jüngern durch männer wie
Aischylos und Herodotos geläuterten.

Um nun aber wieder zu dem speciellen gegenstand der darstellung zurückzukehren: wo die götter selbst ohne vermittlung des staates strafen, da thun sie es in doppelter weise. entweder sie versagen das gute, was sie sonst wohl geneigt sind dem
bittenden zu gewähren: οὐδ' αἱ παρὰ τῶν θεῶν ἐπικουρίαι τοῖc
προδόταιc βοηθοῦcι sagt Lykurgos (g. Leokr. 129), und wo Demosthenes in der kranzrede die götter um glück bittet für den fall,
dasz seine anklagen wahr seien, fügt er für den entgegengesetzten
fall die bitte hinzu: πάντων τῶν ἀγαθῶν ἀνόνητόν με ποιῆcαι
(§ 141, vgl. ps.-Dem. g. Neaira 93). auf demselben gedanken beruht es auch, wenn Antiphon sagt, der sünder beraube sich selbst
der hoffnungen (VI 5). anderseits züchtigen die götter, indem sie
geradezu unheil oder verderben senden. freilich ein bestimmtes masz

---

8 dasz Aischines I 41 in den worten περὶ δὲ τὸ πρᾶγμα τοῦτο (sc,
τὴν παιδεραcτίαν) δαιμονίωc ἐcπουδακώc das adverbium einen göttlichen ursprung des erwähnten lasters im sinne von § 190 bezeichnen
soll, glaube ich nicht; es ist zu übersetzen 'merkwürdig, erstaunlich'.
auch die stellen, wo κακοδαίμων mit seinen ableitungen, bzw. βαρυ-
δαίμων in der bedeutung 'bethört' vorkommt (Ant. V 43. Lys. IV 9.
Dein. I 91. Dem. II 20. VIII 16. XIX 115. prooim. 24), dürfen nicht
in diesem sinne angeführt werden, weil die lebendige vorstellung, der die
ausdrücke ihre bedeutung verdanken, hier durchaus erstarrt erscheint,
wie in der oben angeführten stelle des Aischines, wo von θεοβλάβεια
die rede ist (III 133).

von leiden ist jedem sterblichen gewis und kein glück sicher; dieser
sonst in der hellenischen welt so verbreitete gedanke begegnet uns
auch bei den rednern (Dem. XV 21. XVIII 252. 308. XX 161. 162.
XXIII 42. 58). besonders schweres leiden aber ist als strafe anzusehen. das schon oben angezogene fragment des Lysias erläutert
diese anschauung mit den worten τοῦτον δὲ (sc. τὸν Κινηcίαν) . .
οἱ θεοὶ οὕτω διέθεcαν, ὥcτε τοὺς ἐχθροὺς αὐτὸν βούλεcθαι ζῆν
μᾶλλον ἢ τεθνάναι, παράδειγμα τοῖc ἄλλοιc, ἵν᾽ ἴδωcιν ὅτι τοῖc
λίαν ὑβριcτικῶc πρὸc τὰ θεῖα διακειμένοιc οὐκ εἰc τοὺc παῖδαc
ἀποτίθενται τὰc τιμωρίαc, ἀλλ᾽ αὐτοὺc κακῶc ἀπολλύουcι, μείζουc
καὶ χαλεπωτέραc τὰc cυμφορὰc καὶ τὰc νόcουc ἢ τοῖc ἄλλοιc ἀνθρώποιc προcβάλλοντεc· τὸ μὲν γὰρ ἀποθανεῖν ἢ καμεῖν νομίμωc
κοινὸν ἅπαcιν ἡμῖν ἐcτι, τὸ δ᾽ οὕτωc ἔχοντα τοcοῦτον χρόνον
διατελεῖν καὶ καθ᾽ ἑκάcτην ἡμέραν ἀποθνήcκοντα μὴ δύναcθαι
τελευτῆcαι τὸν βίον τούτοιc μόνοιc προcήκει τοῖc τὰ τοιαῦτα
ἅπερ οὗτοc ἐξημαρτηκόcιν (fr. 53).

Als einen besonders die strafe verschärfenden umstand bezeichnet
es der redner hier, dasz dieselbe den schuldigen selbst, nicht seine
nachkommen getroffen habe. im allgemeinen herscht nemlich der
glaube, dasz die götter n i c h t s o f o r t strafen. freilich führt auch
Andokides es als beweis seiner unschuld an, dasz die götter, obwohl
sie die beste gelegenheit dazu gehabt, ihn nicht vernichtet hätten:
οὐκ ἀξιῶ τοὺc θεοὺc τοιαύτην γνώμην ἔχειν, ὥcτ᾽, εἰ ἐνόμιζον ὑπ᾽
ἐμοῦ ἀδικεῖcθαι, λαμβάνοντάc με ἐν τοῖc μεγίcτοιc κινδύνοιc μὴ
τιμωρεῖcθαι (I 137). dagegen sagt Isokrates, bei der klageform der
παραγραφή sei die bestimmung getroffen worden, dasz der beklagte
zuerst rede, ἵν᾽ οἱ τολμῶντεc μνηcικακεῖν μὴ μόνον ἐπιορκοῦντεc
ἐξελέγχοιντο μηδὲ τὴν παρὰ τῶν θεῶν τιμωρίαν ὑπομένοιεν, ἀλλὰ
καὶ παραχρῆμα ζημιοῖντο (XVIII 3), und noch bestimmter spricht
diese eigentümlichkeit der göttlichen im gegensatz zur menschlichen
bestrafung der verfasser der rede gegen Andokides aus: οὐδὲ γὰρ
ὁ θεὸc παραχρῆμα κολάζει, ἀλλ᾽ αὕτη μέν ἐcτιν ἀνθρωπίνη δίκη
(§ 20). die strafe trifft sogar oft den schuldigen nicht persönlich bei
lebzeiten, sondern erst nach dem tode in seinen nachkommen. dasz sie
auch dann noch thatsächlich strafe für ihn selbst ist, beruht auf der
durchaus hellenischen anschauung, nach der die familienzusammen-
gehörigkeit in dieser beziehung als schlechterdings untrennbar angesehen ist. sie kommt im falle der bestrafung des vaters an den
kindern dem bedürfnis entgegen die vorstellung von der unbedingt
sicher wirkenden strafgerechtigkeit der götter in einklang zu setzen
mit der erfahrung, dasz auch grosze schuld nicht immer strafe des
schuldigen selbst nach sich zieht. in diesem sinne sagt Lykurgos
(§ 79): τοὺc δὲ θεοὺc οὔτ᾽ ἂν ἐπιορκήcαc τιc λάθοι οὔτ᾽ ἂν ἐκφύγοι τὴν ἀπ᾽ αὐτῶν τιμωρίαν, ἀλλ᾽ εἰ μὴ αὐτόc, οἱ παῖδέc γε καὶ
τὸ γένοc ἅπαν τὸ τοῦ ἐπιορκήcαντοc μεγάλοιc ἀτυχήμαcι περι-
πίπτει, und der verfasser der rede gegen Andokides begründet seine
eben angeführte ansicht von der langsamkeit der göttlichen bestra-

fung mit der erfahrung: ὁρῶν καὶ ἑτέρους ἠσεβηκότας χρόνῳ δε-
δωκότας δίκην καὶ τοὺς ἐξ ἐκείνων διὰ τὰ τῶν προγόνων ἁμαρτή-
ματα (§ 20). daher richten sich schwere flüche nicht nur gegen das
haupt des einzelnen, sondern auch gegen sein geschlecht und haus.
so bei dem eid vor dem Areiopagos: διομεῖται κατ' ἐξωλείας αὑτοῦ
καὶ γένους καὶ οἰκίας ὅ τινα αἰτιώμενος εἰργάσθαι τι τοιοῦτον
(Dem. XXIII 67) und sonst häufig: vgl. And. I 126. Lys. XII 10.
XXXII 13. Aisch. II 87. III 111. 120. Dem. XVIII 290. XIX 71.
LIV 16. 40. ps.-Dem. g. Neaira 10.

Läszt sich nun bei der ausdehnung der strafe auf die nachkommen die berechtigung der götter dazu im griechischen sinne
durchaus aufrecht erhalten, so fällt dieselbe dagegen fort in dem
falle, dasz völlig unschuldige und mit dem schuldigen selbst nur
zufällig verbundene personen zugleich mit jenen ihren untergang
finden. der glaube an diese möglichkeit ist uns für den anfang des
behandelten zeitraums durch folgende stelle des Antiphon bezeugt:
οἶμαι γὰρ ὑμᾶς ἐπίστασθαι ὅτι πολλοὶ ἤδη ἄνθρωποι μὴ καθαροὶ
χεῖρας ἢ ἄλλο τι μίασμα ἔχοντες συνεισβάντες εἰς τὸ πλοῖον συν-
απώλεσαν μετὰ τῆς ἑαυτῶν ψυχῆς τοὺς ὁσίως διακειμένους τὰ
πρὸς τοὺς θεούς (V 82). wir werden denselben aber auch für die
spätere zeit anzunehmen haben nach dem was wir unten (s. 473)
über die ansteckende kraft des unglücks — abgesehen von strafe —
finden werden. zum richtigen verständnis dieses glaubens im griechischen sinne haben wir aber hier an die ungerechtigkeit, die in der
bestrafung von unschuldigen liegt, kaum zu denken; der hauptnach-
druck fällt auf die hervorhebung der unfehlbaren sicherheit, mit
der die strafende gottheit in jedem falle das ihr verfallene opfer erreicht.

Indem wir uns im folgenden zur betrachtung des sonstigen
waltens der gottheit wenden, schlieszen wir sogleich die erwähnung der verhältnismäszig seltenen fälle an, in denen dieselbe
ohne den zweck der strafe als senderin von unheil erscheint.
in der schroffsten form wird sie als solche hingestellt von dem kläger
in der zweiten tetralogie des Antiphon, deren gegenstand wir schon
berührten. derselbe sagt (III γ 4): τῷ μὲν οὖν δικαίῳ πιστεύων
ὑπερορῶ τῆς ἀπολογίας· τῇ δὲ σκληρότητι τοῦ δαίμονος ἀπιστῶν
ὀρρωδῶ μὴ οὐ μόνον τῆς χρείας τοῦ παιδὸς ἀποστερηθῶ, ἀλλὰ
καὶ αὐθέντην προσκαταγνωσθέντα ὑφ' ὑμῶν ἐπίδω αὐτόν. hier
wird also geradezu dem δίκαιον die σκληρότης der gottheit entgegengesetzt, die der sprecher fürchtet. der vertreter des beklagten
nimt diese auffassung in seiner antwort sogleich auf, indem er die
richter bittet (III δ 10): μήτε αὐτοὶ ταῖς τούτων ἀτυχίαις βοηθοῦν-
τες ἐναντία τοῦ δαίμονος γνῶτε: er faszt das unglück des gegners
als eine schickung der götter, die derselbe eben tragen müsse. so
faszt auch der krüppel bei Lysias sein gebrechen mit seinen folgen
als eine schickung des δαίμων und bescheidet sich damit (XXIV 22).
der verfasser des sog. Lysianischen epitaphios zweifelt, ob er die

niederlage im Hellespont der schlechtigkeit des feldherrn oder der θεῶν διάνοια zuschreiben soll (§ 58). in der dritten rede gegen Philippos ferner bekennt Demosthenes, entsprechend dem furchtbaren ernst, der dies ganze gewaltige werk kennzeichnet: πολλάκιc γὰρ ἔμοιγ᾽ ἐπελήλυθε καὶ τοῦτο φοβεῖcθαι, μή τι δαιμόνιον τὰ πράγματ᾽ ἐλαύνῃ (§ 54); in trüben stunden kann er sich die grösze der gefahr, die in der schlaffen, leichtsinnigen art seiner mitbürger liegt, nicht anders erklären als durch einen göttlichen einflusz zum unheil. und als dies unheil thatsächlich eingetroffen ist und ihm selbst die schuld daran zugeschrieben wird, da weist er wieder auf die gottheit als den urheber hin, diesmal in resignierter ergebung: τὸ μὲν γὰρ πέρας, ὡc ἂν ὁ δαίμων βουληθῇ, πάντων γίγνεται· ἡ δὲ προαίρεcιc αὐτὴ τὴν τοῦ cυμβούλου διάνοιαν δηλοῖ. μὴ δὴ τοῦτο ὡc ἀδίκημα ἐμὸν θῇc, εἰ κρατῆcαι cυνέβη Φιλίππῳ τῇ μάχῃ· ἐν γὰρ τῷ θεῷ τὸ τούτου τέλος ἦν, οὐκ ἐν ἐμοί (XVIII 192) und weiter: νῦν μέν γε ἀποτυχεῖν δοκεῖ τῶν πραγμάτων, ὃ πᾶcι κοινόν ἐcτιν ἀνθρώποιc, ὅταν τῷ θεῷ ταῦτα δοκῇ (ebd. § 200, vgl. auch § 303). aus derselben stimmung heraus sagt er in derselben rede, wenn auch nicht in unmittelbarer beziehung auf das unglück des staates: δεῖ δὲ τοὺc ἀγαθοὺc ἄνδραc ἐγχειρεῖν μὲν ἅπαcιν ἀεὶ τοῖc καλοῖc, τὴν ἀγαθὴν προβαλλομένουc ἐλπίδα, φέρειν δ᾽ ὅ τι ἂν ὁ θεὸc διδῷ γενναίωc (§ 97), und später in bezug auf die in frühern kämpfen für das vaterland gefallenen: τῇ τύχῃ δ᾽, ἣν ὁ δαίμων ἔνειμεν ἑκάcτοιc, ταύτῃ κέχρηνται (§ 208; vgl. ps.-Lysias epit. 78).

Mit diesen stellen dürften die fälle, in denen die götter geradezu als unglücksendend erscheinen, ohne dasz dabei strafe bezweckt würde, erschöpft sein. sie sind eben allmächtige leiter des menschengeschicks und können dasselbe wenden, wie es ihnen beliebt. dasz alles was geschieht als von-ihrem willen abhängig gedacht wird, zeigt die oft angewandte formel 'wenn gott will', die uns schon mehrfach begegnet ist: vgl. Ant. I 20. Lys. XIII 1. Aisch. III 57. Dem. IV 7. Dein. II 3. g. Aristog. I 1. der gedanke im senden von unglück ein planmäsziges vorgehen der götter zu irgend einem groszen zweck der weltleitung — abgesehen von der aufrechterhaltung des rechts durch bestrafung — zu sehen liegt den rednern wie der classischen zeit überhaupt durchaus fern (vgl. LSchmidt ethik II s. 68). das unglück des einzelnen oder des staatès ist da, und es gilt nun sich darein zu fügen. dasz aber der Athener des vierten jh. seine götter für misgünstig oder gar grausam gehalten, ihnen tücke und bosheit zugeschrieben habe, ist im allgemeinen nicht zu erweisen. die redner bieten für diese anschauung nicht den geringsten beleg. nachdem Platon gesagt: φθόνοc γὰρ ἔξω θείου χοροῦ ἵcταται (Phaidros 247[a]), ist auch für den durch Pindaros, Aischylos, Herodotos veredelten gebrauch von φθόνοc in beziehung auf die götter kein beispiel aus diesen quellen beizubringen. das einzige das Nägelsbach (nachhom. theol. s. 47) anführt passt nicht: denn wenn Demosthenes von sich sagt: πολλῷ τοῖc λόγοιc ἐλάττοcι χρῶμαι

τῶν ἔργων, εὐλαβούμενος τὸν φθόνον (XVIII 305), so ist hier
höchstens an eine selbständige personification zu denken, vermutlich aber nach den kurz vorher ausgesprochenen worten ἐὰν ἄνευ
φθόνου τις βούληται σκοπεῖν (§ 303) an menschliche misgunst;
von den göttern ist nicht die rede (vgl. auch Isokr. Euag. 39).

Dagegen tritt nun überall stark die neigung hervor die götter
als wohlwollend anzusehen. freilich nur die kehrseite ihrer stra-
fenden gerechtigkeit zeigt sich da, wo sie den unschuldigen aus
gefahren retten, die ihm aus ungerechter anklage erstehen. die
vollendete thatsache und die bitte des angeklagten darum begegnen
uns häufig. so sagt Lysias von den männern, denen es gelang
ihrer durch des Agoratos verleumderische klage bewirkten verurteilung durch die flucht zu entgehen: ἡ δὲ τύχη καὶ ὁ δαίμων περι-
εποίησε (XIII 63). der streng rechtliche Lykurgos bittet selbst die
götter, falls er den Leokrates mit unrecht angeklagt, σωθῆναι αὐτὸν
ἐκ τοῦ κινδύνου καὶ ὑπὸ τῶν θεῶν καὶ ὑφ' ὑμῶν τῶν δικαστῶν
(§ 2), erwähnt aber freilich auch, wie unrecht Leokrates, der sich
ja selbst für unschuldig ausgibt, daran thue die götter zu seiner hilfe
anzurufen (§ 17. 143). auf andere stellen gleiches inhalts genüge
es zu verweisen: vgl. Aisch. II 180. Dem. XVIII 249. XXIV 7.
Hypereides f. Lyk. col. 42, 12. insofern im kranzprocess Demosthenes
der eigentlich angeklagte ist, kann auch er bei dieser gelegenheit
die götter anfleben: ἐπεύχομαι πᾶσι τούτοις, εἰ μὲν ἀληθῆ πρὸς
ὑμᾶς εἴποιμι . . εὐτυχίαν μοι δοῦναι καὶ σωτηρίαν (XVIII 141).
daraus, dasz die götter ihn mehrfach aus gefahren gerettet haben,
folgert Andokides seine unschuld und darum auch für seine richter
die pflicht ihn freizusprechen (I 114. 139. II 15). wie in dem um-
gekehrten falle sehen wir auch hier zum teil die götter im verein
mit den richtern und durch sie wirken: vgl. And. I 139. Lyk. g.
Leokr. 1. Aisch. II 180. Dem. XVIII 249. XXIV 7. die art und
weise dieses zusammenwirkens wird klar durch das wiederholte gebet des Demosthenes im prooimion der kranzrede: πρῶτον μέν, ὦ
ἄ. Ἀ., τοῖς θεοῖς εὔχομαι πᾶσι καὶ πάσαις, ὅσην εὔνοιαν ἔχων ἐγὼ
διατελῶ τῇ τε πόλει καὶ πᾶσιν ὑμῖν, τοσαύτην ὑπάρξαι μοι παρ'
ὑμῶν εἰς τουτονὶ τὸν ἀγῶνα (§ 1. 8); die götter sollen den richtern wohlwollen für den betenden einflöszen. bezeichnend ist es,
dasz auch in diesen fällen, wo es sich streng genommen nur um eine
pflicht der gerechtigkeit handelt, doch den göttern mitleid mit dem
gefährdeten zugeschrieben wird; wenigstens sagt Andokides: εἰς γὰρ
τοὺς θεοὺς ἔχοντα ὀνείδη οὗτοί με μᾶλλον τῶν ἀνθρώπων ἐοίκασι
κατελεῆσαι (II 15).

Gerechtes vergelten der götter, keine besondere güte könnte
man auch da sich begnügen festzustellen, wo frömmigkeit als
die quelle von segen, den sie verleihen, erscheint. Lykurgs vorliebe für allgemeine bemerkungen liefert uns auch hier wieder einmal den so zu sagen dogmatischen ausdruck für die sache. er erzählt
die sage von dem jüngling, der bei einem ausbruch des Aetna seinen

greisen vater auf die schultern geladen, um ihn zu retten; der lava-
strom habe die fliehenden erreicht, sei aber um sie herumgeflossen;
er fährt fort: ὅθεν δὴ καὶ ἄξιον θεωρῆcαι‹τὸ θεῖον, ὅτι τοῖc ἀνδράcι τοῖc ἀγαθοῖc εὐμενῶc ἔχει (§ 96). der eidestreue der Athener
schreibt derselbe redner den sieg von Plataiai und ihren ruhm insbesondere zu: οὕτω τοίνυν, ὦ ἄ., cφόδρα ἐνέμειναν ἐν τούτῳ πάντεc,
ὥcτε καὶ τὴν παρὰ τῶν θεῶν εὔνοιαν μεθ' ἑαυτῶν ἔcχον βοηθόν,
καὶ πάντων τῶν Ἑλλήνων ἀνδρῶν ἀγαθῶν γενομένων πρὸc τὸν
κίνδυνον μάλιcτα ἡ πόλιc ὑμῶν εὐδοκίμηcεν (§ 82). der ankläger
des Agoratos, der mit seiner klage einer pflicht der εὐcέβεια genügt,
gründet darauf die hoffnung auf glück: νομίζω ἡμῖν καὶ παρὰ θεῶν
καὶ παρ' ἀνθρώπων ἄμεινον ἂν γίγνεcθαι (Lys. XIII 3). auch der
eidestreue richter darf solche hoffnungen hegen; das spricht Demosthenes aus: παρ' ὦν (sc. τῶν θεῶν) κρεῖττόν ἐcτιν ἑκάcτῳ τὰc
ἀγαθὰc ἐλπίδαc τοῖc παιcὶ καὶ ἑαυτῷ, τὰ δίκαια γνόντα καὶ τὰ
προcήκοντα, περιποιήcαcθαι usw. (XIX 240; vgl. Aisch. II 87).

Die Athener thaten sich auf die frömmigkeit ihrer stadt
etwas besonderes zugute. Isaios deutet darauf hin mit den worten
(VI 49): ταυτὶ τὰ γράμματα, ὦ ἄ., ὑμεῖc οὕτω cεμνὰ καὶ εὐcεβῆ
ἐνομοθετήcατε, περὶ πολλοῦ ποιούμενοι καὶ πρὸc ταύταc (die eleu-
sinischen gottheiten) καὶ πρὸc τοὺc ἄλλουc θεοὺc εὐcεβεῖν. Lykurgos meint, die Athener zeichneten sich vor andern aus τῷ πρόc τε
τοὺc θεοὺc εὐcεβῶc καὶ πρὸc τοὺc γονεῖc ὁcίωc καὶ πρὸc τὴν
πατρίδα φιλοτίμωc ἔχειν (§ 15); Aischines sagt, die götter hätten
ihnen τὴν ἡγεμονίαν τῆc εὐcεβείαc übergeben (III 129), und von
Deinarchos werden sie angeredet als οἱ πάντων εἶναι φάcκοντεc
εὐcεβέcτατοι (I 87). diese εὐcέβεια bezeichnet Demosthenes geradezu
als den grund für das glück des staates in früherer zeit: ἐκ δὲ τοῦ
τὰ τὲν Ἑλληνικὰ πιcτῶc, τὰ δὲ πρὸc τοὺc θεοὺc εὐcεβῶc, τὰ δ'
ἐν αὑτοῖc ἴcωc διοικεῖν μεγάλην εἰκότωc ἐκτήcαντο εὐδαιμονίαν
(III 26; vgl. prooimion 54). in ihrer besondern form als eidestreue
und cultusfrömmigkeit erscheint die εὐcέβεια als voraussetzung des
glücks der stadt an zwei stellen des Lykurgos: Λεωκράτηc δὲ οὔτε
νομίμων οὔτε πατρῴων οὔτε ἱερῶν φροντίcαc τὸ καθ' ἑαυτὸν
ἐξαγώγιμον ὑμῖν καὶ τὴν παρὰ τῶν θεῶν βοήθειαν ἐποίηcε (§ 26),
und weiterhin: μὴ γὰρ οἴεcθε τῶν μὲν οὐcιῶν .. κληρονόμοι εἶναι,
τῶν δὲ ὅρκων καὶ τῆc πίcτεωc ἣν δόντεc οἱ πατέρεc ὑμῶν ὅμηρον
τοῖc θεοῖc τῆc κοινῆc εὐδαιμονίαc τῆc πόλεωc μετεῖχον, ταύτηc δὲ
μὴ κληρονομεῖν (§ 127).

Aber auch ohne den bestimmten hinweis darauf werden wir uns
die sehr häufige erwähnung des wohlwollens der götter für den
athenischen staat bei den rednern zu einem guten teil aus diesem
vorzug desselben zu erklären haben. von den stellen, an denen die
götter schlechthin als gütig gegen den staat hingestellt werden, sind
besonders bedeutsam die in den olynthischen reden des Demosthenes,
wo er den in schwerer zeit tröstlichen gedanken daran in seinen mit-
bürgern wachruft. so gleich im anfang der zweiten: ἐπὶ πολλῶν

μὲν ἄν τιc ἰδεῖν, ὦ ἄ. Ἀ., δοκεῖ μοι τὴν παρὰ τῶν θεῶν εὔνοιαν· φανερὰν γιγνομένην τῆ πόλει, οὐχ ἥκιστα δ' ἐν τοῖc παροῦcι. πράγμαcι. τὸ γὰρ τοὺc πολεμήcονταc Φιλίππῳ γεγενῆcθαι . . δαιμονίᾳ τινὶ καὶ θείᾳ παντάπαcιν ἔοικεν εὐεργεcίᾳ (II 1), und weiter im vertrauen auf dies schon bewährte wohlwollen: πολὺ γὰρ πλείουc ἀφορμὰc εἰc τὸ τὴν παρὰ τῶν θεῶν εὔνοιαν ἔχειν ὁρῶ· ὑμῖν ἐνούcαc ἢ 'κείνῳ (§ 22); ganz ähnlich I 10 und XIX 256. an der letztgenannten stelle wird noch besonders mit nachdruck erklärt, ὡc ἄρ' οἱ θεοὶ cῴζουcιν ἡμῶν τὴν πόλιν· ebenso spricht Aischines von der πολιτεία, ἣν οἱ θεοὶ καὶ οἱ νόμοι cῴζουcιν (III 196). die beiden todfeinde vereinigen sich auch in dem gedanken, dasz die götter den staat da bewahren, wo die leitenden redner — jeder meint natürlich den gegner — ihm schaden. Demosthenes sagt in der rede über die truggesandtschaft von ihnen: ἀεὶ cῴζουcι τὴν πόλιν πολλῷ τῶν προεcτηκότων μᾶλλον (§ 297), und vielleicht in beziehung darauf in starker verschärfung erklärt Aischines in der Ktesiphonrede: οὐδεμίαν τοι πώποτε ἔγωγε μᾶλλον πόλιν ἑώρακα ὑπὸ μὲν τῶν θεῶν cῳζομένην, ὑπὸ δὲ τῶν ῥητόρων ἐνίων ἀπολ- λυμένην (§ 130).

Wo aber menschliches wirken mit als heilbringend hingestellt wird, da werden doch die götter in erster linie genannt. dasz nach der einnahme von Elateia Philippos nicht sofort nach Attika gedrungen, ist nach Demosthenes ansicht geschehen μάλιστα μὲν . . θεῶν τινοc εὐνοίᾳ πρὸc ὑμᾶc, εἶτα μέντοι καὶ, ὅcον καθ' ἕνα ἄνδρα, καὶ δι' ἐμέ (XVIII 153); ähnlich bald darauf in bezug auf denselben gegenstand: ἅ γε μηδὲ πεῖραν ἔδωκε θεῶν τινοc εὐνοίᾳ καὶ τῷ προβαλέcθαι τὴν πόλιν ταύτην τὴν cυμμαχίαν (§ 195); dieselbe ausdrucksweise s. Aisch. III 57. 88. Dem. XXIV 135. Dein. I 26. dasz der mensch nicht müszig die wohlthaten der himmlischen erwarten, sondern selbst hand ans werk legen soll, hebt Demosthenes begreiflicher weise neben seinem tröstenden hinweis auf jene hervor. ein miserfolg, sagt er, wird zeigen, dasz auch bei Philippos nicht alles so gut ist, wie es zunächst aussieht: δοκεῖ δ' ἔμοιγε, ὦ ἄ. Ἀ., δείξειν οὐκ εἰc μακράν, ἂν οἵ τε θεοὶ θέλωcι καὶ ὑμεῖc βούληcθε (II 20); kurz darauf: οὐκ ἔνι δ' αὐτὸν ἀργοῦντα οὐδὲ τοῖc φίλοιc ἐπιτάττειν ὑπὲρ αὐτοῦ τι ποιεῖν, μή τί γε δὴ τοῖc θεοῖc (§ 23), aber auch anderseits: ὅποι μὲν γὰρ ἄν, οἶμαι, μέροc τι τῆc πόλεωc cυναποcταλῆ, κἂν μὴ πᾶcα παρῆ, καὶ τὸ τῶν θεῶν εὐμενὲc καὶ τὸ τῆc τύχηc cυναγωνίζεται (IV 45; vgl. Lys. XXXIV 16).

Dem gedanken eines derartigen zusammenwirkens von göttern und menschen entspricht es, wenn die einwirkung jener sich dar- stellt als das veranlassen einer bestimmten dem staat heilsamen gesinnung bei einzelnen oder allen bürgern. in bezug auf kläger und richter haben wir das schon früher gesehen, und zwar in der form des gebets. auch bei den beispielen allge- meinern inhalts sehen wir meistens diese form. so heiszt es bei

Lysias (XVIII 18): τοῖc θεοῖc εἰc ὁμόνοιαν εὔχεcθε καταcτῆναι τὴν πόλιν μᾶλλον ἢ ἐπὶ τιμωρίᾳ τῶν παρεληλυθότων τραπόμενοι τὴν μὲν πόλιν cταcιάcαι, τοὺc δὲ λέγονταc ταχέωc πλουτῆcαι, oder (XXI 15): ἄξιον δέ ἐcτιν .. τοῖc θεοῖc εὔχεcθαι τοὺc ἄλλουc εἶναι τοιούτουc (dh. nach dem zusammenhang 'so wackere') πολίταc. noch deutlicher wird die art der einwirkung durch folgende stelle aus dem epilog der kranzrede: μὴ δῆτ', ὦ πάντεc θεοί, μηδεὶc ταῦθ' ὑμῶν ἐπινεύcειεν, ἀλλὰ μάλιcτα μὲν καὶ τούτοιc βελτίω τινὰ νοῦν καὶ φρέναc ἐνθεῖητε (§ 324); vgl. auch XX 25. prooim. 25. ps.-Dem. g. Olymp. 24. zum nutzen des staates wirken die götter auch dann, wenn sie die feinde desselben zu thorheit oder verderblicher schuld verführen. in bezug auf den freiheitskampf gegen die dreiszig sagt Lysias (XXV 22): ταῦτα γὰρ τοῖc θεοῖc εὔχεcθε, ἅπερ ἐκείνουc ἑωρᾶτε ποιοῦνταc, ἡγούμενοι διὰ τὴν τῶν τριάκοντα πονηρίαν πολὺ μᾶλλον cωθήcεcθαι ἢ διὰ τὴν τῶν φευγόντων δύναμιν κατιέναι, und im hinblick auf einen möglichen krieg mit dem Perserkönig heiszt es in der symmorienrede des Demosthenes (§ 39): εὔχεcθε δὲ πᾶcι τοῖc θεοῖc τὴν αὐτὴν λαβεῖν παράνοιαν ἐκεῖνον ἥνπερ ποτὲ τοὺc προγόνουc αὐτοῦ. dem leitmotiv von der schlaffheit und unthätigkeit der Athener, das die Philippischen reden beherrscht, entspringt die überraschende wendung des gleichen gedankens, die Demosthenes einmal anwendet: δοκεῖ δέ μοι θεῶν τιc, ὦ ἄ. Ἀ., τοῖc γιγνομένοιc ὑπὲρ τῆc πόλεωc αἰcχυνόμενοc τὴν φιλοπραγμοcύνην ταύτην ἐμβαλεῖν Φιλίππῳ (IV 42): denn eben durch diese φιλοπραγμοcύνη des feindes sollen die Athener aufgerüttelt werden zu energischem handeln, wie es not thut.

Eine andere art göttlicher einwirkung auf menschliches handeln zum wohl des staates besteht im erteilen von ratschlägen oder bestimmten aufträgen durch o r a k e l. Dodone und Delphoi sind auch jetzt noch wie zu Herodotos zeit als stätten verehrt, von denen aus sich der wahrhaftige wille der gottheit kund thut. alte orakel werden in erzählungen angeführt (Lyk. g. Leokr. 84. 93. 99. 105), oder wenn sie noch für die gegenwart geltende bestimmungen enthalten, in erinnerung gebracht und gegen thätliche nichtbeachtung in schutz genommen (Aisch. III 127. Dem. XXI 51). aber auch neue orakel werden mehrfach erwähnt: vgl. Dem. XVIII 252. XXI 54. ps.-Dem. g. Makart. 66. Hyp. f. Eux. c. 35, 24. 37, 10. Dein. I 78. 98. die zuletzt citierte stelle des Deinarchos bezieht sich offenbar auf dasselbe orakel, das Demosthenes in seiner rede über die truggesandtschaft etwa zwanzig jahre vor jenem genauer bespricht (§ 297—299). danach wurden die Athener angewiesen sich vor den führern zu hüten — der ausdruck ἡγεμόνεc wird auf die redner bezogen — und die eintracht (ὁμόνοια) zu wahren; diese beiden stichworte kehren bei Deinarchos wieder. bezeichnend ist es, dasz Demosthenes dabei das orakel ausdrücklich als eine wohlwollende äuszerung der götter hinstellt: οἵπερ ἀεί, sagt er, cώζουcι τὴν πόλιν πολλῷ τῶν προεcτηκότων μᾶλλον (§ 297). freilich bezeichnete jede partei ihre gegner als die, vor denen die götter warnten, Demosthenes den Aischines und seine genossen, Deinarchos den Demosthenes, ein umstand der dem ansehen des orakels an sich natürlich keinen eintrag that. bedenklicher ist es, wenn das menschliche werkzeug des orakelspendenden Delphiers, die Pythia, des φιλιππίζειν bezichtigt wird, wie es durch Demosthenes geschah (Aisch. III 130). bekanntlich ist solcher zweifel nicht erst eine frucht des vierten jh., und wir müssen uns fast wundern, dasz er in dieser zeit nicht schon in weiterm umfange den glauben an die orakel untergraben hat. dasz auch sog. wunderzeichen und opfer ihre geltung als kundgebungen göttlichen willens, insbesondere als warnungen noch durchaus behaupten, bezeugen uns gleichfalls mehrere stellen bei Aischines: ἀλλ’ οὐ προὔλεγον, οὐ προὐςήμαινον ἡμῖν οἱ θεοὶ φυλάξαςθαι, μόνον οὐκ ἀνθρώπων φωνὰς προςκτηςάμενοι; . . οὐχ ἱκανὸν ἦν τὸ τοῖς μυςτηρίοις φανὲν ςημεῖον φυλάξαςθαι, ἡ τῶν μυςτῶν τελευτή; fragt er (III 130), und weiterhin macht er dem feinde zum vorwurf, dasz er die bei Chaironeia gefallenen in den kampf getrieben habe ἀθύτων καὶ ἀκαλλιερήτων ὄντων τῶν ἱερῶν (§ 152). dasz dagegen das traumorakel, das ἐνύπνιον, obwohl es zunächst gleichfalls als unmittelbare offenbarung galt, nicht unbedingt glauben fand oder doch zum mindesten der bestätigung durch ein eigentliches götterorakel bedurfte, zeigen die beiden erwähnungen bei Aischines und Hypereides. bei dem erstern heiszt es in bezug auf Demosthenes: πυθόμενος τὴν Φιλίππου τελευτὴν τῶν μὲν θεῶν ςυμπλάςας ἑαυτῷ ἐνύπνιον κατεψεύςατο, ὡς οὐ παρὰ Χαριδήμου τὸ πρᾶγμα πεπυςμένος, ἀλλὰ παρὰ τοῦ Διὸς καὶ τῆς Ἀθηνᾶς, οὓς μεθ’ ἡμέραν ἐπιορκῶν νύκτωρ φηςὶν ἑαυτῷ διαλέγεςθαι καὶ τὰ μέλλοντα ἔςεςθαι προλέγειν (III 77; vgl. ebd. § 219); und in bezug auf sein angezweifeltes ἐνύπνιον sagt Euxenippos bei Hypereides: εἰ δὲ . . ἡγοῦ αὐτὸν καταψεύςαςθαι τοῦ θεοῦ καὶ χαριζόμενόν τιςι μὴ τἀληθῆ ἀπηγγελκέναι τῷ δήμῳ, οὐ ψήφιςμα ἐχρῆν ςε πρὸς τὸ ἐνύπνιον γράφειν, ἀλλ’ . . εἰς Δελφοὺς πέμψαντα πυθέςθαι παρὰ τοῦ θεοῦ τὴν ἀλήθειαν (c. 28, 10 ff.).

Das vertrauen auf das in den besprochenen formen sich äuszernde wohlwollen der götter für den staat spricht sich vielfach in gebeten an sie aus. von diesen haben wir schon einige angeführt, in denen sie um verleihung heilsamer gesinnung angegangen werden. auf andere, die kein besonderes interesse darbieten, begnüge ich mich zu verweisen: vgl. Lys. XVIII 26. Dem. VI 37. IX 76. XVIII 89. XX 49. 161. prooim. 31. Dein. I 36. 65. an einer stelle aus dem epitaphios des ps.-Lysias, wo von ἱκετεῖαι θεῶν in einer zeit der not die rede ist, fährt der redner mit der frage fort (§ 40): τίς οὐκ ἂν θεῶν ἠλέηςεν αὐτοὺς ὑπὲρ τοῦ μεγέθους τοῦ κινδύνου; also mitleid erhofft man von den himmlischen.

Oft finden wir denn auch dank an sie für gespendete wohlthaten erwähnt. meist wird die verpflichtung dazu ausgesprochen, wie in der ersten olynthischen rede: καὶ ἔμοιγε δοκεῖ τις ἄν, ὦ ἄ. Ἀ.,

δίκαιος λογιστὴς τῶν παρὰ τῶν θεῶν ἡμῖν ὑπηργμένων καταστὰς
. . μεγάλην ἂν ἔχειν αὐτοῖς χάριν, εἰκότως (§ 10): vgl. Dem. XV 2.
prooim. 24. Dein. III 11. doch auch die thatsächlich vorhandene
gesinnung des dankes begegnet uns (Dem. XVIII 2ɜ8), bisweilen
ausgedrückt durch culthandlungen (Dem. XVIII 86. 216).

In dem zuletzt behandelten abschnitt giengen wir aus von dem
auf Athen speciell angewandten gedanken, dasz besondere frömmigkeit auch besonderes wohlwollen der götter bedinge. an den weiterhin angeführten stellen trat derselbe aber vielfach durchaus zurück;
es war einfach die rede von äuszerungen göttlicher güte. auch in
bezug auf einzelne menschen finden wir solche, ohne dasz ein
hervorragendes verdienst der frömmigkeit zu grunde läge. voraussetzung ist dabei natürlich, dasz nicht das gegenteil, ausgesprochene
gottlosigkeit störend dazwischen tritt. dasz nach Antiphons ansicht
der gottheit die erschaffung und erhaltung des menschengeschlechts
zu verdanken ist, haben wir schon in anderm zusammenhang gesehen
(vgl. s. 452). von den wenigen stellen, die sonst hier noch anzuführen sind, teilt die eine das verdienst einer rettung aus sturmes-
gefahr zwischen göttern und menschen: cωθείcηc εἰc Κεφαλληνίαν
τῆc νεὼc διὰ τοὺc θεοὺc μάλιστά γε, εἶτα καὶ διὰ τὴν τῶν ναυτῶν
ἀρετήν (ps.-Dem. g. Zenoth. 8). an den andern erscheint das wohlwollen der götter nur als allgemeine voraussetzung für gebete, ohne
dasz dabei für uns neue gedanken zu tage kämen: vgl. Lys. fr. 71.
Dem. VIII 20. XIX 130. ps.-Dem. g. Makart. 12.

Aus naheliegenden praktischen gründen haben wir uns in der
hiermit zu ende geführten erörterung über wesen und walten der
götter um die jedesmal für dieselben angewandte bezeichnung nicht
gekümmert. wir holen jetzt die versäumnis nach.

Die namen einzelner götter werden hauptsächlich genannt
in den fast zahllosen beteuerungsformeln, die ja zum groszen teil
zu bloszen versicherungspartikeln oder interjectionen abgeschwächt
sind. der wesentlich formale wert derselben macht ein näheres eingehen auf sie für unsern zweck überflüssig. es genügt zu bemerken,
dasz neben den göttern in ihrer gesamtheit angerufen werden Zeus,
und zwar bei weitem am häufigsten, ferner Apollon, Athena, Poseidon, Demeter, Dionysos, auch der heros Herakles, bisweilen zu
mehreren verbunden, in diesem falle fast immer Zeus an der spitze.[9]
in eigentlichen zeugenanrufungen und in gebeten finden wir neben
πάντες θεοί und ähnlichen allgemeinen bezeichnungen die beiden
hauptstadtgötter Zeus und Athena, auch Apollon und die ϲεμναὶ θεαί
(Lyk. g. Leokr. 1. 17. Aisch. I 188. Dem. XVIII 141. prooim. 54.
Dein. I 36. 47. 64). die wenigen sagen, die erwähnt werden, haben

---

[9] eine fast vollständige übersicht der beteuerungsformeln und anrufungen der götter gibt Rehdantz im anhang seiner ausgabe von Demosthenes Philippischen reden, leider sehr unübersichtlich, was mich veranlaszt anhangsweise ein übersichtliches und, wie ich hoffe, absolut
genaues verzeichnis beizufügen.

wir bereits oben s. 447 angeführt. im übrigen finden wir einzelne, götter nur genannt im zusammenhang mit culthandlungen und cultverletzungen, die sie betreffen, im letztern falle auch strafend (Ant. I 31. And. I 114. 124. ps.-Lys. g. And. 3. Lyk. g. Leokr. 17. 93. Dem. XXI 121. 125), Zeus und Apollon insbesondere bei hinweisung auf ihre orakel (s. o. s. 463). auch die personificationen Φήμη und Εὐνομία[10] werden genannt (Aisch. II 145. ps.-Dem. g. Aristog. I 35).

Wo sonst die götter uns begegnen, sehen wir die allgemeinen bezeichnungen θεός und δαίμων im singular und plural, θεῶν τις, θεῖον und δαιμόνιον, wie auch bei andern schriftstellern, hauptsächlich den historikern: eine oft besprochene und erklärte thatsache. weitaus am meisten, bei manchen rednern[11] ausschlieszlich gebraucht ist der plural οἱ θεοί, und zwar in allen arten von äuszerungen. aber nicht ganz gleichmäszig. zunächst finden wir in. der formel 'wenn gott will' den plural nur da, wo ein anderer plural, wie οἱ δικασταί, damit verbunden ist: vgl. Ant. I 20. Aisch. III 57. ferner wird zwar bei erwähnung göttlicher strafgerechtigkeit fast ausschlieszlich die bestimmte bezeichnung οἱ θεοί angewandt, sonst in bezug auf anderweitiges ungnädiges wirken nur selten; wir finden sie ps.-Lys. epit. 58. And. I 137. Lyk. 91. Aisch. I 190. meist heiszt es in solchen fällen θεός, θεῶν τις, δαίμων, δαιμόνιόν τι. diese unbestimmtern bezeichnungen dagegen werden wieder selten von einer ausgesprochen gnädigen wirksamkeit der götter gebraucht, was besonders bei δαίμων und δαιμόνιον[12] hervortritt. am auffälligsten ist dies bei Antiphon, der an einer von den beiden in betracht kommenden stellen zu δαίμων das attribut σκληρός setzt und ihn dem δίκαιον gegenüberstellt (III γ 4), an der andern sich darauf bezieht (III δ 10). Demosthenes redet wohl von einer δαιμονία τις καὶ θεία εὐεργεσία (II 1) und δαιμονία τις εὔνοια (XIX 256); von den sechs stellen aber, wo die substantiva vorkommen, zeigen vier die verwendung im sinne einer unheilsendenden macht (IX 54. XIV 36. XVIII 208. 303), und eine fünfte streift nahe daran (XVIII 192). an éiner stelle endlich heiszt es: οἱ θεοὶ δὲ εἴσονται καὶ τὸ δαιμόνιον τὸν μὴ τὰ δίκαια ψηφισάμενον (XIX 239); hier ist charakteristisch neben einander gestellt die bezeichnung der götter als per-

---

[10] was es mit gottheiten wie Φήμη (Aisch. II 145) und Εὐνομία (ps.-Dem. g. Aristog. I 35) auf sich hat, darüber vgl. Nägelsbach nachhom. theol. s. 94 und Welcker gr. götterlehre III s. 217 ff.   [11] merkwürdig ist der gebrauch bei Antiphon, der die singulare θεός und δαίμων nur in der zweiten und dritten tetralogie anwendet, sonst dagegen, auch in der ersten tetralogie, immer οἱ θεοί. Lysias gebraucht abgesehen von der éinmal (XIII 1) vorkommenden formel ἂν θεὸς θέλῃ ausschlieszlich den plural οἱ θεοί neben δαίμων, der singular θεός findet sich nur in der ihm fremden rede g. Andokides.   [12] vgl. über δαίμων und δαιμόνιον überhaupt Ukert über dämonen, heroen und genien (abh. d. k. sächs. ges. d. wiss. 1850) s. 137 ff. Gerhard über dämonen und genien (abh. der Berl. akad. d. wiss. 1852) s. 237 ff. Nägelsbach nachhom. theol. s. 210 ff. Lehrs populäre aufsätze[2] s. 143 ff. 189 ff. Schömann gr. altert. II[3] s. 148 ff.

sönlicher, individueller wesen einerseits und als einer waltenden einheit anderseits. weniger auffallend ist der gebrauch bei den übrigen rednern. in bezug auf eine stelle aus Aischines, die wir gleichfalls oben angeführt (III 117), sagt LSchmidt (ethik I s. 238): ʻdasz die bethörung hier nicht auf eine bestimmt als solche bezeichnete gottheit, sondern auf «irgend ein daimonion» zurückgeführt wird, hängt offenbar mit der allgemeinen neigung zusammen wirkungen solcher art in das licht des geheimnisvoll rätselhaften zu stellen und möglichst wenig einzelnen göttern beizulegen.ʼ ich möchte, gestützt auf die eben besprochenen ergebnisse, diesem gedanken eine etwas andere, bestimmtere wendung geben: man schreibt ungnädige wirksamkeit mit einschlusz der verblendung, die man nicht immer unmittelbar als einen teil der göttlichen strafgerechtigkeit empfindet, den als θεοί bezeichneten göttern im allgemeinen nicht zu, weil bei dieser bezeichnung der gedanke an wesen vorschwebt, denen man sich als gnädigen im cultus vertrauensvoll naht, mit denen man durch ein so zu sagen persönliches verhältnis verbunden ist. man betet immer zu den θεοί, aber man schreibt irgendwelches unheil lieber einem ʻwaltendenʼ zu, mit welchem keine persönliche beziehung besteht. also: δαίμων hat an und für sich freilich durchaus nicht die bedeutung einer im bösen wirkenden macht; da man sich aber scheut die götter als eine solche anzusehen, so wird thatsächlich im sprachgebrauch jene bezeichnung hervorragend oft dafür angewandt.

In den bisher behandelten stellen haben wir keine veranlassung gehabt δαίμων und δαιμόνιον als sachlich verschieden von θεός anzusehen. beide wörter benennen nun aber auch jene bis jetzt noch nicht erwähnten mittelwesen zwischen göttern und menschen, gottheiten so zu sagen zweiter classe, die wir als dämonen kennen. bei den rednern finden wir diese in ihrer gesamtheit neben den eigentlichen göttern angerufen (Isaios II 47. ps.-Dem. g. Phain. 17), am deutlichsten charakterisiёrt in dem ausruf des Aischines ὦ γῆ καὶ θεοὶ καὶ δαίμονες καὶ ἄνθρωποι (III 137).

Unter den dämonen nehmen eine besonders wichtige stelle ein die personaldämonen der einzelnen menschen, die sie durch das leben geleiten. LSchmidt (ethik I s. 153 ff.) schlieszt aus der übereinstimmung der philosophen in bezug auf diesen glauben, dasz derselbe gemeingut des athenischen volkes gewesen, meint aber, dasz in der nichtphilosophischen litteratur sich belege dafür nicht fänden. dem gegenüber möchte ich auf folgende, auch sonst, so viel ich sehe, nicht berücksichtigte stellen aus den rednern verweisen. im epitaphios des ps.-Lysias heiszt es § 78: νῦν δὲ ἥ τε φύσις καὶ νόσων ἥττων καὶ γῆρας, ὅ τε δαίμων ὁ τὴν ἡμετέραν μοῖραν εἰληχὼς ἀπαραίτητος, und Aischines (III 157) ermahnt seine mitbürger καὶ τὸν δαίμονα καὶ τὴν τύχην τὴν συμπαρακολουθοῦσαν τῷ ἀνθρώπῳ (sc. Δημοσθένει) φυλάξασθαι. die in andern fällen (zb. Ant. III γ 4. δ 10. Dem. XVIII 208) angenommene allgemeine bedeutung ʻgottheitʼ passt auf die angeführten stellen offenbar nicht; die uns aus

den dichtern geläufige, in den rednern nirgends belegte bedeutung
'schicksal' ebensowenig. dagegen bemühe ich mich vergeblich gegen
die annahme eines personaldämon irgendwelchen triftigen grund ausfindig zu machen, und möchte deshalb noch an einer dritten stelle
dieselbe erklärung des ausdrucks δαίμων geltend machen, wo freilich
auch die allgemeine bedeutung möglich, aber meines erachtens viel
weniger passend ist. Deinarchos nemlich sagt von einem gewissen
Aristarchos: καὶ τοιούτῳ φίλῳ Δημοσθένει ἐχρήσατο, ὥςτε δαίμονα
αὑτῷ τοῦτον καὶ τῶν γεγενημένων cυμφορῶν ἡγεμόνα νομίcαι
προcελθεῖν (I 30). ich meine, die stelle gewinnt erheblich an wirksamkeit, wenn wir hier den Demosthenes mit einem bösen lebens-
dämon verglichen denken, statt mit der gottheit im allgemeinen.

Von andern bestimmten dämonen werden noch genannt die
ἀλιτήριοι oder fluchgeister, die in Antiphons dritter tetralogie
eine gewisse bedeutung haben, auf die hier einzugehen ich mir versagen musz: vgl. IV α 3. β 8. γ 7. δ 10[13]; in anderer weise And.
I 130.

Auf den cult des Ἀγαθοδαίμων endlich weist die in einem
bereits besprochenen fragmente des Lysias (oben s. 453) erwähnte
existenz eines clubs der kakodaimonisten als parodie desselben.

Wir wenden uns im folgenden zu den vorstellungen vom
schicksal, die wir bei den attischen rednern finden.[14]

Da fällt zunächst auf, dasz von der alten gewaltigen μοῖρα
keine spur mehr vorhanden ist. das wort μοῖρα begegnet uns
auszer an der eben citierten stelle aus ps.-Lys. epit. § 78, so viel
ich sehe, in der bedeutung von 'schicksal' nur noch éinmal, bei Isokrates XIX 29 πρὸς οὓς ἐγὼ τοιαῦτ' ἀπεκρινάμην, ὅτι πολὺ ἂν
θᾶττον ἑλοίμην ἀποθανεῖν ἢ 'κεῖνον περιιδεῖν δι' ἔνδειαν τοῦ θερα-
πεύcοντος πρὸ μοίρας τελευτήcαντα: wir würden übersetzen 'vor
der zeit', dh. vor der nach menschlicher voraussicht bestimmten
todesstunde. die bedeutung ist also passivisch wie bei εἱμαρμένη,
das wir in genau derselben verwendung bei Antiphon I 21 finden:
ἀθέως καὶ ἀκλεῶς πρὸ τῆς εἱμαρμένης ὑφ' ὧν ἥκιστα ἐχρῆν τὸν
βίον ἐκλιπών· an andern stellen ebenfalls nur passivisch = 'bestimmung' (Hypereides epit. col. 5, 38. Dem. XVIII 205; vgl. auch
Dem. XVIII 194. prooim. 24).

Das vierte jh. hat für das schicksal die früher mehr zurücktre-
tende bezeichnung τύχη, ein wort das ebenso vieldeutig ist wie das
deutsche, durch das wir es wiedergeben. die religionsgeschichtliche
forschung hat es streng genommen nur mit einer als waltend und
wirkend gedachten schicksalsmacht zu thun. wollen wir aber die
τύχη in diesem sinne recht begreifen, so haben wir auch die übrigen
bedeutungen des wortes zu berücksichtigen, da sich aus ihnen die

---

[13] vgl. LSchmidt ethik I s. 215 ff.   [14] vgl. im allgemeinen Nägelsbach nachhom. theol. s. 153 ff. Lehrs pop. aufsätze[2] s. 175 ff. Welcker
gr. götterlehre II s. 799 ff. LSchmidt ethik I s. 52 ff.

uns vorzugsweise interessierende erst allmählich entwickelt, und da
der begriff der waltenden τύχη die charakteristischen merkmale jener
enthält.

Die einfachste bedeutung von τύχη ist 'geschehen, geschick',
und zwar wird das wort in diesem sinne in beiden numeri gleicher-
maszen von glücklichen und unglücklichen ereignissen gebraucht.
so heiszt es bei Antiphon IV δ 8: ἔcτι δὲ καὶ ἡ τύχη τοῦ ἄρξαντος
καὶ οὐ τοῦ ἀμυνομένου· ὁ μὲν γὰρ ἀκουcίωc πάντα δράcαc καὶ
παθὼν ἀλλοτρίᾳ τύχῃ κέχρηται· ὁ δὲ ἑκουcίωc πάντα δράcαc, ἐκ
τῶν αὐτοῦ ἔργων τὴν τύχην προcαγαγόμενος, τῇ αὐτοῦ ἀτυχίᾳ
ἥμαρτεν: vgl. And. I 114. Lys. XVIII 5. XXXIV 2. fr. 53. ps.-Lys.
epit. 10. Isokr. XVI 48. Isaios II 11. mit vorliebe finden wir die
verbindung mit dem verbum χρῆcθαι, die auch die angeführte stelle
aus Antiphon zeigt: vgl. Ant. fr. 49. And. I 67. 120. Lys. X 25.
XVIII 10. Isokr. XIX 8. Isaios I 45. Lyk. g. Leokr. 108. Dem.
XVIII 208. an éiner stelle erscheint τύχη in der besprochenen bedeutung mit dem nebensinn des unabwendbaren; der sprecher der
6n rede des Antiphon sagt, er wolle durch seine verteidigung nicht
etwa die schuld auf einen andern wälzen, πλήν γε τῆc τύχηc, ἥπερ
οἶμαι καὶ ἄλλοιc πολλοῖc ἀνθρώπων αἰτία ἐcτὶν ἀποθανεῖν· ἣν
οὔτ' ἂν ἐγὼ οὔτ' ἄλλοc οὐδεὶc οἷόc τ' ἂν εἴη ἀποτρέψαι μὴ οὐ
γενέcθαι, ἥντινα δεῖ ἑκάcτῳ (VI 15).

Auch zur bezeichnung des aus einmaligem geschehen hervor-
gehenden zustandes wird τύχη gebraucht, in welchem falle wir die
übersetzung 'lage' gebrauchen können. so bei Isokrates (XVIII 68)
ἄξιον δὲ τὴν παροῦcαν τύχην διαφυλάττειν, oder im plural: εὑρή-
cετε γὰρ .. ἐμοὶ δ' οὐχ οἷόν τ' ὂν διὰ τὰc παρούcαc τύχαc οὔτ'
αὐτοῦ μένειν οὔτ' εἰc τὸν Πόντον εἰcπλεῖν (XVIII 45); ebenso
Lys. XXIV 6. XXXIII 4. ps.-Lys. g. And. 5. Isaios II 25. Aisch.
II 181. Dein. I 92. Dem. LV 22. 30. LVII 45. prooim. 43.

Wird ein thatsächliches geschehen im gegensatz gegen menschliche absicht oder voraussicht besprochen, erscheint es als unbe-
rechnet und unberechenbar, so kommen wir auf das, was wir 'zufall'
zu nennen pflegen. solche gegenüberstellungen sind häufig. Antiphon sagt V 6: ἅπαντα γὰρ τὰ ἐν ἀδήλῳ ἔτ' ὄντα ἐπὶ τῇ τύχῃ μᾶλλον ἀνάκειται ἢ τῇ προνοίᾳ. ebenso V 21, während an andern
stellen als gegensatz γνώμη (V 92) und ἀδικία (VI 1) gebraucht
ist; ähnlich Lys. III 2. XXI 10. ps.-Lys. epit. 79. Isokr. XVIII 9. 32.
Dein. I 93. auch ohne derartig scharfe gegenüberstellung haben wir
mehrfach die prägnante bedeutung 'zufall' nach dem zusammenhang
der stellen anzunehmen: vgl. Isokr. XIX 35. ps.-And. g. Alkib. 26.
häufiger freilich als durch κατὰ τύχην (Isokr. XVIII 6) oder ἀπὸ
τύχηc (ps.-Dem. g. Neaira 31) wird das adverbielle 'zufällig' bezeichnet durch ἀπὸ τοῦ αὐτομάτου: vgl. Isaios III 22. Aisch. I 127.
Dem. XIX 37. XXI 121. XXIV 27. ps.-Dem. g. Phil. IV 31. g. Steph.
II 11. g. Dionysod. 14. g. Theokr. 9. in diesem ausdruck liegt ja
an und für sich schon der begriff des 'von selbst', ohne zuthun der

beteiligten geschehenden, wie die verwendung des adjectivs αὐτό-
ματος aufs deutlichste zeigt: vgl. ps. Lys. epit. 79. Aisch. II 145.
III 167. Dem. I 7. 9. XVIII 205. LIV 12. prooim. 36.

Doch um zur τύχη zurückzukehren — eine weitere prägnante
bedeutung ist 'gelingen' oder 'glück' im positiven sinne des wortes.
wir finden dieselbe bei den rednern zuerst in einer stelle aus Lysias
(XXX 18): ἄξιον ἡμῖν τὰς αὐτὰς ἐκείνοις θυσίας ποιεῖσθαι καὶ εἰ
μηδὲν δι' ἄλλο, τῆς τύχης ἕνεκα τῆς ἐξ ἐκείνων τῶν ἱερῶν γεγενη-
μένης, ebenso ps.-Lys. epit. 10. Lyk. g. Leokr. 48. Dem. XXXVI 30.
XLV 72. 73. verdeutlicht wird diese bedeutung durch den zusatz
von ἀγαθός. so heiszt es bei Demosthenes, ganz ähnlich der eben
angeführten Lysiasstelle: τῆς γε τύχης ἕνεκα, ἧ παρὰ ταῦτ' ἀγαθῇ
κέχρησθε, ἐπὶ τούτων ἄξιον μεῖναι (XX 110). das ἀγαθῇ τύχῃ als
einleitende formel irgendwelches beginnens, besonders im staats-
leben, ist sattsam bekannt: vgl. And. I 120. Aisch. III 154. Dem.
III 18. prooim. 32.

Dasz die ἀγαθὴ τύχη wie anderswo so auch in Athen göttliche
verehrung genosz, beweist uns eine hinweisung Harpokrations udw.
auf ihren tempel, der nach seiner angabe in Lykurgs rede περὶ
διοικήσεως erwähnt war. sonst bieten die redner nirgends eine erwähnung des cultus der τύχη, um so mehr aber äuszerungen, in
denen sie sich als waltend gedacht zeigt. freilich, da sich der bisher
behandelte gebrauch des wortes im passiven, sächlichen sinne fort
und fort, wenn auch gegen früher eingeschränkt, erhält, so kann
man bisweilen zweifelhaft sein, ob man in solchen erwähnungen an
eine waltende macht — eine göttin im eigentlichen sinne ist trotz
des cultes der ἀγαθῇ τύχη kaum jemals zu erkennen — oder an ein
zugeteiltes geschick zu denken hat. so in der ältesten derartigen
stelle, die uns bei Antiphon I 2 begegnet: ἡ γὰρ τύχη καὶ αὐτοὶ
οὗτοι ἠνάγκασαν ἐμοὶ πρὸς τούτους αὐτοὺς τὸν ἀγῶνα καταστῆ-
ναι: da sich sonst bei dem redner eine waltende τύχη nicht findet,
so möchte ich auch hier nicht wagen sie anzunehmen.

Aber je weiter wir in der zeit vorschreiten, desto zweifelloser
können wir den waltenden göttern die wirkende schicksalsmacht an die seite stellen. die redner selbst thun dies nicht selten,
an stellen die wir als zeugnisse für göttliches thun schon oben angeführt haben. Lysias schreibt die rettung unschuldiger (XIII 63),
Aischines die bestrafung gottloser (III 113) δαίμων und τύχη verbunden zu, Demosthenes setzt neben einander τὸ τῶν θεῶν εὐμενὲς
καὶ τὸ τῆς τύχης (IV 45) und stellt τύχη und δαιμόνιον verbunden
als dem Perserkönig feindlich hin (XIV 36). in der rede des ps.-Dem.
g. Olympiodoros endlich heiszt es § 24: κατὰ τύχην τινὰ καὶ δαίμονα ὑμεῖς ἐπείσθητε ὑπὸ τῶν ῥητόρων εἰς Ἀκαρνανίαν στρατιώτας ἐκπέμπειν, wo freilich der zusatz von τινά starke zweifel an dem
activen sinne des wortes wachruft. an andern stellen, wo die τύχη
allein genannt ist, wird auf sie genau dasselbe bezogen wie sonst,
oft dicht daneben, auf die götter. sie übergibt den schuldigen den

richtern zur bestrafung, wie Lysias meint: μηδὲ τῆϲ τύχηϲ, ἣ τού
τουϲ παρέδωκε τῇ πόλει, κάκιον ὑμῖν αὐτοῖϲ βοηθήϲητε (XII 80);
vgl. Dein. I 29. 98. die furcht vor ihr sollte vor sünde bewahren;
aber der gegner des Lysianischen krüppels bringt gegen diesen
hämische, unbegründete anschuldigungen vor οὔτε τὴν τύχην δείϲαϲ
οὔτε ὑμᾶϲ αἰϲχυνθείϲ (Lys. XXIV 10). für Demosthenes ist die ursache des politischen unglücks ἡ δαίμονόϲ τινοϲ ἢ τύχηϲ ἰϲχὺϲ ἢ
ϲτρατηγῶν φαυλότηϲ ἢ τῶν προδιδόντων τὰϲ πόλειϲ ὑμῶν κακία
ἢ πάντα ταῦτα (XVIII 303); in bezug auf dasselbe sagt er, man
dürfe dem staate nicht vorwürfe machen, sondern müsse τὴν τύχην
κακίζειν τὴν οὕτω τὰ πράγματα κρίναϲαν (XVIII 306), und in demselben sinne stellt er einander gegenüber das ἡμαρτηκέναι und das
τῇ τῆϲ τύχηϲ ἀγνωμοϲύνῃ τὰ ϲυμβάντα παθεῖν (XVIII 207). dem
Philippos stellen sich nach des redners ansicht allerlei schwierigkeiten bei der vernichtung der Phokier ὥϲπερ ἐκ τύχηϲ entgegen,
so dasz er nur auf den krummen wegen des luges und truges ans ziel
gelangen kann (XIX 317). ganz besonders auffällig ist es, wenn
Aischines den thatsächlich eingetretenen untergang jener als das werk
des schicksals bezeichnet (II 131), während es doch nahe lag die götter
hier als rächer des an ihnen selbst begangenen frevels hinzustellen.
wie in den angeführten beispielen schlimme, so werden anderswo
heilsame wirkungen der τύχη, nicht den göttern zugeschrieben. den
söhnen des Eukrates, heiszt es, παρέδωκεν ὥϲτ' ἔτι παῖδαϲ ὄνταϲ
ἐπὶ τὴν Παυϲανίου ϲκηνὴν ἐλθόνταϲ βοηθῆϲαι τῷ πλήθει (Lys.
XVIII 22). Demosthenes thut geradezu τῶν παρὰ τῆϲ τύχηϲ εὐερ
γεϲιῶν erwähnung (XIX 55), an einer andern stelle τῶν ὑπὸ τῆϲ
τύχηϲ παραϲκευαϲθέντων ϲυμμάχων καὶ καιρῶν (II 2), nachdem er
unmittelbar vorher auf das wohlwollen der götter hingewiesen. er
spricht auch von dank an das schicksal (I 11); ebenso der verfasser
der rede g. Makartatos (§ 67). wie die götter, so wird auch die
τύχη als mit menschen zusammen wirkend angeführt: κατὰ μὲν τὸ
τούτου μέροϲ ἄπαντα πέπρακται, διὰ δὲ τὴν τύχην καὶ τὸν τρόπον
τὸν ἐμὸν οὐδὲν τῶν ἀνηκέϲτων ϲυμβέβηκεν, sagt Isokrates (XX 8),
und ähnlich heiszt es in einem der sog. Demosthenischen prooimia
(52): τοῦ δὲ μὴ τέλοϲ ταῦτα ἔχειν ἡ τύχη καὶ τὸ βέλτιον νῦν ὑμᾶϲ
φρονεῖν ἢ ὅτ' ἐξήχθητε ὑπὸ τούτων, γέγονεν αἰτία. bei Aischines
endlich lesen wir II 118: ἡ μὲν τύχη καὶ Φίλιπποϲ ἦϲαν τῶν ἔργων
κύριοι. den hier angewandten ausdruck κύριοϲ finden wir auch sonst
mit τύχη verbunden, um ihre gewalt anschaulich zu machen. Demosthenes entschuldigt den miserfolg seiner politik mit den worten
. . οὔτε τῆϲ τύχηϲ κύριοϲ ἦν, ἀλλ' ἐκείνη τῶν πάντων (XVIII 194),
und an einer andern stelle sagt er: ὅϲτιϲ . . τὴν τοιαύτην πολιτείαν
προαιρεῖται, ἐν ᾗ πλειόνων ἡ τύχη κυρία γίγνεται ἢ οἱ λογιϲμοί,
τούτων δ' ἀμφοτέρων ἑαυτὸν ὑπεύθυνον ὑμῖν παρέχει, οὗτόϲ ἐϲτ'
ἀνδρεῖοϲ (VIII 69).

   Die zuletzt angeführte stelle zeigt zugleich, wie auch der waltenden τύχη das merkmal des unberechenbaren anhaftet. der redner spricht das auch sonst öfters aus. in verteidigung seiner politik sagt er: ταῦτα προὐβαλόμην ἐγὼ πρὸ τῆς Ἀττικῆς, ὅcον ἦν ἀνθρωπίνῳ λογιcμῷ δυνατόν . . οὐδέ γ᾽ ἡττήθην ἐγὼ τοῖς λογιcμοῖς Φιλίππου . . ἀλλ᾽ οἱ τῶν cυμμάχων cτρατηγοὶ καὶ αἱ δυνάμεις τῇ τύχῃ (XVIII 300), und sein bekannter ausspruch von der τύχη, ἥπερ ἀεὶ βέλτιον ἢ ἡμεῖς ἡμῶν αὐτῶν ἐπιμελούμεθα (IV 12), der in den prooimien wiederholt ist (36. 41), beruht zum guten teil ebenfalls auf dem gedanken der unberechenbarkeit des schicksals. diese wird auch sonst hervorgehoben: vgl. Isaios IX 15. Dein. I 32. Dem. IX 38. prooim. 25. so verbindet man auch die erwähnung einer durchs loos erfolgten bestellung zu einem amt[15] mit dem wirken der τύχη (Dem. XXI 14. Dein. III 16); charakteristisch gebraucht Aischines die wendung ἡ τύχη, ἣ cυνεκλήρωcέ με ἀνθρώπῳ cυκοφάντῃ βαρβάρῳ auch da, wo thatsächlich von einer erlosung nicht die rede ist (II 183).

Auch das α ὐ τ ό μ α τ ο ν finden wir als w a l t e n d e m a c h t genannt, aber nur in zwei stücken, deren alter fraglich ist. in der rede g. Andokides fragt der sprecher § 25: καὶ τούτων πότερα τοὺς θεοὺς χρὴ ἢ τὸ αὐτόματον αἰτιᾶcθαι; und in dem zweiten der sog. Demosthenischen prooimien heiszt es: πολλῶν γὰρ τὸ τῆς τύχης αὐτόματον κρατεῖ. an dieser stelle, im zusammenhang mit nur durchaus gleichartigen erscheinungen behandelt, kennzeichnen sich eben durch diese vorstellung vom αὐτόματον vielleicht noch deutlicher als sonst beide stücke als in einer spätern zeit entstanden (vgl. LSchmidt ethik I s. 57).

Dasz wie das passivisch gebrauchte so auch das die waltende macht bezeichnende τύχη den begriff des günstigen, heilbringenden in sich tragen kann, haben mehrere der angeführten stellen schon gezeigt. Deinarchos redet auch in diesem sinne von einer ἀγαθὴ τύχη I 29: μηδὲ τῆς ἀγαθῆς τύχης ὑμᾶς ἐπὶ τὸ βέλτιον ἀγούcης καὶ τὸν μὲν ἕτερον τῶν τὴν πατρίδα λελυμαcμένων ἐκ τῆς πόλεως ἐκβεβληκυίας, τοῦτον δ᾽ ὑμῖν ἀποκτεῖναι παραδούcης, αὐτοὶ τοῖς πᾶcι cυμφέρουcιν ἐναντιωθῆτε, und ebd. § 98: δέξεcθε τὴν ἀγαθὴν τύχην, ἣ τιμωρήcαcθαι παρέδωκε τῶν ῥητόρων τοὺς τὴν πόλιν διὰ τὴν αὐτῶν δωροδοκίαν ταπεινὴν πεποιηκότας.

Mit den vorgetragenen ausführungen glaube ich das wesentliche, was im einzelnen über die wirkende τύχη zu sagen ist, erschöpft zu haben; der vollständigkeit des materials wegen verweise ich noch auf folgende meines erachtens weniger bedeutungsvolle stellen: Aisch. III 232. Hypereides g. Dem. co. 29, 1. Dein. I 91. Dem. II 22. XVIII 67. 189. 308. XXI 186. ps.-Dem. g. Phil. IV 38. 39. XIII 35. prooim. 24. 39.

Dagegen sind noch einige bemerkungen allgemeiner art hinzuzufügen. die allmähliche entwicklung der vorstellungen von

---

[15] vgl. darüber Lugebil in diesen jahrb. suppl. V s. 667 ff., der auch sonst manches über die τύχη beibringt, nicht durchweg in einklang mit unsern erörterungen darüber.

der macht des schicksals ist deutlich, wenn wir die angeführten stellen nach ihren urhebern betrachten. Antiphon hat uns keinen völlig sichern, Andokides gar keinen beleg dafür geliefert, ebenso wenig der götterfromme Lykurgos; auch Isokrates, Isaios, Hypereides kommen kaum in betracht. dagegen finden wir mehreres bei Lysias und eine ungemein reiche ausbeute bei Aischines, Demosthenes und Deinarchos. wir können demnach im allgemeinen sagen, dasz der glaube an die waltende macht des schicksals recht lebendig wird erst in der zweiten hälfte des vierten jh. umgekehrt, freilich in geringerm masze, macht sich bei den jüngern rednern ein zurücktreten der verwendung von τύχη im passiven sinne bemerkbar.

Ganz merkwürdig ist nun, dasz mit dem erstarken der schicksalsidee der götterglaube keineswegs geschwächt erscheint. die beiden grundverschiedenen erklärungsweisen des weltlaufs bestehen in einer für unser denken unverständlichen weise nebeneinander, ja, wie wir mehrfach sahen, mit einander äuszerlich verbunden; am auffälligsten bei Demosthenes, bei dem doch überall eine nicht blosz andern nachredende, sondern wahrhaft innerliche götterfrömmigkeit durchscheint. auf der einen seite persönliche götter, deren walten durch rücksichten der gerechtigkeit und der güte bedingt ist, denen man darum vertrauensvoll im gebete naht; auf der andern eine unpersönliche macht, wirksam in allem geschehen, ohne grundsätze des handelns, ohne die möglichkeit dem menschen ein herantreten an sie zu gewähren. die alte μοῖρα stand entweder als bindendes gesetz über den göttern, oder sie wurde, wenigstens von männern wie Aischylos oder Herodotos, als das von den göttern bestimmte schicksal gedacht; die τύχη des vierten jh. steht neben der gottheit, ohne dasz man irgendwelche innere verbindung zwischen beiden gewalten sucht. wir können als mittelglied, das freilich den göttern erheblich näher steht als der τύχη, den δαίμων in dem oben (s. 467) besprochenen sinne ansehen; für das griechische volksbewustsein des vierten jh. gilt das aber natürlich nicht.

Ähnlich nun wie neben dem allgemeinen dämon das schicksal steht, können wir neben dem personaldämon eine specialtyche einzelner personen und des staates annehmen. sie erscheint bei den ältern rednern noch gar nicht, bei den jüngern ziemlich häufig. zu grunde liegt die oben besprochene bedeutung 'lage', jedoch ausgedehnt auf die ganze dauer des lebens des einzelnen oder der existenz des staates. eine grosze rolle spielt diese personaltyche in den reden des processes gegen Ktesiphon. Aischines mahnt τὸν δαίμονα καὶ τὴν τύχην τὴν cυμπαρακολουθοῦcαν τῷ ἀνθρώπῳ φυλάξαcθαι· οὔτε πόλιc γὰρ οὔτ’ ἰδιώτηc ἀνὴρ οὐδεὶc πώποτε καλῶc ἀπήλλαξε Δημοcθένει cυμβούλῳ χρηcάμενοc (III 157). Demosthenes antwortet darauf in längerer auseinandersetzung und vergleicht seine τύχη mit der des gegners; die betrachtung jener schliesz er mit den worten ἐγὼ μὲν δὴ τοιαύτη cυμβεβίωκα τύχῃ (XVIII 258), und nachdem er das lebensloos des feindes besprochen,

ruft er höhnend: ἀγαθῇ γ', οὐχ ὁρᾷς; τύχη cυμβεβιωκὼc τῆc ἐμῆc
ὡc φαύληc κατηγορεῖc (ebd. § 266). in den angeführten stellen
rufen die ausdrücke cυμπαρακολουθεῖν, ebenso verwendet bei ps.-
Dem. g. Phain. 21, und cυμβιοῦν sowie die verbindung mit δαίμων
den gedanken wach, dasz wir es auch hier mit einer waltenden macht
zu thun haben. aber wir dürfen uns nicht verhehlen, dasz die zahlreichen andern stellen, die von einer personaltyche handeln, dieser
annahme nicht günstig sind. auf cυμβιοῦν folgt in demselben satze
bei Demosthenes in der gleichen bedeutung das uns bekannte χρῆcθαι
(vgl. oben s. 469), und wollte man etwa in dem von Aischines hervorgehobenen sichausbreiten der Demosthenischen unglückstyche ein
merkmal des wirkenden sehen, so steht dem entgegen der ausdruck
bei Deinarchos I 31 καὶ τοὺc πράττονταc ὑπὲρ ὑμῶν τι τῆc αὐτοῦ
τύχηc ἀνέπληcεν. noch bedenklicher steht es, wenn wir folgende
stelle betrachten, die allerdings nicht mit notwendigkeit auf ein persönliches schicksal zu beziehen ist: τῇ τύχῃ δ', ἣν ὁ δαίμων ἔνειμεν
ἑκάcτοιc, ταύτῃ κέχρηνται (Dem. XVIII 208). vgl. auszerdem Aisch.
II 51. Dem. XVIII 212. 245. 256. 260. 265. 270. 287. XIX 67.
Dein. I 41.

Auch der staat hat, wie schon berührt, seine specialtyche, die Deinarchos nach dem untergang der athenischen freiheit als sehr verbesserungsbedürftig (I 65. 77), Demosthenes aber,
wie schon früher (I 1. II 22), so auch damals als günstig hinzustellen sich bemüht (XVIII 253. 254). merkwürdig ist die begründung dieser seiner ansicht: er scheidet zwischen der unglückstyche aller menschen, genau genommen der summe aller einzelschick-
sale, und der günstigen staatstyche und sagt nun: τὸ μὲν τοίνυν
προελέcθαι τὰ κάλλιcτα καὶ τὸ τῶν οἰηθέντων Ἑλλήνων, εἰ πρό-
οιντο ἡμᾶς, ἐν εὐδαιμονίᾳ διάξειν, τούτων αὐτῶν ἄμεινον πράτ-
τειν τῆc ἀγαθῆc τύχηc τῆc πόλεωc εἶναι τίθημι· τὸ δὲ προcκροῦcαι
καὶ μὴ πάνθ' ὡc ἐβουλόμεθ' ἡμῖν cυμβῆναι τῆc τῶν ἄλλων ἀνθρώπων τύχηc τὸ ἐπιβάλλον ἐφ' ἡμᾶc μέροc μετειληφέναι νομίζω τὴν
πόλιν (XVIII 254, vgl. § 271). auch in diesen erwähnungen der
τύχη πόλεωc dürfen wir zunächst nicht eigentlich eine waltende
macht erkennen. wenn aber in späterer, hellenistischer zeit — und
zwar nicht nur in Athen — eine τύχη πόλεωc entsprechend dem
römischen *genius civitatis* verehrt wird[16], so werden wir die ersten
keime dieses cultus vielleicht in den besprochenen erscheinungen
suchen dürfen. die sache stünde demnach so: wir sehen im vierten
jh. die vorstellung von einer besondern τύχη des einzelnen wie des
staates auftauchen. die fortentwicklung der erstern wird nieder-
gehalten durch den zugleich mächtig werdenden glauben an personaldämonen; die andere aber bildet sich weiter aus bis zur annahme

---

[16] vgl. Lobeck Aglaoph. s. 595. Preller griech. mythol. I s. 423.
Gerhard über Agathodämon und Bona Dea (abh. der Berl. akad. 1847)
s. 461 ff.

einer waltenden, über den staat wachenden macht, die im cultus verehrt wird und wohl bis zu einem gewissen grade die alten stadt-götter verdrängt haben mag.

Die zuletzt angestellten erörterungen sind besonders geeignet den charakter der ganzen vorliegenden arbeit, die ich hiermit ab-schliesze, zu verdeutlichen. sie maszt sich nicht an ein stück religions-geschichte zu geben; eine übersichtliche zusammenstellung sicher verwendbaren stoffes für eine umfassende geschichte der griechischen volksreligion will sie sein. möchte uns eine berufene hand bald ein derartiges, längst ersehntes werk bescheren!

ANHANG.
Formelhafte beteuerungen und götteranrufungen bei den attischen rednern.
(die zweifellos unechten reden sind mit * bezeichnet.)

νὴ bzw. μὰ τοὺς θεούς: Isaios XI 36. Aisch. II 130. Dem. VI 31. *X 20. XVI 13. 32. XVIII 13. 111. XIX 24. XX 21. 151. XXI 2. 58. 139. 205. 207. *XXV 9. 48. 85. XXIX 57. XXXVII 16. XXXIX 1. LIV 26. 36. prooim. 45. 48.

νὴ bzw. μὰ τοὺς θεοὺς τοὺς Ὀλυμπίους: Isaios VIII 29. Aisch. III 182. 228.

πρὸς (τῶν) θεῶν: Isaios fr. 23. Aisch. I 75. II 102. III 61. Dem. I 15. III 17. VIII 32. IX 43. XV 26. XVIII 119. 120. XIX 147. XXI 48. 58. 98. 166. 172. XXIII 106. *XXV 25. 73. *XXXV 44. XXXIX 37. XLI 22. XLV 81. *L 2. LV 18. Dein. I 68. III 1.

πρὸς θεῶν. Ὀλυμπίων: Lys. XIII 95. XIX 34. 54.

νὴ τοὺς θεοὺς καὶ τὰς θεάς: *Dem. XLII 6.

πρὸς (τῶν) θεῶν καὶ δαιμόνων: Isaios II 47. *Dem. XLII 17.

ὦ γῆ καὶ θεοί: Dem. XVIII 139. 159. 294. XIX 287. 311. XX 96. XXII 78. XXIII 61. XXIV 186. *XXV 56. *XXXIV 29. XXXIX 21. *XL 5. LV 28.

ὦ γῆ καὶ θεοὶ καὶ δαίμονες καὶ ἄνθρωποι: Aisch. III 137.

νὴ bzw. μὰ (τὸν) Δία: Ant. fr. 68. And. III 15. *Lys. VI 7. 32. 38. Isaios III 24. 25. 39. 48. 49. 73. IV 20. 24. VII 33. XI 35. fr. 23. Lyk. g. Leokr. 140. Aisch. I 28. 61. 69. 98. III 172. 217. Hyper. g. Dem. c. 1, 6. f. Eux. c. 20. 15. 26, 1. 27, 14. 37, 24. Dem. I 19. 23. IV 10. 11. 25. 49. VI 13. 14. 23. VIII 7. 9. 16. 17. 19. 28. 51. IX 68. 70. *X 17. 26. 50. 73. *XI 18. *XIII 16. 21. 28. XIV 12. 38. XV 13. XVI 6. XVIII 101. 117. 251. 261. 307. XIX 46. 52. 141. 158. 188. 212. 215. 222. 235. 272. 285. XX 3. 20. 56. 58. 75. 161. XXI 3. 25. 41. 88. 98. 99. 109. 148. 160. 222. XXII 33. 69. XXIII 48. 60. 64. 107. 124. 194. XXIV 28. 37. 94. 99. 125. 126. 157. 176. 202. *XXV 40. 41. 42. 67. 73. 77. 78. 79. 81. XXIX 59. XXXI 10. *XXXII 29. *XXXIII 25. 37.

*XXXV 40. 48. XXXVI 39. 55. XXXVII 27. 50. 53. XXXVIII 11.
XXXIX 7. 9. 13. 14. 32. *XL 26. 32. 57. XLI 12. 20. *XLII 7.
*XLIII 52. *XLIV 33. 50. 55. XLV 11. *XLIX 64. *LII 14. 26.
LIV 34. LV 6. 17. 26. *LVI 38. *LVIII 36. 64. prooim. 35. Dein.
I 40. 77. II 8.

πρὸς (τοῦ) Διός: Aisch. I 79. Dem. VIII 34. IX 15. XIV 12.
XVIII 201. 256. XX 23. 66. 74. 157. XXIII 24. 60. 120. 142.
*XXV 14. XXIX 32. XXXIX 10. 34. LV 18. Dein. I 43.

ὦ Ζεῦ: Dem. XIX 113.

νὴ bzw. μὰ τὸν Δία τὸν Ὀλύμπιον: Aisch. I 55. 76.
III 255. Dem. XXIV 121.

νὴ τὸν Δία τὸν cωτῆρα: Dein. III 15.

μὰ τὸν Δία τὸν μέγιcτον: *Dem. XLVIII 2.

νὴ bzw. μὰ τὸν Δία καὶ (τοὺc ἄλλουc bzw. πάντας)
θεούc: Dem. VIII 49. IX 54. *X 7. 25. XVIII 129. XXIII 188.
*XXV 13. 65. *XXXII 10. XXXVI 53. 61.

πρὸς (τοῦ) Διὸς καὶ (τῶν ἄλλων) θεῶν: Aisch. I 70. 87.
III 156. Dem. XVIII 199. XIX 19. 45. 78. XX 43. XXI 108.
*XL 53. 61. LV 10. 35. LVII 50. 59.

ὦ Ζεῦ καὶ θεοὶ (πάντεc): Ant. VI 40. Dem. XVIII 285.
XIX 15. XX 167. XXIII 186. *XXXII 23. XXXVI 51. *XLIII 68.

μὰ τὸν Δία τὸν ἄνακτα καὶ τοὺc θεοὺc ἅπαντας:
*Dem. XXXV 40.

νὴ bzw. μὰ τὸν Δία καὶ τὸν Ἀπόλλω: Isaios VI 61.
Aisch. I 88. 108. Dem. IX 65. *L 13.

νὴ τὸν Δία τὸν Ὀλύμπιον καὶ τὸν Ἀπόλλω: Aisch.
I 81.

νὴ τὸν Δία καὶ τὸν Ἀπόλλω καὶ τὴν Ἀθηνᾶν: Dem.
XXI 198.

μὰ τὸν Δία καὶ τὸν Ἀπόλλω καὶ τὴν Δήμητρα:
*Dem. LII 9.

νὴ bzw. μὰ τὴν Ἀθηνᾶν: Lyk. g. Leokr. 75. Dem. XXIV
199. prooim. 46.

πρὸς τῆc Ἀθηνᾶc: Dein. I 45.

νὴ bzw. μὰ τὴν Δήμητρα: Dem. III 32. XIX 262.

νὴ τὸν Ποcειδῶ: Aisch. I 73.

μὰ τὸν Διόνυcον: Aisch. I 52.

νὴ bzw. μὰ τὸν Ἡρακλέα: Aisch. I 88. III 212. *Dem.
XXV 51. Dein. II 3.

(ὦ) Ἡράκλειc: Aisch. III 21. Dem. IX 31. XIX 308. XXI 66.
Dein. I 7.

νὴ τὸν Ἡρακλέα καὶ πάντας θεούc: Dem. XVIII 294.

LIEGNITZ.   HEINRICH MEUSS.

59.
ZU PLATONS GORGIAS.

1. 450^d hat es bedenken erregt, dasz mit der arithmetik, logistik, geometrie auch die πεττευτική zu denjenigen künsten gehören soll, welche durch das mittel der r e d e 'alles zu stande bringen' und der h a n d l u n g entweder gar nicht oder doch nur in geringem masze bedürfen. ich trage hier nur meine ansicht über die stelle vor, ohne mich auf eine widerlegung anderer auffassungen einzulassen, halte aber behufs voller verdeutlichung eine kurze darlegung des vorausgehenden und zunächst folgenden gedankenganges für notwendig.

Der begriff der kunst (τέχνη) gehört — was mehrfach angedeutet wird (448^b. 449$^{c\,d\,e}$. 450^a) — unter den begriff der ἐπιστήμη, und seine differentia specifica besteht darin, dasz sich die ἐπιστήμη, wie zb. bei der weberei oder musik (449^d), auf eine ἐργασία oder ποίηςις bezieht, dasz sie uns bei einem διαπράττεςθαι und κυροῦςθαι leitet (450^b), zur hervorbringung eines ἔργον (452^a) befähigt. die τέχνη ist also ἐπιστήμη ἀπεργαςίας τινός (vgl. 462$^{c\,d}$. Euthyphron 14^a); eben darum heiszt der ἐπιστήμων τέχνης (449^c) auch δημιουργός (452^a ff.), und ebenso wird ja später (453^a) die personificierte τέχνη selbst bezeichnet. nun erkundigt sich Sokrates nach dem specifischen ἔργον der von G o r g i a s geübten und gelehrten kunst, er möchte über die unbekannte in der proportion ὑφαντική : ἱμάτια = ῥητορική : x auskunft erhalten (449^d). Gorgias setzt x = λόγοι. Sokrates zeigt indes, dasz diese bestimmung zu weit ist, da einerseits die rhetorik es nicht mit allen λόγοι zu thun hat und anderseits a l l e künste, sofern sie auf einem wissen beruhen, auch zum reden tüchtig machen. trotzdem beharrt Gorgias dabei, in dem περὶ λόγους εἶναι ein untersch̲e̲i̲d̲e̲n̲d̲e̲s̲ merkmal der rhetorik zu sehen; ein blick auf das folgende schema lehrt jedoch, dasz seine jetzige behauptung (450^b) einen ganz andern sinn hat als die frühere angabe

1. δημιουργός	2. τέχνη	3. πρᾶξις	4. ἔργον
ὑφάντης	ὑφαντική	χειρούργημα	ἱμάτια
ῥήτωρ	ῥητορική	λόγοι	?

die λόγοι sind von der vierten an die dritte stelle gerückt; die frage nach dem specifischen ἔργον der rhetorik ist unbeantwortet geblieben, und dafür sind uns die λόγοι als das specifische m i t t e l (διά 450$^{c\,e}$) derselben bezeichnet. hierauf zeigt nun Sokrates, dasz zb. auch die arithmetik, die geometrie und die p e t t e u t i k sich des mittels der λόγοι bedienen und mithin auch so die der rhetorik zugehörigen λόγοι ihrem g e g e n s t a n d e nach zu specificieren bleiben (451). wenn Gorgias dann erklärt, die λόγοι der rhetorik bezögen sich auf 'das gröste und beste', so ist dies keine genaue antwort auf die vorausgegangene frage. wissen und reden der 'künstler' bezieht sich ja nicht blosz auf das gute, welches sie hervorbringen wollen und als ihr ἔργον anpreisen (452^a ff.), sondern auch auf dessen gegenteil;

der arzt spricht auch περὶ τὰ νοςήματα, der gymnastiker auch περὶ
καχεξίαν τῶν cωμάτων (450ᵃ), und ebenso wird der redner, selbst
wenn sein ἔργον 'das gröste gut' sein sollte, nicht blosz über dieses,
sondern auch über sein gegenteil sprechen (vgl. 454ᵇ περὶ τούτων,
ἅ ἐcτι δίκαιά τε καὶ ἄδικα). aber eben dieses, das ἔργον der
rhetorik hat Gorgias jetzt wieder im sinne gehabt, und so fragt es
sich denn: worin besteht dieses höchste gut, welches angeblich die
rhetorik hervorbringt, da gesundheit, schönheit und reichtum, die
man sonst wohl für die höchsten güter hält, doch nicht für ἔργα der
rhetorik gelten können (452)? wenn Gorgias hierauf anhebt: ὅπερ
ἐcτὶ τῇ ἀληθείᾳ μέγιcτον ἀγαθόν (452ᵈ), so erwartet man unwillkürlich von einem gute der seele zu hören. statt dessen erfolgt
die auskunft: das höchste gut ist macht (vgl. 466ᵇ), und dieses
gutes hervorbringer bin ich, der rhetor, insofern ich die fähigkeit
vermittle die leute in den öffentlichen versamlungen zu überreden.
auch dies ist durchaus keine antwort auf die gestellte frage, weil
diese sich ja nicht auf dasjenige gut, das der redner sich selbst oder
seinen schülern, sondern auf dasjenige bezog, das er durch ausübung seiner eigentlich rednerischen thätigkeit andern verschaffe. es
wäre kein richtiger ansatz: ἰατρική : ὑγίεια = ῥητορική : δύναμιc,
sondern man könnte, da eben das in den andern, den vom redner
behandelten leuten bewirkte ins auge zu fassen ist, höchstens setzen
= ῥητορική : πειθώ. Sokrates thut nun so, als ob Gorgias eben
dies gemeint habe, und bezeichnet demzufolge die rhetorik als
πειθοῦc δημιουργός (453ᵃ). daran schlieszt sich jedoch alsbald
(453ᵈ ff.) der nachweis, dasz alle (454ᵃ ἁπάcαc) jene künste,
welche sich des mittels der λόγοι bedienen, die arithmetik usw.,
πειθοῦc (διδαcκαλικῆc) δημιουργοί sind, und dasz die πειθώ sich
natürlich in jedem falle auf eben den gegenstand bezieht, von dem
die λόγοι handeln, die der arithmetik zb. auf das gerade und ungerade (vgl. 460ᵉ). mithin erneuert sich auch hier die schon zweimal gestellte forderung, die der rhetorik zugehörigen λόγοι zunächst
ihrem gegenstande nach zu specificieren.

Hier können wir innehalten. ist die petteutik eine der künste,
welche sich ganz überwiegend des mittels der λόγοι bedienen, so
ist auch sie πειθοῦc δημιουργός. die πειθώ der arithmetik bezieht
sich nun auf das gerade und ungerade (453ᵉ), die der logistik auch
auf die gröszenverhältnisse der geraden und ungeraden zahlen (451ᶜ),
worauf bezieht sich aber die πειθώ der petteutik? nach Staat
333ᵇ werden wir ihre πειθώ nur als eine πειθώ (διδαcκαλική) περὶ
τὴν πεττῶν θέcιν bezeichnen können, und somit hätten wir unter
der petteutik eine theorie des brettspiels zu verstehen. wenn zu
ihren mitteln doch auch ἔργα gehören sollen, so ist natürlich ganz
wie bei der arithmetik und geometrie an eine verdeutlichung der
allgemeinen sätze durch vorführung von beispielen zu denken. die
Platonischen stellen, welche auf die schwierigkeit der πεττεία und
die auszerordentliche seltenheit der meisterschaft in diesem spiele

hinweisen, hat schon Cron (beiträge zur erkl. des Plat. Gorgias s. 88 anm.) zu unserer stelle angezogen: Polit. 292 ᵉ und Staat 374 ᶜ.

2. 451 ᵇ werden als mittel der ἀριθμητικὴ τέχνη die λόγοι περὶ τὸ ἄρτιόν τε καὶ περιττόν, ὅσα ἂν ἑκάτερα τυγχάνῃ ὄντα bezeichnet, und weiter unten wird der unterschied der arithmetik von der logistik dahin angegeben, dasz die letztere auch die gröszenverhältnisse innerhalb jeder classe und der zahlen beider classen zu einander in betracht zieht. danach liegt es nahe ὅσα ἂν mit conj. nicht = *quantacumque*, sondern = *quotcumque* zu setzen: 'wie viele arten es auch auf beiden seiten geben mag.' diese auffassung fände ihre bestätigung durch 453 ᵉ ἡ ἀριθμητικὴ οὐ διδάcκει ἡμᾶc, ὅcα ἐcτὶ τὰ τοῦ ἀριθμοῦ; .. πάνυγε, aber gleich darauf ihre widerlegung durch die worte (ἡ ἀριθμητικὴ πειθοῦc δημιουργὸc) τῆc διδαcκαλικῆc τῆc περὶ τὸ ἄρτιόν τε καὶ τὸ περιττὸν ὅcον ἐcτί, wenn dieser zusatz richtig sein sollte. Kratz hat ὅcον ἐcτί ganz streichen wollen; nach der obigen deutung würde es genügen ὅcον in ὅcα zu verwandeln. die von Cron ao. s. 95 mitgeteilten überschriften aus Theon von Smyrna begünstigen die annahme, dasz man unter der arithmetik eben eine lehre von den verschiedenen arten des geraden und ungeraden verstand.

3. 454 ᵇ wird als der gegenstand der von der rhetorik bewirkten πειθώ das gerechte und ungerechte genannt, und 454 ᵉ f. diese πειθώ selbst genauer als πιcτευτική, nicht διδαcκαλική bestimmt, so dasz wir nun endlich zu folgender definition gelangt wären:

	τέχναι		
1. διὰ πράξεων	2. διὰ λόγων (πειθοῦc δημιουργοί)		
1. περὶ τὸ ἄρτιον καὶ περιττόν	2... 3.....	n. περὶ τὸ δίκαιόν τε καὶ ἄδικον	
		1. διδαcκαλικῆc πειθοῦc δημ.	2. πιcτευτικῆc πειθ. δημ. = ῥητορική.

allein jetzt zeigt es sich, dasz diese definition auf die herkömmlich geübte und auch von Gorgias gelehrte rhetorik gar nicht passt, dasz die öffentliche wirksamkeit des redners thatsächlich weit über die grenzen hinausgeht, die ihr durch die bestimmung περὶ τὸ δίκαιόν τε καὶ ἄδικον gezogen wären; ja Gorgias besinnt sich jetzt (456 ᵇ) sogar, dasz er früher (449 ᵉ) ganz mit unrecht eingeräumt hat, die rhetorik habe zb. mit den reden über medicinische dinge nichts zu schaffen. kurz jene so mühsam gewonnene specificierung musz einfach über bord geworfen werden; die rhetorik hat es mit λόγοι schlechthin zu thun, und ihr unterschied von den andern künsten, die ja freilich alle in gewissem sinne περὶ λόγουc sind (450 ᵇ), besteht einfach in dem πιθανώτερον λέγειν (456 ᶜ), worum es sich auch handeln mag. die obige definition musz demnach durch folgende andere ersetzt werden:

τέχναι

1. διὰ πράξεων	2. διὰ λόγων (πειθοῦς δημιουργοί)
1. διδασκαλικῆς πειθ. δημιουργοί	2. πιστευτικῆς πειθ. δημιουργός
1. 2. 3..... *n.* in gewissem betrachte würden hierzu alle künste gehören (450 b).	einzige kunst: die rhetorik (457 a)

mit jener beschränkenden bestimmung fällt jedoch noch anderes, zunächst der 449 e von Gorgias anerkannte satz: περὶ ὧνπερ λέγειν
(ποιεῖ δυνατοὺς ἡ ῥητορική), καὶ φρονεῖν (ποιεῖ δυνατούς). gibt
es nemlich eine der ersten definition entsprechende, dh. auf das
gerechte und ungerechte sich beschränkende rhetorik (Polit. 303 e f.),
so liegt ja gar kein grund vor, die für die andern künste geltende
verbindung von sachlicher einsicht und redefähigkeit nicht auch für
die rhetorik gelten zu lassen. der redner wird sich alsdann von dem
philosophen, dem διδασκαλικῆς πειθοῦς δημιουργὸς περὶ τὸ
δίκαιόν τε καὶ ἄδικον nur insofern unterscheiden, als er sich vorzugsweise an die groszen massen wendet (455 a) und demzufolge
nicht belehrende, sondern nur überzeugende reden anwendet und
in den hörern nicht sein eignes wissen, sondern nur ein glauben
hervorbringt (vgl. Phaidros 273 d. 277 b. 278 c. Polit. 304 c).
ganz anders steht es aber mit der rhetorik nach der zweiten definition. der redner, der je nach vorkommnis über alles mögliche spricht,
wird ja nicht in allen fällen als ein wissender sprechen können (vgl.
Soph. 233 a), und nun besinnt sich Gorgias, dasz ja gerade der
empfehlendste vorzug der rhetorik darin besteht, dasz wir durch sie
in den stand gesetzt werden über alles zu reden, ohne irgend etwas
zu wissen (459 c). ja, da der redner von seiner fertigkeit auch einen
ungerechten gebrauch machen kann (457 b. 460 d), so folgt daraus
für Sokrates, was auch Gorgias sagen mag (460 a), dasz er sogar von
dem gerechten und ungerechten kein wissen hat, dasz er schlechthin
ein nichtwissender ist. daran schlieszt sich aber sogleich eine weitere
folgerung. da die τέχνη unter den höhern begriff der ἐπιστήμη
gehört, so ergibt sich für Sokrates, dasz auch die zweite definition
falsch ist. nur die erste, ihrem gegenstande nach specialisierte
rhetorik kann für eine τέχνη = ἐπιστήμη ἀπεργασίας τινός, die
zweite, dh. die herkömmlich geübte, kann nur für eine ἐμπειρία
gelten (462 c ff.).*
Übrigens wird der unleugbare beweisfehler in 460 b in den erklärenden ausgaben nicht deutlich genug bezeichnet. es wäre zu
sagen, dasz die sätze ὁ τὰ ἰατρικὰ μεμαθηκὼς ἰατρικός und ὁ τὰ

---

* der naheliegende einwand, dasz man, ohne ein wissen von einer
sache selbst zu haben, doch wissen könne, wie man eine πειθώ in bezug
auf sie bewirken könne, wird ja im Phaidros (260 a) wirklich erhoben
und dort widerlegt. darauf scheinen mir Gorg. 465 a die worte hinzudeuten: τούτων δὲ πέρι εἰ ἀμφισβητεῖς, ἐθέλω ὑποσχεῖν λόγον.

δίκαια μεμαθηκὼc δίκαιος keineswegs einander analog sind und der erste etwa lauten müste: ὁ τὰ ὑγιεινὰ μεμαθηκὼc ὑγιεινόc (vgl. 459ᵈ). dasz der beweis unzureichend sei, gibt Sokrates selber 461ᵃ ᵇ durch die worte ταῦτα οὖν ὅπη ποτὲ ἔχει .. οὐκ ὀλίγης cυνουcίας ἐcτὶν ὥcτε ἱκανῶc διαcκέψαcθαι deutlich genug zu verstehen. ein zureichender beweis würde sich nemlich erst aus den sätzen ergeben, dasz der wille stets auf das gute gerichtet und das gerechte das gute sei; beide sätze sollten aber nach der ganzen anlage des dialogs erst in dem gespräche mit Polos festgestellt werden. der erste satz wird 467ᵇ ff. ausgeführt und soll dort dem beweise dienen, dasz die redner in wahrheit keine macht besitzen. diese behauptung war indessen schon 466ᵉ—467ᵃ bewiesen, und wenn nun ein zweiter beweis hinzugefügt wird, so geschieht dies offenbar vornehmlich, um eben den satz von der richtung des willens auf das gute gelegentlich zur klarheit zu bringen. der zweite satz: gerecht = gut, der offenbar auch für die ausführungen des Sokrates 464ᵇ ff. die voraussetzung bildet, findet seinen beweis erst in dem zusammenhange 476ᵇ ff. es darf demnach auch nicht befremden, dasz 509ᵉ der satz, dasz niemand mit wissen und willen unrecht thue, als ein mit Polos vereinbarter bezeichnet wird.

4. Die bisherige classification der künste ist insofern unbefriedigend, als sie nicht das ἔργον, sondern das mittel zum fundamentum divisionis gewählt hat; es soll nun auch eine classification nach den ἔργα versucht werden (464ᵇ ff.). jeder δημιουργός macht sich ja anheischig seinen mitmenschen (vgl. Staat 346ᵉ) ein bestimmtes ἀγαθόν (452ᵃ ff.) hervorzubringen. nun gibt es zwei hauptgüter, die εὐεξία des leibes und der seele, und dem entsprechend zwei hauptkünste (τέχναι δέcποιναι 518ᵃ), von denen die seelenkunst, da die εὐεξία des ganzen staates auf den gleichen bedingungen beruht wie die der einzelseele (vgl. 515ᵃ), auch staatskunst genannt werden kann. da es sich ferner in jedem falle um herstellung oder wiederherstellung der εὐεξία handeln kann, so würden sich vier künste ergeben. sehen wir nun, wie es zuerst der fall war, auf mittel und methode, so ist ἐμπειρία der gegensatz von τέχνη (463ᵃ ff., vgl. 462ᵇ ᶜ. 465ᵃ); sehen wir aber auf das ἔργον, so musz der gegensatz κολακεία genannt werden, da die nicht künstlerischen fertigkeiten nur scheinbar (464ᵈ, vgl. 506ᵈ) ein ἀγαθόν, in wahrheit aber statt des ἀγαθόν das ἡδύ hervorbringen (vgl. 501ᵃ). wie es aber vier künste gibt, so wird es auch vier trugkünste, εἴδωλα der echten künste (463ᵈ), geben, so dasz folgende classification herauskommt:

	τέχναι		
I. ἡ ἐπὶ cώματι		**II. ἡ πολιτική**	
1. γυμναcτική	**2.** ἰατρική	**3.** νομοθετική	**4.** δικαιοcύνη
1. κομμωτική	**2.** ὀψοποιική	**3.** cοφιcτική	**4.** ῥητορική
	κολακεία.		

demnach ist der κολακικὴ ῥητορική, dh. der gewöhnlichen und
gegenwärtig allein herschenden rhetorik (503 b) die δικαιοσύνη
entgegengesetzt (465 c), der κολακικὴ ῥητορική ist aber nach 517 a
auch die ἀληθινὴ ῥητορική entgegengesetzt, also δικαιοσύνη =
ἀληθινὴ ῥητορική (vgl. Prot. 332 c). zu den mitteln des ῥήτωρ
τεχνικός τε καὶ ἀγαθός gehören nun nach 504 d λόγοι und πράξεις:
die echte rhetorik wird also den künsten zuzuzählen sein, welche
cχεδόν τι ἴcouc τοὺς λόγους ἔχουσι ταῖς πράξεσιν (450 d). sofern
sie aber λόγοι verwendet, ist sie, was auch immer ihr letzter zweck
sein mag, zunächst natürlich πειθοῦς δημιουργός, und zwar, da auch
sie sich an die volksmassen zu wenden hätte (502 d ff., vgl. 517 b
πείθοντες καὶ βιαζόμενοι), πειθοῦς πιστευτικῆς δημιουργός. sofort erhebt sich nun die frage: τῆς περὶ τί πειθοῦς; (454 a). der
leibesarzt, dessen ἔργον die ὑγίεια ist, spricht περὶ τὰ ὑγιεινὰ καὶ
νοσώδη, folglich wird der seelenarzt, dessen ἔργον die δικαιοσύνη
ist (504 d), περὶ τὸ δίκαιόν τε καὶ ἄδικον sprechen, mithin πειθοῦς
πιστευτικῆς δημιουργὸς περὶ τὸ δίκαιόν τε καὶ ἄδικον sein (455 a).
da er aber als τεχνικὸς ῥήτωρ ein wissen von dem gerechten und
ungerechten haben musz (465 a. 501 a), so wird er auch gerecht sein
(460 b). seine gerechtigkeitskunst ist gleich seiner eignen gerechtigkeit, und umgekehrt ist gerechtsein eine kunst (509 d ff.). diese
kunst kann also einfach δικαιοσύνη genannt werden, während die des
leibesarztes nicht ohne weiteres ὑγίεια genannt werden kann.

Wir sehen also, dasz zwei rhetoriken erst in theoretischer, dann
in praktischer hinsicht einander gegenübergestellt werden. es macht
keinen principiellen unterschied, wenn Gorgias das wissen vom gerechten und ungerechten als notwendig für den redner hinstellt (460 a),
da doch auch seine schüler thatsächlich ein solches wissen nicht
besitzen; es macht auch keinen principiellen unterschied, wenn später
Kallikles (503 a ff.) den παλαιοὶ ῥήτορες im gegensatz zu den zeitgenössischen ein uneigennütziges κήδεσθαι τῶν πολιτῶν zuschreibt,
da doch auch diese, wenn schon vielleicht in guter meinung, statt des
ἀγαθόν das ἡδύ zum ziele nehmen (518 b). nur diesen gesinnungs-
unterschied scheint Sokrates dadurch anerkennen zu wollen, dasz
er männer wie Miltiades, Themistokles, Kimon und Perikles nicht
geradezu den κόλακες beizählen mag (517 a).

5. Von anbeginn hat Sokrates auf angabe desjenigen ἔργον
der rhetorik gedrungen, welches zb. der ὑγίεια als dem ἔργον der
ἰατρική entsprechen würde, und diese angabe hat Gorgias, wie er
sich auch hin und her wenden mag, gar nicht zu machen gewust, da
ja auch die πειθώ nicht für ein ἔργον in diesem sinne gelten kann.
eben darum sieht sich Sokrates endlich genötigt selber eine classification nach den ἔργα vorzunehmen und so das ἔργον der echten
wie der unechten rhetorik zu bestimmen. dagegen hat Gorgias mis-
verständlicher weise ein ἔργον anderer art namhaft gemacht, nemlich die δύναμις — selbstverständlich nicht der vom redner in behandlung genommenen, sondern des redners selbst (452 d f.) — und

eben hierauf kommt Polos zurück, indem er das μέγιϲτον δύναϲθαι ἐν ταῖϲ πόλεϲιν als einen vorteil seiner rhetorik preist (466 ᵇ). es bleibt also noch übrig die beiden rhetoriken unter diesem **dritten** gesichtspunkte zu vergleichen, nemlich die frage zu erörtern, was denn nun eigentlich jede von ihnen **für den redner selbst** leistet. soll nun die unechte rhetorik dem redner eine grosze macht verleihen, so fragt es sich: welcher art ist diese macht? ist es das vermögen ein ἀγαθόν, oder nur das vermögen ein ἡδύ für sich hervorzubringen? die antwort ist für Sokrates ohne weiteres klar: die redner dieser art können ebenso wenig sich selber wie andern ein ἀγαθόν schaffen (467ᵃ). nun könnte jedoch die unechte rhetorik, wenn sie schon kein ἀγαθόν hervorbringt, doch vielleicht vor einem **übel** schützen. die übel aber, die hier in betracht kommen, sind ἀδικεῖν und ἀδικεῖϲθαι (469 ᵇ ᶜ), und auf die frage, wie sich diesen übeln gegenüber die eine und die andere rhetorik verhält, ist die antwort für Sokrates wiederum zweifellos. die echte rhetorik schützt vor dem ἀδικεῖν, aber nicht vor dem ἀδικεῖϲθαι, umgekehrt die unechte vor dem ἀδικεῖϲθαι, aber nicht vor dem ἀδικεῖν (vgl. 509 ᶜ ff.). ja wie unter den obwaltenden verhältnissen die echte rhetorik das ἀδικεῖϲθαι (521 ᵉ ff.), so wird die unechte schon dadurch, dasz sie auf vermeidung des ἀδικεῖϲθαι ausgeht, das ἀδικεῖν unvermeidlich machen und überdies die befreiung von diesem übel, die nur durch züchtigung erreichbar ist, hintertreiben (510ᵉ). da nun die ἀδικία bei weitem das gröste übel ist (477 ᵉ) und die redner sich **dieses** übels am wenigsten erwehren können, so ergibt sich der satz ἐλάχιϲτον δύνανται οἱ ῥήτορεϲ (466ᵇ). übrigens wäre ja μὴ ἀδικεῖν so viel wie gerecht sein, und in der gerechtigkeit besteht bereits die ganze glückseligkeit (470ᵉ). nun bleibt zu beachten, dasz doch auch der echte redner nicht etwa erst durch die **ausübung** seiner kunst dieses ziel erreicht. er ist ja als **kenner** des gerechten und ungerechten ohne weiteres gerecht, mithin glückselig, und wenn es ihm auch gelänge eine macht zu erwerben, wie sie Polos für das erstrebenswerteste hält, so würde seine glückseligkeit dadurch keinen zuwachs gewinnen (469ᵃ ᵇ). in diesem sinne ist auch die echte rhetorik **für den redner selbst** von keinem nutzen (481ᵇ). ich würde demnach 480ᵃ in den worten δεῖ .. ἐκ τῶν νῦν ὡμολογημένων αὐτὸν ἑαυτὸν μάλιϲτα φυλάττειν, ὅπωϲ μὴ ἀδικήϲει, ὡϲ ἱκανὸν κακὸν ἔξοντα nicht mit Cobet ἱκανόν, sondern gerade κακόν streichen. der absolute gebrauch von ἱκανόν findet sich zb. auch Gorg. 485ᵉ. Ges. 642ᵃ.

LEER IN OSTFRIESLAND.

HUGO VON KLEIST.

60.

ZU QUINTILIANUS.

V 12, 3 *illud hoc loco monere inter necessaria est, nulla (argumenta) esse firmiora, quam quae ex dubiis facta sunt certa.* 'caedes
a te commissa est, cruentam ⟨enim⟩ uestem habuisti' non est tam
graue argumentum, si fatetur, quam si conuincitur.* das in allen ausgaben stehende *enim* ist von Regius eingesetzt worden. dasz Bn
cruentem gibt, kann nicht für *enim* angeführt werden: denn dieser
fehler erklärt sich viel leichter aus der endung des folgenden substantivs. für diese erklärung spricht auch, dasz N, welcher aus der
nemlichen hs. abgeschrieben ist wie Bn, *cruentam* gibt. macht der
zusammenhang *enim* notwendig? Regius wurde wohl auf seinen vorschlag geführt durch die worte *occidisti uirum: eras enim adultera*
§ 2. aber dort folgt: *prius de adulterio conuincendum est*; hier aber
folgen die worte *non est tam graue argumentum.* die wortstellung
macht es doch sehr wahrscheinlich, dasz *argumentum* nicht subject
ist, wie die frühern hgg. angenommen zu haben scheinen, welche
nach *habuisti* ein punctum oder ein semikolon setzten, sondern dasz
non est tam graue argumentum als prädicat anzusehen ist. was ist
aber dann subject? offenbar nur *cruentam uestem habuisti*: denn
die vorhergehenden worte gehören nicht zu dem beweisgrunde, sie
können also auch nicht einen teil des subjects bilden. Quint. gibt
zuerst kurz die beschuldigung an, damit man weisz, um was es sich
handelt; dann fährt er fort: 'du hast blutige kleider gehabt' ist kein
so schwerwiegender beweisgrund, wenn er es zugesteht, als wenn er
überführt wird. bei anführung von beispielen erlaubt sich Quint.
oft eine sehr grosze kürze; vgl. zb. § 6 *quaedam argumenta*[1] *ponere
satis non est, adiuuanda sunt, ut 'cupiditas causa sceleris fuit', quae
sit uis eius, 'ira', quantum efficiat in animis hominum talis adfectio.*
das vor *cupiditas* stehende *ut* scheint mir zu der übrigen kürze nicht
recht zu passen. da A und b dasselbe nicht geben, so würde ich es
streichen; es kann nach *sunt* durch dittographie entstanden sein.

V 12, 8 *nec tamen omnibus semper, quae inuenerimus, argumentis onerandus est iudex, quia et taedium adferunt et fidem detra-
hunt. neque enim potest iudex credere satis esse ea potentia, quae non
putamus ipsi sufficere qui diximus. in rebus uero apertis argumentari
tam sit stultum quam in clarissimum solem mortale lumen inferre.*
quia ist nicht gut beglaubigt, es stützt sich nur auf die zweite hand
des Bg; in A fehlt das wort, Bn und Bg[1] geben *quam*, N *quae*.
Halm dachte an *quoniam.* was soll subject des satzes sein, wenn wir
quia oder *quoniam* schreiben? etwa *omnia argumenta?* es erregen
ja aber nicht a l l e argumente überdrusz und mistrauen, sondern nur
m a n c h e. subject eines causalen nebensatzes könnte meiner ansicht

---

[1] Meister setzte hier *nuda* ein. mir scheint das wort entbehrlich
zu sein. 'bei manchen argumenten genügt die aufstellung nicht; es
musz mehr geschehen, sie müssen auch unterstützt werden.'

nach nur sein *onerare omnibus argumentis*; es wäre aber dann zu erwarten: *quia hoc et taedium adfert et fidem detrahit.* da Bn *quam*, N *quae* gibt, so schlage ich *quaedam* vor. Quint. gibt zwei arten von argumenten an, mit denen der richter nicht belästigt werden darf: es sind dies erstens ungenügende (von ihnen ist in dem mit *quaedam* beginnenden und dem folgenden satze die rede), zweitens überflüssige argumente (von diesen handelt der letzte satz).

V 12, 12 *altera ex adfirmatione probatio est: 'ego hoc feci: tu mihi hoc dixisti', et 'o facinus indignum!' similia: quae non debent quidem deesse orationi et, si desunt, multum nocent, non tamen habenda sunt inter magna praesidia, cum hoc in eadem causa fieri ex utraque parte similiter possit.* kann Quint. gesagt haben: 'solche versicherungen dürfen zwar der rede nicht fehlen, und wenn sie fehlen, so schaden sie sehr' —? wenn die versicherungen der rede fehlen, so sind sie nicht vorhanden, und etwas was nicht vorhanden ist kann auch nicht schaden. das fehlen aber von etwas was vorhanden sein sollte kann sehr schaden. es wird daher *nocet* zu schreiben sein. — Auszerdem erscheint mir bedenklich, dasz *similia* ohne conjunction angereiht ist, während doch vor dem vorhergehenden gliede *et* steht. die dritte hand des Bg gibt *atque similia*, die hgg. vor Halm schrieben *et similia*. ich schlage *similiaque* vor. *que* konnte vor *quae* sehr leicht ausfallen. in A läszt sich sogar noch eine spur von *que* finden: denn die erste hand desselben scheint (statt *quae*) *acque* geschrieben zu haben, die zweite hand machte *aeque* daraus.

V 12, 14 *quaesitum etiam, potentissima argumenta primone ponenda sint loco, ut occupent animos, an summo, ut inde dimittant, an partita primo summoque, ut Homerica dispositione in medio sint infirma †aut animis crescant.* in ABN steht *aut animis crescant.* statt *animis* geben a und b *a minimis.* Regius schlug vor *an a minimis crescant*, Spalding *an ut a minimis crescant.* beide vorschläge halte ich für unannehmbar schon deshalb, weil man das allen fragesätzen vorangestellte subject *potentissima argumenta* bei dem letzten fragesatze aufgeben müste. Gernhard schlug vor *aut animi inuitis crescant.* Halm fand diesen vorschlag wahrscheinlich, wünschte jedoch *ut* statt *aut.* Meister hat *ut animi inuitis crescant* in den text gesetzt. ich glaube nicht dasz hierdurch die stelle geheilt ist. darüber, dasz die zwei mit *ut* beginnenden sätze, von denen der zweite dem ersten untergeordnet wäre, sich nicht gut ausnehmen, könnte man hinwegsehen. über ein anderes bedenken aber komme ich nicht hinweg. zu *infirma* musz offenbar *argumenta* hinzugedacht werden. läszt sich nun annehmen, dasz Quint. gesagt habe: 'damit nach Homerischer ordnung die schwachen argumente in der mitte stehen, damit (oder so dasz?) ihnen der mut auch wider ihren willen wächst' —? diese sonderbare personification läszt sich nicht einmal entschuldigen durch hinweis auf jenen Homerischen vers, von dem Gernhard bei seinem verbesserungsversuche ausgegangen ist. denn Δ 297—300 ἱππῆας μὲν πρῶτα

cùν ἵπποιciν καὶ ὄχεcφιν, πεζοὺc δ' ἐξόπιθε cτῆcεν πολέαc τε καὶ
ἐcθλούc, ἕρκοc ἔμεν πολέμοιο · κακοὺc δ' ἐc μέccον ἔλαccεν, ὄφρα
καὶ οὐκ ἐθέλων τιc ἀναγκαίῃ πολεμίζοι ist von einem wachsen des
mutes keine rede; der heerführer stellt ja auch die unzuverlässigen
truppen nicht deshalb zwischen die zuverlässigen, damit ihnen der
mut auch wider ihren willen wachse, sondern damit sie durch ihre
umgebung zum kämpfen gezwungen werden, wenn sie es auch nicht
gern thun. eine stelle des vierten buches weist auf einen andern
gedanken hin. IV 2, 102 empfiehlt Quint. dem anwalt, in der erzählung das was gegen seinen clienten spricht zwischen das was für
denselben spricht hineinzustellen, *ut quae obstant in mediis uelut
auxiliis nostris posita minus habeant uirium.* welchen vorteil bietet
es, wenn man von den für uns sprechenden argumenten die schwachen zwischen die starken hineinstellt? offenbar den, dasz durch
die von den starken gewährte unterstützung den schwachen die kräfte wachsen. um zu diesem gedanken zu kommen,
müste man aus *animis* machen *auxiliis* und annehmen, dasz nach
auxiliis ausgefallen ist *uires iis* (ein abirren von *iis* auf *iis* war ja
möglich). ob aus *aut* besser *ut* oder *et* oder *atque* gemacht wird,
darüber bin ich im zweifel. nach *infirma* konnte aus *ut* ganz leicht
aut werden; aber eine dittographie von *a* kann auch die veränderung
von *et* in *aut* veranlaszt haben, und auch aus *atq* kann *aut* entstanden
sein, und wenn wir uns für *et* oder *atque* entscheiden, so vermeiden
wir das lästige zweite *ut.* das von mir vorgeschlagene heilverfahren
ist kein leichtes, das gebe ich zu: denn wenn auch die einzelnen
mittel nicht zu stark sind, so ist eben doch die anwendung dreier
mittel notwendig. einen befriedigenden gedanken aber erhalten wir,
wenn wir schreiben: *et auxiliis ⟨uires iis⟩ crescant.* die deutlichkeit
gewänne, wenn wir *illorum uires iis* einsetzten. doch ist *auxiliis*
auch ohne ein solches attribut leicht zu verstehen. vgl. zu diesem
worte § 4 *haec (infirmiora argumenta) inbecilla natura mutuo auxilio
sustinentur;* III 4, 16 *stant enim quodammodo mutuis auxiliis omnia;*
VII 4, 7 *adsumptis extrinsecus auxiliis tuemur.* der plural wäre in
unserm satze ganz am platze, da die schwachen argumente von zwei
seiten hilfe bekommen.

V 12, 22 *et praeceptor id maxime exigat, inuentum praecipue
probet. nam ut ad peiora iuuenes laude ducuntur, ita laudari in bonis
malent.* alle beachtenswerten hss. geben *mallent.* hieraus machte
Halm *malent.* was soll aber hier der in *malent* enthaltene comparativ? es bliebe nichts anderes übrig als zu denken 'so werden
sie wegen des guten lieber gelobt als nicht gelobt werden wollen.'
sowohl *inuentum pr. probet* als auch *ad peiora laude ducuntur* weist
hin auf *ita laudati in bonis manent.*

VI 1, 12 *et quae concilient quidem accusatorem, in praeceptis
exordii iam diximus.* in dem mit diesen worten beginnenden abschnitte gibt Quintilianus die mittel an, durch welche der ankläger
eine günstige stimmung für sich hervorrufen kann. dasz er diesen

abschnitt nicht durch die worte *quae concilient accusatorem* eingeleitet haben kann, scheint mir zweifellos zu sein: es handelt sich ja
nicht um die mittel welche den ankläger gewinnen, sondern um
diejenigen welche andere für ihn gewinnen (vgl. § 11 *est igitur
utrisque commune, conciliare sibi, auertere ab aduersario iudicem*). Halm gab daher zu erwägen, ob nicht *commendent* statt *concilient* oder *accusatori iudicem* statt *accusatorem* zu schreiben sei.
leichter erklärt sich die überlieferung, wenn wir annehmen, dasz
Quint. geschrieben hat: *accusatori auditorem* (vgl. § 25, wo
litigatorum ore aus dem überlieferten *litigatore* gemacht werden musz).
auch § 28 gebraucht er *auditor* statt *iudex*. dasz er in userm §
dieses wort anwendete, wird dadurch noch wahrscheinlicher, dasz
er in den vorschriften über die einleitung, auf welche er hier verweist, geschrieben hat (IV 1, 5): *causa principii nulla alia est quam
ut auditorem, quo sit nobis in ceteris partibus accommodatior, prae-
paremus*. vgl. auch VIII pr. 11 *exordio conciliari audientem*.

　　VI 1, 14 *quorum inuidiam gratia, odium turpitudo, iram offensio
iudici facit, si contumax, arrogans, securus sit, quae non ex facto
modo dictoue aliquo, sed uultu, habitu, aspectu moueri solet*. die worte
si contumax, arrogans, securus sit übersetzte Baur: 'wenn der angeklagte eigensinnig, anmaszend, voll sicherheitsgefühls ist.' er
fühlte offenbar dasz, wenn er das pronomen 'er' zum subject des
satzes machte, jeder leser sich dann erst besinnen müste, wer unter
diesem pronomen zu verstehen sei. ich glaube, dasz auch Quint.
seinen lesern dies nicht zugemutet hat, halte es vielmehr für wahrscheinlicher, dasz *reus* nach *securus* ausgefallen ist.[2]

　　VI 1, 25 *his praecipue locis* (sc. *epilogis*) *utiles sunt prosopo-
poeiae, id est fictae alienarum personarum orationes, quales litigatorum ore dicit patronus. nudae tantum res mouent: at cum ipsos
loqui fingimus, ex personis quoque trahitur adfectus*. die alten hss.
A und G geben *litigatore dicit patronum nudae tantum*. die vulgata
war *litigatorem decent uel patronum. mutae tamen* usw. Zumpt
schrieb . . *mutae tantum*. Bonnell *litigatorem decent. patronum
nudae tantum*. alle diese lesarten können nicht befriedigen. Lüne-
mann schlug vor *litigatoris ore dicit patronus*. diesen vorschlag
nahm Halm an, änderte jedoch *litigatoris* in *litigatorum*, offenbar
weil er den singular für unvereinbar hielt mit dem folgenden *ipsos*.
Meister hat den singular beibehalten, ohne zweifel von der erwägung
geleitet, dasz der patronus immer nur durch den mund éines *litigator*
sprechen könne. *ipsos* spricht also entschieden für *litigatorum*, *dicit
patronus* ebenso entschieden für *litigatoris*. was ist da zu machen?
alle bedenken werden beseitigt, wenn wir eine lücke annehmen und

---

　　[2] in § 24 würde ich schreiben: *o me infelicem!* nicht deshalb, weil
Cic. *p. Mil.* 37, 102 *me* steht; Quint. hat ja häufig ungenau citiert.
aber der zusammenhang scheint mir *me* zu fordern: denn es soll ja
doch hier ein beispiel dafür angeführt werden, dasz der anwalt manchmal an stelle des angeklagten die rolle des unglücklichen übernimt.

schreiben: *quales litigatorum ore* ⟨*dicimus. nam si sua persona*⟩ *dicit patronus, nudae tantum* usw. die lücke konnte sehr leicht dadurch entstehen, dasz der abschreiber von *dicimus* auf *dicit* abirrte. *dicimus* wird unterstützt durch *fingimus. sua persona* findet sich ebenso gebraucht X 5, 2 (II 20, 9 schreiben Halm und Meister nach A *a sua persona*, die übrigen hss. haben auch dort nur *sua persona*). das einfachere *ipse* halte ich für unmöglich wegen des folgenden *ipsos; suo ore* scheint mir deshalb nicht angemessen zu sein, weil der patronus ja doch auch im andern fall *suo ore* spricht.[3]

VI 1, 38 *equidem et repugnantis patrono et nihil uultu commotos et intempestiue renidentis et facto aliquo uel ipso uultu risum etiam mouentis saepe uidi, praecipue uero, cum aliqua uelut scaenice fiunt,* † *aliam cadunt.* die sinnlosen worte *aliam cadunt* hat Regius als eine in den text eingedrungene randglosse gestrichen. sie fehlen denn auch in fast allen ausgaben, auch in der neuesten von Meister. aber es musz ja doch auch eine randglosse irgend einen sinn haben. welcher sinn soll in diesen worten liegen, oder woraus sollen sie entstanden sein? niemand vermochte dies zu sagen. übrigens erhalten wir durch ihre streichung auch keinen annehmbaren text; mit recht wies Spalding darauf hin, dasz das praesens *fiunt* mit *saepe uidi* sich nicht vertrage. die verbesserungsvorschläge von Spalding (*stant alia, alia cadunt*) und Halm (*alio* oder *aliter cadunt*) können aber auch nicht befriedigen. ich glaube dasz zu schreiben ist *talia incidunt* ('besonders aber, wenn manchmal gleichsam theatralische scenen aufgeführt werden, kommen solche dinge vor'). *incidere* hat Quint. öfters in dieser bedeutung gebraucht, wie ein blick in das lex. Quint. zeigt. die änderungen sind leicht. nach *fiunt* konnte aus *talia* leicht *alia* werden; aus *in* wurde *m*, was die veränderung von *cidunt* in *cadunt* zur folge hatte.

VI 1, 48 *neque illum* (sc. *probauerim*), *qui, cum esset cruentus gladius ab accusatore prolatus, quo is hominem probabat occisum, subito ex subselliis ut territus fugit et capite ex parte uelato, cum ad* † *agendum ex turba prospexisset, interrogauit, an iam ille cum gladio recessisset?* statt *ad agendum* schlug Regius vor *ad agentes* oder *quid ageretur,* andere schrieben *ad agentem,* Halm dachte an *ad suggestum.* mir scheint entschieden den vorzug zu verdienen der von Meister angenommene vorschlag KSchenkls *ad agendum uocatus.* der verteidiger flüchtete sich während der rede des anklägers unter die zuhörermenge; als er dann zum sprechen aufgerufen wurde, blickte er zuerst ängstlich aus der menge hervor und fragte dann, ob jener mit dem schwerte zurückgegangen sei. ich möchte

---

[3] in § 35 wollte Gesner *eum* vor *ingredi* einsetzen. hierzu bemerkte Halm: 'quod uix sufficit ad graue loci uitium tollendum; nam expectares, ut est apud Ciceronem: *quam esse kalendis Ian. in re publica duo consules.*' diesen gedanken erhalten wir aber auch, wenn wir nach *consulatum* (also vor *quod*) *duo* einsetzen. die stellung von *duo* könnte nicht auffallen; es wäre nachgestellt, weil es zu betonen ist.

jedoch statt *uocatus* vorschlagen *excitatus*, weil dieses wort vor
dem folgenden *ex turba* leichter ausfallen konnte und weil *excitare*
der eigentliche ausdruck für das aufrufen bei gerichtsverhandlungen
gewesen zu sein scheint: vgl. V 8, 32; VI 1, 37 und 45; 3, 44;
XI 3, 174.

VI 1, 50 *sunt et illi leniores epilogi, quibus aduersario satisfaci-*
mus, si forte sit eius persona talis, ut illi debeatur reuerentia, aut cum
amice aliquid commonemus et ad concordiam hortamur. wenn Quint.
den satz anfieng mit den worten 'es gibt auch jene sanftern epiloge,
durch welche wir uns dem gegner gegenüber entschuldigen', so konnte
er nicht wohl fortfahren 'oder wenn wir freundschaftlich an etwas
erinnern und zur verträglichkeit ermahnen.' man müste wenigstens
annehmen dasz er, als er *aut cum* schrieb, den anfang des satzes
vergessen hatte. näher als diese annahme liegt die vermutung, dasz
er *aut eum* geschrieben hat. *cum* und *eum* wurden ja begreiflicher
weise sehr häufig verwechselt; so geben VI 3, 110 alle hss. *cum* statt
eum, und auch in dem darauf folgenden § schrieb der schreiber von
A zuerst *cum*, machte aber dann *eum* daraus, ebenso V 13, 21.
auch V 11, 12 f. geben A und b zweimal *cum* statt *eum*. ein doppelter accusativ ist mit *monere* verbunden auch II 9, 1 *discipulos id*
unum moneo.[4]

VI 2, 8 f. *alteram* (sc. *speciem adfectuum*) *Graeci* πάθος *uocant,*
quod nos uertentes recte ac proprie a d f e c t u m dicimus, alteram ἦθος,
cuius nomine, ut ego quidem sentio, caret sermo romanus: m o r e s
appellantur, atque inde pars quoque illa philosophiae ἠθική *moralis*
est dicta. sed ipsam rei naturam spectanti mihi non tam mores signi-
ficari uidentur quam morum quaedam proprietas: nam ipsis quidem
omnis habitus mentis continetur. bedenken erregen mir die worte
atque inde pars quoque illa philosophiae ἠθική *moralis est dicta.*
Quint. sagt: 'für die sanftere art der affecte, welche die Griechen
durch ἦθος bezeichnen, fehlt es der lateinischen sprache an einem
geeigneten namen. manche bezeichnen sie zwar durch *mores*; aber
dieser ausdruck ist zu weit: denn unter *mores* begreift man die ganze
sinnesart, während unter ἦθος in jenem sinne nur eine gewisse art
der sitten zu verstehen ist.' diese auseinandersetzung wird durch
jene worte in störender weise unterbrochen. was wollen dieselben?
Baur übersetzte sie: 'und daher heiszt auch jener teil der philosophie
ethik, moral, sittenlehre.' also deshalb, weil manche die sanftere art
der affecte durch *mores* bezeichnet haben, soll ein teil der philosophie
von den Griechen ἠθική, von den Lateinern *moralis* genannt worden
sein? eine unmögliche gedankenverbindung. aber auch wenn wir
ἠθική mit dem subject verbinden und *moralis* allein als prädicative
bestimmung ansehen, scheint mir der satz nicht in den zusammenhang zu passen. worauf soll sich denn *inde* beziehen? dasz dem

---

[4] da in § 52 A¹G *toto* geben, S aber *tuto*, so ist vielleicht zu schreiben *tota tuto.* keines der beiden wörter ist überflüssig.

griechischen ἦθος, wenn es 'sitte' bedeutet, das lateinische *mos* entspricht, ist gewis richtig; es ist daher auch ganz in der ordnung,
dasz die Lateiner jenen teil der philosophie, welcher sich mit den
sitten beschäftigt, durch *moralis* bezeichneten. was hat dies aber
damit zu thun, dasz manche der sanftern art der affecte den namen
mores geben zu dürfen vermeinten? ich halte jene worte für einen
unechten zusatz.

VI 2, 10 f. *in causis uero etiam pluribus uersantur (sc. leniores*
adfectus quam concitati), immo secundum quendam intellectum in
omnibus. nam cum ex illo ethico loco nihil non ab oratore tractetur,
quidquid de honestis et utilibus, denique faciendis ac non faciendis
dicitur, ἦθος *uocari potest.* die hss. geben *ex illo et hoc loco.* aus *et*
hoc machte Halm *ethico,* und Meister folgte ihm. die änderung ist
freilich leicht, aber dasz ein dem zusammenhange entsprechender
gedanke dadurch hergestellt wird, kann ich nicht finden. kann die
in dem vorhergehenden satze aufgestellte behauptung begründet
werden durch die worte 'denn da der redner alles von jenem «ethischen» gesichtspunkt aus behandelt, kann alles, was von dem sittlichguten und nützlichen usw. gesagt wird, ἦθος genannt werden'?
dasz das ἦθος in gewissem sinne in allen reden vorkommt, soll ja
erst erwiesen werden; wenn nun Quint. geschrieben hätte *cum ex*
illo ethico loco nihil non ab oratore tractetur, so hätte er gerade das,
was erst erwiesen werden soll, als bereits feststehend vorausgesetzt.
auszerdem kann ich nicht einsehen, inwiefern alles, was von dem
sittlichguten und nützlichen usw. gesagt wird, deshalb ἦθος genannt werden kann, weil der redner alles von jenem 'ethischen' gesichtspunkt aus behandelt. mir scheint kein anderes heilmittel für
diese stelle übrig zu bleiben als die streichung der worte *cum ex*
illo . . tractetur. wenn Quint. gesagt hat: das ἦθος kommt in gewissem sinne in allen reden vor: denn alles, was von dem sittlichguten und nützlichen usw. gesagt wird, kann ἦθος genannt werden,
so hat er allerdings auch etwas stillschweigend vorausgesetzt, nemlich dasz in jeder rede von dem sittlichguten oder nützlichen gesprochen wird. dies durfte er aber auch als dem leser bekannt voraussetzen. dasz er den leser dies selbst hinzudenken liesz, mag die
entstehung der verdächtigen worte verursacht haben. ein leser
fragte sich: inwiefern kann durch den hinweis darauf, dasz alles,
was von dem sittlichguten und nützlichen gesagt wird, ἦθος genannt
werden kann, die behauptung begründet werden, dasz das ἦθος in
allen reden vorkommt? und beantwortete sich diese frage dadurch,
dasz er an den rand schrieb: *cum ex illo et hoc loco nihil non ab ora-*
tore tractetur, dh. da der redner von dem gesichtspunkte des sittlichguten oder dem des nützlichen aus alles behandelt.[5]

_____

[5] zu § 12 möchte ich bemerken, dasz mir die conjectur *alioqui* statt
quin, welche an dem rande der cd. Basil. steht, beachtung zu verdienen
scheint; vgl. zb. *alioqui* V 9, 11.

VI 2, 14 *quod* (sc. ἦθος) *est sine dubio inter coniunctas maxime personas, quotiens ferimus, ignoscimus, satisfacimus, monemus, procul ab ira, procul ab odio. sed tamen alia patris aduersus filium, tutoris aduersus pupillum, mariti aduersus uxorem moderatio est (hi enim praeferunt eorum ipsorum, a quibus laeduntur, caritatem, neque alio modo inuisos eos faciunt, quam quod amare ipsi uidentur), alia, cum senex adulescentis alieni conuicium, honestus inferioris fert: hic enim tantum concitari, illic etiam adfici decet.* dasz die worte *hic enim tantum concitari, illic etiam adfici debet (decet* ist conjectur von Spalding) nicht richtig überliefert sind, sollte keines nachweises bedürfen. von den erklärungsversuchen kann kein einziger auch nur halbwegs befriedigen. mit recht wohl haben alle erklärer bei *hic* an den *honestus*, bei *illic* an den *senex* gedacht. die mäszigung des *honestus* würde also darin bestehen, dasz er nur (!) in aufregung gerät, die des *senex* darin, dasz er auch in affect gerät! § 9 hat uns Quint. gesagt, dasz unter πάθος die *concitati adfectus*, unter ἦθος die *mites adfectus* zu verstehen sind, und bei dem *honestus* soll sich das ἦθος darin zeigen, dasz er nur *concitatus* ist! das kann Quint. nicht geschrieben haben. möglich ist es, dasz er schrieb: *hic enim tantum non concitari, ille modice etiam adfici debet.* diejenigen, welche in nahen beziehungen zu ihren beleidigern stehen, zeigen ihre mäszigung dadurch, dasz sie sogar liebe zu denselben vorgeben. von anderer art ist die mäszigung, wenn ein greis die schmähung eines fremden jünglings, ein angesehener die eines geringern erträgt. von liebe zu ihren beleidigern kann bei ihnen nicht die rede sein; der eine hat genug gethan, wenn er nur nicht in aufregung gerät, der andere darf in mäsziger weise sogar in affect geraten. *tantum non* ist ebenso gebraucht VI 2, 4 *ut, qui per haec uicit, tantum non defuisse sibi aduocatum sciat* und V 10, 16 *tertium tantum non repugnans.* für *modice* spricht die überlieferung von *illic.*

Noch an einem andern fehler scheint mir der überlieferte text zu leiden. es ist klar, dasz Quint. das verhältnis, in welchem der greis zu einem fremden jünglinge und der angesehene zu einem geringern steht, nicht unter diejenigen rechnete, auf welche er mit den worten *inter coniunctas personas* hinwies. wie aber dann die vorliegenden beiden sätze durch *sed tamen* verbunden sein können, ist mir unverständlich. möglich wird diese verbindung, wenn wir schreiben: *inter coniunctas maxime, ⟨sed etiam inter alias⟩ personas, quotiens* usw. ob Quint. gerade *inter alias* geschrieben hat, ist natürlich zweifelhaft; möglich wäre auch *inter non coniunctas.* an die von mir eingesetzten worte würde sich ganz passend der mit *quotiens* beginnende satz anschlieszen.

VI 2, 15 *uerum aliquanto magis propria fuerit uirtus simulationis, satisfaciendi rogandi* εἰρωνεία, *quae diuersum ei, quod dicit, intellectum petit.* es wird nichts anderes übrig bleiben als in den worten *uirtus simulationis* die lateinische bezeichnung für εἰρωνεία zu sehen. nun sagt aber Quint. IX 2, 44 εἰρωνείαν *inueni qui dis-*

simulationem uocaret: quo nomine quia parum totius huius figurae uires uidentur ostendi, nimirum sicut in plerisque erimus graeca appellatione contenti. daraus geht doch klar hervor, dasz er alle versuche εἰρωνεία durch ein lateinisches wort zu bezeichnen für aussichtslos hält. es ist also nicht wahrscheinlich, dasz er an einer frühern stelle seines werkes selbst einen solchen versuch gemacht habe; jedenfalls hätte er da, wo er von einem versuche das wort zu übersetzen spricht, auf seinen eignen versuch irgend wie hinweisen müssen. da AG¹S nicht *uirtus* geben, sondern *uirtutis*, so glaube ich dasz ein leser zur erklärung von εἰρωνεία an den rand schrieb *uirtus dissimulationis*, und dasz dann diese worte entstellt in den text gerieten. auch die genitive *satisfaciendi rogandi* sind mir verdächtig. früher verband man sie mit *simulatio*. aber von der *simulatio satisfaciendi* war ja schon in dem vorhergehenden § die rede (vgl. *quotiens . . satisfacimus*; dasz hierbei an eine *simulatio* zu denken ist, zeigt die parenthese des folgenden satzes, besonders die worte *neque alio modo inuisos eos faciunt, quam quod amare ipsi uidentur*). Zumpt, Bonnell, Halm und Meister setzten nach *rogandi* kein komma, sie verbanden also die genitive mit εἰρωνεία. aber die ironie (auch diejenige welche hier gemeint ist) hat es doch nicht blosz mit dem *satisfacere* und *rogare* zu thun. wenn aber durch *satisfaciendi rogandi* b e i s p i e l e angeführt werden sollten, so wäre doch die stellung der genitive v o r εἰρωνεία sehr auffallend. ich halte es daher für wahrscheinlich, dasz auch diese worte zuerst am rande standen; ein leser mag zur erklärung von *simulatio* oder von εἰρωνεία diese beispiele hinzugefügt haben. Spalding meinte, wenn durch den angehängten relativsatz eine definition des begriffes εἰρωνεία gegeben werden sollte, so wäre diese definition hier 'foedissima'. ich verweise aber auf § 24 *haec est illa quae δείνωσις uocatur, rebus indignis, asperis, inuidiosis addens uim oratio*; auch hier folgt auf die erwähnung einer rhetorischen figur eine definition derselben.[6]

VI 2, 29 f. *quas φαντασίας Graeci uocant . . has quisquis bene conceperit, is erit in adfectibus potentissimus. quidam dicunt εὐφαντασίωτον, qui sibi res, uoces, actus secundum uerum optime finget.* A¹ gibt *is quidam*, A² *has quidam*, GS *has quidam*; die vulg. war *hunc quidam*. Halm schrieb blosz *quidam* mit der bemerkung: '*is* post *us* ex dittographia ortum uidetur; uulgatam *hunc quidam* non ferendam esse apparet, malis tamen *quidam eum*', und Meister folgte ihm. von A¹ ausgehend schlage ich vor: *istum quidam dicunt εὐφαντασίωτον, quia sibi* usw. das pronomen *iste* ist hier ganz am platze; hätte Quint. *hunc* geschrieben, so müste an denjenigen gedacht werden, welcher in den affecten sehr stark ist, aber nicht dieser, sondern der welcher die phantasiebilder sich gut vorstellt

---

[6] in § 21 weisz ich mir das vor *plus* stehende *et* nicht zu erklären. sollte *minus et plus* zu schreiben sein? der inhalt des mit *nam* angeknüpften satzes läszt hieran denken.

wurde von manchen εὐφαντασίωτος genannt. der durch *quia* an-
geknüpfte satz gibt den grund an, warum manche jenem diesen
namen geben. *iste* hat Quint. häufig gebraucht; in einer ganz ähnlichen verbindung findet es sich IX 2, 40 *et Celsus hoc nomen isti
figurae dedit.*

VI 2, 32 *insequitur ἐνάργεια, quae 'a Cicerone inlustratio et
euidentia nominatur, quae non tam dicere uidetur quam ostendere,
et adfectus non aliter, quam si rebus ipsis intersimus, sequentur. an
non ex his uisionibus illa sunt* usw. seit Wolff beginnen alle hgg. mit
diesem § einen neuen abschnitt und rufen dadurch in dem leser die
meinung hervor, dasz Quint. hiermit zu etwas anderm übergehe.
aus den worten *et adfectus non aliter, quam si rebus ipsis intersimus,
sequentur* und aus dem inhalt von § 34 f. geht ja aber doch deutlich hervor, dasz er immer noch mit der beantwortung der § 29 an-
geregten frage *quo modo fiet, ut adficiamur* beschäftigt ist. statt
insequitur möchte ich lieber schreiben *inde sequitur*: 'daraus (nemlich aus der lebendigen vorstellung) ergibt sich die lebendige darstellung.' Spalding wies mit recht darauf hin, dasz das compositum
hier wenig passend sei, um so weniger, da *sequentur* folge (er schlug
daher *hinc sequetur* vor). für *inde* sprechen auch die worte *an non
ex his uisionibus illa sunt?*

VI 2, 36 *haec dissimulanda mihi non fuerunt, quibus ipse,
quantuscumque sum aut fui, peruenisse me ad aliquod nomen ingenii
credo: frequenter motus sum, ut me non lacrimae solum deprenderent,
sed pallor et ueri similis dolor.* Halm bemerkte zu dieser stelle:
'*frequenter ita motus* malim.' auch ich vermisse ein auf den grad
der erregung hinweisendes adverbium. für wahrscheinlicher aber
halte ich, dasz *adeo* nach *credo* ausgefallen ist ('so sehr wurde ich
häufig erregt, dasz' usw.). Quint. schliesz eine längere auseinandersetzung gern ab mit einem satze, welcher mit *adeo* beginnt: vgl.
I 12, 7; VI 2, 7; XI 3, 91.

VI 3, 13 *occasio uero et in rebus est, cuius est tanta uis, ut
saepe adiuti ea non indocti modo, sed etiam rustici salse dicant, et in
eo, quid aliquis dixerit prior: sunt enim longe uenustiora omnia in
respondendo quam in prouocando.* dasz die auf Mg sich stützende
vulg. *occasioni* nicht beibehalten werden kann, bedarf keines nachweises. Spalding sah bereits, dasz sich der durch AG¹S überlieferte
nominativ *occasio* halten läszt, wenn *cuius* vor *tanta uis* eingesetzt
wird. wahrscheinlicher ist die annahme Halms, dasz *cuius est* nach
est ausgefallen sei; der ausfall erklärt sich so leichter. aber ein
gewichtiges bedenken erhebt sich gegen den Halmschen text. wenn
der relativsatz auf die kraft der gelegenheit hinwiese, so könnte
er doch nicht zwischen *et in rebus est* und *et in eo, quid aliquis
dixerit prior* hineingestellt sein, er müste sich vielmehr unmittelbar an *occasio* anschlieszen. aus dem nemlichen grunde halte ich
auch den Meisterschen text (*tantaque eius uis, ut* usw.) für unmög·
lich. ich glaube dasz sich die worte *tanta uis, ut .. dicant* auf *rebus*

beziehen müssen, wie sich die worte *sunt enim longe* usw. auf *in eo, quid aliquis dixerit prior* beziehen. es ist also vielleicht nach *in rebus est* einzusetzen *in quibus est.* natürlich bezöge sich dann das pronomen *ea* nicht auf *occasio*, sondern auf die *uis rerum.* Quint. wollte, wie mir scheint, sagen: 'es kommen dinge vor, welche so komisch sind, dasz oft, durch diese komik unterstützt, nicht nur ungebildete, sondern sogar bauern witzig sprechen.'[7]

VI 3, 26 *idem autem de uultu gestuque ridiculo dictum sit: in quibus est quidem summa gratia, sed maior, cum captare risum non uidentur: nihil enim est iis, quae sicut salsa dicuntur, insulsius. quamquam autem gratiae plurimum dicentis seueritas adfert, fitque ridiculum id ipsum, quod qui dicit illa, non ridet, est tamen interim et aspectus et habitus oris et gestus non inurbanus, cum iis modus contingit.* in diesen worten fanden Spalding und Wolff so viele schwierigkeiten, dasz ersterer einen groszen, letzterer einen kleinern teil derselben als unecht ausscheiden zu müssen meinte. ich glaube dasz sie in befriedigender weise erklärt werden können, wenn eine kleine einschaltung vorgenommen wird. was zunächst die worte *idem de uultu gestuque ridiculo dictum sit* betrifft, über deren bedeutung Spalding und Wolff nicht zur klarheit kommen konnten, so wollte Quint. meiner ansicht nach damit sagen: 'lächerliche mienen und gebärden, welche das anstandsgefühl auszer acht lassen (*sine respectu pudoris*), schicken sich weder für einen redner noch überhaupt für einen würdigen mann (*neque oratori neque ulli uiro graui conuenit*).' von den nicht unanständigen lächerlichen mienen und gebärden unterscheidet er dann zwei arten: solche denen man es nicht anmerkt dasz sie lachen erregen wollen, und solche denen man dieses anmerkt. die erstern verdienen entschieden den vorzug; nichts ist ja weniger witzig als das was sich offen als witz ausgibt. ganz aber will er die letztern doch nicht verwerfen: denn bisweilen sind auch sie nicht unwitzig, wenn masz gehalten wird. ich übersetze: 'dies gilt auch von den lächerlichen mienen und gebärden. in denselben liegt ein sehr groszer reiz, ein gröszerer jedoch, wenn sie nicht auf das lachen auszugehen scheinen; nichts ist ja weniger witzig als das was sich für einen witz ausgibt. obgleich aber der ernst des sprechenden der sache am meisten reiz verleiht und gerade dás lachen erregt, worüber der welcher es sagt nicht lacht, so ist doch bisweilen auch eine auf das lachen hinzielende erscheinung, miene und gebärde nicht ohne witz, wenn hierbei masz gehalten wird.' die worte, deren einsetzung ich für notwendig halte, habe

---

[7] in § 17 ist mir unklar, was *usu* bedeuten soll; Baur übersetzte es durch 'manier', was ich nicht für zulässig halte. vielleicht ist *et usu* ein verbesserungsversuch für *et soso* (A G). einen ähnlichen fall haben wir V 14, 32: dort gibt A (statt *generis*) *ueris*, an den rand ist von zweiter hand geschrieben *uel artis*, G gibt im texte *ueris uel artis.* die überlieferung von *soso* läszt denken an *sono ipso*; vgl. XI 3, 10 *uerborum atque ipsius etiam soni rusticitate.*

ich durch den druck hervorgehoben. Spalding dachte daran, dasz
ad risum compositus nach *gestus* einzusetzen sei. da aber das vor
aspectus stehende *et* hier doch wohl die bedeutung 'auch' hat, so
wird die attributive bestimmung zwischen *et* und *aspectus* gestellt
werden müssen. ich schlage daher vor: *et* (oder *etiam?*) ⟨*spectans
ad risum*⟩ *aspectus*. man konnte beim abschreiben leicht von
spectans (oder *-iā spectans*) auf *aspectus* abirren. zu *spectans* vgl.
X 2, 27 *ad uictoriam spectent* und XII 10, 48 *ad uictoriam spectant*;
auch X 7, 17 *adeo praemium omnia spectant.*[8]

VI 3, 46 *illa meditati adferre solent, haec plerumque in altercatione aut in rogandis testibus reperiuntur.* die durch S allein überlieferte lesart *illa etiam ira concitati adferre solent* ist so unpassend,
dasz man sich wundern musz, wie sie so lange in den ausgaben sich
behaupten konnte; erst Halm hat sie beseitigt. AGM geben *illa
etiam itaque* (A² *ita quae*) *concitati adferre* (A¹ *adferri*) *solent.* Spalding schlug statt *etiam itaque concitati* vor: *etiam atque etiam meditati,* was Meister in den text aufnahm. aber *etiam atque etiam* ist
hier doch sehr überflüssig; zudem kommt der ausdruck bei Quint.
sonst nie vor. Halm liesz *etiam atque etiam* weg. wie sollen aber aus
meditati die worte *etiam itaque concitati* entstanden sein? Halm
meinte, *meditati* stecke in *etiam ita*; dasz aber das noch übrig blei-
bende *que concitati* durch dittographie entstanden sein soll, ist doch
zu unwahrscheinlich. Gertz schlug vor *etiam meditati atque com-
mentati*; der vorschlag kommt der überlieferung näher, überzeugend
aber ist er nicht. vielleicht ist in den verderbten worten ein gegensatz zu suchen zu *in altercatione aut in rogandis testibus.* nun steht
öfter (vgl. V 11, 5; VI 4, 1—5, 14 und 18) im gegensatz zu dem
wortgefechte und der zeugenvernehmung d e r z u s a m m e n h ä n-
g e n d e v o r t r a g (*actio continua*). es steckt also vielleicht *i n
a c t i o n e* in *itaque* und *c o n t i n u a* in *concita*; aus dem noch übrig-
bleibenden *ti adferri* müste dann wohl *a d h i b e r i* gemacht werden.
etiam könnte unverändert bleiben. das hauptfeld für witzige bemerkungen ist nicht der zusammenhängende vortrag, sondern das
wortgefecht und die zeugenvernehmung; aber witze von der erstern
art (*illa*) p f l e g t m a n a u c h i m z u s a m m e n h ä n g e n d e n v o r-
t r a g z u r a n w e n d u n g z u b r i n g e n.

VI 3, 57 f. *sed ea* (sc. *similitudo*) *non ab hominibus modo petitur,
uerum etiam ab animalibus, ut nobis pueris Iunius Bassus, homo in
primis dicax, 'asinus albus' uocabatur. et Sarmentus seu P. Blessius
Iulium, hominem nigrum et macrum et pandum, 'fibulam ferream'
dixit.* die erklärer waren im zweifel, ob unter *Sarmentus seu P. Blessius* nur éine person oder ob zwei personen darunter zu verstehen

---

[8] in § 33 *nam aduersus miseros, sicut supra dixeram, inhumanus est iocus*
ist mir das plusquamperfectum auffallend. sollte vielleicht *dixi, etiam*
zu schreiben sein? 'unglücklichen gegenüber ist der scherz, wie ich
oben schon gesagt habe, sogar unmenschlich, roh' (nicht nur *petulans,
superbus* usw.).

seien. gegen die erstere auffassung spricht dasz, wenn Sarmentus
ein beiname des P. Blessius gewesen wäre, Quint. denselben wohl
nicht so vorangestellt hätte. gegen die letztere auffassung aber
spricht die conjunction *seu*, man würde *aut* erwarten; Halm gab
daher zu erwägen, ob nicht vielleicht *seu* in *aut* zu verändern sei.
ich glaube dasz zu schreiben ist: *uocabatur, et carentibus sensu,
ut P.* usw. vgl. I 3, 8 *ea quoque, quae sensu et anima carent,
ut seruare uim suam possint, uelut quiete alterna retenduntur*; III 7, 6
*quae materia praecipue quidem in deos et homines cadit, est tamen
et aliorum animalium, et etiam carentium anima*; VIII 6, 11
cum rebus sensu carentibus actum quendam et animos damus
und besonders V 11, 23, wo auch von *similitudines* die rede ist
und gerade so wie hier den menschen tiere und leblose dinge gegenübergestellt werden: *neque hominum modo inter se opera similia
spectantur . . sed et a mutis atque etiam inanimis interim simile
huiusmodi ducitur.*

VI 3, 65 *onerabo librum exemplis similemque iis, qui risus gratia
componuntur, efficiam, si persequi uoluero singula ueterum. ex omnibus argumentorum locis eadem occasio est.* obwohl Quint. § 101
sagt: *has aut accepi species aut inueni frequentissimas, ex quibus
ridicula ducerentur*, so erregt doch hier *singula ueterum* bedenken.
Quint. spricht in dem abschnitt, welchen er mit diesen worten abschlieszt, von den witzen, welche von dem ähnlichen, dem unähn-
lichen und dem gegenteile hergenommen werden. die letzten führt
er ein mit den worten *ex contrario non una species*; er gibt dann
vier beispiele, um damit vier arten zu kennzeichnen. nach unserm
texte würde er nun abbrechen mit den worten 'ich würde das buch
mit beispielen überladen und es denen ähnlich machen, welche zur
befriedigung der lachlust verfaszt werden, wenn ich das einzelne der
alten durchnehmen wollte.' zunächst fällt die verbindung des geni-
tivs mit *singula* auf; man würde eher erwarten *singula* (oder *omnia*)
a ueteribus tradita. dann erhebt sich die frage: was ist hier unter
ueterum zu verstehen? man wird doch wohl zu denken haben an die
frühern verfasser von schriften über die rhetorik oder über einen einzelnen teil derselben. seine vorgänger hat aber Quint. sonst nirgends
durch *ueteres* bezeichnet. doch wenn auch sonst nicht, so könnte er ja
hier diese bezeichnung gebraucht haben. es kommt aber noch ein anderes bedenken hinzu. wenn er gesagt hätte 'ich würde das buch solchen ähnlich machen, welche zur befriedigung der lachlust verfaszt
werden, wenn ich das einzelne der alten durchnehmen wollte', so hätte
er damit zu verstehen gegeben, dasz die schriften der alten solchen
büchern ähnlich waren, was er doch wohl nicht sagen wollte. kurz,
ohne *ueterum* ('wenn ich das einzelne durchnehmen wollte') liest sich
der satz besser. es dürfte daher zu erwägen sein, ob nicht statt
ueterum vielmehr *ceterum* zu schreiben und mit dem folgenden
satze zu verbinden ist. da auch das ähnliche, das unähnliche und
das gegenteil *loci argumentorum* sind (vgl. V 10, 73), so würde

Quint., nachdem er erklärt hat nicht alle einzelnen arten der witze
ex contrario aufführen zu wollen, ganz passend fortfahren: 'übrigens
bieten alle fundstätten der beweise die nemliche gelegenheit.' vgl.
§ 63 *quod hactenus ostendisse satis est. ceterum frequentissima aliorum
generum cum aliis mixtura est.*[9]

VI 3, 94 *est gratus iocus, qui minus exprobrat quam potest, ut
idem* (sc. *Afer*) *dicenti candidato ·'semper domum tuam colui', cum
posset palam negare, 'credo' inquit 'et uerum est'.* von allen in diesem
capitel angeführten witzen wäre der hier Afer zugeschriebene der
schlechteste. ich musz gestehen, dasz ich in den worten 'ich glaube
es, und es ist wahr' nicht einmal einen schlechten witz finden kann.
einen witz erhalten wir, wenn wir schreiben: '*credo*', *inquit*, '*ita,
ut uerum est*'. ein candidat, welcher Afer um seine stimme bat,
sagte zu seiner empfehlung: 'immer habe ich dein haus verehrt.'
Afer hätte dies offen als lüge bezeichnen können, er zog es aber vor
zu antworten: 'ich glaube es so gewis wie es wahr ist.'

VI 3 100 *contumeliis quoque uti belle datur: ut Hispo obicienti
atrociora crimina accusatori, 'me ex te metiris' inquit.* vor *crimina*
steht in den hss. *arbore.* hierfür war die vulg. seit der ed. Camp.
acerba. Halm schrieb *atrociora.* Meister behielt *acerba* bei, bemerkte
aber in den noten, dasz vielleicht *nefaria* zu schreiben sei. ich möchte
a b o m i n a n d a vorschlagen: vgl. *abominanda crimina* IX 2, 80 und
scelus abominandum VIII 6, 40. wenn die zweite hälfte von *abominanda* weggefallen war, so konnte ein gedankenloser abschreiber
auf *arbore* kommen. eine ähnliche verstümmelung findet sich auf der
nemlichen zeile. *me ex te metiris*, wie man jetzt nach Buttmann
richtig schreibt, mag zuerst zusammengeschrumpft sein in *metis,*
woraus dann die einen (A G M) *mentis*, andere (wie S) *mentiris*
machten. — Die hss. geben alle *obicientibus*, wofür man vor Halm
unpassend *obicienti bis* schrieb. wenn überhaupt etwas in der silbe
bus zu suchen ist, so könnte es wohl nur *sibi* sein; ich würde jedoch
auch blosz *obicienti* schreiben.

VI 3, 106 *quas si recipimus finitiones, quidquid bene dicetur, et
urbane dicti nomen accipiat. ceterum illi, qui hoc proposuerat, con-
sentanea fuit illa diuisio, ut dictorum urbanorum alia seria, alia
iocosa, alia media faceret: nam est eadem omnium bene dictorum.*
unter *quas finitiones* sind zu verstehen die definitionen, welche Domitius Marsus von den begriffen *urbanitas* und *urbanus* gegeben hat.
Quint. ist mit denselben nicht ganz einverstanden, wie der erste satz
dieses § zeigt. an der spitze des zweiten satzes steht in allen ausgaben *ceterum.* dieses wort ist aber hsl. nicht gut beglaubigt. nur

---

[9] in § 59 schreiben Halm und Meister *generis illud*, weil S *generis
id* gibt. auf dieses zeugnis hin (wie leicht kann *id* durch dittographie
entstanden sein!) möchte ich jene änderung nicht vornehmen; vgl. § 48
und 51 *Ciceronis*, § 95 *Augusti*, § 108 *Ciceronis*, § 111 *Pompei.* — Zu § 67
bemerkte Halm: '*quale* A (?) et Regius; *quod* G, *quae* (*qui*) dett. fort.
quale quod', Meister: '*quale* Regius, *quod* A G.' vielleicht ist zu schreiben: *quale est quod*; vgl. § 84 *quale est quod refert.*

S gibt *ceterum*; die alten hss. A und G, wie auch die meisten andern
haben *eterum*, M *erum*. *ceterum* wird also wohl als ein verbesserungsversuch anzusehen sein: es lag ja recht nahe *ceterum* aus *eterum* zu
machen. passt aber diese conjunction in den zusammenhang? mir
scheint der gedankengang folgender zu sein: 'wenn wir diese definitionen gelten lassen, so hätte jede gute bemerkung auch anspruch
auf den namen einer urbanen bemerkung. und gewis für denjenigen,
welcher diese definition vorgeschlagen hatte, war jene einteilung der
urbanen bemerkungen in ernste, scherzhafte und mittlere vernunft-
gemäsz; ebenso werden ja alle guten bemerkungen eingeteilt.' ich
glaube daher, dasz aus *eterum illi* zu machen ist *et hercule ei.* an
ei denke ich deshalb, weil gleich darauf in dem nemlichen satze *illa
diuisio* folgt. unmöglich jedoch ist *illi* nicht (vgl. V 10, 111 *has,
quia erat usus commilitio Thessalorum, donauit his ultro*), und wenn
von *hercule* die silbe *le* vor *illi* weggefallen war, so konnte aus *et hercu*
leicht *eterū* werden. *et hercule* gebraucht Quint. gern: vgl. II 5, 4;
16, 12; V 3, 89; X 1, 86; 2, 3; XII 6, 4.

VI 3, 108 f. *ne tamen iudicium Marsi, hominis eruditissimi, sub-
traham, seria partitur in tria genera, honorificum, contumeliosum,
medium. et honorifici ponit exemplum Ciceronis pro Q. Ligario . . et
contumeliosi, quod Attico scripsit . . et medii, quod ἀποφϑεγματικόν
uocatur, ut est in Catilinam, cum dixit: neque grauem mortem accidere
uiro forti posse nec inmaturam consulari neque miseram sapienti.* die
hss. geben *et est ita.* für *ita* schlug Spalding gewis richtig vor *in
Catilinam.* statt *et est* schrieb Halm *ut est* (er übersah dasz Wolff
bereits *ut* vorgeschlagen hat); Meister behielt *et est* bei. da zu *medii*
offenbar *exemplum* hinzugedacht werden musz, so halte ich beides
für unmöglich. ich glaube, dasz $\overline{ee}$ unrichtig aufgelöst wurde in *et
est* statt in *esse.*[10] für *esse* spricht, dasz sämtliche hss. nicht *dixit*
(Regius) geben, sondern *dixerit,* was beibehalten werden kann, wenn
wir *esse* schreiben. ich übersetze: 'und für die mittlere gattung, die
sogenannte apophthegmatische, finde sich ein beispiel in den reden
gegen Catilina, wenn er gesagt habe' usw. zu der infinitivconstruc-
tion vgl. § 103 *neque enim ei de risu, sed de urbanitate est opus
institutum, quam propriam esse nostrae ciuitatis et sero sic intellegi
coeptam* usw.[11]

---

[10] umgekehrt ist vielleicht V 10, 34 *est et* aus *esse* (A) zu machen:
'denn auch diese (die schlechten handlungen, nicht nur die guten) haben
ihren ursprung in dem was man für gut oder schlecht hält.'   [11] VI 4, 12
wird zu interpungieren sein: *quod sine dubio ex arte non uenit (natura
enim non docetur), arte tamen adiuuatur.* — VI 4, 14 übersah Meister,
dasz die streichung von *est,* wofür er sich entschied, bereits von Gernhard vorgeschlagen worden ist. ich würde lieber *quod* vor *est* einsetzen (auch in § 22 muste ein relativum eingesetzt werden). die nemliche wortstellung haben wir IX 3, 24 *quod est ei figurae sententiarum
. . simile.*

MORSBACH BEI KUFSTEIN.   MORIZ KIDERLIN.

61.

Noni Marcelli compendiosa doctrina. emendavit et adnotavit L v c i a n v s M v e l l e r. pars i et ii. Lipsiae in aedibus B. G. Teubneri. a. MDCCCLXXXVIII. XVI u. 699, 428 s. lex. 8.

Über die methode der textesgestaltung bei der herausgabe alter schriftsteller sind die ansichten von jeher auseinandergegangen. während die einen in klarer würdigung der in der überlieferung liegenden schwierigkeiten diejenige form, welche sie in dem archetypus der auf uns gekommenen handschriften angenommen haben, nach den grundsätzen der diplomatischen und kritischen kunst herzustellen sich bemühen, versuchen andere in kühnerm vertrauen auf die geistige kraft den ursprünglichen wortlaut wiederzugewinnen. beide methoden haben ihre berechtigung, je nach dem charakter des werkes oder nach der eigenart seiner überlieferung oder nach dem zweck welchem die ausgabe dienen soll. eine einigung wird nicht zu erzielen, auch nicht einmal zu wünschen sein. beschränken wir uns auf lexicalische und antiquarische samlungen der römischen litteratur, so hat zb. KOMüller den an Festus anknüpfenden studien erst dadurch eine sichere grundlage geschaffen, dasz er die Neapolitaner hs. genau abdrucken liesz und sogar die unzweifelhaftesten verbesserungen unter den text verwies; eine gleiche entsagung übt, und zwar mit vollem recht, die Götzsche ausgabe der glossare. je mehr aber die eigne persönlichkeit des samlers hervortritt, desto mehr ist der hg. berechtigt oder nach umständen verpflichtet, ihr bild, so weit es möglich, herauszuarbeiten, und je bedeutender sie erscheint, um so tiefer sich in sie zu versenken und bis zu ihren worten durchzudringen. muster solcher wiederherstellungen besitzen wir in den Grammatici Latini von HKeil und in der nach ·den mühevollsten vorarbeiten endlich vollendeten groszen ausgabe des Gellius von MHertz, der zu dem erstgenannten werke ja bekanntlich auch des Priscianus *institutiones* beigesteuert hat. jedoch auch diese methode verfährt mit der grösten vorsicht und selbstverleugnung bei den eingereihten fragmenten anderer schriftsteller, erstrebt nur die gestalt, in welcher sie von den samlern übernommen wurden, und folgt daher im falle der vollständigen erhaltung der originale unbedenklich den spuren der hsl. überlieferung des sammelwerkes, mag dieselbe auch noch so falsch und verkehrt sein (vgl. auch Wachsmuths proleg. zu Ioannes Stobaios I s. XXXII).

Die geringwertigkeit der eignen zuthaten des Nonius, seine 'unergründlichen irrtümer und dummheiten', die sich kaum von denen seiner abschreiber scheiden lassen, machen eine beschäftigung mit seiner person zu einer besonders lästigen und widerwärtigen und werden sie immer nur auf sehr schwankende füsze stellen. erweislich entsprechen seine beispiele nicht überall dem lemma (Roeper im Philol. XV s. 289 f.), sein verständnis derselben entzieht sich aller beurteilung. wenn er zb. in den zwei einfachen Sisennastellen *omnia quae*

diximus loca statim potitus und *hostis loca superiora potiti* den accusativ *loca* als nominativ ansieht und sie als beispiel für *nominatiuus
pro ablatiuo* citiert (s. 502, 25 [1]), so wird man ihm füglich alles mögliche an thorheit und flüchtigkeit zutrauen und zu einer änderung
der hsl. lesart, um ihn von einem solchen ·vorwurf zu befreien, nur
in den seltensten fällen sich entschlieszen dürfen, jedenfalls sich
hüten müssen in den beispielen der erklärung des Nonius zuliebe
irgendwie von jener abzuweichen. so ist meines erachtens dem hg.
des Nonius als der allein richtige weg der vorgezeichnet, dies urkundenbuch nach einer umfassenden musterung der quellen und
nach ihrer genauen classificierung in der f a s s u n g d e s a r c h e
t y p u s wiederherzustellen und es den hgg. der excerpierten schriftsteller zu überlassen, ihre bruchstücke durch eigne vermutungen zu
der ursprünglichen form zurückzuführen oder sie, wenn jene direct
auf uns gekommen sind, zur geschichte ihres textes auszubeuten.[2]

Eine so zurückhaltende lösung dieser aufgabe war von vorn herein
von Lucian Müller nicht zu erwarten. wie er bei jedem anlasz es liebt
von sich und seinen persönlichen verhältnissen, von seinen zu- und abneigungen zu sprechen, von seinen frühern wissenschaftlichen leistungen und deren beurteilung, auch von seinem charakter (II s. 313 'pro
modestia, quam insitam penitus sentio mihi et infixam'), so konnte er
auf diesem verlockenden gebiete der ihm eingeborenen lust zu conjicieren und zu combinieren nicht widerstehen. nicht genug also, dasz
er den Nonius selbst wiederherstellen will, obgleich er natürlich seine
socordia und stultitia, seine leuitas und ἀβλεψία, seinen stupor fidem
superans anerkennt, oft geiszelt, ja sogar im commentar eine besondere
abkürzung 'n(ugatur) N(onius)' anwendet und die schlüpfrigkeit des
bodens, auf dem er sich bewegt, wohl fühlt: in der emendation der
citate geht er grundsätzlich noch ü b e r N o n i u s h i n a u s und sucht
die hand der verfasser wieder aufzudecken: 'et primam quidem potissimamque hanc sanciendam seruandamque censui normam, ut auctorum quibus utitur Nonius loci quam posset fieri legerentur emendatissimi' (II s. 316) und 'nos uero ita plane rem gessimus ut in
Lucilii Enniique editione' (II s. 318). dabei verirrt er sich jedoch
in offene widersprüche und verfährt mehrfach recht inconsequent.

An einigen beispielen will ich dies erweisen und werde sie
jetzt wie auch im weitern aus den fragmenten der römischen historiker als dem mir bekanntesten arbeitsfelde wählen. zwar liegt die
stärke des hg. mehr in der behandlung von dichtern; hier aber ist
die stimmung allerseits eine so verbitterte, dasz schwerlich sich ein
fachgenosse auf die kritik dieses teils der beispiele des Nonius ein-

---

[1] ich citiere wie LMüller nach den seitenzahlen von Mercerus und
den zeilen seiner ausgabe.   [2] vgl. Hertz in der groszen Gelliusausgabe
II s. CXLII: 'maxime uero hoc ad eos locos pertinet, quos ex aliis
descripsit Gellius; ibi non id quod ipsi illi scripsissent restituendum,
sed quid Gellius inde in Noctes Atticas intulisset libris accurate examinatis expiscandum erat.'

lassen möchte oder, wenn es geschieht, er durch ein abweisendes urteil leicht in den verdacht der befangenheit geraten könnte. zudem erklärt LMüller selbst, dasz er in den stellen von prosaikern die nemliche kunst glücklicher heilung bethätigt habe: 'uix ullus crit illorum (auctorum, quibus utitur Nonius), seu uincto usus fuerit sermone siue soluto, cuius scriptis non aliquid nouae lucis affulgeat ex editione nostra libri Noniani' (II s. 294).

Also: s. 57, 23 bieten alle hss. das lemma *congenulare* und ebenso steht in dem (einzigen) beispiele aus Sisenna *congenulati*; LM. räumt selbst ein, dasz Nonius fälschlich statt *congenuclare* bzw. *congenuclati* so geschrieben habe, in den text aber hat er die andere form eingesetzt; ebenso s. 64, 18 anstatt *pedato*, wie es im lemma und in beiden beispielen die hss. überliefern und 'fortasse ipse Nonius' geschrieben hat, *pedatu*. — Für *horrea genere feminino* citiert Nonius eine stelle aus *Claudius oratione in Quintium Gallum* (s. 208, 27); dasz diese dem redner Calidius und der rede in Quintum Gallium angehört, hat Meyer richtig gesehen (orat. Rom. fragm. s. 437); Nonius aber hat ihn mit dem annalisten Claudius (Quadrigarius) verwechselt, und dies spricht auch LM. ausdrücklich aus ('*Claudius* C[odd.] et ita haud dubie Non.'), es zutreffend damit begründend, dasz er von voraugustischen reden nur die des Cato nennt (II s. 252). gleichwohl steht in seinem text: *Calidius oratione in Quintum Gallium.* — Bekanntlich ist von den quellen des Nonius éine erhalten, des A. Gellius attische nächte, ohne dasz er ihn aber namhaft gemacht hat (MHertz in diesen jahrb. 1862 s. 789 f.) — beiläufig bemerkt kein glänzendes zeugnis für die von LM. dem Nonius nachgerühmte wahrheitsliebe (II s. 258) —; ihm hat er ua. vier stellen aus dem ersten buche des Claudius (Quadr.) entlehnt, und zwar irrtümlich unter dem namen des Coelius (s. Relliq. hist. Rom. I s. CCXXXIV f.); jedoch hat LM. diese flüchtigkeit unangetastet gelassen, den wortlaut der fragmente aber zweimal gegen die überlieferung, um ihn mit Gellius in übereinstimmung zu bringen, verändert. ein fragment nemlich lautet bei diesem (XVII 2, 3) *arma plerique abiciunt atque inermis inlatebrant sese*, worauf die eignen worte folgen: '*inlatebrant' uerbum poeticum uisum est, sed non absurdum neque asperum.* wie Kretzschmer (de A. Gellii fontibus s. 33) erkannte, hat Nonius dies liederlich gelesen, *inlatebrant* noch zu dem fragment gezogen und ihm diese gestalt gegeben: *atque inermis in latebras se inlatebrant* (s. 129, 22). auch LM. bezeichnet dies im commentar als Nonianisch; warum aber hat er dann im text drucken lassen *atque inermis inlatebrant se [inlatebrant]*? auch das fehlen von *multis* s. 87, 4 ist wohl eher auf rechnung des Nonius als auf die seiner abschreiber zu setzen, ebenso s. 187, 28 das der buchzahl, s. 168, 7 die veränderung einer solchen, s. 100, 16 die abweichung *in suos* von dem Gellianischen *inter nos*, an welchen stellen also LM., indem er sich an Gellius anschlieszt, den Nonius, nicht seine überlieferung corrigiert hat. wie verträgt sich dies mit seinem programm 'ideoque et Nonii sensus

erant restituendi quantum posset fieri integerrimi et in exemplis auctorum quaedam relinquenda, quae cum aperte essent corrupta non
tamen librariorum culpa, sed uel Nonii uel grammaticorum, quibus
usus est, uitiose haberentur tradita' (II s. 316)? vgl. auch die bemerkung im commentar zu s. 349, 13 (I s. 565) 'nec enim ubique
a nobis ea proposita, quae ipsi scriptores, sed, ubi expediret, quae
Nonius posuisse uideretur'.

    Die nemliche willkür hat LM. in der form der titel geübt.
schon der des werkes selbst ist verändert und lautet nicht mehr wie
in den hss. *de compendiosa doctrina,* sondern *compendiosa doctrina:*
Nonius handle nicht ü b e r die *doctrina,* sondern gebe diese selbst
(II s. 246 f.). ich will einräumen, dasz er in den überschriften der
capitel *de* etwas anders angewandt hat; wenn er zb. über das zweite
gesetzt hat *de honeste set noue dictis,* so enthält es nicht nur ein verzeichnis, sondern auch eine erklärung der worte und ist zu vergleichen
mit dem ähnlichen werke des Verrius Flaccus *de obscuris Catonis,*
mit des P. Lavinius *de uerbis sordidis* (Gellius XX 11, 1) usw.
anders aber steht es bei Verrius *de uerborum significatu,* des Aelius
Gallus *de significatione uerborum quae ad ius ciuile pertinent,* welcher
titel sowohl in *de uerbis ad ius ciuile pertinentibus* abgekürzt wird
als auch (bei Festus wiederholt) in *in libro . significationum* (s. Teuffel
röm. litteraturgesch.⁴ s. 397, 4), des Gavius Bassus *de origine
uerborum et uocabulorum* und *de uerborum significatione* (Teuffel
s. 406 f., 6), des C. Valgius Rufus *de rebus per epistulam quaesitis*
(Teuffel s. 505, 3). ich erinnere auch an des M. Aemilius Scaurus
und P. Rutilius Rufus selbstbiographien, welche unter dem titel *de
uita sua* citiert werden; niemand wird heutzutage eine solche be-
titeln 'über mein leben'. der Lateiner aber hat sich den titel zuerst
von einem verbum wie *scripsit, composuit* abhängig gedacht (vgl. zb.
Val. Max. IV 4, 11 *M. Scaurus . . in primo libro eorum, quos de uita
sua tres scripsit, refert;* Gellius XIII 9, 2 *Tullius Tiro . . libros com-
pluris de usu atque ratione linguae latinae, item de uariis atque pro-
miscis quaestionibus composuit*) und sich in der folge daran gewöhnt
danach die unabhängige form desselben zu bilden. es wird also das
hsl. *de compendiosa doctrina* festgehalten werden müssen.

    Ebenso wenig vermag ich LMüllers verfahren in der wieder-
gabe der citierten titel zu billigen, die er alle nach der schablone
zurechtgemacht hat, während die hsl. überlieferung die gröste manigfaltigkeit im ganzen, im einzelnen falle aber fast durchweg volle übereinstimmung zeigt; so citiert diese, um von den unsichern abzusehen,
achtmal *Coelius* (oder *Caelius*) *annali lib. .,* nur éinmal *C. annalium
lib. .;* in dem neuen texte aber steht überall *annalium.* und doch ist
die erste ausdrucksweise wohl bezeugt, zb. durch den dem Nonius
so wohl bekannten Gellius (XVII 2, 2 *uerba ex Q. Claudi primo
annali,* II 19, 7 = fr. 16 s. 214 der Relliq., III 7, 21 = fr. 42 s. 221,
I 7, 9 = fr. 43 s. 221, fr. 57 s. 224, fr. 58 s. 225, fr. 79 s. 232,
fr. 83 s. 234, fr. 85 s. 234, fr. 87 s. 235, fr. 89 s. 235. *L. Piso*

Frugi in primo annali fr. 8 s.121, fr. 27 s.131; vgl. XIII 23[22], 13 = fr. 15 s.169 *qui leget Cn. Gellii annalem tertium*), durch Priscianus (*Quadrig. in VI annali* fr. 56 s. 224, *Claud. in VIIII annali* fr. 74 s. 231, *Licinius Macer in I annali* fr. 7 s. 303, vgl. *Cassius Emina annalem suum quartum hoc titulo inscripsit 'bellum Punicum posterior'* fr. 31 s. 105), Censorinus (*Piso, in cuius annali septimo* fr. 36 s. 135), Macrobius (*Claudius Quadr. annali tertio* fr. 45 s. 222. *Postumius Alb. annali primo* fr. 2 s. 49), die Veroneser scholien (*C. Fannius in VIII annali* fr. 3 s. 138) und wird weiter, wenn es noch notwendig erscheint, gestützt durch die ähnlichen citate aus des Cato *origines* bei dem nemlichen Gellius: *in secunda origine* fr. 36 s. 61, *in tertia origine* fr. 73 s. 72, *in quinta or.* fr. 99 s. 86, fr. 101 s. 86, *in sexta or.* fr. 105 s. 86. also wird auch Quadrigarius *annali lib.*. unverändert zu lassen sein, was die hss. zwölfmal bieten, während die von LM. überall eingesetzte form *annalium lib.*. nur dreimal sich in ihnen findet, ebenso *Licinius Macer annali lib. I* s. 63, 12 und *Cassius Emina annali lib. II* s. 67, 20. auch an den ausfall der buchzahl hinter dem genitiv *annalium* (s. 90, 15) oder an eine änderung dieser form (s. 212, 16) möchte ich nicht mit ihm glauben und an des Servius *Gellius annalium* (fr. 33 s. 175), *Cato originum* (fr. 31 s. 60, fr. 45 s. 64), *Lutatius communium historiarum* (fr. 8 s. 193) erinnern. wo endlich bei Sisenna in der neuen ausgabe der titel ausgedruckt ist, heiszt es stets *historiarum lib.*., obwohl zehnmal durch die hss. *historiae* bezeugt ist (vgl. *Cassius in historia* bei Minucius Felix fr. 1 s. 95, *hoc in Sileni* .. *graeca historia est* bei Cic. *de diuin.* I 24, 49, *ut Paulus in Coelii historia libro I notat* bei Charisius I s. 143). im hinblick auf eine so grosze manigfaltigkeit in der weise zu citieren wird eine doppelte vorsicht bei änderungen geboten sein: warum soll nicht auch Nonius geschrieben haben *Licinius Macer annalibus lib. II* s. 52, 5 oder *Claudius annalibus lib. XVI* s.122, 13 oder *Caelius annalibus lib. I* s. 129, 21 oder, wie er den plural allein gebraucht, auch *annali* ohne buchzahl s. 480, 11 (vgl. Gellius VII [VI] 9, 1 wo erst des *Piso tertius annalis* citiert wird und es dann heiszt *ex Pisonis annali transposuimus*) oder *Sisenna historiographus lib. III* s. 68, 11; 18? hier hat überall LM. ihn corrigieren zu müssen geglaubt.

Dies sind kleinigkeiten, und LM. verbietet 'ingentia opera molitos pusillis insectari criminibus' (II s. 314) oder 'circa apices haerere', denn der buchstabe töte und der geist mache lebendig (II s. 320); aber zusammengenommen beweisen sie gewis deutlich, wie frei er mit der überlieferung umgesprungen ist und welchem grundsatz er bei der herausgabe des Nonius gefolgt ist, und einzeln bereiten solche änderungen der untersuchung über die von ihm benutzten quellen, für welche eben jene verschiedenheiten wohl hie und da einen wink geben, völlig unnötige schwierigkeiten. er hat sich aber nicht einmal gescheut an den titel selbst die hand zu legen: s.518, 35 citiert Nonius: *Fabius Pictor rerum gestarum lib. I.* gemeint ist der

jüngere Fabius, der die griechischen historien seines vorfahren ins
lateinische übertragen und fortgesetzt hat. sein werk wird von
Gellius (fr. 6 s. 110) *annales* genannt, und den charakter der alten
jahrbücher mag es auch getragen haben; wenn es sich aber an jenes
griechische anschlosz und Gellius, um den unterschied zwischen
historia und *annales* zu erklären, eine stelle aus Sempronius Asellio
anführt, der sich mit der wahl des titels *rerum gestarum libri* in
scharfen gegensatz zu der annalistik hatte stellen wollen, und zwar
mit den worten *ut simul, ibidem quid, ipse inter res gestas et
annales esse dixerit, ostenderemus* (V 18, 7), so werden wir gewis
in jenem *rerum gestarum lib. I* echte überlieferung zu erkennen haben
und es verwerfen, dasz LM. durch *rerum Romanarum* ihre spur zu
verwischen versucht hat; selbst wer dieser beziehung auf ἱστορία
nicht beipflichtet, wird den titel durch das doppelte citat des Gellius
L. Sulla in rerum gestarum libro (fr. 2. 3 s. 195) für hinlänglich
gesichert halten müssen.

Nicht weniger entschieden werden wir uns gegen LM.s änderungen der buchzahl zu erklären haben. Nonius citiert s. 152, 19
aus *Cato originum libro II* folgende worte: *si inde ignauis putidas
atque sentinosas commeatum onere uolebant.* so überlieferte sie der
archetypus, unzweifelhaft in verderbter gestalt. von den zahlreichen
conjecturen, durch die man sie hat heilen wollen, ist die éine sicher,
welche aus *ignauis* herausnimt *nauis* und damit ihren sinn herstellt;
weniger bestimmt können wir sagen, ob *si inde in nauis* (Roth), *si
indu n.* (Scaliger), *si endo n.* (Palmer) .. *commeatum ponere* (Lipsius)
oder *si inde nauis .. commeatu onerare* (Scaliger) das richtige trifft;
LM. hat *indu nauis .. commeatum ponere* vorgezogen, dann aber noch
für das erste wort *set*, um einen vollständigen satz zu gewinnen[3],
für das letzte *solebant* eingesetzt und nun das fragment auf die be-
trügerischen armeelieferungen des Postumius Pyrgensis und seiner
genossen im zweiten punischen kriege bezogen (vgl. Livius XXV 3, 11
*in ueteres quassasque naues paucis et parui preti rebus inpositis, cum
mersissent eas in alto exceptis in praeparatas scaphas nautis, multi-
plices fuisse merces ementiebantur*). dies letztere ist wohl möglich,
ja sogar wahrscheinlich, aber doch nicht zwingend, und deshalb die
vertauschung der buchzahl mit *V* den grundsätzen einer diplomatischen bearbeitung jedenfalls nicht entsprechend. aus einem andern
grunde hat er s. 161, 20 *Sisenna hist. lib. IIII* die *IIII* in *III* verwandelt; es folgen nemlich noch zwei citate aus dem dritten und
darauf ebenso viele aus dem vierten buch, und da Nonius oder richtiger seine quelle in derartigen 'citatenknäueln' die ordnung des
originaltextes beizubehalten pflegt, so hat ARiese und mit ihm LM.
auch jenes erste dem dritten buche zugewiesen, ebenfalls wahrschein-

---

[3] teile von sätzen finden sich sehr oft in den citaten des Nonius,
wie dies auch LM. zugibt (zu s. 495, 9); zb. unter denen aus Sisenna
fr. 10. 17. 21. 26. 36. 40. 41. 47. 83. 85. 92. 103. 112. 128. 136.

lich (Relliq. I s. CCCXXXIV f.), aber bei der groszen liederlichkeit
des Nonius in der herübernahme der zahlen nicht notwendig; ist er
doch bei den drei beispielen aus Sisenna, welche er dem Gellius
entlehnt hat (Hertz in diesen jahrb. 1862 s. 722 f.), nur éinmal genau
gewesen, fr. 128 (I s. 295); dagegen citiert er fr. 126 (I s. 294)
anstatt aus dem sechsten buch *libro V* und das aus dem nemlichen
stammende fr. 127, welches er zweimal verwendet, an der ersten
stelle (s. 168, 7) als aus dem ersten, an der andern (s. 187, 29) ohne
buchzahl. LM. hat allerdings die herkunft von fr. 126 aus Gellius
als unsicher bezeichnet, gleichwohl aber fällt es sehr auf, wenn er
zwar bei diesem *lib. V* im texte stehen läszt, bei fr. 127 aber nach
Gellius s. 168 *I* in *VI* verwandelt und s. 187 *lib. VI* einschiebt.

Aus diesen proben wird leicht ein schlusz auf die kühnheit gezogen werden können, mit welcher LM. die f r a g m e n t e   s e l b s t
behandelt hat; vielfach bestechend, zb. s. 130, 4 *conuenientium* für
conuentum, s. 376, 33 *retro per callis* für *retro per collis*, s. 475, 31
patriae ueteris für *patriae eum*; zahlreiche conjecturen sind aber, um
hier nur die in den text gesetzten zu berücksichtigen, völlig unnötig:
s. 58, 17 *loco mouent* für *loco commouent*, s. 71, 1 *frumento adeso,
quod ex aruis in oppidum conportatum erat* für *quod ex areis . . por-
tatum est*, s. 92, 2 *quod humilem caementis structum oppidi murum
sciebat* für *instructum*, s. 141, 24 *loca . . arte multifariam confossa*
für *alte*, s. 205, 18 *prope editam ad finem ripae* für *mediam*, s. 208, 4
die streichung von *qui* und s. 258, 35 die von *et*, s. 346, 24 in *area
[in] Capitoli signa quae erant* für *in Capitolio*, s. 361, 28 die einschiebung von *uirtutis*, s. 484, 19 *ec senati consultis* für *et sen.*,
s. 491, 27 *magno cum clamore utrorumque* für *uirorum*, s. 517, 19
hic desubito utrisque nuntiatur für *his*, s. 527, 12 die streichung von
animi, s. 556, 12 *frequentes* für *frequenter*. ein paar worte bedarf
s. 449, 7 *Sisenna hist. lib. IIII: subito mare persubhorrescere caecosque fluctus in se prouoluere leniter occepit*: so die hss. an dieser stelle
und auch s. 423, 8, wo die nemlichen worte bis *prouoluere* schon
einmal citiert waren, nur mit der abweichung von *subhorrere* für
persubhorrescere; jedoch ist dies bicompositum dem 'contortum et
affectatum dicendi genus' des Sisenna wohl angemessen, und zwar
ist wohl zu erklären, wie *subhorrere* aus *persubhorrescere* entstanden,
aber nicht wie das zweite aus dem ersten; auch das folgende läszt
sich verstehen, wenn man *in se* als ablativ faszt und es mit *per-
s u b h o r r e s c e r e* und *c a e c o s   f l u c t u s* in verbindung bringt; also fällt
jeder grund zu der änderung LM.s *subhorrescere caecosque fluctus
insolenter prouoluere occepit* weg.

Als beispiele für das gewaltsame zurechtschneiden verderbter
stellen führe ich folgende an: s. 52, 6 steht in den hss. *nequaquam
sui lauandi reluant arma lue*, bei LM. *nequaquam sui leuandi c a u s a
reluont arma [lue]*. ich will darauf weniger gewicht legen, dasz so
das lemma *lues* aus dem fragment des Licinius beseitigt wird (s. unten
s. 507), aber weshalb soll der satz nicht ein conjunctivischer sein?

und ist nicht gerade das *lauare* hier sehr gut angebracht? die einzige änderung *lauanda* wird genügen, um die hsl. lesart verständlich zu machen. — S. 98, 26 wird ein fragment des Coelius in den maszgebenden hss. überliefert: *imperator conclamat de medio auelitatis in sinistro cornu remoueantur, Gallis non dubitatim inmittantur.* für *auelitatis* liest die Aldina *ut uelites*, was auch LM. nur mit weglassung des *ut* gebilligt hat, dann aber hat er *in* für *a* eingesetzt. der grund lag in der von mir (Relliq. I s. 156) ausgesprochenen vermutung, dasz sich das fragment auf die schlacht am Metaurus beziehe, in welcher der consul Claudius Nero die entscheidung dadurch herbeiführte, dasz er, während sein college auf dem linken flügel gegen die feindlichen kerntruppen unter Hasdrubals eignem befehl sich ohne erfolg aufrieb, er selbst aber auf dem rechten einen angriff auf die ihm gegenüberstehenden, durch einen berg geschützten Gallier für nutzlos erachtete, mit einigen cohorten hinter der römischen schlachtordnung herum marschierte, dem Hasdrubal in die seite und in den rücken fiel und die feindliche linie von links her aufrollte. allerdings gefällt mir die verbindung *uelites in sinistro cornu* (sc. *stantes*) auch nicht; betrachten wir aber die hsl. lesart genauer, so weist *uelitatis* vielmehr auf *uelitantis* hin, was unbedenklich eine ortsbestimmung zu sich nehmen kann. — Ebenso hat LM. s. 258, 8 in die geschichtliche überlieferung eingegriffen: *Lucium Memmium, socerum Gai Scriboni, tribunum plebis, quem Marci Liui consiliarium fuisse callebant et tunc Curionis oratorem*: denn in diesen worten schreibt er nicht allein mit Roth *tribuni plebis* und beseitigt damit das tribunat des L. Memmius, über welches allerdings nichts bekannt ist, das er aber gleich seinem bruder Gaius sehr wohl bekleidet haben kann, sondern auch *hortatorem* für *oratorem*, das durch die stelle des Cicero *Brut.* 89, 305 *erat enim tribunus plebis tum C. Curio; quamquam is quidem silebat, ut erat semel a contione uniuersa relictus* hinlänglich erklärt und geschützt wird.

Eine frage von principieller bedeutung ist, ob Nonius altertümliche endungen noch verstanden und aufgenommen hat, namentlich *ei* für das lange *i*. Lucilius verlangte bekanntlich für den nomin. plur. der zweiten declination diese schreibweise, um den genitiv sing. davon zu scheiden; dennoch aber hat Lachmann sie an keiner einzigen stelle in seinen text eingeführt, abgesehen natürlich von derjenigen, wo er über dieselbe ausdrücklich handelt. auch innerhalb der historikerfragmente ist sie nirgends erhalten. zwar bemerkt LMüller II s. 319: 'et saepe quidem e corruptelis codicum antiquior forma scribendi recuperata; in quo notandum maxime in *ei*, quod *i* longae uicem sustineret, saeuitum a librariis.' aber s. 58, 12 haben für sein *queidam* alle hss. *quidam*, nur H¹, dem er gerade in orthographischen dingen geringe autorität beimiszt, *quadam*; s. 478, 5 für *eilico* alle *in eo* (oder *meo*) *loco*, was völlig unbedenklich ist. so möchte ich dem Nonius auch nicht s. 107, 19 *exinaniteis* zutrauen (wo nach dem lemma *exinanita* für das hsl. *exinanitas* sonst *exina-*

nitis eingesetzt wurde) oder s. 133, 5 *meire* (wo *mere* die hss., *mire*
Madvig) oder s. 100, 13 *decleinare* (was LM. wenigstens im commentar vorschlägt, für das durch Mercerus nach Gellius aus dem hsl.
decernere gewonnene *decessere*) oder s. 122, 13 *equei hinnibundei*;
bis dahin las man unter dem lemma *hinnibunde pro hinnientes* diese
stelle des Claudius Quadrigarius *equae hinnibund(a)e inter se spar-
gentes terram calcibus*, und zwar in genauem anschlusz an die hss.,
welche nur zwischen *e* und *ae* in der endung der beiden ersten worte
schwanken. das lemma scheint freilich auf *hinnibunde* hinzuweisen;
doch thun wir Nonius auch kein unrecht, wenn wir mit Lachmann
zu Lucr. IV 418 (s. 236) in dem citate aus Claudius *hinnibundae*
vorziehen. jedenfalls liegt kein grund vor die hss. zu verlassen; LM.
aber hat erstens *equei hinnibundei* geschrieben, ohne durch eine corruptel der hss. dazu bestimmt zu sein, und dann auch noch das
lemma in '*hinnibundi pro hinnientes*' verändert.

Mit gleicher willkür ist er indes auch an andern stellen in der
constituierung der lemmata verfahren. s. 57, 20 lautet ein
artikel: *remulcare dictum quasi molli et leui tractu ad progres-
sum mulcere. Sisenna historiae lib. II: si quae celeriter solui poterat, in altum remulca retrahit.* er ist nicht in ordnung: das sieht
jeder; man hat daher früher an eine nichtübereinstimmung zwischen
lemma und beispiel geglaubt und in dem letztern nach L(eidensis)[1]
remulco retrahit geschrieben, LM. aber an der ersten stelle *remulco
trahere* mit Quicherat, an der zweiten mit Freund *remulco trahit.* so
viel steht jedoch für einen kenner des Nonius fest, dasz an dem
lemma *remulcare* nicht gerüttelt werden darf, da er es, gewis nach
seiner meinung sehr fein, mit *mulcere* zusammengebracht hat; die
verderbnis kann also nur in dem beispiel gesucht werden. hier fehlt
aller grund *re* zu streichen, da ja das subject vorher auf dem hohen
meere gehalten haben kann; ob sonst *remulco retrahit* oder *remulcans
trahit* (Salmasius) oder *remulcat [id est remulco retrahit]* (Junius)
das richtige trifft, lasse ich unentschieden, doch sagt mir das letzte
noch am meisten zu.[4] — Als zweites beispiel führe ich an s. 91, 28
*crebritudinem pro crebritatem. Sisenna historiae lib. IIII: nam clande-
stina celeriter transigi, apud notos cogitata dici decet, non explanari.*
der begriff der schnelligkeit kehrt im citat wieder, jedoch hat das
einfache, zur erklärung beigeschriebene wort *celeriter* das ursprüngliche *crebritudine* verdrängt, wie dies ja mehrfach geschehen ist. bei
LM. finden wir indes hinter *crebritatem* das zeichen einer lücke und
darauf ein neues lemma eingeschoben *clandestina.*

In der that, er hat recht, wenn er die einleitung zu dem ersten
bande s. VIII mit den worten abschlieszt: 'ita inuenies (Nonium)
mutatum, ut uix Nonium agnoscas in Nonio'!

Weniger einschneidend als die eignen vermutungen haben neu
ermittelte lesarten von hss. auf die umgestaltung des textes einge-

---

[4] der jüngste versuch von Stowasser in Wölfflins archiv I s. 440
remulcare tradit ist wenig glücklich.

wirkt. denn obwohl LMüller, wie er uns berichtet, seit 25 jahren
sich mit Nonius beschäftigt hat, hat er ihm doch nicht eine neue,
festere und sicherere grundlage geben können. ich darf die neue ausgabe freilich nicht mit der von Gerlach und Roth vergleichen, die
ein richtiges princip mit völlig ungenügenden hilfsmitteln verfolgt
haben, auch nicht mit der Quicherats, der obwohl im besitz einer
collation des Leidensis und des Harleianus doch sich durch seine
geringwertigen Pariser hss. den blick hat trüben lassen und überdies mit der grösten leichtfertigkeit gearbeitet hat; sonst aber bringt
sie keinem, der den Nonius häufiger hat benutzen müssen, in der
handschriftenfrage eine überraschung. sie stützt sich also vor allen
auf die L(eidener) hs. n. 73 und auf den H(arleianus) in Oxford,
welche er mit einem von mir hervorgezogenen Florentinus, einem
Genevensis, Cantabrigiensis, Tornaesianus und dem Bernensis n. 83
éine, und zwar die bessere familie bilden läszt, während er L², H²,
Guelferbytanus, Escorialensis, Bambergensis, Montepessulanus, Parisinus n. 7665, Bernensis n. 347 und die glossae Lugdunenses zu
einer zweiten zusammenfaszt, die zwar auf der nemlichen stufe im
verhältnis zu dem in der Merovingerzeit geschriebenen archetypus
stehe wie die erstere, aber ihn weniger genau und sorgfältig wiedergebe (II s. 263 ff.). als maszgebend hebt er von diesen II s. 294
heraus ('quorum uelut fundamento innititur haec recensio') den erstgenannten Leidensis ('primo loco ponendus' II s. 295), den Harleianus
('orthographica si omiseris, loco principe habendus' II s. 301), die
Genfer, die Berner, die Bamberger hs. und die Leidener glossen und
reiht hier noch an eine zweite Berner und eine zweite Leidener hs.,
und dann bei der einzelbesprechung, welche von den beiden ersten
als den bei weitem zuverlässigsten zeugen ausgeht, noch die Wolfen-
'bütteler hs. ('tertio loco ponendus codex traditionis, ut plurimum,
deterioris princeps Guelf.' II s. 301). alle diese hat er mit ausnahme
des Bambergensis, für welchen ihm eine von Halm angefertigte collation vorgelegen hat, und des G(uelferbytanus), den er zwar für
Lucilius eingesehen, für den er sich aber sonst auf die angaben
anderer verlassen hat, teils selbst verglichen, teils — und dies gilt
von der mehrzahl — durch andere vergleichen lassen, sich aber auf
sie nicht beschränkt, sondern auch von zahlreichen andern sich nachricht verschafft. für die bearbeitung selbst haben diese letztern jedoch
kaum etwelchen nutzen abgeworfen, und auch von den erstern sind
es hauptsächlich L H und G, auf welche er sie gründet und welche
er daher auch mit éinem buchstaben (C) bezeichnet; daneben zieht
er noch namentlich den Bambergensis heran, ohne indes aus ihm alle
abweichungen aufzuzählen, und nach demselben grundsatz im vierten
capitel die dies allein enthaltenden Bernenses und die Genevenses;
die andern finden sich nur zerstreut im commentar erwähnt. was die
zuverlässigkeit der angaben anbetrifft, so ist sie durch die namen
von Zangemeister der den Leidensis, von Sivers der den Harleianus,
von Hagen der die schweizer hss. verglichen hat, verbürgt, und wenn

jemand noch etwas an dieser versicherung gelegen sein sollte, so
haben sie meine eignen collationen fast ohne ausnahme bestätigt;
die auslassung unbedeutender, namentlich orthographischer abweichungen will ich nicht aufstechen, da LM. selbst erklärt sie im fort-
gang der arbeit immer mehr bei seite geschoben zu haben.

Im allgemeinen wird der ausgabe nachgerühmt werden können,
dasz sie ein klares bild der überlieferung, so weit sie dem hg. bekannt war, darstellt, und dasz, wenn nicht neue hss. aufgefunden
werden, aus derselben kaum wesentlich neue resultate für die heilung
verzweifelter stellen sich werden gewinnen lassen. etwas metho-
discher hätte der apparat freilich gestaltet werden können: denn
wenn L und H an der spitze der éinen hss.-familie stehn, G an der
der andern, so hätte es sich gewis empfohlen, auszer G noch eine
zweite zu dieser gehörige hs. vollständig zu collationieren, mit ihrer
hilfe die mutterhandschrift der zweiten classe zu reconstruieren, wie
es durch L und H mit der ersten geschehen war, und nun nicht L, H
und G unter éinem buchstaben zu begreifen, sondern die familien
von einander zu trennen und die mutter-hs. jeder durch ein besonderes zeichen kenntlich zu machen. die übersichtlichkeit wäre dadurch viel gröszer geworden und das verhältnis der hie und da angeführten hss. zu dem archetypus deutlicher. wenn LM. die mühe
gescheut hat den Bambergensis zu vergleichen, warum hat er nicht
den Vossianus n. 116, seinen zwillingsbruder[5], von welchem er eine
eigne vergleichung besasz, neben den G gestellt? erschwert wird
allerdings die reconstruction der zweiten mutter-hs. wesentlich durch
die unvollständigkeit der von ihr abhängigen codices, aber der versuch diese aufgabe zu lösen war nach meiner meinung für einen
herausgeber des Nonius unerläszlich und hätte unzweifelhaft der
textesgestaltung gröszere sicherheit verliehen. wenn zb. s. 555, 29
L H (nach Onions in den 'anecdota Oxoniensia' vol. I part. II) und
auszerdem G und Voss. die worte des Sisenna so geben *ballistas quattuor talentarias* und nur der Bamb. das dritte vor dem zweiten, so ist
dies ein versehen seines abschreibers gewesen, das LM. nicht ohne
weiteres in den text hätte aufnehmen dürfen.

---

[5] über das verhältnis des Voss. zum Bamb. spricht sich LM. sehr
schwankend aus: zunächst behauptet er II s. 309: 'ex hoc autem libro
(Bamb.) ductos Paris. 7666 . . et Lugdunensem alterum . . n. 116 ut
summa lectionum similitudine fit probabile, ita certo demonstrator eis,
quae in commentariis ad 511, 24; 550, 13 sunt adnotata.' dann aber
läszt er im gegensatz zu dieser bestimmtheit wieder die frage offen:
'illud restat quaerendum, an alio aliquando fonte usus sit utriusque
codicis librarius. nam ut omittam quae lacuna supra dicta ex Bam-
bergensi excidere adesse in Parisino et Lugdunensi, etiam alibi quaedam uidentur inueniri in utroque aut certe in Lugdunensi, quae non
possint non uideri petita ex alio libro. cf. comm. in 88, 26; 480, 3.
itaque de hac re, quae quidem est leuissima, statuendum relinquo eis,
qui iterum excusserint libros illos.'. überhaupt hat er es nicht ganz
leicht gemacht, sich über seine stellung in der handschriftenfrage eine
vorstellung zu bilden.

Um in der berichterstattung über die anlage der ausgabe vollständig zu sein, musz ich noch hinzufügen, dasz den zweiten band
'aduersaria Noniana' s. 239—332 und ganz vorzügliche indices
s. 333—417 nebst einer appendix s. 418—427 (welche einige zusätze
und verbesserungen von druckfehlern enthält) abschlieszen. die
erstern zerfallen in fünf capitel; zunächst handelt LM. s. 243—246
'de uita Nonii Marcelli', indem er in dem vornehmen Thubursicenser
der bekannten von Mommsen zuerst veröffentlichten inschrift (Hermes
XIII s. 559 f., dann auch CIL. VIII 4878), welcher im j. 323 sich
durch erneuerung einer alten strasze um seine vaterstadt verdient
machte, den sohn unseres grammatikers sieht und zwar besonders
deshalb, weil man diesen zeitlich nicht so weit herunterdrücken
dürfe — ein wenig treffendes argument, da gerade nach Diocletian
und Constantin das in dem halben jahrhundert vorher entsetzlich ver-
ödete litterarische leben wieder mehr sich regte: man wird sich mit
Mommsen ao. dahin bescheiden müssen, dasz wir zwischen dem vater
oder dem sohne oder dem verfasser der *doctrina* selbst keine entscheidung zu treffen im stande sind. das zweite capitel 'de compendiosa doctrina Nonii' (s. 246—258) bespricht die litterargeschichtliche stellung des werkes und sein verhältnis zu den quellen und
leitet mit recht seinen inhalt von der gelehrsamkeit des zweiten jh.
nach Hadrian ab; etwas mehr beachtung hätten wir in ihm den
fruchtbringenden untersuchungen von Hertz, Riese, Schottmüller
und PSchmidt über die zusammensetzung der *doctrina* gewünscht;
LM. berührt sie s. 249 f., hätte dieselben aber wohl für seinen
commentar, in den er auch litterargeschichtliche bemerkungen, zum
teil ziemlich umfangreiche eingestreut hat, ausnutzen oder, wenn er
dies nicht wollte, für sie die adnotatio, welche jetzt zwischen text
und commentar steht, bestimmen sollen; die verweise auf erhaltene
schriftsteller hätten bequem an eine andere stelle gebracht werden
können, die wiederholung der andern titel (zb. I s. 269: 14 Ennius
Nemea ‖ 16 Naeu. Bell. Pun. IV ‖ 19 Ennius Andromeda ‖ 22 Pacu-
uius Iliona ‖ 27 Hemina hist. IV usw.) ist völlig unnötig. es folgen
noch vier capitel, aus denen ich das für die textesgestaltung wichtigste bereits oben herausgenommen habe: s. 258—274 III 'de inse-
quentium saeculorum usque ad inuentam typographiae artem studiis
Nonianis', s. 274—294 IV 'quid a saeculo XV profecerint grammatici
emendando libro Nonii', s. 294—313 V 'de codicibus in hac editione
adhibitis' und s. 313—332 VI 'de rationibus editionis huius'. die
hier sich bietende gelegenheit mitarbeiter abzukanzeln und die eignen
verdienste zu verherlichen hat LM. bis zum höchsten grade von
widerwärtigkeit wahrgenommen; indes es ist mein vorsatz gewesen
rein sachlich zu verfahren, und so übergehe ich die einem wissenschaftlichen werke wenig zur ehre gereichenden zahlreichen ausfälle mit dem verdienten stillschweigen. nur gegen eins musz ich
entschieden einsprache erheben: ich meine seine darstellung der
deutschen universitätsverhältnisse und sein liebäugeln mit den Fran-

zosen. bei uns hersche das strebertum, männer wie Vahlen, Ribbeck, Bücheler verdankten ihren namen allein der empfehlung Ritschls; wie einst dessen thür, so werde jetzt die Mommsens belagert, um carriere zu machen, in den seminarien gewisser deutscher professoren würden 'meri serui' erzogen! einer solchen verunglimpfung seiner frühern landsleute stelle ich folgende sätze gegenüber: 'de quo (Quicheratio) ego quam potero mitissimum laturus sum iudicium, primum ut de mortuo, qui contra dicendi non habet facultatem, deinde propter gentis eius merita, cum plures ex doctis Gallorum expertus sim et amicos integerrimos et existimatores scriptorum meorum candidissimos longeque et prudentiores et aequiores popularibus quibusdam nostris' (II s. 283 f.) und 'Gordonus . . ea quae propria est Gallorum comitate nos docuit' (II s. 311). — Sapienti sat.

MEISZEN.   HERMANN PETER.

62.
ZU VERGILIUS.

Aen. IX 329 ff.

> *tris iuxta famulos temere inter tela iacentis*
> *armigerumque Re m i premit aurigamque sub ipsis*
> *nactus equis ferroque secat pendentia colla.*

an dieser verzweifelten stelle hat sich meines wissens zuletzt ThMaurer in dieser zeitschrift (1886 s. 100) versucht, welcher das anstöszige *Remi* in *premit* verwandeln wollte. allein dieser vorschlag scheint mir aus mehreren gründen das richtige nicht zu treffen. zunächst ist die häufung von *premit*: *premit premit aurigamque* (vgl. auszerdem auch v. 324 *vocemque premit*) hier sicherlich unschön, und auszerdem müste doch das *que* nicht an *aurigam*, sondern vielmehr an das zweite *premit* gehängt sein. aber ist denn diese stelle überhaupt verdorben? Schrader und Heyne haben sie dafür gehalten: sie sind beide unabhängig von einander auf die verbesserung *Remum* gekommen, welche freilich schon die zweite hand im codex Dorvillianus aufwies. dieselbe kann indessen, obgleich sie später auch Peerlkamps billigung gefunden hat, für weiter nichts als einen schlechten notbehelf gelten: denn ob der waffenträger selber Remus heiszt oder nur ein diener des Remus ist, dürfte für die sache selbst ziemlich gleichgültig sein; auffallend und unerklärlich bleibt es immer, dasz weder die *tres famuli* vorher noch später der *auriga* mit namen genannt sind, sondern blosz der doch ebenso untergeordnete *armiger* in der mitte. neuerdings scheint man nun fast allgemein *Remi* überhaupt nicht mehr als verderbt anzusehen; man sucht vielmehr dies wort auf folgende weise zu rechtfertigen und zu retten*: Nisus greift

---

* so Gossrau nach Ruhnken, ähnlich Forbiger, Wagner und Ladewig-Schaper, der allerdings nur v. 332 'domino dh. dem Remus' bemerkt.

zunächst den Rhamnes an (*aggreditur*), dh. er tötet ihn; dann erschlägt
er (*occidit*) drei seiner (des Rhamnes) gefährten und den waffenträger und wagenlenker des Remus, schlieszlich den herrn dh. Remus
selber. es handelt sich also um die auffassung von v. 532. *aufert ipsi
domino caput* heiszt es da: Nisus raubt dem herrn selbst sein haupt
— das kann er doch aber erst dann thun, wenn er ihn zuvor erschlagen hat, wie denn Verg. seinen helden auch ganz richtig an den
andern erst das *premere* (v. 330) und darauf das *secare pendentia colla*
(v. 331) vornehmen läszt. *auferre caput* ist nun lediglich ein paral-
leler ausdruck zu *secare pendentia colla*; wann ist jener herr demnach
erschlagen? und wer ist dieser *dominus*? die einzige person, von
deren ermordung vorher berichtet worden ist, ist Rhamnes 325 ff.;
also kann nur Rhamnes der *dominus ipse* sein. diese schluszfolgerung, welche wir aus dem *aggreditur* . . *premit, secat* . . *aufert* (ein
chiasmus der handlungen und thatsachen) gezogen haben, wird sich
auch innerlich rechtfertigen lassen. Nisus tötet den Rhamnes zuerst,
denn auf den *rex* musz es ihm ja zunächst ankommen; er hält sich
aber bei ihm nicht auf, sondern erschlägt sofort auch die drei diener,
den waffenträger und den wagenlenker des Rhamnes, bevor dieselben erwachen und ihrem gebieter zu hilfe eilen
können. nachdem er diesen die köpfe abgeschnitten, kehrt er
wieder zu dem herrn zurück, um auch dem 'das haupt zu rauben'.

Diese etwas lang ausgefallene erörterung wird hoffentlich erwiesen haben, dasz unter dem *dominus* Rhamnes verstanden werden
musz, dasz *Remi* beziehungslos und verderbt ist und dasz der *armiger*
und der *auriga* ebenso wie die *tres famuli* nur untergebene und unterthanen des königs Rhamnes sein können. es ergibt sich nun die
leichte verbesserung *regis* für *Remi* fast von selber, vgl. v. 327
rex idem et regi. das richtige metrum wird durch die streichung des
que hergestellt, welches nach der verderbung von *regis* in *Remi* schon
sehr früh (s. Ribbecks testimonia) eingefügt sein musz. der gelehrte, dem wir diese schlimmbesserung verdanken, wuste nemlich,
dasz das *e* in *Remus* kurz ist (vgl. auch Verg. *Aen.* I 292. *georg.*
II 533. Catullus 28, 15. 58, 5. Juvenalis 10, 73); er suchte den
fehler aber nicht in *Remi*, sondern in einem ausgefallenen *que*. die
ganze stelle dürfte jetzt folgendermaszen zu lesen sein:

> *tris iuxta famulos temere inter tela iacentis,*
> 330 *armigerum regis premit aurigamque sub ipsis*
> *nactus equis ferroque secat pendentia colla.*

Brosin schweigt, bezieht dafür aber sonderbarerweise *armigerum* und
aurigam auf éine person.

SCHWETZ AN DER WEICHSEL.   ERNST BRANDES.

ERSTE ABTEILUNG
FÜR CLASSISCHE PHILOLOGIE

HERAUSGEGEBEN VON ALFRED FLECKEISEN.

63.

FASTI DELPHICI.

Unter dem titel 'fasti Delphici' soll eine anzahl chronologischer untersuchungen vereinigt werden, welche die aufstellung delphischer zeittafeln, nemlich der priestertabelle, der archontenlisten, der übrigen beamtenverzeichnisse sowie der hervorragendsten familienstammbäume zum gegenstand haben. die rechtfertigung dafür, dasz dieser versuch schon jetzt unternommen wird, obwohl die zahl der urkunden durch die ausgrabung zum mindesten verdoppelt werden dürfte, liegt weniger in dem leider auf unbestimmte zeit verschobenen anfangstermin der letztern als darin, dasz auch das augenblicklich vorliegende material reichhaltig genug ist, um für grosze zeiträume abschlieszende oder nahezu abschlieszende resultate zu ergeben, und auszerdem genügt, um für die übrigen wenigstens den rahmen herzustellen, in den die später hinzukommenden funde einfach einregistriert werden können. dasz auch beim erstern falle im einzelnen ab und zu lücken bleiben, deren ausfüllung von der zukunft erwartet wird, ist selbstverständlich; sie sind aber meist untergeordneter natur, so dasz das ganze durch sie nicht alteriert wird.

Als erste, einleitende abhandlung war die die aufstellung der priesterzeiten enthaltende in angriff zu nehmen: sie bildet das gerüst des gebäudes, die voraussetzung aller übrigen. mit ihrer veröffentlichung ist daher der anfang gemacht worden.

Noch ist betreffs des als grundlage dienenden urkundlichen materials selbst zu bemerken, dasz für fund- und aufbewahrungsort, benennung und numerierung, stellung und reihenfolge der inschriften udglm. ein für allemal auf die in meinen 'beiträgen zur topographie von Delphi' (Berlin 1889) in anhang I und III (s. 89—106

und s. 112 ff.) gegebenen ausführlichen mitteilungen und zusammenstellungen, sowie auf die dort tf. III und IV veröffentlichten mauer-
pläne verwiesen werden musz.[1]

I.
Die priesterschaften.

1.

Bekanntlich sind wir durch die delphische sitte, am schlusz der
manumissionen die jeweiligen fungierenden priester als erste μάρτυρες zu subscribieren, in die glückliche lage versetzt, das sonst
kaum entwirrbare chaos der delphischen inschriften[2] zunächst nach
der reihenfolge der priesterschaften zu ordnen. den ersten hinweis
auf diese möglichkeit gab ECurtius (nachr. d. Gött. ges. der wiss.
1864 s. 178), und es gelang dann AMommsen, in der für alle zeit
grundlegenden abhandlung über die zeitfolge delphischer archonten
(Philol. XXIV [1866] s. 1 ff.) eine anzahl priesterschaftsgruppen aufzustellen, von denen die erste schon sechs einander succedierende
priesterpaare aufwies (s. 7 u. 8). auf grund meines neugewonnenen
materials und mit zuhilfenahme einiger litterarischer zeugnisse läszt
sich diese zahl jetzt mehr als vervierfachen. namen, umfang und
reihenfolge der einzelnen priesterschaften sind danach folgende:

I priesterzeit Εὐκλῆς ['Ετυμώνδα] — Ξένων Βούλω-
νος, bezeugt bisher durch vier inschriften[3] aus drei archontaten. ihr
beginn ist unbekannt; aus der langen zeitdauer von II, in welcher
Xenon noch achtzehn jahre das priesteramt verwaltete, läszt sich folgern, dasz I bedeutend weniger jahre umfassen musz, also nur kurz
gewesen ist. über die wahrscheinliche identität des Eukles[4] mit dem
gleichnamigen archonten um 229 vor Ch. vgl. Athen. mitt. XIV (1889)

---

[1] nur die bei bezeichnung der inschriften angewandten abkürzungen
sollen noch einmal kurz aufgeführt werden: Anecd. 1 = Anecdota Delphica
ed. ECurtius s. 56 ff. n. 1 (majuskeltexte hinter s. 104). || C-M 1 = Conze-
Michaelis rapporto d'un viaggio fatto nella Grecia, Annali 1861 bd. XXXIII
s. 67 ff. n. 1 || W-F = Wescher-Foucart inscr. recueillies à Delphes, Paris
1863. || Bull. V n. 7 = Bulletin de correspondance hellénique V (1881)
s. 398 ff. n. 7—48; VI s. 213 n. 49; VII s. 409 ff. n. I—V. || n. (1)—(102)
= polygonmauer, strecke B—C, unediert n. 1—102. || n. (I)—(XVII) die
auf der ostseite der polygonmauer, strecke A—I, aufgedeckten; davon
sind I—V = Wescher étude sur le monument bilingue de Delphes s. 136
A—E, VI—XVII sind noch unediert. || endlich n. (a)—(i) die auf der
südseite der theatermauer befindlichen unedierten urkunden. — Die
runden klammern ( ) finden sich bei allen nummern hinzugesetzt, welche
bisher ganz oder teilweise unediert sind; dies gilt besonders auch bei
den durch hinzufügung von buchstaben [zb. W-F (308ᵃ)] kenntlich gemachten texten, die an der mauer zwischen den von W-F aufgedeckten
stehen, von den herausgebern aber nicht gelesen worden sind. [2] die
zahl der mir bisher bekannten eponymen archonten beläuft sich auf
etwa 200. [3] W(escher)-F(oucart) 384. 407. Bull. (de corr. hell.) V
n. 15. 16. [4] das Εὐκλείδας in W-F 384 beruht auf irrtum; der stein
hat, wie ich schon beitr. s. 4 anm. 2 bemerkte, Εὐκλῆς.

s. 38; sein vatersname ist noch unbezeugt, aber aller wahrscheinlichkeit nach ᾿Ετυμώνδα[5], der des Xenon steht zuerst W-F 376 (aus dem
Heraios des j. 197/6 vor Ch.). den tod des Eukles setzte ich beitr.
s. 8 anm. 1 in die zeit zwischén den Poitropios 200/199 vor Ch.,
aus welchem monat die urkunde Bull. V n. 15 stammt, und denselben monat des j. 198/7 (W-F 408). aus der in einem spätern abschnitt festzustellenden archontenfolge wird jedoch hervorgehen,
dasz wir wahrscheinlicherweise das j. 199/8 dem archon Hybrias
zuzuweisen haben, der priester Eukles also zwischen dem Amalios
199/8 (W-F 407) und dem Poitropios 198/7 gestorben sein musz,
dh. im laufe des jul. jahres 198 (januar — december).

II priesterzeit Ξένων Βούλωνος — ᾿Αθαμβος ᾿Αγά-
θωνος (vatersname zuerst 197/6 vor Ch.: W-F 376; sonst nur noch
W-F 328 und 403), durch AMommsen ao. auf die jahre 198/7—181/0
(achtzehn archontate) bestimmt, nachweisbar in 134 urkunden (133
manumissionen + 1 proxeniedecret), nemlich auszer in den bei
Mommsen tf. I n. I—XVIII verzeichneten noch in W-F 394. 439[b].
440; ferner Bull. V n. 15—33; VI n. 49 und in sechzehn unedierten:
polygonmauer n. (81)—(84). (86)—(88). (91)—(97). (99). (101).
dagegen sind zu streichen die sich bei Mommsen findenden W-F 10
und Lebas 840, wie später bewiesen werden soll.

Im Endyspoitropios des j. 181/0 sind Xenon-Athambos noch
zeugen (W-F 299), im Ilaios nur noch Athambos (W-F 440)[7], im
Bukatios 180/79 keiner von beiden (W-F 350), im Boathoos bereits

---

[5] der vater (᾿Ετυμώνδας), sowie der sohn (᾿Ετυμώνδας Εὐκλέος) und
der homonyme enkel (Εὐκλῆς ᾿Ετυμώνδα) unseres priesters werden in den
später aufzustellenden geschlechtstafeln nachgewiesen werden.   [6] die
zwölfzeilige inschrift (bei W-F nur 4 zeilen) gehört in das j. 183 vor Ch.,
da, wie bereits beitr. s. 4, 2 angegeben, ἄρχοντος ᾿Αρι[ϲτ]αινέτου auf
dem stein steht.   [7] der text dieser neunzeiligen urkunde, von welcher
W-F nur die drei anfangsworte geben, mag hier wenigstens in majuskeln
folgen, da die umschrift und die motivierung der ergänzungen ein um-
ständliches eingehen auf die delphischen geschlechtsregister udglm.
erheischt:

W-F 440.

```
|APXONTO≋ ≋VΔPONIKOYMHNOΣIΛAIOYΛ///ΑΓΕΝΟΜΕΝΑ/////
ΕΝΔΕ/// /// ///////AMIΔ⁓IE≋≋XOYIΣTIΑ′/////////ΛI≋AΣKAΛΛ!///
≋≋≋PAT ...... A⊤OΣ//////EYΔ≋KΑ≋≋Γ⊤I≋≋ΩNA≋YΓE/T///////
≋YTOΣAYTOYΣKΑ! .... IONXAP≋Γ≋≋ONKAIΓOTΩ ... ΛM///
ΛIAΓEΔOTOΣT⋆⋆P≋⊤I//////⟨ΩTIE ..... AXOΣI≋/// ///.///.///.///
5 KAΛΛIΔAMONTΩ≋≋≋≋≋ΛΛΩN//////// ///////E BAIΩTHP///
ΔEΞIKPATHΣΔE≋≋≋⋆⋆⋆KΩ//////://///:////,/// ////ΕΣΟIΕΡ⋆EY≋
AΘAMBOΣKAITOIAP/////////TE⋆⋆Σ ..... AΣ//////.///////////////////
⋆ΓΛAYKOΣΣΩTYΛ///////
```

Links und unten grenzen der deckquader. buchstabenhöhe 0,005—6.
die des weichen materials (tuff) wegen sehr zerstoszene inschrift ist
unten vollständig; Cωτύλ[οϲ ist ihr letztes oder vorletztes wort. die
identität des archonten ᾿Ανδρόνικος vom j. 181/0 wird auszer durch den
priester auch durch den namen des ersten buleuten z. 8 [Καλλί]ας bewiesen, vgl. W-F 18 z. 207.

Athambos-Amyntas (W-F 367); also starb Xenon zwischen dem
Endyspoitropios 181/0 und dem Boathoos 180/79, dh. im sommer
des jul. jahres 180 (april — september).

III priesterzeit Ἄθαμβος Ἀγάθωνος — Ἀμύντας Εὐδώρου (vatersname zuerst in IV ἄ. Κλέωνος, 168/7 (?) vor Ch., W-F
84; sonst nur noch W-F 114 u. 72), umfaszt zehn archontate von
180/79—171/0 vor Ch. (Mommsen), bekannt aus 83 inschriften
(81 manumissionen + 2 decreten), da zu den von Mommsen tf. I
n. XIX—XXVIII aufgeführten noch hinzukommen: Bull. V n. 34,
und an unedierten: W-F 278[ab]; polygonm. (85). (89). (90). (98).
(100). (102), wogegen daselbst zu streichen sind: Rhang. 725—727
(= Anecd. 52—54) und W-F 6 (vgl. später).

Im Ilaios 171/0 sind noch Athambos-Amyntas zeugen (W-F
217), im Apellaios 170/69 keiner von beiden (W-F 254), im
Bukatios schon Amyntas-Tarantinos (W-F 74. 75. 91); also starb
Athambos, nachdem er volle 28 jahre priester gewesen war, zwischen
dem Ilaios 171/0 und dem Bukatios 170/69, dh. im mittsommer
des jul. jahres 170 (juni — august; wahrscheinlich im juli).

IV Ἀμύντας Εὐδώρου — Ταραντῖνος Ἄρχωνος (vatersname zuerst in IV ἄ. Κλέωνος, 168/7 (?) vor Ch., W-F 84; sonst
nur noch W-F 114 u. 72), bisher nachweisbar aus 13 archontaten[8],
also von 170/69 bis wenigstens 158/7 vor Ch. wahrscheinlich kommt
jedoch noch ein archontat (ἄ. Ἰατάδας) hinzu, s. später. die zahl der
mir bisher aus dieser priesterzeit bekannten urkunden beläuft sich
auf 153 (145 manumissionen + 8 decrete), wovon unediert: W-F
100[a]. 166[a]. 332[a], polygonm. ostseite n. VI—X und zwei einzelinschriften.

Amyntas überlebt zum zweiten mal seinen collegen, denn Tarantinos stirbt nach obigem etwa im laufe des jul. jahres 156.

V priesterzeit Ἀμύντας Εὐδώρου. — Ἀνδρόνικος Φρικίδα [vatersname zuerst in VI ἄ. Ἀρχία W-F 363; sonst nur noch
W-F 308. 356 u. polygonm. (71)], besteht bisher aus 4 archontaten in 42 manumissionen, darunter nur éine unedierte: polygonm.
n. (16).

Da Amyntas bereits wenigstens 27 jahre (10 + 13 + 4) im

---

[6] wenn Mommsen ao. s. 8 nur 12 als sicher nannte und für das
archontat des Ἄρχων Καλλία die IV oder V priesterzeit offen liesz,
so hat er dabei zufälligerweise übersehen, dasz die IV ja ausdrücklich
in W-F 174 bezeugt war (τοὶ ἱερεῖς τοῦ Ἀπόλλωνος Ἀμύντας, Ταραντῖνος). da spätere, wie Bücher (de gente Aetol. amphictyoniae participe
s. 13), Bürgel (pyl. delph. amphiktyonie s. 172) ua. dergleichen entweder
einfach nachschreiben oder sogar Mommsens resultate zu überbieten
trachten, indem sie weitere consequenzen ziehen, welche jener in rücksicht auf das damals beschränktere material absichtlich unterlassen hatte,
so können im folgenden diese spätern rein hypothesenhaften aufstellungen, zeittabellen, datierungsversuche usw., die sich jetzt fast sämtlich als falsch herausstellen, völlig unberücksichtigt bleiben. (man vgl.
die Bürgelsche rangierung der soterien-urkunden [s. 171 anm. 8] mit
unserm polygonmauerplan usw.)

amte ist, so können auch in dieser priesterzeit nur noch wenige
archontate fehlen, deren spuren weiter unten nachgewiesen werden
sollen. der tod des Amyntas ist also gegen ende der funfziger jahre
des zweiten jh. vor Ch. erfolgt (c. 153—151).

VI priesterzeit Ἀνδρόνικος Φρικίδα — Πραξίας Εὐδόκου
[vatersname zuerst ἄ. Ἀρχία W-F 308; sonst nur noch W-F 356 u.
polygonm.(71)], erstreckt sich über wenigstens zehn[9] archontate, mit
88 inschriften (87 manumissionen + 1 proxeniedecret), von denen
9 unediert sind: polygonm. (15). (39). (42). (49). (50). (66). (71).
(75) und Anecd. (37[d]).

Auch Andronikos erhält zum zweiten mal einen andern collegen;
des Praxias priestertum endigt nach etwa 10 jahren, also (da ein
oder zwei archontate auch hier noch dazu kommen können) ungefähr um 140 vor Ch.

VII Ἀνδρόνικος Φρικίδα — Ἄρχων Καλλία [vatersname
zuerst in VII ἄ. Δαμοσθένεος polygonm. (43), dann in VIII u. IX
oft] nur durch ein einziges archontat vertreten, das sich in 16 manumissionen findet; von ihnen waren nur 4 bekannt, unediert sind:
polygonm. (21). (34)—(37). (40). (43). (55). (56). (68). (76).
C(onze)-M(ichaelis) (19[b]).

Andronikos hat während dieses ganzen jahres[o] nur einmal (im
Poitropios) als zeuge fungieren können, ist also durch krankheit
oder altersschwäche an der teilnahme an öffentlichen geschäften verhindert worden, und sein tod musz im Ilaios dieses oder im Apellaios des folgenden jahres, dh. im juli oder august eingetreten sein,
da im Bukatios des ἄ. Δάμων in VIII bereits Dromokleidas priester
ist [W-F 428. polygonm. (77)].

Die einzige urkunde, welche ihn zusammen mit Archon nennt,
uns also allein die kenntnis der VII priesterzeit vermittelt, ist, wie
schon beitr. s. 9 anm. 1 angegeben, polygonm. n. (76): (sieh folgende seite oben.)

VIII Ἄρχων Καλλία — Δρομοκλείδας Ἁγίωνος [vaters-
name nur in polygonm. (67)]; umfaszt sicher 2, höchst wahrscheinlich
3 archontate in 26 inschriften (25 manumissionen + 1 proxeniedecret), von denen nur 8 ediert waren; die neuen nummern sind:
polygonm. (5). (16). (17). (18). (26)—(29). (67). (77)—(80).
W-F 308[a]. Anecd. 37[bce]. C-M 17.

---

[9] wenn Mommsen s. 8 den ἄ. Βαβύλος Αἰακίδα noch zu V oder VI
hinzurechnen will, also für diese priesterzeit zwei archonten Babylos
zu postulieren scheint, so wird sich das später als nicht richtig herausstellen. es hat nemlich überraschender weise zwei eponyme archonten
Βαβύλος Αἰακίδα in Delphi gegeben, den ersten in VI (den einzigen ἄ. Βαβύλος der priesterzeit), und seinen enkel wahrscheinlich in
XVI—XVIII. ich hatte also unrecht das vorkommen von auch im
vatersnamen übereinstimmenden eponymen zu leugnen (beitr. s. 9 anm. 2).

[10] das archontat des Xenokritos, in welchem wiederum nur der
priester Archon das ganze jahr hindurch als zeuge auftritt, scheint an
den schlusz von VIII zu gehören; s. unten.

n. (76).

ΑΡΧΟΝΤΟΣΔΑΜΟΣΘΕΝΕΟΣΜΗΝΟΣΓΟΙΤΡΟΓΙΟΥΑΓΕΔ٭Ο
ΤΟΚΑ٭ΛΛΩΑΡΙΣΤΩΝΟΣΤΩΙΑΓΟΛΛΩΝΙΤΩΙΓΥΘΙΩΙΣΩΜΑ
ΑΝΔΡΕΙΟΝΩΙΟΝΟΜΑΛΥΚΟΣΤΙΜΑΣΑΡΓΥΡΙΟΥΜΝΑΣΚΑΙ
ΤΑΝ٭٭ΤΙΜΑΝΕ٭٭٭ΧΕΙΓΑΣΑΝΣΥΝΕΥΔΟΚΕΟΝΤΩΝΚΑΙΤ٭٭ΩΝ
5 ΚΑΙ٭٭٭ΤΩΝΥΙ٭ΩΝΑΡΙΣΤΩ٭ΝΟΣΑΡΙΣΤΩ٭٭ΝΥΜΟΥΚΑ٭٭Ι
ΤΟΥ٭٭٭٭٭٭ΑΝΔΡΟΣ٭ΑΡΙΣΤΟΜΑΧΟΥΒΕΒΑΙΩ٭Τ٭ΗΡ٭ΚΑΤΑΤΟΥΣ
ΝΟΜΟΥ٭ΣΤ٭ΑΣΓΟΛΙΟΣΑΓΙΩΝΤΕΙΣΙΓΓΟ٭٭٭ΥΚΑΘΩΣ٭٭Ε٭ΓΙ
ΣΤΕΥΣΕΛΥΚ٭ΟΣΤΩΙΘΕΩ٭ΙΤΑΝΩΝΑΝΕ٭٭٭ΦΟΤΩΙΑΝΕΦΑ
ΓΤΟΣΕΙΜΕΝΑΓΟΓΑΝΤΩΝΤΟΜΓΑΝΤΑΒΙΟΝΓΟΙΕΟΝ٭٭ΤΑΟΚΑ
10 Ο٭ΕΛΗΜΑΡΤΥΡΕΣΕΥΚΛΗΣΤΕΙΣΙΓΓΟΣΚΑΙΟΙΑΡΧΟΝΤΕΣΑΝΑ
Ξ٭ΑΝΔΡΙΔΑΣΦΙΛΑΙΤΩΛΟΣΤΙΜΟΚ٭ΛΗΣΚΑΙΟΙΙΕΡΕΙΣΤΟΥ
Α͵Γ٭٭Ο٭٭٭ΛΛΩΝΟΣΤΟΥΓΥΟΙΟΥΑΡΧΩΝΑΝΔ٭ΡΟΝΙΚΟΣ

ἄρχοντος Δαμοσθένεος, μηνὸς Ποιτροπίου, ἀπέδοτο Καλλὼ ᾿Αρίστωνος τῶι ᾿Απόλλωνι τῶι Πυθίωι σῶμα
ἀνδρεῖον, ὧι ὄνομα Λύκος, τιμᾶς ἀργυρίου μνᾶς, καὶ
τὰν τιμὰν ἔχει πᾶσαν, cυνευδοκεόντων καὶ τῶν
5 ⟨καὶ τῶν⟩ υἱῶν ᾿Αρίστωνος, ᾿Αριστωνύμου, καὶ
τοῦ ἀνδρὸς ᾿Αριστομάχου· βεβαιωτὴρ κατὰ τοὺς
νόμους τᾶς πόλιος ᾿Αγίων Τεισίππου, καθὼς ἐπίcτευcε Λύκος τῶι θεῶι τὰν ὠνάν, ἐφ᾿ ὅτωι ἀνέφαπτος εἶμεν ἀπὸ πάντων τὸμ πάντα βίον ποιέοντα ὅ κα
10 θέλη· μάρτυρες Εὐκλῆς, Τείσιππος καὶ οἱ ἄρχοντες ᾿Ανα-
ξανδρίδας, Φιλαίτωλος, Τιμοκλῆς καὶ οἱ ἱερεῖς τοῦ
᾿Απόλλωνος τοῦ Πυθίου ῎Αρχων, ᾿Ανδρόνικος.

Die kleinen sterne bezeichnen hier, wie im folgenden bei allen
polygonmauerinschriften, stets lücken ohne ausfall von buchstaben (je ein stern für den raum eines zeichens), die von der zer-
rissenheit und den löchern der meist nur mangelhaft geglätteten oberfläche herrühren. ihre genaue angabe ist für die richtige ergänzung
vieler verstümmelter texte unerläszlich. ‖ buchstabenhöhe 0,01. ‖ Γ, Γ, Γ
schwanken und gehen in einander über in nicht wiederzugebender weise;
das letzte ist das häufigste (Γ); desgl. Μ und Μ; die beiden Φ in z. 8
scheinen sicher, obwohl diese form sonst in Delphi nach dem j. 200
vor Ch. bisher nicht vorkommt (z. 11 Φ).

Die kurze lebenszeit des Dromokleidas macht es wahrscheinlich, dasz er ähnlich wie Praxias erst als hochbetagter mann zur
priesterwürde berufen worden; unterstützt wird diese annahme durch
die schon von Mommsen auch bei jenem hervorgehobene thatsache,
dasz die anciennitätsfolge der namen ῎Αρχων-Δρομοκλείδας bzw.
᾿Ανδρόνικος - Πραξίας sehr bald (schon im Poitropios) in Δρομο-
κλείδας-῎Αρχων umschlägt; letzteres ist dann die im zweiten jahr
(ἄ. Κλεοδάμου) bisher allein überlieferte ordnung, welche eben
nur in rücksicht auf das bedeutend höhere lebensalter des Dromokleidas gewählt sein kann. im dritten jahr (ἄ. Ξενοκρίτου) dagegen,
für das bisher nur Archon als priester bezeugt ist, würde dann
Dromokleidas — die richtigkeit der später zu motivierenden zu-
weisung des ἄ. Ξενόκριτος zu VIII vorausgesetzt — ebenso wie oben

Andronikos' alters halber nicht mehr an öffentlichen geschäften haben teilnehmen können.

IX ᵛΑρχων Καλλία — ᵛΑθαμβος ᶜΑβρομάχου (vatersname W-F 32. 434 u. oft), seither bekannt aus wenigstens 12 archontaten [11] mit 53 nummern (48 manumissionen + 5 decrete), von denen 22 unediert sind, nemlich: polygonm. n. (II)—(14). (24). (33). (44). (47). (51). (58)—(60). (62). (70). (72); theaterm. f und k; und 5 einzelinschriften, von denen ich zwei in den beitr. s. 115 n. 5 u. 7 bekannt machte. einige archontate werden sicher noch hinzukommen, so dasz, da Archon schon wenigstens 16 (1 + 3 + 12), wahrscheinlich gegen 20 jahre priester gewesen, wir die anzahl der eponymen in IX ziemlich vollständig zu besitzen glauben dürfen.

X priesterzeit ᵛΑθαμβος ᶜΑβρομάχου — Πατρέας 'Ανδρονίκου (vatersname in theaterm. a und b usw.), ebenso wie die meisten folgenden bisher unbekannt, auch wenn vereinzelt die elemente der priesternamen in ungenügend copierten urkunden existierten. sicher bezeugt aus wenigstens 2 archontaten mit 10 urkunden (9 manum. + 1 proxeniedecret), die sich mit einziger ausnahme von W-F 421 [12] (und des proxeniedecrets [13]) sämtlich an der theatermauer befinden; es sind: CIG 1707. (1709). Lebas (922). (934); theaterm. a—c, e, von denen hier n. a und Lebas (922) als beweis mitgeteilt werden mögen.

n. (a).

```
ΑΡΧΟΝΤΟΣ                        ΩΝΤΑ....ΝΔΕ`
ΤΕΡΑΝΕΞΑ                        ΥΚΛΕΩΝΟΣΤΟΥ
ΔΑΜΟΣΟΕΝ                        ΓΛΑΥΚΟΥΤΟΥ
ΓΕΝΝΑΙΟΥ                        ΚΑΙΙΑΣ.ΣΩΣΙΚΡΑΤΕ
ΤΩΙΑΠΟ                          ///ΡΑΣΙΟΝΕΝΔΟΓΕΝΕΣ
ΑΙΟ                          ΟΥΜΝΑΝΔΧΟΚΑΙΤΑΝΤΙΜΑΝ
ΕΧΕΙ                         ΝΝΟΜΟΝΑΞΑΡΑΤΟΣ.ΑΝΤΙΧΑΡΕΟ
ΕΦΣ                          ΡΑΚΛΕΑΝΚΑΙΑΝΕΦΑΠΤΟΝΑΠΟ
ΠΑΝ                          ΑΙΑΠΟΤΡΕΧΟΥΣΑΝΟΙΣΚΑΘΕΛΗΕΙΔΕΤΙΣ
ΕΦΑ     ΟΗ                    ΓΑΔΟΥΛΙΣΜΩΚΥΡΙΟΣΕΣΤΩΟΠΑΡΑΤΥΧΩ
ΣΥΓΕΩΝΗΡΑΚΛΕΑΝΩΣΕΛΒ.ΥΟΕΡΑΝΟΥΣΑΝΑΞΑΜΙΟΣΕΩΝ.ΚΑΙΑ
ΝΥΓΟΔΙΚΟΣΠΑΣΑΣΔΙΚΑΣΚΑΙΞΑΜ.Ι.ΑΣΚΑΙΟΒΕΒΑΙΩΤΗΡΒΕΒΑΙΟΥΤΩ
ΚΑΙΑΙΑΠΟΔΟΜΕΝΑΙΒΕΒΑΙΟΝΠΑΡΕΧΟΝΤΩΤΩΙΟΕΩΙΤΑΝΩΝΑΝ
ΜΑΡΤΥΡΟΙΟΙΙΕ.Ρ.ΕΙΣΤΟΥΑΠΟΛΛΩΝΟΣΠΑΤΡΕΑΣ.ΑΝΔΡΟΝΙΚΟΥ
ΑΟΑΜΒΟΣΑ...ΒΡΟΜΑΧΟΥΚΑΙΙΔΙΩΤΑΙΤΙΜΟΚΛΗΣΠΟΛΥΩΝΟΣ
ΑΡΧΕΛΑΟΣΔΙ...ΟΔΩΡΟΣΑ▨▨▨ΟΣ.ΣΩΤΥΛΟΣΤΙΜΟΚΛΕΟΣΔΙΟΑ
ΑΝΤΙΓΕΝΕΟΣ
```

---

[11] exclusive des ἅ. Τιμόκριτος Εὐκλείδα: vgl. Mommsen s. 8.
[12] schon beitr. s. 4 anm. 2 hob ich hervor, dasz in dieser nummer der W-F'schen publication der priestername ausgelassen sei; auszerdem fehlt dort ganz die schluszzeile. auf dem stein steht: z. 11 καὶ οἱ ἀποδόμενοι βέβαιον παρεχόντω τὰν ὠνὰν τῶι θεῶι. μάρτυροι· ὁ ἱερεὺς τοῦ 'Απόλλωνος Πατρέας· Μικκύλος | 12 [Μέντ]ωρ, Σωσικράτης. [13] unedierte einzelinschrift, mitgeteilt unten s. 559.

ἄρχοντος [Πυρρία, μηνὸς Ἰλαίου, βουλευόντ]ων τὰν δευτέραν ἑξά[μηνον Πολέμωνος τοῦ Πολεμάρχο]υ, Κλέωνος τοῦ
Δαμοσθέν[εος, γραμματεύοντος δὲ τᾶς βουλᾶς] Γλαύκου τοῦ
Γενναίου [ἐπὶ τοῖσδε ἀπέδοντο . . . .] καὶ Ἰὰς Cωcι-
κράτεος
5 τῶι Ἀπό[λλωνι τῶι Πυθίῳ cῶμα γυναικεῖον κο]ράσιον ἐνδογενές,
ἇι ὄ[νομα Ἡράκλεα, τιμᾶς ἀργυρί]ου μνᾶν δύο καὶ τὰν τιμὰν
ἔχει [πᾶσαν· βεβαιωτὴρ κατὰ τὸ]ν νόμον Ἀζάρατος Ἀντιχάρεος,
ἐφ᾽ [ὥιτε ἐλευθέραν εἶμεν Ἡ]ράκλεαν καὶ ἀνέφαπτον ἀπὸ
πάν[των, ποιοῦσαν ὃ κα θέλῃ κ]αὶ ἀποτρέχουσαν οἷς κα θέλῃ.
εἰ δέ τις
10 ἐφά[πτοιτ]ο Ἡ[ρακλέας ἐπὶ κα]ταδουλισμῷ, κύριος ἔστω ὁ παρατυχὼν
cυ[λέ]ων Ἡράκλεαν ὡς ἐλ[ε]υθέραν οὖσαν, ἀζάμιος ἐὼν καὶ ἀ-
νυπόδικος πάσας δίκας καὶ ζαμίας, καὶ ὁ βεβαιωτὴρ βεβαιούτω
καὶ αἱ ἀποδόμεναι βέβαιον παρεχόντω τῶι θεῶι τὰν ὠνάν.
μάρτυροι οἱ ἱερεῖς τοῦ Ἀπόλλωνος Πατρέας Ἀνδρονίκου,
15 Ἄθαμβος Ἀβρομάχου καὶ ἰδιῶται Τιμοκλῆς Πολύωνος,
Ἀρχέλαος, Διόδωρος Ἄρχωνος, Cωτύλος Τιμοκλέος, Δι[όδωρος
Ἀντιγένεος.
Die oberfläche ist in der mitte ganz weggebrochen; an drei seiten
quadergrenze. buchstabenhöhe 0,007—9. die ergänzungen der beamtennamen ergibt die aus demselben semester stammende inschrift W-F 421;
da nach ausweis der buchstabenzahl ein kurzer monatsname anzunehmen ist, so wurde der Ilaios gewählt, weil in dem andern gleich kurzen
(Bysios) man auf der polygonmauer (W-F 421) geschrieben zu haben
scheint. in der lücke z. 4 ist ein längerer weiblicher name ausgefallen,
wohl der der schwester der Ias, welcher bisher unbekannt ist. z. 16
Διόδωρος Ἄρχωνος kommt hier zum ersten mal vor, er ist der sohn
des priesters Ἄρχων Καλλία, wie die unedierte inschrift polygonm.
n (12) beweist, wo beide zusammen freilasser sind und als vater und
sohn bezeugt werden. ein Antigenes-sohn ist bisher in Delphi unbekannt — auszer dem späten nachkommen der berühmten familie des
Diodoros (Μνασιθέου) und seiner drei söhne Mnasitheos, Antigenes,
Kallikrates, welcher im beginn des zweiten jh. nach Ch. inschriftlich
erwähnt wird als Μνησίθεος Ἀντιγένους CIG 1710 B. es ist daher nur
vermutung, wenn oben Δι[όδωρος als solcher ergänzt, also mit inversion
aus dem bekannten Ἀντιγένης Διοδώρου abgeleitet wird; auch erscheint
der name zu lang im verhältnis zu den vorhergehenden zeilenschlüssen.

Lebas n. 922 sieh folgende seite.
XI Πατρέας Ἀνδρονίκου — Ἀγίων Πολυκλείτου (vatersname nur in XII ἅ. Πάτρωνος, W-F 445 u. 446), bezeugt nur in
zwei archontaten, durch zwei unedierte urkunden: polygonm. (7)
und eine einzelinschrift. der text der erstern folgt auf s. 522.
XII Ἀγίων Πολυκλείτου — Πυρρίας Ἀρχελάου (vaters-
name nur W-F 445), mit wenigstens 4 archontaten in 8 manumissionen
[CIG 1705. Anecd. 8. W-F 266. (273ᵃ). (274). 437. 445. 446].[14]

---

[14] in CIG 1705, wo als priester Πάτρων-Πυρρίας genannt sind (vgl.
Mommsen s. 8), steht, wie ich schon längst vermutete, Ἀγίων-Πυρρίας

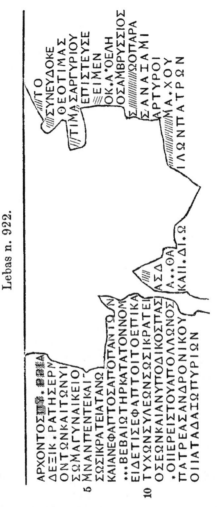

Lebas n. 922.

ἄρχοντος Πυρρία[, μηνὸς ...., ἀπέδο]το
Δεξικράτης Ἑρμ[αίου Ἀμβρύσσιος τῶι Ἀπόλλωνι], συνευδοκε-
όντων καὶ τῶν υἱ[ῶν αὐτοῦ καὶ τᾶς γυναικὸς] Θεοτίμας,
cῶμα γυναικεῖο[ν, ᾶι ὄνομα Σωσικράτεια], τιμᾶς ἀργυρίου
5 μνᾶν πέντε, καὶ [τὰν τιμὰν ἀπέχει πᾶσαν, καθὼς ἐπίστευσε
Σωcικράτεια τὰν ὠ[νὰν τῶι θεῶι, ἐφ᾽ ὧιτε ἐλευθέραν] εἶμεν
καὶ ἀνέφαπτος ἀπὸ πά[ντω]ν [τὸν πάντα βίον, ποιοῦσαν] ὅ κα
θέλη·

auf dem stein. die getilgte funfzehnzeilige inschrift W-F 274, von
welcher die hgg. nur zwei zeilen entziffert haben, wird zusammen mit
der ebenfalls vervollständigten n. 437 in einem andern abschnitt mitgeteilt werden.

βεβαιωτὴρ κατὰ τὸν νόμ[ον ....]ος Ἀμβρύσσιος.
εἰ δέ τις ἐφάπτοιτο ἐπὶ κα[ταδουλισμῶι, κύριο]ς [ἔστ]ω ὁ παρα-
10 τυχὼν ςυλέων Cωςικράτει[αν, ὡς ἐλευθέραν ἐοῦ]ςαν, ἀζάμιος ἐὼν καὶ ἀνυπόδικος πάςας ὁ[ίκας καὶ ζαμίας. μ]άρτυροι
οἱ ἱερεῖς τοῦ Ἀπόλλωνος Ἀθα[μβος Ἁβρο]μάχου
Πατρέας Ἀνδρονίκου καὶ ἰδιῶ[ται Φ]ίλων, Πάτρων
οἱ Ἰατάδα, Ζωπυρίων.

Oben quadergrenze; in der mitte ist sehr viel weggebrochen, die
rechte hälfte der inschrift fehlt bei Lebas gänzlich. buchstabenhöhe
0,009—0,01.

Der name des archonten konnte auf dem abklatsch nicht erkannt
werden, meine copie gab das obige, auch Lebas hat ΠΥΡΡΙ; da der
bürge ein Ambryssier ist, so muste gleiches für den freilasser vorausgesetzt werden, und es ist wahrscheinlich, dasz derselbe ein bruder des
bürgen in Lebas 934 Ἀριστόδαμος Ἑρμαίου Ἀμβρύσσιος gewesen ist.
allerdings ist das ethnikon ein wenig zu lang, und das fehlen des in
dieser zeit constanten zusatzes τῷ Πυθίῳ ist ebenso auffällig wie in
z. 3 das der eigennamen der söhne, zu denen kein platz ist; waren
diese aber nicht genannt, so wäre die namentliche aufführung einer
tochter unerklärbar; ich habe daher γυναικός geschrieben. nur wenn
beide namen ganz kurz (je 5 buchstaben) wären und man Theotima
für die mutter hielte, was beides mehr als unwahrscheinlich ist, erhielte
man passende buchstabenzahl für z. 3, etwa so: ςυνευδοκε | όντων καὶ
τῶν υἱ[ῶν Ἀρχία, Ἁγνία καὶ τὰς ματρὸς] Θεοτίμας.

n. (7).

ΑΡΧΟΝΤΟΣΔΙΟΔΩΡΟΥΒΟΥΛΕΥΟΝΤΩΝΤΑΝΔΕΥΤΕΡΑΝΕΞ*Α
ΜΗΝΟΝΣΩΤΥΛΟΥ𝕎Α𝕅ΤΟΥΣΩΣΤΡΑΤΟΥΚΑΛΛΙΔΑΜΟΥΤΟ*Υ
ΑΜΦΙΣΤΡΑΤΟΥΓΡΑΜΜΑΤΕΥΟΝΤΟΣΔΕΒΟΥΛΑΣΦΙΛΟΝΙΚΟΥΤΟΥ
ΜΕΝΕΔΑΜΟΥΑΠΕΔΟΤΟΦΙΛΟΝΙΚΟΣΜΕΝΕΔΑΜΟΥΣΥΝΕΥΔΟ
5 ΚΕΟΝΤΟΣΚΑΙΤΟΥΥΙΟΥΜΕΝΕΔΑΜΟΥΤΩΙΑΠΟΛΛΩΝΙΤΩΙΠΥΘΙ
ΩΙΣΩΜΑΑΝΔΡΕΙΟΝΩΙΟΝΟΜΑΔΙΟΝΥΣΟΔΩΡΟΣΤΟΓΕΝΟΣ
ΣΥΡΟΝΤΙΜΑΣΑΡΓΥΡΙΟΥΜΝΑΝΠΕΝΤΕΚΑΙΤΑΝΤΙΜΑΝΕΧΕΙΠΑ
ΣΑΝΚΑΘΩΣΕΠΙΣΤΕΥΣΕΔΙΟΝΥΣΟΔΩΡΟΣΤΩΙΘΕΩΙΤΑΝΩΝΑΝ
ΕΦΩΙΤΕΕΛΕΥΘΕΡΟΝΕΙΜΕΝΚΑΙΑΝΕΦΑΠΤΟΝΑΠΟΠΑΝΤΩΝΤΟΝ
10 ΠΑΝΤΑΧΡΩΝΟΝΓΡΟΙΟΥΝΤΑΟΚΑΘΕΛΗΚΑΙΑΠΟΤΡΕΧΟΝΤΑΟΙΣΚΑ
ΟΕΛΗΒΕΒΑΙΩΤΗΡΚΑΤΑΤΟΝΝΟΜΟΝΤΑΣΠΟΛΙΟΣΚΛΕΩΝΗΡΥΟΣ
ΕΙΔΕΤΙΣΕΦΑΠΤΟΙΤΟΔΙΟΝΥΣΟΔΩΡΟΥΕΠΙΚΑΤΑΔΟΥΛΙΣΜΩΙΒΕ
ΒΑΙΟΝΓΑΡΕΧΟΝΤΩΝΤΩΙΟΕΩΤΑΝΩΝΑΝΟΤΕΑΠΟΔΟΜΕΝΟΣΚΑΙ
                                              Γ
ΟΒΕΒΑΙΩΤΗΡΟΜΟΙΩΣΔΕΚΑΙΟΙΠΑΡΑΤΥΧΑΝΟΝΤΕΣΚΥΡΙΟΙΕΟΝΤΩΝ
15 ΣΥΛΕΟΝΤΕΣΔΙΟΝΥΣΟΔΩΡΟΝΩΣΕΛΕΥΘΕΡΟΝΟΝΤΑΑΖΑΜΙΟΙΟΝΤΕΣ
ΚΑΙΑΝΥΠΟΔΙΚΟΙΠΑΣΑΣΔΙΚΑΣΚΑΙΖΑΜΙΑΣΜΑΡΤΥΡΟΙΟΙΙΕΡΕΙΣΤΟΥ
ΑΠΟΛΛΩΝΟΣΠΑΤΡΕΑΣΚΑΙΑΓΙΩΝΚΑΙΟΙΑΡΧΟΝΤΕΣΣΩΤΥΛΟΣ
ΚΑΛΛΙΔΑΜΟΣΚΑΙΙΔΙΩΤΑΙΚΛΕΩΝΔΑΜΟΣΟΕΝΕΟΣΝΙΚΙΑΣΚΛΕ
ΩΝΟΣΑΛΚΕΤΑΣ

ἄρχοντος Διοδώρου, βουλευόντων τὰν δευτέραν ἑξάμηνον Σωτύλου ⟨τὰν⟩ τοῦ Σωστράτου, Καλλιδάμου τοῦ
Ἀμφιστράτου, γραμματεύοντος δὲ βουλᾶς Φιλονίκου τοῦ
Μενεδάμου ἀπέδοτο Φιλόνικος Μενεδάμου συνευδο-
5 κέοντος καὶ τοῦ υἱοῦ Μενεδάμου τῶι Ἀπόλλωνι τῶι Πυθίωι σῶμα ἀνδρεῖον, ὧι ὄνομα Διονυςόδωρος, τὸ γένος
Cύρον, τιμᾶς ἀργυρίου μνᾶν πέντε καὶ τὰν τιμὰν ἔχει πᾶ-
ςαν, καθὼς ἐπίστευςε Διονυςόδωρος τῶι θεῶι τὰν ὠνάν,

ἐφ᾽ ὧι τε ἐλεύθερον εἶμεν καὶ ἀνέφαπτον ἀπὸ πάντων τὸν
10 πάντα χρ[ό]νον, ποιοῦντα ὅ κα θέλῃ καὶ ἀποτρέχοντα οἷς κα
θέλῃ· βεβαιωτὴρ κατὰ τὸν νόμον τᾶς πόλιος Κλέων Ἥρυος·
εἰ δέ τις ἐφάπτοιτο Διονυσοδώρου ἐπὶ καταδουλισμῶι, βέβαιον παρεχόντων τῶι θεῷ τὰν ὠνὰν ὅ τε ἀποδόμενος καὶ
ὁ βεβαιωτήρ, ὁμοίως δὲ καὶ οἱ παρατυγχάνοντες κύριοι ἐόντων
15 συλέοντες Διονυσόδωρον ὡς ἐλεύθερον ὄντα ἀζάμιοι ὄντες
καὶ ἀνυπόδικοι πάσας δίκας καὶ ζαμίας. μάρτυροι οἱ ἱερεῖς τοῦ
Ἀπόλλωνος Πατρέας καὶ Ἁγίων καὶ οἱ ἄρχοντες Cωτύλος,
Καλλίδαμος καὶ ἰδιῶται Κλέων Δαμοσθένεος, Νικίας Κλέωνος, Ἀλκέτας.

Buchstabenhöhe 0,008—0,01 ‖ die form der zeichen schwankt A, A, A;
M, M; Π, Π; Ω neigt einigemal zu Ω ‖ z. 2 hinter Cωτύλου drei getilgte
zeichen, welche ursprünglich TAN waren. der monat in z. 1 ist wohl
durch nachlässigkeit des schreibers ausgefallen.

XIII [Πυρρίας Ἀρχελάου] — Αἰακίδας Βαβύλου [vaters-
[Ἁγίων Πολυκλείτου?]name nur C·M (10) in XIV]. die
priesterschaft ist bisher noch nicht bezeugt, jedoch machen das
ununterbrochene vorkommen derselben personen vorher und nachher
es ziemlich sicher, dasz zwischen XII und XIV sich nur éine priesterzeit befunden habe. diese musz dann laut XIV an zweiter stelle den
Aiakidas enthalten, während in die erste höchst wahrscheinlich
Pyrrias zu setzen ist; da jedoch nach den oben angeführten beispielen
Hagion auch zum zweiten mal seinen collegen überlebt haben kann, so
wäre es nicht ausgeschlossen, dasz XIII aus Hagion-Aiakidas bestünde.
für Pyrrias könnte vielleicht die fragmentierte inschrift Mus. 190
sprechen, insofern sie ihn an erster stelle subscribiert, also XIII anzugehören scheint; indessen wissen wir nicht einmal, ob wirklich
beide priester und nicht blosz Pyrrias als zeugen genannt waren,
und selbst im erstern falle hätte das einmalige vorkommen der
inversion Pyrrias-[Hagion] keinerlei zwingende beweiskraft weder
gegen XII noch für XIII. immerhin glaube ich das fragment mitteilen zu sollen:

Mus. n. 190.

βεβαιωτὴρ κατὰ τὸν νόμο]ν Δικ[αίαρ]χος Π[υρρία.
εἰ δέ τις ἅπτοιτο Δικαιο]cύνας ἢ Cωκράτεος ἐπὶ κα[ταδου-
λισμῶι, βέβαιον παρεχό]ντων τῶι θεῶι τὰν ὠνὰν οἵ τε [ἀπο-

δόμενοι . . . . καὶ] Λαδίκα καὶ ὁ βεβαιωτὴρ Δικ[αί-
5 αρχος· ὁμοίως δὲ καὶ οἱ παρα]τυγχάνοντες κύριοι ἐόντ[ων
cuλέοντες Δικαιοσύναν κ]αὶ Cωκράτη ἐλευθέρους ὅ[ν-
τας ἀζάμιοι ἐόντες καὶ ἀνυ]πόδικοι πάσας δίκα]ς καὶ
ζαμίας. μάρτυρες οἱ ἱερεῖς το]ῦ [Ἀπό]λλωνος Πυρ[ρίας,
Αἰακίδας (oder Ἁγίων) . . . . Κλεόδαμ]ος Κλ[έωνος.

Kleines parisches marmorfragment, unten kante und fläche erhalten, sonst bruch; gefunden im mai 1887 am fusze der polygonmauer
(strecke BC); es rührte anscheinend aus Haussoulliers ausgrabungen her.
h. ✕ br. ✕ d. = 0,165 ✕ 0,24 ✕ 0,095. buchstabenhöhe 0,01. jetzt
im Museum n. 190.

Die lettern sind zum teil schon ausgezackt, Ⱪ, Ⱥ usw., Ⱦ wird fast
zu Ⱦ. ‖ Δικαίαρχος Πυρρία, wahrscheinlich der sohn des priesters, war
buleut (γραμματεύς) und zeuge in XII ἅ. Κλεοδάμου, vgl. Anecd. 8 mit
Lébas 924. der mitreilassende gemahl der Λαδίκα ist unbekannt, da
der letztere name bisher nur bei sklavinnen vorkommt. z. 9 ist die
letzte zeile der unten vollständigen inschrift und, falls in der ergänzung die zeilenabteilung ungefähr richtig getroffen sein sollte, Κλέωνος
ihr letztes wort. Κλεόδαμος Κλέωνος ist eponymer archont, ebenfalls
in XII, vgl. Anecd. 8. die ergänzungen in z. 1—6 ergeben überall
genau gleich lange zeilen von je 24 buchstaben. auszer Δικαιοσύνα
käme nur noch der sklavinnenname Εὐφροσύνα in betracht; ersterer findet
sich zb. W-F 423, letzterer W-F 161 u. 181.

XIV Αἰακίδας Βαβύλου — Ἐμμενίδας Πάσωνος [vaters-
name nur C-M (10) ἅ. Δωροθέου] aus wenigstens 2 archontaten in
8 manumissionen, von denen nur Bull. V n. 43 neuerdings bekannt
gemacht war; die andern unedierten sind: C-M (10); C-M (19ᵃ);
polygonm. n. (4). (20). (22). (23). (65). die übrigen nur wahrscheinlich zu XIV zu ziehenden archontate und inschriften s. später.

XV Ἐμμενίδας Πάσωνος — Λαϊάδας Βαβύλου (vatersname erst in XVI, zb. W-F 435 u. oft), bezeugt aus wenigstens
4 archontaten mit 13 manumissionen, von denen nur éine(Anecd. 32)
bekannt war. die übrigen sind: polygonm. (19). (45). (46). (48).
(52)—(54). (57). (73). C-M (9). theaterm. (d). (g).

XVI Λαϊάδας Βαβύλου — Νικόστρατος Ἄρχωνος(vatersname fast regelmäszig hinzugefügt, zb. W-F 435), sicher aus 3,
wahrscheinlich aus 4 archontaten mit 5 (bzw. 6) manumissionen:
C-M 12. W-F 435 und die unedierten: polygonm. (2). (3). (30). (63).

XVII Νικόστρατος Ἄρχωνος — Ξενόκριτος . . . . bisher
mir nur aus éiner inschrift bekannt und darum vielleicht — in rücksicht auf ein einmal mögliches verschreiben des steinmetzen —
nicht ganz gesichert.[15] die urkunde lautet [polygonm. n. (10)]:

---

[15] die inschrift ist eine der schwierigsten der ganzen polygonmauer,
von der ich nur als probe für solch unglaublich nachlässiges einritzen
einen abklatsch nahm; bei nochmaliger controlle desselben hieselbst
gelang es mir nicht den namen Ξενόκριτος mit sicherheit zu erkennen,
und ich begann an der richtigkeit meiner lesung zu zweifeln. ich glaube
dies hier mitteilen zu sollen, musz aber auch hinzufügen, dasz sich noch
fast immer solche nachträglichen auf grund der abklatsche hier auf-
gestiegenen bedenken später als nicht stichhaltig und vielmehr das vor
dem steinoriginal gelesene sich als durchaus richtig herausgestellt hat.

n. (10).

```
      ΑΡΧΟΝΤΟΣΕΥΚΛΕΙΔΑΜΗΝΟΣ
      ΔΑΙΔΑΦΟΡΙΟΥΒΟΥΛΕΥΟΝΤΩΝΕ
      ΡΑΤΩΝΟΣΒ.ΑΒΥΛΟΥΣΩΤΥΛΟΥΑΠΕ
      ΔΟΤΟΑΝΒΡΟΣΙΟΝΤΩΙΑΠΟΛΛΩΝΙΤΩΙ
5     ΠΥΘΙΩΙΣΩΜΑΤΑΔΥΟΕΝΜΕΝ
      ΓΥΝΑΙΚΕΙΟΝΕΝΔΕΑΝΔΡΕΙΟΝ
      ΟΙΣΟΝΟΜΑΤΑΣΩΣΙΝΙΚΟΣΚΑΙ
        Σ
      ΠΙΣΤΙΤΙΜ.ΑΣΑΡΓΥΡΙΟΥΜΝΑΝΔΕ
      ΚΑΚΑΙΤΑΝΤΙΜΑΝΕΧΕΙ//////////ΠΑΣΑΝ
10    ΒΕΒΑΙΩΤΗΡΚΑΤΑΤΟΥΣΝΟΜΟΥΣ
             ΟΛ
      ΤΑΣΠΟΛΙΟΣΠΕΜΑΡΧΟΣΔΑΜΩΝΟΣ
      ΕΦΩΤΕΕΙ..ΜΕΝΕΛΕΥΘΕΡΟΥΣΚΑΙΑ
      ΝΕΦΑΠΤΟΥΣΑΠΟΠΑΝΤΩΝΤΟΝ
      ΠΑΝΤΑΒΙΟΝΠΑΡΑΜΙΝΑΤΩΣΑ.Ν.ΔΕΑΝ
15    ΒΡΟΣΙΩΣΩΣΙΝΙΚΟΣΚΑΙΠΙΣΤΙΣΕΩΣΚΑ
      ΖΗΠΟΙΟΥΝΤΕΣΤΟΕΠΙΤΑΣΣΟΜΕΝΟΝΠΑΝ
      ΕΙΔΕΜΗΠΟΕΟΙΣΑΝΕΞΟΥΣΙΑΝΕΧΕΤΩ
              ΟΝ
      ΑΝΒΡΟΣΙΕΠΙΤΙΜΕΟΥΣΑΤΡ≡ΠΩΩΚΑΘΕΛΗ
                 ΔΕ
      ΠΛΑΝΜΗΠΩΛΕΟΥΣΑΕΙΤΙΑΝΘΡΩΠΙΝΟΝΓΕ
20    ΝΟΙΤΟΠΕΡΙΑΝΒΟΣΙΟΝΕΣΤΩΣΑΝΤΑΠΡΟ
      ΓΕΓΡΑΜΕΝΑΣΩΜΑΤΑΕΛΕΥΘΕΡΑΚΑΙΜΗ
      ΘΕΝ'ΠΟΘΗΚΟΝΤΑΕΙΔΕΤΙΣΕΦΑΠΤΟΙΤΟΣΩ
      ΣΙΝΙΚΟΥΗΠΙΣΤΙΟΣΕΠΙΚΑΤΑΔΟΥΛΙΣΜΩ
      ΒΕΒΑΙΟΝΠΑΡΕΧΟΝΤΩΤΩΘΕΩΤΑΝΩ
25    ΝΑΝΑΤΕΑΠΟΔΟΜΕΝΑΚΑΙΟΒΕΒΑΙΩΤΗΡ
      ΟΜΟΙΩΣΔΕΚΑΙΟΠΑΡΑΤΥΧΩΝΚΥΡΙΟΣ
      ΕΣΤΩΣΥΛΕΩΝΣΩΣΙΝΙΚΟΝΚΑΙΠΙ
      ΣΤΙΝΕΠ.ΕΛΕΥΟΕΡΙΑΑΖΑΜΙΟΣΩΝ
      ΚΑΙΑΝΥΠΟΔΙΚΟΣΠΑΣΑΣΔΙΚΑΣΚΑΙ
30    ΖΑΜΙΑΣΜΑΡΤΥΡΟΙ.Ο.Ι.ΙΕΡΕΙΣΝΙΚΟ
      ΣΤΡΑΤΟ.Σ..ΞΕΝ....ΟΚΡΙ.ΤΟΣ
          ΔΙΩ
       Λ ΙΙΤΑΙ..ΚΛΕΩΝΝΙΚΙΑΣΔΗΜΗ
    ΚΡΙΟΣ
```

ἄρχοντος Εὐκλείδα, μηνὸς
Δαιδαφορίου, βουλευόντων Ἐ-
ράτωνος, Βαβύλου, Σωτύλου, ἀπέδοτο Ἀνβρόσιον τῶι Ἀπόλλωνι τῶι
5 Πυθίωι σώματα δύο, ἓν μὲν
γυναικεῖον, ἓν δὲ ἀνδρεῖον,
οἷς ὀνόματα Σωσίνικος καὶ
Πίστις, τιμᾶς ἀργυρίου μνᾶν δέκα καὶ τὰν τιμὰν ἔχει ⟨. . .⟩ πᾶσαν·
10 βεβαιωτὴρ κατὰ τοὺς νόμους
τᾶς πόλιος Πολέμαρχος Δάμωνος,
ἐφ' ὧτε εἶμεν ἐλευθέρους καὶ ἀ-
νεφάπτους ἀπὸ πάντων τὸν

πάντα βίον· παραμ(ε)ινάτωσαν δὲ ’Αν-
15 βροcίῳ Σωcίνικοc καὶ Πίcτιc, ἕωc κα
Ζῇ, ποιοῦντεc τὸ ἐπιταccόμενον πᾶν·
εἰ δὲ μὴ ποέοιcαν, ἐξουcίαν ἐχέτω
’Ανβρόcιον ἐπιτιμέουcα τρ[ό]πῳ, ᾧ κα θέλῃ,
πλὰν μὴ πωλέουcα. εἰ δέ τι ἀνθρώπινον γέ-
20 νοιτο περὶ ’Ανβρόcιον, ἕcτωcαν τὰ προ-
γεγραμ(μ)ένα cώματα ἐλεύθερα καὶ μη-
θενὶ ποθήκοντα. εἰ δέ τιc ἐφάπτοιτο Σω-
cινίκου ἢ Πίcτιοc ἐπὶ καταδουλιcμῷ,
βέβαιον παρεχόντω τῷ θεῷ τὰν ὠ-
25 νὰν ἅ τε ἀποδομένα καὶ ὁ βεβαιωτήρ.
ὁμοίωc δὲ καὶ ὁ παρατυχὼν κύριοc
ἕcτω cυλέων Σωcίνικον καὶ Πίcτιν ἐπ’ ἐλευθερίᾳ, ἀζάμιοc ὢν
καὶ ἀνυπόδικοc πάcαc δίκαc καὶ
30 ζαμίαc. μάρτυροι οἱ ἱερεῖc Νικόcτρατοc, Ξενόκριτοc
καὶ ἰδιῶται Κλέων, Νικίαc, Δημή-
τριοc.

Ungeglätteter polygon, schlecht eingeritzt; buchstabenhöhe 0,007—8.
die inschrift ist spät zwischen die rechts daneben stehenden nummern
(5) und (6) und die links befindlichen V n. 44. (11). (12) eingeklemmt
worden, aus deren contouren sich obige unregelmäszige gestalt erklärt;
unter dem letzten drittel von z. 1—4 beginnt n. (5). || z. 9 hinter EXEI
drei getilgte zeichen. die wegen des einschaltens der übergeschriebenen
buchstaben beim druck entstandenen zwischenräume zwischen den betreffenden zeilen des majuskeltextes (über z. 8. 11. 18. 19. 32) sind auf
dem stein natürlich weder hier noch bei einer der übrigen urkunden
vorhanden.

XVIIᵃ Νικόcτρατοc ῎Αρχωνοc — Δάμων ’Αγάθωνοc,
ebenfalls nur in éiner inschrift verbürgt; wenn man bedenkt, dasz
es bisher noch niemals vorkam und an sich auch sehr unwahrscheinlich ist, dasz éin priester (Nikostratos) drei collegen überlebt, also
in vier priesterzeiten fungiert haben soll, so wird man XVII oder
XVIIᵃ zu streichen geneigt sein. dies habe ich durch wiederholung
derselben nummer (XVII) unter zusatz von a andeuten zu müssen
geglaubt, und zwar bei der angeblichen Damon-priesterschaft darum,
weil hier die möglichkeit denkbar wäre, dasz der steinmetz in z. 22
die aufeinanderfolgenden namen Δάμων ’Αγάθωνοc, Καλλίcτρατοc
Αἰακίδα einfach vertauscht habe, denn letzterer ist des Nikostratos college in XVIII. da aber diese hypothese sich vor der hand
nicht beweisen läszt und später auch noch auf eine andere schwierigkeit bei dem Nikostratos-priestertum hingewiesen werden soll (s.
unten abschnitt 6), so müssen wir uns vorläufig bescheiden und das
auffinden neuer urkunden aus XVII—XVIII abwarten. erst dann
werden wir auch entscheiden können ob, falls XVII und XVIIᵃ sich
als authentisch erweisen, Nik.-Xenokritos oder Nik.-Damon voran-

stehe. ersteres ist vorläufig gewählt worden, weil für eine verschrei-
bung im Xenokritosnamen bisher kein äuszerer anlasz dargethan
werden kann, und anderseits, da sein vatersname fehlt, auch keine
unterscheidung von den übrigen Xenokritoi dieser periode möglich
war. der text dieser Damon [16]-priesterurkunde, polygonm. (32), ist
folgender:

n. (32).

ΑΡΧΟΝΤΟΣΕΥΚΛΕΙΔΑΤΟΥΚΑΛΛΙΑΜΗΝΟΣΟΕΟΞΕΝΙΟΥ

ΒΟΥΛΕΥΟΝΤΩΝΑΡΧΩ ΝΟΣΤΟΥ.ΝΙΚΟΣΤΡΑΤΟΥ $\overset{\text{КАЛ}}{\underset{}{\zeta}}$ ΩΝΟΣ

ΤΟΥΑΝΤΙΓΕΝΕΙΔΑΚΛΕΟΞΕΝΙΔΑΤΟΥΑΘΑΝΙΩΝΟΣΑΠΕΔΟΝ
ΤΟΣΩ.ΤΥΛΟΣΚΑΙΑΡΙΣ...ΤΟΚΛΗΣΟΙΗΡΑΚΩΝΟΣΤΩΙΑΠΟΛΛΩ
5 ΝΙΤ ΩΙΠΥ...ΟΙΩΙΣΩΜΑΤΑΓΥΝΑΙΚΕΙΑΜΕΝ..ΔΥΟΟΙΣΟΝΟΜΑΤΑ
ΕΙΣΙΔΩΡΑΕΥΦΡΟΣΥΝΑΚΑΙ.Π.ΑΙ...ΔΑΡΙΟΝΩΟΝΟΜΑΙΣΙΔΩ
ΡΟΣΤΟΓΕΝΟΣΟΙΚΟΓ̇Η̇ΤΙΜΑΣΑΡ..ΓΥΡΙΟΥΜΝΑΝΕΞΚΑΙΗ
ΜΙΣΟΥΚΑΙΤΑΝΤΙΜΑΝΑΠΕΧΟΝΤΙΠΑΣΑΝΒ....ΕΒΑΙΩ..ΤΗ
ΡΕΣΚΑΤΑΤΟΥΣ..ΝΟΜΟΥΣΤΑΣΠΟΛΙΟΣΜΕΝΤΩ...ΡΛΑΙΑ
0 ΔΑΕΠΙΝΙΚΟ.ΣΝΙΚΟΣΤΡΑΤΟΥΚΑΟΩΣΕΠΙΣΤΕΥΣΑΝΤΩΘΕ
ΩΤΑΣΩΝΑΣΕΦΩΤΕΕΛΕΥΘΕΡΟΥΣΕΙΜΕ...ΝΤΟΥΣΠΡΟΓΕ
ΓΡΑΜ.ΕΝΟΥΣ.ΥΣ...ΚΑΙΑΝΕΦΑΠΤΟΥΣΑΠΟΠΑΝΤΩΝΤΟΝ
ΠΑΝΤΑΧΡΟΝΟΝΠΟΙΟΥΝΤΑΣΟ.ΚΑΟΕΛΩΝΤΙΚΑΙΑΠΟΤΡΕ
ΧΟΝΤ...ΑΣΟΙΣΚΑΟΕΛΩ..ΝΤΙΕΙΔΕΤΙΣΕΦΑΠΤΟΙΤΟΕΠΙΚΑ
5 ΤΑΔΟΥΛΙΜΩΕΙΣΙΔΩΡΑΣΗΕΥΦΡΟΣΥΝΑΣΗΙΣΙΔΩΡ...ΟΥΒ..Ε
ΒΑΙΟ..ΝΠΑ...ΡΕΧΟΝ.ΤΩΤΩΙΟΕΩΙΤΑΝΩΝΑΝΟΙΤΕΑΠΟΔΟ
Μ.ΕΝΟΙΚΑΙΟΙΒΕΒΑΙΩΤΗ.ΡΕΣΟΜΟΙΚΑΙΟ.ΠΑΡΑ.ΤΥΧΩΝ
ΚΥΡ......ΙΟΣΕΣΤΩΣΥΛΕΩΝΤΟΥΣΠΡΟΓΕΓΡΑΜΕΝΟΥΣ
ΩΣ.ΕΛΕΥΘΕΡΟΥΣΟΝΤΑΣΑΖΑΜΙΟΣΩΝΚΑΙΑΝΥΠΟΔΙ
0 ΚΟΣΠΑΣΑΣΔΙΚΑΣΚΑΙΖΑ.ΜΙΑΣΜΑΡΤΥΡΕΣΟΙ.Τ.ΕΙ..ΕΡΕΙΣ.
ΤΟΥΑΠΟΛΛΩΝΟ..ΣΝΙΚΟΣ...ΤΡΑΤΟΣΑΡ...ΧΩ..ΝΟΣΔΑ
ΜΩΝΑΓΑΟΩΝΟΣΚΑ.ΙΙ.ΔΙΩΤΑΙΚΑΛΛΙ...ΣΤ...ΡΑΤΟΣΑΙΑΚΙΔΑ
ΞΕΝΟΚΡΙΤΟΣΜΕ.........ΝΗΤΟΣΑΝΤΙΓΕΝΙΔΑΣ
ΜΕΓΑΡΤΑΣ

ἄρχοντος Εὐκλείδα τοῦ Καλλία, μηνὸς Θεοξενίου,
βουλευόντων Ἄρχωνος τοῦ Νικοστράτου, Κάλλωνος
τοῦ Ἀντιγενείδα, Κλεοξενίδα τοῦ Ἀθανίωνος ἀπέδοντο Σωτύλος καὶ Ἀριστοκλῆς οἱ Ἡρακῶνος τῶι Ἀπόλλω-
5 νι τῶι Πυθίωι σώματα γυναικεῖα μὲν δύο, οἷς ὀνόματα

---

[16] Damon Agathonis f. ist mir abgesehen von der obigen bisher
bekannt aus folgenden sämtlich unedierten inschriften:
Δάμων Ἀγάθωνος bürge in   XIV ἄ. Φιλονίκου n. (65)
— — bürge und zugleich cυνευδοκέων
    seiner freilassenden schwester,   XV ἄ. Κλεοξενίδα (g) [s. 540]
— — zeuge   XVI ἄ. Πάcωνος (63).
bei den unzähligen Damons ist natürlich, wo der vatersname fehlt, auf
jede identificierung zu verzichten. ob der in IX ἄ. Ἁγίωνος n. (13) sich
findende zeuge Δάμων Α|....c in Δ. Ἀ[γάθωνο]c oder Ἀ[νδρομένεο]c
(was zu lang ist) oder wie sonst zu ergänzen sei, ist noch ungewis: unser
Damon kann es bei dem langen zeitzwischenraum (IX—XVII) keinesfalls
sein. dessen vater Agathon hat bisher noch nicht identificiert werden
können.

Εἰcιδώρα, Εὐφροcύνα, καὶ παιδάριον ᾧ ὄνομα Ἰcίδω-
ροc, τὸ γένοc οἰκογενῆ, τιμᾶc ἀργυρίου μνᾶν ἓξ καὶ ἡ-
μίcου καὶ τὰν τιμὰν ἀπέχοντι πᾶcαν· βεβαιωτῆρεc κατὰ τοὺc νόμουc τᾶc πόλιοc Μέντωρ Λαϊᾶ·
10 δα, Ἐπίνικοc Νικοcτράτου· καθὼc ἐπίcτευcαν τῷ θε-
ῷ τὰc ὠνὰc, ἐφ᾽ ᾧτε ἐλευθέρουc εἶμεν τοὺc προγε-
γραμ(μ)ένουc ⟨υc⟩ καὶ ἀνεφάπτουc ἀπὸ πάντων τὸν
πάντα χρόνον ποιοῦντας ὅ κα θέλωντι καὶ ἀποτρέ-
χονταc οἷc κα θέλωντι. εἰ δέ τιc ἐφάπτοιτο ἐπὶ κα-
15 ταδουλι(c)μῷ Εἰcιδώραc ἢ Εὐφροcύναc ἢ Ἰcιδώρου, βέβαιον παρεχόντω τῶι θεῶι τὰν ὠνὰν οἵ τε ἀποδόμενοι καὶ οἱ βεβαιωτῆρεc, ὁμοίωc δὲ καὶ ὁ παρατυχὼν
κύριοc ἔcτω cυλέων τοὺc προγεγραμ(μ)ένουc
ὡc ἐλευθέρουc ὄνταc, ἀζάμιοc ὢν καὶ ἀνυπόδι-
20 κοc πάcαc δίκαc καὶ ζαμίαc. μάρτυρεc οἵ τε ἱερεῖc
τοῦ Ἀπόλλωνοc Ν ι κ ό c τ ρ α τ ο c ῎Α ρ χ ω ν ο c, Δ ά -
μ ω ν Ἀ γ ά θ ω ν ο c καὶ ἰδιῶται Καλλίcτρατοc Αἰακίδα,
Ξενόκριτοc Μένητοc, Ἀντιγενίδαc,
Μεγάρταc.

Die inschrift ist nur leicht und flüchtig eingeritzt und zwar auf
ungeglättetem polygon, dessen oberfläche, wie man aus den zahlreichen
lücken erkennen kann, stark zerfressen war. einen abklatsch zu nehmen
war daher unmöglich.

XVIII Ν ι κ ό c τ ρ α τ ο c ῎Α ρ χ ω ν ο c — Κ α λ λ ί c τ ρ α τ ο c Αἰακίδα,
in wenigstens éinem archontat aus 3 manumissionen bezeugt: Anecd.
9. 36[a] und [b]. die beiden letzten, bisher noch nicht als zugehörig
erkannt, mögen hier nach neuen copien wiederholt werden:

Anecd. n. 36.

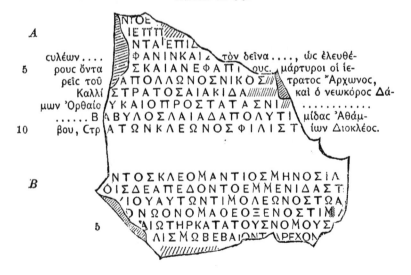

ἄρχο]ντος Κλεομάντιος, μηνὸς Ἰλ[αίου, βουλευόντων Δίωνος, Μέντορος, Τιμολέωνος
ἐπὶ τ]οῖςδε ἀπέδοντο Ἐμμενίδας Τ[ιμολέωνος καὶ ἡ δεῖνα τοῦ
δεῖνος ςυνευδοκέοντος
καὶ τοῦ] υἱοῦ αὐτῶν Τιμολέωνος τῷ Ἀ[πόλλωνι τῷ Πυθίῳ ἐπ'
ἐλευθερίᾳ ςῶμα
ἀνδρεῖ]ον, ᾧ ὄνομα Θεόξενος, τιμ[ᾶς ἀργυρίου μνᾶν τριῶν καὶ
τὰν τιμὰν ἀπέχοντι
5 πᾶσαν· βε]βαιωτὴρ κατὰ τοὺς νόμους [ὁ δεῖνα τοῦ δεῖνος. εἰ δέ
τις ἐφάπτοιτο Θεοξένου
ἐπὶ καταδου]λιςμῷ, βέβαι[ον πα]ρεχό[ντω τῷ θεῷ τὰν ὠνὰν
οἵ τε ἀποδόμενοι καὶ ὁ βεβαι-
ωτήρ usw.]

Fragment eines polygonmauerblocks (h. ✕ br. 0,325 ✕ 0,28) ein-
gemauert in die auszenseite der südwand des zu haus 56 gehörigen hofes,
wo es schon vor 50 jahren durch KOMüller copiert wurde (vgl. beitr.
s. 91 n. 8—10 und s. 101). buchstabenhöhe in A 0,008—0,01, in B 0,01.
Die obere inschrift scheint nur halb so lange zeilen gehabt zu haben
wie B, wofür bei der unsicherheit der ergänzung des anfangs hauptsächlich z. 7/8 spricht. da sich nemlich hier ein προστάτας als zeuge
findet, so folgt, dasz die vorangehenden namen ebenfalls die von
beamten sind, welche getrennt von den ἰδιῶται entweder vor oder
nach diesen, aber fast regelmäszig zusammenstehen; nun kennen wir
aus W-F 435 (XVI priesterzeit) den lebenslänglichen νεωκόρος dieser
epochen als Δάμων Ὀρθαίου, dessen name die lücke zwischen priestern
und hieronvorsteher schlieszt. allerdings ist auch die andere möglichkeit nicht ganz ausgeschlossen, dasz an dieser stelle die buleuten verzeichnet waren, ja dasz Καλλίςτρατος Αἰακίδα vielleicht ein solcher
wäre, unsere inschrift also in XVI oder XVII gehörte; indes geht aus
der anordnung der zuerst ganz eng (fast ohne zwischenraum) unterein-
anderstehenden, von 6 an weiter auseinandertretenden zeilen in A wohl
hervor, dasz der steinmetz anfangs mit dem platz nicht auszukommen
fürchtete, dann als er sah, dasz der platz doch ausreichen würde, die zeilen-
zwischenräume breiter liesz, dh. dasz B bereits vorhanden war, als A
eingehauen wurde. B stammt aber, wie der archontenname zeigt, aus
XVIII (vgl. Anecd. n. 9), und damit wäre der Καλλίςτρατος Αἰακίδα in
A als der priester erwiesen. Φιλιςτίων Διοκλέος ebenso zb. in Anecd. 9.
Ich bemerke noch, dasz ich zu dem steine notiert habe: er habe
rechts erhaltene kante, von der der zeilenabstand in z. 1 in B noch
0,035 betrage. bestätigt sich dies, so würde daraus folgen, dasz B mit
seiner rechten hälfte auf einem nachbarpolygon stand, während A dann
an dieser kante den zeilenschlusz gehabt hätte; indessen ist ein irrtum
darum nicht ausgeschlossen, weil das fragment auf der seite stehend
vermauert ist und wir wegen des anfangs von z. 1 in B vielmehr vermuten dürfen, die kante liege links in der angegebenen entfernung.

XIX Καλλίςτρατος Αἰακίδα — Ἁβρόμαχος Ξεναγόρα,
für wenigstens zwei archontate aus drei unedierten manumissionen:
polygonm. (31). (41). (74) bezeugt, von denen die zweite als beweis
angefügt ist: [n. (41) folgt s. 530.]
XX Καλλίςτρατος Αἰακίδα — Διόδωρος Φιλονίκου,
findet einzig sich anscheinend in folgendem bruchstück: (Mus.
n. 229 s. 531.)

n. (41).

```
ΑΡΧΝΤΟΣΕΥ//////////////ΔΑΤΟΥΗΡΑΚΛΕΙΔΑΜΗΝΟΣ
ΑΠΕΛΛΑΙΟΥΒΟΥΛΕΥΟΝΤΩΝΑΝΤΙΓΕΝΕΟΣ
                                              Ν
ΤΟΥΑΡΧΙΑΜΕΝΗΤΟΣΤΟΥΔΑΜΩΝΟΣΑΠΕΔΟ
ΤΟΝΙΚΟΣΤΡΑΤΟΣΑΡΧΩΝΟΣΚΑΙΔΑΝΤΩ
5 ΦΑΣΕΥΔΩΡΟΥΣΥΝΕΥΑ..ΡΕΣΤΕΟΥΣΑΣ
ΚΑΙΤΑΣΘΥΓΑΤΡΟΣΤΟΥΥΙΟΥΑΥΤΩΝΑΡΧΩ
ΝΟΣΔΑΝΤΟΥΣΕΠΕΛΕΥΘΕΡΙΑΤΩΙΑΠΟΛΛΩ
ΝΙΤΩΙΠΥΘΙΩΙΣΩΜΑΓΥΝΑΙΚΕΙΟΝΑΟΝΟΜΑΦΙ
.ΛΟΥΜΕΝΑΤΙΜΑΣΑΡΓΥΡΙΟΥΜΝΑΝΕΝΝΕΑ
10 ΚΑΙΤΑΝΤΙΜΑΝΑΠΕΧΟΝΤΙΠΑΣΑΝΒΕΒΑΙΩ
ΤΗΡΚΑΤΑΤΟΝΝΟΜΟΝΤΑΣΠΟΛΙΟΣΜΕΛΙΣΣΙΩΝ
ΔΙΟΝΥΣΙΟΥΚΑΟΩΣΕΠΙΣΣΤΕΥΣΕΦΙΛΟΥΜΕΝΑ
ΤΩΙΘΕΩΙΤΑΝΩΝΑΝΕΦΩΤΕΕΛΕΥΘΕΡΑΝΕΙ
ΜΕΝΚΑΙΑΝΕΦΑΠΤΟΝΑΠΟΠΑΝΤΩΝΤΟΝΠΑΝ
15 ΤΑΧΡΟΝΕΙΔΕΤΙΣΕΦΑΠΤΟΙΤΟΦΙΛΟΥΜΕΝΑΣ
ΕΠΙΚΑΤΑΔΟΥΛΙΣΜΩΒΕΒΙΟΝΠΑΡΕΧΟΝ..ΤΩΝ
ΤΩΙΘΕΩΙΤΑΝΩΝΑΝΟΙΤΕΑΠΟΔΟΜΕΝΟ.ΙΚΑΙ
ΟΒΕΒΑΙΩΤΗΡΚΥΡΙΟΣΔΕΕΣΤΩΙΚΑΙΛΛΟΣΣΥ
ΛΕΩΝΦΙΛΟΥΜΕΝΑΝΩΣΕΛΕΥΟΕΡΑΝΟΥΣΑΝ
                                              Σ
20 ΑΖΑΜΙΟΣΩΝΚΑΙΑΝΥΠΟΔΙΚΟΣΠΑΣΑΣΔΙΚΑ
ΚΑΙΖΑΜΙΑΣΜΑΡΤΥΡΟΙΟΙΤΕΙΕΡΕΙΣ.ΤΟΥΑΠΟΛ
ΛΩΝΟΣΤΟΥΠΥΘΙΟΥΚΑΛΛΙΣΤΡΑΤΟΣΑΙΑΚΙΔΑ
ΑΒΡΟΜΑΧΟΣΞΕΝΑΓΟΡΑΚΑΙΙΔΙΩΤΑΙΔΙΟΔΩ
ΡΟΣΔΩΡΟΟΕΟΥΒΑΒΥΛΟΣΛΑΙΑΔΑΩ.ΡΟΟΕ
25 ΟΣΔΙΟΔΩΡΟΥΝΙΚΑΝΔΡΟΣΦΙΛΙΣΣΤΙΩΝ
```

ἄρχ(ο)ντος Εὐ[κλεί]δα τοῦ Ἡρακλείδα, μηνὸς
Ἀπελλαίου, βουλευόντων Ἀντιγένεος
τοῦ Ἀρχία, Μένητος τοῦ Δάμωνος ἀπέδοντο Νικόστρατος Ἄρχωνος καὶ Δαντὼ
5 ⟨τᾶς⟩ Εὐδώρου, συνευαρεστεούσας
καὶ τᾶς θυγατρὸς τοῦ υἱοῦ αὐτῶν Ἄρχωνος Δαντοῦς ἐπ' ἐλευθερίᾳ τῶι Ἀπόλλωνι τῶι Πυθίωι σῶμα γυναικεῖον, ᾇ ὄνομα Φιλουμένα, τιμᾶς ἀργυρίου μνᾶν ἐννέα
10 καὶ τὰν τιμὰν ἀπέχοντι πᾶσαν· βεβαιωτὴρ κατὰ τὸν νόμον τᾶς πόλιος Μελισσίων
Διονυσίου· καθὼς ἐπίσστευσε Φιλουμένα
τῶι θεῶι τὰν ὠνάν, ἐφ' ᾧτε ἐλευθέραν εἶμεν καὶ ἀνέφαπτον ἀπὸ πάντων τὸν πάν-
15 τα χρόν(ον). εἰ δέ τις ἐφάπτοιτο Φιλουμένας
ἐπὶ καταδουλισμῷ, βέβ(α)ιον παρεχόντων
τῶι θεῶι τὰν ὠνὰν οἵ τε ἀποδόμενοι καὶ
ὁ βεβαιωτήρ· κύριος δὲ ἔστω⟨ι⟩ καὶ (ἄ)λλος συλέων Φιλουμέναν ὡς ἐλευθέραν οὖσαν
20 ἀζάμιος ὢν καὶ ἀνυπόδικος πάσας δίκας
καὶ ζαμίας. μάρτυροι οἵ τε ἱερεῖς τοῦ Ἀπόλλωνος τοῦ Πυθίου Καλλίστρατος Αἰακίδα,
Ἀβρόμαχος Ξεναγόρα καὶ ἰδιῶται Διόδω-

ρος Δωροθέου, Βαβύλος Λαϊάδα, Δωρόθε-
25 ος Διοδώρου, Νίκανδρος, Φιλισστίων.

- Die urkunde ist nur schlecht und flüchtig eingeritzt; rechts ist poly-
gongreuze. im anfang von z. 5 ist das irrtümlicherweise eingehauene
ΤΑΣ vom steinmetzen getilgt worden. buchstabenhöhe 0,008—0,01.

Mus. n. 229.

[τιμᾶς ἀργυρίου μνᾶν . . . . . καὶ
τὰν τιμὰν ἀπέ-]
χει πᾶς]αν· [β]εβ[αιωτὴρ κατὰ τὸν νόμον τᾶς πόλιος . . . .
. . . . . . καθὼς
ἐπίς]τευσαν Σύμ[φορον καὶ Ζώσιμος τῷ θεῷ τὰν ὠνάν, ἐφ᾽ ὧτε
ἐλευθέρους
εἶμε]ν καὶ ἀνεφάπ[τους ἀπὸ πάντων τὸν πάντα χρόνον. εἰ δέ
τις ἐφάπτοι-
το] Συμφόρου ἢ [Ζ]ωσίμο[υ ἐπὶ καταδουλισμῷ, βέβαιον παρεχόντω τῷ θεῷ τὰν ὠνὰν
5 ὅ τ]ε ἀποδόμενος καὶ ὁ βε[βαιωτήρ, ...
. . . . ε[ν]αν πᾶς παντὸς . . . . ἀζάμιος ὢν καὶ
ἀνυπόδικος πά-
ς]ας δίκας καὶ ζαμίας. [μάρτυρες οἵ τε ἱερεῖς τοῦ Ἀπόλλωνος
Καλλίστρα-
τ]ος Αἰακίδα, Διόδωρος Φ[ιλονίκου . . . .
ἰδι]ῶται Ἀριστοκλέας Φι[λονίκου . . . .
10 Φ]ιλλέας Δαμένεος . . . .

Fragment aus hellgrauem kalkstein (h. Eliasstein, vgl. beitr. s. 34),
links bestoszene kante und fläche erhalten, sonst bruch; im Museum
befindlich, n. 229. h. × br. × d. = 0,30 × 0,29 × 0,24. die nur ganz
flüchtig eingeritzte, stark verwitterte inschrift ist unten vollständig;
höhe der buchstaben 0,009—0,012. eine befriedigende ergänzung von
z. 5 und 6 wäre nur möglich bei annahme bedeutend längerer zeilen,
was in rücksicht auf die schon jetzt ungewöhnlich hohe buchstabenanzahl
(pro zeile 55, in 4 sogar 60) unwahrscheinlich ist; dasz in z. 8 auf die
priester erst noch buleuten folgten, wäre für diese zeiten ohne beispiel,
ist aber doch nicht ganz ausgeschlossen; das anfangswort in z. 9 ist
nicht ganz sicher. die Philonikos-söhne Διόδωρος und Ἀριστοκλέας
nebst Φιλλέας Δαμένεος finden sich als zeugen zusammen in Anecd. 9
(XVIII priesterzeit).

Aus der vergleichung mit XXI und der fortlaufenden identität der personen geht hervor, dasz sich nur éine priesterzeit zwischen XIX und XXI befunden haben kann und dasz der zweite priester derselben Διόδωρος Φιλονίκου gewesen ist. finden wir nun in obigem fragment an der stelle, wo rite die priesternamen stehen, und ausdrücklich von den spätern ἰδιῶται gesondert, Kallistratos-Diodoros vor und ist ihre identität mit den priestern von XIX u. XXI sowohl durch hinzufügung der vatersnamen wie auch durch den unter den privatleuten genannten Ἀριστοκλέας Φι[λονίκου, den bruder des priesters, gesichert, so wird man der obigen ergänzung von z. 7, der annahme, dasz Kallistratos zum zweiten mal seinen collegen überlebte, und somit der obigen construierung der XX priesterzeit einen hohen grad von wahrscheinlichkeit zusprechen dürfen.[17]

XXI Διόδωρος Φιλονίκου — Πολέμαρχος Δάμωνος (beide vatersnamen in sämtlichen nummern), aus wenigstens vier archontaten in 4 unedierten manumissionen [polygonm. (8). (9). (38). Anecd. (37ᵃ)], zu denen jetzt noch, bei richtiger ergänzung, W-F 450[18] hinzukommt. als beispiel teile ich polygonm. (8) mit: (sieh s. 533 f.).

XXII Πολέμαρχος Δάμωνος — Φίλων Στρατάγου, bisher nur bekannt in der von Dragumes im Ἀθήναιον VII (1878) s. 277 publicierten manumission aus dem archontat des Τιμολέων Ἐμμενίδα (vgl. beitr. s. 102 anm. 2).

---

[17] vor den ἰδιῶται können auszer den priestern nur noch die semesterbehörden gestanden haben, und es wäre ein sonderbarer zufall, wenn Kallistratos-Diodoros schon vor der XVIII priesterzeit, genau in dieser reihenfolge als buleuten éines archontates erschienen. indessen ist, wie oben bemerkt, die oberfläche sehr verscheuert und daher die lesung ἰδιῶται nicht absolut sicher. über eine fernere mögliche schwierigkeit s. anm. 18. [18] leider war diese nur von W-F gesehene einzelinschrift heute nicht mehr in den ruinen von H. Georgios aufzufinden, und darum ist auch die lesung ὁ ἱερεὺς in z. 10 uncontrollierbar. z. 2 ist als erster buleut zu ergänzen Ἀριστ[οκλέα τοῦ Φιλονίκ]ου, vgl. oben Mus. 229, 9 und (8), 23; in z. 3 als ἀποδόμενος: Μέ[ντωρ Λ]αϊάδα; in z. 11 als priester: [Πολέμαρχ]ος Δάμωνος, wobei nur unklar bleibt, ob nicht etwa οἱ ἱερεῖς auf dem steine stand, so dasz der hinter Δάμωνος folgende Φίλων Στρατάγου mitgemeint, die inschrift also in XXII zu setzen wäre, eine möglichkeit die, umgekehrter weise, noch für XX in betracht käme, insofern auch dort schon mit Διόδωρος Φιλονίκου die aufzählung der ἰδιῶται beginnen könnte. dasz man 450, 12 nicht etwa Διόδ[ωρος Φιλονίκου] zu ergänzen gezwungen ist, obgleich wir schon einen andern Διόδωρος (Δωροθέου) in derselben inschrift (als bürgen) haben, und dasz daraus weiter nicht etwa eine umstellung der drei letzten priesterzeiten zu folgern ist, nemlich so: XX Καλλίστρατος-Πολέμαρχος, XXI Πολέμαρχος-Φίλων, XXII Πολέμαρχος-Διόδωρος (so dasz W-F 450 bei nennung nur éines priesters aus XX oder XXI, bei nennung beider aus XXI stammte, also Polemarchos zweimal den collegen überlebte), beweist (8) z. 24, wo der dritte homonyme dieser zeit sich findet, nemlich der auch hier z. 12 zu ergänzende Διόδωρος Ὀρέστα und ferner die dreimal vorkommende folge Διόδωρος-Πολέμαρχος auf nur éinmal Πολέμαρχος-Διόδωρος.

n. (8).

ΑΡΧΟΝΤΟΣΑΙΑΚΙΔΑΤΟΥΕΥΚΛΕΙΔΑΜΗΝΟΣΠΟΙΤΡΟΠΙΟΥΒΟΥΛΕΥΟΝΤΩΝΔΙΟΔΩ
ΡΟΥΤΟΥΦΙΛΟΝΕΙΚΟΥΑΘΑΝΙΩΝΟΣΤΟΥΚΛΕΟΞΕΝΙΔΑΦΙΛΩΝΣΤΡΑΤΩΝΟΣΑΠΕ
ΔΟΤΟΤΩΑΠΟΛΛΩΝΙΤΩΠΥΘΙΩΕΠΕΛΕΥΘΕΡΙΑΣΩΜΑΤΑΟΙΣΟΝΟΜΑΤΑΣΤΕΦΑΝΟΣ
ΕΥΚΛΕΙΔΑΣΚΤΗΜΑΜΟΣΧΙΟΝΤΕΙΜΑΣΕΚΑΣΤΟΝΑΡΓΥΡΙΟΥΜΝΑΝΤΡΙΩΝΚΑΙ
5 ΤΑΝΤΕΙΜΑΝΑΠΕΧΕΙΠΑΣΑΝΒΕΒΑΙΩΤΗΡΕΣΚΑΤΑΤΟΥΣΝΟΜΟΥΣΤΑΣΠΟΛΙ
ΟΣΟΕΞΕΝΟΣΦΙΛΑΙΤΩΛΟΥΟΚΑΙΒΑΒΥΛΟΥΛΕΩΝΞΕΝΟΦΑΝΤΟΥΩΣΤΕΜΗΘΕ
ΝΙΠΟΘΗΚΕΙΝΑΥΤΟΥΣΚΑΤΑΜΗΘΕΝΑΤΡΟΠΟΝΑΛΛΕΙΜΕΝΑΥΤΟΥΣΕΛΕΥΘΕΡΟΥΣ
ΚΑΙΑΝΕΠΑΦΟΥΣΤΟΝΠΑΝΤΑΧΡΟΝΟΝΑΠΟΠΑΝΤΩΝΚΑΘΩΣΣΕΠΙΣΤΕΥΣΑΝ
ΤΩΘΕΩΤΑΝΩΝΑΝΣΤΕΦΑΝΟΣΚΑΙΕΥΚΛΕΙΔΑΣΚΑΙΚΤΗΜΑΚΑΙΜΟΣΧΙΟΝΕΙΔΕ
10 ΤΙΣΕΦΑΠΤΟΙΤΟΕΠΙΚΑΤΑΔΟΥΛΙΣΜΩΤΩΝΠΡΟΓΕΓΡΑΜΜΕΝΩΝΒΕΒΑΙΟΝΠΑ
ΡΕΧΟΝΤΩΤΩΘΕΩΤΑΝΩΝΑΝΕΠΕΛΕΥΘΕΡΙΑΟΙΤΕΒΕΒΑΙΩΤΗΡΕΣΚΑΙΑΛ
ΛΟΣΟΠΑΡΑΤΥΧΩΝΕΞΟΥΣΙΑΝΕΧΩΝΕΝΕΛΕΥΘΕΡΙΑΝΑΦΑΙΡΕΙΣΩΑΙΠΑΡΑ ΜΕΙ
ΝΑΤΩΣΑΝΔΕΕΣΤΕΦΑΝΟΣΚΑΙΕΥΚΛΕΙΔΑΣΚΑΙΚΤΗΜΑΚΑΙΜΟΣΧΙΟΝΦΙΛΩΝΙΚΑΙ
ΕΥΑΜΕΡΕΙΤΑΦΙΛΩΝΟΣΓΥΝΑΙΚΙΠΑΝΤΑΤΟΝΤΑΣΦΙΛΩΝΟΣΚΑΙ ΕΜ ΕΡΙΟΣ
15 ΗΖΑΣΧΡΟΝΟΝΥΠΗΡΕΤΕΟΝΤΕΣΚΑΙΠΟΙΟΥΝΤΕΣΠΑΝΤΟΔΥΝΑΤΟΝΚΑΙΕΠΙ
ΠΕΙΘΑΡΧΕΟΙΣΑΝΕΞΟΥΣΙΑΝΕΧΕΤΩΣΑΝΦΙΛΩΝΚΑΙΕΥΑΜΕΡΙΣΕΠΙΤΕΙΜΕΟΝΤΕΣ
ΤΩΜΗΠΕΙΘΑΡΧΕΟΝΤΩΝΚΑΙΜΑΣΤΕΙΓΟΥΝΤΕΣΚ ΙΔΙΔΕΝΤΕΣΚΑΙΕΓΜΙΘΟΥΝ
ΤΕΣΤΑΝΕΡΓΑΣΙΑΝ** ΤΟΥΜΗΠΑΡΑΜΕΝΟΝΤΟΣΧΩΡΙΣΠΡΑΣΙΟΣΕΣΤΩΣΑΝ
20 ΔΕΤΑΠΡΟΓΕΓΡΑΜΜΕΝΑΣΩΜΑΤΑΠΡΟΤΟΥΤΕΛΕΥΤΑΝΦΙΛΩΝΑΚΑΙΕΥΑΜΕΡΙΝΑ
ΩΝΑΣΕΝΤΑΔΑΜΟΣΙΑΓΡΑΜΜΑΤΑΜΑΡΤΥΡΕΣΟΙΤΕΙΕΡΕΙΣΤΟΥΑΠΟΛΛΩΝΟΣΔΙΟΔΩΡΟΣ
ΦΙΛΟΝΕΙΚΟΥΠΟΛΕΜΑΡΧΟΣΔΑΜΩΝΟΣΑΡΙΣΤΟΚΛΕΑΣΦΙΛΟΝΕΙΚΟΥΑΙΑΚΙΔΑΣ
ΕΥΚΛΕΙΔΑΝΙΚΑΝΩ** ΡΛΥΣΙΜΑΧΟΥΔΙΟΔΩΡΟΣΟΡΕΣΤΑΛΥΣΙΜΑΧΟΣΝΙΚΑΝΟΡΟΣΞΕΝ
25 //// ΓΟΡΑ* ΣΑΒΡΟΜΑΧΟΥ ************ ΠΡΟΘΥΜΟΣΗΡΑΚΛΕΙΔΑ

ἄρχοντος Αἰακίδα τοῦ Εὐκλείδα, μηνὸς Ποιτροπίου βουλευόντων Διοδώ-
ρου τοῦ Φιλονείκου, Ἀθανίωνος τοῦ Κλεοξενίδα Φίλων Στρά-
τωνος ἀπέ-

δοτο τῷ ᾿Απόλλωνι τῷ Πυθίῳ ἐπ᾿ ἐλευθερίᾳ cώματα, οἷc ὀνό-
μᾱτᾰ Στέφανοc,
Εὐκλείδαc, Κτῆμα, Μόcχιον τειμᾶc ἕκαcτον ἀργυρίου μνᾶν
τριῶν καὶ
5 τὰν τειμὰν ἀπέχει πᾶcαν· βεβαιωτῆρεc κατὰ τοὺc νόμουc τᾶc
πόλι-
οc Θε(ό)ξενοc Φιλαιτώλου ὁ καὶ Βαβύλου, Λέων Ξενοφάντου·
ὥcτε μηθε-
νὶ ποθήκειν αὐτοὺc κατὰ μηθένα τρόπον, ἀλλ᾿ εἶμεν αὐτοὺc
ἐλευθέρουc
καὶ ἀνεπάφουc (sic) τὸν πάντα χρόνον ἀπὸ πάντων, καθὼc
ἐπίcτευcαν
τῷ θεῷ τὰν ὠνὰν Στέφανοc καὶ Εὐκλείδαc καὶ Κτῆμα καὶ Μόcχιον. εἰ δέ
10 τιc ἐφάπτοιτο ἐπὶ καταδουλιcμῷ τῶν προγεγραμμένων, βέβαιον πα-
ρεχόντω τῷ θεῷ τὰν ὠνὰν ἐπ᾿ ἐλευθερίᾳ οἵ τε βεβαιωτῆρεc
καὶ ἄλ-
λοc ὁ παρατυχών, ἐξουcίαν ἔχων ἐν ἐλευθερίαν ἀφαιρεῖcθαι·
παραμει-
νάτωcαν δὲ Στέφανοc καὶ Εὐκλείδαc καὶ Κτῆμα καὶ Μόcχιον
Φίλωνι καὶ
Εὐαμέρει, τᾷ Φίλωνοc γυναικί, πάντα τὸν τᾶc Φίλωνοc καὶ Εὐαμέριοc
15 ζωᾶc χρόνον ὑπηρετέοντεc καὶ ποιοῦντεc πᾶν τὸ δυνατὸν καὶ
ἐπι-
ταccόμενον ὑπὸ Φίλωνοc καὶ Εὐαμέριοc. εἰ δὲ μὴ παραμείναιεν
ἢ μὴ
πειθαρχέοιcαν, ἐξουcίαν ἐχέτωcαν Φίλων καὶ Εὐαμερὶc ἐπιτει-
μέοντεc
τῶ(μ) μὴ πειθαρχεόντων καὶ μαcτειγοῦντεc καὶ διδέντεc καὶ
ἐγμιcθοῦν-
τεc τὰν ἐργαcίαν τοῦ μὴ παραμένοντοc. χωρὶc πράcιοc ἔcτωcαν
20 δὲ τὰ προγεγραμμένα cώματα πρὸ τοῦ τελευτᾶν Φίλωνα καὶ
Εὐαμερίν, ἀ-
πολελυμένα τᾶc παραμονᾶc πρὸ ἀμερᾶν τριάκοντα. τὸ ἀντί-
γραφον ἐτέθη τᾶc
ὠνᾶc ἐν τὰ δαμόcια γράμματα. μάρτυρεc οἵ τε ἱερεῖc τοῦ ᾿Απόλ-
λωνοc Διόδωροc
Φιλονείκου, Πολέμαρχοc Δάμωνοc· ᾿Αριcτοκλέαc Φιλονείκου, Αἰακίδαc
Εὐκλείδα, Νικάνωρ Λυcιμάχου, Διόδωροc ᾿Ορέcτα, Λυcίμαχοc
Νικάνοροc, Ξεν-
25 α]γόραc ᾿Αβρομάχου, Πρόθυμοc ῾Ηρακλείδα.

Die inschrift ist auf ungeglättetem (gekröneltem) polygon nur
leicht eingeritzt. derselbe freilasser sowie der zweite bürge (Λέων
Ξενοφάντου) und der zeuge Νικάνωρ Λυcιμάχου erscheinen auch in der

aus XXII stammenden manumission im 'Αθήναιον VII s. 277. ‖ Die erste
sklavin hiesz Κτῆμα, nicht Κτῆμα, denn der accusativ lautet Κτήμαν
in polygonm. n. (9), welche urkunde den anhang zu unserer bildet,
insofern dort denselben vier personen schon v o r dem tode der beiden
freilasser die freiheit geschenkt wird. ‖ Auf die für die art der freilassung dieser späten zeit interessanten détails obiger inschrift kann
hier nicht eingegangen werden.

2.

Mit dieser aufstellung der priesterzeiten und der ermittlung
ihrer reihenfolge müsten wir abschlieszen und wären gezwungen, vorläufig auf jede genauere datierung und verteilung in die jahrhunderte
zu verzichten in rücksicht auf die unmöglichkeit, die zahlreichen o h n e
priesternamen überlieferten archontate mit irgendwelcher sicherheit
einzelnen epochen zuzuweisen, wenn uns nicht ein umstand zu hilfe
käme, den zu entdecken die unedierten inschriften das material boten,
und der, obwohl er streng genommen erst in dem abschnitt über die
archonten und ihre reihenfolge zu besprechen wäre, doch wegen
seiner bedeutung für die priesterschaften hier vorweggenommen werden musz. es ist dies die überraschende thatsache, dasz v o n d e r
XIII p r i e s t e r z e i t a n i n D e l p h i n i c h t m e h r j e d r e i b u l e u -
t e n f ü r d a s s e m e s t e r, s o n d e r n n u r n o c h v i e r f ü r d a s
g a n z e j a h r e r n a n n t w o r d e n s i n d, dasz also von diesem zeit-
punkte an die semestrale teilung des delphischen jahres in πρώτη
und δευτέρα ἑξάμηνος aufgehört hat. als vorläufigen beweis wähle
ich zunächst folgende urkunden:

Aus dem Boathoos des ᾱ. Διονύσιος 'Αστοξένου in XV: polygonm. (19):

n. (19).

```
   ΑΡΧΟΝΤΟΣΔΙΟΝΥΣΙΟΥΤΟΥ
   ΑΣΤΟΞΕΝΟΥΜΗΝΟΣΒΟΑΘΟΙΟΥΑ
   ΠΕΛΥΣΕΑΜΜΙΑΤΑΣΠΑΡΑΜΟ
   ΝΑΣΣΥΝΦΟΡΟΝΛΑΒΟΥΣΑΛΥΤΡΑΕΚ
 5 ΠΟΛΕΜΙΩΝΣΥΝΠΑΡΟΝΤΩ
   ΝΚΑΙΤΩΝΒΟΥΛΕΥΤΑΝ
   ΑΓΙΩΝΟΣΤΟΥΔΙΩΝΟΣ
   ⁎ΠΑΤΡΩΝΟΣΤΟΥΑΡΙΣ
   ⁎ΤΟΒΟΥΛΟΥΦΙΛΙΣΤΙΩΝΟΣ
10 ΤΟΥΔΙΟΚΛΕΟΥΣΠΑΤΡΩ
   ΝΟΣΤΟΥΙΑΤΑΔΑΚΑΙΤΩ
   ΝΙΕΡΕΩΝΕΜΜΕΝΙΔΑ
   ΚΑΙΛΑΙΑΔΚΑΙΜΑΡΤΥΡΩΝ
   ΠΟΛΥΤΙΜΙΑΤΟΥΑΘΜ
15 ⁎ΒΟΥΦΙΛΩΝΟΣΤΟΥ
   ΚΛΕΑΝΔΡΟΥΦΑΙ
   ΝΕΑΤΟΥΦΑΙΝΕΑ
   ΑΠΟΛΛΟΔΩΡΟΥ
   ΤΟΥΕΡΑΣΙΠΟΥ

20 ΝΙΚΩΝΟΣΤΟΥ
   ΝΙΚΑΙΟΥ
```

ἄρχοντος Διονυσίου τοῦ
'Αστοξένου, μηνὸς Βοαθοίου, ἀ-
πέλυσε 'Αμμία τᾶς παραμο-
νᾶς Σύνφορον, λαβοῦσα λύτρα ἐκ
5 πολεμίων, ϲυνπαρόντω-
ν καὶ τῶν βουλευτᾶν
'Αγίωνος τοῦ Δίωνος,
Πάτρωνος τοῦ 'Αρισ-
τοβούλου, Φιλιϲτίωνος
10 τοῦ Διοκλέους, Πάτρω-
νος τοῦ 'Ιατάδα καὶ τῶ-
ν ἱερέων 'Εμμενίδα
καὶ Λαϊάδ(α) καὶ μαρτύρων
Πολυτιμί(δ)α τοῦ 'Αθ(ά)μ-
15 βου, Φίλωνος τοῦ
Κλεάνδρου, Φαι-
νέα τοῦ Φαινέα,
'Απολλοδώρου
τοῦ 'Ερασίπ(π)ου,
20 Νίκωνος τοῦ
Νικαίου.

Auf ungeglättetem polygon schlecht eingeritzt; rechts polygongrenze.
die urkunde bildet den anhang zu der hapturkunde n. (20) über die
spätere freilassung der Symphoron nach Ammias tode; letztere stammt
aus dem archontat des Φιλόνικος, das bereits aus Bull. V n. 43 für die
XIV priesterzeit bekannt war, und bestätigt so die richtigkeit der aufgestellten priesterschaftenabfolge. n. (19) ist so dicht wie möglich an
die zugehörige n. (20) herangesetzt [wie wir das mehrfach finden, man
vgl. n. (8) und (9) (s. o. s. 533); W-F 253 und 254; ferner n. (52) und (53)
ua.] und so gut es gieng in die rechte obere ecke des polygons eingeklemmt worden; dabei wurde wegen des weiten ausgreifens der ersten
zeile von n. (20) zwischen unserer z. 19 und 20 das überspringen eines
zeilenraumes nötig. zu z. 4 f. vgl. W-F 421, wo ebenfalls ὡς λύτρα |
[Ξενοχάρεος λαβόν]τος zu ergänzen ist.

Aus dem Amalios desselben jahres: theatermauer (d)[19]:

ἄρχοντος Διονυσίου, μηνὸς 'Αμαλίου, βουλευόντ-
των Πάτρωνος, Φιλιϲτίωνος, Πάτρωνος, 'Αγίωνος ἀπέδοτο Δαμόστρατος 'Αλεξάνδρου καὶ Κα-
λ[λὼ] 'Επιχαρίδα, ϲυνευαρεστέοντος καὶ τοῦ
5 υἱοῦ αὐτοῦ 'Αριϲτοτέλης (sic) τῶι 'Απόλλωνι τῶι Πυθίω[ι] ϲῶμα γυναικεῖον, ᾇ ὄνομα Νικαρχίς, τιμᾶς ἀργυρίου μνᾶν τριῶν, ἂν ἔλαβε ἐκ τοῦ ἐράνου τοῦ Κλεοδάμου, καὶ τὰν τιμὰν ἀπέχει πᾶσαν. καταφειράτω δὲ
τὸν ἔρανον Νικαρχίς, ἕως οὗ κα τέλος λάβῃ· εἰ δὲ μὴ κατα-

---

[19] mit diesen beiden vgl. man die aus dem Ilaios desselben jahres
stammende, bereits bekaunte Anecd. 32, welche natürlich ebenfalls die
obigen vier buleuten aufweist.

10 φεί[ρ](αι), ἅ τε ὠνὰ ἄκυρος ἔστω καὶ δουλευέτω Νικαρχὶς
　　　　　　　　　　　　　　　　　　　　　　　　　'Αριστο-
(τέ)λει. εἰ δὲ καταφείραι τὸν ἔρανον Νικαρχὶς ἀνέγκλητος, ἕως
　　　　　　　　　　　　　　　　　　　　　　　　　οὗ κα
τέλος λάβῃ ὁ ἔρανος, ἔστω Νικαρχὶς ἐλευθέρα, καθὼς ἐπίστευσε τὰν ὠνὰν τῶι θεῶ[ι], ἐφ' ὧτε ἐλευθέραν εἶμεν καὶ ἀνέφαπτον ἀπὸ πάντων τὸν πάντα βίον· βεβαιωτὴρ κατὰ τοὺς νό-
15 μους τᾶς πόλιος Βαβύλος Αἰακίδα. εἰ (δέ) τις ἐφάπτοιτο Νικάρχιος ἐπὶ καταδουλισμῷ, βέβαιον παρεχόντω τῶι θεῶι τὰν ὠνὰν
οἵ τε ἀποδόμενοι καὶ ὁ βεβαιωτήρ· ὁμοίως δὲ καὶ ὁ παρατυχὼν
ἐξουσίαν ἐχέτω συλέων Νικαρχὶν ἐλευθέραν (οὖσαν), ἀζάμιος ὢν
καὶ ἀνυπόδικος πάσας δίκας καὶ ζαμίας. μάρτυροι οἱ ἱερεῖς
20 τοῦ 'Απόλλωνος Ἐμμενίδας, Λαϊάδας· Εὔκλείδας, Ἡρα-
κλείδας, 'Αμύντας.

n. (d).

```
ΑΡΧΟΝΤΟΣΔΙΟΝΥΣΙΟΥΜΗΝΟΣΑΜΑΛΙΟΥΒΟΥΛΕΥΟΝ
ΦΩΝΠΑΤΡΩΝΟΣΦΙΛΙΣΤΙΩΝΟΣΠΑΤΡΩΝΟΣΑΓΙΩ
ΝΟΣΑΠΕΔΟΤΟΔΑΜΟΣΤΡΑΤΟΣΑΛΕΞΑΝΔΡΟΥΚΑΙΚΑ
ΛΛΩΕΠΙΧΑΡΙΔΑ.ΣΥΝ*ΕΥΑΡΕΣΤΕΟΝΤΟΣΚΑΙΤ*ΟΥ
ΥΙΟΥΑΥΤΟΥΑΡΙΣΤΟΤΕΛΗΣΤΩΙΑΠΟΛΛΩΝΙΤΩΙΠΥ
ΘΙΩ≋ΣΩΜΑΓΥΝΑΙΚΕΙΟΝΑΟΝΟΜΑΝΙΚΑΡΧΙΣΤΙΜΑΣΑΡΓΥ
ΡΙΟΥΜΝΑΝΤΡΙΩΝΑΝΕΛΑΒΕΕΚΤΟΥΕΡΑΝΟΥΤΟΥΚΛΕΟ
ΔΑΜΟΥΚΑΙΤΑΝΤΙΜΑΝΑΠΕΧΕΙΠΑΣΑΝΚΑΤΑΦΕΙΡΑΤΩΔΕ
ΤΟΝΕΡΑΝΟΝΝΙΚΑΡΧΙΣΕΩΣΟΥΚΑΤΕΛΟΣΛΑΒΗΕΙΔΕ*ΜΗΚΑΤΑ
ΦΕ⫶ΑΤΕΩΝΑΑΚΥΡΟΣΕΣΤΩΚΑΙΔΟΥΛΕΥΕΤΩΝΙΚΑΡΧΙΣΑΡΙΣΤΟ
ΛΕΙΕΙΔΕΚΑΤΑΦΕΙΡΑΙΤΟΝΕΡΑΝΟΝΝΙΚΑΡΧΙΣΑΝΕΓΚΛΗΤΟ*ΣΕΩΣΟΥΚΑ
ΤΕΛΟΣΛΑΒΗΟΕΡΑΝΟΣΕΣΤΩΝΙΚΑΡΧΙΣΕΛΕΥΘΕΡΑΚΑΘΩΣΕΠΙΣΤΕ
ΥΣΕΤΑΝΩΝΑΝΤΩΙΘΕΩ≋ΕΦΩΤΕΕΛΕΥΟΕΡΑΝΕΙΜΕΝΚΑΙΑΝΕΦΑ
ΠΤΟΝΑΠΟΠΑΝΤΩΝΤΟΝΠΑΝΤΑΒΙΟΝΒΕΒΑΙΩΤΗΡΚΑΤΑΤΟΥΣΝΟ
ΜΟΥΣΤΑΣΠΟΛΙΟΣΒΑΒΥΛΟΣΑΙΑΚΙΔΑΕΙΤΙΣΕΦΑΠΤΟΙΤΟΝΙΚΑΡΧΙ
ΟΣΕΠΙΚΑΤΑΔΟΥΛΙΣΜΩΒΕΒΑΙΟΝΠΑΡΕΧΟΝΤΩΤΩΙΟΕΩΙΤΑΝΩΝΑΝ
ΟΙΤΕΑΠΟΔΟΜΕΝΟΙΚΑΙΟΒΕΒΑΙΩΤΗΡΟΜΟΙΩΣΔΕΚΑΙΟΠΑΡΑΤΥΧΩΝ
ΕΞΟΥΣΙΑΝΕΧΕΤΩΣΥΛΕΩΝΝΙΚΑΡΧΙΝΕΛΕΥΘΕΡΑΝΑΖΑΜΙΟΣΩΝ
ΚΑΙΑΝΥΠΟΔΙΚΟΣΠΑΣΑΣΔΙΚΑΣΚΑΙΖΑΜΙΑΣΜΑΡΤΥΡΟΙΟΙΙΕΡΕΙΣ
)ΤΟΥΑΠΟΛΛΩΝΟΣΕΜΜΕΝΙΔΑΣΛΑΙΑΔΑΣΕΥΚΛΕΙΔΑΣΗΡΑ
ΚΛΕΙΔΑΣΑΜΥΝΤΑΣ
```

Auf schlecht geglättetem stein, rechts neben CIG 1704, bei deren
ersten zeilenenden Chandler schon in unsere inschrift hineingeriet, ohne
es zu merken. rechts, oben und unten quadergrenze. zu Νικάρχιος
und Νικαρχίν vgl. oben s. 534 n. (8) Εὐαμέριος und Εὐαμερίν. buchstabenhöhe 0,008—9.

Aus dem Boathoos des ᾱ. Κλεοξενίδας 'Αθανίωνος in XV:
polygonm. (57):

ἄρχοντος ἐν Δελφοῖς Κλεοξενίδα, μηνὸς Βοαθόου, ἐν δὲ
　　　　　　　　　　　　　　　　　　　　　　　　Χαλείωι
Δάμωνος τοῦ Δαμοκλέους, μηνὸς Βουκατίου, βουλευόντων
　　　　　　　　　　　　　　　　　　　　　　　Καλλιστράτου,
Πολυτιμίδα, Πεισιστράτου, Κλέωνος ἀπέδοτο Εὐταξία Σωσία,
　　　　　　　　　　　　　　　　　　　　　　　　συνευ-

n. (57).

ΑΡΧΟΝΤΟΣΕΝΔΕΛΦΟΙΣΚΛΕΟΞΕΝΙΔΑΜΗΝΟΣΒΟΑΟΟΟΥΕΝΔΕΧΑΛΕΙΩΙ
ΜΗΝΟΣ
ΔΑΜΩΝΟΣΤΟΥΔΑΜΟΚΛΕΟΞΒΟΥΚΑΤΙΟΥΒΟΥΛΕΥΟΝΤΩΝΚΑΛΛΙΣΤΡΑΤΟΥ
ΠΟΛΥΤΙΜΙΔΑΠΕΙΣΙΣΤΡΑΤΟΥΚΛΕΩΝΟΣΑΠΕΔΟΤΟΕΥΤΑΞΙΣΩΣΙΑΣΥΝΕΥ
ΑΡΕΣΤΕΟΝΤΩΝΚΑΙΤΩΝΥΙΩΝΑΥΤΑΞΕΝΩΝΟΣΚΑΙΒΟΙΣΚΟΥΤΩΙΑΤΟΛΛΩΝΙΤΩΙΠΥ
5 ΘΙΩΙΚΟΡΑΣΙΟΝΟΙΚΟΓΕΝΕΣΑΟΝΟΜΑΣΥΝΜΑΧΙΑΤΙΜΑΣΑΡΓΥΡΙΟΥΜΝΑΝΕΞΚΑΙΤΑΝΤΙ
ΜΑΝΑΠΕΧΕΙΠΑΣΑΝΚΑΘΩΣΕΠΙΣΤΕΥΣΕΣΥΝΜΑΧΙΑΤΩΙΘΕΩΙΤΑΝΩΝΑΝΕΦΩΤΕΕΛΕΥΘΕ
ΡΑΝΕΙΜΕΝΚΑΙΑΝΕΦΑΠΤΟΝΤΟΝΠΑΝΤΑΒΙΟΝΠΟΙΟΥΣΑΟΚΑΘΕΛΗΚΑΙΑΠΟΤΡΕΧΟΥΣΑ
ΑΚΑΘΕΛΗΒΕΒΑΙΩΤΗΡΚΑΤΑΤΟΥΣΝΟΜΟΥΣΤΑΣΠΟΛΙΟΣΝΙΚΩΝΝΙΚΑΙΟΥΕΙΔΕΤΙΣ
ΕΦΑΠΤΟΙΤΟΕΠΙΚΑΤΑΔΟΥΛΙΣΜΩΙ * * * ΒΕΒΑΙΟΝΠΑΡΕΧΟΝΤΩΤΩΘΕΞΤΑΝΩΝΑΝ
10 ΑΥΤΑΤΕΕΥΤΑΞΙΑΚΑΙΟΙΥΙΟΙΑΥΤΑΣΟΙΣΥΝΑΠΟΔΟΜΕΝΟΙΚΑΙΟΒΕΒΑΙΩΤΗΡΟΜΟΙΔΕΚΑΙ
ΟΠΑΡΑΤΥΧΩΝΕΞΟΥΣΙΑΝΕΧΕΤΩΣΥΛΕΩΝΣΥΝΜΑΧΙΑΝΕΛΕΥΘΕΡΑΝΟΥΣΑΝΑΖΑΜΙΟΣ
ΩΝΚΑΙΑΝΥΠΟΔΙΚΟΣΠΑΣΑΣΔΙΚΑΣΚΑΙΖΑΜΙΑΣΜΑΡΤΥΡΟΙΤΟΙΠΕΡΕΙΣΤΟΥΑΠΟΛΛΩΝΟΣ
ΕΜΜΕΝΙΔΑΣΚΑΙΛΑΙΑΔΑΣΙΔΙΩΤΑΙΔΙΤΑΙΔΙΟΝΥΣΙΟΣΕΣΩΤΗΡΟΣΤΑ///·///ΙΧΑΛΕΙΣΔΕ
////////ΕΩΝ//////////// //

Ungeglätteter polygon; wie viel namen in z. 14 noch folgten, war nicht festzustellen. rechts oben polygongrenze.

αρεστεόντων καὶ τῶν υἱῶν αὐτᾶς Ξένωνος καὶ Βοΐσκου τῶι
Ἀπόλλωνι τῶι Πυ-
5 θίωι κοράσιον οἰκογενές, ᾇ ὄνομα Συμμαχία, τιμᾶς ἀργυρίου
μνᾶν ἕξ, καὶ τὰν τι-
μὰν ἀπέχει πᾶσαν, καθὼς ἐπίστευσε Συμμαχία τῶι θεῶι τὰν
ὠνάν, ἐφ' ᾧτε ἐλευθέ-

ραν εἶμεν καὶ ἀνέφαπτον τὸν πάντα βίον ποιοῦcα ὅ κα θέλῃ
καὶ ἀποτρέχουcα
ᾷ κα θέλῃ· βεβαιωτὴρ κατὰ τοὺc νόμουc τᾶc πόλιοc Νίκων
Νικαίου. εἰ δέ τιc
ἐφάπτοιτο ἐπὶ καταδουλιcμῶι, βέβαιον παρεχόντω τῷ θεῷ τὰν
ὠνὰν
10 αὐτά τε Εὐταξία καὶ οἱ υἱοὶ αὐτᾶc οἱ cυναποδόμενοι καὶ ὁ
βεβαιωτήρ· ὁμοίωc δὲ καὶ
ὁ παρατυχὼν ἐξουcίαν ἐχέτω cυλέων Cυνμαχίαν ἐλευθέραν
οὖcαν, ἀζάμιοc
ὢν καὶ ἀνυπόδικοc πάcαc δίκαc καὶ ζαμίαc. μάρτυροι τοὶ
ἱερεῖc τοῦ Ἀπόλλωνοc
Ἐμμενίδαc καὶ Λαϊάδαc· ἰδιῶται ⟨διῶται⟩ Διονύcιοc,
Cώτηροc [Δε]λ[φο]ί, Χαλ(ει)εῖc δὲ
Κλ]έων . . . .

Aus dem Amalios des gleichen jahres: theaterm. (g)[20]:

ἄρχο[ν]τοc Κλεοξενίδα τοῦ Ἀθανίωνοc, μηνὸc Ἀμαλίου,
βουλευόντων
Πολυτιμίδα, Καλλιcτράτου, Κλέωνοc, Πειcιcτράτου ἀπέδοτο
Ἀναξίλα Ἀγάθωνοc,
cυνευαρεcτέοντοc καὶ τοῦ ἀδελφοῦ αὐτᾶc Δάμωνοc, τῶι
Ἀπόλλωνι τῶι Πυθί-
ωι cῶμα γυναικεῖον οἰκογεν(έ)c, ᾷ ὄνομα Cωφρόνα, τιμᾶc
ἀργυρίου μνᾶν δέκα, καὶ
5 τὰν τιμὰν ἔχει πᾶcαν, καθὼc ἐπίcτευcε τῶι θεῶι τὰν ὠνὰν
Cωφρόνα, ἐφ' ὧιτε
ἐλευθέραν εἶμεν καὶ ἀνέφαπτον ἀπὸ πάντων ποιοῦcαν ὅ κα
θέλῃ·
βεβαιωτῆρεc κατὰ τοὺc νόμουc τᾶc πόλιοc Πάcων Ὀρέcτα,
Δάμων Ἀγάθω-
νοc. εἰ δέ τιc ἐφάπτοιτο Cωφρόναc ἐπὶ καταδουλιcμῷ, βέβαιον
παρεχόντω
τῶ[ι] θεῶ[ι] τὰν ὠνὰν οἵ τε ἀποδόμενοι καὶ οἱ βεβαιωτῆρεc.
ὁμοίωc δὲ καὶ ὁ παρα-
10 τυχὼν κύριοc ἔcτω cυλέων Cωφρόναν ἐπ' ἐλευθερίᾳ, ἀζάμιοc
ὢν καὶ ἀνυπόδικοc
πάcαc δίκαc καὶ ζαμίαc. μάρτυροι οἱ ἱερεῖc τοῦ Ἀπόλλωνοc
Λαϊάδαc, Ἐμμενί-
δαc· ἰδιῶται Ἀγηcίλαοc, Βαβύλοc, [Εὐκ]λείδαc.

Eine weitere untersuchung ergibt genauer folgendes:

Für die bisher feststehenden vier archontate von XII sind éinmal noch 2 ✕ 3 buleuten nominatim überliefert (vgl. W-F 445
mit 446), bei zwei weitern jahren bisher nur je éinmal drei der-

---

[20] mit diesen stimmt überein Anecd. 24 (aus dem Theoxenios), deren
priesterzeit bisher unbekannt war.

selben, aber mit dem ausdrücklichen zusatz von πρώταν
und δευτέραν ἑξάμηνον (CIG
1705 und Anecd. 8), während
beim vierten archon gar keine
semesterbehörden bekannt sind.
(W-F 274. 437). für XIII
haben wir, wie oben ange-
geben, überhaupt noch keine
sichern belege. in XIV erscheinen bereits vier buleuten,
und zwar durchgängig ohne
semesterangabe; vgl. Bull.
V 43, und genau so ohne
vatersnamen: polygonm. (4).
(20). (22). (23). (65). C-M
(19ª), leider sämtlich aus monaten des zweiten semesters;
und ferner als einzige inschrift
des spätern archontates von
XIV: C-M (10), die ich hier
mitteile (s. s. 541). dafür ist
die übereinstimmung der vier
namen in beiden jahreshälften
wieder ausdrücklich beurkun-
det bei zwei jahren, welche
ebendeshalb zu XIII — XV[21]
gezählt werden müssen, obwohl die priesternamen fehlen.

[21] ich nehme vorweg, dasz sich
auf indirectem wege die priesterzeit dieser urkunde [ἅ. Λαϊάδας
Ἅγωνος sieh n. (64) auf s. 542 f.]
genau ermitteln läszt: es ist
die XIVe. aus der gestalt des
majuskeltextes von n. (64) geht
hervor, dasz die links unter ihr
stehende n. (65) bereits vorhanden war, als jene eingehauen
wurde, da die umrisse von (64)
sich nach denen von (65) richten (sieh den polygonmauerplan
in beitr. tf. III). letztere stammt
aus dem archontat des Φιλόνικος Νικία, welches bereits aus
Bull. V n. 43 als zu XIV gehörig
bekannt war. da nun in n. (64)
z. 10 Λαϊάδας Βαβύλου noch als
privatmann genannt ist, während er in XV priester ist, so
folgt dasz n. (64) vor die XV

n. (g).

ΑΡΧΟ////ΤΟΣΚΛΕΟΞΕΝΙΔΑΤΟΥΑΘΑΝΙΩΝΟΣΜΗΝΟΣΑ**ΜΑΛΙΟΥΒΟΥΛΕΥΟΝΤΩΝ
ΠΟΛΥΤΙΜΙΔΑΚΑΛΛΙΣΤΡΑΤΟΥΚΛΕΟΝΟΣΕΠΕΙΣΙΣΤΡΑΤΟΥΑΠΕΔΟΤΟΑΝΑΞΙΛΑΑΓΑΟΞΝΟΣ
ΜΥΝΕΥΑΡΕΣΤΕΟΝΤΟΣΚΑΙΤΟΥΑΔΕΛΦΟΥΑΥΤΑΣΑΜΩΝΟΣΤΣΙΑΤΟΛΛΩΝΤΣΙΠΥΘΙ
ΩΙΣΩΜΑΓΥΝΑΙΚΕΙΟΝΟΙΚΟΓΕΝΗΣΟΝΟΜΑΣΩΦΡΟΝΑΤΙΜΑΣΑΡΓΥΡΙΟΥΜΝΑΝΔΕΚΑΚΑΙ
5 ΤΑΝΤΙΜΑΝΕΧΕΙΠΑΣΑΝΚΑΘΩΣΕΠΙΣΤΕΥΣΕΤΩΣΩΦΡΟΝΑΤΑΝΩΝΑΝΣΩΦΡΟΝΑΕΦΩΙΤΕ
ΕΛΕΥΘΕΡΑΝΕΙΜΕΝΚΑΙΑΝΕΦΑΠΤΟΝΑΠΟΠΑΝΤΩΝΤΟΝΠΟΙΟΥΣΑΝΟΚΑΟ**ΕΛΗ
ΒΕΒΑΙΩΣΤΗΡΕΡΑΝΚΑΤΑΤΟΥΣΝΟΜΟΥΣΤΑΣΠΟΛΙΟΣΤΑΣΩΝΟΡΕΣΤΑΔΑΜΩΝΑΓΑΘ
ΝΟΜΕΙ////ΔΕΤΙΣΕΦΑΠΤΟΙΤΟΣΩΦΡΟΝΑΣΕΠΙΚΑΤΑΔΟΥΛΙΣΜΩΒΕΒΑΙΟΥΝΠΑΡΕΧΟΝΤΩ
ΤΩΟΘΕΩ////ΤΑΝΩΝΑΝΟΙΤΕΑΠΟΔΟΜΕΝΟΙΚΑΙΟΙΒΕΒΑΙΟΙΑΣΑΥΤΩΣΔΕΚΑΙΟΠΑΡΑ
10 ΤΥΧΩΝΚΥΡΙΟΣΕΣΤΩΣΥΛΕΩΝΣΩΦΡΟΝΑΤΗΡΕΣΜΟΙΩΣΔΕΚΑΙΟΠΑΡΑ
ΠΑΜΑΔΙΚΑΣΚΑΙΖΑΜΙΑΣΜΑΡΤΥΡΟΙΟΠΙΕΡΕΙΣΤΟΥΑΠΟΛΛΩΝΟΣΛΑΙΑΔΑΣΕΜΜΕΝΙ
ΔΑΣΙΔΙΩΤΑΙΑΓΗΣΙΛΑΟΣΒΑΒΥΛΟΩΝ////Ι**ΛΕΙΔΑΣ

C-M (10).

ΘΕΟΣΤΥΧΑΝΑΓΑΘΑΝ
ΡΧΟ_ΝΤΟΣΔΩΡΟΘΕΟΥΜΗΝΟΣΙΛΑΙΟΥΑΓΓΕΔΟ
ΟΔΑΜΩΝΔΑΜΟΚΡΑΤΕΟΣΤΩΙΑΠΟΛΛΩΝΙ
ΑΩΙΠΥΟΙΩΙΕΠΕΛΕΥΘΕΡΙΑΙΣΩΜΑΓΥ
5 ΝΑΙΚΕΙΟΝΟΙΚΟΓΕΝΕΣΑΙΟΝΟΜΑΝΙΚΑΙΑ
TAN
ΤΙΜΑΣΑΡΓΥΡΙΟΥΜΝΑΝΠΕΝΤΕΚΑΙΤΙΜΑΝ
ΑΠΕΧΕΙΠΑΣΑΝΚΑΘΩΣΕΠΙΣΤΕΥΣΕΝΙ
ΚΑΙΑΤΩΙΘΕΩΙΤ_ΑΝ_ΟΝΑΝΕΦΩΙΕΛΕΥΘΕ
ΡΑΕΙΜΕΝΚΑΙΑΝΕΦΑΠΤΟΣΑΠ_ΟΠΑΝΤΩΝ
10 ΤΟΝΠΑΝΤΑΒΙΟΝΠΟΙΟΥΣΑΟΚΑΘΕΛΗΚΑΙ
ΑΠΟΤΡΕΧΟΥΣΑΟΙΣΚΑΘΕΛΗΒΕΒΑΙΩΤΗ
ΡΕΣΚΑΤΑΤΟΥΣΝΟΜΟΥΣΤΑΣΠΟΛΙΟΣ
ΞΕΝΟΚΡΙΤΟΣΚΑΙΔΑΜΩΝ_ΟΙΜΕΝΗΤΟΣ
ΕΙΔΕΤΙΣΕΦΑΠΤΟΙΤΟΝΙΚΑΙΑΣΕΠΙΚΑΤΑ
15 ΔΟΥΛΙΣΜΩΒΕΒΑΙΟΝ

ΠΑΡΕΧΟΝΤΩΤΩΙΘΕΩΙ   ΝΩΝΑΝΟΤΕ
ΑΠΟΔΟΜΕΝΟΣΚΑΙΟΒ_Τ_ΑΑΙΩΤΗΡΚΑΙ
ΟΜΟΙΩΣΟΙΠΑΡΑΤΥΓΧΑΝΩΝΤΕΣΚΥΡΙ
ΙΚΑΙΑΝ
ΟΙΕΟΝΤΩΝΣΥΛΕΟΝΤΕΣΝΩΣΕΛΕΥΟΕ
20 ΡΑΝΟΥΣΑΝΑΖΑΜΙΟΙΟΝΤΕΣΚΑΙΑΝΥΠΟΔΙ
ΚΟΙΠΑΣΑΣΔΙΚΑΣΚΑΙΖΑΜΙΑΣΜΑΡΤΥ
ΡΟΙΟΙΙΕΡΕΙΣΤΟΥΑΠΟΛΛΩΝΟΣΑΙΑΚΙΔΑΣ
ΒΑΒΥΛΟΥΕΜΜΕΝΙΔΑΣΠΑΣΩΝΟΣΚΑΙ
ΟΙΑΡΧΟΝΤΕΣΒΑΒΥΛΟΣΑΓΙΩΝΠΥΡΡΟΣ
25 ΔΑΜΩΝΚΑΙΙΔΙΩΤΑΙΔΩΡ   ΟΕΟΣΣΩ
ΣΤΡΑΤΟΣΓΟΡΓΙΛΟΣΚΛΕ_ΟΝΠΑΤΡΩΝ
ΦΙΛΟΝΙΚΟΣΓΟΛΥΚΕΙΤΩΣ

Θεός. Τύχαν ἀγαθάν.
ἄρχοντος Δωροθέου, μηνὸς Ἰλαίου, ἀπέδοτο Δάμων Δαμοκράτεος τῶι Ἀπόλλωνι
τῶι Πυθίωι ἐπ' ἐλευθερίαι cῶμα γυ-
5 ναικεῖον οἰκογενές, ἆι ὄνομα Νίκαια,
τιμᾶc ἀργυρίου μνᾶν πέντε, καὶ τὰν τιμὰν
ἀπέχει πᾶcαν, καθὼc ἐπίcτευcε Νίκαια τῶι θεῶι τὰν ὠνάν, ἐφ' ὧι ἐλευθέρα εἶμεν καὶ ἀνέφαπτος ἀπὸ πάντων
10 τὸν πάντα βίον, ποιοῦcα ὅ κα θέλῃ καὶ
ἀποτρέχουcα οἷc κα θέλῃ· βεβαιωτῆρεc κατὰ τοὺc νόμουc τᾶc πόλιοc

priesterzeit zu setzen ist. ist aber der archon Λαϊάδαc Ἄγωνοc jünger
als ἄ. Φιλόνικοc Νικία in XIV und anderseits älter als XV, so gehört
er selbst ebenfalls zu XIV. nur aus dém grunde, weil es denkbar wäre,
dasz in (64) z. 10 zwischen μάρτυροι und Λαϊάδαc die worte ὁ ἱερεύc
ausgefallen sein könnten (wofür sich einige ähnliche beispiele auffinden lassen), dasz dann also n. (64) zu XV geschlagen werden müste,
konnte oben s. 524 Λαϊάδαc Ἄγωνοc noch nicht zu den sicher datierten
archonten gerechnet werden.

Ξενόκριτος καὶ Δάμων οἱ Μένητος.
εἰ δέ τις ἐφάπτοιτο Νικαίας ἐπὶ κατα-
15 δουλιςμῷ, βέβαιον
παρεχόντω τῶι θεῶι τὰν ὠνὰν ὅ τε
ἀποδόμενος καὶ οἱ βεβαιωτῆρες καὶ
ὁμοίως οἱ παρατυγχάνοντες κύριοι ἐόντων ςυλέοντες Νίκαιαν ὡς ἐλευθέ-
20 ραν οὖςαν, ἀζάμιοι ὄντες καὶ ἀνυπόδικοι πάςας δίκας καὶ ζαμίας. μάρτυροι οἱ ἱερεῖς τοῦ Ἀπόλλωνος Αἰακίδας
Βαβύλου, Ἐμμενίδας Πάςωνος καὶ
οἱ ἄρχοντες Βαβύλος, Ἁγίων, Πύρρος,
25 Δάμων καὶ ἰδιῶται Δωρόθεος, Σώ-
ςτρατος, Γοργίλος, Κλέων, Πάτρων,
Φιλόνικος, Πολύκλειτος.

Schlecht und flüchtig geschrieben; Conze-Michaelis hatten die ersten vier worte copiert (ἄρχοντος Δωροθέου, μηνὸς Ἀλκίου) Annali XXXIII (1861) s. 70 n. 10. zwischen z. 15 und 16, und links von 16—27 sind polygongrenzen.

Aus dem des ἄ. Λαϊάδας Ἅγωνος stammt, dem Apellaios angehörig, polygonm. (64)*:

ἄρχοντος Λαϊάδα το[ῦ Ἅγωνος, μη]νὸς Ἀπελλαίου, βουλευόντων Στρατάγου, Κλεοδάμου, Δάμωνος,
Ἡρακλείδα ἐπὶ τοῖςδ[ε ἀπέδοτο Δεί]νων Δαμοςτράτου, ςυν-
ευαρεστεόντων καὶ τῶν υἱῶν αὐτοῦ Δαμοςτράτου καὶ Κλεομά[χου τῶι Ἀπόλ]λωνι τῶι Πυθίωι ςῶμα
γυναικεῖον, ἆι ὄνομα Ἁρμοδίκα, τιμᾶς ἀργυρίου
μνᾶν ὀκτὼ καὶ τὰν τι[μὰν ἀπέχει πᾶ]ςαν, ἐφ᾽ ὧιτε ἐλευθέραν
εἶμεν καὶ ἀνέφαπτον ἀπὸ πάντων τὸν πάντα βίον,
5 ποιοῦςαν ὅ κα θέλη καὶ [ἀποτρέχουςαν οἷ]ς κα θέλη· βεβαιωτὴρ
κατὰ τοὺς νόμους τᾶς πόλιος Ἀγ(α)θοκλῆς Ἀγαθοκλέος, καθὼς
ἐπίςτευςε τῶι θεῶι τὰν ὠνάν, ⟨[ἐφ᾽ ὧιτε ἐλευθέρ]αν εἶμεν καὶ
ἀνέφαπτον ἀπὸ πάντων τὸν πάντα βίον⟩. εἰ δέ τις ἐφάπτοιτο
Ἁρμοδίκας ἐπὶ
καταδουλιςμῶι, βέβαιον παρε[χόντων] τὰν ὠνὰν τῶι θεῶι ὅ
τε ἀποδόμενος Δείνων καὶ ὁ βεβαιωτήρ· ὁμοίως δὲ καὶ ὁ
παρατυχὼν
κύριος ἔςτω ςυλέων Ἁρμοδίκαν ἐπ᾽ ἐλευθερίᾳ, ἀζάμιος ὢν καὶ ἀνυπόδικος πάςας δίκας καὶ ζαμίας. μάρτυ-
10 ροι Λαϊάδας Βαβύλου, Καλλικράτης, Διονύςιος, Δωρόθεος, Δάμων.

* wegen zu groszer zeilenlänge ist beim druck der majuskeltext auf s. 543 in zwei hälften zerlegt und deren verbindungstelle durch hinzusetzung senkrechter doppellinien kenntlich gemacht worden.

n. (64).

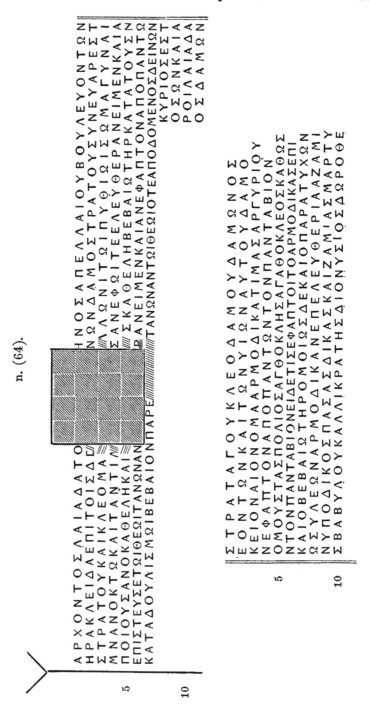

Ziemlich breit stehende buchstaben, meist 0,01 hoch (bisweilen weniger, 0,007—0,01); das quadratische loch wurde zum versatz seiner hausbalken durch Franko ausgestemmt (s. beitr. s. 98 anm. 1). unter der linken hälfte der urkunde steht der anfang der unedierten inschrift n. (65). die form des A schwankt oft in nicht wiederzugebender weise von A zu A und A. links ist polygongrenze. den vatersnamen des archonten bietet die gleich mitzuteilende W-F 441. in z. 6 sind die bereits z. 4 sich findenden worte ἐφ' ὧιτε .. βίον irrtümlich vom steinmetzen oder auch von dem concipienten des textes wiederholt worden.

Dieselben buleuten zeigt der Amalios W-F 441, von der ich eine neue abschrift gebe:

W-F 441.

ἄρχοντ]ο[c] Λαϊάδα τοῦ ῞Αγωνος, μηνὸς Ἀμαλίου, [βου-
λευόντων Στρα-
τ]ά[γο]υ, [Δ]ά[μ]ωνος, Ἡρακλείδα, Κλεοδάμο[υ, ἀπ]έδοτο [ἡ
δεῖνα τοῦ δεῖνος,
cυνευδοκεούcαc καὶ τὰc θυγατρὸc αὐτᾶc [Δ]α[μ]ώνας, [τῶι
Ἀπόλλωνι τῶι
Πυθίωι [ἐπ'] ἐλευθερίαι cῶμα γυναικεῖον, ἇι ὄνομα Ῥόδιον,
[καὶ κοράcιον, ἇι ὄνο-
5 μα .....]κα, γένοc οἰκογ[ε]νῆ, τιμ[ᾶc] ἀργυρίου Ῥόδιον μὲν
μνᾶ[ν ...., ... καν
δὲ μνᾶν τεc]c[ά]ρω(ν) καὶ ἡ[μιμ]ναίου, [κ]αὶ τὰν τιμὰν ἀπέχει
πᾶc[αν· βεβαιωτὴρ κατὰ τοὺc
νόμουc τᾶc πόλιοc Ξενοκ]ρ[άτη]c Ἀγηcιλ[ά]ο[υ], καθὼc ἐπί-
cτ[ευcαν τῶι θεῶι usw.

Die inschrift befindet sich auf der östlichsten der aus weichem tuff bestehenden deckquadern der polygonmauer, deren rechtes viertel abgeschlagen ist; die oberfläche ist wie bei fast allen tuffsteinen sehr zerstört. oben ist quadergrenze. buchstabenhöhe 0,007¬0,01. — Die am schlusz von z. 1 der majuskelcopie in minuskeln geschriebenen buchstaben (νοc Ἀμαλίου) sind noch von W-F gelesen worden, heute aber ganz weggebrochen. als sohn eines Agesilaos ist bisher in Delphi nur bezeugt Ξενοκράτηc, archont in CIA II 550, buleut in X (Lebas 934, ᾱ. Τιμοκράτεοc). die inschrift ist (wie mehrfach auf den deckquadern) nie zu ende geschrieben worden; z. 7 ist ihre letzte zeile, denn unmittelbar darunter steht W-F 441[a].

Ebenso finden sich beim archontat des Ἁγίων Δρομοκλείδα im Apellaios (Lebas 959) gleiche behörden wie im Ilaios (Lebas 960).

Nehmen wir hinzu, dasz keine inschrift von XIII—XV eine andere buleutenzahl kennt als vier, sowie dasz erst die beiden letzten

archontate in XV die vatersnamen derselben hinzufügen, was von
da an das regelmäszige wird, so ergibt sich als resultat, dasz mit
beginn oder im laufe der XIII priesterzeit[22] vier jährliche buleuten
gewählt würden, deren namen man erst in der zweiten hälfte von
XV die patronymika hinzuzusetzen begann. die genauere begrenzung dieser termine nach jahren wird erst nach auffindung neuer
urkunden möglich sein.

Im weitern verfolg der priesterzeiten stellt sich dann heraus,
dasz mit dem beginn von XVI nur noch d r e i jährliche buleuten gewählt worden sind, welche zahl in sämtlichen bisher bekannten
nummern[23] der drei (oder vier) epochen XVI—XVIII wiederkehrt,
obwohl bei der groszen lückenhaftigkeit unseres materials zufällig
niemals ·inschriften aus beiden jahreshälften desselben archontats
erhalten sind. von XIX an. endlich werden die jährlichen buleuten
auf z w e i vermindert, wie alle inschriften der vier letzten priesterzeiten (XIX—XXII) zeigen[24]; hier erhalten wir auch (abgesehen davon dasz nach XII n i e m a l s und nirgends eine unterscheidung von
πρώτη und δευτέρα ἑξάμηνος wiederkehrt) noch einmal die erwünschte directe bestätigung, dasz es sich stets nur um j a h r e s -
buleuten handelt in zwei urkunden aus dem jahre des ἄ. Εὐκλείδας
Ἡρακλείδα in XIX; es sind dies: polygonm. (41) [Apellaios], deren
wortlaut oben s. 530 veröffentlicht ist, und (31) [Amalios]:

n. (31).

ΑΡΧΟΝΤΟΣΕΥ⁎⁎ΚΛΕΙΔΑΤΟΥΗΡΑΚΛΕΙΔΑΜΗΝΟΣΑΜΑΛΙΟΥ
ΒΟΥΛΕΥΟΝΤΩΝ⁎⁎ΑΝΤΙΓΕΝΕΟΣΤΟΥΑΡΧΙΑΜΕΝΗΤΟΣΤΟΥ
ΔΑΜΩΝΟΣ

ἄρχοντος Εὐκλείδα τοῦ Ἡρακλείδα, μηνὸς Ἀμαλίου,
βουλευόντων Ἀντιγένεος τοῦ Ἀρχία, Μένητος τοῦ
Δάμωνος

Unvollendet (es war nie weiter geschrieben); nur eingeritzt auf ungeglättetem, sehr zerfressenem polygon.

Diese successive verringerung der zahl der behörden entspricht
dem allmählichen erlöschen vieler altdelphischer familien und dem
dadurch bedingten rückgang des umfangs der städtischen geschäfte,
bei denen in dieser zeit die anzahl der aufgeführten bürger eine
immer geringere, der kreis der namen ein immer kleinerer wird,
und dem einschrumpfen des gemeinwesens gemäsz reduciert sich

---

[22] die gründe, welche mich veranlassen das eintreten dieser änderung schon von der XIII und nicht erst von der XIV priesterzeit an
zu datieren, obwohl erstere noch unbezeugt ist, können erst in einem
spätern abschnitt entwickelt werden. sie sind aber, wie ich schon hier
betone, keineswegs zwingender natur, und es bleibt jedem unbenommen
seinerseits das inkrafttreten dieser einrichtung erst von XIV an zu
rechnen; sachlich kommt auf diesen unterschied vorläufig nichts an.
[23] einzig in polygonm. (63) sind nur zwei buleuten genannt. [24] eine
ausnahme bildet nur Anecd. (37ᵃ) mit einem buleuten (βουλεύοντος
Ξεναγόρα τοῦ Ἀβρομάχου) in XXI.

auch die menge der freilassungen und der sie bezeugenden urkunden
gewaltig. trotzdem wäre es vorschnell dies im einzelnen nachweisen
zu wollen in einem augenblick, wo die beträchtliche vermehrung
unseres inschriftenmaterials in absehbarer aussicht steht; die allgemeine richtigkeit aber ergibt sich sowohl aus der oben für jede
priesterzeit vermerkten urkundenanzahl als auch aus den später zu ver-
öffentlichenden stammbäumen und geschlechtsregistern. wir können
es daher nicht als bloszen zufall betrachten, dasz in sämtlichen
25 nummern, durch welche XVI—XXII repräsentiert wird, sich
weniger als vier buleuten finden und ihre zahl in zwei groszen abschnitten von drei auf zwei sinkt, werden vielmehr diese resultate
vorläufig als erwiesen oder doch als verwertbar ansehen dürfen,
bis neue urkunden bestätigung bringen oder modification veranlassen.

  Vorstehendes gibt uns nun die möglichkeit, die 22 epochen zunächst in die beiden groszen gruppen der ersten zwölf und der letzten
zehn priesterzeiten zu zerlegen und der erstern alle diejenigen archontate zuzuweisen, welche noch semesterteilung und 2 ✕ 3 semester-
buleuten aufweisen. der umfang der epochen war nach der bisher
sicher zu bestimmenden archontenzahl oben angegeben worden auf:

	IV noch wenigstens 11 archontate [25]
V	wenigstens 4 -
VI	- 10 -
VII	1
VIII	3
IX	- 12 ··
X	2
XI	2 -
XII	- 4 -

                                49 archontate.

auszerdem gebören dieser zeit (vor XIII) noch etwa 15 eponyme an,
deren namen entweder ganz oder teilweise erhalten sind oder auf
deren existenz wir aus anderweitigen spuren schlieszen müssen; sie
können erst in dem archontenabschnitt aufgezählt bzw. nachgewiesen
werden. mit ihnen erhalten wir die summe von 64 archontaten
(49 + 15), welche also den raum der noch verfügbaren 68 jahre
des zweiten jh. (168—101 vor Ch.) fast vollständig ausfüllen. ver-
gegenwärtigen wir uns einen augenblick die dauer der einzelnen
priesterzeiten, so fällt auf, dasz abgesehen von dem völlig abnormen
umfang von II (18 jahre), welcher kaum jemals zum zweiten mal
erreicht sein wird, die ungefähre durchschnittszahl sich auf etwa
10 jahre oder ein wenig darüber beläuft (III. IV. VI. IX). [26] und

  [25] die beiden ersten archonten von IV Λαϊάδας und Κλεύδαμος Μαντία
waren bereits durch AMommsen den jahren 170 und 169 vor Ch. zugewiesen und bleiben daher oben ungezählt, so dasz statt 13 nur noch
11 in ansatz zu bringen sind.   [26] bei V und VII erklärte sich die
kurze dauer daraus, dasz der ältere priester (Amyntas; Andronikos)

diese zahl stimmt in jeder beziehung mit dem, was wir auch ohne
directes zeugnis voraussetzen müssen. es ist selbstverständlich, dasz
man zu dieser höchsten delphischen würde in der regel nur bejahrte
männer berief; schon rein praktische, äuszere rücksichten, wie sie
noch heute bei den pabstwahlen eine rolle spielen, sprachen dafür,
die dauer eines διὰ βίου zu besetzenden amtes nicht über gebühr
auszudehnen. so dürfen wir als ungefähre grenze ein alter von gegen
50 jahren ansehen, vor dessen erreichung nicht leicht jemand priester
geworden sein wird, und es ergäbe sich hieraus weiter, dasz bei der
notorisch langen lebensdauer der Delphier, die in einem spätern abschnitt aus den geschlechtstafeln dargethan werden soll, eine 2×10
jahre währende priesterschaft, ein alter von gegen 70 jahren, nicht
nur nichts seltenes, sondern das durchschnittliche gewesen, dasz
aber auch fast achtzigjährige priester, wie wir es bei Athambos und
Amyntas, die beide volle 28 jahre (Amyntas vielleicht noch länger)
im amte waren, voraussetzen und bei Praxias (abschnitt 5) sowie
später bei Plutarchos beweisen können, gar nichts befremdliches
haben. daneben muste es auch vorkommen, dasz beim priester-
wechsel dem überlebenden etwa 60jährigen ein an lebensjahren
älterer als college coordiniert ward, so Praxias dem Andronikos,
wo die fast in der hälfte aller fälle vorkommende falsche inversion
Πραξίας-Ἀνδρόνικος von AMommsen durch die ansprechende vermutung erklärt wurde 'dasz Andronikos einige amtsjahre [wie wir
oben sahen, wenigstens vier] mehr hatte als sein college, dieser
aber vermutlich der bejahrtere von beiden gewesen ist, so dasz die
anciennetät durch das natürliche lebensalter ins unsichere geriet'
(ao. s. 11), oder auch, die neuen amtsbrüder waren wenn auch nicht
älter als der überlebende priester, so doch bedeutend über 50 jahre
alt, wie dies bei Tarantinos (IV) und namentlich bei dem nur drei
jahre fungierenden Dromokleidas (VIII) der fall zu sein scheint.

Aus diesen bemerkungen, deren richtigkeit im groszen und
ganzen zugestanden werden wird, vor deren rein schematischer anwendung (behufs genauerer jahresbestimmung der epochen) wir aber
schon aus dém grunde warnen, weil ihre äuszern belege nur dem kurzen zeitraum von 8 priesterzeiten (II—IX) entstammen, geht zunächst
wenigstens so viel mit sicherheit hervor, dasz weder X. XI. XII noch
irgend eine der priesterepochen der zweiten periode (XIII—XXII)
auch nur annähernd vollständig in ihren archontaten bekannt ist.
dasz Athambos (Ἀβρομάχου) in X nach wenigen jahren gestorben,
wäre allerdings noch sehr wohl möglich; dasz nun aber auch Patreas
(X—XI) und Hagion (XI—XII) nur ganz kurze zeit fungiert hätten,
auch wenn einige der vor XIII fallenden undatierbaren archontate
ihnen noch angehört haben, sowie dasz es in allen spätern priester-

bereits je zweimal den collegen überlebt hatte, also in einer dritten
priesterzeit nur noch wenige jahre fungieren konnte; bei VIII ist der
tod des Dromokleidas auffallend frühzeitig erfolgt. die erklärung dafür
s. später.

zeiten nie mehr als höchstens vier eponyme gegeben haben sollte, ist
vollkommen ausgeschlossen.[27]

Ich trage daher kein bedenken für XI die normale durchschnitts-
dauer von ungefähr 10 jahren anzunehmen, wonach X etwas kürzer
gewesen wäre, also zu glauben, dasz die wende des zweiten
und ersten jh. in den verlauf der XI priesterzeit, wahrscheinlich gegen das ende derselben zu setzen ist.[28] das
zweite jh. umfaszte danach die zehn priesterzeiten II—XI. nach seiner
analogie dürften wir bei einem weitern ungefähren überschlag dem
ersten jh. dann die nächsten zehn epochen XII—XXI zuweisen, so dasz wir mit der letzten, XXII priesterzeit in das erste
oder zweite nachchristliche jahrzehnt kämen, ein ansatz der sich eher
zu niedrig als zu hoch gegriffen ausweisen wird. der versuch genauerer
zeitlicher abgrenzung und ungefährer fixierung der priesterzeiten der
zweiten gruppe (XII—XXII) bleibt ebenso wie die erklärung und
datierung jener delphischen verfassungsänderung, durch welche die

---

[27] wenn nach IX unsere ziemlich vollständige kenntnis der jahres-
archonten aufhört und die anzahl der urkunden sich um das fünffache
(im verhältnis zu II—VI um das zehnfache) verringert, so hat das seinen
nächsten grund darin, dasz das erhaltene alte 'hauptbuch' der urkunden, die polygonmauer, damals voll war, dh. an allen guten stellen
schon mit texten beschrieben, dasz das neue hauptbuch, die theatermauer aber die stelle des alten nur unvollkommen und nur auf kurze
zeit (in X—XJI und XV, éinmal auch bereits in IX) einnehmen konnte
ihres geringen umfanges wegen, und neben ihr gleichzeitig andere
mauerwände (lesche, rundbau usw.) oder die gröszern anathembasen
als steinarchive dienten, und dasz alle diese nach der polygonmauer
in benutzung genommenen antiken reste entweder ganz oder zum teil
untergegangen sind oder aber noch unausgegraben bzw. unzugänglich
daliegen. nur den immer neuen anläufen, die ab und zu unternommen
wurden, an der polygonmauer doch geeignete plätze ausfindig zu
machen und sie mit manumissionen zu beschreiben, verdanken wir überhaupt die kenntnis von XIV. XVI—XIX. XXI. daneben aber bedingt
die oben besprochene abnahme der kopfzahl der delphischen bürger
eine ebenso allmähliche reduction der anzahl der manumissionen, so
dasz wir auch nach der vollständigen ausgrabung Delphis schwerlich
in der lage sein werden, die archontenjahre der letzten vorchristlichen
oder gar des ersten nachchristlichen jh. ähnlich vollständig zu besitzen
und daraus die dauer und jahreszahlen der spätern priesterzeiten ähnlich
genau zu bestimmen wie im zweiten jh. vor Ch.　[28] rechnen wir die
4 jahre der XII zeit ab, so bleiben noch fest bezeugt für IV—XI
45 jahre, welche als endpunkt das jahr 124 vor Ch. ergäben (168—45);
zu ihnen hinzu kommen die 15 undatierten archonten, oder da etwa
zwei davon ebenfalls auf XII in abzug gebracht werden können, 13,
womit man auf 111 vor Ch. käme; danach würden nur etwa 10—15
jahre von IV—XI noch gänzlich unbekannt sein und diese fast alle zu
X und XI gehören. man ist daher vielleicht geneigt schon das ende
von X, nicht um XI, um 100 vor Ch. anzusetzen und zu glauben, dasz
unsere archontenkenntnis der zweiten hälfte des zweiten jh. noch lücken-
hafter sei, als vorher angenommen; allein in rücksicht darauf, dasz ein
gut teil jener 15 undatierten archontate ja vielleicht auch noch zu
XIII gehören könnte (vgl. anm. 22) und sich dadurch die unbekannten
jahre des zweiten jh. an zahl vermehren würden, bin ich nach mehr-
fachem schwanken bei obiger annahme stehen geblieben.

semestrale teilung des jahres aufgegeben wurde, und ihre zurückführung auf historische ereignisse am schlusse der XII priesterzeit (dh. bald nach 90 vor Ch.) dem abschnitt über die archonten vorbehalten.

3.

Zu diesen nur epigraphisch überlieferten XXII priesterzeiten gesellen sich nun noch einige aus dem ersten und zweiten nachchristlichen jh., deren kenntnis, abgesehen von zwei zwar späten, aber nicht hoch genug zu veranschlagenden inschriften, für uns allein durch einige Plutarchstellen vermittelt wird. den mittelpunkt dieser jüngsten, letzten gruppe delphischer priesterpaare, über die hinaus zu dringen für die wissenschaft schwerlich möglich, sicherlich wenig lohnend sein wird, bildet Plutarchos selbst. von ihm und der chronologischen bestimmung seiner lebensabschnitte hängt die datierung seiner vorgänger und nachfolger und damit die gestaltung des letzten teiles der delphischen fasten fast vollkommen ab. es konnte daher die aufgabe einer erneuten, im hinblick auf diesen zweck unternommenen durchprüfung seiner schriften und die chronologische rangierung der für uns wichtigern derselben nicht von der hand gewiesen werden. die gewonnenen ergebnisse werden in extenso erst in dem schluszabschnitt bei der besprechung der beamten und des personenbestandes dieses zeitraums mitgeteilt werden; hier müssen wir uns darauf beschränken die für die bestimmung der priesterzeiten in frage kommenden stellen im zusammenhange zu behandeln.

A.

Die drei Πυθικοὶ λόγοι (de εἰ Delphico; de Pythiae oraculis; de defectu oraculorum), wie sie Plutarch nennt, schickte er zusammen an Serapion nach Athen (de εἰ Delph. 1); ihre abfassungszeit fällt um 95—100 nach Ch.[29] die erste abh. besteht bekanntlich im wesentlichen aus der wiedergabe eines gesprächs, welches πάλαι ποτέ[30], καθ᾽ ὃν καιρὸν ἐπεδήμει Νέρων, an demselben orte, nemlich dem gewöhnlichen delphischen unterhaltungsplatze auf den südlichen tempelstufen durch Ammonios, seinen jungen schüler Plutarchos, dessen ältern bruder Lamprias ua. geführt worden war.[31] Neros ankunft in Griechenland fällt in die zweite hälfte des j. 66 nach Ch.[32]

---

[29] zunächst nach 79 nach Ch., denn Diogenian beruft sich de Pyth. or. 9 auf den ausbruch des Vesuv. obwohl er diesen als νέα πάθη bezeichnet, darf man daraus nicht auf ebeń, vor zwei bis drei jahren geschehenes schlieszen, da Plut. öfters diesen ausdruck anwendet, um etwas zu seiner lebenszeit passiertes in gegensatz zum 'grauen altertum' zu setzen, wie es ja auch ao. mit dem von der Sibylle vorhergesagten der fall ist. maszgebend dagegen ist, dasz die söhne des Plut. nach de εἰ Delph. 1 bereits erwachsen sind, womit wir, da jener verhältnismäszig spät heiratete, etwa auf die angegebene zeit kommen.

[30] dh. etwa vor einem menschenalter.   [31] de εἰ Delph. 1 ὡς δὲ καθίσας περὶ τὸν νεὼν τὰ μὲν αὐτὸς ἠρξάμην ζητεῖν, τὰ δ᾽ ἐκείνους ἐρωτᾶν, ὑπὸ τοῦ τόπου καὶ τῶν λόγων αὐτῶν, ἃ πάλαι ποτὲ καθ᾽ ὃν καιρὸν ἐπεδήμει Νέρων, ἠκούσαμεν Ἀμμωνίου καί τινων ἄλλων διεξιόντων, ἐνταῦθα τῆς αὐτῆς ἀπορίας ὁμοίως ἐμπεσούσης.   [32] vgl. die

im weitern verlaufe des gesprächs erfahren wir, dasz auch Nikandros unter den teilnehmern war: c. 5 ἔϲτι γάρ, ὡϲ ὑπολαμβάνουϲι Δελφοί, καὶ τότε παρὼν[33] ἔλεγε Νίκανδροϲ ὁ ἱερεύϲ, ϲχῆμα καὶ μορφὴ τῆϲ πρὸϲ τὸν θεὸν ἐντεύξεωϲ usw. und ferner c. 16, wo ihn Plutarch selbst interpelliert: ἐπὶ τούτοιϲ, ἔφην, εἰρημένοιϲ πρὸϲ ὑμᾶϲ, ἐν βραχὺ τοῖϲ περὶ Νίκανδρον «ἀείϲω ξυνετοῖϲι». τῆϲ γὰρ ἕκτηϲ τοῦ νέου μηνὸϲ ὅταν κατάγητε τὴν Πυθίαν εἰϲ τὸ πρυτανεῖον, ὁ πρῶτοϲ ὑμῖν γίνεται τῶν τριῶν κλήρων οἱ τὰ πέντε πρὸϲ ἀλλήλουϲ, ἐκεῖνοϲ τὰ τρία, ὁ δὲ τὰ δύο βάλλοντεϲ. ἢ γὰρ οὐχ οὕτωϲ ἔχει; καὶ ὁ Νίκανδροϲ, οὕτωϲ, εἶπεν· ἡ δ' αἰτία πρὸϲ ἑτέρουϲ ἄρρητόϲ ἐϲτι. οὐκοῦν, ἔφην ἐγὼ μειδιάϲαϲ, ἄχρι οὗ τἀληθὲϲ ἡμῖν ὁ θεὸϲ ἱεροῖϲ γενομένοιϲ γνῶναι παράϲχῃ, προϲκείϲεται καὶ τοῦτο τοῖϲ ὑπὲρ τῆϲ πεντάδοϲ λεγομένοιϲ. Nikandros war also einer der beiden in dieser zeit (vor und nach 66/67 nach Ch.) fungierenden priester. — Wenn wir nun in der dritten abh., deren dialog ὀλίγον πρὸ Πυθίων τῶν ἐπὶ Καλλιϲτράτου[34] gehalten wird, wiederum Ammonios und Lamprias finden und bei der beschreibung des kurz zuvor[35] stattgehabten unglücksfalles der Pythia c. 51 die worte lesen: ὥϲτε φυγεῖν (sc. ἐκ τοῦ ἀδύτου) μὴ μόνον τοὺϲ θεοπρόπουϲ, ἀλλὰ καὶ τὸν προφήτην Νίκανδρον καὶ τοὺϲ παρόνταϲ τῶν ὁϲίων, so werden wir in rücksicht auf das auszerordentlich seltene vorkommnis dieses namens in Delphi, sowie darauf dasz wir die functionen der ἱερεῖϲ nicht kennen und in dieser späten zeit sich die übernahme mehrerer ämter durch den fungierenden priester auch anderweitig[36] nachweisen läszt, den priester und den propheten für éine und dieselbe person erklären dürfen.[37]

Zur anknüpfung desselben an delphische familien läszt sich bis jetzt folgendes ermitteln. der name Nikandros findet sich in Delphi nur an zwei stellen[38]: Νίκανδροϲ Βούλωνοϲ, buleut in XVI ἅ. Ἐμμε-

kürzlich in Akraiphia gefundene Isthmos-rede des Nero im Bull. de corr. hell. XII 1888 s. 510 ff. und desselben vf. erweiterte sonderausgabe ʽdiscours prononcé par Néron' par Maurice Holleaux (Lyon 1889. 4), welche rede am 28 nov. 67 nach Ch. in Korinth gehalten worden ist, kurz ehe der kaiser nach Italien zurückkehrte. da er zuerst (herbst 66 nach Ch.) die hauptorte der Peloponnesos, wie Korinth, Olympia ua. besucht hatte, und da das j. 67 ein Pythienjahr war, so wird man kaum fehlgehen, wenn man seine delphische anwesenheit in die zeit der Pythien, dh. aug./sept. 67 nach Ch. verlegt, falls es ihm nicht beliebt haben sollte auch dieses fest willkürlich zu verschieben. [33] τε προηγορῶν die hss., τότε παρών Wyttenbach; wer Plutarchs ausdrucksweise kennt, weisz dasz W. richtig corrigiert hat. [34] de def. orac. 2; über diesen delph. archon Kallistratos s. später. [35] ὥϲπερ ἴϲμεν ἐπὶ τῆϲ ἔναγχοϲ ἀποθανούϲηϲ Πυθιάδοϲ (lies Πυθίαϲ) c. 51. [36] vgl. die oben s. 533 mitgeteilte urkunde n. (8), wo in XXI der priester Διόδωροϲ Φιλονείκου zugleich buleut ist, ua. [37] dasz dieser aber, was mehrfach angenommen wird, identisch ist mit demjenigen Nikandros, dem Plutarch die schrift de audiendo widmet, ist darum ausgeschlossen, weil diese, wie aus ihrem verlaufe hervorgeht, in Plutarchs reiferem alter verfaszt ist, der junge adressat Nikandros aber hat eben τὸ ἀνδρεῖον ἀνειληφὼϲ ἱμάτιον (de aud. c. 1). [38] als patronymikon Νικάνδρου nur in Ἀριϲτίων Νικάνδρου, zeuge in VI ἅ. Πειϲιθέου Anecd. 4 und in dem

νίδα C-M 12, und als zeuge Νίκανδροc in XIX ἄ. Εὐκλείδα n. (41)
[den text s. oben s. 530], welche beide zweifellos identisch sind.
treffen wir nun zwei priesterzeiten später einen zeugen Καλλίcτρατοc
Νικάνδρου in XXI ἄ. Ξεναγόρα τοῦ Ἀβρομάχου n. (38), so kann
dieser ebenso sicher nur jenes einzigen delphischen Nikandros
sohn sein. es liegt nun die vermutung sehr nahe, dasz, wenn
wir etwa im ersten nachchristlichen decennium den Καλλίcτρατοc
Νικάνδρου kannten und nun um 66 nach Ch. der priester Nikandros
fungiert, auch dieser ein angehöriger unserer späten delphischen
familie ist, wir somit auch hier vater und sohn vor uns haben und
der priester dieser etwa XXVI/XXVII priesterzeit[39] Νίκανδροc Καλλιcτράτου geheiszen hat. die in abschnitt 5 (s. unten s. 560 ff.) geführten genealogischen untersuchungen werden in ihrer allgemeinen
methodischen anwendbarkeit auch diese vermutung fast zur gewisheit
zu erheben geeignet sein.

B.

In dem zu Delphi gehaltenen gespräch quaest. conv. VII 2 (vgl.
c. 1, 5) sagt Plutarch c. 2, 1 εἶχον μὲν οὖν ἀρνούμενος οὐ φαύλους
cυνηγόρους, Εὐθύδημον[40] τὸν cυνιερέα καὶ Πατροκλέα τὸν
γαμβρόν, οὐκ ὀλίγα τοιαῦτα τῶν ἀπὸ γεωργίας καὶ κυνηγίας προ-
φέροντας. vergleicht man hiermit die delphische anathemaufschrift
CIG 1713 αὐτοκράτορα Καίcαρα, | θεοῦ Τραϊανοῦ Παρθι|κοῦ υἱόν,
θεοῦ Νέρβα | υἱωνόν, Τραϊανὸν Ἀδρι|ανὸν Cεβαcτόν, τὸ κοι|νὸν
τῶν Ἀμφικτυ|όνων, ἐπιμελητεύον|τος ἀπὸ Δελφῶν Μεc|τρίου
Πλουτάρχου | τοῦ ἱερέως, sowie die bei der folgenden priester-
zeit anzuführende CIG 1710, so erhalten wir als neue priesterepoche:
Μέcτριος Πλούταρχοc — Γ. Μέμμιος Εὐθύδαμος,
wie schon in den beitr. s. 77 anm. 2 kurz nachgewiesen wurde. ebd.
s. 79 anm. 1 ist es auch wahrscheinlich gemacht worden, dasz
Plutarch bei der römischen bürgerrechtsverleihung (vgl. Marquardt
privatleben d. R. I s. 24) den gentilnamen Μέcτριος in rücksicht
auf seinen bekannten freund den consular Mestrius Florus angenommen hat, sowie dasz beide wohl den vornamen Lucius[41] führten.

---

angeblichen Cώcων Νικάνδρου, freilasser unter dem sonst unbekannten
archon Ἀντιγέ[νης oder νείδαc] CIG 1701. da der name Cώcων aber
weder in Delphi noch auch im Griechenland des continents je (?) vorkommt,
ferner der freigelassene in dieser einzig von Clarke gesehenen stark
fragmentierten inschrift (aus dem synedrion, vgl. beitr. s. 77 anm. 1)
Cῶcοc (?) heiszt, so ist sicher ein lesefehler anzunehmen. es ist nicht unmöglich, dasz wir hier [Βούλ]ων Νικάνδρου zu lesen und in ihm den
vater unseres obigen buleuten zu erkennen haben.
    [39] diese zählung ergibt sich aus der oben s. 547 entwickelten un-
gefähren dauer der priesterschaften und aus der jn abschnitt 7 hinzu-
gefügten tabelle.   [40] dasz Plutarch jedenfalls die epichorischen formen
Εὐθύδαμος, Αἰακίδαc usw. gebraucht hat, beweist die trotz der ändern-
den abschreiber ab und zu erhaltene schreibung mit α (zb. Νίκανδροc
Εὐθυδάμου de sol. anim. VIII 2), die also durchgängig wiederherzustellen ist.   [41] so hiesz auch des Florus sohn (Plut. qu. conv. VII 4, 3);
über den consular selbst s. einige notizen bei Volkmann ʽPlutarchʼ I s. 40.

Zur zeitbestimmung von Plutarchs priesterschaft musz auf die
daten seines lebens eingegangen werden. wenn er im j. 66/67 nach
Ch., obwohl noch ein junger mann (vgl. de εἰ Delph. 17, wo Ammonios auf Plutarchs ausführungen meint οὐκ ἄξιον πρὸς ταῦτα
λίαν ἀκριβῶς ἀντιλέγειν τοῖϲ νέοιϲ), sich nicht nur ausführlich
an den philosophischen discussionen beteiligt, sondern auch schon
eingehende kenntnis der internen delphischen priestergebräuche besitzt [42] (de εἰ Delph. 16), so ist es nicht möglich dasz er, wie die gewöhnliche annahme verlangt, erst im j. 50 nach Ch. geboren, damals 16 jahre alt gewesen, sondern es musz wenigstens ein 20jähriges
alter für ihn postuliert und seine geburt demnach um 45 nach Ch.
angesetzt werden. [43] anderseits geht aus CIG 1713 in verbindung
mit W-F 468 [44] hervor, dasz diese beiden ehrenstatuen des Hadrian
jedenfalls nicht vor mitte des j. 125 nach Ch. [45] (der ersten anwesen-

---

[42] natürlich ohne dasz er damals ἱερὸϲ γενόμενοϲ dh. eingeweiht
war; immerhin scheinen die oben s. 550 ausgehobenen worte bereits
auf seine absicht einst in den tempeldienst zu treten hinzuweisen.
[43] neuerdings hat Georg Hofmann 'über eine von Plutarch in seiner
schrift de facie in orbe lunae erwähnte sonnenfinsternis' (progr. des
obergymn. in Triest 1873) s. 8 durch ungemein dankenswerte astrono-
mische berechnungen dargethan, dasz diese fraglos von Plut. selbst gesehene sonnenfinsternis auf den 30 april des j. 59 nach Ch. falle. wenn
er aber nun hieraus auf ein wenigstens 19jähriges alter desselben
schliesztund und seine geburt spätestens ins jahr 40 nach Ch. verlegt und
dann infolge dessen s. 15 behauptet: 'während Plut. aller wahrscheinlichkeit nach beim regierungsantritt dieses kaisers [Hadrian] bereits
verstorben war', so hat er, wie alle die sich bisher mit Plutarchs leben
beschäftigten, CIG 1713 übersehen oder wenigstens nicht erkannt, dasz
Μέϲτριοϲ Πλούταρχοϲ eben unser Plutarch ist. damit hängt dann weiter
sein versuch zusammen, alle Plut. schriften als vor dem j. 106 (Trajans
überwintern an der Donau, de primo frig. 12) verfaszt zu erweisen.
ich bin daher bei dem j. 45 nach Ch. als geburtsjahr um so eher geblieben, als eine aufmerksame betrachtung der sonnenfinsternis im j. 59
nach Ch. für einen 14jährigen knaben doch recht wohl möglich, ein
viel mehr als 80jähriges alter aber (45—125 nach Ch.), das an sich
nicht befremdlich wäre (man vgl. die 87 jahre des priesters Praxias
in abschnitt 5), gerade für Plutarch schon seiner sonst allzu späten
verheiratung wegen nicht annehmbar ist.   [44] αὐτοκράτορι Ἀδριανῷ
ϲωτῆρι | ῥυϲαμένῳ καὶ θρέψαντι τὴν | ἑαυτοῦ Ἑλλάδα οἱ ἰϲ Πλαται|άϲ
ϲυνιόντεϲ Ἕλληνεϲ χαρι|ϲτήριον ἀνέθηκαν. über ihren fundort in Delphi
vgl. beitr. s. 93 n. 49. über das noch zu jener zeit in Plataiai sich ver-
sammelnde Ἑλληνικὸν ϲυνέδριον Plut. Arist. 19.   [45] auf der (ersten)
reise durch Nord- und Mittelgriechenland (von Thrakien aus) besucht
er zuletzt Delphi, Thespiai, Koroncia, Theben und kommt ende august
oder anfang september nach Athen. vgl. Dürr 'die reisen des kaisers
Hadrian' s. 57 und 70. der amphiktyonische beschlusz, durch welchen
die errichtung von CIG 1713 decretiert wurde, kann sicher noch nicht
im Bysios (februar) 125 nach Ch. gefaszt worden sein: denn es ist undenkbar, dasz Hadrian vom februar bis ende august nur in Delphi
und Böotien verweilt hätte, sondern erst in der Herbstpylaia (Bukatios)
desselben jahres; Plutarch musz also, da er die ausführung und aufstellung der statue überwachte (ἐπιμελητεύων), noch bis wenigstens
ende 125 nach Ch. gelebt haben. Dürr hat zugleich darauf hingewiesen,
dasz dies der früheste mögliche zeitpunkt von Hadrians delphischem

heit des kaisers in Mittelgriechenland) ihm in Delphi errichtet worden sind, dasz demnach Plutarch noch als wenigstens achtzigjähriger greis — also fraglos διὰ βίου — priester gewesen ist.

Schwieriger ist der versuch den beginn seiner priesterzeit zu ermitteln. auszugehen ist von der wichtigen stelle an seni sit g. r. 17, 3, in welcher er am abend seines lebens von sich sagt: καὶ μὴν οἶcθά με τῷ Πυθίῳ λειτουργοῦντα πολλὰc Πυθιάδαc· ἀλλ᾽ οὐκ ἂν εἴποιc «ἱκανά coι, ὦ Πλούταρχε, τέθυται καὶ πεπόμπευται καὶ κεχόρευται, νῦν δὲ ὥρα πρεcβύτερον ὄντα τὸν cτέφανον ἀποθέcθαι καὶ τὸ χρηcτήριον ἀπολιπεῖν διὰ τὸ γῆραc.» hatte er aber 'viele Pythiaden hindurch dem pythischen gotte gedient'[46] und zwar wohlgemerkt als priester — denn nur dieses amt war neben dem des ebenfalls lebenslänglichen νεωκόροc in Delphi ein dauerndes, länger als ein jahr währendes — so wird man dies keinesfalls geringer als auf 5 oder 7 $\times$ 4 dh. 20—28 jahre veranschlagen dürfen, so dasz wir mit der verlegung seines amtsantritts in die mitte der neunziger jahre des ersten jh. schwerlich sehr fehlgreifen werden. mit dieser übernahme des priesteramtes hängt anscheinend auch die wiederaufnahme und vertiefung seiner delphischen studien zusammen, deren vorläufige resultate er in drei λόγοι Πυθικοί an

besuche sei, und dasz der kaiser ja auch von Athen aus, wo er bis mitte 126 blieb, eine directe excursion dorthin gemacht haben könnte; dann kämen wir mit Plutarchs alter noch einige monate höher hinauf. für die jüngst gefundene basis W-F 468, welche Dürr nicht zu kennen scheint (sie fehlt unter den im anhang zusammengestellten Hadrianinschriften), wird genau derselbe zeitpunkt in betracht kommen, nemlich der 4e Boëdromion (Εoathoos) 125, der jahrestag der platäischen schlacht, an welchem das hellenische cυνέδριον die errichtung der statue beschlosz. im sept. 126 befand sich nemlich Hadrian schon nicht mehr in Athen, sondern auf der reise nach Sicilien, wo er im herbst den Aetna besteigt (mitte nov. in Rom), und anderseits scheint das fehlen des beinamens Ὀλύμπιοc, den er im j. 129 annahm, auf seinen ersten athenischen aufenthalt hinzuweisen. danach hätten zu gleicher zeit, bzw. kurz hinter einander die amphiktyonen zu Delphi und das synedrion zu Plataiai ihm ehrenbildseulen in Pytho beschlossen. ich bemerke noch, dasz Hadrian nicht etwa zur Pythienfeier hat anwesend sein können, denn in den betr. jahren 123, 127, 131 befand er sich niemals in Griechenland.

[46] dasz nur so zu übersetzen ist und in den bisherigen deutungen der sinn der worte arg misverstanden wurde, bedarf wohl keines ausführlichen beweises. Volkmann 'Plutarch' I s. 54 las aus den worten heraus: 'lange jahre und bis in sein hohes alter leitete er als agonothet die festlichkeiten bei den pythischen spielen, und, wie es scheint, hatte er auch die aufsicht über das orakel, an seni c. 4, 7' [soll heiszen 17, 3 und 4, 2]; ähnlich steht im Dübnerschen Plutarch II s. 968, 32 'atqui novisti me Apollini Pythio multis iam Pythicis sollemnitatibus operam navasse' udglm., während doch λειτουργεῖν hier, wie stets bei Plutarch, das öffentliche, staatliche dienen besonders des unbesoldeten beamten bezeichnet und auch der ausdruck Πυθιάc im sinne von Ὀλυμπιάc gebraucht, durchsichtig genug war, um keiner verwechselung mit τὰ Πύθια ausgesetzt zu sein. über die vorstellung von einer 'bis in das höchste alter' fortdauernden agonothesie der Pythien ist weiter kein wort zu verlieren.

Serapion sandte, wie er ausdrücklich angibt: ὥϲπερ ἀπαρχὰϲ ἀποϲτέλλων, dh. als erste wissenschaftliche ausbeute und frucht seiner neuen stellung, und deren abfassungszeit wir schon oben genau denselben jahren (95—100 nach Ch.) zugewiesen hatten. endlich stimmt damit auch genau das priesterliche alter von c. 50 jahren überein, das wir s. 547 als durchschnittsalter postulierten.

Schlieszlich sei es schon hier gestattet kurz darauf hinzuweisen, wie es geschehen konnte, dasz einem geborenen 'ausländer', dh. einem Nichtdelphier die höchste würde eines fungierenden priesters übertragen worden ist. welche verdienste Plutarch sich um Delphi erworben, um solcher auszeichnung wert erachtet zu werden, wissen wir nicht; dasz sie nicht n u r litterarischer natur gewesen sind, also die pythischen abhandlungen[47] etwa seiner anstellung vorausgiengen, kann uns das beispiel des Polemon[48] und des Nikandros von Kolophon zeigen[49], welche für derartige leistungen nur die proxenie erhielten. Delphi scheint vielmehr von früher jugend an (66/67 nach Ch.) Plutarchs zweite heimat gewesen zu sein, dh. er wird hier wie dort haus und grundbesitz gehabt und, vielleicht nach den jahreszeiten alternierend, in Chaironeia und hier gewohnt haben; hierzu kommt, dasz wir auch häufig seinen brüdern sowie seinen söhnen in Delphi begegnen, so dasz es nach alledem den anschein gewinnt, als habe Plutarchs familie schon von alters her die proxenie und damit die γᾶϲ καὶ οἰκίαϲ ἔγκτηϲιϲ daselbst besessen, so dasz er in der that von jeher d e l p h i s c h e r b ü r g e r gewesen ist und d a r u m auch städtischer und tempelbeamter hat werden können.[50]

C.

Die dritte priesterzeit dieser gruppe ist:

Γ. Μέμμιοϲ Εὐθύδαμοϲ — Εὐκλείδαϲ ᾿Αϲτοξένου

einzig bezeugt in der spätesten erhaltenen manumission CIG 1710 aus dem archontat des Τ. Φλάβιοϲ Πωλλιανόϲ.[51] zu dieser von

---

[47] auszer diesen kommt für Delphi etwa nur noch die einzig im sog. Lampriaskatalog (n. 162) aufgeführte χρηϲμῶν ϲυναγωγή in betracht.

[48] Polemons proxenenernennung erfolgte bekanntlich in der ersten hälfte des jul. j. 176 (W-F 18 z 260); über die wertschätzung und kenntnis seiner schriften in Delphi noch um 100 nach Ch. haben wir jene charakteristischen worte Plutarchs beim festmahl der groszen Pythien im hause des agonotheten Petraios (über ihn und seine wieder aufgefundene statuenbasis vgl. beitr. s. 77, 3 und s. 122 n. 16) qu. conv. V 2, 9 τοῖϲ δὲ Πολέμωνοϲ τοῦ ᾿Αθηναίου περὶ τῶν ἐν Δελφοῖϲ θηϲαυρῶν οἶμαι, ὅτι πολλοῖϲ ὑμῶν ἐντυγχάνειν ἐπιμελὲϲ ἐϲτι, καὶ χρή, πολυμαθοῦϲ καὶ οὐ νυϲτάζοντοϲ ἐν τοῖϲ ῾Ελληνικοῖϲ πράγμαϲιν ἀνδρόϲ.

[49] über die zeit der verleihung der proxenie an Nikandros (Bull. de c. h. VI s. 217 n. 50) wird weiter unten zu handeln sein; über Delphi schrieb er, auszer dasz es sicher häufig in den Αἰτωλικά erwähnt war, jedenfalls einen eignen abschnitt in den drei büchern χρηϲτηρίων; zu seiner kenntnis der dortigen localsagen vgl. ἑτεροιούμενα IV 1 (= OSchneider Nicandrea fr. 53).   [50] die genauern belege werden in dem artikel über diese schluszpriesterzeiten gegeben werden.   [51] über diesen und sein verhältnis zu Plutarch vgl. beitr. s. 79 anm. 1.

Cyriacus nur im ersten und letzten teil copierten inschrift[52] gibt
einen teil des fehlenden mittelstücks Ross inscr. ined. I n. 71, so
dasz ihre vollständige ergänzung möglich ist.[53]

Was nun die personen der priester von B und C angeht, so war
es bisher noch nicht möglich angesichts der sehr geringen zahl der
von XX an erhaltenen urkunden den vatersnamen des Euthydamos[54]
oder die unmittelbaren vorfahren des Ἐὐκλείδας Ἀστοξένου nachzuweisen. damit fällt aber das einzige mittel der rangierung dieser
beiden epochen, dh. des sichern nachweises, dasz B älter als C sei. es

---

[52] sie befand sich zu Chryso 'in ecclesia quadam' (Ross), wohin sie
natürlich von Delphi verschleppt worden ist. da im erdbeben von 1870
sämtliche krissäische kirchen zusammengestürzt und seitdem zum teil
schon wieder aufgebaut sind, so war es trotz langen suchens unmöglich
eine spur der fragmente zu entdecken. dasz übrigens Curtius in den
Anecd. s. 22, wo er ebenfalls in einer kirche zu Chryso vermauerte fragmente beschreibt, das linke von Ross nicht gesehene drittel unserer
manumission vor sich hatte, beweisen schlagend die (wenigen) von ihm
mitgeteilten worte: alle kommen genau in derselben ordnung in dem
Cyriacus-text, bzw. dem zu ergänzenden Rossischen vor, und maszgebend ist auszerdem besonders, dasz das sonst in manumissionen
s e h r selten (bisher nur 3 mal) sich findende ἀγαθὰ τύχα sowie das in
jenen zeiten ungewöhnliche ἄρχοντος ἐν Δελφοῖς ebenfalls hier wie
dort wiederkehrt.   [53] wir finden in dieser inschrift wieder, wie in
XIII—XV, v i e r jahresbuleuten; aber nicht nur entspräche dies dem
damaligen neuen aufschwunge der stadt, dieser zweiten blüte Delphis
unter Trajan und Hadrian, welche Plutarch de Pyth. or. 29 (vgl. beitr.
s. 74 f.) so treffend schildert, und der dadurch hervorgerufenen wieder-
anschwellung der öffentlichen geschäfte, sondern es scheint auch eine
durchgreifende verwaltungsänderung in jenen zeiten stattgefunden zu
haben, insofern am s c h l u s z der urkunde als vorsteher des stadtarchivs
(δαμόσια γράμματα) ein γραμματεὺς Τιβ. Ἰούλιος Λυκαρίων vorkommt
(so nach Ross' majuskelcopie ao. tf. n. 71, wozu vgl. CIG 6433; des
Cyriacus ΛΙΚΑΡΙΩΝ hatte Böckh in Νικαρίων corrigiert). da er in den
praescripten fehlt, ward er weder zu den buleuten gerechnet noch zur
datierung verwendet. daraus folgt, dasz man am ende des ersten jh. nach
Cb. die besondere stelle eines länger als ein jahr amtierenden stadt-
schreibers geschaffen, bzw. ihn damals von den jahresbeamten abge-
zweigt hatte.   [54] der name Ἐὐθύδαμος selbst ist bisher nur aus zwei
stellen bekannt: als zeuge in V ἄ. Ἥρυος (W-F 240) und in XII ἄ. Νικο-
δάμου (CIG 1705). als patronymikon nur bei Ἀρισταγόρας Ἐὐθυδάμου,
bürge im j. 188 und 175 vor Ch. (W-F 401 und 178) und freilasser in
IV ἄ. Πύρρου (W-F 220). der zusammenhang dieser homonymen mit
unserm priester ist natürlich nicht nachweisbar. man hat nun letztern
auszer in der oben s. 551 angeführten Plutarchstelle noch wiedererkennen
wollen in qu. conv. III 10, 1 Ἐὐθύδημος ὁ Coυνιεύς, ἐστιῶν ἡμᾶς usw.,
was natürlich des ethnikons wegen unmöglich ist, ganz abgesehen davon dasz der ort des gastmahls sicher nicht Delphi, sondern wahrscheinlich Athen ist. eher denkbar wäre es, den vater des in der schrift
de sol. anim. VIII 2 als ἑταῖρος der übrigen νέοι auftretenden Νίκανδρος
Ἐὐθυδάμου für den priestercollegen Plutarchs zu halten, wiewohl er von
den ausdrücklich als Delphier bezeichneten Dionysios-söhnen Αἰακίδας
und Ἀριστότιμος durch εἶτα getrennt ist. und dem sohne dieses amtsgenossen, dem jungen Nikandros, hätte dann Plut. seine abhandlung
de audiendo (vgl. c. 1) gewidmet. beweisen läszt sich vor der hand aber
beides nicht.

musz daher vorläufig dem éinen indicium, das wir haben, rechnung
getragen und angenommen werden, dasz die überlieferte namens-
folge in C die richtige gewesen, dasz also Euthydamos den Plutarch
überlebt und somit C etwa um 126 nach Ch. begonnen habe. dann
würden wir den ersten amtsgenossen des Plutarch noch nicht kennen.

Ich darf aber nicht verhehlen, dasz ich in diesem falle der nur
éinmal überlieferten ordnung Euthydamos-Eukleidas nicht unbedingt vertrauen kann. es läszt sich nemlich wenigstens éiner der
übrigen in CIG 1710 überlieferten delphischen namen identificieren,
und zwar der des als zeuge fungierenden Πολέμαρχος Δάμωνος.
dasz dieser der enkel des oben für XXI und XXII nachgewiesenen
priesters sei, ist ziemlich zweifellos; nun wird man aber, selbst wenn
wir des ältern Polemarchos tod bis ins jahr 25 nach Ch. verschieben,
einen zeitraum von über hundert jahren (125 nach Ch.), nach denen
sein enkel noch gelebt habe, als undenkbar anzunehmen haben, um
so mehr als des letztern vater, Δάμων Πολεμάρχου, der sohn des
alten priesters, schon in XXI als eponymer archont (Anecd. 37ª), als
buleut (W-F 450) und endlich als zeuge zusammen mit seinem bruder
[Δάμων καὶ Πάςων οἱ Πολεμάρχου n. (38), unediert] bezeugt ist,
zu einer zeit, in der — dem gewöhnlichen alter delphischer vater-
schaft gemäsz — der jüngere Polemarchos schon geboren sein muste.
entweder also: wir haben hier einen Polemarchos III, einen homonymen ururenkel vor uns, und das ist insofern unwahrscheinlich,
als bei keiner der berühmtesten oder lebenskräftigsten delphischen
familien es vorzukommen scheint, dasz der directe mannesstamm
ununterbrochen stets im ältesten sohn weitergeht ohne zeitweises
überspringen auf jüngere brüder; oder aber: die chronologische ansetzung unserer priesterzeiten ist falsch, und XXI/XXII wäre noch
um wenigstens 40 jahre tiefer zu rücken, also bis etwa ins jahr 65 nach
Ch.; das ist aber nach dem bisherigen stande unserer kenntnis unmöglich, und vollends darum weil ja gerade um diese zeit Nikandros
priester ist; oder endlich: die ordnung in B und C ist umzukehren
und etwa

(XXVIII) . . . . — [Εὐκλείδας ᾿Αстοξένου]
(XXIX) Εὐκλείδας — Γ. Μέμμιος Εὐθύδαμος
(XXX) Εὐθύδαμος — Μέстριος Πλούταρχος
(XXXI) Πλούταρχος — x

zu schreiben.[55] letzteres ist mir vorläufig das wahrscheinlichste, trotzdem auch so noch (in XXIX) Polemarchos II hochbetagt (ende der
siebziger) sein würde. weiter scheint auch folgendes dafür zu sprechen: zwar nicht die eltern, aber die weitern vorfahren von Εὐκλείδας ᾿Αстοξένου lassen sich, wie ich glaube, nachweisen. den ganzen

---

[55] oder auch XXVIII . . . . . . — Εὐθύδαμος
         XXIX Εὐθύδαμος — Εὐκλείδας
         XXX Εὐθύδαμος — Πλούταρχος
so dasz Euthydamos zwei collegen (als zweiten den Eukleidas) überlebte usw.

stammbaum derselben (von vor 200 vor Ch. an) hier mitzuteilen
würde zu weit führen; ich hebe daher aus ihm nur hervor: dasz
durch alle die jahrhunderte hindurch der name Ἀстόξενος sich einzig
und allein innerhalb éiner familie findet, dasz ihr letzter erhaltener
ausläufer Διονύсιος Ἀстοξένου mit XXI seine öffentliche laufbahn
beginnt[56] und dasz darum unser priester Eukleidas als Astoxenos-
sohn nicht nur consequenter weise zu derselben sippe gerechnet werden musz, sondern nach alledem als nichts anderes anzusehen ist denn
als der zweit- oder drittjüngste enkel des buleuten Διονύсιος Ἀстοξένου in XXI. wir würden also einen um XXI geborenen sohn des
letztern supponieren müssen: Ἀстόξενος Διονυсίου, der uns natürlich bei dem gänzlichen fehlen von inschriften zwischen XXII und
XXVIII (bzw. XXXI) unbekannt bleiben muste, und ferner zwei
söhne desselben: den ältern in XXVIII (bzw. XXXI) schon gestor-
benen Διονύсιος Ἀстοξένου und einen jüngern, eben den priester
Ἐυκλείδας Ἀстοξένου. dasz nun die XXVIII—XXIX epoche zu
solchem enkel des für XXI bezeugten sehr gut passen würde, leuchtet
ein; bestreiten läszt sich aber freilich nicht, dasz auch XXXI noch
immerhin für ihn denkbar wäre.

4.

Ich möchte noch auf eine andere vorbedingung hinweisen, welche
auszer dem funfzigjährigen alter von den priesterschaftscandidaten
verlangt oder doch erfüllt worden sein dürfte. nach dem stande
unserer bisherigen kenntnis gewinnt es nemlich den anschein, als sei
j e d e r p r i e s t e r i n f r ü h e r n j a h r e n e p o n y m e r a r c h o n t gewesen, und es läge nahe daraus wenn auch nicht eine weitere ämter-
folge abzuleiten (denn jeder Delphier konnte zb. gerade so gut zuerst
archont und dann buleut werden wie umgekehrt), so doch auf die
frühere verwaltung des archontats als eine condicio sine qua non zu
schlieszen und sie als voraussetzung, als durchgangspunkt für die
priesterwürde zu betrachten. indessen ist für Griechenland eine derartige, der römischen analoge stufenfolge bisher noch nirgends nachgewiesen und darum auch hier ohne directes zeugnis nicht recht
glaublich, und dann findet die thatsache selbst ihre einfachste erklärung darin, dasz zu priestern jedenfalls nur angehörige der ange-
sehensten delphischen familien gewählt wurden, und da diese bereits
wenigstens 20 jahre (vom 30n bis zum 50n) an der verwaltung und
leitung des gemeinwesens hervorragenden anteil genommen hatten,
so war es nur natürlich, dasz sie in dieser zeit auch einmal das
archontat verwalteten, ja es muste als seltene ausnahme gelten, wo
das nicht der fall gewesen. das resultat bleibt also — sei jenes in-

---

[56] er ist mir bisher bekannt als buleut in XXI ἄ. Ξεναγόρα polygonm.
n. (38), als zeuge eben damals ἄ. Δάμωνος Anecd. (37ᵃ) und ferner in
Thiersch 3 ἄ. . . . . ὅρου. der von XII—XVI nachweisbare Διονύсιος
Ἀстοξένου, eponymer archont in XV (ediert bisher nur in Anecd. 32,
dort ohne vatersnamen), ist sein g r o s z v a t e r.

stitution oder gepflogenheit — für uns dasselbe, dasz wir nemlich bei'jedem priester sein vorausliegendes eponymes archontat vorauszusetzen haben, und es erübrigt nur noch die bisher bekannten belege für diese thatsache zusàmmenzustellen.

Da die archontate der priester der ersten epochen zum teil vor I, dh. in das ende des dritten jh. fallen müssen, für uns also nicht datierbar oder besser nicht zu unterscheiden sind von andern homonymen archonten vor 201, so beginnen wir den nachweis am besten von hinten, dh. dem schlusz der ihrer ungefähren vollständigkeit wegen hier allein in betracht kommenden ersten zwölf priesterzeiten.

Πυρρίας Ἀρχελάου (XII/XIII) war archont in X, wie aus den oben s. 519 f. mitgeteilten inschriften hervorgeht; seine identität mit dem priester beweist das auf s. 559 veröffentlichte proxeniedecret, wo einzig der vatersname erhalten ist.

Ἁγίων Πολυκλείτου (XI/XII) ist archont in der von der theatermauer stammenden manumission CIG 1700[57]; Cyriacus hat nur ihren anfang abgeschrieben, und so fehlen die priester; da aber aus der semesterunterscheidung (δευτέρα ἑξάμηνος) und den drei semesterbehörden hervorgeht, dasz sie jedenfalls vor XIII verfaszt ist, anderseits die theatermauer erst von X an beschrieben wurde[58], so fällt des Hagion archontat notwendig in X (bzw. IX).

Πατρέας Ἀνδρονίκου (X/XI) war archont bereits in V, vgl. zb. W-F 24.

Ἄθαμβος Ἀβρομάχου (IX/X) desgl. archont in V, s. zb. W-F 44.

Ἄρχων Καλλία (VII—IX), archont in IV, zb. W-F 174.

Δρομοκλείδας Ἁγίωνος (VIII) bisher als archont unbekannt.

Ἀνδρόνικος Φρικίδα (V—VII) archont in IV, zb. W-F 54.

Πραξίας Εὐδόκου (VI) wahrscheinlich archont im j. 178 (s. unten).

Von V an aufwärts fallen, da die eponymen von 201—169 bekannt sind, die archontate der priester vor 201 vor Ch. dasz das weder bei Tarantinos, der um 156 vor Ch., noch auch besonders bei Amyntas, der einige jahre später, um 152 vor Ch., stirbt (vgl. oben s. 516 f.), zu den unmöglichkeiten gehört, dh. dasz gar nicht so selten von dem archontat bis zum tode des priesters fünf (éinmal auch sechs) priesterzeiten, also etwa 50 jahre dahingiengen, beweisen nicht nur die obigen beispiele (Patreas V—XI; Athambos V—X; Archon IV—IX), sondern auch der stammbaum des Praxias, zu dem wir uns jetzt wenden; seine aufstellung gebietet der noch ausstehende nachweis der identität des priesters in VI mit dem archonten des j. 178 vor Ch.

---

[57] sie ist an dem erhaltenen teile der südwand, so weit er über der erde liegt, jetzt nicht mehr vorhanden; vgl. darüber beitr. s. 105.
[58] vgl. oben s. 548 anm. 27; éine inschrift derselben stammt auch schon aus IX.

ΥΡΡΙΑΤΟΥΑΡΧΕΛΑΟΥΒΟΥΛΕΥΟΝΤΩΝΤΑΝΤΡΩΤΑΝΕΞΑΜΗΝΟΝΔΑΜΩΝΟΣ
ΡΑΤΟΥΣΩΤΥΛΟΥΤΟΥΤΙΜΟΚΛΕΟΣΓΡΑΜΜΑΤΕΥΟΝΤΟΣΔΕΒΟΥΛΑΣΑ𐅵/////
ΩΣΤΡΑΤΟΥΔΕΛΦΟΙΕΔΩΚΑΝ𐅵ΡΑ𐅵ΝΙΚΩΙΑΝΔΡΟΝΙΚΟΥΑΜΦΙΣΣΕΙ
ΓΟΝΟΙΣΤΡΟΞΕΝΙΑΝΤΡΟΜΑΝΤΕΙΑΝΤΡΟΔΙΚΙΑΝΑΣΥΛΙΑΝΑΤΕΛΕΙ
ΚΙΑΣΕΓΚΤΗΣΙΝΤΡΟΕΔΡΙΑΝΕΜΤΑΣΙΤΟΙΣΑΓΩΝΟΙΣΟΙΣΑΤΟΛΙΣΤΙ
ΛΛΑΤΙΜΙΑΟΣΑΚΑΙΤΟΙΣΑΛΛΟΙΣΤΡΞΕΝΟΙΣΚΑΙΕΥΕΡΓΕΤΑΙΣΤΑΣΓΟ

ἄρχοντος Π] ρρία τοῦ Ἀρχελάου, βουλευόντων τὰν ᾽τὰν ἑξάμηνον ᾽ ῳᾷτος
τοῦ Ξενοστ]ράτου, Σωτύλου τοῦ Τιμοκλέος, γραμματεύοντος δὲ βουλᾶς Ἀρί-
στωνος τοῦ Σ]ωστράτου Δελφοὶ &ὰν [Στρατ]ονί ῳα ᾽Ανδρονίκου ᾽ φᾷεῖ
᾽ ῳᾶ καὶ ἐκ]τόνοις προξενίαν, προμαντείαν, προδικίαν, ἀσυλίαν, ἀτέλει-
5 αν, ῳᾶς καὶ οἰ]κίας ἔγκτησιν, προεδρίαν ἐμ ᾽ῳᾳ τοῖς ᾽ ῳαις οἷς ἁ πόλις τί-
θητι καὶ τἆ]λλα τίμια ὅσα καὶ τοῖς ᾽ῳᾶοις πρ(ο)ξένοις καὶ
λοις ὑπάρχε]ι.

Grosze basis, von hellgrauem kalkstein; gefunden im herbst 1887 in
.den feldern westlich des dorfes, etwa in der mitte zwischen haus 166
und der kirche des h. Elias, c. 100 schritt oberhalb der chaussée auf dem
rande einer modernen terrassenmauer: vgl. beitr. s. 95 n. 73. der jetzt
umgedreht liegende stein trägt auf der breitseite die verkehrt stehende
inschrift in kleinen (0,008 hohen) oft ganz verwaschenen buchstaben;
wegen seiner lage und grösze (h. $\times$ br. $\times$ d. = 0,52 $\times$ 0,80 $\times$ 0,64)
konnte er nicht umgewendet werden und daher weder die anzahl und
verteilung der einsatzlöcher seiner oberseite ermittelt noch auch festgestellt werden, ob in der erde ein rest der anathemaufschrift existiere.
die ränder sind 0,02 breit unterschnitten, die oberfläche links ganz weggebrochen. — Der name des geehrten Amphissäers ist zum teil zerstört
und zwar dadurch, dasz eine kindische hand moderne namen auf dem
stein einkratzte. meine abschrift gibt ΛΙΙΛΙΟΝΙΚΟΣ ('Ανδρόνικος);
da sie aber in verkehrter lage gemacht wurde und der abklatsch hier
ziemlich sicher das im text gegebene Στρατόνικος zeigte, so halte ich
letzteres für das richtige: denn wir haben augenscheinlich denselben
Amphissäer Στρατόνικος vor uns, welcher in eben dieser zeit (IX oder X)
in W-F 426 z. 18 unter den zeugen erscheint. Δάμων Ξενοςτράτου ist
archont in VIII (W-F 428 ua.), buleut in VI ἄ. Εὐκλέος (W-F 429) usw.;
'A[ρ]ί[cτων C]ωcτράτου ist der jüngere bruder des buleuten Cωτύλος
Cωcτράτου in XI, ἄ. Διοδώρου n. (7), welche urkunde oben s. 522 mitgeteilt ist. er kommt auszer hier nur noch éinmal vor: in IX ἄ. Cωcι-
πάτρου n. (62) [unediert], wo als freilasser aufgeführt wird Cώcτρατος
Cω[τύλ]ου cυνευδοκεόντων καὶ τῶν υἱῶν αὐτοῦ Cωτύλου καὶ 'Αρίcτωνος.

5.

Vorauszuschicken ist, dasz diese delphischen stammbäume, von
deren reconstruierbarkeit hier eine erste probe gegeben wird, in vielen
fällen die einzige möglichkeit bieten, jene zahlreichen urkunden zu
datieren, bei denen keine beamtennamen erhalten sind, sowie die
zeit der ohne angabe der priesterzeit überlieferten eponymen archonten
mit ziemlicher sicherheit zu bestimmen. wie schon Mommsen ao. s. 19
hervorhob, beschäftigt man sich dabei hauptsächlich mit identitäts-
fragen; ihre sichere, endgültige beantwortung kann aber nur auf
dem wege gewisserhafter ausarbeitung der stemmata sämtlicher delphischer familien geschehen, welche in spätern abschnitten im zusammenhang mitgeteilt und begründet werden sollen. immerhin
waren aber auch schon jetzt bei der in rede stehenden stammtafel
der Praxias-Eudokos-familie eingehende erläuterungen nicht ganz zu
vermeiden. den stammbaum gibt die nebenstehende tafel.
Die belegstellen für den priester Πραξίας Εὐδόκου[59] und seinen
ältesten sohn Εὔδοκος Πραξία, welche für die aufnahme in die
stammbaumtafel selbst zu umfangreich waren, sind folgende:

---

[59] wo sich bei den für diesen ganzen stammbaum beigebrachten
belegstellen in den von W-F veröffentlichten texten Εὔδικος statt
Εὔδοκος findet, ist das, wie ich hier ein für allemal hervorhebe, ver-
lesen; die steine haben an den stellen durchgängig Εὔδοκος. ein
Εὔδικος kommt als Delphier nicht vor: die bisher bekannten träger
dieses namens auf delphischen inschriften sind sämtlich ausländer (aus
Amphissa und Myonia). der angebliche delphische buleut Εὔδικος bei
Leake trav. in North. Gr. II s. 637 n. 7 lautet in der bessern copie bei
Lebas 857 ebenfalls Εὔδοκος.

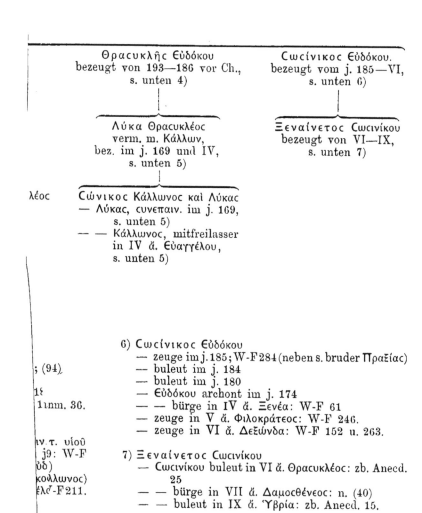

Θραcυκλῆc Εὐδόκου
bezeugt von 193—186 vor Ch.,
s. unten 4)

Cωcίνικοc Εὐδόκου.
bezeugt vom j. 185—VI,
s. unten 6)

Λύκα Θραcυκλέοc
verm. m. Κάλλων,
bez. im j. 169 und IV,
s. unten 5)

Ξεναίνετοc Cωcινίκου
bezeugt von VI—IX,
s. unten 7)

λέοc   Cώνικοc Κάλλωνοc καὶ Λύκαc
— Λύκαc, cυνεπαιν. im j. 169,
s. unten 5)
— — Κάλλωνοc, mitfreilasser
in IV ἄ. Εὐαγγέλου,
s. unten 5)

; (94),

1ξ

1ιnm. 36.

ιν.τ. υἱοῦ
j9: W-F
ὑδ)
κοὐλλωνοc)
ἐλ𝑑-F 211.

6) Cωcίνικοc Εὐδόκου
— zeuge im j. 185; W-F 284 (neben s. bruder Πραξίαc)
— buleut im j. 184
— buleut im j. 180
— Εὐδόκου archont im j. 174
— — bürge in IV ἄ. Ξενέα: W-F 61
— zeuge in V ἄ. Φιλοκράτεοc: W-F 246.
— zeuge in VI ἄ. Δεξιώνδα: W-F 152 u. 263.

7) Ξεναίνετοc Cωcινίκου
— Cωcινίκου buleut in VI ἄ. Θραcυκλέοc: zb. Anecd.
25
— — bürge in VII ἄ. Δαμοcθένεοc: n. (40)
— — buleut in IX ἄ. Ὑβρία: zb. Anecd. 15.

Πραξίας Εὐδόκου:
— buleut[60]   im j. 192
— zeuge   189 (W-F 405)
— buleut   188
— Εὐδόκου bürge   188 (W·F 326)
— zeuge   185 - 284
—   -   184 - 296
—   -   182 - 309 u. 371
— Εὐδόκου bürge   -   - 366
— zeuge   179 - 242
— eponymer archont   178
— Εὐδόκου bürge   -   - 244 u. 264
— zeuge   -   - 386
— buleut   177
— Εὐδόκου bürge   -   - 208 u. 169
— zeuge   -   - 207
— Εὐδόκου bürge   173 - 188
— buleut   171
— Εὐδόκου bürge   170 - 222
— zeuge   -   - 109 u. 124
— freilasser (cυνευδοκέων) mit s. frau Fraxo c. 168 (IV) ἄ. Κλέ-
    ωνος W-F 114. der bürge ist der spätere mitgesandte
    Βάκχιος Ἄγρωνος
— läszt [Πραξώ?] cυνεπαινέοντος Πραξία eine sklavin frei, c. 168
    (IV) ἄ. Κλέωνος W-F (332ᵃ)
— — derselbe Πραξίας Εὐδόκου ist bürge c. 168 (IV) ἄ. Κλέωνος
    W-F (332ᵃ)
— Εὐδόκου bürge   c. 167 (IV) ἄ. Ξενέα   W-F 64
— zeuge   -   -   - 61
—   -   in IV   ἄ. Ἀνδρονίκου - 55
— Εὐδόκου bürge   -   ἄ. Θεοξένου   - 181
— zeuge   -   -   - 180
—   -   c. 160 (IV) ἄ. Εὐαγγέλου   - 211
— Εὐδόκου: 2mal ge-
    sandter an Attalos II: in den j. 159/58 vor Ch. Bull. V̇ n. 1
— — freilasser   in V   ἄ. Ἀθάμβου   W-F 241
— — bürge   -   -   - 26
— — priester   in VI
— — freilasser in VII ἄ. Δαμοσθένεος· n. (36); die bürgen sind
    Εὔδοκος καὶ Θρασυκλῆς οἱ Πραξία
— freilasser mit seiner frau zusammen, in VIII (?) ἄ. Ξενοκρίτου
    W-F 423; die bürgen sind (die beiden söhne) Εὔδοκος und
    Θρασυκλῆς.

---

[60] die belegstellen für buleuten und archonten sind bis zum jahre
169 von Mommsen ao. tf. I zusammengestellt und deshalb oben nicht
wiederholt; bei denen von 168 (IV) an abwärts ist immer nur eine be-
liebige stelle mit dem zusatz 'zb.' mitgeteilt.

Εὔδοκος Πραξία:
— zeuge   c. 167 (IV) ἄ. Ξενέα   W-F 61 (zugleich
                                           und zusammen mit Praxias)
— bürge und zeuge in IV   ἄ. Ἀνδρονίκου   ostm. n. (VII)
— zeuge   -   -   W-F 89
— Πραξία bürge   -   ἄ. Ἄρχωνος τ. Κ. - 57
— buleut   c. 160 (IV) ἄ. Εὐαγγέλου zb. - 67
— zeuge   -   -   - 149
— Πραξία bürge   -   - 211 (zeuge
                                           ist der vater Praxias)
— — bürge   c. 158 (IV) ἄ. Ἀμφιστράτου W-F 51
— bürge   VI   ἄ. Ἀρχία   - 308
— Πραξία bürge   -   ἄ. Δαμοστράτου   - 273
— — buleut   ἄ. Εὐκλέος   zb. - 424
— — bürge   -   - 424
— — buleut   -   ἄ. Πειcιθέου }
— — bürge   -   -   } Anecd. 5
— bürge   -   -   W-F 277
— Πραξία bürge   VII   ἄ. Δαμοcθένεος n. (37) (zeuge ist
                                           sein bruder Θραcυκλῆc Πραξία)
— zeuge   ἄ. Δαμοcθένεος n. (55)
— Πραξία bürge   -   -   n. (36)(der zweite
                  bürge ist sein bruder Θραcυκλῆc Πραξία)
— — bürge   VIII   ἄ. Δάμωνος   n. (27) (der name
                                           ist zu ergänzen: Εὔδ|[οκος Πραξί]α)
— bürge   VIII   ἄ. Ξενοκρίτου   W-F 423 (zusam-
     men mit seinem bruder Θραcυκλῆc; freilasser sind ihre
     eltern).

Zur begründung ist zunächst hervorzuheben, dasz unter jedem
namen sämtliche stellen[61] (in chronologischer folge[62]) verzeichnet
sind, an denen sich derselbe auch ohne patronymikon in Delphi
überhaupt[63] bisher findet. dadurch wird ohne weiteres klar, dasz
wir innerhalb desselben zeitabschnitts stets ein und dasselbe familien-
glied vor uns haben, das bald mit, bald ohne vatersnamen genannt
ist: denn es können zb. weder zwei Εὔδοκος Πραξία lange zeit neben
und durch einander aufgeführt werden oder gelebt haben, noch auch
könnte bei der annahme zweier gleichzeitiger Εὔδοκος, von denen

---

[61] ausgenommen einige nebenpersonen, für welche die sonstigen
belegstellen erst weiter unten im text gegeben werden.   [62] so weit dies
bis jetzt möglich war, dh. in IV ungefähr, in V chronologisch, von VI
an nur priesterschaftsweise, innerhalb derselben aber nach alpha-
betischer ordnung der namen der archonten.   [63] es musz aber ausdrücklich darauf hingewiesen werden, dasz bei der groszen anzahl der
texte, die fast zu einem drittel aus namen bestehen, die hergestellten
indices bisher nur provisorischer natur sein konnten, und dasz es darum
geschehen sein mag, dasz hin und wieder eine belegstelle übersehen
worden ist.

der eine einer ganz andern familie zuzuweisen wäre, letzterer immer constant o h n e, der andere ebenso constant m i t vatersnamen (Πραξία) existieren — oder, deutlicher gesagt, ersterer fast nur buleut und zeuge, letzterer nur bürge gewesen sein. entsprechend dem brauch von anfang und mitte des zweiten jh. vor Ch. finden wir vielmehr für gewöhnlich das patronymikon weggelassen, stets zugesetzt nur dann, wenn es auf die genaue bezeichnung des individuums ankam, also immer beim namen des βεβαιωτήρ, der für die ausführung des manumissionsactes mit seinem vermögen in höhe des kaufpreises bürgschaft leistete. bezeichnete aber innerhalb mehrerer decennien solch ein name immer nur έin individuum (zb. Εὔδοκος), war also der gedanke an homonyme ausgeschlossen, so ist es selbstverständlich dasz, wenn wir in dem darauf folgenden zeitraum mehreren leuten begegnen, welche nun jenen namen als patronymikon (Εὐδόκου) führen, dies die söhne jenes einzigen, also brüder gewesen sind.

Allerdings musz dem letzten argument gegenüber die möglichkeit der existenz gleichzeitiger, aber in den urkunden bisher noch n i c h t b e l e g t e r homonymen, deren söhne dann von den trägern des bekannten patronymikon nicht zu unterscheiden wären, im principe zugestanden werden; in praxi stellt sich das zunächst für unsern zeitraum (Εὔδοκος Πραξία von IV—VIII), innerhalb dessen zb. aus den dreizehn jahren der IV priesterzeit nicht weniger als 153 inschriften erhalten sind, als unmöglich, weiterhin für das ganze zweite jh. (I—XI), ebenfalls in rücksicht auf die colossale zahl der überlieferten texte[64], als unwahrscheinlich heraus, und auszerdem besitzen wir mehrere schätzenswerte hilfsmittel die zugehörigkeit zu derselben familie direct darzuthun.

Abgesehen von den relativ zahlreichen fällen, in denen die urkunden den verwandtschaftsgrad der freilasser selbst angeben (wie cυνευδοκέοντος τοῦ υἱοῦ, τοῦ πατρός usw.), gehört hierher an erster stelle die beobachtung, dasz d i e b ü r g e n h ä u f i g a u s d e r u n m i t t e l b a r e n v e r w a n d t s c h a f t d e r f r e i l a s s e r* genommen werden, und in zweiter linie, dasz auch u n t e r d e n z e u g e n überwiegend d i e m i t g l i e d e r d e r s e l b e n f a m i l i e n e b e n e i n a n d e r s t e h e n d aufgeführt erscheinen.[65] die ausführliche begründung dieser beiden sätze musz dem genealogischen abschnitt vorbehalten bleiben, um so mehr, als wir derselben im vorliegenden falle nur als willkommener bestätigung, nicht aber als ausdrücklicher beweismittel bedürfen.

Nach diesen allgemeinen erörterungen, deren specielle anwen-

---

[64] wenigstens bis zum ende von IX; in X und XI sind die urkunden, wie oben hervorgehoben, nur wenig zahlreich.   * so auch schon Foucart 'l'affranchissement des esclaves' s. 16.   [65] es verdient dabei beachtung, dasz in gar nicht so wenigen fällen der bürge in derselben urkunde gleich darauf noch einmal als zeuge aufgeführt wird und dasz dieser daher n i c h t als homonymer enkel oder groszvater angesehen werden darf. im einzelnen wird das an anderm orte mit beispielen belegt und erklärt werden.

dung auf den Praxias-stammbaum aus einer genauen betrachtung der tafel zu s. 560 von selbst erhellt und die im einzelnen nachzuweisen darum überflüssig ist, wenden wir uns zu einer kurzen besprechung der hauptpersonen dieser familie.

Der älteste Praxias und Eudokos gebören dem dritten jh. vor Ch. an, in welchem man die patronymika noch durchgängig in Delphi ausliesz. es ist daher nicht absolut sicher, dasz wir hier den groszvater und vater unseres priesters vor uns haben; die zeit ihres archonten- und buleutenamts wird — ebenso wie die vor 201 vor Ch. fallenden archontate der priester von I bis V — erst in dem abschnitt über die beamten dieses ältern zeitraums (drittes und viertes jh.) besprochen werden.

Den höhepunkt an macht, reichtum und politischen einflusz innerhalb dieser familie bezeichnet das leben des Πραξίας Εὐδόκου, das nachweisbar gegen 90 jahre währte. geboren um 222 vor Ch.[66], in einer zeit wo der druck des aitolischen joches schwer auf seiner vaterstadt lastete, erlebte er, nachdem er als buleut 192 vor Ch. die öffentliche laufbahn betreten hatte[67], den umschwung: die besiegung

---

[66] da zur wählbarkeit als archont oder buleut auch in Delphi zweifelsohne ein alter von 30 jahren vorbedingung war, so besitzen wir in dem verwalten dieser ämter einen sichern terminus ante quem, insofern das geburtsjahr wenigstens dreiszig jahre vorher anzusetzen ist. in vielen fällen aber auch nicht mehr als 30 jahre früher, da der vornehme Delphier jedenfalls möglichst schnell nach erlangung des gesetzmäszigen alters für die öffentlichen ämter candidierte, wie denn vielfach die lebensdaten und die hohe bejahrtheit (so auch bei Praxias) es direct gebieten, geburt und erstes auftreten als buleut oder archont einander so nahe wie möglich zu rücken. dagegen um als zeuge zu fungieren, brauchte man gewis nicht älter als 20 jahre zu sein (entsprechend dem recht von da an die ekklesie zu besuchen), und als bürge war auszerdem nur eignes vermögen und disponierungsfreiheit über dasselbe erforderlich. dasz aber nur sehr selten so junge leute wirklich zeugen und bürgen gewesen sind, ist an und für sich einleuchtend; man wird vielmehr als durchschnittliches anfangsalter hierfür etwa 25 jahre annehmen dürfen.   [67] dasz wir anfangs, wie man vielleicht einwenden könnte, um das spätere zu hohe alter des Praxias zu beseitigen, nicht etwa einen homonymen groszvater Πραξίας Εὐδόκου vor uns haben, so dasz wir zwischen ihm und seinem enkel die zeugnisse der ersten jahre — ungewis wie — teilen müsten, geht nicht nur daraus hervor, dasz jener die ganzen acht jahre vorher (200—192) unmöglich völlig unbezeugt hätte bleiben können, wenn er kurz vor seinem tode auf einmal noch so zahlreiche bethätigung ausübt, sondern auch aus dem genau entsprechenden alter der jüngern Praxias-brüder Thrasykles und Sosinikos, von denen ersterer als freilasser und zeuge sogar noch ein jahr vor seinem ältern bruder auftritt (193 vor Ch.), während ihr buleutenamt (190 und 184) darauf hinweist, dasz sie etwa 2 bzw. 8 jahre nach ihm geboren worden sind. es sind danach mit absoluter sicherheit nicht nur der archont vom j. 178 — weswegen der stammbaum überhaupt aufgestellt werden muste — sondern alle seit 192 bezeugten Praxias mit unserm priester identisch, einzig ausgenommen seinen in IX erscheinenden ältern enkel Πραξίας Θρασυκλέος. sollte aber jemand daran anstosz nehmen, dasz in dem eignen archontat nicht nur Πρ. Εὐδ. zweimal ohne jeden zusatz als bürge, sondern éinmal sogar einfach als

der Aitoler und die neuregulierung des delphischen gebietes durch
M.' Acilius, und wenige jahre darauf die officielle autonomerklärung
Delphis durch den römischen senat, an den sein jüngerer bruder
Thrasykles mit noch zwei andern als gesandter im j. 186 vor Ch.
(consulat des Spurius Postumius) geschickt worden war.[68] im j. 178

zeuge Πραξίας unter den übrigen ἰδιῶται aufgeführt wird, und daraus
einen zweifel an der richtigkeit dieser behauptung herleiten, so ist zu
erwidern, dasz der eponyme archont gerade so gut bürgschaft leisten
konnte wie jeder privatmann, und dasz, wenn er als zeuge fungierte,
man kein mittel hatte ihn von den übrigen ἄρχοντες zu unterscheiden
und ihn daher, um verwechselung mit jenen zu vermeiden, einfach unter
die übrigen bürger placierte. dasz dies — angesichts des usus alle sonstigen beamten (priester, νεωκόρος, προστάται) durch setzung des titels
auszuzeichnen — dem höchsten städtischen beamten gegenüber eine
arge inconsequenz war, musz zugegeben werden: zur erklärung liesze
sich anführen, dasz gerade jener ja stets bereits am kopfe der urkunde
mit dem titel figurierte und diesen in demselben schriftstück z w e i m a l
zu setzen man für überflüssig hielt; das geschieht ja nicht einmal bei
den p r i e s t e r n, wenn diese selbst freilasser sind [zb. in den unedierten
n. (96) vom j. 186, wo Ξένων Βούλωνος, und n. (15) ἄ. Δαμοστράτου
in VI, wo Ἀνδρόνικος Φρικίδα manumittieren; natürlich fehlen sie
dann unter den zeugen], wozu allerdings die doppelte aufführung der
buleuten (in den prae- und postscripten) nicht passt. damit man endlich obigen fall nicht als unicum betrachte, führe ich einige beispiele an,
wo die eponymen archonten z u g l e i c h als zeugen unter den ἰδιῶται erscheinen:

Ἀμφίστρατος   epon. archont und zeuge ᴧm das j. 158 (IV) Anecd. 23
Ἀνδρόνικος Φρικίδα   -   -   -   in IV W-F 161
Αἰακίδας Εὐκλείδα   -   -   -   in XXI n. (8) (s. oben s. 533)
Ξεναγόρας Ἀβρομάχου -   -   -   -   n. (9)
      -      -   -   -   -   n. (38)

usw., wobei alle durch gleichzeitiges vorkommen von homonymen oder
enkeln zweifelhaften fälle fortgelassen sind. Amphistratos ist der e i n -
z i g e seines namens, Ἀνδρόνικος Φρικίδα hat keinen gleichnamigen enkel
gehabt, und bei den beiden andern lassen die übrigen zeugnisse ebenfalls
n u r die annahme der identität von archont und zeuge zu.

      [68] die marmortafel, auf der sich die betr. urkunde befand, ist heute
verloren (vgl. beitr. s. 77 anm. 1); einzig gesehen hat sie Ulrichs, der
sie beim synedrion fand und in minuskeln in den reisen u. forsch. I
s. 115 n. 36 (vgl. s. 36 und 110) mitteilte. die ersten zeilen lauten
nach ihm:

      Σπόριος Ποστόμιος Λευκίου υἱός, στρατη[γός· βουλευ·
      ταὶ Βούλων, Θρασυκλῆς, Ὀρέστας   περὶ τῆς α[ὐτοδικίας
      καὶ περὶ τῆς ἐλευθερίας καὶ ἀνεισφορ[ίας τῶν Δελφῶν·
      γινώσκετε οὖν, δεδογμένον τῇ συγκλή[τῳ, μένειν
      τὴν πόλιν τῶν Δελφῶν καὶ τὴν χώραν usw.

seine ergänzungen jedoch sind falsch und es ist ungefähr so zu lesen:

      Σπόριος Ποστόμιος Λευκίου υἱός, στρατη[γὸς ὕπατος Ῥωμαίων, Δελφῶν
            τῇ πόλει χαίρειν· ἐπειδὴ οἱ ἐξαποσταλέντες ὑφ' ὑμῶν πρεσβευ-
      ταὶ Βούλων, Θρασυκλῆς, Ὀρέστας περὶ τῆς α[ὐτοδικίας καὶ ἀσυλίας τῆς
            πόλιος ὑμῶν usw.

am schlusse folgt der wortlaut des senatusconsultes (δόγμα τῆς συγκλήτου)
selbst; darunter der anfang eines neuen briefes.   Ulrichs setzte (s. 110)
die abfassung des ersten 'in die zeit bald nach Korinths zerstörung durch
Mummius'; es führen aber zunächst die allgemeinen indicien, zb. die drei
namen Βούλων, Θρασυκλῆς, Ὀρέστας mit sicherheit auf das erste viertel

wird Praxias eponymer archont. vermählt war er in mehr als 50jäh-
riger ehe mit des berühmten Emmenidas tochter Πραξώ, einer frau
von der es bei Livius[69] heiszt, sie sei gewesen *princeps auctoritate
et opibus Delphorum*, und bei welcher der könig Perseus im j. 174
gelegentlich seines delphischen besuches sein absteigequartier nahm.
hier im hause der gatten liefen die fäden zusammen, welche — der
ausgesprochen Aitolerfeindlichen gesinnung der ganzen familie gemäsz — gesponnen waren, um im folgenden jahre die ermordung
des königs Eumenes, des bundesgenossen der Aitoler, ins werk zu
setzen. an diese seine *hospita* Praxo hatte Perseus die *insidiatores*
unter führung des Kreters Euandros adressiert, bei ihr waren dieselben bis zur that verborgen worden. nach dem mislingen derselben
scheint in rücksicht auf das zeitweilige überwiegen der m a k e d o n i -
s c h e n partei in Aitolien, vielleicht auch infolge der durch Perseus
hervorgerufenen compromittierung eine entfremdung gegen diesen
eingetreten zu sein: denn wir finden die Fraxo bald darauf mit
C. Valerius in Rom, um die schuld des Perseus öffentlich darzuthun.
da sie diese reise schwerlich ohne ihren gatten Praxias unternommen
haben wird, so läszt sich der bisher unbekannte zeitpunkt derselben
mit hilfe der oben zusammengestellten lebensdaten ziemlich genau
bestimmen: im Poitropios 173/2 ist Praxias noch in Delphi als bürge
anwesend (W-F 188), im gleichen monat 171/70 wird er bereits
wieder bei der beamtenwahl für das folgende zweite semester zum
buleuten ernannt; also kann die anwesenheit des ehepaares in Rom

---

des zweiten jh. (im j. 195 sind Βούλων und 'Ορέϲταϲ buleuten). ferner
ist zweifellos in dem briefschreiber zu erkennen Spurius Postumius L.
f. A. n. Albinus, praetor 189, consul 186, † als augur 180 vor Ch. ob
ϲτρατηγόϲ oder ϲτρατηγὸϲ ὕπατοϲ zu ergänzen, ob also die urkunde in
das j. 189 oder 186 zu setzen sei, ist nicht ohne weiteres zu entscheiden;
weitaus wahrscheinlicher ist das letztere, so dasz folgende reihenfolge
der bisher über Delphis gebiet, autonomie usw. bekannten urkunden
sich ergibt: 191/90 grenzregulierung durch M.' Acilius; 186 senatsbeschlusz, der jene bestätigt und die autonomie anerkennt; um 146
definitive regelung der grenz- und vermögensverhältnisse des ἱερόν durch
amphiktyonendecret (Wescher mon. bil. s. 55); unter Trajan wiederherstellung dieser verhältnisse mit ausdrücklicher berufung auf die drei
frühern urkunden, nemlich τὴν ὑπὸ τῶν ἱερομνημόνων γενομένην κρίϲιν
κατὰ τὴν Μανίου 'Ακειλίου καὶ τῆϲ Ϲυγκλήτου γνώμην (CIG 1711 A z. 66).
[wie ich sehe, setzte auch Foucart 'sénatusconsulte inéd. de l'année 170'
s. 6 unsere urkunde in das j. 186, obwohl er dabei vom 'préteur
Spurius Postumius' sprach. wenn aber als (einziger) gewährsmann für
dieselbe Lebas 852 angegeben wird, so musz dieser unbedingt verworfen
werden: denn er hat, ohne die inschrift je gesehen zu haben, einfach
den Ulrichsschen minuskeltext in majuskeln umgeschrieben, und noch
dazu so nachlässig, dasz er dessen elfte zeile ganz vergasz und auszerdem
z. 10 Τεβερίο[υ in Τιβερίο[υ und z. 13 νειν in νῦν verschlimmbesserte.]
    [69] die auf ihr leben bezüglichen angaben des Polybios bei Livius
(XLI 23. XLII 15. 17) habe ich beitr. s. 85 anm. 2 zusammengestellt
und dort auch den ort des überfalls auf Eumenes besprochen, weshalb
ich für die ganze obige schilderung auf jene stelle als begründung verweise.

nur in die zeit vom januar des jul. j. 172 bis zum december 171 gesetzt werden. kurz nach 159 vor Ch. folgen dann die beiden gesandtschaften des Praxias (das erste mal zusammen mit seinem schwager Καλλίας Ἐμμενίδα) an den hof des Attalos II; es muste also eine vollkommene aussöhnung der familie mit den Attaliden vorangegangen sein[70], da die delphische gemeinde sonst unmöglich einen mann an die spitze der gesandtschaft hätte stellen können, der die für des Attalos bruder Eumenes gedungenen mörder ehemals beherbergt hatte. mit glänzenden resultaten von Pergamon zurückgekehrt wird er für 5 jahre etwa von 158—153 als erster zum vorsteher (ἐπιμελητής) der neuen Attalidenstiftung[71] erwählt und erhält endlich nach des Amyntas tode (ende der funfziger jahre) die oberste delphische würde, das priesteramt, als college des Andronikos. im höchsten alter — in der VII und VIII priesterzeit — schenkt er noch in gemeinschaft mit seiner gattin Praxo zweimal sklaven die freiheit, beidemal mit der bedingung bis zu seinem und seiner frau tode bei ihnen auszuharren, und ist jedenfalls bald darauf (also kurz nach 135 vor Ch.) im achtundachtzigsten lebensjahre gestorben.[72]

Zur vervollständigung des bildes sei noch erwähnt, dasz es auch ein anathem dieser familie in Delphi gab, dessen basis wir noch besitzen. es ist dies die etwa um 175 vor Ch. von Praxias geweihte statue seines ältern sohnes Eudokos, der bei den Basileia zu Lebadeia im knabenwettkampf gesiegt hatte.[73]

Des Praxias bruder Thrasykles, etwa zwei jahre jünger als jener, ist **sehr früh gestorben**, da er nach 186 nicht mehr vorkommt,

---

[70] wahrscheinlich um den preis der öffentlichen denuncierung des Perseus und nachdem auch Eumenes mit den Aitolern sich verfeindet hatte, also **nach** 172, so dasz die reise nach Rom doch eine mehr oder weniger freiwillige gewesen und in den sommer des jul. j. 171 anzusetzen wäre. [71] über diese Pergamon-reise und ihre ergebnisse vgl. die ausführliche urkunde Bull. V s. 19 n. 1. [72] der auszer ihm sich findende [Πρ]αξίας Ἀλκιδ[άμ]ου in dem Wescherschen amphiktyonendecret (mon. bil. s. 55) z. 14 ist kein Delphier; diese erscheinen erst in z. 15*, wie die namen beweisen: Ἀμύντας Εὐδώρου (der enkel des priesters) und Ἁγίων Πολυκλείτου (der priester in XI und XII). [73] sie stand wahrscheinlich an der synedrionstrasze. über den ort, wo sie sich jetzt befindet (treppenstufe in haus 162), vgl. beitr. s. 93 n. 48. in der publication bei W-F 477 (nur majuskeltext) ist die entscheidende (erste) zeile weggelassen; die inschrift hat etwa gelautet:

Πραξίας] Εὐδόκ[ου Δε]λφὸ[ς
ἀνέθηκε] Εὔδοκον Πραξία
νικήσαν]τα Βασίλεια παῖδα[ς
τὸν ἴδιον υ]ἱὸν Ἀπόλλωνι Πυθίω[ι.

z. 3 hatte so auch schon Bergk ergänzt (Philol. XLII s. 260 anm. 62). die zeitbestimmung ergibt sich zunächst allgemein aus dem schriftcharakter (zb. Π in Delphi nur in der ersten hälfte des zweiten jh.), genauer aus den lebensdaten des Eudokos, der als buleut zuerst in IV ἄ. Εὐαγγέλου, dh. etwa 159 vor Ch. erscheint, also um 190 vor Ch. geboren ist. über die Βασίλεια Διός zu Lebadeia vgl. Diodor XV 53 (ihre stiftung nach der schlacht bei Leuktra); Kaibel epigr. gr. praef. n. 492 (sieger aus dem vierten jh. vor Ch.); ferner CIG 1515. 1585. Lebas 454. 752 usw.

dies ist auch die erklärung dafür, dasz er nicht archon eponymos geworden.

Seine erbtochter Λύκα, die schon um 195 geboren sein könnte, wird an Κάλλων[74] verheiratet (also nicht vor 177) und läszt 169 bereits cυνεπαινέοντος καὶ τοῦ υἱοῦ Cωνίκου eine sklavin frei, unter assistenz ihres onkels Praxias als bürgen. es geht daraus mit sicherheit hervor dasz, wie wir es nicht selten finden werden, eine solche zustimmung zur reinen formalität werden muste, falls die an der person des sklaven erbberechtigten kinder noch unmündig, ja bisweilen noch ganz jung (hier kaum 8jährig) waren. nachdem dann noch einmal etwa 10 jahre später Lyka und ihr sohn (nicht blosz cυνεπαινέων) als freilasser aufgeführt sind, stirbt anscheinend diese Thrasykles-nebenlinie bald nach 159 vor Ch. aus.

Ähnlich geht es mit dem jüngsten der drei brüder, dem um 214 vor Ch. geborenen Sosinikos, der im j. 174 das archontat erhält. sein tod ist während der priesterzeit seines ältesten bruders, in den vierziger jahren des zweiten jh. erfolgt. sein einziger sohn Xenainetos[75] scheint kinderlos geblieben und etwa in der zeit von 130—125 vor Ch. (IX priesterzeit) gestorben zu sein.[76]

Lebenskräftiger erwies sich der directe mannesstamm des Praxias selbst. sein älterer sohn (geboren um 190 vor Ch., s. o. anm. 73) wird herkömmlicher weise nach dem groszvater Eudokos, der jüngere nach dem früh verstorbenen onkel Thrasykles genannt.

---

[74] welcher von den damaligen trägern dieses namens das gewesen, ist nicht ohne weiteres klar; indes ist aller wahrscheinlichkeit nach gemeint Κάλλων Λεπτίνα, dem folgende daten zuzuweisen sind:
Κάλλων zeuge im j. 178 n. (100)
— zeuge   -   171 W-F 145
— Λεπτίνα zeuge in IV ἄ. Ἀνδρονίκου W-F 50
— zeuge   - ἄ. Ἐμμενίδα   ostm. VIII
— Λεπτίνα zeuge in VI ἄ. Εὐκλέος   W-F 429 (so auf dem stein z. 38).
auszer ihm käme nur noch in betracht Κάλλων Cατύρου (zeuge in V ἄ. Φιλοκράτεος W-F 259; mit seinem vater Cάτυρος Νικομάχου zusammen freilasser in VI ἄ. Δεξώνδα Anecd. 18). auszer ansatz dagegen bleiben: Κ. Ἀριστοδάμου (in IV W-F 67 und 150): denn dessen frau heiszt Ἀγαθώ; Κ. Ξένωνος (zeuge in IX Anecd. 33) und Κ. Νικία [zeuge in IX n. (58)] wegen des zeitunterschiedes. auszer diesen gibt es noch eine ganze anzahl von Kallonsöhnen, bei denen es nach den oben s. 563 entwickelten möglichkeiten nicht völlig ausgeschlossen wäre, dasz einer ihrer väter, ein bisher noch unbekannter homonyme, als gemahl der Lyka zu denken sei. der name dieser letztern selbst kommt bisher nur noch éinmal vor: W-F 168, wo etwa im j. 168 (ἄ. Κλέωνος in IV) freilasserin ist Νικίππα Μεγιστοτίμου, cυνεπαινεουcῶν καὶ τᾶν θυγατέρων Λύκας καὶ Νικοπόλιος καὶ Νικαίας (so auf dem stein; Νίκας W-F); aber kein anzeichen deutet darauf hin, dasz dies die Thrasykles-tochter Lyka gewesen sei, dieser also noch mehr töchter gehabt habe usw.
[75] auszer ihm gibt es noch Ξεναίνετος Πατρώνδα W-F 48. weder er selbst noch ein Πατρώνδας findet sich je wieder; sind es überhaupt Delphier?   [76] da indes gerade mit dem eintritt von X die quelle unserer delphischen inschriften sehr spärlich zu flieszen beginnt, so könnte sein späteres nichtvorkommen und die nichtbezeugung von kindern bisher auch auf zufall beruhen.

von da an schlägt die namenfolge um; nicht Eudokos, sondern
Thrasykles führt die alten geschlechtsnamen in seinen nachkommen
weiter, und zur erklärung dieses seltsamen umstandes musz ein wenig
weiter ausgeholt werden.

Das mittel zur lösung bietet uns die benennung des zweiten
Eudokos-sohnes, Mikkylos. es ist dies notorisch k e i n delphischer
name, sondern nachweisbar hergenommen von Μικκύλος Λαδίκου
Χαλειεύς. wenn dieser in s p ä t e r n inschriften als Δελφός bezeichnet wird, so ist klar dasz er in der zwischenzeit das delphische
bürgerrecht[77] erhalten hat; und wenn er ferner an s ä m t l i c h e n
stellen in engster verbindung mit gliedern der Praxias-familie erscheint, so musz eine verwandtschaft, eine verschwägerung mit dieser
stattgefunden haben. aller wahrscheinlichkeit nach war er der
s c h w i e g e r v a t e r d e s E u d o k o s, und zwar hatte dieser jenes
Mikkylos t o c h t e r D r a k o n t i s (?) z u r f r a u. die beweisenden
urkunden[78] sind in chronologischer ordnung[79] folgende:

1) W-F 61, aus dem archontat des Ξ ε ν έ α ς (μ. Δαιδαφορίου)
in IV; dieses ist nach den bisherigen ermittlungen das zweit- oder
drittälteste der noch unbestimmten, dh. ums jahr 167. Μικκύλος
Λαδίκου Χαλειεύς läszt eine sklavin frei, εὐδοκεούσας τᾶς θυγατρὸς
αὐτοῦ Δρακοντίδος; bürge ist Cωcίνικος Εὐδόκου Δελφός, also
des j. Eudokos oheim; zeugen sind Εὔδοκος, Πραξίας, dh. sohn
und vater. die freigelassene musz jedoch bis zu des Mikkylos tode
bei ihm ausharren, also ist dieser bereits betagt. da weder eine
chaleiische noch die aitolische bundesbehörde praescribiert ist und
auch sonst kein einziger Nichtdelphier in der urkunde erscheint, so
ist es sehr wahrscheinlich, dasz Mikkylos damals bereits in Delphi
selbst wohnte.

2) W-F 64 aus demselben archontat (μ. Ἡρακλείου); prae-
scribiert ist der aitolische strateg und monat; freilasser ist Πάτρων
Γλαυκίωνος Χαλειεύς nebst seinem sohn; b ü r g e n sind:
Μικκύλος Λαδίκου Χαλειεύς u n d der vater seines schwiegersohns:
Πραξίας Εὐδόκου Δελφός.

3) W-F 387 aus dem archontat des Ἀνδρόνικος, das noch zu
der ersten hälfte der archonten in IV gehört, ums jahr 165. unter

---

[77] sein proxeniedecret bleibt noch aufzufinden; es gehört in die
mitte von IV.   [78] auszer in diesen sechs kommt der name Mikkylos,
abgesehen von dem Eudokos-sohne selbst, bisher nicht vor.   [79] obwohl
die archontenfolge in IV, welcher priesterzeit alle obigen nummern angehören, noch nicht g e n a u feststeht, sind ua. doch gerade die in frage
kommenden archonten in ihrer gegenseitigen stellung schon früher von
mir bestimmt worden; es ist unmöglich diese anordnung im einzelnen
jetzt hier zu beweisen; dies kann erst in dem spätern abschnitt über
die archonten geschehen. die möglichkeit der nachprüfung ist aber für
jeden in dem polygonmauerplan selbst (beitr. tf. III) gegeben, aus dessen
inschriftenumrissen in der IV priesterzeit sich die reihenfolge der urkunden (und damit der archonten) gerade in charakteristischen fällen
ableiten läszt.

den nur delphischen zeugen erscheint auch ohne jeden weitern zusatz Μικκύλος. seine aufnahme in die delphische gemeinde musz also zwischen dieser und der vorigen inschrift stattgefunden haben, dh. etwa im j. 166 vor Ch.

4) W-F 153 aus dem archontat des Πύρρος (μ. Ὁμολοΐου == Βυσίου), das in die letzten jahre von IV gehört, ums j. 161. als bürgen sind genannt: Μικκύλος, Ἐμμενίδας Δεξικράτεος Δελφοί, wo M. zum erstenmal als delphischer bürger bezeugt ist.

5) W-F 100 aus demselben archontat (μ. Ἐνδυσποιτροπίου) figuriert unter den nur delphischen zeugen Μικκύλος.

6) W-F 51 aus des Ἀμφίστρατος archontat im j. 158 vor Ch. (das ergibt sich aus Bull. V n. 1, Tranche z. 43, wo bereits Attalos II regiert, der im j. 159 könig wird). hier erhalten wir in einer rein delphischen urkunde den directen beweis, dasz es sich immer um éine und dieselbe person handelt, dadurch dasz — wie in Delphi selbstverständlich — das ethnikon fehlt: es läszt nemlich Μικκύλος Λαδίκου wieder zwei sklavinnen frei, von denen die erste bis zu seinem tode bei ihm ausharren musz; bürge ist wiederum sein schwiegersohn Εὔδοκος Πραξία (und Λέων Ἀρισταγόρα).

Bald nach 158 vor Ch. scheint dieser ältere Mikkylos gestorben zu sein. ob nun gerade seine uns bekannte tochter Drakontis von Eudokos geheiratet worden sei, oder ob er noch mehrere töchter gehabt habe, ist aus den urkunden nicht zu entscheiden. höchst wahrscheinlich ist jedoch, dasz diese Drakontis eine reiche erbtochter aus Chaleion gewesen, dasz deshalb von der delphischen patricierfamilie der Praxias-Eudokos die verschwägerung mit ihr gesucht und erreicht worden, dasz der alte Mikkylos zu dieser seiner einzigen tochter nach Delphi übergesiedelt und dort zur legalisierung der ehe derselben und wegen der erbnachfolge der aus ihr entsprossenen kinder das delphische bürgerrecht erhalten und dann die mehrzahl seiner sklaven vor seinem tode freigelassen hat, sowie endlich dasz, da auf Eudokos und Drakontis sein vermögen übergieng, auch sein name einem seiner enkel (dem jüngern) beigelegt worden ist.

Aufzuklären bleibt nur noch die benennung des ältern enkels Euandros, welcher name sich niemals weder in Delphi noch in dessen umgebung wiederfindet[80], und der vielleicht ebenfalls auf die aus Chaleion stammende familie der frau zurückzuführen ist.[81]

Was nun den Εὔδοκος Πραξία selbst angeht, so scheint er seinen vater Praxias nur wenig überlebt zu haben; das gleiche gilt von seinem bruder Θρασυκλῆς Πραξία: denn W-F 423 (in VIII ἄ. Ξενοκρίτου) ist die letzte urkunde, in welcher sie vorkommen, und zwar neben ihren eltern. alle vier sind also kurz hinter einander um 135

---

[80] er kommt nur éinmal vor als Εὔανδρος Κυραιεύς W-F 177, dessen vaterstadt Κύρα unbekannt ist.   [81] vielleicht hiesz so ihr groszvater, so dasz, ebenso wie später der jüngere Thrasykles seine ersten beiden söhne nach vater und groszvater nennt, auch hier Euandros und Mikkylos auf den mütterlichen vater und groszvater zurückweisen.

vor Ch. gestorben. einige jahre vorher (in VI ά. Πειcιθέου) hatte
es sich zugetragen, dasz innerhalb éiner urkunde vier generationen
derselben familie als beteiligte aufgeführt sind. es ist dies Anecd. 5,
wo der urgroszvater der priester Praxias als zeuge, sein sohn der
buleut Eudokos als bürge, der enkel Euandros und dessen frau
Kallisto als freilasser und die urenkelinnen Aithra und Kallisto[62] als
cυνευδοκέουcαι fungieren, gewis ein fall der sich in Delphi kaum
zum zweitenmal ereignet haben wird.

Damit ist aber die kraft der directen linie gebrochen: weder
Euandros und Kallisto haben söhne — die töchter gehören, falls sie
sich verheiratet haben, den familien ihrer männer an, kommen aber
in obiger urkunde zum ersten und letzten male vor — noch auch
sein bruder Mikkylos, von dem überhaupt weder kinder noch frau
bekannt sind. es gewinnt darum den anschein, als habe gerade deshalb des priesters z w e i t e r sohn Θραcυκλῆc Πραξία, als es sich
herausstellte, dasz keiner seiner neffen (der söhne seines ältern bruders) männliche nachkommen hinterlassen würde, s e i n e beiden ältern
söhne zu erben der alten familiennamen Πραξίαc und Εὔδοκοc machen
dürfen. wenn auch über diese beiden sowie über den dritten sohn, den
er von der Xenophaneia[83] hatte, Damainetos, bisher nur ein einziges
zeugnis existiert, so wird man doch die hoffnung nicht aufgeben dürfen, bei der auffindung zahlreicherer inschriften aus den priesterzeiten
n a c h IX auch noch nachkommen dieser drei brüder zu entdecken
und so den stammbaum der altberühmten familie noch um einige
sprossen weiter hinabzuführen. jene einzige urkunde, in der diese
drei Thrasykles-söhne und ihre mutter erscheinen, lasse ich wegen
ihrer wichtigkeit hier folgen: polygonm. BC n. (47).[84] sieh s. 572.

6.

Schlieszlich bedarf noch eine sehr auffallende erscheinung der
erörterung. bekanntlich bildet der umstand, dasz die priester ihr
amt διὰ βίου verwalteten, die grundlage der aufstellung der fasti
Delphici. es ist diese erst durch den tod beendigte amtsdauer nach
Curtius' und Mommsens vorgang auch durchgängig angenommen und
demnach in vorstehender untersuchung vorausgesetzt worden. wenn
sie nun auch im allgemeinen nach wie vor sicherlich richtig bleiben
wird — man denke nur an die oben s. 553 angeführte beweisstelle

---

[62] eine Αἴθρα findet sich bisher auszer hier gar nicht, Καλλιcτώ
nur noch Bull. V n. 39 wieder; letztere ist dort aber sicher eine Φυcκίc,
keine Delphierin.   [83] auszer ihr ist nur noch éine homonyme Delphierin bezeugt: Ξενοφάνεια Παρναccίου, die frau des Κλέων Κλευδάμου
im j. 170; vgl. W-F 127. 96. 364.   Ξενοφάνεια Κλεοδάμου im j. 175
(W-F 391) beruht auf verwechslung des steinmetzen und ist, wie der
text ergibt, als m u t t e r des Κλεύδαμοc in Ξ. Παρναccίου zu corrigieren.

[84] durch ein versehen bei der numerierung ist beitr. s. 115 anm. 2
die oben mitgeteilte urkunde aus dem Hagion-archontat als n. (48) statt
als n. (47) angegeben worden. dasz sie aus der IX priesterzeit stammt,
zeigt eine vergleichung mit W-F 27, wo b e i d e priester erhalten sind.

n. (47).

```
ΑΡΧΟΝΤΟΣΑΓΙΩΝΟΣΤΟΥΕΧΕΦΥΛΟΥ
ΜΗΝΟΣΑΜΑΛΙΟΥΒΟΥΛΕΥΟΝΤΩΝΤΑΝ
ΔΕΥΤΕΡΑΝΕΞΑΜΗΝΟΝΚΛΕΩΝΟΣΤΟΥΗ
Ρ*ΥΟΣΑΙΑΡΑΤΟΥΤΟΥΑΝΤΙΧΑΡΕΟΣΓΡΑΜ
5 ΜΑΤΕΥΟΝΤΟΣΔΕΤΑΡΑΝΤΙΝΟΥΤΟΥΜΝΑ
ΣΙΟΕΟΥΕΠΙΤΟΙΣΔΕΑΠΕΔΟΝΤΟΠΡΑΞΙ
ΑΣΕΥΔΟΚΟΣΔΑΜΑΙΝΕΤΟΣΟΙΟΡΑΣΥ
ΚΛΕΟΣΣΥΝΕΥΔΟΚΕΟΥΣΑΣΚΑΙΤΑΣΜΑ
ΤΡΟΣΑΥΤΩΝΞΕΝΟΦΑΝΕΑΣΤΩΙΑΠΟΛ
10 ΛΩΝΙΤΩΙΠΥΟΙΩΙΣΩΜΑΓΥΝΑΙΚΕΙΟΝ
ΑΙΟΝΟΜΑΔΑΡΔΑΝΑΤΟΓΕΝΟΣΔΑΡΔΑ
ΝΑΝΤΙΜΑΣΑΡΓΥΡΙΟΥΜΝΑΝΤΡΙΩΝ
ΚΑΙΤΑΝΤΙΜΑΝΕΧΟΝΤΙΠΑΣΑΝΒΕΒΑΙΩ
ΤΗΡΚΑΤΑΤΟΥΣΝΟΜΟΥΣΤΑΣΠΟΛΙΟΣΞΕ
15 ΝΟΚΡΙΤΟΣΣΤΗΣΙΜΕΝΕΟΣΕΦΟΤΩΙΕΛΕΥ
ΘΕΡΑΝΕΙΜΕΝΔΑΡΔΑΝΑΝΚΑΙΑΝΕΦΑ
ΠΤΟΝΑΠΟΠΑΝΤΩΝΠΟΙΟΥΣΑΝΟΚΑΘΕΛΗ
ΚΑΙΑΠΟΤΡΕΧΟΥΣΑΝΟΙΣΚΑΘΕΛΗΕΙΔΕ
ΤΙΣΕΦΑΠΤΟΙΤΟΔΑΡΔΑΝΑΣΕΠΙΚΑΤΑ
20 ΔΟΥΛΙΣΜΩΙΚΥΡΙΟΣΕΣΤΩΟΠΑΡΑΤΥ
ΧΩΝΣΥΛΕΩΝΔΑΡΔΑΝΑΝΩΣΕΛΕΥΟΕ
ΡΑΝΟΥΣΑΝΑΙΑΜΙΟΣΩΝΠΑΣΑΣΔΙ
ΚΑΣΚΑΙΙΑΜΙΑΣΚΑΙΟΒΕΒΑΙΩΤΗΡΒΕ
ΒΑΙΟΥΤΩΚΑΙΟΙΑΠΟΔΟΜΕΝΟΙΒΕΒΑΙΟΝ
25 ΠΑΡΕΧΟΝΤΩΤΩΙΟΘΕΩΙΤΑΝΩΝΑΝΜΑΡ
ΤΥΡΟΙΟΙΕΡΕΥΣΤΟΥΑΠΟΛΛΩΝΟΣΑΘΑΜ
ΒΟΣΑΒΡΟΜΑΧΟΥΚΑΙΟΙΑΡΧΟΝΤΕΣ
ΚΛΕΩΝΤΑΡΑΝΤΙΝΟΣΚΑΙΙΔΙΩΤΑΙ
ΠΑΤΡΕΑΣΑΝΔΡΟΝΙΚΟΥΒΑΒΥΛΟΣ
30 ΑΝΔΡΟΜΕΝΕΟΖΕΒΡΟΣΗΡΑΚΛΕ
ΩΝΦΙΛΙΣΤΟΣΞΕΝΟΚΡΙΤΟΣΣΤΗ
ΣΙΜΕΝΕΟΣΚΑΛΛΙΑΣΔΙΩΝΟΣ
```

ἄρχοντος Ἀγίωνος τοῦ Ἐχεφύλου,
μηνὸς Ἀμαλίου, βουλευόντων τὰν
δευτέραν ἑξάμηνον Κλέωνος τοῦ Ἥ-
ρυος, Ἀζαράτου τοῦ Ἀντιχάρεος, γραμ-
5 ματεύοντος δὲ Ταραντίνου τοῦ Μνασιθέου, ἐπὶ τοῖσδε ἀπέδοντο Πραξίας, Εὔδοκος, Δαμαίνετος οἱ Θρασυκλέος, συνευδοκεούσας καὶ τᾶς μα-
τρὸς αὐτῶν Ξενοφανε(ί)ας, τῶι Ἀπόλ-
10 λωνι τῶι Πυθίωι σῶμα γυναικεῖον,
ᾇι ὄνομα Δαρδάνα, τὸ γένος Δαρδάναν, τιμᾶς ἀργυρίου μνᾶν τριῶν,
καὶ τὰν τιμὰν ἔχοντι πᾶσαν· βεβαιωτὴρ κατὰ τοὺς νόμους τᾶς πόλιος Ξε-
15 νόκριτος Στησιμένεος, ἐφ' ὅτωι ἐλευθέραν εἶμεν Δαρδάναν καὶ ἀνέφα-

πτον ἀπὸ πάντων, ποιοῦcαν ὅ κα θέλῃ
καὶ ἀποτρέχουcαν οἷc κα θέλῃ· εἰ δέ
τιc ἐφάπτοιτο Δαρδάναc ἐπὶ κατα-
20 δουλιcμῶι, κύριοc ἔcτω ὁ παρατυχὼν cυλέων Δαρδάναν, ὡc ἐλευθέραν οὖcαν, ἀζάμιοc ὢν πάcαc δίκαc καὶ ζαμίαc, καὶ ὁ βεβαιωτὴρ βεβαιούτω καὶ οἱ ἀποδόμενοι βέβαιον
25 παρεχόντω τῶι θεῶι τὰν ὠνάν. μάρτυροι δ ἱερεὺc τοῦ Ἀπόλλωνοc Ἄθαμ-
βοc Ἁβρομάχου καὶ οἱ ἄρχοντεc
Κλέων, Ταραντῖνοc καὶ ἰδιῶται
Πατρέαc Ἀνδρονίκου, Βαβύλοc
30 Ἀνδρομένεοc, Ἕβροc, Ἡρακλέ-
ων, Φίλιcτοc, Ξενόκριτοc Cτη-
cιμένεοc, Καλλίαc Δίωνοc.

Kleine (0,006 hohe), scharf eingehauene buchstaben; die zeilen
sind fast ohne zwischenraum eng an einander gerückt; Γ^r schwankt in
nicht wiederzugebender weise bis zum Π. rechts polygongrenze.

aus Plutarch — so ist es doch befremdend und zunächst unerklärlich,
wenn wir finden dasz man im einzelnen bisweilen von dieser regel ab-
gewichen ist, und wenn wir bisher schon zwei beispiele, je éines aus
dem zweiten und ersten jh. vor Ch., hierfür nachweisen können. beginnen wir mit dem letztern. in der oben s. 530 mitgeteilten urkunde
n. (41) aus XIX sind als freilasser genannt Νικόcτρατοc Ἄρχωνοc
καὶ Δαντὼ Εὐδώρου, cυνευαρεcτεούcαc καὶ τᾶc θυγατρὸc τοῦ υἱοῦ
αὐτῶν Ἄρχωνοc Δαντοῦc. es kann dies nur der in XVI—XVIII
priester gewesene Nikostratos Archons sohn sein, welcher hier
noch nach seinen vier priesterzeiten nebst frau und gleichnamiger
enkelin (also offenbar nach seines sohnes Ἄρχων Νικοcτράτου tode)
manumittiert. denn selbst angenommen, dasz einmal groszvater und
gleichnamiger enkel in derselben zeit leben oder in der gleichen
urkunde neben einander vorkommen, so ist es doch vollkommen ausgeschlossen dasz, wenn der groszvater eben — dh., falls wir die urkunde auch an das ende von XIX setzen, doch längstens vor 10 bis
15 jahren — noch priester war, jetzt sein homonymer enkel schon
wieder als groszvater (der Danto) erscheinen könnte. ich muste
daher zuerst zu dem schlusse gelangen, die priesterliste sei falsch,
ihre ganze zweite hälfte von XIV—XXII sei umzustülpen und mit
Πολέμαρχοc-Φίλων (jetzt XXII) als XIV zu beginnen, so dasz
nun Καλλίcτρατοc Αἰακίδα (jetzt XIX) — und damit unsere urkunde
— vor die Nikostratos-priesterzeiten und vor seinen präsumptiver
weise am ende von XVIII erfolgten tod käme. nachdem dann die
angestellten personaluntersuchungen die unmöglichkeit dieses radi-
calen mittels dargethan, beruhigte ich mich bei dem gedanken, dasz
in so später zeit (kurz vor Ch. geb.) schon manche laxheiten in der

ämterverwaltung eingerissen und speciell bei Nikostratos und seinem
häufigen collegenwechsel uns unbekannte gründe zu seiner vor-
zeitigen absetzung geführt haben könnten.

Erst als ich bei aufstellung des Praxias-stammbaumes auf dieselbe erscheinung stiesz, welche jedem betrachter desselben sofort
aufgefallen sein wird, dasz nemlich Praxias, der eigentlich mit dem
schlusz seiner (VI) priesterzeit gestorben sein muste, noch in VIII
freilasser ist, konnte ich mich der anerkennung der thatsache nicht
mehr verschlieszen, und es musz von jetzt ab die möglichkeit zugegeben werden, dasz vor dem tode der priester eine beendigung ihrer
amtsthätigkeit durch absetzung oder abdankung jederzeit statthaft.
gewesen ist. in diesem zweiten falle läszt sich das noch zweifelloser
erweisen als in dem ersten; denn schon um 168 vor Ch. (ἄ. Κλέωνος
in IV, W-F 114) hatten wir das ehepaar Praxias-Fraxo bezeugt gefunden, um 135 vor Ch. (in VIII ἄ. Ξενοκρίτου, W-F 423) finden
wir b e i d e wieder, h o c h b e t a g t, da die sklavin bis zu jener beider-
seitigem tode ausharren soll — wodurch der gedanke an ein homo-
nymes enkelpaar Praxias-Fraxo ausgeschlossen wird — und zum
überflusz ist Praxias noch aus der zwischenzeit bezeugt, in VII ἄ.
Δαμοσθένεος in der unedierten n. (36) — auch hier als freilasser, bis
zu dessen tode der sklave weiter dienen soll, auch hier (wie bei
W·F 423) unter der bürgschaft der beiden söhne Εὔδοκος καὶ
Θρασυκλῆς οἱ Πραξία.

Sucht man nun nach gründen für eine solche vorzeitige ab-
brechung der priesterlichen thätigkeit, so leuchtet ein, dasz bei hoher
altersschwäche — aber auch n u r d a n n, denn bei längerer krankheit
war noch genesung und wiedererlangung der nötigen geistes- und
körperkräfte möglich — es bisweilen für den betreffenden unmöglich
sein konnte, die priesterlichen functionen auch nur einigermaszen zu
erfüllen. so im vorliegenden falle, wo Praxias um 140 vor Ch. bereits wenigstens 82 jahr alt war. aber auch dieser grund würde
allein kaum ausreichen: denn gerade für solche fälle hatte man ja
eben als ersatzmann den zweiten priester — wie denn die zweizahl
derselben sicher diesem bedürfnis ihre entstehung verdankt —; aber
dieser andere (Andronikos) steht ebenfalls in seiner zweiten priesterzeit, ist schon reichlich 16 jahre im amt, und über seinen gesundheits-
oder alterszustand kann uns am besten der umstand aufklären, dasz
in dem éinen jahre, das er noch mit dem dritten collegen Dromokleidas (in VII) dahinlebt, bei den 16 manumissionsacten, die sich
über elf monate des jahres (Apellaios — Herakleios) verteilen, er
nur ein e i n z i g e s m a l (im Poitropios) als zeuge hat fungieren
können.[85]

---

[85] die thatsache selbst war schon oben s. 517 hervorgehoben, die
belege sind folgende: die sechzehn urkunden gehören den monaten an:
Apellaios in (56); Boathoos in (43); Daidaphorios in (21); Bull. V 40
und V 47; Poitropios I in (37) und (35); Poitropios II (?) in (34). (40).
(55). (76); Amalios in C-M 19ᵇ; Theoxenios in Anecd. 31. Bull. V 35.

Damit ist alles wesentliche erklärt: es waren zufällig um 140
vor Ch. beide priester hochbetagte greise, von denen keiner mehr
die berufspflichten ausreichend erfüllen konnte, und so trat der an
lebensjahren ältere von ihnen (Praxias) zurück, um einem jüngern
collegen (Ἄρχων Καλλία, VII—IX) platz zu machen, der nun in
VII die priesterpflichten fast ganz allein besorgt. dasz nun solch
ein fall sich in zwischenräumen wiederholen konnte, erhellt leicht
aus dem oben s. 547 über das alter der priester gesagten, und wenn
wir nun auch bei dem zweiten der bisher überlieferten fälle wissen,
dasz Nikostratos bereits vier priesterzeiten (XVI. XVII. XVIIᵃ.
XVIII) hinter sich hatte, also an der höchsten grenze menschlichen
alters stand, so wird auch hier das eintreten einer jüngern kraft geboten gewesen sein.

7.

Ich fasse zum schlusz die chronologischen ergebnisse des ganzen
artikels in folgender priesterschaftstabelle zusammen[86]:

erste gruppe:

x—198 vor Ch.	I	Εὐκλῆς [Ἐτυμώνδα] — Ξένων Βούλωνος
198—181 - -	II	Ξένων — Ἄθαμβος I Ἀγάθωνος
180—171 - -	III	Ἄθαμβος I — Ἀμύντας Εὐδώρου
170—157/6- -	IV	Ἀμύντας — Ταραντῖνος Ἄρχωνος
a156—151 - -	V	Ἀμύντας — Ἀνδρόνικος Φρικίδα
a150—140 - -	VI	Ἀνδρόνικος — Πραξίας Εὐδόκου
	VII	Ἀνδρόνικος — Ἄρχων Καλλία
	VIII	Ἄρχων — Δρομοκλείδας Ἁγίωνος
	IX	Ἄρχων — Ἄθαμβος II Ἀβρομάχου
	X	Ἄθαμβος II — Πατρέας Ἀνδρονίκου
rz vor und nach 100 vor Ch.	XI	Πατρέας — Ἁγίων Πολυκλείτου
	XII	Ἁγίων — Πυρρίας Ἀρχελάου

zweite gruppe:

	XIII	[Πυρρίας, oder Ἁγίων?] — Αἰακίδας Βαβύλ
	XIV	Αἰακίδας — Ἐμμενίδας Πάσωνος
	XV	Ἐμμενίδας — Λαϊάδας Βαβύλου
	XVI	Λαϊάδας — Νικόστρατος Ἄρχωνος
	XVII	Νικόστρατος — Ξενόκριτος........
	XVIIᵃ	Νικόστρατος — Δάμων Ἀγάθωνος
	XVIII	Νικόστρατος — Καλλίστρατος Αἰακίδα
	XIX	Καλλίστρατος — Ἀβρόμαχος Ξεναγόρα
kurz vor und nach Ch. geb.	XX	Καλλίστρασος — Διόδωρος Φιλονίκου
	XXI	Διόδωρος — Πολέμαρχος Δάμωνος
	XXII	Πολέμαρχος — Φίλων Στρατάγου

---

n. (36); Herakleios in (68). davon zeigt allein die oben s. 518 mitgeteilte n. (76) den namen des mitpriesters Archon.

[86] die durch { verbundenen nummern können mit einander vertauscht werden.

dritte gruppe:

XXIII [Φίλων, oder Πολέμαρχος?] — x

(XXIV) ...... — ......

(XXV) ...... — ......

vor und nach { XXVI   x   — Νίκανδρος [Καλλιστράτου]
67 nach Ch. { XXVII Νίκανδρος — x

(XXVIII) ...... — ......

(XXIX) ...... — ......

. 95—125 nach Ch. { XXX   x   — Μέστριος Πλούταρχος
{ XXXI Πλούταρχος — Γ. Μέμμιος Εὐθύδαμος

.126 nach Ch. — x, XXXII Εὐθύδαμος — Εὐκλείδας Ἀστοξένου.

Nachtrag zu s. 555 f.

Ein weiteres verfolgen des stammbaums der Ἀστόξενοι hat ergeben, dasz in dieser familie sicher dreimal (wahrscheinlich viermal) der mannesstamm sich in den ältesten homonymen enkeln (Διονύσιος Ἀστοξένου) nachweisbar fortsetzt. damit fällt das s. 556 geltend gemachte, auf dem bisherigen nichtvorkommen solcher homonymen urenkel basierende hauptbedenken gegen die annahme eines Polemarchos III Δάμωνος fort, desgleichen die dort als möglich bezeichneten epochenvariationen, und es läszt sich weder gegen die in abschnitt 7 gegebene priesterzeitenrangierung ein stichhaltiger einwand vor der hand erheben noch auch gegen die statuierung eines noch unbekannten Polemarchos II Δάμωνος, der in XXI geboren (vgl. s. 556), in XXIV die öffentliche laufbahn betreten hätte und dessen gleichnamiger enkel (Polemarchos III), wiederum nach drei priesterzeiten (XXVII) geboren, in XXXI wo er als zeuge fungierte (CIG 1710) im kräftigsten mannesalter stand.

Leider kann ich, in rücksicht auf den groszen umfang des gesamtstemma, nur den zum beweis unumgänglich nötigen hauptstamm der Dionysios-Astoxenos-familie hier folgen lassen:

Διονύσιος I ['Αστοξένου]
zeuge im j. 190 (W-F 331)
- - - 179 (- 253)
|
'Αστόξενος I Διονυσίου[87]
vom j. 173—VI
|
Διονύσιος II 'Αστοξένου[88] sieh s. 578
in VI (event. von IV—IX)
|
'Αστόξενος II Διονυσίου
freilasser (zusammen mit s. frau,
s. sohn Dionysios III und s. tochter)
in XII ἄ. Κλεοδάμου (Anecd. 8)
|
Διονύσιος III 'Αστοξένου[89] sieh s. 578
von XII—XVI
|
['Αστόξενος III Διονυσίου]
unbezeugt, musz um XVIII gelebt haben
|
Διονύσιος IV 'Αστοξένου
buleut in XXI usw., s. anm. 56 auf s. 557
|
['Αστόξενος IV Διονυσίου]
unbezeugt, musz um XXV gelebt haben
|

[Διονύσιος V 'Αστοξένου]	Εὐκλείδας 'Αστοξένου
unbezeugt; musz um XXIX	priester in XXXI
gelebt haben.	

[87] die belegstellen sind folgende:
'Αστόξενος Διονυσίου:

— zeuge	im j. 173 (W-F	93)
— zeuge	171 -	146
— zeuge	170 -	124. 254
— — zeuge	170 -	109
— zeuge	169 -	352
— — bürge	168 (?) ἄ. Κλέωνος W-F 123. 171	
— zeuge	167 (?) ἄ. Ξενέα W-F 85. 88	
— — zeuge	- - - 62. 117	
— — bürge	- - - 116. 189	
— zeuge	in IV ἄ. 'Ανδρονίκου W-F 55. 89. ostm. (VII)	
— — bürge	- ἄ. "Αρχωνος W-F 218	
— zeuge	- ἄ. 'Εμμενίδα W-F 70. 72. 154	
— — bürge	- - 70. 224	
— zeuge	- ἄ. Εὐαγγέλου W-F 211	
— — bürge	- - - 68. 149	
— buleut	- - - 149	
— zeuge	- ἄ. Θεοξένου W-F 119	

Die richtigkeit der scheidung der homonymen in groszvater und enkel usw. sowie die notwendigkeit der annahme der existenz mehrerer noch unbekannter verbindungsglieder ergibt sich aus den beigeschriebenen zahlen der priesterzeiten und bedarf daher im einzelnen[90] nicht mehr des beweises.

'Αϲτόξενοϲ Διονυϲίου (forts.):

— — freilasser	in IV ἄ. Πύρρου W-F 103	
— — bürge	- - - 170	
— — bürge	V ἄ. Πατρέα W-F 23	
— — bürge	- ἄ. 'Αθάμβου W-F 233. 241	
— zeuge	- - - 234	
— zeuge	- ἄ. Φιλοκράτεοϲ W-F 237	
— — freilasser	- - - 226. 235. 238	
— — buleut	- - - zb. 228	
— — freilasser	VI ἄ. 'Αρχία W-F 281	
— — bürge	- ἄ. Βαβύλου W-F 443	
— zeuge	- ἄ. Δαμοϲτράτου W-F 273	
— — bürge	- ἄ. Δεξώνδα Anecd. 19. W-F 263	
— zeuge	- ἄ. Εὐδώρου W-F 42. 47	
— zeuge und ϲυνευδοκέων	- - W-F 292	
— — freilasser	- ἄ. Θραϲυκλέοϲ Anecd. 25	
— — bürge	- ἄ. Σωξένου W-F 21.	

[68] sicher bezeugt bisher nur in VI; stets als zeuge unter hinzufügung des patronymikon: ἄ. Δεξώνδα (Anecd. 17 und W-F 356); ἄ. Εὐδώρου (W-F 292); ἄ. Εὐχαρίδα (W-F 34). wahrscheinlich hierher zu ziehen sind von den ohne vatersnamen überlieferten Διονύϲιοι (stets als zeugen): in IV ἄ. 'Ανδρονίκου (W-F 55); in V ἄ. Ἥρυοϲ (W-F 270); in VII ἄ. Δαμοϲθένεοϲ (Anecd. 31); in IX ἄ. Σωϲιπάτρου polygonm. (62).

[89] an folgenden stellen bisher nachweisbar:

Διονύϲιοϲ 'Αϲτοξένου:

— — ϲυνευδοκέων mit s. vater in XII ἄ. Κλεοδάμου Anecd. 8		
— — bürge	XIV ἄ. Φιλονίκου C-M (19ᵃ)	
— — archont	XV zb. polygonm. (19)	
— — bürge	XVI/XVIII ἄ. Φίλωνοϲ polygonm. (25).	

auszerdem wahrscheinlich an den ohne patronymika überlieferten stellen:

— zeuge in XIV ἄ. Λαϊάδα polygonm. (64) [sieh oben s. 543]	
— zeuge XV ἄ. Κλεοξενίδα polygonm. (57).	

ich füge hinzu, dasz mit diesen beiden und den in der vorigen anm. aufgeführten vier inschriften die zahl der stellen erschöpft ist, an denen der name Διονύϲιοϲ ohne vatersnamen überhaupt bisher vorkommt.

[90] so ist beispielsweise eine identität von Dionysios III und Dionysios IV ausgeschlossen, selbst wenn man die qualification zum ϲυνευδοκέων ganz jungen kindern vindicieren will. denn wäre Dionysios III selbst erst in XII geboren, der zwischenraum bis zu seinem dreifachen fungieren in XXI bliebe absolut zu grosz, als dasz man glauben könnte nach vollen zehn priesterzeiten (incl. XVIIᵃ), also nach etwa hundert jahren noch immer dieselbe person vor sich zu haben.

BERLIN.   HANS POMTOW.

64.

ZUR ÜBERLIEFERUNG DER GRIECHISCHEN GRAMMATIK IN BYZANTINISCHER ZEIT.

Des Drakon von Stratonikeia schrift περὶ μέτρων ποιητικῶν war schon dem ersten und bis jetzt einzigen herausgeber GHermann (Leipzig 1812) nicht unverdächtig erschienen (vgl. praef. s. XII ff.). wie berechtigt dieser verdacht gewesen, hat die von KLehrs in 'Herodiani scripta tria emendatiora' s. 402 ff. angestellte untersuchung des ersten teils der schrift bewiesen. im anschlusz an Lehrs' hinweis (ao. s. 415) auf die grosze übereinstimmung des zweiten teils mit Isaakos monachos περὶ μέτρων habe ich dann für die speciell metrischen abschnitte in meiner diss. 'de Helia monacho, Isaaco monacho, pseudo-Dracone scriptoribus metricis byzantinis' (Straszburg 1886) s. 39 ff. die feststellung der quellen unternommen. wie Lehrs komme ich zu dem resultat, dasz der angebliche Drakon ein machwerk des sechzehnten jh. ist. in die gleiche zeit weisen uns die bemerkungen PPulchs im Hermes XVII s. 180 ff., die uns auch die heimat des buches zeigen: es ist dieselbe spätgriechische bücherfabrik in Frankreich, der wir den Philemon und die Eudokia verdanken. für das 'veilchenbeet' der Eudokia hat Pulch den verfasser in dem Griechen Konstantinos Palaeokappa gefunden (über ihn vgl. jetzt HOmont 'catalogue des manuscrits grecs copiés à Paris au XVI siècle par C. P.', Le Puy 1886). nun ist es dem scharfsinn Leopold Cohns gelungen auch für Philemon, das 20e buch des Arkadios und Drakon den verfasser zu ermitteln. nach seinem aufsatze 'Konstantin Palaeokappa und Jakob Diassorinos' in den 'philologischen abhandlungen, Martin Hertz zum 70n geburtstage dargebracht' (Berlin 1888) s. 123 ff. sind die erwähnten schriften von Jakob Diassorinos, dem landsmann und amtsgenossen des Palaeokappa an der Pariser bibliothek zwischen 1545 und 1555 geschrieben worden (über Diassorinos vgl. auszer Cohn noch Legrand bibliogr. hellén. I s. 296—302). bedeutung besitzt das buch des Diassorinos nur insoweit, als das darin zusammengetragene material für die überlieferung der griechischen grammatik und metrik von nicht zu unterschätzendem werte ist. dies gilt wie für die von Lehrs und in meiner diss. behandelten teile, so auch in nicht geringerm masze für die bis jetzt noch nicht besprochene einleitung der compilation, s. 3—9, 2.[1]

---

[1] der abschnitt περὶ παθῶν τῶν λέξεων s. 155—161, 14, der übrigens so wenig wie der von Lehrs behandelte in eine schrift περὶ μέτρων gehört, gibt zu bemerkungen keinen anlasz. er weicht in nichts wesentlichem von den übrigen bekannten darstellungen dieses stoffes ab. wenn auf grund einiger abweichungen eine nähere beziehung zu einem andern tractat περὶ παθῶν τῶν λέξεων angenommen werden dürfte, so wäre dies Moschopulos περὶ παθῶν, herausgegeben von Schäfer hinter dem Gregorios von Korinth s. 675 ff. = Bachmanns anecdota II s. 364, 20 ff.

dieser soll im folgenden eine genauere untersuchung zu teil werden; dabei werde ich der kürze halber den Diassorinos mit dem so lange von ihm getragenen namen des Drakon bezeichnen.

I. περὶ ϲτοιχείων und περὶ ϲυλλαβῆϲ s. 3, 17—5, 11.

Die hier nach einigen allgemeinen bemerkungen an einen Poseidonios vorgebrachten auseinandersetzungen erweisen sich auf den ersten blick als in engstem zusammenhange stehend mit den betr. paragraphen des Dionysios Thrax. anderseits führen angaben wie s. 4, 5 f. uä. auf die späten umarbeitungen der Dionysischen doctrin, deren einfluszreichste uns in den 'erotemata grammatica ex Dionysii Thracis arte oriunda' herausg. von PEgenolff (Mannheim 1880) vorliegen. unter diesen stehen ps.-Drakons darstellung am nächsten die erotemata des Moschopulos (E ᵇ bei Egenolff). trotz der gröstenteils

Moschopulos erotemata (E ᵇ)	Chrysoloras erotemata [2]	Gaza isagoge [3]
περὶ ϲτοιχείου. τί ἐϲτι ϲτοιχεῖον; ἀφ' οὗ πρώτου γίνεταί τι καὶ εἰϲ ὃ ἔϲχατον ἀναλύεται. πόθεν ϲτοιχεῖον; παρὰ τὸ ϲτείχω τὸ ἐν τάξει πορεύεϲθαι. πόϲα ϲτοιχεῖα λόγου; εἰκοϲιτέϲϲαρα. τὰ αὐτὰ δὲ καὶ γράμματα λέγονται. εἰϲ πόϲα διαιροῦνται τὰ εἰκοϲιτέϲϲαρα γράμματα; εἰϲ δύο· εἰϲ φωνήεντα καὶ εἰϲ ϲύμφωνα. πόϲα φωνήεντα; ἑπτά· α ε η ι υ ψιλόν, ο μικρὸν καὶ ω μέγα. εἰϲ πόϲα διαιροῦνται τὰ ἑπτὰ φωνήεντα; εἰϲ τρία· εἰϲ μακρά, εἰϲ βραχέα καὶ εἰϲ δίχρονα· πόϲα μακρά; δύο· η καὶ ω μέγα. πόϲα		
	εἰϲ	τῶν τεϲϲάρων καὶ εἴκοϲι γραμμάτων
	= E ᵇ	
	.. γράμματα, ἃ καὶ ϲτοιχεῖα λέγονται; εἰϲ δύο· ...	φωνήεντα μὲν ἑπτὰ α ε η ι ο ω υ, ϲύμφωνα δὲ τὰ λοιπὰ ἑπτακαίδεκα. τῶν δὲ φωνηέντων
	= E ᵇ	
		μακρὰ μὲν η ω,

[2] Manuelis Chrysolorae erotemata. Parisiis MDXII s. 2 ff.   [3] Theodori Gazae grammatica isagoge. Florentiae apud Iuntam MDXV l. I fol. 2 ʳ.

wörtlichen übereinstimmung kann indessen eine directe abhängigkeit des einen vom andern von vorn herein nicht angenommen werden. die E^b sind ausführlicher als ps.-Drakon, und dennoch lesen wir bei diesem dinge, die in E^b fehlen. zu dem plus in E^b gehören vor allem die bemerkungen s. 13. 14. 15 über die φωνήεντα προτακτικά und ὑποτακτικά aus Dionysios Thrax § 6, die erklärung der φωνήεντα ἀμετάβολα und μεταβολικά zu Dion. § 6, ferner die erklärung der namen cύμφωνα ἡμίφωνα, ἀμετάβολα, ἄφωνα ψιλά, δαcέα, μέcα usw. dieselben defecte gegenüber den erotemata zeigen bei sonstiger übereinstimmung mit ihnen auch die byzantinischen techniker Manuel Chrysoloras, Theodoros Gaza, Konstantinos Laskaris, Demetrios Chalkondylas. offenbar gehen diese alle auf éine quelle zurück, in der die angegebenen dinge fehlten, oder einer diente den andern als vorbild. zur veranschaulichung dieses verhältnisses seien nachstehend die betreffenden textpartien neben einander abgedruckt.

Laskaris epitome [4]	Chalkondylas erotemata [5]	pseudo-Drakon
γράμμα ἐcτὶ μέροc ἐλάχιcτον · φωνῆc ἀδιαίρετον.	·	cτοιχεῖα . . τέccαρα πρὸc τοῖc εἴκοcι, ἃ καὶ γραφόμενα μὲν, ὡc οἶcθα, οἱονεὶ ξυόμενα γράμματα λέγονται, ἀναγινωcκόμενα δὲ cτοιχεῖα.
εἰcὶ δὲ γράμματα εἰκοcιτέccαρα· α β γ δ ε Ζ η θ ι κ λ μ ν ξ ο π ρ c τ υ φ χ ψ ω.	εἰc . . . . = E^b	εἰcὶ δὲ cτιχηδὸν ταῦτα· α β γ δ ε Ζ η θ ι κ λ μ ν ξ ο π ρ c τ υ φ χ ψ ω. διαιροῦνται δὲ εἰc δύο, εἷc τε φωνήεντα καὶ εἰc cύμφωνα.
τούτων φωνήεντα μὲν ἑπτά· α ε η ι ο μικρόν, υ ψιλόν καὶ ω μέγα. cύμφωνα δὲ δεκαεπτά· β γ δ Ζ θ κ λ μ ν ξ π ρ c τ φ χ ψ. τῶν δὲ φωνηέντων μακρὰ μὲν δύο· η καὶ ω μέγα, βραχέα δὲ	ἑπτά· α ε η ι ο μικρόν, υ ψιλόν καὶ ω μέγα. εἰc . . . . = E^b	φωνήεντα μὲν· ἑπτά· α ε η ι υ ψιλόν, ο μικρὸν καὶ ω μέγα. ὧν μακρὰ μὲν δύο η καὶ ω μέγα· βραχέα δὲ δύο· ε ψιλὸν καὶ ο μικρὸν, δίχρονα δὲ τρία· α ι υ ψιλόν.

---

[4] Constantini Lascaris Byzantini grammaticae compendium etc. Basileae ex off. Ioannis Oporini MDXLVII s. 1.   [5] Demetrii Chalcondylae erotemata. Basileae MDXLVI s. 1 ff.

Moschopulos erotemata (E[b])	Chrysoloras erotemata	Gaza isagoge
βραχέα; δύο· ε ψιλὸν καὶ ο μικρόν. πόϲα δίχρονα; τρία· α ι υ.	. . τρία· α ι υ.	βραχέα δὲ ε ο, δίχρονα δὲ α ι υ.
καὶ ἄλλωϲ· εἰϲ πόϲα διαιροῦνται τὰ ἑπτὰ φωνήεντα; εἰϲ δύο· εἰϲ προτακτικὰ καὶ ὑποτακτικά. πόϲα προτακτικά; τρία· α ε ο, καταχρηϲτικῶϲ δὲ καὶ τὸ η καὶ τὸ ω μέγα. διατί λέγονται προτακτικά; διότι προταϲϲόμενα τοῦ ι καὶ υ τὰϲ διφθόγγουϲ ἀποτελεῖ.		
καὶ πόϲαι δίφθογγοι; ἕξ· αι αυ ει ευ οι ου. πόϲαι δίφθογγοι καταχρηϲτικῶϲ; πέντε· καὶ τὸ η μετὰ τοῦ προϲγεγραμμένου ι δίφθογγόν ἐϲτι, καὶ τὸ αὐτὸ μετὰ τοῦ υ, καὶ τὸ ω μέγα μετὰ τοῦ ι καὶ τὸ αὐτὸ μετὰ τοῦ υ, καὶ τὸ α μετὰ τοῦ προϲγεγραμμένου ι. πόϲα ὑποτακτικά; δύο· ι καὶ υ. καὶ τὸ υ δὲ ἐνίοτε προτακτικόν ἐϲτι τοῦ ι, ὡϲ ἐν τῷ μυῖα καὶ ἅρπυια, υἱόϲ καὶ ἐν τοῖϲ ὁμοίοιϲ. καὶ πάλιν τῶν φωνηέντων τὰ μέν εἰϲι μεταβολικά, τὰ δὲ ἀμετάβολα. καὶ πόϲα μεταβολικά; τρία· α ε ο. ὧν τὸ μὲν α εἰϲ η τρέπεται, οἷον ἁγιάζω ἡγίαζον· τὸ δὲ ο μικρὸν εἰϲ ω μέγα, οἷον ὀμνύω	πόϲαι δίφθογγοι κυρίωϲ; ἕξ· αι αυ ει ευ ˋοι ου. εἰϲὶ δὲ καὶ ἄλλαι δίφθογγοι πέντε, καταχρηϲτικῶϲ λεγόμεναι ᾳ ῃ ηυ υι ῳ.	ἐξ ὧν δίφθογγοι κυρίωϲ μὲν αι αυ ει ευ οι ου. καταχρηϲτικῶϲ δὲ ᾳ ῃ ῷ υι

Laskaris epitome	Chalkondylas epitome	pseudo-Drakon
δύο· ε ψιλὸν καὶ ο μικρὸν, δίχρονα δὲ τρία· α ι υ.	. . τρία· α ι υ.	
ἐξ ὧν δίφθογγοι κυρίως μὲν ἕξ· αι αυ ει ευ οι ου, καταχρηστικῶς δὲ τέσσαρες· ᾳ ῃ ῳ υι.	πόσαι δίφθογγοι κυρίως; ἕξ· αι αυ ει ευ οι ου, καταχρηστικῶς δὲ τέσσαρες· ᾳ ῳ ῃ υι	ἐξ ὧν δίφθογγοι κυρίως μὲν ἕξ· αι αυ ει ευ οι ου. καταχρηστικῶς δὲ τέσσαρες· ᾳ ῃ ῳ υι. ἐξ ὧν καὶ αὗται κατὰ τροπήν· ηυ ωυ.

Moschopulos erotemata (E^b)	Chrysoloras erotemata	Gaza isagoge
ὤμνυον· τὸ δὲ ε ποτὲ μὲν εἰc η τρέπεται, ποτὲ δὲ καὶ τὸ ι προcλαμβάνει. παντότε μὲν εἰc η τρέπεται πλὴν δεκατεccάρων τινῶν. πόcα ἀμετάβολα; τέccαρα· η ι υ ψιλὸν καὶ ω μέγα. διατί λέγονται ἀμετάβολα; διότι οὐ μεταβάλλονται ἐν τοῖc παρῳχημένοιc· τὰ αὐτὰ γάρ εἰcι τοῖc τοῦ ἐνεcτῶτοc ἀρκτικοῖc, οἷον ἠχῶ ἤχουν, ἰξεύω ἴξευον, ὑβρίζω ὕβριζον, ὠφελῶ ὠφέλουν. πόcα cύμφωνα; δεκαεπτά· β γ δ ζ θ κ λ μ ν ξ π ρ c τ φ χ ψ. εἰc πόcα διαιροῦνται τὰ δεκαεπτὰ cύμφωνα; εἰc δύο· εἰc ἡμίφωνα καὶ ἄφωνα. πόcα ἡμίφωνα; ὀκτώ· ζ ξ ψ λ μ ν ρ c. πόcα ἄφωνα; ἐννέα· β γ δ κ π τ θ φ χ. διατί λέγονται ἄφωνα; διότι μᾶλλον τῶν ἄλλων κακόφωνά εἰcιν. εἰc πόcα διαιροῦνται τὰ ὀκτὼ ἡμίφωνα; εἰc τρία· εἰc διπλᾶ, εἰc ἀμετάβολα καὶ εἰc τὸ c. πόcα διπλᾶ; τρία· ζ ξ ψ. διατί λέγονται διπλᾶ; διότι ἐκ δύο cυμφώνων cύγκειται ἕκαcτον αὐτῶν, τὸ μὲν ζ ἐκ τοῦ c καὶ δ, τὸ	πόcα . . . . = E^b . . . . ρ c. εἰc . . = E^b . . . . ζ ξ ψ.	τῶν δὲ cυμφώνων (τὰ λοιπὰ ἑπτακαίδεκα, s. oben) τὰ μὲν ἡμίφωνα, οἷον ζ ξ ψ λ μ ν ρ c, ὧν διπλᾶ μὲν ζ ξ ψ,

Laskaris epitome	Chalkondylas erotemata	pseudo-Drakon
τῶν δὲ cυμφώνων (δεκαεπτά, s. oben)	πόca . . . . = E b	cύμφωνα δὲ δεκα-επτά· β γ δ Z θ κ λ μ ν Ξ π ρ c τ φ χ ψ. διχῶc δὲ διαιρήcειc εἴc τε ἡμίφωνα καὶ ἄφωνα.
ἡμίφωνα μὲν ὀκτώ· Z Ξ ψ λ μ ν ρ c,	. . . ρ c.	ἡμίφωνα μὲν ὀκτώ· Z Ξ ψ λ μ ν ρ c.
	εἰc . .	
ὧν διπλᾶ μὲν τρία· Z Ξ ψ,	= E b . . . . Z Ξ ψ.	ὧν διπλᾶ μὲν τρία· Z Ξ ψ,

Moschopulos erotemata (E^b)	Chrysoloras erotemata	Gaza isagoge
δὲ ξ ἐκ τοῦ κ καὶ ς, τὸ δὲ ψ ἐκ τοῦ π καὶ ς. πόca ἀμετά-βολα; τέccapa· λ μ ν ρ. διατί λέγονται ἀμετάβολα; διότι οὐ μεταβάλλονται οὔτε ἐν τοῖc μέλλουcι τῶν ῥημάτων οὔτε ἐν ταῖc κλίcεcι τῶν ὀνο-μάτων. ἐν μὲν τοῖc μέλλουcι τῶν ῥημά-των, οἷον ψάλλω ψαλῶ, νέμω νεμῶ, κρίνω κρινῶ, εἴρω τὸ λέγω ἐρῶ· ἐν δὲ ταῖc κλίcεcι τῶν ὀνο-μάτων, οἷον Νέcτωρ Νέcτοροc, Ἕλλην Ἕλληνοc. εἰc πόca διαιροῦνται τὰ ἐννέα ἄφωνα; εἰc τρία· εἰc ψιλά, εἰc δαcέα καὶ εἰc μέca. πόca ψιλά; τρία· κ π τ. πόca δαcέα; τρία· θ φ χ. πόca μέca; τρία· β γ δ. καὶ ἔcτι τὸ μὲν β μέcον τοῦ π καὶ φ, τὸ δὲ γ μέ-cον τοῦ κ καὶ χ, τὸ δὲ δ μέcον τοῦ θ καὶ τ. ἀντιcτοιχεῖ δὲ τὰ δα-cέα τοῖc ψιλοῖc, τὸ μὲν φ τῷ π, τὸ δὲ χ τῷ κ, τὸ δὲ θ τῷ τ. es folgt ποῖα cύμ-φωνα ποίων προη-γεῖται usw. Egenolff s. 15, ein abschnitt der in keinem der andern erotemata und auch bei den verglichenen technikern nicht vor-kommt.	πόca ἀμετάβολα; τέccapa, ἃ καὶ ὑγρὰ λέγονται· λ μ ν ρ πόca ἄφωνα usw. s. E^b oben. εἰc πόca . . . . = E^b . . γ δ. ἀντιcτοιχεῖ δὲ τὰ δαcέα τοῖc ψιλοῖc, τὸ μὲν φ τῷ π, τὸ δὲ χ τῷ κ, τὸ δὲ θ τῷ τ. καὶ ἐcτὶ τὸ μὲν β μέcον τοῦ π καὶ φ, τὸ δὲ γ μέcον τοῦ κ καὶ χ, τὸ δὲ δ μέcον τοῦ θ καὶ τ.	ἀμετάβολα δὲ καὶ ὑγρά· λ μ ν ρ τὰ δὲ ἄφωνα, οἷον β γ δ κ π τ θ φ χ, ὧν ψιλὰ μὲν κ π τ, δαcέα δὲ θ φ χ, μέca δὲ β γ δ. ἐκ δὲ τῶν διειρημέ-νων τῶνδε γραμμά-των αἱ cυλλαβαί. ὅθεν αἱ λέξεις, ἐξ ὧν ὁ λόγοc.

Laskaris epitome	Chalkondylas erotemata	pseudo-Drakon
ἀμετάβολα δὲ τέσcαρα· λ μ ν ρ	πόca ἀμετάβολα; τέccαρα· λ μ ν ρ.	ἀμετάβολα δὲ τέσcαρα· λ μ ν ρ.
	πόca ἄφωνα usw. s. E b oben.	
ἄφωνα δὲ ἐννέα· β γ δ κ π τ θ χ φ,	εἰc πόca	ἄφωνα δὲ ἐννέα· β γ δ κ π τ θ φ χ.
ὧν ψιλὰ μὲν τρία· κ π τ, δαcέα δὲ τρία· θ φ χ, μέca δὲ τρία β γ δ.	. . . . = E b μέcον τοῦ τ καὶ θ .. .. τὸ μὲν φ τῷ π, τῷ δὲ κ τὸ χ, τὸ δὲ θ τῷ τ. ἐκ δὲ τῶν	ὧν ψιλὰ μὲν τρία· κ π τ, δαcέα δὲ τρία· θ φ χ, μέca δὲ τρία· β γ δ.
ἐκ τῶν διῃρημένων δὲ τῶνδε γραμμάτων αἱ cυλλαβαὶ γίνονται, οἷον πε, ὅθεν αἱ λέξεις, οἷον πέτροc, ἐξ ὧν ὁ λόγοc, οἷον ὁ Πέτροc ἀναγινώcκει.	διῃρημένων τῶνδε γραμμάτων αἱ cυλλαβαὶ γίνονται, ὅθεν αἱ λέξεις, ἐξ ὧν ὁ λόγοc.	ἐκ τῶν διῃρημένων δὲ τῶνδε γραμμάτων αἱ cυλλαβαὶ γίνονται οἷον πο, ὅθεν αἱ λέξεις, οἷον Ποσειδώνιοc,· ἐξ ὧν ὁ λόγοc, οἷον Ποσειδώνιοc μετρεῖ.[6]

---

[6] das hier bei ps.-Drakon folgende citat ἀλλὰ περὶ μὲν λόγου καὶ λέξεωc ἐν τῷ περὶ καταλληλότητοc ἀρκούντωc εἴρηται hat natürlich keinen wert. interessant wäre es aber immerhin zu erfahren, wie ps.-Drakon zu dem ausdruck καταλληλότηc gekommen ist. es ist ein terminus des Apollonios Dyskolos; dieser redet synt. s. 9, 13 von der κ. λόγου, s. 10, 13 von der κ. λέξεωc usw.

Moschopulos erotemata (E b)	Chrysoloras erotemata	Gaza isagoge
περὶ cυλλαβῆc. τί ἐcτι cυλλαβή; cυνέλευcιc τοὐλάχιcτον δύο γραμμάτων. καταχρηcτικῶc δὲ καὶ αἱ μονογράμματοι cυλλαβαὶ λέγονται, οἷον α ε. εἰc πόcα διαιρεῖται ἡ cυλλαβή; εἰc τρία· εἰc μακράν, εἰc βραχεῖαν καὶ εἰc κοινήν. es folgt κατὰ πόcουc τρόπουc γίνεται ἡ cυλλαβή; κατὰ πολλοὺc usw. Egenolff s. 16; ein ähnlicher um die beispiele verkürzter abschnitt findet sich nur in der anonymi grammaticae epitoma s. 12, 14 ff. und hinter Etym. Gud. s. 682 (Sturz).	περὶ . . . = E b . . . . κοινήν.	εἴη [7] ἂν cυλλαβὴ cυνέλευcιc μὲν τοὐλάχιcτον δύο γραμμάτων, πρώτωc δὲ ὑποκείμενον προcῳδίαc. λέγεται μέντοι καταχρηcτικῶc καὶ τὸ μονογράμματον cυλλαβή, οἷον α ε. γίνεται δὲ πολλαχῶc κατὰ λόγον τῶν πολλῶν τε καὶ διαφόρων ἐπιπλοκῶν τῶν γραμμάτων. καὶ ἔcτι αὐτῆc τὸ μὲν μακρόν, τὸ δὲ βραχύ, τὸ δὲ κοινόν.
περὶ μακρᾶc cυλλαβῆc. τί ἐcτι μακρὰ cυλλαβή; ἡ ἔχουcα μακρὸν φωνῆεν ἢ μηκυνόμενον ἢ μίαν τῶν διφθόγγων. κατὰ πόcουc τρόπουc γίνεται ἡ μακρὰ cυλλαβή; κατὰ ὀκτώ, φύcει μὲν τρεῖc, θέcει δὲ πέντε. καὶ φύcει μὲν ἤτοι ὅταν διὰ τῶν μακρῶν cτοιχείων ἐκφέρηται, οἷον ἥρωc, ἢ ὅταν ἔχῃ ἕν τι τῶν διχρόνων κατ' ἔκταcιν παραλαμβανόμενον, οἷον πρᾶγμα, ἢ ὅταν	ποcαχῶc λέγεται ἡ μακρὰ cυλλαβή; διχῶc, ἢ γὰρ φύcει ἢ θέcει. φύcει μὲν ὁπόταν ἓν τῶν μακρῶν φωνηέντων ἢ δίφθογγον ἢ ἓν τῶν διχρόνων ἐκτεταμένον ἔχῃ,	μακρὸν μὲν τὸ ἔχον φύcει μακρὸν φωνῆεν ἢ μίαν τινὰ τῶν διφθόγγων· αἱ γάρ τοι δίφθογγοι πᾶcαι μακραί εἰcι. φύcει μὲν τριχῶc· ἤτοι γὰρ φθόγγῳ μακροῦ φωνήεντος, οἷον ἥρωc, ἢ ἐκτάcει διχρόνου, οἷον καλόc, ἢ διφθόγγῳ, οἷον Αἴαc.

---

[7] l. II fol. 54ʳ.

Laskaris epitome	Chalkondylas erotemata	pseudo-Drakon
cυλλαβή ἐcτι cύλληψιc τοὐλάχιcτον δύο γραμμάτων· καταχρηcτικῶc δὲ καὶ τὰ φωνήεντα cυλλαβαὶ λέγονται. διαιρεῖται δὲ ἡ cυλλαβὴ εἰc τρία· εἰc μακρὰν, οἷον ἥρωc, εἰc βραχεῖαν, οἷον λόγοc, εἰc κοινὴν, οἷον Ἄρηc.	περὶ . . . . = E ᵇ . . . . κοινήν.	s. 4,18 ἔcτι δὲ cυλλαβὴ cύλληψιc τοὐλάχιcτον δύο γραμμάτων· καταχρηcτικῶc δὲ καὶ αἱ μονογράμματοι cυλλαβαὶ λέγονται, οἷον α ε. διαιρεῖται δὲ ἡ cυλλαβὴ εἰc τρία· εἰc μακράν, εἰc βραχεῖαν καὶ εἰc κοινήν.
		καὶ μακρά ἐcτι cυλλαβὴ ἡ ἔχουcα μακρὸν φωνῆεν ἢ μηκυνόμενον ἢ μίαν τῶν διφθόγγων.
	ἔcτι δὲ ἡ μακρὰ cυλλαβὴ ἢ φύcει ἢ θέcει. φύcει μὲν ὁπόταν ἓν τῶν μακρῶν φωνηέντων ἐκφέρεται (!), οἷον ἥρωc, ἢ δίφθογγον, οἷον Αἴαc· ἢ ἓν τῶν διχρόνων ἐκτεινόμενον ἔχῃ, οἷον λαόc.	γίνεται δὲ κατὰ τρόπουc ὀκτὼ ἡ μακρὰ cυλλαβή, φύcει μὲν τρεῖc, θέcει δὲ πέντε. καὶ φύcει μὲν ἤτοι ὅταν διὰ τῶν μακρῶν cτοιχείων ἐκφέρηται, οἷον ἥρωc· ἢ ὅταν ἔχῃ ἕν τι τῶν διχρόνων κατὰ ἔκταcιν παραλαμβανόμενον, οἷον πρᾶγμα· ἢ ὅταν ἔχῃ μίαν τῶν διφθόγγων, οἷον Αἴαc.

Moschopulos erotemata (E^b)	Chrysoloras erotemata	Gaza isagoge
ἔχῃ μίαν τῶν δι- φθόγγων, οἷον Αἴας. θέcει δὲ ἤτοι ὅταν εἰc δύο cύμφωνα λήγῃ, οἷον ἅλc, ἢ ὅταν δύο cύμφωνα ἐπιφέρηται, οὐκέτι ἄφωνον πρὸ ἀμετα- βόλου, ἢ δύο ἀμετά- βολα, οἷον ἵcταμαι, ἢ ὅταν εἰc cύμφωνον λήγῃ καὶ τὴν ἑξῆc ἔχῃ ἀπὸ cυμφώνου ἀρχομένην, οἷον ἔρ- γον, ἔκλειψιc, ἢ ὅταν εἰc διπλοῦν cύμφω- νον λήγῃ, οἷον Ἄραψ, ἢ ὅταν διπλοῦν cύμ- φωνον ἐπιφέρηται, οἷον ἔξω.	θέcει δὲ ὅταν μετὰ τὸ ἐν αὐτῇ φύcει βραχὺ φωνῆεν δύο cύμ- φωνα ὁπωcοῦν ἐπι- φέρηται, πλὴν ἀφώ- νου πρὸ ἀμεταβό- λου· τότε γὰρ	θέcει δὲ μοναχῶc δυοῖν ἐπιφερομένοιν cυμφώνοιν, ἤτοι ἐν- εργείᾳ· ἄρτοc, ἢ δυ- νάμει· ἄξω, τύψω.
περὶ βραχείαc cυλ- λαβῆc. τί ἐcτι βρα- χεῖα cυλλαβή; ἡ ἔχουcα βραχὺ φω- νῆεν ἢ δίχρονον κατὰ cυcτολὴν παραλαμ- βανόμενον.		βραχὺ δὲ τὸ ἔχον ἤτοι φύcει βραχὺ φω- νῆεν, οἷοc λόγοc, ἢ δίχρονον cυcτελλό- μενον, οἷον φιλία.
περὶ κοινῆc cυλλα- βῆc. τί ἐcτι κοινὴ cυλλαβή; ἡ δυνα- μένη μακρὰ εἶναι ἡ αὐτὴ καὶ βραχεῖα. es folgt κατὰ πόcουc τρόπουc γίνεται ἡ κοινὴ cυλλαβή; κατὰ τρεῖc usw. Egenolff s. 18.	κοινὴ γίνεται δυνα- μένη μακρὰ εἶναι ἡ αὐτὴ καὶ βραχεῖα.	κοινὸν δὲ τὸ δυνά- μενον τὸ αὐτὸ μα- χρόν (!) τε λαμβά- νεcθαι καὶ βραχύ. τριχῶc δὲ τὸ τοι- οῦτο. καὶ τὸ περὶ τούτων εἰπεῖν θεω- ρείαc ἑτέραc.

Es finden sich also folgende abweichungen von E^b:

1) définition von cτοιχεῖον. bei Gaza und Chalkondylas fehlt sie. Chrysoloras hat statt ihrer die bemerkung: γράμματα, ἃ καὶ cτοιχεῖα λέγονται, aus Dionysios Thrax § 6; Laskaris hat: γράμμα ἐcτὶ μέροc ἐλάχιcτον φωνῆc ἀδιαίρετον· ps.-Drakon gibt eine scheidung von γράμμα und cτοιχεῖον, die fast ebenso in E^g (s. 13 Egen.) steht.

Laskaris epitome	Chalkondylas erotemata	pseudo-Drakon
	θέϲει δὲ ὅταν μετὰ τὸ ἐν αὐτῇ φύϲει βραχὺ φωνῆεν δύο ϲύμφωνα ὁπωϲοῦν ἐπιφέρηται, οἷον ἔρ-γον· πλὴν εἰ ἄφω-νον ἀμεταβόλου προ-ηγεῖται. τότε γὰρ κοινὴ γίνεται δυνα-μένη μακρὰ εἶναι ἡ αὐτὴ καὶ βραχεῖα, οἷον ἄγροϲ.	θέϲει δὲ ἤτοι ὅταν εἰϲ δύο ϲύμφωνα λήγῃ, οἷον ἅλϲ· ἢ ὅταν δύο ϲύμφωνα ἐπιφέρηται, οὐκέτι ἄφωνον πρὸ ἀμετα-βόλου, οἷον ἵϲταμαι· ἢ δύο ἀμετάβολα, οἷον ἅλμη· ἢ ὅταν εἰϲ δύο ϲύμφωνα λήγῃ καὶ τὴν ἑξῆϲ ἔχει ἀπὸ ϲυμφώνου ἀρχομένην, οἷον ἔρ-γον· ἢ ὅταν εἰϲ δι-πλοῦν ἄφωνον λήγῃ, οἷον Ἄραψ· ἢ ὅταν διπλοῦν ϲύμφωνον ἐπιφέρηται, οἷον ἔξω.
περὶ . . . . = Eᵇ . . . . παραλαμβανό-μενον, οἷον λόγοϲ, φίλοϲ, μοῦϲα. die be-sprechung der βρα-χεῖα steht bei Chaik. hinter derjenigen der κοινὴ ϲυλλαβή.		βραχεῖα δέ ἐϲτι ϲυλ-λαβὴ ἡ ἔχουϲα βραχὺ φωνῆεν, ἢ δίχρονον κατὰ ϲυϲτολὴν παρα-λαμβανόμενον, οἷον λόγοϲ, ἄναξ. κοινὴ δέ ἐϲτι ϲυλλαβὴ ἡ δυναμένη ἡ αὐτὴ εἶναι μακρὰ καὶ βρα-χεῖα, οἷον Ἄρηϲ.

2) aufzählung der vocale:

Eᵇ: α ε η ι υ ψιλόν ο μικρόν ω μέγα

Gaza: α ε η ι   ο   ω   υ

Lask.:   α ε η ι ο μικρόν υ ψιλόν ω μέγα (ebenso Eᵍ s. 13 Egen.)

Chalk.:   α ε η ι ο μικρόν υ ψιλόν καὶ ω μέγα

3) aufzählung der diphthonge:

Eᵇ: πόϲαι δίφθογγοι; ἕξ· αι αυ ει ευ οι ου

Chrys.: πόϲαι δίφθοϒϒοι κυρίωϲ; ἕξ usw.

Gaza: . . δίφθοϒϒοι κυρίωϲ μὲν usw.

ps.-Drakon: δίφθοϒϒοι κυρίωϲ μὲν ἕξ usw.

und weiter

E[b]: πόϲαι δίφθοϒϒοι καταχρηϲτικῶϲ; πέντε· η ηυ ω ωυ ᾳ

Chrys.: εἰϲι καὶ ἄλλαι δίφθοϒϒοι πέντε, καταχρηϲτικῶϲ λεϒόμεναι·
ᾳ η ηυ υι ῳ

Gaza: καταχρηϲτικῶϲ δὲ ᾳ η ῳ υι

Lask.: καταχρηϲτικῶϲ δὲ τέϲϲαρεϲ· ᾳ η ῳ υι

Chalk.: καταχρηϲτικῶϲ δὲ τέϲϲαρεϲ· ᾳ η ῳ υι

ps.-Drakon: καταχρϲτικῶϲ δὲ τέϲϲαρεϲ· ᾳ η ῳ υι. ἐξ ὧν καὶ αὖται
κατὰ τροπήν· ηυ ωυ.

    4) aufzählung der liquidaé:

E[b]: πόϲα ἀμετάβολα; τέϲϲαρα

Chrys.: ἀμετάβολα τέϲϲαρα, ἃ καὶ ὑϒρὰ λέϒονται, aus Dion. § 6

Gaza: ἀμετάβολα δὲ καὶ ὑϒρά.

    5) E[b]: καὶ ἔϲτι τὸ μὲν β μέϲον τοῦ π καὶ φ, τὸ δὲ ϒ μέϲον
τοῦ κ καὶ χ, τὸ δὲ δ μέϲον τοῦ θ καὶ τ. ἀντιϲτοιχεῖ δὲ τὰ
δαϲέα τοῖϲ ψιλοῖϲ, τὸ μὲν φ τῷ π, τὸ δὲ χ τῷ κ, τὸ δὲ θ
τῷ τ, aus Dion § 6; ebenso bei Chalkondylas.
    Chrysoloras hat die beiden sätze umgestellt. die übrigen haben
sie gar nicht; statt dessen hat Gaza den zusatz ἐκ δὲ τῶν διηρημέ-
νων usw., der auch bei Laskaris, nur durch beispiele erweitert, und
ebenso — mit abweichenden beispielworten — bei ps.-Drakon steht.
denselben zusatz hat ohne beispiele Chalkondylas neben dem eben
citierten satze der E[b].
    6) definition von ϲυλλαβή:

E[b]: τί ἐϲτι ϲυλλαβή; ϲυνέλευϲιϲ τοὐλάχιϲτον usw.

Lask.: ϲυλλαβή ἐϲτι ϲύλληψιϲ usw.

ps.-Drakon: ἔϲτι δὲ ϲυλλαβὴ ϲύλληψιϲ usw.

    und weiter

E[b]: καταχρηϲτικῶϲ δὲ καὶ αἱ μονοϒράμματοι ϲυλλαβαὶ λέϒονται,
οἷον α ε

Gaza: λέϒεται μέντοι καταχρηϲτικῶϲ καὶ τὸ μονοϒράμματον ϲυλλαβή, οἷον α ε

Lask.: καταχρηϲτικῶϲ δὲ καὶ τὰ φωνήεντα ϲυλλαβαὶ λέϒονται·
ähnlich E[g] (s. 16 Egen.).

    7) in der erklärung der μακρά, βραχεῖα und κοινὴ ϲυλλαβή
weichen die darstellungen erheblich von einander ab. mit E[b] stimmt
wörtlich nur ps.-Drakon. in E[b] wird die entstehung der μακρά auf
acht arten behandelt und durch beispiele illustriert, deren erstes
ἥρωϲ ist. bei Chrysoloras ist die μακρά entweder φύϲει nach drei
τρόποι oder θέϲει nach éinem τρόποϲ, aber nicht bei folgender muta
cum liquida; beispiele bringt Chrys. nicht. bei Gaza: φύϲει, wie bei
Chrys., beispiele ἥρωϲ, καλόϲ, Αἴαϲ, oder θέϲει ohne Chrys. beschränkung: ἄρτοϲ, ἄξω, τύψω. Lask. gibt nur ἥρωϲ. Chalkondylas fügt
an die erklärung des Chrys. die beispiele ἥρωϲ, Αἴαϲ, λαόϲ.

Für die βραχεῖα cυλλαβή fehlt in E^b das beispiel (bei ps.-Dra-
kon steht λόγοc, ἄναξ); bei Chrys. wird sie gar nicht behandelt;
Gaza gibt für den kurzen vocal das beispiel λόγοc, für das δίχρονον
cυcτελλόμενον das beispiel φιλία, Lask. hat λόγοc, Chalk. trennt
wie Gaza und hat λόγοc, φίλοc, μοῦcα.

Die κοινὴ cυλλαβή wird in E^b mit den worten und beispiel-
versen des Dion. § 10 behandelt, das beispiel w o r t fehlt (ps.-Dra-
kon: Ἄρηc), ebenso bei Chrys.; auch Gaza hat für die κοινή kein
beispiel, Lask. hat Ἄρηc (so auch E^g nach Dion. § 9 und 10), Chalk.
hat ἄγροc.

Nach diesen varianten scheiden sich die darstellungen περὶ
cτοιχείων zunächst in solche die den satz des Dion. καὶ ἔcτι μὲν
usw. (§ 6, 25—27) beibehalten haben, und solche in denen er fehlt.
auf der éinen seite stehen Chrysoloras und Chalkondylas, auf der
andern die übrigen. diese zweite gruppe besitzt noch ein gemeinsames merkmal: sie nennt nur vier uneigentliche diphthonge in der
reihenfolge ᾳ ῃ ῳ υι (gegenüber den fünfen von E^b) und hat den
zusatz ἐκ δὲ τῶν διῃρημένων usw. danach ist leicht die vorlage für
Gaza, Laskaris und ps.-Drakon zu reconstruiren. aber wir erfahren
noch genaueres über diese vorlage. nemlich Chalkondylas hat gleichfalls vier uneigentliche diphthonge und den zusatz ἐκ δὲ τῶν διῃρημένων usw., und da er daneben den satz καὶ ἔcτι usw. aus Dionysios
aufweist, müssen wir annehmen, dasz die vorlage vier uneigentliche
diphthonge ᾳ ῃ ῳ υι kannte und ferner die sätze καὶ ἔcτι μὲν usw.
und ἐκ δὲ τῶν διῃρημένων usw. enthielt. neben dieser gieng eine
um die worte des Dion. verkürzte fassung her. dasz umgekehrt auch
das nichtssagende ἐκ δὲ τῶν διῃρημένων usw. fehlen konnte, beweist Chrysoloras bei sonstiger übereinstimmung mit Chalkondylas.
ob die betr. worte schon in seiner vorlage fehlten oder von ihm gestrichen wurden, ist gleichgültig. immerhin sei bemerkt, dasz sich
auch sonst in seinem werkchen spuren selbständiger thätigkeit finden.
Chrysoloras zählt nemlich fünf uneigentliche diphthonge auf; mit
diesen hat es jedoch eine eigne bewandnis. auch die E^b kennen fünf
solcher diphthonge ῃ ηυ ῳ ωυ ᾳ. Chrysoloras zählt aber nicht diese
auf, sondern ᾳ ῃ ηυ υι ῳ. woher stammt das υι, wenn Chrys. den
E^b folgte? dort wird gerade die verbindung υι nicht als diphthong,
sondern unter den φωνήεντα προτακτικά behandelt (s. 12 Egen.)!
woher kommt anderseits der diphthong ηυ, wenn Chrys. dieselbe
vorlage wie Chalk. ausschrieb? ferner zeigt Chrys. gegenüber Chalk.
zwei bemerkungen zu den namen γράμματα und ἀμετάβολα, die
ganz gleichmäszig aus Dion. § 6 berübergenommen sind:

Dion. τὰ δὲ αὐτὰ καὶ cτοιχεῖα καλεῖται . . .
Chrys. ἃ καὶ cτοιχεῖα λέγονται ·
Dion. τὰ δὲ αὐτὰ καὶ ὑγρὰ καλεῖται
Chrys. ἃ καὶ ὑγρὰ λέγονται.

diese sätze finden sich sonst nicht (nur Gaza hat ἃ καὶ ὑγρὰ zu
ἀμετάβολα, aus Chrys.? vgl. Uhligs appendix artis Dionysii Thracis

(Leipzig 1881) s. XIII anm. **). deshalb ist es bei der sonstigen
übereinstimmung von Chrys. und Chalk. am wahrscheinlichsten, dasz
Chrys. sie wie den diphthong ηυ seiner vorlage selbständig eingefügt
habe. diese annahme wird empfohlen durch das verhältnis in der
behandlung der cυλλαβή. hier folgen Chrys., Chalk. und Gaza[8] einer
darstellung, die im gegensatz zu E[b] nicht acht arten der langen silbe
(3 φύcει und 5 θέcει), sondern nur vier arten (3 φύcει und 1 θέcει)
kannte. allerdings entfernt sich Gaza etwas von dem wortlaut der
übrigen, ebenso wie Laskaris in seiner kurzen besprechung der silbe
an ps.-Drakon[9] anklingt (beide definieren die cυλλαβή als cύλληψιc
[nicht cυνέλευcιc] τοὐλάχιcτον δύο γραμμάτων und haben die
gleichen beispiele).

Wir haben also als quelle der behandelten techniker eine um
die zu anfang (s. 581) genannten erklärungen usw. verkürzte recension der erotemata anzusehen. diese wich in verschiedenen dingen
von unsern E[b] ab. ihre form ist am vollständigsten gewahrt von
Chalkondylas. zwischen diesen erotemata und unsern E[b] existierten viele mittelglieder mit abweichungen manigfacher art. in den
worten des ps.-Drakon s. 3, 17—5, 11 haben wir nichts als solche
von unsern E[b] etwas abweichende erotemata der frageform entkleidet. ob unsere E[b] daraus zu ergänzen sind, mag dahingestellt
bleiben. jedenfalls dürfen wir in E[b] für die βραχεῖα cυλλαβή das
beispiel λόγοc, für die κοινὴ cυλλαβή das beispiel Ἄρηc einsetzen.
bei ps.-Drakon ist s. 5, 3 ἥ δύο ἀμετάβολα vor οἶον ἵcταμαι zu
stellen und οἶον ἅλμη zu streichen; s. 5, 4 ist zu corrigieren δύο
cύμφωνα in cύμφωνον, s. 5, 6 διπλοῦν ἄφωνον in cύμφωνον. die
bemerkung ps.-Drakons über den unterschied von γράμμα und cτοιχεῖον steht, wie schon erwähnt, auch in E[g], vgl. aber auch schol.
Dion. Thr. s. 772, 7 ff.; zu dem zusatz οἱονεὶ ξυόμενα vgl. Dion.
§ 6 und schol. s. 788, 30; zu der bemerkung über die diphthonge
κατὰ τροπήν schol. Dion. Thr. s. 803, 5 ff., 804, 18 ff. und die lesart des cod. U[11] zu dieser stelle in Uhligs apparat zu Dion. § 6.

II. περὶ κοινῆc cυλλαβῆc s. 5, 11—9, 2.

An die definition der κοινὴ cυλλαβή ps.-Drakon s. 5, 9 f. schliesz
sich eine erläuterung der zwölf arten der κοινή. dieser ganze abschnitt steht mit denselben worten in den scholia Hephaestionea B
s. 114, 13—118, 17 der Westphalschen ausgabe. er ist aber kein
scholion zu Hephaistion, sondern zu Dionysios Thrax, wie Hörschel-

---

[8] neben dieser fassung der ἐρωτήματα hat übrigens Gaza in den
spätern büchern seiner εἰcαγωγή eine vollständigere ausgeschrieben.
im zweiten buche fol. 19[r] und im vierten buche fol. 97[r] bringt er alle
hier ausgelassenen erklärungen der φωνήεντα προτακτικά usw. meist
mit den worten der E[b], manchmal auch freier und kürzer als diese.
[9] nach den bemerkungen Hermanns praef. zu Drakon s. XII ff. und
Lehrs' Her. scr. tria s. 412 anzunehmen, dasz auch hier Drakon den
Laskaris ausgebeutet habe, geht gegenüber dem verhältnis beider zu
den übrigen in rede stehenden darstellungen nicht an.

mann im rhein. mus. XXXVI s. 281 f. nachgewiesen hat, und steht auch wirklich, nur viel vollständiger, in den schol. Dion. Thr. s. 828, 26 ff. 830, 23 ff. dort besteht der tractat aus zwei teilen: der lehre von den δύο τρόποι τὴν μακρὰν εἰс βραχεῖαν καταφέροντεс und von den δέκα τρόποι τὴν βραχεῖαν εἰс μακρὰν ἀναφέροντεс. die beiden τρόποι καταφέροντεс sind der erste und zweite des Dion. Thrax § 10, der dritte und letzte des Dion. ist der erste der δέκα τρόποι ἀναφέροντεс, die nach der lehre des Heliodoros (vgl. Hörschelmann de Dionysii Thracis interpretibus veteribus part. I, Leipzig 1874, s. 57 ff.) auseinandergesetzt werden. aus diesen scholien zu Dion. Thrax wurde ein anderer tractat über die κοινὴ cυλλαβή ausgezogen. er liegt uns vor in dem erwähnten stück der schol. Heph. B. der verfasser dieses tractats besprach zunächst die drei τρόποι des Dionysios mit dessen worten und zusätzen aus den scholien; er fügte beim πρῶτοс bzw. δεύτεροс τρόποс hinzu τῶν τὴν μακρὰν εἰс βραχεῖαν καταφερόντων, er liesz, um seine originalität zu wahren, den tadel des schol. s. 829, 3 ὅπερ παρέλιπεν ὁ τεχνικόс aus, hielt sich aber sonst wörtlich an seine vorlage (vgl. Hörschelmann de Dion. Thr. interpr. vet. s. 64 ff.). beim dritten Dionysischen fall fehlt die angabe, in welche classe er gehöre. dagegen hat die redaction der schol. Heph. B zwei versbeispiele Ξ 1 und Ξ 421 statt des éinen Ξ 1 bei Dion. woher das zweite beispiel kommt, ist klar. die scholien bemerken nemlich s. 828, 11—21 zu den τρόποι des Dionysios: διὰ τί δὲ τρεῖс τρόποι εἰсὶ τῆс κοινῆс cυλλαβῆс καὶ οὐ πλείουс; καὶ λεκτέον ὅτι πᾶсα cυλλαβὴ ἤτοι μακρά ἐсτιν ἢ βραχεῖα, καὶ ἴсμεν ὅτι ἡ μακρὰ διχῶс γίνεται, ἢ φύсει ἢ θέсει, ἡ δὲ βραχεῖα μονότροπόс ἐсτιν. ἕκαстοс οὖν ὁ τρόποс τῇ κοινῇ παρεχώρηсεν, ὁ μὲν φύсει ἐν τῷ «οὔτι μοι αἰτίη ἐссί» (Γ 164), ὁ δὲ θέсει ἐν τῷ «Πάτροκλέ μοι δειλῇ (Τ 287) καὶ ὁ βραχὺс ἐν τῷ «μέγα ἰάχοντεс ἐπέδραμον» (Ξ 421). ebenso von ἕκαстοс an schol. Heph. B s. 115, 14 ff. W.; aber da der verfasser nicht die verse der scholien Γ 164. Τ 287. Ξ 421 vorher gebraucht hatte, sondern die des Dionysios Γ 164. Τ 287. Ξ 1, so muste er, um die bemerkung der scholien anbringen zu können, vorher beim dritten τρόποс den vers Ξ 421 anfügen.

Zu den τρόποι des Dionysios macht der scholiast s. 827, 26—31 einen zusatz: сημειωτέον .. κἂν γὰρ ἡ ἑξῆс ἄρχηται ἀπὸ сυμφώνου, λήγῃ δὲ ἡ πρώτη εἰс φωνῆεν, πάλιν κοινὴν ποιεῖ, οἷον τὸ «περὶ καλα ρεξα» «ἀλλὰ τά γ᾽ ἄсπαρτα καὶ ἀνήροτα» (ι 109). dieser sehr richtige zusatz zu der definition des Dion. ist entnommen aus der doctrin des Longinos zu Heph. cap. 1 vgl. scholia Hephaestionea B ed. Hörschelmann (Dorpat 1882) s. 4, 21 ff. und (daraus) Choerobosci exegesis ed. Hörschelmann (in Studemunds anecdota varia, bd. I, Berlin 1886) s. 38, 11 ff.; natürlich ist der erste vers zu lesen: περὶ καλὰ ῥέεθρα (Φ 352). die ganze sache haben auch die scholia Heph. B s. 115, 20 ff. W., nur dasz sie den eben erwähnten vers Φ 352 weglassen.

Auf diese behandlung der κοινὴ cυλλαβή nach Dionysios Thrax folgt die lehre von den δέκα τρόποι, wie die βραχεῖα zur κοινή wird, nach Heliodoros, und hier fällt der redactor unseres falschen, schol. Heph. in einen fehler, den der verfasser der Dionysiosscholien (Melampus, vgl. Hörschelmann de Dion. Thr. interpr. vet. s. 21 ff.) klüglich vermieden hatte. er merkt nemlich nicht, dasz der erste τρόπος τὴν βραχεῖαν εἰc μακρὰν ἀναφέρων Heliodors identisch ist mit dem dritten schon von ihm behandelten des Dionysios, und behandelt ihn nochmals, zum teil mit denselben worten, wie aus folgendem leicht ersichtlich.

1) erste behandlung (nach Dion. Thrax § 10), schol. Heph. B s. 115, 8 ff. τρίτος τρόπος .. ὅταν βραχεῖα οὖcα καταπεραιοῖ εἰc μέρος λόγου καὶ τὴν ἑξῆc ἔχει ἀπὸ φωνήεντος ἀρχομένην, οἷον (Ξ 1) καὶ (Ξ 421). damit wird in den schol. Dion. s. 830, 7 ff. Heliodors lehre verbunden, die wir in der exegesis des Choiroboskos s. 52 ff. lesen: ἡ βραχεῖα ἡ τοιαύτη εἰc τόπον μακρᾶc κοινὴ εὑρίσκεται, ὅτε τὸ ῑ ἐπιφέρεται, ὡc ἐν τῷ (Ξ 421). die schol. Dion. sagen: τῶν δὲ τὴν βραχεῖαν εἰc μακρὰν ἀναφερόντων ⟨πρῶτος⟩ .. «ὅταν βραχεῖα οὖcα καταπεραιοῖ εἰc μέρος λόγου καὶ τὴν ἑξῆc ἔχει ἀπὸ φωνήεντος ἀρχομένην». λείπει τὸ ποίου φωνήεντος· οὐ γὰρ οἱουδήποτε φωνήεντος ἐπιφερομένης ἀρχομένου λέξεως τὴν πρὸ αὐτοῦ βραχεῖαν εἰc μέρος λόγου καταλήγουcαν μακρὰν ἀποτελεῖ. ποῖον οὖν φωνῆεν τοῦτο ἀποτελεῖ; τὸ ῑ usw. und dann s. 830, 14 Ξ 1; 830, 19 Ξ 421.

2) daraus unser abschnitt s. 115, 25 ff. W. τῶν δὲ τὴν βραχεῖαν εἰc μακρὰν ἀναφερόντων πρῶτος οὖτος τρόπος· ὅταν βραχεῖα οὖcα καταπεραιοῖ εἰc μέρος λόγου καὶ τὴν ἑξῆc ἔχῃ ἀπὸ φωνήεντος ἀρχομένην. οὐ τοῦ τυχόντος φωνήεντος ἀρχομένην, ἀλλὰ τοῦ ῑ, ὡc ἐν τῷ (Ξ 421) καὶ (Ξ 1); dann folgt wörtlich das Heliodorfragment, wie es in den schol. Dion. steht. die vollständige aufzählung würde demnach nicht zwölf, sondern dreizehn τρόποι τῆc κοινῆc ergeben; in unserer redaction hört jedoch die ϝache beim vierten τρόπος Heliodors auf.

Mit dem eben besprochenen stück der schol. Heph. B s. 114, 13 W. stimmt nun der abschnitt des ps.-Drakon s. 5, 11 ff. wörtlich, abgesehen von folgenden abweichungen:

schol. Heph. B	ps.-Drakon
s. 114, 25 W. λέγει	s. 5, 17 θέλει
115, 3 θάτερος	19 δεύτερος
6 οἷον	22 f. ὡc ἐν τῷδε τῷ ἔπει φαίνεται
10 ἔχῃ	26 ἔχει
116, 9 ἐπὶ τοῦ	6, 23 ἐν τῷ
21 ἐπὶ τοῦ	7, 1 ἐπὶ τῷ
24 f. ἐπὶ τούτου τοῦ ἔπους	12 ἐπὶ τούτου
(114, 20) ὅν	7, 23 οὖc
117, 14 φύcει μακρᾶc	8, 2 φύcειc

schol. Heph. B	ps.-Drakon
s. 117, 19 χαρίζεται	s. 8, 6 χαρακτηρίζεται
118, 11 ὡc ἐπὶ τοῦ παρόντος	23 ὡc ἐπὶ τούτου.
τουτουῒ cτίχου	

auszerdem fehlen folgende worte der schol. Heph. B bei ps.-Dra-
kon: s. 115, 4 W. ἐcτιν, 115, 27 οὖcα, 114, 19—20 ἡμῖν . . κεχρῆcθαι, 117, 23—26 τὸ ῑ cυcτελλόμενον . . τὸ ᾱc cυcτελλόμενον
(homoioteleuton), 117, 29 f. καὶ προκειμένη.

Diese auslassungen sind entweder offenbare fehler bei ps.-Dra-
kon oder doch sehr unbedeutend; ebenso die vorher genannten abweichungen mit ausnahme des éinen θέλει für λέγει schol. Heph. B.
auf grund dieses θέλει hat Hörschelmann de Dion. Thr. interpr. vet.
s. 57 ff. die directe abhängigkeit des einen vom andern bestritten
und beide darstellungen auf eine gemeinsame vorlage ([E] ao. s. 59 f.)
zurückgeführt. dieselbe ansicht vertrat er dann im rhein. mus. XXXVI
s. 281, wo er zugleich zeigte in welcher umgebung das stück sich
findet; in den Gött. gel. anz. 1887 s. 599 endlich lesen wir die gleiche
ansicht, obgleich H. selbst das λέγει gegenüber dem zeugnis dreier hss.
als conjectur von Turnebus ansieht (rhein. mus. ao.). dann brauchen
wir aber das [E] gar nicht anzusetzen: ps.-Drakons worte sind eben
dasselbe stück, das fälschlich den schol. Heph. B einverleibt wurde,
nur verkürzt und ganz unwesentlich verändert.[10] ob diese änderungen von ps.-Drakon selbst herrühren oder von einem vorgänger, ist
gleichgültig. folgendes scheint mir jedoch auf ps.-Drakon selbst hinzuweisen. einmal die auslassung der worte ἡμῖν . . κεχρῆcθαι s. 114,
19 f. W., die offenbar dem bestreben entspringt, der eignen darstellung den schein größerer gelehrsamkeit und autorität zu geben.[11]

---

[10] wenn Hörschelmann im rhein. mus. ao. betont, dasz ps.-Drakon
auszer dem in rede stehenden abschnitt noch andere aus dem in der
M-classe der Hephaistion-hss. — diese allein bietet das stück — hierauf
folgenden metrischen conglomerat hat, so teile ich allerdings seine ansicht, dasz die übereinstimmenden dinge nicht aus ps.-Drakon abgeschrieben sind; zu einer genauern beurteilung des verhältnisses fehlt
mir leider die kenntnis des inhalts dieses conglomerates. ob aber das
prosodische stück der scholia Heph. A s. 98, 23—100, 2 W. nicht von
Drakon beeinfluszt ist, mag dahingestellt bleiben. immerhin ist eine
variante interessant, die Westphal zu s. 99, 30 aus der ʻeditio Turnebiana
cum ms. collata etc.ʼ (vgl. praef. s. VI anm.) mitteilt: ὁ Δράκων ἐν τῷ
περὶ μέτρων statt Κύριος Μανουήλ. wenn also das stück wirklich in einer
hs. Drakons namen trug, so ist die kenntnis oder gar benutzung Drakons
nicht ausgeschlossen, und damit würde die redaction der M-classe in die
zeit nach Drakon herabgerückt.   [11] aus demselben grunde verspricht
auch ps.-Drakon s. 9, 2 eine fortsetzung der lehre von den zehn τρόποι
Heliodors, und es steht im zweiten teil der compilation allerdings noch
ein capitel περὶ κοινῆc cυλλαβῆc τεχνολογικῶc, aber dies ist nur eine
weitschweifige paraphrase der drei τρόποι Hephaistions. den ausdruck
τεχνολογικῶc der überschrift hat Lehrs in diesen jahrb. 1872 s. 483 aus
der bekanntschaft des ps.-Drakon mit Laskaris herleiten wollen; möglich dasz er daher stammt: von Drakon ist das capitel darum doch
nicht verfaszt, sondern es bildet mit dem bei Drakon s. 143, 5—9.

ferner hat ps.-Drakon s. 6, 11 einen sonst nicht vorkommenden bei-
spielsvers: ἢ ῥα κατὰ cπείουc κέχυτο μεγάλ᾽ ἤλιθα πολλή (ι 330).
er steht weder in den scholia Dion. Thr., noch in den schol. Heph. B,
vielmehr hat ihn ps.-Drakon, wie er dies auch sonst thut (vgl. m.
diss. s. 45), selbst hinzugefügt. nach dem gesagten dürfen wir in
ps.-Drakons worten nur dieselbe version des Heliodorfragments erblicken wie in dem schol. Heph. B.   Heliodors lehre beginnt beim
zweiten der τρόποι ἀναφέροντεc. die ursprünglichste fassung derselben haben wir ohne zweifel in der exegese des Choiroboskos
s. 52, 2 ff.; umgearbeitet und durch neue beispielverse nebst erklärung erweitert steht es in dem Dionysioscommentar des Melampus
schol. Dion. s. 830, 23 ff. dieser hat nach Hörschelmann de Dion.
Thr. interpr. vet. s. 58, 2 mit dem falschen Heph.-scholion aus derselben quelle geschöpft. in den schol. Heph. B fehlen zunächst folgende worte der scholia Dion. Thr. s. 830, 25 αὐτὴν, 830, 28 διὸ
— 30 μείουρον, 831, 1 τοῦ, καὶ — 2 ἀνάγειν, ὅθεν — 6 ἐξεφώ-
νουν, 831, 11 τοῦ γὰρ τέραc, 12 τῆc — 15 ὀξείαc, 831, 18 καὶ
αὐτὸc, κατὰ τὸν πόδα τοῦτον, 831, 25 δῆλον — 26 [ᾦ], 27 τοῖc
— 28 μακρὰν, 28 ἐκ, 31 ἡ περιcπωμένη τῆc βραχείαc, 32 δυνά-
μεθα — βραχείᾳ, 832, 5 ἕνα, 7 ἤ, 9 παρὰ .. προείρηται, 12 διὰ
— 14 διὰ, 15 ὡc περιcπωμένηc, 18 ἐν τῷ οἰκῆαc, 25 τούτου.
ferner weichen beide an folgenden stellen von einander ab:

schol. Dion. Thr.	schol. Heph. B
s. 830, 25 ἢ τινι διχρόνῳ cυcτελ- λομένῳ	s. 116, 8 W. ἢ βραχυνομένων διχρόνων
30 τοῦ	12 τὸ
31 τροχαίου	13 τροπῆc
831, 2 ὑπερτέραν	17 ἑτέραν
6 ὀξεῖα οὖν	οὖν ὀξεῖα
15 ὡc	24 ὡc ἐπὶ τούτου τοῦ ἔπουc
17 βραχείαc οὔcηc τοῦ	27 βραχεῖαν οὖcαν τῆc
23 ἀναφερόντων	117, 5 ἀναφερομένων
33 ἀδύνατον γὰρ εὑρεῖν περιcπωμένην	10 οὐ γὰρ τίθεται 11 τῆc γὰρ περιcπωμένηc
832, 1 τόνων λαβεῖν	τότε 12 τὴν cυλλαβὴν
2 ἔχουcαν	13 ἔχουcι
4 cυμφώνων	15 cυμφώνου
16 τῇ	20 τὴν
18 ᾱ	26 ᾱ͞c

143, 17—146, 4 stehenden eine fortlaufende zusammengehörige abhandlung, die sich zb. im cod. Havn. 1965 s. 627 ff. findet; in diese abhandlung hat Drakon hinter s. 143, 9 den Isaakos monachos z. 182, 25—32,
hinter s. 146, 6—147, 4 den Isaakos s. 179, 29 ff. eingeschoben; vgl. m.
diss. s. 47.

schol. Dion. Thr.	schol. Heph. B
s. 832, 25 τὸ ἐν	s. 118, 4 W. ἐν
28 ἀλλὰ	7 ἀλλ᾽ ἡ
29 αὐτὸ	8 αὐτὴν
32 ἐπὶ τοῦ	11 ἐπὶ τοῦ παρόντος
	τουτουῒ ϲτίχου
833, 1 ἡ δαϲεῖα τῷ μὲν ῑ ἐπι-	14 ἡ ἐπὶ τοῦ ῑ δαϲεῖα προ-
κειμένη, τῷ δὲ ᾱ προ-	κειμένη
κειμένη	
3 μ̄	16 μ̄η̄

in dem scholion Heph. B stehen endlich folgende worte, die in den
scholia Dion. Thr. fehlen: s. 117, 5 W. τῆϲ, 114, 19 τούτοιϲ. auf
grund der vorstehend aufgeführten abweichungen hat Hörschelmann
de Dion. Thr. interpr. vet. s. 59 ff. angenommen, dasz die scholia
Heph. B und ps.-Drakon nicht aus dem Dionysioscommentar (des
Melampus), sondern mit diesem aus einem verwandten buche geschöpft haben, das er mit [C] bezeichnet. aber Hörschelmann hat
selbst ao. die gewichtigern dieser abweichungen von unsern scholia
Dion. Thr. paläographisch so einfach erklärt, dasz wir nicht nötig
haben aus ihnen eine besondere v e r l o r e n e f a s s u n g der Dionysiosscholien herauszuconstruieren. vielmehr ist der einfachste schlusz
dieser: der schreiber des stücks der scholia Heph. B schrieb die auch
uns vorliegende fassung des Melampuscommentars zu Dionysios ab;
ob er die abweichungen schon vorfand oder selbst schuf, ist unwesentlich: eine besondere fassung des Dionysiosscholions bedingen
sie nicht.

GIESZEN.   LUDWIG VOLTZ.

65.
ZU JULIUS CAPITOLINUS.

Bei der behandlung mehrerer stellen der scriptores hist. Aug.
hat OHirschfeld im Hermes XXIV s. 106 zu der *vita Albini* 13, 10
vorgeschlagen statt des überlieferten *senatus nos consules faciat* zu
lesen *senatus bonos consules faciat*. dasz *nos* unhaltbar ist, unterliegt keinem zweifel, da Albinus gar nicht consul werden will und, dies
auch angenommen, der pluralis durchaus unerklärlich wäre. ebenso
wenig scheint mir jedoch *bonos* zu passen, weil nicht 'schlechte
vom senat gewählte consuln', sondern 'vom kaiser ernannte consuln'
(vgl. ebd. 3, 6. Lange röm. alt. I² s. 611. 625) als gegensatz zu ergänzen ist. Albinus will nur die macht des senates wieder hergestellt
wissen (vgl. *v. Alb.* 13, 5. 14, 4 f.) und dürfte daher gesagt haben:
senatus imperet, provincias dividat, senatus nobis consules faciat.

WURZEN.   HERMANN STEUDING.

66.

ZU DEN PRIAPEA.

63, 17 f. *quae tot figuris, quot Philaenis enarrat,*
  non inventis pruriosa discedit.
figuris bietet Vat. 2876, während andere hss. *figuras* lesen. Heinsius
schlug zu v. 18 vor *non admovente*; Bücheler *contenta non est pru-
riensque discedit*. REllis im rhein. mus. XLIII s. 266 will dafür einsetzen *quae tot figuras quot Philaenis enarrat conata* (?) *veneris
ψωριῶσα discedit*. doch die heilung scheint mir viel einfacher, wenn
non in *novis* verwandelt wird. das auffällige *pruriosus* scheint eine
vulgärform zu sein, da sich dasselbe bei Caelius Aurelianus *chron.
pass*. II 1, 33 in-der bemerkung *squilla, quam vulgo bulbum pru-
riosum vocant* findet. zu vergleichen ist für die einsetzung von
novus Martialis XII 43, 5 *sunt illic Veneris novae figurae*; für den
ganzen gedanken Juvenalis 6, 130 *et lassata viris nec dum satiata
recessit*.

WURZEN. HERMANN STEUDING.

67.

ZUM LATEINISCHEN IRREALIS PRAETERITI.

  Gegen den aufsatz von AProcksch in dem vorigen jahrgange
dieser zeitschrift s. 866 f. bemerke ich zur berichtigung folgendes.
ich habe keineswegs behauptet, dasz unter allen umständen
für den conj. imperf. des nachsatzes zu einem irrealen bedingungs-
satze in der abhängigen rede die form *-urum fuisse* eintreten müsse,
sondern dasz dies erforderlich sei in dem falle wenn auszudrücken
ist, dasz das gegenteil von dem inhalte des nachsatzes factisch stattfindet; für den entgegengesetzten fall habe ich selbst zum schlusz
ein beispiel angeführt. trotzdem meint Procksch, ich hätte den
irrealen gebrauch der form *-urum esse* überhaupt geleugnet; er hat
also mich gänzlich misverstanden. an den stellen ferner, durch
welche P. mich zu widerlegen glaubt, nemlich bei Cic. *de domo sua*
73 und 96 liegt gar kein irrealis vor, da die betreffenden worte ohne
abhängigkeit lauten würden: *nec erit ulla, si non redierit* und *si
victus ero, nullae erunt*. wem solche misverständnisse passieren, der
sollte doch nicht bei einem andern von mangel an genauerer prüfung
reden.

RÖSSEL IN OSTPREUSZEN. PETER STAMM.

68.

STUDIEN ZUR GESCHICHTE DIOCLETIANS UND CONSTANTINS.

(fortsetzung von jahrgang 1888 s. 713—726.)

II.

IDACIUS UND DIE CHRONIK VON CONSTANTINOPEL.

Unter den quellen des vierten und fünften jh. nehmen die chroniken trotz ihrer kürze eine der vornehmsten stellen ein. denn da sie jedes ereignis unter einem bestimmten jahre verzeichnen, sehr vielen sogar das tagdatum hinzufügen, so gewähren sie der forschung ein chronologisches gerippe, wie wir es in dieser festigkeit und vollständigkeit für wenig andere epochen der alten geschichte herzustellen vermögen. freilich sind nicht nur die verschiedenen chroniken, sondern auch die verschiedenen teile jeder einzelnen von so ungleichem werte, dasz nur die strengste kritische sonderung sie wirklich benutzbar machen kann.

Die annalen von Ravenna stehen für alle, die sich mit der zeit der völkerwanderung beschäftigen, im mittelpunkte des interesses. es ist daher begreiflich, dasz man ihre bedeutung etwas überschätzt, namentlich auch ihren umfang zu weit ausgedehnt hat. dies kommt für uns freilich nur insofern in betracht, als es das urteil über eine quelle mit beeinfluszt hat, welche auch für die regierungen Diocletians und Constantins zu den allerwichtigsten gehört. gleichwohl können wir es nicht vermeiden die frage, von welchem zeitpunkt an die chronik von Ravenna begann, noch einmal einer prüfung zu unterziehen.

Dasz der Anonymus Cuspiniani[1] und das fragmentum Sangallense[2] die annalen von Ravenna am reinsten und treuesten wiedergeben, unterliegt keinem zweifel: diese haben also die grundlage der untersuchung zu bilden.[3] mit ihnen berührt sich auf das engste eine andere gruppe von chroniken, welche durch Marcellinus, Prosper und das Chronicon Imperiale repräsentiert wird. für alle fünf ergibt sich das folgende quellenstemma, dessen gründe für jeden, der sie auch nur flüchtig untersucht, sich so deutlich zeigen, dasz wir uns ihre darlegung wohl ersparen können.

---

[1] der beste text desselben steht bei Mommsen 'über den chronographen von 354' (abh. der sächs. ges. d. wiss. II s. 657 ff.). [2] herausgegeben von de Rossi im Bull. di archeol. crist. 1867 s. 17 ff. [3] diejenigen vertreter der chronik von Ravenna, welche dieselbe nicht rein, sondern vermischt mit anderm material wiedergeben, wie Theophanes und der continuator Prosperi Havniensis, lassen wir absichtlich unberücksichtigt, da ihre heranziehung mehr zur verwirrung als zur lösung der frage beitragen würde.

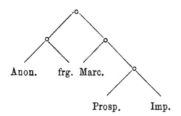

In der quelle, welche diesen allen gemeinsam zu grunde liegt,
sieht Holder-Egger[4] die annalen von Ravenna. um die richtigkeit
dieser annahme zu prüfen, wird es zweckmäszig sein von 379 an, mit
welchem jahre die zweite chronikengruppe beginnt, alle notizen des
Anon. und des frg. zusammenzustellen und die entsprechenden nachrichten der drei andern quellen ihnen zur vergleichung beizudrucken.

379 *Theodosius le-*   *Theodosius . . a Gratiano Aug. apud Sir-*
vatus est imperator   *mium . . imperator creatus est XIV kal. Febr.*
a Gratiano Sirmi.   *orientalem dumtaxat remp. recturus.* Marc.
Anon.   *Gratianus . . Theodosium Theodosii filium in*
consortium assumit imperii et ei regnum tradit
orientis. Prosp., in etwas anderer form Imp.

383 *Gratianus oc-*   *Gratianus imp. Maximi tyranni dolo apud*
cisus est a Maximo   *Lugdunum occisus est VIII kal. Sept.* Marc.
leudimo VIII kal.   *Maximus imperator est factus, quo mox ad*
Sept. Anon.   *Gallias transfretante Gratianus Parisiis . .*
superatus et fugiens, Lugduni captus atque
occisus est. Prosp. *Maximus in Gallias trans-*
fretavit et conflictu contra Gratianum habito
eundem fugitantem Lugduni interfecit. Imp.

natus est Honorius   384 *Honorius alter Theodosio natus est filius*
Constantinopoli V id.   *mense Septembri.* Marc. *Honorius Theodosii*
Sept. Anon.   *filius nascitur.* Prosp.
levatus est Arca-   383 *Arcadius a patre suo Theodosio Aug.*
dius. Anon.   *consors imperii . . coronatus est.* Marc. *Arca-*
dius Theodosii imperatoris filius Augustus ap-
pellatur. Prosp.

388 *occisus est Ma-*   *Valentinianus . . et Theodosius impp. Maxi-*
ximus V kal. Sept.   *mum tyrannum . . apud Aquileiam rebellan-*
Anon.   *tem vicerunt.* Marc. *Maximus tyrannus a*
Valentiniano et Theodosio impp. in tertio ab
Aquileia lapide . . capite damnatur. Prosp.
Theodosius . . Maximum interfecit. Imp.

389 *Theodosius Ro-*   *Theodosius imp. cum Honorio filio suo Ro-*
mam introivit cum Ho-   *mam mense Iunio introivit, congiarium populo*

---

4 'untersuchungen über einige annalistische quellen zur gesch. des
fünften und sechsten jh.' im neuen archiv f. ält. deutsche geschichts-
kunde I s. 215 ff.

norio id. Iun. et exi- *Romano tribuit urbeque egressus est kal. Sept.*
vit inde III kal. Sept. Marc.
Anon.

390 *signum appa-*   *signum in caelo quasi columna pendens ar-*
ruit in caelo quasi *densque per dies* **XXX** *apparuit.* Marc. Prosp.
columna pendens per *terribile in caelo signum columnae per omne*
dies **XXX.** Anon. frg. *simile apparuit.* Imp.

391 *defunctus est*   *Valentinianus imp. apud Viennam dolo Ar-*
Valentinianus Vien- *bogastis strangulatus interiit id. Mart.* Marc.
nae IV id. Iun. Anon. *Valentinianus ad vitae fastidium nimia Arbo-*
gastis magistri militum austeritate ductus laqueo
apud Viennam periit. Prosp. *Valentinianus*
Viennae ab Arbogaste comite suo extinguitur.
Imp.

levatus Eugenius *Eugenius Arbogastis favore confisus impe-*
imp. **XI** *kal. Sept.* *rium sibimet usurpavit.* Marc. *Arbogastes . .*
Anon. *Eugenium in Galliis imperare fecit.* Prosp.
tyrannidem Eugenius invadit. Imp.

393 *tenebrae factae*   *hora diei tertia tenebrae factae sunt.* Marc.
sunt die Solis hora III *hora tertia tenebrae factae sunt.* Prosp. ? ~ ?
VI *kal. Nov.* Anon.
frg.

levatus est Honorius *Honorium pater suus Theodosius in eodem*
imp. Constantinopoli *loco, quo fratrem eius Arcadium, Caesarem fecit,*
in miliario IV a Theo- *id est septimo ab urbe miliario.* Marc. *Hono-*
dosio patre suo X kal. *rium pater suus Theodosius in eodem loco, quo*
Febr. Anon. *fratrem eius Arcadium Caesarem fecerat, prin-*
cipem constituit, XVII ab urbe miliario. Prosp.

394 *occisus est*   *Eugenius victus atque captus interfectus est.*
Eugenius VIII id. Marc. *Theodosius Eugenium vincit et perimit.*
Sept. Anon. Prosp. *Eugenio superato.* Imp.

396 *Theodosius de-*   395 *Theodosius Magnus apud Mediolanum*
functus est Mediolano *vita decessit.* Marc. *Theodosius imperator Me-*
XVIII *kal. Ian.* *diolani moritur.* Prosp. *Theodosius . . diem*
Anon. *obit.* Imp.

398 *Gildo occisus*   *Stilico magister militiae Gildonem Mauri-*
est pridie kal. Aug. *taniae interfecit.* Imp. sehr ausführlich er-
Anon. zählt Marc.

401 *natus est Theo-*   *Theodosius iunior patre Arcadio natus est*
dosius Constantinopoli **III** *id. Apr.* Marc.
id. Apr. Anon.

intravit Alaricus in   400 *Gothi Italiam Alarico et Radagaiso*
Italiam XIV kal. Dec. *ducibus ingressi.* Prosp.

403 *Theodosius le-*   402 *Theodosius iunior in loco, quo pater*
vatus est imp. Constan- *patruusque suus, Caesar creatus est.* Marc.
tinopoli IV id. Ian.
Anon.

408 *Romae in foro pacis terra mugitum dedit per dies VII.* frg.

Romae in foro pacis per dies VII terra mugitum dedit. Marc. *Uticae in foro Traiani terra diebus VII mugitum dedit.* Imp.

Ticeno multi maiores occisi sunt id. Aug. et occisus est Stilico Ravennae XI kal. Sept. frg.

Stilicho . . occisus est. Marc. *inter alia multum reip. Stiliconis morte consultum est.* Imp.

410 *Roma fracta est a Gothis Alarici XIX kal. Sept.* frg.

Alaricus trepidam urbem Romam invasit. Marc. *Roma a Gothis Alarico duce capta.* Prosp. *Gothi, qui Alarico duce Romam ceperant.* Imp.

418 *sol eclipsim fecit XIV kal. Oct.* frg.

solis defectio facta est. Marc. *solis hoc anno facta defectio.* Imp.

a parte orientis apparuit stella ardens per dies XXX. frg.

stella ab oriente per septem menses surgens ardensque apparuit. Marc.

419 *signum apparuit in caelo stella ardens sicut facula III non. Mart.* frg.

signum in caelo mirabile apparuit. Imp.

Romam Mauri intraverunt. frg.

fehlt.

429 *terrae motus factus est kal. Sept. die Solis.* frg.

fehlt.

443 *terrae motus factus est Romae et ceciderunt statuae et portica nova.* frg. Anon.

fehlt.

So weit ist es genug. man sieht, bis zum anfang des j. 419 findet sich im Anonymus und im fragment keine einzige notiz, die nicht mindestens in einer von den drei quellen der andern gruppe wiederkehrte. von ende 419 an hört dies auf; die übereinstimmungen werden jetzt äuszerst spärlich. bei erdbeben, sonnenfinsternissen u. dgl. m. verschwinden sie ganz, ohne dasz dies auf ein princip zurückgeführt werden könnte: denn Marcellinus und das Chronicon Imperiale fahren auch weiter fort wundererscheinungen und grosze unglücksfälle zu berichten, nur sind es regelmäszig andere als diejenigen, von welchen die erste gruppe erzählt. gemeinsam bleiben allen fünf quellen nur die folgenden notizen:

1) die ernennungen, absetzungen und todesfälle der kaiser. da das reich ideell noch immer als ein einheitliches galt und die beherscher des westens als mitherscher des ostens angesehen wurden, so müssen derartige ereignisse ebenso gut in den chroniken von Constantinopel, Antiocheia und Alexandreia verzeichnet gewesen sein wie in der von Ravenna. auf quellengemeinschaft würden diese nachrichten

also nur schlieszen lassen, falls sie in ihrem wortlaut sehr genau
übereinstimmten; doch ist dies keineswegs der fall: denn die anführung des ortes, welche mitunter in beiden gruppen wiederkehrt, gehört eben zum schema solcher notizen und beweist daher nichts.

2) die plünderung Roms durch Geiserich. dasz diese in allen
teilen des römischen reiches aufsehen erregte und daher überall in
die chroniken eingetragen sein kann, bedarf keiner weitern worte.

3) der einmarsch des Theoderich in Italien und der fall des
Odoacer. hiervon gilt dasselbe; auch werden diese ereignisse von
Marcellinus und dem Anonymus in so verschiedener weise erzählt,
dasz an eine gemeinsame quelle gar nicht zu denken ist.

4) der tod hervorragender persönlichkeiten, wie 454 des Aëtius
und seines freundes Boëthius, 464 des Beorgor, 468 des Marcellinus,
476 des Orestes, 477 des Bravila. auch diese vorfälle waren bedeutend genug, um im ostreiche beachtet zu werden; auch sie konnte
also Marcellinus ebenso gut aus einer byzantinischen chronik wie
aus der von Ravenna schöpfen; auch hier finden sich nirgend so
charakteristische übereinstimmungen des wortlautes, dasz sie zur
annahme einer quellengemeinschaft zwängen.

Jedenfalls unterliegt es keinem zweifel, dasz das gegenseitige
verhältnis der beiden annalengruppen vor dem j. 419 ein ganz anderes ist als nach demselben. zwei erklärungen sind dafür denkbar:
entweder es hat auf einer der beiden seiten an dieser stelle ein
quellenwechsel stattgefunden und was sie noch später gemeinsames
haben, ist sich nur durch zufall ähnlich; oder Marcellinus, Prosper
und das Imperiale haben mit 419 plötzlich die ganze methode ihrer
quellenbenutzung geändert. ein drittes gibt es meines erachtens
nicht. das erstere ist recht wohl möglich, das zweite undenkbar,
womit die entscheidung gegeben ist.

Als bestätigung kommen die localen charakteristika hinzu. vor
419 findet sich unter den notizen der chronik keine einzige, welche
auf ihren ravennatischen ursprung hinwiese. denn wenn unter 408
berichtet wird, die anhänger Stilichos seien in Pavia, er selbst in
Ravenna getötet worden, so beweist dies gar nichts. mit dem gleichen recht könnte man daraus schlieszen, die annalen seien in Pavia
entstanden. die erste sicher ravennatische notiz steht unter 456:
occisus est Remistus patricius in palatio Classis XV kal. Oct. denn
diese genaue bezeichnung nicht der stadt, sondern eines bestimmten
locals auf ihrem gebiete verrät zweifellos die feder eines einheimi-
schen. selbst dasz die chronik italisch war, zeigt sich zuerst 419
Romam Mauri intraverunt und 443 *terrae motus factus est Romae
et ceciderunt statuae et portica nova.* denn der erste barbareneinfall,
den Italien im j. 401 seit der zeit der Cimbern und Teutonen zu er-
leiden hatte, und die plünderung Roms durch die Gothen (410)
müssen in allen teilen des reiches ungeheures aufsehen gemacht
haben und sind gewis nicht nur in italische annalen eingetragen
worden. ebenso hat die notiz, dasz Rom 389 zum ersten male von

dem orientalischen kaiser Theodosius besucht wurde, ohne zweifel auch in die orientalischen chroniken der zeit aufnahme gefunden. so sind die meisten nachrichten, welche der Anonymus und das fragment vor 419 bringen, local ganz indifferent. nur zwei scheinen mir eine ausnahme zu machen, aber diese weisen nicht nach Ravenna, sondern nach Constantinopel hin: 336 *introierunt Constantinopolim Lucas et Andreas*; wie die entsprechenden notizen bei Idacius, Hieronymus und im Chronicon Paschale zeigen, bedeutet dies, dasz die reliquien der beiden apostel in die hauptstadt des ostens übertragen wurden, was entschieden nur byzantinisch locales interesse hatte. 393 *levatus est Honorius imperator Constantinopoli in miliario VII.* die ernennung eines kaisers in Constantinopel könnte in jeder art von chronik gestanden haben; aber dasz als ort ganz genau die vorstadt bezeichnet ist, welche man nach ihrer entfernung vom centrum der metropole Hebdomon nannte, scheint mir für byzantinischen ursprung dieser nachricht ebenso charakteristisch zu sein wie die erwähnung des *palatium Classis* für die ravennatische entstehung der notiz von 456.

Die sicherste belehrung erwartet man in den sonnenfinsternissen von 393 und 418 zu finden, doch waren sie beide sowohl in Constantinopel als auch in Ravenna total oder doch beinahe total.[5] entscheidend wäre, was 393 über die stunde gesagt ist, wenn nicht die ganze zeitbestimmung heillos zerrüttet wäre. sie lautet nach der besten überlieferung *die Solis hora III VI kal. Nov.* dasz die finsternis am sonntag stattfand, ist richtig, doch war dies nicht der 27 oct., welcher ein donnerstag war, sondern der 20 nov.; auch passt die stunde weder für Ravenna noch für Constantinopel. wahrscheinlich ist die corruptel in folgender weise entstanden. wenn *Nov.* gut überliefert ist, so kann nicht der tag (*XII kal. Dec.*) bezeichnet gewesen sein, sondern die datierung lautete *mense Novembri.* in diesem fall aber musz die zahl *VI* sich auf die stunde beziehen. vielleicht waren in *h. VI m. Nov.* die beiden mittlern zeichen vertauscht worden; aus *h. m.* entstand dann durch eine graphisch sehr leichte verwechselung *h. III,* und *VI Nov.* wurde durch naheliegende conjectur in *VI kal. Nov.* geändert. ist diese vermutung richtig, so passt die stunde auf Constantinopel, wo die verfinsterung gegen mittag nahezu total wurde; in Ravenna trat dieser zeitpunkt schon in der vierten stunde ein.[6]

Also soweit der Anonymus und das St. Gallensche fragment ravennatisch sind, stimmen sie mit Marcellinus, Prosper und dem Chronicon Imperiale nicht überein, und soweit sie mit diesen übereinstimmen, sind sie nicht ravennatisch, sondern byzantinisch. ihre

---

[5] Oppolzer: 'canon der finsternisse' in den denkschr. d. Wiener akad. math.-naturw. classe bd. LII tf. 77 und 78. auf dieselbe quelle geht alles zurück, was im folgenden über finsternisse gesagt werden wird.

[6] bei der finsternis von 540, welche das fragment verzeichnet, passt die bestimmung der stunde (*a hora diei III usque in horam IV*) nicht mehr auf Constantinopel, sondern auf Rom und Ravenna.

quelle sind annalen von Constantinopel, die in Ravenna weiter-
geführt[7], aber von den chronisten der zweiten gruppe ohne diese
occidentalische fortsetzung benutzt worden sind.

Auf grund der drei notizen, welche wir bis jetzt haben anführen
können, mag dieser schlusz vielleicht noch voreilig erscheinen; doch
wird er zur gewisheit erhoben durch die sonstigen quellen, welche
aus der byzantinischen chronik geflossen sind. denn das material,
welches wir zu ihrer reconstruction besitzen, ist sehr reich; es besteht in der reihenfolge ihres alters aus folgenden schriftstellern:

1) Hieronymus in dén teilen seiner chronik, welche er dem
werke des Eusebios hinzugefügt hat.[8]

2) die fasten des Idacius. was aus der chronik desselben verfassers[9] hierher gehört, ist aus den fasten abgeschrieben, besitzt also
keinen selbständigen wert.

3) diejenige quelle, welche von dem Barbarus Scaligeri[10] benutzt und durch die chronik von Ravenna fortgesetzt ist.[11] soweit
die letztere für diese untersuchung in betracht kommt, wird sie uns,
wie schon gesagt, durch den Anonymus Cuspiniani und das fragmentum Sangallense vertreten.

4) wo die chronik des Hieronymus abbrach, welche ihm bis dahin als hauptquelle gedient hatte, hat sich auch Orosius den byzantinischen annalen zugewandt.

5) die gemeinsame quelle des Prosper und des Chronicon Imperiale.

6) die chronik des Marcellinus.

7) das Chronicon Paschale.

Schreiben wir der allen gemeinsamen quelle auch nur dasjenige
zu, worin zwei oder mehrere der abgeleiteten übereinstimmen, so
kann doch gar kein zweifel sein, dasz sie in Constantinopel entstanden ist.[12] von dort werden die einzüge der herscher[13], die beisetzung

---

[7] hieraus erklärt es sich dasz, wie Holder-Egger ao. II s. 83 bemerkt,
die ravennatischen annalen in der formulierung ihrer notizen so sehr
mit den byzantinischen übereinstimmen. das werk, welches die occidentalischen chronisten fortsetzten, war ihnen naturgemäsz auch stilistisches vorbild.   [8] vgl. Holder-Egger ao. II s. 86.   [9] Holder-Egger
II s. 70 sucht den beweis zu führen, dasz Idacius nicht der verfasser
der fasten gewesen sein könne. doch dasz derselbe ein Spanier war
und zwar ein Nordspanier, steht fest (s. was s. 616 über die sonnenfinsternis von 402 gesagt ist); dasz er mit Idacius gleichzeitig lebte,
ergibt das schluszjahr der fasten. die thatsachen, welche Holder-Egger
gegen dessen autorschaft anführt, beweisen meines erachtens nur, dasz
er in der chronik sein eignes werk benutzte und dabei einiges wegliesz, anderes weiter ausspann. übrigens kommt auf die frage sehr
wenig an: denn da der verfasser, wie allseitig zugegeben ist, mit Idacius
heimat, zeit und anschauungsweise teilte, so kann er quellenkritisch
ganz so wie dieser selbst behandelt werden, auch wenn er eine andere
person sein sollte.   [10] abgedruckt in ASchönes ausgabe des Eusebios
I s. 177 ff.   [11] über das verhältnis des Barbarus und des Anonymus vgl.
Holder-Egger ao. I s. 220.   [12] dies ist auch schon mehrmals anerkannt;
vgl. Holder-Egger II s. 67.   [13] Idac. 361 = Pasch. 362; Idac. 380

kaiserlicher leichen[14], die übertragung berühmter reliquien[15], die
weihung von kirchen[16], die errichtung öffentlicher gebäude[17], selbst
ein groszer hagelschlag[18] mit eingehendster sorgfalt verzeichnet. auf
Rom und den westen wird zwar auch rücksicht genommen, doch
nicht mehr als das allgemeine interesse am reich und an der reichs-
hauptstadt erforderte.

Prüft man die sieben quellen, in denen sich reste der verlorenen
chronik vorfinden, so wird man zu dem ergebnis kommen, dasz dieselbe am reinsten durch die fasten des Idacius repräsentiert wird.
am anfang und am ende enthalten zwar auch diese fremde bestandteile, doch in dem raume, der durch die jahre 324 und 389 einge-
schlossen ist, bieten sie geradezu eine abschrift der chronik von
Constantinopel, in der nichts hinzugesetzt und nur sehr wenig weggelassen ist. um dies zu beweisen, wird es genügen, wenn wir die
anfangs- und schlusznotizen des betreffenden zeitraumes vollständig
hier abdrucken lassen und ihnen die parallelstellen, welche ihre herkunft beweisen, an der seite hinzufügen.

324 *his conss. bel-lum Adrianopolita-num die V non. Iul. et bellum Chalcedo-nense XIV kal. Oct.*	Pasch. 325 Κωνϲταντῖνοϲ νικητὴϲ Αὔγου-ϲτοϲ τὸν τῶν Ἀδριανοπολιτῶν πόλεμον θραύϲαϲ πρὸ εʹ καλανδῶν Ἰουλίων καὶ τὸν Καλχηδονίων πόλεμον ἡττήϲαϲ πρὸ ιδʹ κα-λανδῶν Ὀκτωβρίων.
et levatus est Con-stantinus Caesar VI id. Nov.	Κωνϲταντῖνοϲ ὁ εὐϲεβέϲτατοϲ Κώνϲταντα τὸν ἑαυτοῦ υἱόν, Καίϲαρα ὄντα, ἀνηγόρηϲεν Αὔγουϲτον πρὸ ϛʹ ἰδῶν Νοεμβρίων.
325 *his conss. oc-cisus Licinius.*	fehlt.
326 *his conss. oc-cisus est Crispus*	Κρίϲπον τὸν ἴδιον υἱόν, Καίϲαρα ὄντα καὶ διαβληθέντα αὐτῷ, ἀνεῖλεν
et edidit vicennalia Constantinus Augu-stus Romae.	καὶ ἔδωκεν ἐν τῇ Ῥώμῃ βικεννάλια πάνυ φαιδρῶϲ καὶ φιλοτίμωϲ.
330 *his conss. dedi-cata est Constantino-polis die V id. Mai.*	Hier. 2346 *dedicatur Constantinopolis om-nium paene urbium nuditate.* dasselbe sehr ausführlich Pasch. 330 πρὸ πέντε ἰδῦν Μαίων.
332 *his conss. victi Gothi ab exercitu Ro-mano in terris Sar-matarum die XII kal. Mai.*	Hier. 2348 *Romani Gothos in Sarmatarum regione vicerunt.*

= Pasch. 378 = Oros. VII 34, 6; Id. 381 = Marc. 381 = Oros. VII
34, 7; Id. 386 = Marc. 386.   [14] Id. 382 = Marc. 382; Id. 383 = Pasch. 383.   [15] Id. 356 =
Hier. 2372 = Pasch. 356; Id. 357 = Hier. 2373 = Pasch. 357 = Anon.
336 = Barb. s. 59[b].   [16] Id. 360 = Hier. 2376 = Pasch. 360; Id. 370
= Hier. 2386 = Pasch. 370.   [17] Id. 375 = Pasch. 375.   [18] Id. 367
= Hier. 2383 = Pasch. 367.

333 *his conss. leva-* Hier. 2349 *Constans filius Constantini pro-*
tus est Constans die *vehitur ad regnum.* Pasch. 335 καὶ Κώνσταντα
VIII kal. Ian. τὸν υἱὸν αὐτοῦ Αὔγουστον ἀνέδειξεν.
334 *his conss. Sar-* Hier. 2350 *Sarmatae Limigantes dominos*
matae servi universa *suos, qui nunc Ardaragantes vocantur, facta*
gens dominos suos *manu in Romanum solum expulerunt.*
in Romaniam expule-
runt.
335 *his conss. tri-* Pasch. 335 Κωνσταντίνου τοῦ εὐcεβοῦc
cennalia edidit Con- ἤχθη τριακονταετηρὶc ἐν Κωνcταντινουπόλει
stantinus Aug. die 'Ρώμῃ πάνυ φιλοτίμωc πρὸ η' καλανδῶν
VIII kal. Aug. et Αὐγούcτων καὶ Δαλμάτιον τὸν υἱὸν τοῦ
levatus est Dalmatius ἀδελφοῦ αὐτοῦ Δαλματίου τοῦ κήνcωροc
Caesar XIV kal. Oct. Καίcαρα ἀνηγόρευcεν πρὸ η' καλανδῶν
'Οκτωβρίων. Hier. 2351 *tricennalibus Con-*
stantini Dalmatius Caesar appellatur.

384 *his conss. in-* Pasch. 384 ἐπὶ τούτων τῶν ὑπάτων εἰcῆλθε
troierunt Constantino- πρεcβευτὴc Περcῶν. Marc. 384 *legati Per-*
polim legati Persarum. *sarum Constantinopolim advenerunt pacem a*
Theodosio principe postulantes. Oros. VII 34, 8
Persae . . ultro Constantinopolim ad Theodo-
sium misere legatos pacemque supplices poposce-
runt.
ipso anno natus est Pasch. 384 καὶ αὐτῷ τῷ ἔτει ἐγεννήθη
Honorius nobilissimus 'Ονώριοc ἀδελφὸc γνήcιοc 'Αρκαδίου Αὐγού-
in purpuris die V id. cτου μηνὶ Γορπιαίῳ πρὸ ε' ἰδῶν Cεπτεμ-
Sept. βρίων. Marc. 384 *eodem tempore Honorius*
alter Theodosio natus est filius mense Septembri.
Anon. 383 *eo anno natus est Honorius Con-*
stantinopoli V id. Sept. gleichlautend Barb.
s. 63ᵃ· Prosp. 384 *Honorius Theodosii filius*
nascitur.
386 *his conss. victi* Marc. 386 *invasam princeps Theodosius ab*
atque expugnati et in *hostibus Thraciam vindicavit victorque cum*
Romania captivi ad- *Arcadio filio suo urbem ingressus est.* Prosp.
ducti gens Greothyn- 379 *Theodosius summa felicitate multis atque*
gorum a nostris Theo- *ingentibus proeliis Gothos superat et e Thracia*
dosio et Arcadio; de- *pellit.*
inde cum victoria et
triumpho ingressi sunt
Constantinopolim die
IV id. Oct.
387 *his conss. quin-* Marc. 387 *Arcadius Caesar cum patre suo*
quennalia Arcadius *Theodosio sua quinquennalia celebravit.*
Augustus propria cum
Theodosio Augusto

patre suo editionibus
ludisque celebravit
XVII kal. Febr. ,
388 *his conss. defunctus est*
Cynegius praefectus orientis in
consulatu suo Constantinopoli.
hic universas provincias longi tem-
poris labe deceptas in statum pristi-
num revocavit et usque ad Aegyp-
tum penetravit et simulacra gen-
tium evertit. unde cum magno fletu
totius populi civitatis deductum est
corpus eius ad apostolos die XIV
kal. Apr. et post annum transtulit
eum matrona eius Achatia ad
Hispanias pedestre.

fehlt sonst, documentiert sich
aber durch seinen städtisch-byzan-
tinischen charakter als bestandteil der chronik von Constantinopel.

et ipso anno occidi-
tur hostis publicus
Maximus tyrannus a
Theodosio Aug. in mi-
liario III ab Aquileia
die V kal. Aug. sed et
filius eius Victor occi-
ditur post paucos dies
in Galliis a comite
Theodosii Augusti.

Marc. 388 *Valentinianus Gratiani frater*
et Theodosius impp. Maximum tyrannum et
Victorem filium eius apud Aquileiam rebellan-
tem vicerunt. Anon. 388 *his conss. occisus est*
Maximus V kal. Sept. Prosp. 388 *Maximus*
tyrannus a Valentiniano et Theodosio impp.
in tertio ab Aquileia lapide spoliatus indumen-
tis regiis sistitur et capite damnatur; cuius
filius Victor eodem anno ab Arbogaste inter-
fectus est in Galliis. vgl. Orosius VII 35.

389 *his conss. in-*
troivit Theodosius
Aug. in urbem Ro-
mam cum Honorio
filio suo die id. Iun.
et dedit congiarium
Romanis.

Marc. 389 *Theodosius imp. cum Honorio*
filio suo Romam mense Iunio introivit, con-
giarium Romano populo tribuit urbeque egres-
sus est kal. Sept. Anon. 389 *his conss. Theo-*
dosius Romam introivit cum Honorio id. Iun.
et exivit inde III kal. Sept. Pasch. 389 ἐπὶ
τούτων τῶν ὑπάτων εἰϲῆλθεν Θεοδόϲιοϲ ὁ
βαϲιλεὺϲ ἐν Ῥώμῃ μετὰ τοῦ υἱοῦ αὐτοῦ
Ὁνωρίου καὶ ἔϲτεψεν αὐτὸν ἐκεῖ εἰϲ βαϲιλέα. καὶ ἐβαϲίλευϲεν ἐκεῖ Ὁνώριοϲ ἔτη ιδ'.

In den hier abgedruckten stücken ist also die einzige notiz,
deren ableitung aus der chronik von Constantinopel nicht voll-
gültig beglaubigt ist, die des j. 325 *his conss. occisus Licinius.* und
genau entsprechend ist das verhältnis in dem zeitraum, welchen wir
zwischen 335 und 384 übersprungen haben; auch hier finde ich nur
éinen satz, dessen herkunft zweifelhaft sein kann: 366 *ipso anno*
Augustus Valentinianus gentem Alamannicam pervicit. alles übrige
ist entweder durch die übereinstimmung der parallelquellen oder
durch seinen byzantinischen localcharakter vollkommen sichergestellt.
bei diesem sachverhalte hören auch jene beiden zweifelhaften notizen
auf ferner zweifelhaft zu sein, und wir dürfen ohne bedenken dies

ganze stück des Idacius vollinhaltlich für die chronik von Constantinopel in anspruch nehmen.

Eine andere frage ist es, in welcher vollständigkeit der bestand derselben in die fasten des Idacius übergegangen ist. um sie zu beantworten, stellen wir alle notizen zusammen, welche in dem angegebenen zeitraum sich mit sicherheit auf die chronik zurückführen lassen und gleichwohl bei Idacius fehlen:

1) Pasch. 327 Δρέπανον ἐπικτίσας ὁ βασιλεὺς Κωνσταντῖνος ἐν Βιθυνίᾳ εἰς τιμὴν τοῦ ἁγίου μάρτυρος Λουκιανοῦ ὁμώνυμον τῇ μητρὶ αὐτοῦ Ἑλενούπολιν κέκληκεν. Hier. 2343 *Drepanam Bithyniae civitatem in honorem martyris Luciani ibi conditi Constantinus instaurans ex vocabulo matris suae Helenopolin nuncupavit.*

2) Pasch. 330 τούτῳ τῷ ἔτει Ἀλέξανδρος ἐπίσκοπος Ἀλεξανδρείας ἐτελεύτησε πρὸ ιδ' καλανδῶν Μαΐων, Φαρμουθὶ κβ', καὶ ἐχειροτονήθη ἀντ' αὐτοῦ ἐπίσκοπος Ἀθανάσιος ὁ μέγας πατήρ. Hier. 2346 *Alexandriae XVIIII ordinatur episcopus Athanasius.*

3) Pasch. 337 Πέρσαι πόλεμον ἐδήλωσαν πρὸς Ῥωμαίους καὶ ἐπιβὰς Κωνσταντῖνος λβ' ἐνιαυτῷ τῆς αὐτοῦ βασιλείας ὁρμήσας ἐπὶ τὴν ἀνατολὴν κατὰ Περσῶν, ἐλθὼν ἕως Νικομηδείας, ἐνδόξως καὶ εὐσεβῶς μεταλλάττει τὸν βίον ἐν προαστείῳ τῆς αὐτῆς πόλεως μηνὶ Ἀρτεμισίῳ ια' καταξιωθεὶς τοῦ σωτηριώδους βαπτίσματος ὑπὸ Εὐσεβίου ἐπισκόπου Κωνσταντινουπόλεως, βασιλεύσας ἔτη λα' καὶ μῆνας ι'. Hier. 2353 *Constantinus extremo vitae suae tempore ab Eusebio Nicomedensi episcopo baptizatus in Arianum dogma declinat.* — *Constantinus cum bellum pararet in Persas in Ancyrone villa publica iuxta Nicomediam moritur anno aetatis LXVI.* Idacius schreibt hier nur: *his conss. Constantinus Augustus ad caelestia regna ablatus est XI kal. Iun.* ohne die begleitenden nebenumstände.

4) Pasch. 337 Σάπωρις ὁ Περσῶν βασιλεὺς ἐπῆλθεν τῇ Μεσοποταμίᾳ πορθήσων τὴν Νίσιβιν καὶ περικαθίσας αὐτὴν ἡμέρας ξγ' καὶ μὴ κατισχύσας αὐτῆς ἀνεχώρησεν. Hier. 2354 *Sapor rex Persarum Mesopotamia vastata duobus ferme mensibus Nisibin obsedit.*

5) Pasch. 350 Σάπωρις δὲ ὁ Περσῶν βασιλεὺς ἐπελθὼν τῇ Μεσοποταμίᾳ καὶ περικαθίσας ἡμέρας ρ' τὴν Νίσιβιν usw. Hier. 2362 *rursum Sapor tribus mensibus obsidet Nisibin.*

6) Hier. 2362 *solis facta defectio.* die sonnenfinsternis vom 6 juni 346 war in Constantinopel beinahe total; es ist daher sehr wahrscheinlich, dasz sie in der stadtchronik verzeichnet war.

7) Pasch. 360 Μακεδόνιος Κωνσταντινουπόλεως ἐπίσκοπος καθῃρέθη usw. Hier. 2375 *Macedonius Constantinopoli pellitur.*

8) Pasch. 362 Ἰουλιανὸς γνοὺς Κωνσταντίου τοῦ Αὐγούστου τελευτὴν τὴν ἑαυτοῦ ἀποστασίαν καὶ ἀσέβειαν φανερὰν καθιστῶν διατάγματα κατὰ τοῦ χριστιανισμοῦ καθ' ὅλης τῆς οἰκουμένης ἀποστέλλων τὰ εἴδωλα πάντα ἀνανεοῦσθαι προσέταττεν. 363 ἐν τούτῳ τῷ χρόνῳ καὶ τῶν ἐν στρατείαις ἐξεταζομένων τινὲς ἠπατήθησαν εἰς ἀποστασίαν, οἱ μὲν ἐπαγγελίαις δόσεων καὶ ἀξιωμάτων, οἱ δὲ καὶ ἀνάγκαις ταῖς ἐπιτιθεμέναις ὑπὸ τῶν ἰδίων ἀρχόν-

των χαυνούμενοι. Hier. 2378 *Iuliano ad idolorum cultum converso blanda persecutio fuit inliciens magis quam inpellens ad sacrificandum; in qua multi ex nostris voluntate propria conruerunt.*

9) Hier. 2378 *Georgio per seditionem populi incenso* usw. der tod des arianischen bischofs von Alexandreia ausführlich erzählt Pasch. 362.

10) Pasch. 363 ἐμαρτύρηϲεν δὲ καὶ ἐν Δοροϲτόλῳ τῆϲ κατὰ τὴν Θρᾴκην Ϲκυθίαϲ Αἰμιλιανὸϲ ἀπὸ ϲτρατιωτῶν πυρὶ παραδοθεὶϲ ὑπὸ Καπετωλίνου οὐικαρίου. Hier. 2379 *Aemilianus ob ararum subversionem Dorostori a vicario incenditur.*

11) Hier. 2380 *Iovianus rerum necessitate conpulsus Nisibin et magnam Mesopotamiae partem Sapori Persarum regi tradidit.* ausführlich erzählt Pasch. 363.

12) Hier. 2389 *Clearchus praefectus urbi Constantinopoli, a quo necessaria et diu expectata votis aqua civitati inducitur.*

13) Hier. 2391 *quia superiori anno Sarmatae Pannonias vastaverant, idem consules permansere.* Anon. 375 *his conss. Sarmatae totam Pannoniam devastaverunt.* Barb. s. 61 ᵇ *hisdem consulibus armati omnem Campaniam desolaverunt.*

14) Marc. 380 *his conss. Theodosius Magnus, postquam de Scythicis gentibus triumphavit, expulsis continuo ab orthodoxorum ecclesia Arianis, qui eam per XL ferme annos sub Arianis imperatoribus tenuerant, nostris catholicis orthodoxis restituit imperator mense Decembri.* Pasch. 379 ἐπὶ τούτων τῶν ὑπάτων Θεοδόϲιοϲ ὁ βαϲιλεὺϲ ἔδωκε τὰϲ ἐκκληϲίαϲ τοῖϲ ὀρθοδόξοιϲ πανταχοῦ ποιήϲαϲ ϲάκραϲ καὶ διώξαϲ ἐξ αὐτῶν τοὺϲ λεγομένουϲ Ἀρειανοὺϲ Ἐξωκωνίταϲ. Imp. V *Ariani, qui totum paene orientem atque occidentem commaculaverant, edicto gloriosi principis ecclesiis spoliantur, quae catholicis deputatae sunt.*

15) Marc. 381 *sanctis CL patribus in urbe augusta congregatis adversus Macedonium in spiritum sanctum naufragantem ab iisdem episcopis sancta synodus confirmata est.* Prosp. 380 *synodus patrum CL apud Constantinopolim celebrata est contra Macedonium spiritum sanctum deum esse negantem.* Pasch. 381 ϲυνηθροίϲθη ϲύνοδοϲ ἁγίων καὶ μακαρίων πατέρων ρν΄ ἐν Κωνϲταντινουπόλει. καὶ αὐτοὶ τὸ τῆϲ ὀρθοδοξίαϲ ἐκραταίωϲαν ϲύμβολον καταβαλόντεϲ Μακεδόνιον. καὶ αὐτὸν ὁμοίωϲ ἀρειοθολωθέντα τὴν διάνοιαν, ὃϲ τῆϲ τοῦ ἁγίου πνεύματοϲ τῷ πατρὶ καὶ τῷ υἱῷ ϲυναϊδιότητοϲ τὸ ἀκατάληπτον καὶ ἀόρατον κτιϲτὸν ὑπὸ χρόνου τάττειν ὁ δυϲϲεβὴϲ οὐ κατενάρκηϲεν.

16) Prosp. 381 *Gregorius Nazianzenus vir sua aetate eloquentissimus et Hierongmi praeceptor obiit.* Marc. 380 *Gregorius Nazianzenus facundissimus Christi sacerdos et Hieronymi nostri praeceptor* wirkt gegen die Arianer.

17) der tod Gratians, s. s. 602.

18) Marc. 386 *Galla Theodosii regis altera uxor his conss. Constantinopolim venit.* Pasch. 385 eine verwirrte notiz über dieselbe Galla.

Hierzu kommen noch drei stellen, die entschieden byzantinischen charakter tragen und auch in der form den notizen unserer
chronik sehr ähnlich sind. doch da sich dieselben nur im Paschale
finden, in welchem auch eine zweite quelle von verwandter art, aber
sehr viel geringerer autorität benutzt ist, so halte ich ihre herkunft
nicht für ganz zweifellos. es sind die folgenden:

19) 332 ἐπὶ τούτων τῶν ὑπάτων ἤρξατο ἀναλίσκεςθαι τοῖς
πολίταις Κωνσταντινουπόλεως ὁ ἄρτος ἀπὸ ιη΄ Μαίου.

20) 334 τούτοις τοῖς ὑπάτοις γέγονε τὰ ἐγκαίνια τῆς ἐκκλη-
ςίας τοῦ ἁγίου ςταυροῦ τῆς οἰκοδομηθείςης ὑπὸ Κωνσταντίνου
ἐπὶ Μακαρίου ἐπισκόπου μηνὶ Σεπτεμβρίῳ ιζ΄. ἐντεῦθεν ἤρξατο ἡ
σταυροφάνεια.

21) 345 ἐπὶ τούτων τῶν ὑπάτων Κωνσταντιαναὶ δημόσιον
ἐν Κωνσταντινουπόλει πλησίον τῶν ἀποστόλων ἤρξατο κτίζεσθαι
ὑπὸ Κωνσταντίου Αὐγούστου ἀπὸ μηνὸς Ἀπριλίου ιζ΄.

Verdächtig erscheint mir an diesen drei notizen namentlich die
form des datums, welche ihnen allen gemein ist. wo das Paschale
der chronik von Constantinopel folgt, da bezeichnet es den tag fast
immer auf römische weise durch rückwärtszählen von den Kalenden,
Nonen und Iden; sehr oft ist auch das ägyptische datum daneben-
gesetzt; hin und wieder steht nur dies letztere allein, was wohl
durch ausfall des römischen zu erklären ist; doch dasz römische
monatsnamen mit griechischer tagzählung verbunden erscheinen,
kommt sonst in den teilen, welche aus unserer chronik geschöpft
sind, nicht vor. dagegen ist diese art der datierung ganz charakteristisch für Johannes Malalas, dessen eine quelle auch im Paschale
vielfach benutzt ist. ob man diesen grund für hinreichend erachtet,
die betreffenden stücke den byzantinischen annalen abzusprechen,
musz dem urteil jedes einzelnen überlassen bleiben.

Doch ob wir diese drei notizen hinzurechnen oder nicht, immer
bleibt es ein ansehnliches register. einzelne der aufgezählten stücke
mögen bei Idacius durch zufall übergangen oder ausgefallen sein,
wie namentlich n. 6. 13. 17. 18; doch bei der mehrzahl ist dieser
gedanke dadurch ausgeschlossen, dasz sie sich unter zwei ganz bestimmte kategorien unterordnen lassen. es sind nemlich 1) notizen
die sich auf die Perserkriege beziehen (3. 4. 5. 11); 2) notizen von
kirchlichem interesse (1—3. 7—10. 14—16). von den erstern ist
es schwer, von den letztern ganz unmöglich anzunehmen, dasz sie
von Idacius, der ja selbst bischof war, absichtlich weggelassen seien.
es musz ihm also eine redaction der chronik vorgelegen haben, welche
diese nachrichten nicht enthielt.

Vergleicht man ihre formulierung mit derjenigen, welche den
notizen des Idacius eigen ist, so wird man finden, dasz diese immer
ganz kurz sind und sich meist in formelhaften, bei ereignissen gleicher art regelmäszig wiederholten wendungen bewegen, während
jene einen gröszern wortreichtum und ein entschiedenes streben nach
manigfaltigkeit und abrundung der sätze, kurz nach künstlerischer

stilisierung zeigen. besonders charakteristisch ist in dieser beziehung n. 3. hier findet sich bei Idacius nichts als die nackte thatsache von Constantins tode in lapidarer kürze berichtet, bei Hieronymus und im Paschale ist die erzählung weiter ausgeführt und mit èiner reihe von nebenumständen versehen, die sich wieder einerseits auf das verhältnis zum Perserreiche, anderseits auf die kirchengeschichte beziehen. zu 342 merkt Idacius an: *tractus Hermogenes*; Hieronymus schreibt 2358: *Hermogenes magister militiae Constantinopoli tractus a populo ob episcopum Paulum, quem regis imperio et Arianorum factione pellebat.* bei der erhebung des Theodosius (379) bemerken sowohl Marcellinus als auch Orosius (VII 34, 2) und Prosper, dasz ihm die regierung des orients übertragen worden sei, was bei Idacius fehlt und in das feste schema seiner thronbesteigungsnotizen auch gar nicht hineinpasst. und so finden wir noch mehrmals auch in denjenigen nachrichten, welche Idacius erhalten hat, in den andern quellen, mit ausnahme des Barbarus und der chronik von Ravenna, einzelne zusätze und erweiterungen, welche ihm fremd sind. da dieselben bei mehreren wiederkehren, so gehen auch sie zweifellos auf die byzantinischen annalen zurück, nur auf eine andere redaction als die von Idacius benutzte.

Ein weiteres unterscheidungsmerkmal der beiden redactionen bietet folgendes. der Anonymus Cuspiniani, welcher die kürzere vertritt, bemerkt unter dem j. 393: *his conss. tenebrae factae sunt die Solis hora II VI kal. Nov. et levatus est Honorius imp. Constantinopoli in miliario VII a Theodosio patre suo X kal. Febr.* dieselben zwei notizen sind von Marcellinus und Prosper in folgender weise verbunden:

Honorium pater suus Theodosius in eodem loco, quo fratrem eius Arcadium, Caesarem fecit, id est VII ab urbe regia miliario; tunc quippe hora diei tertia tenebrae factae sunt.	*Honorium pater suus Theodosius in eodem loco, quo fratrem eius Arcadium Caesarem fecerat, principem constituit, XVII ab urbe miliario, cum hora tertia tenebrae factae sunt.*

die beiden vertreter der umfangreichern redaction sind also offenbar der ansicht, dasz die sonnenfinsternis bei der erhebung des Honorius stattgefunden habe. einem genau entsprechenden irrtum begegnen wir auch bei Hieronymus. Idacius schreibt unter 335: *his conss. tricennalia edidit Constantinus Aug. die VIII kal. Aug. et levatus est Dalmatius Caesar XIV kal. Oct.* ähnlich auch das Chronicon Paschale. dagegen Hieronymus 2351: *tricennalibus Constantini Dalmatius Caesar appellatur.* dasz so die ereignisse desselben jahres fälschlich auch auf denselben tag gesetzt werden, ist nur denkbar, wenn die gemeinsame quelle des Hieronymus, Marcellinus und Prosper die tagdaten oder wenigstens einen teil derselben wegliesz. hätte die überlieferung, welche ihnen vorlag, dieselbe gestalt gehabt wie bei Idacius und dem Anonymus, so wären jene fehler unmöglich gewesen. die vollständigere redaction der byzantinischen annalen war also in beziehung auf die tagdaten eine minder vollständige.

Das Chronicon Paschale, welches wir sonst meist auf der seite des Hieronymus, Prosper und Marcellinus fanden, hat unter dem j. 335 beide daten richtig erhalten. es ergibt sich daraus, was freilich auch seine wörtliche übereinstimmung mit Idacius an vielen andern stellen beweisen würde, dasz in ihm die zwei redactionen der chronik contaminiert sind.

Fragen wir nun, welcher derselben die priorität zukommt, ob die kurze ein auszug aus der ausführlichen oder diese eine spätere erweiterung der kurzen ist, so wird die entscheidung wohl keinem zweifelhaft sein. ein epitomator pflegt die worte seiner quelle mit auslassungen beizubehalten, oder wenn er sie ändert, so wird es ihm doch niemals einfallen ihren inhalt in solche stereotype formeln zu bringen, wie sie für Idacius und die chronik von Ravenna, zum teil auch für das Paschale charakteristisch sind. noch weniger wird er fehlende tagdaten aus anderer quelle ergänzen. Idacius und der Anonymus haben uns also die annalen in ihrer ursprünglichsten gestalt bewahrt, und zwar tritt sie uns bei dem erstern in solcher reinheit und vollständigkeit entgegen, dasz innerhalb der zeitgrenzen, welche durch die jahre 324 und 389 bezeichnet sind, eine reconstruction ganz überflüssig ist; nur ein paar lücken bleiben auszufüllen, die durch nachlässigkeit des Idacius oder seiner abschreiber entstanden sind (s. 613). dagegen werden wir der chronik von Constantinopel vor und nach dem angegebenen zeitraum nur dasjenige zuschreiben dürfen, was durch übereinstimmung von zweien oder mehreren ihrer ausschreiber beglaubigt ist.

Forschen wir auf grund dieses materials zunächst nach dem endpunkte der chronik, so gibt uns fast jede der abgeleiteten quellen eine andere antwort. bei Hieronymus gehört die letzte notiz, welche durch ihre wiederkehr bei dem Anonymus Cuspiniani und dem Barbarus als bestandteil unserer annalen beglaubigt ist, dem j. 375 an [19]: *quia superiori anno Sarmatae Pannoniam vastaverant, idem consules permansere* (vgl. s. 612). von hier an erzählt er zwar mitunter noch dasselbe wie Idacius und die Paschalchronik, aber immer in so verschiedener weise, dasz an gemeinsamkeit der quelle nicht mehr gedacht werden kann.

Bei Idacius lassen sich die übereinstimmungen bis 389 verfolgen. die nächste notiz unter dem j. 392 lautet: *his conss. Valentinianus iunior apud Viennam est interfectus et levavit se Eugenius tyrannus. postmodum Theodosius Aug. occidit Eugenium.* diese nachrichten sind der art, dasz sie selbstverständlich in der chronik von

---

[19] diese nachricht ist bei Hieronymus schon deshalb höchst auffällig, weil sie einen commentar zu den fasten bietet und seine chronik gar keine fasten enthält. in die annalen von Constantinopel, welche jahr für jahr die consuln verzeichneten, gehörte sie dagegen durchaus hinein und wird bei Idacius wohl nur durch zufall ausgefallen sein.

Constantinopel nicht gefehlt haben können; doch zeigt ihre form,
dasz sie Idacius nicht mehr dieser quelle entlehnt hat. denn erstens
vermissen wir bei allen drei notizen die tagdaten, deren regelmäszige
anführung für die vorhergehenden stücke des Idacius so charakteristisch ist[20]; zweitens sind die ereignisse verschiedener jahre unter
éinem zusammengefaszt, was in jener chronik nie vorkommt. sehr
bald darauf tritt es denn auch unverkennbar hervor, dasz die fortsetzung der fasten im occident, und zwar ohne zweifel in Galläcien,
der heimatprovinz des Idacius, entstanden ist.[21] schon zum j. 400
verzeichnen sie den orientalischen consul nicht mehr, und unter 402
wird eine sonnenfinsternis angemerkt, die in Constantinopel sehr
unbedeutend, ja vielleicht gar nicht sichtbar war, deren totalitätszone aber gerade das nördliche Spanien durchschnitt.[22] als besonders charakteristisch mögen auch folgende notizen angeführt werden:
409 *his conss. barbari Hispanias ingressi.* 415 *et extant de his gestis
epistulae supradicti presbyteri et Sancti Aviti presbyteri Bracarensis,
qui tunc in Hierosolymis degebant.*[23]

Bei Orosius endet die benutzung der chronik mit dem tode
Theodosius des groszen (395), und den gleichen schluszpunkt dürfte
auch dasjenige exemplar gehabt haben, welches Claudian vorgelegen
hat. er schildert nemlich in seinem gedicht auf das vierte consulat
des Honorius (v. 172 ff.) ausführlich dessen erhebung zum kaiser.
bei derselben habe sich eine tiefe dunkelheit verbreitet, so dasz
selbst ein stern bei tage sichtbar geworden sei; doch als die soldaten
den neuen Augustus mit ihren acclamationen begrüszt hätten, sei
plötzlich das licht der bangen erde wiedergegeben worden. dies auf
etwas anderes als auf eine grosze finsternis zu deuten ist unmöglich:
denn wenn die sonne nur von wolken verhüllt wird, treten niemals die
sterne hervor. nun ist zwar in demselben jahre, in welchem Honorius

---

[20] dasz die tagdaten auch bei diesen ereignissen in der chronik
von Constantinopel nicht fehlten, zeigt der Anonymus Cuspiniani.
[21] natürlich hindert dies nicht, dasz sich darin auch stadtrömische einflüsse geltend machen, wie Kaufmann im Philol. XXXIV s. 245 ff. nachgewiesen hat. die bedeutung Roms blieb eben immer für den ganzen
occident grosz genug, um das, was in seinen mauern vorgieng, auch
einem spanischen chronisten interessant zu machen.   [22] mit unrecht
schlieszt Holder Egger ao. I s. 230 bei der notiz zu 411 *his conss. Constantini tyranni in conto caput adlatum est XIV kal. Oct.* auf ravennatischen ursprung. der kopf des tyrannen ist freilich nach Ravenna gebracht worden, aber nichts hindert anzunehmen, dasz er später auch
in den spanischen städten umhergetragen sei. ebenso schickte Constantin den kopf des Maxentius nach Africa, um die provinz zweifellos
zu überzeugen, dasz ihr bisheriger herscher tot sei und ihrer unterwerfung unter den sieger kein hindernis mehr im wege stehe. noch
weniger läszt sich die notiz über die sonnenfinsternis vom 11 nov. 402
auf die ravennatische chronik zurückführen, da jene in Ravenna recht
unbedeutend war und in den annalen dieser zeit nur totale oder beinahe totale finsternisse verzeichnet werden. Holder-Egger II s. 72 ist
durch frühere unzureichende berechnungen derselben getäuscht worden.
[23] vgl. Holder-Egger ao. II s. 71.

kaiser wurde, eine sonnenfinsternis über Constantinopel hingezogen, aber nicht an demselben tage; doch war sie in einer redaction der byzantinischen chronik in solcher weise erzählt, dasz ihre ausschreiber Marcellinus und Prosper genau zu demselben irrtum gelangten, den wir bei Claudian bemerken (s. 614). danach ist die annahme kaum abzuweisen, dasz auch der dichter jene ausführlichere redaction unserer annalen kannte und sich eine misverstandene notiz derselben für seine poetische schilderung zunutze machte. da die thronbesteigung des Honorius in das j. 393 fiel und der panegyricus des Claudian 397 abgefaszt ist[24], so muste der schlusz des betr. exemplars mit dem des von Orosius benutzten ungefähr übereinstimmen.

Die byzantinische chronik, welche in den annalen von Ravenna fortgesetzt wurde, reichte, wie wir s. 604 gesehen haben, bis 419; Prosper und das Chronicon Imperiale zeigen bis zu ihrem ende (455) das gleiche verhältnis zu Marcellinus und dem Paschale. von 455 an hören auch zwischen den beiden letztern die charakteristischen gemeinsamkeiten auf.[25]

Die jahre 389 und 419, mit welchen die vertreter der kürzern redaction abbrechen, haben keinerlei besondere historische bedeutung; dagegen sind die schluszjahre des Hieronymus (37$), des Orosius und Claudian (395), des Prosper und Marcellinus, des Chronicon Imperiale und Paschale (455) alle durch einen thronwechsel ausgezeichnet. danach möchte man sich die entstehung der beiden redactionen folgendermaszen denken. jahr für jahr verzeichnete man die namen der consuln und unter ihnen die wichtigsten ereignisse in der kurzen schematischen form, welche uns die fasten des Idacius zeigen. war man dann zu einem herscherwechsel gelangt, so erweiterte und stilisierte man die notizen, welche die letztvergangene regierung betrafen, und schuf daraus eine art kaiserbiographie, in der freilich die annalistische verteilung des stoffes festgehalten wurde. hieraus erklären sich wohl auch die angaben über die regierungsdauer der kaiser, welche sich bei Hieronymus und Prosper, im Chronicon Paschale und Imperiale, kurz bei den meisten ausschreibern der ausführlichern redaction regelmäszig finden. in wirkliche annalen passen dieselben nicht hinein, wohl aber gehören sie zum schema der kaiserbiographien.

Dasz die chronik fortlaufend geführt ist, beweist auch das schluszjahr des Idacius in verbindung mit einer notiz, die er unter

---

[24] vgl. Seeck 'die zeit der schlachten bei Pollentia und Verona' in den forsch. zur deutschen gesch. XXIV s. 178.   [25] die notizen, welche Holder-Egger ao. II s. 79 aus den jahren 465 und 468 anführt, sind nicht beweisend. den groszen brand von Constantinopel und den tod des Hunnenkönigs konnten auch zwei byzantinische chroniken unabhängig von einander berichten, und auffallende verwandtschaft im wortlaut ist hier nicht vorhanden. dasz bei Marcellinus und im Paschale die fasten, welche bis dahin in allem wesentlichen übereinstimmten, seit 459 sehr erhebliche unterschiede aufweisen, hat Holder-Egger s. 81 selbst gezeigt.

dem j. 388 erhalten hat: *his conss. defunctus est Cynegius praefectus orientis in consulatu suo Constantinopoli. hic universas provincias longi temporis labe deceptas in statum pristinum revocavit et usque ad Aegyptum penetravit et simulacra gentium evertit. unde cum magno fletu totius populi civitatis deductum est corpus eius ad apostolos die XIV kal. April. et post annum transtulit eum matrona eius Achatia ad Hispanias pedestre.* diese nachricht findet sich weder bei Marcellinus noch im Paschale noch in irgend einer andern ableitung unserer chronik. da sie sich auf kirchliche angelegenheiten bezieht (*simulacra gentium evertit*), welche jedem der spätern ausschreiber im mittelpunkte des interesses stehen, so ist nicht anzunehmen, dasz sie von ihnen allen absichtlich weggelassen sei. wahrscheinlich also hat sie in den exemplaren der chronik, welche ihnen vorlagen, nicht gestanden. dasz tod und begräbnis eines privatmannes so ausführlich geschildert werden, ja dasz sogar ein kleiner nekrolog hinzugefügt wird, der seine frübern thaten in der kürze aufzählt, kommt in den annalen von Constantinopel sonst niemals vor. trotzdem zeigt sich gerade hier der locale charakter derselben in so charakteristischer weise, dasz man die notiz dieser quelle kaum absprechen kann, namentlich da Idacius in dem betr. teil seiner fasten überhaupt keine andere benutzt hat. für diese widersprüche weisz ich nur éine lösung: jene nachricht stand zwar in der chronik, aber nur in demjenigen exemplar derselben, welches für die hinterbliebenen des Cynegius gefertigt wurde. seine witwe reiste 389 mit der leiche ihres mannes nach Spanien, und mit demselben jahre enden bei Idacius die aus dieser quelle geschöpften nachrichten. offenbar hatte sich die vornehme frau vor ihrer abreise aus Constantinopel eine abschrift der chronik bestellt und diese in den fernen westen mitgenommen, wo sie dann fünfundsiebzig jahre später in die hände des spanischen bischofs gelangt ist.

Auch Hieronymus bat kurz vor dem jahre, in welchem für ihn die chronik abbrach, daraus eine nachricht erhalten, welche mit der des Idacius über den präfecten Cynegius einige analogien bietet: 2389 *Clearchus praefectus urbi Constantinopoli; a quo necessaria et diu expectata votis aqua civitati inducitur.* auch diese notiz findet sich bei keinem andern ausschreiber der gleichen quelle; auch sie preist die that eines privaten. man darf wohl vermuten, dasz das dem Hieronymus vorliegende exemplar für Clearchus oder seine familie gefertigt war, wie das vorher besprochene für die witwe des Cynegius.

Die notiz, mit welcher für Idacius die benutzung der chronik abschlieszt, lautet: *his conss. introivit Theodosius Aug. in urbem Romam cum Honorio filio suo die iduum Iuniarum et dedit congiarium Romanis.* dieselbe findet sich fast gleichlautend bei Marcellinus und dem Anonymus, doch fügen beide auch noch den tag hinzu, an welchem der kaiser Rom wieder verliesz (Anon. *et exivit inde III kal. Sept.* Marc. *urbeque egressus est kal. Sept.*). wahrscheinlich also ist das exemplar der Achatia geschrieben, als man in Constantinopel zwar schon die nachricht von des Theodosius ankunft in Rom und von seiner spende an das volk, aber noch nicht von seiner abreise erhalten hatte. danach scheinen die eintragungen in die chronik nicht nur am ende jedes jahres gemacht worden zu sein, sondern sobald ihren redactoren eine thatsache gemeldet wurde, welche sie des aufzeichnens würdig dünkte.

Fassen wir das resultat zusammen. die einzelnen exemplare der chronik wurden auf bestellung angefertigt, und wenn der käufer eine vornehme persönlichkeit war, fügte man ihnen gern eine notiz ein, welche seiner eigenliebe oder seinem familienstolze schmeichelte und seine freigebigkeit erwecken konnte. das unternehmen war also jedenfalls kein officielles, sondern nur die speculation eines findigen buchhändlers; vielleicht standen die annalen, wie die fasten und die weltchronik des chronographen von 354, mit einem kalender in verbindung, wozu sie ihre ganze form sehr geeignet erscheinen läszt.[26] zwei redactionen liefen neben einander her und standen dem käufer zu beliebiger auswahl. die eine enthielt nur die nackten daten und thatsachen in schematischer formulierung, die andere fügte raisonnement und detail hinzu und befleiszigte sich eines glatten, zusammenhängenden stiles, so dasz sie den bescheidenen ansprüchen jener zeit allenfalls als litterarisches erzeugnis gelten konnte. möglicher weise haben wir hier zwei buchhändlerische concurrenzunternehmen vor uns, von denen das eine den stoff des andern ausbeutete und ihn zugleich zur anlockung für die käufer in schmackhaftere form brachte. gleichzeitig sind sie beide, obwohl in verschiedenem grade. in die kürzere redaction wurde jedes ereignis eingetragen, sobald es in Constantinopel bekannt wurde[27], so dasz jedes exemplar bis zu dem zeitpunkt reichte, wo es in die hände des bestellers abgeliefert wurde; die längere schlosz jedesmal mit dem tode des letztverstorbenen kaisers ab und erhielt ihre nächste fortsetzung erst bei dem folgenden thronwechsel. da beide keine geheimnisse berichteten, sondern nur was jedem zeitgenossen bekannt werden konnte und muste, so dürfen ihre nachrichten als höchst zuverlässig betrachtet

---

[26] Holder-Egger ao. II s. 84: 'man könnte die vermutung aussprechen, dasz wie in Rom so auch in Constantinopel eine derartige chronologisch-historische publication zum praktischen gebrauch der stadt veranstaltet worden ist, von der die fasten dann ein stück ausmachten.'
[27] charakteristisch ist dafür namentlich, dasz bei Idacius 379 und 380 nicht die tage der siege verzeichnet sind, sondern die tage an welchen sie in Constantinopel gemeldet wurden: *deinde victoriae nuntiatae sunt adversus Gothos, Alanos et Hunos die XV kal. Dec. — his conss. victoriae nuntiatae sunt amborum Augustorum* (das datum verloren). dies ist ein weiteres zeichen dafür, dasz die chronik nicht officiell war, sondern dasz ihr das städtische, nicht das reichsinteresse durchaus im vordergrunde stand. zu demselben ergebnis ist auch Kaufmann ('die fasten der spätern kaiserzeit als ein mittel zur kritik der weströmischen chroniken' im Philol. XXXIV s. 259) gelangt, aber aus gründen die ich nicht billigen kann.

werden. namentlich aber für die erste recension bietet ihre im strengsten sinne gleichzeitige aufzeichnung die gewähr absoluter richtigkeit. was auf ihr beruht ist mithin, soweit es nicht durch versehen der ausschreiber oder abschreiber entstellt ist, so gut beglaubigt, dasz es jeder andern überlieferung vorgeht.

Freilich erleidet dieser satz eine einschränkung: er gilt nur für die teile der chronik, welche gleichzeitig mit den aufgezeichneten ereignissen geführt sind. doch ehe wir untersuchen, wo diese anfangen, müssen wir zuerst den gesamten umfang des werkes feststellen.

Die fasten des Idacius beginnen so früh, wie überhaupt fasten beginnen können, dh. mit der gründung der römischen republik. auch das Paschale zählt die gesamte consulnreihe auf von Brutus und Collatinus an und stimmt dabei in allen fehlern so genau mit Idacius überein, dasz beide auch in diesen teilen auf eine gemeinsame quelle zurückgehen müssen. die chronik, aus welcher der Barbarus und der Anonymus Cuspiniani geschöpft haben, war aus den annalen von Constantinopel und einem zweiten fastenwerk contaminiert, welches letztere auch dem Prosper vorgelegen hat. sie begann erst mit Julius Caesar, doch dasz mindestens die eine ihrer quellen auch die frühere republik mit umfaszt hatte, zeigen die namen Brutus und Collatinus, welche sich mitten unter die Caesarischen consulate hineinverirrt haben (vgl. Holder-Egger ao. I s. 220). bei dieser übereinstimmung aller quellen, welche in dieser frage überhaupt mitsprechen, darf es als feststehend betrachtet werden, dasz die byzantinische chronik die fasten vollständig enthielt. die ersten teile derselben waren excerpiert aus einer abschrift der Capitolinischen fasten, welche irgend ein gelehrter antiquar der kaiserzeit durchcorrigiert und hie und da um einige cognomina vervollständigt hatte.[28] schon dasz sie mittelbar auf eine inschrift des forums zurückgehen, spricht für ihren stadtrömischen ursprung; als bestätigung kommen noch folgende historische notizen hinzu[29]: 16 Anon. *his conss. aqua Virgo inducta est Romam.* 76 Pasch. Ἀλκίππη γυνὴ ἐν Ῥώμη ἐλέφαντα ἐγέννησεν, ἐν ᾧ καιρῷ φθορὰ ἀνθρώπων ἐγένετο. 86 Pasch. Δομετιανὸς τὸν ἄξυλον ναὸν κατεσκεύασεν. ἐπὶ τῶν προκειμένων ὑπάτων πρώτη πενταετηρὶς ἀγῶνος ἤχθη ἐν Ῥώμη. δύο μῆνες μετωνομάσθησαν Σεπτέμβριος Γερμανικὸς

---

[28] so glaube ich die widersprüche vereinigen zu müssen, auf welche Mommsen CIL. I s. 483 hingewiesen hat. die fasten, aus welchen der chronograph von 354 und die byzantinischen annalen geschöpft haben, zeigten nicht nur zum teil dieselben fehler, sondern sogar dieselbe columnenteilung wie die Capitolinischen. da die letztere doch offenbar durch die grösze der steine und der einzelnen buchstaben, kurz durch dasjenige, was der inschrift als solcher eigentümlich war, bestimmt worden ist, so musz auch jene consulliste auf die Capitolinischen tafeln selbst zurückgehen, nicht auf ihre quelle.   [29] vgl. Holder-Egger ao. II s. 66, der auch darauf hingewiesen hat, dasz mehrere dieser notizen in dem chronographen von 354 wiederkehren.

καὶ Ὀκτώβριος Δομετιανὸς διὰ τὸ νίκας ἐν αὐτοῖς κατὰ Γερμανῶν ἐνεχθῆναι τῇ Ῥώμῃ. 89 Pasch. ἡ πρώτη τῶν τῆς Ἑστίας παρθένων Κορνηλία ἐπὶ φθορᾷ κατηγορήθη καὶ ζῶσα κατωρύγη μετὰ τῶν συνήθων αὐτῆς φίλων κατὰ τὸν νόμον. 187 Pasch. τούτῳ τῷ χρόνῳ ἐν τῷ Καπετωλίῳ Ῥώμης σκηπτὸς ἔπεσεν καὶ σφοδρὸς ἐμπρησμὸς γέγονεν, καὶ τὰς βιβλιοθήκας καὶ ὅλα τὰ μέρη Ῥώμης αὐτῆς διέφλεξαν. θέρμαι Κομμοδιαναὶ ἐν Ῥώμῃ ἀφιερώθησαν. 218 Idac. his conss. instrumenta debitorum fisco in foro Romano arserunt per dies XXX. 223 Pasch. διανυκτέρευσις ἡμερῶν τριῶν ἐν Ῥώμῃ γέγονεν, καὶ σεισμοὶ σφοδροὶ ἐν αὐτῇ ἐγένοντο πρὸ ε΄ ἰδῶν Σεπτεμβρίων καὶ πρὸ ιε΄ καλανδῶν Ὀκτωβρίων καὶ πρὸ ιδ΄ καλανδῶν Νοεμβρίων. 271 Idac. his conss. muri urbis coepti fieri; dasselbe Pasch. 273. neben diesen städtischen interessen machen sich im ersten teile der chronik noch zwei andere in sehr auffallender weise geltend, das christliche und das litterarische. einerseits sind nicht nur geburt und passion Jesu, sondern auch martyrien und Christenverfolgungen verzeichnet; anderseits finden wir die geburts- und todestage des Cicero, Sallustius und Vergilius, die zeit des Jugurthinischen und Catilinarischen krieges, die offenbar nur angeführt werden, weil sie gegenstand Sallustischer schriften geworden sind. beide tendenzen weisen auf eine recht späte zeit der entstehung hin, so dasz der römische teil der chronik wohl nur sehr geringe autorität beanspruchen dürfte.

Dasz die annalen von Constantinopel als fortsetzung eines occidentalischen fastenwerkes entstanden, ist wohl auch der grund gewesen, warum sie lateinisch abgefaszt wurden (vgl. Holder-Egger ao. II s. 59 ff.). denn diese thatsache kann keinem zweifel unterliegen. zwar finden sich bei Idacius, der für den wortlaut der quelle fast allein als autorität gelten musz, einzelne gräcismen: so ist namentlich immer ipso anno statt eodem anno geschrieben, was offenbar aus dem griechischen τῷ αὐτῷ ἐνιαυτῷ entstanden ist. doch dies beweist nur, was sich aus der heimat der chronik von selbst ergibt, dasz das original von griechischer hand, nicht dasz es griechisch geschrieben war. dagegen trägt das Chronicon Paschale die unverkennbaren spuren der übersetzung aus dem lateinischen an sich. man vergleiche:

430 a. u. c. Idac. his conss. tum dictator creatus Papirius Cursor. Pasch. Παπίριος Κούρσωρ ἀντιγραφεὺς κατέστη. der verfasser des Chronicon hat dictator mit dictare in seiner gewöhnlichen bedeutung in zusammenhang gebracht und deshalb den feldherrn zu einem schreiber gemacht (vgl. Mommsen röm. chronol. s. 113).

359 nach Ch. Idac. et ipso anno primum processit Constantinopolim praefectus urbis nomine Honoratus. Pasch. καὶ αὐτῷ τῷ ἔτει ἐν πρώτοις προῆλθεν ἐν Κωνσταντινουπόλει ἔπαρχος Ῥώμης ὀνόματι Ὀνώρατος. schon dasz αὐτῷ τῷ ἔτει, nicht τῷ αὐτῷ ἔτει steht, verrät die übersetzung von ipso anno; das ἐν πρώτοις ist ganz unsinnig und kann nur auf einem misverständnis des primum be-

ruhen; Ῥώμης ist fälschlich für *urbis* gesetzt, denn gemeint ist natürlich die gründung einer stadtpräfectur für Constantinopel. 375 Idac. *his conss. thermae Carosianae dedicatae sunt agente praefecto v. c. Vindaonio Magno.* Pasch. ἐπὶ τούτων τῶν ὑπάτων ἐνεκαινίσθη τὸ γυμνάσιον Καρωσιαναὶ παρόντος τοῦ ἐπάρχου Οὐινδαονίου Μάγνου. *Carosianae* ist hier im griechischen text nicht, wie es müste, als adjectiv, sondern als pluralisches substantiv wiedergegeben. *agere* oder *curam agere* ist der technische ausdruck für die beaufsichtigung eines baues, wie er in zahlreichen inschriften vorkommt. aber dasselbe wort kann, mit einer ortsbezeichnung verbunden, auch bedeuten 'sich irgendwo aufhalten', und so ist es fälschlich im Paschale verstanden, wo es durch παρεῖναι wiedergegeben ist.[30]

Was der griechische text uns gelehrt hat, bestätigen die lateinischen. denn die übereinstimmung derselben ist oft eine so wörtliche, wie es ganz unmöglich wäre, wenn sie unabhängig von einander aus einer fremden sprache hätten übersetzt werden müssen. man vergleiche:

68 Idac. *his conss. Nero non comparuit.* 67 Anon. *his cons. Nerone de imperio non comparuit.*

342 Idac. *tractus Hermogenes.* Hier. 2358 *Hermogenes magister militiae Constantinopoli tractus a populo.*

348 Idac. *his conss. bellum Persicum fuit nocturnum.* Hier. 2363 *bellum Persicum nocturnum aput Singaram.*

357 Idac. *his conss. introierunt Constantinopolim reliquiae sanctorum apostolorum Andreae et Lucae.* Anon. 336 *his consulibus introierunt Constantinopolim Lucas et Andreas.*

358 Idac. *ipso anno terrae motus factus, ita ut civitas Nicomedensium funditus versaretur die VIIII kal. Sept. aliae vero CL civitates partibus vexatae sunt.* Hier. 2374 *Nicomedia terrae motu funditus eversa vicinis urbibus ex parte vexatis.*

389 Idac. *his conss. introivit Theodosius Aug. in urbem Romam cum Honorio filio suo die id. Iun. et dedit congiarium Romanis.* Marc. *Theodosius imp. cum Honorio filio suo Romam mense Iunio introivit, congiarium Romano populo tribuit urbeque egressus est kal. Sept.* Anon. *his cons. Theodosius Romam introivit cum Honorio idus Iunias et exivit inde III kl. Sept.*

390 Anon. *his cons. signum apparuit in caelo quasi columna pendens per dies viginti.* Marc. *signum in caelo quasi columna pendens ardensque per dies XXX apparuit*; vgl. s. 603.

---

[30] andere verwandte stellen bei Holder-Egger ao. II s. 86. seiner annahme, dasz neben der lateinischen version auch eine griechische in Constantinopel publiciert worden sei, kann ich freilich nicht beistimmen. die 'griechischen' monatsnamen, auf welche er sich beruft, sind ägyptische, zeigen also nur, dasz das Chronicon Paschale in Alexandreia entstanden ist und sein verfasser die römischen datierungen in die ihm geläufigere heimische form umgesetzt hat.

393 Anon. *his cons. tenebrae factae sunt die Solis hora II.*
Marc. *tunc quippe hora diei tertia tenebrae factae sunt.* vgl. s. 603.
Doch kehren wir zu der frage zurück, von der wir ausgegangen
sind. wie wir sahen, ist eine stadtrömische chronik nach Constantinopel übertragen und dort etwa ein jahrhundert lang gleichzeitig fortgesetzt worden. welcher zeit also entstammt die älteste
dieser fortsetzungen? oder mit andern worten, wo beginnt die
gleichzeitigkeit?

Die antwort hierauf erwartet man zunächst in den fasten zu
finden, doch erweist sich diese hoffnung als trügerisch. natürlich
hat man in das mutterexemplar, aus welchem der buchhändler, wenn
eine bestellung einlief, die abschriften der chronik fertigen liesz, die
consuln am anfang jedes jahres in der form eingetragen, die zu der
zeit in Constantinopel die officielle war. doch offenbar haben es sich
die herausgeber angelegen sein lassen, falls später eine änderung der
jahresbezeichnung eintrat, diese sorgfältigst nachzutragen. so hiesz
das j. 399 ursprünglich im orient *Eutropio et Theodoro conss.*, doch
wurde der erste der beiden consuln bald geächtet und verbannt und
demgemäsz sein name in den fasten getilgt. unzweifelhaft ist 399
die chronik schon gleichzeitig geführt worden; nichtsdestoweniger
wird im Paschale dieses jahr durch Θεοδώρου μόνου, bei Prosper
durch *Mallio Theodoro v. c. cons.* bezeichnet, und wenn Marcellinus
schreibt *Theodoro et Eutropio eunucho conss.*, so zeigt hier schon der
zusatz *eunucho*, dasz diese form des consulats nicht die officielle und
überlieferte war. woher er den namen des zweiten consuls hat, verrät die beigesetzte historische notiz, in welcher das schmähgedicht
des Claudian auf Eutropius citiert wird.[31] noch bezeichnender ist das
jahr 381. von den consuln desselben war Eucherius der leibliche
oheim des kaisers Theodosius, Syagrius nur entfernt mit ihm ver-
schwägert (vgl. Seeck Symmachus s. CX); doch anderseits war dieser
bereits praefectus praetorio, während es jener nur zum proconsul
gebracht hatte. nun ist bei der anordnung der beiden namen für
Gratian der rangunterschied, für Theodosius die nähere oder fernere
verwandtschaft mit dem kaiserhause maszgebend gewesen, so dasz
bei gleichzeitigen datierungen im occident Syagrius, im orient
Eucherius die erste stelle einnimt (vgl. Mommsen 'ostgothische
studien' im neuen archiv usw. XIV s. 7). als aber jener noch zum
zweiten und dritten mal präfect wurde, dieser in seinem bescheidenen
range blieb, scheint auch Theodosius den höhern verdiensten seine
anerkennung nicht länger versagt und auch im orient die occidentalische reihenfolge der beiden consuln nachträglich eingeführt zu
haben. und diese anordnung finden wir denn auch in der chronik
von Constantinopel.[32]

---

[31] freilich ist Claudian wohl schon in der ausführlichen redaction
der chronik benutzt worden, denn die notiz findet sich ganz ähnlich
auch bei Prosper. vgl. Holder-Egger ao. II s. 80.   [32] *Syagrio et
Eucherio* steht bei Idacius, bei Prosper, im Paschale, im Anonymus

Wenden wir uns also den historischen notizen zu, so ist in
diesen namentlich bemerkenwert, in welcher weise die erhebung und
der sturz von usurpatoren berichtet wird. so heiszt es bei Idacius
unter den jahren 350 und 351:

> *his conss. Constans occisus est in Galliis a Magnentio et levatus
> est Magnentius die XV kal. Febr. et Vetranio apud Sirmium kal.
> Mart. eo anno et Nepotianus Romae III non. Iun.*

> *his conss. bellum Magnentii fuit Morsa die IV kal. Oct. et eo
> anno depositus Vetranio VIII kal. Ian.*

Hier ist, wie man sieht, thronbesteigung und entsetzung der
usurpatoren ganz mit derselben formel berichtet, wie sie bei legitimen
kaisern üblich ist. dagegen lesen wir unter 365 über die erhebung
des Procopius:

> *ipso anno latro nocturnus hostisque publicus intra urbem Con-
> stantinopolim apparuit die IV kal. Oct.*

> 366 *ipso anno idem hostis publicus et praedo intra Frygiam
> salutarem in Nacolensium campo ab Augusto Valente oppressus atque
> extinctus est die VI kal. Iun.*

> 388 *ipso anno occiditur hostis publicus Maximus tyrannus a
> Theodosio Augusto.*

Die andern ausschreiber der chronik von Constantinopel führen
wir nicht an, weil sie den wortlaut ihrer quelle nicht so treu wiedergeben wie Idacius; doch unterlassen auch Prosper, Marcellinus und
das Paschale nicht leicht dem namen der usurpatoren wenigstens das
epitheton *tyrannus* hinzuzufügen. Also im j. 351 wird von den thronräubern im objectivsten
chronistenstil geredet, im j. 365 und später mit der ganzen ent-
rüstung, welche dem loyalen unterthanen ziemte. daraus folgt, dasz
die byzantinischen annalen erst nach dem tode des Constantius begonnen sind (361). dagegen müssen sie 375 schon vorhanden gewesen sein, da Hieronymus ein exemplar benutzte, das mit diesem
jahre abschlosz. Eine noch genauere zeitbestimmung ermöglicht uns die notiz
des j. 359 *his conss. natus est Gratianus filius Augusti Valentiniani
die XIV kal. Mai.*[33] jahr und tag der geburt sind sonst nur bei denjenigen kaisern angemerkt, welche, wie der sohn des Valens, Honorius
und Theodosius *II, in purpuris* zur welt kamen; Gratian macht die
einzige ausnahme. dasz die betreffende notiz einem schon fertigen
teil der chronik erst später hinzugefügt sei, ist also ausgeschlossen:
denn hätte man solche nachträge überhaupt gemacht, so würde die
geburt des Valentinian und Valens, Theodosius *I* und Arcadius gewis nicht fehlen. mithin kann die chronik nicht früher entstanden
sein, als nachdem der geburtstag Gratians in den festkalender der

---

Cuspiniani und im Barbarus Scaligeri. die umgekehrte ordnung findet
sich nur bei Marcellinus, der hier wahrscheinlich einer andern quelle
folgt, falls nicht etwa nur der zufall ein sonderbares spiel getrieben hat.
[33] dieselbe notiz auch bei Hieronymus 2375 und im Paschale.

hauptstadt aufgenommen war, dh. nach seiner erhebung zum Augustus (24 aug. 367). wahrscheinlich aber wird man ihre abfassung auch nicht viel später ansetzen dürfen: denn dasz die geburt des sohnes verzeichnet, die des vaters und oheims übergangen ist, obgleich beide für das reich und namentlich für Constantinopel doch von sehr viel gröszerer bedeutung waren, läszt sich wohl nur dann erklären, wenn damals, als die chronik zuerst niedergeschrieben wurde, das augenblickliche interesse an dem dritten und jüngsten der kaiser ein ganz besonders reges war, und dies kann vor dem j. 375 in der hauptstadt des ostens wohl nur unmittelbar nach seiner thronbesteigung der fall gewesen sein. vielleicht ist die neue auflage des constantinopolitanischen kalenders, welche zuerst den geburtstag des jungen herschers als festtag anmerkte, auch von der ersten ausgabe unserer chronik begleitet gewesen.

Wenn aber diese erst seit 368 gleichzeitig ist, woher stammen die zahlreichen nachrichten, welche bis in die anfänge Constantins des groszen zurückreichen? dasz sie aus der erinnerung niedergeschrieben sind, wird man kaum annehmen wollen: denn welcher mensch erinnerte sich über mehr als ein halbes jahrhundert rückwärts so vieler ereignisse genau nach jahr und tag? reichte etwa die römische chronik, welche durch die byzantinische fortgesetzt wurde, bis 367 oder bis kurz vorher? aber der orientalische charakter der annalen tritt schon in viel früherer zeit hervor. so ist 330 die dedication von Constantinopel darin verzeichnet, 341 ein groszes erdbeben, das die städte Syriens verwüstet hatte, 342 ein volksaufstand in Constantinopel, 357 die übertragung berühmter reliquien nach Constantinopel, 358 die ankunft einer persischen gesandtschaft in Constantinopel und ein erdbeben in Bithynien: kurz überall stehen auch in diesen teilen der chronik Constantinopel und der orient im vordergrunde des interesses. Rom bleibt daneben nicht ganz unberücksichtigt, doch das versteht sich im r ö m i s c h e n reiche eben von selbst und gilt ganz ebenso auch für die gleichzeitig geführten stücke. auf byzantinische quellen gehen also auch die frühern notizen zurück, und welcher art dieselben waren, läszt sich vielleicht am ehesten aus der behandlung des j. 351 erkennen.

In dieses jahr setzt die chronik die absetzung des Vetranio, obwohl dieselbe schon 350 stattgefunden hatte. dasz ein ereignis ein jahr zu früh oder zu spät datiert wird, kommt sonst in jeder art von annalen sehr häufig vor; aber wo es vorkommt, da pflegt es sich auch zu wiederholen. solche irrtümer setzen eben eine quelle voraus, deren graphische einrichtung das abirren von dem richtigen consulat zu dem vorhergehenden oder folgenden begünstigt oder doch möglich macht, und wo die vorlage von dieser art ist, da wird sie von den ausschreibern sicher mehr als éinmal misverstanden. in der chronik von Constantinopel dagegen ist das oben angeführte ereignis das e i n z i g e, welches unter falschem jahre berichtet wird; wo der fehler so singulär ist, da genügt offenbar die gewöhnliche erklärung nicht, sondern er musz auch seine ganz singuläre ursache haben. diese bietet sich uns in der benennung der beiden jahre 350 und 351. jenes heiszt *Sergio et Nigriniano*, dieses *p. c. Sergii et Nigriniani*, was sehr leicht zu verwechseln ist.[34] erklärt sich aber der fehler ausschlieszlich aus der jahresbenennung, so musz auch die vorlage der chronik derart gewesen sein, dasz sich in ihr die chronologie der ereignisse nur nach den benennungen der jahre, nicht auch nach ihrer reihenfolge bestimmen liesz; es waren also nicht annalen. wahrscheinlich haben wir sie uns als einen kalender zu denken, in dem unter den einzelnen daten die merkwürdigen ereignisse mit ihren consulaten eingetragen waren. ein beispiel aus früherer zeit bieten uns die pränestinischen fasten CIL. *I* s. 312. hier finden sich zb. unter dem 16 jan. die notizen: *Imp. Caesar Augustus appellatus est ipso VII et Agrippa III cos.* — *Concordiae Augustae aedis dedicata est P. Dolabella C. Silano cos.*, und so geht es fort. dasz sich ein solcher kalender mit leichter mühe in annalen nach art der byzantinischen umsetzen läszt, liegt auf der hand.

Für diese entstehung unserer quelle spricht auch ein zweiter umstand. bei annalistischen notizen pflegen die ereignisse auch innerhalb der einzelnen jahre chronologisch geordnet zu sein, und im allgemeinen haben die redactoren der chronik diese ordnung auch hergestellt. bei dem j. 351 aber folgen die daten der notizen sich in dieser reihe: 28 sept., 25 dec., 15 märz, 30 jan. ein so wirres durcheinander konnte meines erachtens nur entstehen, wenn die ereignisse, wie es sich in einem kalender ja von selbst versteht, vereinzelt überliefert waren und erst nachträglich unter éin consulat zusammengeschrieben wurden. auch die äuszerst zahlreichen tagdaten, welche zum teil auch bei sehr unwichtigen notizen verzeichnet werden, weisen auf diesen ursprung der chronik hin. dasz sie hin und wieder auch fehlen, ist kein grund dagegen, da sie ja von den redactoren aus unachtsamkeit weggelassen sein können.

Fragen wir nun, von welchem zeitpunkt an jene kalendernotizen den grundstock der chronik bildeten, so ist hier zunächst die übereinstimmung des Idacius mit dem Paschale zu berücksichtigen. diese reicht vom anfang der consulnreihe bis auf den mauerbau Aurelians (271); von da an hört sie gänzlich auf[35], um erst mit 308 sporadisch wieder zu beginnen: Idac. 308 *levatus Licinius Carnunto III id. Nov.* = Pasch. 307 Λικίνιος ἀνηγορεύθη εἰς Καρνοῦντα πρὸ γ' ἰδῶν Νοεμβρίων. Idac. 316 *hic conss. diem functus Diocletianus Salona III non. Dec.* = Pasch. 316 Γαλέριος δὲ Μαξι-

---

[34] bei Seeck 'die zeitfolge der gesetze Constantins' zs. f. rechtsgesch. X s. 36 findet man mehrere beispiele der verwechslung zwischen consulat und postconsulat gesammelt.   [35] die notiz Idac. 283 *his conss. occisus est Probus Sirmium* = Pasch. 282 ἐσφάγη Πρόβος Αὔγουστος ἐν Cιρμίῳ ὢν ἐτῶν ν' beweist nichts, weil sie ähnlich in den meisten chroniken gestanden haben musz und auch bei Malalas XII s. 129[d], dessen quelle das Paschale benutzt hat, wiederkehrt: ἐσφαξαν αὐτὸν ἐν τῷ Cιρμίῳ ὄντα ἐνιαυτῶν ν'.

μιανὸς τούτοις τοῖς ὑπάτοις ὕδρωπι δεινῷ πιασθεὶς ἐν Cαλώναις
ἀπέθανεν, wo freilich Diocletian mit Galerius verwechselt ist.
Idac. 317 *his conss. levati tres Caesares Crispus Licinius et Constantinus die kal. Mart.* == Pasch. 317 Κωνσταντῖνος Αὔγουστος Κώνσταντα, Κωνστάντιον καὶ Κρίσπον τοὺς ἑαυτοῦ υἱοὺς Καίσαρας
ἀνηγόρευσε καλάνδαις Μαρτίαις. seit dem j. 324 wird sie dann,
wie wir s. 608 gezeigt haben, ganz constant. wir werden daraus
schlieszen dürfen, dasz die stadtrömische chronik, welche von der
byzantinischen fortgesetzt wurde, bis etwa auf Aurelian herab-
reichte[36], und dasz die kalendernotizen dann ungefähr mit der thronbesteigung Constantins (306) begannen, aber freilich für die ersten
jahre noch recht spärlich waren. dasz im kalender von Constantinopel
die historischen anmerkungen bei der regierung desjenigen kaisers
einsetzten, welcher die stadt gegründet hatte, ist auch an sich eine
sehr wahrscheinliche annahme. zwischen Aurelian und Constantin
klaffte also in unserer chronik eine weite lücke, die wohl nur durch
die nackten consulnamen ausgefüllt war. dasz sowohl Idacius als
auch das Chronicon Paschale die historischen notizen, welche sie
innerhalb jenes zeitraums bringen, andern quellen entlehnt haben,
ergibt sich, abgesehen von der mangelnden übereinstimmung zwischen ihnen, auch aus andern gründen.

In beiden chroniken ist zu beachten, dasz vor 314 tagdaten nur
beim regierungsantritt der kaiser, nicht aber bei ihrem tode, ge-
schweige denn bei irgend einem andern ereignis angemerkt sind.
selbst der sieg an der Mulvischen brücke trägt kein datum, während
314 die viel minder bedeutende schlacht bei Cibalae damit versehen
ist. das wesentlichste kennzeichen der kalendernotizen, welches von
314 an beinahe constant wird, fehlt also den frühern abschnitten.
historisch noch wichtiger ist das folgende. das Chronicon Paschale
hat in allen seinen teilen die ereignisse sehr oft unter falsche jahre
gestellt (vgl. Holder-Egger ao. II s. 64); so weit dagegen Idacius
der chronik von Constantinopel folgt, sind abgesehen von der entsetzung des Vetranio, die wir schon oben besprochen haben, alle
chronologischen bestimmungen richtig. bei den meisten ist dies allgemein zugegeben, und bei den wenigen daten, welche bis jetzt die
communis opinio verwirft, hat man allen grund zur autorität des
Idacius zurückzukehren. es sind die folgenden:

1) die thronbesteigung des Licinius setzen die erhaltenen hss.
des Hieronymus 307, Prosper, der den Hieronymus ausschreibt,

---

[36] wenn unter Carinus und Numerianus die notiz *his conss. magna
fames fuit* sich auch im chronographen von 354 wiederfindet, so könnte
dies zufall sein. ohne zweifel war jene grosze hungersnot, die ja nicht
nur in Rom, sondern auch in den andern teilen des westreiches geherscht hatte (Eumenius *paneg.* 3, 15), in sehr vielen occidentalischen
chroniken verzeichnet worden, und der ausdruck, in welchem von ihr
berichtet wird, ist so einfach und selbstverständlich, dasz der gleiche
wortlaut hier nichts beweist.

308; jenen schlieszt sich das Paschale, diesem Idacius an. die entscheidung müssen hier die denkmäler geben. von diesen ist die inschrift von Parenzo (CIL. V 330) mit beiden ansetzungen vereinbar. das toleranzedict von 311 bei Eusebios hist. eccl. VIII 17, 3 gibt Licinius die vierte tribunicische gewalt, was auf 308 führt.[37] endlich bezeichnet ihn eine africanische inschrift CIL. VIII 1357 als *tribunicia potestate X consul V.* sein fünftes consulat fällt 318; mithin wird hier als erste tribunicische gewalt erst die des j. 309 gerechnet. da Licinius am 11 nov. kaiser wurde, also sein erstes regierungsjahr nur $1^1/_2$ monate währte, so ist es erklärlich, dasz der provincielle steinmetz es ignorierte. jedenfalls ist auch dieses zeugnis leichter mit 308 als mit 307 zu vereinigen. endlich hat Licinius 309 das consulat bekleidet. da es allgemein üblich war, dasz neu ernannte kaiser dem e r s t e n jahre, dessen neujahrstag unter ihre regierung fiel, den namen gaben, so gibt dies für den ansatz des Idacius die endgültige entscheidung.

2) den tod Diocletians setzen Idacius und das Paschale in das j. 316, Hieronymus 315. da alle drei hier wahrscheinlich auf die gleiche quelle zurückgeben[38] und verschiebungen der jahre bei Hieronymus äuszerst häufig sind, so ist das doppelte zeugnis dem einfachen jedenfalls vorzuziehen. freilich steht demselben noch eine zwiefache überlieferung gegenüber. nach Lactantius (*de mort. pers.* 42) wurden nach dem tode Maximians dessen bilder und statuen zerstört; doch da er meist mit Diocletian vereint abgebildet war, so sah sich auch der mitregent in die gleiche schmach hineingezogen. dies soll ihm so zu herzen gegangen sein, dasz er seinem leben durch hunger ein ende machte. sein tod müste demnach dem j. 310 oder spätestens 311 zuzuschreiben sein.[39] dagegen setzt ihn die epitome des Victor (39, 7) in das j. 313 und knüpft ihn an den sturz des Maxentius an. Diocletian sei zur vermählungsfeier des Licinius nach Mailand eingeladen worden, und als er sich mit seinem alter entschuldigt habe, seien ihm drohende briefe geschrieben, in welchen er der gemeinschaft mit Maxentius und Maximinus angeklagt worden sei; dies habe ihn veranlaszt aus furcht vor einem schimpflichern tode gift zu nehmen. wie man sieht, stimmen diese berichte nur darin überein, dasz der alte kaiser durch selbstmord geendet habe; gründe, zeit und todesart sind bei beiden verschieden. es ist also

---

[37] Tillemont ist durch dieses zeugnis getäuscht worden, da er meinte, dasz auch hier, wie zur zeit des Augustus, die tribunenjahre der kaiser vom datum der thronbesteigung an gerechnet würden. sie zählten aber unter Diocletian und schon lange vorher vom 1 januar zum 1 januar, wobei die tage und monate, welche dem ersten neujahr vorauslagen, als volles jahr angesetzt wurden.   [38] von Hieronymus gilt dies freilich nur für den ansatz des jahres, denn den wortlaut seiner notiz hat er dem Eutropius entnommen.   [39] Eusebios h. eccl. IX 11, 1 Μαξιμῖνοc, ὃc μόνοc ἔτι λείπων τῶν τῆc θεοcεβείαc ἐχθρῶν usw. hat keinen selbständigen quellenwert, weil es aus Lact. *de mort. pers.* 43 (*unus iam supererat de adversariis dei*) übersetzt ist.

sehr thöricht, das eine zeugnis durch das andere stützen zu wollen.
bei Lactantius wird die erzählung schon durch die ganze tendenz
seines buches verdächtig. er wollte ja darstellen, wie alle verfolger
Christi ein elendes und schmachvolles ende gefunden hätten, und
dazu wollte ein friedlicher tod Diocletians nicht passen. da nun
im j. 316 gar kein grund vorlag, der ihn zu einem selbstmord hätte
veranlassen können, so muste dieser an frühere ereignisse angeknüpft
werden. die epitome ist zwar nicht durch christliche tendenzen bestimmt worden, doch liegt es in der menschlichen natur, einem
manne von groszer vergangenheit lieber ein tragisches ende als das
ganz gemeine loos der sterblichkeit zuzuschreiben. überdies ist die
quelle eine sehr späte und kann schon deshalb dem zeugnis der
chronik von Constantinopel gegenüber nicht in betracht kommen.
endlich besitzen wir ein gesetz des Licinius, das wahrscheinlich dem
j. 315 angehört und des Diocletian als noch lebend erwähnt. [40]

3) die endgültige besiegung des Licinius setzt Idacius 324.
dasz dies richtig ist, habe ich gegen die herschende meinung an
anderer stelle (s. anm. 40) zu erweisen versucht.

4) in dasselbe jahr fällt nach der gleichen quelle die erhebung
des Constantius zum Caesar. dazu stimmt es, wenn Eutropius (X 15)
und Sokrates (II 47) die zeit seiner regierung auf 38 jahre ansetzen,
von denen er 13 mit seinem vater gemeinsam geherscht habe. wenn
die epitome des Victor 42, 17 *XXXVIIII* für *XXXVIII* bietet,
so ist dies gewis nur schreibfehler. bedenklicher scheint das zeugnis
Ammians, der unter dem j. 353 berichtet (XIV 5, 1): *Arelate hiemem
agens Constantius post theatralis ludos atque circenses ambitioso editos
apparatu a. d. VI kal. Oct., qui imperii eius annum tricensimum
terminabat* usw. doch dieser widerspruch ist nur scheinbar. denn
im grunde sagt die stelle doch nicht mehr als dasz Constantius 353
seine tricennalien feierte. nun wissen wir aber von Constantin dem
groszen, dasz er die entsprechenden feste seiner regierung nicht am
ende des 5n, 10n, 20n und 30n jahres begieng, sondern am ende
des 4n, 9n, 19n und 29n, und dasselbe ist uns auch von seinen
beiden ältern söhnen Crispus und Constantinus überliefert. [41] dasz
Constantius von dieser sitte seines vaters und seiner brüder ab-
gewichen sei, ist um so weniger anzunehmen, als er ja die quinquennalien und decennalien noch bei lebzeiten Constantins gefeiert hatte
und durch diese allen spätern festen der gleichen art präjudiciert
war. wenn aber 353 das 29e jahr seiner regierung war, so entspricht dies vollkommen dem zeugnis des Idacius. dem gegenüber
die worte Ammians zu pressen ist bei einem schriftsteller, der das

---

[40] cod. Theod. XIII 10, 2. dasz dies gesetz erst in das j. 315 fällt,
habe ich in meiner untersuchung über 'die zeitfolge der gesetze Constantins' 2e abt. in der zs. f. rechtsgesch. bd. X gezeigt. [41] nach
Nazarius (*paneg.* 10, 2) feierten sie ihre quinquennalien im 15n jahre
Constantins, dh. 321, und erst 317 waren sie zu Caesares ernannt
worden.

latein als erlernte sprache schrieb und bei seinem haschen nach ungewöhnlichen ausdrücken oft genug schief und unklar berichtet, gewis der richtigen methode nicht entsprechend.

Diese datierungen, welche Idacius der chronik von Constantinopel entlehnt hat, sind bisher allein ernstlich angezweifelt worden;
wie man sieht, waren sie alle richtig. ganz anders steht es in dén
teilen seiner fasten, welche auf occidentalische quellen zurückgehen.
dieselben sind, wie schon gesagt, daran kenntlich, dasz sie 1) nicht
im Chronicon Paschale wiederkehren, 2) nur bei den thronbesteigungen tagdaten bieten. sie reichen unvermischt vom tode Aurelians
bis zum regierungsantritt Constantins (276—305). von da an beginnt der einflusz der byzantinischen annalen, der seit 314 vorherschend wird; doch findet sich noch unter 318 die letzte occidentalische notiz. sie lautet: *his conss. tenebrae fuerunt inter diem hora IX.*
in diesem jahre ist keine erhebliche sonnenfinsternis auf dem gebiete
des römischen reiches sichtbar gewesen, wohl aber 319. damals
durchschnitt die totalitätszone die römischen grenzen in Südbritannien und Nordgallien, berührte sie auch an der Donaumündung;
aber die stunde, welche Idacius nennt, passt nur für den westen.
damit ist die occidentalische herkunft der notiz erwiesen, und wie
man sieht, steht sie unter einem falschen jahre. dasselbe gilt von
den folgenden:

277 *his conss. occisus est Tacitus Tyana.* dies muste unter
276 stehen.

283 *his conss. occisus est Probus Sirmium.* dies muste unter
282 stehen.

286 *his conss. levatus est Maximianus imperator senior die*
kal. Apr. man bezieht diese notiz gewöhnlich auf die ernennung
Maximians zum Augustus. doch kommt es bei Idacius zwar mehrfach vor, dasz die erhebung der Caesares zur höhern stufe der kaiserwürde verschwiegen wird — so bei Maximinus, Julian, ja selbst bei
Constantin dem groszen — niemals aber vergiszt er es anzumerken,
wenn ein privatmann Caesar wird.[42] dies entspricht durchaus der
officiellen auffassung. der kalender des Philocalus stammt aus der
zeit des Constantius; die tage seiner geburt, seiner ernennung zum
Caesar, seiner hervorragendsten siege sind darin vermerkt und ebenso
von seinem vater Constantin; doch der tag, wo sie den Augustustitel erhielten, fehlt bei beiden. die feier der fünf- und zehnjährigen
thronbesteigungsfeste knüpft immer an die erhebung zum Caesar
an; das aufsteigen zum Augustus bleibt dabei ganz unberücksichtigt.
wenn es also bei Idacius von Maximian heiszt *levatus est,* so kann
das nichts anderes bedeuten als ʻer wurde Caesarʼ, und folglich hätte
es unter dem j. 285 berichtet sein müssen.[43]

---

[42] von den ganz ephemeren Caesaren, wie Martinianus und Valens,
ist dabei freilich abzusehen.   [43] vgl. Seeck ʻeine denkmünze auf die
abdankung Maximiansʼ in der zs. f. numismatik XII s. 127.

291 *his conss. tenebrae fuerunt inter diem.* im j. 291 hat zwar
eine grosze sonnenfinsternis stattgefunden, doch durchzog die totalitätszone derselben nur die africanischen provinzen des Römerreiches,
aus denen Idacius in diesem teil seiner fasten sonst gar keine nachrichten besitzt. wahrscheinlich ist also die finsternis vom 4 mai 292
gemeint, die im westen von Spanien und Gallien total war.

291 *et eo anno levati sunt Constantius et Maximianus Caesares
die kal. Mart.* müste unter 293 stehen.

295 *his conss. Carporum gens universa in Romania se tradidit.*
an anderer stelle soll der beweis geführt werden, dasz der Carpen-
krieg mit dem grösten teile seines verlaufes in das j. 296 fällt und
erst anfang 297 beendet wurde.

302 *his conss. vilitatem iusserunt imperatores esse.* das preis-
edict Diocletians gehört nach seiner überschrift (CIL. III s. 824) in
das j. 301.

304 *his conss. deposuerunt purpuram privati effecti Diocletianus
et Maximianus et vestierunt Severum et Maximinum. nam Constantius et Maximianus, qui Caesares fuerunt, eadem hora Augusti nun-
cupati sunt die kal. Apr.* gehört in das jahr 305.

Dagegen ist richtig überliefert:

284 *his conss. magna fames fuit.* diese datierung wird dadurch
bestätigt, dasz nach Eumenius (*paneg.* 3, 15) unter Carinus eine
grosze hungersnot geherscht hatte und erst mit der thronbesteigung
Diocletians und Maximians wieder gute ernten eintraten.

285 *his conss. occisus est Carinus Margo, qui ipso anno cum
Aristobulo consul processerat.*

297 *his conss. victi Persae.*

303 *his conss. persecutio Christianorum.*

307 *his conss. quod est post sextum consulatum occisus Severus
Romae.*

310 *his conss. quod est Maxentio III solo diem functus Maximianus senior.*

311 *his conss. quod est Rufino et Volusiano diem functus Maximianus iunior.*

312 *his conss. quod est Maxentio IV solo victus et occisus Maxentius Romae ad pontem Mulvium.*

Hier stehen also neun falsch datierten notizen nur acht richtig
datierte gegenüber. prüft man die letztern, so wird man leicht bemerken, dasz sie in zwei kategorien zerfallen. die eine davon zeichnet
sich dadurch aus, dasz eine bezeichnung des consulats sich innerhalb
der historischen notiz selbst befindet (285. 307. 310. 311. 312);
für die andere ist charakteristisch, dasz die betreffenden nachrichten
nur zwei oder höchstens drei worte umfassen: *magna fames fuit,
victi Persae, persecutio Christianorum.* die notizen, bei denen nicht
eins dieser beiden kennzeichen zutrifft, sind a u s n a h m s l o s ein jahr
zu früh oder ein jahr zu spät verzeichnet. dasz der unterschied zwei
jahre beträgt, kommt nur éinmal (291) vor: denn den Carpensieg

konnte ein chronist allenfalls 396 ansetzen, obgleich er sich erst
anfang 397 endgültig entschied. diese eigentümliche erscheinung
läszt sich am einfachsten auf folgende weise erklären. die historischen
notizen waren in der quelle, welche Idacius in diesem teil seines
werkchens benutzte, den fasten derart hinzugefügt, dasz sie nicht
unter die namen der consuln, sondern an den rand in den raum,
der neben denselben frei blieb, hineingesetzt waren. hatte nun ihr
umfang den schreiber gezwungen in die vorhergehende oder in die
folgende zeile hinüberzugreifen, so wuste Idacius nicht, auf welches
consulat er sie beziehen sollte, und setzte sie daher regelmäszig
zu früh oder zu spät an. waren sie dagegen so kurz, dasz sie
in derselben zeile noch neben den consulnamen platz fanden, so
blieben sie an ihrem richtigen ort. dasselbe fand natürlich auch
dann statt, wenn die historische notiz selbst eine jahresbenennung
enthielt, wodurch jeder irrtum ausgeschlossen war. hieraus erklärt
sich sowohl die regelmäszige beschränkung der fehlerweite auf éin
jahr als auch die einzige ausnahme davon. an der betreffenden stelle
wird die quelle des Idacius etwa folgendermaszen ausgesehen haben:

(291) *Tiberiano et Dione*   *tenebrae*
(292) *Annibaliano et Asclepiodoto*   *fuerunt inter diem.*
(293) *Diocletiano V et Maximiano IV*   *levati sunt Constantius*
                                          et Maximianus Caesares
                                          die kal. Mart.

da die beiden notizen, welche zu 292 und 293 gehörten, sich unmittelbar folgten, so bezog sie Idacius auf dasselbe jahr und setzte
sie zu demjenigen consulat, in dessen zeile die erste begann. hiernach sind wir befugt von denjenigen zwei nachrichten, welche uns
durch Idacius allein überliefert sind, die eine (299 *victi Marcomanni*)
für richtig datiert zu halten, weil sie ganz kurz ist, die andere (294
castra facta in Sarmatia contra Acinco et Bononia) für falsch datiert,
weil sie einen etwas gröszern umfang hat. das betreffende ereignis
wird also in das j. 293 oder 295 zu setzen sein.

Was den inhalt betrifft, so ist auch dieser teil der Idacischen
fasten sehr gut und glaubwürdig, und die fehler in den consulaten
lassen sich leicht corrigieren, sobald man erkannt hat, dasz sie einer
festen regel unterliegen. ganz anders bei dem Chronicon Paschale.
wo dieses nicht den annalen von Constantinopel folgt, da enthält es
fast nur phantastische erfindungen, die so gut wie gar keinen wert
haben. da dies die einzige quelle ist, nach der man bisher sowohl
die thronbesteigung Diocletians als auch die erhebung Maximians
zum Augustus zu datieren pflegt, so verlohnt es sich der mühe etwas
länger bei ihrer glaubwürdigkeit zu verweilen.

Von denjenigen stücken, welche der quelle des Malalas entnommen sind, können wir absehen, ebenso von den längern zusammenhängenden erzählungen. denn dasz diese ein wüstes gemisch
von wenig richtigem und sehr viel offenbarem unsinn enthalten,
leugnet wohl keiner. wir beschränken also unsere untersuchung

auf die kurzen chronistischen notizen, die wenigstens durch ihre form
vertrauen erwecken können. den anfang machen wir am passendsten
mit denjenigen, bei welchen uns die anderweitige überlieferung ein
sicheres mittel der kritik gewährt.

293 τούτῳ τῷ ἔτει Μαξιμιανὸς Ἰόβιος ἐπιφανέστατος Καῖσαρ
εἰς τὴν ἀρχὴν εἰσεποιήθη καὶ Κωνστάντιος ἐν Νικομηδείᾳ πρὸ ιβ′
καλανδῶν Ἰουνίων. das jahr ist richtig; doch fand die ernennung
der Caesares nach dem zweifellosen zeugnis des Eumenius (paneg.
5, 3) am 1 märz statt, und wie die daten der rescripte zeigen, befand sich Diocletian damals nicht in Nikomedeia, sondern in Sirmium.
wie man sieht, ist hier der fehler in datum und ort der art, dasz er
nicht auf einem erklärlichen irrtum, sondern nur auf unverfrorener
erfindung beruhen kann. die quelle, welcher das Paschale in diesen
notizen folgt, läszt Diocletian gleich nach seiner thronbesteigung in
Nikomedeia einziehen und verlegt dann alle seine regierungshand-
lungen in diese stadt. offenbar beruht dies auf der anschauung, dasz
er dort seine feste residenz gehabt und sie niemals dauernd verlassen habe.

297 τούτῳ τῷ ἔτει Διοκλητιανὸς τῆς ἑαυτοῦ βασιλείας κοινω-
νὸν ἀνέδειξε Μαξιμιανὸν Ἑρκούλιον ἀρχομένου τρίτου ἔτους τῆς
αὐτοῦ βασιλείας παραχειμάσας ἐν Νικομηδείᾳ. in Nikomedeia ist
Maximian zwar nicht zum Augustus, wohl aber zum Caesar ernannt
worden.[44] der ort ist also richtig, aber wahrscheinlich nur durch
zufall: denn welche rolle Nikomedeia in dieser quelle des Paschale
spielte, haben wir ja schon gesehen. das datum wird nur durch die
allgemeine formel bezeichnet, dasz es in den anfang von Diocletians
drittem jahre falle. dies ist unter allen umständen falsch, ob man
die kaiserjahre vom tage des regierungsantritts oder vom ersten
januar an zählt. um einigen sinn in diese notiz zu bringen, wendet
man meist die zweite rechnung an. da Diocletian 284 kaiser wurde,
setzt man demgemäsz die erhebung Maximians 286 und nimt an, sie
sei nur aus versehen unter das consulat von 287 gestellt worden.
doch das Chronicon Paschale sagt selbst, dasz es 285 als erstes jahr
Diocletians rechne (385 ἀπὸ τούτων τῶν ὑπάτων τάσσονται τὰ
Διοκλητιανοῦ ἔτη εἰς τὸ πάσχαλιν), woraus folgt dasz unsere notiz
unter dém jahre steht, unter welchem sie der absicht ihres verfassers
nach stehen sollte. dasz Maximian 285 Caesar, 286 Augustus wurde,
ist allgemein zugegeben, mithin ist auch das jahr unrichtig.

297 Πέρσαι κατὰ κράτος ἐνικήθησαν ὑπὸ Κωνσταντίου καὶ
Μαξιμιανοῦ Ἰοβίου. — ἐπὶ τῶν αὐτῶν ὑπάτων ἐνικήθησαν Πέρσαι
ὑπὸ Μαξιμιανοῦ Ἑρκουλίου Αὐγούστου. dasselbe ereignis ist hier
aus zwei verschiedenen quellen doppelt erzählt. beidemal ist das
jahr richtig, beidemal die nebenumstände falsch: denn weder Con-

---

[44] Lact. de mort. pers. 19 erat locus altus extra civitatem (sc. Nicomediam) ad milia fere tria, in cuius summo Maximianus ipse purpuram
sumpserat. der purpur ist das abzeichen der Caesares, während die
Augusti vor ihnen das diadem voraus haben.

stantius noch Maximianus Herculius hatten mit dem Perserkriege
irgend etwas zu thun.

302 τούτῳ τῷ ἔτει ὁ καστρήσιος ἄρτος ἐν ’Αλεξανδρείᾳ ὑπὸ
Διοκλητιανοῦ ἐδωρήθη. diese notiz läszt sich nicht controlieren.

284 cφάζεται Νουμεριανὸc ἐν Περίνθῳ τῆc Θρᾴκηc τῇ νῦν
καλουμένῃ Ἡρακλείᾳ ὑπὸ ῎Απρου ἐπάρχου. Διοκλητιανὸc ἀνα-
γορευθεὶc πρὸ ιε΄ καλανδῶν ’Οκτωβρίων ἐν Χαλκηδόνι εἰcῆλθεν
ἐν Νικομηδείᾳ πρὸ ε΄ καλανδῶν ’Οκτωβρίων μετὰ τῆc πορφυρίδοc
καὶ καλάνδαιc ’Ιανουαρίαιc προῆλθεν ὕπατοc. dasz Numerian durch
Aper getötet worden sei, ist vielleicht nicht wahr, aber jedenfalls
schon von den zeitgenossen geglaubt worden; dasz Diocletian am
1 jan. 285 das consulat antrat, steht fest, aber es liesz sich das auch
aus den fasten ersehen, so dasz eine wohl unterrichtete quelle für
diese nachricht nicht erforderlich war. die ortsangaben sind nicht
direct widerlegbar, weil wir andere zeugnisse dafür nicht besitzen,
doch aus innern gründen erscheinen sie sehr bedenklich. das heer,
welches Numerian führte, kam aus dem orient. wenn es bei seinem
tode nach Herakleia gelangt war, so musz es unmittelbar vorher
über Nikomedeia und Chalkedon gekommen sein. es denselben weg
wieder zurückzuführen lag gar kein grund vor; ob seine leiter sich
dem Carinus unterwerfen oder gegen ihn kämpfen wollten, in beiden
fällen musten sie ihm entgegenziehen, also die bisher verfolgte
marschrichtung nach norden fortsetzen. vollkommen unmöglich aber
sind die daten. wir wissen aus dem zeugnis zweier zeitgenossen,
dasz die vicennalien Diocletians sowohl in Rom als auch in Palästina
am 17 nov. 303 gefeiert worden sind.[45] um diese ganz sicher beglaubigte nachricht mit dem antrittsdatum des Chronicon auszugleichen, nimt man an, das fest sei um zwei monate verschoben worden, weil Diocletian es in Rom habe begehen wollen und durch
irgend welche umstände verhindert worden sei dort am 17 september
einzutreffen. doch mag diese erklärung auch für die hauptstädtische
feier zulässig sein, was sollte die Palästinenser verhindert haben das
richtige datum inne zu halten? wo wir die Paschalchronik controlieren können, erweist sie sich fast überall als gefälscht: widerspricht es da nicht jeder historischen methode, eine nachricht, die
vielleicht nicht direct widerlegt werden kann, aber doch in der echten
überlieferung mindestens auf grosze schwierigkeiten stöszt, durch
künstliche hypothesen aufrecht zu erhalten?

---

[45] Eusebios de mart. Palaest. I 5 vgl. II 4 Δίου μηνὸc ἑπτακαιδε-
κάτῃ· αὕτη παρὰ Ῥωμαίοιc ἡ πρὸ δεκαπέντε καλανδῶν Δεκεμβρίων.
Lact. de mort. pers. 17 *perrexit statim Romam, ut illic vicennalium diem
celebraret, qui erat futurus a. d. XII kal. Decembres.* das datum bei
Eusebios kann nicht verschrieben sein, da die römische formulierung
desselben mit der syrischen übereinstimmt. dagegen ist in lateinischen
bss. nichts häufiger als die verwechslung von *XU* und *XII*, so dasz
wir bei Lactantius ohne bedenken das eine für das andere setzen
dürfen.

Das dritte ägyptische kaiserjahr des Carinus und Numerianus
begann mit dem 29 august 284. wenn es schon mit dem 17 september
geendet hätte, so müsten münzen desselben zu den grösten seltenheiten gehören. statt dessen besitzt allein das Berliner museum, wie
mir Sallet schreibt, vier stücke des Numerian und fünf des Carinus
mit der jahreszahl Γ. wie läszt sich dies mit dem datum der Paschalchronik vereinigen?

Wir kommen also zu dem ergebnis, dasz die nachrichten des
Paschale nur glaubwürdig sind, soweit sie auf den byzantinischen
annalen beruhen. da dies sich aber auf keine andere weise constatieren läszt als dadurch, dasz sie bei den andern ausschreibern der
gleichen quelle wiederkehren, so ist jede notiz, die das Chronicon
Paschale allein bringt, von vorn herein zu verwerfen.

GREIFSWALD. OTTO SEECK.

69.
ÜBER DEN RÜCKZUG DES CAECINA IM JAHRE 15 NACH CH.

Manche gelehrte können sich noch immer nicht an den gedanken
gewöhnen, dasz die *pontes longi* des Domitius, welche Caecina im
j. 15 nach Ch. auf seinem rückzuge nach der weisung des Germanicus zu benutzen hatte, rechts von der Ems gelegen haben. sie
berufen sich mit ihrer entgegengesetzten ansicht auf den wortlaut
unserer quelle, während gerade eine genauere prüfung desselben sie
von der unrichtigkeit ihrer ansicht überzeugen muste. es heiszt an
der fraglichen stelle Tac. ann. I 63: *mox reducto ad Amisiam exercitu legiones classe, ut advexerat, reportat; pars equitum litore Oceani
petere Rhenum iussa. Caecina, qui suum militem ducebat, monitus,
quamquam notis itineribus regrederetur, pontes longos quam matur-
rime superare.* indem man nun seitens der gegner sich darauf beruft, dasz unter *exercitus* das gesamtheer der Römer einschlieszlich
der truppen des Caecina zu verstehen sei, nimt man an, es habe
unter diesen umständen die trennung der legionen des Caecina nicht
früher als an der Ems stattfinden können. die *pontes longi* müsten
daher westlich dieses flusses aufzusuchen sein. hätte jedoch Caecina
mit seinen vier legionen in der that den Germanicus bis zur Ems begleitet, so würde der schriftsteller unmöglich haben sagen können
legiones classe, ut advexerat, reportat. denn es würde in diesem falle
ja nur die eine hälfte der legionen, welche der oberfeldherr bei sich
hatte, verschifft worden sein. Tacitus hätte demnach hier notwen-
digerweise eine eben solche beschränkende bemerkung, wie hinsichtlich der reiter mit dem ausdruck *pars equitum* geschehen ist, hinzusetzen müssen. es ist nötig hierauf immer von neuem hinzuweisen,
so oft man die wahrheit dieser sätze ignoriert.

Dasz in dem heere (*exercitus*), welches Germanicus zur Ems geführt hat, Caecina mit seinen vier legionen sich nicht befunden haben
kann, dieser thatsache steht aber auch der ausdruck *mox reducto
exercitu* durchaus nicht im wege. man kann die worte *reducto exercitu* als gleichbedeutend mit *postquam reduxit* fassen und annehmen,
dasz alsdann mit *exercitus* lediglich das heer des Germanicus verstanden worden sei, und man müste diese erklärung gelten lassen,
wenn keine andere gegeben werden könnte. nötig ist dieselbe aber
nicht. man kann auch das wort *exercitus* wirklich in dem sinne eines
gesamtheeres fassen. in diesem falle ist der satz *Caecina, qui suum
militem ducebat, monitus* usw. als eine mitteilung anzusehen, durch
welche der allgemeine begriff *exercitus* nachträglich eine einschränkung erhält. das gegebene beispiel steht dann auf ganz gleicher
linie mit folgendem: *in proximos Gugernorum pagos . . ductus a Vo-
cula exercitus; pars cum Herennio Gallo permansit* (Tac. *hist.* IV 26).
auch hier bildet wirklich das wort *exercitus* zunächst den gesamt-
begriff. derselbe erhält aber durch die bemerkung *pars . . remansit*
seine nachträgliche beschränkung. dasz übrigens der satz *Caecina,
qui suum militem ducebat* ebenfalls eine beschränkung des vorher erwähnten begriffes *legiones* enthalten könne, dieser einwurf wird
durch den zusatz *ut advexerat* hinreichend widerlegt. die legionen,
von welchen hier die rede ist, können sämtlich nur solche gewesen
sein, welche zu schiff in die Ems gefahren waren.

Die ansicht der gegner hat zur voraussetzung, dasz die worte
Caecina, qui suum militem ducebat usw. zu den sätzen *legiones classe
. . reportat* und *pars equitum . . iussa* in einem parallelen verhältnis
sich befinden (bzw. dasz dieselben an *legiones classe* usw. sich be-
schränkend anlehnen). dies ist aber, abgesehen von der unmöglichkeit alsdann die worte *legiones classe . . reportat* zu erklären, eine
ganz willkürliche voraussetzung. vielmehr läszt sich das verhältnis
nicht anders verstehen als wenn wir annehmen, dasz die worte *Caecina, qui suum militem ducebat* wieder an *mox reducto . . exercitu*
anknüpfen. will man sich das verständnis der stelle erleichtern, so
braucht man nur folgendermaszen sich den text gedruckt zu denken:

mox reducto ad Amisiam exercitu $\left\{ \begin{array}{l} \textit{legiones classe, ut adv., reportat;} \\ \textit{pars equitum lit. Oc. p. Rh. iussa.} \end{array} \right.$
Caecina, qui suum militem ducebat, monitus . . pontes l. . . superare.

ZERBST.   FRIEDRICH KNOKE.

70.

TIMAIOS UND CICEROS TUSCULANEN.

Dasz Cicero, der in den jahren vor Caesars ermordung eine ganze reihe philosophischer schriften, unter diesen die Tusculanen verfaszte, bei der schnelligkeit, um nicht zu sagen flüchtigkeit, mit welcher er gearbeitet haben musz, einen historiker im original nachgelesen haben sollte, ist nicht wahrscheinlich; vielmehr ist die erörterung über den ältern Dionysios im fünften buche § 57—63 allem anscheine nach nicht dem Timaios, sondern ebenso einer philosophischen schrift entlehnt, wie die in § 97—105 erzählten anekdoten, unter denen sich auch eine über Dionysios befindet. dem widerspricht durchaus nicht die anführung der zahlen (*duodequadraginta annos tyrannus Syracusanorum fuit Dionysius, cum quinque et viginti natus annos dominatum occupavisset*): denn das äuszere glück des tyrannen, das hier seinem innern unglück entgegengestellt wird, bestand nach der ansicht der alten nicht zum wenigsten in seiner langen regierung. so benutzt Cotta (Cic. *de nat. d.* III 81) die lange regierung des Dionysios als beweis gegen das walten einer göttlichen vorsehung: *duodequadraginta annos Dionysius tyrannus fuit opulentissimae et beatissimae civitatis.*[1] auf einen spätern philosophen ferner deutet die verwechselung des ältern und jüngern Dionysios in § 69: denn wir haben keinen grund dem Aristoxenos, einem zeitgenossen des jüngern Dionysios, die glaubwürdigkeit abzusprechen, welcher (Iamblichos v. Pyth. 234 und Porphyrios v. Pyth. 59) versicherte, die freundschaft der beiden Pythagoreer sei von dem jüngern Dionysios auf die bekannte probe gestellt worden; er habe dies von dem tyrannen selbst, als derselbe zu Korinth in der verbannung lebte, gehört. wenn nun aber der philosoph, dem Cicero folgt, einen historiker benutzt hat, so kann es doch Timaios nicht gewesen sein. der ältere Dionysios nemlich, wie ihn Timaios darstellte, war nicht geeignet als beispiel eines zwar sündigen, aber doch edel angelegten und darum innerlich unglücklichen menschen angeführt zu werden.

---

[1] damit erklärt sich der an unserer stelle auf die zahlangabe folgende satz *qua pulchritudine urbem, quibus autem opibus praeditam servitute oppressam tenuit civitatem!* man könnte zwar hier an Timaios denken, denn *de re publ.* III 43 findet sich derselbe gedanke im anschlusz an eine notiz aus Timaios: *urbs illa praeclara, quam ait Timaeus Graecarum maximam, omnium autem esse pulcherrimam, arx visenda, portus usque in sinus oppidi et ad urbis crepidines infusi, viae latae, porticus, templa, muri nihilo magis efficiebant Dionysio tenente, ut esset illa res publica: nihil enim populi et unius erat populus ipse.* indessen gehört das hier über Dionysios gesagte ebenso dem Cicero an, wie gleich nachher § 44 die erwähnung der dreiszig: *quae enim fuit tum Atheniensium res, cum post magnum illud Peloponnesiacum bellum triginta viri illi urbi iniustissime praefuerunt? nun aut vetus gloria civitatis aut species praeclara oppidi aut theatrum, gymnasia, porticus aut propylaea nobilia aut arx aut admiranda opera Phidiae aut Piraeus ille magnificus rem publicam efficiebat?*

dies beweist der berühmte traum der Himeräerin, über den Timaios
beim scholiasten zu Aischines π. παραπρ. 10 berichtet. es träumte,
so erzählt Timaios, eine frau aus Himera, sie sei in den himmel entrückt und werde durch die wohnungen der götter geführt; dort sah
sie den Zeus auf seinem throne sitzen, unter dem throne aber war
ein mensch gefesselt mit kette und halseisen. und als sie ihren führer
fragte, wer dies sei, antwortete er: dies ist der verderber von Sikelien
und Italien, und wenn er freigelassen wird, wird er diese länder zu
grunde richten. einige zeit nachher begegnete sie dem Dionysios,
wie er inmitten seiner trabanten einherzog, und sank zu boden mit
dem rufe: dies ist der mann, den ich im traume gesehen. bald darauf
verschwand sie, von Dionysios beseitigt. diese groszartige vision,
die uns an Dante erinnert, gibt den eindruck wieder, welchen das
furchtbare wüten des tyrannen in der volksseele hinterliesz. Timaios
hat die geschichte dem volke abgelauscht, denn schon Aischines ao.
setzt sie als allgemein bekannt voraus. wenn nun Timaios von den
sagen, die er in sein werk aufnam, einen irgendwie verständigen
gebrauch machte, so muste er, der als aristokrat ein geborener
tyrannenfeind war und obendrein wegen seiner deisidaimonie bekannt ist, diese volkstümliche auffassung der persönlichkeit des
Dionysios seiner eignen beurteilung desselben zu grunde legen, und
wenn er dies that, so verfuhr er ganz richtig, indem er dem urteil
der zeitgenossen folgte. und nun vergleiche man diesen so zu sagen
der hölle entsprungenen unhold mit dem sentimentalen Dionysios
Ciceros. wie sehnt sich derselbe nach höherem, ist er doch *bonis
parentibus atque honesto loco natus* und *doctus a puero et artibus in-
genuis eruditus.* wie gern möchte er dem Damokles alle seine pracht
und herlichkeit abtreten! aber der weg ins privatleben und zum
innern glücke ist ihm versperrt: *atque ei ne integrum quidem erat, ut
ad iustitiam remigraret, civibus libertatem et iura redderet; iis enim
se adulescens inprovida* (1) *aetate inretierat erratis eaque commiserat,
ut salvus esse non posset, si sanus esse coepisset* (§ 62). wahrlich an
dem guten willen dieses Dionysios lag es nicht, wenn unter ihm der
Platonische staat sich nicht verwirklichte. mag man nun auch einiges
von diesen überschwänglichkeiten auf rechnung des Cicero oder
seines philosophischen gewährsmannes setzen, so wird man doch den
principiellen gegensatz, der zwischen der darstellung Ciceros und der
des Timaios bestanden haben musz, nicht leugnen können. dazu
kommt dasz der schmeichler Damokles, der bei Timaios die bekannte
schwäche des tyrannen, für einen dichter gelten zu wollen, ausnutzt
(Athen. VI s. 250: es ist hier augenscheinlich der ältere Dionysios
gemeint, nicht, wie Athenaios augibt, der jüngere), von Timaios
Δημοκλῆς genannt wird. da in Syrakus ein dorischer dialekt gesprochen wurde, ist Δαμοκλῆς als die echte namensform anzusehen;
der attisch gebildete und in Athen lebende Timaios wird den namen
geändert haben. für Cicero oder seinen gewährsmann aber lag kein
grund vor den namen ins dorische zurückzubilden. der mann würde

Democles bei Cicero heiszen, wenn dessen angaben auf Timaios zurückzuführen wären.

Unter diesen umständen tritt die frage, in welche jahre Timaios die regierungszeit des ältern Dionysios gesetzt hat, in ein neues stadium. Polybios nemlich (XII 4ᵃ) berichtet, Timaios habe den Ephoros verspottet, weil dieser die lebenszeit des Dionysios auf 63 jahre ansetze, ihn aber 23 jahre alt zur regierung gelangen und dann 42 jahre regieren lasse. nach der ansicht des Polybios liegt hier kein rechenfehler des schriftstellers, sondern ein schreibfehler des abschreibers vor (τοῦτο γὰρ οὐδεὶc ἂν εἴπειε δή που τοῦ cυγγραφέωc εἶναι τὸ διάπτωμα, τοῦ δὲ γραφέωc ὁμολογουμένωc); doch ist es klar, dasz Polybios in diesem falle den Ephoros nicht nachgeschlagen hat. er beruft sich nemlich nicht auf sein exemplar, in dem das richtige sich wohl hätte finden können: denn es läszt sich nicht ohne weiteres annehmen, dasz das exemplar des Polybios aus derselben schreibstube stammte wie das des Timaios. wahrscheinlicher wäre noch ein schreibfehler des Ephoros selbst, so dasz der fehler sich schon im archetypus fand und sich, obwohl leicht zu erkennen und leicht zu verbessern, durch alle exemplare fortsetzte. Polybios also beruft sich nicht auf sein exemplar, sondern sucht auf logische weise den Ephoros von dem makel zu befreien, indem er sagt, Ephoros müste den Koroibos und den Margites an beschränktheit übertroffen haben, wenn er nicht 42 und 23 hätte addieren können. ist es aber ein schreibfehler, so können ebenso gut die beiden addenda wie die summe verschrieben sein. vergleichen wir nun die hier gegebenen zahlen mit den oben angeführten zahlen des Cicero, so stimmt die summe (25 + 38 = 63), die addenda aber stimmen nicht, hier 25 und 38, dort 23 und 42. das zusammentreffen der summe trotz verschiedener summanda wäre für einen schreibfehler ein zufall seltenster art. aber auch die zahlen 23 und 42 sind schwerlich verschrieben: denn wenn man sie mit 25 und 38 vergleicht, so bemerkt man dasz die verminderung der einen der vermehrung der andern entspricht, was auf ein planmäsziges verfahren schlieszen läszt. ein schreibfehler kann also nicht vorliegen. man könnte nun der ansicht sein, dasz bei Ephoros zwei verschiedene angaben sich fanden, von denen er nur éine billigte, und Timaios hätte ungenau gelesen. da wäre es doch wunderbar, dasz Timaios seine polemik gegen die zahl 63 richtete, die er doch auch hatte, wenn Ciceros zahlen auf ihn zurückgehen. bei weitem mehr musten ihm die andern zahlen auffallen, die ihm von seinem standpunkte aus und mit vollem recht als ganz falsch erscheinen musten. welch eine prächtige gelegenheit bot sich ihm da, den Ephoros in seiner ganzen armseligkeit hinzustellen und sich und seine chronologie gebührend herauszustreichen! gleichwohl läszt er es hier bei einem einfachen rechenfehler bewenden. sonst war er doch so zurückhaltend nicht (Polybios XII 11 τὰc ἁμαρτίαc τῶν πόλεων — oder nach Westermanns conjectur τῶν πολλῶν — περὶ τὰc ἀναγραφὰc τὰc τούτων

— chronologischer daten — ἐξελέγχων παρὰ τρίμηνον ἐχούcαc τὸ διαφέρον).[2] da fällt denn auf die angabe des marmor Parium, dasz Dionysios im j. 408 vor Ch. tyrann geworden sei, ein merkwürdiges licht. es ist längst bemerkt worden, dasz das marmor Parium zum teil auf der chronologie des Timaios fuszt, da beide mit dem j. 264 schlieszen. daher drängt sich die vermutung auf, dasz die zahlen 23 und 42 auf Timaios selbst zurückgehen, der, als er bei Ephoros die zahl 63 fand, in dem hochmute, der ihn auszeichnete, ohne weiteres einen additionsfehler des Ephoros annahm.

[2] dasz in dieser ganzen stelle kein lob des Timaios enthalten ist, lehrt der zusammenhang: vgl. HKothe ʻTimaeus Tauromenitanus quid historiis suis profecerit' progr. d. Matthiasgymn. Breslau 1887 s. 1.
BRESLAU.   HERMANN KOTHE.

71.
ZUR EIRESIONE.

Das unter diesem namen in der sog. Herodotischen Homerbiographie überlieferte volksliedchen beginnt bei Westermann (Βιογρ. s. 17, 49) mit den worten:

δῶμα προcετραπόμεcθ' ἀνδρὸc μέγα δυναμένοιο,
ὃc μέγα μὲν δύναται, μέγα δὲ βρέμει, ὄλβιοc αἰεί.

die tautologie μέγα δυναμένοιο, ὃc μέγα μὲν δύναται haben nicht wenige kritiker erträglich gefunden. dasz sie indessen wohl kaum ursprünglich sein kann, dafür gibt es sogar ein äuszeres zeugnis, nemlich bei Suidas, wo u. Ὅμηροc (s. 1106, 14 Bernh.) αὐτεῖ für δύναται überliefert ist, was zwar auch nicht angeht, aber doch ohne allen zweifel gegen die richtigkeit jener tautologie spricht. Küster vermutete ὃc μέγα μέν γ' αὐχεῖ ʻqui se magnifice iactat'; doch erscheint dies, ganz abgesehen von dem flickwort γ', dem sinne nach wenig passend. das richtige dürfte βλαcτεῖ* sein, welches, nachdem die beiden ersten buchstaben unkenntlich geworden waren, leicht in αὐτεῖ corrumpiert werden konnte. vgl. das orakel bei Paus. II 26, 7 ὦ μέγα χάρμα βροτοῖc βλαcτὼν Ἀcκληπιὲ πᾶcιν. Soph. Aias 760 ἀνθρώπου φύcιν βλαcτών. Bion 3, 17 εἴαρι πάντα κύει, πάντ' εἴαροc ἀδέα βλαcτεῖ (oder βλάcτη). Empedokles 449 (Stein) ἔνθεν ἀναβλαcτοῦcι θεοὶ τιμῇcι φέριcτοι. Apollonios Arg. IV 1425 βλάcτεον ὄρπηκεc. Pindars woite παιcὶ τούτοιc ὄγδοον θάλλει μέροc Ἀρκεcίλαc Pyth. 4, 65 umschreibt der scholiast οὕτω καὶ ἐν τούτοιc τοῖc παιcὶν ὄγδοον μέροc ὢν θάλλει καὶ βλαcτᾷ ὁ Ἀρκεcίλαοc. was dann weiterhin von dem hausherrn ausgesagt wird, μέγα δὲ βρέμει, fand Ilgen mit recht ʻineptum': er schlug vor μέγα δὲ πρέπει: ich wüste dem nichts besseres entgegenzusetzen.

* dies verdient, glaube ich, auch vor κρατέει und πλουτεῖ, woran ich früher dachte, den vorzug.
KÖNIGSBERG.   ARTHUR LUDWICH.

72.

THE FABLES OF AVIANUS EDITED WITH PROLEGOMENA CRITICAL APPA-
RATUS COMMENTARY EXCURSUS AND INDEX BY R O B I N S O N E L L I S
M. A. LL. D. FELLOW OF TRINITY COLLEGE, OXFORD, UNIVERSITY-
READER IN LATIN. Oxford at the Clarendon press 1887. XLlV u.
151 s. gr. 8.

I.

In der Berliner philologischen wochenschrift (1888 n. 47
sp. 1470 ff.) findet der leser eine anzeige des Avianus von Ellis, in
welcher an dem grösten teile der arbeit des verdienten englischen
gelehrten kein gutes haar gelassen wird. der unterz. lernte diese
charakteristische probe der philologischen tageskritik leider erst im
frühjahr 1889 kennen. inzwischen ist die ausgabe von Ellis bald
zwei jahre in den händen des publicums, und ἐν δίκῃ χρόνου wird
sie auch ohne anwalt zu ihrem rechte kommen. nichtsdestoweniger
möchte ref. an dieser stelle die wiederaufnahme des verfahrens veranlassen und zur ergänzung und richtigstellung jenes urteils — des
einzigen ausführlich begründeten, welches er bisher in deutschen
zeitschriften gefunden hat — seine beobachtungen zu protokoll
geben. unsere trefflichen fachgenossen jenseit des canals könnten
sich sonst wieder falsche vorstellungen machen von der 'usual
generous German way', die doch keineswegs ganz 'usual' ist.

Wir folgen zunächst der angezogenen kritik schritt für schritt.
Erster klagepunkt: 'Ellis besitzt nicht d i e k u n s t d e r s o n-
d e r u n g d e s w i c h t i g e n u n d u n w i c h t i g e n.' begründung: 'ein
menbrorum für *membrorum* . . wird uns nicht erlassen, vielmehr
auch die unbedeutendste hs. . . gewissenhaft aufgezählt; daneben
fehlen allein in den 12 fabeln zb., bei denen Lachmann . . nur mit
conjecturen auskommen zu können glaubte, 20 seiner lesarten, obwohl sie auch heute noch höchst beachtenswert sind. in andern
fällen ist von zusammengehörenden verbesserungen Lachmanns wie
Fröhners nur die hälfte mitgeteilt, so dasz der leser zu ganz ab-
sonderlichen vorstellungen . . kommen musz (so 29, 13. 14. 18).
noch wunderlicher ist es, dasz gute hsl. lesarten, welche diese beiden
. . aufgenommen, im apparate gar nicht erwähnt sind (ebd. 18. 22).'
— In der that fehlt 29, 13 zu Lachmanns *namque* das entsprechende
daret v. 14: das ist eine inconsequenz, sachlich aber belanglos, da
die überlieferung zu halten ist. dagegen gibt das zu v. 18 allein
notierte *gelat* einen runden sinn, und die in v. 22 durch ein versehen unterdrückte schreibung *simul* ist v o n E l l i s s e l b s t in den
addenda s. XLII n a c h g e t r a g e n. was bleibt also von den gerügten
versehen im apparat übrig? nichts als eine ungenauigkeit zu v. 18,
wo die form *russus* aus dem einen Parisinus nicht angemerkt ist —
ganz dem wunsche des rec. entsprechend, der mitteilungen solcher
hsl. curiositäten für überflüssig hält. in der that, wenn der rec.
nicht stärkere truppen gegen die zuverlässigkeit des apparates ins

feld führen konnte, hätte er den angriff unterlassen sollen. eine ver-
einfachung des hsl. apparates wird vielleicht möglich und ratsam
sein; aber wer wird einem herausgeber, der so mancherlei neues
mitteilt wie Ellis, alles ernstes einen vorwurf machen aus zu groszer
genauigkeit?[1] und nun Lachmanns conjecturen! hier wird der rec.
mit seiner wertschätzung heutzutage wohl ziemlich einsam da stehen.
Lucian Müller (de Phaedri et Aviani fab. s. 33) meinte 'nullum
auctorem Latinum minore cum successu temptatum ab eo' (von
Lachmann); nur 'bis terve' erkennt er im Lachmannschen Avianus
'nativae sollertiae documentum'. das mag zu hart geurteilt sein;
sicher aber ist, dasz sehr viele, ja die meisten änderungen Lachmanns
mit seinem falschen chronologischen ansatze zusammenhängen und
deswegen jetzt mit fug ignoriert werden können.[2] der rec. will den
ganzen ballast wieder in den apparat bringen! da erscheint es doch
nicht ganz ausgemacht, dasz er 'die kunst der sonderung des wichtigen und unwichtigen', die er bei Ellis vermiszt, selbst besitze.

Zweiter klagepunkt: 'die erklärungen sind noch bedenklicher als der apparat.' zur begründung soll 'eine probe' genügen:
'die fabel (13) de hirco et tauro ist wie fast alle eine verballhorni-
sierte nachahmung des Babrios .. aber Ellis macht die sache unnötigerweise noch zehnmal schlimmer und hat offenbar keine
ahnung davon.' quid dignum tanto feret hic promissor hiatu?
hören wir ihn selbst: 'bei Babrios flieht der stier vor dem löwen in
eine höhle, erträgt dort .. die übermütige behandlung eines ziegen-
bocks [gen. subj.] und droht nur sich nach vorübergegangener gefahr zu rächen. bei Avian schrickt der stier schon vor den gefällten
hörnern (obliquo ore) eines den eingang wahrenden bockes zurück..
Ellis' erklärung .. läszt ihn aber gar vor «einem seitlichen blicke»
des gegners zurückfahren.' — Warum macht der rec. hier Ellis allein
verantwortlich für die alte erklärung, die aus Cannegieters commentar
übernommen ist? und ist die vom rec. vorgeschlagene interpretation
von obliquo ore wirklich notwendig oder auch nur wahrscheinlich?
hat nicht der rec. vielmehr die bei Babrios klar ausgesprochene vorstellung (τὸν ταῦρον ἄντα τοῖϲ κέραϲιν ἐξώθει) in den mindestens
undeutlichen ausdruck des Avianus (der sich weit von dem schwerlich direct benutzten griech. original entfernt) vorschnell hineinge-
getragen? doch hören wir weiter: 'bei Avian bleibt der stier
drauszen. Lachmann und Fröhner lassen ihn nun de calle .., Ellis ..
mit den hss. de valle sprechen, was gar keinen sinn gibt. auch läszt
Ellis nicht wie die andern hgg. den stier erst drohen und dann davon
gehen, obit longinqua locutus, sondern erst gehen und dann eine rede

---

[1] eher liesze sich die typographische anlage des apparates beanstanden, da die stets gleichen zwischenräume zwischen den verschiedenen varianten die übersicht mehr erschweren als erleichtern, ganz
wie im Orientius: vgl. Wissowa in den Gött. gel. anz. 1889 n. 8 s. 293.
[2] 13, 7 hätte Ellis als urheber von longinqua Lachmann nennen
sollen für Fröhner.

halten.' — Die 'andern hgg.' sind Lachmann und Fröhner. ihre schreibung *tristis obit longinqua fugax, de calle locutus* ist an und für sich wohl verständlich. aber die überlieferung ist an zwei stellen geändert; und wäre es nicht doch mehr als wunderlich, wenn der fliehende stier erst noch vor dem eingang 'eine rede hielte'? da ist es schlieszlich doch vernünftiger, wenn er das bei der flucht oder nach der flucht thut. was Ellis dann weiter über 'the protracted sound of bull's bellow' bemerkt (zur erklärung von *longumque*), kann sich der unterz. freilich ebenso wenig aneignen wie der rec.; aber in welchem commentar fänden sich nicht solche 'tote punkte'?

Dritter klagepunkt: die grammatischen ausführungen, welche, so weit sie von Ellis herstammen, zum teil völlig unbrauchbar sein sollen. begründung: '10, 5 schreibt Ellis *praeflant* für *perflant* und bemerkt dazu unter dem texte: '*praeflant* scripsi, nam ab adverso ventus flabat.' — Diese bemerkung ist in der that nicht recht verständlich. aber Ellis schreibt *praeflant* nicht für *perflant* (das ist conjectur, in der vulg. wie im Ashburn.), sondern für ein dem archetypus zu vindicierendes *praestant*: was der rec. hätte berücksichtigen sollen. denn eben die überlieferte lesart *praestant ridiculum* = *ridiculum reddunt* hat auch Ellis im commentar durch eine verdienstliche samlung von beispielen erklärt und gerechtfertigt. das ist die hauptsache. auffällig ist es nur, dasz Ellis im texte *praestant* nicht beibehalten hat. ich vermute, er stand unter dem banne seiner vorgänger und hat die richtige erklärung erst beim drucke des commentars gefunden. jedenfalls hat man kein recht das verfehlte hervorzuheben und das nachträglich gegebene bessere zu verschweigen. — Weiter: '17, 7 gibt E. nach einer einzigen hs.: *venator transegit vulnere ferrum*, und sagt dazu: «solch ein ablativ ist häufig nach *transigere*», stellt also die unsinnige ausdrucksweise auf éine stufe mit *tempus aliqua re transigere*.' — Hier hat der rec. Ellis nicht verstanden und seine worte zu verstümmeln sich nicht gescheut. da im folgenden verse *praestrinxitque citos hasta cruenta pedes* das geschosz (*hasta*) subject ist, nimt Ellis auch im vorhergehenden gliede den entsprechenden begriff (*ferrum*) als subject an, nicht *venator*, wie der rec. ihm unterschiebt: *et simul emissum transegit vulnere ferrum praestrinxitque citos hasta cruenta pedes*, dh. 'und zugleich durchbohrte [ihn] das entsandte eisen mit der wunde (vgl. Verg. *Aen.* II 529. V 110), und die blutige lanze hemmte die hurtigen füsze.' man kann fragen, ob das nicht zu künstlich ist und ob nicht eine correctur in der richtung der vulg. vorzuziehen sei. aber die 'unsinnige ausdrucksweise', von der in der recension die rede ist, hat hr. Heidenhain ganz allein ausgeheckt.

Vierter klagepunkt: 'die einleitung macht zu einer litterarhistorischen oder ästhetischen würdigung des dichters nicht einmal einen versuch. unseres alten Nevelet wegwerfendes urteil wird allerdings angeführt, aber lediglich auf die sprache bezogen, deren dichterisches gepräge dann den vorwurf völliger wertlosigkeit entkräften

42*

soll: als ob zu Avians zeit nicht die sprache selbst für den dichter
gedichtet hätte.' — Als ob das Ellis nicht selbst gewust und gesagt
hätte! und als ob bei einem so mittelmäszigen schriftsteller von
einer 'ästhetischen' würdigung im höhern sinne die rede sein könnte!
Ellis hat sich mit recht auf eine besprechung der formellen seite beschränkt und dem rec., der ja beiträge zur geschichte der 'ästhetischen' Homerkritik geschrieben hat, vorausahnend und bescheiden
die höhere 'ästhetische' würdigung überlassen, die wir wohl noch
von ihm erwarten dürfen. doch hören wir erst die peroratio: 'übrigens ist eine gerechte würdigung Avians nicht ganz leicht: die
unter dem titel *apologi Aviani* bei Fröhner (nicht bei Ellis) mitgeteilten auszüge bestätigen zwar einerseits die fehlerhafte, weil dem
zweck der fabel widerstreitende [NB.] neigung zu malerischer ausführung des stoffes .. sie zeigen aber auch anderseits, dasz die vorlage des epitomators nicht so unverständig und zusammenhanglos
gewesen sein kann als [so] der Avian, den wir heute besitzen.' das
wird ἀπὸ τρίποδος mit dem tone der grösten überlegenheit vor-
getragen wie eine unumstöszliche wahrheit. aber hier vor allem
zeigt der rec., dasz er von der hauptfrage selbst 'offenbar keine
ahnung hat': und dabei scheut er sich nicht über dinge, welche er
nicht ordentlich untersucht hat, mit den verblüffendsten behauptungen los zu orakeln. Ellis selbst s. XL rechtfertigt die unter-
drückung dieser excerpte: er bemerkt, dasz die *apologi* nicht alten
datums sein können, weil sie epimythien und sonstige zusätze der
interpolierten jüngern hss. enthalten. dieses ungünstige urteil ist
vollkommen gerechtfertigt, ja es hätte noch schärfer lauten sollen.
der unterz. hat in der hoffnung irgend etwas brauchbares zu finden
— wie es zb. die Babriosparaphrasen enthalten — diese Avianauszüge
einmal bei gelegenheit durchgearbeitet. er hat aber mit dem besten
willen οὐδὲν ὑγιές entdecken können als ein paar hübsche, meist
auch von Ellis angeführte lesarten (zb. 23, 11 für *sacri* das von Lachmann vermutete *Bacchi* oder 29, 22 *gerit* [Lachmann *gerat*] für *ferat*),
die aber vielleicht doch nur interpolation oder conjectur sind, wie
zweifellos die weitaus überwiegenden schlechten varianten.[3] alle in
der urform erhaltenen stücke der *apologi* decken sich dem umfange nach genau mit der vulgata Avians; wo sie in der anordnung
der verse abweichen, liegen umstellungen und contaminationen vor.[4]

---

[3] vgl. 1, 13 (= ·*Pet.*[2] *B*), 15 (*iocari*), 2, 16 (*nimis alta* für *meliora*),
7, 17 (*ostendetur*, vgl. *Pet.*[2] *OP*), 10, 11 (*mirum est'*, *inquit* für *mirum'*,
referens), 13, 10 (*immo hunc*, für *illum*), 16, 77 (*ventus* für *nimbus*), 21, 11
(worte umgestellt), 22, 19 (*fortunis* für *proventis*), 24, 13 (*o* für *quod*).
29, 22 (wortumstellung), 20 (*expulsumque inde* für *et pulsum silvis*), 36, 13
(*ecce tibi* für *hanc tibi*, vgl. zu 24, 13), 42, 8 (*heu nisi* für *quod nisi*, vgl.
24, 13). manche dieser änderungen erklären sich daraus, dasz in
den zum teil verkürzten *apologi* die versanfänge die rechte beziehung
verloren haben. über den schlusz von 2 s. s. 651 f.).   [4] vgl. die verse
in fabel 5 (= epimyth. + [interp.] promyth.), 6 (interp. epim. bei Fröbner
s. 50), 7 (schlusz + prom.), 8 (epim. + prom.), 10 (schlusz + interp.

aber auch in den prosaischen partien der *apologi* finden sich keine irgendwie erhebliche zusätze.[5] die behauptung des rec., dasz die vorlage des epitomators 'nicht so unverständig und zusammenhanglos' gewesen sei wie 'der Avian, den wir heute besitzen', ist einfach aus der luft gegriffen. sie ist ein würdiger abschlusz für dies muster einer kritik, wie sie nicht sein soll. denn in der that, das ist diese anzeige, wenn es anders die aufgabe einer recension ist, ein gesamtbild von dem zu geben, was der verfasser geleistet hat. einige schwächen, welche der arbeitsweise von Ellis anhaften, hat der rec. beobachtet; ein körnchen wahrheit ist in den drei ersten klagepunkten enthalten. aber was hat er alles verschwiegen! und damit kommen wir zu dem erfreulichern teile unserer verhandlung.

II.

In der vorrede betont Ellis, dasz er in ergänzung der letzten arbeiten von Fröhner und Baehrens es vor allem als seine aufgabe ansehe, für die erklärung des dichters zu arbeiten. sehr mit recht. seit 1731 ist in dieser richtung wenig geschehen; und wer in den spreuhaufen bei Cannegieter nach den guten körnern zu suchen gelegenheit gehabt hat, der weisz, wie wünschenswert ein ersatz für diesen 'commentar mit hindernissen' sein musz. aber nicht nur unhandlich ist der Cannegietersche commentar, wie viele andere, sondern von grund aus verfehlt, da er den falsch angesetzten Avianus aus den schriftwerken der Augustischen zeit zu erklären unternimt. diesen fehlgriff erkannt und wieder gut gemacht zu haben ist ein hauptverdienst von Ellis (vgl. pref. s. VIII). sein 'commentary', der den weitaus grösten teil des buches einnimt (s. 47—132), steht durchaus auf eignen füszen. in systematischer lectüre ist die römische und griechische litteratur der spätern kaiserzeit ausgenutzt, und man wird wenige seiten finden, auf denen nicht irgend welche neue und nützliche funde aus jenen gebieten mitgeteilt wären. auch die griechische fabellitteratur — insbesondere Babrios, die hauptquelle dieser samlung — ist fleiszig, wenn auch nicht überall ausreichend herangezogen. hierin erkennt ref. dankbar ein bleibendes verdienst und meint, dasz ein kritiker, der darüber mit einer halben zeile hinweggeht, 'offenbar keine ahnung hat, worauf es ankommt'. dasz bei dem unglaublich gequälten und verschrobenen stile dieses 'dichters' manche stellen nach wie vor unklar und zweifelhaft bleiben, verschlägt dem gegenüber ebenso wenig wie ein gelegentlicher fehl-

---

epim. bei Fröhner s. 50), 11 (schlusz + interp. epim. bei Fröhner s. 50), 12—21. 29 (ähnlich, vgl. Fröhner s. 51 f. 54), 34 (schlusz + prom.) usw.
    [5] ein neuer zug ist in f. 4, dasz sich der wanderer *sub umbra cuiusdam arboris* niederstreckt; Babrios weisz davon nichts. die einführung der Cybele für Tellus in f. 12 zeigt übrigens, dasz der epitomator ein gelehrter mann war, der in der mythologie bescheid wuste. ebenso läszt er f. 6 den frosch an *ictericia* leiden und gebraucht fremdwörter wie *cauma* und *syncoptizans* (4. 9).

griff in der erklärung, der wohl zumeist (vgl. f. 13) auf dem bestreben beruht, zu viel und zu genau interpretieren zu wollen.[6] eine
willkommene ergänzung des commentars ist der nach Rutherford-
schem muster angelegte index verborum, den Bradburne beigesteuert
hat. bei gelegentlicher benutzung gewann ref. den eindruck, dasz
er zuverlässig und in gewissen grenzen vollständig ist. leider nur in
gewissen grenzen. denn etliche besonders häufig vorkommende wörter sind weggelassen: so fehlt zb. *et* und *que*, während *atque* verzeichnet ist. an der zweckmäszigkeit dieses verfahrens läszt sich
zweifeln. specialwörterbücher sollen doch vor allem auch der sprach-
geschichte dienen, und dem sprachstatistiker kann auch bei solchen
gewöhnlichsten wörtern und wörtchen das zahlenverhältnis der fre-
quenz wichtig werden. ref. wiederholt hier also den vorbehalt, den
er bei dem verdienstlichen wortindex in Rutherfords Babrios im
philol. anz. XIV (1884) s. 180 f. ausgesprochen hat. auf alle fälle
aber hätten die wörter, von denen keine vollständige beispielsamlung
gegeben ist, verzeichnet und die etwa vorkommenden besondern ge-
brauchsarten angemerkt werden sollen.[7]

Wir wenden uns zu den p r o l e g o m e n a, von welchen wir bei
dem rec. der wochenschrift so gut wie nichts hören.

Das erste capitel behandelt die frage nach dem z e i t a l t e r des
Avianus. über den namen schwanken zwar die hss., doch weist die
bessere überlieferung auf die form AVIANVS. ein anhalt läszt sich
damit nicht gewinnen, da diese, wie die verwandten namensformen,
zu häufig nachzuweisen sind. erst durch eine combination mit dem
angeredeten *Theodosi optime* darf man weiter zu kommen hoffen. der
kaiser kann in der höchst zwanglosen widmungsepistel nicht gemeint
sein (Ellis s. XII ff.); alles dagegen spricht für Theodosius M a c r o -
b i u s, wie auch Ellis nach dem vorgange von Pithou und Unrein
annimt und etwas umständlich, unter eliminierung aller andern möglichkeiten, zu beweisen sucht. darauf hin wird dann der *Avianus*
(oder *Avienus*) der fabel-hss. mit dem *Avienus* (oder *Avianus*) der
Saturnalien identificiert. völlig überzeugend ist diese combination
nicht, so geschickt sie Ellis vorzubereiten weisz; man kommt doch
schwer darüber hinweg, dasz die bessere überlieferung bei dem fabel-
buche weitaus überwiegend auf die form *Avianus*, bei den Saturnalien
ausschlieszlich auf die form *Avienus* führt. noch unsicherer scheint
der versuch das alter dieses Avienus oder Avianus nach den Saturnalien genau zu fixieren oder reminiscenzen an Avianus bei Ausonius
und Symmachus nachzuweisen (s. XIX).[9]

---

[6] vgl. oben s 642 f. bedauerlich ist es, dasz der reiche inhalt der
anmerkungen nicht, wie in Rutherfords Babrios, durch ein alphabeti-
sches register leichter zugänglich gemacht ist.   [7] *autem* scheint Avianus
gemieden zu haben.   [8] vgl. auch philol. anz. XVII s. 488.   [9] Ellis
scheint hier in der annahme von reminiscenzen ganz ebenso ὑπὲρ τὰ
ἐϲκαμμένα hinausgeraten zu sein wie in seinem Orientius: vgl. Wissowa
in den Gött. gel. anz. 1889 n. 8 s. 293.

Das zweite capitel gilt der prosodie Avians. die metrisch-
prosodische technik ist im wesentlichen correct, zeigt aber auch nach
abzug der epimythien einzelne starke abweichungen von der classischen gewohnheit. man sieht, wie lange die schultradition vorge-
halten hat, ohne jedoch ein gelegentliches ausderrollefallen ganz verhüten zu können — τῇ φύcει γὰρ ἡττήθη. Ellis ist übrigens geneigt
dem dichter in dieser beziehung eine gröszere correctheit zuzutrauen,
als sie der unterz. aus der überlieferung herauslesen kann. beispielsweise möchte ref. die kurze silbe und den hiatus in der commissur
des pentameters nicht so mistrauisch behandeln wie Ellis. über
diese und ähnliche fragen hat Unrein, durch dessen fleiszige arbeit
Ellis wesentlich gefördert worden ist, ganz richtig geurteilt.

Der abschnitt über die sprache enthält s. XXX ff. vorberei-
tende untersuchungen über die echtheit der einzelnen teile. während
die vorsichtige behandlung der epimythien, die nur zum teil beanstandet werden, vollen beifall verdient, hat mich Ellis s. XXX durchaus nicht überzeugt, dasz f. 23. 35. 38 zweifelhaft oder unecht wären.
diese stücke stehen in ganz demselben verhältnis zu Babrios wie
die andern, und zeigen trotz einiger anstösze[10] im ganzen denselben
ton; die summe der fabeln in unsern hss. ist dieselbe wie die im
prooemium genannte, zweiundvierzig: das alles entzieht meines erachtens dem von Ellis ausgesprochenen zweifel den boden.[11] auch bei
der übersicht über die sprachlichen eigentümlichkeiten s. XXXVI ff.
haben die samlungen und nachweisungen Unreins gute dienste geleistet. doch ist nicht nur die anordnung das eigentum des hg.,
sondern auch manche interessante einzelheit. sprache und stil des
dichters ist gleich zu anfang s. XXX f. kurz und treffend charakterisiert. je anschaulicher Ellis den kampf der beiden elemente, aus
denen sich die darstellung Avians zusammensetzt — rcminiscenzen
an die classiker, besonders Vergilius, und vulgarismen — zu schildern weisz, desto mehr musz es wunder nehmen, dasz er die gleiche
zwiespältigkeit in der metrisch-prosodischen technik nicht nach gebühr zur geltung bringt. eins wünschte übrigens der ref. schärfer
hervorgehoben zu sehen: dasz nemlich der vorherschende Vergilische
stil zu dem nichtigen inhalte wenig passt und oft in seiner unfrei-
willigen komik nahezu den eindruck einer parodie macht (beispiele
im philol. anz. XVII s. 489).

An letzter stelle steht eine übersicht der handschriften. im
ganzen baut Ellis auf der von Fröhner und Baehrens geschaffenen
grundlage weiter; neu herangezogen sind Oxforder hss., ferner hss.
aus dem British Museum, der Bodleiana und aus Trèves. Ellis schätzt
von diesen am meisten einen Harleianus (B) und Trevensis (T).
leider enthält dieser abschnitt nicht viel mehr als eine aufzählung

---

[10] doch lassen sich diese meist ohne mühe beseitigen, wie aus den
unten beigegebenen nachträgen hervorgehen wird.   [11] auch bei Babrios
sind alle versuche fabeln des Athous als gefälscht nachzuweisen mis-
lungen, vgl. de Babrii aetate s. 216 f.

mit den notwendigsten bibliothekarischen notizen; man musz bedauern, dasz Ellis nicht durch kurze vergleichende proben sein urteil anschaulich begründet hat. die geringen hss. aus dem British Museum hätten wohl mehr zurücktreten oder ganz bei seite bleiben können. wenigstens hat ref. sich nicht zu überzeugen vermocht, dasz zb. *b* (21213) oder *b*³ dem hg. nutzen gebracht hätte; im gegenteil haben sie ihm in etlichen fällen (zb. 12, 7) eine falsche richtung gegeben.

Blicken wir auf das in den prolegomena gebotene zurück, so läszt sich eine frage nicht abweisen: wäre der ganze stoff nicht besser in umgekehrter reihenfolge behandelt? der bericht über die hss. bildet die grundlage der höhern wie der niedern kritik. die darlegungen über sprache, prosodie, metrik weisen deutlich auf späte zeit hin; dadurch erst gewinnen wir die berechtigung in Theodosius den Theodosius Macrobius zu sehen und keinen andern. bei der jetzigen anordnung hat es zunächst den anschein, als ob die bemerkungen über das zeitalter des Avianus nicht auf festen füszen stünden. auch sonst hat Ellis seine gelehrten ausführungen nicht immer in der günstigsten gruppierung erscheinen lassen. zu dem prosodischen abschnitt wird eine einleitung gegeben, welche mit ihren litterargeschichtlichen combinationen ganz wesentlich in die chronologischen fragen hinübergreift; und den metrischen excurs im 3n capitel s. XXXV ff. sähe man gern mit dem prosodischen abschnitt zusammen ausführlich verarbeitet, während die echtheitsfrage s. XXX ff., gleich wichtig für alle abschnitte, eine gesonderte und einläszliche behandlung verdient hätte. kurzum, ref. kann die besorgnis nicht unterdrücken, dasz Ellis durch diese anordnung die wirkung, welche seine erhebungen machen könnten, für den ersten blick einigermaszen beeinträchtigt hat. das mag mit daran schuld sein, dasz der rec. der wochenschrift über die prolegomena so gut wie nichts mitzuteilen weisz. vermiszt hat ref. in den proleg. besonders eins: eine zusammenfassende darstellung über das verhältnis Avians zu den fabeln des Babrios. Ellis weist s. XXII und sonst die hypothese des ref., dasz Babrios nicht direct, sondern nur durch vermittlung der lateinischen paraphrase des Titianus benutzt worden sei, kurzer hand ab. die art, wie die Babrianischen stoffe bei Avianus behandelt oder vielmehr mishandelt sind, scheint dem ref. auch heute noch diese durch andere dinge ins leben gerufene vermutung nachdrücklich zu unterstützen. vgl. philol. anz. XIV s. 179 f., unten s. 649 f.

Die textgestaltung zeichnet sich; im gegensatz zu den drei neuern versuchen, durch grosze zurückhaltung aus. ref. von seinem standpunkt aus würde noch zurückhaltender gewesen sein. immer noch sind manche änderungen nicht nur vorgeschlagen, sondern auch in den text gesetzt, für die bei diesem höchst mittelmäszigen versmacher kein zwingender grund vorliegt[12]; auch ist das kreuz, als

---

[12] zb. 13, 12 *censor | si* für *censor | ut* wegen der syll. anc. im pentameter, aus ähnlichem grunde 22, 4. 27, 10 (wo mir das vorgeschlagene

zeichen der ungeheilten verderbnis, häufig auf stellen gepflanzt, die lediglich verschroben und unschön sind oder die syllaba anceps in der mitte des pentameters zeigen.[13] doch ist in vielen fällen im commentar die unterdrückte oder beanstandete lesart noch zu ihrem rechte gekommen. ref. hatte oft den eindruck, als ob δεύτεραι φροντίδες den hg. eines andern und bessern belehrt hätten, wenn auch selten die in den text gesetzte schreibung geradezu widerrufen wird.[14] die conjecturen des hg. sind durchweg paläographisch sehr elegant. dabei unterliegt er freilich an etlichen stellen 'dem fehler seiner tugend', indem er auf die buchstabenähnlichkeit zu viel, auf die bedeutung zu wenig wert legt, zb. 21, 5, wo die anrede *acredula* doch gar zu gesucht ist, während das überlieferte *credula . . vox* immerhin einen sinn gibt; ähnlich 11, 8 *solidam* für *solitam* (trotz v. 5), 23, 11 *sacri*, 31, 7 *lusor* uö. aber mehr als éinmal sind ihm wirklich glänzende und, was wichtiger ist, überzeugende besserungen geglückt. dahin wird man rechnen dürfen 7, 14 *cingula . . moves* für *singula . . mone*[*n*]*s*; 9, 5 *per inseptum* (nach Paulus s. 111 M.) für *per inceptum*; 22, 15 *sic . . ut* für *ut . . ut*; auch 3, 4 *emonuisse* für *praemonuisse* uä. die interpunction gibt hie und da anlasz zur nachhilfe. so wird man 15, 3. 4 in parenthese stellen müssen; hinter 20, 12 gehört ein anführungszeichen, wie hinter 37, 18 (vgl. s. XLIII) und vor 37, 7, während dasselbe zeichen hinter 20, 5 zu tilgen ist.

III.

Zum schlusse per saturam noch einige bemerkungen, durch welche einzelheiten bei Ellis gebessert oder ergänzt werden sollen. S. XXII nimt Ellis an, dasz Titianus, der übersetzer einer *Aesopia trimetria* (Ausonius *ep.* 16), nicht den Babrios, sondern 'a version in ordinary iambic trimeters like those which diversify the . . prose of Halm's collection . .' vor sich gehabt habe. E. würde dies nicht vermutet haben, wenn er sich nach dem ursprung jener Halmschen fabeln umgethan hätte; der treffliche Halm, der hier unterschiedslos zusammenwarf was er bei den ältern vorfand, liesz ihn freilich im stich. abgesehen von Aesop. fab. 20, die von modernen gelehrten einfach aus Aristophanes Wespen herübergenommen ist, sind die von Ellis angeführten nummern byzantinischen ursprungs, zumeist aus der tetrastichischen Babrios-epitome des Ignatios. von einer lit-

---

cornix für die allgemeine sentenz zu speciell erscheint); 24, 4 *fronte* für *forte*. auch 15, 8. 16, 17. 32, 11 (es war wohl *mostris* geschrieben; *brevibus m.* ist vielleicht absichtliches oxymoron).

[13] zb. 2, 10 (s. unten s. 651 f.). 7, 4. 8. 12, 7. 29, 8 (35, 5 ist allerdings schwerlich in ordnung). 38, 7. 12. wegen der commissur des pentameters sind mit dem kreuze behaftet 28, 12. 38, 5. 41, 8.   [14] vgl. prooem. v. 9 und s. 50; 7, 4 und s. 63; 10, 5 und s. 69 (oben s. 643); 18, 9 und s. 83; 30, 5 und s. 107; 41, 16 und s. 128. ein auffälliges schwanken des urteils macht sich öfter bemerkbar; wiederholt ist es (wie zb. 7, 4. 41, 16) eine naheliegende conjectur, die Ellis an der vollen würdigung des von ihm selbst ausgesprochenen richtigen hindert.

terarisch verbreiteten *Aesopia trimetria* aus der zeit des Ausonius und Titianus ist keine spur erhalten, und ebenso wenig war eine ältere in umlauf, da Babrios sich ausdrücklich als den ersten bezeichnet, der die prosa des Aisopos in iamben gebracht habe. nehmen wir dazu noch die thatsache, dasz ein zeitgenosse des Ausonius, Julian, die mythiamben des Babrios als ein allgemein bekanntes buch citiert, so ist mit nahezu mathematischer gewisheit erwiesen, dasz Titianus den Babrios übersetzt hat.

Danach gestalten sich dann die vorbedingungen, von denen aus das verhältnis des Avianus zu Babrios beurteilt werden musz, wesentlich anders als Ellis annimt. auch das wichtige selbstzeugnis in dem prooemium gewinnt eine andere beleuchtung. die schwierige stelle lautet (s. 1, 9 ff. E.): *verum has pro exemplo fabulas et Socrates divinis operibus indidit et poemati suo Flaccus aptavit . . quas Graecis iambis Babrius repetens in duo volumina coartavit; Phaedrus etiam partem aliquam quinque in libellos resolvit. de his ego ad quadraginta et duas in unum redactas fabulas dedi, quas rudi Latinitate compositas elegis sum explicare conatus.* Ellis tritt s. XXXIV und 51 für die alte auffassung ein, wonach Avianus direct aus Babrios geschöpft und mit den worten *rudi Latinitate compositas* seine eignen fabelentwürfe gemeint hat. aber unter diesen voraussetzungen sind die worte *de his ego . . dedi* schwer zu rechtfertigen; Avianus würde dann gegen besseres wissen den leser verleiten, ein engeres verhältnis zwischen ihm und Phaedrus anzunehmen, während bei ihm die von Phaedrus behandelten themata beinahe wie geflissentlich vermieden werden. wenn Avianus seine stoffe durchweg direct aus Babrios geschöpft hätte, würde er den Babrios wohl an letzter stelle genannt und damit sein *de his* an die rechte adresse gerichtet haben. die ganze vorrede sieht aus wie weisheit aus zweiter hand. schon deshalb ist es mir auch heute noch wahrscheinlich, dasz dem Avianus die prosaparaphrase des Titianus vorgelegen hat, welche nach Ausonius *exili stilo* geschrieben war. dazu stimmt aufs beste der charakter der worte *rudi Latinitate compositas.* Ellis verhehlt sich nicht, dasz es für den geschraubt feierlichen stil kaum eine weniger passende bezeichnung geben kann (s. XXXIV); im commentar meint er jedoch s. 51: 'rudi Latinitate need not be taken too literally. he speaks with the modesty of an unfledged author.' aber kann man solche bescheidenheit einem schriftsteller zutrauen, der von vorn herein *nominis memoriam* zu verewigen meint und seine versübungen erhebt als ein *opus quo animum oblectes, ingenium exerceas, sollicitudinem leves totumque vivendi ordinem cautus agnoscas?* aber wenn man auch noch so geneigt wäre den ausdruck 'weniger wörtlich' zu fassen: über den gegensatz zwischen *quas . . compositas* und *elegis . . explicare* kömmt man doch nicht hinweg. hier betont der 'dichter' allem anschein nach ganz wie Babrios, dasz er eine ihm vorliegende prosaversion in distichen gebracht habe. auch das führt auf die vermutung, dasz Titianus die directe quelle des Avianus gewesen ist. an dieser ansicht halte ich aber um so zuversichtlicher fest, als auch die geringe zahl der mit Babrios wirklich sich deckenden einzelheiten durch das dazwischen- schieben einer vermittelnden dritten grösze gut erklärt wird. — Den ausdruck *resolvit* bezieht Ellis s. 51 richtig 'to the distribution into a number of separate books'. wenn er aber sagt, dasz 'the whole number of Phaedrus' fables' kleiner sei als 'the Babrian col- lection even in its imperfect extant form', so hätte er vor allem die thatsache in rechnung stellen sollen, dasz der hsl. bestand der Phae- drischen fabeln sehr stark reduciert ist. LMüller und ThBirt hätten ihn hier besser beraten als Orelli und Hervieux.

S. XXX citiert Ellis eine Digestenglosse, welche *fabulam Aniani de societate leonina* kennt. diese fabel fehlt in unserm Avianus und hat im echten sicher nicht gestanden, da die zahl der stücke durch die vorrede bestätigt wird. Ellis gibt die möglichkeit zu, dasz ein gedächtnisfehler im spiele sei. es kann dem glossator aber auch eine erweiterte samlung nach art des 'Novus Avianus' vorgelegen haben, aus dem Fröhner etliche stücke hat mitteilen können. für die fabel selbst war neben Babrios 67 ganz besonders das classische alte zeugnis des Kydias PLG. III[4] s. 564 f. anzuführen.

S. 49 bespricht Ellis eine geschraubte stelle des prooemium, nach welcher bei der fabel *non incumbat necessitas veritatis*; zur erklärung zieht er des Babrios ἐλευθέρη μοῦϲα (prooem. I) heran, welche nach Ellis denselben gedanken ausdrücken soll. meine erklärung mit *oratio soluta*, dh. p r o s a (vgl. de Babrii aet. s. 163, die wendung *oratio libera* bei Apulejus *flor.* 15 s. 19 Kr.) kennt Ellis nur aus Rutherfords ausgabe; hätte er den dort angeführten gegensatz und die parallele des zweiten prooemiums mit in anschlag gebracht, so würde er sich kaum von uns getrennt haben.

Wenn Aisopos nach der praefatio *responso Delphici Apollinis monitus* als fabeldichter auftrat, so hat das schwerlich in den gelehrten Kallimachischen skazonten über die sieben weisen gestanden (wie Ellis vermutet s. 50), sondern es beruht einfach auf einer d o p p e l - v e r w e c h s e l u n g mit bekannten biographischen einzelheiten über Sokrates, der gleich darauf erwähnt wird. Avianus scheint hier einer schriftlichen quelle, vermutlich der praefatio des Titianus, mit dem verständnis eines Trimalchio zu folgen.

S. 53 meint Ellis, die thatsache, dasz die schildkröte dem adler 2, 3 die schätze des roten meeres verspricht, weise hin auf I n d i e n 'as the original home of the fable'. einen solchen einfall sollte man wenigstens nicht drucken lassen. denn diese einzelheiten der aus- schmückung sind ja lediglich erfindung des dichters, und die 'schätze des roten meeres' sind sprichwörtlich bei Griechen und Römern seit der besten attischen zeit: vgl. Aristoph. Vö. 144. Hedyle anthol. Bgk. s. 131. Tibullus II 4, 30. Claud. *in Eutr.* I 225 und andere von Ellis selbst angeführte stellen: s. de Babrii aetate s. 146, wo ähnliche fehlschlüsse abgewiesen sind.

Zu derselben fabel v. 10 billigt Ellis s. 55 die conjectur von

Baehrens *excidit infelix alitis ungue fero* für das überlieferte, im texte
mit einem kreuz gekennzeichnete *occidit i. a. u. f.* sicher aber passt
einzig *occidit* (in dem auch von Ellis erkannten sinne) zu *ungue fero*
und dem folgenden *tum quoque sublimis, cum iam moreretur, in auras
ingemuit*: wo *sublimis* gewis nominativ ist, nicht, wie Ellis lieber
annehmen möchte, acc. plur. die schildkröte stirbt (*occidit*) durch
die grausame kralle des adlers (*ungue fero*), und hoch oben (*sublimis*), während sie ihren thörichten wunsch erfüllt sieht, ist ihr
letzter seufzer (*cum . . ingemuit*), *votis haec licuisse suis*. [15] Avianus
hat auch hier die alte, aus der verbindung eines sprichwortes [16] mit
einem naturwissenschaftlichen παράδοξον [17] entstandene fabel nicht
genau wiedergegeben. wenn ihm dabei die hübsche und ausführliche erzählung des Babrios direct vorlag, ist das schwer verständlich; auch hier hilft zur rechten stunde die hypothese aus, dasz der
dichter aus einer kürzern und weniger anschaulichen lateinischen
prosaparaphrase schöpfte.

    S. 57 bringt Ellis zu 4, 1 *inmitis Boreas placidusque ad sidera
Phoebus iurgia cum magno conseruere Ioue* ein bei Macrobius erhal-
tenes excerpt aus einem griechischen (stoischen?) theologen, welcher
die götter für *sidera* erklärt, als 'a curious parallel'. danach deutet
Ellis *ad sidera* nach analogie von *ad censores dicere* usw. und übersetzt 'before the stars with supreme Jupiter as arbiter', 'vor dem
tribunal der sterne unter dem vorsitz des Juppiter'; ebenso bezieht
er die v. 15 genannten *praesentia numina* auf 'the stars and Jupiter'.
dieser neue erklärungsversuch ist geistreich und originell. aber man
kann sich schwer des verdachtes erwehren, dasz die phrase *iurgia
ad sidera conserere* lediglich nach der schablone des Vergilischen
voces ad sidera iactare (*ecl*. 5, 62) gebildet ist; *iurgia iactare* steht
Aen. X 95.

    S. 59 behauptet Ellis unrichtig, die Avianische fabel vom 'esel
im löwenfell' stehe Aesop. H. 333 [b] am nächsten. diese aus Lukianos

---

    [15] so ist die stelle — was wohl der erwähnung wert gewesen wäre
— auch in den verschiedenen umdichtungen des Novus Avianus bei
Fröhner s. 59 aufgefaszt. die prosaparaphrase s. 68 dagegen hat die
ältere und bessere version, was aber nichts beweist, da dieser paraphrast auch einen aus Phaedrus geschöpften 'Aesopus' (zu f. 37 s. 82
citiert er *hanc fabulam in Aesopo de cane guloso et lupo libertatem laudante*
= Romulus III 15 s. 73 Oesterley, Phaedrus III 7) mit benutzt hat, in
welchem wir den schlusz in der ursprünglichen fassung finden (Phaedrus
II 6, Romulus I 13 s. 46, dessen worte *ut cornua fracta utamur esca*
vielleicht dem paraphrasten [*confracta periit tabescendo*] vorgelegen
haben). [16] anth. Pal. XI 43, 6 θᾶττον ἔην λευκοὺς κόρακας πτηνάς τε
χελώνας εὑρεῖν . ., Claud. adv. *Eutr*. I 352 *iam testudo volat, profert iam
cornua voltur*: eine wendung περὶ ἀδυνάτου, wie λύκου πτερά Zenobios
I 87 (Miller): vgl. die τανύπτεροι λύκοι neben der χελώνη Krat. fr. 29
s. 139 K. [17] vgl. Ailianos π. ζώων VII 16. Plinius X 3 und die im
rhein. mus. XXXVII 308 behandelte tradition über den tod des Aischylos.
auf einem bildwerke habe ich eine bezugnahme auf die fabel nachgewiesen im Philol. XLVII (I) 185. mehr bei Liebrecht 'zur volkskunde'
s. 111, Benfey Pantsch. I 241. II 532.

ʽΑλιεύς 32 entlehnte version localisiert die geschichte in Kyme; der hauptwitz ist in ihr, dasz erst ein fremder (ξένος) den esel erkennt: und der gerade fehlt bei Avianus. es verstand sich eigentlich von selbst, dasz auch hier als ersatz für die urform die Bodleianische paraphrase mitgeteilt werden muste, mit welcher Avianus auch in der katastrophe genau übereinstimmt.

S. 65 nennt Ellis nach Furia als parallele zu der fabel vom begehrlichen kamel (8) einen ʽapolog aus dem Misopogon des Julian'. wir haben jetzt ja aber das original des Babrios, welches Julian benutzte, f. 73. darauf muste hingewiesen werden.[18] in v. 6 wird sehr richtig die lesart (camelum) isse per auras verteidigt durch hinweis auf Lukianos Ikaromen. 10 Αἴcωπος ἀετοῖc καὶ κανθάροιc ἐνίοτε καὶ καμήλοιc βάcιμον ἀποφαίνων τὸν οὐρανόν. das ʽurkamel' der fabel musz dann flügel besessen haben, wie der cτρουθοκάμηλος, dessen name eine solche annahme begünstigt. Juppiter nahm sie dann wohl dem überlästigen bittsteller ab, zugleich mit dem μέρος τῶν ὤτων.

S. 92 stellt Ellis mit der fabel vom bildner und Hermes (Av. 23 = Babr. 30) Aesopea H. 55 zusammen. aber die ähnlichkeit des schlusses ist doch gar zu äuszerlich, die tendenz, nach welcher der zweifler vom orakel entlarvt wird, die entgegengesetzte. dasz in der fabel 23 ein ʽpoint of view peculiarly . . Christian' stäke, wie Ellis s. XXI annimt, ist schwer abzusehen. die erzählung ist doch zug um zug aus Babrios 30 übernommen; der grundgedanke aber — dasz es thorheit sei, ein χειροτέχνημα als gott zu verehren — ist oft genug in den kreisen griechischer philosophen erörtert worden: vgl. Zenon bei Plut. de stoic. repugn. 6 s. 1034 ᵇ und de superst. 6 s. 167 ᵉ εἶτα χαλκοτύποιc μὲν πείθονται (die δεισιδαίμονες) καὶ λιθοξόοιc καὶ κηροπλάcταιc ἀνθρωπόμορφα τῶν θεῶν τὰ cώματα εἶναι usw. und Lucilius XV 4 ff. M. (354 s. 191 B.) mit den bemerkungen von FMarx studia Luciliana s. 17.

Für die fabel vom knaben und dem diebe (25), deren modell Ellis s. 97 im Philogelos sieht, bieten meines erachtens die Aesopea alle nötigen anhaltspunkte. wie der knabe den dieb mit trügerischen versprechungen in den brunnen hinunterlockt, so lockt ἀλώπηξ πεcοῦcα εἰc φρέαρ den bock zu sich, um ihn in der von Ailianos π. ζώων VIII 15 geschilderten weise als trittbrett zu benutzen (Aesopea 45 H. = 4 Fur., kürzer Cor. s. 6 = Bodl. 134, Babr. Ebh. 145). an die stelle der tiermasken hat Avianus oder seine quelle menschen treten lassen, und zwar den παῖc κλέπτης der fabel (351 H., vgl. 352. 353).

Ganz ähnlich steht es mit f. 30, die Ellis nicht richtig beurteilt hat. das herliche märchen vom ʽhirsch ohne herz' (Babr. 95) ist hier freilich stark entstellt; für den epischen erzählerton, den Babrios vielleicht dem Archilochos abgelauscht hatte, besitzen diese spätlinge kein

---

[18] auch die s. 75 zu 14 aus den Aesopea angezogene fabel findet sich bei Babrios 72.

ohr mehr. der inhalt der Babrianischen fabel, die sich unter einen der verbreitetsten märchentypen einreiht, ist bekannt. der fuchs lockt den hirsch erst vergebens, dann mit erfolg in die höhle des alters- schwachen löwen. aber der löwe lohnt ihm schlecht; das ganze leckere mahl verzehrt er selbst, und dem beitreiber gelingt es nur hinter des herrn rücken das herz der beute zu erhaschen. das märchen [19] ist vor allem auf den boden der novelle gestellt: der herr eines land- gutes und sein koch treten für den löwen und fuchs ein, und der hirsch macht dem wildschwein platz. merkwürdig ist es, dasz wir die schluszscene — wie der koch den herrn betrügt — in einem um- fänglichen excerpt aus den Ἀδελφοί des Euphron (Kocks CAF. III s. 317, bei Athen. IX 379) wiederfinden; auch die 'Planudeische' fabel vom κύων καὶ μάγειρος Aesop. 132 H. gehört hierher. solche typen mögen bei der umgestaltung des stückes mitgewirkt haben. die einführung des *sus segetes vastans* (vgl. Ov. *fast.* I 350. Ailianos π. ζώων X 16. Aischylos fr. 311 N.) ist eine natürliche folge dieses rollenwechsels; auch hier kann eine reminiscenz, etwa an das auf- treten des cῦc ἄγριος in der berühmten 'Stesichoreischen' fabel Bodl. 117 (= Babr. 179 Ebh.) mit im spiele sein. übrigens sind alle hauptzüge, nicht nur 'the joke with which it ends' bei Avianus wiederzuerkennen; vor allem entspricht dem verstümmeln des ohres bei Avianus (v. 2. 6) das zerreiszen des ohres bei Babrios 95, 40. 71 und in dem alten, in peripatetischen quellen benutzten tiermärchen (de Babrii aet. s. 214). dasz man in Salamis auf Kypros einem in der feldmark angetroffenen wildschwein einen denkzettel mitgab, indem man ihm einen 'kennzahn' (γνώμων: vgl. Babrios 95, 17?) ver- stümmelte, wissen wir aus Ailianos π. ζώων V 45 (daraus Eusta- thios, den Ellis nach Gruters Lampas citiert); einen ähnlichen brauch berichtet Peschel entdeckungsreisen s. 456. verkehrt ist es übrigens, wenn Ellis s. 105 versichert, die gleichsetzung von *cor* = herz und *cor* = verstand sei 'a Roman, not a Greek play of words'. das herz ist, entsprechend dem satze dasz 'des menschen leben im blute ist', bei den Griechen wie bei den Römern und den meisten andern völkern (Lippert religionen der culturvölker s. 53 ff. 265. 287) vor allem sitz der seele [20] und in consequenz davon auch sitz des verstandes oder besser der überlegung: denn unsere abstracte trennung der 'seelen- vermögen' kannte die antike volksphysiologie kaum. gerade für die ältesten zeugnisse ist vielmehr, wie WSchrader jahrb. 1885 s. 152 fein bemerkt hat, 'ein gemisch von denkender erwägung und leiden- schaftlicher neigung' charakteristisch (vgl. Ξ 208. η 82). ganz dasselbe gilt vom lat. *cor cordatus cordate.*[21] es ist wunderlich genug,

---

[19] dasz die grundzüge der erzählung einem wirklichen volksmärchen entlehnt sind, erweisen die anklänge in naturwissenschaftlichen schriften des altertums, welche de Babrii aet. s. 214 ff. behandelt sind.   [20] über die alte gleichsetzung κῆρ = φυχή vgl. meine ausführungen in der allg. encykl. u. 'Keren' sect. II bd. 35 s. 267 f.   [21] ähnlich Buchholz Hom. psychol. s. 53, der den parallelismus des griechischen und latei-

wie jenes alte vorurteil, welchem bei der beurteilung dieser dinge
auch OKeller seinen tribut gezollt hat (zur geschichte der griech.
fabel s. 340 anm. 43), immer wieder auftaucht.

Die nachweise, welche s. 111 zu 32, 12 gegeben werden, sind
nicht ganz ausreichend. der gedanke 'hilf dir selbst, so hilft dir gott'
ist nicht Aischylisch, sondern stammt aus alter spruchweisheit. eine
anzahl von stellen ist de Babrii aet. s. 159 anm. 1 mitgeteilt; ich
trage nach Aisch. fr. 370 H. 395 s. 114 N., Soph. fr. 288 Ddf.,
adesp. 527 s. 943 N., Sall. *Catil.* 52, 25, Livius VII 12. die fabel
gehört übrigens zu denen, durch welche ein zusammenhang zwischen
Babrios und den sprichwörtersamlungen der kaiserzeit (vielleicht
durch vermittlung des Nikostratos) wahrscheinlich wird, vgl. de
Babrii aet. s. 205. 237 anm. 3.

Fabel 28, zu welcher Ellis s. 121 griechische parallelen vermiszt,
mag aus Babrios f. 6 (Av. 20) entwickelt sein; vgl. bes. v. 8, wo die
φυκίς auftritt. das dem sinne nach vorzügliche *salibus* in v. 6 *ver-
baque cum salibus asperiora dedit* — der meerfisch dem süszwasser-
fische — hätte nicht beanstandet werden sollen; wie salzlos sind
dagegen alle neuern vorschläge, den von Ellis (*sannis*) nicht ausgenommen! für die phrase *dictis laboratis* ist das archetypon in den
griechischen λόγοι ποιητοί (Babrios 95, 37) nachgewiesen im Philol.
XLVII s. 399.

Fabel 40 ist eine contamination von Babr. 101 und Babr. Bodl.
132 (137 Ebh.). — Fabel 41 (*de imbre et fictilibus vasis*) ist eine nachbildung von Babr. Bodl. 124 Kn. (135 Ebh., ποταμὸς καὶ βύρσα),
wie schon Eberhard (s. 83 unten) erkannt hat; die von Ellis angedeuteten zweifel haben keine berechtigung. weil das griechische
wortspiel mit Ξηρά (δέρρις?) im lateinischen nicht nachzuahmen
war, sind bei Avianus andere träger der erzählung eingeführt: wie
die Ξηρά ihre sprödigkeit, so verliert die amphora vor der gewalt
des wassers ihre gestalt, auf welche sie sich etwas zu gute thut.
in dem hübschen, als ausgangspunkt des dürftigen machwerks zu
betrachtenden sprichworte (Petronius 57 *vasus fictilis, immo lorus
in aqua*) erscheinen übrigens dieselben beiden gegenstände neben
einander. — *Ausa pharetratis nubibus* v. 16 ist s. 128 so gelehrt
und treffend erklärt, dasz es schwer begreiflich ist, wie Ellis der
conjectur *ausa erat iratis nubibus* gleich darauf 'some plausibility'
beimessen mochte.

Das modell zu 42 (der wolf warnt einen *haedus* [Babrios ὄις],
welcher sich in die stadt oder in einen tempelbezirk flüchten will,
vor dem schicksal als opfertier zu fallen) ist nicht 'Aesop. 273 H.',
sondern Babr. fab. Vat. 135 = Babr. 132 s. 124 Rthf. wenn Ellis
s. 129 annimt, dasz die fabel geschrieben sei, 'while sacrifices in
heathen temples were still permitted, i. e. between 341 A. D. . . and

---

nischen mit recht betont, ohne sich jedoch mit der von Schrader be-
wiesenen feinfühligkeit in die alten schwankenden vorstellungen zurück-
zuversetzen.

the law of Constantius', so bringt er die abhängigkeit des Römers
von seiner griechischen quelle nicht gehörig in anschlag. der inhalt
der gedichte, soweit er nicht nachweislich Avianus eigentümlich ist,
kann für chronologische fragen nicht verwertet werden.

In der natur dieser nachträge lag es, dasz wir in den meisten
fällen Ellis angreifen oder wohl auch die von ihm aufgegebenen
positionen gegen ihn verteidigen musten. wir erinnern daher zum
schlusz noch einmal an die verdienste der arbeit, die wir vor allem
in der förderung der erklärung, in zweiter linie in der vorsichtigen und
nicht selten glücklichen handhabung der textkritik erkannt haben.

TÜBINGEN. ——————————— OTTO CRUSIUS.

73.

ZUR GRIECHISCHEN ANTHOLOGIE.

Das mit der seltsamen dichterbezeichnung PAPOY versehene
epigramm der anth. Pal. X 121 ist durch die, wie mich dünkt, in
den meisten punkten evidente beweisführung Engels (de quibusdam
anthologiae graecae epigrammatis comm., Elberfeld 1875) seinem
eigentlichen verfasser Nikarchos zugewiesen worden. in der Planudeischen anthologie geht es unter dem namen des Palladas. Engel
meint 'iam Planudem illam corruptelam in exemplari anthologiae
Cephalanae, unde suam collectionem compilavit, legisse et cum
vidisset quam perversum lemma esset, qua erat temeritate mutandi
carmen illud Palladae tribuisse, quippe qui similis argumenti epigrammata composuerit.' ein blick in die ausgabe des viel und oft
mit unrecht geschmähten byzantinischen mönches erwies mir diese
auffassung als irrig: auf jenes epigramm folgt nemlich (b. I 42 εἰc
κόλακαc) ein solches von Palladas (= AP. XI 385), das aber, obwohl einer gröszern reihe von gedichten dieses poeten in der Kepha-
lanischen samlung (AP. XI 383—387) entlehnt*, dennoch die aufschrift ἄδηλον trägt; vorausgeschickt sind zwei epigramme desselben
Palladas (= AP. XI 323 und X 44), diese beiden aber unter der
richtigen autorenangabe (Παλλάδα X 44, τοῦ αὐτοῦ XI 323). ist
es daher nicht einleuchtend, dasz wir hier ein bloszes schreiber-
versehen vor uns haben, dasz wir also nur die beiden gedichte zu
vertauschen brauchen, um die rechte aufschrift zu bekommen?
demnach gehört auch nach der Planudeischen überlieferung AP.
XI 385 dem Palladas, AP. X 121 aber hat Planudes, da ihm die bezeichnung PAPOY nicht geheuer erschien, mit dem in solchen fällen
gewöhnlich verwendeten ἄδηλον versehen.

* sie sind sämtlich von Planudes aufgenommen, alle mit dem richtigen dichternamen, nur XI 383 hat, wohl infolge der vorausgehenden
und nachfolgenden ἀδέcποτα (II 10), gleichfalls diese aufschrift erhalten.

POTSDAM. MAX RUBENSOHN.

ERSTE ABTEILUNG
FÜR CLASSISCHE PHILOLOGIE

HERAUSGEGEBEN VON ALFRED FLECKEISEN.

74.
WIE VERSTANDEN DIE ALTEN DAS HOMERISCHE ΗΕΡΟΦΟΙΤΙϹ?

1. Das epitheton ἠεροφοῖτις kommt nur zweimal bei Homer vor, und zwar nur als beiwort der Erinys: I 571 τῆς δ' ἠεροφοῖτις Ἐρινὺς ἔκλυεν ἐξ Ἐρέβεςφιν, ἀμείλιχον ἦτορ ἔχουςα und T 87 ἐγὼ δ' οὐκ αἴτιός εἰμι, ἀλλὰ Ζεὺς καὶ Μοῖρα καὶ ἠεροφοῖτις Ἐρινύς[1], οἵ τέ μοι εἰν ἀγορῆ φρεςὶν ἔμβαλον ἄγριον ἄτην. jüngst wurde in einer unserer zeitschriften die behauptung aufgestellt, das epitheton sei 'unverständlich', 'farblos' und offenbar durch εἰαροπῶτις zu ersetzen. mich wunderte der ausdruck 'unverständlich': denn selbst in der als 'farblos' getadelten bedeutung 'die luft durchwandelnd, durchziehend' ist das beiwort doch immer noch, meine ich, recht wohl verständlich. Aischylos wenigstens hat es sicherlich in diesem sinne verwandt, und das ist doch gewis ein zeuge, dem 'farblosigkeit' seiner epitheta sonst nicht gerade zum vorwurf gemacht werden kann. in einer seiner für uns verlorenen tragödien (der Sphinx?), aus welcher Euripides in Aristophanes Fröschen ein paar kraftstellen zum besten gibt, spricht er (v. 1291) von ἰταμαῖς κυςὶν ἀεροφοίτοις, und der scholiast erklärt dies wohl richtig durch τοῖς ἁρπακτικοῖς ἀετοῖς .. διὰ τοῦ ἀέρος φοιτώςαις. bei späteren autoren mehren sich die zeugnisse für diese bedeutung des fraglichen beiworts. Oppianos gebraucht es von geflügelten fischen Hal. III 166 ἠερόφοιτα γένεθλα τευθίδος, was alte erklärer durchaus treffend so erläuterten: ἀέρι πετόμενα. τὰς τευθίδας φηςὶν «ἠερόφοιτα γένεθλα», ὡς ἐν τῷ ἀέρι φοιτῶντα· πέτανται γὰρ καὶ διὰ τοῦ ἀέρος φέρονται, ὡς ὑπόπτερα. in den ps.-Phokylideia liest man 125 ὅπλον ἑκάςτῳ νεῖμε θεός, φύςιν ἠερόφοιτον ὄρνιςιν und 171 κάμνει δ' ἠερόφοι-

---

[1] diesen vers entlehnte ein anonymer dichter anth. Pal. IX 470, 4.

τος ἀριcτοπόνοc τε μέλιccα, in den Orphischen Lithika 45 ὅccα
τε κεκλήγαcι μετὰ cφίcιν ἠεροφοῖται . . οἰωνοί, μεγάλοιο Διὸc
κραιπνοὶ ὑποφῆται, in den Orphischen hymnen 81 (Ζεφύρου), 1
αὖραι ποντογενεῖc Ζεφυρίτιδεc, ἠερόφοιτοι und 82 (Νότου), 4
τοῦτο γὰρ ἐκ Διόc ἐcτι cέθεν γέραc ἠερόφοιτον, bei Nonnos von
der zwischen himmel und erde auf und ab fliegenden engelschar
(ἀγγελικῆc τε φάλαγγοc ἐύπτερον ἐcμὸν ὁδίτην) Metab. A 215
οὐρανὸν εἰcανιόντα μετάρcιον, ἠεροφοίτην, υἱέοc ἀνθρώποιο διάκτορον, und bei Christodoros, wo von Stesichoros die rede ist, anth.
Pal. II 129 τοῦ γὰρ τικτομένοιο καὶ ἐc φάοc ἄρτι μολόντοc ἔκποθεν
ἠερόφοιτοc ἐπὶ cτομάτεccιν ἀηδὼν λάθρη ἐφεζομένη λιγυρὴν ἀνε-
βάλλετο μολπήν. auch ungeflügelte wesen können ἠερόφοιτοι sein,
wie der seiltänzer bei Manetho V 146 καλοβάτην cχοίνοιcί τ’ ἐπ’
ἠερόφοιτον ἔθηκαν, Ἴκαρον αἰθέριον πτερύγων δίχα καὶ δίχα
κηροῦ, oder der über die wogen der alles überströmenden sinflut
dahinfahrende Deukalion bei Nonnos Dion. VI 368 ναυτίλοc ἦν
ἀκίχητοc ἔχων πλόον ἠεροφοίτην. noch mehr werden wir an die
Homerische ἠεροφοῖτιc Ἐρινύc erinnert durch Orph. Argon. 47
ἐπεὶ ἠ ε ρ ό φ ο ι τ ο c ἀπέπτατο δήιοc οἶ c τ ρ ο c ἡμέτερον δέμαc ἐκ-
προλιπὼν εἰc οὐρανὸν εὐρύν, welches sich in der Metabole des
Nonnos wiederholt Θ 159 ὅττι cε λύccηc δαίμονοc ἠ ε ρ ό φ ο ι τ ο c
ἀλάcτοροc οἶ c τ ρ ο c ἐλαύνει (hier eine umschreibung der worte
des evangelisten ὅτι δαιμόνιον ἔχειc). an allen diesen stellen hat
das Homerische epitheton, wie gesagt, für mich nichts unverständ-
liches, sei es nun dasz ich es in der bedeutung ἡ ἐν τῷ ἀέρι φοιτῶcα, ἀεροπλάνοc (Hesychios u. ἠεροφοῖτιc) oder auch in der bedeutung ἡ εἰc τὸν ἀέρα φοιτῶcα (cod. V des Etym. M. 421, 54;
vgl. ps.-Herodianos epimer. s. 44 Boiss.) fasse, von denen an und
für sich die eine ebenso wohl berechtigt ist wie die andere.

2. Verbreiteter aber war bei den alten grammatikern, wie auch
noch bei den heutigen lexikographen diejenige interpretation des
ausdrucks ἠεροφοῖτιc Ἐρινύc, welche sich auf den uns als Ari-
starchisch bezeugten nachweis gründet, dasz ἀήρ mehrfach[2] bei
Homer so viel wie ‘dunst, nebel, dunkelheit’, cκοτία, ὁμίχλη bedeutet (Aristonikos zu P 644 ἀλλ’ οὔ πη δύναμαι ἰδέειν τοιοῦτον
Ἀχαιῶν· ἠέρι γὰρ κατέχονται ὁμῶc αὐτοί τε καὶ ἵπποι: ὅτι ἀέρα
τὴν cκοτίαν καλεῖ, und bald darauf zu 649 αὐτίκα δ’ ἠέρα μὲν
cκέδαcεν καὶ ἀπῶcεν ὁμίχλην, ἠέλιοc δ’ ἐπέλαμψε: ὅτι cαφῶc τὴν
cκοτίαν ἀέρα λέγει· ἔcτι γὰρ ταὐτὸν τῷ ὁμίχλη· καὶ ἀπῶcε τὸν
ἀέρα, ὅ ἐcτιν ὁμίχλην· vgl. Lehrs Arist.[2] s. 102). zunächst entspringt hieraus ohne weitern nebensinn nur der einfache begriff ‘die
im nebel, im dunkel wandelnde’, ἡ ἐν τῷ cκότῳ φοιτῶcα schol.
A B (L) T zu Ι 571; ἡ διὰ τοῦ cκότουc φοιτῶcα schol. D (L) zu

---

[2] die ganz reine luft, die atmosphäre der götter, nennt Homer bekanntlich überhaupt nicht ἀήρ, sondern αἰθήρ. Lehrs Arist.[2] s. 164
«ἀήρ terrae proximus usque ad nubes, quae ultra has regio est αἰθήρ
et οὐρανόc.» vgl. besonders Ariston. Ξ 288.

Τ 87; ἡ διὰ τοῦ cκότουc ἐρχομένη[3] schol. A[t] zu I 571 und Et. M.
421, 54; ἀέρα ἠμφιεcμένη Hesychios.[4] warum sollte mancher
dichter, wenn er das epitheton gebrauchte, nicht ebenfalls an diese
später so verbreitete und übrigens doch auch so auf der hand liegende erklärung gedacht haben? warum nicht selbst vor Aristarch
der eine oder andere, der seinen Homer mit aufmerksamern augen
gelesen hatte? zulässig wäre diese interpretation schon bei dem
tragiker Ion von Chios, der einen dithyrambos (fr. 10 Bergk) mit
den schönen worten anhub: ἀώιον ἀεροφοίταν[5] ἀcτέρα μείναμεν
ἀελίου λευκοπτέρυγα πρόδρομον. noch geringern bedenken dürfte
sie bei dem astrologen Maximus unterliegen: 1[b] Μήνην ἠερόφοιτον
(dieselbe nennt er 485 ἠερόφοιτοc ἄναccα), oder bei dem Orphiker:
hy. 9, 2 Μήνη, νυκτιδρόμοc, ἠεροφοῖτι. 3 (Νυκτόc), 9 ἐγκυκλίη,
παίκτειρα [?] διώγμαcιν ἠεροφοίτοιc. 51 (Νυμφῶν), 5 ἀντροχαρεῖc,
cπήλυγξι κεχαρμέναι, ἠερόφοιτοι. in der letzten stelle scheint mir
sogar jede andere erklärung ganz und gar ausgeschlossen zu sein.

3. Auf die in ewige dunkelheit gehüllte unterwelt hat Homer
selbst an der einen von den beiden stellen, wo er der ἠεροφοῖτιc
Ἐρινύc gedenkt (I 571), durch die worte ἔκλυεν ἐξ Ἐρέβεcφιν die
aufmerksamkeit hingelenkt: daher denn nach einigen ἠεροφοῖτιc die
bedeutung bekommt 'die im unterirdischen dunkel wandelnde, aus
dem dunkel der unterwelt kommende', worauf die schluszworte des
betreffenden Hesychios-artikels οἱ δὲ ὅτι ἐν Ἅιδου, ἐν cκοτίᾳ bezogen werden müssen, desgleichen ἢ οἷον ἐρεβοφοῖτιc im schol. BT
zu Τ 87. und dazu heiszt es erläuternd ἔcτι δὲ καταχθονία δαίμων
ἡ Ἐρινύc ebd. im schol. D(L), welches teilweise in das Etym. Gud.
238, 10 übergieng. aus ihrem finstern bereiche steigt die Erinys
herauf, sobald sie ihr strafamt auf der oberwelt auszuüben hat. eben
deswegen, meint Eustathios, könne Homer sie auch ἠεροφοῖτιc benannt haben (s. 775,14) ἡ καὶ διότι ἀπὸ τοῦ cκότου ἤτοι τοῦ Ἅιδου
ἔξειcι· διὸ καὶ ἐπάγει «ἔκλυεν ἐξ Ἐρέβευc». dies ist die interpretation, die der von Bekker publicierte Pariser paraphrast I 571
adoptiert hat: ἐκ τοῦ cκότουc φοιτῶcα. sie ist wörtlich so in das
Et. M. 421, 54 übergegangen und kehrt mit geringfügiger veränderung (ἐκ τοῦ cκότουc ἐρχομένη) in den vulgärscholien zu der
genannten Homerstelle wieder.

4. Noch mehr beifall fand eine zweite gleichfalls aus ἀήρ =
'dunkelheit' hergeleitete erklärung: 'die im dunkeln nahende, un-
vorhergesehen herbeikommende' ('die in eine nebelhülle, also gleich
andern geistern und dämonen unsichtbar einherschreitende und den
fluchbeladenen verfolgende' Preller gr. myth. I[2] s. 652): ἡ ἀφανὴc
καὶ ὡc ἐν cκότει ἐπιφοιτῶcα· πολλαχοῦ γὰρ ἠέρα τὴν ἀοραcίαν
λέγει ὁ ποιητήc Eust. s. 775, 14 (ἀφανῶc φοιτῶcα s. 1173, 17);

---

[3] ἐρχομένου fälschlich A[t].   [4] Odysseus geht η 140 πολλὴν ἠέρ' ἔχων,
ἥν οἱ περίχευεν Ἀθήνη, wie die guten dämonen bei Hesiodos WT. 125
ἠέρα ἐccάμενοι πάντη φοιτῶντεc ἐπ' αἶαν (= ἠερόφοιτοι).   [5] Bentleys conjectur ἀμεροφοίταν hat mit recht keinen anklang gefunden.

ἡ ἀπροοράτως φοιτῶσα καὶ ἐπερχομένη⁶, ὡς τιμωρὸς τῶν ἀδικη-
μάτων schol. D(L) zu T 87 und Et. Gud. 238, 10; ἀόρατος, παρὰ
τὸ περὶ τὸν ἀέρα φοιτᾶν· ἡ ἀοράτως φοιτῶσα Et. M. 421, 55
(ἀόρατος hat auch schol. D zu beiden Homerstellen, ἡ ἀοράτως
φοιτῶσα auch der Pariser paraphrast T 87 und Hesychios); ἡ ἀοράτως ἐρχομένη κατὰ τὸν ἀέρα⁷ lex. in Bachmanns Anecd. gr. I
s. 249, Photios und Suidas; ἡ ἐν τῷ σκότῳ φοιτῶσα· αἱ ποιναὶ γὰρ
ἀπροοράτως ἔρχονται schol. AB(L)T zu I 571. der älteste gewährsmann, den wir für diese interpretation namhaft machen
können, ist der grammatiker Herodianos, welcher zu T 87 über den
accent von ἠεροφοῖτις spricht und dann folgendermaszen fortfährt
(nach dem cod. Ven. A): πειστέον δὲ μᾶλλον τοῖς παρὰ τὸν ἀέρα
ἐκδεξαμένοις τὴν σύνθεσιν γεγονέναι, ἐπεὶ ἀοράτως φοιτᾷ· ἀέρα
γὰρ λέγει τὸ σκοτεινὸν κατάστημα· «ἠέρι γὰρ κατέχοντο» [P 368]
καὶ «ἀὴρ γὰρ παρὰ νηυσὶ βαθεῖ' ἦν» [ι 144], was in BT so verkürzt
ist: ἄμεινον δὲ γράφειν «ἠεροφοῖτις», ὅ ἐστιν ἡ ἐξ ἀφανοῦς φοιτῶσα. οὕτως Ἡρωδιανός.

5. Nach dem comparativ μᾶλλον (ἄμεινον) zu urteilen hatte
Herodian bei dieser gelegenheit eine andere interpretation im sinne,
die er misbilligte, und zwar, wie aus seinen worten zu schlieszen ist,
ohne zweifel eine solche, welche nicht von ἀήρ, sondern von irgend
einem andern etymon ausgieng. deren kennen wir zwei, aber nur
die eine von ihnen wird durch die überlieferung als die von Herodian
verworfene bezeichnet, nemlich ἡ ἐροφοῖτις 'die auf erden wandelnde'. sie fehlt allerdings im Ven. A (wo indessen μᾶλλον auf eine
lücke in unserer jetzigen überlieferung schlieszen läszt, worauf schon
Lehrs Herodian s. 312 hindeutete⁸), bildet aber in BT gleich den
anfang des dort, wie wir sahen, ausdrücklich als Herodianisch be-
glaubigten scholions: τινὲς τὸ ἠ ἄρθρον ἐδέξαντο, ἵν' ἦ «ἡ ἐροφοῖτις», παρὰ τὴν ἔραν, ἡ ἐν τῇ γῇ φοιτῶσα. nun wiegt diese beglaubigung zwar nicht besonders schwer, weil gleich die folgenden
worte ἠ οἷον ἐρεβοφοῖτις entschieden interpoliert sind⁹ und die

---

⁶ so schol. D und L, gewis richtig. im Et. Gud. steht ἀπερχομένη.
⁷ bei Photios und Suidas κατὰ τὰ ἔργα, wofür längst κατὰ τὸν
ἀέρα conjiciert war, ehe Bachmann dies wirklich in der hs. fand. trotzdem blieb bei Zonaras s. 979 unbeanstandet stehen: δαίμων ἡ ἀοράτως
ἐρχομένη κατὰ τὰ ἔργα. geduldet kann diese lesart unter keinen umständen werden. es fragt sich aber doch, ob κατὰ τὰ ἔργα aus κατὰ
τὸν ἀέρα verdorben ist und nicht vielmehr aus κατὰ τὴν ἔραν. für
letzteres scheint zu sprechen schol. A zu I 571 Ἐρινὺς παρὰ τὸ ἐν τῇ
ἔρᾳ ναίειν καὶ οἰκεῖν, ὅ ἐστι τῇ γῇ· καταχθονία γὰρ ἡ δαίμων, was sich
im Et. M. 374, 3 der hauptsache nach wiederholt und ähnlich auch anderwärts wiederkehrt. vgl. auch das oben unter § 5 gesagte. natürlich
könnte dann ἐρχομένη nicht, wie ich jetzt angenommen habe, gleichbedeutend mit ἐπερχομένη.   ⁸ vgl. EHiller quaestiones Herodianeae
(1866) s. 15. Lentz Herodian I s. LXXVII.   ⁹ sie stören den zusammenhang zwischen τινὲς τὸ ἠ ἄρθρον ἐδέξαντο usw. und ἄμεινον δὲ γράφειν
«ἠεροφοῖτις». mit der ersten schreibung hat die interpretation ἐρεβοφοῖτις nichts zu thun, vielmehr beruht sie lediglich auf der zweiten,

ihnen vorangehenden es demnach ebenso gut sein könnten; aber bei diesen liegt doch zu einer solchen verdächtigung gar kein innerer grund vor. übrigens hat die sonderbare etymologie wenig beachtung gefunden. meines wissens findet sie sich nur noch [10] im Et. M. 421, 57 erwähnt: ἢ «ἡ ἐροφοῖτιϲ», ἡ περὶ τὴν γῆν φοιτῶϲα — ἐξ οὗ καὶ ἐξερᾶϲαι [11], τὸ τὴν τροφὴν εἰϲ τὴν γῆν ἀπορρῖψαι — καὶ τὸ ἦ ὡϲ ἄρθρον ἐκδεκτέον.

6. Wer jedoch das fragliche compositum nicht mit Herodian von ἀήρ ableiten wollte, konnte auszer an ἔρα == γῆ auch noch an ἦαρ == αἷμα [12] denken und den lautübergang von α in ε durch ἠεροπότηϲ [13] == αἱμοπότηϲ und ähnliche beispiele belegen, also ἠεροφοῖτιϲ etwa 'die in blut watende' übersetzen. thatsächlich fehlt es auch dieser interpretation nicht an einem directen zeugnisse: Et. M. 421, 56 ἢ παρὰ τὸ ἔαρ, ὃ ϲημαίνει τὸ αἷμα. καὶ ὁ αἱματοπότηϲ «ἠεροπότηϲ». erhält hierdurch die glosse des Hesychios ἠεροπότηϲ eine sichere stütze, so ersehen wir zugleich, dasz ἔαρ die gewöhnliche, dem grammatiker geläufigere form [14] des immerhin seltenen substantivums war, die dialektische ἦαρ. daneben gab es noch εἶαρ und wie es scheint ἶαρ, beide ebenfalls nur dialektisch. jenes ἔαρ nebst εἶαρ kennen wir noch aus andern quellen: Hesychios ἔαρ · αἷμα. Κύπριοι. εἶαρ · αἷμα. ἢ ψυχή. εἰαροπότηϲ · αἱμοπότηϲ. ψυχοπότηϲ. Eust. zu ϲ 367 ὥρη ἐν εἰαρινῇ s. 1851, 44 ἰϲτέον δὲ καὶ ὅτι Ὀππιανὸϲ μὲν καὶ τὸ αἷμα «ἔαρ» ἔφη διὰ μόνου τοῦ ε̄ ψιλοῦ. ἕτεροϲ δέ τιϲ διὰ τῆϲ ε̄ι διφθόγγου ὁμοίωϲ τῷ αὐτῷ, ἔνθα περὶ ληϲτηρίου γράφει τὸ «ἧχι κονίϲτραι ἄξεινοι λύθρῳ τε καὶ εἶαρι πεπλήθωϲι». Oppian verwendet das wort Hal. II 618 ἀρτιχύτοιο φόνοιο θερμὸν ἔαρ λάπτουϲιν (wozu der scholiast ua. bemerkt: ἔαρ δὲ τὸ αἷμά φηϲι διὰ τὸ ἐν ἔαρι τίκτεϲθαι τὸ αἷμα ὡϲ ἐπὶ τὸ πολύ. καὶ ὅτι τὸ ἔαρ δύο ϲημαίνει, τὸν καιρὸν καὶ τὸ αἷμα · γεννητικὸν γὰρ αὐτῷ) im engen anschlusz an Kallimachos (fr. 247), den das Et. M. 294, 47 (== Lentz Herodian II 496, 22) citiert:

---

zu der sie thörichterweise jetzt gerade durch ἄμεινον δὲ usw. in gegensatz gestellt wird.
　　[10] denn die oben in anm. 7 besprochenen stellen bleiben zweifelhaft.　　[11] in den ausgaben irrtümlich ἐξερᾶϲαι betont wie später ἀπορρίψαι. vgl. Aristoph. Ach. 341 τοὺϲ λίθουϲ νῦν μοι χαμᾶζε πρῶτον ἐξεράϲατε, We. 993 φέρ' ἐξεράϲω (schol. ἀντὶ τοῦ εἰϲ τὴν γῆν μεταβαλῶ τὰϲ ψήφουϲ· ἔρα γὰρ ἡ γῆ) und die andern im Thesaurus citierten stellen.　　[12] Hesychios, der uns diese glosse (und ebenso die folgende) aufbewahrt hat, fügt als erklärung noch ψυχή hinzu.　　[13] 'immo εἰαροπότηϲ, nisi e dialecto est' meint Schmidt. zu jener conjectur sehe ich keine veranlassung, obwohl mir die orthographische bemerkung nebst der etymologie παρὰ τὸ εἴω τὸ πορεύομαι im Et. M. 294, 49 (== Lentz Herodian II 496, 24) nicht unbekannt ist.　　[14] dieselbe in εἶαρ zu verwandeln liegt schwerlich ein genügender grund vor. höchstens könnte man ἦαρ vermuten; aber auch das scheint überflüssig. (dasz ἔαρ ausschlieszlich den Kypriern eigen war, sagt niemand. kam es doch, wie oben gezeigt ist, wenigstens in der Alexandrinerzeit auch im epischelegischen dialekte vor.)

εἶαρ· τὸ αἷμα — καὶ «εἰαροπότηc» ὁ αἱματοπότηc — ὥc φηcι
Καλλίμαχοc «τὸ δ᾽ ἐκ μέλαν εἶαρ ἔλαπτεν». von Kallimachos rührt
wohl auch die andere stelle her, auf die sich Eustathios [15] oben beruft
(fr. anon. 20 Schneider). hinzu käme das schol. zu Nikandros Alex. 87
ὀρχάδοc εἶαρ ἐλαίηc: εἶαρ ὑπὸ τῶν νεωτέρων τὸ αἷμα, τὸ λίποc.
καὶ Καλλίμαχοc [fr. 201] ἐλαίαc τὸ αἷμα τὸ δαῦον εἶπεν· «πολλάκι
δ᾽ ἐκ λύχνου πῖον ἔλειξαν ἔαρ» und Et. M. 380, 6 ἐρῳδιόc . . παρὰ
τὸ ἔαρ [16], ὃ cημαίνει τὸ αἷμα, ὡc παρὰ Κυρηναίῳ· αἷμα γὰρ λύχνου
τὸ ἔλαιον· «τὶ ἔλειξαν ἔαρ». [17] Nikandros braucht jenes wort noch
einmal in seinen Alex. 314 ἧμοc πιλνάμενον cτέρνοιc κρυcταίνεται
εἶαρ (schol. εἶαρ δὲ τὸ αἷμα παρὰ τὸ ἐν ἔαρι πλημμύρειν καὶ
πλεονάζειν) und überdies einmal in den Ther. 701 δάχματοc εἶαρ
ἔμεν. bei Euphorion (fr. 36 Mein.) erkannte es erst Hemsterhuys [18]
wieder: πορφυρέη ὑάκινθε, cὲ μὲν μία φῆμιc ἀοιδῶν ῾Ροιτείηc
ἀμάθοιcι δεδουπότοc Αἰακίδαο εἶαροc ἀντέλλειν. für die form ἶαρ
steht uns nur das zeugnis des Hesychios zu gebote: ἶαρ· [19] αἷμα. ἢ

---

[15] sie steht auch bei Suidas: ἔαρ λέγεται καὶ τὸ αἷμα, διὰ τὸ ἐν
τῷ ἔαρι πλεονάζειν· «ἧχι κονίcτραι ἄξεινοι λύθρῳ τε καὶ εἴαρι πεπλή-
θαcι» πλεοναcμῷ τοῦ ι.   [16] Et. M. 511, 19 wird κῆρ von diesem
ἔαρ hergeleitet.   [17] beide citate sind verdorben, noch gröber im
Et. Gud. 210, 49 ἐρῳδιόc . . παρὰ τὸ εἶαρ τὸ cημαῖνον τὸ αἷμα, ὡc
παρὰ τῷ Κριναίῳ· αἷμα γὰρ λύχνοc τὸ ἔλαιόν τι ἔλεξεν. OSchneider
Callim. II s. 451 conjiciert καὶ Καλλίμαχοc «ἐλαίηc αἵματι δεῦον» εἰπὼν
εἶπε «πολλάκι δ᾽ ἐκ λύχνου πῖον ἔλειξαν ἔαρ» und meint, der dichter
könne etwa geschrieben haben:
⟨πολλάκι μέν τε θρυαλλίδ᾽⟩ ἐλαίηc αἵματι δεῦον,
    πολλάκι δ᾽ ἐκ λύχνου πῖον ἔλειξαν ἔαρ
⟨οἱ μύεc — —
hätte der grammatiker jedoch in der that dies oder wenigstens etwas
diesem ähnliches bei Kallimachos vorgefunden, so würde er es wohl im
zusammenhange belassen, nicht aber in der umständlichen und so wenig
herkömmlichen weise durch ein dazwischen geschobenes εἰπὼν εἶπε auseinandergerissen haben. mir sehen die worte ἐλαίαc τὸ αἷμα τὸ δαῦον
und αἷμα γὰρ λύχνου τὸ ἔλαιον überhaupt nicht nach einem dichtercitat
aus. HKeil vermutete ἐλαίαc τὸ ἄλειμμα, τὸ δαῖον εἶαρ εἶπεν. sollte
nicht einfach mit Casaubonus ἐλαίαc αἷμα τὸ ἔλαιον εἶπεν ῾Kallimachos
nannte das öl blut des ölbaums᾽ wiederherzustellen sein? was Schneider
dagegen sagt, halte ich nicht für zutreffend: mit ἐλαίαc αἷμα paraphrasiert der grammatiker nur das dichterische ἔαρ.   [19] zu Lukianos götter-
gesprächen 14, 2, wo er auch bereits auf die hierher gehörigen Hesy-
chischen glossen und auf andere belegstellen hingewiesen hat. nach
ihm ist das wort am ausführlichsten von Näke behandelt worden (opusc. II
s. 184 ff.), welcher unter anderem ἐαρόχροον ἴαcπιν Orph. Lith. 267 und
ἠερόεccαν ἴαcπιν Dionys. Per. 724 hierher zu ziehen geneigt ist (῾pur-
puream᾽). ῾fuit etiam εἰαρίτηc, h. e. αἱματίτηc, λίθοc.᾽   [19] von
MSchmidt aus ἴαρα hergestellt. haltlos ist seine behauptung: «εἶαρ,
quae vera vocabuli forma est, in ἔαρ ἦαρ ἶαρ abiit apud Hes.»
und ebenso die andere: «immo εἰαροπότηc.» ob, wie er im Philol. XIV
s. 204 meint, εἰαροβλεῖ· πίνει aus ἀεροβλεῖ· τείνει und ferner εἰαροβλεῖ·
ῥοφεῖ, πίνει aus ῥοβλεῖ· ῥοφεῖ, πίνει herzustellen sei, lasse ich auf sich
beruhen. — RMeister gr. dial. II 235 hält den überlieferten accent in
ἶαρ fest. die betonung εἶαρ, die er einführt («besser ἔαρ»), erregt um
so gröszeres bedenken, als sie bei den dichtern, die sich des wortes
bedienen, natürlich durchaus unstatthaft ist.

μοῖρα. ἰαροπότης· αἱμοπότης. wohl mit recht hat man auch
die glosse ἰαρπάλαμος· ἀκρόχειρος hierher gezogen, die durch
ἀκρόχειρος· ἀνδροφόνος erläutert wird («ἰαρπάλαμος igitur pro
εἰαροπάλαμος est qui sanguine infectas habet manus» MSchmidt).
in keiner seiner vier formen ἔαρ, εἶαρ, ἦαρ, ἶαρ bietet das wort genügenden anlasz zu dem verdacht, dasz es eine blosze fiction sei[20],
und daraus darf die immerhin wichtige thatsache gefolgert werden,
dasz es mehreren dialekten angehört haben musz, nicht blosz dem
kyprischen, wie denn auch die überlieferten composita εἰαροπότης,
ἠεροπότης, ἰαροπότης dafür sprechen.[21] aber griechisches gemeingut ist es nie geworden; es war und blieb den 'idiomen' vorbehalten,
was freilich bei einigen, wie wir sahen, als kein hindernis betrachtet
wurde, es dem Homerischen idiom ebenfalls zuzusprechen.

7. Den letzten schritt thaten andere, indem sie aus der ἠεροφοῖτις 'Ερινύς eine εἰαροπῶτις machten, 'die blut trinkende, blut
saugende'. ich sagte schon zu anfang dieses aufsatzes, dasz diese
maszregel jüngst einen warmen fürsprecher gefunden hat: das farblose beiwort ἠεροφοῖτις, meint derselbe, müsse zu einer zeit in den
Homerischen text aufgenommen sein, als das achäische wort εἶαρ
'blut' bereits ausgestorben war und daher in dem compositum εἰαροπῶτις nicht mehr verstanden wurde. mir ist es nicht recht klar,
wann dies hätte geschehen können, da, wie die oben beigebrachten
zeugnisse beweisen, nicht allein alexandrinische dichter der bessern
zeit, unter ihnen Kallimachos, Euphorion, Nikandros, sondern auch
spätlinge wie Oppianos das wort noch sehr wohl kannten und zu gebrauchen verstanden. sollte es erst nach dem zweiten jh. nach Ch.
aus dem Homer verdrängt sein? aber auch dann gab es ja, namentlich unter den Homerforschern, noch leute genug, welche sich des
seltenen wortes recht gut erinnerten und es bei passender und un-
passender gelegenheit zu verwerten suchten. bis herab auf Eustathios fehlt es nicht an solchen reminiscenzen. wie hätten denn,
ungehindert von so vielen wissenden, die nichtwisser jenes εἰαροπῶτις spurlos aus dem Homer austreiben können? doch es ist zeit,
dasz ich das einzige zeugnis vorlege, welches zu einer so hinfälligen

---

[20] es ist auffällig, dasz GCurtius gr. etym.[5] s. 398 nur der beiden
formen ἔαρ und εἶαρ erwähnung thut.   [21] die von Nauck (Aischylos
fr. 459) gebilligte ansicht MSchmidts (Hesych. IV 2 s. CXV) 'non tam
Aeschylum quam Homerum spectant gl. εἰαροπότης ἠεροπότης ἰαροπότης
cum explicatione αἱμοπότης positae omnes' erscheint mir unannehmbar,
weil keine einzige dieser formen sich dem Homerischen versmasze fügt.
wäre die ansicht richtig, so müsten wir in dem lexikon jedenfalls εἰαροπῶτις oder ἠεροπῶτις oder ἰαροπῶτις oder alle drei formen vorfinden,
von denen jedoch nicht die leiseste spur vorhanden ist. auf Aischylos
deutet freilich in den betreffenden glossen auch nichts. woher sie geflossen sein mögen, entzieht sich, wie in tausend andern fällen, durchaus unserer kenntnis. dies gilt auch von den glossen ἔαρ, εἶαρ, ἦαρ,
ἶαρ, die nach Schmidt (Kuhns zeitschr. IX s. 294) 'aus den Homerischen
scholien stammen' sollen, eine vermutung für die ich auch nicht den
mindesten anhalt sehe.

annahme die hauptursache abgegeben hat. weder ein Homererklärer noch Hesychios noch sonst einer von den lexikographen und andern grammatikern weisz irgend etwas von diesem 'Homerischen' εἰαρο- πῶτις mit alleiniger ausnahme des schol. Townl.[22] zu T 87. an der- selben stelle, wo auch das schol. B sich uns durch die worte ἢ οἷον ἐρεβοφοῖτις als interpoliert erwies (s. oben § 5), bietet der cod. Townl. nicht blosz genau dieselbe interpolation, sondern erweitert diese noch durch folgenden eigenartigen zusatz: ἔνιοι δὲ «ἱροπῶτις» παρὰ τὸ Αἰςχύλειον [fr. 396 Herm. 459 Nauck]. παρὰ τὸ εἰς ἔριν νεύειν. οἱ δὲ «εἰαροπῶτις», ἐγκειμένου τοῦ εἶαρ, ὅπερ ἐςτὶ κατὰ Cαλαμινίους αἷμα. der anfang dieses einschiebsels ist ganz unver- ständlich und öffnet allen möglichen mutmaszungen thür und thor, von denen die eine so unsicher bleibt wie die andere. wer bei ἱρο- πῶτις an eine Homerische variante denken will, gerät mit dem metrum in conflict; wer eine neue interpretation annimt, mag zu- sehen wie er sie herausklügelt. Heynes ἱαροπῶτις hilft zu nichts, schafft vielmehr ein neues problem, weil es sich von εἰαροπῶτις zu wenig unterscheidet, um die bald darauf folgende wendung οἱ δὲ «εἰαροπῶτις», ἐγκειμένου τοῦ εἶαρ usw.[23] einigermaszen gerecht- fertigt erscheinen zu lassen. kurz, ich musz die bezüglichen worte als hoffnungslos verdorben betrachten. hinter ihnen, sagt Maass, habe er eine lücke angezeigt: 'lacunam indicavi'. allein diese lücke ist bereits in dem Bekkerschen texte zu finden (den ich Arist. Hom. textkr. I 444 anm. 10 vor augen hatte). sie musz durch Ἐρινύς ausge- füllt werden: denn auf dieses wort allein, nicht auf ἠεροφοῖτις, be- zieht sich nach Bergks richtiger beobachtung[24] die etymologie παρὰ τὸ εἰς ἔριν νεύειν[25], und dies wäre demnach neben dem früher besprochenen ἢ οἷον ἐρεβοφοῖτις der zweite sichere beweis, dasz das schol. Townl. interpoliert und seine unterschrift οὕτως Ἡρω- διανός nur auf einen teil der in demselben bunt zusammengewür- felten notizen bezug hat. ob sie sich auch auf die notiz οἱ δὲ «εἰαρο-

---

[22] der cod. Victorianus kommt neben dem Townleianus nicht in be- tracht, da er aus diesem abgeschrieben ist. das hätte KSittl in der n. philol. rundschau 1889 s. 194 nicht in zweifel ziehen dürfen: vgl. Berliner philol. wochenschrift 1888 s. 604.   [23] Bergk eliminiert diesen satz vollständig, wenn er meint: 'Aeschyli testimonium, ut conicio, spectabat ad veterem lectionem εἰαροπῶτις, nam ἱροπῶτις sive ἱερο- πῶτις nulla omnino vox fuit. scriptum fuit olim: ἔνιοι δὲ εἰαροπῶτις παρὰ τὸ Αἰςχύλειον [Eum. 261] «ἀλλ' ἀντιδοῦναι δεῖ c' ἀπὸ ζῶντος ῥοφεῖν ἐρυθρὸν ἐκ μελέων πέλανον· ἀπὸ δὲ coῦ φεροίμαν βοσκὰν πώμα- τος δυσπότου»'. (so citiert Nauck Aesch. fr. 459 die stelle, die ich in den mir zugänglichen Halleschen universitätsprogrammen Bergks ebenso vergeblich gesucht habe wie in seinen kleinen philologischen schriften). mögen die einzelnen notizen des schol. T aber auch noch so mechanisch und kritiklos zusammengerafft sein, so ist es doch schwer glaublich, dasz mit ἔνιοι δὲ .. nicht eine andere auffassung der Homerischen stelle eingeführt worden sein sollte als kurz darauf mit οἱ δὲ ..   [24] sie ist mir nur aus dem eben erwähnten citat Naucks bekannt.   [25] vgl. Et. Gud. 206, 42 und was Gaisford zum Et. M. 374, 2 anführt.

πῶτιc», ἐγκειμένου τοῦ εἶαρ, ὅπερ ἐcτὶ κατὰ Cαλαμινίουc αἷμα erstreckt,. bleibt nach alledem mehr als zweifelhaft (zumal diese nicht allein in A, sondern auch in B fehlt). inhaltlich ist die notiz aber frei von·jedem verdacht. sie bestätigt, was oben aus einer glosse des Hesychios entnommen wurde, dasz das fragliche substantivum vorzugsweise im kyprischen dialekt vorhanden war (denn ohne frage ist Salamis auf Kypros gemeint), jedenfalls nicht der vulgärsprache, sondern lediglich den dialekten angehörte. aus ihnen mögen es Kallimachos, Euphorion und die andern «νεώτεροι» (ein ausdruck dessen sich — charakteristisch genug — bei dieser gelegenheit das schon in § 6 citierte scholion zu Nikandros Alex. 87 bedient) ge-schöpft haben, und in derselben periode mag auch die ebenso unnütze wie unglückliche[26] conjectur εἰαροπῶτιc Ἐρινύc entstanden sein.[27] wer die vorliebe jener νεώτεροι für glossematische wörter kennt und sie mit allen übrigen hier in frage kommenden momenten zu-sammenhält, wird keinen augenblick daran zweifeln, dasz dies der gang der dinge gewesen sei[28], niemals aber auf den gedanken kommen, die sache geradezu auf den kopf zu stellen und in der εἰαροπῶτιc das echte, unschuldige, von der ἠεροφοῖτιc verschlungene opferlamm zu sehen. solange für ἔαρ samt allen seinen nebenformen und compositen kein einziges sicheres zeugnis aus einem leidlich guten voralexandrinischen schriftsteller beigebracht werden kann, wird es in dem verdacht stehen bleiben, ein lediglich aus dialektischen studien hervorgeholtes, zu kurzem scheinleben in der litteratur er-wecktes glossematisches wort zu sein, während für das unrecht-mäsizgerweise verdächtigte ἠεροφοῖτιc autoritäten ersten ranges, wie Aischylos und Ion, eintreten nebst der ganzen Homerischen überlieferung mit einziger ausnahme des schol. Townl., dessen 'ge-samtfassung an offenbaren interpolationen leitet.

8. Es erübrigt nur noch die äuszere form des hier in rede stehenden epithetons einer vergleichenden betrachtung zu unter-ziehen. mit recht geht Herodian zu I 571 von der überzeugung aus,

---

[26] bei Homer kommen die Erinyen öfter vor; deutet aber irgend etwas bei ihm darauf hin, dasz er sie sich bereits vampyrartig vorge-stellt habe wie Aischylos? vgl. Preller gr. myth. I² 655: 'um so ein-seitiger wurde in der jüngern poesie und kunst das infernalische strafamt und die schreckliche natur der Erinyen hervorgehoben' usw.

[27] nach MSchmidt (Kuhns zeitschr. IX s. 294) soll dieselbe in der 'kyprischen ausgabe' gestanden haben. aber diese annahme stützt sich lediglich auf die vage und mehr als bedenkliche voraussetzung, dasz ἔαρ mit allen seinen nebenformen allein dem kyprischen dialekt ange-hörte und dasz von diesem auch die kyprische ausgabe beeinfluszt war. was wir von der genannten Homerausgabe wissen, unterstützt diesen letztern verdacht in keiner hinsicht. [28] über das anonyme, von Suidas ua. aufbewahrte fragment ἦχι κονίcτραι ἄξεινοι λύθρῳ τε καὶ εἶαρι πε-πλήθαcι, welches Ruhnken dem Kallimachos zuwies, bemerkt Näke opusc. II 184: 'quo Callimachum agnovit Ruhnkenius, ἔαρ maxime est, sive εἶαρ, dilectum doctis poetis, quibus, ut meum faciam verbum Sal-masii, γλωccήματα cordi (τοῖc νεωτέροιc schol. Nicandri) vocabulum.'

dasz dem femininum ἠεροφοῖτις das masculinum ἠεροφοίτης
zu grunde liege (τὰ εἰс ι͞с παρώνυμα θηλυκά, παρακείμενα τοῖς εἰс
η͞с ἀρсενικοῖс βαρυνομένοις, προπεριсπᾶται, εἰ φύсει μακρᾷ παρα-
λήγοιτο).[29] beide formen haben ausgezeichnete gewähr für sich: die
erstere kommt bei Homer vor an den beiden schon genannten stellen
I 571 und T 87 (von der zweiten ist anth. Pal. IX 470, 4 abhängig);
die letztere begegnet uns bei dem tragiker Ion: ἀεροφοίταν ἀстέρα.
ebenso wohl bezeugt ist das adjectivum ἠερόφοιτος[30], welches
Aristophanes einst bei Aischylos las (ἰταμαῖс κυсὶν ἀεροφοίτοιс[31])
und dem die spätern dichter den vorzug zu geben pflegen: Maximus 1ᵇ
Μήνην ἠερόφοιτον. 485 ἠερόφοιτος ἄναсса. Oppian Hal. III 166
ἠερόφοιτα γένεθλα. Manetho V 146 καλοβάτην . . ἠερόφοιτον.
Orph. Arg. 47 und Nonnos Metab. Θ 159 ἠερόφοιτος . . οἶστρος.
Christodoros 129 ἠερόφοιτος . . ἀηδών. seinen metrischen grundsätzen zu liebe vermeidet indessen Nonnos diese kurz auslautende
form im versschlusz und schreibt demnach Dion. VI 368 πλόον
ἠεροφοίτην, Metab. A 215 ἠεροφοίτην . . διάκτορον. in den ps.-
Phokylideia schwankt Bergks text (noch in der neusten ausgabe)
zwischen φύсιν ἠερόφοιτον 125 und ἠεροφοῖτις . . μέλιссα 171,
aber die bessere überlieferung scheint hier durchaus für ἠερόφοιτος zu sprechen. zweifelhafter liegt die sache in den Orphischen
hymnen: 3, 9 steht διώγμασιν ἠεροφοίτοις, 51, 5 Νύμφαι . . ἠερόφοιτοι, 81, 1 αὖραι . . ἠερόφοιτοι (wo ἠεροφοῖται überliefert ist)
und 82, 4 γέρας ἠερόφοιτον, während 9, 2 Μήνη . . ἠεροφοῖτι
gelesen wird. nimt man die praxis der νεώτεροι (namentlich des
Maximus) zur richtschnur, so müste man auch hier trotz der an-
scheinenden einstimmigkeit der hss. ἠερόφοιτε als das ursprüngliche vermuten. wenn übrigens 81, 1 ἠερόφοιται sicherlich falsch
überliefert ist für ἠερόφοιτοι, warum sollte derselbe fehler nicht in
die Lithika 45 eingedrungen sein, wo noch immer ἠεροφοῖται . .
οἰωνοί gelesen wird? mit gröszerer gewisheit läszt sich die adjec-
tivische form in dem textscholion des cod. Ven. A zu I 571 wiederherstellen. dasselbe lautet bei Dindorf (in der note): γρ. καὶ ἱεροφοῖτις, ἡ διὰ τοῦ сκότους ἐρχομένη. aber ἱεροφοῖτις, eine unter
dem einflusz des itacismus entstandene corruptel, die noch öfter
vorkommt, kann nicht wohl in die reihe der eigentlichen varianten
gestellt werden, wie sie sonst von Aᵗ mit der formel γρ΄ καὶ angeführt zu werden pflegen. hierzu kommt dasz, wie ich aus eigner
anschauung weisz, im codex nicht ἱεροφοῖτις steht, sondern ἱερο-
                                                                o
φοιτ ohne accent. freilich ist das übergeschriebene ο, welches be-

---

[29] vgl. Et. Gud. 238, 8 ἠεροφοίτης ἀρсενικὸν ὁ ἐν τῇ ἀέρι φοιτῶν
παρὰ τὸ δι' ἀέρος φοιτᾶν καὶ сκότους, καὶ τὸ θηλυκὸν ἠεροφοῖτις usw.
ps. Herodian epimer. s. 44 Boiss. ἠεροφοίτης ὁ εἰс τὸν ἀέρα φοιτῶν.
[30] nicht ἠερίφοιτος. in der Orphischen εὐχὴ πρὸс Μουсαῖον hat
Hermann 33 ἠδ' ἠερίφοιτους hergestellt st. ἠδὲ (ἰδὲ) πυριφοίτους, doch
ist dies schon von Lobeck zu Phryn. s. 687 zurückgewiesen worden.
[31] so RU, ἀεροφύτοιс V; hingegen ἀεροφοίταιс AM.

kanntlich die endung ος vertritt, etwas undeutlich, aber nimmermehr
als die abbreviatur von ις deutbar. wie nun in dem lemma des zu
ebendemselben verse in A beigeschriebenen Herodianischen scholions
ἱεροφοῖτις aus ἠεροφοῖτις corrumpiert wurde, gerade ebenso fehlerhaft ist in dem kurzen textscholion (A¹) ἱεροφοιτος aus ἠερόφοιτος
gemacht worden.³² da übrigens die erklärung ἡ διὰ τοῦ σκότους
ἐρχομένη zu der vulg. ἠεροφοῖτις ganz ebenso gut passt wie zu der
variante ἠερόφοιτος, so folgt dasz jene erklärung nur infolge eines
zufalls sich an die notiz γρ´ καὶ «ἠερόφοιτος» angehängt hat. ähnliche verknüpfungen ursprünglich getrennt gewesener notate habe
ich in Arist. Hom. textkr. I s. 149. 152. 156 nachgewiesen.

---

³² aus Spitzners note zu I 571 vermag ich nicht klar zu ersehen, ob
er sich die sache ebenso vorgestellt hat. er scheint vielmehr angenommen
zu haben, dasz in demjenigen texte, zu welchem ursprünglich
jenes scholion beigeschrieben wurde, ἠερόφοιτος gestanden habe.

KÖNIGSBERG.   ARTHUR LUDWICH.

75.

DIE NEUESTE BEREICHERUNG DER HESIODISCHEN
TEXTESÜBERLIEFERUNG.

In den sitzungsberichten der k. bayr. akademie (philosophisch-
philologische und historische classe) 1889 heft 3 s. 351—362 hat
KSittl Pariser pergamentfragmente von Hesiodos-hss. besprochen,
welche etwa im elften jh. auf dem Athos geschrieben worden sind.
dieselben enthalten die verse Theog. 72—145. 450—504 und Aspis
75—298, und ein blatt bringt auch Aspis 87—138 noch einmal;
letzteres blatt ist aus derselben hs. abgeschrieben, aus welcher die
zuerst erwähnten bss.-reste stammen. Sittl vergleicht nun die fassung
des Hesiodischen textes, wie ihn diese bruchstücke bieten, mit der
aus unsern bisherigen hss. bekannten überlieferung. was wir durch
diese vergleichung hauptsächlich gewinnen, ist das ergebnis, dasz
unsere bisherigen quellen mehrere lesarten nicht erhalten haben, von
denen kenntnis zu nehmen sich wohl verlohnt, obwohl die neu ent-
deckte überlieferung nur an zwei stellen vor der bisher bekannten
den vorzug verdient und an zwei andern ·ihr gleichberechtigt ist.
die nachstehenden zeilen haben den zweck die den Pariser fragmenten¹
eigentümlichen lesarten, soweit sie neu sind und für die kritik wert
haben, etwas eingehender zu besprechen.

Für die Theogonie kommt nur v. 453 in betracht mit der bisher
unbekannten fassung Ῥείη δὲ δμηθῆσα. es ist damit der beweis geliefert, dasz GHermanns vermutung (opusc. VI s. 163) Ῥείη δὲ

---

¹ in Omonts catalogue des suppléments des manuscrits grecs führen
dieselben die nummer 663 fol. 76. 72. 52, die partie Aspis 87—138 aber
steht auf fol. 75 derselben nummer.

δμηθεῖϲα im altertum in der that lesart Hesiodischer hss. gewesen ist. der metrische fehler Ῥείη δ᾽ ὑποδμηθεῖϲα, wie sich ṣtatt Ῥεῖα δ᾽ ὑποδμηθεῖϲα (M) in den meisten hss. findet, beweist das klar, was man auch bisher anzunehmen genötigt war — nemlich dasz die präp. in die erste fassung der stelle aus der zweiten eingedrungen ist. 'da bei frauennamen auf -εια kurzes α das regelmäszige ist' (Rzach dialekt des Hesiodos s. 395), so hat Ῥεῖα δ᾽ ὑποδμηθεῖϲα den vorzug.

In der Aspis haben beide pergamentfragmente v. 89 τοῦ μὲν φρέναϲ ἐξέλετο Ζεύϲ statt φρέναϲ den singular φρένα, mit hiatus in der bukolischen cäsur. obwohl derselbe nicht gegen die metrischen gesetze verstöszt, so ist es doch sehr unwahrscheinlich, dasz der dichter den singular gebraucht hat. nicht nur die parallelstellen Ζ 234 und Τ 137 Γλαύκῳ Κρονίδης (καί μευ) φρέναϲ ἐξέλετο Ζεύϲ, sondern auch ähnliche stellen wie I 377 ἐκ γάρ εὑ φρέναϲ εἵλετο μητίετα Ζεύϲ, Ρ 470 καὶ ἐξέλετο φρέναϲ ἐϲθλάϲ und C 311 ἐκ γάρ ϲφεων φρέναϲ εἵλετο Παλλὰϲ Ἀθήνη, wo ein hiatus keine entschuldigung haben würde, sprechen für φρέναϲ, wie denn auch das Alkaiosfragment 68 πάμπαν δ᾽ ἐτύφωϲ᾽, ἐκ δ᾽ ἕλετο φρέναϲ den plural bietet. auch in der Aspis 149 νόον τε καὶ ἐκ φρέναϲ εἵλετο φωτῶν finden wir in unsern hss. nur den plural. darum glaube ich auch nicht, wozu Sittl geneigt zu sein scheint, dasz uns hier eine beachtenswerte variante vorliegt; vielmehr halte ich φρένα einfach für einen schreibfehler.

Interessant ist dann aber, dasz sich in beiden fragmenten v. 93 die, wie ich glaube, richtige alte lesart ἣν ἄτην (ἀάτην) ὀχέων erhalten hat, welche Graevius aus φ 302 durch conjectur fand. ich habe diese vermutung im rhein. mus. XL s. 624 ausführlicher begründet.

Wenn v. 97 μέγα δὲ φρεϲὶ θάρϲοϲ ἀέξων ἰθὺϲ ἔχειν θοὸν ἄρμα καὶ ὠκυπόδων ϲθένοϲ ἵππων in beiden fragmenten θοὸϲ ἄρμα geschrieben steht, so vermag ich darin trotz der möglichen, von Sittl aus Ψ 880 ὠκὺϲ δ᾽ ἐκ μελέων θυμὸϲ πτάτο begründeten prädicativen verbindung doch nur einen schreibfehler zu erblicken. zu jedem begriff tritt ein ausführender zusatz: zu ἔχειν ist ἰθύϲ gesetzt, wie Μ 124 τῇ ῥ᾽ ἰθὺϲ φρονέων ἵππουϲ ἔχε, der begriff ἵπποι erhält nicht nur das stehende epitheton ὠκύποδεϲ[2], sondern erscheint auch noch in der nur hier vorkommenden umschreibung mit ϲθένοϲ[3], und zu ἄρμα tritt θοόν, wie sich θοὸν ἄρμα an derselben versstelle auch Λ 533 = Ρ 458 und im hymnos auf Demeter 89 findet.

Wenn ich nach dieser ausführung hier keine bereicherung des Hesiodischen apparats anerkennen kann, so liegt eine solche v. 116 μάλα γάρ νύ οἱ ἄρμενα εἶπεν (nemlich Iolaos dem Herakles), wo beide fragmente γὰρ ἕάρμενα (oder γὰρ ἒ ἄρμενα) bieten, allerdings

---

[2] dieselbe stellung findet sich nur im hymnos auf Apollon Pythios 87 in ὠκυπόδων κτύπον ἵππων.   [3] vgl. Goethes Hermann und Dorothea im fünften gesang (Polyhymnia) 'die rasche kraft der leicht hinziehenden pferde'.

vor. mehrere unserer hss., unter ihnen M, lassen νύ fort, in andern fehlt οἱ. eine stütze findet die bisher bekannte überlieferung besonders an ο 239 τόθι γάρ νύ οἱ αἴϲιμον ἦεν. aber in den uns jetzt gebotenen buchstaben musz etwas anderes enthalten sein. Sittl meint, vielleicht habe εναρμενα = εὖ ἄρμενα vorgelegen. dann hätte der halbvers also mit häszlichem rhythmus μάλα γάρ οἱ εὖ ἄρμενα εἶπεν gelautet, und εὖ wäre recht überflüssig gewesen. Christ genügte der Sittlsche vorschlag denn auch nicht: er combinierte — 'sehr ansprechend' sagt Sittl — ἒ und οἱ zu ἑοῖ. diese combination widerspricht indes dem sinn der stelle, da ἑοῖ nur mit αὐτῷ vorkommt (Ν 495. δ 38) und lediglich reflexiven gebrauch hat. ich vervollständige ἒ (ἓ) zu τὲ und weise darauf hin, dasz gerade diese partikel sehr oft, zumal wo sie überflüssig zu sein schien, ausgelassen wurde: μάλα γάρ τε κατεϲθίει lesen wir Γ 25 = Φ 24. für die Aspis ergibt sich somit die doppelte fassung μάλα γάρ νύ οἱ ἄρμενα εἶπεν und μάλα γάρ τέ οἱ ἄρμενα εἶπεν. auch in der Theogonie 84, wo die hss. οἱ δέ νυ λαοὶ πάντες ἐς αὐτὸν ὁρῶϲι bieten, steht in dem Achmîm-papyrus οἱ δέ τε λαοί. citate bei Aristeides und Themistios unterstützen diese lesart, die auch durch die für das prooimion wichtige parallelstelle θ 170 f. οἱ δέ τ’ ἐς αὐτὸν τερπόμενοι λεύϲϲουϲιν empfohlen wird.

V. 166 f. ϲτίγματα δ’ ὣς ἐπέφαντο ἰδεῖν δεινοῖϲι δράκουϲι· κυάνεοι κατὰ νῶτα, μελάνθηϲαν δὲ γένεια zeigt sich in unserer bisherigen überlieferung im anfang des zweiten verses ein schwanken zwischen κυάνεοι und κυάνεα. beides ist möglich: denn die verlängerung des schlieszenden α läszt sich schon aus Homer rechtfertigen (zb. κ 353 ῥήγεα καλά, πορφύρεα καθύπερθ’, ὑπένερθε δὲ λῖθ’ ὑπέβαλλεν). jetzt erhalten wir vielleicht eine dritte lesart: denn Sittl vermutet ansprechend, dasz in dem κυανέοιο des Pariser pergamentbruchstücks das schlieszende ο aus dem uncialen ϲ entstanden, also δεινοῖϲι δράκουϲι, κυανέοιϲ κατὰ νῶτα, μελάνθηϲαν δὲ γένεια gelesen worden sei. am gewandtesten ist der ausdruck in der zuerst gegebenen fassung.

Zu v. 189 urteilt Sittl richtig, dasz οἵτε, wie in der neuen quelle steht, 'statt des eigentümlichen καίτε nicht unpassend sei'. nötig ist οἵτε freilich nicht und doch wohl nichts anderes als die elegante verbesserung eines grammatikers.

Ob ὀλοή, wie v. 197 ἐν δὲ Διὸς θυγάτηρ ἀγελείη τριτογένεια an vorletzter stelle steht, verderbnis aus ελειη oder glosse ist, welche, wie ἐχθρὴ v. 264 die ursprüngliche lesart αἰνή, so ihrerseits das überlieferte ἀγελείη verdrängt hat, oder ob es drittens eine fassung des verses gab, in welcher ὀλοή vorkam, kann zweifelhaft sein. wer sich für die letzte dieser drei möglichkeiten entscheidet, könnte den ausfall von ἦν hinter ὀλοή annehmen und den hiatus durch stellen wie ω 299 ποῦ δὴ νηῦϲ ἕϲτηκε θοή ἥ ϲ’ ἤγαγε δεῦρο; entschuldigen wollen; auch v. 201 ist ἦν, freilich gleich am anfang des verses, hinzugefügt. verderblich konnte Pallas genannt werden, weil sie, wie ἀγελείη von einigen erklärt ward, den krieg führt (ἡγουμένη τοῦ πολέμου sagt Hesychios, ἄγουcαν τοὺc ἐπὶ πόλεμον ὄχλουc Apollonios) und so die menschen wie die ὀλοὴ Κήρ (Aspis 156) zu grunde richtet. zugleich erinnere ich daran, dasz die überlieferung in der parallelstelle γ 378 ἀλλὰ Διὸc θυγάτηρ,΄ ἀγελείη τριτογένεια ebenfalls schwankt: Zenodotos schrieb hier κυδίcτη τριτογένεια, und in Δ 515, der zweiten parallelstelle, scheint sich ἀγελείη in keiner einzigen hs. zu finden; nur am versschlusz behauptet ἀγελείη überall ein unbestrittenes recht. indes möchte ich ὀλοὴ trotzdem an unserer stelle nicht als alte lesart, sondern als vermeintliche verbesserung fassen, die versucht wurde, als das wort ἀγελείη durch auslassung der buchstaben ἀγ verstümmelt worden war.

An der interpolierten stelle 203—205 wäre statt ἐν δ᾽ ἀγορή der plural ἀγοραί, wie auch Sittl meint, statthaft; doch hat der singular unserer bisherigen hss. wegen des gleich folgenden ἀθανάτων ἐν ἀγῶνι viel mehr wahrscheinlichkeit.

Auch v. 210 δελφῖνεc τῇ καὶ τῇ ἐθύνεον ist θύνεον ohne augment, worauf, wie Sittl sah, das θυέων des Pariser fragments führt, sehr wohl möglich: es wird durch den umstand empfohlen, dasz das imperfectum von θύνω bei Homer neunmahl vorkommt und niemals augmentiert ist.

V. 219 τὼc γάρ μιν παλάμαιc τεῦξεν κλυτὸc ἀμφιγυήειc χρύcεον haben alle bisherigen quellen den aorist, und dieses tempus wird durch eine grosze zahl von Homerstellen, nemlich alle diejenigen, an welchen von einer vollendeten arbeit berichtet wird, empfohlen. wenn in der ausgabe Rzachs τεῦχεν steht, so verdankt diese form sicherlich — wie mir der herausgeber jetzt bestätigte — nur einem zufall ihren platz im Hesiodischen texte. hätte Rzach so schreiben wollen, so würde er diese durchaus überflüssige, ja meines erachtens störende änderung sicherlich zu notieren und zu rechtfertigen nicht unterlassen haben. wahrscheinlich steht es um das jetzt auf dem Pariser pergamentblatt erscheinende τεύχεν nicht anders: die umgebenden verba haben den lapsus calami herbeigeführt.

Einer unzeitigen reminiscenz entstammt v. 274 in der beschreibung der auf dem schilde abgebildeten hochzeit der ausdruck πολὺc δ᾽ ὀρυμαγδὸc ὀρώρει. der halbvers kommt bei Homer fünfmal vor (Β 870. Δ 449. Θ 59. 63. ω 70; auch Π 633 ist ähnlich) und konnte sich daher leicht eindrängen. da aber die ganze stelle der Aspis den schild des Achilleus zur voraussetzung hat, so ist die viel bezeichnendere fassung πολὺc δ᾽ ὑμέναιοc ὀρώρει, wie Σ 493 wiederkehrt, aus unsern bisherigen quellen unzweifelhaft beizubehalten.

Stralsund.   Rudolf Peppmüller.

76.
BEITRAGE ZU POLYBIOS.
(fortsetzung von jahrgang 1884 s. 111—122.)

II. DER HIATUS BEI KAI.

Nachdem Hultsch im Philologus XIV s. 288 ff. die allgemeinen grundsätze aufgestellt hat, nach welchen Polybios den hiatus vermeidet[1], sind in neuerer zeit durch Kälker, Krebs und den unterz. in manigfacher weise nachträge gegeben worden, welche die von Hultsch nach Benselers vorgang aufgestellten gesetze bestätigten bzw. modificierten. da es nun aber dem unterz. nicht möglich war in den vorreden zum ersten und zweiten bande seiner ausgabe über alle abweichungen von Hultsch genau rechenschaft zu geben, so sollen in dieser zeitschrift, wie bereits in aussicht gestellt war (bd. I praef. s. IV), nunmehr noch einige wesentliche punkte erörtert werden.

Sehr schwierig ist die frage, in wie weit Polybios den b i a t u s b e i καί zu umgehen pflegte, und so hat denn auch, nachdem Hultsch in seiner besonnenen weise sein urteil kurz dahin zusammenfaszte (ao. s. 292): ʽzulässig ist der hiatus nach καί; jedoch läszt sich eine gewisse beschränkung dabei nicht verkennenʼ, kein forscher diese frage einer eingehenden betrachtung unterzogen.[2] da nun aber ungläubigen gemütern gegenüber zahlen am überzeugendsten zu wirken pflegen, so möge folgendes vorausgeschickt werden. in der Kyrupädie Xenophons findet sich auf den ersten 68 seiten (I 1, 1 —II 3, 1 τῇ δ᾽ ὑcτεραίᾳ ὁ) der LDindorf-Teubnerschen ausgabe, in welcher jede| seite 31 zeilen faszt, καί in crasi 19 mal, καί v o r v o c a l e n 417 mal, καί vor consonanten 503 mal; in meiner ausgabe des Polybios[3], die genau in demselben format gedruckt ist, erscheint auf den ersten 68 seiten (I 1, 1—I 48, 8 cυνεργούcηc) καί in crasi 4 mal, καί v o r v o c a l e n 6 mal, καί vor consonanten 823 mal. schon daraus geht wohl mit sicherheit hervor, dasz Pol. sich bei verwendung von καί vor folgendem vocal eine gewisse beschränkung

---

[1] mit Cobet und seinen anhängern, welche das hiatusgesetz ableugnen, ohne irgend welche sachliche gründe beizubringen, läszt sich ebensowenig streiten wie mit dem rec. des ersten bandes meiner ausgabe, welcher (philol. anz. 1883 s. 827) schreibt: ʽes scheint an sich gewagt anzunehmen, dasz Polybios . . jeden hiatus zu umgehen wuste oder umgehen wollte [das hat seit Benseler niemand behauptet]. er müste denn einen dem hiatus abholden secretär gehabt haben (!) oder sein geschichtswerk müste in einer spätern zeit nach dieser hinsicht eine correctur erfahren haben (!), was auch nicht auszer dem bereich der möglichkeit liegt.ʼ   [2] daher sind auch, ob mit recht oder unrecht wird das folgende lehren, besonders gegen meine behandlung des hiatus bei καί von den oben genannten rec. und von KSchenkl (Bursians jahresber. 1884 bd. XXXVIII s. 244) ausstellungen gemacht worden.

[3] selbstverständlich habe ich meine ä n d e r u n g e n, welche den hiatus beseitigen, n i c h t berücksichtigt, sondern in der berechnung an den betreffenden stellen die vulgata zu grunde gelegt.

auferlegt hat. verfolgt man nun aufmerksam den gebrauch von καί,
so ergibt sich zuerst, dasz unser schriftsteller den hiatus, welcher
zwischen καί und folgendem vocalisch anlautenden eigennamen
entstehen würde, in verschiedener weise zu vermeiden scheint.[4] so
finden wir das asyndeton dreigliedrig: V 78, 6 Λαμψακηνοῖς,
Ἀλεξανδρεῦσιν, Ἰλιεῦσι· XVI 13, 3 Αἰτωλοῖς, Ἠλείοις, Μεσση-
νίοις· XXVI 1 (XXIV 10), 8 Καλλικράτην Λεοντήσιον, Λυδιάδαν
Μεγαλοπολίτην, Ἄρατον Σικυώνιον· XXVIII 14 (16), 6 Ἀγέπολις,
Ἀρίστων, Παγκράτης· XXVIII 18 (22), 2 Μελέαγρος, Σωσιφάνης,
Ἡρακλείδης· XXIX 4 (10), 4 Ἀγέπολιν, Διοκλῆ, Κλεόμβροτον[5]:
XXIX 10 (25), 6 Ἄρχων Αἰγειράτης, Ἀρκεσίλαος, Ἀρίστων Μεγα-
λοπολῖται· XXX 13 (14), 3 Θεόδωρος ὁ Βοιώτιος, Θεόπομπος * *,
Ἕρμιππος ὁ Λυσιμαχεύς· viergliedrig: III 24, 16 Ἀρδεάτας,
Ἀντιάτας, Κιρκαιίτας, Ταρρακινίτας· XVIII 14, 7 Μεσσηνίων,
Μεγαλοπολιτῶν, Τεγεατῶν, Ἀργείων· XXVIII 6, 8 Πολύαινος[6],
Ἀρκεσίλαος, Ἀρίστων, Ξένων· XXX 10 (13), 3 Καλλικράτης,
Ἀριστόδαμος, Ἀγησίας, Φίλιππος· fünfgliedrig: IX 38, 5 Ἠπει-
ρώταις, Ἀχαιοῖς, Ἀκαρνᾶσι, Βοιωτοῖς, Θετταλοῖς· XVIII 28 (45), 5
Ὠρεόν, Ἐρέτριαν, Χαλκίδα, Δημητριάδα, Κόρινθον· XXVIII 6, 2
Ἀρκεσίλαος Ἀρίστων Μεγαλοπολῖται, Στράτιος Τριταιεύς, Ξένων
Πατρεύς, Ἀπολλωνίδης Σικυώνιος· XXXVI 1 (3), 8 Γίσκων Στρυ-
τάνος ἐπικαλούμενος, Ἀμίλκας, Μίσδης, Γιλλίμας, Μάγων· sechs-
gliedrig: XI 6 (5), 4 Βοιωτῶν, Εὐβοέων, Φωκέων, Λοκρῶν,
Θετταλῶν, Ἠπειρωτῶν· XXII 27 (XXI 48), 10 Λυκαονίαν, Μι-
λυάδα, Λυδίαν, Τράλλεις, Ἔφεσον, Τελμισσόν· siebengliedrig:
XI 19, 4 (s. Hultschs ann. crit.) Λίβυας, Ἴβηρας, Λιγυστίνους, Κελ-
τούς, Φοίνικας, Ἰταλούς, Ἕλληνας.[7] auch vor dem ὕστερον πρότερον II 41, 6 Ἀλεξάνδρου καὶ Φιλίππου scheute, wie ich jahrb.
1884 s. 122 gezeigt habe, Pol. nicht zurück, um den hiatus zu vermeiden. besonders häufig jedoch erreicht unser schriftsteller seinen
zweck dadurch, dasz er den artikel geschickt verwendet. wird
nemlich an ein artikelloses nomen proprium ein glied mit καί angefügt, in welchem ein vocalisch anlautender eigenname zur verwendung kommt, so wird letzterm, selbst wenn die concinnität gestört wird, der artikel hinzugefügt: II 56, 6 τὴν Ἀντιγόνου καὶ
Μακεδόνων, ἅμα δὲ τούτοις τὴν Ἀράτου καὶ τῶν Ἀχαιῶν·
II 71, 2 περὶ Μακεδόνας καὶ τοὺς Ἕλληνας (aber II 71, 8 περὶ

---

[4] ausdrücklich lege ich dagegen verwahrung ein, als ob alle jene
wendungen, deren sich Pol. bedient, um dem hiatus aus dem wege zu
gehen, eben nur dann vorkämen, wenn es sich um hiatusbeseitigung
handelte. auch hier gilt dasselbe, was ich in ähnlicher beziehung jahrb.
1884 s. 115 ff. früher ausgesprochen habe.   [5] daher corrigieren Dindorf und Hultsch mit recht durch tilgung des καί das folgende Δάμωνα
[καί] Νικόστρατον [καί] Ἀγησίλοχον, Τήλεφον.   [6] Werner de Polybii
vita usw. (Berlin 1877) vermutet s. 16 Πολύβιος.   [7] auch aus dieser
übersicht geht hervor, wie verkehrt es war, wenn Wunderer (coni. Pol.
s. 22) behauptete [richtiger, doch nicht vollständig Götzeler de eloc.
Pol. s. 32], dasz Pol. das viergliedrige asyndeton selten anwende.

τοὺς Ἕλληνας καὶ Μακεδόνας)· III 24, 1 Τυρίους καὶ τὸν Ἰτυκαίων δῆμον (dagegen in der vertragsurkunde ebd. § 3 Τυρίων καὶ Ἰτυκαίων)· III 118, 10 Ἰβηρικῶν καὶ τῶν Ἰταλικῶν· IV 55, 5 Φιλίππῳ καὶ τοῖς Ἀχαιοῖς· IV 57, 1 ἐπὶ Θετταλίας καὶ τῆς Ἠπείρου· V 44, 9 Ἐλυμαίοις καὶ τοῖς Ἀνιαράκαις· XVIII 2, 3 Ἰασοῦ καὶ Βαργυλίων καὶ τῆς Εὐρωμέων πόλεως· XXI 8 (10), 1 Ῥωμαίους καὶ τὸν Εὐμένη· XXV 1 (XXIII 17), 1 τὴν Λυκόρτα καὶ τῶν Ἀχαιῶν μεγαλοψυχίαν· XXV 9ᵇ (XXIV 15), 9 Ῥωμαίους καὶ τοὺς Ἕλληνας· XL 8 (XXXIX 14), 8 Ἀντιόχῳ καὶ τοῖς Αἰτωλοῖς. demgemäsz war es dem Polyb. sprachgebrauch nicht ohne weiteres angemessen, wenn Bekker XXXIII 11 (13), 8 τὴν καταφθορὰν τῆς χώρας τῆς τε Μεθυμναίων καὶ τῶν Αἰγαιέων καὶ τῆς Κυμαίων καὶ Ἡρακλειωτῶν das τῶν vor Αἰγαιέων strich; es müste vielmehr, wenn überhaupt zu ändern wäre (s. u. s. 677), τῶν vor Ἡρακλειωτῶν eingesetzt werden. — Wird aber einem mit dem artikel versehenen eigennamen durch καί ein zweites nomen proprium angefügt, welches vocalisch anlautet, so wird der artikel, um dem hiatus zu entgehen, wiederholt: I 73, 3 τοὺς Ἰτυκαίους καὶ τοὺς Ἱππακρίτας· II 6, 10 τοῖς δ' Ἀχαιοῖς καὶ τοῖς Αἰτωλοῖς· II 9, 8 πρός τε τοὺς Ἀχαιοὺς καὶ τοὺς Αἰτωλούς· II 65, 1 τῶν Μακεδόνων καὶ τῶν Ἀχαιῶν· III 25, 6 τὸν Ἄρην καὶ τὸν Ἐννάλιον· III 35, 2 τό τε τῶν Ἰλουργητῶν ἔθνος καὶ Βαργουσίων, ἔτι δὲ τοὺς Αἰρηνοσίους καὶ τοὺς Ἀνδοσίνους· IV 53, 9 τούς τε Κνωσίους καὶ τοὺς Αἰτωλούς· IV 55, 1 τῷ τε βασιλεῖ Φιλίππῳ καὶ τοῖς Ἀχαιοῖς· ebd. πρός τε τὸν βασιλέα καὶ τοὺς Ἀχαιούς· IV 63, 5 τῆς Ἠπείρου καὶ τῆς Ἀκαρνανίας· IV 63, 6 τὴν Ἤπειρον καὶ τὴν Ἀκαρνανίαν· IV 80, 1 τοὺς Ἠλείους καὶ τοὺς Αἰτωλούς· V 3, 3 τοῖς Μεσσηνίοις καὶ τοῖς Ἠπειρώταις· V 3, 10 τῆς δ' Ἠπείρου καὶ τῆς Αἰτωλίας· V 5, 7 τὴν Θετταλίαν καὶ τὴν Ἤπειρον· V 45, 9. 59, 10 τὸν Λίβανον καὶ τὸν Ἀντιλίβανον· V 97, 3 τῆς Βοττίας καὶ τῆς Ἀμφαξίτιδος· V 105, 4 τὰς μὲν οὖν Ἑλληνικὰς καὶ τὰς Ἰταλικάς (aber V 105, 9 ταῖς Ἰταλικαῖς καὶ Λιβυκαῖς)· VIII 13 (15), 1 τὸν Λίσσον καὶ τὸν Ἀκρόλισσον· IX 22, 5 τὴν Ἑλλάδα καὶ τὴν Ἰλλυρίδα· XXI 10 (13), 4. 11 (14), 2. 8 τὴν Αἰολίδα καὶ τὴν Ἰωνίαν· XXII 3 (XXI 20), 3 τὴν Ἀσίαν καὶ τὴν Ἑλλάδα· XXII 8 (XXI 25), 3 τὴν Ἀμφιλοχίαν καὶ τὴν Ἀπεραντίαν· XXV 9ᵇ (XXIV 15), 1 τῶν Ῥωμαίων καὶ τῶν Ἀχαιῶν· XXVI 3 (XXIV 12), 6 τοῖς Αἰτωλοῖς καὶ τοῖς Ἠπειρώταις· XXX 5, 13 τοὺς Καυνίους καὶ τοὺς Εὐρωμεῖς· XXXI 6, 7 τὸν Εὐμένη καὶ τὸν Ἀντίοχον· XXXI 9, 3 τὸν Εὐμένη καὶ τὸν Ἄτταλον· XL 5 (XXXIX 11), 4 τὸν δὲ Λάγιον καὶ τὸν Ἀνδρωνίδαν καὶ τὸν Ἄρχιππον. auch die wiederholung der präp. dient demselben zwecke, den hiatus zu vermeiden: II 12, 8 πρὸς Κορινθίους καὶ πρὸς Ἀθηναίους· III 57, 2. 59, 7 κατὰ Λιβύην καὶ κατ' Ἰβηρίαν· IV 9, 9 εἴς τε Κυλλήνην καὶ πρὸς⁸

---

⁸ wie πρός für εἰς eintritt, um den hiatus καὶ εἰς zu vermeiden, hat Krebs d. präp. b. Pol. s. 26 c gezeigt.

Ἀρίστωνα· V 4, 4 παρ᾽ Ἠπειρωτῶν, καὶ παρ᾽ Ἀκαρνάνων· XII 4ᵈ, 5 διά τε τῆς Ἀρκαδίας καὶ διὰ τῆς Ὀλυμπίας· XVI 30, 7 παρὰ Ῥοδίων καὶ παρ᾽ Ἀττάλου (aber XVI 34, 3 εἰς Ἄτταλον καὶ Ῥοδίους)· XVIII 6, 1 πρὸς δὲ Ῥοδίους καὶ πρὸς Ἄτταλον· XXIII 11 (XXII 15), 2 παρὰ τοῦ Φιλίππου καὶ παρ᾽ Εὐμένους· XXIV (XXIII) 1, 10 παρ᾽ Ἀθαμάνων καὶ παρ᾽ Ἠπειρωτῶν καὶ παρ᾽ Ἰλλυριῶν· XXV 2, 6 (XXIV 1, 1) παρ᾽ Εὐμένους καὶ παρ᾽ Ἀριαράθου· XXVIII 8, 2 πρὸς Ἠπειρώτας καὶ πρὸς Ἰλλυριούς· XXXI 9, 6 κατὰ τὸν Εὐμένη καὶ κατὰ τὸν Ἀντίοχον· XL 8 (XXXIX 14), 6 κατὰ τοὺς Φιλιππικοὺς καὶ κατὰ τοὺς Ἀντιοχικούς.

Sind diese mittel den hiatus zu umgehen nicht anwendbar, so wird hinter καί ein fast tautologisches μετὰ τούτων, μετ᾽ αὐτῶν, cὺν (πρὸς, ἅμα δὲ) τούτοις, ἅμα eingeschoben bzw. an stelle von καί gesetzt, um dem hiatus auszuweichen: I 79, 8 Μάθως δὲ καὶ Cπένδιος, ἅμα δὲ τούτοις Αὐτάριτος· III 33, 9 Θερςῖται, Μαcτιανοί, πρὸς δὲ τούτοις Ὀρῆτες Ἴβηρες· IV 53, 6 καὶ Πολυρρήνιοt μὲν καὶ Κερέται καὶ Λαππαῖοι, πρὸς δὲ τούτοις Ὅριοι· IV 72, 3 τοὺς ἄρχοντας καὶ μετὰ τούτων Εὐριπίδαν· V 37, 8 τόν τε Κλεομένην καὶ τὸν Παντέα καὶ μετ᾽ αὐτῶν Ἱππίταν· V 63, 5 Ῥοδίους καὶ Βυζαντίους καὶ Κυζικηνούς, cὺν δὲ τούτοις Αἰτωλούς· V 63, 11 Ἐχεκράτει τῷ Θετταλῷ καὶ Φοξίδᾳ τῷ Μελιταιεῖ παρέδοcαν, ἅμα δὲ τούτοις Εὐρυλόχῳ· V 65, 3 ὁ δ᾽ Ἀχαιὸς Φοξίδας καὶ Πτολεμαῖος ὁ Θραςέου, cὺν δὲ τούτοις Ἀνδρόμαχος Ἀcπένδιος· V 79, 6 πρὸς δὲ τούτοις Ἀγριᾶνες καὶ Πέρcαι· VII 2, 3 τοὺς πρέcβεις, cὺν δὲ τούτοις Ἀννίβαν· VII (11) 12, 7 τὴν δὲ Πελοποννηcίων καὶ Βοιωτῶν, ἅμα δὲ τούτοις Ἠπειρωτῶν Ἀκαρνάνων (s. o. s. 672)· IX 29, 5 τά γε μὴν Καccάνδρῳ καὶ Δημητρίῳ πεπραγμένα, cὺν δὲ τούτοις Ἀντιγόνῳ τῷ Γονατᾷ· XII 28ᵃ, 3 τὰ Λιγύων ἔθη καὶ Κελτῶν, ἅμα δὲ τούτοις Ἰβήρων· XXIII 6 (XXII 9), 1 ff. ἧκον .. παρά τε τοῦ βαcιλέως Εὐμένους πρεcβευταὶ .. καὶ παρὰ Μαρωνιτῶν οἱ φυγάδες .. ἅμα δὲ τούτοις Ἀθαμᾶνες, Περραιβοί, Θετταλοί· XXIII 10 (XXII 13), 8 τοῦ δὲ Φιλοποίμενος καὶ Λυκόρτα, cὺν δὲ τούτοις Ἄρχωνος· XXIV (XXIII) 1, 4 οἱ παρ᾽ Εὐμένους ἧκον ἅμ᾽ Ἀθηναίῳ· XXV 7 (XXIV 6), 3 Λυκόρταν καὶ Πολύβιον καὶ cὺν τούτοις Ἄρατον· XXVI 3 (XXIV 12), 6 τοῖς Αἰτωλοῖς καὶ τοῖς Ἠπειρώταις, cὺν δὲ τούτοις Ἀθηναίοις, Βοιωτοῖς, Ἀκαρνᾶcι (s. o. s. 672)· XXIX 2 (3), 6 ἅμα τοὺς ὁμήρους ἔπεμπε .. καὶ cὺν τούτοις Ὀλυμπίωνα· XXXVIII 4 (10), 1 Γναῖον Παπείριον καὶ τὸν νεώτερον Ποπίλιον Λαινᾶτον, cὺν δὲ τούτοις Αὖλον Γαβίνιον καὶ Γάιον Φάννιον. ja es kommt sogar vor, dasz hinter καί ein adverbiales μετ᾽ eingeschoben wird, um den hiatus zu beseitigen. so heiszt es VIII 10 (12), 10 Φιλίππῳ καὶ μετ᾽ Ἀλεξάνδρῳ· wenn daher Reiske für dieses μετ᾽ einsetzte μετ᾽ ⟨αὐτὸν⟩, so scheint er nicht beachtet zu haben, dasz Pol. (V 15, 4) und sein nachahmer Diodoros (XIII 104, 5; s. Krebs ao. s. 61) anderwärts μετ᾽ adverbial anwendeten. besser bemerkt daher Bothe (Polyh. s. 53): «Valesius

μετ᾽ ἐκεῖνον, Reiskius et Schw. μετ᾽ αὐτόν, quorum neutro opus est, cum μετά significare possit μετέπειτα.»
Endlich verwendet in ähnlicher weise, wie wendungen mit präpositionen, Pol. als supplement für καί die redensart ἔτι δ᾽, um bei eigennamen ohne[9] artikel den hiatus zu vermeiden: I 20, 14 παρὰ Ταραντίνων καὶ Λοκρῶν, ἔτι δ᾽ Ἐλεατῶν καὶ Νεαπολιτῶν· II 49, 6 πρὸς Αἰτωλοὺς καὶ Βοιωτούς, ἔτι δ᾽ Ἀχαιοὺς καὶ Λακεδαιμονίους· V 2, 3 πρὸς γὰρ Αἰτωλοὺς καὶ Λακεδαιμονίους, ἔτι δ᾽ Ἠλείους· V 3, 7 καὶ τὰς Ἠπειρωτῶν, ἔτι δ᾽ Ἀκαρνάνων .. παραλίας· XII 23, 8 περὶ μὲν οὖν Ἀριστοτέλους καὶ Θεοφράστου καὶ Καλλισθένους, ἔτι δ᾽ Ἐφόρου καὶ Δημοχάρους· XXII 27 (XXI 48), 6 Χίους δὲ καὶ Cμυρναίους, ἔτι δ᾽ Ἐρυθραίους· XXVII 5, 3 εἰς δὲ Κορώνειαν καὶ Θίσβας[10], ἔτι δ᾽ Ἁλίαρτον· eigentümlich breit XXVIII 8, 2 καὶ πρὸς Δαρδανίους, ἔτι δὲ καὶ πρὸς Ἠπειρώτας.
Trotz all dieser sorgfalt nun, welche Pol. angewendet zu haben scheint, um dem hiatus zwischen καί und einem eigennamen aus dem wege zu gehen, bleiben doch noch genug stellen übrig, welche offenbaren hiatus enthalten.[11] von diesen sondern wir zunächst folgende ab: IV 47, 4 τῶν περὶ τὸν Ἑκατόδωρον καὶ Ὀλυμπιόδωρον· XV 25ª, 9 (25, 12) ταῖς περὶ τὴν Οἰνάνθην καὶ Ἀγαθόκλειαν· XXVII 6 (7), 3 τοῖς μὲν περὶ τὸν Ἀγαθάγητον καὶ Ῥοδοφῶντα καὶ Ἀστυμήδην· XXX 4, 1 οἱ περὶ Φιλόφρονα καὶ Ἀστυμήδην· XXX 19 (22), 4 οἱ .. περὶ τὸν Φιλόφρονα καὶ Ἀστυμήδην· XXXI

---

[9] natürlich tritt der artikel ein, wenn für ein nomen proprium wie Ἀλεξάνδρεια die umschreibung ἡ τῶν Ἀλεξανδρέων πόλις verwendet wird: XXI 10 (13), 3 τῆς τε τῶν Λαμψακηνῶν καὶ Cμυρναίων, ἔτι δὲ τῆς Ἀλεξανδρέων πόλεως· ähnlich XXI 11 (14), 2.   [10] so ist für Θήβας zu lesen (s. Spengel im Philol. XXXIII s. 610).   [11] auszusondern sind a) stellen die am anfang eines excerptes sich finden (s. Kälker de eloc. Pol. s. 223 ff.); XXV 6 (XXIV 4), 1 καὶ Ἀττάλου· XXV 9 (XXIV 13), 1 καὶ Ἀρίσταινον· XXVI 6 (XXV 2), 1 καὶ Ἀριαράθην (zweimal)· XXVI 7 (XXV 4), 1 καὶ Ἀγρίους· XXVIII 1, 1 καὶ Ἡρακλείδης· XXX 20 (23), 2 καὶ Ἀνδρωνίδαν· XXXI 6, 1 καὶ Ἀναξίδαμον· XXXIII 6 (9), 1 καὶ Αὐρουγκολήιον. b) citate aus Athenaios, Strabon usw.: XVI 39, 3 καὶ Ἄβιλα· XVIII 14, 2 καὶ Ἱερώνυμον καὶ Εὐκαμπίδαν· XXXI 3, 15 καὶ Οὐρανοῦ καὶ Ἠοῦς καὶ Ἡμέρας· XXXIV 5, 1 καὶ Ἐρατοσθένη· XXXIV 7, 14 καὶ Ἄβυδον· XXXIV 9, 13 καὶ Ἰντερκατίαν· XXXIV 11, 6. 7 καὶ Αὔσονας· XXXIV 12, 1 καὶ Ἕβρου· XXXIV 12, 6 καὶ Ἐορδῶν. c) stellen welche in wörtlich gegebenen urkunden (s. Hultsch Philol. XIV s. 290) sich finden: III 24, 3 καὶ Ἰτυκαίων· XXII 26 (XXI 45), 11 καὶ Ἀννίβαν· XXVI 6 (XXV 2), 3. 6. 15 καὶ Ἀριαράθη. XXVI 6 (XXV 2), 9 καὶ Ἀριαράθου· ebd. 12 καὶ Ἀκουσίλοχος. d) als nicht Polybisch [s. Schweighäuser bd. VII s. 498 und vgl. die hiate 4 διαφορὰ ἄλλη, 5 παρὰ Εὐμένους, XXIII 5 (XXII 1), 1 παρουσία ἐγένετο, 2 καὶ οἱ] XXIII 4, 8 (XXII 1, 9) καὶ Ἀλκιβιάδης. e) als kritisch unsicher: XXVI 3 (XXIV 12), 9 καὶ Ἀντίοχον vor einer lücke [nach XXV 9ᵇ (XXIV 15), 9 dürfte καὶ κατ᾽ Ἀντίοχον zu lesen sein)· XXIX 6ª, 5 (12, 7) καὶ Ἀλε**οῦ· XXXIII 2 (3), 2 Τηλεκλέα τὸν Μεγαλοπολίτην καὶ Ἀναξίδαμον (da καὶ in der hs. fehlt, ziehe ich Schweighäusers verbesserung Τηλεκλέα καὶ τὸν Μεγαλοπολίτην Ἀναξίδαμον vor, bei welcher die wortstellung eigentümlich gewählt ist, um den hiatus zu vermeiden, wie V 17, 4 Πολυμήδη τε τὸν Αἰγιέα καὶ Δυμαίους Ἀγησίπολιν καὶ Διοκλέα).

9, 2 τοῖς περὶ Ἄτταλον καὶ Ἀθήναιον· XXXIII 5 (8), 4 οἱ περὶ τὸν Νεολαΐδαν καὶ Ἀνδρόμαχον. es pflegt nemlich Pol. bei der wendung οἱ περί τινα, wenn mehrere eigennamen in frage kommen und überhaupt der artikel angewendet wird, nur dem ersten nomen proprium denselben beizufügen, wie I 72, 6. 82, 13 τοῖς περὶ τὸν Μάθω καὶ Σπένδιον (ebenso I 79, 1. 82, 11). I 85, 2 οἱ περὶ τὸν Αὐτάριτον καὶ Ζάρζαν καὶ Σπένδιον uö. beginnt nun einer dieser an zweiter oder dritter stelle stehenden eigennamen vocalisch, so findet sich sehr häufig ein bewustes ausweichen vor dem hiatus in ähnlicher weise, wie bereits oben s. 672 ff. besprochen: IV 48, 9 τοὺς περὶ τὸν Νικάνορα καὶ τὸν Ἀπατούριον· XIV 8, 7 οἱ .. περὶ τὸν Σόφακα καὶ τὸν Ἀσδρούβαν· XV 32, 10 οἱ .. περὶ τὸν Ἀγαθοκλέα καὶ τὴν Ἀγαθόκλειαν· XVIII 4 (21), 5 τοὺς περὶ τὸν Ἀρχίδαμον καὶ τὸν Εὐπόλεμον· XXI 6 (8), 1 τοῖς περὶ τὸν Λεύκιον καὶ τὸν Εὐμένη· XXIII 16 (XXII 7), 4 οἱ .. περὶ τὸν Ἀθίνιν καὶ Παυσίραν καὶ Χέσουφον καὶ τὸν Ἰρόβαστον· XXIV (XXIII) 4, 3 οἱ .. περὶ τὸν Ἀρέα καὶ τὸν Ἀλκιβιάδην· XXIV 8ᵃ (XXIII 11), 6 τοὺς περὶ τὸν Εὐμένη καὶ τὸν Ἄτταλον· XXV 5 (XXIV 9), 1 οἱ περὶ τὸν Εὐμένη καὶ τὸν Ἀριαράθην· XXVII 1, 11 τοὺς περὶ τὸν Νέωνα καὶ τὸν Ἱππίαν· XXVII 7 (6), 2 οἱ .. περὶ τὸν Σόλωνα καὶ τὸν Ἱππίαν· XXVIII 3, 7 τῶν περὶ τὸν Λυκόρταν καὶ τὸν Ἄρχωνα καὶ Πολύβιον [mit anderer wortstellung XXIX 8 (23), 3 τοῖς .. περὶ τὸν Ἄρχωνα καὶ Λυκόρταν καὶ Πολύβιον)· XXXI 6, 5 τοῖς περὶ τὸν Εὐμένη καὶ τὸν Ἀντίοχον· IV 57, 7 οἱ .. περὶ τὸν Ἀλέξανδρον καὶ Δωρίμαχον, ἅμα δὲ τούτοις Ἀρχίδαμον· XXIX 8 (23), 2 τοῖς .. περὶ τὸν Καλλικράτην καὶ Διοφάνην καὶ cὺν τούτοις Ὑπέρβατον.¹²

All diesen zeugnissen gegenüber liegt nun, besonders wenn man sich daran erinnert, wie grosze und kleine lücken in den hss. des Pol. ziemlich häufig sind, die versuchung sehr nahe durch streichung des polysyndeton zu gunsten des asyndeton, einsetzung des artikels, wiederholung der präp. usw. an folgenden stellen den hiatus zu beseitigen:

VII 4, 1 Ἀγάθαρχον [καὶ] Ὀνηςιγένη(ν) [καὶ] Ἱπποσθένη.

II 41, 7 πλὴν Ὠλένου καὶ (τῆς) Ἑλίκης· III 5, 1 πρὸς Κελτί-βηρας καὶ (τοὺς) Οὐακκαίους· III 79, 1 τοὺς Λίβυας καὶ (τοὺς) Ἴβηρας· IV 47, 4 τῶν περὶ τὸν Ἑκατόδωρον καὶ (τὸν) Ὀλυμπιό-δωρον· V 33, 4 περί τε τὴν Ἰβηρίαν καὶ Λιβύην, ἔτι δὲ τὴν Σικε-

---

¹² nach dem jahrb. 1884 s. 115 ff. seiner zeit ausgeführten wäre es verkehrt zu erwarten, dasz dieser gebrauch sich nur vor vocalen finde; selbstverständlich haben wir auch: I 70, 5 οἱ .. περὶ τὸν Μάθω καὶ τὸν Σπένδιον· I 87, 5 οἱ περὶ τὸν Ἄννωνα καὶ τὸν Βάρκαν (s. II 48, 6. VIII 17 (19), 5). ganz unerhört jedoch ist die anwendung des artikels im zweiten gliede, wenn derselbe im ersten fehlt, an der einzigen stelle: XXXIII 10 (12), 1 τῶν περὶ Ἀριαράθην καὶ τὸν Μιθριδάτην. da jedoch hier die hs. τὸν περὶ Ἀριαράθην καὶ τὸν Μιθριδάτην bietet, so wird wohl letzteres als wiederholung des falschen τὸν (für τῶν) zu streichen sein.

λίαν καὶ (τὴν) Ἰταλίαν· VII 2, 1 οἱ περὶ τὸν Ζώιππον καὶ (τὸν) Ἀδρανόδωρον· XV 25ª, 9 (25, 12) ταῖς περὶ τὴν Οἰνάνθην καὶ (τὴν) Ἀγαθόκλειαν· XVI 29, 7 μεταξὺ Cηστοῦ καὶ (τῆς) Ἀβύδου· XVIII 2, 4 καὶ Cηστοῦ καὶ (τῆς) Ἀβύδου· XXI 14 (17), 7 καὶ Φίλωνα καὶ (τὸν) Εὐβουλίδην[13]· XXVII 6 (7), 3 τοῖς μὲν περὶ τὸν Ἀγαθάγητον καὶ Ῥοδοφῶντα καὶ (τὸν) Ἀστυμήδην· XXX 19 (22), 4 οἱ.. περὶ τὸν Φιλόφρονα καὶ (τὸν) Ἀστυμήδην[14]· XXXIII 5 (8). 4 οἱ περὶ τὸν Νεολαΐδαν καὶ (τὸν) Ἀνδρόμαχον.

VIII 18 (20), 5 μετὰ τοῦ Βώλιδος καὶ (μετ᾽) Ἀριανοῦ.

XXXIII 11 (13), 4 Ἄππιόν τε τὸν Κλαύδιον καὶ Λεύκιον Ὄππιον καὶ (cὺν τούτοις) Αὖλον Ποστούμιον.

Allein es sind folgende stellen vorhanden, bei denen wohl nur sehr gewaltsam der hiatus beseitigt werden könnte: II 9, 8 ἅμα δὲ τούτοις Ἀπολλωνιᾶται καὶ Ἐπιδάμνιοι· II 15, 8 Ταυρίσκοι καὶ Ἄγωνες[15]· II 22, 2 τοῖς βασιλεῦσι Κογκολιτάνῳ καὶ Ἀνηροέστῳ[16]· IV 35, 13 ζῶντος δὲ καὶ Ἱππομέδοντος· V 63, 13 ἔτι Δημητρίῳ καὶ Ἀντιγόνῳ[16] cυστρατευόμενοι· VII 5, 3 Δάμιππος ὁ Λακεδαιμόνιος καὶ Αὐτόνους ὁ Θετταλός· XVI 14, 2 οὗτοι Ζήνων καὶ Ἀντισθένης οἱ Ῥόδιοι· XVI 24, 6. XXX 5, 15 Μυλασεῖς καὶ Ἀλαβανδεῖς· XVIII 14, 12 ἀλλ᾽ Εὐκαμπίδα καὶ Ἱερωνύμῳ (s. o. XVIII 14, 1 anm. 11 b)· XXI 13 (16), 4 Ζεῦξις ὁ πρότερον ὑπάρχων Λυδίας cατράπης καὶ Ἀντίπατρος ἀδελφιδοῦς· XXI 14 (17), 6 ἀποδοῦναι δὲ καὶ Εὐμένει· XXIII 11 (XXII 15), 7 Ἀρεὺς καὶ Ἀλκιβιάδης· XXIV 11 (XXIII 6), 1 Ἀρκεσίλαος καὶ Ἀγησίπολις· XXIV 12 (XXIII 16), 5 Ἐπαίνετος καὶ Ἀπολλόδωρος· XXV 4 (XXIV 8), 9 καὶ Ἀριαράθης· XXVII 1, 8 οἱ δὲ Κορωνεῖς καὶ Ἁλιάρτιοι· XXVIII 16 (19), 5 Εὔδημος καὶ Ἰκέσιος.. Ἀπολλωνίδης καὶ Ἀπολλώνιος· XXXII 20 (24), 4 καὶ Ὀροφέρνης.

Es ist daher offenbar dem Pol. die inconsequenz zuzugestehen, dasz er bald dem hiatus, welcher durch καί und einen folgenden vocalisch anlautenden eigennamen entstehen würde, sorgfältig aus dem wege geht, bald denselben unbeanstandet läszt. dies ist um so bedauerlicher, als die einzige sichere norm, der Pol. sonst streng folgt, uns hier einfach im stiche läszt; jedoch dürfte es ganz un-methodisch sein, an einigen stellen etwa, wie oben angedeutet, in leichter weise den hiatus zu beseitigen, anderwärts ihn zu belassen.[17] lieber wollen wir uns der allerdings nicht abzuleugnenden gefahr aussetzen, an der einen oder andern stelle mit den hss. zu fehlen als nach mechanischem schema inconsequenz in consequenz umzu-setzen.[18] —

---

[15] nach XXII 26 (XXI 45), 11 vermute ich Εὐβουλίδαν. [14] auch οἱ περὶ τὸν Ἀστυμήδην καὶ Φιλόφρονα könnte nach XXX 4, 3 erwartet werden. [15] Schweighäuser vermutet Εὔγανες oder Εὐγανεῖς. [16] man könnte nach XXXII 25 (27), 2 τ᾽ Ἀσκληπιοῦ, II 22, 2 an τ᾽ Ἀνηροέστῳ, V 63, 13 an τ᾽ Ἀντιγόνῳ denken. [17] dagegen habe ich selbst gefehlt, insofern ich III 79, 1 τοὺς Λίβυας καὶ (τοὺς) Ἴβηρας schrieb; mit recht rügt dies Schenkl ao. [19] es erfüllt mich mit groszer freude auch hier

Ziemlich einfach stellt sich die frage nach der anwendung von καί in verbindung mit vocalisch anlautenden zahlwörtern. hier gestattet Pol.[19] das zusammentreffen *a*) von καί und εἴκοϲι[20] bzw. εἰκοϲτόϲ: I 46, 3. 67, 13. IV 39, 4. V 99, 7. XVI 7, 1. XXI 19 (XXII 7), 7. XXIII 7 (XXII 10), 3. XXXI 7, 7. XXXI 17[a] (25), 2 bzw. I 5, 1. XII 25, 7. XII 25[k], 3; *b*) von καὶ und ἕξ nur éinmal: τεττοράκοντα καὶ ἕξ VI 19, 2; *c*) von καὶ und ἑξῆϲ ebenfalls nur éinmal: καὶ ἑξῆϲ οὕτωϲ VI 20, 5.[21] mit diesem einfachen gesetz steht in widerspruch eine einzige stelle, die noch dazu in einem excerpt sich findet: XXII 11 (XXI 30), 10 ἀπὸ ταλάντων πεντήκοντα καὶ ἑκατόν. da nun die zahl selbst nach dem zeugnis des Livius XXXVIII 9 feststeht, so würde ich nach V 99, 7 ἑκατὸν πεντήκοντα als Polybisch in anspruch nehmen. — Aus obigem gesetze ergibt sich aber auch die hinfälligkeit einer conjectur Matzats (röm. chronol. I s. 89), der auch andere sachliche bedenken entgegengestellt worden sind. derselbe ändert die viel bestrittene stelle II 18, 9 ἀπὸ δὲ τούτου τοῦ φόβου τριακαίδεκα μὲν ἔτη τὴν ἡϲυχίαν ἔϲχον in ἀπὸ δὲ τούτου τοῦ φόβου ιϲ′ μὲν ἔτη usw. mag nun auch diese verbesserung 'paläographisch leicht zu rechtfertigen[22]

---

wieder mit Hultsch zusammenzutreffen, der in ganz anderer beziehung fast mit denselben worten (jahrb. 1867 s. 307) sich gegen jene unmethodische kritik ausspricht.
[19] auszusondern sind *a*) stellen aus urkunden: III 33, 16 καὶ ἕνα, *b*) citate: VI 11[a], 3 (2, 2) καὶ ἑβδόμηϲ' VII 1, 3 καὶ ἔνδεκα· XXVI 10, 1 (1, 3 ann. crit.) καὶ εἰκοϲτῇ' XXIX 5, 7 (13, 1) καὶ ἐνάτη (Hultsch liest wie Meineke in der ausgabe des Athenaios ἐνάτη καὶ εἰκοϲτῇ)· XXXI 3, 11 καὶ ἕξ. [20] anderwärts weicht Pol. diesem hiatus aus: ἑκατὸν εἴκοϲι I 26, 7. 52, 6. III 96, 10. IV 43, 1. [21] durch diese beschränkung erklären sich die auffallenden wortstellungen I 39, 12 (ἐν) ἕξ καὶ πέντε ϲταδίοιϲ' III 1, 4 ὄντοϲ γὰρ ἑνὸϲ ἔργου καὶ θεάματοϲ ἑνόϲ' IV 40, 8 ἐν ἑπτὰ καὶ πέντε ὀργυιαῖϲ (aber natürlich V 90, 6 τέτταρα καὶ πέντε προϊέμενοι τάλαντα). [22] es dürfte überhaupt zeit sein energisch front zu machen gegen conjecturen, welche zahlen im Polybischen texte abändern und davon ausgehen, dasz Pol. die zahlen in ziffern geschrieben habe. das ist, wenigstens für zusammengesetzte zahlen, nicht blosz nach der besten überlieferung unwahrscheinlich, sondern geradezu unmöglich. hätte nemlich Pol. die zusammengesetzten zahlen mit ziffern geschrieben, so würde es ganz unerklärlich sein, wie es kam dasz die abschreiber, die doch keine kenntnis vom hiatusgesetz hatten, so geschickt für die ziffern jedesmal die zahlform einzusetzen wusten, bei welcher der hiatus vermieden wurde. so heiszt es I 28, 14 ἑξήκοντα καὶ τέτταρεϲ, I 37, 2 ἑξήκοντα καὶ τεττάρων, I 51, 12 ἐνενήκοντα καὶ τριῶν, aber III 42, 11 ἑπτὰ καὶ τριάκοντα (nicht τριάκοντα καὶ ἑπτά mit unmöglichem hiatus), oder es findet sich III 39, 7 zwar χίλιοι ϲὺν ἑξακοϲίοιϲ (für unmögliches χίλιοι ἑξακόϲιοι), aber im folgenden § χιλίουϲ ἑξακοϲίουϲ, oder II 65, 5 διϲμυρίουϲ ὀκτακιϲχιλίουϲ (für unmögliches διϲμυρίουϲ καὶ ὀκτακιϲχιλίουϲ), III 72, 11 μυρίουϲ ἑξακιϲχιλίουϲ (für unmögliches μυρίουϲ καὶ ἑξακιϲχιλίουϲ); dagegen III 60, 5 ὀκτακιϲχιλίουϲ καὶ τριϲμυρίουϲ, 84, 7 μυρίουϲ καὶ πεντακιϲχιλίουϲ, 85, 1 μυρίων καὶ πεντακιϲχιλίων uö. bevor man also etwa dazu seine zuflucht nehmen will, dem zufall eine rolle zuzuweisen, empfiehlt es sich doch bis auf weiteres anzunehmen, dasz Pol. wenigstens zusammengesetzte zahlen mit worten ausdrückte, so wie auch der vortreffliche Vaticanus und die übrigen guten hss., welche die ersten

und historisch sehr vorteilhaft sein', stilistisch ist sie unmöglich
wegen des hiatus φόβου ἑκκαίδεκα. aber auch ein φόβου δέκα ἕξ
ist aus demselben grunde nicht statthaft, endlich ebensowenig das
bei Pol. ganz unbezeugte φόβου δέκα καὶ ἕξ. vielmehr hätte Pol.
schreiben müssen ἀπὸ δὲ τούτου τοῦ φόβου τὴν ἡcυχίαν ἔcχον
ἔτη μὲν ἑκκαίδεκα, und so wird wohl nicht leicht jemand ändern
wollen. —

Gehen wir nun zu dem hiatus über, der sich bei καί und appellativen (von den zahlwörtern abgesehen) findet, so ziehen wir zuerst
die wörter an, welche diphthongisch anlauten. ganz ohne beispiel
ist καί in verbindung mit einem appellativum, welches mit αὐ- εἰ- εὐ-
οὐ- υἱ- ηὐ- ηὑ- οἰ-[23] ἠ- ἡ- ᾠ- ᾡ- anlautet. auch καί mit folgendem
αἱ- findet sich[24] nur an einer einzigen stelle: V 106, 2 Ἀχαιοὶ μὲν
οὖν ὡς θᾶττον ἀπέθεντο τὸν πόλεμον, cτρατηγὸν αὑτῶν ἑλόμενοι
Τιμόξενον, ἀναχωρήcαντες εἰς τὰ cφέτερα νόμιμα καὶ τὰς διαγω-
γάς, ἀμάχωc δὲ καὶ αἱ λοιπαὶ πόλεις αἱ κατὰ Πελοπόννη-
cον. hier hat bereits Hultsch das sinnlose ἀμάχωc mit glücklicher
hand in ἅμ' Ἀχαιοῖc geändert, allein auch das αἱ musz als wiederholung der beiden vorhergehenden buchstaben getilgt werden, wenn
es nicht vorzuziehen ist καί[25] selbst zu streichen. so ist auch der
hiatus zwischen καί und folgendem αἱ- ebensowenig zu dulden wie
bei καί mit folgendem αἱ-.[26] 'nur éine anerkannt corrupte stelle
widerspricht dem: II 38, 9 διὸ ταύτην ἀρχηγὸν καὶ αἴτιον ἡγητέον.
van Benten (observ. crit. in Pol. s. 21) bessert καὶ αἰτίαν mit ver-
weisung auf II 21, 8 ἦν .. φατέον ἀρχηγὸν μὲν γενέcθαι .. αἰτίαν
δὲ καὶ usw. allein da Pol. bei vorausgehendem καί nicht αἴτιος, sondern παραίτιος anwendet (IV 57, 10 ὃ καὶ παραίτιον ἐγένετο·
VII 14, 5 καὶ παραίτιος· XXIII 3 (XXII 5), 6 καὶ παραίτιοι[27]), so
ziehe ich vor ἀρχηγὸν καὶ παραίτιον an obiger stelle zu schreiben.

Gestattet ist der hiatus bei καί mit folgendem αὐτός bzw. den
zusammensetzungen von αὐτός[28]; deshalb sind nicht anzutasten
V 86, 3 καὶ αὐτός· XVI 26, 6 καὶ αὐτῷ· XXIX 7 (19), 3 καὶ αὐτοῖς·
IV 27, 5 καὶ αὐτονόμους. daher ist die ergänzung von καί vor
αὐτῶν, welche Thevenot bei der aus Pol. entlehnten stelle des
Heron XXI 23 (27), 9 machte, stilistisch nicht anfechtbar. wenn

---

fünf bücher enthalten, es zu thun pflegen. selbstverständlich ist es
ohne belang, wenn die kürzenden excerptoren, Suidas ua. ziffern zu verwenden pflegen.   [23] VII 9, 4 καὶ οἰκείουc ist eine stelle, die aus einer urkunde entlehnt ist, XII 2, 7 καὶ οἶνοc ein citat.   [24] XXXIV 11, 18 καὶ αἱ (zweimal) ist ein citat.   [25] καί ist auch anderwärts fälschlich in den text
gedrungen, wie VII 9, 2. VIII 18 (20), 8. 28 (30), 11 uö.   [26] XXI 24, 5
(28, 1 ann. cr.) καὶ αἰcθομένων, XXX 13 (14), 1 καὶ αἰχμάλωτον sind
citate.   [27] ebenso tritt für αἴτιος ein παραίτιος, um den hiatus zu
vermeiden: V 75, 2 ἤδη παραίτιον· V 88, 3 γίνεcθαι παραιτίας· VII 12, 7
χρόνῳ παραίτιος· IX 34, 4 ἐγίνοντο παραίτιοι· XII 26, 2 δὲ παραίτιον.
[28] auszusondern sind als citate XXVI 10 (1), 14 καὶ αὐτόν· XXX
13 (14), 1 καὶ αὐτός· XXXI 3, 9 καὶ αὐτοί· XXXIV 2, 2 καὶ αὐτῶν·
XXXIV 5, 7 καὶ αὐτό.

nun aber auch wirklich Ursinus in seiner hs. XVIII 11 (28), 9 εἴτε κᾀυτὸϲ gefunden hat — ich ziehe dies freilich in zweifel[29] — so sind wir trotzdem nicht berechtigt auf dieses einzige nicht ganz classische zeugnis hin überall die krasis einzuführen, da die autorität des Vaticanus, der von einer solchen krasis nichts weisz, uns höher gilt. anders liegt natürlich die sache VI 4, 13 τήν τε ϲύϲταϲιν καὶ αὔξηϲιν · da dies die einzige stelle mit einem solchen hiatus ist und Pol. VI 9, 13 τὴν ϲύϲταϲιν καὶ τ ὴ ν αὔξηϲιν, VI 57, 10 τήν τε ϲύϲταϲιν καὶ τ ὴ ν αὔξηϲιν schreibt, so ist mit Bekker ohne weiteres vor αὔξηϲιν der artikel einzusetzen.

Auch der hiatus bei καί mit folgendem εὐ- ist nicht erlaubt; die einzige[30] stelle jedoch, welche diesem gesetz entgegensteht, XXXII 25 (27), 5 δεόμενοϲ, ὅπερ εἰκόϲ, ἵλεων αὐτῷ γενέϲθαι καὶ εὐμενῆ κατὰ πάντα τρόπον ist nicht zu corrigieren. hier giesst nemlich Pol. seinen bittern hohn über den könig Prusias aus, der bald tempel und heiligtümer der götter zerstört, bald dem gott Asklepios opfert und zu ihm fleht 'er möge ihm auf allen seinen wegen gnädig und huldvoll sein'. absichtlich führt hier Pol. mit scharfem sarkasmus (daher auch ὅπερ εἰκόϲ) die worte an, deren sich der betende Prusias natürlich bediente: ἵλεων γενέϲθαι καὶ εὐμενῆ κατὰ πάντα τρόπον — gewis eines der auch sonst gebräuchlichen gebete, die der zu den göttern flehende sinnlos herunterplärrte (Xen. Kyrup. I 6, 2 οἱ θεοὶ ἵλεώ τε καὶ εὐμενεῖϲ πέμπουϲί ϲε · Platon Ges. IV 712[b] θεὸν δὴ .. ἐπικαλώμεθα, ὁ δ' ἀκούϲειέ τε καὶ ἀκούϲαϲ ἵλεωϲ εὐμενήϲ τε ἡμῖν ἔλθοι).

Dasz ein mit εἰ- anlautendes wort auf καί folgt, findet sich nur[31] an zwei stellen und zwar nicht in der guten überlieferung, sondern in den am mangelhaftesten überlieferten excerpten: XXI 19 (XXII 7), 2 καὶ εἰϲ κινδύνουϲ πολλοὺϲ ἐνέπεϲεν · XXXIII 15[a] (17), 1 καὶ εἰϲ παραπληϲίαν διάθεϲιν ἦλθον. wenn man nun erwägt, dasz Pol. auf das peinlichste dem zusammentreffen von καί und εἰϲ aus dem wege geht (s. Krebs ao. s. 26. III 107, 8 ϲυνέβαινε δὲ πάντας εἰϲ τὸν Αἰμίλιον ἀποβλέπειν κ α ὶ π ρ ὸ ϲ τοῦτον ἀπερείδεϲθαι τὰς πλείϲταϲ ἐλπίδαϲ [aber III 109, 11 πᾶϲαν γὰρ τὴν αὐτῆϲ προθυμίαν καὶ δύναμιν εἰϲ ὑμᾶϲ ἀπήρειϲται] · IV 9, 9 ἐξαπέϲτελλον γραμματοφόρουϲ εἴϲ τε Κυλλήνην κ α ὶ π ρ ὸ ϲ 'Αρίϲτωνα · V 14, 6 ἕωϲ εἰϲ τὰϲ πύλαϲ κ α ὶ π ρ ὸ ϲ τὰ τείχη · III 75, 4

---

[29] es könnte dies κᾀυτὸϲ — denn so würde wohl die hs. gehabt haben — auch auf byzantinische willkür zurückgehen: denn gerade κᾀυτόϲ ist bei den Byzantinern sehr häufig.   [30] VII 9, 4 8 καὶ εὐνοίαϲ ist aus einer urkunde entlehnt, XXXIV 3, 7 καὶ εὐανάληπτον ein citat.
[31] auszusondern sind a) stellen aus urkunden: XV 18, 5 καὶ εἴ τι ἕτερον· XXII 23 (XXI 45), 10 καὶ εἴ τινα· ebd. 17 καὶ εἴ τι (zweimal). b) citate: XXII 18, 15 (XXI 38, 6) καὶ εἰπόντοϲ· XXXI 4, 7. XXXVI 5 (7), 5 καὶ εἰϲ· XXXIV 11, 8 καὶ εἶναι. XXXIII 3 (5), 2 scheint καὶ εἰϲ κρίϲιν ἀχθείϲ, worte welche bei Suidas fehlen, ein zusatz des epitomators oder aus starker verkürzung echter Polybischer worte entstanden zu sein.

πέμποντες εἰς Cαρδόνα καὶ Cικελίαν cτρατόπεδα, πρὸc δὲ τούτοιc εἰc [für καὶ εἰc] Τάραντα . .), dasz sich daher in den vollständig erhaltenen büchern, deren überlieferung immer zu grunde
zu legen ist, niemals etwas dem ähnliches findet, so wird man
wohl das καὶ εἰc jener beiden stellen als nicht Polybisch bezeichnen
müssen.

Für καί mit folgendem οὐ- gibt es nur [32] drei belege: XIV 12, 5
καὶ οὐκ ἀξίων· XXII 15 (XXI 34), 1 καὶ οὐκ ἄξιοc· XXXIX
(XXXVIII) 1, 9 καὶ οὐκ ἀπελπίζειν. allein da Pol. nach den zeugnissen der guten überlieferung den hiatus, welcher durch καί mit folgendem οὐ, οὐδέ, οὔτε entstehen würde, dadurch vermeidet, dasz
er μήν einzuschieben pflegt [VII 8, 2 καὶ μὴν οὐκ· I 71, 6. II 38, 3.
III 4, 10. VI 3, 9. 47, 7. VIII 11 (13), 3. X 8, 6. 45, 3. XI 29, 1.
XVIII 37, 4. XXI 8 (10), 7 uö. καὶ μὴν οὐδέ· III 64, 6 καὶ μὴν
οὔτε], so erscheinen obige drei stellen, die auf die autorität von
excerptoren zurückgehen, welche viel strichen und oft änderten, nicht
danach angethan, um dem Pol. jenen hiatus zu gestatten.

Ein ähnliches urteil dürfte endlich zu fällen sein über das zusammentreffen von καί und folgendem οἱ-. als zeugnisse sind nur [33]
vier stellen aus excerpten anzuführen: XII 25 [d], 5 τοcοῦτον ἀπέχοντεc εὑρίcκονται τῆc χρείαc, ὅcον καὶ οἱ μηδ᾽ ἀνεγνωκότεc ἁπλῶc
ἰατρικὸν ὑπόμνημα (aus einem äuszerst corrupt überlieferten excerpt
des codex M)· XVIII 50, 3 cυνεκύρηcαν δὲ καὶ οἱ περὶ τὸν Ἡγη-
cιάνακτα καὶ Λυcίαν· XXXII 18, 5 καὶ οἱ μὲν περὶ Φάννιον ἐπὶ
τούτοιc ἐξώρμηcαν (schlusz eines excerptes)· XL 3 (XXXIX 9), 6 καὶ
οἱ μὲν ἦγον. wenn wir aber überlegen, wie unwahrscheinlich es ist,
dasz sich in den excerpten jenes καὶ οἱ als echt Polybisch erhalten
habe, während die treffliche überlieferung der vollständig erhaltenen
bücher nie jenes καὶ οἱ, das doch sehr nahe liegt, bietet, so erscheinen obige zeugnisse in ziemlich verdächtigem lichte; aber es
finden sich auch genug klare anzeichen, dasz Pol. einem καὶ οἱ
ängstlich auswich. es treten nemlich, um jenem hiatus zu entgehen,
folgende wendungen ein: a) τε für καί: I 63, 8 οἵ τε Πέρcαι . . καὶ·
IV 52, 1 ὅ τε Προυcίαc οἵ τε Βυζάντιοι· IV 71, 10 οἵ τε Μακε-
δόνεc· V 26, 5 οἵ τ᾽ ἀπὸ Μακεδονίαc . . ἐπιcτάται· V 85, 10 οἵ τε
. . ὑπεχώρουν· VI 39, 6 ὅ τε cτρατηγόc . . οἵ τε χιλίαρχοι· IX 4, 3.
XV 3, 2 οἵ τε Καρχηδόνιοι· XXI 14 (17), 11. XXII 1 (XXI 18), 1
ὅ τ᾽ Εὐμένηc οἵ τε παρ᾽ Ἀντιόχου πρέcβειc uö. b) der artikel wird
weggelassen: IV 48, 1 καὶ Βυζάντιοι (aber 47, 5 τῶν Βυζ. 6 τοῖc
Βυζ. 7 τοὺc Βυζ.)· XXII 13 (XXI 30), 7 οἱ μὲν οὖν Ἀθηναῖοι καὶ

---

[32] als citate fallen weg V 106, 4 καὶ οὔποτε, XXVI 5 (XXV 3), 7
καὶ οὐ μόνον, XXVI 10 1 (1, 2 ann. crit.) καὶ οὐκ. [33] es fallen weg:
a) als citate XXVI 4 (XXV 1), 2. XXVI 5 (XXV 3), 8. XXXIV 4, 8. 8, 4.
9, 4 καὶ οἱ, b) als unpolybisch (s. o. anm. 11 d) XXIII 5, 2 (XXII 2) καὶ
οἱ, c) als urkundliche stelle XXII 23 (XXI 45), 10 καὶ οἱ, d) als kritisch
unsicher XXV 2 (XXIII 18), 5 wo καὶ vor οἱ in der hs. fehlt und nur auf
Ursinus zurückgeht.

Ῥόδιοι [aber XXII 12 (XXI 29), 1. 9 παρὰ τῶν Ἀθηναίων καὶ τῶν
Ῥοδίων· XXII 14 (XXI 31), 5 τῶν δὲ Ῥοδίων καὶ τῶν Ἀθη-
ναίων] uö. *c*) andere (s. o.) supplemente treten für καί ein: II 37, 1
Ἀχαιοὶ καὶ Φίλιππος ὁ βαcιλεὺc ἅμα τοῖc ἄλλοιc cυμμάχοιc·
IV 71, 13 οἱ .. Ψωφίδιοι .. ἀπεχώρηcαν .. ἅμα δὲ τούτοιc οἱ
περὶ τὸν Εὐριπίδαν· V 90, 1 Προυcίαc καὶ Μιθριδάτηc, ἔτι δ᾽ οἱ
.. δυνάcται uö.

Daher dürfte es geraten sein καὶ οἱ auf rechnung der byzantinischen excerptoren zu setzen, ohne dasz es jedoch möglich sein
wird an obigen stellen mit einiger wahrscheinlichkeit den echten
Polybischen text zu ermitteln. —

Wenden wir uns nun zum schlusz zu καί in verbindung mit
v o c a l i s c h anlautenden appellativen, so ergibt sich ein sehr einfaches resultat bei anlautendem ι-. es ist keine[34] stelle bei Pol. zu
finden, in welcher auf καί ein mit ἰ- anfangendes appellativum folgt,
eine einzige, in welcher καί mit einem mit ἰ- anlautenden appellativ
verbunden erscheint: III 31, 10 καὶ κοινῇ καὶ ἰδίᾳ. doch hat an
dieser stelle schon Dindorf mit recht καὶ κατ᾽ ἰδίαν vorgeschlagen,
Krebs (ao. s. 138 anm. 2) seine billigung ausgesprochen und ich
selbst aus den angeführten gründen diese besserung in den text aufgenommen. — Dagegen hat Pol. das zusammentreffen von καί und
folgendem ὑ-[35] in ὑπό und dessen zusammensetzungen durchaus
n i c h t gescheut, wie folgende stellen beweisen: III 29, 1. IV 70, 8.
V 111, 3. VI 36, 4. XII 12 (11), 4. 26ᵃ, 4 καὶ ὑπό· III 51, 12 καὶ
ὑποζυγίων· III 56, 2 καὶ ὑποζύγια· VI 18, 5 καὶ ὑποκολακευόμενοι·
XVI 3, 2 καὶ ὕφαλον. doch bleiben zwei stellen übrig, die diesem
einfachen gesetz hohn zu sprechen scheinen: IV 81, 5 καὶ γὰρ ὑφ᾽ οὗ
κ α ὶ ὑ π ὲ ρ ο ὗ τ α ῦ τ᾽ ἔ π α θ ο ν und XXXI 7, 13 τάχ᾽ ἂν ἴcωc ἐδοκεῖτε
κ α ὶ ὑ μ ε ῖ c ε ὐ λ ό γ ω c .. ἔ χ ε ι ν τ ὴ ν ὀ ρ γ ή ν. allein da bereits Krebs
ao. s. 28 gezeigt hat, wie einerseits mit ausnahme jener einzigen
stelle nie καὶ ὑπέρ, sondern immer καὶ περί sich findet, anderseits
Pol. selbst, um dem hiatus auszuweichen, verben bald mit ὑπέρ,
bald mit περί construiert, ist es ohne weiteres geboten[36] für jenes
einzig dastehende καὶ ὑπὲρ οὗ einzusetzen καὶ περὶ οὗ. an der
zweiten stelle aber empfiehlt es sich, da καὶ ὑμεῖc sonst bei Pol.
nirgends vorkommt und in jenem excerpte auch anderwärts lücken
[XXXI 7, 13 εἰ μὲν (οὖν) cυμβεβήκει ..] sich zeigen, auch hier anzunehmen, dasz zwischen καί und ὑμεῖc etwa πάντεc ausgefallen ist
(vgl. ebd. § 16 ἀξιοῖ καὶ δεῖται πάντων ὑμῶν). — Unbeanstandet

---

[34] auszusondern sind *a*) die citate IX 42, 2 πεζικῇ καὶ ἱππικῇ δυ-
νάμει· XXXIV 2, 6 καὶ ἱεροcκοπουμένουc, *b*) die urkundliche stelle
XXII 13 (XXI 32), 10 καὶ ἱππάρχου.   [35] es fallen weg: *a*) als citate
IX 9, 11 καὶ ὑποcχέcεων· XXXI 4, 8 καὶ ὑπεκρίνατο· XXXIV 2, 16 καὶ
ὕληc· XXXIV 12 (XXIV 3), 1 καὶ ὑψηλότατον, *b*) als urkundliche stellen
VII 9, 2 καὶ ὑδάτων· VII 9, 5. 7 καὶ ὑπό· VII 9, 10 καὶ ὑμῖν, *c*) als unpolybisch XXXVII 4 (9), 2 καὶ ὑετῶν (‘verborum structuram epitomator
turbavit’ Hultsch ao).   [36] nicht richtig habe ich jahrb. 1884 s. 116
geurteilt.

wird, um auf das zusammentreffen von καί mit ω- überzugehen, die
aufeinanderfolge von καί und ὡc gelassen, wie II 56, 3. VI 13, 7.
56, 12 beweisen[37]; auch καὶ ὡcαύτωc XVIII 46, 9 ist daher nicht
anzufechten. dagegen findet sich καί mit folgendem ὠ- nur an einer
einzigen[38] stelle I 4, 4 τὸ κάλλιcτον ἅμα καὶ ὠφελιμώτατον
ἐπιτήδευμα: hier ist wahrscheinlich τὸ vor ὠφελιμώτατον (s. Hultsch
im Philol. XIV s. 297) ausgefallen. — καί mit folgendem ἡ- findet
sich nur[39] in der redensart ὅcον γε καὶ ἡμᾶc εἰδέναι I 4, 3.
XXXVII 1[f], 4 (4, 5); die übrigen drei stellen, die nebenbei sämtlich den excerpten entstammen, sind ohne beweiskraft. denn XII 6[b], 4
hat bereits Hultsch mit recht ἡ hinter καί getilgt, und so musz auch
XVI 17, 4 ἡ Λακωνικὴ καὶ Μεγαλοπολῖτιc χώρα für ἡ Λ. καὶ ἡ
Μ. χ. geschrieben werden. ebenso kann XXIX 5 (11), 3 καὶ ἡ τοῦ
Γενθίου μετάθεcιc nicht richtig sein, obwohl hier kaum ἡ zu tilgen
sein würde, sondern eher eine verkürzung des epitomators etwa aus
καὶ (πρὸc τούτοιc) ἡ .. anzunehmen ist. vor folgendem ἡ- findet
sich καί in der guten überlieferung der ersten fünf bücher und den
getreu überlieferten excerpten des Urbinas gar nicht: denn X 37, 3
ἠγωνία δὲ καὶ τὴν Ποπλίου παρουcίαν καὶ ἤδη προcδοκῶν αὐτὸν
ἥξειν — die einzige stelle aus dem Urbinas, die sich anführen liesze
— hat Hultsch mit recht καὶ vor ἤδη gestrichen. es drang dieses
falsche καί wahrscheinlich aus dem ende der vorhergehenden zeile
ein, da wir allen grund haben anzunehmen, dasz im archetypus die
zeilen folgendermaszen geordnet waren:

　　　. . . . . ἠγωνία δὲ καὶ
　　　τὴν Ποπλίου παρουcίαν
　　　ἤδη προcδοκῶν . . . .

auszerdem liegen noch folgende beispiele von dem zusammentreffen
von καί und ἡ- vor, die sämtlich (es sind nur vier) aus den schlecht überlieferten excerpten der spätern bücher stammen: XXII 15 (XXI 34),
10 καὶ ἠξίου προcδέξαcθαι τὰ πεντεκαίδεκα τάλαντα τὸν Γναῖον·
XXV 4 (XXIV 8), 9 καὶ ἦλθον εἰc τὴν Μωκιccέων χώραν· XXX
2, 3 καὶ ἦν ὁ ἄνθρωποc ἔχων τι νουνεχὲc καὶ πειcτικόν· XL 3
(XXXIX 9), 4 καὶ ἦν τὸ cυμβαῖνον πολλῷ τῶν κατὰ Πελοπόν-
νηcον ἐλεεινότερον. an der zuerst angeführten stelle kann hinter
καί ein πρὸc τούτοιc weggelassen sein oder für ἠξίου das compositum κατηξίου gestanden haben, während an der zweiten stelle vom
epitomator wahrscheinlich dem langen καὶ παρειcῆλθον (s. I 8, 4)
das kurze καὶ ἦλθον vorgezogen wurde. XXX 2, 3 würde ich vorschlagen καί, welches aus dem wiederholten c des vorhergehenden
λόγουc, das fälschlich für die gewöhnliche abkürzung von καί gehalten wurde, entstanden zu sein scheint, ohne weiteres zu streichen;

---

[37] es kommen in wegfall: a) als citat XXVI 10 (1), 5 καὶ ὡc, b) VII
9, 11 καὶ ὡc als urkundliche stelle.　　[38] XXIX 5, 8 (13, 2) καὶ ὡμῶc
ist citat aus Athenaios.　　[39] auszusondern sind: a) als citate VI 11[a], 3
(2, 2). XXXIV 7, 13. 8, 3 (zweimal) καὶ ἡ, b) als urkundliche stellen
VII 9, 4. 10 καὶ ἡμῖν· ebd. 9 καὶ ἡμεῖc· XXII 13 (XXI 32), 14 καὶ ἡ.

an der letztgenannten stelle jedoch dürfte sich die umstellung καὶ
τὸ cυμβαῖνον ἦν usw. empfehlen. doch haben diejenigen, welche
die Polybischen worte verkürzten, oft derartig gewirtschaftet, dasz
an sichere reconstruction der ursprünglichen worte manchmal
kaum zu denken ist und es schon genügen musz diese oder jene
ausdrucksweise als nicht Polybisch zu kennzeichnen.

καί mit folgendem ὁ- kommt gar nicht[40] vor; sieht man nun,
um auf das zusammentreffen von καί und ὁ-[41] einzugehen, wie Pol.
in den ersten fünf büchern, deren vortreffliche überlieferung stets
zu grunde gelegt werden musz, dem hiatus, der durch verbindung
von καί und ὅτι entstehen würde, durch anwendung von διότι für
ὅτι aus dem wege geht (I 32, 4. II 32, 8. 62, 5. III 6, 6. 26, 4 uö.),
so dasz sich nie καὶ ὅτι findet, so dürfte es nicht zu gewagt sein die
einzige stelle eines excerpts, welche dieser beobachtung widerspricht,
XXIV 10 (XXIII 9), 6 καὶ ὅτι λαβὼν καιρὸν πᾶν τι ποιήcει in
diesem sinne zu verbessern; freilich ist die annahme nicht ausgeschlossen, dasz zwischen καί und ὅτι ein μήν ausgefallen ist
[s. XXIX 1ᶜ (6), 2]. — Ebenso zeigt sich die abneigung des Pol.
gegen die verbindung καὶ ὁ, welche sich in den ersten fünf büchern
nie findet, darin dasz für καί andere wendungen eintreten. so
wird a) für καί — καί verwendet τε — τε: I 28, 10 ὅ τε Λεύκιος
. . ὅ τε Μάρκος· IV 12, 12 ὅ τε γὰρ ’Ορχομενὸς αἵ τε Καφύαι·
IV 52, 1 ὅ τε Προυcίαc οἵ τε Βυζάντιοι· IV 60, 3 ὅ τε Λυκοῦργος
. . ὅ τ’ Εὐριπίδαc· VIII 15 (17), 7 ὅ τε γὰρ Cωcίβιος . . ὅ τε προειρημένος ἀνήρ uö. b) der artikel im zweiten gliede nicht wiederholt: I 27, 9 ὁ μὲν οὖν πρῶτος καὶ δεύτερος cτόλος ἐπέκειτο
τοῖς φεύγουcι, τὸ δὲ τρίτον καὶ τὸ τέταρτον cτρατόπεδον ἀπ-
έcπαcτο· III 37, 3 ὅ τε Ταναῒc ποταμὸc καὶ Νεῖλος· XVI 8, 4 οἵ
τε ’Ρόδιοι καὶ Διονυcόδωρος· XVIII 1, 3 ὅ τε βαcιλεὺc ’Αμύναν-
δρος καὶ παρ’ ’Αττάλου Διονυcόδωρος. c) ein supplement für καί
verwendet: VI 37, 9 κἄν τιc . . παραχρηcάμενος εὑρεθῇ τῷ cώματι,
πρὸς δὲ τούτοιc ὁ τρὶc . . ζημιωθείc. d) μήν eingeschoben:
V 10, 1 καὶ μὴν ὁ πρῶτος· VI 37, 9 καὶ μὴν ὁ μαρτυρήcαc· XII 11
(12), 2 καὶ μὴν ὁ . . ἐξευρηκώc. hält man nun fest, wie häufig bei
schriftstellern, welche den hiatus nicht vermeiden, καὶ ὁ vorkommt
(in der Kyrupädie Xenophons findet sich auf den ersten 68 seiten
der Teubnerschen ausgabe diese verbindung 34 mal) und vergleicht
man damit, dasz Pol. in fünf büchern kein einziges mal diesen ausdruck hat, so musz der schriftsteller mit bewuster absichtlichkeit
verfahren sein. natürlich ist aber in den weniger treu überlieferten
folgenden büchern dann und wann durch die nachlässigkeit der abschreiber oder deren sucht scheinbar klarere beziehungen herein-
zubringen ein ὁ nach καί eingedrungen, das wir unbarmherzig aus-

---

[40] XII 2, 8 καὶ ὄξοc· XXVI 10 (1), 13 καὶ ὀδωδότεc sind citate.
[41] nicht in betracht kommen a) als citate XXXIV 3, 3. 8, 7 καὶ ὁ· ebd.
6, 13 καὶ ὅ (zweimal), b) als urkundliche stellen III 24, 13 καὶ ὁ· IV 52, 9
καὶ ὅcα· VII 9, 5 καὶ ὅcαι.

merzen: VI 37, 5 ὅ τ᾽ οὐραγὸς καὶ [ὁ] τῆς ἴλης ἡγεμών· XXII 22 (XXI 44), 6 οἱ δέκα πρεςβευταὶ καὶ [ὁ] βαςιλεὺς Εὐμένης· XXXII 9, 5 ὅ τε Φάβιος καὶ [ὁ] Cκιπίων· XXXIX (XXXVIII) 1, 7 καὶ [ὁ] Γολοccῆς. jedoch XXIII 7 (XXII 10), 3 ist in der hs. ἐξαπεςτάλκει δὲ ὁ βαςιλεὺς Εὐμένης πρεςβευτάς überliefert, und so wird nicht mit Ursinus καί hinter δέ einzuschieben sein, sondern πρὸς τούτοις oder ein ähnliches supplement für καί. ferner mag XXVIII 16 (19), 6 ἐξαπέςτειλε δὲ καὶ ὁ βαςιλεὺς Τληπόλεμον vor ὁ βαςιλεὺς ausgefallen sein Πτολεμαῖος. weiter dürfte καί zu tilgen sein XI 4, 5 τὸν αὐτὸν τρόπον [καὶ] ὁ πόλεμος ὑπό τινων ὅταν ἅπαξ ἐκκαυθῇ (weil die abschreiber nach ausdrücken der ähnlichkeit gern ein καί einschoben, wofür ein schlagendes beispiel die fehlerhafte lesart der meisten jüngern hss. ὁμοίως καὶ ὅςα VI 13, 4 bietet) und XVIII 12, 3 πάνυ γὰρ ἀγχίνους, εἰ καί τις ἕτερος Ῥωμαίων [καὶ] ὁ προειρημένος ἀνὴρ γέγονεν. eine sehr zweifelhafte stelle bleibt endlich VI 37, 9 ξυλοκοπεῖται δὲ καὶ ὁ κλέψας τι τῶν ἐκ τοῦ στρατοπέδου· καὶ μὴν ὁ μαρτυρήςας ψευδῆ παραπληςίως κἄν τις τῶν ἐν ἀκμῇ παραχρηςάμενος εὑρεθῇ τῷ ςώματι, πρὸς δὲ τούτοις ὁ τρὶς περὶ τῆς αὐτῆς αἰτίας ζημιωθείς. sieht man jedoch zu, wie in den folgenden worten peinlich das zusammentreffen von καί und ὁ vermieden ist, so kann auch καὶ ὁ κλέψας nicht richtig sein. ob jedoch καί einfach zu tilgen oder etwa πᾶς vor ὁ ausgefallen ist, lasse ich dahin gestellt sein.

Da sich nun in der guten überlieferung der ersten fünf bücher kein beispiel für irgend eine andere verbindung von καί mit einem mit ὁ- anlautenden appellativum findet, so sind wir berechtigt zwei stellen aus den excerpten in zweifel zu ziehen: XXXIII 15ᵃ (17), 5 καὶ ὃν ἀπεδοκίμαςαν ἄρχοντα τοῦτον πάλιν εἵλοντο ἄρχοντα καὶ ἄλλα τινὰ παράλογα ist noch auszerdem verdächtig, da diese worte am ende eines excerpts stehen, wo verkürzungen sehr nahe liegen und die manigfachen hiate auf eine umarbeitung in der that hinweisen; XII 27, 1 δυεῖν γὰρ ὄντων .. ὀργάνων ἡμῖν, οἷς πάντα πυνθανόμεθα καὶ πολυπραγμονοῦμεν, ἀκοῆς καὶ ὁράςεως usw. ist ἀκοῆς καὶ ὁράςεως als lästiges glossem zu tilgen. allein X 44, 8 πάντων ἴςων καὶ ὁμοίων ὄντων belasse ich als reminiscenz an worte des Aineias, den Polybios hier anführt.

καί mit folgendem ἁ- findet sich gar nicht; auch die anwendung von καί mit sich anschlieszendem ἑ- ist an gewisse gesetze gebunden. in den ersten fünf büchern findet sich nun καί in verbindung mit einer form von ἕτερος ohne jeden anstosz: I 24, 12. 36, 4. II 63, 6. III 91, 7. IV 35, 13. 51, 7. daher musz diese verbindung auch in den andern büchern⁴² unbeanstandet gelassen werden: VI 40, 10. IX 21, 7. X 47, 6. XII 25, 3. 25ᵈ, 1. XV 36, 10. XVIII 3, 10. 33, 4. 54, 4. XX 6, 5. XXI 11 (14), 4. 13 (16), 7. XXVII 6 (7), 3. XXX

---

⁴² XXI 24, 10 (28, 8 ann. crit.) καὶ ἕτερα ist als citat auszusondern; XXXI 6, 1 καὶ ἑτέρων ist unsicher, da es am anfang eines excerptes steht.

17 (20), 11. somit könnte Pol. sich auch gestatten καί vor einer zusammensetzung mit ἕτεροc zu verwenden: XXIV 9, 5. καὶ ἑτερο-γλώττοιc ἀνδράcι χρώμενοc, wenn nicht Hultsch XXIII 13, 2 ann. crit. 4—9 mit recht jene stelle der autorität eines excerptors zuschriebe. — Ferner wird καὶ ἕωc V 9, 1. XXX 14 (11), 2 dem Pol. zuzugestehen sein, wenn man in rechnung bringt, dasz derselbe auch καὶ ὡc verwendete und sich ὡc und ἕωc in der aussprache gewis wenig unterschieden.

So bleibt schlieszlich nur noch die schwierige frage, in wie weit Pol. bei einem mit ἑ- oder ἁ- anlautenden appellativum den hiatus zugelassen bzw. zu umgehen gewust hat. mit schlagenden gründen hat nun Hultsch (Philol. XIV s. 312) dargethan, dasz Pol. die krasis anwendet bei καί mit folgendem ἐάν (ἄν), wofür ich folgende [43] belege anführe: I 5, 4. II 49, 7. 56, 12. III 5, 8. 31, 3. IV 35, 3. 40, 5. 6. 44, 2. 74, 5. V 41, 9. VI 6, 11. 10, 3. 11, 8. 14, 7. 15, 9. 33, 2. 6. 34, 11. 36, 3. 6. 37, 1. 39, 2. 15. 52, 6. IX 22, 9. X 25, 4. 32, 10. 33, 4. 5. 37, 4. 9. XII 12, 1 (zweimal). 25 [h], 2. 28 [a], 10. XIV 1 [a], 3. XV 21, 6. XVIII 5, 2. 15, 7. 31, 12. XXI 3 (5), 8. 10 (13), 4. XXII 9 (XXI 26), 4. XXIV 9, 2. (XXIII 12, 6.) XXV 9 [b] (XXIV 15), 2. XXIX 6 [d] (22), 2. XXXI 20, 5. somit musz VI 37, 9 καὶ ἐάν τιc τῶν ἐν ἀκμῇ παραχρηcάμενοc εὑρεθῇ τῷ cώματι . . für καὶ ἐάν nach Polyb. sprachgebrauch κἄν eintreten. weiter pflegt Pol. (s. Hultsch ao.) καί mit folgendem ἐκεῖ, ἐκεῖθεν, ἐκεῖcε, ἐκεῖνοc durch krasis zu verschmelzen. so findet sich a) κἀκεῖ IV 82, 1. V 2, 10. 29, 5. 86, 4. XV 1, 11. 29, 7. XVIII 45, 7. XXIX 1 [e], 2 (8, 7). XXX 8, 7. 9, 12; b) κἀκεῖθεν II 48, 6. IV 44, 6. 66, 5. 67, 7. 72, 8. 77, 5. V 27, 3. IX 5, 1. X 37, 5. XV 5, 4; c) κἀκεῖcε XXII 11 (XXI 30), 14; d) κἀκεῖνοc II 48, 1. III 15, 12. 29, 4. 30, 1. 58, 4. 87, 8. 103, 4. V 81, 3. VI 11, 8. 34, 6. 50, 3. XI 29, 10. XV 17, 4. XVIII 9, 5. 13, 9. 19, 8. XXI 2 (4), 8. XXVIII 15 (17), 2. XXIX 2 (3), 4. 5 (11), 5. XXX 9, 2. XXXI 25 (26), 6. XXXII 10, 6. 13, 7. XL 14, 2 (XXXIX 19, 5). demnach ist XXII 19 [a], 9 (8, 11) καὶ ἐκεῖνο, worauf bereits Hultsch aufmerksam machte, in κἀκεῖνο zu emendieren.

Äuserst häufig erscheint ferner κἄπειτα aus καὶ ἔπειτα verschmolzen: I 4, 8. 19, 2. 51, 6. 58, 8. 79, 3. III 62, 6. IV 44, 8. 45, 7. V 15, 2. 56, 12. 69, 9. 70, 8. 98, 3. VI 9, 1. 51, 4. VIII 4 (6), 7. 14 (16), 6. 24 (26), 1. IX 5, 2. 9, 3. 19, 1. 38, 5. X 7, 7. 16, 5. 44, 7. 45, 9. XI 10, 9. 16, 6. 27, 2. 8. XII 4, 3. 6, 5. 16, 3. 8. 25, 2. 25 [i], 5 (8). 26 [e], 1 (26 [d], 4). XIII 7, 10. XIV 10, 11. XV 6, 3. XVIII 18, 10. XXI 24, 16 (28, 13). XXII 9 (XXI 26), 12. XXXIX 1 [a] (1), 2. 1 [b] (2), 2. XL 6 (XXXIX 12), 7. daher möchte ich dieses κἄπειτα auch VI 40, 6 einsetzen und für das hsl. κατακολουθεῖ oder ἔπειτα κατακολουθεῖ schreiben ⟨κἄπειτα⟩ κατακολουθεῖ mit zurückweisung des Bekker-

---

[43] auszusondern sind als stellen aus urkunden: καὶ ἐάν VII 9, 17. XXII 13 (XXI 32), 4.

schen κᾶτ' ἀκολουθεῖ: denn es ist weder κᾶτ' bei Polybios bezeugt, noch läszt sich irgend welche analogie für die krasis von καί und εἶτα aus dem sprachgebrauch des Pol. anführen.

Neben diesen äuszerst häufig vorkommenden krasen finden sich — wie Hultsch bereits ao. ausführt — die seltnern verbindungen κἀγώ XI 29, 12. XII 28, 3. XXXIII 17 (21), 2; κἀμοῦ XVIII 4, 8; κἀμοί XIV 12, 5; κἀμέ VII 3, 8; κἀντεῦθεν XV 6 1; κἀνταῦθα I 60, 5. IV 87, 13.

Zweifelhaft ist, ob Pol. den hiatus, der durch das zusammentreffen von καί und ἐπί entstand, durch die krasis beseitigte oder nicht. überliefert ist καί mit folgendem ἐπί ohne krasis III 31, 9. IV 49, 2. V 26, 6. VI 5, 7. 8. X 36, 6. XII 4ᵈ, 2. 13, 9. XVI 20, 3. XVIII 13, 1. 54, 10. XXIX 1ᵃ(1), 2. XXXII 19(23), 4. XXXVII 1ᶜ, 1 (1, 9). XL 13 (XXXIX 19), 2. ferner erscheint καί ohne weiteres mit zusammensetzungen von ἐπί verbunden: καὶ ἐπικουρία II 7, 3; καὶ ἐπικουρίας IV 38, 10. X 43, 9; καὶ ἐπισκευάς I 72, 3; καὶ ἐπιτίμησις II 7, 3; καὶ ἐπισιτισμοῦ II 9, 2; καὶ ἐπικλήτου VIII 11 (13), 2; καὶ ἐπονειδίστους XI 2, 11, ebenso mit andern formen dieses wortes XI 12, 3. XIV 5, 11. XXXVIII 1ᶜ, 6 (5, 10); καὶ ἐπιδεξίως XI 24ᵃ, 4; καὶ ἐπιτηδευμάτων XVI 20, 3; καὶ ἐπεβούλευεν XVI 24, 6; καὶ ἐπιβουλάς XVIII 41, 4; καὶ ἐπιστροφῆς XXII 15 (XXI 34), 7. jedoch hat Bekker I 55, 10 für das hsl. überlieferte ἐπί τε δὴ τὴν κορυφὴν ἐπιστήσας φυλακήν, ὁμοίως δὲ καὶ τὴν ἀπὸ Δρεπάνων πρόςβασιν scheinbar sehr passend κἀπὶ τὴν . . πρόςβασιν geschrieben. allein vergleicht man die von Krüger gr. spr. § 68, 9, Kühner gr. gr. § 451, 2, Bernhardy wiss. syntax s. 204, Rehdantz ind. zu Demosth. s. 274 angezogenen beispiele, so ergibt sich, dasz bei den Attikern und noch öfter bei spätern in einer für unsere heutige auffassung anstöszigen weise, wenn mehrere begriffe von derselben präp. abhängen, dieselbe bei copulativer verbindung nur éinmal gesetzt zu werden pflegt. daher stimme ich schon aus diesem grunde der vermutung Bekkers nicht bei, sondern halte die vulgata fest. auch die übrigen stellen, in denen Bekker ein κἀπί durch conjectur in den text einführt, sind nichts weniger als beweiskräftig. XII 25ᵃ, 1 wird jetzt nach Heyses collation τὸν αὐτὸν τρόπον καὶ περὶ τῶν ὑποκειμένων χρὴ διαλαμβάνειν gelesen, während Bekker nach Mais lesung καὶ τούτων ὑποκειμένων vermutete κἀπὶ τῶν ὑποκειμένων. XII 25ʰ, 5 aber gibt die hs. τὸ δὲ παραπλήσιον καὶ τῶν ἄλλων τοῦ βίου μερῶν· dies corrigiert Bekker in κἀπὶ τῶν ἄλλων, während Geel passender, wie mir scheint, καὶ ⟨περὶ⟩ τῶν ἄλλων vorschlug. jedenfalls aber ist es unrichtig auf Bekkers verbesserung zu fuszen, als sei sie absolut unanfechtbar und danach gegen die überlieferung überall die krasis herzustellen. im gegenteil sehe ich ein κἀπί für Pol. als unerwiesen an und kann daher auch der vermutung κἀπιλαβόμενος ἀκατίου τῶν ὁρμούντων VIII 30 (32), 6 nicht beistimmen, sondern bleibe bei der vulgata καὶ λαβόμενος. — Müssen wir also dem Pcl. die verbindung von καί und ἐπί ohne

weiteres gestatten, so nehme ich auch keinen anstosz an dem hsl.
überlieferten καὶ ἐν II 24, 13. XI 25, 7; καὶ ἐνεχυράζων VI 37, 8;
καὶ ἐνήργει XXII 9 (XXI 26), 6; καὶ ἐνετείλαντο XXVIII 10 (12), 4.
allerdings findet sich XXVI 10, 13 (1, 12) κἄν, aber aus Athenaios,
und ist deshalb ohne jede beweiskraft; auch Dindorfs conjectur
XXXIX (XXXVIII) 2, 13 ἐν εὐτυχούςῃ πόλει κἄν δεδυςτυχη-
κυίᾳ πατρίδι für das überlieferte καὶ δυςτυχηκυίᾳ scheint mir
durchaus nicht zwingend, da καὶ ⟨ἐν δε⟩δυςτυχηκυίᾳ oder καὶ
⟨δε⟩δυςτυχηκυίᾳ ebenso gut möglich ist. — Ebenso gestattet sich
Pol. das zusammentreffen von καί und ἐκ (ἐξ) II 59, 5. V 5, 10.
VI 4, 7. XV 27, 1. XVIII 47, 3 und καὶ ἐκφανέςτατον XII 25ⁱ, 3.
endlich galt auch καὶ ἔτι VIII 17 (19), 11. XII 27, 11. XVI 25, 6
dem Polybios als erlaubt.

Natürlich ist in allen diesen fällen der hiatus zwar schriftlich
nicht beseitigt worden, doch wird wie auch anderwärts (s. u. s. 690)
dies der aussprache überlassen worden sein.

Jenen einfachen gesetzen (s. s. 692) nun widerspricht in den
ersten fünf büchern nur[44] eine einzige stelle: IV 53, 2 γενομένου
δὲ τούτου καὶ τῶν πλοίων ἀφικομένων εἰς τὴν Κρήτην καὶ
ἐχόντων ὑποψίαν τῶν Ἐλευθερναίων, ὅτι usw. bedenkt man
jedoch, dasz gerade bei wörtern des affects der Grieche den aorist
gern für das deutsche präsens gebraucht (IV 86, 3 οἱ γὰρ Ἠλεῖοι
.. ὑποπτεύςαντες τὸν Ἀμφίδαμον ἐπεβάλοντο ςυλλαβεῖν·
VIII 20 (22), 2 καίπερ ὢν Κρὴς καὶ πᾶν ἄν τι κατὰ τοῦ πέλας ὑπο-
πτεύςας), so wird die leichte änderung καὶ ςχόντων ὑποψίαν
τῶν Ἐ. 'nachdem die E. verdacht geschöpft hatten' gewis allseitigen
beifall finden, da ja auch verwechslung von ε und ς in den hss.
äuszerst häufig vorkommt. in den übrigen büchern, die bekanntlich
excerpte enthalten, bei deren feststellung byzantinischer willkür
thür und thor offen stand, finden sich doch nur[45] vier stellen, welche
sich unsern gesetzen nicht fügen: IX 31, 4 οἷς ἐδώκατε περὶ τούτων πίςτεις καὶ ἐλάβετε παρ' ἡμῶν· XII 4ᵈ, 4 ἐν οἷς ἔφυ καὶ
ἐτράφη τόποις· XIV 5, 10 ἀτυχῶς μὲν καὶ ἐλεεινῶς ὑπὸ τοῦ
πυρὸς ἀπώλλυντο· XV 10, 3 αἴςχιςτον καὶ ἐλεεινότατον τὸν
ἐπίλοιπον βίον. hier mag Pol. geschrieben haben: IX 31, 4 οἷς
ἐδώκατε π. τ. π. καὶ παρ' ἡμῶν ἐλάβετε· XII 4ᵈ, 4 ἐν οἷς ἔφυ καὶ
⟨ἐν⟩ετράφη τόποις. freilich die beiden an letzter stelle genannten
hiate vermag ich nur durch die allerdings nicht unbedenkliche annahme zu beseitigen, dasz Pol. neben ἐλεεινός auch κατελεεινός an-

---

[44] auszusondern sind a) stellen aus urkunden: XXII 23 (XXI 45), 18
καὶ ἐκ, VII 9, 5. 6 καὶ ἔθνη, VII 9, 7. 9. 16 καὶ ἐθνῶν, VII 9, 6 καὶ ἐν,
VII 9, 8 καὶ ἐπιβουλῆς, b) citate: XXVI 10 (1), 9 καὶ ἐξ, VI 11ᵃ (2), 4
καὶ ἔςτι, VIII 37 ann. 1 καὶ ἔλαθον (s. Hultsch s. 661 ann. crit. 9),
XIII 3, 4 καὶ ἐλευθερίαν, XIII 3, 5 καὶ ἐποίει, XXXI 24, 1 καὶ ἐκεκράγει.
[45] XXXI 7, 20 ἥττηςαν τοὺς ἀντιλέγοντας καὶ ἐποιήςαντο τὴν..
ςυμμαχίαν kann nicht in betracht kommen, da diese worte am ende
eines excerptes stehen und daher der kürzenden und abschlieszenden
redaction der epitomatoren mehr ausgesetzt waren.

wendete, wie er auch neben ἐλεεῖν das compositum κατελεεῖν liebt,
und ἀτυχῶc μὲν καὶ κατελεεινῶc XIV 5, 10, αἴcχιcτον καὶ
κατελεεινότατον XV 10, 3[46] schrieb. — Durch krasis wird
καί verbunden — hiermit wären wir zur letzten erörterung über
das zusammentreffen von καί und mit ἀ- anlautenden appellativen
gelangt — mit der modalpartikel ἄν zu κἄν: I 26, 9. V 104, 11.
VI 57, 4. XII 23, 7. XVI 20, 8. XXII 9 (XXI 26), 14. XXXII 10, 5.
XL 3 (XXXIX 9), 7. daher hat Schweighäuser mit recht für das
sinnlose ὄν γε καὶ κατ' αὐτὴν τὴν εἰρήνην τοῖc ἀνελοῦcι καὶ τιμω-
ρηcαμένοιc ἔπαινοc.. cυνεξηκολούθει II 60, 2 eingesetzt ὄν γε κἄν
usw.; ebenso ist Bekkers correctur XXXI 26 (27), 3 ἐξαπέcτειλε
τὸν Γναῖον εἰc τὴν 'Αλεξάνδρειαν ὡc διὰ τούτου κἄν (für hsl.
καὶ) τῶν περὶ τὸν Τορκουᾶτον ἐπιγενομένων durchaus zutreffend.
— Ferner tritt krasis ein bei der auch andern schriftstellern ge-
läufigen verbindung der begriffe καλόc und ἀγαθόc: καλὸc κἀγαθόc
XXVII 13 (15), 2 [καλοκἀγαθική VII 12, 9; καλοκἀγαθίαc II 60, 4.
V 10, 3. XV 1, 8; καλοκἀγαθίᾳ V 12, 2. XXXII 12, 10. 14, 10.
XXXV 4, 8; καλοκἀγαθίαν III 107, 8. XXI (XXII) 20, 2]. daher
wird wohl auch XXXII 12, 8 für πολλὰ καὶ ἀγαθά zu lesen sein
πολλὰ κἀγαθά.

Höchst zweifelhaft bleibt jedoch die frage, in wie weit Pol. das
καί mit einem mit α privativum anlautenden worte durch krasis verbunden hat. weder in der guten überlieferung noch in den excerpten
findet sich eine einzige hsl. beglaubigte stelle, in welcher καί durch
krasis mit folgendem α privativum verbunden wäre. allein da IV 32, 6
im Vaticanus sinnlos überliefert ist εὔcχολοι καὶ περίcπαcτοι für
εὔcχολοι καὶ ἀπερίcπαcτοι, ferner im Urbinas VI 42, 3 πρὸc ἄλλουc
καὶ καταλλήλουc τόπουc sich findet für πρὸc ἄλλουc καὶ ἀκαταλλή-
λουc τόπουc, wie Reiske änderte, so könnte man allerdings glauben,
dasz an jenen stellen ursprünglich κἀπερίcπαcτοι bzw. κἀκαταλ-
λήλουc gestanden habe. dazu kommt dasz auch XII 28, 11 (12)
καὶ cαφῶc im codex M vorliegt für καὶ ἀcαφῶc oder κἀcαφῶc,
wie Lucht vermutete, endlich XII 25ᵍ, 2 für ἄζηλον καὶ ἀνωφελέc
Hultsch nicht unwahrscheinlich ἄζηλον κἀλυcιτελέc vorschlug.
sind nun jene verbesserungen, welche die krasis einführten, ohne
weiteres sicher, so folgt dasz Pol. entweder überall im gleichen falle
krasis zuliesz oder inconsequent bald den hiatus stehen liesz und der
aussprache die beseitigung desselben überliesz, bald ihn auf jene weise
beseitigte. da nun aber Pol. im übrigen nie bald die krasis verwendet, bald dieselbe im gleichen falle verschmäht, so fehlt für die
letztere möglichkeit jedwede analogie, und sie ist daher zu verwerfen.
damit verbliebe nun die annahme als wahrscheinlich, dasz καί mit
folgendem α privativum stets durch krasis zu verbinden ist. daraus

---

[46] hier könnte man allerdings auch nach XI 2, 11. 12, 3. XIV 5, 11.
XXXVIII 1ᶜ, 6 (5, 10) αἴcχιcτον καὶ ἐπονείδιcτον vermuten, eine lieblingsphrase des Polybios.

würde dann weiter folgen, dasz der Vaticanus in dieser hinsicht
ganz unzuverlässig wäre und eine durchgehende correctur erfahren
hätte. allein da jegliche [47] spur fehlt, dasz der Vat., der mit so er-
staunlicher treue alles wiedergibt, irgend wie bewust durchcorrigiert
sei, da es ferner zwar in dieser hs. vorkommt, dasz dann und wann
hiate durch einsetzung des elidierten endvocals usw. fälschlich hinein-
gebracht, nie aber dies in irgend einem falle consequent durchgeführt
worden ist, so ist auch die erste möglichkeit hinfällig. vielmehr
dürfte daran zu erinnern sein, dasz im Vat. nicht selten einzelne
buchstaben fehlen, ein fehler der aus dem archetypus stammt und
den daher auch der Urbinas und Mediceus teilen. wie daher der
Vat. II 40, 5 εἰ, II 64, 3 ὡς, II 61, 3 einen buchstaben, II 68, 4
καί, das auch gewöhnlich mit éinem zeichen geschrieben ward, wegliesz, ebenso gut kann IV 32, 6 καὶ περίϲπαϲτοι für καὶ (ἀ)περί-
ϲπαϲτοι, VI 42, 3 καὶ καταλλήλουϲ für καὶ (ἀ)καταλλήλουϲ, XII 28,
11 (12) καὶ ϲαφῶϲ für καὶ (ἀ)ϲαφῶϲ verschrieben sein. daher
tasten wir die überlieferung nicht an und belassen καί mit folgendem α privativum an all den folgenden stellen, an denen es sich
findet: καὶ ἀλογίϲτωϲ I 52, 2. II 8, 12. XXVII 2, 10; καὶ ἀλόγωϲ
V 35, 6. VI 44, 8. 56, 12. IX 18, 3; καὶ ἀϲκόπωϲ IV 14, 6; καὶ
ἀκαταλλάκτωϲ IV 32, 4; καὶ ἀπαραϲκεύωϲ IV 75, 5. XIV 10, 7; καὶ
ἀκρίτωϲ VIII 35 (1), 8. XVIII 14, 1; καὶ ἀπρεπῶϲ VIII 10 (12), 2;
καὶ ἀϲεβῶϲ XXV 1 (XXIII 17), 10; καὶ ἀνίϲωϲ XXV 8 (XXIV 7), 3;
καὶ ἀνελευθέρωϲ XXVIII 4, 9; καὶ ἀόρατοι II 21, 2; καὶ ἀοράτων
III 36, 7; καὶ ἀοράτοιϲ III 108, 6; καὶ ἀόρατοϲ XII 25 ¹, 3; καὶ
ἀήττητοι I 58, 5; καὶ ἀήττητον XXVII 8 ª (9), 3; καὶ ἀϲινεῖϲ II 22, 5;
καὶ ἀπόρθητον IV 73, 10; καὶ ἀνυπόϲτατοϲ V 45, 2; καὶ ἀδιάπτω-
τοϲ V 98, 10; καὶ ἀπαραιτήτου VI 37, 6; καὶ ἀπαραίτητοϲ XII 12
(11), 4; καὶ ἀϲυνήθη X 47, 7; καὶ ἀνεπίφθονοϲ XI 10, 3; καὶ ἀκάρ-
που XII 3, 2; καὶ ἀνωφελέϲ XII 25 ᵍ, 2; καὶ ἀϲαφῆ XXXIII 12 ª, 4
(XXXII 25, 7); καὶ ἀπαρρηϲίαϲτον XXIII 12 (XXII 16), 2; καὶ
ἀφανιϲμῷ V 11, 5; καὶ ἀνανδρίαν VIII 10 (12), 5; καὶ ἀχαριϲτίαν
XVIII 6, 7; καὶ ἀπιϲτίαν XXIX 1 ᵈ (7), 2; καὶ ἀπάτηϲ [48] XXXVI 4
(6), 5; καὶ ἀφορίαν XXXVII 4, 4 (9, 5). auch καὶ ἀληθινώτατα
VI 11, 10 und καὶ ἀληθινώτερον — wie ich III 59, 5 mit Bekker
und Hultsch schreibe — fallen unter diese kategorie. endlich hat
Pol. auch ἀναγκαῖοϲ als ein wort behandelt, das mit α privativum [49]
zusammengesetzt ist: denn er gestattet sich καὶ ἀναγκαῖον IV 20, 4
und καὶ ἀναγκαϲθείϲ III 94, 9. [50]

---

[47] Kälkers gegenteilige vermutung habe ich jahrb. 1884 s. 121 und
1889 s. 136 ff. zurückgewiesen.   [48] über die etymologie von ἀπάτη
s. Stephanus sprachschatz I s. 1218 ᵈ; man hat also in der that ἀπατᾶν
im altertum abgeleitet von ἀ privativum und πάτοϲ = ἡ τετριμμένη
ὁδόϲ, so dasz ἀπάτη = ἡ τοῦ ὀρθοῦ ἔκνευϲιϲ εἰϲ τὸ πλάγιον καὶ δόλιον.
[49] auch Fick etym. wörterbuch II³ s. 5 stellt ἀν-άγκη (= nicht-
ausweichen) zur wz. ak, ank 'biegen, krümmen', so dasz ἀν-άγκη in der
that mit α privativum zusammengesetzt wäre.   [50] so ansprechend

Auch an der verbindung von καί und ἀπό nahm Pol. keinen anstosz: καὶ ἀπό IV 1, 3. X 2, 2; καὶ ἀποθνήϲκειν VI 24, 9; καὶ ἀπειπόντων XIV 9, 6; καὶ ἀπορήϲαϲ XXIII 14 (XXII 18), 2; καὶ ἀπογνούϲ XXVII 14 (16), 6.[51] dagegen scheint Pol. die verbindung von καί und ἄλλοϲ gemieden zu haben: denn III 5, 8. XXVIII 10 (12), 4. XXXIII 15ᵃ (17), 5 kommen nicht in betracht, da diese stellen teils verdorben teils von den epitomatoren stark verkürzt worden sind.

Es bleiben nun zum schlusz noch einige einzelne stellen übrig (aus der guten überlieferung der ersten fünf bücher nur éine), bei denen ein zweifel deshalb berechtigt erscheint, weil der daselbst vorkommende hiatus ein ganz vereinzelt dastehender ist. III 112, 9 erzählt Pol., welche besorgnis es in Rom hervorrief, als bekannt wurde, dasz eine schlacht zwischen Hannibal und den consuln bevorstehe. alle weissagungen, die es gab, waren in aller munde; jeder tempel, jedes haus war voll von vorbedeutungen und wundern; gebete, opfer, bitten und flehen zu den göttern erfüllten die stadt. δεινοὶ γὰρ — heiszt es weiter — ἐν ταῖϲ περιϲτάϲεϲι Ῥωμαῖοι καὶ θεοὺϲ ἐξιλάϲαϲθαι καὶ ἀνθρώπουϲ καὶ μηδὲν ἀπρεπὲϲ μηδ᾽ ἀγεννὲϲ ἐν τοῖϲ τοιούτοιϲ καιροῖϲ ἡγεῖϲθαι τῶν περὶ ταῦτα ϲυντελουμένων. völlig unbegreiflich erscheint hier die erwähnung dessen, dasz man a u c h m e n s c h e n versöhnen wollte, da doch vorher nur von dingen die rede war, die göttern gebühren [zum überflusz vergleiche man eine ganz ähnliche stelle XXXII 25 (27), 7]. da nun auch der hiatus καὶ ἀνθρώπουϲ unmöglich erscheint, vermute ich κ α τ ᾽ ἀνθρώπουϲ. ferner erscheint mir VI 20, 7 κ α ὶ ἀ ε ὶ κατὰ λόγον οὕτωϲ ἐκ περιόδου τῆϲ ἐκλογῆϲ γινομένηϲ παραπληϲίουϲ ϲυμβαίνει λαμβάνεϲθαι τοὺϲ ἄνδραϲ εἰϲ ἕκαϲτον τῶν ϲτρατοπέδων das anderwärts nie vorkommende καὶ ἀεὶ durchaus unangemessen; es mag, wenn nicht καί zu tilgen ist, wohl das ursprüngliche καὶ ⟨ϲυνεχῶϲ⟩ ἀεὶ vom excerptor in καὶ ἀεί verkürzt worden sein (III 70, 11 τὸ ϲυνεχῶϲ καινοποιεῖν ἀεὶ τὰϲ τῶν ϲυμμάχων ἐλπίδαϲ.[52]) endlich findet sich noch in einem excerpte des 16n buches (XVI 21, 3) ϲτρατηγεῖν μὲν γὰρ ἐν τοῖϲ ὑπαίθροιϲ καὶ χειρίζειν πολεμικὰϲ χρείαϲ δυνατὸϲ ἦν καὶ ἀνδρώδηϲ ὑπῆρχε das anstöszige καὶ ἀνδρώδηϲ, das wohl ebenfalls einer verkürzung für καὶ ⟨πρὸϲ τούτοιϲ⟩ ἀνδρώδηϲ seinen ursprung verdankt. —

Ziehen wir nun aus diesen betrachtungen das resultat, so ergeben sich für den sprachgebrauch des Polybios folgende gesetze:

§ 1. das zusammentreffen von καί und vocalisch anlautenden e i g e n n a m e n ist in beschränkter weise gestattet.

Dindorfs vermutung καὶ καταναγκαϲθείϲ auf den ersten blick erscheint, so ist sie ·doch nicht unbedingt nötig.
    [51] ich kann daher die vermutungen κἀποϲχόντεϲ III 97, 6 und κἀφανίζοντεϲ XXXI 7, 5 nicht billigen.   [52] verkehrt van Benten observ. crit. in Polyb. s. 31: «ἀεί videtur abundare post ϲυνεχῶϲ, itaque expungendum est.»

§ 2. καί darf in verbindung treten mit den zahlbegriffen εἴκοςι, εἰκοςτός, vereinzelt mit ἕξ und dem adverbium ἑξῆς.

§ 3. καί erscheint nie vor diphthongisch anlautenden appellativen. ausnahme: gestattet ist die verbindung von καί und αὐτός bzw. zusammensetzungen mit αὐτο-.

§ 4. gestattet ist der hiatus zwischen καί und ὑπό, ἐν, ἐκ, ἐπί, ἀπό und ihren zusammensetzungen, καί und ὡς, ἕως, ὡσαύτως, ἔτι, ἕτερος, den composita mit α privativum und in der redensart ὅςον γε καὶ ἡμᾶς εἰδέναι.

§ 5. zur vermeidung des hiatus verschmilzt καί durch krasis mit ἐάν (ἄν), ἐκεῖνος, ἐκεῖ, ἐκεῖθεν, ἐκεῖςε, ἔπειτα, dem sing. des personalpron. der ersten person, ἐντεῦθεν, ἐνταῦθα, der modalpartikel ἄν und ἀγαθός.

§ 6. jedes sonstige zusammentreffen von καί mit folgendem vocal ist verpönt.

§ 7. bei deutlich bezeichneter anlehnung an andere schriftsteller, feststehende formeln und bei wörtlicher angabe aus urkunden weicht Pol. absichtlich von diesen gesetzen ab.

Legen wir nun diese aus dem sprachgebrauch des Pol.[53] gewonnenen gesetze zu grunde, so ergibt sich — und wäre dies der einzige nutzen obiger erörterungen, so könnte man schon zufrieden sein — die hinfälligkeit einer anzahl von conjecturen, von denen ich nur folgende anführen möchte: II 26, 1 παρῆν βοηθῶν κατὰ ςπουδὴν καὶ εὐτυχῶς εἰς δέοντα καιρόν (Schweighäuser); V 87, 5 καὶ ἅμα τούτοις (Scaliger); V 88, 6 εἰς τὰς θυςίας δέκα τάλαντα καὶ ⟨εἰς⟩ τὴν ἐπαύξηςιν τῶν πολιτῶν ἄλλα δέκα (Casaubonus); VI 6, 10 ὅταν ⟨οὖν καὶ⟩ ὁ προεςτὼς . . ςυνεπιςχύῃ (Schweighäuser); VI 17, 7 ἐκ ταύτης ἀποδίδονται κριταὶ τῶν πλείςτων καὶ τῶν δημοςίων καὶ τῶν ἰδιωτικῶν ςυναλλαγμάτων καὶ ὅςα μέγεθος ἔχει τῶν ἐγκλημάτων (Reiske); VII 7, 3 μῆνας οὐ πλείους τριῶν καὶ ἡμίςεος βιώςας (Unger im Philol. XLVI s. 769); VIII 11 (13), 5 πρόςωπον καὶ ὄνομα (Bothe); IX 1, 2 οἰκειοῦςθαι καὶ ἡρμόςθαι (Naber); IX 31, 6 ςυνθήκας καὶ ὅρκους (Wunderer coni. Polyh. s. 23, fälschlich gebilligt in der neuen philol. rundschau 1887 s. 326); XVI 30, 2 οἵ τε ⟨πολιορκοῦντες καὶ οἱ⟩ πολιορκούμενοι (Schweighäuser); XXII 6 (XXI 23), 10 καὶ ἡ πρὶν (sc. ἐλευθέρωςις) ἐλαττωθήςεται φανερῶς (Reiske); XXXIV 6, 14 ἀπολελ ηρηκέναι καὶ ὑπερβεβηκέναι (Dindorf).

---

[53] es wäre eine interessante aufgabe zu prüfen, in wie weit die nachahmer des Polybios sich diesen gesetzen angeschlossen haben. Zosimos (s. s. XXVIII ˙der Mendelssohnschen ausgabe) scheint den hiatus bei καί überall zugelassen zu haben; auch Diodoros hat sich, wie ich nach prüfung eines einzigen buches vermuten möchte, die grenzen nicht ganz so eng gesteckt wie Polybios.

DRESDEN.   THEODOR BÜTTNER-WOBST.

(23.)

ZU MANILIUS.

(fortsetzung von s. 193—207.)

II 755 *ut rudibus pueris monstratur littera primum*
per faciem nomenque suum, tum ponitur usus,
tunc coniuncta suis formatur syllaba nodis.
hinc verbis structura venit per membra legendi,
tunc rerum vires atque artis traditur usus.

756 *componitur* o   758 *hic* G C   *per verba* o.   so liest Scaliger.
Bentley hält 756 für unecht; anstosz nimt er an dem 759 wiederkehrenden *usus*: 'quis enim *usus ponitur*, cum simplices litterae
monstrantur?' mir scheint der vers gesichert durch Quintil. I 1, 25:
litterarum facies, formas sollen die knaben zuerst kennen lernen,
dann *nomina et contextum.* unter *usus* wird die aussprache der
buchstaben zu verstehen sein. zu 757 vgl. Quintil. ebd. § 31 *nisi cum*
inoffensa atque indubitata litterarum inter se coniunctio suppeditare
sine ulla cogitandi saltem mora poterit (fertiges syllabieren!); dann
folgt: *tunc ipsis syllabis verba complecti et his sermonem conectere*
incipiat. dem entspricht hier v. 758 und zwar mit leichter änderung:
hinc verbi structura venit per verba legenti (sc. *puero.* P s. 17).

II 822 *effectu minor in specie, sed maior in usu:*
fundamenta tenet rerum censusque gubernat;
quam rata sint, fossis scrutatur vota metallis,
atque ex occulto quantum contingere possit

heiszt es vom *cardo imus.* in 822 geben *species* o, in 825 *possis* G C.
das letztere nehme ich auf; die lesart *species* führt auf ein *speciest.*
der abschnitt von 788 bis zum schlusz des buches, in welchem Man. die
vier *cardines*, die acht *loca*, die zwölf *templa* behandelt, enthält manches
fremde einschiebsel. indessen bietet hier Firmicus einen anhalt. er benutzt diese partie nach seinem schwachen verständnis (II 22 ed. Ven.
Ald. 1499): *quartus ab horoscopo locus i. e. imum caelum in quarto*
ab horoscopo constituitur signo, cuius initium a parte XC profectum
usque ad partem CXX pertinet. hic locus ostendit nobis parentes,
patrimonium, substantiam, fundamenta, mobilia et quicquid ad
latentes vel repositas patrimonii pertinet facultates. parentes hat
er aus II 934, statt *census* setzt er *substantiam*, *fundamenta* gebraucht er absolut, hat also seine quelle gar nicht verstanden (der
cardo imus trägt, stützt den himmel, daher bildlich *fundamenta tenet*
rerum v. 823 und 930); mit den letzten worten *latentes vel repositas ..*
facultates gibt er den inhalt von v. 824 und 825 wieder. da hiernach
Firmicus diese beiden verse gelesen hat, so wird man sie halten dürfen.

II 867 *par erit adverso quae fulget sidere sedes*
iuncta sub occasu sine praestite cardine mundi.
utraque praetenta fertur deiecta ruina;
porta laboris erit: scandendum est atque cadendum.

868 *neu praestet cardine* o   870 *ora* G, *orta* ɯ.   seine beschreibung
der zwölf himmlischen häuser ordnet Man. so, dasz er die diametral
entgegengesetzten sich folgen läszt (XII, VI, VIII, II, XI, V, IX, III,
X, IV, I, VII nach Firmicus bezeichnung). nun scheint die klare
angabe *adverso quae fulget sidere sedes* manchem noch nicht genügt
zu haben. aber der zusatz *iuncta sub occasu neu praestet cardine
mundi* ist barbarisch. *iuncta*, weil *adversa*, meint Jacob, aber deshalb findet eben keine verbindung statt; *neu* soll statt *ne* stehen,
praestet den ablativ regieren, *cardo mundi* soll ohne weiteres =
cardo exortus, horoscopus sein. über Jacobs erfindung *sine praestite
cardine mundi* 'ohne den schutz des horoscopus' ist kein wort zu
verlieren. es dürfte ein glossem vom rande sich eingeschlichen haben,
etwa *VI sub occasus posita cardine.* mit recht streicht Bentley den
vers. Scaligers conjectur *porta* aus *orta* ɯ soll durch Firmicus gesichert werden, der eine *porta superna* und *porta inferna* kennt. leider
übersah Scaliger, dasz bei Firmicus nicht die beiden hier besprochenen,
sondern zwei andere häuser, nemlich nicht XII und VI, sondern II
(*inferna*) und VIII (*superna*) gemeint sind, die bei Man. *Typhonis
sedes* heiszen. somit liegt kein hinreichender grund vor die lesart des
G *ora* zu verschmähen. *ora* ist = *regio, sedes*, vgl. v. 793 *alter ab
adversa respondens aetheris ora. ora laboris* wird durch das folgende
scandendum est atque cadendum klar bezeichnet: 'dort kann man nur
steigen, hier nur fallen: sturz droht in beiden gebieten.'

    II 886   *proxima summo*
      atque eadem interior Venerandae sorte dicatur,
      cui titulus Felix. censum sic proxima Graiae
      nostra subit linguae vertitque a nomine nomen.
      Iuppiter hac habitat. Fortunae crede regenti.

887 *veneranda* o   888 *quod tit.* o   *si* o   889 *virtutique a* o
890 *haec* V 1, *hoc* ɯ   *credere genti* o.   *praeses tutor* für das elfte
haus (immer nach der von Man. nicht beobachteten reihenfolge des Firmicus)¦, der ἐπαναφορὰ μεσουρανήματος, ist Iuppiter. es fehlt der
griechische name, bzw. dessen lateinische übersetzung. bei Firmicus
II 22 heiszt es: *appellatur autem hic locus a nobis b o n u s d a e m o n
vel b o n u s g e n i u s; a Graecis vero ἀγαθὸς δαίμων.* nun erklärt
Man., er übersetze den griechischen namen ganz wörtlich in das
lateinische (*si* dürfte zu halten sein). als solche wörtliche übersetzung kann Bentleys conjectur *Fortunae sorte dicatur, cui titulus
Forti* jedenfalls nicht gelten; zudem ist ja *Fortuna* bei Manilius
name des zehnten hauses (*nomen erit Fortuna loco* v. 927). wenn
sich Bentley auf v. 890 beruft: *Iuppiter hac habitat. Fortunae crede
regenti*, wo vielleicht *regentis* zu schreiben, so bezieht sich der zusatz
Fortunae crede regenti nicht auf den namen des ortes, sondern bezeichnet die glückverkündende *tutela* des Iuppiter. richtig fragt
Bentley: 'cuinam igitur *dicatur*?', darauf antworten Pingré mit der
conjectur *interiorque deae v. s. d.*, und Jacob mit der vermutung
Venerandae s. d.; beide aber, wie auch Bentley, von der irrigen an-

nahme ausgehend, dasz der griechische name des hauses ἀγαθὴ τύχη
sei. aber bei Firmicus II 19 heiszt nicht haus 11, sondern das
diametral entgegengesetzte haus 5 ἀγαθὴ τύχη, *bona fortuna.* sollte
ein *venerando* vorgeschlagen werden dürfen (*venerandus felix* =
δαίμων ἀγαθός)?

II 901 *hic momenta manent nostrae plerumque salutis*
      bellaque morborum caecis pugnantia telis
                    per tanta pericula mortis
      viribus ambiguum geminis causaeque deique
      nunc huc nunc illuc sortem mutantis utraque.

902 *per tanta pericula mortis* hat V2 allein, die worte fehlen ohne
zeichen einer lücke in GC und sind hier sinnlos. 903 *geminum* G,
geminis ω *causasque* G V2 L c, *causaque* ω *deique* o (auch G trotz
Jacobs behauptung) 904 *utrāque* G, *utraque* ω. gegenüber dem
hause 11 des Juppiter, des ἀγαθὸς δαίμων, liegt haus 5 (*huic in perversum similis subiecta sub orbe*), δαιμονίη bei den Griechen; die lateinische übersetzung wagt Man. nicht (*Romana per ora quaeritur in
versu titulus* v. 897). dem glücksbause also gegenüber liegt ein haus
wechselnden geschickes, in welchem günstige und ungünstige einflüsse sich geltend machen. der lesart des G *causasque* und *utramque*
folgend schlage ich vor zu schreiben:

      hic momenta manent nostrae plerumque salutis,
      bellaque morborum caecis pugnantia telis;
      viribus ambiguum geminis c a s u s n e d e i n e
      nunc huc nunc illuc sortem mutantis utr a m que,

dh. *quod ambigo, casus an dei viribus geminis accidat.* hierzu vgl.
Verg. *Aen.* XII 321 *incertum .. quis tantam Rutulis cladem, c a s u s n e
d e u s n e, attulerit.*

II 905 *sed medium post articulum curvataque primum*
      culmina mutantis summo de vertice mundi
      aethera Phoebus habet. sub (!) *hoc quoque corpora nostra*
      declinant vitia et fortunam viribus eius
      concupiunt. deus ille locus cognomine Graio
      dicitur.

905 *post astra diem* o   906 *mutantis* V2, *nutantis* ω   907 *phebus*
                                                  o
aut sub qq. corpora n. o   908 *decernunt* o *ex v.* o   909 *concupiunt* o.
'locus mendosissimus' sagt Bentley, ähnlich schon Scaliger. Bentley,
der an *aethera* anstosz nahm, schrieb *medium post articulum* ..
*degere Phoebus amat: sub quo quoque c. n. dotes et v. et f. ex v. e.
concipiunt.* dies verballhornt Jacob 1) durch *mutantis* aus V2, obwohl *mutantis* eben (903) vorhergegangen war; 2) indem er das
anstöszige *aethera* zurückführt (vom laufe der sonne ist hier keine
rede, wie etwa I 199 *servet in aethere metas*); 3) 'hoc omittunt
omnes, ego addidi' sagt er und macht damit einen prosodischen
schnitzer. ich kann mich auch nicht mit Bentleys conjectur befreunden und möchte die lesart der hss. aus folgenden gründen fest-

halten. *medium post articulum* und *curvata primum culmina* sind nicht
gleichbedeutend. *medius articulus* möge immerhin = *summus cardo*
sein, obschon *medius cardo* sich bei Man. nicht findet; aber die
curvata primum culmina gehören nicht mehr zur regio X, *arx caeli*,
zum μεcουράνημα, sondern zur regio IX, ἀπόκλιμα μεcουρανήματοc.
hat Man. μεcουράνημα durch *medius dies* übersetzt, wie er von dem
cardo imus sagt *media sub nocte iacet* (v. 931)¹, so darf man *medium
post astra diem* und *curvata primum culmina* als umschreibung des
ἀπόκλιμα μεcουρανήματοc fassen. wie Bentley und Jacob die stelle
geben, würde sie übrigens das zehnte haus, nicht das neunte,
seiner lage nach schildern. gerade auf diese schilderungen verwendet Man. besondere sorgfalt. nun zur bedeutung dieses hauses.
Firmicus sagt ao.: *nonus locus in IX ab horoscopo signo constituitur,
cuius mensura a CCXL profecta usque ad CCLXX p. extenditur. est
autem dici* (lies *dei*) *ac ⊙ locus. in hoc loco hominum sectas invenimus.
est autem de religionibus et peregrinationibus.* er hat also hier entweder
Man. nicht benutzt oder nichts bei ihm gefunden. ich entscheide
mich für das letztere. was die hss. bieten ist unbrauchbar. *decernere*
gehört dem stile späterer astrologen an; *corpora decernunt vitia* ist
sinnlos. der inhalt der verse geziemt dem — ebenso wie der elfte
— glückbedeutenden orte des Phoebus und *deus* nicht. endlich
wiederholt er nur das was so eben dem fünften orte zugeschrieben
war (s. v. 901. 902). dies alles läszt ein glossem erkennen, welches ursprünglich zu v. 901 gehörte. in der annahme, dasz *aethera*
dittographie zu *astra* sei, schlage ich folgende fassung der stelle vor:

> *sed medium post astra diem curvataque primum*
> *culmina nutantis summo de vertice mundi*
> *Phoebus habet. deus ille locus cognomine Graio*
> *dicitur.*

> II 910   *huic adversa nitens quae prima resurgit*
> *sedibus ex imis, iterumque reducit Olympum*
> *pars mundi fulvumque nitet mortisque gubernat*
> *et dominam agnoscit Phoeben fraterna videntem*
> *regna per adversas caeli fulgentia partes*
> 915 *fataque damnosis imitantem finibus oris.*

so alle hss. aber in 912 dürfte *noctisque* zu schreiben sein: denn es
handelt sich um örtliche schilderung; die wirkung und bedeutung
des ortes folgt erst v. 915, und die *tutela mortis* wird dem siebenten
ort, *cardo occasus, Ditis ianua* (951) allein zu verbleiben haben. endlich streicht Bentley v. 915. allerdings ist der ausgang *oris* wegen
des wiederkehrenden *ora* (v. 916) anstöszig. Jacob erklärt: 'dam-
nosi oris fines sunt, ut quod sub caelo ex maxima parte lateat.'
beide fassen die stelle vom astronomischen gesichtspunkte. davon ist
hier keine rede. lediglich die belegenheit des dritten ortes, erstens
zum *cardo imus*, zweitens gegenüber dem neunten orte wird beschrieben; daher ist in v. 914 *fraterna videntem regna per adversas
caeli fulgentia partes* nicht mit Bentley *terga* zu corrigieren; *regna*

ist lediglich umschreibung für *regio, sedes, locus.* alle bedenken
schwinden, wenn man die lesart der vulg. herstellt: *fataque damnosis
imitantem finibus orbis.* diese dritte *sedes* ist, weil *deiecta sub orbe,*
belegen auf dem minderwertigen gebiete des himmelskreises, der
neunten *sedes* zwar ähnlich, aber (*in perversum similis* v. 891) weniger
wirksam, bzw. in schädlicher richtung wirksam.

II 931 ff. zum schlusz schildert Man. die bedeutung der vier
noch übrigen häuser, der *cardines.* vom *cardo imus*, haus 4, *tutela
Saturni* heiszt es:

> *Saturnus in illa*
> *parte suas agitat vires, deiectus et ipse*
> *imperio quondam mundi solioque deorum,*
> *et pater in patrios exercet numina casus*
> 935 *fortunamque senum.*

so weit der *tutela* des Saturnus ganz angemessen. nun aber folgt:

> *prima est tutela duorum,*
> *nascentum atque patrum, quae tali condita parte est.*
> *asperum erit templum.*

pars est o   asperum erat tempus G L C V 1. mit recht sagt Jacob:
'verba *prima .. templum* a margine venisse arbitror.' sie sind, meine
ich, ein glossem zu 946 f. *in quo fortunam natorum condidit omnem
natura, ex illo suspendit vota parentum*, das ist nemlich die bestimmung des ersten *templum* unter der *tutela* des Mercurius.

II 951 *ne mirere, nigri si Ditis ianua fertur*
> *et finem vitae retinet.* [*mortique locatur*]
dazu bemerkt Jacob: 'v. 952 *mortique locatur* in omnibus deest
codd. a quo sit inventum ignoro.' in G und C ist der raum eines
halbverses freigelassen. in G findet sich am rande von erster (?)
hand das zeichen eines fehlers. die lücke selbst ist in G von der
jüngsten hand (PThomas lucubrationes Manil. s. 14), nicht vor ende
des sechzehnten jh., vermutlich der hand eines bibliothekars ausgefüllt. dies *mortique locatur* hat der schreiber aus den ältern drucken
entnommen, und so wird es aus den italiänischen — uns noch
unbekannten — hss. stammen. es ist aber nicht zu gebrauchen. ich
habe früher vermutet, der halbvers *per tanta pericula mortis*, welchen V2 allein und zwar hinter 902 bietet, könne hier angefügt
werden, etwa *et finem vitae retinet per tanta pericla*, woran sich
passend anschliesz *hic etiam ipse dies moritur. mortis* wäre glossem
zu *Ditis.* der wert des V2 zeigt sich eben darin, dasz er mehrere
verse allein bewahrt hat (vgl. III 188. IV 731. 32. IV 12).

II 955 *nec non et fidei tutelam vindicat ipsam*
> *pectoris et pondus.*
es dürfte *ipsi* zu lesen sein, vgl. v. 813 *scilicet haec tutela decet
fastigia summa, quicquid ut emineat sibi vindicet.*

III 87 ff. alle lebensverhältnisse sind nach der zahl der Ζῴδια
in zwölf gruppen, *athla, sortes* geteilt (*quae cuncta negotia rerum in*

genera et partis bis sex divisa coercent v. 162 f.); bedeutung und
reihenfolge derselben wird von v. 43 an genau erörtert. es erübrigt
nur ihre aufzählung. statt dessen folgt:

> *has autem facies rerum per signa locatas,*
> *in quibus omnis erit natura et condita summa,*
> *utcumque stellae septem laeduntve iuvantve*
> 90 *cardinibusve movet divina potentia mundi,*
> *sic felix aut triste venit per singula fatum,*
> *talis et illius sors est speranda negoti.*
> *haec mihi sollemni sunt ordine cuncta canenda* usw.

die verse reden von den einflüssen der planeten, welche Man. thatsächlich nicht behandelt. die propositio *haec mihi sollemni sunt ordine*
cuncta canenda kommt von v. 96 an zu ihrem rechte; eine besprechung planetarischer einflüsse wird aber ausdrücklich abgelehnt
(v. 158 *nunc ne permixta legentem confundant, nudis satis est insistere*
membris, vgl. auch v. 585). auch im einzelnen ist vieles bedenklich,
so in 87 der plural *facies.* der accusativ soll abhängen von *laeduntve*
iuvantve und *movet.* nun findet sich aber *utcumque* nur in V2 (G *ut*
sit cum stellae, L C V1 *ut cum stellae*). unverständlich bleibt v. 90
(*movet* V2, *movent* ω). endlich in v. 92 hat *illius* nichts worauf es
sich beziehen könnte. es liesze sich v. 87 und 88 in folgender gestalt
halten: *haec autem facies rerum per signa locata est, in quibus omnis*
erit fortunae condita summa (denn *natura et* stützt sich nur auf C
und V1). ich glaube jedenfalls die verse 89 bis 92 als verdächtig
bezeichnen zu dürfen.

III 129 *nobilitas tenet octavam, qua constat honoris*
         condicio et famae modus et genus et specioso
         gratia praetextu.

da G *speciosus*, G C p̄texto bieten, ist die vulgata nicht ganz sicher
beglaubigt. ich würde *speciosae gratia praetextae* als dem zusammenhange angemessen erachten.

III 216. die frage nach dem *horoscopus* beschäftigt den dichter
von v. 203 an. sie ist schwierig, denn es gilt:

> 215 *ac tantae molis minimum deprendere punctum,*
> *quae pars exortum vel quae fastigia mundi*
> *auferat, occasus aut imum obsederit orbem.*

zunächst ist in 215 *comprendere* aus G mit Bentley herzustellen. die
vermutungen, welche *auferat* beseitigen oder erklären sollen (Jacob
im index sagt: 'tamquam caeli victoriam deportare') mögen auf sich
beruhen. es handelt sich hier gar nicht um die vier *cardines.* zu
suchen ist lediglich ein grad (*minimum punctum*) des *signum*, in welchem der *horoscopus* ist. beide verse 216 u. 217 sind also zu streichen.

III 235 *in tam dissimili spatio variisque dierum*
         umbrarumque modis quis possit credere in auras
         omnia signa pari mundi sub lege meare?

manere ο. *meare in auras* wäre also = *oriri.* aber der zusammenhang spricht nicht dafür. Man. widerlegt die ansicht:

218 *nec me vulgatae rationis praeterit ordo,*
quae binas tribuit signis orientibus horas
et paribus spatiis aequalia digerit astra
und schlieszt diese widerlegung mit der frage:
236   *quis possit credere in horas*
omnia signa pari mundi sub lege manere?
so auch Jacob im index u. *aura*. man hat *pari in horas lege* zu verbinden.

III 250 *regulaque exacta primum formetur in hora,*
quae segnemque diem segnes perpendat et umbras.
signemq. diem G, *segnemq. d.* ɯ   *sedem p.* o. ich vermute:
quae similemque die sedem perpendat et umbris.
similis in der bedeutung von 'gleich' ist bei Man. häufig: vgl. III 312
sed (Pingré) *similis simili toto nox redditur aevo.* über die form *die*
vgl. Neue lat. formenlehre I 395.

III 395 *quacumque hoc parti terrarum quisque requiret,*
deducat proprias noctemque diemque per horas.
zunächst ist *diducat* mit Bechert ao. s. 37 zu lesen. *parti* als ablativ
ist nicht unbedenklich. *hoc parte* G. *hoc parati* C. *hoc parci* V2.
hoc parat iter rarum L. *hic perati ter* V1. Bentley schrieb *hoc parte*
in terrarum. vielleicht ist durch umstellung zu helfen:
quacumque in parte hoc terrarum quisque requiret.

III 402 *ut quantum una ferat tantum tribuatur ad ortus*
temporis averso nascentia sidera tauro.
so die hss. Jacob erklärt *nascentia sidera* als apposition zu *ortus*,
hält das aber selbst für unmöglich. auch *nascentis sidere tauri*
(Scaliger und Bentley) halte ich nicht für richtig. nach den ähnlichen stellen (399. 406. 424. 426) halte ich *tauro* fest und schreibe:
tantum tribuatur ad ortus
temporis averso nascenti sidere tauro,
dh. so viel zeit gebe man zur ascension dem stier, der sich erhebt
'à reculons' im sternbilde.

III 404 *has inter quasque accipiet Nemeaeus in horas*
quod discrimen erit, per tris id divide partis,
tertia ut accedat geminis, quae tempora tauro
vinciat, atque eadem cancro similisque leoni.
diesmal in v. 406 ist *tauri* zu lesen. die zeiten zur ascension bilden
eine arithmetische progression. die erwähnte *pars tertia* ist die differenz. sie wird dem sternbild der zwillinge zugeteilt, aber nicht sie
allein, sondern sie hält auch die zeit des stieres fest (also *d + a*, wo
d die differenz, *a* die zeit der ascension des taurus bedeutet). das
folgt aus

III 411 *sed certa sub lege, prioris semper ut astri*
incolumem servet summam crescatque novando.
da hier die hss. geben *in astris* und *crescens*, so dürfte zu lesen sein:

>   *sed certa sub lege: prioris semper in astris*
>   *incolumen s e r v e n t summam c r e s c a n t q u e novando*

(v. 412 nach Bentley).

>   III 417 *haec erit horarum ratio ducenda per orbem*,

*   *   *

>   *illud, quot stadiis oriantur quaeque cadantque.*

illud V2, *illa* ɯ   *qɑ̃ standis* o. die vulg. *illa* ('nach folgender theorie')
halten Scaliger und Bentley; immer würde ein passendes verbum
fehlen. das thema des ganzen abschnittes findet sich v. 275

>   *nunc age, quot stadiis et quanto tempore surgant*
>   *sidera quoque cadant, animo cognosce sagaci.*

es wird für eine bestimmte gegend beantwortet (v. 278—300).
nun aber gibt Man. eine methode an, um dasselbe für jede geographische breite festzustellen. zuerst handelt es sich um bestimmung
der stunden: *nunc accipe, signa quot surgant in quoque loco cedantque*
per horas (von 387 bis 417: *haec erit horarum ratio ducendà per*
orbem). der zweite punkt, bestimmung der stadien, wird förmlich
abgeschlossen durch v. 437 *haec via m o n s t r a b i t* (G) *stadiorum*
ponere summas. alles wird bei Man. straff disponiert; so wird auch
eine förmlichere propositio in v. 418 zu erwarten sein. ich schlage
vor: *a c c i p e quot stadiis oriantur quaeque cadantque.* asyndetisch
tritt dies *accipe* auch sonst ein, zb. II 453 *accipe divisas hominis per*
sidera partes; IV 442 *accipe damnandae quae sint per sidera partes.*
weicht aber *accipe* nicht gar zu weit von der überlieferung der hss.
ab? mehrmals finden sich bei Man. corruptelen der art, dasz die
anfangsbuchstaben eines den vers beginnenden wortes verwischt
sind: zb. in III 33 hatte der archetypus *signorum*, unsere bss. geben
nur *quorum*; in III 509 haben unsere hss. ein sinnloses *denaque in*,
der archetypus hatte wohl *sideraque in.* durch einen ähnlichen schwund
scheint aus *accipe* das hsl. *illa* entstanden zu sein.

>   III 419 *quae* (sc. *stàdia*) *cum tercentum et quater* (!) *vicenaque*
>   *constent* usw.

stadium ist bei Man. 'un arc de l'écliptique qui emploie deux minutes
de temps à monter au-dessus de l'horizon ou à descendre au-dessous'
(Pingré I s. 267), vgl. v. 275 ff. dort findet sich ein ausgeführtes
horarium und *stadiasmus* für eine breite, wo der längste tag 14 st.
24 min., die kürzeste nacht 9 st. 36 min. hat, mithin 432 bzw.
288 *stadia.* die allgemeine methode zur bestimmung der stunden
findet sich, wie schon bemerkt, v. 385—417. die methode für die
bestimmung der *stadia* ist die gleiche, wird aber doch mit derselben
ausführlichkeit von Man. beschrieben. ich wähle als beispiel nach
v. 256 bis 274 ff. den fall, wo der längste tag 14 st. 30 min. dauert.
nach v. 396 und 420 ff. findet man stunden und stadien für die
ascension des ♌, nach v. 400 ff. und 425 ff. dieselben für die ascen
sion des ♉, nach v. 404 ff. und 427 ff. die differenz der zu bildenden
arithmetischen reihe. in übersicht:

orientia				cadentia			
	min.	stadia			min.	stadia	
aries	$78^1/_3$	$39^1/_6$	*pisces*	*aries*	$161^2/_3$	$80^5/_6$	*pisces*
taurus	95	$47^3/_6$	*aquarius*	*taurus*	145	$72^3/_6$	*aquarius*
gemini	$111^2/_3$	$55^5/_6$	*capricornus*	*gemini*	$128^1/_3$	$64^1/_6$	*capricornus*
cancer	$128^1/_3$	$64^1/_6$	*arcitenens*	*cancer*	$111^2/_3$	$55^5/_6$	*arcitenens*
leo	145	$72^3/_6$	*scorpios*	*leo*	95	$47^3/_6$	*scorpios*
virgo	$161^2/_3$	$80^5/_6$	*libra*	*virgo*	$78^1/_3$	$39^1/_6$	*libra*
summa	720	360			720	360	

hier entfallen auf die ascension des Ω $\frac{24-9^1/_2}{6}$, auf die des $\forall$ $\frac{24-14^1/_2}{6}$ stunden; die differenz (*auctus*) ist $\frac{14^1/_2-9^1/_2}{3}$ stunden oder $16^2/_3$ minuten, und entsprechend müssen die stadien gefunden werden. wir werden diese angaben in v. 419. 425. 427 zu suchen haben. nach dieser vorbemerkung gehen wir zum texte selbst. die summe der stadien ist $\frac{24\times60}{2} = 720$. um sie zu haben, schreibt Pingré *quae septingenta in numeris vicenaque cum sint* (merkwürdiger weise hält er in der vulg. *vicenaque constant* das *vicena* für einen ablativ); ganz wunderbar aber ist Jacobs vers *quae cum ter centum et quater vicenaque constent*, nicht blosz um des schnitzers willen, sondern wegen der kühnen übersetzung von 700 durch *ter centum et quater*. Scaliger und Bentley blieben bei der zahl 320 stehen, die hier nicht zu gebrauchen ist. die hss. haben folgendes: *tercentum* haben nach Jacob 'omnes', aber G C bieten *trecentum*. *numerus* hat V 2, *numeris* ꞷ. *vicina* haben G C. demnach ist die vulg. *quae cum ter centum numeris vicenaque constent* bestens beglaubigt, sie ist nur richtig zu übersetzen. dasz *ter centum vicenaque* $3 \times (100 + 20) = 360$ bedeute, scheint mir unzweifelhaft. 320 würde *ter centum et vicena* sein. 'vorhanden (*constent*) sind den zahlen nach (*numeris*) je 360 *stadia*' sagt Man. mit bezug auf v. 418 *quot stadiis oriantur quaeque cadantque*, indem er nemlich, wie die obige übersicht zeigt, 360 für die *orientia*, 360 für die *cadentia signa* rechnet. wollte jemand zu gröszerer deutlichkeit schreiben *quae cum ter numeris centum vicenaque constent*, wohl; nötig dürfte es nicht sein.

III 420 *detrahitur summae tota pars, quota demitur usque omnibus ex horis aestivae nomine noctis.*

so lautet das weitere über die berechnung der stadien. von der summe derselben (360 + 360 in v. 419) wird die quote abgezogen, welche man bei der stundenberechnung vorher (v. 395) à conto (*nomine*) der kürzesten nacht abzog. in v. 420 befremdet der indicativ *detrahitur* neben *ducito, trade* usw. darf man aber ein *detrahitor* wagen, nachdem diese form jetzt fast überall getilgt ist? der schlusz des verses (*quot ademit utq.* G, *quota demit utrumque* C V 1, *quota demitur utque* V 2) ist von Jacob richtig hergestellt.

III 423 *quodque his exuperat demptis, id ducito in aequas*
           sex partes, sextamque ardenti trade leoni.

wer anstosz an *ducere in aequas partes* nahm, corrigierte wie Scaliger
und Bentley *didito*, oder wie Jacob in der anmerkung *diducito*; wen
die elision im (vermeintlichen) creticus *ducito* störte, schrieb *diduc
id* (LMüller de re metr. s. 225 'non est credibile *diducito* ultima
correpta a Manilio esse adhibitum, ut pro eo quod in codicibus est
id ducit scribendum sit potius *diduc id*). nun hat aber G *id ducito*,
folglich müssen gewichtigste gründe vorgebracht werden, wenn man
ändern will. wenn sich zb. bei Juvenalis findet: *esto bonus miles,
tutor bonus, arbiter idem* (8, 79) oder *de quocumque voles proavum
tibi sumito libro* (ebd. 134), so wird man die elision bei Manilius
nicht für unstatthaft halten dürfen. *ducere in aequas sex partes* ist
zu fassen wie II 732 *summa relicta in binas partes .. locetur.* in v. 425
ist *nomine noctis* nur in V1 zu finden (*numine* ɯ), aber durch v. 421
gesichert.

III 448 *principio capienda tibi est mensura diei,*
           quam minimam capricornus agit, noctisque per horas
           quam summam; quoque ab iusto superaverit umbra
           et trepident luces, eius pars tertia signo
           tradenda est medio semper.

450 *ad iusto* o *umbras* G L V2, *horas* C V I. da *umbra* im singular für
nox nicht unbedenklich ist, schlage ich mit geringster änderung vor:
                quoque ad iustas supcraverit umbras
           et trepidet luces.

ad in der bedeutung 'in beziehung auf' ist bei Man. häufig, vgl.
V 136 *suspensa ad* strepitus*. zu *trepidet* in der bedeutung 'zurück-
weichen' vgl. Livius V 47, 4 *dum ceteri trepidant.* *mensura* ist subject
zu *superaverit* und *trepidet.* die kürze des ausdrucks *trepidet luces*
= *trepidet ad iustas luces* liebt Manilius: vgl. I 192 f. *semper et
ulterior vadentibus ortus ad ortus* (G) *occasumve obitus.*

III 495 *tum quo subsistet numerus consumptus in astro,*
           quave in parte suam summam numerumque relinquet,
           haec erit exoriens. et par est forma, per ignes
                *   *   ***
           contineat partes. ubi summam feceris unam usw.

so Jacob, indem er eine lücke annimt. Man. bietet von v. 483 an
eine methode den *horoscopus* (*nascens astrum*) zu finden, zunächst
(485—497) bei tagsgeburt, von da bis 502 bei einer nachtgeburt.
richtig interpungiert Jacob in v. 497 nach *exoriens.* denn was Scaliger und Bentley geben: *haec erit exoriens et pars et forma. per
ignes* ist zwar hsl. geschützt (*pars et forma* o), aber die wiederholung
von *pars* nach *quave in parte* ist anstöszig. um *forma* zu erklären,

---

* *ad strepitus* hat, wie ich nun erst sehe, PThomas 'lucubrationes
Manilianae' (Gent 1888) s. 9; ebenso bietet derselbe die von mir oben
s. 193 vorgeschlagene interpunction *munere caelestum* (I 26). die abhandlung von Thomas ist mir erst kürzlich zugegangen.

citiert Scaliger v. 178 f. *cum tibi nascentis percepto tempore forma con-*
stiterit caeli, stellis ad signa locatis, wo von etwas anderem die rede
ist, nemlich von der constellation zur zeit der geburt. hier wird
gelehrt, wie durch einfache zählung ein bestimmter grad eines stern-
bildes gefunden wird, in welchem der *horoscopus* ist. dieselbe zählung gilt für den tag, gilt auch für die nacht. demnach wird zu
schreiben sein:

> *haec erit exoriens. et p a r s i t n o r m a per ignes:*
> *continua* (Scaliger) *partes. ubi summam feceris unam* usẇ.

mit *et* beginnt der zweite teil der erörterung. die gleiche regel, sagt
Man., werde für die nachtzeit angewendet. man fahre in der zählung
der teile fort, dh. man rechne zuerst zwölf stunden vom aufgange
der sonne, dann die verflossenen nachtstunden, bilde aus beiden also
eine summe, die wie vorher (v. 485) mit 15 multipliciert wird, zähle
dann je 30 grade den einzelnen sternbildern zu. — In 496 ist
numerumque (V 1) oder *numerique* (ꞷ) durch dittographie aus 495
entstanden; was aber zu setzen sei (*momen, vires, census?*) läszt
sich nicht entscheiden.

III 535 *talesque efficiunt mentes casusque minantur,*
> *qualia sunt quorum vicibus tum vertimur astra.*

beide verse schlieszen eine episode über den wechsel der dinge in
dieser welt ab (*subtexta malis bona sunt* 526). *mentes* schreibt Jacob
statt des hsl. *merses.* Bentley schrieb *vires:* er verlangt gegensatz
zu *casus minantur* ('cur *casus* tantum minantur, nulla commoda
faciunt? si solos casus, non *variabunt,* sed *unum tenorem serva-*
bunt; contra hypothesin'). nun, die *commoda* ergeben sich, wenn
man statt *menses,* den zügen der hss. möglichst nahe bleibend, *c e n s u s*
schreibt. *census* für 'gewinn, vorteil' ist bei Man. häufig ('quo quis
valet' sagt Jacob im index udw.).

III 537 *sunt quibus et caeli placeat nascentis ab hora,*
> *sidere quem memorant horoscopon inventuros*
> *parte quod ex illa describitur hora diebus,*
> *omne genus rationis agi per tempora et astra.*

caeli nascentis hora ist = ὡροϲκόποϲ. mit recht wirft also Bentley
v. 538 als glossem aus. dann musz aber auch v. 539 fallen, der zur
sache nichts beibringt, sondern nur eine neue umschreibung des
wortes *horoscopos* bietet. diese umschreibungen kommen aber zu
spät, nachdem bereits von v. 203 an über *horoscopos* gesprochen
worden ist.

III 543 *et quamquam socia nascuntur origine cuncta,*
> *diversas tamen esse vices, quod tardius illa,*
> *haec citius peragant orbem.*

alles dies bängt noch von *placeat* (537) ab. in 545 hat nun Jacob
mit o *peragant* statt der vulg. *peragunt* geschrieben, mit recht; aber
dann musz man auch in 543 gegen o *n a s c a n t u r* schreiben.

III 588 *cum bene materies steterit per cognita rerum,*
> *non interpositis turbabitur undique membris.*

Scaliger und Bentley haben *praecognita.* Jacobs lesart stützt sich
auf L C V 1 und 2; er erklärt sie: 'per cognitionem, *rerum*'. *rerum*
aber ist mit *materies* zu verbinden (vgl. II 785 *materies primum
rerum ratione remota tradenda est*). in G steht *pcognita*, und so wird
percognita zu lesen sein.

> III 614 *quod super occasus templum est, ter dena remittit
> annorum spatia et decum*[*am tribus applicat auctis*].
> *inferius puerum interimet, bis sexque peracti
> inmatura trahent natales corpora morti.*

quot annos quaeque loca tribuant (lemma in G) gibt Man. von v. 581
an. die höchste zahl der jahre bietet *cardo exortus*, nemlich 78, die
zahlen sinken regelmäszig, bis der letzte ort (*templum sub occasu*)
nur noch zwölf jahre gewährt. aber diese verse sind mangelhaft
überliefert. in 614 haben *tẽptatĩ* o   *ter dena* V 2, *est dena* ω. *est
dena* steht jedoch in G in rasura. v. 615 und 616: die eingeklam-
merten worte fehlen in V 2, *decum* V 2, *decimam* ω · *peractis* G C.
ter dena (Jacob) ist unbrauchbar: das vorhergehende *templum* spen-
dete ja nur 23 jahre, das folgende 12, die zahl in v. 614 musz also
zwischen 23 und 12 liegen. es scheint der fehler in *dena* zu stecken.
möglich dasz dies von einer randbemerkung (X) in den text drang,
worauf das richtige *templum est* in *temptatum est* geändert wurde,
um den vers wieder zu füllen. ich vermute hiernach *quod super
occasus templum est*, *bis quina remittit*. in 615 und 616 fehlt die
hilfe des V 2; die ähnlichen ausgänge *auctis* und *peractis* sind bedenklich. die vermutung Bentleys *decimum tribus ampliat annum* trifft
den sinn, liegt aber von den zügen der hss. zu weit ab. ich schlage
vor *annorum spatia et summam tribus applicat auctam*. in 616
und 617 mag es bei der obigen fassung Scaligers bewenden. die
hss. schwanken da sehr (*trahet* G C   *natalis* G C   *morbus* G, *morti* C).

> III 631 *et trepidum pelagus tacitas tum languet in undas*,

nemlich *cancri cum sidere Phoebus solstitium facit* (v. 635). *tepidum*
haben mit der vulg. Scaliger und Bentley; das hsl. *trepidum* sucht
Jacob zu verteidigen ('timet enim ne exarescat'). *tacitas tum*
schreibt derselbe statt des hsl. *iactatum*, was freilich für die jahreszeit des sommers wenig passt. versucht ist *siccatis* (Bentley), *sedatis*
(Pingré) sc. *undis*. ich vermute: *et tepidum pelagus pacatas
languet in undas*.

> III 635 *hic rerum status est, cancri cum sidere Phoebus
> solstitium facit et summo versatur Olympo.
> parte ex adversa brumam capricornus inertem
> per minimas cogit luces* usw.

hinc iterum situs G C Lc V 1, *hinc rerum status* L V 2   *brumae* o.
mit recht nimt Bentley anstosz an *brumam cogit.* noch immer scheint
mir die vermutung *terrae* statt *iterum* oder *rerum* (P s. 15) richtig
zu sein: in der that wird von v. 629—643 *terrae status* ausführlich
behandelt. die stelle würde dann lauten:

hic terrae status est: cancri cum sidere Phoebus
solstitium facit et summo versatur Olympo;
parte ex adversa brumae capricornus inertem (sc. *terram*)
per minimas cogit luces usw.

(der schlusz folgt.)

HANNOVER.　　　　　　　　　　　　　THEODOR BREITER.

* *
*

Durch die veröffentlichung einer vollständigen collation des codex G(emblacensis) in seinen 'lucubrationes Manilianae'* hat prof. PThomas sich das verdienst erworben, dasz wir jetzt über die textgestalt dieser wichtigsten und besten aller Manilius-hss. genauer informiert sind als durch die unzuverlässigen und lückenhaften angaben der Jacobschen ausgabe. bleibt es nun auch zu bedauern, dasz wir für die übrigen in betracht kommenden hss. gleich genaue auskunft noch entbehren müssen, da die im j. 1880 von MBechert angekündigte Maniliusausgabe der Horazischen forderung des 'nonum prematur in annum' bereits in voller ausdehnung gerecht wird, so darf doch heute der versuch dem verderbten text des Manilius durch conjecturalkritik zu hilfe zu kommen weit weniger ein wagnis genannt werden als vorher, wo man auch über die gestalt des besten zweiges der überlieferung im unklaren schwebte. es sei mir daher gestattet im folgenden den fachgenossen eine anzahl vermutungen zu Manilius vorzulegen, von denen ich hoffe, dasz sie geeignet sind über verschiedene dunkle stellen einiges licht zu verbreiten.**

I 331 ff. lauten in der recension von Jacob folgendermaszen:

serpentem magnis Ophiuchus nomine signis
dividit et iam toto urgentem corpore corpus
explicat, et nodos sinuataque terga per orbes
respicit, ille tamen molli cervice reflexus
exsilit, effusis per laxa volumina palmis
semper erit par et bellum, quia viribus aequant.

in dieser beschreibung des Ophiuchus ist manches kritisch unsicher. zunächst bietet G in v. 332 die wesentlich abweichende lesart *atque etiam toto ingens corpore corpus explicat.* es kann auf den ersten blick scheinen, als liesze sich diese unverändert aufnehmen, da mit *ingens corpus* der schlangenleib durchaus passend bezeichnet wird. allein man kann doch nicht wohl vom Ophiuchus sagen, dasz er *toto corpore explicat*, zum wenigsten wäre diese ausdrucksweise von seltsamer prägnanz. das auseinanderfalten (auseinanderzerren) der schlange geschieht mit den händen, wenn auch unter anstrengung des

---

* diese bilden das erste heft in dem 'recueil de travaux publiés par la faculté de philosophie et lettres de l'université de Gand' und sind 1888 erschienen. ** [das manuscript vorstehender abhandlung war vor der ausgabe des zweiten und dritten (doppel-)heftes dieser zeitschrift in den händen der redaction, so dasz eine berücksichtigung der dort s. 193—207 veröffentlichten abh. 'zu Manilius' ausgeschlossen war.]

ganzen körpers. dies letztere ergibt sich nun zwanglos, wenn man
ingens in *urgens* ändert und versteht 'mit dem ganzen leibe an-
drängend'. ob man *corpus* dann als gemeinsames object zu *explicat*
und *urgens* zieht oder letzteres absolut faszt, wie es so oft bei Vergilius begegnet, ist für die auffassung der ganzen stelle gleichgültig.
dasz die nun folgenden worte *et nodos* .. *respicit* auf den schlangen-
träger, nicht aber auf die schlange sich beziehen, hat Jacob richtig
erkannt, wie ein blick auf die bilder der himmelskugel lehrt. der
rest der beschreibung aber ist durch die unleugbare verderbnis des
anfangs von v. 335, wo alle hss. *et dedit* bieten, völlig unverständlich.
die zum teil sehr gewaltsamen herstellungsversuche von Scaliger,
Bentley und Jacob sehe man in des letztern ausgabe. von all diesen
gelehrten wird die verderbnis an mehreren stellen gesucht und zum
teil mit anwendung der schärfsten heilmethoden (umstellung,
athetese) gearbeitet. ehe ich meinen eignen vorschlag vortrage,
musz ich bemerken, dasz in v. 336 statt *par et* (Jacob) alle hss.
paribus haben. beachtet man nun den vortrefflichen sinn, welchen
die worte *paribus bellum quia viribus aequant* geben, so wird man
einer änderung von *paribus* nicht leicht zustimmen. indem ich also
die heilung auf jenes *et dedit* beschränke, schreibe ich: *ille tamen,
molli cervice reflexus, editus effusis per laxa volumina palmis semper
erit, paribus bellum quia viribus aequant* 'die schlange jedoch, deren
biegsamer, glatter bals zurückgebogen ist (vgl. Avienus *Arat.* 246
von der schlange: *mento usque Ariadnaeae sese vicina coronae
lubricus inclinat*), wird immerfort von den über ihre gelockerten
windungen ausgebreiteten händen (des Ophiuchus) hochgehoben
bleiben, weil beide den kampf durch gleichheit der kräfte unentschieden machen'. die entstehung der verderbnis erklärt sich einfach. in der vorlage des archetypus war mit abkürzung der endsilbe
geschrieben εδιτ'. der abschreiber, das compendium nicht beachtend,
hielt das wort für verstümmelt aus *dedit*, und er selbst oder ein
späterer fügte nun, um das metrum herzustellen, ohne jedoch den
sinn zu berücksichtigen, *et* hinzu.

I 396 ff. heiszt es von der Canicula:

> *subsequitur rapido contenta Canicula cursu,*
> *qua nullum terris violentius advenit astrum*
> *nec gravius cedit; vecors dum frigore surgit*
> *ac vacuum solis fulgentem deserit orbem.*

für *vecors dum* bieten GLC *nec horrida*, welches die ältern ausgaben
in *non horrens*, Scaliger in *nec horrens* änderte. es wird zu schreiben sein *nec torpida frigore*. im nächsten verse ist dann natürlich
statt Jacobs *ac* aus dem hsl. *haec* herzustellen *nec*.

II 4 ff. soll Man. nach den geringern hss., welchen Jacob folgt,
von den schicksalen des Ulixes geschrieben haben:

> *erroremque ducis totidem quot vicerat annis*
> *instantem bello geminata per aequora ponto*
> *ultimaque in patria captisque penatibus arma.*

diese fassung von v. 5 verstehe wer kann. die herstellungen früherer gelehrten befriedigen nicht, sind auch gröstenteils viel zu
gewaltsam. befragen wir nun G, so sehen wir dasz er gar nicht *per
aequora*, sondern *per agmina* bietet. wenn hiermit der vers auch
noch nicht geheilt ist, so bedarf es doch nur noch der änderung éines
buchstabens und zwar im worte *ponto*. dies scheint ja allerdings zum
inhalt der ganzen stelle recht wohl zu passen, zumal wenn *per aequora*
gelesen wird; allein gerade dieses scheinbare zusammenstimmen war
vermutlich grund der entstehung dieses wortes. es ist mir kaum
zweifelhaft, dasz dafür *posto* herzustellen ist, eine form die bei einem
nachahmer des Lucretius nicht auffallen darf und die durch Vergilius
Aen. I 26. VI 59. 655 *repostus*, *Aen.* X 694 *expostus*, *Aen.* VI 24
suppostus weitere berechtigung erlangt hatte, dem mittelalterlichen
schreiber aber nicht geläufig war. unsere stelle würde also übersetzt
so lauten: 'und die irrfahrt des heerführers, welche ebensoviel jahre,
wie er siegreich gekämpft, ihm hart zusetzte, nachdem der krieg
durch die vereinigten scharen beendigt war.' unter *geminata agmina*
sind die wieder vereinigten truppen der Myrmidonen und der übrigen
Griechen zu verstehen. *bellum ponere* ist zb. aus Livius bekannt.
einen *error instans* in halber personification aber darf man der eigentümlichen ausdrucksweise des Man. unbedenklich zutrauen.

II 53 ff. kündigt Man. an, dasz er nicht die alten verbrauchten
stoffe zum gegenstand seiner dichtung machen, sondern etwas ganz
neues, unberührtes bringen wolle. er sagt:

> *integra quaeramus rorantis prata per herbas*
> *undamque occultis meditantem murmur in antris,*
> *quam neque durato gustarint ore volucres,*
> *ipse nec aethereo Phoebus libaverit igni.*

dasz die welle in verborgenen höhlen ein murmeln einstudiere oder
vorübungen zu einem solchen mache, ist ein sehr artiges bild, entspricht aber doch nicht der wirklichkeit. denn genau betrachtet
murmelt auch schon der noch nicht hervorgesprudelte quell in seiner
unterirdischen behausung, macht also nicht erst vorübungen dazu.
deshalb möchte ich zur erwägung stellen, ob nicht *modulantem
murmur* zu schreiben sei.

II 132 wird das überlieferte *rite secunda via est* von den späteren hgg. nach Scaliger in *secanda via est* geändert; ich glaube
jedoch nicht, dasz es einer änderung bedarf. *secunda* ist nichts
weiter als eine andere (in den besten hss. häufige) schreibweise für
sequunda = *sequenda*: vgl. Corssen ausspr. I² 73. die phrase *viam
sequi* dürfte aber in unsern zusammenhang weit besser passen als
das Vergilische *viam secare*.

II 147 würde ich für das misverständliche *et blandis adversa
sonis* vorziehen *adspersa*.

III 7, welcher vers in allen hss. auszer V 2 fälschlich hinter
v. 37 steht, lautet in jenen: *non ad curatos reges Troiaque cadentes*.
Bentley und Jacob verbinden ihn mit v. 8 in folgender fassung:

non coniuratos reges Troiaque cadente Hectora venalem cineri.
ich sehe keinen grund zu der starken änderung *coniuratos* und finde,
dasz die worte *Troiaque* und *cineri* dem wahren sachverhalt nicht
gerecht werden. ich lese vielmehr: *non adiuratos reges Troasque
cadentes.* jenes *adiuratos,* welches schon die ältern hgg. und Scaliger
(die aber den vers nach v. 37 belassen) herstellten, ist natürlich in
activem sinne zu fassen 'die sich eidlich verpflichtet hatten', nemlich
bei der vermählung des Menelaus zum schutze des zwischen diesem
und Helena geschlossenen ehebündnisses. obwohl also *coniuratos*
den übrigen dichtern bei erwähnung des troischen krieges geläufig
ist (zb. Hor. *ca.* I 15, 6), so stand doch für Manilius nichts im wege
sein *adiuratos* zu setzen.

   III 87 ff. *has autem facies rerum per signa locatas,*
         in quibus omnis erit natura et condita summa,
         utcumque stellae septem laeduntve iuvantve
         cardinibusve movet divina potentia mundi:
         sic felix aut triste venit per singula fatum,
         talis et illius sors est speranda negoti.
hier ist zunächst in v. 88 trotz der einrede von Jacob mit G und
den spuren von V2 und L zu schreiben *fortunae condita summa.*
im nächsten verse aber ist *utcumque* des cod. V2, welchem irrlicht
Jacob hier wie gewöhnlich folgt, schon aus metrischen gründen zu
verwerfen. G bietet *ut sic cum,* die übrigen hss. *ut cum.* das anfangswort erscheint richtig, da es dem *sic* in v. 91 entspricht. was man
weiter erwartet, ist ein adverbium oder ein causaler ablativ, wodurch
die hemmende oder fördernde wirkung der sieben sterne (sonne,
mond, Mercur, Venus, Mars, Juppiter, Saturn) näher bestimmt wird.
diese sieben himmelskörper streben der bewegung des fixstern-
himmels entgegen, vgl. I 308 f. *quo sidera septem per bis sena volant
contra nitentia signa.* II 119 *aeternum et stellis* (= *planetis*)
adversus sidera bellum. I 809 f. *sunt alia adverso pugnantia
sidera mundo, quae terram caelumque inter volitantia pendent.* diese
entgegengesetzte, collidierende bewegung musz sich unter dem un-
brauchbaren *sic cum* verstecken. es liesze sich nun an *flictu, frictu,
tactu, nisu, cursu* oder ähnliches denken, doch musz ich gestehen,
dasz keins der angeführten wörter mich völlig befriedigt. so enthalte ich mich eines bestimmten vorschlags und begnüge mich für
heute damit den weg zur heilung angedeutet zu haben.

   IV 12 f. *solvite, mortales, animos curasque levate*
         totque supervacuis vitam deflere querellis.
Jacob findet es in gewohnter weise leicht den in der luft schwebenden
infinitiv *deflere* zu erklären. er sagt: 'per zeugma *levare* traducendum
ad *deflere,* quasi scriptum sit *desinite deflere.*' schwerlich dürfte
dieser versuch viele zustimmung finden. Scaliger schrieb *deplete,*
was Bentley aufnahm. dadurch entsteht jedoch eine ziemlich geschraubte ausdrucksweise. mir scheint ein einfacherer ausdruck mit
derselben leichtigkeit aus der überlieferung hervorzugehen, |wenn

man schreibt *ne flete*. bei gelegenheit dieser stelle möchte ich noch
erwähnen, dasz ich *mortales* in v. 12 nicht als vocativ, sondern als
attribut zu *animos* auffasse.

> IV 17 ff. *hinc et opes et regna fluunt et saepius orta*
> *paupertas artesque datae moresque creatis*
> *et vitia et clades, damna et compendia rẹrum.*

in v. 17 fiel schon Jacob die mattigkeit des ausdrucks *saepius orta
paupertas* auf, doch suchte er den fehler in *orta,* wofür er *arta* vermutete. ich glaube vielmehr, dasz *saepius* verderbt ist, und zwar
aus *saevior*. der comparativ ist hier nur steigernd, nicht ver-
gleichend. *saeva paupertas* steht Hor. *ca.* I 12, 43. in v. 18 ist mit
G *creati* zu schreiben, so dasz bis dahin jedes subject (*opes et regna*
als eins gefaszt) sein eignes prädicat hat, während sich dann die
übrigen subjecte in v. 19 zwanglos ohne prädicat anschlieszen. in
letzterm verse trage ich kein bedenken die änderung von *clades* in
laudes, welche Jacob in der anmerkung in vorschlag bringt, wegen
des gegensatzes in *damna et compendia* zu billigen.

> IV 30 f. *igne sepulto*
> *vulneribus victor repetisset Mucius urbem.*

was soll *igne sepulto* hier heiszen? Jacob erklärt: 'Mucius vulneribus
ignem sepelivit', scheint aber selbst nicht recht an diese erklärung
zu glauben, da er eine früher von ihm gemachte conjectur über den
wortlaut hinzufügt. es liesze sich nun vermuten, dasz ursprünglich
geschrieben war *igne sepultis vulneribus,* was sich erklären liesze:
*vulnera, quae scribae inflixerat, igne, cui dextram comburendam dedit,
sepelivit, i. e. effecit ut e memoria regis exciderent.* allein ich gestehe
dasz auch diese erklärung mir viel zu gesucht erscheint. ich glaube daher dasz *sepulto* aus *perustus* verschrieben ist, was besonders leicht
geschehen konnte, wenn man sich die beiden schluszworte des verses
dicht an einander gerückt und *perustus* mit compendien geschrieben
denken darf: *ignepustҁ. vulneribus* ist dann als abl. causae mit
victor zu verbinden.

> IV 45 ff. *et Cimbrum in Mario Mariumque in carcere victum,*
> *quod consul totiens exul, quod de exule consul*
> *adiacuit Libycis compar iactura ruinis.*

ob *in* vor *Mario* zwischen den beiden umgebenden *m* blosze dittographie ist, kann zweifelhaft erscheinen wegen des folgenden *in
carcere,* welches indessen auch ebenso gut die veranlassung zur einschiebung des ersten *in* gewesen sein kann. im folgenden verse dagegen läszt sich bestimmter behaupten, dasz *quod de exule,* welches
von Bentley stammt, sicher nicht die ursprüngliche lesart ist.
Bentley folgte den schlechtern hss., welche *quod et exule* bieten.
dagegen hat G die lesart *q đq. exule,* woraus sich unter weglassung
des wegen ähnlichkeit der compendien eingedrungenen *q* ergibt *đq.*
== *deque.* dasselbe *deque* ist vielleicht auch im anfang von v. 48
herzustellen, wo die ausgaben *eque,* die hss. aber *seque* bieten.

IV 90 ff. *nec sunt inmensis opibus venalia fata,*
sed rapit ex tecto funus fortuna superbo
indicitque rogum summis statuitque sepulcrum.

so Jacob nach Scaliger und Bentley; die hss. dagegen bieten sämtlich in v. 91 *sed rapit exceptos funus fortuna superbos.* dasz die worte *rapit fortuna superbos* gehalten werden müssen, zeigt der folgende vers. ich schreibe deshalb für das *exceptos* der hss. *exaptans* (*exaptās*). *funus exaptans* dh. das leichenbegängnis für sie zurechtmachend, wie Apul. *met.* XI 27 *dum magno deo coronas exaptat*, was Forcellini erklärt 'apte imponit, apte nectit coronas capiti imponendas'. das seltene *exaptare* scheint nur das simplex *aptare* zu verstärken, in gleicher weise wie dies zb. bei *exoptare, exaugere, exornare* ua. der fall ist.

IV 182 *et pacare metu silvas et vivere rapto.*

diese herstellung lehnt sich offenbar an Verg. *Aen.* VII 749 *et vivere rapto* (vgl. Ov. *met.* I 144 *vivitur ex rapto.* ebd. XI 291 *rapto quae vivit*) an. die hss. jedoch haben sämtlich im schlusz des verses *vivere victor.* es ist nicht einzusehen, weshalb man nicht im anschlusz hieran schreiben soll *vivere victo.* der jäger lebt doch von dem was er besiegt dh. erlegt hat.

IV 634 ff. lese ich folgendermaszen:

est genetrix Crete civem sortita tonantem;
Aegypti at Cypros pulsatur fluctibus amnis.
totque minora, salo tamen emergentia pontus
litora habet, qualis Cyclades Delonque Rhodonque.

die verse sind an vielen stellen verderbt. eine vergleichung mit den herstellungen früherer hgg. wird ergeben, dasz die von mir angewendeten heilmittel gelindester natur sind und dem geforderten sinne überall gerecht werden. die änderung von *omnis* in *amnis* geht auf Bentley zurück; als nominativ zu *Aegypti amnis* nehme ich *Aegyptus amnis* an und verstehe darunter den Nil. in v. 636 bieten die besten hss. *sola* und *ponto.* ersteres entstand, weil *salo* nicht verstanden wurde, letzteres aus dem compendiarischen *pont9*. die verderbnis in v. 637 führe ich darauf zurück, dasz im anfang des verses mit abkürzung geschrieben war *litora h̄t qualis.* das compendium für *habet* wurde als *et* aufgefaszt und *qualis* aus metrischen rücksichten zu *aequalis* ergänzt. beispiele der attraction *qualis Cyclades*, die im griechischen häufig sind, lassen sich auch im latein. nachweisen, vgl. zb. Verg. *Aen.* XI 67 f. *hic iuvenem agresti sublimem stramine ponunt, qualem virgineo demessum pollice florem* (= *talem, qualis est flos*).

IV 650 f. *altera sub medium solem duo bella per undas*
intulit oceanus terris.

nachdem vorher von dem vordringen des meeres in das feste land im nordosten die rede gewesen, fährt der dichter fort: 'und noch zwei weitere kriege eröffnete im süden der ocean gegen die länder *per undas*'. aber nicht dies steht in den hss., sondern allgemein *per unde*. es drängt sich daher die vermutung auf, dasz *perinde* zu lesen sei: 'in gleicher weise' wie im nordosten. die auslassung des (leicht zu ergänzenden) vergleichungssatzes ist besonders in der silbernen latinität nicht selten.

IV 677 ff. *ad Tanaim Scythicis dirimentem fluctibus orbes*
Maeotisque lacus Euxinique aspera ponti
aequora et extremum Propontidos Hellespontum.

da v. 676 die hss. *Scythicas . . urbes* bieten, sehe ich keinen grund *Scythicis* zu schreiben, sondern ziehe *Scythicos orbes* vor. der metrische fehler in v. 679 ist einfach zu beseitigen, wenn man herstellt *aequora ad extremumque Propontidos Hellespontum.*

IV 690 *Thessalia Epirosque potens vicinaque ripis*
Illyris.

sollte nicht für *ripis*, worunter PFrancius und Jacob einen eigennamen suchten, *Pyrrhi* zu lesen sein?

IV 726 f. *iam propior tellusque natans Aegyptia Nilo*
lenius irriguis infuscat corpora campis.

für *lenius* steht in GC *linius*, in den übrigen hss. ähnliches. es liegt auf der hand, dasz *limoso* zu lesen ist.

IV 755 ff. *Euxinus Scythicos pontus sinuatus in arcus*
sub Geminis te, Phoebe, colit; post bracchia fratris
ultimus et solidos Ganges et transcolit India cancer.

die heilung des letzten verses, dessen text ich nach G gegeben habe, ist sehr schwierig und hat die verschiedensten emendationsversuche veranlaszt, von denen jedoch keiner irgendwie befriedigt. man begnügte sich damit einen wortlaut herzustellen, der lateinische worte enthielt, ohne den sinn und die überlieferung fest ins auge zu fassen. so ist es bis jetzt unbeanstandet geblieben, dasz die worte *post bracchia fratris* ohne weitern zusatz gar keinen gegensatz zu dem vorangehenden *Geminis* bilden. das wort, welches diesen gegensatz enthält, musz durchaus den anfang von v. 757 gebildet haben. das jetzt dort stehende *ultimus* ist unbrauchbar, der zusammenhang verlangt *alterius* (vgl. *alt'ius* mit *ultĭus*). weiter hat man sich begnügt das am ende des hypermeter stehende *cancer* als lemma der folgenden verse, welche von den unter einflusz des Krebses stehenden ländern handeln, anzusehen, ohne zu beachten dasz in den worten *colit India cancer* ein richtiger hexameterschlusz vorliegt und dasz *cancer* (besonders in majuskel) mit *Ganges* eine unverkennbare ähnlichkeit hat. darum sind alle jene änderungen zu verwerfen, welche auf diesen schlusz verzichten. im schlusz des verses stand also ursprünglich irgend eine form von *Ganges*, welche durch das lemma *cancer* verdrängt wurde und nun in die mitte des verses wanderte. hieraus ergibt sich, dasz *Ganges* von dort zu entfernen und in den schlusz zu rücken ist. was stand nun in dem verse überhaupt? offenbar etwas von Indien und dem davon unzertrennlichen Ganges. beseitigen wir jetzt das *Ganges* aus der mitte und auch das offenbar

der entstellung von *alterius* zu *ultimus* seinen ursprung verdankende
et, so behalten wir: *ultimus solidos et transcolit India cancer.* damit
haben wir zu operieren. den anfang des verses *alterius* haben wir
schon, *colit India* scheint sicher, und am schlusz werden wir zu
schreiben haben *Gangen.* die mitte wird ein epitheton zu *India* oder
zu *Gangen* oder zu beiden enthalten haben. nun sieht *trans* ganz so
aus wie das ende eines part. praes. der *a*-conjugation, während *solidos*
einen casus der *o*-declination verrät. also:

post bracchia fratris
alterius folio fragrans colit India Gangen.

um irrtümern vorzubeugen, erinnere ich daran, dasz *folium* hier
nicht 'blatt' heiszt, sondern jenes stark duftende, zur bereitung kost-
barer parfums dienende indische sumpfgewächs bezeichnet, welches
unter demselben namen begegnet bei Lactantius *de ave phoen.* 83.
Prudentius *cath.* V 118. Dracontius X 105. Dioskorides I 11. für
die ausdrucksweise *colit India Gangen* vgl. man vor allem Lucanus
III 229 *movit et Eoos bellorum fama recessus, qua colitur Ganges,*
ferner Livius XXII 20, 10 *qui incolunt Hiberum,* auch Verg. *Aen.*
VII 683. 714. — Ich bin hier absichtlich ausführlicher gewesen, als
sonst meine gewohnheit ist, um einmal an einem beispiel zu zeigen,
wie einer verzweifelten stelle methodisch zu leibe gegangen werden
musz. wer glauben wollte, die verbesserung sei so schnell gefunden
worden, wie dieser abschnitt sich liest, würde schwer irren.

  IV 778 ff. gebe ich wieder nach G, von welchem die übrigen
bss. nur in unwesentlichen stücken abweichen:

inferius victae sidus Carthaginis arces
et Libyam Aegyptique latus donataque rura
Tirrhenas lacrimis radiatus Scorpius arces
eruit.

während die früheren hgg. einschlieszlich Scaliger v. 780 unverändert (doch natürlich *Tyrrhenas*) nach den bss. aufnehmen, hält
Bentley den vers für unecht, Jacob aber setzt seine vermutung *et
Zmyrnes lacrimis radiantes Cyprios arces* in den text, die er so begründet: 'neque enim Cypros insula nobilitata tum per Cinnae
Zmyrnam taceri poterat.' gleich den meisten seiner speciösen conjecturen ist auch diese völlig verfehlt. nicht um Kypros konnte es
sich hier handeln (diese insel wird, wie wir unten sehen werden,
später erwähnt), sondern um eine zu den vorgenannten africanischen
in beziehung stehende und nicht weit davon entfernte örtlichkeit.
unter *Tirrhenas* wird sich also verbergen *Cyrenes.* dazu passt nun
aber ganz vortrefflich *lacrimis,* worunter die von Scribonius *laser
Cyrenaicum* oder auch *lacrima Cyrenaica* (vgl. Georges im hand-
wörterbuch u. *lacrima* II und u. *laserpicium*) genannte pflanze zu
verstehen ist. *lacrimis donata rura Cyrenes* sind also 'die mit den
kostbaren thränen des laserpicium gesegneten gefilde von Kyrene'.
auch das appositionelle *Cyrenas,* welches den überlieferten buchstaben noch näher käme, liesze sich halten, da die wortstellung

donata rura Cyrenas lacrimis zwar etwas verschränkt, aber keines.
wegs unerhört wäre. eine änderung von *donata* in *dotata* ist nicht
nötig. nach beseitigung von *Tyrrhenas* ist jetzt aber *arces* am schlusz
des verses nicht mehr haltbar. es hat jedenfalls ein häufiges epitheton von *Scorpius*, nemlich *acer*, verdrängt: vgl. II 513. 544. 552,
auch II 213. 236 und Avienus *Arat.* 1166. dasz *radiatus* eine sehr
passende bezeichnung für den Scorpion ist, bedarf keines weitern
nachweises. den hellen glanz des gestirns hebt unser dichter auch
I 268 *ardenti fulgentem Scorpion astro* und ebd. 690 *qua Scorpius ardet* hervor, vgl. auch Aratos 402 ὑπ' αἰθομένῳ κέντρῳ..
Cκορπίου. — Ob im folgenden verse *eruit* richtig ist, fragt sich. Jacob
versucht eine erklärung, die ältern hgg. schreiben *eligit.* dasz die
vorangeschickte unbestimmte bezeichnung *inferius sidus* nachher
durch *Scorpius* präcisiert wird, hat sein analogon v. 797 ff. beim
Aquarius, wo Bentley unnützer und unrichtiger weise den namen
durch *Caridos* verdrängt; worüber sogleich.

IV 797 ff. diese verse enthalten die begrenzung des geographischen einfluszgebietes des Wassermanns und lauten bei Jacob:

> *sed Iuvenis nudos formatus mollior artus*
> *Assyriam ad tepidam Tyriasque recedit [in arccs]*
> *et Cilicum gentis vicinaque Caridos arva.*

ganz verschieden davon ist jedoch die gestalt von v. 798 in den hss.
die schluszworte *in arces* finden sich in keiner hs. vor, ebensowenig
bietet irgend eine hs. im anfang des verses *Assyriam*, sondern alle
Aegyptum. es ist nun von groszer wichtigkeit, dasz G nach diesem
Aegyptum eine lücke von etwa 5 buchstaben läszt. der ganze vers
nimt sich demnach in G folgendermaszen aus: *Aegyptum .....*
lepidam tyriasque recedit. um gleich die angaben über die überlieferung zu vervollständigen, sei noch bemerkt, dasz in v. 799 für
Caridos, welches von Bentley herrührt, in sämtlichen hss. *aquarius*
steht. jene andeutung einer lücke in der ersten hälfte von v. 798
sowie die tadellosigkeit des überlieferten versschlusses läszt uns auf
einen zusatz am ende des verses verzichten. dann ist aber *tyrias*
unhaltbar, läszt sich jedoch leicht in *Syrias* umgestalten. dasz in
v. 750 *Syriae gentes* schon dem Widder zugeschrieben werden, hat
bei der grösze des landes und seiner häufigen verwechselung mit
Assyrien ebensowenig zu sagen, wie dasz Aegypten an zwei stellen
v. 752 und v. 779 angeführt ist. ja, wenn wir der überlieferung
folgen, wird Aegypten sogar noch an einer dritten stelle genannt,
nemlich in unserm verse. hier jedoch scheint mir der ort zu sein,
die bisher unerwähnt gebliebene insel Kypros nachzuholen, die ihrer
lage nach auch sehr passend den übrigen genannten orten sich an-
reiht. ich schreibe daher im anfang von v. 798 *ad Cyprum.* es
kann ferner kaum einem zweifel unterliegen, dasz für *lepidam* mit
den übrigen hss. *tepidam* zu lesen ist und dasz in der lücke ein name
stand, der sich mit *et* an *ad Cyprum* anschlosz. welcher name das
war, ist nicht zu entscheiden. ältere hgg. rieten auf *Leptim*; doch

erscheint mir bedenklich einen geographisch so weit entfernten ort
einzuführen. eher könnte man an *Nisibim* denken, da Mesopotamien
östlich an Syrien grenzt. allein auch hierfür läszt sich nicht der
schatten eines beweises erbringen. nach dem was ich oben zu v. 780
bemerkt habe, sehe ich keinen grund den *Aquarius* aus v. 799 zu
verbannen und dafür *Caridos* einzusetzen, ganz abgesehen davon
dasz *Caria* schon in v. 768 genannt und kaum anzunehmen ist, dasz
ein so kleiner landstrich zwei sternbildern zugewiesen worden sei.

IV 800 f.   *Piscibus Euphrates datus est, ubi pisce sub hirto,*
            cum fugeret Typhona, Venus subsedit in undis.

für *pisce sub hirto* (Jacob) oder *pisce sub atro* (Bentley) steht in
wunderbarer übereinstimmung in allen hss. das sinnlose *piscis*
uruptor, welches auf schwere entstellung des versschlusses in der
vorlage des archetypus schlieszen läszt. es scheint ein seltenes wort
gewesen zu sein, welches durch die unform *uruptor* verdrängt wurde.
ich vermute *piscis opertu*. die sage, auf welche hier angespielt
wird, ist auch erwähnt II 33 *pisces Cythereide versa*, vgl. Ov. *met.*
V 321.

V 218 ff.   *haec ubi se ponto per pronas extulit oras,*
            hiscentem quam nec pelagi restrinxerit unda,
            effrenos animos violentaque pectora finget.

wie das fünfte buch überhaupt davon handelt, welche sitten, gewohnheiten, beschäftigungen die übrigen fixsterne, wenn sie zusammen mit den einzelnen sternbildern des tierkreises aufgehen,
den unter solchen aspecten geborenen menschen verleihen, so ist an
unserer stelle die rede von dem einflusz, welchen die Canicula, wenn
sie mit dem sternbild des Löwen zugleich aufgeht, auf den charakter
des menschen ausübt. der mittelste der oben angeführten verse
lautet aber ganz anders in den hss., und zwar in G, welchem wir
folgen, *nascentem si quem pelagi restinxerit unda*. diese fassung
leidet nur an éinem kleinen fehler: es ist nemlich statt *si* zu lesen
nisi, dessen erste buchstaben wegen des vorhergehenden *m* in wegfall kamen. der sinn der stelle ist also: 'wenn sich die Canicula
(der grosze Hund mit dem Sirius) mit dem gesicht nach unten aus
dem ocean erhebt, dann wird sie, falls nicht einen bei seiner geburt
die meereswelle abgekühlt (abgedämpft, gemäszigt) hat, zügellosen
geist und gewaltsamen sinn hervorbringen', dh. der gewaltsame einflusz des hundssterns wird nur in dém falle paralysiert, dasz einer an
oder auf dem meere geboren ist.

V 244 f.   *nec parce vina recepta*
            hauriet e miseris et fructibus ipse fruetur.

alle hss. bieten das sinnlose *e miseris*; dafür Scaliger *emiscens*, Jacob
emessis, welches er mit *fructibus* verbindet. nur Bentley hat gesehen,
dasz ein gefäsz genannt sein musz, aus welchem der betreffende
trinkt, aber sein *e cratere* berücksichtigt die buchstaben der überlieferung zu wenig. ich halte für die ursprüngliche lesart *e murris*
(vgl. Statius *silv.* III 4, 57 *hic pocula magno prima duci murras-*

que graves crystallaque portat. Prop. IV (V) 5, 26 *murrea pocula*).
war dies in der vorlage vielleicht in mittelalterlicher entstellung
mirris geschrieben, so lag, namentlich bei langobardischer schrift,
die verwechselung mit *miseris* sehr nahe.

V 299 ff. *quod potius dederim Teucro sidusve genusve?*
teve, Philoctete, cui malim credere parti?
Hectoris ille faces arcu teloque fugavit
mittebatque suos ignes et mille carinis,
hic ortam pharetram Troiae bellumque gerebat,
maior et armatis hostis subsederat exul.

dies ist der wortlaut der verse in G nach beseitigung handgreiflicher
schreibfehler und irrtümer (wie *totius* und *tecirco* in v. 299, *Phi-*
loctetae in v. 300). *teloque* in v. 301 halte ich für durchaus richtig
im hinblick auf v. 295 und auf Teukros' thätigkeit im 12n und 13n
buche der Ilias; es ist deshalb *telumque*, die lesart von V 2, welchem
Jacob auch hier folgt, zu verwerfen. der anfang von v. 302 ist unzweifelhaft verdorben. Bentley machte sich die sache leicht, indem
er den vers für unecht erklärte, was schon dadurch widerlegt wird,
dasz jedem der beiden genannten helden zwei verse gewidmet sind.
Scaligers änderung *mittebat qui vos ignes in mille carinas* empfiehlt
sich nicht wegen der apostrophierung von *ignes* und weicht auch zu
stark von der überlieferung ab. letzteres gilt in noch höherm grade
von Jacobs *moenibus Argivis.* ich schlage vor *sistebatque suis*
ignes et mille carinis 'er suchte das feuer zu hemmen zum schutz
seiner volksgenossen und der tausend schiffe'. wie sehr das imperfectum de conatu berechtigt ist, liegt auf der hand. — Ein weiterer
fehler steckt in *ortam pharetram,* wofür Bentley und Jacob *sortem*
pharetra einsetzen. eine viel leichtere und einleuchtendere heilung
ergibt sich, wenn man schreibt *orbam pharetram* 'er trug den ver-
waisten köcher und den krieg gegen Troja'. *orbam* sc. *domino suo,*
Hercule. für diesen absoluten gebrauch von *orbus* vgl. ua. Catullus
66, 21 *at tu non orbum luxti deserta cubile.*

V 338 ff. lauten in G:
hic distante Lyra cum pars vicesima sexta
Chelarum surget, quae cornua ducet ad astra
qᾱ regione pari vix partis octo trahentis
Ara ferens turis stellis imitantibus ignem.

bei Jacob sind die letzten vershälften von v. 338 und 339 vertauscht
ohne angabe der hsl. autorität. ich finde an der überlieferung dieser
beiden verse in G nur *hic* in *hinc* und *ducet* in *ducit* zu ändern, indem ich erkläre: 'ferner, wenn der 26e teil der Wage aufgeht, wo
die Leier, die ihre hörner nach den sternen zu (= nach oben) richtet,
schon fern steht.' im folgenden verse ist für *regione pari* von Scaliger in scharfsinniger weise *regione Nepai* hergestellt; nur wird
man das zweisilbige *Nepai,* wie schon Bechert sah, nicht dulden
dürfen, sondern die gewöhnliche form *Nepae* einzusetzen haben.
auszerdem aber ist natürlich das anfangswort *qᾱ,* welches in *quod* auf-

zulösen wäre, verderbt. die ältern hgg. bis auf Jacob schreiben dafür *sed* und ziehen zu *Ara* das weit entfernt stehende *finget* in v. 345. ähnlich construiert Jacob, der aber *quid* nach V 2 schreibt und dies durch das in v. 345 stehende *quid* wieder aufnehmen läszt. ich halte keine dieser änderungen für treffend, würde aber im falle der wahl das *sed* der ältern hgg. vorziehen. meiner ansicht nach bedarf es aber schon früher eines prädicats zu *Ara* als erst in v. 345. daher schreibe ich *stat regione Nepae* und schliesze die periode mit v. 344.

V 356 f. *hoc est artis opus, non expectare gementis*
   et sibi non aegros iam dudum credere curae.

des tierarztes kunst besteht darin, nicht erst auf das stöhnen der tiere zu warten, sondern die tiere, ehe sie noch erkranken, als gegenstand seiner fürsorge anzusehen. diesen sinn hat Jacob richtig erkannt, als er *curae* für das überlieferte *corpus* einsetzte; nur dürfte den buchstabenzeichen noch näher das mit jenem gleichbedeutende *cordi* kommen. das ende des verses war vermutlich verwischt oder abgerissen, so dasz von dem schluszworte nur noch die drei ersten buchstaben *cor* zu erkennen waren, welche der abschreiber dann invita Minerva zu *corpus* ergänzte.

V 370 ff. heiszt es vom vogelsteller:
  alituum genus in studium censusque vocabit.
  mille fluent artes: aut bellum indicere mundo
  et medios inter volucrem prensare meatus
  aut nidis damnare suis ramove sedentem
  pascentemve super surgentia ducere lina.

nidis damnare steht in G als variante über *nitidos clamare*, ist seit Scaliger aufgenommen und wird von Jacob durch 'in nidis capere' erklärt. ich halte jene variante für den verbesserungsversuch eines abschreibers und vermute meinerseits *aut modulis clamare suis* 'sie durch ihre eignen tonarten (sangweisen) herbeizurufen' dh. durch nachahmung ihrer eignen lockrufe zu locken. — In v. 374 ist für *lina* allgemein *vina* überliefert, wodurch man daran erinnert wird, dasz auch *viscum* 'vogelleim' zum vogelfang benutzt wurde. beachtet man auszerdem, dasz für *ducere* alle hss. *dicere*, G aber von erster hand die variante *deicere* bietet, so wäre doch zu erwägen, ob nicht *deicere visca* als ursprünglicher text anzusehen sei. *visca* stünde dann im sinne von *virgae viscatae* (vgl. Ov. *met.* XV 474. *ars am.* I 391. Verg. *georg.* I 139).

V 420 ff. lautet die schilderung des delphins in G:
  nam velut ipse citis perlabitur aequora pinnis
  nunc summum scindens pelagus, nunc alta profundi
  et senibus vires sumit fructumque figurat.

hier hat man längst gesehen, dasz im letzten verse *sinibus* (vgl. v. 393) und *fluctum* zu schreiben ist; es handelt sich also nur noch um die verbesserung der worte *vires sumit*, für welche Bentley *gyros glomerat*, Jacob *virus signat* liest. erstere lesart hat kaum noch ähnlichkeit mit der hsl. überlieferung; in letzterer ist *virus* = 'meer-

wasser' höchst bedenklich und wird nicht gestützt durch v. 684.
vielleicht ist zu schreiben *et sinibus miris currit. currere* vom
delphin Prop. II 26, 17.

V 494 *quasque hominum dederit strages, dabit ille ferarum.*
die hss. haben *cumque*, welches eher aus *ceuque* entstanden sein
wird.

V 503 bieten alle hss.
   regis erit magnique ducis per bella magister,
wofür allgemein *minister* geschrieben wird. der ausdruck *per bella
minister* hat aber wenig ansprechendes. Manilius scheint wirklich
magister gebraucht und dabei wohl zunächst an den dictator und
seinen magister equitum gedacht zu haben, was der römische leser
wohl leicht herausfand. der ausdrucksweise *regis et magni ducis
magister* ist ganz analog, wenn es Tac. *hist.* I 6 heiszt *dux Neronis*
'ein feldherr Neros'.

V 555 ff. *supplicia ipsa decent; nivea cervice reclinis,*
      molliter (ipsa suae custos est palla figurae)
      defluxere sinus umeris fugitque lacertos
      vestis et effusi scapulis haesere capilli.
sogar die martersituation läszt die schönheit der an den felsen geschmiedeten Andromeda günstig hervortreten. hierauf folgt die
nähere begründung, die jedoch in obiger textgestalt Jacobs nicht
sonderlich gelungen scheint. sowohl die klammer als auch *palla* für
das überlieferte *ipsa* entstellen den sinn. überdies ist man bei obiger
fassung genötigt *reclinis* als genitiv mit *umeris, lacertos* und *scapulis*
zu verbinden, worauf man beim lesen oder hören zunächst nicht verfallen würde. ferner ist nicht einzusehen, wie das gewand (*palla*)
ihrer figur ein schutz sein soll, da doch gleich nachher gesagt wird,
dasz der gewandbausch über schultern und arme hinabgerutscht sei.
ich tilge daher (mit frühern hgg.) sowohl das komma hinter *reclinis*
als auch die klammer und setze hinter *figurae* ein kolon; für das
zweite *ipsa* aber schreibe ich *lapsa*, zu dessen entstellung das zweimal vorangehende *ipsa* veranlassung gab. Man. schwebte bei seiner
schilderung offenbar eine bildliche darstellung vor augen. Andromeda, mit armen und beinen an einen jäh abfallenden felsen ge-
schmiedet, ist ausgeglitten und halb auf eins ihrer kniee gesunken.
ihr nacken ist leicht nach hinten gebogen, während sie ihr gesicht
seitwärts dem nahenden ungetüm zuwendet. das lose gewand ist
ihr über schultern und arme hinabgeglitten, so dasz diese und die
brust entblöszt erscheinen; ihr haar wallt über die schultern hernieder. gerade der umstand nun, dasz sie nicht ganz aufrecht steht,
sondern halb zusammengesunken ist, verhindert dasz das gewand
noch weiter hinunter fällt, und so läszt sich mit recht von ihr sagen:
ipsa lapsa figurae suae custos est 'sie selbst in ihrer zusammen-
gesunkenheit ist schützerin ihrer leibesbildung', natürlich derjenigen
teile derselben, welche die scham zu entblöszen verbot, zu denen

aber schultern, arme und brust nicht gehörten. zu *molliter reclinis*
vgl. zb. Prop. I 11, 14 *molliter in tacito litore compositam.*

  V 564 f. *extulit et liquido Nereis ab aequore vultum*
    et casus miserata tuos roravit et undas.

dasz *et undas* falsch ist, unterliegt kaum einem zweifel, trotzdem es
von allen hgg. beibehalten ist (nur Jacob meint in einer anmerkung:
'puto *in undas*'). ich glaube das richtige zu treffen, wenn ich vorschlage *abunde*.

  V 664 *incautosque trahent macularum nomine thynnos*,
nemlich die fischer. Jacob weisz wieder eine erklärung für das sinnlose *nomine* zu finden; er sagt: '*nomine* est specie, fraude.' ich
vermute dasz Man. schrieb *macularum momine* 'durch anrucken
des maschigen netzes'.

  V 683 ff. *quin etiam magnas poterunt celebrare salinas*
    et pontum coquere et ponti secernere virus,
    cum solidum certo distendunt margine campum
    adpelluntque suo deductum ex aequore fluctum
    claudendoque regunt; tum damnum suscipit unda
    aëris et posito per solem umore nitescit.
    congeritur siccum pelagus mensisque profundi
  690 *canities semota maris; spumaeque rigentis*
    ingentis faciunt tumulos; pelagique venenum,
    quo perit usus aquae suco corruptus amaro,
    vitali sale permutant redduntque salubrem.

diejenigen, welche geboren sind, wenn der Walfisch und das sternbild der Fische gleichzeitig aufgehen, werden ua. befähigt sein zur
anlage von salzwerken. das verfahren der salzgewinnung in solchen
am meeresstrande angelegten gruben (wie sich zb. bei Ostia solche
befanden) wird in obigen versen ausführlich beschrieben. allein an
der gestaltung des textes, den ich vorstehend nach Jacob gegeben
habe, ist mancherlei auszusetzen. ob *celebrare salinas* in v. 683
richtig ist, lasse ich dahingestellt. fraglich kann sein, ob Scaligers
änderung *virus* für das überlieferte *vires* wirklich nötig ist. beim
ausscheiden des salzes aus dem meerwasser wird doch nicht blosz
der scharfe salzgeschmack desselben (*virus*), sondern auch das salz
selbst, das sich recht wohl als *vires ponti* bezeichnen läszt, abgeson-
dert. unpassend erscheint mir die änderung von *negant* v. 687 in
regunt. durch abdämmen bringen sie das in die gruben abgeleitete
seewasser nicht in die gehörige richtung, sondern sie sperren die
salzgruben vom meere ab. wenn man dies nicht glaubt unter *negant*
verstehen zu können, so bietet sich *ligant* dar. völlig verfehlt aber
erscheint mir die herstellung der nun folgenden worte, und zwar
hauptsächlich wegen der willkürlichen behandlung der überlieferung.
diese lautet nemlich in G (und wenig abweichend in den übrigen
hss.): *tum demum suscipit undas Aep[i]a et ponto per solem humore
nitescit.* an *suscipit undas* darf nichts geändert werden, da unter
demum sich allem anschein nach das subject des satzes verbirgt; ich

vermute *planum*. den folgenden vers lese ich *ac ripa epoto per solem umore nitescit*, so dasz die ganze stelle zu übersetzen ist: 'hierauf nimt die (abgedämmte) fläche das wasser auf (dh. zieht es ein), und wenn dann durch die sonne die feuchtigkeit aufgesogen ist, erglänzt der uferstrich', auf welchem die *salinae* angelegt sind. das wunderliche *Aep^{i}a* entstand zunächst durch entstellung von *Ac ripa* zu *Aeripa*; dann wurde *ri* durch das gewöhnliche compendium, ein übergestelltes *i*, ausgedrückt, welches bei späterer abschrift ein wenig von seiner stelle sich entfernte. zur wendung *epoto per solem umore* vgl. Lucr. V 383 f. *vel cum sol et vapor omnis omnibus epotis umoribus exuperarint*. noch ist übrig von *mensis* in v. 699 zu reden. soll das heiszen 'für den tischgebrauch'? das geht schwerlich an; übrigens ist vor der hand die salzbereitung so weit noch lange nicht vorgeschritten. fürs erste werden die salztafeln zusammengeschichtet, nachdem sie von den anhaftenden erdklumpen befreit sind. das konnte meiner überzeugung nach nur so ausgedrückt sein: *congeritur siccum pelagus massisque profundi canities semota maris* usw. 'zusammengetragen wird der trockene rückstand des seewassers und das von den klumpen befreite graue salz der meerestiefe, und man bildet nun gewaltige haufen des hart gewordenen abschaums'.

V 732 *quot delapsa cadant foliorum milia silvis.* die hss. haben nicht *delapsa*, sondern *deliba*. das scheint auf ein ursprüngliches *decliva* zu weisen, dessen *c* nach dem ähnlichen *e* in verlust geriet und dessen *v* in der nachlässigen orthographie der ältern zeit des mittelalters durch *b* ausgedrückt wurde. die form *decliva* geht auf *declivus* zurück, welches dieselbe berechtigung neben *declivis* hat, wie *acclivus* und *proclivus* neben *acclivis* und *proclivis*. geradezu angeführt wird *declivus* als geläufige form bei Isidorus *diff. app.* n. 85, und Ov. *met.* II 206 ist in einigen guten hss. *per decliva* überliefert, wofür man jetzt allerdings mit andern hss. meist *per declive* liest. *decliva folia* sind die sich abwärts neigenden blätter, wie sie im herbste vor entlaubung der wälder schlaff an den bäumen bangen. für diese übertragene bedeutung von *declivis* vgl. man vor allem Avienus *Arat.* 164 *declive caput* (draconis), wofür ebd. 193 gesagt ist *tempora . . prona draconis*. weiter kommen in betracht Calpurnius *ecl.* 1, 1 *declivis aestas*. ebd. 5, 60 *ubi declivi iam sera tepescere sole incipit*. Plinius *epist.* VIII 18, 8 *mulier aetate declivis*. Prudentius *hamart.* 847 *declivia vitae pondera*. Lucanus IV 114 *non habeant amnes declivem ad litora cursum* ua.

HILDESHEIM.   KONRAD ROSSBERG.

(62.)
ZU VERGILIUS.

Aen. VII 37 ff. heiszt es: 'wohlan, jetzt will ich, Erato, berichten, welche könige, welche zeitverhältnisse und welcher zustand
in dem alten Latium herschten, als zuerst *advena exercitus* mit der
flotte an den küsten Ausoniens landete.' Servius bemerkt zu den
worten *advena exercitus* nichts. die neuern erklärer fassen, so weit
ich sehe, ohne ausnahme *exercitus* als substantivum und verstehen
unter *advena exercitus* 'das aus dem ausland, aus der fremde ge-
kommene heer'. Gossrau bemerkt: '*exercitus* recte dicuntur Troiani,
cum pacne omnes, qui arma ferre non poterant, in Sicilia relicti sint.'
Wagner und Forbiger verstehen nach Heynes vorgang '*exercitus* pro
populo, turba, navalibus copiis' und vergleichen στρατός, τάγμα,
τάξις, στόλος usw. bei den griechischen tragikern. Forbiger fügt
hinzu: 'hic tamen, ubi bellum in Latio gestum narraturus est poeta,
certe armatas classis copias intellegi voluit.' ohne nun die möglichkeit dieser, wie es scheint, allgemein angenommenen erklärung
bestreiten zu wollen, möchte ich mir doch erlauben eine andere vorzulegen, die vielleicht noch einfacher ist. ich fasse, gerade umgekehrt wie die erklärer, *advena* als substantivum und *exercitus* als
adjectivum, so dasz *advena exercitus* 'der geprüfte (geplagte) fremdling (ankömmling)' dh. Aeneas ist. belegstellen dafür anzuführen,
dasz *exercitus* so, ohne ablativ, gebraucht wird, erscheint als überflüssig, da dieser gebrauch zb. bei Cicero (*p. Plancio* 32, 78. *p. Mil.*
2, 5) nicht ungewöhnlich ist. Verg. hätte dann mit *exercitus* ungefähr das Homerische πολύτλας wiedergegeben; und dasz Aeneas
ebenso passend *exercitus* genannt wird wie Odysseus πολύτλας, bedarf keines beweises. wenn *Aen.* IV 591 Dido von Aeneas sprechend
sagt *hic advena* 'dieser fremdling' und anderseits III 182 Aeneas als
fatis exercitus bezeichnet wird, so war es nur noch éin schritt, ihn
in dem momente, wo er in Italien landet, als *advena exercitus* zu
bezeichnen. für meine erklärung, dasz *advena exercitus* Aeneas ist,
scheint mir nicht weniger dies zu sprechen, dasz er auch in den unmittelbar vorhergehenden versen subject ist: *flectere iter sociis terraeque advertere proras imperat et laetus fluvio succedit opaco.* zugleich
bildet *exercitus* dann einen treffenden gegensatz zu *laetus.* der *advena* ist nach erreichung seines zieles *laetus*, nachdem er die mühen
und abenteuer überstanden, durch die er *exercitus* war. an dichte-
rischer schönheit würde somit die stelle gewinnen.

Berlin.   Hermann Ball.

77.
ARISTOTELIS ETHICORUM NICOMACHEORUM LIBRI TERTII CAPITA XIII XIV XV ENARRATA.

In explicanda virtutum quae vocantur moralium natura altero loco Aristoteles accedit ad temperantiam, atque quae sit ea de qua iam dicturus est virtus paucissimis significat his μετὰ δὲ ταύτην περὶ cωφροcύνηc λέγωμεν (p. 1117 ᵇ 23). sequuntur quae Ramsauerus iure mihi videtur spuria iudicasse δοκοῦcι γὰρ τῶν ἀλόγων μερῶν αὗται εἶναι αἱ ἀρεταί. quamquam quae scribit ille e more Aristotelico vocem μετὰ δὲ ταῦτα λέγωμεν non egere ratione addita, eis equidem uti noluerim. etenim si non opus erat ratione, certe quod additur non est cur suspicio moveatur: docet enim Aristoteles et p. 1122 ᵃ 19, cur ad μεγαλοπρέπειαν a liberalitate, et p. 1127 ᵃ 13, cur ab ea virtute, quae media est voluntatis nimis officiosae et morositatis, ad eam quae vocatur τῆc ἀλαζονείαc μεcότηc transitus fiat: hoc loco, quid sit vinculi, verbis περὶ τὰ αὐτά significatur, illo magnificentia non minus quam liberalitas περὶ χρήματα versari dicitur. sed ipsos hos locos si accuratius inspexeris, invenies causam, qua nititur ratio progrediendi, poni in eis rebus, in quibus versantur virtutes, non in eis animae partibus vel animi motibus, ad quos pertinent. itaque etiamsi fieri posset, ut his de quibus loquimur verbis significaretur fortitudinem et temperantiam in eis potissimum animi motibus versari, qui nobis communes sunt cum beluis, mirum certe foret, quod hic Aristoteles ordinem, quem in virtutibus percensendis sequitur, argumentis probaret aliunde petitis atque eis locis quos modo diximus. sed non est credendum Micheleto, qui ἄλογα μέρη interpretatur vilissimum hominis appetitum, qui quidem sit rationis expers nobisque cum beluis communis.[1] non licet hanc interpreta-

---

[1] similiter Aspasius p. 87 sq. (Heylbut).

tionem tueri Rhetoricorum loco p. 1370ᵃ 18, ubi ἄλογος vocabuli hanc esse sententiam manifestum est, quoniam Aristoteles divisis cupiditatibus ἀλόγοις et μετὰ λόγου earum quae ratiòne carent exempla affert δίψαν, πεῖναν καὶ καθ' ἕκαστον τροφῆς εἶδος ἐπιθυμίαν, καὶ τὰς περὶ τὰ γευστὰ καὶ περὶ τὰ ἀφροδίcια καὶ ὅλως τὰ ἁπτά, καὶ περὶ ὀcμὴν [εὐωδίας delendum] καὶ ἀκοὴν καὶ ὄψιν. nam non quid sit ἄλογος agitur, sed quid ἄλογα μέρη· aliud est ἄλογος ἐπιθυμία, aliud ἄλογον μέρος sc. ψυχῆς· cui voci apud Aristotelem certa est ac propria vis ea, ut animae significet eam partem, quae ipsa est rationis expers, ita tamen, ut alterum eius genus omnino abhorreat a ratione, alterum rationi oboediat. quo in genere cum Aristoteles doceat communem esse omnium virtutum locum, manifestum est non posse eundem voluisse hac ipsa re niti artiorem quandam temperantiae cum fortitudine necessitudinem. nam αὗται αἱ ἀρεταί non possunt esse nisi fortitudo et temperantia; si eas dixeris omnes virtutes esse, etiam minus intellegetur, qui inde, quod nulla virtus non est τῶν ἀλόγων μερῶν, cognosci possit, cur a fortitudine Aristoteles transeat ad temperantiam. adsentiendum igitur est Ramsauero ab Aristotele haec non esse scripta. addita videntur esse ab aliquo, qui cum quaesivisset, quod etiam nunc quaerimus, quam rationem Aristoteles in ordine virtutum constituendo secutus esset, ascribere non dubitaret, quod repperisse sibi videretur, falsum id quidem, nec tamen sine aliqua veri specie, quo factum est ut — quantum equidem video — ante Ramsauerum nemo haec verba ab Aristotele scripta esse negaret.

Quae cum ita sint, ab eis de quibus supra diximus proximus fit transitus ad alteram earum quaestionum, quas in singulis virtutibus describendis instituendas esse p. 1115ᵃ 4 sq. scripsit, περὶ ποῖα. ad quam cum ita respondeat, ut in voluptatibus versari temperantiam doceat, causam cur λύπας omittat addit eandem, quam supra p. 1107ᵇ 5 in eadem re attulit, ἧττον περὶ τὰς λύπας. quae sequuntur ἐν τοῖς αὐτοῖς δὲ καὶ ἡ ἀκολασία φαίνεται, eis eam sibi aperit disputandi viam, ut in circumscribendis virtutis finibus non minus atque adeo magis intemperantiam respiciat quam ipsam temperantiam; neque mirum nobis videbitur, quod in temperantiae natura adumbranda, quam modo dixit medietatem esse, satis habet alterum illorum, quorum media est, vitiorum commemorare omisso altero, ubi perpenderimus, quae supra (p. 1107ᵇ 6 sq.) scripta legimus, vix reperiri qui sint ἐλλείποντες περὶ τὰς ἡδονάς. iam igitur munita via, qua ad indagandum temperantiae locum progredi possimus, cum non dubium sit, quin non in omnibus voluptatibus pateat eius campus, ut cognoscatur ad quales referatur, dividuntur voluptates in ψυχικάς et σωματικάς², illarumque exempla afferuntur φιλοτιμία et

---

² non est cur cum FMuenschero 'quaestionum criticarum et exegeticarum in Aristotelis ethica Nicomachea specimen' (Marburgi 1861) p. 45 scribamus αἱ σωματικαὶ καὶ αἱ ψυχικαί.

φιλομάθεια, quarum utramque et esse voluptatem eius quod sequitur
enuntiati parte priore (ἑκάτερος γὰρ τούτων χαίρει, οὗ φιλητικός
ἐστιν) comprobatur et altera non in corpore, sed in animo positam
(οὐθὲν πάσχοντος τοῦ σώματος, ἀλλὰ μᾶλλον τῆς διανοίας); in
quibus cum temperantiae non esse locum loquendi consuetudine
cognoscatur, eadem ratione non magis spectare eam ad aliam ullam
earum voluptatum discimus, quae animi sunt. quam rem cum
appareat ab Aristotele, quippe de qua nulla exstet apud quemquam
dubitatio, in transcursu tantum tangi, neque mirabere, quod, quamquam supra dictum est et σωφροσύνην et ἀκολασίαν minus cerni
in dolore, tamen οἱ λυπούμενοι ἐπὶ χρήμασιν ἢ φίλοις commemorantur, neque offendes in ordine exemplorum (φιλοτιμία, φιλομάθεια,
φιλόμυθοι eqs., λυπούμενοι ἐπὶ χρήμασιν ἢ φίλοις), cuius istam
rationem frustra sane quaesiveris.

Segregatis igitur a temperantia eis quae in animo sunt voluptatibus non potest ei locus patere nisi in altero genere, quod ex corpore
nascitur: περὶ δὲ τὰς σωματικὰς εἴη ἂν ἡ σωφροσύνη p. 1118ᵃ 1—7;
in quibus cum nihil obstet, quominus εἴη ἂν vocabula gravissima
esse iudicemus, non est cur cum Ramsauero pro δὲ scribendum pute-
mus δή. similiter autem atque p. 1115ᵃ 10 sqq. dictum est, quamquam περὶ τὰ φοβερά sit fortitudo, tamen non omnia φοβερά in
fortitudinem cadere, hoc loco discimus non in omnibus quae in
corpore sunt voluptatibus cerni temperantiam atque intemperantiam.
quaerendum est igitur, in quibus versentur. ac primum quidem ex-
cluduntur eae quas oculis percipimus (p. 1118ᵃ 3—6); ubi facile
vides verba καίτοι δόξειεν ἂν εἶναι καὶ ὡς δεῖ χαίρειν καὶ τούτοις,
καὶ καθ᾽ ὑπερβολὴν καὶ ἔλλειψιν parum concinere cum eis quae praecedunt, οὔτε σώφρονες οὔτε ἀκόλαστοι, cum desit in his, quod
respondeat illis κατ᾽ ἔλλειψιν. melius igitur omissa nimia laetitia
conformata sunt illa quae sequuntur (ᵃ 6—9), quibus ne eae quidem
voluptates, quae ab auditu oriuntur, ad temperantiam pertinere dicuntur. proximae sunt eae voluptates quae ex olfactu pendent; quas quamquam et ipsas nemo non intellegit Aristoteli videri ab intemperantia alienas esse, tamen et in verbis et in sententiis explicandis, quoniam non omnia plana sunt, paululum est subsistendum. illud quidem dubium non est, quin ad τοὺς περὶ τὴν ὀσμήν v. 9 ex eis quae
v. 6 sq. praecedunt subaudiendum sit ὑπερβεβλημένως χαίροντας,
neque minus apparet additis πλὴν κατὰ συμβεβηκός concedere Aristotelem fieri interdum, ut ei quoque, qui nimia olfactus voluptate
afficiuntur, ἀκόλαστοι dicantur. atque in priore quidem harum sententiarum non amplius moratur Aristoteles, quippe quam veram esse
ex ipsa loquendi consuetudine satis constet; alteram uberius exponit.
atque in eis quae proxime sequuntur si substiteris, poteris suspicari
συμβεβηκός illud in eis rebus positum esse, quarum odore delecta-
mur (τοὺς γὰρ χαίροντας μήλων ἢ ῥόδων ἢ θυμιαμάτων ὀσμαῖς
οὐ λέγομεν ἀκολάστους, ἀλλὰ μᾶλλον τοὺς μύρων καὶ ὄψων);
quod tamen falsum esse eis discimus quae adduntur, χαίρουσι γὰρ

47*

τούτοιc οἱ ἀκόλαcτοι, ὅτι διὰ τούτων ἀνάμνηcιc γίνεται αὐτοῖc τῶν ἐπιθυμητῶν[3]: haec enim ita sunt accipienda, ut non in ipsa delectatione, sed in causa, quae eius affertur, summa sententia posita sit; non delectari μύρων καὶ ὄψων odore proprium est intemperantis, sed propterea delectari, quod διὰ τούτων ἀνάμνηcιc γίνεται τῶν ἐπιθυμητῶν. quoniam autem et v. 10 dictum est τοὺc χαίροντας et v. 12 χαίρουcι, ne obliviscamur ne eius modi quidem voluptate omni, sed nimia demum effici ἀκολαcίαν, additur ἴδοι δ' ἄν τιc καὶ τοὺc ἄλλουc, ὅταν πεινῶcι, χαίροντας ταῖc τῶν βρωμάτων ὀcμαῖc. οἱ ἄλλοι enim ei sunt, quos non licet intemperantes appellare, quamquam et ipsi delectantur ταῖc τῶν βρωμάτων ὀcμαῖc, id est ἀναμνήcει τῶν ἐπιθυμητῶν· quoniam fame fit, non turpi libidine, ut banc voluptatem percipiant, neque iustum modum excedunt neque digni sunt qui ἀκόλαcτοι dicantur. reliquum est ut de verbis pauca moneamus. ac primum quidem in ἀνάμνηcιc vocabulo non videtur haerendum esse: etsi enim Ramsauero concedam plenius in Eudemiis legi αἷc ἐλπίζοντεc χαίρομεν ἢ μεμνημένοι, tamen rectius haec videntur scripta esse illis: nam nisi meminerimus expleti aliquando appetitus ea re, cuius odorem percipimus, vix movebimur exspectatione appetitus eadem re explendi. — Quae praecedunt, facile intellegitur et paulo impeditius esse conformata et quomodo fuerint componenda: etenim non magis hoc loco quam supra v. 3 et 8 illud agitur, quid faciant οἱ ἀκόλαcτοι, sed quales sint ei quos ἀκολάcτουc appellamus; ad maiorem igitur eorum quae praecedunt similitudinem haec accesserant, si scribebatur τοὺc γὰρ χαίροντας τούτοιc, ὅτι . . ἀκολάcτουc λέγομεν. — Postremo μύρων et μήλων vocabula v. 12 et 10 sana esse negabis, ubi reputaveris in unguentis non magis inesse praeter ipsum odorem, quo delectemur, quam in rosis et suffimentis, contra mala similiter atque obsonia gustatui fere magis esse accommodata quam olfactui: scribendum igitur est v. 10 μύρων ἢ ῥόδων ἢ θυμιαμάτων, v. 12 μήλων καὶ ὄψων. — Usque ad hunc igitur locum cum iusto eo quem demonstravimus ordine sententiae sese videantur excipere, non est cur cum Ramsauero verba ἴδοι δ' ἄν τιc . . ὀcμαῖc spuria esse suspicemur. quae vero sequuntur τὸ δὲ τοιούτοιc χαίρειν ἀκολάcτου· τούτῳ γὰρ ἐπιθυμητὰ ταῦτα et per se sententia carent neque cum eis quae praecedunt apte conecti possunt. neque enim τοιαῦτα alia esse possunt atque ea quae praecedunt, βρώματα vel μῆλα καὶ ὄψα· his vero delectari haudquaquam est intemperantis, nisi forte accedit turpis causa gaudii immodici; neque perversa haec sententia confirmatur additis τούτῳ γὰρ ἐπιθυμητὰ ταῦτα: nam τοῖc ἄλλοιc quoque, ὅταν πεινῶcι, dubium non est quin τὰ βρώματα sint ἐπιθυμητά. quo fit, ut haec quidem videantur ex eis quae paulo ante leguntur v. 12 et 13 perverse repetita in hunc locum intrusa esse.[4] — Eis igitur, quae inde a p. 1118[a] 1 hucusque disputata sunt, demonstratum est temperantiae atque intem-

---

[3] non scribendum cum K[b] Aristotelis et N Aspasii ἐπιθυμημάτων.
[4] apud Aspasium nihil legitur, quod ad haec spectare videatur.

perantiae in corporis eis voluptatibus, quae aut oculis aut auribus aut naribus percipiuntur, locum non esse; additum est, si qua videatur in olfactu esse intemperantia, eam non ad ipsum olfactum pertinere, sed olfactu excitatam in aliis quibusdam rebus versari. quod videtur additum esse, et ne cui errasse Aristoteles videretur olfactu ab intemperantia excluso et quo facilior esset transitus ad ea quae sequuntur.

Versu 17 ταύτας τὰς αἰσθήσεις esse eas quae ex visu auditu olfactu nascuntur, et per se est veri simile et satis ostenditur eis quae sequuntur, ubi deinceps neque olfactu neque auditu neque visu ipsis delectari bestiae dicuntur, sed eis rebus quarum ut eis in mentem veniat oculorum aurium narium opera efficitur, βρώσει ἐδωδῇ βορᾷ· sequitur ex his sensibus bestiis nisi κατὰ συμβεβηκὸς non oriri voluptatem. quae cum per se satis facile intellegantur, quaeritur, quomodo conectenda sint cum eis quae praecedunt. similitudinis aliquid intercedere inter duas has sententias, quarum prioris extrema verba sunt χαίροντας ταῖς τῶν βρωμάτων ὀσμαῖς, alterius prima οὐκ ἔστι δὲ οὐδὲ τοῖς ἄλλοις ζῴοις, dubium non est quin satis ostendatur οὐδέ coniunctione. neque vero ea potest esse ratio, ut bestiis non magis quam hominibus ex sensibus illis ulla nasci voluptas dicatur: nam nec dictum est supra nec poterat dici homines nisi κατὰ συμβεβηκὸς non percipere voluptatem naribus auribus oculis. simile illud positum sane est in verbis κατὰ συμβεβηκός· addita vero haec verba sunt illic ad ἀκολασίαν, hic ad ἡδονήν, atque ad intemperantiam illic quae videatur esse in olfactu, hic ad voluptatem quae percipitur sive ex olfactu sive ex auditu sive ex visu; sicut hominibus intemperantia in olfactu nisi κατὰ συμβεβηκὸς accidere non potest, sic bestiae ex tribus illis sensibus nisi per accidens voluptate non afficiuntur; quibus finibus in hominibus unius sensus nimia atque turpis delectatio circumscripta est, eisdem in bestiis trium sensuum omnis delectatio continetur. pertinet igitur οὐδέ vocabulum non ad ea tantum ante quae legitur, τοῖς ἄλλοις ζῴοις, sed ad totam sententiam, positum autem est ante τοῖς ἄλλοις ζῴοις, quia id agit Aristoteles, ut componat cum hominibus cetera animalia.

His insertis reversus Aristoteles ad eam a qua discesserat quaestionem, quoniam satis dictum est de eis sensibus, in quibus temperantiam et intemperantiam non inveniri manifestum est, iam eo aggreditur, ut ipsum earum campum definiat; in eis sensibus videntur versari, quorum voluptates hominibus communes cum ceteris animalibus ideoque turpes sunt (p. 1118^a 23—25), qui sunt tactus atque gustatus (v. 26). ubi vix est quod moneamus pro eo quod Aristoteles brevitatis studiosus scripsit αὗται δ' εἰσὶν ἀφὴ καὶ γεῦσις, potius scribendum fuisse αἱ δὲ τούτων τῶν ἡδονῶν αἰσθήσεις εἰσὶν ἀφὴ καὶ γεῦσις.[5] conexa autem sunt haec cum eis quae praecedunt δή particula, cuius hoc loco ea est vis, ut assumptis eis quae supra comprobata sunt ostendatur, quid sit colligendum ex eis quae modo

---

[5] vel cum Aspasio αὗται δ' εἰσὶν αἱ δι' ἀφῆς καὶ γεύσεως.

dictá sunt. hac enim videtur sententiarum serie progredi Aristoteles in argumentando. demonstratur v. ª 2—15 voluptates eas, ex quibus hominum intemperantia possit nasci, non inveniri in auditu visu olfactu. demonstratur v. ª 16—23 in auditu visu olfactu nullam inveniri bestiarum voluptatem, sed eam nullam esse praeter eam quae ex cibo percipiatur. quid sequatur, neque hic neque illic additur, quoniam per se satis manifestum est. efficitur enim ex eis quae v. ª 2—15 docuit Aristoteles, non posse esse intemperantiam nisi in eorum sensuum voluptatibus, qui reliqui sunt praeter auditum visum olfactum, gustatus et tactus: nam cum ea sit intemperantiae natura, ut in voluptatibus versetur, in eis autem, quae animi sunt propriae, atque in olfactu visu auditu locus ei non detur, aut in tactu et gustatu erit aut nusquam et nulla. neque minus ex eis quae v. ª 16—23 dicta sunt efficitur bestiarum voluptatem omnem positam esse in tactu et gustatu, quoniam in edendo aliis sensibus non est locus. iam ubi haec duo composueris, sequi intelleges easdem esse volup-tates eas in quibus temperantiae campus patet, atque eas quarum bestiae sunt participes. quae cum ita sint, quod monet Ramsauerus ad v. ª 23 non esse supra dictum intemperantiam versari in duobus sensibus, qui reliqui erant post v. 13, poterat non minus recte monere non esse dictum v. 23 bestias voluptatem nisi ex tactu et gustatu non percipere. ita conformavit Aristoteles argumentationem, ut a duabus sententiis exorsus in utraque usque eo progressus, ut dubium esse non posset, quid esset effectum, iam his in unum comprehensis ostenderet, quid inde sequeretur.

Itaque cum dubium non sit, quin in voluptatum eo genere, quod continetur tactu et gustatu, campus pateat intemperantiae, etiam gustatus discimus in ea fere nullam esse partem (φαίνονται δὲ καὶ τῇ γεύcει ἐπὶ μικρὸν ἢ οὐθὲν χρῆcθαι), quam sententiam cum non ex eis quae iam dicta sunt collectam velit Aristoteles, sed additis argumentis confirmet, dubitari non potest, quin cum Muenscbero (l. l. p. 45) et Ramsauero pro δή scribendum sit δέ. etenim (τῆc γὰρ γεύcεώc ἐcτιν ἡ κρίcιc τῶν χυμῶν, ὅπερ ποιοῦcιν οἱ τοὺc οἴνουc δοκιμάζοντεc καὶ τὰ ὄψα ἀρτύοντεc) gustatus est sapores distinguere, quod fit in vinis explorandis et obsoniis parandis; ipsis autem saporibus si sunt qui laetentur, certe intemperantes aut paulum aut nihil eis delectantur. sic enim cum Lambino haec 'verba (οὐ πάνυ δὲ χαίρουcι τούτοιc ἢ οὐχ οἵ γε ἀκόλαcτοι) interpretanda sunt, ut commate, quod post τούτοιc legitur, deleto ἀκόλαcτοι vocabulum subiectum sit totius enuntiati et γὲ particula addita significetur, si exstent qui vel nimiam ex saporibus voluptatem percipiant, eos propterea non haberi in intemperantium numero; similiter haec verba composita sunt atque de quibus supra diximus v. ª 12 sq. quae omnia non monuissem, nisi apud Ramsauerum legerem «erunt sane qui non concedant ὅτι οὐ πάνυ χαίρουcι τοῖc γευcτοῖc»; videtur igitur ita haec accepisse, ut χαίρουcι verbi subiectum putaret esse homines atque tamquam correcturum hanc sententiam Aristo-

telem addidisse ἢ οὐχ οἵ γε ἀκόλαστοι. sed et per totum hunc locum
Aristoteles non de qualibuscumque loquitur hominibus, sed de intem‑
perantibus, neque credas eum scripturum fuisse, quod tam aperte
falsum esset, ut ilico correctione opus esset; accedit quod facile in‑
tellegitur vocabulis οὐ πάνυ ἡ οὐχ fere idem significari atque eis
quae supra leguntur ἐπὶ μικρὸν ἢ οὐθέν.

Iam autem ipsa verborum structura cum eis, quibus gustatus
ab intemperantia excluditur, artissime ea coniungit Aristoteles, qui‑
bus eam in tactu versari comprobatur, οὐ πάνυ δὲ χαίρουσι τούτοις,
ἢ οὐχ οἵ γε ἀκόλαστοι, ἀλλὰ τῇ ἀπολαύσει, ἢ γίνεται πᾶσα δι’ ἁφῆς·
in quibus gravissima sunt quae adduntur extrema: nam non quod
in ἀπολαύσει posita est intemperantia, summum est, sed quod ἀπό‑
λαυσις illa γίνεται πᾶσα δι’ ἁφῆς· atque quo facilius et celerius
intellegatur, qui sit ἀπολαύσεως τῆς δι’ ἁφῆς γινομένης campus
ille, ad quem hoc loco respicitur, subiunguntur haec verba καὶ ἐν
σιτίοις καὶ ἐν ποτοῖς καὶ τοῖς ἀφροδισίοις λεγομένοις. ad summam
rei reditur paucis eis quae de ganeone illo narrantur, conexa cum eis
quae praecedunt διό particula ita, ut significetur hac narratiuncula,
cum optime congruat cum eis quae modo dicta sunt, ea etiam magis
confirmari.

Iam igitur quoniam reperto tandem aliquando uno illo sensu,
ad quem intemperantia pertinet, ad finem perducta est ea quaestio
ad quam accessum est p. 1118ᵃ 1 sq., paululum subsistit Aristoteles.
est autem impeditior locus, qui spectat a κοινοτάτη p. 1118ᵇ 1 usque
ad θηριῶδες v. 4, atque quoniam quae hic leguntur ad summam
similitudinem accedant eorum, quae scripta sunt ᵃ 23—25, possis
suspicari ea hoc loco male repetita esse ex illo; nisi forte potius in
illum locum ea arbitreris hinc irrepsisse. obstat tamen, quominus
huic opinioni adsentiamur, quod neque hic neque illic eis possumus
carere: illic enim sunt sane non necessaria, quae leguntur v. ᵃ 25
ὅθεν ἀνδραποδώδεις καὶ θηριώδεις φαίνονται, quamquam non
alienum est ab Aristotelis more disserendi interponere pauca, quibus
quamquam facile careas ordo tamen sententiarum non turbatur; sed
si deleveris omnia ea, in quibus duorum locorum similitudo nititur
(v. 23—25), ea quae sequuntur αὗται δ’ εἰσὶν ἁφὴ καὶ γεῦσις non
habebunt quo referantur; hic si omiseris ea de quibus loquimur
(κοινοτάτη .. θηριῶδες), ea quae sequuntur (καὶ γὰρ ..) cum eis quae
praecedunt (διὸ καὶ ηὔξατό τις .. ἁφῇ) nullo modo poterunt conecti;
sin autem ne ea quidem quae v. ᵃ 32—ᵇ 1 exstant (διὸ καὶ ηὔξατό
τις .. ἁφῇ) censeas ab Aristotele esse scripta, optime quidem haec
καὶ γὰρ αἱ ἐλευθεριώταται eqs. excipient illa καὶ ἐν σιτίοις καὶ ἐν
ποτοῖς καὶ τοῖς ἀφροδισίοις λεγομένοις· sed frustra quaesiveris,
qua in re iure offendas in eis quae de ganeone illo narrantur. atque
si reputaveris loqui Aristotelem de sede intemperantiae illic in com‑
muni tactus atque gustatus campo, hic in tactu posita, negabis nimis
mirum esse, quod quae proferuntur iudicia et simillima sunt et simi‑
libus verbis expressa. itaque cum suo loco haec verba videantur

exstare, ut ad singula explicanda aggrediamur, ἐπονείδιςτος voca-
.bulum non de intemperantia dictum esse, id quod Lambino videbatur, sed de sensu illo maxime volgari, in quo ea versatur, vel inde
cognoscitur, quod non ἀκολαςία, sed αἴςθηςιc illa dici potest οὐχ ᾗ
ἄνθρωποί ἐςμεν ὑπάρχειν, ἀλλ' ᾗ ζῷα· καί coniunctionis [b] 2 ea vis
est, ut quae praecedunt etiam magis confirmentur atque augeantur;
haec igitur fere evadit sententia inde a v. [b] 1 usque ad 3: sedes intemperantiae in eo sensu invenitur, qui maxime est volgaris atque
adeo turpissimus, quia non proprius est hominum, sed communis
cum animalibus omnibus. coniuncta autem sunt haec cum eis quae
ante leguntur δή particula, quia et in tactu versari intemperantiam
modo declaratum est, et quae sit tactus humilitas et vilitas, aliunde
satis constat. iam ex hoc quod de intemperantiae tamquam fundamento factum est iudicio sequitur ipsum hoc vitium ab hominis
natura fere abhorrere (τὸ δὴ .. θηριῶδες). sed, ut fere fit apud
Aristotelem, eadem haec sententia etiam magis firmatur eis quae
addita sequuntur καὶ γὰρ αἱ ἐλευθεριώταται τῶν διὰ τῆς ἁφῆς
ἡδονῶν ἀφήρηνται, οἷον .. γινόμεναι, quibus efficitur, ut etiam
minus dubitemus severam illam de intemperantia sententiam appro-
bare. neque vero haec legimus inexspectata: spectant enim ad ea
quae supra exstant scripta καὶ ἐν cιτίοιc καὶ ἐν ποτοῖc καὶ τοῖc
ἀφροδιcίοιc λεγομένοιc· illo loco quoniam dictum est, quibus finibus circumscripta esset ἡ δι' ἁφῆς γινομένη ἀπόλαυcιc, ad quam
intemperantia pertinet, hic significatur, quae ἀπολαύcεωc genera
abhorreant ab intemperantia. neque magis verba οὐ γὰρ περὶ πᾶν τὸ
cῶμα eqs. eo consilio addita sunt, ut quicquam proferretur novi, sed
et ipsa facile referuntur ad illa καὶ ἐν cιτίοιc eqs.; partes corporis
eae, in quibus versatur ἡ τοῦ ἀκολάcτου ἁφή, illae sunt quibus
utimur καὶ ἐν cιτίοιc eqs. una igitur sententiarum continuatio pertinet inde a [b] 1 usque ad [b] 8, qua Aristoteles non progreditur in
campo intemperantiae quaerendo et investigando, sed complexus,
quae hucusque reperta sunt, quid sit iudicii de intemperantia faciendum, paucis ostendit: repertum est versari intemperantiam in tactu;
hinc, quoniam tactus est κοινοτάτη τῶν αἰcθήcεων et ἐπονείδιcτος,
apta sunt quae sequuntur τὸ δὴ τοιούτοιc χαίρειν καὶ μάλιcτα ἀγαπᾶν θηριῶδες· quo in iudicio etiam magis firmando argumentis ex eis
quae supra dicta sunt petitis versantur quae leguntur usque ad ἀλλὰ
περί τινα μέρη. etiam facilius intellegetur haec omnia una sententiarum serie contineri, ubi post ἢ ἀκολαcία v. [b] 1 non colo interpunxeris,
sed commate, et puncta quae leguntur post ζῷα et post θηριῶδες
mutaveris in cola. reliquum est ut moneamus haec quibus non in
gestatu, sed in tactu ac ne in tactu quidem omni, sed in certo quodam
eius genere locum esse intemperantiae ostenditur, non magis ex ipsa
cωφροcύνης et ἀκολαcίας propria indole petita atque non minus ex
ea quae est inter homines loquendi consuetudine sumpta esse quam
altera illa, quibus αἱ ψυχικαὶ ἡδοναί et visus auditus olfactus
secernuntur ab intemperantia; id quod satis constat ex huius qui est

de virtutibus libri instituto esse, quippe in quo componendo Aristoteles ad vitae usum animosque hominum erudiendos potius respexerit
quam ad institutionem a ratione suscipiendam et ad artis praecepta
revocandam. — Ut paucis, quae inde a p. 1117 ^{b} 27 usque ad
p. 1118 ^{b} 8 disputata sunt ab Aristotele, comprehendamus, id egit
ut dividens diversa voluptatum genera magis magisque contraheret
temperantiae fines. cum voluptates aliae ad animos, aliae ad corpora
spectent, in illis locum temperantiae non esse ostenditur usque ad
p. 1118 ^{a} 1. similiter cum voluptates eae quae in corpore positae
sunt in quinque sensibus cernantur, visum auditum olfactum abhorrere ab intemperantia discimus usque ad p. 1118 ^{a} 23. itaque
cum relinquantur, ad quos pertinere possit temperantia, tactus
atque gustatus, hunc fere nullum, tactum eum, qui in quibusdam
corporis partibus versatur, patere intemperantiae exponitur usque
ad p. 1118 ^{b} 8, addito, quod ex hoc ipso efficitur, de intemperantiae
turpitudine iudicio. iusta igitur via ac ratione progredi vides Aristotelem totumque esse occupatum in expedienda ea quaestione, quam
proposuit p. 1117 ^{a} 27 sq. περὶ ποίας τῶν ἡδονῶν.

Novo initio facto Aristoteles τῶν ἐπιθυμιῶν duo genera distinguit, κοινάς et ἰδίας· atque ἐπιθυμίας notionem petitam esse
ex voluptate facile cognosces ex eis quae ^{b} 21 leguntur περὶ τὰς
ἰδίας τῶν ἡδονῶν, ubi recte adnotat Ramsauerus ad ἡδονῶν
vocabulum «seu ἐπιθυμιῶν». quae sequuntur οἷον ἡ μὲν τῆς τροφῆς
φυσικὴ eqs. usque ad ἡδίω τῶν τυχόντων ^{b} 15, ea inter se arte
coniuncta esse vel inde intellegitur, quod pergit Aristoteles μὲν οὖν
particulis usus, quibus orationem redire significatur ad ^{b} 9. ac primum quidem quae sint ἐπιθυμίαι κοιναί, exemplo discimus, οἷον ἡ
μὲν τῆς τροφῆς φυσική, ubi pro κοινή positum est φυσική, quia quod
omnibus hominibus commune est, id ex ipsa hominum natura videtur
originem ducere; id quod etiam magis apparet ex eis quae addita
sunt πᾶς γὰρ ἐπιθυμεῖ ὁ ἐνδεὴς ξηρᾶς ἢ ὑγρᾶς τροφῆς, ὁτὲ δ᾽
ἀμφοῖν, καὶ εὐνῆς, φησὶν Ὅμηρος, ὁ νέος καὶ ἀκμάζων· quibus
vides memoriam afferri eorum quae supra legimus καὶ ἐν σιτίοις καὶ
ἐν ποτοῖς καὶ τοῖς ἀφροδισίοις λεγομένοις. cum autem structura
verborum iubeamur τροφῆς genetivum non minus quam εὐνῆς coniungere cum ἐπιθυμεῖ verbo, item in eis quae sequuntur, quibus ad
ἰδίας ἐπιθυμίας transitur, manifestum est τοιάσδε ἢ τοιάσδε aptum
esse ex eodem verbo. qua ratione cum dubium non sit quin verba,
sicut leguntur τὸ δὲ τοιάσδε ἢ τοιάσδε οὐκέτι πᾶς οὐδὲ τῶν αὐτῶν,
non possint inter se coniungi, Ramsauerus pro πᾶς scribendum esse
putat παντός. ac de sententia quidem nihil potest dubii esse: opponuntur haec eis quae proxime praecedunt; arte inter se conexa sunt
πᾶς ^{b} 10 et οὐκέτι πᾶς ^{b} 12, τροφῆς ^{b} 10 et τοιάσδε ἢ τοιάσδε ^{b} 12:
cupiditas sive cibi sive potus sive veneris in communi omnium hominum natura posita est; certi cuiusdam sive cibi sive potus cupidum
esse non est totius generis humani, sed quae est diversitas iudicii,
alii aliorum trahuntur appetitu. in emendando loco videtur proficis-

cendum esse a verbis οὐδὲ τῶν αὐτῶν, quae Ramsauerus ratus
masculini generis esse sic interpretatur: 'si certum quoddam genus
ciborum (τοιόνδε ἢ τοιόνδε) appetatur, hoc iam neque a natura neque
apud omnes est; neque eorundem hominum est ut vel hoc vel illud
genus appetant (voce τοιόνδε ἢ τοιόνδε in paulo aliam sententiam
versa); nam certum hominum genus plerumque certo et uni rerum
generi addicti sunt.' quarum sententiarum altera et aliena est ab hoc
loco neque ex verbis τοιᾶςδε ἢ τοιᾶςδε elici potest, nisi unius eiusdemque particulae ἢ nunc eam vim statueris esse, ut significet, quae
nullo fere discrimine inter se possunt commutari, nunc eam, ut dili-
genter secernat quae inter se fere opposita sunt. contra si τῶν
αὐτῶν neutrius generis atque ab eodem ἐπιθυμεῖ verbo aptum esse
iudicamus, his ea quae modo dicta sunt τοιᾶςδε ἢ τοιᾶςδε οὐκέτι
πᾶς ἐπιθυμεῖ paululum immutata oratione ita repetuntur, ut eis
etiam aliquid accedat confirmationis: 'neque (enim) omnes earundem
rerum cupidi sunt.' itaque cum mutatione opus esse manifestum sit,
leni ea ac facili pro τὸ δὲ videtur scribendum esse τῆς δὲ · neque est
quod moneamus comma quod legitur ante οὐκέτι delendum esse.
eis deinde quae sequuntur διὸ καὶ ἡμέτερον φαίνεται εἶναι, in quibus ἡμέτερον idem fere est atque ἴδιον, ad finem perducitur ille sententiarum ordo, quo exponitur, quid sit discriminis inter κοινὰς et
ἰδίας ἐπιθυμίας· rectius igitur post τῶν αὐτῶν non punctum posu-
eris, sed colon. adduntur quibus cavet Aristoteles, ne quis ex φυσική
vocabulo, quo supra usus est [b] 9, error oriatur: sunt sane αἱ ἴδιαι
ἐπιθυμίαι et ipsae positae in natura, neque vero in communi omnium
hominum indole, sed partim in eorum hominum, quorum cupiditates
moventur, partim in earum rerum quibus appetitus allicitur propria
natura. quae adnotat ad hunc locum Grantius 'for different things
are pleasant to different people . . and to a wise purpose, else what
a fearful rivalry there would be in the world', eorum prioribus recte
redditur Aristotelis sententia (ἕτερα ἑτέροις ἐςτὶν ἡδέα), altera
neglectis verbis καὶ ἔνια . . τῶν τυχόντων ad eadem illa Aristotelis
verba spectant.
Iam eo progreditur Aristoteles, ut ostendat, quomodo in duobus
his cupiditatum generibus versetur intemperantia. atque in communibus illis raro dicit peccari: et paucos esse qui peccent, et unum
tantum peccandi genus, ἐπὶ τὸ πλεῖον· quorum alterum firmatur
eis quae sequuntur τὸ γὰρ ἐςθίειν . . τῷ πλήθει, ubi τὰ τυχόντα
etiam ad πίνειν, ἕως ἂν ὑπερπληςθῇ etiam ad ἐςθίειν subaudiendum
est; adduntur, quibus naturalem cupiditatem ipsius indigentiae finibus contineri significatur, ut intellegamus iure esse dictum τὸ ἐςθίειν
.. τῷ πλήθει· his igitur ad verba ἐφ' ἕν, ἐπὶ τὸ πλεῖον pertineti-
bus quoniam dictum est de genere peccandi, interpositis paucis quae
minus ad rem faciunt quam ad γαςτρίμαργοι nomen, subiunguntur,
quibus oratione ad ὀλίγου vocem revocata (τοιοῦτοι δὲ γίνονται οἱ
λίαν ἀνδραποδώδεις) ostenditur, qui sint ei qui peccent pauci. quo
facto ad ἰδίας ἐπιθυμίας transiturus ita conformat Aristoteles oratio-

nem, ut accurate verba haec opponantur eis quae supra leguntur [b] 15
ἐν μὲν οὖν ταῖς φυcικαῖc᾽ ἐπιθυμίαιc ὀλίγοι ἁμαρτάνουcι καὶ ἐφ᾽
ἕν .. περὶ δὲ τὰc ἰδίαc τῶν ἡδονῶν πολλοὶ καὶ πολλαχῶc ἁμαρτάνουcιν. quae quibus explicantur τῶν γὰρ φιλοτοιούτων λεγομένων .. ἡ μὴ ὡc δεῖ, ea emendatione egent. ac primum qui sibi
non persuaserit incomposita verba ab Aristotele esse scripta, non
dubitabit, cum τῶν .. λεγομένων non habeat unde aptum sit, cum
Rassowio (observ. crit. in Arist. ethica Nicom. p. 59) τῷ mutare in
τό. haerendum est autem in verbis ἢ μὴ ὡc δεῖ. etenim cum haec
verba ita appareat composita esse, ut accurate respondeant eis quae
sequuntur (οἷc μὴ δεῖ et οἷc οὐ δεῖ, τῷ μᾶλλον et μᾶλλον ἢ δεῖ,
ὡc οἱ πολλοί et ὡc οἱ πολλοί), nihil est in altera parte quod pertineat ad μὴ ὡc δεῖ. ad quam difficultatem quamquam non advertit
animum, tamen Muenscherus (l. l. p. 46) et ipse aliquid esse mutan-
dum censuit: nam neque τῷ posse deesse ante ὡc οἱ πολλοί v. 23
ait, si hoc alterum membrum velis addi ad τῷ μᾶλλον, neque μᾶλλον comparativum vim habere ἄγαν vel λίαν adverbii, neque φιλοτοιούτουc posse dici eos qui aliqua re gaudent ut volgus, sed qui
magis quam volgus. itaque v. 23 verba ἢ ὡc οἱ πολλοί ita cum eo
quod praecedit μᾶλλον coniungit, ut sententia evadat ᾽magis quam
volgus᾽, et v. 26 et 27 commate, quod post ἢ δεῖ legitur, deleto et
recepto quod in codice Kb exstat ἢ ante ὡc οἱ πολλοί, haec omnia
ἢ δεῖ ἢ ὡc οἱ πολλοὶ χαίρουcιν a μᾶλλον v. 26 apta esse volt. quibus mutationibus cum in eius difficultatis locum, a qua sumus profecti, altera succedat ea, quod non est quo respondeatur altero mem-
bro ad ea quae exstant v. 23 ἢ τὸ μᾶλλον .. πολλοί, Vermehren (zur
Nikom. ethik, Lipsiae 1864, p. 24) recepta Muenscheri interpreta-
tione ἢ particularum e codice Nb (καὶ ὡc οὐχ) v. 27 scribere mavolt
καὶ οὐχ ὡc δεῖ. Rassowius (l. l. p. 59) quamquam quae Muenscherus
docuit de v. 22, ei probantur, tamen v. 27 re in dubio relicta librorum auctoritatem his locis similibusque significat non magni esse
aestimandam. sed contra quae Muenscherus pugnat, ea vel minima
vel nulla videntur esse. recte enim Ramsauerus monet ᾽pluribus
membris talibus accumulatis in posterioribus passim articulum sup-
primi᾽; id quod etiam facilius feres recepto Rassowii·illo τό. μᾶλλον
comparativum vix negaveris habere quo referatur, cum ipsa sententia tantum non cogamur subaudire ἢ δεῖ. verborum οἱ πολλοί
apud Aristotelem eam quoque esse sententiam, ut non modo non
laudentur qui similes sunt volgi, sed etiam aliud sit ὡc οἱ πολλοί,
aliud ὡc δεῖ, manifestum est ex eo loco, qui legitur p. 1125 [b] 14—17
οὐκ ἐπὶ τὸ αὐτὸ ἀεὶ φέρομεν τὸν φιλότιμον, ἀλλ᾽ ἐπαινοῦντεc μὲν
ἐπὶ τὸ μᾶλλον ἢ οἱ πολλοί, ψέγοντεc δ᾽ ἐπὶ τὸ μᾶλλον ἢ δεῖ. neque
est quod cum Muenschero miremur volgo dici φιλοτοιούτουc eos
qui sunt volgi similes: eis qui in cupiditatibus quibusdam explendis
non differunt a volgi moribus Aristoteles ait communi usu dari nomen
φιλοτοιούτουc. quae cum ita sint, unum est in quo iure haereamus,
illud a quo exorsi sumus: cum non modo sententiae, sed etiam ipsa

verba accuratissime inter se sint opposita, μὴ ὡς δεῖ neque in verbis neque in re babent cui respondeant. itaque cum accedat, quod ne recte quidem scripta sunt (scribendum enim erat ὡς μὴ δεῖ), non dubito ea delenda censere; quibus deletis optime vides confirmatas esse et sententias et verba: eodem ordine et v. 23 sq. et v. 25—27 sententiae sese excipiunt eisdem verbis expressae. — Iam igitur ut ad rem redeamus, cum tria sint genera peccandi in cupiditatibus propriis, quorum primum ad res, ex quibus voluptas percipitur, alterum ad modum spectat, tertium ad ipsam rationem, qua utimur rebus concupitis, haec omnia in ἀκολάστῳ inveniuntur (κατὰ πάντα δ᾽ οἱ ἀκόλαστοι ὑπερβάλλουσιν usque ad ὡς οἱ πολλοὶ χαίρουσιν), neque tamen ita ut tum demum intemperantia exstet, cum omnia haec vitia in uno homine insunt, sed ut intemperans et is sit qui in rebus peccet, et is qui in modo, et is qui in ratione.

Iam paucis complexus Aristoteles, quae hucusque de voluptatis in intemperantia vi reperta sunt (ἡ μὲν οὖν περὶ τὰς ἡδονὰς ὑπερβολὴ ὅτι ἀκολασία καὶ ψεκτόν, δῆλον) ad λύπας se convertit (ᵇ 28 —33). atque ut a singulis ordiamur, versu ᵇ 30 non est dubium, quin cum Rassowio (l. l. p. 59) ex codicibus K N O pro ἀκόλαστος δέ scribendum sit οὐδὲ ἀκόλαστος. verba τῷ ἀπέχεσθαι τοῦ ἡδέος coniunctione καί non cum τῇ ἀπουσίᾳ, sed cum τῷ μὴ λυπεῖσθαι conectenda sunt ita, ut καί particula augendi vim habeat. verba καὶ τὴν λύπην δὲ ποιεῖ αὐτῷ ἡ ἡδονή similiter inserta sunt atque p. 1119ᵃ 5 ἄτοπον δ᾽ ἔοικε τὸ δι᾽ ἡδονὴν λυπεῖσθαι· in ipsa voluptate, quippe qua frui non liceat, causa doloris inest; videtur autem pro δέ scribendum esse δή, quoniam haec colliguntur ex eis quae praecedunt τῷ λυπεῖσθαι μᾶλλον ἢ δεῖ, ὅτι τῶν ἡδέων οὐ τυγχάνει. in eis denique, quibus comparantur inter se fortitudo et intemperantia, brevitatis Aristotelem apparet studiosissimum fuisse: cum fortitudo ab ignavia eo potissimum differat, quod vir fortis pericula sustinet, ignavus fugit, intemperantiae et temperantiae discrimen non in τῷ ὑπομένειν et τῷ μὴ ὑπομένειν positum est, sed temperantiae dignitas eo maior est, quod eis quae intemperanti viro dolorem afferunt (ὅτι τῶν ἡδέων οὐ τυγχάνει, τῇ ἀπουσίᾳ) adeo non luget, ut etiam abstineat τοῦ ἡδέος· fortis vir esse non potest, nisi qui in ipso subeundo periculo idem λυπεῖται· temperantem recte Ramsauerus ait vacare dolore. atque quoniam etiam abstinet eo quod voluptatem affert, non minus recte scribit temperantiam ad id genus virtutum ablegandam esse, in quo τὸ ἡδέως ἐνεργεῖν οὐχ ὑπάρχει. quod vero dicit temperantiam ad illas κοινὰς καὶ φυσικὰς ἐπιθυμίας velut esurientis, sitientis omnino non referri: ʽquomodo enim alioquin simpliciter dici potuisset ὅτι ὁ σώφρων οὐ λέγεται τῷ ὑπομένειν τὰς λύπας vel ὅτι οὐ λυπεῖται τῇ ἀπουσίᾳ τοῦ ἡδέος? an fame non vexantur?ʼ in eo ab aliqua parte errare mihi videtur: famem enim corpore sentimus, λύπη non est corporis dolor, sed aegritudo animi.

Haec igitur omnia quae leguntur inde a p. 1118ᵇ 27 usque ad

ᵇ 33 artissimo inter se vinculo coniuncta sunt. quoniam satis dictum est de voluptatis loco in temperantia atque intemperantia,
adduntur quae videntur addenda esse de dolore; neque, tamen ita
ut ostendatur, in quibus doloribus versetur temperantia — id quod
ex eis quae antea de voluptatibus dicta sunt per se satis manifestum
est — sed rursus neglectis fere nunc voluptatibus exponitur, quales
sint temperantes atque intemperantes in doloribus. quo fit ut in ea
quaestione, ad quam aggressus est p. 1117 ᵇ 27 περὶ ποῖα, iam non
versari Aristotelem, sed ad tertiam illam accessisse, quae est πῶς, nemo
non videat. quaeritur igitur, ubi transitus factus sit ad hunc locum.
etenim verba illa quae exstant p. 1118 ᵇ 27 ἡ μὲν οὖν περὶ τὰς ἡδονὰς ὑπερβολὴ ὅτι ἀκολασία καὶ ψεκτόν, δῆλον quin non sint extrema disputationis de finibus temperantiae, nemini potest dubium
esse. quae praecedunt inde a p. 1118 ᵇ 8, ea nullo modo inter se
possunt divelli; atque si quaesiveris quorsum ea pertineant, invenies
illa fere omnia in depingenda potius quam in circumscribenda intemperantia consumi: τὸ γὰρ ἐσθίειν τὰ; τυχόντα ἢ πίνειν ἕως ἂν
ὑπερπλησθῇ, ὑπερβάλλειν ἐστὶ τὸ κατὰ φύσιν τῷ πλήθει .. λέγονται
οὗτοι γαστρίμαργοι eqs.; τῷ χαίρειν οἷς μὴ δεῖ eqs. usque ad
v. ᵇ 27 ὡς οἱ πολλοὶ χαίρουσιν. errat igitur Ramsauerus, cum dicit
illam divisionem, qua discernantur cupiditates communes sive natu-
rales a propriis, ultimam addi ad circumscribendas eas ἡδονάς, in
quibus temperantia spectetur. quamquam enim recte contendit agi
de eo tantum appetitu, quem esse τῶν ἡδονῶν τῶν δι᾽ ἀφῆς γινομένων περί τινα μέρη τοῦ σώματος audivimus, tamen neque communes neque propriae voluptates ab intemperantia separantur; licet
pauci sint, sunt tamen qui in communibus quoque peccent (p. 1118 ᵇ
15 sq.). in temperantiae campo definiendo ad finem perventum est
p. 1118 ᵇ 8; ibi repertum est περὶ ποῖα sit temperantia. atque quoniam in ea re profectus est Aristoteles ab intemperantia, propterea
fit ut vix sentias, ubi oratio traducatur ad alterum argumentum πῶς,
quippe in quo et ipso initium fiat ab intemperantia. iam vero si
attentiore animo perlegeris quae hoc loco scripta sunt, vix poterit
fieri, quin in mentem veniat nonnullorum, quae de fortitudine dicta
sunt. similiter atque hic legimus ἕτερα ἑτέροις ἡδέα, supra scriptum
invenimus (p. 1115 ᵇ 7) τὸ φοβερὸν οὐ πᾶσι τὸ αὐτό · quod hic ei
qui in communibus voluptatibus modum excedunt λίαν ἀνδραποδώδεις et ὀλίγοι dicuntur, similiter supra, si quis certis quibusdam
rebus non terreatur, id ὑπὲρ ἄνθρωπον esse scribitur (p. 1115 ᵇ 8);
quae p. 1118 ᵇ 23 sqq. dicta sunt de variis peccandi modis, summam
similitudinem habent eorum quae p. 1115 ᵇ 15 sqq. de eadem re
leguntur; atque his ipsis similitudinibus, quae nemini non cadunt
sub aspectum, fit ut minus miremur, quod Aristoteles ad doloris
in temperantia locum definiendum aggressus ad fortitudinem respicit.
est autem totus ille de fortitudine locus, ex quo haec petita sunt, de
vitiis illis, quorum media est virtus; neque minus haec, quae inde a
p. 1118 ᵇ 8 disputantur, ad ἄκρα spectare, inter quae medium locum

tenet temperantia, satis cognoscimus ὑπερβάλλουϲιν verbo v. ᵇ 17
et 25, et discimus v. 27 ἡ μὲν οὖν περὶ τὰϲ ἡδονὰϲ ὑπερβολὴ ὅτι
ἀκολαϲία καὶ ψεκτόν, δῆλον, ubi ipsa verborum structura intellegitur hac colligendi formula non quid sit de intemperantia iudicandum
significari, sed quid sit nimium illud, quod ab altera parte opponitur
temperantiae. dictum est inde a p. 1118 ᵇ 8 de eis qui temperantiae
virtute carent propterea, quod in aestimandis voluptatibus iustum
modum excedunt; atque in eadem re versantur ea a quibus in hac
disputatione orsi sumus, quae leguntur p. 1118 ᵇ 27—34, praeterquam quod a voluptatibus res revocatur ad dolores. vides in eis
quae leguntur p. 1118 ᵇ 27 sq. non περὶ τὰϲ ἡδονάϲ, sed ὑπερβολή
gravissimum esse: neque enim is qui περὶ τὰϲ λύπαϲ ὑπερβολῇ
ἁμαρτάνει minus ἀκόλαϲτοϲ vocatur quam is de quo modo dictum est.
opposita igitur sunt his ἡ μὲν οὖν περὶ τὰϲ ἡδονάϲ eqs. non ea
quae proxime sequuntur, sed ea demum quibus ad ἔλλειψιν aggreditur Aristoteles, quae exstant p. 1119 ᵃ 5. neque eis quae leguntur
capitis quarti decimi initio ὁ μὲν οὖν ἀκόλαϲτοϲ ἐπιθυμεῖ τῶν
ἡδέων πάντων ἢ τῶν μάλιϲτα καὶ ἄγεται ὑπὸ τῆϲ ἐπιθυμίαϲ, ὥϲτε
ἀντὶ τῶν ἄλλων ταῦθ᾽ αἱρεῖϲθαι· διὸ καὶ λυπεῖται καὶ ἀποτυγ-
χάνων καὶ ἐπιθυμῶν· μετὰ λύπηϲ γὰρ ἡ ἐπιθυμία· ἀτόπῳ δ᾽ ἔοικε
τὸ δι᾽ ἡδονὴν λυπεῖϲθαι, quicquam profertur novi: etenim praeterquam quod cupiditatem ipsam cum dolore coniunctam esse aliunde
satis constat, ut appareat intemperantem in ipso cupiendo vexari
dolore, cetera omnia ex his ipsis quae proxime praecedunt petita
sunt: intemperantem adeo nihil facere discriminis eorum quae ipsi
dulcia atque iucunda videntur, ut dulcissimum quidque avidissime
appetat atque cupiditati posthabeat alia omnia, didicimus cum fere
omnibus eis quae antehac dicta sunt, tum eis quae leguntur inde a
p. 1118 ᵇ 22—27, neque minus verbis διὸ καὶ λυπεῖται ἀποτυγχά-
νων respicitur ad ea quae scripta exstant p. 1118 ᵇ 30 sq., verbis
ἀτόπῳ δ᾽ ἔοικε eqs. ad ea quae inserta sunt v. 32 καὶ τὴν λύπην
δὲ ποιεῖ αὐτῷ ἡ ἡδονή. neque vero neglegentia quadam factum est
ut haec repeterentur, sed id egit Aristoteles, ut dictis eis, quae di-
cenda erant de λύπηϲ in intemperantia loco, complexus paucis, quae
de hoc docuit, iam fine imposito disputationi de nimia cupiditate in-
stitutae ad alterum vitium pergeret, quod contrarium est temperantiae: ἐλλείποντεϲ δὲ περὶ τὰϲ ἡδονὰϲ καὶ ἧττον ἢ δεῖ χαίροντεϲ
οὐ πάνυ γίνονται.

In his facile vides καὶ coniunctionis eam vim esse, ut addat quo
explicetur id quod praecedit. quae sequuntur quomodo inter se sint
conexa, vix est quod exponatur: qui fiat, ut fere non exstent qui
voluptatis parum sint appetentes, explicatur his οὐ γὰρ ἀνθρωπική
ἐϲτιν ἡ τοιαύτη ἀναιϲθηϲία· atque esse eam ἀναιϲθηϲίαν alienam a
natura humana inde cognoscitur, quod ne in reliquis quidem animalibus reperitur (καὶ γὰρ τὰ λοιπὰ ζῷα διακρίνει τὰ βρώματα καὶ
τοῖϲ μὲν χαίρει, τοῖϲ δ᾽ οὔ); quo fit, si illa ἀναιϲθηϲία tamen videatur in aliquo inesse, ut eum hominem non esse iudicandum sit (εἰ

δέ τῳ μηθέν ἐcτιν ἡδὺ μηδὲ διαφέρει ἕτερον ἑτέρου, πόρρω ἂν εἴη τοῦ ἄνθρωπος εἶναι). sic satis firmato eo quod dictum est ἐλλεί-πόντεc δὲ .. οὐ πάνυ γίνονται, propter id ipsum hi dicuntur nomine carere (οὐ τέτευχε δ' ὁ τοιοῦτος ὀνόματος διὰ τὸ μὴ πάνυ γίνε-cθαι). itaque cum de hoc, quod fere nullum est, vitio non magis opus sit disputare quam p. 1115ᵇ 25 sqq. de eis qui τῇ ἀφοβίᾳ ὑπερβάλλουcιν, reliquum est ut Aristoteles ad eam agendi rationem accedat, quae medium locum tenet, quae propria est temperantis: ὁ δὲ cώφρων μέcωc περὶ ταῦτ' ἔχει.

Quid sit illud μέcωc ἔχειν, explicatur eis quae sequuntur inde a v. ᵃ 12 usque ad finem capitis quarti decimi. distinguuntur autem ea in duas partes, quarum priore exponitur, quid vitet homo tem-perans (— p. 1119ᵃ 15), altera, quid faciat; atque illius duo sunt membra, alterum quod in voluptate, alterum quod in dolore versatur; quapropter assentior Rassowio (l. l. p. 91) οὔθ' ὅλωc et οὔτε cφόδρα mutanda esse in οὐδ' ὅλωc et οὐδὲ cφόδρα, ut duo haec membra coniungantur inter se οὔτε — οὔτε particulis. sunt autem et in illa et in hac parte quae emendatione egeant. cφόδρα adverbium non potest coniungi cum eo quod subaudimus verbo ἥδεται: ita enim Aristoteles ipse secum pugnaret, cum temperantem hominem, quem modo dixit οὐδὲ ὅλωc οἷc μὴ δεῖ ἥδεcθαι, eundem aliquatenus tamen concederet delectari eis οἷc μὴ δεῖ· pertinet igitur cφόδρα ad nega-tionem, atque verbis τοιούτῳ οὐδενί non significatur οἷc μὴ δεῖ, sed breviter comprehenduntur omnia ea quae in intemperantis volup-tate non sunt probanda, sive in rebus sive in modo ac ratione; quae, quoniam non est cui non facile eorum in mentem veniat (cf. p. 1118ᵇ 21—28), singula enumerare Aristoteles supersedet. opponitur igitur hominis temperantis voluptas et rebus et ratione temperantiae. quamquam enim res eae, in quibus versatur temperantia, atque in quibus cernitur intemperantia, unius eiusdemque generis sunt (τῶν ἡδονῶν τῶν δι' ἁφῆς γινομένων καὶ ἐν cιτίοιc καὶ ἐν ποτοῖc καὶ τοῖc ἀφροδιcίοιc λεγομένοιc), tamen inter sese variae et possunt esse et sunt; cibi, potus, veneris appetitum non omnem spernit Aristoteles, non omnem relegat a temperantia; sed quaedam abhor-rent sane a temperantis hominis natura et virtute; magis tamen, quantum intersit inter temperantem et intemperantem, cognoscitur modo et ratione appetendi. id quod etiam magis apparet in λύπαιc. de quibus quae dicuntur, in eis ἀπόντων·non esse referendum ad οἷc μὴ δεῖ, sed ad ea quibus delectari licet homini temperanti, vix est quod moneam; neque mirabere, quod ad οὐ λυπεῖται additur οὐδ' ἐπιθυμεῖ, ubi memineris eorum quae supra legimus ᵃ 4 μετὰ λύπης γὰρ ἡ ἐπιθυμία· quoniam autem paulo lenius iudicans quam supra p. 1118ᵇ 32 sqq. atque ad naturam hominum respiciens, non qualis debet esse, sed qualis est, ἐπιθυμίαν atque, quae cum ea coniuncta est, λύπην non omnem abesse a temperantia volt Aristo-teles, addit ἢ μετρίωc, quod et ipsum explicatur adiunctis οὐδὲ μᾶλ-λον ἢ δεῖ: dolore et cupiditate vir temperans si non nullis utitur,

at modicis certe et iustis [6]; comma igitur post μετρίως tollendum est.
quae sequuntur οὐδ' ὅτε μὴ δεῖ, in tempore et opportunitate appetendi versantur; reliquorum οὐδ' ὅλως τῶν τοιούτων οὐδέν eadem
sententia est atque supra verborum οὐδὲ σφόδρα τοιούτῳ οὐδενί.
tria igitur huius quoque loci sunt membra, quae si comparaveris cum
eis quae leguntur v. 12—14, hoc loco videbis etiam magis summam
discriminis, quod exstat inter temperantiam et intemperantiam,
totam fere positam esse in modo appetendi. — Iam exponitur, qui
sit appetitus temperantis : refertur enim primum ad ea quibus alitur
ὑγίεια et εὐεξία, tum ad ea quae his non obsunt neque cum bone-
state vel cum rei familiaris commodo pugnant. in quibus quod
ὑγιείας et εὐεξίας mentio fit, optime conveniens est illis praeceptis,
quibus temperantiam versari docebatur ἐν ταῖς σωματικαῖς ἡδοναῖς
atque ἐν σιτίοις καὶ ἐν ποτοῖς καὶ τοῖς ἀφροδισίοις λεγομένοις.
reliquis ἢ παρὰ τὸ καλὸν ἢ ὑπὲρ τὴν οὐσίαν facile careamus, neque
tamen ab Aristotele videntur abiudicanda esse. καλοῦ notio cum ad
communem omnium virtutum naturam pertineat, non est cur in singulis quibusque uberius exponatur, quae eius vis sit; satis habet
Aristoteles monere ab hac omnem harum rerum modulum ac mensuram petendam esse; neque ita dissimilia sunt quae de fortitudine
scripta exstant p. 1115 [b] 23 καλοῦ δὴ ἕνεκα ὁ ἀνδρεῖος ὑπομένει
καὶ πράττει τὰ κατὰ τὴν ἀνδρείαν, p. 1116 [b] 2 δεῖ δ' οὐ δι' ἀνάγ-
κης ἀνδρεῖον εἶναι, ἀλλ' ὅτι καλόν, p. 1116 [b] 30 οἱ μὲν οὖν ἀν-
δρεῖοι διὰ τὸ καλὸν πράττουσιν, quibus locis et ipsis non ipsa argu-
mentatione ad καλοῦ notionem perventum est, sed sumitur ex eis
quae antea de universa virtutis vi et indole praecepta sunt. quod rei
familiaris dicitur ratio habenda esse, id certe non exspectantibus
nobis evenit, quia antehac eius nulla est mentio iniecta; sed quoniam dubium non est, quin in earum quoque corporis voluptatum
appetitu, quibus propter inopiam rei familiaris potiri non possis,
intemperantia cernatur, recte Aristotelis sententiam Grantius per-
spexisse mihi videtur, cum scribit 'there is a relative element to be
considered, the health or fortune of the individual' ; atque haud scio
an Aristoteli, cum doceret non omnibus eadem esse appetenda,
propterea hoc loco pecuniae potissimum in mentem venerit, quod
haud ita multo post fine imposito huic de temperantia disputationi
ad ἐλευθεριότητα accessurus est, quae est περὶ χρήματα μεσότης. —
Neque minus quam quas res appetat vir temperans ostenditur quomodo concupiscat. μέσως καὶ ὡς δεῖ· quae vides aptissima esse eis
quae supra leguntur v. 14 μετρίως οὐδὲ μᾶλλον ἢ δεῖ. — Quae
sequuntur ὁ γὰρ οὕτως ἔχων μᾶλλον ἀγαπᾷ τὰς τοιαύτας ἡδονὰς
τῆς ἀξίας· ὁ δὲ σώφρων οὐ τοιοῦτος, ἀλλ' ὡς ὁ ὀρθὸς λόγος, ea in
nimiam fere brevitatem contracta sunt; recte Grantius 'this is an
awkward piece of writing.' ὁ οὕτως ἔχων is est, qui in eligendis

---

[6] cf. Ramsauerus ad p. 1119[a] 11 «iam fere μέσως idem est quod
ὀρθῶς.»

eis voluptatibus quas sectatur spernit fines v. 16—18 circumscriptos; τὰς τοιαύτας ἡδονάς sunt eae voluptates quae non debent concupisci; μᾶλλον τῆς ἀξίας dictum esse pro μᾶλλον ἢ κατ' ἀξίαν recte docet Ramsauerus; τοιοῦτος est μᾶλλον ἀγαπῶν τὰς τοιαύτας ἡδονὰς τῆς ἀξίας· ad ὡς ὁ ὀρθὸς λόγος ut identidem subaudiendum est κελεύει vel simile quid. hoc igitur ordine sententiae sese excipiunt: si quis concupiscat, quae modo dictum est non concupiscenda esse homini temperanti, eum dicendum esse μᾶλλον ἀγαπᾶν τὰς τοιαύτας ἡδονὰς τῆς ἀξίας· at μᾶλλον ἀγαπᾶν τὰς τοιαύτας ἡδονὰς τῆς ἀξίας non esse hominis temperantis, quippe qui ducem sequatur iustam ratiocinationem.

Iam cum ad finem perventum sit eius loci qui est de medietate temperantiae, videmus in eo Aristotelem minus aequabiliter esse versatum: nam cum multa dicat de eis qui nimii sunt in cupiditate (p. 1118ᵃ 8 — p. 1119ᵃ 4), de ipsa virtute, quamquam brevius, tamen satis plene agat (p. 1119ᵃ 11—20), de eis in quibus parum inest voluptatis paucissima exponit (p. 1119ᵃ 4—11). neque id mirum, cum eius modi homines esse fere neget. quod vero de nimia cupiditate multo uberius loquitur quam de ipsa virtute, eius rei causa in ea quam Aristoteles ingressus est disserendi via ac ratione videtur posita esse, quoniam in quaerendo temperantiae campo ab intemperantia exorditur, quippe in quo vitio facilius cognoscatur quid sit iudicandum quam in virtute. atque quia de eis qui abhorrent a voluptate fere nihil, de eis qui nimis sunt eius studiosi satis multa dicta sunt, propterea temperantiae imago ita est comparata, ut vix veritus, ne quis careat cupiditate, unum id agere videatur Aristoteles, ne nimio voluptatis studio abripiamur.

P. 1119ᵃ 21 intemperantia et ignavia ad spontanei rationem revocatae inter se comparantur propiusque ad ἑκούσιον dicitur accedere intemperantia, cuius sententiae duo afferuntur argumenta. ἡ μὲν γὰρ δι' ἡδονήν, ἡ δὲ διὰ λύπην, ὧν τὸ μὲν αἱρετόν, τὸ δὲ φευκτόν· quoniam intemperantia posita est in voluptate (recte Ramsauerus adscribit καὶ τὴν λύπην δὲ ποιεῖ αὐτῷ ἡ ἡδονή p. 1118ᵇ 32), voluptas autem αἱρετόν est, haec magis est spontanea quam ignavia, quippe quae in dolore versetur, qui est φευκτόν. alterum additur argumentum hoc: καὶ ἡ μὲν λύπη ἐξίστησι καὶ φθείρει τὴν τοῦ ἔχοντος φύσιν, ἡ δὲ ἡδονὴ οὐδὲν τοιοῦτον ποιεῖ· dolore qui afficitur, eius natura immutatur, ut aliter sentiat et agat atque antea, cum dolore vacaret; voluptate tale nihil efficitur; sequitur eum qui voluptati paret magis sua sponte facere quam eum qui dolore agitur. aptissime vides inter se coniuncta esse quae leguntur usque ad v. 24: duo illa argumenta, quibus nititur sententia initio capitis quinti decimi enuntiata, ad unum id ignaviae et intemperantiae discrimen referuntur, quod propositum est v. 22. neque in eis quae sequuntur cum Ramsauero haerendum est, dummodo post ποιεῖ colo interpungas et cum Lambino δέ mutes in δή: clausula haec est eius argumentationis, quae coepta est institui v. 21; punctum igitur

ponendum post ἑκούϲιον.[7] neque vero assentiendum est Zellio, qui
haec iudicat commode posse abesse; repetitur, quod effectum est,
quo facilius adiungantur quae sequuntur διὸ καὶ ἐπονειδιϲτότερον·
ferri enim post μᾶλλον ἑκούϲιον non potest, quod Ramsauerus ex
uno codice K b recepit ἐπονείδιϲτον 'ne ultra modum computandi et
comparandi sollertia procederet': nam esse etiam hoc loco Aristotelis consilium, ut comparet intemperantiam cum ignavia, satis ostenditur verbis ἐπὶ δὲ τῶν φοβερῶν ἀνάπαλιν v. 27; quapropter non
magis dubium est, quin pro ῥάδιον cum Bekkero scribendum sit
ῥᾷον. altera enim praeter eam quae exstat in verbis μᾶλλον δὴ
ἑκούϲιον additur causa, cur turpior existimanda sit intemperantia
quam ignavia, quod facilior ad temperantiam aditus paratur educa-
tione et disciplina quam ad fortitudinem: nam cum satis saepe acci-
dant, in quibus temperantiae studere possis (τὰ τοιαῦτα), neque ea
periculosa, contra neque ita multa sunt neque tuta, in quibus fortitudinis studio campus pateat (ἐπὶ δὲ τῶν φοβερῶν ἀνάπαλιν). in
eis quae sequuntur δειλίαν esse habitum ignaviae ex eo cognoscitur
quod contrarium est, τοῖϲ καθ᾽ ἕκαϲτον· neque difficilius intellegitur
ad ἐξίϲτηϲι verbum obiectum simile atque supra v. 23 esse subaudiendum: si accurate distinxeris ea quae quis agit ignavia ductus
ab ipso ignaviae habitu, videbis hunc esse ἄλυπον, illa ex dolore
originem ducere, ut multum recedant ab ἑκουϲίῳ (βίαια); contra si
intemperantiae habitum comparaveris cum eis quae intemperanter
fiunt, cognosces in his agi sponte, in illo minus: οὐθεὶϲ γὰρ ἐπιθυμεῖ ἀκόλαϲτοϲ εἶναι (v. 33). quae quid sibi velint, facile intellegitur. monet Aristoteles in eis quae supra disseruit v. 21 sqq. non
τῶν ἕξεων, sed τῶν καθ᾽ ἕκαϲτα rationem se habuisse. illic actiones
actionibus opponuntur, hoc loco, id quod recte adnotat Ramsauerus,
non habitus componitur cum habitu, sed habitus cum actionibus, vel
ut accuratius loquamur, comparantur inter se ratio ea quae est inter
temperantiae habitum et actiones cum ea quae intercedit inter habitum et actiones ignaviae; quod si perpenderis, minus mirabere, quod
scriptum est οὐδεὶϲ γὰρ ἐπιθυμεῖ ἀκόλαϲτοϲ εἶναι: opposita enim
est sententia illa quam legimus v. 32 'at facere, quae facere intemperantis est, cupit', ἐπιθυμοῦντι γὰρ καὶ ὀρεγομένῳ. sunt igitur
huius loci, qui pertinet a v. 21—32, duae partes, quarum quod sit
discrimen, modo expositum est; in utraque ab ἑκουϲίῳ profectus
versatur Aristoteles in tertia illa quaestione πῶϲ, ad quam p. 1118 b 8
aggressum prius (usque ad p. 1119 a 20) eum de medietate temperantiae dixisse supra vidimus.

In eis quae sequuntur in ὁμωνυμίᾳ quadam versatur Aristoteles,
cum ἀκολαϲίαϲ nomen transferatur etiam ad τὰϲ παιδικὰϲ ἁμαρτίαϲ·
quod qui fieri possit, explicat his ἔχουϲι γάρ τινα ὁμοιότητα, ubi
non est dubium, quin ad ἔχουϲι subiectum subaudiendum sit αἱ
παιδικαὶ ἁμαρτίαι· quo autem iure fiat, ad hanc quaestionem accedit

---

[7] similiter Rassowius l. l. p. 91 sq.

p. 1119ᵇ 3 οὐ κακῶς δ᾽ ἔοικε μετενηνέχθαι. quae inserta sunt
πότερον δὲ ἀπὸ ποτέρου καλεῖται, οὐθὲν πρὸς τὰ νῦν διαφέρει·
δῆλον δ᾽ ὅτι τὸ ὕστερον ἀπὸ τοῦ προτέρου, in eis, quamquam non
huius loci esse ait inquirere, utrum ab utro nomen acceperit, tamen,
cum non posse dubitari addat, quin vitii turpitudo a puerorum delic-
tis denominata sit (aliter interpretatur Aspasius), non prorsus ab ea
re recedit, in qua versatur: in eis enim quae sequuntur omnibus ita
disputat, ut ἀκολασίας nomen a pueris ad viros transductum esse
censeat. quod cur recte factum esse putandum sit (οὐ κακῶς δ᾽
ἔοικε μετενηνέχθαι), causam exponere instituit v. 3 sq. κεκολάσθαι
γὰρ δεῖ τὸ τῶν αἰσχρῶν ὀρεγόμενον καὶ πολλὴν αὔξησιν ἔχον, τοιοῦτον δὲ μάλιστα ἡ ἐπιθυμία καὶ ὁ παῖς, ubi ἐπιθυμία idem fere esse
atque ἐπιθυμοῦντες non est quod moneamus; itaque cum opus non
sit demonstrare ἐπιθυμίαν esse τῶν αἰσχρῶν ὀρεγόμενον καὶ πολλὴν αὔξησιν ἔχον, Aristoteles recte se fecisse, quod ἐπιθυμίαν et
pueros composuerit et arte coniunxerit, docet duobus enuntiatis non
admodum inter se diversis: κατ᾽ ἐπιθυμίαν γὰρ ζῶσι καὶ τὰ παιδία,
καὶ μάλιστα ἐν τούτοις ἡ τοῦ ἡδέος ὄρεξις: pueri cum praeter ceteros
ducantur cupiditate, ad proximam accedunt hominum libidinosorum
similitudinem eiusdemque fere sunt generis atqui illi. iam igitur ad
δεῖ illud v. 3 reversus (οὖν) ostendit, cur in eo genere castigatione
opus sit (εἰ οὖν μὴ ἔσται εὐπειθὲς καὶ ὑπὸ τὸ ἄρχον, ἐπὶ πολὺ
ἥξει). verendum enim esse, ne illud ὀρεγόμενον τῶν αἰσχρῶν καὶ
πολλὴν αὔξησιν ἔχον, nisi coerceatur et castigetur, nimis augeatur;
quae paulum immutata oratione etiam in hanc sententiam possunt
conformari: δεῖ εἶναι εὐπειθὲς καὶ ὑπὸ τὸ ἄρχον, ἵνα μὴ ἐπὶ πολὺ
ἥκῃ, vel εἰ δὲ μή, ἥξει ἐπὶ πολύ· ac vere esse dictum illud ἐπὶ πολὺ
ἥξει comprobatur eis quae sequuntur ἄπληστος γὰρ ἡ τοῦ ἡδέος
ὄρεξις καὶ πάντοθεν τῷ ἀνοήτῳ, καὶ ἡ τῆς ἐπιθυμίας ἐνέργεια αὔξει
τὸ συγγενές, κἂν μεγάλαι καὶ σφοδραὶ ὦσι, καὶ τὸν λογισμὸν ἐκ-
κρούουσιν, ubi τῷ ἀνοήτῳ vocabulum non significat pueros tantum,
id quod Ramsauero videtur, sed omnes, quicumque τῶν αἰσχρῶν
ὀρέγονται· periculum est, ne nimium incrementum capiat turpis
ille appetitus, quia et undique multa praesto sunt, quibus cupiditati
satisfiat, et ipsa τῆς ἐπιθυμίας ἐνεργείᾳ id quod in homine inest
simile alitur atque augetur ad eam vim (ἐὰν μεγάλαι καὶ σφοδραὶ
ὦσι), ut vel ipsam rationem vincat et expellat; quorum extremis
vides minus iam ostendi ἐπὶ πολὺ ἥξειν τὸ ὀρεγόμενον, εἰ μὴ ἔσται
εὐπειθὲς eqs., quam cur non liceat illud ἐπὶ πολὺ ἥκειν. itaque
cum a libidinibus magnis et multis summum periculum immineat
ipsi rationi, oportet eas et modicas esse et paucas, ut rationi pareant
(διὸ δεῖ μετρίας εἶναι αὐτὰς καὶ ὀλίγας καὶ τῷ λόγῳ μὴ ἐναν-
τιοῦσθαι); hoc autem illud esse, quod supra dictum est εὐπειθὲς καὶ
ὑπὸ τὸ ἄρχον, his verbis significat τὸ δὲ τοιοῦτον εὐπειθὲς λέγομεν,
ad quae, ut redeat illuc unde profectus est, addit καὶ κεκολασμένον·
quod quo iure addiderit, explicat his ὥσπερ τὸν παῖδα δεῖ κατὰ τὸ
πρόσταγμα τοῦ παιδαγωγοῦ ζῆν, οὕτω καὶ τὸ ἐπιθυμητικὸν κατὰ

48*

τὸν λόγον· scilicet ut sequantur pueri magistri praecepta, non efficitur nisi castigatione vel castigationis metu. quem sententiarum ordinem ubi perspexeris, non dubitabis cum Bekkero et v. 12 legere καὶ κεκολασμένον et v. 13 ὥσπερ γάρ, codicique Kb, in quo καί omissum et (cum Ob) pro γάρ scriptum est δέ, eo minus habebis fidem, quod hoc loco eum neglegentius esse exaratum vel inde manifestum est, quod in eis quae sequuntur a priore τὸ ἐπιθυμητικόν ad alterum aberratum esse apparet. hoc igitur loco perfecta est illa argumentatio, ad quam accessum est v. 3; comprobaturus Aristoteles recte factum esse, quod ἀκολασίας nomen a pueris translatum sit ad libidinosos omnes, priore parte ostendit et παῖδα et ἐπιθυμίαν esse τῶν αἰςχρῶν ὀρεγόμενον καὶ πολλὴν αὔξηςιν ἔχον, altera docet verum esse quod praemisit κεκολάςθαι δεῖ eqs., in qua cum pro κεκολάςθαι verbo usus sit εὐπειθὲς εἶναι vocabulo, id iure se fecisse ita sane explicat v. 13—15, ut intellegas et facilius et celerius ad eundem finem eum perventurum fuisse, si haec verba ὥσπερ γὰρ eqs. posuisset post μετενηνέχθαι.

V. 15 δεῖ verbo non significari quid oporteat esse, sed quid fieri non possit quin eveniat, discimus eis quae sequuntur ςκοπὸς γὰρ ἀμφοῖν τὸ καλόν· inde enim non sequitur debere virum temperantem oboedientem esse iustae ratiocinationi, sed non posse eum non ςυμφωνεῖν τῷ λόγῳ· id quod etiam magis intellegitur eis quae explicandi causa addita sunt καὶ ἐπιθυμεῖ ὁ ςώφρων ὧν δεῖ καὶ ὡς δεῖ καὶ ὅτε· οὕτω δὲ τάττει καὶ ὁ λόγος· non possunt viri temperantis cupiditates diversae esse a norma praeceptisque iustae rationis, quia utrumque eodem utitur duce ad eundem finem. haec omnia (δεῖ τοῦ ςώφρονος .. οὕτω δὲ τάττει καὶ ὁ λόγος) διὸ coniunctione cum eis quae praecedunt conexa sunt; nec vero cum eis quae effecta sunt inde a v. 3, sed cum eis quae proxima sunt ὥσπερ γὰρ τὸν παῖδα δεῖ eqs.; neque διό particulae ea vis est, ut significet, quid sequatur ex eis quae modo dicta sunt, sed ut addatur, quod cum his tam bene concinat, ut eis etiam praesidio sit et firmamento; recte dictum esse iustae ratiocinationi in cupiditatibus hominum coercendis eundem locum deberi, quem in pueris educandis tenent magistri praecepta, vel inde cognoscitur, quod nemo dubitat, quin in viro temperanti non possit cupiditas discrepare cum iusta ratione; itaque cuius cupiditates non didicerint parere rationi, is non erit vir temperans. arto igitur vinculo inter se coniuncta sunt quae pertinent a p. 1119^a 33 usque ad ^{b} 18, atque ita conformata, ut perducatur argumentatio ad imaginem temperantiae simillimam eius quae proponitur p. 1119^a 20. neminem fugit simillimum hunc locum esse illius qui legitur capite undecimo p. 1116^a 15 sqq., ubi Aristoteles propriam fortitudinis vim et dignitatem illustrat appositis quibusdam quae videntur esse nec tamen sunt eius virtutis generibus; hoc loco quae fiunt in temperantia etiam clarius cognoscuntur advocata earum rerum similitudine, quas nemo nescit in pueris educandis accidere. et hic et illic initium fit a communi loquendi consuetudine, qua pro-

prium eius de qua agitur virtutis nomen etiam latius patet. hic dis·
putatio instituitur, quam a re non esse alienam vel inde apparet,
quod totus hic de virtutibus liber ad fingendos et excolendos hominum animos compositus est; aditusque ad eam etiam facilius aperitur,
cum p. 1119ᵃ 25 ad usus et consuetudinis in virtute vim respiciatur.
summa vero similitudinis in eo est posita, quod et hic et illic res
revocatur ad ea quae sunt omnis virtutis tamquam fundamenta et
principia, illic ad καλόν, hic ad ὀρθὸν λόγον: quae enim supra
exstat (p. 1119ᵃ 20) τοῦ ὀρθοῦ λόγου mentio, ea inicitur eo consilio, ut cognoscatur aliter se gerere temperantem, aliter intemperantem; hic is est finis, ut intellegatur non posse temperantem esse
nisi eum qui τῷ ὀρθῷ λόγῳ oboediat. quod si reputaveris, videbis,
qua ratione haec (inde a p. 1119ᵃ 33) conexa sint cum eis quae
praecedunt (p. 1119ᵃ 21—33); ἑκούcιον enim non magis quam
καλόν et ὀρθὸς λόγος abesse potest ab ulla virtute.

Itaque ut paucis quae dicta sunt comprehendamus, in tres partes
divisa sunt haec quae de temperantia scripta sunt capita. prima
brevissima dicitur (p. 1117ᵇ 23 sq.), quae sit virtus de qua agitur;
altera, quae patet usque ad p. 1118ᵇ 8, de campo temperantiae
(περὶ ποῖα) ita disseritur, ut — id quod supra vidimus — artis et
artis magis finibus ille circumscribatur; tertia denique, qua tamquam
imago hominis temperantis proponitur, ipsa est bipertita: initium
fit ab eo quod gravissimum est, a medietate temperantiae (p. 1118ᵇ 8
—1119ᵃ 20); tum adduntur, quibus Aristoteles respiciens ad ea,
quae supra de communi omnium virtutum natura praecepit, et qui
spontanei (p. 1119ᵃ 21—33), et qui iustae ratiocinationis in temperantia sit locus (p. 1119ᵃ 33—ᵇ 18), ostendit; quibus et ipsius huius
virtutis natura accuratius cognoscitur. iam ad finem perducta disputatione clausula additur ταῦτ' οὖν ἡμῖν εἰρήcθω περὶ cωφροcύνηc.

POSNANIAE.   RICARDUS NOETEL.

_____

78.

ZU POLYBIOS.

_____

Der achäische bund gilt dem schriftsteller als eine ἐθνικὴ cυμ
πολιτεία oder cύcταcιc, als die nach langen zwistigkeiten hergestellte
nationale vereinigung aller Peloponnesier. nachdem er in diesem
sinne II 37, 8 bemerkt hat: περὶ τοὺc ᾿Αχαιοὺc παράδοξοc
αὔξηcιc καὶ cυμφρόνηcιc ἐν τοῖc καθ' ἡμᾶc καιροῖc γέγονε, erinnert
er zunächst daran, dasz in früherer zeit zwar mehrere es versucht
hatten eine interessengemeinschaft der Peloponnesier herzustellen,
dasz aber diese versuche scheitern musten, weil sie nicht um der
gemeinsamen freiheit willen, sondern aus eigennutz und herschsucht
unternommen waren. hierauf fährt er (§ 10) fort: τοιαύτην καὶ
τηλικαύτην ἐν τοῖc καθ' ἡμᾶc καιροῖc ἔcχε προκοπὴν καὶ cυν
τέλειαν τοῦτο τὸ μέροc, ὥcτε μὴ μόνον cυμμαχικὴν καὶ φιλι

κἢν κοινωνίαν γεγονέναι πραγμάτων περὶ αὐτούς, ἀλλὰ καὶ
νόμοις χρῆςθαι τοῖς αὐτοῖς usw. was soll τοῦτο τὸ μέρος hier
bedeuten? gemäsz dem sprachgebrauche des Polybios würde es
etwa wiederzugeben sein durch 'diese specielle angelegenheit';
allein das ist offenbar ein zu schwacher ausdruck. Casaubonus
wählte dafür in seiner lateinischen übersetzung das farblose *ea res.*
Campe und Haakh, die deutschen übersetzer, finden den ausdruck
überhaupt nicht bedeutungsvoll genug, um ihn an stelle des subjects zu lassen; sie ersetzen τοῦτο τὸ μέρος durch die adverbiale
wendung 'in dieser beziehung, in dieser richtung' und machen die
von ἔςχε abhängigen accusative zum subject, so dasz nun ἔςχε durch
'eintreten, stattfinden' wiedergegeben wird. Shuckburgh in seiner
trefflichen übersetzung (the Histories of Polybius, London 1889)
I 133 hat richtig herausgefühlt, dasz statt τοῦτο τὸ μέρος ein begriff von voller und genau zutreffender bedeutung stehen müsse,
und schreibt daher 'yet in our day this policy has made such pro-
gress, and been carried out with such completeness' usw.; allein es
bedarf wohl keines besondern beweises dafür, dasz Polybios, wenn er
diesen gedanken ausdrücken wollte, nicht τοῦτο τὸ μέρος als subject gewählt hätte. es scheint daher in der überlieferung ein leichter
schreibfehler statt τοῦτο τὸ ἔθνος vorzuliegen, dh. die Achaier
waren es, die in jener zeit einen so auszerordentlichen aufschwung
nahmen. auf dieses ἔθνος bezieht sich dann leicht und verständlich
das nächstfolgende περὶ αὐτούς, sowie das zu χρῆςθαι als subject
zu ergänzende αὐτούς. dasz die Achaier samt den übrigen peloponnesischen bundesgenossen einen nationalen bundesstaat bildeten, ist
hinlänglich bekannt; doch ist noch besonders nachzuweisen, dasz
das eben vorgeschlagene ἔθνος der richtige ausdruck für diese staats-
form sei.

Eine wie verdienstliche arbeit das von Schweighäuser zu-
sammengestellte 'lexicon Polybianum' ist, wird jeder um so mehr
anerkennen, je eingehender er sich mit dem schriftsteller beschäftigt. aber nicht minder werden bei längerm gebrauche mehr und
mehr lücken sich zeigen, deren ergänzung um so wünschenswerter
ist, als der Thesaurus graecae linguae von Estienne auch in der
Didotschen ausgabe für Polybios so gut wie nichts bietet, was nicht
bereits in Schweighäusers lexicon sich fände. das für die vorliegende
stelle in betracht kommende ἔθνος fehlt bei Schweighäuser gänzlich, und das zugehörige ἐθνικός ist nur durch éine stelle belegt.

Die ursprüngliche und im griechischen allgemeine bedeutung
von ἔθνος == *gens* 'volksstamm, völkerschaft' findet sich auch bei
Polybios. angeführt sei hier nur IV 21, 2, wo der schriftsteller im
allgemeinen die bedeutung der nationalen und rassenunterschiede
berührt: κατὰ τὰς ἐθνικὰς καὶ τὰς ὁλοσχερεῖς διαστάσεις πλεῖστον
ἀλλήλων διαφέρομεν ἤθεσί τε καὶ μορφαῖς καὶ χρώμασιν, ἔτι δὲ
τῶν ἐπιτηδευμάτων τοῖς πλείστοις. im engern sinne bedeutet dann
ἔθνος den volksstamm, der in irgend welcher weise politisch ge-

einigt in den lauf der ereignisse eintritt, wie τὸ τῶν Λακώνων (ἔθνος) II 38, 3. τὸ τῶν Ἀρκάδων ἔθνος II 38, 3. IV 20, 1. τὸ τῶν Ἀκαρνάνων ἔθνος IX 38, 9. τὸ (τῶν Βοιωτῶν) ἔθνος XX 5, 2 (vgl. τὰ κοινὰ τῶν Βοιωτῶν 6, 1). daher erscheinen die ἔθνη als ebenbürtige staatliche gestaltungen neben den πόλεις und den königreichen. von den Rhodiern, die es verstanden bei allen nachbarn sich beliebt zu machen, heiszt es V 88, 4: εἰς τοῦτ᾽ ἤγαγον τὰς πόλεις, καὶ μάλιστα τοὺς βασιλεῖς, ὥστε μὴ μόνον λαμβάνειν δωρεὰς ὑπερβαλλούσας, ἀλλὰ καὶ χάριν προσοφείλειν αὐτοῖς τοὺς διδόντας, und nachdem dann die von verschiedenen königen gespendeten geschenke im einzelnen aufgezählt sind, fügt der schriftsteller (90, 5) hinzu: ταῦτα μὲν οὖν εἰρήσθω μοι χάριν πρῶτον μὲν τῆς ·Ῥοδίων περὶ τὰ κοινὰ προστασίας, δεύτερον δὲ τῆς τῶν νῦν βασιλέων μικροδοσίας καὶ τῆς τῶν ἐθνῶν καὶ πόλεων μικρολημψίας usw. ähnlich finden sich ἔθνη und πόλεις zusammengestellt XVIII 1, 4 (παρῆσαν) ἀπὸ τῶν ἐθνῶν καὶ πόλεων, τῶν μὲν Ἀχαιῶν Ἀρίσταινος καὶ Ξενοφῶν, παρὰ δὲ Ῥοδίων Ἀκεσίμβροτος ὁ ναύαρχος, παρὰ δὲ τῶν Αἰτωλῶν usw. XVIII 47, 5 εἰσεκαλοῦντο πάντας τοὺς ἀπὸ τῶν ἐθνῶν καὶ πόλεων παραγεγονότας. um aber die thatsache der politischen einigung besonders hervorzuheben und das so gestaltete ἔθνος von den noch unorganisierten volksstämmen zu unterscheiden gebrauchte Polybios die ausdrücke πολιτεία, κοινὴ πολιτεία, πολίτευμα, κοινὸν πολίτευμα, συμπολιτεία, σύστασις, σύστημα, und zwar tritt einigemal zu συμπολιτεία und σύστασις noch ausdrücklich ἐθνική als attribut. so lesen wir ἡ τῶν Ἀχαιῶν πολιτεία II 43, 3. 4 (vgl. auch 38, 10). τὴν πολιτείαν τῶν Ἀχαιῶν μεταλαμβάνειν II 38, 4. ἀφίστασθαι τῆς τῶν Ἀχαιῶν πολιτείας XXIII 9, 14. Μαντινεῖς . . ἐγκαταλιπόντες τὴν μετὰ τῶν Ἀχαιῶν πολιτείαν II 57, 1. μετασχεῖν τῆς τῶν Ἀχαιῶν πολιτείας II 44, 4 [1], und in gleichem sinne μετεσχήκει τῆς ἐθνικῆς συμπολιτείας II 44, 5. letzteres substantiv findet sich auszerdem, ebenfalls den achäischen bund bezeichnend, in verschiedenen verbindungen: II 41, 13 μετέσχον τῆς συμπολιτείας. XX 6, 7 μνησθέντες τῆς προγεγενημένης αὐτοῖς μετὰ τῶν Ἀχαιῶν συμπολιτείας. XXIII 17, 1 ἀποκατέστησαν εἰς τὴν ἐξ ἀρχῆς κατάστασιν τῆς συμπολιτείας. ferner ebenfalls vom achäischen bunde ἡ κοινὴ πολιτεία II 50, 8. IV 60, 10. τὸ τῶν Ἀχαιῶν πολίτευμα II 46, 4 (vgl. auch τοῦτο τὸ πολίτευμα IV 1, 4).· τὸ κοινὸν τῶν Ἀχαιῶν πολίτευμα II 10, 5. τὸ τῶν Ἀχαιῶν σύστημα II 41, 15. IV 60, 10. [2]

---

[1] II 40, 1 fehlt in auffälliger weise das subject: ἐπεὶ δέ ποτε σὺν καιρῷ προστάτας ἀξιόχρεως εὗρεν, ταχέως τὴν αὑτῆς δύναμιν ἐποίησε φανεράν· doch ist es nicht etwa durch conjectur einzufügen, sondern aus dem zusammenhang zu ergänzen, nemlich ἡ τῶν Ἀχαιῶν πολιτεία oder vielleicht auch προαίρεσις καὶ πολιτεία (vgl. 38, 10). [2] hiermit ist auch zu vergleichen II 38, 6 ἰσηγορίας καὶ παρρησίας καὶ καθόλου δημοκρατίας ἀληθινῆς σύστημα καὶ προαίρεσιν εἰλικρινεστέραν οὐκ ἂν εὕροι τις τῆς παρὰ τοῖς Ἀχαιοῖς ὑπαρχούσης.

ἡ νῦν cύcταcιc (sc. τῶν Ἀχαιῶν) II 42, 1. auch ausdrücke wie
πολιτεύειν, πολιτεύεcθαι, cυμπολιτεύεcθαι μετὰ τῶν Ἀχαιῶν
XXIII 4, 14. XX 6, 8. XXII 11, 9. XXIII 18, 1 gehören hierher.
wie das schon erwähnte ἐθνικὴ cυμπολιτεία, so treten auch die
ἐθνικαὶ cυcτάcειc an einigen stellen charakteristisch neben den πόλειc
hervor: ἅπαντεc οἱ παρακείμενοι τῇ Μακεδονίᾳ παρῆcαν, οἱ μὲν
κατ᾽ ἰδίαν, οἱ δὲ κατὰ πόλιν, οἱ δὲ κατὰ τὰc ἐθνικὰc cυcτάcειc,
ἐγκαλοῦντεc τῷ Φιλίππῳ XXIII 1, 3. πρὸc μὲν οὖν τὰc ἄλλαc
πόλειc καὶ τὰc ἐθνικὰc cυcτάcειc οἱ δέκα .. ἐποιήcαντο τὴν ἐπι-
ταγήν XXX 13, 6. ὥcτε μὴ μόνον cτρατόπεδα καὶ πόλειc, ἀλλὰ καὶ
τὰc ἐθνικὰc cυcτάcειc .. τῶν μεγίcτων ἀγαθῶν πεῖραν λαμβάνειν
XXXII 19, 2.

Im anschlusz an diese zusammenstellungen möge noch eine bemerkung zu dem gebrauche von ἐθνικόc platz finden. ἔθνη als mehr
oder minder festgefügte staatengebilde gab es in der hellenischen
welt vor dem achäischen bunde und neben demselben; allein der
achäische bund hatte nach des Polybios ausdrücklicher angabe die
besondere eigentümlichkeit, dasz er verschiedene ἔθνη und πόλειc
unter éinem namen und in éiner staatsverfassung vereinigte. nachdem der schriftsteller II 38, 3 die Arkader und Lakedaimonier (τό
τε τῶν Ἀρκάδων ἔθνοc καὶ τὸ τῶν Λακώνων) wegen ihrer räum-
lichen ausdehnung, ihrer volkszahl und ihrer tapferkeit rühmend erwähnt hat, fährt er (§ 4) fort: πῶc οὖν καὶ διὰ τί νῦν εὐδοκοῦcιν
οὗτοί τε καὶ τὸ λοιπὸν πλῆθοc τῶν Πελοποννηcίων ἅμα τὴν
πολιτείαν τῶν Ἀχαιῶν καὶ τὴν προcηγορίαν μετειληφότεc; also
Achaier, Arkader, Lakedaimonier und alle übrigen Peloponnesier
waren nach des schriftstellers ansicht durch die gemeinsame πολιτεία
zu einer einzigen nation verschmolzen und führten gemeinsam den
namen Achaier. demnach ist die oben erwähnte ἐθνικὴ cυμπολιτεία
der älteste nachweisbare beleg für den gebrauch von ἐθνικόc in dem
besondern sinne, den dasselbe wort noch jetzt im neugriechischen
und das wort 'national' bei den abendländischen völkern hat.

Es erübrigt nun noch nachzuweisen, dasz die obige vermutung
τοῦτο τὸ ἔθνοc (statt μέροc) in völligem einklang mit dem üb-
lichen sprachgebrauche steht. τὸ τῶν Ἀχαιῶν ἔθνοc findet sich bei
Polybios II 6, 1. 12, 4. 37, 7. 40, 5. 43, 7. 10. IV 1, 4. 76, 1.
V 1, 1. IX 38, 9. XVI 35, 1. XXII 10, 1. XXIII 9, 1. XXIV 1, 6.
6, 1. 12, 10. 15, 4. XXX 13, 8, τὸ ἔθνοc τῶν Ἀχαιῶν XXII 3, 5,
ferner ebenfalls von den Achaiern gesagt τὸ προειρημένον ἔθνοc
II 41, 3. τὸ μέγιcτον ἔθνοc II 49, 6, endlich τὸ ἔθνοc schlechthin
II 40, 6. 45, 1. 4. 6. 51, 2. 58, 5. IV 72, 6. 73, 2. XVIII 13, 8.
XXIII 16, 12. XXVIII 13, 13. XXXVIII 7, 8, wozu noch kommt
XX 5, 2 τὸ ἔθνοc, nemlich τῶν Βοιωτῶν. diese zuletzt angeführten
stellen beweisen zugleich, dasz an dem hiatus nach τό, wie schon
früher im Philol. XIV s. 296 kurz bemerkt wurde, kein anstosz zu
nehmen ist.

DRESDEN-STRIESEN.   FRIEDRICH HULTSCH.

79.
DAS GEBURTSJAHR DES ZENON VON KITION.

Im zweiten stück meiner 'analecta Alexandrina chronologica' (Greifswald 1888) s. XXIII ff. habe ich die berechnung von ERohde und ThGomperz, nach welcher Zenon von Kition 336/5 geboren ward und 264/3 starb, gegen GFUnger 'die zeiten des Zenon von Kition und Antigonos Gonatas' (sitzungsber. der k. bayr. akad. phil. cl. 1887 I s. 101 ff.) verteidigt. gleichzeitig mit dieser meiner verteidigung ist nun aber die scharfsinnige abhandlung von KBrinker 'das geburtsjahr des stoikers Zenon aus Citium und dessen briefwechsel mit Antigonos Gonatas' (Schwerin 1888) erschienen, deren erörterungen meines bedünkens viel bestechender als die Ungers sind, und so sehe ich mich denn genötigt auch diese nachträglich einer prüfung zu unterziehen.

Im gegensatz zu Unger hält Brinker mit recht an dem obigen todesjahre fest, ändert aber mit Clinton und Unger die lebensjahre, welche Zenon nach Persaios bei La. Diog. VII 28 [1] erreicht hat, aus 72 in 92 und gelangt so auf das geburtsjahr 356. den widerspruch in den sonstigen zahlangaben bei Diogenes gleicht er ferner dadurch aus, dasz er in der nemlichen stelle die 58jährige lehrerzeit in eine 48jährige umwandelt. und so kommt denn, wenn wir ihm glauben wollen, alles in die schönste ordnung. Zenon ist dann nicht erst im todesjahr des Xenokrates 314 nach Athen gelangt, sondern schon 20 jahre früher 334 (22 jahre alt nach Persaios), konnte also füglich nach Krates, Stilpon, Diodoros auch noch des Xenokrates und des Polemon schüler werden, und er gründet seine eigne schule sonach 48 jahre vor 264, also im j. 312, 44 jahre alt. wenn ferner seine lernzeit auch nicht gerade 20 jahre gedauert hatte, wie wir bei Diog. 4 lesen [2], sondern er somit nach dem tode des Xenokrates noch zwei jahre (314—312) den Polemon hörte, so kommen wir doch wenigstens nicht über 22 hinaus. [3] und wenn es auch sehr unglaublich ist, dasz er von diesen 22 nicht weniger als zehn nach Diog. 2 [4]

---

[1] ὀκτὼ γὰρ πρὸς τοῖς ἐνενήκοντα βιοὺς ἔτη κατέστρεψεν ἄνοσος καὶ ὑγιὴς διατελέσας. Περσαῖος δέ φησιν ἐν ταῖς Ἠθικαῖς σχολαῖς δύο καὶ ἑβδομήκοντα ἐτῶν τελευτῆσαι αὐτόν, ἐλθεῖν δὲ ᾿Αθήναζε δύο καὶ εἴκοσιν ἐτῶν· ὁ δ᾽ ᾿Απολλώνιός φησιν ἀφηγήσασθαι τῆς σχολῆς αὐτὸν ἔτη δυοῖν δέοντα ἑξήκοντα. [2] ἕως μὲν οὖν τινὸς ἤκουσε τοῦ Κράτητος . . τελευταῖον δὲ ἀπέστη· καὶ τῶν προειρημένων (Στίλπωνος, Ξενοκράτους, Πολέμωνος) ἤκουσεν ἕως ἐτῶν εἴκοσιν. s. anm. 4. [3] vorausgesetzt nemlich, dasz sich in der eben angeführten stelle das ἕως ἐτῶν εἴκοσιν auch noch mit auf den unterricht bei Krates und nicht vielmehr blosz auf den bei Stilpon, Xenokrates und Polemon beziehen soll, wie es streng genommen die satzconstruction (mit schwacher oder gar keiner interpunction hinter ἀπέστη) verlangt. [4] διήκουσε δέ, καθάπερ προείρηται, Κράτητος· εἶτα καὶ Στίλπωνος ἀκοῦσαί φασιν αὐτόν, καὶ Ξενοκράτους ἔτη δέκα, ὡς Τιμοκράτης ἐν τῷ Δίωνι, ἀλλὰ καὶ Πολέμωνος.

allein bei Xenokrates, und dasz er dann noch zwei bei Polemon, also
zusammen zwölf bei akademikern zugebracht haben sollte, so stimmt
doch alles andere aufs beste. denn in dem von Apollonios[5] mitgeteilten, sei es nun gefälschten, sei es, wie Brinker anzunehmen geneigter ist, echten briefe an Antigonos Gonatas (Diog. 9) nennt
Zenon 276 sich 80jährig, und das war er damals wirklich, wenn er
92jährig 264 starb.

Aber um welchen preis ist diese schöne harmonie erkauft! wie
mir scheint, beruht sie von vorn herein auf einer unrichtigen methode.
zunächst schon, wenn man sich erlaubt an einer stelle, an welcher
vier zahlen stehen, zwei von diesen zu ändern, so gibt es schlieszlich
keinerlei widersprüche in chronologischen angaben mehr, die man
nicht mit solchen kraftmitteln beseitigen könnte. wäre es freilich
sicher, dasz die beiden früheren zahlen (s. anm. 2. 4), die 30 jahre
bei der ankunft in Athen und die 20 der lernzeit (um von den 10
des umgangs mit Xenokrates ganz zu schweigen), aus Apollonios
stammen, so müste man die änderung der 58 jahre lehrerzeit in 48
gut heiszen, da die 98 jahre lebenszeit (und nicht 108) anderweitig
unterstützt sind[6] und allerdings wahrscheinlich auf Apollonios
zurückgehen.[7] aber so gewis es ist, dasz nicht blosz im allgemeinen
Diog. VII 1—12 anf., 24 ende —29, sondern auch, wie Brinker s. 5
gut nachweist, gerade speciell der schlusz von § 2 und anfang von
§ 3 aus Apollonios sind, ebenso zweifellos ist in jenem ganzen abschnitt das vorhandensein von einschiebseln aus andern quellen, und
ob zu diesen zusätzen nicht auch das ἕωc ἐτῶν εἴκοciν § 4 oder das
ἤδη τριακοντούτης § 2 oder auch beides gehört, ist durch jenen
nachweis Brinkers keineswegs ausgeschlossen. doch es sei: setzen wir
alle diese worte auf rechnung des Apollonios und bringen wir denselben dadurch mit sich selbst in übereinstimmung, dasz wir annehmen, er habe dann dem Zenon noch 48 und nicht 58 jahre des
lehrens bis zum tode mit 98 jahren beigelegt, so hält doch Br. selbst
die zahlen 30 und 98 für geschichtswidrig und 20 für ungenau; mit
welchem rechte nimt er also an, dasz allein die vierte zahl 48, die
er selbst sich erst durch conjectur zurechtgemacht hat, historisch
richtig sei? ich will hier ferner nicht näher auf die frage nach der
echtheit des briefwechsels zwischen Zenon und Antigonos (Diog.
7—9) eingehen: bis auf weiteres halte ich nicht dasjenige verfahren
für das unserer wissenschaft entsprechende, nach welchem man auf
grund der 80 jahre in dieser correspondenz die 72 in der angabe
des Persaios in 92 umgestaltet, sondern dasjenige, nach welchem man,
vorausgesetzt dasz 264/3 wirklich das sterbejahr Zenons war, einfach schon aus diesen mit jenen 80 unverträglichen 72 die unechtheit
des briefwechsels folgert.[8] da endlich Apollonios, wie gesagt, diese

---

[5] s. Diog. 7.   [6] durch ps.-Lukianos Macrob. 19.   [7] sicher ist
nicht einmal dies, s. Susemihl jahrb. 1883 s. 224.   [8] dasz auch das
folgende psephisma (§ 10—12) eine fälschung ist, glaube ich anal. II
s. XXVI f. bewiesen zu haben.

briefe mitteilte, so musz er, wenn anders auch er dieselben 276
setzte und seinerseits den Zenon ein alter von 98 jahren erreichen
liesz, angenommen haben, derselbe habe nach 276 noch 18 jahre
gelebt, sei also erst 258/7 gestorben, und nur so bleibt die ganze
harmonistik Brinkers bei bestande. davon ist aber die notwendige
consequenz, dasz man ferner dann glauben müste, die geburt Zenons
im j. 356 habe im altertum fest gestanden, und nur über seine todes-
zeit habe man geschwankt. ist es aber wohl irgend wahrscheinlich,
dasz uns dann, wie es doch der fall ist, über seine geburtszeit keinerlei nachricht zugekommen wäre, während uns ausdrücklich berichtet
wird[9], dasz er 264/3 gestorben ist?

Und so musz ich dabei bleiben: es ist kein grund vorhanden
die überlieferten zahlen anzutasten, vielmehr zieht man sich dadurch
den festen boden unter den füszen weg. stammt also die zahl 98 von
Apollonios, so kann ein gleiches nicht von den beiden frühern 30
und 20, sondern höchstens von éiner von ihnen gelten. ob eher von
30 oder von 20, läszt sich nicht entscheiden. wenn ich mich ehemals (jahrb. 1882 s. 739. 743) für 20 aussprach, so beruhte dies auf
einer annahme von Rohde[10], die ich damals billigte, jetzt aber aus
den in den anal. II s. XXIV ff. dargelegten gründen nur noch für
eine unsichere möglichkeit gelten lassen kann, dasz nemlich auch
Apollonios den tod Zenons 264/3 und demgemäsz den briefwechsel
desselben schon 6 jahre vor 277/6, gleich nach dem tode des Demetrios Poliorketes 283 angesetzt habe. wer lieber mit Brinker glauben
will, dasz dieser vielmehr wirklich 258/7 als Zenons sterbejahr ansah, folgt, wie ich jetzt überzeugt bin, einer andern und gleichberechtigten möglichkeit. jedenfalls ist, wie Unger und ich selbst ao.
gezeigt haben, die stelle bei Strabon I 15 nicht die einzige, aus welcher hervorgeht, dasz man über letzteres keineswegs, wie ich früher
nach Rohdes vorgang meinte, einstimmig war, so dasz an dieser thatsache auch dann nichts geändert sein würde, wenn es wirklich
Wolfgang Passow[11] gelungen wäre diese stelle durch eine von ihm
vorgeschlagene textänderung unschädlich zu machen. Strabon berichtet nemlich und beurteilt hier, was Eratosthenes über den zustand der philosophie in Athen während seines dortigen aufenthalts
geschrieben hat, in folgender weise: «ἐγένοντο γάρ» φηcίν «ὡc
οὐδέποτε, κατὰ τοῦτον τὸν καιρὸν ὑφ' ἕνα περίβολον καὶ μίαν
πόλιν οἱ κατ' Ἀρίcτωνα καὶ Ἀρκεcίλαον ἀνθήcαντεc φιλόcοφοι.»
οὐχ ἱκανὸν δ' οἶμαι τοῦτο, ἀλλὰ τὸ κρίνειν καλῶc οἷc μᾶλλον προc-
ιτέον. ὁ δὲ Ἀρκεcίλαον καὶ Ἀρίcτωνα τῶν καθ' αὑτὸν ἀνθηcάν-
των κορυφαίουc τίθηcιν· Ἀπελλῆc τε αὐτῷ πολύc ἐcτι καὶ Βίων ..
ἐν αὐταῖc γὰρ ταῖc ἀποφάcεcι ταύταιc ἱκανὴν ἀcθένειαν ἐμφαίνει
τῆc ἑαυτοῦ γνώμηc· ἢ τοῦ Ζήνωνοc τοῦ Κιτιέωc γνώριμοc γενό-

---

[9] direct von Hieronymus zu Eusebios chron. II s. 121 (Schöne),
mittelbar von Philodemos ind. stoic. col. 29, s. meine anal. II s. XXV.
     [10] rhein. mus. XXXIII s. 623 f.   [11] 'de Eratosthenis aetate' im
'genethliacon Gottingense' (Halle 1888) s. 99—101.

μενος Ἀθήνησι τῶν μὲν ἐκεῖνον διαδεξαμένων οὐδενὸς μέμνηται, τοὺς δ᾽ ἐκείνῳ διενεχθέντας καὶ ὧν διαδοχὴ οὐδεμία ςῴζεται, τούτους ἀνθῆσαί φησι κατὰ τὸν καιρὸν ἐκεῖνον. hier erklärt nun Passow es für notwendig vielmehr zu schreiben ἢ τοῦ μὲν Ζήνωνος τοῦ Κιτιέως, γνώριμος γενόμενος Ἀθήνησι τῶν ἐκεῖνον διαδεξαμένων, οὐδὲν μέμνηται usw. aber ich kann auch hier die notwendigkeit eines rüttelns an der überlieferung nicht absehen. was an Strabons ausdrucksweise wirklich zu tadeln ist, dasz er so spricht, als ob das ὧν διαδοχὴ οὐδεμία ςῴζεται auch auf Arkesilaos passte, wird durch diese conjectur nicht beseitigt, und was durch sie beseitigt wird, enthält in wahrheit keinerlei anstosz, während das von Passow an die stelle gesetzte den völlig sinnlosen gedanken ergibt, als hätte Strabon recht gut gewust, dasz Zenon lange vor dem athenischen aufenthalt des Eratosthenes gestorben war, und hätte doch den Eratosthenes getadelt, dasz letzterer jenen nicht unter den während dieses aufenthalts blühenden philosophen erwähnt habe. im gegenteil, Strabon glaubte offenbar, dasz Zenon erst beträchtliche zeit nach 264 gestorben und Eratosthenes demgemäsz noch dessen schüler gewesen sei, wogegen derselbe, wie dies vermutlich auch in der that nicht der fall war[12], bei Kleanthes und Chrysippos nicht gehört habe. unter dieser voraussetzung aber ist der ausdruck τῶν ἐκεῖνον διαδεξαμένων . . οὐδένα wohl etwas gewunden, insofern, so lange Eratosthenes in Athen lebte, Zenon wahrscheinlich erst den éinen nachfolger Kleanthes hatte[13], aber der nachmalige zweite Chrysippos war doch damals schon ein hochberühmter mann, und so hatte auf diese weise Strabon allen grund seine verwunderung darüber auszusprechen, dasz Eratosthenes unter den damals in Athen im flor stehenden philosophen keinen von den echten nachfolgern seines lehrers Zenon, weder den Kleanthes noch den Chrysippos, genannt habe, wohl aber dessen abtrünnigen schüler Ariston von Chios, dem es nicht gelang seinerseits eine dauernde schule zu stiften. oder was läge denn hierin, sobald man nur jene voraussetzung festhält, irgendwie schiefes oder unlogisches?

Meine hypothese, wie die zahl 30, vorausgesetzt dasz sie nicht von Apollonios herrührt, möglicherweise entstanden sei (jahrb. 1882 s. 743 f.), habe ich selbst als eine solche bezeichnet, die ebenso gut falsch wie richtig sein könne, und in diesem sinne habe ich auch keine ursache sie zurückzunehmen. ich habe mit ihr nur ein übriges gethan, indem ich übertrieben wiszbegierigen leuten zu gefallen eine frage zu beantworten suchte, welche sich eben nicht mehr wissenschaftlich beantworten läszt und daher auch nicht gestellt werden

---

[12] Chrysippos, um nur dies hervorzuheben, war nur wenige jahre älter als Eratosthenes, jener etwa 280, dieser 276 geboren.   [13] Kleanthes starb 232/1, Eratosthenes wird wohl schon um 235 Athen verlassen haben. freilich kann Chrysippos auch schon vor dem tode des Kleanthes selber vorträge gehalten haben, wenn ich dies auch nicht mit Zeller phil. d. Gr. III³ 1 s. 40 anm. 4 aus Diog. 179. 185 zu folgern vermag.

darf. oder was will Brinker antworten, wenn man ihn wiederum
fragen wollte, woher es denn gekommen sei, dasz Apollonios und
andere von dem zeugnis des Persaios abwichen, mit dem sich doch,
wenn Brinker recht hätte, Apollonios seinerseits genau auf die von
Brinker empfohlene weise hätte abfinden können? denn die antwort,
welche ich ao. s. 740 ff. auch hier zu geben suchte, hat er sich dadurch abgeschnitten, dasz er die zahl 72 bei Persaios in 92 ändern
will, und dasz Apollonios das betreffende buch des letztern nicht gekannt haben sollte, ist doch von einem stoiker des ersten jh. vor Ch.
und dabei verfasser eines πίναξ τῶν ἀπὸ Ζήνωνος φιλοςόφων καὶ
τῶν βιβλίων [14] nicht sehr wahrscheinlich, trotzdem dasz dies buch
in dem verzeichnis der (ausgewählten) schriften des Persaios bei
Diog. 36 fehlt. [15]

　　Ich will diese gelegenheit für zwei nachträge nicht unbenutzt
lassen. fürs erste danke ich der gefälligkeit von HDiels die folgende
berichtigte angabe der hsl. varianten zu Diog. VII 176 nach der erzählung vom selbstmorde des Kleanthes: ταὐτὰ P, ταῦτα BFP² ‖
Ζήνων B(?)F et P, sed sequente rasura, super quam ος scripsit P² ‖
π̄ om. BP¹, add. P², habet F ‖ Ζήνωνος om. FP, habere videtur
(e sil.) B ‖ θ̄ καὶ ῑ B, θ̄ καὶ δέκα P. hiernach nun kann allerdings
nicht der geringste zweifel mehr sein, dasz die bessere überlieferung
das zahlzeichen π̄ nicht kennt, und der text müste demgemäsz lauten:
τελευτῆςαι, ταὐτὰ Ζήνωνι, καθά φαςι τινές, ἔτη (dh. also 98) βιώςαντα καὶ ἀκούςαντα Ζήνωνος (?) ἔτη θ̄ καὶ ῑ. aber gegen diese
gestaltung desselben wendet Brinker s. 4 mit recht ein: 'ohne zweifel hätte Diogenes nach seiner sonstigen ausdrucksweise die lebensdauer von 98 jahren angegeben, vielleicht mit dem zusatz ὡς καὶ
Ζήνωνα. auch hätte er wohl kaum die aufs engste zusammengehörenden worte ταὐτὰ Ζήνωνι und ἔτη getrennt durch die parenthese καθά φαςι τινές: diese fand besser platz hinter βιώςαντα.'
und so musz man denn wohl für diesen fall, wie öfter, der minder
guten überlieferung folgen, indem man τελευτῆςαι (ταὐτὰ Ζήνων
oder auch Ζήνωνι, καθά φαςι τινές), π̄ ἔτη βιώςαντα usw. schreibt
und die worte ταὐτὰ .. τινές mit dem vorhergehenden und nicht mit
dem folgenden verbindet, zumal da sie dann, wie Brinker von neuem
hervorhebt, vortrefflich passen zu § 31, wo es von Zenon heiszt: οἱ
δέ, μένων ἄςιτος. überdies scheint Ζήνων mindestens besser als
Ζήνωνι bezeugt zu sein, und erstere schreibung ist nur bei der aufnahme von π̄ ἔτη möglich. [16]

---

[14] Strabon XVI 757.　[15] dasz freilich die nachrichten des Persaios
über Zenon bei Diog. 1. 28 nicht aus Apollonios sind, sondern vermutlich aus Antigonos von Karystos, davon hat sich inzwischen auch
vWilamowitz, wie ich aus seinem eignen munde weisz, durch meine
erörterung ao. s. 739—743 überzeugen lassen.　[16] was ich übrigens
einst ao. s. 739 über diese π̄ ἔτη geschrieben habe, ist ein einfacher,
mir selbst heute völlig unbegreiflicher unsinn. die weglassung von
Ζήνωνος würde nun freilich umgekehrt wieder nur in verbindung mit

Fürs zweite: dasz Zenon auch schüler des Diodoros Kronos gewesen war, dafür haben wir allem anscheine nach noch eine ältere
überlieferung als die des Hippobotos bei Diog. 25. denn in dem aus
Antigonos von Karystos stammenden und, wie es scheint, von anderweitigen einschiebseln freien abschnitt § 12 ende bis 21 anfang
lesen wir § 16 die freilich der erklärung nicht geringe schwierigkeit bereitenden worte ἐπιμελῶc δὲ καὶ πρὸc Φίλωνα τὸν διαλεκ-
τικὸν διεκρίνετο καὶ cυνεcχόλαζεν. ὅθεν καὶ θαυμαcθῆναι ὑπὸ
Ζήνωνοc τοῦ νεωτέρου οὐχ ἧττον Διοδώρου τοῦ διδαcκάλου
αὐτοῦ. denn so viel ist doch klar, dasz er hier als cucχολάζων des
dialektikers Philon, des schülers von Diodoros, erscheint, und das
cucχολάζειν kann doch wohl hier nichts anderes als das eifrige
'zusammenphilosophieren' unter der leitung desselben lehrers bezeichnen. die schwierigkeit beginnt erst von ὅθεν ab. gewöhnlich
deutet man diese letzten worte auf den jüngern Zenon (von
Sidon), den schüler des Kitiers.[17] aber ist es denn nicht ein
geradezu seltsamer gedanke: 'weil der ältere Zenon eifrig mit
Philon disputierte und beide sich gegenseitig als schulgefährten
vielfach anregten, darum bewunderte der jüngere Zenon den
Philon nicht weniger als dessen lehrer Diodoros'? mich dünkt
vielmehr: der zusammenhang verlangt, dasz der Kitier selbst gemeint sei, indem dann mit τοῦ νεωτέρου vielmehr bezeichnet wird,
dasz er jünger war als Philon. ob in diesem spätern griechisch
ὅθεν = ὥcτε mit dem infinitiv verbunden werden kann, weisz ich
nicht; sonst aber ist vor τοῦ νεωτέρου eine lücke anzunehmen. an der
sache ändert das nichts.[18] der einzig mögliche sinn ist meines erachtens
dieser: 'eifrig übte sich Zenon auch mit Philon dem dialektiker im

---

der von π erträglich sein, aber hier kommt in betracht, dasz sie sich
sowohl in F, der hauptvertreterin der minder guten hss.-familie, als
in P, dem zweitbesten codex der bessern, findet, so dasz, wenn etwa
auch B das wort nicht haben sollte, man sich doch nicht zu scheuen
brauchte es als blosze conjectur stehen zu lassen. weshalb H im obigen
nicht in betracht gezogen ist, darüber s. Usener Epicurea s. XI.
     [17] so auch vWilamowitz 'Antigonos v. Karystos' s. 113. Comparetti
hat hiernach' sogar Philodemos ind. stoic. col. 11, 2 schwerlich richtig
ergänzen wollen: ⟨ὁ νέοc⟩ λεγόμενοc.   [18] die zweideutigkeit der ausdrucksweise geht offenbar schon auf Antigonos selbst zurück: denn nur
aus der gleichen zweideutigkeit der letzten gemeinsamen vorlage des
Diogenes und des Suidas konnte in dem seltsamen artikel des letztern
Ζήνων Μουcαίου Cιδώνιοc, φιλόcοφοc Cτωικόc, μαθητὴc Διοδώρου τοῦ
κληθέντοc Κρόνου, διδάcκαλοc δὲ καὶ αὐτὸc Ζήνωνοc τοῦ Κιτιέωc der
erste teil entstehen, indem unter Ζήνων ὁ νεώτεροc auch bereits der
Sidonier verstanden und αὐτοῦ fälschlich auf ihn statt auf Philon bezogen ward. davon war dann aber die weitere folge, dasz hernach das
ὁ νεώτεροc in vergessenheit geriet, und da nun also der Sidonier statt
des Kitiers zum schüler des Diodoros geworden war, das alters- und
auch das schüler- und lehrerverhältnis dieser beiden Zenon sich um-
kehrte und der Sidonier aus dem schüler des Kitiers zu dessen lehrer
ward, wie wir diese verkehrtheit im zweiten und letzten teil des artikels
lesen.

disputieren und arbeitete als schulgenosse mit ihm zusammen, dergestalt dasz dieser mann von dem an jahren jüngern Zenon nicht minder bewundert wurde als dessen lehrer Diodoros.' freilich ist auch so unter αὐτοῦ nicht Zenon verstanden, sondern Philon, aber das schlieszt ja in diesem zusammenhange nicht aus, dasz nicht auch Zenon den Diodoros gehört hatte. denn der zusammenhang verlangt ja hier den gegensatz: 'er bewunderte den schüler nicht minder als den lehrer.' im gegenteil, wenn doch seine bewunderung des erstern dem persönlichen verkehr mit demselben entsprang, wie sollte dann nicht auch die des letztern auf die gleiche weise entstanden sein? wie sollte der wiszbegierige Zenon, der mit so vielen andern lehrern verkehrte, sich begnügt haben den Diodoros zu bewundern, ohne sein schüler zu werden? aber freilich sein schüler in derselben weise wie Philon, also eben auch nur ein Megariker, ward er nicht und wollte er nicht werden, ebenso wenig oder noch weniger als ein kyniker oder akademiker.

GREIFSWALD.　　　　　————————　　　　　FRANZ SUSEMIHL.

80.
ÜBER EINE SCHRIFT DES ARISTARCHEERS AMMONIOS.

————

Ammonios, der schüler und lehrnachfolger des Aristarchos, wird in den scholien zu Aristophanes mehrfach angeführt, und schon OSchneider (de veterum in Aristoph. schol. fontibus, Stralsund 1838, s. 92 f.) hat bemerkt, sein betreffendes werk scheine sich nur auf die von diesem verspotteten personen bezogen zu haben. nun lautet aber das scholion zu We. 1239 mit der schlechthin notwendigen ergänzung von Blau (de Aristarchi discipulis, Jena 1883, s. 55 ff. anm. 2) folgendermaszen: Ἁρμόδιος δὲ ἐν τοῖς κωμῳδουμένοις καὶ ⟨τὸν Κλειταγόραν καὶ⟩ τὸν Ἄδμητον ἀναγέγραφεν παραθεὶς τὰ τοῦ Κρατίνου ἐκ Χειρώνων [fr. 236 Kock] «Κλειταγόρας ᾄδειν [ᾄδει V], ὅταν Ἀδμήτου μέλος αὐλῇ.» Ἀπολλώνιος δὲ ὁ Χαίριδος, ὡς Ἀρτεμίδωρός φησι, περὶ μὲν τῆς Κλειταγόρας τῆς ποιητρίας, ὅτι ὡς ἀνδρώνυμον ἀναγέγραφε Κλειταγόραν Ἀμμώνιος, ἀπελέγχει αὐτόν, περὶ δὲ τοῦ Ἀδμήτου παρεῖχεν, und hier hat man sich nun dergestalt gewöhnt für das verderbte Ἁρμόδιος mit Dobree Ἡρόδικος zu schreiben, dasz selbst Blau, welcher den dadurch entstehenden widersinn merkt, sich dennoch von dieser conjectur nicht hat losmachen können, sondern lieber in dem zweiten, völlig gesunden teile des scholions gleichfalls einen fehler sucht und Κλειταγόραν Ἀμμώνιος streichen will. und doch ist der zusammenhang klar genug. Apollonios, der sohn oder schüler des Chairis, hat dem Ammonios hinsichtlich des Admetos beigestimmt, hinsichtlich der Kleitagora aber, die jener für einen mann Kleitagoras hielt, widersprochen: was kann da deutlicher sein als dasz der im ersten teile

des scholions angeführte gelehrte eben Ammonios, dasz also dort für
ʽΑρμόδιοc das auch den schriftzügen näher liegende ᾽Αμμώνιοc herzustellen und auch nicht, wozwischen Blau schwankt, ⟨τὴν usw.⟩,
sondern ⟨τὸν Κλειταγόραν καὶ⟩ einzusetzen ist? zum überflusse
noch hat CSchmidt (de Herodico Crateteo p. I, Elbing 1886, s. XIII
anm. 2) bewiesen, dasz Herodikos, welcher allerdings auch κωμω-
δούμενοι schrieb (Ath. XIII 586ᵃ. 591ᶜ), erst im ersten jh. nach
Ch. gelebt hat[1], so dasz folglich der schon von Artemidoros angeführte Apollonios nicht bereits ihn teils beistimmend, teils polemisch
berücksichtigt haben kann.[2] und so sieht man aus dem scholion,
dasz die gleichbetitelte schrift des Ammonios, wenn ich nicht irre,
die erste dieser art, ein verzeichnis (ἀναγραφή) der betreffenden
personen mit den nachweisen über dieselben enthielt. ohne zweifel
war sie ein vorbild für die des Herodikos, und durch sie wird auch
der letzte zweifel daran gehoben, dasz wirklich dieser und kein
anderer Ammonios derjenige war, welcher auch περὶ τῶν ᾽Αθήνησιν
ἑταιρίδων (Ath. XIII 567ᵃ) schrieb.

---

[1] und JSchönemann ʽHerodicea᾽ im rhein. mus. XLII (1887) s. 467 ff.
hat dies nicht entkräftet, s. KBapp ʽbeiträge zur quellenkritik des Athe-
naios᾽ in den comm. Ribbeckianae s. 258. für denjenigen freilich, welcher die von Maass de biogr. Gr. (Berlin 1880) s. 33 ff. erwiesene thatsache, dasz Seleukos der grammatiker auch erst dieser zeit angehört,
noch immer leugnen will, ist auch dieser beweis Schmidts nicht vorhanden. aber gegenbeweise sind bis jetzt nicht zu tage getreten, sondern nur absprechende beweislose gegenbehauptungen. überdies hat
jetzt Bapp ao. s. 258 ff. auf anderm wege genauer gezeigt, dasz jener
Seleukos unter Tiberius lebte.   [2] HSchrader in diesen jahrb. 1866
s. 229 anm. 5 und s. 250 f. meint, jener Apollonios sei nicht sohn oder
schüler, sondern vater des Chairis gewesen. da aber Artemidoros in
wahrheit erst im ersten jh. vor Ch. lebte, so kann er denselben auch
dann angeführt haben, wenn derselbe zu Chairis vielmehr in dem
erstern veihältnis stand, und es ist daher kein grund von dieser weit
gewöhnlichern bedeutung des ὁ mit im genitiv folgendem namen ab-
zugehen.
GREIFSWALD.   ———————   FRANZ SUSEMIHL.

81.

CONIECTURAE XENOPHONTEAE.

———————

Comm. III 5, 1 βούλει οὖν, ἔφη ὁ Cωκράτης, διαλογιζόμενοι
περὶ αὐτῶν ἐπισκοπῶμεν ὅπου ἤδη τὸ δυνατόν ἐστι; Kuehnerus
adv. ἤδη *schon* interpretans ad verba Periclis nondum facultatem
(τὸ δυνατόν) perspicientis referri vult, quod per usum solitum huius
verbi vix fieri licet; Xen. potius δὴ scripsit, qua particula vis inter-
rogationis augetur, cf. IV 2, 10. hanc significationem alius editor
eigentlich vertens in verbo ἤδη inesse falso opinatur.
III 5, 16 προαιροῦνται μᾶλλον οὕτω κερδαίνειν ἀπ᾽ ἀλλή-

λων ἢ cυνωφελοῦντεc αὐτούc. scribendum est αὐτοῖc, cf. Soph.
Phil. 871.

III 5, 20 οὐ μέμφομαι, ἔφη, τούτοιc. optimus codex B οὐδένων exhibet, qua re permotus LDindorfius οὐδὲν coniecit, haud
male; sed propius etiam ad hanc scripturam accedit οὐδὲν οὖν
(*nihil vero*). cf. IV 2, 10 οὔκουν ἔγωγ᾽, ἔφη. Anab. III 5, 6 οὔκουν
ἔμοιγε δοκεῖ.

III 5, 27 ᾽Αθηναίουc δ᾽ οὐκ ἂν οἴει . . βλαβεροὺc μὲν τοῖc
πολεμίοιc εἶναι, μεγάλην δὲ προβολὴν τοῖc πολίταιc τῆc χώραc
κατεcκευάcθαι; tempus perfectum infinitivi κατεcκευάcθαι parum
convenit nec melius Athenienses *praesidium firmum parari* dicuntur;
nam et dativus τοῖc πολίταιc, ni fallor, ne κατεcκευάcθαι generi
medio tribuamus impedit et verbum ᾽Αθηναίουc praepositum ad
alterum quoque orationis membrum referri necesse est. rescriben-
dum puto κατ α c κ ε υ ά c α ι, quam in partem etiam scriptura codicis B κατacκευᾶcθαι ducit. — Paulo infra adiectivum πάντ᾽ de una
re positum valde displicet (de plurali ταῦτα cf. Kruegeri gr. § 44, 4
adn. 3); scripsit, opinor, Xenophon π ά ν υ ad χρήcιμα relatum (de
collocatione cf. IV 3, 3).

III 6, 1 Γλαύκωνα δὲ τὸν ᾽Αρίcτωνοc, ὅτ᾽ ἐπεχείρει eqs. fortasse ὅc ἐπεχείρει scribendum est.

III 7, 1 ὀκνοῦντα δὲ προcιέναι τῷ δήμῳ eqs. Xenophon haud
dubie π α ρ ι έ ν α ι, verbum de hominibus in contionem *prodeuntibus*
solitum (cf. v. c. Thuc. I 72, 2. Andoc. II 1. Plat. Alcib. I p. 106 c)
scripsit; aliter προcιέναι (de hominibus aliquem *adeuntibus*) dicitur,
cf. Dem. XIX 17 sq. (προcῇμεν . . παρελθὼν). de dativo τῷ δήμῳ
cf. Kruegerus ad Thuc. VI 15, 5 (3).

III 7, 9 μηδὲ ἁμάρτανε ἃ οἱ πλεῖcτοι ἁμαρτάνουcιν. nescio
an ὃ scribendum sit.

III 9, 4 ἃ οἴονται cυμφορώτατα αὐτοῖc εἶναι. potius αὐτοῖc
scribendum est.

III 11, 14 εἰ . . ἔπειτα τοὺc δεομένουc ὑπομιμνήcκοιc ὡc
κοcμιωτάτῃ τε ὁμιλίᾳ καὶ τῷ φαίνεcθαι βουλομένῃ χαρίζεcθαι καὶ
διαφεύγουcα, ἕωc ἂν ὡc μάλιcτα δεηθῶcι. hanc codicum scripturam haud sanam esse omnes fere consentiunt; nam notiones βουλομένη χαρίζεcθαι et διαφεύγουcα particula καὶ coniunctae, non inter
se oppositae parum conveniunt. Weiskius post φαίνεcθαι negationem
οὐ addendam esse censuit, cui apte Schneiderus 'hoc' inquit 'scilicet
erat severa lege amare'. paulo magis coniectura Cobeti μὴ ante
φαίνεcθαι addentis placet, quem Gilbertus secutus est; offendunt
tamen in hac scriptura duae res, unum quod participium διαφεύγουcα non ad infin. φαίνεcθαι referendum, sed verbo ὑπομιμνήcκοιc
subiungendum est, alterum quod illa voluntatis dissimulatio (μὴ
φαίνεcθαι βουλομένη) vix amoris commemoratio (ὑπόμνηcιc) appellari potest. equidem hypostigme post χαρίζεcθαι posita particulae
καί vim verbi καίπερ tribuerim, quo de usu cf. Hom. β 110. Herod.
VII 46. Thuc. V 7, 2. VII 63, 3. VIII 93, 1. Lys. XII 73.

III 11,18 ἵνα ἐπὶ coì πρῶτον ἕλκω αὐτήν. an π ρ ώ τ ῳ scripsit Xenophon?

IV 2, 8 κατ' ἀρχὰc μὲν οὖν ἀκούοντοc Εὐθυδήμου τοιούτουc λόγουc ἔλεγε Cωκράτηc. ante verba ἀκούοντοc Εὐθυδήμου, quae per se ipsa inepta sunt, Weiskius μόλιc addi voluit, Hartmanus ἀκούοντοc in ἄκοντοc corrigere maluit; sed veri similius esse videtur, adiectivum ἄ κ ο ν τ ο c ante ἀκούοντοc in codicibus intercidisse, cf. verba infra posita προθυμότερον ἀκούοντα.

IV 2, 20 οὐκοῦν γραμματικώτερον μὲν . . φὴc εἶναι; Ναί. Δικαιότερον δὲ eqs. nescio an ex cod. B et Stobaeo particula ν α ί, quae certe dittographia terminationis -ναι proxime praecedentis facile irrepere poterat, delenda sit, quo facto membra γραμματικώτερον μὲν et δικαιότερον δὲ clarius inter se opponuntur. nec recusare possumus, opinor, quin paulo infra scripturam Stobaei φαίνεται recipiamus, cum post φαίνομαι verbum δοκῶ mire positum sit.

IV 2, 38 καὶ νὴ Δί', ἔφη ὁ Εὐθύδημοc, ὀρθῶc γάρ με ἀναμιμνήcκειc, οἶδα γὰρ καὶ τυράννουc τινάc eqs. particulam γάρ bis positam ita excusaverunt editores nonnulli, ut verba ὀρθῶc γάρ με ἀναμιμνήcκειc parenthesin quandam esse putarent, cui per anacoluthiam verba οἶδα γὰρ eqs. addita essent; sed qui loci ad hanc explicationem defendendam afferuntur (Anab. II 5, 12. III 2, 11), ii plane aliam rationem habent, quippe ubi aliquanto plura interposita sint. recentiores Stobaeum secuti alterum γάρ omiserunt; sed fortasse pro priore Xenophon particulam γε posuit, quae in responsis interrogationem affirmantibus novumque quiddam addentibus suum locum habet, cf. III 8, 7 καὶ νὴ Δί' ἔγωγε eqs.

Conv. 5, 9 τῷ νικήcαντι μὴ ταινίαc ἀλλὰ φιλήματα ἀναδήματα παρὰ τῶν κριτῶν γενέcθαι. nescio an verbum ἀ ν α δ ή μ α τ α verbi ταινίαc explicandi causa adscriptum in ipsa scriptoris verba irrepserit.

6, 1 εἰ μὲν ὅ,τι ἐcτὶν ἐρωτᾷc, οὐκ οἶδα· τὸ μέντοι μοι δοκοῦν εἴποιμ' ἄν. 'Αλλὰ δοκεῖ τοῦτ', ἔφη. verba Socratis ἀλλὰ δοκεῖ τοῦτ' duabus rationibus, opinor, interpretari licet, aut *placet vero hoc* (ut dicas quid παροινία tibi esse videatur) aut *de hac re opinamur* (non scimus, cf. verba Hermogenis), quarum rationum prior Herbstio, mihi neutra placuit. mecum facit Heindorfius ἀλλ' ὁ δοκεῖ, τοῦτ' coniciens, qua tamen in scriptura imperativus εἰπέ vel simile aliquid difficile auditur. ego ἀλλὰ δοκεῖ τί τοῦτ'; (*quae est ista opinio?*) scriptum fuisse suspicor (cf. Kruegeri gr. § 57, 3 adn. 6); collocatio autem insolita pronominis τί vi verbi δοκεῖ ad responsum Hermogenis relati satis excusari mihi videtur.

HAUNIAE.　　　　　　　　　　　　　　CAROLUS HUDE.

82.

ZUR ANTHOLOGIA PALATINA.

(fortsetzung von jahrgang 1888 s. 353—361.)

1. Von den christlichen epigrammen lautet I 116 bei Jacobs:

Χριστὲ μάκαρ, μερόπων φάος ἄφθιτον, υἱὲ θεοῖο,
δῶρ᾽ ἀπὸ κρυστάλλων, δῶρ᾽ ἀπὸ cαρδονύχων
δέχνυco, παρθενικῆc τέκοc ἄφθιτον, υἱὲ θεοῖο,
δῶρ᾽ ἀπὸ κρυστάλλων, δῶρ᾽ ἀπὸ cαρδονύχων.

und in derselben form gibt es Dübner. in der hs. folgt, wie Jacobs
richtig angibt, nicht I 117, sondern vor diesem ist I 30 wiederholt:

Χριστὲ μάκαρ, μερόπων φάος ἄφθιτον, ἐλπὶc ἁπάντων,
ἐcθλὰ δίδου χατέουcι, τὰ δ᾽ οὐ καλὰ νόcφιν ἐρύκοιc.

ich will hier nur drei punkte anführen, aus denen man über die zuverlässigkeit der collationen urteilen mag, welche bisher von dem
Palatinus veröffentlicht sind.

a) Man nimt an dasz I 30 von d e r s e l b e n hand zweimal geschrieben sei (s. 54 b und s. 62); die sache verhält sich folgendermaszen. die christlichen epigramme nehmen genau éinen quaternio
ein (s. 49—63: denn die ziffer 54 ist, wie man weisz, aus versehen
zweimal gesetzt). wer diese partie nur éinmal aufmerksam durch-
blättert, musz finden, dasz der epigrammentext hier von zwei sehr
verschiedenen händen geschrieben ist. die mittlern blätter sind von
dem sogenannten ersten schreiber, anfang und schlusz, nemlich das
e r s t e und das l e t z t e blatt des quaternio von anderer hand. dieser
schreiber hat eine viel gewandtere schrift, ist sorgfältiger in setzung
von accent und spiritus und hat offenbar mehr griechisch verstanden
als A. dieselbe hand — es ist weder die des lemmatisten noch die
des correctors — erscheint wieder gegen ende des ersten hauptteils:
die beiden quaternionen (s. 421—452), welche dem von B, dem
sog. zweiten schreiber, besorgten hauptteile der hs. vorangehen, sind
groszenteils von ihr (J) geschrieben. das besprochene gedicht I 30
steht nun zuerst auf s. 54 b und ist wiederholt auf s. 62, ist also das
erste mal von A, dann von J geschrieben.

b) Als lemma zu 116 wird εἰc τὸν αὐτόν angegeben; mit recht
verlangt man dafür εἰc τὸν cωτῆρα, denn das vorhergehende epigramm bezieht sich nicht auf Christus, sondern auf die θεοτόκοc.
man hat aber nicht bemerkt, dasz dieses lemma in rasur steht. ich
habe gefunden, dasz an stelle von εἰc τὸν αὐτόν ursprünglich Ε ὐ κ -
τ ι κ ά stand, also dasselbe, was von A am ende von 116 als überschrift zu dem nochmals geschriebenen epigramm 30 gesetzt wurde.
was folgt nun daraus? zunächst mit sicherheit dies, dasz von 116
v. 1 und 2 zu s t r e i c h e n ist, dasz das epigramm also n u r a u s
é i n e m d i s t i c h o n besteht, und wahrscheinlich ist, dasz die vorlage
des Palatinus die beiden gedichte 116 und 30² in umgekehrter

reihenfolge hatte wie die Pfälzer hs. die ursprüngliche fassung der
beiden epigramme mit ihren lemmata war also folgende:

30² Εὐκτικά. Εἰς τὸν cωτῆρα.

Χριcτὲ μάκαρ, μερόπων φάος ἄφθιτον, ἐλπὶc ἁπάντων,
ἐcθλὰ δίδου χατέουcι, τὰ δ' οὐ καλὰ νόcφιν ἐρύκοιc.

116 Εἰς τὸν αὐτόν.

Δέχνυcο, παρθενικῆc τέκοc ἄφθιτον, υἱὲ θεοῖο,
δῶρ' ἀπὸ κρυcτάλλων, δῶρ' ἀπὸ cαρδονύχων.

nun ist, meine ich, alles klar: der schreiber begann, seiner vorlage
folgend, mit 30²: er schrieb als lemma dieses epigramms εὐκτικά und
noch den hexameter zum groszen teil; aber von φάος ἄφθιτον
in 30² kam er auf τέκοc ἄφθιτον in 116, und so entstand das
distichon:

Χριcτὲ μάκαρ, μερόπων φάος ἄφθιτον, υἱὲ θεοῖο,
δῶρ' ἀπὸ κρυcτάλλων, δῶρ' ἀπὸ cαρδονύχων.

der schreiber erkannte seinen irrtum, wohl an dem fehlen des prädicats; aber anstatt 30² vorauszuschicken, gab er sogleich die richtige
fassung von 116; die überschrift wurde jetzt radiert und ersetzt
durch εἰc τὸν αὐτόν: denn zu 116 hatte die vorlage dieses lemma,
und dasselbe ist, wie man sieht, bei dem vorangehen von 30² vollkommen am platze. dasz man bis jetzt die zwei distichen von 116
unbeanstandet gelassen, den ersten und zweiten vers nicht gestrichen
hat, von denen jener eine combination der hexameter 30, 1 und 116, 3
enthält, dieser identisch ist mit 116, 4, scheint mir kaum begreiflich; auch ohne kenntnis der oben mitgeteilten rasur muste man,
meine ich, das versehen des schreibers und den grund desselben erkennen. ganz rätselhaft aber ist das verkennen des sachverhalts von
seiten derer, welche die hs. benutzen konnten. denn es kommt zu
dem gesagten noch folgendes.

c) Man hat auszer jener rasur und der ursprünglichen lesart
noch zweierlei übersehen. dasz mit δέχνυcο das epigramm beginnt,
bezeichnet der schreiber dadurch, dasz er vor dieses wort zu beginn
der zeile das anfangszeichen setzt; ein zweites zeichen aber, ein
häkchen von dieser form ꜿ, findet man zu anfang von 116, 1 und
116, 2, vor Χριcτέ und vor δῶρ'. jedem aber, der einige vertrautheit mit der hs. hat, sagt der schreiber durch diese zeichen
(vgl. Gardthausen griech. paläogr. s. 278), dasz er sich verschrieben habe, dasz die beiden verse ungültig seien. denn jenes
zeichen, das man ignoriert hat, findet sich an gar manchen stellen
der hs. und besagt, dasz ein versehen des abschreibers vorliege, dasz
der betreffende ausdruck oder vers zu tilgen sei. einige dieser stellen
seien hier erwähnt. nicht selten wiederholt der corrector einen auf
der schluszzeile einer seite stehenden anfangsvers auf dem obern
rand der folgenden seite, damit der leser das zusammengehörige
beisammen finde. so steht VII 515, 1 auf s. 288 unten von A und
s. 289 oben von C geschrieben. dabei setzt der corrector sein tilgungszeichen vor den von A geschriebenen vers. von vers V 250, 3 geriet

der schreiber auf den dritten vers des folgenden gedichtes, so steht
dieser vers zweimal auf s. 127; doch erkannte der erste schreiber
seinen irrtum und liesz also auf den an falscher stelle eingeschobenen
vers das ende von V 250 richtig folgen. der corrector aber setzt zu
dem falschen zusatze wiederum sein tilgungszeichen (nebst tilgungs-
punkten über den einzelnen buchstaben). zu den verderbtesten epigrammen gehört VII 183. dasselbe beginnt mit παρθενικῆϲ τάφοϲ
εἴμ᾽ (εἰμ᾽ in ras. C) Ἑλένηϲ, πένθει δ᾽ ἐπ᾽ ἀδελφοῦ. das folgende
epigramm beginnt mit demselben hexameter. die nahe liegende vermutung, dasz der schreiber von VII 182 auf VII 184 geriet, dasz er
erst beim pentameter angelangt seinen irrtum gewahrte und nun mit
dem ersten hexameter von VII 184 die drei letzten verse von 183
verband, hat meines wissens noch niemand ausgesprochen. sie erhält
ihre bestätigung durch den corrector. zu bedauern ist nur, dasz
dieser eine correctere fassung für die mit seinem obelos bezeichneten
verse (183, 1—3; sie nehmen die schluszzeilen von s. 233 ein) nicht
zu geben vermochte. es ergibt sich aber aus dem gesagten, dasz
VII 183 fälschlich in den ausgaben mit obigem hexameter beginnt,
dasz das epigramm zu anfang lückenhaft ist, dasz eine herstellung
mit hilfe des Palatinus nicht mehr möglich ist.[1] — Zu den epi-

---

[1] ich kann daher Ludwich keineswegs beistimmen, der, um den
verkehrten hexameter zu halten, eine sehr gewaltsame umgestaltung des
pentameters vornimt. er liest nemlich VII 183:
    Παρθενικῆϲ τάφοϲ εἴμ᾽ Ἑλένηϲ, πένθει δ᾽ ἐπ᾽ ἀδελφοῦ
        αἰδεϲτὴν Κροκάληϲ ἔφθαϲεν ἀϲθενίην,
während als pentameter Ἄιδηϲ τὴν κροκαληϲ ἔφθαϲε παρθενίην (κροκαληϲ mit radiertem circumflex über ηϲ) überliefert ist. dasz der hexameter in der that nur der flüchtigkeit und dem unverstand des abschreibers sein dasein verdankt, dasz der erste vers des epigramms
durch ihn verloren gegangen ist und einen ganz andern inhalt haben
muste, konnte man auch ohne die belehrung des correctors aus dem
zusammenhang ersehen. das zweite distichon lautet: εἰϲ δὲ γόουϲ
ὑμέναιοϲ ἐπαύϲατο, τὰϲ δὲ γαμούντων ἐλπίδαϲ οὐ θάλαμοϲ κοίμιϲεν,
ἀλλὰ τάφοϲ. die Helene des folgenden epigramms kann also nicht
identisch sein mit der in 183 gemeinten braut. Helene, welche dem
früh dahingeschiedenen bruder in den tod folgt, stirbt nicht als braut,
sondern noch als die hoffnung (vgl. VII 490) eines jeden von denen, welche
um sie freien; VII 184, 3 heiszt es τὴν γὰρ ἔτ᾽ οὔπω | οὐδενὸϲ ἡ πάν-
των ἐλπὶϲ ἔκλαυϲεν ἴϲωϲ. unser epigramm (183) aber behandelt das
thema des Erinna-epigramms VII 712, das zusammenfallen von hoch-
zeitsfeier und tod. mit εἰϲ δὲ γόουϲ ὑμέναιοϲ ἐπαύϲατο vergleiche man
die verse der Erinna: καὶ ϲὺ μέν, ὦ ὑμέναιε, γάμων μολπαῖον ἀοιδὰν ἐϲ
θρήνων γοερὸν φθέγμα μεθαρμόϲαο. aus den variationen dieses themas,
welche wir von Meleagros und Philippos von Thessalonike besitzen,
läszt sich der verloren gegangene anfang von VII 183 inhaltlich
herstellen. bei Meleagros heiszt es (VII 182, 5): ἐκ δ᾽ ὑμέναιοϲ | ϲιγα-
θεὶϲ γοερὸν φθέγμα μεθαρμόϲατο, und voran geht v. 3 ἄρτι γὰρ ἑϲπέριοι
νύμφαϲ ἐπὶ δικλίϲιν ἄχευν | λωτοί· und Philippos sagt (VII 186, 3):
θρῆνοϲ δ᾽ εἰϲ ὑμέναιον ἐκώμαϲεν bei vorhergehendem ἄρτι μὲν ἐν θαλά-
μοιϲ Νικιππίδοϲ ἡδὺϲ ἐπήχει λωτόϲ. unzweifelhaft war der inhalt von
VII 183 folgender: ʽalles ist bereit zur vermählung, der hymenaios ist
angestimmt; aber der grausame Hades raubt die jungfrau, und das braut-

grammen, welche von Konstantinos fälschlich unter die epitymbischen
aufgenommen sind, gehört, wie man weisz, VII 53, das distichon
auf den angeblich von Hesiodos geweihten dreifusz. der corrector
versuchte es dem gedichte seinen richtigen platz zu geben, indem er
es auf den obern rand der seite (207) schrieb, auf welcher die anathe-
matischen epigramme enden. auszerdem aber hat er — was unbe-
merkt geblieben — auf den irrtum des samlers aufmerksam gemacht,
indem er die beiden an verkehrter stelle untergebrachten verse (zu
anfang und ende der zeilen) mit dem tilgungszeichen versehen.

2. Von Apulejus sagt Christodoros AP. II 303 f.

καὶ νοερῆς ἄφθεγκτα Λατινίδος ὄργια Μούcης
ἅζετο παπταίνων ᾽Αποлήïοc.

diese stelle blieb bis jetzt auffallender weise unbeanstandet. unter
ὄργια sind offenbar werke philosophisch-mystischen inhalts zu verstehen, wie sie Apulejus verfaszt hat. nun heiszt es von diesem:
ʽer scheute, verehrte die werke der lateinischen muse'; soll damit
gesagt sein, dasz er, obwohl nicht Römer von geburt, der römischen
litteratur seine verehrung zollte, dann müste durch angabe seiner
abkunft dieser gegensatz bezeichnet sein. und was soll παπταίνων,
er richtete den blick nach ihnen, spähte nach ihnen? das ist seltsam, wenn mit ὄργια die von Apulejus bewunderten litteratur-
werke gemeint sind, und sinnlos, wenn das wort seine eignen schriften
bezeichnet. denn zunächst ist anzunehmen, dasz Apulejus hier nicht
blosz als verehrer und bewunderer solcher schriften, sondern als verfasser genannt wird, und zum zweiten steht ἄφθεγκτα nicht zur bezeichnung dessen, was dem uneingeweihten geheimnis bleibt (das
bezeichnet ἄρρητος cοφίη im folgenden verse), sondern Christodoros
gebraucht das wort mit rücksicht auf die stumme figur von allem,
was zu den fähigkeiten oder werken der dargestellten person gehört.
so heiszen die Musen, die dichtungen der Sappho, stumme, schwei-
gende, v. 70 cιγαλέαιc .. Μούcαιc, womit man vgl. das von Kasandra
gesagte (189) ἀλλ᾽ ἐνὶ cιγῇ μεμφομένη γενετῆρα. alle schwierigkeiten der stelle lassen sich durch änderung éines buchstaben (die
fälle der verwechselung von ν und c sind sehr zahlreich) und durch
tilgung eines andern beseitigen. man schreibe:

καὶ νοερῆς ἄφθεγκτα Λατινίδος ὄργια Μούcης
ἅζεο παπταίνων ᾽Απολήïον.

ʽverehre die tiefsinnigen werke lateinischer muse, indem du den
blick auf Apulejus richtest.' die worte gelten also dem zu-

---

lied wird zur totenklage.' keine rede war von einem bruder der braut
im ersten verse, und der zweite vers gibt in Κροκάλη den namen der
hingeschiedenen, nicht der mutter; παρθενίην ist also unzweifelhaft
richtig. das inhaltslemma, das L dem verschriebenen vers entnommen,
ist natürlich bedeutungslos. nicht den wortlaut, aber den gedanken
des ersten distichons glaube ich in folgender fassung zu treffen:

⟨῾Ηχουν μὲν λωτοὶ γαμικοί· cτυγερῶς δ᾽ ἀποδρέψας⟩
῾Αἴδης τὴν Κροκάλης ἔφθαcε παρθενίην.

schauer und enthalten eine variation der wendungen wie 56 δέρ‌κεό μοι cκύμνον πτολιπόρθιον Αἰακιδάων, 111 μήτε λίπηc Τέρπανδρον ἐύθροον, 117 ἠγαcάμην δ' ὁρόων cε, Περίκλεεc, 148 ἠγαcάμην δὲ Κρέουcαν ἰδών, 241 δέρκεό μοι Χαρίδημον, 243 ἢ κεν ἰδὼν ἀγάcαιο Μελάμποδα usw.[2]

3. Das tier, welches hirten und herden verderblich geworden, ist von dem Kreter Eualkes erlegt; an einer fichte hat er die haut aufgehängt. das von dem Tarentiner Leonidas auf das weihgeschenk verfaszte gedicht lautet VI 262

τὸν νομίην καὶ ἔπαυλα βοῶν καὶ βώτοραc ἄνδραc
cινόμενον κλαγγάν τ' οὐχὶ τρέcαντα κυνῶν
Εὐαλκὴc ὁ Κρὴc ἐπινύκτια μῆλα νομεύων
πέφνε καὶ ἐκ ταύτηc ἐκρέμαcεν πίτυοc.

---

[2] zu Christodoros sei hier eine vielleicht nicht ganz bedeutungslose rasur des Palatinus erwähnt. in der beschreibung der Polyxene (202) heiszt es: ληΐδα Πύρροc ἔχει Φθιώτιοc. das letzte wort findet sich nur an dieser stelle. ursprünglich aber stand es auch hier nicht, vielmehr ist ιο an die stelle eines ausradierten η getreten. man würde nun ohne bedenken ληΐδα Πύρροc ἔχει Φθιώτηc schreiben dürfen, wenn in den 416 versen der Ekphrasis die hexameterform d d s s d vertreten wäre. so hat man die wahl zwischen einer ungebräuchlichen wortform und der annahme, dasz Christodoros, der die gesetze des Nonnischen hexameters nur im allgemeinen befolgte, sich hier des eigennamens wegen eine metrische freiheit gestattete. FBaumgarten 'de Christodoro poeta Thebano' (Bonn 1881) bemerkt nichts über diese rasur; die ganze untersuchung aber ist so verdienstvoll, dasz man einige versehen und ungenauigkeiten, welche sich in Baumgartens collation der Ekphrasis finden, nicht in rechnung bringt. derartige irrtümer sind fast unvermeidlich, wenn man nur einen kleinern teil der hs. durchnimt. mehr dürfte man sich wundern, wenn LSternbachs angaben manchmal keineswegs die zuverlässigkeit besitzen, welche nach dem zuversichtlichen ton der mitteilung zu erwarten wäre. so schreibt Sternbach — ich will bei Christodoros bleiben — zu Κεκροπίδηcι v. 85 in einer besondern anmerkung (melet. gr. I s. 9): 'huius vocis littera ε in rasura est scripta', und der mit lobenswerter sorgfalt verfaszte index verfehlt nicht auf diese anmerkung zu verweisen (unter 'variae scripturae e codicibus petitae' s. 211). die angabe ist, wie man sieht, sachlich ohne bedeutung, sie beruht aber auf irrtum. an der von Sternbach bezeichneten stelle findet sich keine rasur, wohl aber im vorhergehenden verse, wo auf das c in οἷόcπερ ursprünglich ein θ, nicht π folgte. wahrscheinlich aber meint Sternbach nicht v. 85, sondern v. 119. hier genügt es jedoch nicht zu sagen, dasz ε (in Κεκροπίδηcι) in rasur stehe. die ursprüngliche lesart und entstehung derselben ist an dieser stelle mit leichtigkeit zu erkennen. in v. 118 steht χαλκῶι: in diese zeile geriet der abschreiber und setzte statt κεκροπίδηιcι das verkehrte κωικροπίδηιcι, welches dann von ihm selbst corrigiert wurde. — Zu Christod. 416 wird von Jacobs, Paulssen, Dübner, Baumgarten Θυββριάc als lesart des Palat. bezeichnet; Sternbach gibt zu, dasz diese form correct sei, verlangt aber Θυμβριάc; warum? «Θυμβριάc (heiszt es bei Sternbach s. 162) perspicue scriptum extat in P.» hier ist der, welcher corrigieren will, der einzige der irrt. in der hs. steht Θυββριάc, und es begegnete Sternbach, dasz er die (in der minuskel) ähnlichen buchstaben β und μ verwechselte und andere seines versehens wegen der flüchtigkeit beschuldigte.

da es nicht glaublich ist, dasz Leonidas von der bezeichnung des
tieres darum absah, weil die aufgehängte haut darüber belehre, so
kann Heckers conjectur τὸν ποίμνην — so trefflich νόμίην verbessert ist — nicht genügen. noch weniger befriedigt, was Salmasius
vorschlug, τὸν μόνιον: denn Leonidas konnte, wie Meineke bemerkt,
das zusatzlose μόνιος nicht im sinne non λύκος gebrauchen; Jacobs'
vermutung τὸν μόνιον .. τρέσαντα λύκον ist darum zurückzuweisen,
weil κυνῶν hier unentbehrlich erscheint. mit den änderungen τόνδε
νομὴν (Jacobs) oder τόν τε νομὴν (Meineke) ist nach dem oben gesagten nichts gewonnen. welches tier ist wohl gemeint? vergleicht
man Homerstellen wie K 485 f. Λ 548 ff. ὡς δ' αἴθωνα λέοντα βοῶν
ἀπὸ μεσσαύλοιο ἐσσεύαντο κύνες τε καὶ ἀνέρες ἀγροιῶται
.. τρεῖ ἐσσύμενός περ. Ε 161 ff. Π 752 uä. und erinnert man sich
bei σινόμενον[3] an λέων σίντης (Υ 165), so wird man in erster linie
an den löwen denken, und eine bestätigung findet diese vermutung
in der stellung des gedichtes vor einem ähnlichen, gleichfalls einer
löwenhaut geltenden epigramme VI 263, 1 πυρσοῦ τοῦτο λέοντος
ἀπεφλοίωσατο δέρμα. denn in dieser partie der anthologie ist die
reihenfolge der epigramme wesentlich durch die stoffliche verwandtschaft bedingt. der erforderliche ausdruck aber läszt sich mit leichtigkeit herstellen: man bat τὸν in λῖν zu verwandeln, welches auszer
Homer (Λ 480 ἐπί τε λῖν ἤγαγε δαίμων σίντην) und Euripides
(Bakchai 1174) auch Theokritos bat (13, 6 ὃς τὸν λῖν ὑπέμεινε τὸν
ἄγριον); danach schreibe ich das erste distichon unter aufnahme
von Heckers ποίμνην (wegen der verbindung von ποίμνη mit ἔπαυλα
βοῶν vgl. Eur. fr. 1083 N.[2] καὶ βουσὶ καὶ ποίμναισιν εὐβοτωτάτην)
folgendermaszen:

λῖν ποίμνην καὶ ἔπαυλα βοῶν καὶ βώτορας ἄνδρας
σινάμενον κλαγγάν τ' οὐχὶ τρέσαντα κυνῶν.

4. Sechs söhne des Iphikratides nennt Nikandros, die in der
schlacht vor Messene gefallen; der siebente bruder besorgt den toten
scheiterhaufen und grabmal, AP. VII 435, 3 ff.

ὁ δ' ἕβδομος ἄμμε Γύλιππος
ἐν πυρὶ θεὶς μεγάλαν ἦλθε φέρων σποδιάν,
Σπάρτα μὲν μέγα κῦδος, Ἀλεξίππα δὲ μέγ' ἄχθος
ματρί· τὸ δ' ἐν πάντων καὶ καλὸν ἐντάφιον.

der ausdruck μεγάλαν .. σποδιάν ist sicher incorrect. man hat
wohl μεγάλαν σποδιάν in dem sinne von πολλὰν σποδιάν verstanden;
dann müste man annehmen, dasz der dichter den ungeschickten ausdruck wählte einem frostigen wortspiel zuliebe, das der grösze des
schmerzes nicht blosz die grösze des ruhmes, sondern auch die der
aschenmasse gegenüberstellt; Jacobs will sogar μεγάλαν σποδιάν mit
heldenasche (!) interpretieren. eine befriedigende interpretation

---

[3] in der hs. ist σινόμενον corrigiert aus σινόμονον. auffallenderweise
hat man bisher das praesens nicht beanstandet; dasz σινάμενον, wie
der sinn der stelle verlangt, herzustellen ist, zeigt auch das folgende
part. τρέσαντα.

des ausdrucks wird sich nicht finden lassen. ebenso wenig befriedigt Herwerdens μεγάροις. welche bestimmung erwartet man an der stelle von μεγάλαν? der schluszvers des epigramms besagt, dasz éin grab alle brüder umfieng; dem entsprechend heiszt es, denke ich, in unserm verse, dasz Gylippos den brüdern éinen gemeinschaftlichen scheiterhaufen errichtete, dasz er die leiber nicht einzeln, sondern zusammen, mit einander vereinigt, verbrannte. diesen sinn erlangt man durch die sehr geringe änderung von μεγάλαν in μιγάδαν. Nikandros schrieb, meine ich:

ὁ δ᾽ ἕβδομος ἄμμε Γύλιππος
ἐν πυρὶ θεὶς μιγάδαν ἦλθε φέρων σποδιάν,

'promiscue nos imposuit in rogum'. und merkwürdigerweise, während μιγάδην bei andern schriftstellern neben μίγα, μίγδα usw. nicht erscheint, findet sich dasselbe bei dem verfasser der Ἀλεξιφάρμακα (349 ἠέ τι καὶ σφύρῃ μιγάδην τεθλασμένα κόψας), dem Kolophonier Nikandros, welcher auch der verfasser unseres epigramms sein soll.

5. In dem groszen fragment des Meleagrischen kranzes findet sich das epitymbion auf Seilenis VII 456. sein verfasser ist Dioskorides, und Διοσκορίδου steht in deutlichster weise vom corrector geschrieben im Palatinus. die angabe bei Jacobs (anth. gr. bd. III s. 335) λεωνίδου beruht einfach auf einem versehen, das Paulssen zu berichtigen versäumt hat. (zugleich mag hier bemerkt sein, dasz in dem lemma der lemmatist nicht εἰς σιληνίδα geschrieben hat, sondern εἰς σειλινίδα: das ε ist in etwas kleinerer schrift allerdings, aber vollkommen deutlich über der linie nachgetragen, und das ι nach λ ist erst vom corrector in η verwandelt.) die weinliebende Seilenis, meint das epigramm, habe einen ihrem hang entsprechenden platz als grabstätte erhalten 456, 3 f.:

ἀγρῶν ἐντὸς ἔθηκεν, ἵν᾽ ἡ φιλάκρητος ἐκείνη
καὶ φθιμένη ληνῶν γείτονα τύμβον ἔχῃ.

wunderlicherweise hat man an ἀγρῶν noch keinen anstosz genommen, und doch ist der ausdruck hier bedeutungs- und beziehungslos. soll etwa gesagt sein, dasz die freundin des weines auf dem weinberg ihren ruheort gefunden? dann wäre ein wort erforderlich, das weinberg speciell bezeichnete; das allgemeine ἀγρῶν aber ist unzulässig, weil es die pointe nicht zum ausdruck bringt. und welcher zusammenhang besteht zwischen ἀγρῶν und ληνῶν? wie soll man ohne weiteres begreifen, dasz die wahl eines begräbnisplatzes 'innerhalb der felder' dér absicht entspricht, die tote neben den ληνοί zu betten? ληνός bedeutet, wie man weisz, unter anderem den ort, wo die tiere getränkt werden: so heiszt es Hom. Hermes-hy. 103 ἀκμῆτες δ᾽ ἵκανον (die rinder des Apollon) ἐπ᾽ αὔλιον ὑψιμέλαθρον καὶ ληνοὺς προπάροιθεν ἀριπρεπέος λειμῶνος. neben ληνός aber findet sich in gleichem sinne ἀρδμός, vgl. Hom. C 521 ἐν ποταμῷ ὅθι τ᾽ ἀρδμὸς ἔην πάντεσσι βοτοῖσιν. ν 247 ἐν δ᾽ ἀρδμοὶ ἐπηετανοὶ πάρεασιν. Apollonios Arg. IV 1245 οὐδέ τιν᾽

ἀρδμόν, οὐ πάτον, οὐκ ἀπάνευθε κατηυγάσσαντο βοτήρων αὔλιον.
nicht 'innerhalb der felder' (ἐντὸς ἀγρῶν), sondern im bereich
der tränkplätze (ἐντὸς ἀρδμῶν) wurde der trunksüchtigen
ihre ruhestätte angewiesen. das distichon lautet also:

ἀρδμῶν ἐντὸς ἔθηκεν, ἵν' ἡ φιλάκρητος ἐκείνη
καὶ φθιμένη ληνῶν γείτονα τύμβον ἔχῃ.

ich will noch daran erinnern, dasz in dem Homerischen hymnos auf
Hermes v. 399 dieselbe verwechselung zwischen ἀγροί und ἀρδμοί
vorliegt; auch ist meine in diesen jahrbüchern 1881 s. 537 begründete verbesserung des genannten verses ἀρδμοὺς δ' ἐξίκοντο καὶ
αὔλιον ὑψιμέλαθρον von EAbel in den text gesetzt.

Voraus geht dem gedichte des Dioskorides das bekannte epigramm auf eine andere verehrerin des weines, auf Maronis. die ersten
drei trimeter dieses gedichtes stehen auf s. 278, die folgenden auf
s. 279, daher erklärt sich die wiederholung des lemma εἰς Μαρωνίδα
την μέθυσον. dasz sich nun nach dem ersten wie nach dem zweiten
lemma eine rasur findet, hat man vielleicht schon bemerkt, aber
was an stelle der rasur geschrieben stand, hat noch niemand gesagt.
es gelang mir hier eine getilgte autorbezeichnung zu finden, welche
mit der bis jetzt bekannten nicht übereinstimmt. der lemmatist
hatte hier zweimal Φιλίππου Θεσσαλονικέως geschrieben.
kann nun diese überlieferung irgendwie in betracht kommen gegenüber der des correctors, welcher den von L gesetzten namen strich
und Λεωνίδου schrieb? für den Tarentiner Leonidas spricht
erstens, dasz das epigramm sich in einem längern fragmente des
Meleagrischen kranzes befindet, zweitens dasz auch an der andern
stelle des Palatinus, an welcher das epigramm überliefert ist (s. 259),
Leonidas als autor genannt wird. dasz aber eine variation des themas
in dem epigramme des Sidoniers Antipatros VII 353 vorliegt, entscheidet nicht. denn aus innern gründen läszt sich nicht nachweisen,
welches von den beiden epigrammen die nachahmung, welches das
original ist. sind die iamben VII 455 das vorbild für das distichische
epigramm des Antipatros, dann allerdings kann von Philippos als
dem autor von VII 455 nicht die rede sein. allein an sich betrachtet
könnten die iamben ebenso gut die nachbildung sein, und dann
würde, wenn nicht andere gründe diese annahme widerraten, der
autorschaft des Thessalonikeers nichts im wege stehen. was aber
die beiden oben bezeichneten punkte betrifft, welche für Leonidas
sprechen, so ist darauf folgendes zu sagen. die unterbrechung der
Meleagrischen reihe durch ein gedicht des Philippos ist allerdings
auffallend, aber keineswegs etwas unerhörtes in der samlung des
Kephalas. eine der längsten und geschlossensten reiben aus dem
kyklos des Agathias sind bekanntlich die epigramme des siebenten
buches von 551—614. diese reihe wird ebenfalls unterbrochen
durch ein fremdes gedicht, welches dem kyklos nicht angehörte,
VII 554: und dieses gedicht hat zum verfasser — denselben
Philippos von Thessalonike. was dann die doppelte über-

lieferung des autornamens Leonidas im Palatinus betrifft, so kann
diese nur als éin zeugnis gelten. derselbe corrector, welcher die
ältere autorbezeichnung bei VII 455 s. 278 tilgte und durch sein
autorlemma Leonidas ersetzte, hat das epigramm mit lemma s. 259
auf den obern rand gesetzt, um die beiden gedichte auf Maronis einander näher zu rücken: denn das gedicht des Sidoniers steht auf der
unmittelbar vorhergehenden seite 258. das eben gesagte läszt nur
den schlusz zu, dasz eine abfassung des gedichtes durch Philippos
keine unmöglichkeit wäre, dasz die von dem corrector beseitigte
ältere autorüberlieferung nicht ohne weiteres als eine verwerfliche
zu betrachten ist. wenn ich nun auch nicht der meinung bin, dasz
Philippos für Leonidas einzusetzen ist, so möchte ich doch auf ein
moment hinweisen, das für den Thessalonikeer spricht. unser aus
sechs iambischen trimetern bestehendes gedicht behandelt ein grabsymbol, es geht auf ein (fingiertes?) grab, dessen stele einen becher
trägt, um an die lieblingsbeschäftigung der verstorbenen zu erinnern.
man vergleiche nun AP. VII 394

ΜυλερϜάτας ἀνήρ με κἠν Ζωᾶς χρόνοιc
βαρυβρομήταν εἶχε δινητὸν πέτρον,
πυρηφάτον Δάματρος εὐκάρπου λάτριν·
καὶ κατθανὼν cτάλωcε τῷδ᾽ ἐπ᾽ ἠρίῳ
cύνθημα τέχναc· ὡc ἔχει μ᾽ ἀεὶ βαρὺν
καὶ Ζῶν ἐν ἔρϜοιc καὶ θανὼν ἐπ᾽ ὀcτέοιc.

auch dieses aus sechs iambischen trimetern bestehende epigramm
behandelt ein grabsymbol: es bezieht sich auf ein grab, dessen epi-
them ein mühlstein ist, um an die beschäftigung des verstorbenen
zu erinnern. und dieses gedicht stammt von dem Thessalonikeer
Philippos. sollte da nicht die vermutung gestattet sein, dasz diese
beiden einander so verwandten beiträge zur griechischen grabsym-
bolik éinem und demselben dichter angebören, dasz VII 455 seinen
platz in einer Meleagrischen reihe der inhaltlichen verwandtschaft
mit den benachbarten gedichten verdankt?

6. Das epigramm des Leonidas von Tarent VII 504 gilt dem
fischer Parmis, welcher durch einen von ibm gefangenen fisch den
tod fand; nachdem in den beiden ersten distichen die fischarten genannt sind, denen seine angel oft verderben gebracht, heiszt es:

ἄϜρηc ἐκ πρώτηc ποτ᾽ ἰουλίδα πετρήεccαν
δακνάζων, ὀλοὴν ἐξ ἁλὸc ἀράμενοc
ἔφθιτ᾽· ὀλιcθηρὴ Ϝὰρ ὑπὲκ χερὸc ἀΐξαcα
ᾤχετ᾽ ἐπὶ cτεινὸν παλλομένη φάρυϜα.

an die richtigkeit von πρώτηc glaubt jetzt wohl niemand mehr: die
von Brodaeus versuchte erklärung ἄϜρη πρώτη ᾽praestantissima
praeda᾽ hat keinen anklang gefunden; aber auch die verbesserungsversuche ἄϜρηc ἐκ πρῴηc ᾽matutina captura᾽ (Meineke), ἄϜρηc
ἐξ αὐτῆc (Jacobs) sind nicht überzeugend; änderungen aber wie
ἄκρηc ἐκ πρώτηc (Hecker) können nicht in betracht kommen, da
ἄϜρηc nicht anzutasten ist: die richtigkeit von ἄϜρηc sowie die ab-

bängigkeit des präpositionalen ausdrucks (ἐξ ἄγρης) von ἔφθιτο
(v. 7) ergibt sich mit voller sicherheit aus dem epigramm des
Apollonidas, welches denselben gegenstand behandelt. es heiszt hier
VII 702, 1: ἰχθυοθηρητῆρα Μενέϲτρατον ὤλεϲεν ἄγρη δού-
νακοϲ: die worte des Apollonidas Μενέϲτρατον ὤλεϲεν ἄγρη entsprechen genau dem ausdruck des Leonidas Πάρμιϲ (so hat übrigens
VII 504, 1 erst C geändert, A schrieb Πάρμοϲ) ἄγρηϲ ἐξ ἔφθιτο.
das für πρώτηϲ erforderliche epitheton läszt sich nach meinem dafürhalten sehr einfach herstellen. dem Parmis, sagt Leonidas, hat
seine beute den tod gebracht; diese beute wird näher bezeichnet als
die des fischers, im gegensatz zu der des jägers oder vogelstellers.
für πρώτηϲ erwartet man einen ausdruck in dem sinne von
εἰναλίηϲ, man vgl. Oppianos Kyneg. I 47 τριχθαδίην θήρην θεὸϲ
ὤπαϲεν ἀνθρώποιϲιν, ἠερίην χθονίην τε καὶ εἰναλίην ἐρατεινήν.
das wort selbst, das einzusetzen ist, ergibt sich aus Archias epigramm
auf die brüdertrias, welche in wald, luft und wasser ihre beute sucht;
es heiszt hier VI 180, 5: οἷϲ ἅμα χερϲαίηϲιν, ἅμ᾽ ἠερίηϲιν ἐν
ἄγραιϲ | Ἀγρεῦ, ἅμ᾽ ἐν πλωταῖϲ, ὡϲ πρίν, ἀρωγὸϲ ἴθι. den
χερϲαῖαι ἄγραι und ἠέριαι ἄγραι, der jagd und dem vogelfang
entsprechen also hier die πλωταὶ ἄγραι, der fischfang. es kann
hiernach, meine ich, kein zweifel sein, dasz Leonidas ἄγρηϲ ἐκ
πλωτῆϲ . . ἔφθιτο geschrieben hat.

7. Das epigramm, das Ikarien verwünscht, da an demselben
der schiffer keine landungsstätte findet, beginnt mit dem distichon
VII 699

Ἰκάρου ὦ νεόφοιτον ἐϲ ἠέρα πωτηθέντοϲ
Ἰκαρίη πικρῆϲ τύμβε κακοδρομίηϲ.

das lemma dieses epigramms lautet: εἰϲ τινὰ ἐν τῶι ἰκαρίω πελάγει
κινδυνεύϲαντα: οὐ μὴν καὶ τελευτήϲαντα πλὴν ὅτι τὴν ἰκαρίην (die
beiden buchstaben ίη in rasur) θάλαϲϲαν ἰϲχυρῶϲ ἐπιμέμφεται. auch
ohne einsicht in die hs. kann man aus dem inhalt dieses lemmas,
dessen zweiter teil den ersten corrigiert, mit sicherheit ersehen,
dasz dasselbe nicht von éiner hand stammt. in der that sind die
worte οὐ μὴν καὶ τελευτήϲαντα (die von Paulssen nicht bemerkt
worden, obgleich sie deutlichst geschrieben sind) und die folgenden
nicht von dem lemmatisten, welcher den anfang schrieb, sondern
von dem corrector.[4] über den ersten vers aber berichtet Pinsler (krit.

---

[4] eine kleinigkeit in dem lemma eines der folgenden gedichte will
ich hier berichtigen. 703 liest man nach Paulssens bemerkung zu dieser
stelle (s. 45) Θεόκριτοϲ ὁ Δωριεύϲ. in der hs. steht nicht δωριεύϲ, sondern δωρι mit übergeschriebenem compendium. Paulssen findet in diesem die abbreviatur von -ουϲ und wundert sich, dasz Bast die verwendung desselben zeichens für -ευϲ nicht kenne. in wahrheit findet sich
im Pal. keineswegs das gleiche kürzungszeichen für -ουϲ und -ευϲ, vielmehr musz man sich darüber wundern, dasz Paulssen die häufig vorkommenden zeichen für -ουϲ und -κοϲ nicht zu scheiden wuste: denn
nicht ersteres, sondern κοϲ steht über δωρι, und zwar in wünschens-
wertester deutlichkeit, ungefähr in der form, wie man das compendium

unters. zur gesch. der griech. anth., Zürich 1876, s. 44) unrichtiges:
A hatte νεόφοιτον geschrieben; der corrector war es, der οι durch zufügung eines verbindungsstriches zwischen o und ι in υ verwandelte.
übrigens glaubte der corrector selbst nicht recht an sein νεόφυτον:
beweis das verlegenheitszeichen über dem worte und am ende des
verses und das zweimalige ζτ (ζήτει), das er zu der stelle gesetzt
hat. die spätere kritik hat das von dem corrector verworfene ὦ
νεόφοιτον nicht beanstandet, und man beruhigt sich bei Jacobs'
interpretation 'aër tum primum Icari tentatus alis'. kann νεόφοι-
τος ἀήρ überhaupt heiszen 'die luft, in welcher man sich jetzt zum
ersten mal versucht hat'? und sollte in dem falle dieser flug nicht
näher als der erste von menschen unternommene bezeichnet sein?
auch musz die interjection ὦ, so wie sie hier gestellt ist, befremden.
ich denke, der dichter bezeichnete die luft als den bereich der von
natur beflügelten wesen, in welchen sich Ikaros zu seinem verderben
gewagt: ὦ νεόφοιτον ist zu verwandeln in ὀρνεόφοιτον und
also zu lesen: Ἰκάρου ὀρνεόφοιτον ἐc ἠέρα πωτηθέντος. das
adjectivum findet sich noch X 11, 1 (εἴτε cύγ' ὀρνεόφοιτον ὑπὲρ
καλαμῖδα) an gleicher versstelle in einem epigramm des Satyros.

8. Das epigramm auf Ibykos' tod beginnt mit den versen
(VII 745)

> Ἴβυκε, ληϊcταί cε κατέκτανον ἔκ ποτε νήcου
> βάντ' ἐc ἐρημαίην ἄcτιβον ἠϊόνα,
> ἀλλ' ἐπιβωcάμενον γεράνων νέφος, αἵ τοι ἵκοντο
> μάρτυρεc ἄλγιcτον ὀλλυμένῳ θάνατον.

in dem ersten vers ist der schlusz fehlerhaft überliefert; auch musz
man mit FWSchmidt die änderung von Jacobs ἔκ ποτε νήόc zurückweisen. die conjectur des erstern κατέκταν ὁδοῖc ποτ' ἐν Ἰcθμοῦ
ist ganz verunglückt. dasz an ἔκ ποτε nichts zu ändern ist, zeigen
desselben Antipatros worte in VII 398, 3 ἀγρόθε γὰρ κατιόντα
Πολύξενον ἔκ ποτε δαιτόc. was ich vorzuschlagen habe, ergab
sich aus der erwägung, dasz der für ἔκ ποτε νήcου einzusetzende
ausdruck nicht ohne beziehung sein dürfe zu dem folgenden ἐc ἐρημαίην ἠϊόνα: ich schreibe nemlich

---

zb. bei Gardthausen s. 259 für -ικος findet. es ist also nicht ὁ Δωριεύc,
sondern ὁ Δωρικόc zu lesen. — In derartigen fällen einfachster art
haben sich unglaubliche, oft komische misverständnisse eingebürgert.
ein beispiel: das lemma zu IX 193 lautet bei Jacobs εἰc τὴν ἱcτορίαν
χ φιλοcτοργίου τοῦ ἐκ καππαδοκίαc εὐνομιανοῦ. Paulssen vermag über
dieses χ keinen aufschlusz zu geben, und so findet sich die rätselhafte
chiffre, auf erklärung wartend, bei Dübner. die sache ist folgende. es
steht kein χ in der hs., sondern ein durch zwei sich kreuzende linien
gestrichenes τ; die beiden striche hielt man für ein χ und das τ hat
man übersehen; zum zweiten ist kein υ übergeschrieben, sondern das
jedermann bekannte zeichen für ου, nemlich υ. der lemmatist schrieb
also anfänglich εἰc τὴν ἱcτορίαν τοῦ Φιλοcτοργίου, nach beifügung der
apposition τοῦ ἐκ Καππαδοκίαc glaubte er jenen ersten artikel streichen
zu müssen.

Ἴβυκε, λῃϲταί ϲε κατέκτανον ἔκ ποθ' ὁμίλου
βάντ' ἐϲ ἐρημαίην usw.

dem gewühl der menschen will der dichter entrinnen, da er sich an
das verlassene meeresufer begibt. ich erinnere an stellen wie ρ 67
αὐτὰρ ὁ τῶν μὲν ἔπειτα ἀλεύατο πουλὺν ὅμιλον. Ψ 451 ἧϲτο
γὰρ ἐκτὸϲ ἀγῶνοϲ. hy. auf Hermes 5 μακάρων δὲ θεῶν ἠλεύαθ'
ὅμιλον. Eur. Andr. 19 Πηλεῖ ξυνῴκει χωρὶϲ ἀνθρώπων Θέτιϲ
φεύγουϲ' ὅμιλον. der dritte vers beginnt im Pal. mit ἀλλ',
bei Planudes mit πόλλ'; vielleicht ist keines von beiden das richtige. man vgl. Hom. Ρ 756 οὖλον κεκληγῶτεϲ. 759. Kallimachos hy. a. Artemis 247 οὖλα κατεκρόταλιζον· danach lese ich
οὖλ' ἐπιβωϲάμενον γεράνων νέφοϲ. hier ist οὖλ' ἐπιβώϲαϲθαι
von dem gellenden schrei gesagt, den der sterbende dem kranich-
zuge zusendet; so erklärt der scholiast A zu Ρ 756 οὖλον· ὀξύ.
denn dasz in solchem zusammenhange οὖλοϲ keineswegs immer von
dem wirren geschrei, getöse einer menge zu verstehen ist, ersieht
man unter anderm aus den worten des Sidoniers Antipatros VII 27, 3
οὖλον ἀείδοιϲ. dem verfasser obigen epigramms aber schwebte
offenbar die bezeichnete Homerstelle Ρ 755 ὥϲ τε ψαρῶν νέφοϲ
ἔρχεται ἠὲ κολοιῶν, οὖλον κεκληγῶτεϲ vor; nur hat er das
hier von dohlen und staaren gesagte οὖλον κεκληγέναι auf den
sterbenden dichter übertragen; man müste denn annehmen, dasz
der erste schreiber mit ἐπιβωϲαμένων doch das richtige überliefert hat, dasz nach v. 2 ein distichon ausgefallen ist, dasz dieses
die letzten momente des gemordeten schilderte und mit einer wendung schlosz wie ⟨ἀλλ' ὅτ' ἔμελλε θανεῖν, ἐξαπίνηϲ ἐφάνη⟩ οὖλ'
ἐπιβωϲαμένων γεράνων νέφοϲ.

9. In WChrists geschichte der griech. litteratur liest man, wo
von den poesien des Leonidas von Tarent die rede ist, folgende
worte (s. 407): er schrieb auch 'in versen polizeiliche anordnungen
zur warnung, damit nicht mutwillige jungen mit steinen die früchte
herunterschlügen'. diese worte beziehen sich auf AP. IX 79. das
epigramm lautet:

αὐτοθελὴϲ καρποὺϲ ἀποτέμνομαι, ἀλλὰ πεπείρουϲ
πάντοτε· μὴ ϲκληροῖϲ τύπτε με χερμαδίοιϲ.
μηνίϲει καὶ Βάκχοϲ ἐνυβρίζοντι τὰ κείνου
ἔργα. Λυκούργειοϲ μὴ λαθέτω ϲε τύχη.

man hat πάντοτε mit dem vorhergehenden verbunden (πάντοτε
πεπείρουϲ) und mit dem folgenden, ohne eine befriedigende erklärung zu geben. in unzulässiger weise interpretiert Dübner πάντοτε
μὴ τύπτε mit 'ne unquam feri'. auch mit den seitherigen conjecturen ist nicht viel gewonnen: Lennep will πάντας, Schneidewin
παῖ, cὺ δέ. die worte des Tarentiners βότρυαϲ αἴτε πέλονται ὥριμοι,
αἴτε χύδαν ὄμφακεϲ (AP. IX 316, 9) brachten mich früher auf die
conjectur ὄμφακα μὴ ϲκληροῖϲ τύπτε με χερμαδίοιϲ· 'willig reiche
ich die reifen trauben; aber die unreifen sollst du nicht antasten.'

das richtige ist hiermit nicht getroffen; vielmehr musz das distichon lauten:

αὐτοθελὴϲ καρποὺϲ ἀποτέμνομαι, ἀλλὰ πεπείρουϲ·
παῦϲον, μὴ ϲκληροῖϲ τύπτε με χερμαδίοιϲ.

παῦϲον in dem sinne von 'lasz ab', wie sich namentlich die imperativ-formen von παύειν intransitiv gebraucht finden: man vgl. παῦϲον, μὴ τύπτε zb. mit παῦε, μὴ λέξηϲ πέρα Soph. Phil. 1275. selten ist eine conjectur derart, dasz sie den anspruch mathematischer sicherheit hat. für παῦϲον kann ich diese nachweisen und einen wichtigern nachweis damit verbinden. an der richtigkeit der autorüber-lieferung hat bei diesem epigramm bis jetzt niemand gezweifelt, auch Hänel nicht, welcher über die beiden Leonidas, den Tarentiner und Alexandriner, in einer besondern schrift (Breslau 1862) gehandelt hat. mich erinnerte das gedicht viel mehr an die manier des Alexan-driners als an die des Tarentiners: von ersterm stammen, wie bekannt, die ἰϲόψηφα. zu diesen gehören tetrastichische epigramme, deren distichen so gebildet sind, dasz die buchstaben der einzelnen wörter in zahlen ausgedrückt die gleiche summe für das erste wie für das zweite distichon ergeben. Leonidas selbst definiert sein kunst-werk mit den worten ἰϲηρίθμου ϲύμβολον εὐεπίηϲ AP. VI 328, 2 und δύο δίϲτιχα μοῦνον ἰϲώϲαϲ 329, 3. im Pal. sind, wie man weisz, zu einigen der ἰϲόψηφα die summen beigeschrieben. von obigem ge-dichte nun ergibt das zweite distichon die summe 7230; nemlich 323 (μηνίϲει) + 31 (καὶ) + 893 (Βάκχοϲ) + 1004 (ἐνυβρίζοντι) + 301 (τὰ) + 555 (κείνου) = 3107 für den hexameter, dann für den pentameter 109 (ἔργα) + 1308 (Λυκούργειοϲ) + 48 (μὴ) + 1145 (λαθέτω) + 205 (ϲε) + 1308 (τύχη) = 4123; also 3107 + 4123 = 7230. für den hexameter des ersten distichons erhält man 1023 + 871 + 667 + 62 + 950 = 3573, für den pentameter 801 (παῦϲον) + 48 (μὴ) + 638 (ϲκληροῖϲ) + 1085 (τύπτε) + 45 (με) + 1040 (χερμαδίοιϲ) = 3657, also für das ganze distichon 3573 + 3657 = 7230, genau dieselbe summe wie für das zweite distichon. daraus folgt nicht blosz die richtigkeit von παῦϲον, son-dern auch dies, dasz nicht der Tarentiner, wie überliefert ist und wie man glaubt, sondern der Alexandriner Leonidas das gedicht verfaszt hat. an einen zufall kann bei obiger zahlenübereinstimmung niemand glauben, jedenfalls nicht, wenn er folgendes hört. das nächste gedicht, welches gleichfalls unter dem namen des Taren-tiners überliefert ist, IX 80 lautet:

μάντιεϲ ἀϲτερόεϲϲαν ὅϲοι ζητεῖτε κέλευθον,
ἔρροιτ᾽ εἰκαίηϲ ψευδολόγοι ϲοφίηϲ.
ὑμέαϲ ἀφροϲύνη μαιώϲατο, τόλμα δ᾽ ἔτικτεν,
τλήμοναϲ οὐδ᾽ ἰδίην εἰδόταϲ ἀκλεΐην.

ich gestehe dasz mir zunächst bei diesem seines inhalts wegen und dann erst bei dem vorhergehenden epigramm zweifel an der autor-schaft des Tarentiners kamen, und hier ergibt sich die isopsephie

ohne jede textänderung. das erste distichon weist die zahlen 3312
+ 3189 = 6501 auf, das zweite die summe 4532 + 1969 = 6501.
aus diesem einfachen additionsexempel folgt also, dasz IX 80 nicht
von dem Tarentiner, wie man annimt, stammt, dasz ἔτικτεν mit
dem Palatinus, nicht ἔτικτε mit Planudes zu schreiben ist, dasz
FWSchmidts ἀγνοΐην zu verwerfen, das überlieferte ἀκλεΐην unzweifelhaft richtig ist, dasz Weisshäupl in seiner trefflichen abhandlung 'die grabgedichte der griech. anthologie' (Wien 1889) die epigramme IX 78—80 mit unrecht als ein fragment des Meleagrischen
kranzes bezeichnet (da der Alexandriner Leonidas nicht zu den
Meleagrischen dichtern gehört), endlich dasz der im irrtum ist, welcher meint, mit Hänels untersuchung über die beiden Leonidas sei
die scheidung der Leonidas-epigramme zum abschlusz gekommen.

10. Das epigramm auf die neun lyriker von einem unbekannten
dichter AP. IX 184 beginnt mit den versen

Πίνδαρε, Μουcάων ἱερὸν cτόμα καὶ λάλε Cειρὴν
Βακχυλίδη, Cαπφοῦc τ᾽ Αἰολίδεc χάριτεc
γράμμα τ᾽ Ἀνακρείοντοc usw.

an γράμμα hat meines wissens zuerst Hecker anstosz genommen. in
der that ist der verfasser des epigramms bemüht den einzelnen
lyrikern ein für die form oder den inhalt ihrer kunst irgend bezeichnendes, individualisierendes attribut beizulegen: man vgl. auszer
obigen versen das von Stesichoros, Ibykos, Alkaios, Alkman gesagte.
nun wäre γράμμα, auf jeden der lyriker angewandt, eine farblose
bezeichnung; für Anakreon ist sie ganz unpassend und würde eine
ungeschicktheit, sterilität des ausdrucks verraten, die mit dem sonstigen ton des epigramms ganz unvereinbar ist. das Heckersche
ᾆcμα wird schwerlich genügen; es läszt sich wohl ein ausdruck
finden, welcher der überlieferung näher kommt und auch der vorstellung Anakreons mehr entspricht, wie sie uns zb. in den pseudo-
Simonideischen grabepigrammen (AP. VII 24 und 25) entgegentritt.
in dem einen heiszt es 24, 6 παννύχιοc κρούων τὴν φιλόπαιδα
χέλυν, in dem andern 25, 9 ἀλλ᾽ ἔτ᾽ ἐκεῖνον βάρβιτον οὐδὲ θανὼν
εὔναcεν εἰν Ἀίδῃ. Anakreon und die leier sind unzertrennlich, so
schreibe ich κρο ῦ μά τ᾽ Ἀνακρείοντοc für γράμμα τ᾽ Ἀν., vgl.
zb. Platon Alkib. I 107ᵃ ἀλλ᾽ ὅταν περὶ κρουμάτων ἐν λύρᾳ. Minos
317ᵈ. AP. V 292, 8 κιθάρηc κρούcματα Δηλιάδοc. dasz in. den
schluszworten ἵλατε πάcηc ἀρχὴν οἳ λυρικῆc καὶ πέραc ἐcπάcατε
das verbum ἐcπάcατε unmöglich ist, bedarf keines beweises. das
von Meineke dafür vorgeschlagene ἐcτάcατε scheint mir noch weniger zulässig, obwohl mir die stellen, welche zur rechtfertigung dieses
aorists angeführt zu werden pflegen, bekannt sind. sinnentsprechend
wäre ἐκτίcατε oder ἐπλάcατε· nun weisz man aber, dasz εc und ω
in den hss. sich oft bis zum verwechseln ähnlich sehen, und so wird
es heiszen müssen: ἵλατε πάcηc ἀρχὴν οἳ λυρικῆc καὶ πέραc ὠπά-
cατε 'ihr habt anfang und vollendung der lyrik gewährt, euch hat
man beides zu danken'.

11. An die schwalbe, welche aus der ferne gekommen und ihr nest am bilde Medeias, der kindesmörderin, bauen will, ist das epigramm AP. IX 346 gerichtet:

Αἶαν ὅλην νήcουc τε διιπταμένη cύ, χελιδών,
Μηδείης γραπτῇ πυκτίδι νοccοτροφεῖc;
ἔλπη δ' ὀρταλίχων πίcτιν cέο τήνδε φυλάξειν
Κολχίδα μηδ' ἰδίων φειcαμένην τεκέων;

angeblich hat der Pal. v. 2 γραπτῆc, in wahrheit schrieb A, der ste schreiber, γραπτῆι (so Planudes; das autographon, Marc. 48 hat γραπτῇ), und erst der corrector verwandelte ι in c. auszerde bemerke ich, dasz v. 3 A ἔλπη schrieb, dasz von C das ι hinzufügt ist. für dies epigramm kommen folgende fragen in betracht:) ist das gedicht (nach Planudes) von Archias, oder (nach der antologie) von dem Alexandriner Leonidas? 2) ist nach dem übereinsumenden zeugnis des Planudes und des ersten schreibers der Per hs. γραπτῇ oder mit dem corrector γραπτῆc zu schreiben? ist mit dem corrector und Planudes ἔλπη zu setzen, oder ist das prüngliche ἔλπη des Pal. verschrieben für ἔλπει, wie häufig η ιει vertauscht sind? und 4) ist νήcουc nach αἶαν ὅλην richtigst dafür nicht ein wort in dem sinne von θάλαccα oder πέλαγοc ererlich? man erhält auf diese vier fragen bei Dübner folgenden beid: das epigramm verrät mehr die art des Archias als die deonidas; γραπτῇ ist aufgenommen, nicht γραπτῆc, also haben. und A recht gegenüber dem corrector; ἔλπη und νήcουc fi sich im texte, ohne im commentar berührt zu sein, sind als standslos. diese vierfache antwort ist ein vierfacher irrtum. das eamm musz so geschrieben sein:

Αἶαν ὅλην πόντουc τε διιπταμένη cύ, χυν,
Μηδείης γραπτῆc πυκτίδι νοccοτροφ
ἔλπει δ' ὀρταλίχων πίcτιν cέο τήνδε φειν
Κολχίδα, μηδ' ἰδίων φειcαμένην τεκέ

der beweis, dasz πόντουc, worauf mich der sinn dee führte, für νήcουc zu setzen ist, dasz mit dem corrector γρ und endlich ἔλπει zu schreiben ist, liegt darin, dasz hiermit zugie isopsephie des gedichtes gewonnen ist. für das erste distich eben sich die zahlen 4302 + 3566, also 7868, für das zweite eiche summe, nemlich 4158 + 3710 = 7868. also hat dexandriner das gedicht verfaszt. übrigens ersieht man auch a überlieferung dieses epigrammes, dasz selbst da, wo der ers eiber des Palatinus und Planudes übereinstimmen, eine a nde lesart des correctors manchmal die richtige ist.[5]

---

[5] ohne autorbezeichnung findet sich das mm in der dem Euphemios gewidmeten epigrammensamlung entiner hs. plut. 57 cod. 29, über welche Bandini II 382 hand derselben lautet der zweite vers obigen epigrammes: Μηδίης eικόνι νεοccοτρο-φεῖc. über dem κ in εἰκόνι steht das zeicher auf die am rande beigeschriebene lesart πηκτίδι zu verweisen. autographon des

12. Der Alexandriner denkt nicht gering von der oft zweifelhaften poesie seiner ἰcόψηφα: er rühmt sich derselben IX 356:

P|nudes folgen auf γραπτῆ die worte νοccοτροφεῖc πυκτίδι, doch hat
P|n. durch übergeschriebenes β und α die richtige reihenfolge der worte
herestellt. ἔλπῃ hat auch der Flor. 57, 29 statt ἔλπει. was man bei
Scheidewin 'progymnasmata in anthologiam graecam' (Göttingen 1855)
s. |nach Baumeisters mitteilungen über die genannte hs. liest, wird
nie|nd befriedigen. da die von Dilthey in aussicht gestellte unter-
suc|ng über die Euphemios-sylloge noch immer auf sich warten läszt,
wir|s vielleicht manchem freunde der griech. anthologie nicht uner-
wün|ht sein, wenn ich hier wenige notizen über den umfang jener
epig|nmensamlung des Florentinus gebe und einige der wichtigsten
vari|en vorläufig anführe. man glaubt dasz der Flor. 57, 29 eine dem
Paris 2720 verwandte epigrammensamlung enthalte, dasz aber die
syllo|des Flor. einerseits viel reichhaltiger sei als die Euphemios-
saml|des Par., anderseits einige epigramme der letztern nicht ent-
halte|nd dasz im ganzen die reihenfolge und überlieferung der ge-
dichte|den beiden hss. eine verschiedenartige sei. zunächst sei be-
merkt|sz in dem Par. kein epigramm steht, das sich nicht in dem
Flor. |t. die Florentiner samlung, welche auf fol. 142—161 steht,
enthält|ei teile. der zweite teil, welcher mit fol. 153ᵛ beginnt, ist
nicht |andt, sondern identisch mit der sylloge des Par. 2720. die
stücke|32 der Pariser hs. (vgl. Schneidewin ao. 22—31) finden sich
im Flor|. 153ᵛ—161ʳ genau in derselben reihenfolge (mit überein-
stimmu|er lemmata) bis auf die erste dekade. von den zehn ersten
epigram|der Pariser hs. (Schneidewin 1—10) finden sich nemlich in
der Flo|er hs. fol. 153ᵛ und 154ʳ nur die sechs epigramme 1. 3. 4.
6. 9. 10;|den vier andern epigrammen erinnerte sich der schreiber
des Flor|sz sie bereits im ersten teil der samlung vorkamen, nem-
lich 2 al|1 (vgl. unten), 5 als nr. 52, 7 und 8 als nr. 68 und 69.
die übrig|igramme der Pariser hs. (11—schlusz) hat der Florentinus
in gleiche|nung; eine unterbrechung tritt nur ein nach nr. 46 und
nr. 59 (S|dewin), indem 47 und 60 bereits in den ersten teil der
Florentine|lung als nr. 31 und 48 aufgenommen sind. also die be-
zeichneten|s epigramme übergieng der schreiber der Florentiner hs.
im zweite|Pariser samlung entsprechenden teil, weil er das im
ersten teil|riebene nicht wiederholen wollte. die beiden epigramme
der Parise|ung nr. 22 und nr. 73 finden sich im Flor. doppelt:
jenes (Ap. |) als nr. 80, dieses (IX 451) als nr. 109 in der ersten
abteilung; |eite abteilung wiederholt sie an denselben stellen, an
welchen sie |· samlung des Par. 2720 erscheinen. wichtig sind die
dubletten ih|rianten wegen, aus denen sich sofort ergibt, dasz die
beiden abte|der Florentiner samlung nicht auf dieselbe quelle
zurückgeführ|en können. auf nr. 82 der Pariser sylloge folgt in
dem Flor. |annt, AP. XI 61, dann auf der schluszseite fol. 161ᵛ
die ebenfalls|nte subscriptio des schreibers (vgl. Bandini II 382).
von dieser h|erselben seite eine jüngere hand die worte ἐγράφη
παρ' ἐμοῦ βα|αίου wiederholt; dann findet sich von jüngerer hand
das epigramm|es NPiccolos 'supplément à l'Anthologie Grecque'
(Paris 1853) s|publiciert hat. — Umfangreicher als die zweite
ist die erste a|g: sie enthält auf fol. 142ʳ—153ᵛ folgende 121 epi-
gramme. auf f|nden sich nr. 1—15, nemlich AP. IX 53 X 43. IX 455.
Ap. Pl. 293. AP|7. IX 539. IX 160. Ap. Pl. XVI 3. AP. IX 357. II 414
—416. Ap. Pl. |AP. IX 366. IX 784. IX 576. nach IX 539 folgt
als nr. 7 das b|ὤδινεν ὄρος· Ζεὺc δ' ἐφοβεῖτο, τὸ δ' ἔτεκε μῦν.
fol. 143 enthält|—26, nemlich IX 402. IX 48. IX 346. Ap. Pl.
XVI 141. AP.|IX 506. IX 504. Ap. Pl. XVI 152. AP. IX 108.

Οἴγνυμεν ἐξ ἑτέρης πόμα πίδακος, ὥcτ' ἀρύcαcθαι
ξεῖνον μουcοπόλου γράμμα Λεωνίδεω.
δίcτιχα γὰρ ψήφοιcιν ἰcάζεται· ἀλλὰ cύ, Μῶμε,
ἔξιθι κεἰc ἑτέρουc ὀξὺν ὀδόντα βάλε.

X 30. IX 26. fol. 144 umfaszt nr. 27—40: VII 136. VII 148. VII 145,
XI 414. IX 51. IX 387. IX 388. IX 389. VII 139. Ap. Pl. XVI 223.
XVI 224. AP. X 117. IX 47. IX 75. auf fol. 145 folgen nr. 41—51: IX 130.
XI 323. Ap. Pl. XVI 222. IX 476. V 81. IX 359. X 26. VI 331. IX 453.
X 73. IX 360. fol. 146 enthält nr. 52—60, nemlich IX 116. IX 495.
IX 177. IX 204. IX 115. Ap. Pl. XVI 88. XVI 109. AP. VII 153. Pl.
XVI 151. fol. 147 bietet nr. 61—67: VII 713. XI 275. Ap. Pl. XVI 299.
AP. IX 205. IX 434. IX 341. nach IX 434 steben als nr. 66 folgende verse:
ἰαμβικοί.
"Ωcπερ cκύφος γάλακτος ἢ καὶ κιcύβη (lies κιccύβη)
ἡ βουκολικὴ πᾶcιν ἔκκειται βίβλοc·
τοιγὰρ ῥοφῶμεν οἱ θέλοντες τὸν λόγον
cτόμαcι λαύροιc εἰ κελεύουcι φρένεc.
auf fol. 148 findet sich nr. 68—77: IX 68. IX 69. Ap. Pl. XVI 296.
AP. IX 156. VII 44. Ap. Pl. XVI 304. AP. X 108. IX 253. IX 132.
IX 170. fol. 149 enthält nr. 78—88, nemlich IX 447. VII 535. Ap. Pl.
XVI 210. AP. IX 122. XI 193. X 111. IX 18. IX 163. X 37. VII 7.
VII 146. auf fol. 150 folgen nr. 89—99: IX 277. X 51. IX 351. Ap. Pl.
171. 120. 165. 162. 160 v. 5 f. 174. AP. VII 6. IX 111. auf fol. 151
kommen nr. 100—108: IX 391. X 29. IX 557. VII 13. VII 70. IX 294.
IX 452. Ap. Pl. 303. AP. IX 192. fol. 152 umfaszt nr. 109—116: IX 451.
VII 567. VII 8. VII 9. Ap. Pl. 295. AP. VII 489. IX 28. Ap. Pl. 110.
auf fol. 153 gehören noch zur ersten abteilung die epigramme XI 442.
Ap. Pl. 91. 276. AP. IX 88. IX 19. dann folgt die Euphemios-anthologie
der Pariser hs. mit den bereits bezeichneten abweichungen. die gleichfalls von Barthélemi Comparini de Prato geschriebene epigrammensamlung des Par. 1773 (fol. 244ᵛ—279ᵛ) kenne ich bis jetzt nur aus den
spärlichen mitteilungen Dübners; doch genügen auch diese, um die verwandtschaft der beiden samlungen aufzustellen erkennen zu lassen. es ist hier nicht
der ort gesichtspunkte aufzustellen, welche bei auswahl und ordnung
der epigramme im Flor. maszgebend waren, aus der bevorzugung einzelner dichter und gewisser themata schlüsse zu ziehen, auf die verwandtschaft dieser samlung mit der Planudeischen, palatinischen und
andern einzugehen. lesarten wie ἁρπάξαcα δ' ἐμόν IX 576, 2 (nr. 15),
ἦρε IX 504, 4 (nr. 22), θάρcυνοι IX 388 (nr. 33), κόλακάc τε διïcτᾷ und
οὐκοῦν XI 323, 1 und 2 (nr. 42), οὐ cθένωι IX 476, 1 (nr. 44: im Flor.
lautet hier das lemma τίναc ἂν εἴποι λόγουc "Εκτωρ πρὸc Πάτροκλον μὴ
δυνηθέντα φέρειν τὸ δόρυ), γυναιξὶ δολοφρονέουcαιc (so) IX 495, 2 (nr. 53),
ἐcτὶ κάκιcτον XI 193, 1 (nr. 82), ἐπὶ κρημνοῦ und λύτορα IX 351, 1
und 4 (nr. 90), das fehlen von v. 3 in IX 389 (nr. 34), die einfügung
von IX 115, 5 nach IX 116, 1 (nr. 52) und vieles andere lassen für den
ersten teil der samlung keinen zweifel über die abhängigkeit des Flor.
von der Planudeischen textgestaltung. anderseits weisen lesarten wie
ἄλλο μέλαθρον, ἀμφαδὰ (so schreibt im Flor. die erste hand, die zweite
ändert durch rasur in ἄμφαδα), μαντοcύναν πινυτὰν Ap. Pl. 296, 5 und 6
(nr. 70), νόcτον und ὁ Κιμμερίων δῆμος ὁ Pl. 303, 2 und 3 (nr. 107) und an
andern stellen, in welchen der Flor. mit dem Par. 1773 übereinstimmt,
auf eine von dem Planudeischen text abweichende quelle. von bis jetzt
nicht veröffentlichten varianten des Flor. sollen hier nur einige der
wichtigsten angeführt werden. VII 148, 2 hat Flor. χειρὶ (statt χερὶ);
es berechtigt dies keineswegs χειρί τε καὶ ξίφεï der sonstigen überlieferung vorzuziehen. — Die lesart παιcιν ὑπ' Αἰνεάδαιc IX 387, 6 findet

man möchte meinen, dasz das gedicht, welches die ἰcόψηφα definiert
und preist·, selbst ein beispiel dieser kunstform sei. aber dagegen

---

sich zwar schon in der ed. pr. und Ald. I (nicht im autographon) des Planudes; ich führe sie jetzt darum an, weil die immerhin beachtenswerte
variante weder von Dübner noch von Jacobs in der Leipziger ausgabe 1813
—1817 erwähnt wird. — Die stelle Αἴαντος νηκτὴν πέλλαcεν οὐκ Ἰθάκη
IX 115, 4 (mit diesem verse schliesst das epigramm im Flor.) zeigt,
dasz der text der hs. nicht frei geblieben ist von conjectur. an stelle
des verderbten ὤμιcεν im Pal. bietet Plan. mit ὤρμιcεν unzweifelhaft
das richtige; das verfehlte πέλλαcεν wird wohl niemand veranlassen eine
änderung zu empfehlen wie καὶ παρὰ τύμβον | Αἴαντος νηκτήν, οὐκ
Ἰθάκη πέλαcεν. — In dem unmetrischen εἰc ἐμὲ κύνεc | ὑγροὶ καὶ πεζοὶ
θυμὸν ἔχουcιν ἕνα IX 18 ist κύνεc sicher nur als interpretation des im
Pal. richtig überlieferten θῆρεc zu betrachten. — IX 205 hat der Flor.
nicht cποράδεc, sondern cποράδην, wie Warton schrieb. — Rasuren hat
die hs. nicht viele; IX 341, 4 liest man jetzt in derselben cοί τ*ι κατὰ
φλοιοῦ γράμμ' ἐκόλαψε, ursprünglich stand nach τ ein ο, und cοὶ τὸ
κατὰ φλοιοῦ γράμμ' ist an sich nicht verwerflich. — Das sonst ohne
autorbezeichnung überlieferte grabepigramm auf Euripides VII 44 trägt
im Flor. das autorlemma Ἴωνος, offenbar weil dieses Euripides-epitaph
mit dem andern VII 43 verbunden war, welches im Pal. und in der
Planudea dem Ion zugeschrieben wird. übrigens lautet der schlusz
jenes epigramms im Flor. ὡc ἂν ὁ λάτρις | Πιερίδων ναίῃς ἀγχόθι
Πιερίης (nicht ἀγχόθι Πιερίδων). — IX 163, 4 steht im texte κέρδος
ὁ γηραῖος (so); über dem η findet sich das verweisungszeichen auf die
am rande beigefügte sonstige überlieferung ὁ γηραλέος: die textlesart
beruht offenbar auf bloszer flüchtigkeit des schreibers. — X 51, 5 hat
der Flor. αἱ μεcότητες ἄριcται ('in scbed. Krohn.' Jacobs animadv. II 3
s. 258). — Die Praxiteles-epigramme Ap. Pl. 162 und 160, 5 f. sind zu
éinem gedichte im Flor. zusammengefaszt (vgl. schedae Krohnianae bei
Jacobs animadv. III 2 s. 15; die hs. hat 160, 5 οἶαν, wie der Vindob.
311; nur steht über dem α — von erster hand geschrieben — der buchstab o; derselbe war, wie es scheint, ursprünglich über ν gesetzt, hier
getilgt und dann über α geschrieben; das autographon des Plan. hatte
ursprünglich ἔξεcεν οἴαν Ἄρης, Planudes hat aber εν in ἔξεcεν durch
rasur getilgt. — Die erste lesart des Flor. οὐκ ἂν ἐκείνῳ IX 557, 3
verdient vielleicht den vorzug vor der correctur οὐδ' ἂν ἐκείνῳ (ὁ steht
über κ), was die lesart des Pal. und des Planudes ist. — Das von
Meineke VII 13, 2 verlangte Μουcέων wird bestätigt durch den Flor.
— Ap. Pl. 276, 2 hat der Flor. cύνδρομον νηξάμενον für cύνδρομα
νηξ.; jenes cύνδρομον ist sicher nur ein versehen, und man wird nicht
ein vocalisch anlautendes participium wie ἐccύμενον herzustellen haben.
— Über den grad der textverwandtschaft, welcher zwischen dem zweiten teile der Flor. samlung und der Euphemios-sylloge des Par. besteht,
mag man zb. daraus urteilen, dasz in dem lemma zu IX 50 beide hss.
μνημέρμου (st. Μιμνέρμου) haben, dasz app. epigr. 69, 6 in beiden hss.
χλαμίδα mit einem ν über dem μ geschrieben steht. die vereinzelten
angaben, die sich bei Schneidewin über lesarten des Flor. finden, müssen
als unzuverlässig bezeichnet werden. nur éin beispiel; Ap. Pl. 227 gehört zu den drei epigrammen, von welchen Schneidewin eine sehr genaue abschrift des Flor. textes zu besitzen behauptet ('quae ex Flor.
accuratissime descripta habeo' s. 9). von wichtigkeit ist hier die
schreibung des zweiten verses; das autographon des Plan. bietet γυῖα
καμάτου, die Ald. II γυῖα μόθου, der Par. 2720 und 1773 γυῖα κόπου, was
Jacobs ohne kenntnis dieser überlieferung vermutet hatte. Schneidewin
selbst ist verwundert über die lesart des Flor. die er angibt: γυῖα πόνου:
aber der Flor. hat deutlichst geschrieben, in übereinstimmung mit den

sprechen nach der bisherigen schreibung des gedichtes die zahlen
7673 im ersten und 7380 im zweiten distichon. nur eine differenz
von 1 findet sich das eine und das andere mal bei den summen der
ἰσόψηφα, man vgl. Dübner zu IX 350 (so ergibt sich, wenn man mit
mir IX 352, 1 Θύβριδος für Θύμβριδος schreibt, für das erste
distichon des epigramms die summe 7209, für das zweite 7208;
damit steht die autorschaft des Alexandriners fest, zugleich auch
dies, dasz er nicht cώζειν, sondern cῴζειν schrieb). in obigem gedichte aber ist offenbar der erste vers nicht in ordnung. Leonidas
meint: eine fremdartige, bis jetzt nicht übliche, gewohnte dichtung
(ξεῖνον = insolitum D.) kann man schöpfen, nicht aus einer andern
quelle, sondern aus einer frischen, neuen, aus welcher bis jetzt nicht
geschöpft wurde. ἐξ ἑτέρης ist also, namentlich auch bei dem folgenden εἰc ἑτέρουc verkehrt; was dafür zu setzen ist, zeigt Hesiodos
fr. 244 Rz. ἐν νεαροῖc ὕμνοιc ῥάψαντεc ἀοιδήν, Pind. Nem. 8, 20
πολλὰ γὰρ πολλᾷ λέλεκται· νεαρὰ δ᾽ ἐξευρόντα δόμεν βαcάνῳ
ἐc ἔλεγχον, ἅπαc κίνδυνοc. es ist also ἐξ ἑτέρηc zu verwandeln in

---

beiden Pariser bss. γυῖα κόπου. damit ist nicht gesagt, dasz sich in
dem Par. und dem Flor. keinerlei textverschiedenheit finde: ich führe
beispielshalber an, dasz der Flor. in dem widmungsgedicht an Euphemios
nicht πινυταῖc πραπίcιν (wie der Par.), sondern πυκιναῖc πρ. hat, dasz
V 68 für περίγραψον im Flor. περίκαψον geschrieben steht, was dazu
verleiten könnte περίκοψον für das richtige zu halten. das epigramm
XI 108 hat im Par. das lemma ἄδηλον ἀcτεῖον τοῦ cατὰν 'Ιουλιανοῦ
τοῦ παραβάτου, ebenso im Flor. (nur dasz hier ἰουλιηνοῦ steht); das
verkehrte ἄδηλον findet jedoch seine erklärung durch den Flor. die
beiden vorausgehenden gedichte IX 683 und XI 220 sind zu éinem zusammengefaszt; offenbar hielt der schreiber anfänglich den Alpheios des
ersten epigrammes für identisch mit dem des zweiten; als er seinen
irrtum erkannte, schrieb er nachträglich das lemma zu XI 220, nicht
neben das gedicht an den rand, sondern nach dem gedicht in den text,
so dasz das lemma zu XI 220 und XI 108 unmittelbar neben einander
stehen. anstatt nun εἰc 'Αλφειόν τινα καλούμενον· ἄδηλον — so lautet
das richtige und vollständige lemma zu XI 220 — in éiner zeile zu
geben, setzte der schreiber ἄδηλον in die folgende zeile und brachte
dadurch das wort sinnloser weise mit dem lemma des folgenden gedichtes
ἀcτεῖον — παραβάτου in verbindung. einigemal finden sich varianten
oder correcturen des textes am rande, meist von erster hand; die sonstigen spärlichen rand- und interlinearbemerkungen sind belanglos (so
steht IX 51 über οἶδεν ἀμείβειν die erklärung δύναται ἐναλλάccειν und
am rande τὸ οἶδεν ἐνταῦθα ἀντὶ δυνάμεωc· V 81 ist ἔχουcα δηλονότι
über τὰ ῥόδα geschrieben; zu IX 361 liest man ἕλκοc τὸ τραῦμα, οὐτάζω
τὸ δορατίζω, ὀρφωαίην cκοτεινήν· V 9 findet man ἀνακλόνον τὸν πόλεμον am rande, und über ξεινία steht δῶρα). — Zu weitern ausführungen,
welche durch auswahl und überlieferung der epigramme im Flor. nahe
gelegt werden, ist hier nicht der ort; vorstehende bemerkungen haben
ihren zweck erfüllt, wenn diejenigen, welche sich für die griech. anthologie interessieren, vorläufig über wert und bedeutung der epigrammensamlung des Flor. im allgemeinen orientiert sind. ich aber möchte
auch an dieser stelle dem hrn. oberbibliothekar Zangemeister sowie
hrn. Anziani in Florenz und hrn. Castellani in Venedig meinen dank aussprechen dafür dasz es mir ermöglicht ist von dem Flor. 57, 29 sowie von
dem Marc. 481 in Heidelberg einsicht zu nehmen.

ἐκ νεαρῆς und zu schreiben οἴγνυμεν ἐκ νεαρῆς πόμα πίδακος. mit herstellung des durch den sinn geforderten ausdrucks ist zugleich die isopsephic gewonnen: das erste distichon zählt 3815 + 3564 = 7379, das zweite dieselbe summe + 1, nemlich 4858 + 2522 = 7380; es wird keinem einfallen dies als ein spiel des zufalls zu bezeichnen.

HEIDELBERG. _____ HUGO STADTMÜLLER

83.
EIN GRIECHISCHES EPIGRAMM.

In GKaibels epigrammata graeca lautet n. 810:

’Ιουνίωρος.

’Ακταῖς τὴν ὅμορον Cινυητίcιν ’Αφρογένειαν,
  ξεῖνε, πάλιν πελάγους βλέψον ἀνερχομένην·
ναοί μοι cτίλβουcιν ὑπ’ Ἠόνος, ἥν ποτε κόλποις
  Δρούcου καὶ γαμετῆς θρέψεν ἄθυρμα δόμος.
5 ἐκ δὲ τρόπων πειθώ τε καὶ εἴμερον ἔσπαcε κείνης
  πᾶς τόπος, εἰς ἱλαρὴν ἄρτιος εὐφροcύνην·
Βάκχου γὰρ κλιcίαις με cυνέcτιον ἐcτεφάνωcεν,
  εἰς ἐμὲ τὸν κυλίκων ὄνκον ἐφελκομένη·
πηγαὶ δ’ αὖ περὶ πέζαν ἀναβλύζουcι λοετρῶν,
10   παῖς ἐμὸς ἃς καίει cὺν πυρὶ νηχόμενος.
μή με μάτην, ξεῖνοι, παροδεύετε, γειτνιόωcαν
  πόντῳ καὶ Νύμφαις Κύπριδα καὶ Βρομίῳ.

in v. 3 liest Kaibel[1] ἠόνος, was bereits Visconti, der erste herausgeber dieser auszerordentlich interessanten inschrift, da es unpassend sei und zu einem 'mero labirinto' führe, zurückgewiesen hat; als commentar zu dieser freilich sehr nahe liegenden änderung gibt Kaibel die erklärung von Wilamowitz: 'fuit sub statua Veneris, quam Drusus Antoniaque .. antea in cubiculo (v. 3) positam iam Sinuessae inter mare balnea tabernas posuerunt in publico .. ex Antoniae moribus Sinuessa Suadam Cupidinemque traxit (qui et Venerem comitantur), idoneusque sic locus factus est ad omnem hilaritatem.' was diese eigenartige auffassung des offenbar von einem römisch-griechischen dichter verfaszten epigramms hervorgerufen, liegt auf der hand: Eon als eigenname schien nicht nachweisbar, und umgekehrt muste es als sehr einleuchtend erscheinen dasz, wenn von dem Venustempel bei Sinuessa gesagt wird, er erglänze ὑπ’ ἠόνος, dies sich auf das meeresgestade (ἠών, das ι subscr. ist auch v. 12 nicht gesetzt worden) beziehe.

Aber nicht weniger offenkundig sind die bedenken gegen die

_____

[1] ihm hat sich angeschlossen AKiessling im index schol. Gryph. 1884/5 und auch, wie seine bemerkung CIL. X s. 464 zeigt, Mommsen.

·obige interpretation: das so locker angefügte μοι (v. 3) wird mit dem relativsatz belastet, der eine der wichtigsten angaben des gedichts enthält, ein stilistisches ungeschick, das nur noch übertroffen wird durch die komik, die in den worten liegt: 'die tempel erglänzen unten vom gestade her mir (der göttin), die einst als zierat das haus des Drusus bewahrte', wobei der ausdruck ἦν κόλποις Δρούcου ·δόμος θρέψεν ἄθυρμα, der sich für eine im hause geborene und erzogene delicata des herrn vortrefflich eignet[2], ebenso verwunderlich ist, wie die ortsbestimmung ὑπ' ἠόνος unklar genannt werden darf. erstaunlich ist weiterhin die taktlosigkeit, mit der die person der kaiserlichen frau für die sehr materiellen interessen der 'schenke' benutzt wird. 'ihrem charakter gemäsz hat der ganze platz das schmachten und locken der liebessehnsucht angenommen.' denn sie (die prinzessin) hat mich neben den buden des Bacchus aufgestellt und so 'der frohen zecher kreise an mich herangezogen'. wahrlich ein feines compliment. es würde weit eher der copa des gleichnamigen gedichtes zukommen, das überhaupt, wie Visconti sehr richtig bemerkt, manche ähnlichkeiten aufweist. das hat auch Wilamowitz ·gefühlt, indem er, freilich ohne rechten grund, das πᾶc τόποc auf ganz Sinuessa bezog.

Nun vergleiche man aber folgende zwei inschriften: CIL. VI 17170[3] *Eoni* | *Cossi Ga. Etulici* (sic) | *concubinae* | *permissu Corneliae* | *Cossi Ga. Etulici* (sic) | *fil. V. V.* und Orelli 2445 *Cerdo. Antoniaes Drusi* | *aeditumus Veneris.*[4] aus ihnen lernen wir 1) dasz Eon gerade in der ersten kaiserzeit ein nicht ungewöhnlicher sklavenname war[5]; 2) dasz aus der familia des Drusus und der.Antonia auch sonst sklaven zum dienst im tempel der Venus verwendet wurden. wenn also in unserm epigramm eine Eon aus jenem hause als *aeditua* der Venus und gleichzeitig auch wohl als die besitzerin der in der nähe des tempels errichteten weinschenken erscheint, so kann dies nicht den geringsten bedenken mehr unterliegen, und wir brauchen nicht länger zu jener eingangs erwähnten absonderlichen erklärungsweise zu greifen. — Aber noch weitern gewinn gewährt uns die epigraphik für die epigraphik. wie man nemlich aus der Cerdo-inschrift mit sicherheit folgern kann, dasz in dem epigramm unter Drusus und seiner gattin der ältere Nero Claudius Drusus und

---

[2] vgl. Krinagoras ep. 22 (AP. VII 643) Ὑμνίδα τὴν Εὐάνδρου, ἐράcμιον αἰὲν ἄθυρμα.   [3] die inschrift ist schon 1610 gefunden und von Doni 'ex schedis Milesii' in seine (hsl. erhaltene) samlung aufgenommen worden. da die von Gori 1731 veröffentlichte auswahl Donischer inschriften sie nicht enthält, so ist ihre veröffentlichung im CIL. im j. 1886 die erste überhaupt.   [4] vgl. hierzu beispielsweise noch ebd. n. 2444 *Doridi Asinii Galli* | *aedituae a Diana* | *Anthiochus conser* | *b. m. f.*   [5] Visconti war also im rechte, als er 1798 schrieb: 'chi avesse ozio e pazienza per cercare negl'indici de'tesori d'iscrizioni i nomi femminili delle schiave, e liberte, forse non difficilmente averrebbesi in qualche altra Eone.' der in der inschrift genannte *Gaetulicus* ist wohl der sohn des consuls vom j. 26 nach Ch.

Antonia gemeint werden[6], so kann man umgekehrt nicht ohne wahrscheinlichkeit aus dem gedichte schlieszen, dasz die prosa-inschrift,
deren fundort nicht angegeben ist, ebenfalls aus Sinuessa stammt.
   Auch für den verfasser des epigramms ist wenigstens eine gewisse zeitliche fixierung möglich. das dritte distichon zeigt uns, wie
schon erwähnt, dasz Eon im hause des Drusus aufgewachsen ist, dasz
aber diese zeit schon ziemlich fern liegt (ποτέ). dies führt uns mit
gutem grunde auf die vermutung, dasz wie jener Cerdo so auch
unsere Eon erst nach dem tode des Drusus von seiner witwe zum
tempeldienst[7] bestimmt wurde, zumal sie ja 745 noch in sehr jugend-
lichem alter stand — die ehe des Drusus war erst kurz vor 739 geschlossen worden. Kiessling vermutet nun ao., dasz L u c i l i u s
J u n i o r das epigramm verfaszt habe. dieser ist aber jünger als sein
freund Seneca (*ep.* 26, 7 *sed tecum [Lucilio] quoque me locutum puta.
iuvenior es: quid refert?*) und ungefähr, wie Teuffel RLG. § 307, 2
vermutet, um das j. 4 nach Ch. geboren: also um fast zwei jahrzehnte ist ihm Eon an jahren voraus. es musz demnach, wenn anders
der geschmack dieses dichters nicht auf merkwürdige abwege geraten sein sollte (vgl. noch besonders v. 5), die vermutung jenes gelehrten als wenig wahrscheinlich bezeichnet werden.

   [6] ohne weiteres ist das nemlich nicht anzunehmen, da sich die inschrift auch auf ihre misratene tochter Livia (Livilla) und Drusus
Caesar, des Tiberius sohn, beziehen könnte. allerdings liesze sich dagegen mancherlei einwenden, vor allem auch das merkwürdige γαμετῆc
in v. 4, das offenbar nur eine aushilfe ist für die nicht in den vers
zu bringende form Ἀντωνίηc, während Λιβίηc sehr wohl in verbindung
mit Δρούcου verwendet werden konnte.   [7] dasz Eon den tempel selbst
besessen, wie Visconti und Jacobs vermuten, ist nicht anzunehmen und
wird auch durch die prosaische inschrift als unwahrscheinliche vermutung erwiesen.
   POTSDAM.   ——————————   MAX RUBENSOHN.

84.
DE PHILODEMI LOCO.

   C r i n i s philosophus stoicus non solum Laertio Diogeni VII 62
et 68 memoratur, sed etiam nescio nunc quo loco uoluminum Her-
culanensium eius nomen totidem litteris scriptum me legere memini.
latet idem in Philodemi de poematis l. V 2 col. 37 (uoll. Oxon.
t. II, uoll. Herc. coll. alt. t. II f. 196, alterum exemplum seruatur
ibidem f. 207), quem locum adponam: κοινῶ[c δ]ὲ τῆc π[o]ιή|cεωc
ὑπακουομένηc ὡc | καὶ τῶν ἐπιγραμματο|ποιῶν καὶ Cαπφοῦc δ
[K]ρῖ|[v]ιc ταὺ[τ]ὸν ἐρεῖ τῶι πο|ητὴν ἀγαθὸν εἶναι τὸν | ποιημά-
των κα[λ]ῶν cυν|θέτην, ὃ καὶ πρὶν Θεογ[v]ιν | γεγονέναι κατεί-
χομεν. quid ille dixerit, nisi fallor ex proxima scheda (Ox. c. 36,
Herc. f. 195 u. 12) apparet: ὃ δὲ τὸν καλῶc (sc. cυντιθέντα ποιητὴν
cπουδαῖον) φηcίν.
   BONNAE.   HERMANNVS VSENER.

(12.)

DE Q. ENNII ANNALIBUS.

(cf. supra p. 81—122.)[1]

II.

Altera huius commentationis parte ea tractaturus sum, quae in versibus videntur vel Ennii ipsius vel aetatis eius propria esse. primum igitur de rebus prosodiacis, deinde de arte ab Ennio in versibus componendis adhibita disseram.

A.

Ab ultimarum syllabarum mensura exorsus primum commemoro voces in -at -et -it -or exeuntes, quarum syllabas finales Ennius eiusque aequales poetae contra posteriorum usum ante vocales producere solebant, si quidem illae a e i o vocales a principio longae fuerant.[1] neque in arsi tantum, verum etiam in thesi eius modi syllabae productae inveniuntur.

-at in v. 314 (287), cuius posterior pars *ponebat ante salutem* duobus Ciceronis locis (Cat. m. 4, 10. de off. I 24, 84) optimis libris traditur. ex similibus vero nonnullis exemplis ad usum Ennianum definiendum nihil colligere licet. etenim *servāt* in v. 83 (78), *memorāt* in v. 159 (164), *manāt* in v. 399 (463) ante caesuram semiquinariam posita sunt, qua ratione etiam ab optimis poetis voces in -at exeuntes adhibentur, velut *soleāt, erāt, arāt* ab Horatio (sat. I 5, 90. II 2, 47. carm. III 16, 26), *amittebāt* a Vergilio (Aen. V 853). atque in versibus [165] (144) et 340 (387), ubi verbis *dederāt* et *versāt* thesis tertii et arsis quarti pedis efficitur, caesura legitima semiseptenaria statuenda erit. correpta -at terminatio apud Ennium in verbis *mandebat, mulserat, oscitat* (ann. 141. 257. 462) invenitur. in Plauti fabulis -at in indicativis primae et coniunctivis secundae coniugationis et in indicativis imperfecti, nisi certis quibusdam legibus etiam in alia vocabula valentibus breviter effertur, teste CFWMuellero (prosod. Plaut. p. 58 sqq., v. etiam Corssenum de pronunt. II[2] p. 488) semper producitur. Luciliana exempla (IX 33. XXIX 66. XXX 67 M.) ut non satis certa omitto. a Vergilio -at terminatio, si discesseris a vocabulis ante caesuram legitimam positis, nusquam producitur nisi uno loco georg. IV 137 in verbis *tondebat hyacinthi*. sed ante vocabula graeca ab *h* littera incipientia etiam alii poetae, velut Catullus tribus locis (62, 4. 64, 20. 66, 11) hanc licentiam sibi sumpserunt.

-ēt in v. 86 (81) verbis *uter esset induperator*. hic quoque locus est admodum notabilis: ibi enim neque ante caesuram legitimam neque in arsi neque ante sententiae intermissionem -et producte

---

[1] primus has principales mensuras docuit Ritschelius opusc. V p. 409 sqq. multa addidit Fleckeisenus ann. philol. vol. LXI (1851) p. 17 sqq. de usu Enniano cf. LMuellerus Enn. p. 239 sq.

pronuntiandum est. quod in imperfecti activi coniunctivo a posteriorum poetarum consuetudine prorsus abhorret. omnino autem
aliac coniugationis formae in -*et* exeuntes aliis temporibus diversa
ratione a poetis usurpatae sunt. nam indicativi praesentis secundae
coniugationis terminationem etiam optimi poetae producunt, velut
Horatius (carm. II 13, 16), ut Ennianum (ann. 409) *iubet horiturque*
non sit quod commemorem. primae coniugationis coniunctivi in
-*et* exeuntis nulla exempla extant post Plautum (Plautina collegit
CFWMuellerus l. l. p. 64). imperfecti coniunctivus sic terminatur
in Ennii annalibus v. 349 (371), ubi *fierēt* caesurae semiquinariae
antecedit, et versu 585 M., ubi post verbum *saperēt* semiseptenaria
statuenda est. accedunt duo loci Plautini (Epid. 249. Pseud. 58;
v. CFWMuellerum l. l. p. 66), quorum alter (Epid. 249) dubitationem
habet. inter posteriores Horatius semel (carm. III 5, 17; v. Corssenum de pronunt. II² p. 491) tali mensura utitur, sed ita ut sequenti
versus Alcaici diaeresi excusetur. denique futuri terminationis productae exemplum est *faciēt* in Ennii annalibus v. 100 (100).² sed hic
quoque, quamvis nulla, ut videtur, sententiae intermissione, caesura
legitima semiseptenaria statui poterit. pauci loci Plautini (Mgl.
811. 1062. As. 739. Bacch. 911. Merc. 439. Most. 986), quos
CFWMuellerus l. l. p. 65 sq. affert, non satis certi sunt. quod vero
in elegiis Tibullo ascriptis IV 2, 3 *ignoscēt* ante caesuram semiquinariam legimus, hic respicere non est necesse.

-*ĭt*. exempla huius terminationis habemus in arsi: *ĭt* in v. 419
(484), *tinnĭt* in v. 432 (451), *velĭt* in v. 203 (199), in thesi:
infĭt in initio versus 386 (417). contra aliena sunt ab hac quaestione *constituĭt, cupĭt, ponĭt, fuerĭt* ante caesuram semiquinariam
in versibus 123. 258. 484. 128 (127. 238. 567. 126), *nictĭt* et *voluĭt*
ante semiseptenariam in versibus 346. 599 (375. 501). sed in verbis
supra ascriptis vetustiorem mensuram (v. Corssenum de pronunt.
II² p. 491 sqq.) a poeta servatam esse patet. ac primum quidem
quartae coniugationis tertia persona indicativi praesentis ab antiquissimis producte pronuntiabatur. Plauti locis, quos Ritschelius
(opusc. V p. 423 sqq.), Fleckeisenus (l. l. p. 20 sqq.), CFWMuellerus
(l. l. p. 67 sq.) collegerunt, accedit unius Lucretii versus (IV 314)
initium *ater init oculos*. aliter se habent *obĭt* et *subĭt* Statii Theb.
III 544. silv. V 1, 258, *redĭt* Iuvenalis sat. 3, 174, quippe quas voces
caesura semiseptenaria sequatur. *fĭt* nē potuisse quidem correpte
efferri Ritschelius (l. l. p. 424) contendit commemorato Plauti versu

---

² verba tradita *nec pol homo quisquam faciet inpune animatus hoc
nisi tu* sensu carent neque possumus acquiescere in ulla virorum doctorum coniectura (*neque tu* pro *nisi tu* Merula; *nec faci' tu* Ilbergius exerc.
crit. p. 13 sq.; *hoc initu* Vahlenus Hermae XII p. 253). fortasse corruptelae ita medebimur, ut *hoc fastu* pro *hoc nisi tu* scribamus. nam
et *fastus* vox Remo per ludibrium murum transilienti optime convenit,
et adiectivum *animatus* cum verbis *hoc fastu* coniunctum aptam praebet
sententiam: cf. fab. 375 M. (trag. 257 R.) *virtute vera vivere animatum*.

Capt. 25 *ut fit in bello*, cui Muellerus alterum ex Caecilii fabulis (com. 108 R.) adicit. deinde coniunctivi praesentis tertiam personam in -*īt* exisse Ritschelius (l. l. p. 422 sqq.) aliquot Plauti versibus demonstravit. alia Plautina exempla apud CFWMuellerum (l. l. p. 68 sqq.), reliqua apud Corssenum (l. l. p. 494 sq.) invenies. *velīt* Ritschelius bis deprehendit in Plauti fabulis (Men. 52. Trin. 306), a quibus tamen ne *velīt* (Merc. 457) quidem alienum est. post Ennium poetae illa terminatione uti desierunt, cum in titulo (CIL. I 603, 11) anni 58 ante Ch. *seit* et in alio (apud Henzenum 6428) incertae aetatis *possīt* inveniatur.

Ex vocabulis in -*or* exeuntibus, quorum syllabas finales Ennius more antiquissimorum (v. Ritschelium opusc. V p. 416) produxit, maxime notabilia sunt *imbricitōr* in versu 424 (489) et *clamōr* in v. 408 (473) ante secundi, *clamōr* in v. 422 (487) ante quarti pedis thesim nulla sententiae intermissione. quin etiam versus 520 (472) a voce *clamōr* incipit. contra *genitōr* in v. 117 (117) caesura semiquinaria, *sorōr* in v. 42 (34) et verbum *venerōr* in v. 121 (114) semiseptenaria excusantur. illis autem tribus locis, ubi *clamōr* occurrit, Lachmannus ad Lucr. VI 1260 contra librorum scripturam *clamos* legi vult, cum Ritschelius parerg. I p. 27 in v. 520 (472) post *clamor* vocem *et* particulam inserat. quae tamen coniecturae minus certae sunt quam ut in eis acquiescamus. pergo .exponere, qua ratione ceteri poetae mensura illa usi sint, ut frequentiorem productae -*or* terminationis usum Ennii aetatis proprium esse appareat. inter antiquissima latini sermonis monumenta Scipionum elogia (CIL. I 30. 32) duos versus exhibent a verbis *consol censor aedilis* incipientes. apud Plautum Fleckeiseno teste (ann. philol. LXI p. 44, v. Ritschelii opusc. V p. 416 sqq. II p. 461 sq.) -*or* in fine vocabulorum eis tantum condicionibus corripitur, quibus aliae quoque syllabae longae breviter efferuntur. exempla eius modi nominum (p. 42 sq.) verborum (p. 44 sq.) comparativorum (p. 43 sqq.) CFWMuellerus in prosodia Plautina collecta praebet. in Lucilii reliquiis (XXX 70 M.) *pudōr* ante semiseptenariam, apud Tibullum (I 10, 13) *trahōr* ante semiquinariam vocali sequente posita sunt. saepius Vergilius -*or* terminationem ante vocalem producit, sed semper ita ut aut caesura semiquinaria aut semiseptenaria aut interpunctio vel intermissio sententiae aut *et* particula aut duae harum rerum vel omnes tres coniunctae sequantur. legimus enim ecl. 10, 69 *amōr* ante caesuram semiquinariam et interpunctionem itemque georg. III 118 *labōr*, Aen. II 369 *pavōr* ante eandem caesuram atque *et* particulam, XI 323 *amōr* ante semiseptenariam et interpunctionem, XII 668 *amōr* in eadem versus sede ante *et* particulam. praeterea ante eandem particulam in quarto versus pede *domitōr* efferendum est Aen. XII 550, ante interpunctionem in secundo pede *dolōr* ibidem v. 422, in quarto pede sequente vocabulo cum *et* particula coniuncto *meliōr* georg. IV 92. videmus igitur Vergilium raro et certis tantum condicionibus hanc vetustam consuetudinem secutum esse.

nam in Ennii annalium versibus circiter 605, quorum multi non
sunt integri, *ŏr* terminatio ante vocalem semel (v. 436), *ōr* septiens
invenitur, et ita quidem ut *ōr* semel in caesura semiquinaria, bis in
semiseptenaria, ter alibi in arsi sine sensus intermissione atque adeo
in thesi sententia non intermissa semel occurrat. contra apud Vergilium in Aeneidos libris duodecim quinquiens -*ōr* ante vocalem
positum est, cum -*ŏr* in fine vocabulorum sexiens deciens in Aeneidos
libro primo (v. 47. 99. 150. 154. 228. 254. 261. 321. 329. 335.
347. 348. 544. 545. 719. 734), quinquiens et viciens in libro duo-
decimo (v. 48. 66. 159. 188. 195. 268. 282. 349. 405. 429. 439.
545. 566. 614. 615. 621. 623. 632. 639. 724. 727. 733. 801.
902. 931) reppererim. hoc igitur Ennii aetatis proprium erit, ut
in omnibus versus sedibus -*or* terminatio plerumque producta sit.

Nonnullae aliae voces consonante terminatae, quarum ultimae
syllabae ante vocalem producuntur, mihi non videntur huc pertinere.
etenim *horridiūs* in v. 170 M. et *volūp* in v. 247 (303) caesuram
semiquinariam, *populūs* in v. 90 (85) et *iubār* in v. 547 (94) semiseptenariam antecedunt. quod autem in medio versu 500 (254)
legitur *tergus igitur*, cum hic post vocabulum *tergus* caesura legitima
statui non possit, Ribbeckius (mus. Rhen. X p. 276 adn.) in *tergus
rigidum* mutari iubet. denique maximam dubitationem habet fragmentum *horitatur induperator* v. 350 (367), cum nesciamus, num
hae duae voces continuae fuerint, nec minus verba *eloqueretur et
cuncta* in initio versus 245 (300), qui aliis quoque de causis depravatus iudicandus sit.

Porro exponendum est de nominibus graecis primae declinationis in -*ā* vocalem exeuntibus, quorum exemplum maxime notabile est *Aeacidā* in initio versus 275 M. ubi ne pro tradito *eacida*
cum Zangemeistero *Aeacidas* legamus, obstat Quintiliani testimonium (I 5, 61: cf. Charisius I p. 20, 10 K.) *ne in a quidem atque s
litteras exire temere masculina graeca nomina recto casu patiebantur,
ideoque et apud Caelium legimus:* 'Pelia concinnatus' et . . *nē miremur, quod ab antiquorum plerisque Aenea ut Anchisa sit dictus.*
quare etiam in v. 18 (19), quem Probus (in Verg. ecl. 6, 31) et scholiasta Veronensis (in Verg. Aen. II 687, cf. Cinthius Cenetens. VII
p. 386 Mai) tradunt, Fleckeisenus (misc. crit. p. 20 sqq.) *Anchisa*
ante caesuram legitimam cum scholiasta Veronensi scribi iubet, cum
Probi libri *Anchises* exhibeant. praeterea in duobus Naevii versibus
Anchisa (*Anchises* Vat. Probi) et *Aenea* (*Aenas, enos, Ennius, Aen*
Nonii libri) Fleckeisenus restituit. illa autem *a* vocalis in extremis
eius modi nominibus vetustiore consuetudine semper producebatur,
nisi quod Plautus Fleckeiseno teste semel (Pseud. 944) *Simmiă*
vocativum in septenario anapaestico admisit. et ne posteriores quidem poetae *a* vocalem ubique corripuerunt. sed si quaesiverimus,
quam late illa *a* vocalis producendae consuetudo patuerit, nominativum a vocativo distinguendum esse videbimus (v. Neuium de formis I² p. 38 sqq.). nam in vocativis haec vocalis etiam apud opti-

mos poetas non modo in incisione legitima (Ov. met. VII 798
Aeacidā. Hor. sat. II 5, 1 *Teresiā*. Verg. ecl. 3, 1. 58 *Damoetā*. Aen.
III 475 *Anchisā*) producitur, verum etiam in aliis versus sedibus.
velut *Cecropidā* apud Ovidium (met. VIII 551) et *Aeneā* apud
Vergilium (Aen. X 228) in secundo hexametri pede, *Lycidā* apud
eundem in secundo (ecl. 9, 2) et in quarto (ecl. 7, 67. 9, 37) pede,
Xanthiā apud Horatium (carm. II 4, 2) in secundo versus Sapphici
pede legimus. contra in nominativis *a* vocalem finalem optimi
poetae nusquam ne in caesura quidem legitima producunt. etenim
praeter duo exempla Enniana semel in Naevii reliquiis (b. P. 22 M.)
in nomine *Aenea* et ter apud Plautum (Amph. 438. 439. 1024,
v. Fleckeisenum l. l. p. 22) in nomine *Sosia* usus ille reperitur. quartus
locus Plautinus accedet, si Poen. 944 *Antidama* pro *Antidamas*
legemus. CFWMuellerus (l. l. p. 9 sq.) quidem plurimos horum
locorum verbis transpositis emendari vult, sed causis, ut mihi videtur, non satis gravibus.

Contra in femininis primae declinationis nullum repperi *a* vocalis productae exemplum, quod Ennii aetatis proprium iudicem. nam
quae ad nos pervenerunt alia ne a posteriorum quidem poetarum
usu abhorrent, alia in versibus non satis certo traditis insunt. ac
primum quidem *aquilā* in v. 148 (149) positum est ante caesuram
legitimam, qua versus sede etiam apud Vergilium *animā* (Aen.
XII 648) cum hiatu atque adeo *graviā* (Aen. III 464) legimus.
deinde in verbis *populca frus* v. 562 (269), si quidem apud Ennium
continua fuerunt, *a* syllaba positione producitur (v. LMuellerum de re
metr. p. 320 sq.) similiter atque *ta* in voce *stabilita* ante *sc* consonantes v. 99 (93). sequitur versus 319 (340), quem Nonius
p. 217, 12 sic exhibet: *iamque fere pulvis fulvā volat.* sed cum
antecedat apud Nonium versus Ennianus *iamque fere pulvis ad cae-*
lum vasta vegetur, ThHugius p. 28 *iamque fere* verba in v. 319 (340)
non sine iusta causa iussit deleri. porro abiudicabimus ab Ennio
illud *conlegā* in v. 305 (349) *ore Cethegus Marcus Tuditano conlega*,
quod Bergkius (opusc. I p. 269 sq. coll. p. 288) ei dedit verbis *Tudi-*
tano (studio libri) *collega* transpositis. neque enim est quod verborum ordinem mutemus, cum in terminatione *-itanus* semper *i* vocalem productam esse LMuellerus (de re metr. p. 367, cf. comm.
p. 194 sq.) doceat. etiam versus 131 (145) *ingens cura mis (cum)*
concordibus aequiperare adeo corruptus est, ut de vocabuli *cura* mensura nihil inde colligi possit. denique *agoeā (agea* libri, *agoea* Fleckeisenus misc. crit. p. 14 adn.) in v. 484 (567) huc non pertinet, quia
nihil aliud est nisi graecum ἀγυιά. in graecis autem primae declinationis femininis etiam posterioris aetatis poetae graecam *a* vocalis
mensuram saepius servaverunt (v. Lachmannum ad Lucr. VI 971.
Neuium de formis I² p. 52 sq. LMuellerum Enn. p. 196).

Tum huc referendum erit, quod *s* littera in fine vocabulorum
brevi syllaba terminatorum ante aliam consonantem ab Ennio saepissime neglegitur. quae consuetudo a Vergilio eiusque aequalibus

et a posterioribus poetis prorsus abhorret. quamquam in sermone volgari etiam postea eam valuisse Ciceronis loco orat. 48, 161 probatur: *quin etiam, quod iam subrusticum videtur, olim autem politius, eorum verborum, quorum eaedem erant postremae duae litterae, quae sunt in optumus, postremam litteram detrahebant, nisi vocalis insequebatur* eqs. in Ennii autem annalium reliquiis, quae apud LMuellerum compositae sunt, incertis coniecturis omissis repperi centum septendecim exempla *s* litterae finalis neglectae[3], cum positio ea efficiatur triciens sexiens in arsi[4], quater in thesi.[5] sed ex his quadraginta vocabulis, in quorum fine *s* non neglegitur, septendecim[6] posita sunt ante caesuram semiquinariam, sex[7] ante semiseptenariam, unum ante diaeresim in versu caesura legitima carente.[8] atque etiam ex sedecim exemplis quae restant unum[9] propter trithemimerem sequentem, tria[10] propter nomina propria cumulata minus gravia sunt. praeter Ennium saepissime *s* litteram neglegit Lucilius, qui in hac re illum etiam superat. nam in trium primorum eius librorum fragmentis a Muellero editis, qui ex 144 versibus ex parte non plenis constant, quadraginta quattuor illius usus exempla[11] numeravi. etiam apud poetas scaenicos saepe et interdum apud Lucretium, Varronem, in Ciceronis carminibus iuvenilibus, in inscriptionibus illud *s* in syllabarum mensura non respicitur (v. Lachmannum ad Lucr. I 186. Neuium de formis I[2] p. 72 sqq.).

Transeo ad ea, quae in mediarum syllabarum mensura Ennii aetatis esse videntur propria.

fiere in v. 15 (9) et in libro X fr. 20 M. neque infinitivus *fiere* sive *fieri* neque coniunctivus imperfecti eiusdem verbi ab ullo poeta post Terentium producta prima syllaba usurpatur. ipsa exempla LLangius praebet in commentatione supra p. 113 laudata p. 20 sqq. p. 49 (v. etiam Neuium de formis II[2] p. 611. Corssenum de pronunt. II[2] p. 680. I[2] p. 143). sed ne Ennii quidem aetate *i* vocalis semper producebatur, cum in ipsius Ennii annalibus *fieret* v. 349 (371) et *fieri* v. 599 (501) legamus.

---

[3] v. 19. 28. 31. 40. 44. 45 bis. 50. 55. 58. 59. 65 bis. 75. 78. 81. 84. 94 bis. 98. 101. 119. 122. 123. 130. 134 bis. 137. 142. 143. 151. 154. 166. 172 bis. 179. 183. 188. 190. 203. 207. 213. 225. 227. 237. 239. 242. 254. 255. 260. 277. 280. 283 bis. 290. 294. 296. 297. 305 bis. 306 bis. 307 bis. 311. 321. 322. 326. 339. 348. 349. 361. 369. 376. 379. 384. 389. 397. 399. 400. 403 (lege *roboris* cum Bergkio opusc. I p. 279 sq.). 412. 415. 427. 428. 430. 431. 436. 437. 445. 458. 472. 482. 486. 496. 499. 502. 505. 509 ter. 522. 524. 533. 541. 557. 560. 574. 575. 591. 592. 593. 595. 596. 598. 602. 607.   [4] v. 1. 16. 17. 25. 55. 89. 91. 98. 125. 141. 168. 171. 183. 240. 254. 274. 292. 305. 342. 344. 351. 353. 391. 426. 427 bis. 453. 455. 458. 471. 474. 481. 513 (lege *raucus* cum Columna). 532. 538. 562. [5] v. 15. 235 (lege *qualis* cum codice). 349. 598.   [6] v. 1. 17. 25. 89. 91. 141. 171. 240. 254. 305. 353. 391. 458. 471. 481. 538. 562.   [7] v. 16. 55. 98. 183. 427. 455.   [8] v. 598.   [9] v. 532.   [10] v. 349. 426. 427. [11] I 3. 6. 9. 10 bis. 11 bis. 12. 15. 17. 22. 23. 27. 28. 29 bis. 30. 32. 35. 37. 42. 43. II 11. 13. 17. 18. 19. 30. III 8. 12. 13. 19. 28. 34. 42. 45. 49 bis. 55. 56. 59. 63. 65 bis.

fūimus in v. 440 (431), *fūere* in v. 198 (193), *fūisset* in
v. 242 (297). principio longam fuisse syllabam *fu* in perfecto et
plusquamperfecto verbi *esse* primus affirmavit Ritschelius opusc. V
p. 413 (cf. parerg. p. 378 sq. et RSchoellium leg. XII tab. p. 84).
cuius sententia confirmatur aliquot antiquiorum poetarum exemplis
apud Neuium (de formis II² p. 597) et Corssenum (de pronunt. II²
p. 681. I² p. 363. 143. 321)¹² compositis. Plauti locos diligentius
etiam Brixius ad Plauti Capt. 259 congessit. ceterum Ennius in
annalibus postremus videtur vetustiorem illam mensuram usurpasse,
sed ita ut etiam *fuit* (v. 274 M.)¹³ paenultima correpta admitteret.

adnūit in v. 136 (135). hic quoque servatam videmus vetustiorem pronuntiandi consuetudinem, quae etiam in nonnullis similibus verbis invenitur (v. Neuium de formis II² p. 497 sq. Corssenum de pronunt. I² p. 320 sq. 363. LMuellerum Enn. p. 199). Enniano *adnūit* unus Prisciani locus I p. 504, 22 H. testimonio est:
in ui divisas terminantia praeteritum perfectum cum soleant corripere
paenultimam, tamen vetustissimi inveniuntur etiam produxisse ean-
dem paenultimam in his maxime, quae a praesenti in uo desinente
divisas proficiscuntur, ut eruo erūi, arguo argūi, annuo annūi:
Ennius eqs.

contūdit in v. 482 (515). non satis causae habemus, cur
LMuelleri (de re metr. p. 138. comm. p. 233 sq.) coniecturam *con-*
tutudit accipiamus, quamquam *contūdit* his tantum Prisciani testimoniis nititur: I p. 517, 22 H. *tundo tutudi paenultima a plerisque*
correpta, a quibusdam autem etiam producta eqs.; p. 518, 13 *vetustis-*
simi tamen tam producebant quam corripiebant supra dicti verbi [id
est tutudi] paenultimam: Ennius (v. 387) . . *ecce hic corripuit; idem*
(v. 482) . . *hic produxit paenultimam.* quidni ut e praesenti *fundo*
perfectum *fūdi*, ita *tūdi* e praesenti *tundo* derivatum sit?

fidēi in v. 342 (389) (v. Neuium de formis I² p. 378). praeter
Ennium Plautus Aul. 583 et Lucretius V 102 singulis locis *fidei* sic
metiuntur.

adiŭero in v. 339 (386). v. supra p. 116.

Nērĭĕnem in v. 108 (112) num recte pronuntietur, non satis
constat, cum etiam de synizesi cogitari possit (v. Ilbergium p. 38.
Bergkium opusc. I p. 288 sq. LMuellerum Enn. p. 226). Gellius
XIII 23, 18, ubi de illo nomine exponit, Ennii frustulum his verbis
commemorat: *Ennius* . . *in hoc versu: Nerienem Mavortis et Herem,*
si quod minime solet numerum servavit, primam syllabam intendit,
tertiam corripuit. sed servatum esse numerum a poeta admodum
verisimile fit eis quae Fleckeisenus (ad crisin fragm. poet. vet.
latin. apud Gellium p. 32 sqq.) de nomine *Nerio* sive *Nerienes* ex-
posuit. etenim cum radix eius *ncr* statueretur ac secundum HEbe-

---

¹² dubium est *fuit* anon. mim. 5 R., v. Ribbeckium ad h. l.   ¹³ non
satis probabilia de hoc fragmento LMuellerus profert comm. p. 190,
cf. Enn. p. 200.

lium (Kuhnii diurn. I p. 307) *Nerienis* e forma *Neriīnis* ortum esset, principalem huius vocis mensuram sine dubio eam fuisse, ut tres priores syllabae omnes corriperentur. contra *Neriēnis* mensuram sicut *Aniēnis* posteriori aetati esse assignandam. quam sententiam magis etiam fulciri Gellii verbis XIII 23, 3 *Nerienem . . sic plerosque dicere audio, ut primam in eo syllabam producant; sed qui proprie locuti sunt, primam correptam dixerunt, tertiam produxerunt.* ac *Nĕriĕnem* necessario efferendum esse in Licinii Imbricis versu apud Gellium (ibd. § 16) et fortasse in versu Plautino (Truc. 515) apud eundem (§ 4). *Nēriĕnes* autem in Varronis Menippearum fragmento (p. 219, 5 R. fr. 506 B.) vir doctissimus metiri vult. apud Ennium quidem *Nēriĕnem* recte pronuntiari idem pro certo affirmat.

B.

Restat ut de metrica Ennii arte exponam, quae a posteriorum poetarum arte severa compluribus rebus differat.

Ac primum quidem hexametri ex solis spondeis compositi in Ennii fragmentis apud Vahlenum quinque inveniuntur, e quibus certo Ennio datur annalium versus 34 (66) *olli respondit rex Albai Longai.* deinde versum 125 (Naevii b. P. 27), *Volturnalem, Palatualem, Furrinalem,* si quidem hexameter est, cum antepaenultima nominis Palatii syllaba longa sit, vix aliter metiri possumus quam sic ut primam syllabam vocis *Palatualem* producamus (cf. Mart. I 70, 5 al.), tertiam et quartam synizesi tamquam unam syllabam efferamus (cf. Ribbeckium mus. Rhen. X p. 276 adn.). reliqui tres huius modi versus 174. 603. 604 (169. 467. dub. 5) utrum Ennii sint necne, non satis constat. at aetatis saltem Ennianae erunt. nam inter posteriorum hexametros unus sic comparatus LMuellero teste (de re metr. p. 141. Enn. p. 225) reperitur Catulli 116, 3 *qui te lenirem nobis neu conarere.*

Deinde in annalium reliquiis multi hexametri insunt caesura prorsus carentes. tales sunt versus 44 (36) et 235 (244), in quibus poetam consulto neglexisse caesuram, ut rem narratam etiam numeris quasi depingeret, LMuellero (de re metr. p. 194. Enn. p. 226) sine dubio concedendum est. similiter se habet saturarum versus 15 (14) *sparsis hastis longis campus splendet et horret.* versus autem 125 (Naevii b. P. 27) *Volturnalem, Palatualem, Furrinalem* ex nominibus propriis excusationem quandam habet. nihil vero confidentius dicam de excusando versu 500 M. *miscent foede flumina candida sanguine sparso* aut de versu 511 (598) *cui par imber et ignis, spiritus et gravis terra.* aliorum poetarum versus caesura carentes Lachmannus ad Lucr. VI 1067 collegit. qui tamen plerique cum LMuellero (de re metr. p. 196 sqq.) et Christio (artis metr. p. 198 sqq.) ita sunt accipiendi, ut tmesi vocabuli cum praepositione compositi caesura legitima efficiatur. ita caesurae sine excusatione neglectae haec exempla restant: Lucilii XXIX 102 M. *nec ventorum flamina flando suda secundent*; Lucr. III 258 *nunc ea quo pacto inter sese mixta quibusque.*

Tum ad hanc quaestionem pertinet frequens usus vocum quadrisyllabarum a duabus brevibus syllabis incipientium in exitu hexametri. quod quidem ex EPlewii commentatione (ann. philol. 1866 p. 631 sqq.), ubi versus poetarum latinorum illa ratione terminati enumerantur, manifesto apparet. sunt enim in Ennii annalium reliquiis apud Muellerum huius modi versus triginta unus[14] inter versus 519 servatos. nam circiter 85 ex 604 versibus Muellerianae editionis quomodo exierint, non iam cognoscitur. itaque in versibus circiter septenis denis singuli eiusmodi exitus reperiuntur. proxime ad Ennium in hac re accedit Lucretius, cuius inter versus circiter quadragenos senos Plewio teste singuli sic terminati occurrunt. ac multo rarior est apud ceteros poetas hic usus. velut in Lucilii fragmentis inter 224, apud Catullum inter 134, apud Vergilium inter 261, apud Ovidium inter 1500, in Horatii satiris inter 83, in epistulis inter 197, in Iuvenalis satiris inter 79 versus singuli tali ratione clauduntur.

Venio ad quaestionem, de qua viri docti etiam nunc minime consentiunt, num anapaestum pro dactylo in versibus longis Ennius admiserit. primus GHermannus (elem. doctr. metr. p. 347) duobus versibus (97 [91] et 267 M.) commemoratis interdum arsi soluta anapaestum aut proceleusmaticum in initio hexametri ab Ennio adhibitum esse contendit. post Hermannum Ribbeckius (mus. Rhen. X p. 276 sq.) collatis sortibus Praenestinis poetae hanc licentiam tribuit, sed ita ut de anapaesto tantum, non de proceleusmatico cogitaret. nihil quidem prohari ei videtur versu mutilo 108 (112) *Nerienem Mavortis et Herem* aut versu 97 (91) a voce *avium* incipiente. *avium* sane synizesi bisyllabum efferendum crit. simili ratione in vocabulis *Palatualem* in v. 125 (Naevii b. P. 27) et *insidiantes* in v. 414 (443) de synizesi cogitare possumus. aliter se habet v. 344 (373) Festi codice p. 177, 18 sic traditus: *veluti si quando vinculis venatica veneno x*, quem Ribbeckius l. l. ultimis tantum verbis Turnebo auctore emendatis scribi iussit *veluti si quando vinclis venatica velox.* quae lectio et aptam praebet sententiam et adlitteratione commendatur. simul Ribbeckius defendit illos Heduphageticon versus difficiles ad emendandum, quorum alter (v. 3 = sat. 53 M.) incipit a verbis *Mitylenaest pecten*, alter (v. 7 = sat. 59 M.) a nomine *melanurum.*[15] quare non satis ea intellego, quae proferunt Bergkius opusc. I p. 288 sqq. et LMuellerus comm. p. 210 sq. (cf. Enn. p. 224 sq.) versum 344 (373) non respicientes. nam concedunt illi quidem potuisse Ennium grammaticorum de Homericis

---

[14] v. 10. 26. 36. 47. 48. 73. 100. 116. 117. 121. 126. 128. 132. 136. 152. 174. 196 220. 224. 249. 264. 272. 278. 279. 310. 322. 331. 352. 428. 443. 465; v. Plewium l. l. p. 637 ibique ann. Fleckeiseni.   [15] hodie saturis tantum Ennianis licentiam illam assignat Ribbeckius: cf. hist. poesis Rom. I p. 34. 47.

carminibus doctrinam secutum licentiam illam sibi sumere, exempla tamen quae noverunt omnia emendatione tollere student. sed adicio nonnulla alia huius usus vestigia, quae in Ennii annalium reliquiis deprehendisse mihi videor. ac primum quidem versus 161 (inc. fab. V), cuius posteriorem partem supra p. 120 commemoravi, integer hexameter prima arsi soluta a Cicerone de div. II 62, 127 traditur *aliquot somnia vera, sed omnia noenu necessest.* deinde versus 278 (233) in Festi p. 249, 17 et Pauli p. 248, 3 libris sic exhibitus: *Paeni soliti suos sacrificare puellos*, cum apud Nonium p. 158, 23 legatur *suos divis sacrificare puellos*, haud scio an his lectionibus inter se comparatis sic restituendus sit: *Poeni sóliti suos* (vel *sos*) *dis sacrificare puellos.* atque eadem ratione versus 181 sq. (fab. 444 sq.) in unum hexametrum commode rediguntur, si legimus *contra cárinantes verba aeque* (*atque* libri Servii, *aeque* Castricornius) *obscena profatus.* praeterea memorandus est v. 111 (106), qui in Nonii (p. 112, 1) codice Harleiano (v. anecd. Oxon., class. ser. I 2 p. 107) m. pr. scribitur *ea mihi raliquae fidei regno vobisqui e quiritis*, cum m. sec. haec exhibeat *ea mihi reliquae fidei regno vobisque quiritis.* in aliis libris manu scriptis Columna p. 88 teste legebatur *ea mi reique fidei* eqs. quibus inter se collatis LMuellerus *reque fide* recte emendasse mihi videtur. nam *raliquae* in Harleiano ortum esse puto ex scriptura *raeiquae* pro *reique* posita. *rei* autem et *fidei* pro formis minus usitatis *re* et *fide* itemque *mihi* pro *mi* in codicibus haud insolita ratione scripta sunt. itaque versum sic restituo: *ea mi reque fide regno vobisque, Quiritis.* tum versus 20 (24 sq.) fortasse huc pertinet. nam quae leguntur apud Festum p. 198, 28 *facere vero quod tecum precibus pater orat* haud scio an in unum versum redigenda sint. videtur enim in illo *facere* aperte corrupto imperativus *face* latere. quem quae vox secuta sit quamquam in medio relinquo[16], tamen hic quoque anapaestum dactyli loco positum agnoverim. restat versus 267 M. *capitibus nutantis* (sic Gellius XIII 20, 13; *nutantibus* libri Nonii p. 195, 23) *pinos rectosque cupressos*, quem GHermannus hexametrum a proceleusmatico incipientem iudicavit. hanc vero licentiam sibi sumpsisse poetam vix credibile est. Ritschelius igitur opusc. IV p. 108 duo· rum versuum trochaicorum frustula constituit. cuius sententiam refutat Bergkius opusc. I p. 289 sq. (v. etiam LMuellerum Enn. p. 224 sq. de re metr. p. 137 sq.), quippe quae Gellii verbis *Ennius etiam rectos cupressos dixit . . hoc versu* non conveniat. quod vero Bergkius ipse CLSchneiderum (gramm. lat. I p. 171) secutus existimat per syncopen *captibus* efferendum esse, et ipsum valde dubium est. fortasse legendum est *capitis nutantis pinos rectosque cupressos* (*nutantis capitis* LMuellerus ad Nonii l. l.).

Haec habeo quae de arsi hexametri soluta proferam. at illud prorsus incredibile est, quod Bergkio (eph. litt. Hal. a. 1842 II p. 230)

---

16 fortasse legendum est *face tu vero quod* eqs.

videbatur, etiam trochaeum interdum pro dactylo adhibuisse poetam.
nam tres quattuorve versus a Bergkio huc relati iam pridem in editionibus emendati leguntur (cf. LMuellerum de re metr. p. 138 sq.).
Proximum est ut dicam de notissimis illis hiatus exemplis
Ennianis. ex quibus omitto *Scipio invicte* in v. 321 (345) et *inimicitiám agitantes* in v. 275 (279), quia talia vel ab optimis poetis nonnumquam admissa sunt (v. Bergkii opusc. I p. 308. Lachmannum
ad Lucr. II 466. LMuellerum de re metr. p. 309 sqq., Enn. p. 234 sq.).
verum maxime notabiles sunt duo illi loci, quibus hiatus post *m*
litteram in thesi occurrit, *milia militum octo* in v. 336 (354) et *dum
quidem unus homo* in v. 486 (322). haec hiatus exempla Lachmanno l. l. teste in poesi Romana plane singularia sunt. duo alia
Lucilii I 27, Ennii ann. 296 M., quae LMuellerus (de re metr. p. 306)
statuerat, ipse postea reiecit. testatur autem in altero versu Enniano
336 (354) hiatum Priscianus I p. 29, 22 H., cum ait: *finalis dictionis
subtrahitur m in metro plerumque, si a vocali incipit sequens dictio . .
vetustissimi tamen non semper eam subtrahebant: Ennius* eqs.
De tmesi in vocibus *cere comminuit brum* v. 586 (552) dicere
hic supersedeo, cum frustulum illud· ad saturas pertinere videatur
(v. Ribbeckium mus. Rhen. X p. 289). et ne syncopen quidem attingam. nam incertiora sunt illud *captibus* a Schneidero (gramm.
lat. I p. 171) prolatum et *virgnes* in v. 103 (102), quod COMuellero
(cf. LMuelleri comm. p. 180. Enn. p. 224 sq.) placuit (v. Lachmannum ad Lucr. VI 1067).
Denique paucis exponam de adlitteratione, quam a vetustioribus potissimum Romanorum poetis ad versus ornandos adhibitam
esse satis constat. nam quamquam etiam apud Augusti aetatis poetas
atque inprimis apud Vergilium haud ita rara est adlitteratio, tamen
frequentissimus ac maxime conspicuus eius usus Ennii temporum
proprius est. saepissime enim reperitur apud Plautum, Ennium,
Lucilium, Lucretium, multo rarius apud Terentium ac rarius etiam
quam apud hunc apud posterioris aetatis poetas (v. Jordani symb.
p. 171 sqq.). neque vero in animo habeo de hac quaestione uberius
disserere, quippe quae latissime pateat neque a viris doctis neglecta
sit.[17] nihil aliud quaeram nisi qui in Ennii annalibus adlitterationis
usus inveniatur. sed cum saepe diiudicari non possit, quae consilio
poetae tribuendae, quae casu ortae sint adlitterationes, tantum
genera quaedam maxime conspicua respiciam. ac ne eae quidem
adlitterationes, quas adlaturus sum, num omnes consulto a poeta adhibitae sint, satis certum erit. tamen frequentissime Ennium hoc
versus ornamentum usurpasse inde intellegetur. iam primum quidem adlitterationes vocum continuarum commemoro.
In binis versibus continuis quadraginta quinque in priore[18],

---

[17] praecipue laudandus est LBuchholdi libellus 'de paromoeoseos
(adlitterationis) apud veteres Romanorum poetas usu' (Lipsiae 1883). ibi
p. 15 sq et p. 35 sq. reliquae virorum doctorum de adlitteratione commentationes enumerantur.   [18] in LMuelleri editione v. 31 *vires vitaque*,

octoginta quinque in posteriore[19], undequadraginta in utroque versus hemistichio[20] repperi.

Terna vocabula continua ab eisdem litteris incipiunt in priore hemistichio septiens[21], in posteriore quater deciens[22], sep-

---

33 *ripas raptare*, 36 *corde capessere*, 37 *compellare pater*, 42 *multa manus*, 62 *sed sola*, 115 *sese sic*, 144 *sese sum*, 172 *inicit inritatus*, 183 *proletarius publicitus*, 190 *fraxinus frangitur*, 199 *vosne velit*, 233 *soliti sos*, 245 *pone premunt*, 278 *doctis dictis*, 305 *faceret facinus*, 307 *scitus secunda*, 323 *surum Surus*, 355 *duxit dilectos*, 359 *silvarum saltus*, 363 *corde comis*, 377 *Musa, mihi*, 388 *ecquid erit*, 394 *pendent peniculamenta*, 403 *suasorem summum*, 405 *matronae moeros*, 408 *litora lata*,| 423 *septingenti sunt*, 424 *augusto augurio*, 430 *vetusta virum*, 441 *occidit oceanumque*, 463 *tum timido*, 478 *rem Romanam*, 490 *mari magno*, 500 *foede flumina*, 515 *contudit crudelis*, 532 *Marsa manus*, 537 *tuba terribili*, 538 *loci lituus*, 556 *valido venit*, 571 *manu magna*, 572 *contremuit templum*, 585 *lingua loqui*, 588 *statuam statui*, 595 *sicut siquis*.

[19] v. 9 *memini me*, 21 *intempesta teneret*, 23 *dia dearum*, 25 *precibus pater*, 37 *voce videtur*, 39 *fluvio fortuna*, 40 *repente recessit*, 42 *caeli caerula*, 43 *voce vocabam*, 44 *meo me*, 54 *rivosque remant*, 58 *femina feta*, 65 *ratus Romulus*, 69 *caeli caerula*, 72 *Saturnia sancta*, 74 *auspicio augurioque*, 80 *Romam Remoramne*, 88 *pulcherruma praepes*, 115 *Romule, Romule*, 120 *Romae regnare*, 125 *suavis sonus*, 138 *miserum mandebat*, 140 *regna recepit*, 150 *Graium genus*, 158 *lumina lucent*, 180 *stirpe supremo*, 193 *optime Olympi*, 199 *ferat Fors*, 204 *stare solebant*, 238 *pugnare paratust*, 241 *tonsamque tenentes*, 244 *pectora pellite*, 253 *postes portasque*, 256 *arcis adorti*, 260 *magno mactatus*, 286 *restituit rem*, 288 *gloria claret*, 289 *praecox pugnast*, 290 *legionibus labem*, 292 *fortunae forte*, 297 *rebus regundis*, 298 *sanctoque senatu*, 304 *sententia suadet*, 311 *Servilius sic*, 312 *vasta vegetur*, 316 *fit ferreus*, 318 *somnoque sepulti*, 331 *capsit causa*, 344 *lucinorum lumina*, 346 *equorum equitumque*, 354 *milia militum*, 358 *terra tumultu*, 364 *palmis pater*, 372 *ardentibus apta*, 380 *solent sos*, 392 *potuere perire*, 409 *mare marmore*, 417 *fortuna ferocem*, 423 *paulo plus*, 434 *statuasque sepulcraque*, 437 *cotibus celsis*, 448 *prodesse potissunt*, 450 *tela tribuno*, 462 *agit albas*, 473 *vagore volanti*, 476 *fecere fremendi*, 477 *pretium, procedere*, 481 *saepe supremo*, 483 *cognoscite, cives*, 484 *cava concutit*, 493 *longiscere longe*, 498 *armis arma*, 499 *regionibus restat*, 500 *sanguine sparso*, 514 *viresque valentes*, 525 *incutit iram*, 543 *runata recedit*, 544 *teloque trabali*, 565 *remis rostrata*, 566 *cana celocis*, 573 *radiis rota*, *candida caelum*, 582 *tam temere*, 595 *vas vini*, 597 *prognata paluda*, 601 *Biuttate bilingui (?)*.   [21] v. 20 *donavit, divinum*, 30 *prognata pater*, 51 *Tiberine, tuo*, 60 *campos celeri*, 61 *silvam sese*, 66 *respondit rex*, 69 *tu tolles*, 107 *fortunatum feliciter*, 139 *crudeli condebat*, 161 *suspexit stellis*, 165 *scalis summa*, 194 *viri victusque*, 211 *populo prognariter*, 224 *sophiam, sapientia*, 284 *patrem perhibent*, 339 *viri validis*, 342 *venter velut*, 358 *terribili tremit*, 380 *Graios, Graeci*, 381 *lingua longos*, 382 *Sulpicio sorti*, 385 *te, Tite*, 407 *vates verunt*, 410 *spumat sale*, 438 *obstipis obstantibus*, 450 *conveniunt velut*, 459 *animis abrupit*, 464 *sonitum simul*, 487 *caelum clamor*, 488 *veluti venti*, 510 *campis caput*, 521 *exsiccat somno*, 541 *veles vulgo*, 562 *ratibus repentibus*, 574 *complere cohum*, 577 *scirpo, soliti*, 578 *tu tristi*, 587 *forent fructus*, 608 *sublatae sunt*.   [21] v. 203 *dono ducite doque*, 281 *rem repetunt regnumque*, 393 *cum capta capi*, 419 *omnes occisi obcensique*, 448 *spero, si speres*, 498 *pede pes premitur*, 519 *atque atque accedit*.

[22] v. 28 *anus attulit artubus*, 41 *conspectum corde cupitus*, 60 *passu permensa parumper*, 62 *postquam permensa parumper*, 93 *stabilita scamna solumque*, 261 *rediit rumore ruinas*, 338 *factumque facit frux*, 359 *latebras lamasque lutosas*, 361 *Volcanum ventus vegebat*, 373 *vinclis venatica velox*,

tiens[23] in utroque, atque ita quidem, ut plerumque[24] singula in priore, bina in posteriore posita sint.

Quaternae eius modi voces continuae sexiens[25] reperiuntur. ex quibus exemplis tria[26] ita sunt comparata, ut vocabula ab eadem littera incipientia omnia posterioris hemistichii sint.

Sex vocabulorum continuorum adlitteratio cernitur in uno versu 558 M. *machina multa minax minitatur maxima muris*, quem LMuellerus Ennio ascripsit.

Restat versus 113 (108) *o Tite tute Tati tibi tanta tyranne tulisti*, in quo septem continua vocabula, quin etiam undecim syllabae a littera *t* incipiunt.

Habemus igitur in 604 Muelleri editionis versibus, ex quibus 422 pleni sunt, eius modi adlitterationes omnino 205, ut circiter binis semis versibus singulas tribuas. contra in Vergilii Aeneide inter versus circiter septenos singulas vocum continuarum, ac semper fere duarum, rarissime plurium adlitterationes invenies. in illis autem 205 Ennianis 188 consonantium, 17 vocalium numeravi. ac praeterea frequentius in posteriore quam in priore versus parte adlitterationes ab Ennio adhiberi exemplis quae attuli docemur.

Deinde hoc memoratu dignum duco, saepius in uno versu duas atque adeo tres adlitterationes esse. etenim in viginti duobus versibus[27] adlitteratio altera alteram sequitur, in duodecim[28] altera ab altera circumcluditur, in decem[29] duae inter se implicatae sunt.

---

393 *cum combusta cremari*, 532 *Vestina virum vis*, 534 *perculsi pectora Poeni*, 583 *vos vostraque volta*.
    [23] v. 99 *sum summam servare*, 105 *fidem foedusque feri*, 191 *pinus proceras pervortunt*, 258 *tu tam torviter*, 259 *restant sicis sibunisque*, 317 *consequitur summo sonitu*, 557 *permaceret paries percussus.* [24] v. 99. 105. 258. 259. 557. [25] v. 103 *sues stolidi soliti sunt*, 162 *sunt stantes spargere sese*, 208 *redit regique refert rem*, 215 *pulcro praecinctum praepete portust*, 512 *cumque caput caderet, carmen*, 599 *cava caerulei caeli cortina.* [26] v. 103. 162. 208. [27] v. 36 *corde capessere, semita* . . *stabilibat*, 37 *compellure pater* . . *voce videtur*, 42 *multa manus* . . *caeli caerula*, 60 *campos celeri passu permensa parumper*, 62 *sed sola* . . *postquam permensa parumper*, 69 *tu tolles* . . *caerula caeli*, 199 *vosne velit* . . *ferat fors*, 238 *alter* . . *alter pugnare paratust*, 281 *rem repetunt regnumque* . . *vadunt* . . *vi*, 316 *hastati* . . *hastas, fit ferreus*, 359 *silvarum saltus latebras lamasque lutosas*, 380 *Graios Graeci* . . *solent sos*, 423 *septingenti sunt, paulo plus*, 434 *reges* . . *regnum statuasque sepulcraque*, 448 *spero* . . *speres* . . *prodesse potis sunt*, 450 *conveniunt velut* . . *tela tribuno*, 472 *clamor* . . *caelum volvendus* . . *vagit*, 498 *pede pes premitur* . . *armis `arma*, 500 *foede flumina* . . *sanguine sparso*, 532 *Marsa manus* . . *Vestina virum vis*, 573 *radiis rota candida caelum*, 595 *sicut siquis* . . *vas vini.* [28] v. 65 *potitur ratus Romulus praedam*, 233 *Poeni soliti sos* . . *sacrificare puellos*, 253 *ferratos postes portasque refregit*, 292 *rursus* . . *fortunae forte recumbunt*, 311 *pugnas Servilius sic compellat*, 377 *insece, Musa, mihi* . . *induperator*, 379 *solent reges* . . *rebus secundis*, 382 *Graecia Sulpucio sorti* . . *Gallia*, 385 *sollicitari te, Tite, sic*, 410 *caeruleum spumat sale conferta*, 562 *aderant ratibus repentibus* . . *alto*, 585 *si lingua loqui saperet* . . *sint.*
    [29] v. 1 *Musae* . . *pedibus magnum pulsatis*, 22 *transnavit cita* . . *teneras caliginis*, 175 *amoenam* . . *fluit agmine flumen*, 242 *parerent observarent, portisculus signum*, 320 *pernas succidit* . . *superbia Poeni*, 321 *vicit, non* . .

ternas vero adlitterationes quattuor versibus[30] continentur. sed in
his num consilio ternas adlitterationes poeta adhibuerit, valde dubium est.

Denique mentionem facio versus 412 (439) et adlitteratione et
adnominatione admodum notabilis *si luci, si nox, si mox, si iam data
sit frux.*

---

victor nisi victus, 357 *riserunt omnes risu . . omnipotentis,* 393 *nec cum
capta capi nec cum combusta cremari,* 426 *Vesta Minerva . . Venus Mars,*
462 *spiritus . . anima . . spumas agit albas.*
    [30] v. 45 *te . . nata precor, te . . patris nostri,* 179 *repertus homo
Graio . . Graius homo rex,* 196 *nec mi . . posco nec mi pretium,* 246 *non
semper vostra evortet, nunc . . stat.*
    DRESDAE.   ALEXANDER REICHARDT.

85.
ZUR ETYMOLOGIE DES LATEINISCHEN PARTICIPIUM PRAESENTIS ACTIVI.

GCurtius hat zuerst in der 'symbola philologorum Bonnensium'
(1864) s. 275 f. im lateinischen spuren alter participialbildung
auf -*unt*-, ·*ont*- zu finden geglaubt, und zwar zunächst und vor allem
in dem 'aus *volunt-arius* und *volun*(*t*)-*tā*(*t*)-*s* erschlieszbaren
volun(*t*)-*s*, dessen *u* dem *o* von λεγοντ, φεροντ um eine stufe näher
stehe als das übliche *volen*(*t*)·*s*', ferner in *lucuns*, welches er als das
praesenspart. von einem stamme *luc* (*luxus* 'gekrümmt') etwa im sinne
von 'bretzel, kringel' auffaszt. bald darauf führte Clemm in Curtius
studien III 328 ff. die ansicht aus, in *sons* (= *nocens*) liege noch die
unmittelbare vorstufe zu der participialform -*unt* vor, die uns um so
wertvoller sein müsse, als sich die letztere wirklich noch in *e-unt-is*
= *i-ont-is* erhalten habe: es sei das part. von *esse*, ursprünglich
es-ont-s, welches frühzeitig zu einem adjectivum mit juristischer bedeutung erstarrt und deshalb auf der 'griechischen' lautstufe stehen
geblieben sei. da auch Bugge (ebd. IV 205) eine 'glänzende bestätigung' für Clemms erklärung in dem altnordischen *sannr*, das er
nach form und inhalt für identisch mit *sons* hält, erkannte, so glaubte
Bechstein (ebd. VIII 344 ff.) genug material zur hand zu haben, um
vom standpunkte der Curtiusschen schule die entwicklung des part.
der wurzelverba, ursprünglich -*ant*-, lat. anfänglich -*ont*-, dann durchgängig ·*ent*-, darzulegen. er stellte die formen mit dunklem vocal
zusammen und fügte besonders die altlat. bezeichnung der römischen
ritter *flexuntes* hinzu, welche er als part. praes. eines neben *flecto*
angenommenen *flexere* betrachtet, von dem er auch die wörter *flexio
flexilis flexibilis* herleitet. seitdem galt es als feststehend, dasz im
lateinischen dereinst ein 'regelmäsziger wechsel' zwischen *e* und *o*
im part. praes. act. der sog. dritten und vierten conjug. bestanden
habe, und Thurneysen in KZ. XXVI (1883) s. 301 ff. basierte hierauf

den bekanntern wechsel zwischen formen auf -*ondo* und -*endo* im part. fut. pass. ebenso Brugmann im American journal of philol. VIII (1887) s. 441 ff., der abweichend von Curtius für das active part. den grund des wechsels auf alte stammabstufende declination desselben (starker stamm -*ont*-, schwacher -*ent*-) zurückführte. diesen grund nun hat Bartholomae in KZ. XXIX (1888) s. 489 ff. vollständig widerlegt: die flexion der participialstämme auf -*nt*- war in der ursprache eine nicht abstufende. 'der vor *nt* auftretende vocal war, wenn betont, ursprünglich *e*, sonst *o*; im griech. trat ausgleich nach der *o*-seite hin ein .. umgekehrt im latein. nach der *e*-seite, welche hier durch die formen der unthematischen stämme *ab-sen-tis* = altir. *satás* aus *sn̊tos*) begünstigt war; *ont*-formen sind nur mehr ganz spärlich bezeugt' (s. 550). auch Thurneysen findet es jetzt in KZ. XXX (1889) s. 493 ff. entgegen seiner frühern erklärung auffällig, dasz das nebeneinandergehen von gerundivformen auf -*undo* und -*endo* sich bis in die kaiserzeit erhalten haben soll, während im activen part. -*unt*- neben -*ent*- 'kaum noch in einigen spuren' nachzuweisen sei. Brugmann selber wuste hierfür auch keinen grund anzugeben. es gibt in der that keinen in der hier bezeichneten richtung. im part. praes. act. hat jener von Curtius und allen nachfolgenden gelehrten angenommene wechsel, so weit wir das latein litterarisch verfolgen können, als regelmäszige erscheinung nicht bestanden. während man die für das part. fut. pass. in den ältesten denkmälern zahlreich belegte abwechselung der verschiedenen formen um einer zweifelhaften ableitungstheorie willen ihres ursprünglichen charakters entkleidet und von gründen herzuleiten sucht, die nicht vorhanden sind, hat man im activ eben um dieses 'regelmäszigen' wechsels willen und wegen der analogie des griechischen einen zwiespalt in die sprache eingeführt, der sich weder innerlich begründen noch litterarisch belegen läszt. die von Bechstein zusammengestellten formen des part. auf -*ont*- halten einer vorurteilsfreien prüfung gegenüber nicht stand.

　　Um zunächst über die gewöhnlichen formen *euntis, queuntis* ins klare zu kommen, so musz darauf aufmerksam gemacht werden, dasz für den nom. nur *iens, quiens* belegt ist und auch nicht die geringste andeutung für das etwaige vorhandensein einer dunkel vocalisierten nebenform vorliegt, dasz aber in den casus obliqui neben den landläufigen formen auch die hellern *ientis* (*eentis*), *queentes* thatsächlich überliefert sind (s. Neue II² 607 f.), ja dasz auch ein *abiendi, interiendi* erwähnt wird, obgleich man hier gern analogiebildung nach *audiendi* udgl. zugibt. wenn nun der wechsel von starken und schwachen stämmen principiell von der declination des part. auf -*nt*- ausgeschlossen ist — es wäre zumal hier auch sonderbar, dasz der nom. den schwachen, alle andern fälle den starken stamm aufweisen sollten — so müssen wir als ursprünglichen participialstamm für das praesens von *ire* die form *ient*- ansetzen. auch in der dritten plur. ind., die jetzt fast allgemein mit dem participialstamm

identificiert wird, scheint *ient, in etwas veränderter form (int) inschriftlich belegt, die ursprüngliche bildung zu sein, ganz wie in den
italischen dialekten *sent* statt *sunt* erscheint (s. Stolz in IMüllers
handb. I² s. 362, Zimmer in KZ. XXX 277). hier, in der dritten
plur. ind., wo Zimmer für die bindevocalischen verba ursprünglich
·*ont*, für die bindevocallosen ·*ent* annehmen will, ist im latein. ausnahmslos *u* eingetreten: wie *sunt* nach *legunt* usw. gebildet worden
ist, so zogen diese auch *eunt* nach sich, zumal hier die eigentümliche
natur des stammes (*i, ei*) überhaupt eine störung der regelmäszigen
bildungsweise verursachte. im nom. des part. nun hielt sich das *i* vor
l a n g e m *e* (*iens*), in den übrigen casus aber muste die analogie der
dritten plur. um so mehr auch die aufnahme der formen mit *u* beför-
dern, als *i* vor kurzem *e* nicht standhielt (vgl. *queentes*) und hier
noch das auf anderm wege entstandene gerundivpart. *eundus* nach
der weise von *amans : amandus, legens : legendus* usw. mit seinen
einflusz ausübte.

Diese verdrängung des ursprünglichen *eentis* war dadurch noch
mehr erleichtert, dasz die lat. sprache das ganz analog gebildete
part. von *esse* im simplex aufgab. dasselbe hiesz, wie die composita
prae-sens, ab-sens, (*dii*) *con-sentes* zeigen, *sens sentis,* und zwar nach
den ausführungen Bartholomaes ursprünglich und gesetzmäszig.
hier ist also am wenigsten raum für eine form *sons*, und damit
fällt Clemms ganze künstlich aufgebaute ableitung des adjectivs für
'schuldig, straffällig'; sie scheitert an der unmöglichkeit die bedeutung dieses adjectivs von einer grundbedeutung 'seiend' irgendwie herzuleiten. da ist doch die ableitung Döderleins, der *sons* mit
cίν·oμαι (schädigen) cίντηϲ zusammenbringt, in der that weit 'halt-
barer', zumal angesichts der ähnlichen bildung des substantivs *mons*
aus der wz. *min, men,* wie sie in *e-min-ere, pro-mun-turium* steckt
(Bugge in Curtius studien IV 343 leitet auch *fons* von einer wz. *fen*
ab); noch mehr beifall aber verdient die alte, bereits von J Grimm vorgeschlagene, dann mehrfach wiederholte und nun von Kluge (unter
zustimmung von Stolz) wieder erneuerte zusammenstellung jenes
adjectivs mit ahd. *sunta* (sünde), die sich ja unwillkürlich aufdrängt
und wohl auch jener griechischen wurzel nicht fern steht. überhaupt
ist es bedenklich und ungerechtfertigt, wenn man namentlich seit
Corssens untersuchungen noch vielfach, wie *dens* (= *edens,* ὀδoύϲ),
so auch die übrigen einsilbigen nomina *mons pons fons frons* zu
participien einsilbiger stämme stempeln will.

Bechsteins erklärung des altlat. wortes *f l e x u n t e s* als part. von
flexere hat gegenüber den andern 'mehr oder minder sichern' part.
auf ·*ont*· besonders Brugmanns beifall gefunden, und doch ist sie
ganz und gar zu verwerfen. die wörter *flexio flexilis flexibilis* gehören zum part. perf. pass. von *flectere*; vgl. *actio quaestio ratio
motio mansio; fissilis fictilis coctilis sessilis visibilis sensibilis plau-
sibilis* usw. dasz es neben dem genannten primitivum ein derivatum *flexo* nach der dritten conjug. gegeben, ist nicht wahrscheinlich,

da das regelrechte intensivum *flexare* in gebrauch war (Cato *de agric.* 49 *flexatoque*). das wort *flexuntes* erscheint in dieser gestalt im fragmente des Granius Licinianus 4, 20 und ist aus éiner hs. von Sillig bei Plinius *n. h.* XXXIII § 35 aufgenommen; bei Servius liest Thilo sowohl zu IX 603 wie zu v. 303 *flexuntae*, obgleich die Bonner hgg. des Licin. auch hier *flexuntes* forderten. in der that scheint die variante *flexeunte* auf die endung *-tes* hinzuweisen, deren auslaut in sprache und schrift leicht abfiel, wie auch die glosse bei Hesychios (IV 248 MS.) φλεξεντιήc· ἱππικὴ τάξιc παρὰ Ρωμαίοιc trotz der offenbaren corruptel in der schreibung des zu erklärenden wortes pluralbildung nach der dritten decl. beweist. jedenfalls wäre ein subst. *flexunta* nach bildung und ableitung ganz singulär und unerklärlich. ob aber die bildung *flexuntes* ursprünglich und echt ist, erscheint mindestens zweifelhaft. neben derselben geht die von Salmasius aufgenommene form *flexutes*, welche wohl für länge des *u*-vocals spricht. die andern überall zahlreich auftretenden varianten zeigen, dasz derselbe aus contraction hervorgegangen ist. bei Plinius haben fünf hss. *flexumentes* (andere *flexumenti, flexumenes*), bei Servius éine, wie gesagt, *flexeunte*. die bei ersterm bestbezeugte form *flexüentes* weist auf *flexuentes* als urform, woraus durch synalöphe in alter zeit — in die litteratursprache ist das wort nicht eingetreten, es ist nur gelegentlich in gelehrten abhandlungen als altlat. curiosum erwähnt — leicht *flexüntes* (*flexutes*) wurde. Schuchardt vocal. II 517 citiert ua. das ganz analoge *afluntiam* (= *afluentiam*) und erklärt daselbst den stufenweisen übergang von *puella* zu *pulla* in sprache und schrift. auch für die ausgestaltung eines *flexentes* wäre so die möglichkeit gewahrt [Schuchardt ao. II 424 und 527 *conf(e)lentes* = *confluentes*], obgleich diese form nur auf conjectur zu beruhen scheint: denn die schreibung φλεξεντιήc läszt zunächst nicht φλεξέντειc (Meineke im Philol. XII 628), noch weniger φλεξήντειc (ten Brink ebd. XXI 166) vermuten, sondern vielmehr φλεξιεντήc mit gleicher silbenzahl und verdünntem vocal vor *e* und mit altlat. betonung der letzten silbe: vgl. *cluens*, welches noch Plautus (Men. 588) zu éiner silbe zusammenzieht, neben *clientes*. in welcher weise das zurückgehen des accentes solche und ähnliche 'qualitative und quantitative veränderungen gerade solcher laute und wortteile hervorrief, welche nach hochlateinischer weise durch ihren accent am widerstandsfähigsten wären', s. bei Seelmann 'wesen und grundsätze lat. accentuation' (Leipzig 1884) s. 18 f. — Wir hätten also ein veraltetes, defectives part. eines denominativen verbums *flexuo* (von *flexus*), gebildet ganz nach *metuo tribuo statuo* (*sto status statuo*), welches jedenfalls dem sinne, den Servius und Licinianus dem worte beilegen, vollständig entspricht. ersterer will nemlich des Vergilius worte *flectere ludus equos* durch hinweis auf diese altrömische benennung illustrieren; letzterer gibt eine worterklärung eben dieser bezeichnung: *flexuntes a genere pensilium corrigiarum vocabant veteres* (so will ten Brink ao. den stark verstümmelten text herstellen).

So bliebe von eigentlichen participien auf *-unt-* nur noch *lucuns* in der auffassung von Curtius. indessen mag selbst das sabinische wort *lixula* (kringel) stammhaft mit dem adj. *luxus* zusammenbangen, so ist damit weder etwas für die annahme eines verbums *luc-ere* noch namentlich eines part. *lucuns* gewonnen, das dem allgemeinen sprachgesetze nicht gerecht würde. bei dem mangel jeder thatsächlichen unterlage für diese ableitung, die auch Vaniček in sein wörterbuch aufgenommen, indem er das wort von einer wz. *lac* 'biegen' herleitet, fragt es sich vor allem, welche **bedeutung** *lucuns* in dem zusammenhange der wenigen aus Varros Menippeae aufbehaltenen stellen (Nonius s. 131; fr. 417 und 508 Bücheler) haben musz und welcher art etwaige weiterbildungen des wortes im lateinischen sind. bei Varro heiszt es: *nulla ambrosia ac nectar, non alium et sardae, sed 'panis pemma lucuns, cibu' qui purissimu' multo est'*, und an der andern stelle: *vinum pemma lucuns nihil adiuvat, ista ministrat*. 'nicht nektar und ambrosia, nicht knoblauch und häringe, sondern brot, backwerk, kuchen, weitaus die lauterste speise'. da scheint doch in der that **nicht** 'den norddeutschen kringeln entsprechend ein gebäck von verschlungener gestalt' gemeint zu sein: das wäre ja schon in dem mit *pemma* bezeichneten backwerk enthalten. der relative zusatz deutet auch genugsam an, dasz es mehr auf die qualität, den stoff des gebäcks ankommt als auf die form. es liegt doch wohl eine gewisse steigerung in der aufzählung der eszwaren vor, und wie *pemma* zu *panis*, so wird *lucuns* zu dem gewöhnlichern *pemma* stehen: dasselbe wird eine noch süszere und feinere speise sein. nach diesem zusammenhang scheint *lucuns* ein stoffname, die bezeichnung einer so oder so zubereiteten masse zu sein, und es ist an sich nicht gestattet diesem worte einen plural zu geben im gewöhnlichen sinne der mehrzahl. anders ist es mit dem häufiger vorkommenden deminutiv *lucunculus*, das fast immer im plural steht: es bedeutet die aus jener masse geformten eszwaren (kuchen, 'plätzchen'), wie sie vom *scriblitarius* (tortenbäcker) geliefert werden (vgl. die lexika). Statius verbindet *molles caseoli lucunculique* und Apulejus *panes crustula lucunculos*, wo wir eine ähnliche steigerung haben wie bei Varro. dieses verkleinerungswort ist anomal gebildet, 'tamquam a lucunx', während wir vom stamme *lucunt-* (acc. *lucuntem* bei Festus s. 119) natürlich *lucuntulus*, wie *adulescentulus*, erwarten. schon diese anorganische ableitung deutet darauf, dasz das primitivum nicht eine echt lateinische und als solche empfundene wortbildung ist. — Salmasius hatte *lucuns* als latinisierte form des griechischen γλυκοῦς gedeutet, und seitdem galt bis auf Curtius dieses wort als beispiel der zahlreichen griechischen lehnwörter im lateinischen auf dem gebiete der esz- und trinkwaren. die 'zwei gründe', welche Curtius hiergegen anführt, brauchen uns nicht zu schrecken: denn wenn das adj. λυκόεις in der litteratur auch nur éinmal als beiwort von ποτός vorkommt (Nikandros Alex. 444), so beweist dies eben das vorhandensein der hier benötigten wort-

bildung zur genüge, und wir sind wohl berechtigt auf grund des
lat. *lucuns* wenigstens für die griechische volkssprache in diesem
oder jenem dialekte nach analogie anderer ähnlicher bildungen,
namentlich nach πλακοῦc aus πλακόειc, auch ein γλυκοῦc anzunehmen, wenn die lautetymologie diese annahme bestätigt. das
ist aber entschieden der fall. bezüglich der vocalisierung ist gar
nichts auszusetzen, und der abfall des anlautenden *g* vor *l* (γλ) liegt
nicht nur in *lac* (*lact-* = γλακτ-, γαλακτ-: s. Stolz ao. s. 303. GMeyer
gr. gramm. § 92) ua., sondern namentlich in dem von demselben
stamme genommenen lehnworte *liquiritia* = γλυκύρριζα (süszwurz)
vor, welches auch Schuchardt ao. I 37 an «*lucuns* = γλυκοῦc» ver-
anschaulichte. zweitens, wenn *placenta*, *ae* 'in ganz anderer weise'
romanisiert ist, so folgt daraus für die volkssprache gar nicht, dasz
das auch bei *lucuns* der fall sein muste. dieses ist eine einfach normale entlehnung, jenes ist bei dem übergang aus der einen sprache
in die andere sowohl hinsichtlich der innern wie der äuszern wortbildung stark modificiert. das so bezeichnete *genus operis pistorii*
(Festus) dürfte eine art weinkuchen gewesen sein. denn ὁ γλυκύc
(sc. οἶνοc) und τὸ γλυκύ bezeichnen einen besondern wein (vgl. τὸ
γλεῦκοc 'most'). dasz es eine solche kuchenart bei den Griechen
mit ähnlichem namen gegeben, lehrt Hesychios I 435 und Seleukos
bei Athen. XIV 645ᵈ. danach gab es auf Kreta ein gebäck, dessen
namen jener γλυκίνναc, dieser γλυκίναc schreibt mit der (aus beiden
zu ergänzenden) erklärung διὰ γλυκέοc (= οἴνου) καὶ ἐλαίου πλακοῦc 'placenta subacta et condita vino dulci' (Stephanus Thes. udw.).
dies würde ganz trefflich zu unserer auffassung von *lucuns*, *lucunculus* stimmen. übrigens erregt die bildung und ableitung dieses
griech. wortes schon wegen der doppelten schreibweise verdacht:
wie sollen wir die endung des masc. -ίναc erklären? es ist bekannt,
dasz im kretischen dialekte die lautgruppe νc sich hielt, während in
den meisten mundarten der nasal mit ersatzdehnung ausfiel: πάνcαc,
cτατήρανc usw. (GMeyer § 274 und 313. Brugmann griech. gr. in
IMüllers hdb. I² s. 18). vgl. die nominative Τίρυνc, ἔλμινc (wurm),
πείρινc (wagenkorb). sollte nun nicht vielleicht jenes γλυκίν(ν)αc
eine auf einem hör- oder schreibfehler beruhende misbildung für
γλυκίνc oder γλυκύνc, gemeingriechisch γλυκύc, gen. γλυκύντοc
sein? zum übergang von υ zu ι vgl. GMeyer § 89 f. es wäre dann
anzunehmen, dasz die worte des Athenaios γλυκύνc· διὰ γλυκέοc
καὶ ἐλαίου πλακοῦc παρὰ Κρηcίν zugleich die sache und die mundart-
liche benennung beträfen. für das lat. *lucuns* aber wäre das wort
im griechischen aufgefunden, nach welchem es ohne weiteres mit
abfall der anlautenden gutturale vor liquida gebildet wäre. doch
mag diese vermutung über das wort γλυκίναc auf sich beruhen: die
entlehnung des lateinischen *lucuns* aus dem griechischen überhaupt
ist jedenfalls annehmbarer als die auffassung dieser wortbildung, wie
sie Curtius und Vaniček vorgeschlagen haben.

   Ersterer berief sich (symbola ao. und studien III 330) für die annahme latein. participialbildung auf -*unt* namentlich auf das aus *voluntas* (*volunt-tas*) 'erschlieszbare' part. *volun*(*t*)*s* statt *volen*(*t*)*s*, und hierin sind ihm Corssen, Bechstein, Brugmann ('aus **voluntitás*') ua. gefolgt, ohne dasz meines wissens von irgend welcher seite widerspruch gegen diese ableitung erhoben wäre. und doch beruht sie auf einem, wie man sieht, sehr folgenschweren irrtum. *voluntas* ist gar keine ableitung von *volun*(*t*)*s*, wie Curtius will, und *potestas*, *egestas* kommen nicht von *poten*(*t*)*s*, *egen*(*t*)*s*, wie Kühner (ausf. lat. gr. I 656) angibt. die regelmäszige substantivbildung von participien bzw. adjectiven auf -*ns* geschieht mit dem suffix ·*ia*, und diese liegt auch von den drei in rede stehenden participien auf ·*ent*· vor: *volentia bene-volentia ind-igentia potentia*. die sprache hat es natürlich vermieden diese auf *t*(*i*) auslautenden stämme durch ein mit *t* anlautendes suffix -*tat*- (-*tut*-) weiterzubilden. die mit diesem gebildeten abstracta rühren sämtlich von n o m i n a l s t ä m m e n, von eigentlichen adjectiven oder substantiven her, wie *facul-tas venus-tas tempes-tas* (neben *tempestus*) *senec-tas Iuven-tas* (und *iuven-tus*) *volup-tas*. so geht auch *potestas* auf das adj. *potis* (zur verdunkelung des *i* vgl. Schweizer-Sidler[2] s. 14), *egestas* auf ein nomen *eges*, woraus *egēnus* statt *egesnus* (Schweizer-Sidler[2] s. 65 und 202, vgl. *ind-iges*), so auch *voluntas* für *volontas* auf das vom verbalstamme *vol*- gebildete substantiv *volo volonis*, st. *volon*- zurück. am genauesten deckt sich mit dieser bildung das genannte *Iuventas* von *iuvenis*: denn auch dieses subst. ist nichts anderes als eine ableitung vom verbalstamme *iuv*: *iuvon-iuven*-. die bildung solcher nomina agentis auf -*o* -*onis* hat namentlich in der volkssprache einen weiten raum eingenommen (vgl. RFisch im programm des Andreas-realgymn. in Berlin von 1888 und in Wölfflins archiv V s. 56 ff.), und ich möchte glauben, dasz ihre concurrenz auch mitgewirkt hat zur allgemeinen ausgestaltung des part. praes. act. der wurzelverba nach der *e*-seite hin, falls jemals eine dunkle vocalisierung stattgefunden hat.

KÖLN.   ——————   JOSEPH WEISWEILER.

86.
ZU DEN TEXTESQUELLEN DES SILIUS ITALICUS.

————

HBlass hatte in seiner abhandlung über die textesquellen des Silius Italicus 25 hss. angeführt; zu diesen kam als 26e die von GWartenberg in diesen blättern 1887 s. 431 f. besprochene hs. aus dem museum der Propaganda in Rom, und als 27e reiht sich an der Siliuscodex aus der bibliotheca Corvina in Budapest. es lag dem unterz. daran, auch diese hs. ihrem werte nach zu untersuchen, dh. zu bestimmen zu welcher der von Blass unterschiedenen classen dieselbe zu rechnen sei. durch das freundliche entgegenkommen der direction der Budapester universitätsbibliothek sowie des dortigen universitätsrectorats ward es dem unterz. ermöglicht seinen zweck zu erreichen; dafür möge auch an dieser stelle den genannten behörden der geziemende dank abgestattet werden.

Die dem ende des funfzehnten jh. angehörende hs. — Matthias Corvinus hatte bekanntlich in Florenz, Rom und andern städten Italiens kalligraphen bestellt, welche die nicht käuflichen manuscripte abschrieben (vgl. Bulletin du Bibliophile 1877 s. 234—238) — enthält 185 blätter und hat auf jeder seite 32 zeilen. die erste seite ist mit kunstvoller miniaturmalerei geschmückt, in welche auch das wappen des Matthias Corvinus verflochten ist. der titel lautet: *Sili Italici poetae de secundo bello Punico liber primus incipit feliciter.* name des schreibers und jahreszahl ist nicht angegeben. die schrift ist schön und deutlich. hin und wieder ausgelassene verse finden sich am rande oder unter dem text — meist von gleicher hand — nachgetragen. gröszere lücken finden sich auszer der im 8n buche v. 145—225, die alle hss. haben, zwei: im 1n buche sind die verse 438—469 ausgelassen, im 15n buch fehlen gar die verse 182—443, jedenfalls infolge von nachlässigkeit des abschreibers. rasuren und correcturen sind nicht selten, und zwar finden sich correcturen von gleicher und von späterer hand, einige wenige auch mit roter tinte.

Für die bestimmung der hs. gilt es drei fragen zu beantworten: I. repräsentiert die hs. eine dritte textgestaltung neben dem Coloniensis und den apographa des Sangallensis? II. wenn nicht, steht sie mit dem Col. in näherer verwandtschaft oder mit den apogr. des Sang.? III. im letztern falle, welcher der von Blass festgesetzten gruppen gebört sie an?*

Ad I. Dasz der Corvincodex — C² — keine selbständige stellung einnimt, wird dadurch bewiesen, dasz sich auch in ihm die lücke VIII 145—225 findet, ferner dasz auch er die dem Col. und den apogr. des Sang. gemeinsamen schreibfehler aufweist: I 295 *ubi* — von zweiter hand allerdings corrigiert in das richtige *urbi* 342 *omnis* — wiederum von zweiter hand corrigiert in *ominis* III 229 *ruptis* st. *raptis* 384 *suuania* st. *Uxama* VII 209 *it* st. *id* 211 *latibus* st. *lacibus* 400 *erit haec se gloria* st. *e. h. tibi gl.* IX 203 *discessum* (die übrigen apogr. meist *discensum*) st. *descensum* X 421 *is mana* st. *is mala* XIII 154 *usque* st. *iusque* (vgl. Blass s. 188).

Ad II. Dasz C² nicht mit dem Col., sondern mit den apogr. des Sang. in näherer verwandtschaft steht, dafür dient folgendes zum beweise:

a) es fehlen, abweichend vom Col. und in übereinstimmung mit den übrigen hss. I 550/51. II 26. 312. V 343. VII 620; ferner

---

* in ganz analoger weise, wie sie durch die abh. von HBlass vorgezeichnet ist, hat Wartenberg ao. den Siliuscodex aus dem museum der Propaganda in Rom bestimmt; es mag hier nebenbei ein kleiner irrtum Wartenbergs berichtigt werden: s. 432 unter II 2 führt er einzelne stellen an, wo der Col. eine singuläre lesart hat; unrichtig sind hier drei stellen angeführt, nemlich VI 188. 257 u. XII 473, wo die lesart des Col. auch von einer ganzen reihe anderer hss. geboten wird.

versteile an stellen, wo durch überspringen aus einem verse in einen
der nächsten eine anzahl wörter ausgelassen ist: I 566—68 *salutem*
— *uelisque* II 534—37 *de nube — tuum* und *territa* XVI 354/55
Hiberus — currebat; wogegen anderseits vorhanden sind die im
Col. fehlenden verse II 375—77. IV 750—752. VIII 46. X 565
(vgl. Blass s. 173).

b) C^2 stimmt in den fällen, wo der Col. eine singuläre lesart
hat, mit den apogr. des Sang., zb. III 534 *promittere* Col., *permittere*
C^2 643 *putris* C, *flammis* C^2, am rande zuerst *patris*, dann von
zweiter hand *paciens*   IV 13 *niueumque* C, *iuuenumque* C^2 VI 218
hinnitu C, *immani* C^2 234 *nutat* C, *mutat* C^2 usw. usw.

Ad III. Demnach bleibt als wichtigste frage die dritte; hier
ergibt sich mit bestimmtheit folgendes:

a) mit den besten hss. L^{3}F, welche die grundlage der neuen
textesrecension bilden, hat C^2 nichts zu thun; zum beweis dafür
dienen folgende stellen (vgl. Blass s. 224), wo L^{3}F allein von allen
hss. mit dem Col. gehen, und wo C^2 von ihnen abweicht und mit
den andern hss. übereinstimmt: XII 222 fehlt in C^2 XI 533 fehlt
das wort *talis*, XVI 365 das wort *pater*, während L^{3}F mit dem Col.
diese lücken nicht haben   III 42 liest C^2 *frontemque rumor nunc
omnis Acarnan* — allerdings von späterer hand *rumor* corrigiert
in *minor*   VI 614 *libio* in rasur st. *blando*   VIII 55 *arma* st. *Anna*
    VIII 644 *erumpere nitores* st. *er. manes*   XIII 155 *et capita* st.
capital   XIV 585 *astriferis* st. *aestiferis*   XV 459 *membra* st.
mella   XV 603 *deuouerat* st. *donauerat*   XV 780 *et latam* st.
gratam   XVI 210 *abest* st. *affert*. ebenso geht C^2 in den übrigen
von Blass s. 225 f. aufgezählten 17 fällen nie mit L^3 oder F, sondern
stets, wie in den vorher aufgezählten stellen, mit andern hss.

b) C^2 gehört auch nicht zur ersten gruppe O V G; beweisend
dafür sind folgende stellen (vgl. Blass s. 217 f.): I 297 haben O V G
cās statt *campos*; dafür C^2 mit der dritten gruppe *causas*   I 306
fehlt in O V G das wort *uana*, C^2 hat dafür mit der zweiten und
dritten gruppe *membra*   I 424 hat für das richtige *canentem* die
erste gruppe *tenentem*, während im folgenden v. 425 das letzte wort
in ihr fehlt; C^2 hat mit der zweiten gruppe *inundantem* (corrigiert
in *nundantem* = V^5) und v. 425 als letztes wort *torquens*   I 628
fehlt *coni* teilweise oder ganz in der ersten gruppe; C^2 bietet das
wort richtig mit der zweiten   I 588 haben O G *hichet* für *habet*,
V eine lücke; C^2 mit der zweiten und dritten gruppe *habet*   VIII 91
fehlt *fulgentis* in der ersten gruppe; C^2 dafür *arridentis* mit der
zweiten   endlich bietet C^2 die in O V durch übergleiten in éinen
vers zusammengeschmolzenen drei verse XV 703—705 mit den hss.
der zweiten und einigen der dritten gruppe vollständig.

c) C^2 gehört also entweder zur zweiten oder zur dritten gruppe;
dasz er zur zweiten gehört, war durch einige unter *b*) auf-
gezählte stellen wahrscheinlich geworden und wird durch folgende
stellen vollends erwiesen (vgl. Blass s. 218): I 602 statt *poenicus*

— *penitus* C² = 1e und 2e gruppe; *protinus* 3e gr.   II 52 statt
regna — segna C² = 1e und 2e gr.; *signa* 3e gr.; so von späterer
hand in C² corrigiert   III 222 *prodite* C² = 1e und 2e gr.; *pro-*
dito 3e gr.   III 260 statt *cauit — canit* C² = 1e und 2e gr.; *cernit*
3e gr.; so von späterer hand in C² corrigiert   III 261 statt *Rutulo*
nunc — rutilo nunc C² (von zweiter hand corr. in *rutulo n.*) mit
einigen hss. der 2n gruppe, so V²V⁵M; die übrigen der 2n gr. *rutu-*
lomine, die 3e *rutulorum*   IV 602 statt *nudam — undam* C² =
1e und 2e gr.; *mundam* 3e gr.   VI 614 st. *blando — libio* C² in
rasur — *libido* 1e und 2e gr.; *libyco* 3e gr.   VII 211 statt *lacibus*
— latibus = 1e und 2e gr.; *latiis* 3e gr.   XI 533 fehlt *talis* in C²
= 1e und 2e gr.; *certe* von d. hss. der 3n gr. eingeschoben   XIII 369
statt *probarim — procarum* C² = 1e und 2e gr.; *precatur* oder *pre-*
catum uä. 3e gr.   XIV 23 st. *fenus — seuus* C² = 1e und 2e gr.;
semen 3e gr.

Unter den sechs zur zweiten gruppe gehörenden hss. (vgl. Blass
s. 216 und 221) steht C² am nächsten V⁵, wie sich mir aus einer
weitern vergleichung verschiedener beweiskräftiger stellen ergeben
hat; doch unterlasse ich hier den ausführlichen beweis, weil das
resultat ja nicht weiter von praktischer bedeutung ist. für die kritik
selbst ist C², wie die übrigen hss. der zweiten gruppe, von geringem
werte (vgl. Blass s. 221 uö.). was die correcturen in C² anlangt, so
hat das bisher gesagte bereits gezeigt, dasz dieselben teils ver-
schlechterungen der lesarten nach der dritten gruppe (oder ältern
ausgaben?), teils verbesserungen enthalten; letztere scheinen von
sehr später hand zu stammen: denn ich fand an zwei stellen darunter
emendationen von NHeinsius, so I 295 *urbi* für *ubi* und II 52 *im-*
peritet für *imperet et.*

Wenn es mir zur gewinnung des oben genannten resultates zunächst nur um vergleichung der betreffenden beweiskräftigen stellen
zu thun war, so habe ich doch auch nicht unterlassen einzelne bücher
einer vollständigen vergleichung zu unterziehen, und diese diente
nur dazu, das gewonnene resultat zu bestätigen, wie anderseits die
ganze arbeit mich von neuem von der richtigkeit der von Blass auf·
gestellten classificierung der hss. überzeugt hat.

AUGSBURG.   LUDWIG BAUER.

87.
ZU TACITUS ANNALEN.

I 8 *tum consultatum de honoribus, ex quis maxime insignes visi,*
ut porta triumphali duceretur funus, Gallus Asinius, ut legum lata-
rum tituli . . anteferrentur, L. Arruntius censuere. die stelle ist von
dem gebrechen, das sie unzweifelhaft entstellt, noch nicht geheilt
worden, so zahlreiche versuche zur beseitigung desselben auch schon
unternommen worden sind. auch Bezzenbergers vorschlag *qui* hinter
quis einzufügen, so leicht er graphisch betrachtet sich darstellt, hat

nichts überzeugendes. ich zweifle nicht dasz Tacitus geschrieben habe: *tum consultatum de honoribus, ex quis ⟨exsequiales⟩ maxime insignes visi. ut porta* usw. dasz das wort *exsequiales* nach *ex quis* leicht ausfallen konnte, liegt auf der hand.

IV 72 *tributum iis* (*Frisiis*) *Drusus iusserat modicum pro angustia rerum, ut in usus militares coria boum penderent, non intenta cuiusquam cura, quae firmitudo, quae mensura, donec Olennius, e primipilaribus, regendis Frisiis inpositus terga urorum delegit, quorum ad formam acciperentur.* Nipperdey hat die unhaltbarkeit des überlieferten *urorum* richtig erkannt. sein vorschlag *taurorum* aber dürfte sich wenig empfehlen, da der ausfall von *ta* schwer zu erklären ist. mich führt der umstand, dasz das blosze *terga* vollständig ausreichen würde, auf die vermutung, dasz uns in dem worte *urorum* ein glossem vorliegt, freilich in etwas verstümmelter form. wahrscheinlich war an dem rande einer hs. zur erklärung des hier in dem sinne von *tergora* gebrauchten *terga* von einem glossator bemerkt worden *u. corium* dh. *ualet corium*, was dann von einem abschreiber jener hs. vielleicht infolge einer reminiscenz an die bekannte Caesarstelle *b. G.* VI 28 als *urorum* gelesen und in den text gebracht wurde.

XI 26 *quippe non eo ventum, ut senecta principis opperiretur.* diese stelle bietet einen interessanten beleg dafür, dasz ein einziger buchstab im stande ist den sinn einer stelle vollständig zu verdunkeln. liest man nemlich *se secta* statt *senecta*, so ist alles in schönster ordnung. die *secta principis* ist die partei des kaisers, von der es c. 33 heiszt: *trepidabatur nihilo minus a Caesare* (Nipperdey mit unrecht *ad Caesarem*): *quippe Getae, praetorii praefecto, haud satis fidebant.* über das wort *secta* vgl. Krebs-Schmalz Antib. II[6] s. 500. bisher las man allgemein nach der ed. pr. (Beroaldus) *ut senectam principis opperirentur* und legte diesen worten den sinn bei: 'ihre lage sei keine so ohnmächtige. dasz nur der natürliche tod des Claudius ihren wünschen erfüllung bringen könnte' (Nipperdey). gegen diese erklärung läszt sich jedoch zweierlei einwenden: éinmal kann *senecta* doch unmöglich das ende des greisenalters dh. den tod bezeichnen, und sodann müste der begriff der notwendigkeit unbedingt hervorgehoben sein, da ein solcher in dem bloszen *opperirentur* nicht liegt.

XII 27 legen graphische rücksichten es nahe nicht *inmittit*, sondern *movit* einzufügen, also zu lesen: *dein P. Pomponius legatus auxiliares Vangionas ac Nemetas, addito equite alario, ⟨movit⟩ monitos, ut antcirent populatores* usw.

BLASEWITZ BEI DRESDEN.   ALFRED ERDMANN SCHÖNE.

ERSTE ABTEILUNG
FÜR CLASSISCHE PHILOLOGIE

HERAUSGEGEBEN VON ALFRED FLECKEISEN.

88.

DIE VORSTELLUNGEN VOM DASEIN NACH DEM TODE
BEI DEN ATTISCHEN REDNERN.

EIN BEITRAG ZUR GESCHICHTE DER GRIECHISCHEN VOLKSRELIGION.

Über die grosze bedeutung der attischen redner — Isokrates nur als gerichtsredner — als unmittelbarer quellen für die geschichte des griechischen volksglaubens habe ich mich in einem früher an dieser stelle veröffentlichten aufsatz ausgesprochen.[1] da aber kaum ein gebiet der griechischen religionsgeschichte so vielfach bearbeitet ist wie das der todes- und unsterblichkeitsgedanken, so scheint es trotzdem besonderer rechtfertigung zu bedürfen, wenn ich es unternehme die dahin gehörenden vorstellungen der redner noch besonders zusammenzustellen. in der that ist nun aber hier eine lücke auszufüllen. denn die auf umfassendster sachkenntnis beruhenden darstellungen des gegenstandes bei philologen wie Nägelsbach, Teuffel, ECurtius, Lehrs und LSchmidt[2] haben, wenn auch in verschiedener weise, doch alle nur den charakter von zusammenfassenden übersichten und verzichten naturgemäsz von vorn herein auf erschöpfende vollständigkeit des materials; das gleiche gilt von dem reichhaltigen abschnitt über unsterblichkeitsvorstellungen in der 'histoire de la civilisation morale et religieuse des Grecs' von P. van Limbourg-Brouwer (bd. VIII s. 121—191), der übrigens vielfach streng historische sichtung des stoffes vermissen läszt. in andern arbeiten werden die einzelnen dichter und philosophen nach einander ge-

---

[1] oben s. 445 ff. dasz ich auch jetzt eine anzahl von reden, namentlich die epideiktischen des Isokrates, von der benutzung ausschlieze, habe ich gleichfalls schon dort begründet; vgl. s. 446.   [2] Nägelsbach nachhomerische theologie s. 392—423; Teuffel in Paulys realencyclopädie IV s. 154—167; Lehrs populäre aufsätze[2] s. 302—362; ECurtius altertum und gegenwart I s. 219—236; Leopold Schmidt ethik der alten Griechen I s. 97—118.

mustert, allenfalls auch einiges über die Eleusinien hinzugefügt,
ohne dasz man damit die absicht verbände festzustellen, wie viel
von den dargestellten anschauungen gemeingut des volkes ist.³ in
den allgemein religionsgeschichtlichen, nicht nur auf die Griechen
beschränkten werken steht es damit natürlich nicht besser, da sie
hier von der philologischen specialforschung einigermaszen im stiche
gelassen werden.⁴ also trotz der reichhaltigkeit der einschlägigen
litteratur glaube ich berechtigt zu sein noch besonders die vorstellungen vom dasein nach dem tode zu behandeln, die wir bei den
rednern dh. vertretern des volksglaubens finden. freilich geben die
betreffenden äuszerungen derselben kein vollständiges bild dessen,
was das volk — auch nur in Athen — im vierten jh. vor Ch. über
den gegenstand dachte; mancher wesentliche zug fehlt ganz, mancher ist nur leise angedeutet. aber das schweigen und scheue flüstern
ist ja bekanntlich gerade auf dem gebiet der todesgedanken für den
Hellenen durchaus charakteristisch; eben durch die unvollständigkeit ihrer äuszerungen also geben die redner eine um so treuere
widerspiegelung des allgemeinen maszes der aussprache darüber.

.Doch zur sache. nicht selten begegnet uns in den einschlägigen
arbeiten der gedanke, dasz die spätere volksanschauung über den
zustand nach dem tode im ganzen zusammenfalle mit der Home-
rischen.⁵ nach dieser — die übrigens durchaus nicht ohne weiteres
mit dem glauben ihres eignen zeitalters überhaupt identificiert werden
darf — besteht der tod in der trennung der materiell gedachten seele,
ψυχή, vom leibe. der letztere findet im grabe oder in der flamme des
scheiterhaufens vernichtung, die seele steigt zur unterwelt hinab,
um dort fortan eine schemenhafte, bewustlose existenz zu führen.
bewustlos: denn alles geistige wesen des menschen ruht im körper,
dessen einzelne organe träger der verschiedenen geistesthätigkeiten
sind. die seele, eigentlich der hauch des atems, das lebensprincip des
menschen, ist rein animalischer art. aus dieser grundauffassung erklären sich alle eigentümlichkeiten des Homerischen jenseitsglau-
bens, die wir im einzelnen hier nicht auszuführen haben.⁶

---

³ so bei Wissowa 'über die vorstellungen der alten vom leben nach dem
tode' (Breslau 1825); Reisacker 'der todesgedanke bei den Griechen' (Trier
1862); Arnold 'die unsterblichkeit der seele' (Landshut 1870); Arndt 'die
ansichten der alten über leben, tod und unsterblichkeit' (Frankfurt a. M.
1874); die beiden letztangeführten arbeiten von populär-wissenschaftlichem
charakter. ⁴ vgl. Spiess 'entwickelungsgeschichte der vorstellungen
vom zustand nach dem tode' s. 273—328, wo ein reichhaltiges verzeichnis der litteratur beigefügt ist. WMenzel 'die vorchristliche unsterb-
lichkeitslehre' bd. II s. 1—179 und Lippert 'die religionen der euro-
päischen culturvölker' s. 244—412 stehen freilich durchaus auf dem
boden des volksglaubens, verwenden aber als quellen fast ausschlieszlich mythen und thatsachen des cultus, nicht einzelne litterarische
zeugnisse. ⁵ vgl. Limbourg-Brouwer ao. s. 125. 152; Nägelsbach ao.
s. 396. 397. 413. 422; Teuffel ao. s. 163; Spiess ao. s. 310; Pfleiderer
'die geschichte der religion' s. 158; Hüttemann 'über volksreligion und
geheimdienst der Hellenen' jahrb. 1881 abt. II s. 449. ⁶ vgl. auszer

Auch in der attischen periode sehen wir nun vielfach den ausdruck ψυχή so verwendet, dasz wir ihn geradezu durch 'leben' übersetzen müssen, offenbar ein rest der Homerischen anwendung des wortes.[7] Homerischen redewendungen wie περὶ ψυχῆς μάχεσθαι, θέειν entsprechen bei den rednern genau verbindungen wie περὶ ψυχῆς κινδυνεύειν, δικάζειν, ἀγωνίζεσθαι (Ant. II α 4. δ 5. Lys. XXII 20. fr. 89. Dem. XVIII 262. ps.-Dem. g. Timoth. 2); Homer setzt das wort als object zu παρατίθεσθαι, ὀλλύναι, jene zu ἀπολλύναι, ἀφαιρεῖσθαι, ἀναλίσκειν, ἀντικαταλλάττεσθαι, διδόναι, περὶ ἐλάττονος ποιεῖσθαι, σῴζειν, κομίζεσθαι (Ant. V 82. ps.-Lys. g. And. 43. Isokr. XVIII 63. Lyk. g. Leokr. 46. 88. Aisch. II 88. Hyp. epit. c. 6, 34. ps.-Dem. g. Aristog. I 74). in gleichem sinne, aber in ziemlich kühner, dem gehobenen tone der epitaphien entsprechender anwendung finden wir das wort an mehreren stellen des ps.-Lysianischen epitaphios (§ 24. 40. 62) und éinmal in der inhaltlich damit zum teil recht nahe verwandten Leokratesrede des Lykurgos (§ 50). die composita ἄψυχος (Dem. XXIII 76) und φιλοψυχεῖν (ps.-Lys. epit. 25. Lyk. g. Leokr. 130) setzen dieselbe bedeutung von ψυχή voraus. eine andere zusammensetzung, ὀλιγοψυχεῖν (Isokr. XIX 39), weist hin auf die älteste bedeutung 'hauch, atem', die uns, zu untrennbarer einheit mit der bedeutung 'leben' verwachsen, auch in einer stelle aus Antiphon (IV α 6) begegnet, wo es heiszt: τύπτων τε καὶ πνίγων ἕως τῆς ψυχῆς ἀπεστέρησεν αὐτόν.

In gleicher verwendung finden wir nun aber bei den rednern auch σῶμα an zahlreichen stellen (Ant. II β 9. And. II 11. 18. Lys. III 18. VII 26. XXIII 12. XXIX 11. ps.-Lys. epit. 63. Isaios III 62. IV 30. XI 35. ps.-Dem. g. Timoth. 13). es hängt dies offenbar zusammen mit der groszen bedeutungsveränderung, welche in dieser zeit bekanntlich der ausdruck ψυχή erfahren hat. die geistigen thätigkeiten, die wir bei Homer an körperliche organe gebunden sehen, sind jetzt von diesen losgelöst und an ein vollständiges, dem leibe in gewissem sinne entgegengesetztes element geknüpft; eben dieses wird jetzt durch ψυχή bezeichnet. als allgemein gültig erscheint diese anschauung an einer stelle von Isokrates rede περὶ ἀντιδόσεως (§ 180): ὁμολογεῖται μὲν γὰρ τὴν φύσιν ἡμῶν ἔκ τε τοῦ σώματος συγκεῖσθαι καὶ τῆς ψυχῆς. wir sehen dem entsprechend das wort sehr oft bei den rednern gebraucht zur bezeichnung von 'geist' oder 'seele', häufig dem σῶμα entgegengestellt oder damit verbunden, um das ganze der menschlichen persönlichkeit zu bezeichnen: vgl. Ant. V 93. Lys. I 33. X 29. XXIV 3.

---

den in anm. 1 angeführten arbeiten vor allem Nägelsbach Homerische theologie s. 308—350 und Teuffel studien u. char. s. 36 ff.

[7] Nägelsbach nachhom. theol. s. 422 erklärt die thatsache anders, nemlich durch die gleich zu besprechende veränderung der bedeutung von ψυχή, wenn anders ich seine dürftigen und nicht genügenden ausführungen über diesen punkt nicht misverstehe.

XXVIII 9. XXXII 12. ps.-Lys. epit. 4. 5. 15. 18. 31. 50. 53. f. Polystr.
14. 24. 25. 29. Lyk. g. Leokr. 100. 122. Aisch. I 137. 179. 189.
II 146. 151. 159. 177. 181. III 46. 47. 170. Hyp. epit. c. 12, 4.
Dem. VIII 43. XVIII 245. 281. 287. 291. 298. 309. XIX 227. 252.
XXI 204. XXIV 196. XXVIII 21. ps.-Dem. g. Aristog. I 34. 51.
II 26. auch in den — fast ausschlieszlich von Demosthenes gebrauchten — zusammensetzungen μεγαλόψυχος und μικρόψυχος mit
ihren ableitungen (Aisch. II 157. III 212. Dem. XVIII 68. 269. 279.
XIX 140. 193. 235. XX 142. XXIII 205), in ψυχαγωγεῖν (Lyk.
g. Leokr. 33. Aisch. II 4. ps.-Dem. g. Leoch. 63. g. Neaira 55.
prooim. 32) und den seltenen worten εὔψυχος (Dein. I 79) und
εὐψυχία (ps.-Lys. epit. 4. 8. 14)[8] zeigt ψυχή schon die jüngere bedeutung.

Die jetzt rein geistig gewordene ψυχή hat mit dem begriff
des lebens keinen zusammenhang mehr. denn die oben angeführten fälle, in denen wir die bedeutung 'leben' feststellten, sind
eben nichts als stehen gebliebene reste des alten gebrauchs; in den
aufgezählten beispielen des neuern ist fast keine spur des lebens-
begriffes mehr kenntlich, ein beweis dasz der bedeutungswechsel schon
erheblich vor dem vierten jh. eingetreten ist.[9] die einzige stelle, die
wir als ein übergangsglied in der entwicklung ansehen können, bietet
— sicher nicht zufällig — der älteste der redner, Antiphon, der
übrigens, wie V 93 bezeugt, den unterschied von cῶμα und ψυχή im
jüngern sinne schon sehr wohl kennt. er sagt (IV α 7): ὑμᾶς δὲ
χρὴ . . τὴν βουλεύσασαν ψυχὴν ἀνταφελέςθαι αὐτόν· hier ist ψυχή
noch in alter weise das leben, und anderseits schon das geistige
wesen des menschen. eine derartige mischung beider begriffe ist
aber sonst bei den rednern schlechterdings nicht nachzuweisen.

Ist nun die ψυχὴ nicht mehr das animalische lebensprincip, so
kann auch der tod nicht mehr als das verlassenwerden des
leibes von ihr erklärt werden. die ausdrücke τὴν ψυχὴν ἀπολλύναι, ἀφαιρεῖσθαι können nicht als äuszerungen noch lebendiger
vorstellungen angesehen werden. es fragt sich daher, wie man sich
jetzt den vorgang des sterbens erklärt. die redner bleiben uns die
antwort darauf schuldig; neuere bezeichnende ausdrücke für den
vorgang des sterbens neben jenen alten Homerischen fehlen gänzlich, dh. man verzichtet auf eine erklärung.

Und wie steht es mit den vorstellungen vom zustand nach
dem tode? wäre die geistige ψυχή auch das lebensprincip des

---

[8] bei dieser gelegenheit eine berichtigung zu RRichters (de epi-
taphii qui sub Lysiac nomine fertur genere dicendi, Greifswald 1881,
s. 9) das wort betreffender bemerkung: 'apud oratores non occurrit';
Isokrates, den er doch von der vergleichung nicht ausschlieszt, hat es
zweimal, nemlich paneg. 85, hier allerdings mit discrepanz der hss., und
panathen. 198.   [9] ich zweifle nicht, dasz eine untersuchung des sprachgebrauchs der übrigen nicht philosophischen prosaiker des vierten jh.
zu demselben ergebnis führen wird; für Isokrates kann ich es aus
eigner untersuchung schon jetzt bezeugen.

körpers, so würden wir erwarten können die betreffende Homerische anschauung einfach in dér weise umgewandelt zu sehen, dasz nun die seelen der abgeschiedenen ein bewustes sonderdasein hätten, wie schon bei Homer selbst die des Teiresias (κ 493 ff.). aber diesen schritt thun die redner nicht. wo von den toten geredet wird, ist bei ihnen nicht éinmal der ausdruck ψυχή gebraucht; es heiszt stets οἱ ἀποθανόντες, οἱ τετελευτηκότες, auch οἱ ἐν Ἅιδου (Isaios II 47) oder οἱ ἐκεῖ (Lyk. g. Leokr. 136). die toten sind nicht leib, nicht seele, sondern eben schlechthin die toten; über die physische beschaffenheit ihrer existenz weisz man nichts.

Dasz sie aber überhaupt noch existieren, ist im allgemeinen sicherer glaube dieser zeit. sterben ist nicht völliger untergang, sondern nur beendigung des lebens, τελευτᾶν τὸν βίον (zb. Lys. XII 88. ps.-Lys. epit .70. 79. Isaios VIII 7. Lyk. g. Leokr. 86); an éiner stelle, soviel ich sehe, finden wir auch die charakteristische bezeichnung μεταλλάςςειν τὸν βίον (Lyk. g. Leokr. 50). als aufenthaltsort der verstorbenen gilt auch jetzt noch der Hades, wie schon die eben angeführte bezeichnung für sie zeigt (vgl. auszerdem Dem. XXIV 104. Hyp. epit. c. 12, 11. c. 13, 28. bei Stobaios anth. 124, 36. ps.-Dem. g. Aristog. I 52).

Ferner gilt es im allgemeinen als ausgemacht, dasz ihr zustand ein bewuster ist. sie wissen, was auf erden geschieht. selten freilich ist davon in ausdrücklichen hinweisungen die rede, und auch dann fast immer nur in der form der bedingtheit. Lysias allein erklärt ohne einschränkung (XII 100): οἶμαι δὲ αὐτοὺς ἡμῶν τε ἀκροᾶςθαι καὶ ὑμᾶς εἴςεςθαι τὴν ψῆφον φέροντας. sonst ist die form bedingt; so heiszt es bei Isokrates (XIX 42): Θράςυλλος ὁ πατὴρ ὁ ταύτης ἡγοῖτ’ ἂν δεινὰ πάςχειν, εἴ τίς ἐςτιν αἴςθηςις τοῖς τεθνεῶςι περὶ τῶν ἐνθάδε γιγνομένων, und ähnliches finden wir mehrfach (ebd. § 44. Lyk. g. Leokr. 136. Dem. XIX 66. XX 87. XXIII 210). Hypereides (epit. bei Stob. anth. 124, 36) fügt dem formelhaften εἰ δ’ ἔςτιν αἴςθηςις ἐν Ἅιδου ein zuversichtliches ὥςπερ ὑπολαμβάνομεν hinzu. bei Aischines freilich lesen wir (I 14): τελευτήςαντα δὲ αὐτόν, ἡνίκα ὁ μὲν εὐεργετούμενος οὐκ αἰςθάνεται ὧν εὖ πάςχει, τιμᾶται δὲ ὁ νόμος καὶ τὸ θεῖον, θάπτειν ἤδη κελεύει καὶ τἆλλα ποιεῖν τὰ νομιζόμενα. aber diese worte bilden nur eine vereinzelte ausnahme. im allgemeinen, wie gesagt, glaubt man, dasz die toten wissen was oben geschieht, und dasz sie mit gefühlen der freude oder trauer, des wohlgefallens oder misfallens, der liebe oder des hasses daran teilnehmen. das letztere zeigen besonders deutlich zwei stellen aus der 9n rede des Isaios: an der einen (§ 4) heiszt es, dasz die freunde des verstorbenen Astyphilos einen dritten an dessen grab geführt hätten εὖ εἰδότες ὅτι ἀςπάζοιτο αὐτὸν Ἀςτύφιλος, und umgekehrt gibt Euthykrates sterbend den auftrag μηδένα ποτὲ ἐᾶςαι ἐλθεῖν τῶν Θουδίππου — seines feindes — ἐπὶ τὸ μνῆμα τὸ ἑαυτοῦ (§ 19).

Ist aber der zustand der abgeschiedenen in dieser weise bewust,

so ergibt sich für die überlebenden das gebot zu thun was ihnen
genehm ist und zu meiden was ihr misfallen erregen
könnte. zahlreich sind die stellen, die wir als belege für das bestehen dieser zum teil durch das staatsgesetz festgesetzten forderung
und für das grosze gewicht derselben anführen könnten. sie sind
natürlich alle mehr oder weniger zeugnisse für den glauben an das
bewustsein der toten, den sie zur voraussetzung haben, wenn auch
vielleicht manchmal die blosze gewohnheit des darauf beruhenden
redens oder handelns mächtiger ist als die wirklich lebendige vorstellung davon. da es mir hier auf diese ausschlieszlich ankommt,
so kann ich mich begnügen für die pflichten gegen die verstorbenen
im allgemeinen auf das äuszerst reichhaltige capitel in LSchmidts
ethik der alten Griechen zu verweisen, das von ihnen handelt (bd. II
s. 97—132). ich führe hier nur solche stellen an, an denen derartige
pflichten in deutlich erkennbarem oder geradezu ausgesprochenem zusammenhange mit dem bewustsein der toten erscheinen.

Mehrfach suchen die redner auf die entscheidung der richter
einzuwirken durch den hinweis auf die gefühle, die bei den verstorbenen gegenüber der verhandelten angelegenheit vorauszusetzen seien. so ruft Lykurgos gegen den vaterlandsverrat des
Leokrates dessen verstorbenen vater sich als vorbild für die richter
zu hilfe: ἡγοῦμαι δ' ἔγωγε καὶ τὸν πατέρα αὐτῷ τὸν τετελευτη-
κότα, εἴ τις ἄρα ἔστιν αἴσθησις τοῖς ἐκεῖ περὶ τῶν ἐνθάδε γινομένων, ἁπάντων ἂν χαλεπώτατον γενέσθαι δικαστήν (§ 136). an
das ἀγανακτεῖν der vorfahren überhaupt erinnert Demosthenes, um
den antrag des Leptines auf abschaffung der atelien zu falle zu
bringen (XX 87), und in der rede über die truggesandtschaft appel-
liert er wie Lykurgos an ihre entscheidung (§ 66). gegen Aristokrates erhebt er den einwand: πηλίκον τί ποτ' ἂν στενάξειαν οἱ
ἄνδρες ἐκεῖνοι, οἱ ὑπὲρ δόξης καὶ ἐλευθερίας τελευτήσαντες καὶ
πολλῶν καὶ καλῶν ἔργων ὑπομνήματα καταλιπόντες, εἰ ἄρα
αἴσθοιντο ὅτι νῦν ἡ πόλις εἰς ὑπηρέτου σχῆμα καὶ τάξιν προελή-
λυθε, καὶ Χαρίδημον εἰ χρὴ φρουρεῖν βουλεύεται; (XXIII 210).
mit diesen worten vergleichen wir eine ähnliche und doch ihrem
geiste nach ganz verschiedene stelle aus der Ctesiphontea des Aischines
(§ 259): Θεμιστοκλέα δὲ καὶ τοὺς ἐν Μαραθῶνι τελευτήσαντας καὶ
τοὺς ἐν Πλαταιαῖς καὶ αὐτοὺς τοὺς τάφους τοὺς τῶν προγόνων
οὐκ οἴεσθε στενάξειν . .; der zusatz von τοὺς τάφους kennzeichnet
diesen appell an die gefühle der alten helden als eine blosze rhetorische phrase, der schwerlich eine lebendige vorstellung des redners
von einer αἴσθησις der toten entspricht (vgl. auch I 14).[10]

In den angeführten stellen war die rede von dem eindruck, den
ein gegen die allgemeinen anschauungen von recht und unrecht ge-

---

[10] wir wundern uns daher nicht, wenn er III 153, an einer stelle
wo man wohl einen hinweis auf die gefühle der abgeschiedenen erwarten könnte, davon schweigt und nur von den bittern empfindungen
ihrer hinterbliebenen spricht.

richtetes thun auf die abgeschiedenen macht. noch bedeutsamer
natürlich ist der gedanke an sie da, wo es sich um erfüllung oder
nichterfüllung ihres besondern, ausgesprochenen willens handelt, vor allem also bei testamentsangelegenheiten. daher
hören wir in einem fragment des Lysias (fr. 74) die unwillige frage
πῶϲ δ᾽ ἂν τῆϲ διαθέϲεωϲ τοῦ τετελευτηκότοϲ ἀμελήϲαιμεν, ἣν
ἐκεῖνοϲ διέθετο οὐ παρανοῶν οὐδὲ γυναικὶ πειϲθείϲ; selbstverständlich spielt in den erbschaftsreden, namentlich also bei Isaios
dieser gedanke eine grosze rolle. abgesehen von den erbrechtlichen
bestimmungen handelt es sich ja hier für die parteien immer darum
nachzuweisen, was des erblassers eigentlicher wille gewesen, bzw.
wie dieser zu dem vorhandenen testamente stimme. daher läszt
sich der sprecher des Isokratischen Aiginetikos den einwurf machen,
ὡϲ Θράϲυλλοϲ ὁ πατὴρ ὁ ταύτηϲ ἡγοῖτ᾽ ἂν δεινὰ πάϲχειν . . ὁρῶν
τὴν μὲν θυγατέρ᾽ ἀποϲτερουμένην τῶν χρημάτων, ἐμὲ δὲ κλη-
ρονόμον ὧν αὐτὸϲ ἐκτήϲατο γιγνόμενον (§ 42), und Demosthenes
schlieszt seine erste rede gegen Aphobos (§ 69): μέγα δ᾽ ἂν οἶμαι
ϲτενάξαι τὸν πατέρ᾽ ἡμῶν, εἰ αἴϲθοιτο τῶν προικῶν καὶ τῶν
δωρεῶν ὧν αὐτὸϲ τούτοιϲ ἔδωκεν, ὑπὲρ τούτων τῆϲ ἐπωβελίαϲ
τὸν αὑτοῦ υἱὸν κινδυνεύοντα. bezeichnend sind auch die schluszworte der schon mehrfach citierten 9n rede des Isaios (§ 37) οὕτω
γὰρ ἂν μάλιϲτα ᾿Αϲτυφίλῳ τε χαρίϲαιϲθε κἀμὲ οὐκ ἂν ἀδικήϲαιτε
(vgl. auch I 26. 35. X 22).

Im engsten zusammenhange mit der testamentserfüllung steht
die erweisung der totenehren, der νομιζόμενα[11], dh. im
weitesten sinne des wortes neben der abhaltung der bestattungs-
feierlichkeiten auch das zurschautragen eines angemessenen äuszern
betragens seitens der hinterbliebenen, sowie die heilighaltung und
event. verteidigung der gräber. zweifellos sind diese pflichten sehr
alt; sie musten an bedeutung gewinnen, je mehr man sich die toten
als bewuste fühlende existenzen dachte. dasz dem in der that so ist,
zeigt — abgesehen von der gesetzlichen bestimmung darüber (Dem.
XXIV 107) — besonders die sorge, die der einzelne in bezug auf
die ihm selbst dereinst gebührenden totenehren bei lebzeiten hegte.
diese sorge läszt die strafe der beerdigung auszer landes so schwer
erscheinen, dasz Lykophron bei Hypereides (c. 16, 9 ff.) ihr gegenüber die todesstrafe an und für sich als ἐλάχιϲτον bezeichnen kann.
sie hauptsächlich läszt kinderlosigkeit als unglück empfinden (Isaios
II 8. 23) und ist daher vielfach der grund zu adoptionen. Isaios
spricht dies in der rede über das erbe des Menekles aus (§ 10):
ἐϲκόπει ὁ Μενεκλῆϲ ὅπωϲ μὴ ἔϲοιτο ἄπαιϲ, ἀλλ᾽ ἔϲοιτο αὐτῷ ὅϲτιϲ
ζῶντα γηροτροφήϲοι καὶ τελευτήϲαντα θάψοι αὐτὸν καὶ εἰϲ τὸν
ἔπειτα χρόνον τὰ νομιζόμενα αὐτῷ ποιήϲοι (vgl. ebd. § 25. VII 30).
in der besorgnis, der übel geratene sohn könne die pflichten der

---

[11] vgl. darüber Schömann zu Isaios s. 183 und 217 ff. gr. alt. II³
s. 570 ff.

νομιζόμενα verabsäumen, händigt, wie Lysias berichtet (XXXI 21), eine mutter einem dritten οὐδὲν προσήκουσα, aber πιστεύσασα, eine summe für ihre bestattung ein und gibt dadurch, wie LSchmidt (ethik II s. 111) treffend bemerkt, ihrem mistrauen gegen den sohn den denkbar herbsten ausdruck. dasz man übrigens nur die von befreundeter hand dargebrachten νομιζόμενα als dem toten angenehm ansah, ist nach dem oben gesagten selbstverständlich und wird ausdrücklich ausgesprochen von Isaios (I 10): ἡγεῖτο γὰρ δεινὸν εἶναι τὸν ἔχθιστον τῶν οἰκείων ἐπίτροπον καὶ κύριον τῶν αὐτοῦ καταλιπεῖν, καὶ ποιεῖν αὐτῷ τὰ νομιζόμενα τοῦτον, ἕως ἡμεῖς ἡβήσαιμεν, ᾧ ζῶν διάφορος ἦν.

Eine weitere pflicht für die hinterbliebenen ist bekanntlich die, falls der verstorbene durch mörderhand den tod gefunden, den schuldigen zur rechenschaft zu ziehen. bei Lysias (XIII 41) gibt Dionysodoros, der auf die anklage des Agoratos von den dreiszig zum tode verurteilt ist, seinem schwager den auftrag an jenem rache zu nehmen und bindet seinem weibe auf die seele dereinst auch seinem noch ungeborenen sohne diese pflicht einzuschärfen (ebd. § 42); der sprecher der rede gegen Agoratos beruft sich später ausdrücklich darauf (ebd. § 92). auch der tote hat dies verlangen nach rache für seine ermordung, und zwar wird dasselbe bei ihm so stark gedacht, dasz es personificiert wird als der προστρόπαιος τοῦ ἀποθανόντος, der um rache flehende bittgeist des toten, der den mörder unruhig umhertreibt und mit der erinnerung an seine that peinigt (Platons Ges. 865ᵈ), aber auch den säumigen rächer — ankläger oder richter — quält. wir begegnen dieser personification mehrfach in den tetralogien des Antiphon.[12] in der dritten derselben meint der kläger (α 4): τῷ μὲν ἀποθανόντι οὐ τιμωροῦντες δεινοὺς ἀλιτηρίους ἕξομεν τοὺς τῶν ἀποθανόντων προστροπαίους· die προστρόπαιοι werden quälgeister sein. der angeklagte in derselben sache empfiehlt seine freisprechung mit der erwägung, dasz dann, auch wenn er schuldig, doch der zorn des toten nicht die richter, sondern den kläger treffen würde, der es mit seiner rachepflicht nicht ernst genug genommen: ἀδίκως μὲν γὰρ ἀπολυθείς, διὰ τὸ μὴ ὀρθῶς ὑμᾶς διδαχθῆναι ἀποφυγών, τοῦ μὴ διδάξαντος καὶ οὐχ ὑμέτερον τὸν προστρόπαιον τοῦ ἀποθανόντος καταστήσω· er fährt fort: μὴ ὀρθῶς δὲ καταληφθεὶς ὑφ᾽ ἡμῶν [dh. θανάτῳ ζημιωθεὶς] ὑμῖν καὶ οὐ τούτῳ τὸ μήνιμα τῶν ἀλιτηρίων προστρίψομαι (β 8), er würde als unschuldig getöteter gleichsam die ἀλιτήριοι auf die richter hetzen (vgl. δ 10). an zwei andern stellen wird der tote selbst als προστρόπαιος bezeichnet, also in eigentümlicher weise mit dem geist seiner rache identificiert; in der zweiten anklagerede der ersten tetralogie (§ 10) warnt der sprecher die richter: ἀδίκως δ᾽ ἀπολυομένου τούτου ὑφ᾽ ὑμῶν ἡμῖν μὲν προστρόπαιος ὁ ἀποθανὼν οὐκ ἔσται, ὑμῖν δὲ ἐνθύμιος γενήσεται, und

---

[12] vgl. Mätzner zu Antiphon s. 165 f. LSchmidt ao. I s. 116 ff.

in der letzten rede der dritten tetralogie (§ 10) heiszt es, freilich
nicht ohne verderbnis des textes [13], aber doch so weit es auf die bedeutung des προϲτρόπαιοϲ ankommt verständlich: ὅ τε γὰρ ἀποκτείναϲ τούτου ἀποθανόντοϲ οὐδὲν ἧϲϲον τοῖϲ αἰτίοιϲ προϲτρόπαιοϲ ἔϲται. das neutral, mit ἐνθύμιον ziemlich gleichbedeutend
gebrauchte προϲτρόπαιον (Ant. III δ 9) geht uns hier nichts an.
die eben nachgewiesene vorstellung von dem verfolgenden zorn des
gemordeten ist sicherlich uralt. in die rednerzeit passt sie als einzige
äuszerung eines glaubens an ein die oberwelt berührendes wirken
der toten kaum mehr hinein, und ich möchte es nicht für einen zufall
halten, wenn der älteste der redner der einzige vertreter derselben
unter ihnen ist.

In der that gilt ihnen sonst der tote, wenn auch als bewust, so
doch nie als wirkend, mit ausnahme freilich der heroen [14], die ja
den göttern an die seite gestellt werden (Ant. I 27. Lyk. g. Leokr. 1.
Dein. I 64). denn wenn es bei Lysias heiszt (I 7): ἐπειδὴ δέ μοι ἡ
μήτηρ ἐτελεύτηϲε, πάντων τῶν κακῶν ἀποθανοῦϲα αἰτία μοι γεγέ-
νηται, so ist ja hier wie in andern stellen der tote nur das grammatische, nicht das logische subject (Ant. II β 2. Isaios I 1. Dem.
LVII 43); und wenn Lykurgos die allgemeine opferwilligkeit Athens
im letzten kampfe gegen Philippos charakterisiert durch den zusatz
ἡ μὲν χώρα τὰ δένδρα ϲυνεβάλλετο, οἱ δὲ τετελευτηκότεϲ τὰϲ
θήκαϲ, οἱ δὲ νεῲ τὰ ὅπλα (g. Leokr. 44), so beweist in dieser gehobenen ausdrucksweise die zusammenstellung der toten mit land
und tempeln eben die anschauung von der nichtwirksamkeit der
verstorbenen. diese anschauung ist so selbstverständlich, dasz man
sie überhaupt nicht ausspricht. durchaus vereinzelt ist eine stelle
aus Lysias (XIX 49), wo es heiszt: καὶ ὅϲα μὲν περὶ τεθνεώτων
λέγουϲι, οὐ πάνυ θαυμάζω· οὐ γὰρ ὑπό γε ἐκείνων ἐξελεγχθεῖεν
ἄν. der hilflosigkeit der toten in der vollziehung der rache und der
abwehr von verunglimpfungen ihres andenkens entsprechen die so

---

[13] mit dem überlieferten ἀποκτείναϲ ist gar nichts anzufangen. was
an der stelle durch den gedanken gefordert wird, ist klar, zumal mit
vergleichung von IV α 4: im falle der verurteilung des unschuldig ver-
klagten bleibt der tote ungerächt und die blutschuld verdoppelt sich.
meines erachtens ist demnach zweifellos mit Jernstedt für ἀποκτείναϲ
einzusetzen ἀποθανών. dies ursprüngliche ἀποθανών wiederholte aus
versehen ein schreiber statt des folgenden ursprünglichen particips im
genitiv; wie dies gelautet, ist nicht auszumachen, Jernstedts vermutung
καταληφθέντοϲ genügt dem sinne. das falsche ἀποκτείναϲ konnte dann
durch ein zweites ähnliches versehen — ἀποκτείνων gebt unmittelbar
voraus — oder wahrscheinlicher durch bewuste thörichte änderung entstehen. falsch ist es übrigens, wenn Briegleb (zur kritik des Antiphon,
Anklam 1861, s. 11) bei der besprechung der stelle, der wir die besserung des überlieferten μίαϲμα in μήνιμα verdanken, die ἀλιτήριοι als
'die rächenden manen des gemordeten' bezeichnet; es sind selbständige
unheilsdämonen. [14] ich habe über die heroen aus den rednern nichts
weiter anzuführen; bezüglich dessen, was an ihnen für den behandelten
gegenstand in betracht kommt, verweise ich auf Lehrs ao. s. 320 ff.
und LSchmidt ao. I s. 112 ff.

oft angewandten ausdrücke βοηθεῖν oder τιμωρεῖν τῷ τεθνηκότι und ähnliche, deren die kläger vor gericht sich mit vorliebe bedienen, um ihre eigne aufgabe und die der richter zu bezeichnen (Ant. I 2—5. 21. 22. 31. II γ 11. IV α 4. Lys. X 28. 32. XII 36. 99. XIII 1. 42. 92. XIX 1. Isaios II 1. 47. ps.-Dem. g. Makart. 81. 84). dasz üble nachrede gegen einen toten nicht nur als schweres sittliches vergehen angesehen (Isokr. XVI 22. Isaios IX 6. 23. 26), sondern auch durch das staatsgesetz geahndet wurde (Dem. XX 104. ps.-Dem. g. Boiot. üb. d. mitg. 49), ist ja bekannt. auch die götter nehmen die hilflosen toten in ihre besondere obhut, und auf diesem umwege erklärt sich wenigstens zum teil die heiligkeit der pflichten gegen sie und die schwere der betreffenden vergehen, die geradezu als ἀϲεβήματα bezeichnet werden (vgl. dazu oben s. 452). aber auch an und für sich hat die wehrlosigkeit der verstorbenen — ebenso wie das unglück — etwas verpflichtendes, so dasz ihnen gegenüber auch das gebot des feindeshasses seine geltung verliert. darum zogen nach der darstellung des ps.-Lysianischen epitaphios (§ 8), als die Thebaier die besiegten Argeier nicht bestatten wollten, die Athener gegen jene ins feld νομίζοντες ἀνδρῶν μὲν ἀγαθῶν εἶναι ζῶντας τοὺς ἐχθροὺς τιμωρήϲαϲθαι, ἀπιϲτούντων δὲ ϲφίϲιν αὐτοῖϲ ἐν τοῖϲ τῶν τεθνεώτων ϲώμαϲι τὴν εὐψυχίαν ἐπιδείκνυϲθαι, und Demosthenes (XVIII 315) bezeichnet es als allgemein gültigen grundsatz, ὅτι τοῖϲ μὲν ζῶϲι πᾶϲιν ὕπεϲτί τιϲ ἢ πλείων ἢ ἐλάττων φθόνος, τοὺς τεθνεῶτας δὲ οὐδὲ τῶν ἐχθρῶν οὐδεὶς ἔτι μιϲεῖ (vgl. XIX 313. ps.-Dem. g. Boiotos über die mitgift 47).

Das ergebnis der bisher angestellten erörterungen ist dies, dasz nach der durch die redner vertretenen allgemeinen anschauung die toten — jetzt nicht mehr als ψυχαί bezeichnet — in einem bewusten und empfindenden, aber im allgemeinen nicht wirkungsfähigen zustande existieren. ich habe danach kaum nötig zu erinnern, wie sehr diese vorstellungen von den Homerischen abweichen, mit denen sie nicht selten zusammengeworfen werden. wie aber steht es nun, fragen wir weiter, mit der beurteilung des looses der verstorbenen?[15] ist der tod auch jetzt noch in dem masze gehaszt und gefürchtet — soweit sich das nach öffentlich gethanen aussprüchen überhaupt entscheiden läszt — wie bei den Homerischen helden? ich habe die frage von vorn herein in beschränkter form gestellt: denn dasz dem Griechen im allgemeinen das leben lieb und der tod nicht ersehnt oder auch nur gleichgültig ist, das bleibt trotz Lasaulxs oft genug nachgesprochener ansicht von der 'trostlosigkeit' der griechischen lebensauffassung ausgemachte sache. ersehnt ist er nur da, wo er als beendiger eines βίοϲ ἀβίωτος erscheint (Lys. fr. 53. ps.-Lys. epit. 69. 73. g. Andok. 32); diese fälle aber kommen in ihrem rein negativen charakter für die wertschätzung des todes eigentlich nicht in betracht. im allgemeinen, wie gesagt, wird derselbe als ein übel

---

[15] vgl. Nägelsbach nachhom. theol. s. 392—396.

angesehen. nur mit einem worte erinnere ich hier an die bedeutung
der todesstrafe[16], die nicht nur als die schwerste mögliche busze
des verbrechers gilt — εἴ τις μείζων εἴη τιμωρία θανάτου heiszt
es bei Lykurgos (g. Leokr. 134) — sondern auch auf die andern
abschreckend zu wirken bestimmt ist und thatsächlich wirkt, wie
desselben redners worte (ebd. § 130) zeigen: τίς γὰρ ὁρῶν
θανάτῳ ζημιούμενον τὸν προδότην ἐν τοῖς κινδύνοις ἐκλείψει
τὴν πατρίδα; (vgl. Ant. II γ 11). man bemitleidet die vor der
zeit auf gewaltsame weise umgekommenen (Ant. I 21. 25. III α 2.
Lys. XIV 39), und Hypereides (epit. c. 10, 8) bezeichnet den tod
sogar geradezu als für die meisten menschen κακῶν ἀνιαρότατον,
wenn anders diese von Babington und Blass gefundene lesart den
redner richtig wiedergibt. einen grund für diese beurteilung des
todes bezeichnet Lykurgos mit den worten (g. Leokr. 60) τελευτή-
cαντι δὲ cυναναιρεῖται πάντα δι᾽ ὧν ἄν τις εὐδαιμονήcειεν, mit
den freuden des erdenlebens ist es aus, wenigstens, dürfen wir ein-
schränkend sagen, soweit sie im unmittelbaren genieszen bestehen.
trotzdem kann Lykophron bei Hypereides (c. 16, 9) in bezug auf die
ihm drohende verurteilung zum tode erklären: ἐλάχιστον γὰρ τοῦτό
ἐcτιν τοῖς ὀρθῶς λογιζομένοις. dies ὀρθῶς λογίζεcθαι aber besteht
in der erwägung, dasz das sterben nun einmal allgemeines menschen-
loos ist, einer erwägung die so wenig einen bittern beigeschmack
hat wie die resignation gegenüber der beschränktheit des menschen-
looses überhaupt (vgl. oben s. 459). am ausführlichsten wird dieser
gedanke als ein trost für die hinterbliebenen der gefallenen im ps.-
Lysianischen epitaphios ausgesprochen (§ 77 f.): ἀλλὰ γὰρ οὐκ οἶδ᾽
ὅ τι δεῖ τοιαῦτα ὀλοφύρεcθαι· οὐ γὰρ ἐλανθάνομεν ἡμᾶς αὐτοὺς
ὄντες θνητοί· ὥcτε τί δεῖ, ἃ πάλαι προcεδοκῶμεν πείcεcθαι, ὑπὲρ
τούτων νῦν ἄχθεcθαι, ἢ λίαν οὕτω βαρέως φέρειν ἐπὶ ταῖς τῆς
φύcεως cυμφοραῖς, ἐπιcταμένους ὅτι ὁ θάνατος κοινὸς καὶ τοῖς
χειρίcτοις καὶ τοῖς βελτίcτοις; οὔτε γὰρ τοὺς πονηροὺς ὑπερορᾷ
οὔτε τοὺς ἀγαθοὺς θαυμάζει, ἀλλ᾽ ἴcον ἑαυτὸν παρέχει πᾶcιν· εἰ
μὲν γὰρ οἷόν τε ἦν τοῖς τοὺς ἐν τῷ πολέμῳ κινδύνους διαφυγοῦcιν
ἀθανάτους εἶναι τὸν λοιπὸν χρόνον, ἄξιον ἦν τοῖς ζῶcι τὸν ἅπαντα
χρόνον πενθεῖν τοὺς τεθνεῶτας· νῦν δὲ ἥ τε φύcις καὶ νόcων
ἥττων καὶ γήρως, ὅ τε δαίμων ὁ τὴν ἡμετέραν μοῖραν εἰληχὼς
ἀπαραίτητος. diese resignation wird zur todesverachtung, wenn es
gilt das leben für irgend ein teures gut, vor allem die freiheit und
wohlfahrt des vaterlandes einzusetzen. ausdrücklich als grund dafür
wird sie bezeichnet an einer stelle aus Demosthenes kranzrede, wo
er von Athens beteiligung an der schlacht von Haliartos und am
korinthischen kriege spricht; dort heiszt es (§ 97): καίτοι τότε
ταῦτα ἀμφότερα . . οὔθ᾽ ὑπὲρ εὐεργετῶν ἐποίουν οὔτ᾽ ἀκίνδυνα
ἑώρων. ἀλλ᾽ οὐ διὰ ταῦτα προΐεντο τοὺς καταφεύγοντας ἐφ᾽

---

[16] vgl. KFHermann 'über grundsätze und anwendung des strafrechts
im griech. altertum' in den abh. d. k. ges. d. wiss. zu Göttingen VI
(1853—55) s. 266—321, besonders s. 292. 300.

ἑαυτούς, ἀλλ’ ὑπὲρ εὐδοξίας καὶ τιμῆς ἤθελον τοῖς δεινοῖς αὐτοὺς διδόναι, ὀρθῶς καὶ καλῶς βουλευόμενοι. πέρας μὲν γὰρ ἅπασιν ἀνθρώποις ἐςτὶ τοῦ βίου θάνατος, κἂν ἐν οἰκίςκῳ τις αὐτὸν καθείρξας τηρῇ· δεῖ δὲ τοὺς ἀγαθοὺς ἄνδρας ἐγχειρεῖν μὲν ἅπασιν ἀεὶ τοῖς καλοῖς, τὴν ἀγαθὴν προβαλλομένοις ἐλπίδα, φέρειν δ’ ὅτι ἂν ὁ θεὸς διδῷ γενναίως. so handelten, meint er weiter, die alten Athener, und führt dies später aus in den schönen worten (§ 205) οὐ γὰρ ἐζήτουν οἱ τότ’ Ἀθηναῖοι οὔτε ῥήτορα οὔτε cτρατηγὸν δι’ ὅτου δουλεύcουcιν εὐτυχῶς, ἀλλ’ οὐδὲ ζῆν ἠξίουν, εἰ μὴ μετ’ ἐλευθερίας ἐξέcται τοῦτο ποιεῖν. ἡγεῖτο γὰρ αὐτῶν ἕκαcτος οὐχὶ τῷ πατρὶ καὶ τῇ μητρὶ μόνον γεγενῆcθαι, ἀλλὰ καὶ τῇ πατρίδι. διαφέρει δὲ τί; ὅτι ὁ μὲν τοῖς γονεῦcι μόνον γεγενῆcθαι νομίζων τὸν τῆς εἱμαρμένης καὶ τὸν αὐτόματον θάνατον περιμένει, ὁ δὲ καὶ τῇ πατρίδι ὑπὲρ τοῦ μὴ ταύτην ἐπιδεῖν δουλεύουcαν ἀποθνήcκειν ἐθελήcει, καὶ φοβερωτέρας ἡγήcεται τὰς ὕβρεις καὶ τὰς ἀτιμίας, ἃς ἐν δουλευούcῃ τῇ πόλει φέρειν ἀνάγκη, τοῦ θανάτου. es mangelt auch in der geschichte der rednerzeit bekanntlich nicht an beispielen solcher gesinnung, und dasz man sie zu schätzen wuste, beweisen die leichenreden auf gefallene krieger[17], auch wenn man darin vieles als nur herkömmlich ansehen will. das hauptmotiv im ps.-Lysianischen wie im Hypereidischen epitaphios und zum groszen teil in der rede des Lykurgos gegen Leokrates ist das lob todesmutiger männer, denen freiheit und ehre mehr galt als das eigne leben; einzelne stellen als belege anzuführen wäre unangebracht, da die reden als ganzes beweisen.

Die aber, welche den heldentod sterben, tragen neben ganz besondern totenehren (ps.-Lys. epit. 80. Lyk. g. Leokr. 88) als herlicbsten gewinn, den die epitaphien nicht müde werden zu preisen, unvergänglichen, unsterblichen nachruhm davon, die μνήμη (δόξα, εὐδοξία, λόγος) ἀθάνατος (ἀγήρατος): vgl. ps.-Lys. epit. 23. 79. 81. Hyp. epit. c. 9, 19. bei Stobaios anth. 124, 36. und zwar müssen wir annehmen — und hierin liegt die bedeutung dieses punktes für unsern besondern gegenstand — dasz der Grieche des vierten jh. nicht nur bei lebzeiten durch den gedanken daran erhoben wurde, sondern dasz er auch im jenseitigen leben sich daran zu erfreuen hoffte, worauf, wenn ich recht sehe, LSchmidt (ethik I s. 197) zuerst hingewiesen. bezeichnend ist dafür hauptsächlich, was Demosthenes einmal in der rede über die truggesandtschaft sagt (§ 313): καὶ μὴν τῶν μὲν ἄλλων ἀγαθῶν οὐ μέτεcτι τοῖς τεθνεῶcιν, οἱ δ’ ἐπὶ τοῖς καλῶς πραχθεῖcιν ἔπαινοι τῶν οὕτω τετελευτηκότων ἴδιον κτῆμά εἰcιν· οὐδὲ γὰρ ὁ φθόνος αὐτοῖς ἔτι τηνικαῦτ’ ἐναντιοῦται. wenn Lykurgos (g. Leokr. 46) von dem ἔπαινος spricht, ὃς μόνος ἆθλον τῶν κινδύνων τοῖς ἀγαθοῖς ἀνδράcιν ἐςτίν, und kurz darauf (§ 49) τὰ γὰρ ἆθλα τοῦ πολέμου τοῖς ἀγαθοῖς ἀνδράcιν

---

[17] dasz ich den unter Demosthenes namen überlieferten epitaphios hier nicht mit als quelle benutze, habe ich oben s. 446 begründet.

ἐcτὶν ἐλευθερία καὶ ἀρετή (= δόξα τῆc ἀρετῆc, vgl. ebd. § 48.
Hyp. epit. c. 11, 17. bei Stob. antb. 124, 36), ταῦτα γὰρ ἀμφότερα
τοῖc τελευτήcαcιν ὑπάρχει, so werden doch wohl auch hier die toten
als bewuste besitzer dieses gutes gedacht. daher kann man denn auch
unter umständen davon reden, dasz sie desselben beraubt werden;
im falle der freisprechung des Leokrates, sagt Lykurgos zu den
richtern, τοὺc προγόνουc τῆc παλαιᾶc δόξηc ἀποcτερήcετε (§ 110;
vgl. Aisch. III 245). viel mehr sagt Hypereides: er preist nicht nur
den tod der bei Lamia gefallenen als schön und ruhmvoll, wie der
ps.-Lysianische epitaphios (§ 79. 81), sondern nennt mehrfach die
abgeschiedenen selbst in ihrem jenseitigen dasein geradezu glücklich.
an einer stelle fragt er (epit. c. 9, 12 ff.) καὶ τοὺc τῷ τοιούτῳ cτρα-
τηγῷ προθύμωc cυναγωνιcτὰc cφᾶc αὐτοὺc παραcχόνταc . . ἆρ᾽
οὐ διὰ τὴν τῆc ἀρετῆc ἀπόδειξιν εὐτυχεῖc μᾶλλον ἢ διὰ τὴν τοῦ
ζῆν ἀπόλειψιν ἀτυχεῖc νομιcτέον; οἵ τινεc θνητοῦ cώματοc ἀθάνατον δόξαν ἐκτήcαντο usw.; dann weiter, nachdem er den ausdruck ἀπολωλότεc als auf sie nicht passend zurückgewiesen . . οὐ
γὰρ θεμιτὸν τούτου τοῦ ὀνόματοc τυχεῖν τοὺc οὕτωc ὑπὲρ καλῶν
τὸν βίον ἐκλιπόνταc — und dafür die bezeichnung οἱ τὸ ζῆν εἰc
αἰωνίαν τάξιν μετηλλαχότεc eingesetzt: εἰ γὰρ ὁ τοῖc ἄλλοιc κακῶν
ἀνιαρότατοc θάνατοc τούτοιc ἀρχηγὸc μεγάλων ἀγαθῶν γέγονε,
πῶc τούτουc οὐκ εὐτυχεῖc κρίνειν δίκαιον, ἢ πῶc ἐκλελοιπέναι τὸν
βίον, ἀλλ᾽ οὐκ ἐξ ἀρχῆc γεγονέναι καλλίω γένεcιν τῆc πρώτηc
ὑπαρξάcηc; (c. 10, 8 ff.). der redner führt uns dann ins totenreich,
um das glück jener gefallenen uns noch deutlicher vor augen zu
stellen (c. 12, 10—13, 24); die helden des Troerkrieges, die kämpfer
der Perserkriege, die freiheitsheroen Harmodios und Aristogeiton
werden sie als sich selbst ebenbürtig begrüszen und bewundern
(vgl. Lehrs ao. s. 329 ff.). in dem bei Stobaios erhaltenen schlusz
der rede endlich heiszt es noch einmal (124, 36): εὐδαίμονέc τε
γεγόναcι κατὰ πάντα. wir werden uns hüten müssen in dieser aufs
höchste gesteigerten ausdrucksweise alles wörtlich zu nehmen. bei
den worten τὸ ζῆν εἰc αἰωνίαν τάξιν μεταλλάττειν dürfen wir nicht
an ein ewiges leben im christlichen sinne denken; der redner glaubt
sicherlich an ein solches so wenig, wie er oder irgend jemand an ein
buchstäbliches nieaufbören der ἀθάνατος μνήμη dachte. wenn er
den verkehr der verstorbenen unter einander durchaus nach der
weise des diesseitigen lebens ausmalt, so ist das zunächst nur als
poetische darstellungsweise aufzufassen, und wenn auch in der that
viele dem entsprechende vorstellungen vom jenseits gehabt haben
mögen, so dürfen wir solche doch nicht ohne weiteres als allgemein
gültig bezeichnen.

Die letzten der bei Stobaios erhaltenen worte des Hypereidischen
epitaphios geben uns gelegenheit von der idee der vergeltung
nach dem tode zu reden. es heiszt dort: εἰ δ᾽ ἔcτιν αἴcθηcιc ἐν
Ἅιδου καὶ ἐπιμέλεια παρὰ τοῦ δαιμονίου, ὥcπερ ὑπολαμβάνομεν,
εἰκὸc τοὺc ταῖc τιμαῖc τῶν θεῶν καταλυομέναιc βοηθήcανταc πλεί-

cτης κηδεμονίας ὑπὸ τοῦ δαιμονίου τυγχάνειν. Hypereides hofft also für die gefallenen helden auf eine belohnung im jenseits; aber wie er sich diese denkt, hören wir nicht. drei andere stellen handeln von den ἀcεβεῖc im Hades. Demosthenes rät den Timokrates, dessen anträge er bekämpft, mit dem tode zu bestrafen, ἵν' ἐν Ἅιδου τοῖc ἀcεβέcι θῇ τοῦτον τὸν νόμον (XXIV 104), woraus man allenfalls auf eine im Hades bestehende trennung der frommen und der gottlosen schlieszen kann, mehr nicht. ein wenig ergibiger ist die unter Demosthenes namen überlieferte erste rede gegen Aristogeiton. von diesem heiszt es (§ 53): ὃν οὐδὲ τῶν ἐν Ἅιδου θεῶν εἰκός ἐcτι τυχεῖν ἵλεων, ἀλλ' εἰc τοὺc ἀcεβεῖc ὡcθῆναι διὰ τὴν πονηρίαν τοῦ βίου· das stimmt zu dem eben gesagten und setzt den gedanken eines von den unterweltsgöttern abgehaltenen totengerichtes voraus. dasz die strafe gedacht wird als eine verfolgung durch dämonen, die personificationen von allerlei schlimmem, zeigen die unmittelbar vorhergehenden worte (§ 52) μεθ' ὧν δ' οἱ ζωγράφοι τοὺc ἀcεβεῖc ἐν Ἅιδου γράφουcι, μετὰ τούτων, μετ' ἀρᾶc καὶ βλαcφημίαc καὶ φθόνου καὶ cτάcεωc καὶ νείκουc, περιέρχεται. diese wenigen stellen sind alles, was ich aus dem weiten beobachtungsgebiet, das ich durchmustert, über die vorstellung einer jenseitigen vergeltung anführen kann, in der that überraschend wenig, zumal da der gedanke der diesseitigen vergeltung bei den rednern eine so bedeutende rolle spielt (vgl. oben s. 449—458). nun ist ja freilich als busze der toten auch die bestrafung ihrer nachkommen anzusehen, nicht nur wegen des zusammenhangs der familie, sondern auch wegen des wissens und empfindens jener davon[18]; aber ausdrückliche hinweisungen auf diese beziehungen finden wir nicht.

Weniger wundern wir uns darüber, dasz von dem inhalt der Eleusinien, deren engsten zusammenhang mit vorstellungen vom jenseitigen leben heute wohl kaum noch jemand bezweifelt, bei den rednern gar nicht gesprochen wird. es liegt im allgemeinen schon an der beschaffenheit der von ihnen behandelten stoffe; wo aber der stoff einmal in beziehung steht zu den mysterien, dh. in den reden des Andokidesprocesses, da war doch kein anlasz den inhalt derselben, auf den allein es uns ankommen würde, zu enthüllen. wer diesen kennt, also weisz, welche hoffnungen die eingeweihten hegten, der wird voll verstehen, was in der rede gegen Neaira erzählt wird (§ 21): Λυcίαc γὰρ ὁ coφιcτὴc Μετανείραc ὢν ἐραcτὴc ἐβουλήθη πρὸc τοῖc ἄλλοιc ἀναλώμαcιν οἷc ἀνήλιcκεν εἰc αὐτὴν καὶ μνῆcαι, ἡγούμενος τὰ μὲν ἄλλα ἀναλώματα τὴν κεκτημένην αὐτὴν λαμβάνειν, ἃ δ' ἂν εἰc τὴν ἑορτὴν καὶ τὰ μυcτήρια ὑπὲρ αὐτῆc ἀναλώcῃ, πρὸc αὐτὴν τὴν ἄνθρωπον χάριν καταθήcεcθαι: für den inhalt der mysterien ergibt sich daraus aber natürlich nichts.

Ich bin ans ende meiner darstellung gelangt. es haben sich

---

[18] auszer der angeführten litteratur über unsterblichkeitsvorstellungen s. auch Wundt ethik s. 74 ff.

darin zwei hauptpunkte als sicherer gewinn für unsere kenntnis
der volksmäszigen anschauungen vom dasein nach dem tode ergeben:
1) die toten werden gedacht als existierend, und zwar
als bewust, aber im allgemeinen nicht wirkungsfähig;
2) für den ὀρθῶϲ λογιζόμενοϲ hat der tod keine
schrecken, ja der nachruhm kann dem toten sogar
ein gewisses glück gewähren. welche gedanken über das
jenseits sich aus den rednern nicht erweisen lassen, habe ich
nicht auszuführen. nur zwei uns modernen besonders auffällige
erscheinungen möchte ich noch hervorheben. Lehrs ao. s. 328 ff.
zeigt eingehend, eine wie geringe rolle doch eigentlich in den
leichenreden der gedanke einer fortdauer spielt. noch auffallender
aber mag manchem die damit eng zusammenhängende, von Lehrs
nicht berührte thatsache erscheinen, dasz der uns an gräbern
als trostgrund so geläufige, ja wohl stets hervorgehobene hinweis auf ein wiedersehen im jenseits sich in jenen reden nicht mit
einer silbe findet, obwohl der gedanke daran weder schlechterdings
ungriechisch ist (vgl. Plat. Phaidon 67 ᵉ), noch mit den besprochenen
thatsachen der damaligen volksanschauung irgendwie in widerspruch steht. ferner: uns modernen ist fortdauer eigentlich ohne
weiteres mit unsterblichkeit gleichbedeutend, dem volksglauben des
vierten jh. offenbar nicht. unsterblich, ἀθάνατοϲ, ist nach diesem
nur, wer nicht stirbt, dessen dasein unverändert fortgeht ohne ein
dazwischentreten des todes, also nur die götter und einige apotheo-
sierte heroen, vor allen Herakles. der mensch aber ist sterblich,
wenn er auch nicht ganz, sondern nur dem leibe nach im tode untergeht. was bleibt, ist nicht etwa sein unsterbliches teil, seine ἀθάνατοϲ ψυχή. die anschauung von einer solchen wird, wenn überhaupt jemals, so doch erst in einer viel spätern zeit als der behandelten volkstümlich. in der letztern ist zwar, wie wir sahen, die
Homerische vorstellung einer vom leibe getrennt fortvegetierenden,
bewustlosen ψυχή überwunden, aber noch nichts positives an ihre
stelle gesetzt.

LIEGNITZ. ——————————— HEINRICH MEUSS.

89.
AD LUCRETIUM.

Poeta de minima declinatione et de libertate voluntatis cum alia
tum haec profert II 288 sqq.

> pondus enim prohibet ne plagis omnia fiant
> externa quasi vi: sed ne mens ipsa necessum
> 290 intestinum habeat cunctis in rebus agendis
> et devicta quasi cogatur ferre patique,
> id facit exiguum clinamen principiorum
> nec regione loci certa nec tempore certo.

in codice v. 291 exhibetur *et deuicta quaei cogatur ferre patique*; si pro *quaei* legimus *quasi*, huius versus sententia plane integra et perfecta est. hoc moneo propter ABriegerum, qui conicit pro *devicta* esse scribendum *devincta*, quod antea non pugnatum sit et quod Cicero de fato 9, 20 dicat: *qui introducunt causarum seriem sempiternam, ii mentem hominis voluntate libera spoliatam necessitate fati devinciunt.* tamen apud Lucretium *devicta* retinendum esse docemur similibus locis V 1269—72 *nec minus argento facere haec auroque parabant | quam validi primum violentis viribus aeris, | nequiquam, quoniam cedebat victa potestas | nec poterat pariter durum sufferre laborem*; II 954—56 *fit quoque uti soleant minus oblato acriter ictu | rellicui motus vitalis vincere saepe, | vincere, et ingentis plagae sedare tumultus*; I 854—56 *res funditus omnis | tam mortalis erit quam quae manifesta videmus | ex oculis nostris aliqua vi victa perire.* denique I 79 poeta memorat victoriam, quam mens et ratio ex superstitione reportaverunt. ceterum Briegerus particulam *quasi* quid sibi vellet non viderat: hac enim significatur non aliter mentem ad ferendum et patiendum duci posse nisi vi quadam, tamquam antea inter mentem et vim externam pugnatum sit et mens postremo inferior discesserit. si autem *devincta* legitur, particula *quasi* plane supervacanea est. difficultas vero posita est in metro versus: nam *quasi* nusquam apud Lucretium iambum efficit. qua causa commotus Lachmannus scripsit *et devicta quasi id*, Munro *quasi hoc*, quod pendere a verbis *ferre patique* accusativum volunt; *id* explicat Lachmannus esse *necessum intestinum.* contra Lachmannum dicendum est non bene in proximo versu iterum pronomen *id* exstare, quod ad rem plane diversam referendum est; contra utrumque vero, tali emendatione sententiam corrumpi et pleonasmum vel tautologiam effici dicendo: *mens neque habet necessum intestinum, neque hoc necessum intestinum ferre cogitur.* immo verba *ferre patique* sunt absolute posita; praeterea hic dici non potest: *ne mens cogatur necessitatem intestinam ferre, facit minima declinatio,* sed: *ne eadem hac necessitate, quam habet, cogatur quidvis ferre patique.* quae cum ita sint, aut scribendum erit *quasei* (cf. Lachmanni comm. p. 91), quod in compluribus titulis legitur; aut rectius legendum est: *et devicta quasi hoc* — id quod Munro exhibet — ea tamen condicione, ut nos hanc formam esse casum ablativum statuamus atque ita interpretemur: *mens ipsa nec habet necessitatem intestinam in omnibus rebus agendis neque hac necessitate quasi devicta cogitur ferre patique.*

HALIS SAXONUM.   CAROLUS HAEBERLIN.

90.
LUDWIG CASPAR VALCKENAERS KRITISCHE STUDIEN ZU PAUSANIAS.

Unsern Pausaniastext ziert, wie bekannt, eine anzahl schöner emendationen Valckenaers, die von demselben, wo sich gerade gelegenheit bot, so namentlich in den 'notae ad Herodotum' und in der 'diatribe in Euripidis perditorum dramatum reliquias' mitgeteilt sind. was aber auf diesem wege zu allgemeiner kenntnis gelangte, ist zwar der beste, aber doch nur ein kleiner teil von dem was V. an textkritischen bemerkungen zu Paus. hinterlassen hat. durch hrn. dr. de Vries, conservator der handschriften an der reichsbibliothek zu Leiden, wurde ich auf einen von V.s hand geschriebenen quartband aufmerksam gemacht, der ua. auf 24 blättern sich mit Paus. beschäftigt und neben den bekannten emendationen eine grosze zahl von weitern textcorrecturen enthält. dies wertvolle manuscript befindet sich im besitz der bibliothek seit 1861, in welchem jahre es derselben von der witwe des frühern curators der akademie, Ludwig Caspar Luzac, einer geborenen Du Rieu, geschenkt wurde. es trägt jetzt die bezeichnung Q 389 und enthält nach vier seiten einer nicht von V.s hand herrührenden zusammenstellung der änderungen, welche DHeinsius im Alkinoos an der Aldina vorgenommen: critica in Dionem Chrysostomum, blatt 3—20; in Lucianum, bl. 21 —42, wobei zu anfang bl. 21 s. 2 bemerkt ist: '18 Maji 1758' und am schlusz bl. 42 s. 2: 'absolvi 12 Octobris 1758'; ferner in Philostratum und zwar in vitam Apollonii, bl. 43—50; in epistolas Apollonii, bl. 50—51; in Eusebium c. Hieroclem, bl. 51 und 52; in Philostrati vitas sophistarum, bl. 53—57; in Philostrati heroica, bl. 58—60; in Philostrati icones, bl. 60—63; in Callistrati ecphrases, bl. 63; in epistolas Philostrati, bl. 64; auf bl. 43 s. 2 findet sich der vermerk: '3 Nov. 1758' und auf bl. 64 s. 2: 'absolvi 22 Decemb. 1758'; ferner in Aeliani variam historiam, angefangen 8 jan. 1759, bl. 65—71; de nat. anim., bl. 72—77; in Max. Tyr., angefangen 6 Mart. 1759, bl. 78—82; in Alcinoi isagogen in Platonem, bl. 83; in Aristidis orationes, bl. 84—92; in Pausaniam, bl. 93—116, am anfang die notiz: 'praeterquam in Criticis* omnia adnotavi suis locis' und am schlusz: '7 Jan. 1760' und darunter: 'Decemb. 1760 omnia retuleram ad sua loca'; ferner in Polyaenum, bl. 117—122, am anfang die bemerkung: '1761 2 Jan.' und am ende: '10 Jan.'; ferner in Aeneae Τακτικόν vel Πολιορκητικόν, bl. 123 und 124; in epistolas Chionis, bl. 125; in epistolas Theophyl. Scholastici, bl. 126; in Aeliani epist. (zwei conjecturen), bl. 127 und endlich in Alciphronis epistolas, bl. 127 und 128.

Für die grosze masse der auf diesen blättern niedergelegten

---

* was V. hier mit 'in Criticis' bezeichnet, weisz ich nicht.

conjecturen gilt, wie mich ein flüchtiges durchmustern lehrte, dasselbe was ich oben über diejenigen zu Paus. sagte: manches und natürlich nicht das schlechteste ist von V. gelegentlich publiciert, mehr aber ist unbekannt geblieben, zum teil gewis deshalb weil V. es selbst für minderwertig hielt, zum teil aber wohl auch, weil eine passende gelegenheit es mitzuteilen sich nicht gerade fand.

Näher angesehen habe ich die critica in Pausaniam, und über diese soll das folgende genauere auskunft geben, wobei ich mich aber auf diejenigen conjecturen beschränke, welche weder bei Siebelis im commentar noch bei Schubart-Walz im kritischen apparat angegeben, also bisher weder dem text zu gute gekommen noch überhaupt den Pausaniaskritikern bekannt geworden sind.

1. Zunächst verzeichne ich eine anzahl von emendationen, die später durch neu hinzugekommene hss. gesichert oder, da V. sie nicht publicierte, von andern später gefunden worden sind, welchen gegenüber also eigentlich V. das recht der priorität gebührt. dieser benutzte die 1696 erschienene ausgabe von Kuhn, welche auf der Aldina beruht, von der Schubart-Walz in der vorrede zum ersten bande s. IV erklären '(eam) ex uno codice eoque deterioris notae satis negligenter esse expressam'.

I 22, 3 ist das zuerst von Facius in den text gesetzte Ἀθηναίουc für Ἀθηναίοιc schon von V. gefordert. — I 27, 5 schreibt V. Βοιάc für Εὔβοιαν, was dann, nachdem Clavier es durch conjectur gefunden hatte, durch βοίαc in La bestätigt worden ist. — I 41, 8 verwirft er mit recht πηγάc und verlangt das nomen proprium, doch muste er schreiben Παγάc, nicht Πηγάc, vgl. I 44, 4. IX 19, 2. — III 6, 3 vermutet er ἕζει oder ᾤδει (vgl. VIII 28, 5) statt εἶλε, was beides auch andere nach ihm conjiciert haben; ich schreibe lieber οἰδεῖ. — III 10, 3 ist χρημάτων für πραγμάτων schon von V. gefunden worden, ebenso III 10, 7 ἐκβολή für ἐμβολή. — III 14, 4 schreibt er richtig Λεανδρίc an stelle von Λαιανδρίc. — III 26, 10 ist αὐτός, nachher von Siebelis vermutet und von den hgg. aufgenommen, schon von V. als das richtige erkannt, ebenso § 11 κατηρίθμηca. — IV 3, 5 schreibt V. ἐπὶ δὴ εἰρημένοιc wie Porson und μοῖραν αἱρεῖcθαι wie Buttmann, die hss. und ausgaben ἐπὶ διειρημένοιc μοῖραν ἀναιρεῖcθαι, allein ἐπὶ διειρημένοιc ist nicht sprachgebrauch; ἐπὶ τοῖcδε εἰρημένοιc, wie Kayser wollte, dürfte das richtige sein, vgl. III 16, 4; dagegen ist μοῖραν αἱρεῖcθαι nicht zurückzuweisen: dafür spricht γῆν αἱρεῖcθαι in § 5; Kayser zog ἀναιρεῖcθαι vor, weil es 'ja nicht den schein freier wahl haben durfte' (zs. f. d. aw. 1848 s. 1005), allein es ist klar, dasz derjenige, dessen loos zuerst herauskam, allerdings frei wählen konnte. — IV 9, 7 hat auch V. ἄξεcθαι für ἕξεcθαι gefunden. — IV 26, 3 setzte er zuerst κληθῆναι an stelle von καλέcαι. — V 4, 1 verlangt er wie Siebelis und vor ihm Simson Ἠλεῖος für Δῖος. — V 6, 8 schiebt schon V. υἱὸν ein. — VI 15, 8 fordert er — vor Bekker — das einzig richtige ὕcτατον, ebenso VI 23, 7 ἀνάκεινται. — VII 7, 5 fand er vor Korais κέρδεci für κέρμαϲι. — VII 21, 14 schreibt er wie Sylburg ἀπό richtig für ὑπό. — VIII 7, 2 setzt er vor τῇ 'Αργολίδι die präp. ἐν, ebenso IX 12, 2 ἐνταῦθα ἔϲτι μὲν ἐν. — IX 13, 5 liest er Φρουραρχίδαϲ für Παραθεμίδαϲ. — IX 31, 7 verlangt er Δονακών für Δονάκων bei Kuhn. — X 12, 5 schreibt er ἐν τῇ 'Αλεξανδρείᾳ ταύτῃ für ταύτην, X 15, 5 κατῆρεν τότε für κατήρετο. — X 17, 10 vermiszt er zuerst die negation in dem satze ναυϲί τε ὅρμουϲ .. παρέχεται. — X 32, 2 hat auch V. wie Porson ἤ eingeschoben, und ich glaube nicht dasz Schubart mit recht sich ablehnend verhält; er meint, Paus. vergleiche den weg bis zur korykischen grotte mit dem weg auf die spitze des Parnass und nenne den erstern leichter; allein bei dieser auffassung ist der zusatz εὐζώνῳ unverständlich oder vielmehr unverständig.

2. In zweiter linie verzeichne ich diejenigen conjecturen, die meines erachtens verfehlt sind. hierher gehören folgende: I 23, 9 will V. entweder mit Amasaeus 'Επιχάρμου oder ἔτι Χαρίνου μέν· vgl. CIA. I 376. — I 29, 6 nimt V. mit recht anstosz an 'Ελευϲινίαϲ, was er aber dafür setzen will Δελφινίαϲ musz zurückstehen hinter Böckhs 'Ελεωνίαϲ. — I 32 ae. beanstandet V. unnötigerweise οἶκοι, wofür er ϲηκοί, passend zu αἰπόλιον, setzen möchte. — I 35, 7 fand er bei Kuhn περιφαγέντοϲ λόφου· hiergegen erklärt er sich mit recht, denn das ist gewis nicht griechisch; was er aber selbst schreiben will διαϲφαγέντοϲ λόφου (vgl. διαϲφάξ) entfernt sich von der überlieferung allzu weit, und περιρραγέντοϲ, das in N steht, während die andern hss. meist παραρραγέντοϲ bieten, hat nichts ernstliches gegen sich. — I 39, 4 nimt V. anstosz an ἤδη, wofür er ἡ δή vorschlägt, was angeht, oder dann ἡ γῆ, was wegen der stellung des adjectivs nicht möglich ist; ἤδη entspricht aber dem sprachgebrauch, vgl. zb. I 22, 8. II 10, 4. — I 40, 4 stöszt sich V. an ἰδίᾳ und schlägt vor ἰδιωτῶν oder ἰδιωτικοὺϲ οἴκουϲ· dem sprachgebrauch des Paus. würde nur ersteres entsprechen, vgl. I 21, 6 ἐϲ ἰδιωτῶν κλήρουϲ τῆϲ γῆϲ μεμεριϲμένηϲ. III 14, 6. IV 3, 9; allein ἰδίᾳ ist gesund, vgl. III 12, 7 ἐν 'Αθήναιϲ δὲ ἰδίᾳ τε καὶ ἐϲ ἑνὸϲ οἶκον ἀνδρὸϲ κατέϲκηψε Μιλτιάδου. — Unglücklich schreibt er I 44, 7 οὗ τὸ θεῖον αἴτιόν οἱ γενέϲθαι, denn die negation ist unentbehrlich; die folgenden worte βουλεῦϲαι δὲ ἐπὶ τούτοιϲ πᾶϲιν 'Ινώ läszt er dagegen unbeanstandet; meines erachtens musz gelesen werden ἐπιβουλεῦϲαι δὲ τοῖϲ παιϲὶν 'Ινώ. Nicht einzusehen ist ferner, was damit erreicht werden soll, wenn § 9 ἐνθάδε nach κομίϲαντα eingeschoben wird mit streichung des folgenden δέ· «cum huc victimam duxisset, hic in mare demisisse e monte atque hunc Iovem dictum ibi 'Αφέϲιον» schreibt V., aber die 'victima' fehlt ja eben im texte. — II 9, 2 will V. mit unrecht 'Αχαιοῖϲ der hss. gegen die verbesserung 'Αχαιοί, welche wir Kuhn verdanken, festhalten; er meint: 'victo Cleomene potuerat utrisque et quibus auxilio venerat et Lacedaemoniis legem imponere, neutrum fecit vir moderatus', aber nur den Lakedaimoniern konnte πολιτεία ἡ πάτριοϲ zurückgegeben werden: denn nur sie hatten — durch die

tyrannischen gelüste des Kleomenes — dieselbe verloren. — II 17, 1
ist die von Bekker so schön emendierte stelle χρῶνται . . ἀπορρή-
τουc von V. erfolglos behandelt; freilich geht er von der meinung
aus, ἐπὶ τῶν θυcιῶν sei die hsl. lesart und schreibt nun: αἱ περὶ τὸ
ἱερὸν καὶ ἐπὶ τῶν θυcιῶν ἱcτᾶcιν ἀπορρήτωc = «ob arcanam
rationem istam aquam statuunt in sacrificiis et utuntur illa ut
χέρνιβι». — II 31, 8 scheint er ἀναφῆναι bei Kuhn nicht als grammatisch falsch und bloszen druckfehler zu erkennen, denn er bemerkt
«praestat ἀναφῦναι». — III 6, 3 will er vor παρῆγον die negation
einschieben = 'flectere non poterant', allein παρῆγον ist conatives
imperfectum. — III 10, 5 soll am schlusz eine 'ingens lacuna' sein:
'nam reges aliquot Lacedaemoniorum memorari adhuc debuerant et
regionis chorographiae initium quoque periit.' was das letztere betrifft, so ist zu bemerken, dasz die Hermen und der ort am schlusse
des zweiten buches erwähnt sind, daran wird hier angeknüpft; aber
auch die behauptung ist unrichtig, dasz hier noch einige könige zu
nennen waren; welche wären es denn? Paus. erzählt die geschichte
der beiden königshäuser und führt die eine linie, die der Agiaden,
c. 6 bis zu Kleomenes, des Leonidas sohn, dem letzten derselben
c. 7, 1; die andere bis zu Eurydamidas, den Kleomenes aus dem
wege räumte II 9, 1; als schlieszlich Kleomenes sich selbst umgebracht hatte, wollten die Lakedaimonier nicht mehr von königen
regiert sein, sagt Paus. II 9, 3, also hat er jedenfalls von 'reges aliquot' nicht mehr gesprochen, wenn auch nach des Kleomenes tode
wenigstens noch zwei, Agesipolis III und Lykurgos, gewählt worden sind (Polybios IV 35). — III 10, 6 will V. ohne not (ἐκ)τρα-
πεῖcιν αὖθιc (vgl. II 36, 6) und ebenso überflüssigerweise III 11, 1
ὅπωc παραβήcομαι und βεβουλευμένον, vgl. IV 21, 12. — III 24, 2
schlägt er vor für das mehr als bedenkliche Cτήθαιον [auch cτήθεον,
γήθαιον in den hss.] zu schreiben ἐcτιν oder ἔτι ἅγιον, indem er
vergleicht III 26, 9 ἱερὸν ἅγιον. IV 31, 9. VII 24, 5. VIII 8, 1. 41, 4.
IX 25 ae. aber die wiederholung von ἐcτὶν ist lästig und die erklärung der corruptel schwierig. ich halte für unbedingt richtig was
Kayser vermutet hat ao. s. 1003, nemlich cπήλαιον, ich verweise
auf III 23, 2, wo wie hier in einem cπήλαιον eine quelle entspringt;
ein solches mitten in der stadt IV 36, 2, vgl. auch die Pansgrotte in
Athen und V 5, 11. — Unrichtig ist auch die meinung, III 24, 4 sei
statt Ἰνώ vielmehr Ἰώ zu lesen: 'Ino flebilis, sed vaga fuit Io.' aber
Ino ist wie hier *nutrix Liberi* bei Hyginus fabel 2, vgl. Apollod.
III 4, 3. — III 26, 1 will V. ἐγκαθεύδοντεc 'ut ante', schwerlich
richtig, es ist wie I 34 ae., dh. man ergänzt ἐν τῷ ἱερῷ. — IV 5, 4
schreibt V. οὐδὲν οὖν statt des hsl. und von Porson in οὐδὲν ἄν
verbesserten οὐδένων · allein ἄν ist besser als die hier bedeutungslose partikel. — IV 5, 6: für πέρα δεινῶν, woran noch manch
späterer anstosz genommen hat, vermutet V. πέρα νόμων 'sic et
Sophocles'; allein es ist nichts zu ändern, vgl. Dionysios v. Hal.
arch. X 7 δεινὰ καὶ πέρα δεινῶν πεπονθώc. — IV 6, 2 sehe ich die

notwendigkeit nicht ein, statt ταῦτα μὲν οὐ τὰ πάντα zu schreiben ταῦτα οὐ μὴν τὰ πάντα oder οὐ μέντοι· V. vergleicht IV 31, 2. 37, 5. 8, 10. 32, 2. — IV 8, 8 will er μιάcματος τῷ ἀπὸ usw., mir scheint das wahre μίαcμα τοῖς ἀπό· τοῖς ist überliefert und steckt auch in La, welche hs. den artikel ausläszt, in der endung -oc· οἱ ἀπό gibt den richtigen gegensatz, während der gen. part. kaum zu rechtfertigen wäre. — IV 9, 4 im orakel denkt V. an cφαγῆται, was in La wirklich steht, allein cφαλῆτε ist doch das was wir brauchen: denn zu cφαγῆται würde der nachsatz τότε θύειν nicht passen. — IV 12, 7 will V. χρωμένοις, allein ἐρομένοις von Bekker liegt näher; wenn dagegen dieser die wahl läszt zwischen ἐρομένοις und χρηcαμένοις, was der überlieferung (ἐρηcαμένοις) am nächsten käme, so bemerkt V. richtig: 'in usu non est'. — IV 16, 2 verlangt er παρὰ τοῖς Μεccηνίοις statt παρὰ τῶν Μεccηνίων· allein es ist schwerlich etwas zu ändern, denn ähnliches kommt gerade im vierten buche mehrmals vor, zb. 8, 12 ταύτην τὴν μάχην παρ' ἀμφοτέρων ἢ μόνα ἢ μάλιστα ἐμαχέcαντο τὰ ὁπλιτικά. — IV 19, 5 schreibt V. wenig glücklich ἀνδρεῖα (so) οὖcα für das allerdings verdorbene ἀνδροῦcα bei Kuhn. — Auch εὐχόμενος IV 20, 4 statt des überlieferten ἡγούμενος, wofür Bekker αἰτούμενος in den text setzte, kann nicht auf billigung rechnen, so wenig wie der vorschlag in § 5 zu schreiben ἐπεκράτουν μὲν αὐτοί, ἐπεὶ ἐκράτουν τοῦ ὄρους, καὶ τοῦ usw. — IV 27, 5 schreibt V. an stelle des hsl. ἐπιχὁρήcοι wie Facius ἐπιχωρήcειν, aber das ebenfalls hsl. ἐπιχωρῆcαι ist nach βουλήcεται offenbar vorzuziehen. — IV 30, 6 will V. wie Reinesius Τύχην .. φερέπολον mit beziehung darauf, dasz Bupalos den Smyrnaiern Τύχην πόλον ἔχουcαν ἐπὶ τῇ κεφαλῇ geschaffen habe: er vergleicht VII 5, 9, wo von der Athena Polias in Erythrai dasselbe gesagt werde; freilich schreiben dort Schubart-Walz und Dindorf nach der conjectur von Heyne πῖλον statt πόλον, was aber von Brunn gr. künstler I² s. 71 mit recht getadelt wird. indessen ist φερέπολον dennoch unrichtig, wie Kayser ao. s. 1086 zeigt, indem er auf Plut. de fort. Rom. c. 10 verweist. — IV 33, 2 zieht V. ἔπλετο μοῖρα vor, wie wirklich P d hat. das ist eine unglückliche vermutung, denn nur bei der lesart der übrigen hss. sind die verse beweisend. — IV 34, 1 und 2 will er beide male ἀνανέουcιν, allein θέω gebraucht Paus. wie andere doch auch von einem schiffe I 37, 7, ebenso ist θέω üblich vom fliegen der vögel, also ist nichts zu ändern.

Zu V 7, 1, wo nach der überlieferung gelesen wird πλήθει τε πολὺ ἰδόντι καὶ ἥδιστον vergleicht V. VII 24, 3 ὕδωρ ἄφθονον θεάcαcθαί τε καὶ πιεῖν ἐκ πηγῆς ἡδύ und schreibt demnach πλήθει τε πολὺ καὶ πιόντι ἥδιστον, allein jene stelle verlangt nur die von Kuhn gewollte umstellung καὶ ἰδόντι, und das wird wohl auch das richtige sein. — V 13, 3 will V. die verdorbene stelle ἄλλων δέν-δρων ἐcτὶν οὐδέν. οἷος δ' ἂν so heilen, dasz er schreibt ἄλλων δέν-δρων ἐcτὶν οὐδέν οἷ. ὃc δ' ἂν: wie aber die stelle jetzt mit hilfe des Leidensis a und Porsons οὐδενός gelesen wird, gefällt sie besser.

— V 15, 7: für θέρμιος und θέςμιος, wovon das letztere conjectur, schlägt V. vor Θεάριος und Θεώριος: ein Ἀπόλλων Θεάριος ist im zweiten buche genannt und der Θεώριος Ἀπόλλων findet sich bei Hesychios. die Ἄρτεμις Κοκκώκα ferner soll vielmehr sein eine Ἄρτεμις Ὀκώκα oder Ὀπώπα’ so dasz Apollon ‘certaminum spectator’ und Artemis ‘spectatrix’ sei. wenn aber Paus. erklärt, er wisse nicht, weshalb der Artemis dieser beiname gegeben werde, so musz daraus auf eine weniger durchsichtige form desselben geschlossen werden, als es Ὀπώπα wäre. — V 21, 3 verlangt V. wie andere nach ihm τοὺς ἐcελθόντας, wogegen Schubart jahrb. 1864 s. 38 das nötige gesagt hat. — V 21, 11 schreibt V. nur seinem sprachgefühl folgend παγκρατίου (τε) καὶ πάλης, allein vgl. I 35, 6.

VI 20, 3 will V. ὕφος λεπτόν lesen wegen VII 23, 5, aber wenn dort die Eileithyia ὑφάςματι λεπτῷ vom kopf bis zu den fuszspitzen verhüllt erscheint, so folgt daraus doch wohl eher, dasz es hier biesz, ihre priesterin habe einen feinen, nicht einen weiszen schleier über das antlitz gezogen. — VI 23, 3 findet V. bei Kuhn περὶ ἀποκλίνοντος ἐc δυcμὰς τοῦ ἡλίου τὸν δρόμον, hier soll περὶ gänzlich überflüssig sein und herrühren aus der glosse περὶ δυcμὰς ἡλίου· wird aber περί entfernt, so ist τὸν δρόμον nicht mehr unterzubringen. — VI 25, 2 setzt er für das grammatisch unmögliche παρά γε τοῦ ἱερωμένου den accusativ παρά γε τὸν ἱερώμενον· allein πέρα, welches in einigen hss. steht, ist ebenso richtig und liegt der überlieferung näher.

VII 6, 4 schreibt V. οὐχ ἧccον εἶχον γνώμης (hss. und ausgaben γνώμην). Clavier und Siebelis wollten dies ebenfalls, und zwar schreiben sie so e codice Vindobonensi, was Schubart-Walz bestreiten; mir scheint die änderung nicht geraten.

IX 31, 4 hält V. ἔνθα ἡ πηγή für verdorben, erklärt aber ‘corrigere nequeo’, denn ἔνθα ἔπη ἧcαν (so) wolle ihm nicht gefallen; ich wüste nicht, was verdorben sein sollte: gemeint ist natürlich die Hippokrene. — IX 35, 3 findet er bei Kuhn οἵ γε Διποίνου und bemerkt: «posset forte subaudiri μαθηταί», dies ist aber keineswegs der fall.

Kühn conjiciert V. X 7, 6 Ἕλληcιν δ’ ᾄδων αἴλινα καὶ ἐλέγους. — X 9, 2 schreibt er παρεcκευαcμένος — so wirklich V a b — statt des part. aor., aber warum sollte dieses nicht angehen? — X 12, 3 nimt er an κητοφάγοιο der hss. anstosz, aber seine conjectur κριθοφάγοιο oder φηγοφάγοιο wird niemand dem von Dindorf gefundenen cιτοφάγοιο vorziehen. — X 18, 3 wünscht er οὐδὲ ἄλλη, an sich ganz gut und nur deshalb οἵ τε ἄλλοι nachzusetzen, weil dieses der bessern überlieferung (οἱ δὲ ἄλλοι) näher steht; V. aber fand in seinem texte οἱ δὲ ἄλλη, nicht ἄλλοι. — X 20, 5 liest er τριήρεις ιε πλώϊμαι πᾶcαι, Paulmier hatte τ’ε’ lesen wollen (305), wogegen sich V. mit recht erklärt; allein auch sein eigner vorschlag musz bedenken wecken. zunächst liegt keinerlei nötigung zu der annahme vor, dasz die zahl der kriegsschiffe wirklich angegeben gewesen sei;

ferner aber sind alle textänderungen, die auf der annahme von zahlzeichen beruhen, mit mistrauen aufzunehmen, wenn nicht von vorn
herein abzuweisen: denn die thatsache, dasz die zahlangaben bei
Paus., so ungemein häufig sie sind, doch fast ausnahmslos in den
hss. übereinstimmen und dasz zusammengesetzte zahlen sehr oft
durch dazwischen gesetzte worte getrennt werden, macht es wahrscheinlich, dasz von anfang an nicht blosze zahlzeichen gebraucht
worden sind. — X 22, 3 schreibt V. ὠπτῶντο τῶν cαρκῶν, sc.
τὰ πιότερα statt ἥπτοντο τῶν cαρκῶν, aber das medium wäre auffallend und die ergänzung nicht so leicht. — X 25, 5 Λέcχεωc ὁ
Αἰcχυλίδου vermutet V. mit leichter änderung, allein Αἰcχυλίνου
von Dindorf liegt näher und ist ein mehrfach bezeugter name. —
X 26, 1 meint V. den Euenos zu sehen, es musz aber heiszen ἐν
νόcτοιc· übrigens fand V. bei Kuhn die form Ἔννοc ohne folgenden artikel τοῖc.

3. Es folgen endlich diejenigen noch nicht bekannten conjecturen, durch die meines erachtens der verdorbene text wirklich geheilt wird oder die wenigstens sehr beachtenswert zu nennen sind.
I 8, 4 setzt V. Εὐκλείδηc an stelle des unbekannten Καλάδηc, Paulmier wollte Καλλιάδηc schreiben, und sowohl Bergk als Kayser
stimmten ihm bei, allein V. bemerkt mit recht, man erwarte in
jener umgebung einen berühmtern namen als den des archonten
vom j. 480, und bedenken musz es doch auch erregen, dasz wir von
einer gesetzgeberischen thätigkeit des Kalliades anderweitig keine
kunde haben; an den namen des Eukleides knüpft sich dagegen zum
wenigsten die unter seinem archontat beschlossene gesetzesrevision
an. V.s conjectur ist darum derjenigen von Paulmier vorzuziehen;
freilich halte ich auch sie nicht für das richtige, sondern UKöhlers
καὶ Λᾶοc. — I 34, 5 fordert V. entschieden richtig δῆλοc, denn
bei der überlieferten lesart δῆλον ist καταcτηcάμενοc unerklärlich,
und die übersetzung von Siebelis 'manifestum autem est: cum enim
inter deos relatus est, hoc ei contigit propter constitutam per somnia
divinationem' verlangt die unmögliche wiederholung von ἐνομίcθη
bei καταcτηcάμενοc. — I 39, 2 τῶν ἐπὶ Θήβαc, durch welche
einfache änderung die einschiebung von cτρατευcάντων, welche
Kayser empfahl, überflüssig wird. — I 40, 6 läszt auch V. den verdächtigen Ζεὺc Κόνιοc nicht gelten, sondern setzt an stelle des
Iuppiter pulvereus den Iuppiter Saturnius, indem er Κρονίου schreibt.
KFHermann wollte Διὸc cκοτίτου s. χθονίου, Welcker Κωνίου,
daneben darf sich V.s vorschlag wohl sehen lassen. — II 25, 10 soll
für das jedenfalls corrupte Cαπυcελάτων gelesen werden Αἶποc
oder αἶπυc ἐλάτων, vgl. Bursian geogr. von Griech. II s. 72. —
III 9, 3 verlangt V. Ἀριcτομενίδαc oder, wie später KKeil, mit vergleichung von VIII 47, 6 Ἀριcτομηλίδαc, so IV 34, 5 Ἐπιμηλίδηc,
dagegen Ἐπιμενίδηc. — III 9, 7 schreibt er mit allem recht, wie
nachher Kayser, καὶ ὡc (ἐc) τὸ πρόcω .. πρόειcιν, vgl. I 44, 10
προελθοῦcι δὲ ἐc τὸ πρόcω. daneben dachte V. an das jedenfalls

nicht richtige τὸ πρὸc ἔω. — III 13, 8 setzt er richtig mit Paulmier
und Hemsterhuys Ἄcιοc an stelle von Ἄρειοc. — III 19, 10, wo
auch Kayser bedenken äuszert gegen die hübsche conjectur εἰκαc-
μέναc, hat V. das richtige gefunden: Kayser wollte das überlieferte
ἐcκευαcμέναc beibehalten, indem er annahm, es sei κατὰ ταὐτά
vor καὶ αὗται ausgefallen; richtiger hätte er freilich angenommen,
ersteres sei an die stelle von letzterm zu setzen; was aber V. vorschlägt, trifft den nagel auf den kopf: er schreibt nemlich Ἐρινύcιν
(ἴcα) ἐcκευαcμέναc, vgl. für das verbum IV 4, 3 und für ἴcα II 2, 7.
— IV 5, 7 liest er οὐδὲν λέγονται . . ἀποκρίναcθαι, das scheint mir
auch besser zu passen als das einfache οὐ, stimmt ferner zur übersetzung des Amasaeus 'nihil omnino' und zu II 28, 5. III 20, 11
(Herwerden οὐδέ). — Nicht übel ist die vermutung, IV 11, 4 sei
zu schreiben (ὡc) πρὸc δῆμον καὶ οὐχ ὡc πρὸc κρείττουc, wofür
die Lakedaimonier damals überall galten; besser ist aber, was Herwerden wollte, προκρίτουc statt πρὸc κρείττουc. — IV 12, 8 ist
(τὸ) τοῦ πολέμου κράτοc aufzunehmen. — IV 16, 9 will V. statt
ἔcοδον schreiben ἔξοδον oder ἔφοδον und er hat recht: denn ἔcοδοc
heiszt eingang, und zwar fast immer, oder auch einzug wie I 4, 2;
dagegen ἔφοδοc das heranrücken I 4, 1. III 2, 6. V 4, 7 usw., das
herankommen III 12, 2, auch der angriff IV 11, 4. 6, oder der feldzug
V 4, 9. ἔξοδοc, wofür ich mich entscheide, hat die hier verlangte
bedeutung I 28, 4. III 9, 11. IV 7, 3. 18, 3. III 7, 3 mit ἐπί· 9, 12
ἐc Βοιωτίαν· 17, 5 ἐπὶ τὰc μάχαc· IV 27, 1. 22, 5. 5, 9. 11 usw.
— IV 20, 6 bezeichnet V. ἐπήγετο als verdächtig und citiert § 7
ἐc ἐκεῖνον περιήκουcα ἐν τῇ νυκτὶ φυλακή, eine stelle die an ἐπήρ-
χετο denken liesze, wenn nicht ἐγίνετο oder ἐπεγίνετο näher läge,
s. Her. III 69 αὐτῆc μέροc ἐγίνετο τῆc ἀπίξιοc. — IV 34, 11 schiebt
er ἐπὶ vor τῷ ὀνόματι ein, was allerdings nach ἔτι leicht ausfallen
konnte und der üblichen construction des verbums entspricht. —
V 21, 16 fordert V. sehr richtig, dasz man schreibe τοῦ Cωcάνδρου
τῷ πατρί statt τῷ παιδί: denn die väter wurden bestraft, οὗτοι γὰρ
δὴ καὶ ἠδίκουν· VI 2, 6 wird ebenfalls die bestechung des vaters
versucht. — V 24, 8 liest V., die conjectur Kuhns ἰδίᾳ (die ausgaben
δι' αἰτίαν) aufnehmend, ἰδίᾳ ἀναθεῖναι ἄνευ τοῦ Ἐφεcίων κοινοῦ·
er vergleicht VII 6, 6 ἰδίᾳ καὶ οὐκ ἀπὸ τοῦ κοινοῦ, ebenso V 22, 7,
und ἰδίᾳ τινόc ist mir allerdings nicht erinnerlich. — V 24, 10 will
V., wie ich glaube, mit recht ὀμνύουcι . . ποιήcεcθαι für ποιεῖcθαι.
— VI 4, 1 erklärt sich V. gegen das überlieferte Ἀκροχερcίτηc,
das von χέρcοc abzuleiten wäre, und verlangt Ἀκροχειρίτηc von
χείρ 'ut sequentia poscunt'; die existenz des verbums ἀκροχειρίζω
legt die form Ἀκροχειριcτήc näher. — Hübsch ist die vermutung,
VII 5, 10 sei zu schreiben πηγὴν τὴν Ἀλιπέα für Ἀλιταίαν: «fons
quia aestate nunquam aqua ἐπέλειπε neque bieme ἐπλεόναcε teste
Etym. p. 60, 47 dictus Ἀλειπήc». V. ist also hier ein vorgänger
von Siebelis, der, ebenfalls unter zuziehung des Etym. M. und mit
berufung auf Plinius V 31, 115 *fons in urbe Callippia* mit der

variante *Alipia*, auch hier Ἀλιπίαν lesen wollte. — VII 19, 5 schreibt er μόνον, wie nachher auch Bekker wollte, eine sichere emendation, die in den text gesetzt werden musz. — VII 22, 4 und 5 findet er, die richtige form sei Φαραιεῖς, und so wird es auch sein. — VIII 8, 7 schreibt er ποταμὸν ἀποτρέψας, die hss. ἀποστρέψας, wiederum richtig, vgl. V 1, 10 ἐκτρέψας τοῦ Μηνίου τὸ ῥεῦμα. I 41, 2 τὸ ὕδωρ ἑτέρωσε τρέψας. — Sehr ansprechend ist die vermutung, IX 13, 6 sei nicht καὶ Cιμάγγελος zu schreiben, sondern καὶ Αἰcιμάγγελος 'nomen bene ominatum, qualia captabantur'. — IX 25, 2 schreibt V. δείκνυται δὲ χωρίον ἔνθα statt ἐνταῦθα, zweifellos richtig, vgl. I 18, 4 οὐ πόρρω χωρίον ἐστὶν ἔνθα usw. 30, 4. III 13, 6. 20, 3 usw. — IX 27, 2 will er ἐλθών nach ἐc λόγουc einschieben; ich sehe auch nicht ein, was sonst noch ausgefallen sein sollte. — X 9, 7 verlangt er mit fug und recht Ἀγίαc τε ὅc wie III 11, 5. — X 31, 4 endlich wollte er zunächst schreiben ματρὸc ὑπαὶ τᾶc, was besser scheint als ὑπ' αἰνᾶc von Sylburg, später aber conjiciert er, und das ist wohl das richtige, ὑπ' ἀρᾶc.

So weit mein bericht, aus dem hervorgeht, dasz V. dem texte des Pausanias ein eingehenderes und erfolgreicheres studium gewidmet hat, als man bisher wuste. wie sehr er dabei bemüht war auf grund genauer kenntnis der eigentümlichen ausdrucksweise des schriftstellers zu emendieren, zeigt jedes blatt des manuscripts: während nemlich auf der linken seite die conjecturen geschrieben sind, meist ohne angabe von gründen, finden sich auf der gegenüberstehenden parallelstellen in groszer zahl aus dem ganzen Pausanias, wie sie die fortschreitende lectüre an die hand gab; dabei geschah es natürlich ab und zu, dasz eine bereits hingeschriebene vermutung aufgegeben werden muste: dann steht ein einfaches 'male' oder 'fallor' mit angabe der stelle, welche V. über die unrichtigkeit jener belehrte, während dagegen, wenn eine conjectur besonders einleuchtend erscheint, ein 'corrigo feliciter' die entdeckerfreude zeigt. so ist die lectüre des manuscripts ebenso interessant wie belehrend und wird, wie ich hoffe, auch für den text des Pausanias nicht nutzlos sein.

ZÜRICH.   HERMANN HITZIG.

91.

ΩΡΑ = STUNDE BEI PYTHEAS?

Bekanntlich heiszt ὥρα zunächst nur 'zeitpunkt' oder 'der richtige augenblick', zb. ὥρα δείπνου. wann es die bedeutung 'stunde' erhalten hat, darüber ist man noch immer nicht völlig einig. Platon kennt diese bedeutung noch nicht; das hat GBilfinger ('stunden bei Platon' im württ. corr.-blatt f. d. gel. u. realschulen 1884) durch eine treffliche interpretation der betreffenden stelle (Ges. 784) bewiesen. Ideler schob die neue begriffsbestimmung des wortes den astronomen zu, indem er darauf hinwies, dasz 'wenigstens Hipparch schon häufig ὥρα für stunde gebraucht habe' (chronol. I 239). neuerdings hat GBilfinger ('die zeitmesser der antiken völker', progr. d. gymn. in Stuttgart 1886, s. 6) den satz ausgesprochen: 'in der uns vorliegenden litteratur kommt es meines wissens zuerst bei Pytheas von Massilia, der wie es scheint etwas nach Alexander lebte, vor, nicht aber erst, wie man häufig liest, bei Hipparch c. 140 vor Ch.' da er ein andermal (s. 22) auf eine 'stelle aus des Massiliensers Pytheas schrift über den ocean' hinweist, in welcher 'uns die antike stundenrechnung zum ersten mal authentisch entgegentritt', so meint Bilfinger jedenfalls auch in jenen worten diese stelle. sie ist 'erhalten und mitgeteilt in Geminos isagoge cap. 5' (bei Hilderich s. 83; Pétau s. 22; Halma s. 30) und lautet: ἐπὶ δὲ τοὺς τόπους τούτους δοκεῖ καὶ Πυθέας ὁ Μασσαλιώτης παρεῖναι. φηςὶ γοῦν ἐν τοῖς περὶ τοῦ Ὠκεανοῦ πεπραγματευμένοις αὐτῷ, ὅτι ἐδείκνυον ἡμῖν οἱ βάρβαροι, ὅπου ὁ ἥλιος κοιμᾶται. συνέβαινε γὰρ περὶ τούτους τοὺς τόπους τὴν μὲν νύκτα παντελῶς μικρὰν γίνεσθαι ὡρῶν οἷς μὲν β̄, οἷς δὲ γ̄, ὥστε μετὰ τὴν δύσιν μικροῦ διαλείμματος γενομένου ἐπανατέλλειν εὐθέως τὸν ἥλιον.

Diese stelle berechtigt nicht zu dem schlusse, den Bilfinger daraus zieht. die worte von συνέβαινε γάρ an stammen nicht aus Pytheas. 1) wären sie wörtlich aus dessen schrift genommen, so müste ὥρα den zusatz ἰσημερινή erhalten, da 'aequinoctialstunden' db. vierundzwanzigstel des 'bürgerlichen tages' (νυχθήμερον) gemeint sind. der Grieche aber teilte bekanntlich, und zwar ursprünglich allein, später neben unserer heutigen art und weise, sowohl den tag als auch die nacht in je 12 stunden, ὥραι καιρικαί 'zeitstunden' benannt, ein. so wurden die ὥραι ἡμεριναί und die ὥραι νυκτερικαί, ebenso je unter sich wie mit einander verglichen, verschieden lang. darum ist bei ὥραι stets ein zusatz nötig, welcher sagt, ob 'zeitstunden' oder 'aequinoctialstunden' gemeint sind. ein blick in das capitel des Almagest, wo Ptolemaios die tabelle der parallelkreise mit ihren wechselnden stundenlängen bietet (II 6), zeigt dasz die ὥραι stets ausdrücklich als ἰσημεριναί bestimmt sind. ist diese bestimmung aber zur zeit des Ptolemaios nötig, so ist sie zur zeit des Pytheas ganz unerläszlich. an eine textentstellung zu denken verbietet die übereinstimmung des Pétau, des Hilderich und des cod. Taurinensis, dessen collation in unsern händen ist. 2) ist also sicher, dasz die fraglichen worte nicht in dieser form aus Pytheas stammen, so läszt sich weiter die wahrscheinlichkeit erweisen, dasz auch ihr inhalt nicht dem Pytheas angehöre. soviel wir wissen, hat Pytheas sonst nirgends die länge des tages in stunden angegeben. seine masze sind nicht chronologischer, sondern astronomischer art. so miszt er nach ellen die sonnenhöhe zur mittagszeit (Strabon 75). so miszt er in Massalia das längenverhältnis des sonnenuhrzeigers (γνώμων) zum schatten (Strabon 115). wie sollte auch Pytheas stundenmessungen vornehmen? die κλεψύδρα des Ktesibios (Vitr. IX 9) ist viel jünger (c. 170 bis c. 117 vor Ch.). die ältern κλεψύδραι waren, technisch streng genommen, keine uhren. die sonnenuhren der alten maszen die ὧραι καιρικαί des täglichen gebrauches; ihre einfachste form aber wird dem Berossos (c. 250 vor Ch.) zugeschrieben. die ἀράχνη des 'Eudoxos oder Apollonios' (Vitr. IX 9) stammt schwerlich von Eudoxos, wahrscheinlich von Apollonios. ob dieser aber Apollonios von Pergai (c. 250 bis c. 205 vor Ch.) oder Apollonios Epsilon (c. 230 vor Ch.) sei, immer sind seit Pytheas hundert jahre verflossen (Cantor vorlesungen über gesch. d. math. I s. 284. 288). gab es aber dennoch zu des Pytheas zeit wirkliche sonnen- oder wasseruhren, so standen sie fest, waren sie ein für allemal reguliert. sie genau horizontal aufzustellen war auf dem schiffe oder bei einem kurzen aufenthalt im fremden lande schwer. die δυώδεκα μέρεα τῆς ἡμέρας des Herodotos endlich, welche die Griechen aus Babylon sollen kennen gelernt haben (II 109), sind thatsächlich nachher so verschollen, dasz ihre kenntnis wohl nur eine theoretische war, dasz sie in der praxis 'ein paar jahrhunderte fast ganz unbenutzt blieben' (Ideler chron. I s. 238). 3) ist es so als unwahrscheinlich erwiesen, dasz jene worte aus Pytheas stammen, so geht aus dem zusammenhang weiter hervor, dasz diese auffassung sogar unmöglich ist. hätte Pytheas so genau den parallelkreis (κλίμα) bezeichnet, auf dem seine fahrt endete, so konnte Geminos nicht δοκεῖ sagen. vielmehr macht das vorsichtige δοκεῖ in verbindung mit dem dunkeln ausdruck ὅπου ὁ ἥλιος κοιμᾶται den eindruck, als wolle der citierende im folgenden die rätselhaften worte des citierten deuten. also ist γάρ so viel wie 'denn in der that'. gleich die folgenden worte des Geminos bestätigen die möglichkeit einer solchen auffassung. er sagt: Κράτης ὁ γραμματικός φηςι τῶν τόπων τούτων Ὅμηρον μνημονεῦςαι, ἐν οἷς φηςιν Ὀδυςςεύς .. περὶ γὰρ τοὺς τόπους τούτους .. ἡ νὺξ .. ἀπολείπεται usw. im infinitiv nach φηςίν läszt Geminos den Krates reden, im indicativ also musz er selbst fortfahren. hätte hier Geminos δηλοῖ ὅτι für φηςι gesetzt, so wäre das satzgefüge genau wie vorher.

Also ist der ganze satz von cυνέβαινε γάρ an weder formell noch materiell aus Pytheas genommen. auch in andern stellen, deren inhalt man auf Pytheas zurückführt, musz der ausdruck ὧραι als

modernisierte fassung betrachtet werden, zb. Strabon 134 (Βυζάν-
τιον) oder Kleomedes s. 88 = 2, 1 (Μερόη), wo Hipparchos und
Poseidonios auf Pytheas zurückgehen (Müllenhoff DA. I s. 308. 400).
wir glauben das einsetzen von ὥρα an einem falle controllieren zu
können. Athenaios citiert (s. 41) den Theophraṣtos: Θεόφραστος
δέ φηcιν ἐν τῷ περὶ ὑδάτων usw. und gleich darauf: ἐν δὲ τῷ
περὶ φυτῶν ἐνιαχοῦ φηcιν usw. weiterhin (s. 42 [b]) sagt er: διὸ
καὶ ἐν τοῖc γνώμοcι ῥέον οὐκ ἀναδίδωcι τὰc ὥραc ἐν τῷ χειμῶνι,
ἀλλὰ περιττεύει, βραδυτέραc οὔcηc τῆc ἐκροῆc διὰ τὸ πάχοc. καὶ
ταὐτὰ περὶ Αἰγύπτου φηcίν. also stammt auch dieser satz aus Theophrastos. derselbe satz steht auch bei Plutarchos (quaest. nat. 7),
der auch den Theophrastos in demselben zusammenhange nennt:
ἐλαύνουcα γὰρ ἡ ψυχρότηc τὸ ὕδωρ ποιεῖ βαρὺ καὶ cωματῶδεc,
ὡc ἔcτιν ἐν ταῖc κλεψύδραιc καταμαθεῖν· βράδιον γὰρ ἕλκουcι
χειμῶνοc ἢ θέρουc. Plutarch citiert augenscheinlich genauer, was
schon das wort κλεψύδρα für γνώμων zeigt: denn um wasseruhren,
nicht um sonnenzeiger handelt es sich. Athenaios kleidete also den
satz in ein moderneres gewand und brachte die ὧραι hinein.

Nach alledem bleibt vorläufig doch wohl Pytheas ausgeschlossen, wenn man nach dem ersten fragt, der, soweit
unsere kenntnis reicht, ὥρα für 'stunde' gebrauchte.
dasz dagegen Hipparchos sicherlich diesen sprachgebrauch übte,
lehrt die einzige von ihm erhaltene schrift (Ἀράτου καὶ Εὐδόξου
φαινομένων ἐξηγήcειc), auf deren ersten seiten (Pétau 173) schon
ἐν πόcαιc ἰcημεριναῖc ὥραιc und τὰ εἰκοcιτέccαρα ὡριαῖα δια-
cτήματα vorkommen. weiterhin (Pétau 229) stehen die worte ὡρῶν
ἰcημερινῶν ιδ καὶ ἡμιωρίου. dasz ihm daneben natürlich auch
die ὧραι καιρικαί nicht fremd waren, lehrt ausdrücklich Ptolemaios
(Alm. IV 11). die leichtigkeit, mit der hier ableitungen gebraucht
werden (ὡριαῖοc und ἡμιώριον), zeigt dasz jene schrift nicht die
erste ist, in der Hipparch diesen gebrauch von ὥρα machte. daraus
also, dasz er in dieser schrift über die neuerung sich nicht äuszert,
darf man nicht unbedingt darauf schlieszen, dasz er vorgänger darin
hatte. wenn man aber, wie Bilfinger noch an einer andern stelle annimt (die antiken stundenangaben, Stuttgart 1888, s. 74), dennoch
an solche vorgänger glaubt, so darf man den Pytheas nicht unter
sie zählen.
    BERLIN.   MAX C. P. SCHMIDT.

(5.)
DER THESAUROS DER EGESTAIER AUF DEM ERYX
UND DER BERICHT DES THUKYDIDES.

Es wird wahrscheinlich mehr lesern wie dem unterzeichneten ergangen sein, dasz sie bei dem ersten durchlesen des von so groszer gelehrsamkeit zeugenden gleich überschriebenen artikels von W H Roscher oben s. 20 ff. von der richtigkeit seiner behauptungen überzeugt worden sind; allein infolge genauerer erwägungen sind mir so gewichtige bedenken aufgestiegen, dasz ich doch einige worte über die darin behandelte stelle vorbringen möchte. von vorn herein finde ich es angemessen zu betonen, dasz ich bei der durchgehends schlechten überlieferung des Thukydides gegen die änderung von ἀργυρᾶ in ὑπάργυρα* an sich nichts einzuwenden habe, obgleich eine solche verderbnis wahrscheinlich nicht, wie der vf. vermutet, auf ein scholion, das vielmehr κατάχρυσα oder ἐπίχρυσα gelautet hätte, zurückzuführen ist.

Einen groszen teil der erörterung Roschers nimt die polemik gegen die von Meineke (Hermes III s. 372) vorgeschlagene lesart ἐπάργυρα ein, welche der vf. mit so schwer wiegenden gründen bekämpft, dasz ich darüber weiter kein wort verlieren mag. zunächst wende ich mich also gegen die positive beweisführung für die wahrscheinlichkeit der lesart ὑπάργυρα, die zwei punkte umfaszt. erstens behauptet der vf. mit vollem recht, dasz der ausdruck ὑπάργυρος gut attisch und aus den der zeit des Thukydides ent-stammenden athenischen urkunden belegt ist, und zieht aus dem beigebrachten material den schlusz, dasz 'man im fünften jh. auch in Athen silberne geräte, namentlich gefäsze, bald leicht bald schwer vergoldete'; man ersieht aber aus diesen beispielen (vgl. insbes. anm. 7) auszerdem deutlich, dasz dies ausnahmen, wenn auch eben nicht seltene, gewesen sind, und zwar nicht allein in Athen, sondern auch im übrigen Griechenland. es müssen daher sehr zwingende gründe angeführt werden, um uns von der wahrscheinlichkeit einer abweichung der Egestaier (auf deren nichthellenische abkunft gewis kein zu groszes gewicht zu legen ist) von der üblichen landessitte zu überzeugen, und dies wird in dem zweiten punkte versucht, wo der vf. die darbringung vergoldeter silbergeräte aus dem orientalischen ursprung des Aphroditecultes erklären will; ich glaube aber dasz man mir zugeben wird, dasz die angeführten epitheta der göttin (χρυσῆ, πολύχρυσος) sich ebensowohl auf den goldschmuck derselben (man vgl. die ausdrücke χρυσῷ κοσμηθεῖσα, χρυσοστέφα-νος) beziehen, wodurch dieser beweis eine sehr schwache stütze für jene behauptung abgibt. dazu kommt noch, dasz es mir wenigstens

---

* übrigens war diese textesänderung schon im j. 1886 von SANaber in der Mnemosyne n. s. XIV s. 328 vorgeschlagen worden.

etwas unwahrscheinlich vorkommt, dasz die athenischen gesandten, die von haus aus mit vergoldetem, nicht massiv goldenem tempelgeschirr einigermaszen vertraut waren, sich von solchem im thesauros der Egestaier hätten teuschen lassen.

Ich komme hiermit auf den zweiten teil der beweisführung, wo der vf. zu erweisen sucht, dasz die überlieferte lesart ἀργυρᾶ falsch sei. er hält es für unmöglich, dasz die gesandten 'den wert rein silberner weihgeschenke auf dem Eryx nicht ungefähr richtig hätten taxieren können', zumal von den ταμίαι τῶν ἱερῶν χρημάτων τῆς Ἀθηναίας oder τῶν ἄλλων θεῶν 'sicher einige unter den nach Egesta geschickten gesandten sich befanden'. mir (vgl. die bemerkung Classens zdst.) scheint es sehr natürlich, dasz die gesandten durch die grosze menge des silbergeschirrs sich nicht bei der taxierung seines reellen wertes — denn von einer eigentlichen berufsmäszigen taxierung ist thatsächlich nicht die rede (vgl. den ausdruck τὴν ὄψιν .. παρείχετο) — teuschen, sondern beim anschauen haben blenden lassen. auf den unbestimmten ausdruck Diodors (ἐκπέμψαι τινὰς τῶν ἀρίϲτων ἀνδρῶν καὶ διαϲκέψαϲθαι) wird man doch in der frage von der sachkenntnis der gesandten kaum viel geben können. aber, wird Roscher einwenden, dann wird ja von einer künstlichen teuschung seitens der Egestaier, auf welche doch des Thuk. worte τοιόνδε τι ἐξετεχνήϲαντο sich beziehen müssen, gar nicht die rede sein können. dies ist für mich eben der hauptpunkt, in welchem ich glaube dasz R. die stelle unrichtig verstanden hat. der kunstgriff nemlich, den die Egestaier angewendet hatten (dasz Thuk. nur von éinem solchen spricht, scheint der singular τοιόνδε τι zu zeigen), ist nicht die vorzeigung der tempelschätze, für welche der ausdruck gar nicht angemessen wäre, wenn nicht die Egestaier — es sei eigentlich nur beispiels halber gesagt — die vorhandenen silbergeräte um die gesandten zu teuschen vergoldet hätten, sondern die bewirtungen der Athener in den privathäusern, um sie durch vorsetzung fremden kostbaren tafelgerätes irre zu führen. dasz dies der fall war, geht meines erachtens deutlich aus der ganzen darstellung hervor: nicht allein durch den umfang des darüber gesagten (ungefähr 8 gegen 4 zeilen), sondern auch durch den ganzen ton der schilderung (man beachte den starken ausdruck § 4 μεγάλην τὴν ἔκπληξιν .. παρεῖχε dem schwachen πολλῷ πλείω τὴν ὄψιν .. παρείχετο gegenüber) ist das letztere glied entschieden hervorgehoben, während das erstere fast parenthetisch (wie sonst ἄλλα τε usw.) gestellt ist.

Ich glaube demnach, dasz keine genügenden gründe vorliegen die überlieferte lesart zu verwerfen.

KOPENHAGEN.   KARL HUDE.

92.

DE COINCIDENTIAE APUD CICERONEM VI ATQUE USU SCRIPSIT HER-
MANNUS LATTMANN. Gottingae apud Vandenhoeck et Ruprecht.
MDCCCLXXXVIII. 116 s. gr. 8.

Die eingehende kritik, welche ich in meinen 'beiträgen zur lehre
von der conscc. temp. im lat.' (Paderborn 1885) der neuen tempuslehre in der Lattmann-Müllerschen grammatik gewidmet hatte, ist
für den sohn Lattmanns augenscheinlich die veranlassung gewesen,
die von L.-M. in die grammatik eingeführte lehre von der coincidenz,
dh. dem durch gleichheit des tempus ausgedrückten vollständigen
zeitlichen und sachlichen zusammenfallen zweier handlungen, zum
gegenstand einer gründlichen untersuchung zu machen und bei dieser
gelegenheit die L.-M.sche lehre teils zu berichtigen teils gegen meine
anfechtungen zu verteidigen. wie GIhm in der rec. meiner 'beiträge'
(philol. anz. 1885 s. 564), so kommt auch L. in einem einleitenden
capitel zu dem ergebnis, dasz die scheidung zwischen der congruenz
und der coincidenz, die, wie ich ao. s. 14 gerügt hatte, trotz unverkennbarer 'berührungspunkte' in der L.-M.schen einteilung der temporalen beziehungsverhältnisse durch ein mittelglied (antecedenz)
auseinandergerissen waren, für die tempuslehre ganz gleichgültig
sei; doch meint L., dasz der begriff der coincidenz aus der grammatik
nicht verschwinden dürfe. beides gebe ich zu, kann indes der von
L. vom einseitig logischen gesichtspunkte aus aufgestellten neuen
einteilung [1) congruenz; 2) antecedenz; 3) incongruente gleich-
zeitigkeit] nicht zustimmen. ohne auf alle einzelheiten der von mir
ao. s. 15 ff. versuchten einteilung wert zu legen, halte ich doch
jedenfalls daran fest, dasz es z w e i von einander wesentlich verschiedene h a u p t a r t e n der temporalen beziehung gibt, deren erstere
durch die sog. relativen tempora (im engern sinne) in dem bezogenen
satze ihren ausdruck findet und naturgemäsz sich in antecedenz und
(incongruente) gleichzeitigkeit scheidet, während die zweite art sich
durch übereinstimmung der tempora beider sätze charakterisiert und
durch den begriff congruenz (einschlieszlich coincidenz) keineswegs
erschöpfend umschrieben wird, da auch handlungen durch übereinstimmende tempora ausgedrückt werden können, die, rein zeitlich
betrachtet, im verhältnis der antecedenz und der incongruenten
gleichzeitigkeit zu einander stehen. vgl. Nepos *Hann.* 1 *nam quotienscumque cum eo congressus est in Italia, semper discessit
superior.* Cic. *in Cat.* I 11 *quotienscumque me petisti, tibi obstiti.*
Nepos *Hann.* 3 *quacumque iter fecit, cum omnibus incolis conflixit.*
Caesar *b. G.* III 16 *navium quod ubique fuerat, in unum locum
coëgerant.* Nepos *Them.* 4 *noctu de servis suis quem habuit fide-
lissimum ad regem misit.* an den ersten beiden stellen müssen wir
nach L. erwarten, dasz das verhältnis der antecedenz zum ausdruck
käme und *congressus erat* bzw. *petiveras* geschrieben wäre; an den
übrigen dagegen erwarteten wir das impf. (*faciebat, erat, habebat*)

zum ausdruck der incongruenten gleichzeitigkeit. die beiden stellen
Nepos *Hann.* 1 und 3 erklärt L. s. 12 zaghaft ('minus certum iudicium') durch annahme einer figürlichen coincidenz ('figurata quadam
oratione usi ea, quae non per se sunt eadem, tamen eadem esse dicimus'). um eine solche klar zu machen, übersetzt er: 'jeder zusammen-
stosz war ein sieg.' 'jeder marsch war ein kampf.' auf diese weise
ist allerdings die gleichartigkeit mit der eigentlichen coincidenz nahegelegt, da L. ja auch zur veranschaulichung dieser eine derartige
übersetzung mehrfach gewählt hat; vgl. s. 41 und 44: 'adlevor, cum
loquor tecum absens*, diese stille unterhaltung mit dir ist mir eine
erholung.' allein man sieht schon hierbei, dasz es kein zeitliches
verhältnis der beiden sätze ist, das in der form der coincidenz zum
ausdruck kommt. an der stelle Cic. *in Cat.* I 11 nimt L. s. 14 congruenz an; ich sollte indes meinen, dasz das *petere* dem *obsistere* vorhergegangen zu denken ist. und wie will L. die beiden letzten beispiele erklären? hier sind doch jene deutungen unmöglich. nach
meiner meinung zeigt uns hier Em. Hoffmann 'studien zur lat. syntax'
(Wien 1884) s. 24 und besonders s. 34 ff. den rechten weg, indem
er nachweist, dasz nicht blosz 'coincidente und connexe' sondern
auch solche relativsätze in bezug auf den gebrauch des praes. hist.
mit dem hauptsatze übereinstimmen, 'die, weil sie keine historische,
sondern n u r e i n e b e g r i f f l i c h e b e s t i m m u n g bezwecken, auch
keine selbständige zeitlage haben und somit die zeitform des satzes
annehmen müssen, in den sie eingefügt sind'. eine historische bestimmung würde nach Hoffmann zb. vorliegen, wenn es hiesze:
Themistocles unum de servis, quos secum h a b e b a t , ad Xerxem misit.

Die untersuchungen Lattmanns bedürfen also in diesem punkte
der ergänzung (bei welcher ich die beachtung der mit *quotienscumque*
eingeleiteten sätze besonders empfehle[1]). denn offenbar kommt es
vor allem darauf an, welche ausdehnung der gebrauch übereinstim-
mender tempora im lat. hat. wir verstehen nicht recht, weshalb L.
sich auf die coincidenz im strengsten sinne des wortes beschränkt
hat; nachdem er sich einmal auf den Ihmschen standpunkt gestellt
hatte, erscheint diese beschränkung inconsequent und willkürlich.
sogar die so zahlreichen sätze mit modalitätsverben hat L., weil
nicht eigentlich coincident, ausgeschlossen, obwohl doch gerade diese,
wie für die wissenschaft (vgl. Cic. *de imp. P.* 9, wo Fleckeisen und
Halm *posset*, Eberhard *potuit* statt des hsl. *potuisset* verlangen), so
auch für die schule (wie gern schreiben schüler sätze wie *amicum,
ut p o t e r a m , adiuvi* statt *potui!*) besonders wichtig sind.

Um nun zu dem hauptinhalt der L.schen schrift überzugehen,

---

[1] in diesen kommt nach Merguet in den reden Ciceros bezüglich
der praeterita immer nur übereinstimmendes tempus (perfectum) vor,
und zwar 5 mal, wo das verhältnis der vorzeitigkeit vorliegt (*QRosc.* 18.
Verr. IV 57. V 21. *Catil.* I 11. *dom.* 71), und zweimal bei gleichzeitigen
handlungen (*dom.* 69. *prov. cons.* 2). das impf. conj. findet sich an
2 stellen und entspricht in beiden fällen einem unabhängigen futurum.

so untersucht der vf. inhalt und form der coincidenten sätze, indem er im 2n cap. die verschiedenen spielarten der coincidenz, im 3n die tempus- und modusverbindungen in coincidenten sätzen auf grund sämtlicher schriften Ciceros erforscht. wir erkennen hierbei die gewaltige ausdehnung der coincidenz und die berechtigung L.-M.s diesen begriff in die grammatik einzuführen. die L.-M.sche lehre fand trotzdem in andere grammatiken erst sehr spät eingang; was man L.-M. höchstens einräumte, war der gebrauch des coincidenten *cum*. da ist es nun sehr verdienstlich, dasz L. feststellt, dasz auch in vielen andern satzarten die coincidenz möglich ist. bezüglich der fälle indes, wo der conjunctivische nebensatz eines indicativischen hauptsatzes (s. 72 ff.) eine coincidente handlung ausdrückt (hauptsächlich sind es causale relativsätze) ist L. nicht ganz vollständig; er hat s. 34 f. meiner 'beiträge' übersehen, wo ich über diesen punkt handle. ich vermisse zunächst unter den causalen sätzen mit *cum*, von denen L. nur zwei anführt, die stelle Cic. *ad Q. fr.* I 1, 2 *quod ego . . feci non sapienter, praesertim cum id commiserim, ut ille alter annus etiam tertium posset adducere.* ferner dürfte hierher zu ziehen sein *de fin.* I 23 *quod vero securi percusserit filium, privavisse se etiam videtur multis voluptatibus, cum . . praetulerit*, wo L. s. 110 den conjunctiv freilich aus der abhängigkeit erklärt. unabhängig wird es aber doch wohl heiszen müssen: *quod . . percussit, privavit se, cum . . praetulerit*, da *praetulit* neben *quod percussit* unerträglich scheint. gar nichts sagt L. über modalsätze mit *ut* wie *de fin.* II 62 *quo quidem auctore nos ipsi ea gessimus, ut omnibus potius quam ipsis nobis consuluerimus.* in diesen ist der ausdruck der coincidenz aber nicht nötig, wie die stellen *de fin.* III 12 und *Mur.* 5 (vorausgesetzt dasz die lesart *abrogarem* und nicht *abrogarim* richtig ist) hinlänglich beweisen. eine feststellung der anzahl der belege für beide fälle wäre sehr wünschenswert gewesen. auch muste L. stellung nehmen zu meiner behauptung, dasz in absichtssätzen trotz *Phil.* XIV 17 *haec interposui, non tam ut pro me dixerim* (Kayser gegen die hss. *dicerem*), *sed ut quosdam monerem* die coincidenz nicht ausgedrückt werde, ebenso nicht in den mit *ut* eingeleiteten gegenstandssätzen wie *invitus feci ut Flaminium e senatu eicerem* (sätze mit praes. oder impf. im hauptsatze kommen selbstverständlich nicht in betracht).

Hinsichtlich der tempusfolge nach einem infinitiv in coincidenten sätzen kommt L. zu einem für mich sehr erfreulichen resultate. ich hatte nemlich 'gymn.' I sp. 4 f. und 'beitr.' s. 4 f. behauptet, dasz in sätzen wie *dixi bene eum fecisse, quod mansisset* das plusqpf. erforderlich sei, und wiederherstellung der willkürlich geänderten lesart an den stellen *Brut.* 47, wo man nach Bake *cum . . conscripsisset* in *quem conscripsisse* geändert hatte, und *p. red. in sen.* 17, wo *cum depellerent* statt *cum depulissent* gelesen wird, gefordert. diese behauptung, gegen die noch CFWMüller sich ablehnend verhalten zu dürfen glaubte, wird nun durch L.s statistische erhebungen aufs

glänzendste bestätigt. abgesehen nemlich von sehr vereinzelten beispielen, wo der nebensatz den indicativ hat, und einer einzigen stelle
mit conj. perf., der durch repräsentation zu erklären ist (s.
unten), findet sich der conj. plusqpf. an 40, der conj. impf. dagegen nur an
2 stellen, die L. mit recht als anomale behandelt und mit derjenigen,
wo nach einem ind. plusqpf. die coincidente handlung durch den ind.
impf. ausnahmsweise ausgedrückt wird (*ad Att.* VIII 11 D 5), auf
gleiche stufe stellt.

In der erklärung des conj. plusqpf. stimmt L. mir freilich
nicht zu. ich hatte 'beiträge' s. 2 ff. behauptet, der unterschied der
tempora in den sätzen *dico bene eum fecisse, quod manserit* und *dixi
bene eum fecisse, quod mansisset* sei durch den unterschied der verba
finita bedingt, in dem letztern satze also der conj. plusqpf. aus der
beziehung der antecedenz zu *dixi* zu erklären. L. dagegen meint,
der unterschied komme daher, dasz in dem ersten satze *fecisse* der
bedeutung nach ein inf. perf., in dem zweiten aber ein inf. plusqpf.
sei. da nun aber nach L. der infinitiv seine tempusbedeutung nicht
aus sich, sondern von dem verbum fin. hat, so besteht der unterschied unserer meinungen darin, dasz L. das tempus des nebensatzes
aus der secundären, ich dagegen aus der primären ursache ableite.
da also L., um die auf den ersten blick unklare temporale bedeutung
von *fecisse* aufzuhellen, immer erst auf das verbum fin. zurückgehen
musz, so ist meine auffassung zunächst einfacher.[2] sodann mache
ich jedenfalls, wenn ich die tempusfolge durch das verbum fin. bestimmt werden lasse, nur von einem von L. selbst (s. 87) ausdrücklich verteidigten rechte gebrauch, das L.-M. in § 120 hinsichtlich
der tempusfolge nach einem inf. praes. in anspruch nehmen. allerdings besteht sonst ein unterschied zwischen der tempusfolge des
inf. praes. und der des inf. perf., insofern als der inf. praes. nichts
besagt über die zeit der handlung, während der inf. perf. an sich
(dh. dem sinne, nicht der form nach) schon meist auf die vergangenheit hinweist, also die praeteritale tempusfolge indiciert. aber bei
coincidenten sätzen, in denen es sechs verschiedene arten der tempusfolge, weil sechs verschiedene tempora, gibt, ist die sache offenbar
anders. hier musz nach L. bei einem inf. perf. erst untersucht werden, ob er perfectische oder plusquamperfectische bedeutung hat,
genau so wie nach ihm beim inf. praes. jedesmal erst festzustellen
ist, ob er praesentische oder imperfectische bedeutung hat. in der
that ist in einem satze wie *intellegebant nihil tam sanctum esse, quod
non violaret aliquando audacia* (vgl. Cic. *SRosc.* 70) das tempus des
nebensatzes zunächst dadurch bedingt, dasz der Lateiner sich das
esse als vergangen, der zeit des *intellegere* angehörig vorstellt. weil
es aber in vielen fällen auszerordentlich schwer halten würde, den

---

[2] dasz ich die beziehung des *manserit* bzw. *mansisset* zu *fecisse* nicht
leugne, erhellt aus s. 3 und s. 17 der 'beiträge', wo ich zeige, dasz
mehrere beziehungsverhältnisse concurrieren können.

schülern den sog. imperfectischen charakter eines inf. praes. klar zu machen, da der ausgedrückte gedanke oft, wie zb. in dem vorliegenden satze, für alle zeiten gilt, so verzichten jetzt die grammatiken mit wenigen ausnahmen, auch die von L.-M. § 120, mit recht auf eine solche erklärung und lassen einfach das verbum fin. entscheiden (was übrigens in vielen fällen auch wissenschaftlich das einzig richtige ist, wie ich nachher zeigen werde).

Ergibt sich schon aus dem gesagten, dasz L. keinen grund hatte meine erklärung des conj. plusq. anzufechten, so gehe ich jetzt noch weiter und behaupte, dasz die seinige auch wissenschaftlich unhaltbar ist. der inf. perf. kann niemals an sich die volle temporale bedeutung des ind. perf. bzw. plusq. oder fut. ex. haben, ebenso wenig wie der inf. praes. an sich die volle temporale bedeutung des ind. praes., impf. oder fut. besitzt. der inf. ist weiter nichts als ein verbalsubstantiv, das den begriff des verbums ausdrückt (*errare = error*), nur dasz der inf. praes. zugleich die actio infecta, der inf. perf. die actio perfecta mit zum ausdrucke bringt. in welche zeitsphäre diese actio fällt, kann man aus dem zusammenhang ersehen, meist freilich, aber nicht immer, aus dem verbum fin. besonders unklar ist diese zeitsphäre bei einem futurischen verbum fin. in dem satze *confitebere aliquando te erravisse* kann *erravisse*, je nach dem zusammenhange, etwas (vom standpunkte des sprechenden) vergangenes, gegenwärtiges oder zukünftiges (zb. nach *hoc si feceris*) bezeichnen. mit unrecht hat L., wie schon Stegmann in der philol. rdsch. 1888 s. 390 richtig bemerkt, dem infinitiv in mehreren fällen eine selbständige temporale bedeutung beigelegt. anderseits ist es eine nicht minder gezwungene deutung, wenn Stegmann meint, dasz in den seltensten fällen, wo nach einem inf. perf. der coincidente nebensatz einen ind. perf. aufweist, ein wirkliches futur verbum regens sei. einen ausweg aus diesen schwierigkeiten bietet nur meine auffassung. die ablehnung derselben führt L. hinsichtlich mehrerer stellen in die enge. ich glaube nicht, dasz er sich durch die s. 108 von der stelle *de n. d.* I 92 und die s. 110 von *ad Q. fr.* I 2, 1 gegebene erklärung selbst befriedigt fühlt. und wie will er die stelle *p. Mil.* 82 *quae mihi ipsi tribuenda laus esset .. si id quod conabar sine maximis dimicationibus me esse ausurum arbitrarer?* die ich (wie auch mehrere andere) bei L. vergeblich gesucht habe, anders erklären als durch beziehung des *conabar* auf *arbitrarer?*

Eine bestätigung meiner auffassung glaube ich zunächst in den eignen statistischen erhebungen L.s finden zu dürfen. L. stellt fest, dasz in coincidenten sätzen, die zunächst einem conjunctivischen satze oder einem infinitiv untergeordnet sind, der conjunctiv möglich ist, aber im allgemeinen ebensogut unterbleiben kann. nur beim plusquamperfect in sätzen, die einem von einem praet. abhängigen inf. perf. untergeordnet sind, ist es anders. während hier der conjunctiv an 40 stellen erscheint, kommt der indicativ nur zweimal vor, und zwar *in Verrem* IV 62 *Verres hereditatem sibi venisse*

arbitratus est, quod in eius regnum ac manus venerat is usw. und
in Cat. III 16 *neque vero cum aliquid mandarat, confectum putabat*
(an welchen stellen ich nur eine directe beziehung auf das verbum
fin. das hauptsatzes annehmen kann). für diese auffallende thatsache
kann L. keine erklärung geben, dagegen darf ich in derselben eine
bestätigung dessen finden, was ich 'beiträge' s. 25 über die gröszere
selbständigkeit der p r a e s e n t i s c h e n tempusfolge bemerkte, bei der
oft sogar der modus obliquus unterbliebe. also liegt der unterschied
in der geringern oder gröszern abhängigkeit von dem verbum fin.,
dem doch L. keinen unmittelbaren einflusz auf die tempusfolge eines
einem infinitiv untergeordneten satzes zuerkennen will.

Dasselbe beweist eine zweite durch L. festgestellte thatsache,
nemlich die, dasz i n d i c a t i v i s c h e nebensätze bei p a s s i v e m verbum fin. erheblich häufiger sind (s. 107). es erklärt sich dies daraus,
dasz bei passiven wie *videor, putor* und *dicor* — denn um diese handelt es sich zumeist — wie auch schon, wenn auch nicht in demselben masze, bei den activen formen dieser verba, das verbum fin.
fast zu einem formworte herabsinkt und mit dem inf. zu éinem begriffe verschmilzt (*fecisse videtur* oder *fecisse dicitur* ist etwa ein
schwächeres *fecit*[3]), so dasz die sonst von dem lateiner gefühlte, durch
den conjunctiv zum ausdruck gelangende abhängigkeit des nebensatzes vom verbum fin. oft nicht mehr recht empfunden wurde.
dies ist so sehr natürlich, dasz unsere textkritiker sogar vielfach
daran anstosz genommen haben, wenn die hss. in solchen fällen den
conjunctiv bieten.[4]

Ist mithin ein unmittelbarer einflusz des verbum fin. auf den
modus eines coincidenten nebensatzes zu einem von ihm abhängigen
inf. nicht zu verkennen, so darf wohl von vorn herein ein gleicher

---

[3] es ist dies dieselbe spracherscheinung, von der Hanssen 'philoso-
phemata zur lat. syntax' (comm. Studemundianae s. 109—120) handelt,
welcher ua. darauf hinweist, dasz auch bedeutungsvollere verben als *esse*
und *habere* zur copula herabgedrückt werden können (vgl. *infitias ire
aliquid*). man vergleiche auch die stellung des franz. pron. conjoint in
je le veux dire (neben *je veux le dire*). [4] selbst CFWMüller, dessen
ausgabe sonst hinsichtlich des modusgebrauchs zu gesunden conserva-
tiven grundsätzen zurückkehrt, hält inconsequenterweise noch an manchen stellen g e g e n die hsl. autorität an der willkürlichen lesart der
ausgaben fest: *de fin.* I 23 lies *percusserit* (ebd. lese ich mit einigen hss.
invenerit); *de div.* II 86 *sit* (an diesen stellen fehlt auch eine bemerkung
in der adn. crit.); ferner *p. SRoscio* 70 *scripserit*; *de lege agr.* III 10
cogat; in *Vatin.* 9 *sis.* mit unrecht spricht er bedenken aus zu *de
nat. d.* I 24 *exarserit* und *obriguerit*; II 25 *contineatur, sit, contineat*; *de
lege agr.* II 39 *recuperata sit.* f a l s c h e r k l ä r t er den conjunctiv *de rep.*
I 3 *sint.* dagegen s c h ü t z t er die hsl lesart gegen unberechtigte änderungen: *acad.* I 10 *sint imitati*; 13 *scripserit*; *de fin.* V 49 *finxerit*; *Tusc.*
I 30 *sit immanis*; II 42 *sit*; 45 *sit*; 48 *videmus* (Bentley *vidimus*); II 77
fateatur; V 6 *instructa sit*; *de nat. d.* III 51 *habeat*; *de div.* II 97 *dixerit*;
de off. I 71 *sit*; II 38 *perspectum sit*; *Lael.* 63 *consecuti sint*; in *Verrem*
V 143 *violatum sit*; *de lege agr.* II 95 *prospexerint*; *p. Sestio* 1 *excita-
rint* usw. (Bake forderte überall den ind.); *Phil.* VII 17 *futura sit* (Halm
futura est).

einflusz auf das tempus angenommen werden. L. fühlt selbst (s. 92),
dasz ein solcher bei indicativischen nebensätzen sehr nahe liegt. er
würde denselben wohl auch in conjunctivischen sätzen nicht für unmöglich halten, wenn er sich entschlieszen könnte dem von mir an
die spitze meiner untersuchung gestellten, mit der L.-M.schen lehre
von der tempusfolge nach einem inf. perf. allerdings nicht zu ver-
einbarenden fundamentalsatze zuzustimmen, dasz unter umständen
die handlung des nebensatzes (auch des conjunctivischen nebensatzes
in den fällen, wo bei beseitigung der abhängigkeit vom hauptsatze
das absolute tempus erscheinen würde) sich auch beziehen kann auf
die zeit der handlung nicht des zunächst übergeordneten nebensatzes
(bzw. infinitivs), sondern auf die des hauptsatzes (bzw. verbum fin.).
ich halte diesen satz aber durchaus aufrecht. wie will man es erklären, dasz in einem satze wie *negabat quemquam fuisse, quin oratori assentiretur* ebenso gut *assensus esset* stehen kann? im ersten
falle haben wir beziehung auf *fuisse*, im zweiten dagegen, der einem
unabhängigen *nemo fuit, quin assensus sit* (absol. tempus) entspricht,
beziehung auf *negabat*. wenn die L.sche theorie richtig wäre, so
wäre es für die von einem satze mit inf. perf. abhängigen conjunctivischen nebensätze, soweit sie nicht eben als coincidente unter-
schiedlich behandelt werden müsten, hinsichtlich der tempusfolge
vollständig gleichgültig, ob das verbum fin. ein praesens oder ein
praeteritum ist. und wirklich wird dies bei L.-M. in § 123 gelehrt.
aber diese lehre ist falsch, wie aus dem Elbinger progr. (1861) von
Reusch hervorgeht (die von L.-M. § 123, 1 aufgeführten drei beispiele mit praeteritalem verbum fin. sind anomalien, der in anm. 1
besprochene fall ist die regel). schon die thatsache, dasz der conjunctiv der haupttempora nach einem inf. perf. bei regierendem
praesens ungleich häufiger sich findet als bei regierendem praeteritum[5], spricht für Reusch und gegen Lattmann-Müller.

Zur stütze meiner auffassung möchte ich endlich noch auf den
gebrauch des reflexivs in den nebensätzen der abhängigen rede hinweisen, zb. *Ariovistus dixit Caesarem iniuste fecisse, quod in suas
possessiones venisset*, wo doch *suas* (der satz ist, nebenbei bemerkt,
auch coincident) sich n i c h t auf das subject des z u n ä c h s t übergeordneten satzes, sondern auf das des hauptsatzes bezieht; ferner
auf sätze wie Cic. *Brut.* 281 *vehementer eum hortabar, ut eam laudis
viam rectissimam esse duceret, quam maiores eius ei tritam reli-
quissent*, wo das reflexiv unmöglich war, obwohl der relativsatz

---

[5] die bei Cicero vorkommenden fälle letzterer art belaufen sich
auf etwa 40 und sind aus einer anomalen repräsentation oder verselb-
ständigung des gedankens zu erklären (hierher gehört auch die stelle *in
Verrem* III 147, die L. s. 106 bespricht und die man mit *pQuinctio* 86 vergleichen möge, ferner *de nat. d.* I 92, wo L. s. 108, der leider noch der
Baiter Kayserschen ausgabe folgt, mit unrecht *decreverunt* liest), während
die fälle ersterer art nach hunderten zählen; aus den reden allein führt
Motschmann doctr. de temp. cons. usw. (Jena 1875) s. 43 ff. 175 stellen an.

offenbar auch ein innerlich abhängiger satz, nicht eine bemerkung
des schreibenden ist und deshalb den conjunctiv hat; er ist eben nur
aus dem sinne des *hortans*, nicht aus dem des *ducens* geschrieben.

Die klare einsicht in die sache, um die es sich handelt, wird
durch die L.-M.sche bzw. L.sche lehre von der d r e i f a c h e n art der
beziehung erheblich erschwert. viel einfacher wäre es, und zwar für
die gesamte consec. temp., die bei L.-M. mit recht als relative zeitgebung aufgefaszt wird, wenn wir nur die antecedenz und incongruente gleichzeitigkeit als 'b e z i e h u n g e n' im eigentlichen sinne
des wortes bezeichneten und die, wie ich gleich anfangs bemerkte,
von diesen wesentlich verschiedene congruenz (bzw. coincidenz) nur
eine 'ü b e r e i n s t i m m u n g' im tempus, sei es im absoluten, sei es
im relativen, zu nennen uns gewöhnten. in *bene fecisti, quod mansisti*
hätten wir also keine eigentlich relativen tempora, sondern eine
übereinstimmung im absoluten tempus; in *dixi bene eum fecisse,
quod mansisset* wäre *mansisset* zwar relatives tempus, aber nur
relativ zu *dixi*; die übereinstimmung des tempus ist durch die infini-
tivische fassung des übergeordneten satzes unmöglich geworden. —

Kann ich somit in mehreren fragen, die für die tempuslehre
allerdings teilweise von grundlegender bedeutung sind, L. nicht zustimmen, so will ich es um so weniger unterlassen die schrift als
eine, wenn auch nicht nach jeder seite hin vollkommene, doch auszerordentlich fleiszige, scharfsinnige und übersichtliche arbeit anzuerkennen, die für die historische syntax der lat. sprache ein wertvoller
baustein sein wird. dasz L. nicht, wie das nach dem heutigen stande
der syntaktischen forschung correcter gewesen wäre, die coincidenz
in coordinierten sätzen zum ausgangspunkte genommen hat, fällt
nach meinem dafürhalten dem werte der arbeit gegenüber kaum ins
gewicht, da hierdurch der hauptinhalt der untersuchung nicht beeinträchtigt werden konnte. ich kann deshalb das zu strenge urteil von
Schmalz (DLZ. 1888 n. 47), dasz durch diese art der ausführung die
ganze abhandlung an einheitlichkeit, übersicht und wissenschaft-
lichem charakter gewonnen haben würde, nicht unterschreiben.
nur so viel musz ich allerdings sagen, dasz das wesen der coincidenz,
die, wie ich oben zeigte, nicht eine zeitliche, sondern eine begriff-
liche bestimmung bezweckt, durch sätze wie *laudas Milonem et iure
laudas* besonders klar veranschaulicht wird.

Im einzelnen könnte man ja noch dies und jenes an der arbeit
bemängeln, zb. dasz manche belege L. entgangen sind, teilweise deshalb, weil er nicht der bessern ausgabe von CFWMüller folgt, wie
die stelle *Phil.* XIV 28, wo *est consecutus* statt *esset c.* zu lesen ist,
oder dasz er s. 72 sätze wie *si quis est qui putet* für gleichbedeutend
hält mit *si quis putet* statt mit *si quis putat* (vgl. *nemo est qui ignoret*
und *nemo ignorat*) ua. allein es wäre ungerecht, wenn man deshalb
den wert der arbeit herabsetzen wollte. wir dürfen uns freuen, dasz
endlich einmal wieder etwas zur aufhellung eines capitels aus dem
weiten, für textkritik und schulpraxis auszerordentlich wichtigen

gebiete der tempus- und modussyntax geschehen ist. möchte die
coincidenz bald viele, recht viele nachfolgerinnen finden! wie viel
hier noch zu thun, wie mancher schatz noch zu heben ist, weisz der
am besten, der auf diesem gebiete selbst mitarbeitet. (am nötigsten
wäre wohl die erforschung des gebrauchs absoluter und relativer
zeitgebung, namentlich auch in hauptsätzen und indicativischen
nebensätzen, eines gebrauchs dessen betonung, ebenso wie die berücksichtigung der coincidenz, ein dauerndes verdienst der Lattmann-
Müllerschen grammatik bleiben wird. ich empfehle auch untersuchungen darüber, bei was für handlungen das verhältnis der
antecedenz, bei was für welchen das der gleichzeitigkeit, sei es immer
sei es oft, zum ausdrucke kommt.) gerade die lateinische tempus-
und moduslehre wird von der wissenschaftlichen grammatik recht
stiefmütterlich behandelt. wie wäre es anders zu erklären, dasz —
ich will nicht von den schulgrammatiken reden, in denen recht lange
die coincidenz in dem Lattmann-Müllerschen umfange ignoriert
wurde — nein, dasz wissenschaftliche grammatiken wie die von
Dräger, Kühner und Schmalz von einer spracherscheinung schweigen,
für die sich, wie sich jetzt herausstellt, bei Cicero allein nicht hundert, sondern ungefähr tausend belege finden (wobei noch zu bedenken ist, dasz L. sich auf die coincidenz im strengsten sinne des
wortes beschränkt hat)? wird mir nicht jeder recht geben, wenn ich
behaupte, dasz der textkritiker sowohl wie der lateinische arbeiten
corrigierende lehrer auf dem gebiete der formenlehre schwerlich
jemals im stiche gelassen wird, wenn er Neue-Wagener besitzt (für
letztern genügen schon Wageners 'hauptschwierigkeiten' als extract
der Neueschen und Wagenerschen forschungen), dasz ein gleiches
für die casuslehre, für den gebrauch der einzelnen wörter, phrasen
und constructionen uä. hinsichtlich mancher andern sammelwerke
gilt (wer dächte nicht vor allem an das vorzügliche Caesarlexicon
von Meusel und an die wertvollen Cicerolexica von Merguet?), dasz
man aber in vielen fällen, wo es sich um die frage handelt, welches
tempus, welcher modus stehen müsse oder könne, nirgends eine auf
das vollständige material gegründete belehrung finden kann? hier
musz die einzelforschung noch manche lücke ausfüllen; mögen insbesondere die jüngern fachgenossen sich eifrig an derselben be-
teiligen! arbeiten wie die von Emanuel Hoffmann und Hermann
Lattmann können ihnen wertvolle fingerzeige geben.

PADERBORN. ——————————— MARTIN WETZEL.

(48.)
ZU SALLUSTIUS.

Oben s. 368 hat AKunze die überlieferte lesart bei Sallustius
Cat. 60, 2 *postquam eo ventum est, unde a ferentariis proelium committi posset, maximo clamore c u m infestis signis concurrunt, pila
omittunt, gladiis res geritur* dadurch zu retten gesucht, dasz er er-

klärt, *cum infestis signis* stehe für *cum infestis manipulis, cohortibus* oder *legionibus.* dies ist aber unmöglich, da *signa* von Sall. nirgends in diesem sinne gebraucht wird. man könnte nun zunächst daran denken (was RJacobs und vielleicht schon manche vor ihm vorgeschlagen haben), dasz *maximo cum clamore* zu stellen sei; dieser annahme widerspricht jedoch die ähnliche stelle *Iug.* 53, 2 *deinde, ubi propius ventum est, utrimque magno clamore concurritur,* da hier *cum* bei demselben ausdruck weggelassen ist, während es freilich in verwandten verbindungen zuweilen auch vorkommt, so *hist.* II 40 *cum magno tumultu invadit*; vgl. ebd. 23, 3. *Cat.* 51, 38. 58, 13. 59, 6. *Iug.* 69, 1. 92, 8. deshalb ist mir wahrscheinlicher, dasz das *cum* der hss. aus *cuncti* entstanden ist. dieses tritt dann in gegensatz zu *ferentarii* und ersetzt zugleich das *utrimque* der oben angezogenen vergleichsstelle; auch verhindert es das unangenehme zusammentreffen der beiden ablative. in ganz ähnlicher weise steht *cuncti* in beziehung auf truppen selbständig *Cat.* 61, 6. *Iug.* 55, 6. 56, 5. 94, 5. 98, 4. 99, 3. *hist.* II 58. III 67, 2. 73.

WURZEN. HERMANN STEUDING.

(36.)
ZU CAESARS BELLUM GALLICUM.

V 34, 2 für die offenbar unrichtige lesart der hss. *erant et virtute et numero pugnandi pares nostri,* aus welcher AHug veranlassung nahm den ganzen satz mit ausnahme des letzten wortes zu verwerfen, schreiben die meisten neuern hgg. mit Davisius: *erant et virtute et studio pugnandi pares nostri.* meines erachtens konnte der abschreiber ein vor *numero* stehendes *saepe* leicht auslassen, indem er nach *et virtute* ein zweites subst. (*numero*) für nötig hielt. demnach ist zu lesen: *erant et virtute et saepenumero pugnando* (dieser ablativ ist nach Nipperdey auch hsl. beglaubigt) *pares nostri.* das paläographisch nicht zu rechtfertigende *studio* enthält nur eine verstärkung des begriffs *virtus,* während folgendes erwiesen werden soll: 1) die tapferkeit der soldaten, die sie durchaus trotz der ungunst der verhältnisse und der ratlosigkeit des führers an den tag legen, sowie 2) der zeitweilige im kampf erzielte erfolg, hervorgehoben durch die worte *quotiens quaeque cohors procurrerat* usw. also: 'die unsern waren sowohl an tapferkeit als auch oftmals im kampfe den gegnern gewachsen.' das adverbium *saepenumero* findet sich öfters bei Caesar.

NEISZE. OSWALD MAY.

93.
ZU PLAUTUS AULULARIA UND TERENTIUS ANDRIA.

Aul. 539 lautet in den hss. *tamen e meo quidem animo aliquanto·
facias rectius.* die meisten hgg. streichen mit Gulielmius die präp.
e und glauben in dem übrig bleibenden einen regelrechten iambischen
senar zu erkennen. dies ist meiner ansicht nach ein irrtum: der
proceleusmaticus *ănĭm(o) ălĭ-* ist bei Plautus unzulässig: ein urteil
bei dem ich trotz des machtspruches von CFWMüller, der 'nachträge' s. 66 gerade bei diesem verse jeden besserungsversuch für 'ver-
schwendete mühe' erklärt, verharren musz. Götz bemerkt wenigstens
'certe hic versus suspectus est'. WWagner in seiner ersten ausgabe
(Cambridge 1866) stellt als möglichkeit hin, es seien zwei halbverse
verloren gegangen, etwa so: *tamen é meo quidem ánimo* ⟨*pulcriús
siet | deceátque te et*⟩ *aliquánto facias réctius*, und diesem schliest sich
FLeo (1885) an: 'versus fort. duorum reliquiae; et deficere aliquid
videtur inter 538 et 539.' ich denke, ein anderer ausweg liegt näher.
die präposition *e* musz allerdings verschwinden, und zwar um des
Plautinischen sprachgebrauchs willen, der nur *meo quidem animo·*
wie *mea quidem sententia* im bloszen ablativ kennt (vgl. die zusammenstellung bei ALuchs 'commentationes Plautinae prosodiacae' I, Erlangen 1883, s. 17); aber man streiche hier auch das *aliquanto*, so·
würde an dem senar *tamén meo quidem ánimo facias réctius* scheinbar nichts auszusetzen sein; aber auch nur scheinbar: denn Plautus
pflegt in dieser redensart das *meo* stets einsilbig zu messen. um
nun diesen vers mit der sonstigen gewohnheit des dichters in einklang zu bringen, kommt uns der überlieferte buchstab *e* vor *meo·*
trefflich zu statten: ich halte diesen nemlich für den rest der interjection *ercle* dh. *hercle* (das anlautende *h* fehlt tausendmal in den
hss.), die demnach zwischen *tamen* und *meo* wieder einzusetzen ist.
diese annahme wird um so wahrscheinlicher, als in dem unmittelbar·
vorhergehenden verse an derselben stelle auch ein wort fehlt. dieser
vers ist überliefert: *Ain? audiuisti?* ⌐ *Vsque a principio omnia.* um
den hiatus fortzuschaffen (den Leo und PLangen, letzterer in seiner
eben erschienenen ausgabe der Aulularia [Paderborn 1889], um des
personenwechsels willen sich gefallen lassen), hat Götz mit Bentley
geschrieben *audiuistin?* was meiner ansicht nach nicht unbedenklich
ist. bei zwei so eng zusammengehörenden fragen, wie wir sie hier·
haben, genügt ein éinmaliges *nĕ*, und zwar an erster stelle: wir
pflegen deutsch auch nicht zu fragen 'wirklich? hast du es gehört?'
sondern 'wirklich? du hast es gehört?' also möchte ich das hsl.
audiuisti unverändert lassen, aber vorher hinter *ain* zur vermeidung
jenes hiatus *uero* einschieben. zu *ain uero?* vgl. zb. Amph. 284. 344
(anderer belegstellen bedarf es nicht). die unmittelbar über und
unter einander stehenden je vier buchstaben *uero* und *ercl* sind vermutlich von einem loch in der urhandschrift des Plautustextes, aus

der die unsrigen geflossen sind, verschlungen worden. die vier an-
fangsverse der sechsten scene des dritten acts möchte ich demnach
so zu schreiben vorschlagen:

> Nimiúm lubenter édi sermoném tuom.
> ⸔ Ain ⟨uéro⟩? audiuisti? ⸔ Vsque a principio ómnia.
> ⸔ Tamen ⟨hércl⟩e meo quidem ánimo facias réctius,
>   si nítidior sis fíliai núptiis.   540

Aber was soll denn nun aus dem oben in v. 539 so ohne weiteres
gestrichenen *aliquanto* werden? wie ein gewöhnliches glossem sieht
es doch wahrlich nicht aus. man lese einige verse weiter. in v. 545
wird man einen schweren defect finden: an stelle eines vollständigen
senars bieten die hss. folgendes bruchstück: *immo est et di faciant
ut siet.* ich habe diese stelle schon vor jahren einmal behandelt
(jahrb. 1856 s. 687 f.) und wiederhole hier meinen damaligen er-
gänzungsversuch (der allerdings nicht besser, aber auch keinesfalls
schlechter ist als alle übrigen bei Götz zusammengestellten, zu
denen sich jetzt noch der von Langen gesellt: *immo ést et ⟨semper
íta⟩ di faciant út siet*), da er von allen hgg. übersehen worden ist.
ich schlug damals vor den lückenhaften vers so zu ergänzen: *immo
ést et di ⟨deaéque⟩ faciant út siet* (durch viele parallelstellen unterstützt) und im folgenden verse *plus plúsque ⟨tibi⟩ istuc sóspitent
quod núnc habes*, also das *tibi* lange vor CFWMüller. heute nun
verwerfe ich diese fassung, da ich überzeugt bin, dasz das in v. 539
getilgte *aliquanto* ursprünglich in diesem verse seine stelle gehabt
hat. es stand in der oben vorausgesetzten urhandschrift am rande
und wurde, statt an seiner richtigen stelle vor den comparativen
plus plúsque in v. 545, etliche verse zu früh vor *rectius* eingesetzt.
v. 545 f. lauteten demnach:

> Immóst, et ⟨tibi⟩ di fáciant aliquanto út siet
> plus plúsque, ⟨et⟩ istuc sóspitent quod núnc habes.

immost: ergänze natürlich aus dem verse vorher: *opinione melius
structa res domi tuae.* Megadorus will damit wohl andeuten (vgl.
v. 225), dasz er als künftiger schwiegersohn des Euclio diesen an
seinem eignen wohlstand wolle teil nehmen lassen: 'und mögen die
götter geben dasz du um ein gut teil [das ist *aliquanto*] mehr und
immer mehr erwerbest, und mögen sie dir was du jetzt besitzest un-
geschmälert erhalten!' statt des *tibi* vor *istuc* in v. 546 ziehe ich
jetzt mit Leo *et* vor, das mir vor jahren auch schon einmal eingefallen ist: denn ich finde in meinem exemplar der Wagnerschen
ausgabe dessen *istuce* corrigiert in *et istuc.*

Die beiden oben behandelten Aulularia-verse 538 und 539 hat
aller wahrscheinlichkeit nach Terentius vor augen gehabt, als er
v. 784 und 785 seiner Andria dichtete. diese lauten nach Bentley,
dem ich in meiner ausgabe (1857) gefolgt bin:

> auscúlta. ⸔ Audiui iam ómnia. ⸔ Anne haec tu ómnia?
> ⸔ Audiui, inquam, a princípio. ⸔ Audistin, óbsecro?

anne haec tu omnia? hat Bentley geschrieben, weil die mehrzahl der
bessern hss. (der Bembinus fehlt hier bekanntlich) *an haec tu omnia*
bietet. die frühere vulgata war *ah ne tu omnia*, was gar keinen
sinn gibt. Bothes *ah, necdum omnia* stützt sich auf eine der jüngsten hss. Umpfenbach (1870) fand in dem sog. Decurtatus (G),
einer sehr guten hs., *an tu haec omnia?* und setzte dies in den text,
ebenso ASpengel (1875) und Dziatzko (1884). aber auch hiermit
ist das richtige noch nicht getroffen; dieses ist, worauf uns die
Aulularia-stelle führt: *A in tu? haec omnia?* nemlich *audiuisti?* wie
der dichter ohne zweifel gesagt haben würde, wenn er das regierende
verbum hätte wiederholen wollen, nicht *audiuistin*, wie Bentley in
jenem Plautinischen verse hat ändern wollen; dasz er im folgenden
verse *audistin* den Davus sagen läszt, ist ganz in der ordnung, da
dies eine neue frage ist.

Ich kann von dieser stelle nicht scheiden, ohne auch für den
unmittelbar vorhergehenden vers 783 einen heilungsversuch vorzuschlagen. dieser lautet in den ausgaben: *Quis hic loquitur? ó Chremes, per tempus áduenis*, ebenso auch in den hss., nur dasz diese,
wie auch sonst häufig, statt *Chremes* die später gewöhnliche vocativ-
form *Chreme* bieten; aber *Chremes* wird durch Arusianus Messius
GLK. VII s. 504, 3 bezeugt. dieser vers hat keine der beiden regelmäszigen cäsuren, weder nach dem zweiten noch nach dem dritten
trochäus (denn *pertempus* galt damals als éin wort), betont den
iambus *Chremes* inmitten des verses auf der letzten silbe und teilt
den senar durch ein wortende in der mitte in zwei gleiche hälften —
drei übelstände die dem sonst so geschickten verskünstler Terentius
nicht zuzutrauen sind. nur éin kritiker hat meines wissens bisher
an diesen mängeln anstosz genommen: OBrugman in seiner Bonner
diss. von 1874 ‘quemadmodum in iambico senario Romani veteres
verborum accentus cum numeris consociaverint’ s. 14 f.; aber dessen
änderungsvorschlag, wonach *Chremes* gestrichen und *Quis hic loquitur? o, per tempus mihi tu hic aduenis* (was wenigstens *huc* hätte
heiszen müssen) geschrieben werden soll, ist viel zu gewaltsam.
Davus wird beim anblick des Chremes nach der frage *quis hic loquitur?*
sein (erheucheltes) freudiges erstaunen ausgedrückt haben über die
wirkliche anwesenheit des Chremes auf der bühne in einem für ihn
so wichtigen augenblick, und die partikel, die dieser stimmung ausdruck gibt, *euge*, ist hier einzusetzen: *·Quis hic lóquitur? euge,
o Chrémes, per tempus áduenis* (vgl. zb. v. 344 f. *o Pamphile, | te
ipsum quaero. euge, o Charine: ambo opportune, uos uolo* und zu
dem *per tempus aduenis* ohne dativ die worte desselben Chremes in
v. 758 *ueni in tempore*). so bekommt *Chrémes* seinen richtigen
accent und der vers seine regelrechte cäsur. wegen der verkürzung
der endsilbe von *Chremes*, das als iambischer wortfusz bedingungs-
los auch pyrrichisch gemessen werden kann, vgl. aus der Andria
allein v. 854 *immo uero indignum, Chremes, iam fácinus faxo ex me
audies* und den nach mancherlei vergeblichen versuchen (s. Ritschl

opusc. III s. 326) durch das verdienst von Luchs in Studemunds
studien I s. 64 nun wohl endgültig hergestellten v. 945 *heus*, *Chrémes*, *quod quaèris Pásibulast* ⌈ ⟨*Pásibula*⟩ *ipsást.* ⌈ *East.*

Endlich möchte ich noch im bereich dieser wenigen verse dafür
eintreten, dasz in v. 787 der abscheuliche solöcismus *non credas* ==
noli credere endlich auf nimmerwiederkehr ausgemerzt würde. der
vers lautet in unsern hss. (der Bembinus beginnt mit ihm, aber es
ist nur das erste wort *hic* lesbar) *hic est ille: non te credas* [*credes*
DP] *Dauom ludere.* aber wie citiert ihn Priscianus XVII 204
(s. 206 H.)? *hic est ille, ne te credas Dauom ludere*, bei welcher
lesart übrigens, wie Hertz schon durch die interpunction angedeutet
hat, das *ne* gar nicht als das verbietende anzusehen ist, sondern einfach als finalpartikel (wie v. 704 *huic, non tibi habeo, ne erres*). ich
denke, dieser zeitgenosse des kaisers Anastasius (reg. 491—518) verdient mehr vertrauen als unsere hss., deren älteste (mit ausnahme des
Bembinus) dem zehnten oder elften jh. angehören. anderer meinung
ist freilich Spengel, der zdst. bemerkt: 'non für *ne*, wie Hec. 342
non uisas; vgl. Dräger hist. syntax I s. 286 [312 der 2n aufl.].' aber
auch Dräger weisz aus den k o m i k e r n auszer unserer stelle und der
der Hecyra nur noch Plautus Trin. 671 *non uelis* anzuführen, und
dieses ist, wie schon Brix in der dritten auflage seiner ausgabe (1879,
vermutlich durch Drägers misverständnis angeregt) bemerkt, 'nicht
prohibitiv, sondern potential'; und zu der stelle der Hecyra schreibt
Bentley kategorisch 'lege *non uisas?* interrogative', ein befehl dem
nicht nur Hand Turs. IV s. 265 zugestimmt hat, sondern dem auch
die meisten neuern hgg. mit recht nachgekommen sind.

So werden denn die fünf verse 783—787 der Andria in meiner
hoffentlich demnächst erscheinenden neuen textausgabe des Terentius
folgende gestalt gewinnen:

Quis hic lóquitur? ⟨*euge,*⟩ *o Chrémes, per tempus áduenis.*
ausculta. ⌈ *Audiui iam ómnia.* ⌈ *Ain tu? haec ómnia?*
⌈ *Audíui, inquam, a princípio.* ⌈ *Audístin, óbsecro?*   785
em scélera: hanc iam in cruciátum oportet ábripi.
hic est ílle, ne te crédas Dauom lúdere.

dasz ich auch v. 786 geändert habe, wird nur billigen wer mit mir
die zwei eng verbundenen worte *em scelera* nicht durch versende
getrennt sehen will (vgl. v. 604 *em astútias*). noch lieber hätte ich
in engerm anschlusz an die hss. geschrieben: *hem,* | *s c e l e r a m hánc
iam oportet in cruciatum hinc ábripi*, wenn die bemerkung des Servius Dan. zu *Aen.* IX 484 glaubwürdig wäre, wonach die 'ueteres'
homo *s c e l e r u s sicuti scelestus uel scelerosus* gesagt haben; indessen
die bedenken gegen dies adjectivum von HSauppe 'quaestiones Plautinae' (1858) s. 9 f. sind meines wissens noch nicht gehoben.

DRESDEN.   ALFRED FLECKEISEN.

(23.)

ZU MANILIUS.

(schlusz von s. 193—207. 693—705.*)

IV 1 *quid tam sollicitis vitam consumimus annis?*
torquemurque metu caecaque cupidine rerum?
aeternisque senes curis, dum quaerimus aevum,
perdimus? et nullo votorum fine beati
5 *victuros agimus semper nec vivimus umquam?*
pauperiorque bonis quisque est, quo plura requirit,
nec quod habet numerat, tantum quod non habet optat.

so interpungiert Jacob, während Bentley auch hinter v. 6, 7 und ff.
fragezeichen setzt, Scaliger nur v. 1 als frage faszt. diese seine mittlere
stellung will Jacob durch die bemerkung verteidigen: 'misere pendet
oratio inter elocutionem et interrogationem. sed ita innumeris locis
defertur Manilius.' aber nur v. 1 stellt eine entschiedene frage, und
jedenfalls von v. 3 an folgt eine thatsächliche erläuterung des *vitam
sollicitis annis consumere.* denn v. 2 möchte ich dem v. 1 zugesellen.
nur ist *torquemurque* nicht die ursprüngliche lesart. Thomas lucubr.
Man. s. 41 bemerkt: '*Torquemurque* ex *Torquenturque* corr. pr. m.'
was ich früher (P 13) geäuszert habe: 'suberat *torquentique*; littera
una erasa ante *q; n* iunctum cum *t* et sigla *ur* imposita' halte ich
fest, nachdem ich kürzlich die hs. G wieder verglichen habe. noch
sind *n* und *t* deutlich zu erkennen, die sigle *ur* ist aber ebenfalls
erst durch m. pr. zugesetzt, und ebenso deutlich erkennt man durch
die loupe die den raum eines *i* einnehmende rasur. ich glaube dasz
diese ursprüngliche, durch concinnität sich empfehlende lesart herzustellen und demnach zu lesen sei:

quid tam sollicitis vitam consumimus annis
torquentique metu caecaque cupidine rerum?

IV 23 *aut nisi fata darent leges vitaeque necisque — —*
27 *Roma casis enata foret? pecudumque magistri*
in Capitolinos duxissent fulmina montis?
includive sua potuisset Iuppiter arce?
captus et a captis orbis foret? igne sepulto
vulneribus victor repetisset Mucius urbem?

in v. 23 hat G *aut* (dittographie zu v. 22), *at* C Lc, *ad* L V2, *et* V1.
an ist mit Bentley zu bessern. in v. 27 dürfte *pecudum v e* zu lesen
sein. in v. 28 bieten o *auxissent flumina*; G *montes*, ω *montis*; in
v. 30 G *captus et captis*, ω *captus et capitis.* die hsl. lesart *auxissent*
behielt Scaliger und schrieb *culmina*; es bedeute: *auxissent Capitolinos montes in culmina,* hoc est *arcem et aedem Iovis Capitolini,*
also mit einer starken enallage. ähnlich Caspar Barth adv. XVIII
c. 12 ('culmina enim et casis pastorum aequivoca sunt. pastorum

---

* [das manuscript dieses schlusses war vor dem druck der oben
s. 705—719 veröffentlichten abhandlung in den händen der redaction.]

culmina in Capitolinas arces aucta'). Bentley schrieb *duxissent fulmina.* er fand in dem ganzen die abgekürzte erzählung aus Ov. *fast.* III 285 ff. *capti* sind ihm Faunus und Picus, welche von Numa gezwungen werden anzugeben: *quaque trahant superis sedibus arte Iovem* (Ov. 324); *orbis* in v. 30 ist ihm Juppiter, *igne sepulto* (dh. 'fulmine in Capitolinum montem iacto et condito') zieht er zu *captus foret.* dagegen spricht doch, dasz die sage von Juppiter Elicius und Numas beteiligung an ein anderes local, nemlich den mons Aventinus, nicht an den Capitolinus geknüpft ist. auch an dem plural *montes Capitolini* kann man anstosz nehmen. was Scaliger andeutete: 'nisi forte quis putaverit legendum: *in Capitolino sanxissent culmina monte*' enthält wohl, wenn man nur *fulmina* einsetzt, das richtige. *fulmina sancire in Capitolino monte* bedeutet 'den cult des Juppiter auf dem mons Capitolinus einsetzen'. solche auffassung darf bei Man. nicht befremden, welchem die götter personificationen der naturkräfte sind (vgl. II 436 ff. *cum divina dedit magnis virtutibus ora, condidit et varias sacro sub nomine vires, pondus uti rebus persona inponere possit* und IV 907 f. *propiusque aspectat Olympum inquiritque Iovem*); auch erklärt er *fulmina* sofort (v. 29): *includive sua potuisset Iuppiter arce.* dazu stimmt das nächste. eben war der Juppitertempel auf dem Capitol geweiht (Dion. Hal. III 69 τὴν δ' ἀνιέρωσιν αὐτοῦ ἔλαβε Μάρκος Ὁράτιος), als die stadt und burg von Porsena bestürmt wurde. *capti* sind die von Porsena belagerten Römer. darauf deuten die drei hauptpersonen aus diesem kriege, Mucius, Horatius, Cloelia in v. 30—33.

　　IV 43 *adde etiam vires Italas Romamque suismet*
　　　　pugnantem membris, adice et civilia bella
　　45 *et Cimbrum in Mario Mariumque in carcere victum,*
　　　　quod consul totiens exul, quod de exule consul
　　　　adiacuit Libycis compar iactura ruinis
　　　　eque crepidinibus cepit Carthaginis urbem.

die abweichungen von Jacobs text sind bezeichnet. in v. 43 hat Jacob *acies*, ebenso *Cumbrum* in v. 45 und *orbem* in v. 48 lediglich aus V2 entnommen. ob *quod* in v. 46 zu halten sei, ist fraglich. aber in v. 48 passt weder *orbem* (V2) noch *arces* (ω). das letztere ist dittographie zu v. 40 *accepisse iugum victae Carthaginis arces*, *orbem* eine reminiscenz aus v. 30 *captus et a captis orbis foret.* hier wäre *orbem* eine unhistorische hyperbel. der siegreich zurückkehrende Marius nimt die stadt, nicht den erdkreis, und den worten *consul* und *exul* ist *urbem*, was Scaliger schrieb, allein angemessen. in v. 45 liest Bentley *Cinnam*, Bechert (jahrb. 1879 s. 800) *Marium non carcere victum.* wir haben eine ausmalung unserer stelle bei Lucanus *Phars.* II 69 ff. da findet sich der sklave, welcher den Marius nicht zu töten wagt (v. 76 schol.: *Cimbrum dicit lictorem, cui data erat potestas, ut Marium in carcere trucidaret*), und es heiszt in v. 72 *mox vincula ferri exedere senem.* es scheint mir zur abweichung von der hsl. überlieferung kein grund vorzuliegen. —

Von v. 47 findet sich eine nachbildung in der antb. lat. bei Baehrens
PLM. IV s. 66: *qui fuit ille dies, quo Marium vidit suppar Carthago
iacentem! tertia par illis nulla ruina fuit.*

IV 67   *raptosque ex ignibus ignes
cedentemque viro flammam, qui templa ferebat.*

unverständlich ist Jacobs erklärung (index u. *templum*) 'templa pro
dei potentia ei erepta'. er meint wohl wie Scaliger τὰ ἱερά und
versteht den vers von Aeneas, der doch weder *templa* noch *ignes* trug.
um zu helfen schrieb Bentley (wie bereits Barth adv. XVIII 12) *qu a e
templa ferebat*, wobei dann *ferre* so viel wie *vastare* sein soll. aber in
der von ihm angerufenen stelle bei Vergilius findet sich nur die bekannte verbindung *rapere et ferre* = *ferre et agere.* es handelt sich
hier um die erzählung von L. Caecilius Metellus, der als pontifex
maximus im j. d. st. 413 das heilige feuer aus dem Vestatempel
rettete (vgl. Ov. *fast.* VI 439 *flagrabant sancti sceleratis ignibus
ignes*). vielleicht ist zu schreiben: *cedentemque viro flammam, qu a e
templa peredit.*

IV 86 *quod Decios non omne tulit, non omne Camillos
tempus et invictum devicta morte Catonem,
materies in rem superat, sed lege repugnat.*

zunächst bieten G und C *invict a devict u m.* dies behält Bentley mit
recht, nur sollte er nicht *ment e* statt *morte* setzen nach Hor. *carm.*
II 1, 23 *et cuncta terrarum subacta praeter atrocem animum Catonis.*
hier erinnert man sich vielmehr an Hor. IV 14, 18 *devota morti
pectora liberae.* — Nicht erklärlich ist in v. 88 *lege repugnat.* dem
sinne würde entsprechen *sed f a t a r e p u g n a n t.*

IV 144 *ille (taurus) suis Phoebi portat cum cornibus orbem,
militiam indicit terris et segnia rura
in veteres revocat cultus, dux ipse laboris;
nec iacet in sulcis solvitque in pulvere pectus;
Serranos Curiosque tulit fascesque per arva
tradidit eque suo dictator venit aratro.*

(148 *fascesque* G, *facesque* L V2, *faciesque* C V1   *per arva* G, *per
auros* ω.) aber *a b aratro arcessebantur, qui consules fierent* (Cic.
p. SRoscio § 50), doch nicht *e x aratro.* dasz dennoch Jacob die hsl.
lesart *eque suo dictator* so wenig wie Scaliger und Bentley änderte,
nimt LMüller de re metr. s. 451 ihm sehr übel ('non placet taurinus
dictator'), er liest also *a que suo dictator venit aratro.* wollte man ein
aque bei Man. annehmen, so hätten wir hier folgende notiz: ein dictator ist vom e i g n e n pfluge hergekommen — und diese notiz träte
unvermittelt hier ein. die Ζῴδια stehen bildlich für die u n t e r ihnen
geborenen. der löwe (IV 176 ff.) ist zugleich der passionierte jäger,
welcher die seulen des hauses mit seiner beute schmückt. der stier
zieht nicht blosz den pflug, sondern er übergibt auch die *fasces* auf
dem felde (also ein 'taurinus nuntius'). hier ist *taurus* subject zu
tulit, tradidit, venit, und *dictator* ist prädicat. dem stier eignet der
pflug (IV 524 *propriaque iuvencum dote exornat*). das bild hält nun

Man. fest und der stier kommt *e suo aratro*; bei *ab aratro* hätte er
ja den platz hinter dem pfluge gehabt. es ist eben nichts zu ändern.
IV 178 ff. heiszt es vom löwen:

> *ille novas semper pugnas, nova bella ferarum*
> *apparat et spolio~vivit pecorumque rapinis.*
> 180 *hoc habet, hoc studium, postis ornare superbis*
> *pellibus et captas domibus praefigere praedas*
> *et pacare metu silvas et vivere rapto.*

in v. 179 geben GCLV1 *vivit spolio pecorumque rapinis*, V2 *spolio
nūc pecorumque*, in v. 180 o *positis ornare superbis* (am rande des
G besserte eine moderne hand *postes ornare superbos*). in v. 182
o *vivere victor.* die vulg. *rapto* wäre reine wiederholung aus v. 179
(daher Bentley: 'sed iam habuimus *vivit spolio et rapinis*, ut hic
versus spurius videri possit'), während bei *victor* der nominativ bedenklich ist. ganz wunderlich ist nun die anaphora: *hoc habet, hoc
studium* (Bentley schrieb dafür: *hic labor, hoc studium*; Pingré: *hoc
habet hic studium*). zum sinne sei bemerkt: v. 178 und 179 bezeichnen den löwen als raubtier, von v. 180 tritt er bildlich ein für
die *suo signo nascentes*, nemlich als passionierter jäger (vgl. IV 382
leo venator veniet), und deshalb wird man *victor* halten. hiernach
schlage ich vor zu schreiben:

> *et spolio vivit pecorumque rapinis.*
>
> *hoc avet, hoc studiumst*: postis ornare superbit*
> *pellibus —   —   —*
> *et pacare metu silvas et vivere victor.*

superbire mit infinitiv findet sich bei Statius *Theb.* VIII 588 (dort
freilich in anderer bedeutung).
    IV 209 ff. heiszt es von den unter der wage geborenen:

> *hic etiam legum tabulas et condita iura*
> *noverit atque notis levibus pendentia verba,*
> *et licitum sciet et vetitum quae poena sequetur,*
> *perpetuus populi privato in limine praetor.*
> *non alio potius genitus sit Servius astro,*
> *qui leges potius posuit, cum iura retexit.*

in v. 211 ist *sequatur* aus G und C herzustellen. in v. 214 bieten
legem CV1, *leges* ω   *potius* o   †*quā* / *cum* GL, *q̄* C, *quam* VI, *cum* V2
nach Bentley (die angabe bei Jacob ist unklar). einmal musz
potius weichen. im ersten verse (213) scheint es durch parallelen
gesichert, zb. *quod potius dederim Teucro sidusve genusve?* (V 299).
für das zweite *potius* ist vorgeschlagen: *proprias, prorsus, populo.*
da aber die allitteration mit *p* in v. 212 schon reichlich ausgebeutet
ist, so empfehle ich: *qui leges Latio posuit, cum iura retexit.*
    IV 217 *scorpion armat uti violenta cuspide cauda,*

> *qua, sua cum Phoebi currum per sidera ducit,*
> *rimatur terras et sulcis semina miscet* usw.

---

* so schon Heringa.

(*scorpion* o   *armati* V2, *armata* ω   *violenta* o.) *scorpion* geben
als nominativ II 213 (*et acri scorpion ictu*) o, Jacob behält es, Scaliger hatte bereits *scorpios* gebessert. hier liest Scaliger: *scorpios
armata violenta cuspide cauda*, wozu Bentley sagt: «vide modo ista
ὁμοιοτέλευτα», und er ändert nun an vier punkten: *scorpios armatae
metuendus cuspide caudae*. mir scheint auch jetzt (P 14) folgendes
annehmlich

       scorpion armata violentum conspice cauda.

IV 220 *in bellum ardentis animos et Martia castra*
     efficit et multum gaudentem sanguine civem.
multo G, *multum* ω. jenes ist natürlich herzustellen.

IV 294 *sed nihil in semet totum valet; omnia vires*
     cum certis sociant signis sub partibus aequis — —
297 *conceduntque suas partis retinentibus astris.*
     quam partem indigenae dixere Decania gentes.
     a numero nomen positum est, quod partibus astra
300 *condita tricenis triplici sub sorte feruntur.*

indigenae schreibt Jacob wohl in polemik gegen Bentleys *quapropter
Graiae dixere decania gentes*, um anzudeuten dasz *decania* lateinisch
sei. aber Man. citiert als quelle keine Römer. ein plural *decaniă*
hat überhaupt keine hsl. gewähr; die verbindung *quam partem
decania dixere* wäre auch sprachlich und sachlich gleich bedenklich.
je zehn teile eines ζῴδιον bilden eine δεκανία, *decania* oder *decanium*,
stehen unter einem *decanus*. dies wird im folgenden klar dargelegt,
aber der führer der δεκανία heiszt bei Man. *dominus* v. 315. 345,
die δεκανία bezeichnet er als *prima pars*, *altera sors*, *tertia pars*
(v. 312 f.). die hsl. überlieferung ist folgende: *quam partem* o
decanae G Lc, *degane* L C V2, *dixere decanica* g. o (V1 bietet *degunt
ditem decanica*). mir ist es wahrscheinlich, dasz Man. den technischen
ausdruck *decanus* gemieden und durch *a numero nomen positum est*
nur angedeutet hat, dasz aber v. 298 aus einem lemma (*decaniae vel
decanica*) entstanden ist. jedenfalls kann keine der bisherigen fas-
sungen des verses genügen.

IV 396 *at non perfossis fugiet te montibus aurum,*
     obstabitque suis opibus superaddita tellus.
     ut veniant gemmae, totus transibitur orbis,
     nec lapidum pretio pelagus cepisse pigebit.
400 *annua solliciti consummant vota coloni,*
     et quantae mercedis erunt fallacia ruris?
     quaeremus lucrum, naves Martemque sequemur
     in praedas? pudeat tanto bona velle caduca.
     luxuriae quoque militia est, vigilatque ruinis
405 *venter et ut pereas, suspirant saepe nepotes.*
     quod caelo dabimus, quantum est, quo vencat omne?
vorstehende abweichungen vom texte Jacobs sind durch die hsl.
überlieferung empfohlen. in v. 396 gibt G *non*, ω *nisi*; in v. 400
hat *consumment* nur V2, *consummant* L, *consumant* G C; in v. 401

fallacia G L C, *sollacia* V2; *ruris* G L, *rura* C V2; in v. 402 *querem'*
G C, *que remus* V2; *sequuntur* V2, *sequemur* ɯ. (*naves sequi* ist gesagt wie *castra sequi*.) in v. 405 *pereat* G, *pereant* C. der plural
pereant gibt keinen rechten sinn; sie ersehnen doch nicht den eignen
tod, sondern den eines erblassers. in v. 406 *qꝺ* o.

IV 416 ff. das thema *damnandae quae sint per sidera partes*
(443) behandelt Man. v. 449—497. mit virtuoser künstlichkeit hat
er diesen funzig versen fast hundert zahlenangaben eingefügt. diesem bravourstücke sendet er eine einleitung voraus: auch auf der
erde gelte, zeigt er, das wort *laudi noxia iuncta est*:

> 416 *est aequale nihil: terrenos aspice tractus*
> *et maris et ruptis fugientia flumina ripis:*
> *crimen ubique frequens et laudi noxia iuncta est.*
> *sic sterilis terris laetis intervenit annus*
> 420 *ac subito rumpit parvo discrimine foedus.*
> *et modo portus erat pelagi, iam vasta Charybdis.*
> *laudatique cadit post paulum gratia ponti.*
> *et nunc per scopulos, nunc campis labitur amnis*
> *aut faciens iter aut quaerens uritve reditve.*

v. 416 und 417 zeigen land, meer, flüsse in friedlichem zustande,
v. 419—24 in je zwei versen das gegenteil. indem Jacob dies verkennt, verdirbt er den text des dichters. so ist *ruptis* (417) eine
böse conjectur. *partis* o; *fulgentia* G C. jenes führt auf *pactis*, also
concessis ripis im gegensatz zu v. 423 und 424, und vielleicht ist
auch *fulgentia* zu halten. in v. 419 haben o *arvis*, nicht *annus*, und
die von mir seiner zeit (P 19) vorgeschlagene, von Haupt adoptierte
änderung *sic sterilis torres laetis intervenit arvis* halte ich auch
jetzt für richtig (vgl. Thomas ao. s. 6). in v. 420 schreibt Jacob
foedus für *foetus* (o). diese vermutung fällt, wenn *annus* fällt.
foetus arborum, nucis, tritici usw. unterliegen der dürre, dem roste.
vasta stützt sich nur auf V2, *facta* geben ɯ. das letztere ist festzuhalten. wo eben noch ein sicherer port war, entsteht ein gefahr-
drohender strudel. in v. 424 läszt Jacob *urit* im text, in der anmerkung vermutet er *serpit*. hier doch ganz unpassend. Bentley
schrieb *currit*; Rossberg (Berliner philol. woch. 1889 n. 34 sp. 1077)
aut faciens iter aut quaerens iter itve reditve.

IV 431 ff. folgt der zweifel, ob diese zahlangaben überhaupt
in das gedicht gehören:

> *sed quis tot numeros totiens sub lege referre,*
> *tot partis iterare queat, tot discere summas*
> *per partis causas? faciem mutare loquendi*
> *incipimus, si verba piget? sed gratia deerit,*
> 435 *in vanumque labor cedit, quem despicit auris.*

die abweichungen von Jacobs text sind kenntlich gemacht. v. 432
discere G C   v. 433 *per partis* G C L c, *patris* L V2, *parvas* VI.
v. 434 *incidimus* o   *si* G, *sit* L, *sic* ɯ. *per partis* steht wie II 769
per partes ducenda fides. tot verbinde ich mit *partis* und glaube dasz

auch *discere* zu halten sei. bei der schwierigkeit so viele zahlen in
den vers zu bringen, durch sie das wesen der dinge zu begreifen,
sagt Man., kann man fragen, ob man nicht zur prosa greifen solle
(*faciem mutare loquendi*), wenn man die technischen ausdrücke nicht
ändern möge (*mutare verba si piget*). die obige textgestaltung folgt
abgesehen von der leichten änderung *incipimus* statt *incidimus* dem
G ganz; sie beseitigt die wunderliche construction *verba piget* und
stellt durch die gewählte interpunction den gebotenen zusammenhang her.

    IV 477 *scorpius in prima reus est, cui tertia par est*
        et sexta et decima atque quater quae quina notatur.
der sprung von teil 10 auf teil 20 ist zu grosz, und die hss. sprechen
nicht für Jacobs schreibung *atque quater quae.* in v. 477 *pars* o.
v. 478 *decuma* G; *et quę ter quinta* G C, *et quater quinta* L V2,
quater quinque V1. da in 477 *par* gesichert ist, so wird in 478
zu schreiben sein: *et sexta et decuma et quae pars ter quina
notatur.* die *partes nocentes* des gestirns sind demnach 1. 3. 6. 10.
15. 22. 25. 28. 29.

    IV 597 (*tellus*) *inque sinus pontum recipit, qui vespere ab astro*
        admissus dextra Numidas Libyamque calentem
        alluit —
vor Jacob nahm man *vespere ab atro* im sinne des Homerischen ποτὶ
ζόφον ἠερόεντα. da nun nach Jacob *astro* in allen hss. sich findet,
schreibt er *vespere ab astro.* das wäre denn also eine apposition bedenklicher art; auch die bezeichnung der himmelsgegend durch den
abendstern ist seltsam. die lösung findet sich darin, dasz G C
vespero ab astro geben. *vespero* aber ist hier adjectivum — ein sel-
tener aber doch zu belegender gebrauch — und *vespero ab astro* ist
= *sub sole cadente* (IV 791).

    IV 602 *laeva freti caedunt Hispanas aequora gentis.*
mit recht hielt Scaliger das durch G C bezeugte *aequore* fest. G hat
übrigens allein das richtige *cedunt. aequore* wird durch die parallelstelle (v. 610) (*mare*) *secat aequore laevum Illyricum* hinlänglich gestützt; *laeva freti* durch stellen wie *laeva maris* Tac. hist. II 2; *dextra
atque intima ponti* Vell. II 40, 1 (Dräger hist. syntax I² 454 ff.).

    IV 681 *quod superest Europa tenet, quae* (o) *prima natantem*
        fluctibus exceptique Iovem taurumque resolvit,
        condere passa suos ignis Venerique iugari.
v. 683 ist in Jacobs gestaltung ziemlich unverständlich. die hss.
geben: *pondera* VI, *pondere* ω; *passa suo* o; *signi* G L, *signum* C,
sigmo V2, *signoque* V1; *onerique* G L, *vnerique* C, *verique* V2; *iuua-
uit* o. will man den von Scaliger und Bentley verworfenen vers
halten, so möchte zu lesen sein:
        ponere passa suos ignis onere atque levari,
aus v. 747 *et minui deflevit onus dorsumque levari. atque* an zweiter
stelle weist noch dreimal bei Man. nach Cramer 'de Manilii qui
dicitur elocutione' s. 37.

IV 759. die verteilung der länder unter die sternbilder wird
von v. 744 bis 807 behandelt. die überlieferung dieser stelle ist
fehlerhaft. im einzelnen läszt sich doch noch nachbessern.

— — — *Phrygia, Nemeaee, potiris*
760 *Idaeae matris famulus, regnoque ferocis*
Cappadocum Armeniaeque iugis —

die form *potiris* glaube ich beanstanden zu müssen (Neue lat. form.
II 418 führt neben unserer stelle nur Symmachus *epist.* I 18 an).
denn G gibt *potiri*, eine bei Man. auch sonst vorkommende form.
potiris stimmt schlecht zu *potītur* (I 572) und *potĭmur* (IV 889); es
findet sich eben in den jüngern hss. und konnte hier leicht in der
nachbarschaft der drei versausgänge auf *is* entstehen. in v. 760
geben *regnique* o; *ferocis* G CLc, *feroces* L V2. ich schlage hiernach vor:

Phrygia, Nemeaee, potiri
Idaeae matris famulus regnisque ferocis
Cappadocum Armeniaeque iugis.

ferocire, wie *certare, gestire, superbire* mit infinitiv dürfte sich doch
halten lassen.

IV 763 *virgine sub casta felix terraque marique*
est Rhodos — —
767 *Ioniae quoque sunt urbes et Dorica rura,*
Arcades antiqui celebrataque Caria fama.

so die hss. aber was sollen die alten (!) Arkader wohl in Kleinasien?
denn dieses küstenland nebst Rhodos bildet das reich der jungfrau.
offenbar sind hier die Aeoler verdrängt. aber *Aeolĕs* einzusetzen
ist nicht unbedenklich. die lateinische form für Αἰολεῖς ist doch
wohl *Aeolīs*. daher schlage ich vor den namen des landes einzufügen und *antiqua* (sc. *fama*) zu schreiben, also:

Aeolis antiqua celebrataque Caria fama.

die stellung von *que* wie I 11 *iam propiusque favet*.

IV 778 *inferius victae sidus Carthaginis arces*
et Libyam Aegyptique latus donataque rura
780 *et Zmyrnes lacrimis radiantes Cyprios arces*
eruit, Italiaeque tamen respectat ad undas
Sardiniamque tenet fusasque per aequora terras.

auf das sternbild der wage folgt (*inferius sidus*) das des scor-
pions. sein gebiet ist nach v. 778. 779 und 782 die nordküste von
Africa westlich von Ägypten, auszerdem Sardinien und die benachbarten kleinern inseln. in v. 780 geben die hss. etwas anderes als
Jacobs text: *Tirrhenas lacrimis* V2, *Thirrenas lacrimis* ω; *radiatus*
G CLc V1, *radiat* L V2; *scorpius arces* o. unbrauchbar ist *Tyrrhe-*
nas ('quid hoc est' sagt Scaliger 'eligit Tyrrhenas arces et tamen
spectat ad undas Italiae'? perinde ac si dicas: *eligit Libyam et tamen
spectat ad Africam*'); anstöszig ist *arces* als dittographie zu v. 778;
anstosz nahmen ferner Scaliger und Bentley an der wiederaufnahme
des gattungsnamens (*inferius sidus* in v. 778) durch den eigennamen

(*scorpius* in v. 780). 'quid hic facit *scorpios*?' sagt Bentley 'ab inter-
polatore venit, nesciente scilicet *inferius sidus* versu 778 satis de-
signare scorpion.' beide werfen den vers aus. wer denselben halten
will, musz ihn bessern und erklären. unter den vielen versuchen
(vgl. Stoeber und Pingré zdst.) dürfte der obige von Jacob wohl der
unglücklichste sein. er will das reich des skorpion um Cyprus
mehren. dazu hält er das anstöszige *arces* fest und erfindet einen
sonst nicht bekannten genitiv *Cyprios*. die thränen der Zmyrna oder
Myrra sind allerdings classisch; aber dasz burgen von ihren thränen
erglänzen sollen, ist mehr als hyperbel. ich komme zunächst auf
das bedenken Scaligers und Bentleys zurück. die wiederaufnahme
des gattungsnamens durch den eigennamen halten sie für unzulässig.
aber bei Homer gefällt sie (ἀτὰρ θεὸс ἄλλοτε ἄλλῳ Ζεὺс ἀγαθόν
τε κακόν τε διδοῖ), und unbeanstandet findet sie sich bei Man.
IV 259 f. *ille quoque, inflexa fontem qui proicit urna, cognatas tribuit
iuvenilis* (G C) *aquarius artes*, wo denn doch v. 259 völlig genügte, um das sternbild zu bezeichnen (vgl. auch unten zu v. 798).
noch mehr: *scorpius* ist hier gar nicht zu entbehren. das durch alle
hss. beglaubigte *eruit* ist ein sinnlich malender ausdruck, genau wie
rimatur v. 217—219 *scorpius armata . . cauda rimatur terras et
sulcis semina miscet. eruit* passt nicht zu dem abstracten *sidus*, das
fühlte Bentley und schrieb dafür das indifferente *eligit*; es passt aber
zu *scorpius*, und *scorpius* musz halten wer *eruit* hält. dazu bedarf
der skorpion aber seiner waffe, sie findet sich in *radiatus. radius*
ist der stachel des skorpion (ähnlich Plinius *n. h.* IX 155 *sed nullum
usquam exsecrabilius quam radius super caudam eminens trygonis,*
und XI 257 *avium quibusdam gravioribus in cruribus additi radii*);
radiatus scorpius ist = *metuendus acumine caudae.* es ist nur noch
wie oben bei *rimatur* das werkzeug besonders zu bezeichnen. denkt
man an IV 383 *mensuris aut libra potens aut scorpius armis,* so wird
man den änderungsvorschlag *armis* statt des hsl. *arces* (*arcis*) nicht
gewagt finden. es handelt sich noch um das object zu *eruit.* die
donata rura, das nachbarland Ägyptens (*Aegyptique latus*), gehen
auf Cyrenaica. *donata* soll auf das vermächtnis des Apion sich
beziehen. möglich; doch flieszt noch eine ältere quelle zur erklärung,
ich meine die stelle bei Pindaros Py. 9, 54 ff. Cheiron rät Apollon
die Κυράνα vom Pelion her über das meer zu entführen: ἔνθα νιν
ἀρχέπολιν θήсειс, ἐπὶ λαὸν ἀγείραιс νасιώταν ὄχθον ἐс ἀμφίπε-
δον · νῦν δ' εὐρυλείμων πότνιά τοι Λιβύα δέξεται εὐκλέα νύμφαν
δώμαсιν ἐν χρυсέοιс πρόφρων· ἵνα οἱ χθονὸс αἶсαν αὐτίκα
сυντελέθειν ἔννομον δωρήсεται, οὔτε παγκάρπων φυτῶν νή-
ποινον usw. hier also sind die der Kyrene geschenkten fruchtäcker
in verbindung gesetzt mit Libyen. ich schlage deshalb statt des
hsl. *tirrhenas, thirrenas* vor *Cyrenes** und bemerke dasz auch bei

---

* die priorität dieser vermutung behält Rossberg, s. oben s. 712.
correcturnote.

Catullus 7, 4 (*laserpiciferis iacet Cyrenis*) die hss. *tyrenis*, *tyrrenis*
bieten. endlich zu *lacrimis*. fluren, welche den thränen der Kyrene
geschenkt sind, erscheinen für Man. zu sentimental. in alexandri-
nischer, die sage von der Kyrene ausspinnender dichtung möchten
sie passieren; aber solche dichtung kennen wir nicht. daher halte
ich *lacrimis* für ablativ. den thränen der Heliaden (*munera fert
. . ab arbore lapsas Heliadum lacrimas* Ov. *met.* X 264 und *inde
fluunt lacrimae, stillataque sole rigescunt de ramis electra novis* ebd.
II 364); denen der Myrra (*quae quamquam amisit veteres cum corpore
sensus, flet tamen et tepidae manant ex arbore guttae. est honor et
lacrimis stillataque cortice myrra nomen erile tenet, nullique tacebitur
aevo* ebd. X 499 und *nondum pertulerat lacrimatas cortice myrras*
Ov. *fast.* I 339); denen der Helena (*helenium e lacrimis Helenae
dicitur natum et ideo in Helene insula laudatissimum* Plinius *n. h.*
XXI 54); ferner ohne mythologischen hintergrund den *lacrimae turis*
(Ovidius); den *lacrimae arborum, quae glutinum pariunt* (Plinius *n. h.*
X 14); den δάκρυα ἐλαίας (Scribonius Largus *compos.* 252 Helmr.
bene facit olivae Aethiopicae commi, quod Graeci ἐλαίας Αἰθιοπικῆς
δάκρυον *vocant*) darf man wohl *Cyrenes lacrimae*, thränen der Kyrene,
dh. *laser Cyrenaicum*, ὀπὸς Κυρηναϊκός zur seite stellen. über diesen
kostbaren pflanzensaft vgl. Plinius *n. h.* XXI 107 *laser e silphio pro-
fluens quo diximus modo inter eximia naturae dona numeratur*, ebd.
XIX 38 *auctoritate clarissimum laserpicium, quod Graeci silphion
vocant, in Cyrenaica provincia repertum, cuius sucum laser vocant,
magnificum in usu medicamentisque et ad pondus argentei denari
repensum . . id apud auctores Graeciae evidentissimos invenimus natum
imbre piceo repente madefacta tellure erga Hesperidum hortos Syr-
timque maiorem septem annis ante oppidum Cyrenarum* usw. zu den
kostbarsten dingen rechnet es Plinius XXXVII 78. über seine medicinische kraft spricht Plinius wiederholt, häufig erwähnt es Scribonius
Largus. wenn freilich Forcellini und Georges *lacrima Cyrenaica* aus
Scribonius citieren, so ist mit diesem ganz verkehrten citate nichts
anzufangen.* jedenfalls ist der gebrauch von *lacrima* für *sucus*, ὀπός

---

* hr. oberlehrer dr. Pannenborg in Göttingen teilt mir hierüber folgendes mit: 's. 116 der ed. pr. des Scribonius Largus von JRuellius
(Paris 1529) heiszt es: «hic nonnullae desunt compositiones: Theriace
tertia ad aspidem, Theriace ad viperae morsum proprie, Antidotos Zopyri
et media pars antidoti mithridatici, quarum aliquae hic ex Galeni secundo
antidotorum restituuntur a Io. Ruellio.» dann folgt die (auch von R.
herrührende) überschrift: «Altera Theriace ad aspidem» (n. 167), dann
das heilmittel: «Antidotos altera ad aspidis morsum sive praesumpta
sive post data: gentianae .Ӿ. ꝑᵒ. iiij. trifolii .Ӿ. ꝑᵒ. iiij . . . myrrhae
.Ӿ. ꝑᵒ. viij. thuris .Ӿ. ꝑᵒ. unius, croci .Ӿ. ꝑᵒ. viij. anesi .Ӿ. ꝑᵒ. unius,
cyrenaicae lachrymae .Ӿ. ꝑᵒ. 1. hinnuli coaguli .Ӿ. ꝑᵒ. iij.» usw.
usw. die zu grunde liegende stelle steht bei Galenos de antidotis bd. XIV
s. 160 Kühn ['Αντίδοτος 'Αντιπάτρου θηριακὴ καὶ πρὸς ἀσπιδοδήκτους,
προδιδομένη καὶ ἐπιδιδομένη, ᾗ χρῶμαι] ⁊ γεντιανῆς L δ'. τριφύλλου
ῥίζης . . cμύρνης L δ'. λιβανωτοῦ L α'. κρόκου L η'. ἀνίcου L α'.
ὀποῦ Κυρηναϊκοῦ L α'. πιτυᾶς νεβροῦ L γ' usw. diese übersetzung

ein so häufiger, dasz man *Cyrenes lacrimae* für *laser Cyrenaicum* nicht beanstanden dürfte. hiernach lese ich die ganze stelle

> *inferius victae sidus Carthaginis arces*
> *et Libyam Aegyptique latus donataque rura*
> *Cyrenes lacrimis radiatus scorpius armis*
> *eruit, Italiaeque tamen respectat ad undas* usw.

IV 787 *insula Trinacriae ductantem ad iura sororem*
> *subsequitur Creten, sub eodem condita signo;*
> *proximaque Italia et tenui divisa profundo*
> 790 *ora paris sequitur leges nec sidere rupta est.*

v. 787 *trina crie̦* G; *fluitantem ad iura* o v. 788 *Creten* L c, *Cretens* L C V1. 2, *cremen* G; *italia et* G C v. 790 *paris* V 2, *patris* ɯ; *sidera* G C; *est* om. G, add. ɯ. die verbindung *insula Trinacriae* ist (grammatisch) anstöszig, es dürfte die griechische form *Trinacrie* herzustellen sein. wunderlich ist es, dasz *fluitantem* ('quid vero est *fluitantem sororem*? an Creta, ut quondam Delos, erratica tum erat et nabat in pelago? quid *fluitantem ad iura*? hoc sensu omni cassum est' sagt Bentley) anstosz erregte und Jacob zu der änderung *ductantem* trieb. er verbindet offenbar *ductantem ad iura*, etwa nach IV 232 *et equos ad mollia ducere frena*. *fluitantem sororem* braucht doch ebenso wenig wie πλωτῇ ἐνὶ νήcῳ (Od. κ 3) auf eine s c h w i m m e n d e insel zu gehen. *ad iura* aber gehört zu *subsequitur* und wird durch *sub eodem condita signo* erläutert: 'in beziehung auf das rechtsverhältnis steht Sicilien Creta gleich, nemlich unter dem schützen. jedoch nicht ganz: die Italien zugewendete, nur durch schmalen meeresarm, nicht durch das gestirn von ihm losgerissene küste folgt Italiens gesetzen, dh. steht unter der wage.' dabei lese ich *Italiae* und glaube dasz *est* mit G zu streichen ist: *nec sidere rupta* steht parallel zu *sub eodem condita signo*.

IV 797 *sed iuvenis nudos formatus mollior artus*
> *Assyrium ad tepidam Tyriasque recedit [in arces]*
> *et Cilicum gentis vicinaque Caridos arva.*

so Jacob nach Bentley, nur dasz er in v. 798 *Assyriam* statt *Aegyptum* und *in arces* für *ad arces* setzt. freilich zeigen unsere hss. etwas anderes: v. 798 *Aegyptū . . . . . lepidam tyriasque recedit* G, *Egɪptū alepɪdā tiriasque recedit* C (jener hat eine lücke von etwa fünf buchstaben, dieser nicht). *ale pidam* ɯ (nach Jacob; *a lepidam* nach Bentley). *in arces* oder *ad arces* fehlt; ursprung dieses füllsels (ähnlich wie *iniqua* v. 606) wird sich erst nach collationierung der ita-

---

des Ruellius kehrt in allen den folgenden ausgaben, die ich einsehen konnte, wieder bis auf die letzte von GHelmreich.' — Helmreich sagt s. 68, 26 'hic in Ruellii codice folium unum defuisse videtur, qua iactura et extrema huius compositionis pars et c. 167 et c. 168 et c. 169 et principium antidoti Mithridatis interciderunt' eine zweite handschrift gibt es nicht, die von Ruellius benutzte ist verloren. wie R. dazu kam ὅπου Κυρηναϊκοῦ durch *Cyrenaicae lachrymae* zu übersetzen, läszt sich nicht mehr ermitteln. das citat in den wörterbüchern hat demnach gar keine berechtigung.

liänischen hss. ermitteln lassen. v. 799 *et Cilicum gentis vicina et aqua-*
rius arva o. die wiederaufnahme der bezeichnung *iuvenis* (797) durch
aquarius in v. 799 ist unbedenklich (vgl. oben); Bentleys *vicinaque*
Caridos arva aber ist bedenklich. Bentley bestreitet, dasz *vicinus*
den genitiv bei Man. regiere (zu I 311, wo alle hss. *hinc vicina poli*
bieten), er meint also wohl Carien selbst, welches (v. 768) der jungfrau überwiesen ist. meint er aber doch das Carien benachbarte,
also Cilicien zugewendete küstenland, etwa Pamphylien usw., so ist
Caridos überflüssig, und *vicina* allein genügt schon. in v. 798 ist
recedit nicht erklärt; wovon tritt er zurück? und wie mag Jacob
wohl *recedit in arces* sich übersetzt haben? schon der gleichklang
der drei versausgänge *artus, arces, arva* muste ihn bedenklich machen.
vermuten läszt sich, dasz dieser vers dem *aquarius* das küstenland
von dem eigentlichen Ägypten (v. 752 *tellus Aegypti iussa natare*)
an, also Phönicien, Syrien, Cilicien usw. bis Carien zuwies. dies
würde etwa auf folgende vermutung führen: *Aegyptum ad tepidam*
Tyrias Syriasque recepit et Cilicum gentis vicina et aquarius arva.
freilich nötigt uns das in v. 750 *et Syriae gentes et laxo Persis amictu*
ebenfalls zu ändern, etwa *Assyriae gentesque.*

    IV 800 *piscibus Euphrates datus est, ubi pisce sub hirto,*
        cum fugeret Typhona, Venus subsedit in undis.
v. 800 *piscis uruptor* o. für *uruptor* ist die reihe der möglichen vermutungen so ziemlich erschöpft (*amictu, amantem, amator, echid-*
nam, osiris usw.). ich glaube dasz im archetypus eine lücke war
und dasz diese ausgefüllt wurde durch ein wunderlich corrumpiertes
lemma (*eufrates*).

    IV 847 *et velut elatam Phoeben in funere lugent.*
        ipse docet titulus causas: ecliptica signa
        dixere antiqui. pariter sed bina laborant,
        nec vicina loco, sed quae contraria fulgent.
sparsam und vorsichtig wendet Man. fremdwörter an, stets unter angabe des ursprungs. dies ist nun bereits geschehen v. 818 *percipe*
nunc etiam, quae sint ecliptica Graio nomine, quod certos quasi delas-
sata per annos nonnumquam cessant usw. es folgt dann in 841
causa patet, quod luna usw., nemlich ebenfalls *suo deficit orbe.* es
ist daher die wiederholung *ecliptica signa* in 848 nicht motiviert,
die quellenangabe wunderlich (anders doch in I 446 *quae notia*
antiqui dixerunt sidera vates). die hsl. überlieferung *ipse* V2,
ipsa ɯ; *titulos* o; *causae* o; *que* C, *quae* G L. om. *quae* V2 spricht
für *ipsa docet titulos. luna* gibt selbst erläuterung zu der bezeichnung *ecliptica signa.* indem ich noch bemerke, dasz auch II 283 ff. die
worte *desunt* und *causa* eine interpolation erkennen lassen, schlage
ich die tilgung der bemängelten worte vor und schreibe:
        ipsa docet titulos. pariter sed bina laborant.
    IV 876 *perspicimus caelum; cur non et munera caeli?*
        inque ipsos penitus mundi descendere census
        seminibusque suis tantam componere molem — —

882 *quanta et pars superest, ratione ediscere noctis?*
 iam nusquam natura latet, pervidimus omnem usw.

v. 882 *rationem discere noctis* o. die sechs infinitive von 877—882
schweben in der luft. um dem abzuhelfen, stellte Scaliger v. 882
quanta et pars superest, rationem discere noctis hinter 876. Bentley
schrieb in 876: *cur non est munere caeli inque ipsos* usw., indem er
cur non est = *cur non licet* nahm, und bemerkte wegen des ihm
lästigen *inque*: 'inque, cum binae sequantur coniunctiones, est *etiam
in ipsos census.*' aber diesen gebrauch von *est* mit infinitiv kennt
Man. nicht. in v. 913 *an minus est sacris rationem ducere signis,
quam pecudum mortes aviumque attendere cantus?* findet zwar Jacob
(index u. *esse*) diesen gebrauch. dort ist aber *minus* prädicat zum
infinitiv (vgl. Cramer der inf. bei Man. s. 67). was heiszt endlich
rationem discere noctis? Scaliger erklärt: 'at quid difficultatis
superest ad discendum causas latentes? quasi dicat nihil', ganz
willkürlich. Bentley wirft den vers aus ('difficile vero et magni
faciendum, noctis rationem discere; quam vel in primo libro auctor
docuerat'). also die schwierigkeit liegt in *noctis.* abhilfe auch für
die construction schafft, meine ich, folgende vermutung:
 quanta et pars superest, rationem ducere nostis.
quanta et pars superest ist gesagt wie 812 *quaeque alia in varios
affectus causa gubernat; rationem ducere* ist eine bei Man. häufige
phrase. die verbindung von *nostis* mit infinitiv findet sich allerdings
bei Man. nicht wieder (vgl. Cramer ao. s. 62 ff.), doch scheint es
durch die analogie von *docere* und *discere* mit infinitiv (Cramer s. 65)
gedeckt.

  IV 917   *seque ipsum inculcat et offert,
  ut bene cognosci possit doceatque videndis,
  qualis eat cogatque suas attendere leges.*
doceatque videndo vulg. und Scaliger; *pateatque videndus* Bentley.
einfacher ist die änderung *doceatque videntis.*

  V 8 *me properare viam mundus iubet, omnia circum
  sidera vectatum toto decurrere caelo.*
im vierten buche ist der einflusz der Ζώδια auf die nativität behandelt. ein anderer, sagt Man., würde hiermit die reise geendet
(*signisque relictis* v. 1 aus G als zum bilde passend ist herzustellen) und auf dem abstieg vom himmel die mittlern gestirne
(**planeten**: v. 5 ist gegen Bentley zu halten) besucht haben. der
dichter musz aber noch den einflusz der mit den Ζώδια eng verbundenen gestirne (*clara sidera*) schildern: so befiehlt die gottheit.
trotz Scaliger und Jacob hat auch G *mundus* (*mund̄*), und daher ist
iubet mit V1 statt *libet, lubet* ω zu schreiben. ähnlich ist es auch
IV 577 *nulla fides inerit natis, sed summa libido; ardentem medios
animum libet ire per ignes*, wo eine dittographie zu constatieren
sein möchte. da würde ich aber nicht *iubet* mit Bentley, sondern
iuvat vorschlagen. in v. 9 geben o *vectantur.* dies führt aber auf
vectantem. ich halte dies participium durch die analogie von

vehentem (Cic. *Brut.* 331 *cuius in adulescentiam per medias laudes quasi quadrigis vehentem*) für gesichert. demnach lese ich: *sidera vectantem et* (Bentley) *toto decurrere caelo*.

    V 46 *tolle istos partus hominum sub sidere tali:*
        —   —   —   *non invehet undis*
         Persida nec pelagus Xerxes facietque tegetque;
     50 *victa Syracusis Salamis non merget Athenas.*

v. 46 *ortus* G, *portus* ⱳ. jenes ist mit Bentley zu halten (vgl. stellen wie II 239 *nec capit aut captos effundit aquarius ortus*). in v. 50 gibt V2 *utraque,* ⱳ *veraque.* Jacob schreibt *victa* im text, vermutet aber *versa* in der vorrede s. XIX. als vorbild diente wohl Cicero *Tusc.* I 46, 110 *ante enim Salamina ipsam Neptunus obruet, quam Salaminii tropaei memoriam,* und *in Verrem* V 98 *in hoc portu Atheniensium nobilitatis imperii gloriae naufragium factum existimatur.* dieselbe auffassung kehrt wieder bei Silius XIV 282 ff. *et Salaminiacis quantam eoisque tropaeis ingenio portus urbs invia fecerit umbram. spectatum proavis, ter centum ante ora triremes unum naufragium mersasque inpune profundo clade . . Athenas.* das bild festhaltend schlage ich vor: *mersa Syracusis Salamis non merget Athenas.* die wiederholung desselben wortes liebt Man.: vgl. I 775 *damnatusque suas melius damnavit Athenas.* III 16 *victam quia vicerat urbem.*

    V 105   *nec crede severae*
     frontis opus signi strictos nec corda Catones
     abreptumque patri Torquatum et Horatia facta.

strictos o; *in coda* G V2 Lc, *incude* ⱳ (dasz *in coda* als éin wort in G geschrieben sei, habe ich nicht bemerkt); *Catonis* o. auch Firmicus las *Catonis* (VIII c. 6): *sunt enim austera facie prolixa barba obstinata fronte, ita ut Catonis prorsus institutum imitari videantur.* hiernach dürfte zu schreiben sein: *nec crede severae frontis opus signi, strictos in corda Catonis.* zu *strictos in corda* vgl. II 246 *aries in cornua tortus.*

    V 132 *officio magni mater Iovis. illa tonanti*
     quondam alimenta dedit pectusque inplevit hiantis
     lacte suo dedit et dignas ad fulmina vires.

v. 133 *fundamenta dedit* o. Bentley änderte dies ('quis hic ferat *fundamenta,* quasi de arce, non de puero loqueretur? repone . . *nutrimenta*'); Jacob im anschlusz an Firmicus (*exoritur capra, quam fabulosi poetae alimenta volunt Iovi infantulo praebuisse*) schrieb *quondam alimenta.* es ist aber das hsl. *fundamenta* festzuhalten und mit leichtester änderung in 132 *tonandi* zu setzen: vgl. I 367 f. *cuius ab uberibus magnum ille ascendit Olympum, lacte fero crescens ad fulmina vimque tonandi.*

    V 140 *taurus in aversos praeceps cum tollitur ortus,*
     sexta parte sui certantes luce sorores
     Pleiadas ducit.
Pleiadas hat Bentley eingesetzt, hier wohl ohne hsl. gewähr (*Peliades* G, *Pleiades* C). in 140 hat G *praecepsque attollitur,* C L V1 *praeceps*

attollitur, V2 *praeceps compellitur.* in 141 beruht *luce sorores* auf
V2, *lucis odores* hat G und die übrigen. im archetypus dürfte *lucis
odore* gestanden haben; dies führt auf *certantes lucis honore.*

V 325 *nunc surgente lyra testudinis enatat undis*
   forma per heredem tantum post fata sonantis — —
338 *hinc distante lyra (quae cornua ducet ad astra,*
   chelarum surget cum pars vicesima sexta)
   quid regione nepai usw.

die stelle ist arg verderbt. Firmicus, der in cap. 12 die sternbilder
sagitta und *haedus* in engem anschlusz an Man. behandelt, thut der
lyra hier keine erwähnung. *in prima* (so) *parte* ♏, so beginnt cap. 13,
oritur ara. aber in cap. 15 heiszt es: in *parte decima* ♐ *oritur lyra,*
und es folgt nun die paraphrase der verse 410 *cumque fidis magno
succedunt sidera mundo* bis 416. hiervon abgesehen (Pingré meint,
Man. habe in den beiden bezeichnungen *lyra* und *fides* zwei sternbilder gefunden) läszt sich die wiederholung in 338 nicht verteidigen,
die verse selbst nicht erklären. in den hss. lauten sie: *hic distante
lyra cum pars vicesima sexta chelarum surget quae cornua ducet ad
astra* (die worte *cum .. surget* sind in G von jüngster hand mit
eckigen klammern umschlossen). Pingré sucht sie als einen epilog
zu halten, indem er *sic dictante lyra* schreibt ('c'est la lyre qui in-
spire ces inclinations'). aber auch das folgende *quae cornua ducet
ad astra* musz corrigiert werden (*ducit in astra .. surgit*), wenn es
vom aufgange des gestirns verstanden werden soll. es scheint
dasz v. 338 und 339 eine wiederholung von 325, dort aber zu schreiben ist: *hinc* (so Bechert de Manilii emendandi ratione s. 60) *surgente
lyra, cum pars vicesima sexta chelarum surgit, testudinis enatat undis
forma.* dann würde man 338 und 339 mit Bentley streichen.

V 349 *quattuor appositis centaurus partibus effert*
   sidera et ex ipso mores nascentibus addit.
   aut stimulis agitabit onus mixtosque iugabit
   semine quadrupedes, aut curru celsior ibit usw.

v. 351 *stimulis agit aut omis* GCLcV1; *agitavit* L; *mixtosque* G,
mixtasque ω. *stimulis* dürfte sich trotz der guten beglaubigung nicht
halten lassen. man erwartet hier den namen eines lasttiers, während Jacob sich mit einer andeutung begnügt. zu weit giengen
Scaliger und Bentley: *aut* (*hic*) *mulos agit aut mannos*: die letztern
passen nicht zu der erklärung *mixtos semine quadrupedes.* daher
wird zu lesen sein *aut mulis agitabit onus.*

V 393 *accipient sinibusque suis peploque fluentis*
sc. *angues. fluenti* G, *fluentis* ω; jenes ist beizubehalten.

V 425   *nunc aequore mersas*
   diducet palmas furtivus remes in ipso,
   nunc in aquas rectus veniet passumque natabit. — —
431 *pendebitque super, tantum sine remige velum.*

v. 426 *furtivo* o; *remus* G, *remis* ω. das wort *remes* ist Jacobs erfindung. ein adverbium *furtivo* ist bisher nicht nachgewiesen; so

wird man sich mit *furtive remus in ipso* behelfen. in v. 427 hat, so viel ich weisz, auch C *passumque*, also auszer V1 allĕ; *notabit* haben G C. beides ist festzuhalten. der 'wassertreter' zeigt den schritt˙ (*et vada mentitus reddet super aequore campum*). endlich v. 431 geben G C *tutum sine remige votum est.* vorher heiszt es: *aut inmota ferens in tergus membra latusque non onerabit aquas summisque accumbet in undis pendebitque super.* dieser schwimmer liegt auf dem rücken, ohne die hände zu bewegen. wer nicht rudert, segelt darum noch nicht. *velum* bleibt daher unverständlich. so wird man bei der lesart von G C stehen bleiben müssen. *tutum sine remige votum est* gibt als epiphonema ein urteil über die leistung des passionierten schwimmers ab.

> V 466 *quaerent Medeae natos fratremque patremque,*
> *hinc vestis, illinc flammas pro munere missas*
> *aëriamque fugam natosque ex ignibus annos.*

in 467 ist nach G *flammas illinc* zu stellen. in 468 geben *nectosque* G L C, *vectosque* V1, *notosque* V2. hieraus nimt Jacob *natosque.* das wären also *reduces anni* (III 10), die dem Aeson wiedergeschenkten jahre. aber ganz richtig bemerkt schon Pingré: 'verum fabula Aesonis ad iuveniles annos revocati tragica non est', und hier sind nur die tragischen momente aus der Medeasage aufgeführt. daher ist an die töchter des Pelias zu denken, namentlich führe ich die stelle aus Ov. *met.* VII 307 an: *Peliades . . pretiumque iubent sine fine pacisci.* für *nectosque* schreibe ich *pactosque*: die trügerisch dem Pelias versprochenen jahre.

> V 513 *hinc Pompeia manent veteris monumenta triumphi*
> *non exstincta acie semperque recentia flammis.*

v. 514 *non extincta lues˙semperque* o. richtig sah Jacob, dasz der auf 513 in allen hss. folgende vers *et quod erat regnum pelagus fuit: una malorum* hinter v. 542 gehört. nicht kann ich ihm folgen, wenn er *acie* statt *lues* schreibt. gemeint ist das (699 d. st.) von Pompejus (Tac. ann. III 23 *cuius ea monimenta et astantes imagines visebantur*) geweihte theater. unter Tiberius brannte die scaena ab (beiläufig noch zweimal nachher). Tiberius stellt sie her, weiht sie jedoch nicht (Tac. ann. VI 45). dasz die bürgerkriege dem theater gefährlich gewesen wären (das soll *acie* nach Jacob andeuten), ist nicht bekannt: wie sollten sie auch? nicht vernichtet durch den brand, ist der sinn, sondern neu erstehend aus den flammen (ein adversatives *que* nach negation citiert sonst noch Cramer ao. s. 36). ich versuche aber die überlieferte lesart zu halten. nach der grammatischen theorie Priscians (Neue form. I 243 f.) ist ein ablativ *luē* berechtigt, wie *nube, fame, tabe.* nachgewiesen wird freilich nur *famē*, es gibt *tabĕ* (Lucr. V 806) und nur *nubĕ*, es findet sich denn auch *luĕ* (Val. Flaccus IV 529 *interea Minyae pulsa luĕ prima tonanti sacra*). aber dies schlieszt nicht aus, dasz an unserer stelle überliefert war: *non extincta luē semperque recentia flammis.*

V 527 *ille etiam fulvas avidus numerabit arenas*
perfundetque novo stillantia litora ponto,
Phorcyos ut regerat census spumantis in aurum,
parvaque ramentis faciet momenta minutis.

Jacob hat ohne grund die beiden letzten verse umgestellt; *Phorcyos*
schreibt er statt *protulit* o, *regerat* statt *legeret* o; *regerat* stammt
von Salmasius Plin. exerc. s. 760. die form *Phorcyos* ist doch bedenklich (*Phorcyis* erwähnt Prisc., s. Neue I s. 155), aber auch die
sache. Man. kennt wohl nur flüsse die gold führen: *auratique fluunt*
amnes IV 672. zu der ganzen stelle ist zu vergleichen Plinius *n. h.*
XXXIII 4 ff., zu unsern versen namentlich die worte *aurum invenitur*
in nostro orbe .. *tribus modis: fluminum* r a m e n t i s, *ut in Tago*
Hispaniae, Pado Italiae, Hebro Thraciae, Pactolo Asiae, Gange
Indiae usw. hier haben wir *fluminum ramenta*, χρυϲοῦ ψήγματα.
unter diesen flüssen ist bei alexandrinischen dichtern der Paktolos
(χρυϲεργὰ Πακτωλοῦ ποτά .. χρυϲοῦ ψήγματʼ ἔχων, vgl. Peppmüller oben s. 316) der gefeiertste. daher schreibe ich statt *protulit*
(cod. Par. hat nach Stoeber *partulit*) P a c t o l i, und demnach die
ganze stelle:

        ille etiam fulvas avidus numerabit harenas
        perfundetque novo stillantia litora ponto;
        parvaque ramentis faciet momenta minutis,
        P a c t o l i *ut regerat census spumantis in aurum.*
V 543   *una malorum*
        proposita est merces: vesano dedere ponto
545 *Andromedan, teneros ut belua manderet artus.*
        hic hymenaeus erat: solari publica damna
        privatis; lacrimans ornatur victima poenae.

v. 546 *solaq. publica dāpna* G, *solaq. ī publica dāna* ɯ. v. 547 *pro*
natis G C, *privatis* V2, *primatis* L. Jacob scheint *hic hymenaeus erat*
auf das folgende zu beziehen (also auf *solari*), was doch nicht angeht.
Bentley bezieht es richtig auf das vorhergehende *vesano dedere ponto*
und schreibt *solataque* (*consolatus* passivisch gebraucht ist nachgewiesen; von *solatus* bezeugt es Priscianus: vgl. Dräger hist. syntax
I 159. Neue formenlehre II s. 321). man wird dem codex G noch
mehr folgen müssen und schreiben:

        hic hymenaeus erat, s o l a t a q u e *publica damna*
        pro n a t i s. *lacrimans* usw.
V 562 *ad tua sustinuit fluctus spectacula pontus*
        adsuetasque sibi desiit perfundere rupes.
        extulit et liquido Nereis ab aequore vultum
565 *et casus miserata tuos roravit et undas.*

v. 563 *assuetasque* G; *ripas* G V1 Lc, *ripes* L, *rupes* C, *rupes* V2.
564 *vultus* G, *vultum* ɯ. auch hier ist überall die lesart von G einzusetzen (in 567 ist *rupes* angezeigt: *aura per extremas resonavit*
flebile r u p e s; hier durch *adsuetas perfundere* r i p a s). aber wunder-

lich heiszt es 565 *roravit et undas.* woher denn das zweite *et*? Jacob
sagt: 'puto *in undas*'; freilich wohin auch sonst? Stoeber erklärt:
undis marinis lacrimas suas quasi rorantes guttas immiscuit, dh.
Stoeber liefert die **h i e r f e h l e n d e n** thränen. Barth sagt offen: 'non
est genuinum *rorare undas.*' ich vermute *et casus miserata tuos plo-
ravit et annos* (das unglück der Alcyone und ihre jugend).

  V 589 *quae tua tunc fuerat facies? quas fugit in auras*
      spiritus? ut toto caruerunt sanguine membra?
      cum tua fata cavis e rupibus ipsa videres
      adnantemque tibi poenam pelagusque ferentem,
    593 *quantula praeda maris? quassis hic subvolat alis*
      Perseus et caelo pendens iaculatur in hostem.

593 *maris quantis hic* G L C, *quartis* V1. 2; *undis* G, *alis* ɯ. die
zahlreichen änderungen (*quassis* Jacob, *plausis* Bentley, *sed pennis
subvolat alte* Scaliger) sind durch die lesart der geringern hss. *alis*
veranlaszt. die lesart in G führt auf *quantula praeda maris q u a n t i.*
solche wendungen liebt Man. (vgl. I 57 *quantaque quam parvi face-
rent discrimina motus*). darauf könnte folgen *hic subvolat*: ein solcher
hiatus in der cäsur liesze sich verteidigen (Hor. *ca.* I 28, 24 *ossibus
et capiti inhumato*; Verg. *georg.* I 281 *ter sunt conati inponere Pelio
Ossam*). ich möchte ihn einem Manilius nicht aufdrängen und schlage
t u n c (t̄c̄) vor. mit berichtigter interpunction lese ich:

      ut toto caruerunt sanguine membra, cum . . ferentem?
      quantula praeda maris quanti! tunc subvolat undis usw.

  V 609 *tandem confossis subsedit belua membris,*
      plena maris summasque iterum remeavit ad undas.

610 *regnavit* L V2, *renavit* G C Lc. das führt aber auf *r e n a t a v i t.*

  V 620 *quisquis in Andromedae surgentis tempora ponto*
      nascitur, inmitis veniet poenaeque minister
      carceris et duri custos, quo stante s u p e r b e
      prostratae iaceant miserorum in limine᷈matres
      pernoctesque patres cupiant extrema suorum
    625 *oscula et in proprias animam transferre medullas.*
      carnificisque venit mortem vendentis imago
      accensosque rogos et s t r i c t a m saepe s e c u r e m;
      supplicium vectigal erit; qui denique posset
      pendentem e x scopulis ipsam pendere puellam.
    630 *vinctorum dominus sociusque in parte calenae;*
      i n t e r d u m poenis i n n o x i a corpora servat.

622 *superbe̜* o; Bentley *superbo*; ich ziehe das adverbium (zu *stante*)
vor. in 626 hat G *vincentis*, aber bei *i* und *c* ist radiert. daher findet
sich in C V1 Lc *vincentis*, in L V2 *vindentis* (ganz ähnlich ist es in
v. 652). *vendentis* ist allein richtig, und davon hängt ab *mortem,
accensos rogos, strictam saepe securem.* in 627 geben *stricta* o;
securē C, *secure* G, *securi* nach Jacob ɯ (?). die form *securem* ist
wohl häufiger als *securim* (hier vergleiche ich *destrictam cernentes
ccurem* Livius VIII 7, 20. IX 16, 17. III 36, 4; Cic. *in Verrem*

V 124). in 629 hat G *ĕ* = *ex*, in 631 haben *interdum* o; *noxia* L V2, *innoxia* ω. meine abweichungen von Jacobs text sind oben bezeichnet. abgesehen von 627 und 621 (*magister* G C) folge ich der autorität des G. zur sache bemerkt Scaliger: 'quocumque sensu intelligit, sane in Christianos recte convenit .. si post tempora Tiberiana scripsisset Manilius, non potuit aptius Christi martyrum condicio significari.' in diesem sinne faszt er auch die scheiterhaufen. Jacob verkennt die sache ebenfalls (631 schreibt er *intentus poenis dum noxia corpora servat*; also ein passionierter henker!); vielmehr ist die ganze stelle eine versificierte treue umschreibung von Cic. *in Verrem* V § 118 ff. *patres hi quos videtis iacebant in limine ipso matresque miserae pernoctabant ad ostium carceris, ab extremo conspectu liberorum exclusae, quae nihil aliud orabant nisi ut filiorum suorum postremum spiritum ore excipere liceret. aderat ianitor carceris, carnifex praetoris .. cui ex omni gemitu doloreque certa merces comparabatur. 'ut adeas, tantum dabis; ut tibi cibum vestitumque intro ferre liceat, tantum.' nemo recusabat. 'quid? ut uno ictu securis mortem filio tuo adferam, quid dabis? ne diu crucietur? ne saepius feriatur? .. etiam ob hanc causam pecunia lictori dabatur .. verum tamen mors sit extremum: non erit. estne aliquid ultra quo crudelitas progredi possit? reperietur. nam illorum, cum erunt securi percussi ac necati, corpora feris obicientur. hoc si luctuosum est parentibus, redimant pretio sepeliendi potestatem ... non palam vivorum funera locabantur?* die von mir gewählte fassung von v. 626. 627 wird durch diese stelle hinlänglich gerechtfertigt.

V 646 *nixa genu species vel Graio nominę dicta*
    engonasin (quicumque latet sub origine, constat)
    dextra per extremos attollit lumina pisces.
willkürlich setzt Jacob in v. 646 *vel* statt *et* (o): doch wohl um *engonasin*, das griechische wort zu stützen. wer *et* festhält, kann dessen entbehren, wie es zb. II 909 *deus ille locus sub nomine Graio dicitur* fehlt. nun ist in 646 nur der schlusz *sub origine constat* (o) bezeugt. die ersten worte lauten: *et comes ingnicola vides* G, *et comas ignicula vides* C V1. die lesart bei Jacob ist nicht zu verstehen (er sagt darüber: '*constat* nomen et constellatio, quicumque est sub origine latens'). Stoeber hat zuerst die *lyra* (*fides*) in diesem verse entdeckt, welche doch bereits oben v. 325 ˙bzw. v. 410 behandelt ist. Firmicus c. 17 sagt: *oritur ingeniculus qui a Graecis* ἐν Γόναϭιν *dicitur*: hier haben wir die quelle der verderbnis in 647: eine randglosse *engonasi ingeniculus* ist in den text gekommen. was die letzten worte betrifft, so steht der mythus (*origo*) des *nixus* gar nicht fest. *nixa venit species genibus sibi conscia causae* sagt Man. I 315, vgl. Hyginus *astron.* I 6, 15 (Bunte). wie die worte in der randglosse gelautet haben zu vermuten wäre müszig.

V 652 *in praerupta dabit studium vendetque periclo*
    ingenium, ac tenuis ausus sine limite gressus

> certa per extentos ponet vestigia funes
> 655 et caeli meditatus iter vestigia perdet
> e penna et pendens populum suspendet ab ipso.

v. 656 *et peneua et pendens porulum* o; *suspendit* G, *suspendet* C; *ab ipsa* GC. eine fülle von conjecturen: *et pene ut pendens* (Scaliger), *pene sua et p.* (Bentley), *per vacuum et p.* (Salmasius), *et perna p.* (Is. Vossius), dazu Jacobs *e penna*; letztere mir ganz unverständlich. aber auch *pene* (dh. *paene*) *sua* ist nicht zu halten. nicht b e i n a h e verliert der *funambulus* den boden (*funis*) unter den füszen, sondern ▪ (*caeli meditatus iter*) absichtlich und völlig. nun hängt er am seile. *et peneua et pendens* scheint eine dittographie zu enthalten. vielleicht ist zu lesen:

> et c a u e a e i n p e n d e n s *populum suspendet ab ipso.*

V 664 *incautosque trahent macularum nomine thynnos.*
numine GCV1Lc, *nomine* LV2. *macularum vimine* schrieb Scaliger, *macularum lumine* Bentley ('on surprend les thons, déçus par la largeur des mailles des filets' sagt Pingré). *macularum nomine* nimt Jacob in den text aus V2 — aber auf den ti t e l der m a s c h e n heiszen die fische nicht an — während er in den noten trefflich vermutet:

> *incautosque trahent f a c u l a r u m l u m i n e thynnos.*

heute bedient man sich freilich des elektrischen lichtes bei dem fange dieses seefisches. eben so trefflich vermutet Jacob zu v. 689 im index u. *mensis: m e s s i s q u e profundi.*

V 727 *tum conferta licet caeli fulgentia templa*
> *cernere luminibus solidis totumque micare*
> [*spiritus aut solidis desunt sitque haec discordia concors*]
> *stipatum stellis mundum.*

bekanntlich ist hinter v. 710 eine erhebliche lücke: der ganze abschnitt *sidera quid valeant, cum merguntur in undas* (V 28) ist verloren, auch der anfang des letzten abschnittes 'die einteilung der sterne in sechs classen nach der scheinbaren grösze' fehlt. dieser letzte abschnitt ist in den hss. übel überliefert. v. 729 f. *cernere seminibus totumque micare aut.·. solidis desint.·. sintque haec discordia concors* G; *cernere sēmbus totūq̄ necare desit S̄p̄s aut solidis sitque discordia concors* C; *solidis* fehlt in L. demnach ist *seminibus* gut beglaubigt, *luminibus* hat V2 allein. er allein scheint auch *solidis* doppelt zu haben. in 729 *spatium stellis* o. in G ist durch klammern von jüngster hand angedeutet, dasz der vers vor 728 gehöre. der vers 728 ist hierher gewandert aus I 141 f. *frigida nec calidis desint aut umida siccis, spiritus aut solidis, sitque haec discordia concors,* und durch *desit* ist angedeutet, dasz er nicht hierher gehöre. so fällt denn *solidis,* und es wird zu schreiben sein

> *cernere seminibus l u c i s totumque micare*
> *stipatum stellis mundum.*

HANNOVER.   THEODOR BREITER.

94.

ZU APOLLONIOS SOPHISTES.

Die worte des Apollonios Soph. s. 81, 18 Bk. Ζωϲτήρ ὁ
ἐπάνω τοῦ θώρακοϲ ᾧ χρῶνται· «λῦϲε δέ ⟨οἳ⟩ Ζωϲτῆρα παναίολον
ἡ δ᾽ [l. ἠδ᾽] ὑπένερθε Ζῶμά τε καὶ μίτρην» (Δ 215 f.), welche sich
fast wörtlich im Etym. M. 414, 23 wiederfinden, bezeichnete Lehrs
Arist.[3] s. 122 nicht ohne grund als verdorben: mit ᾧ χρῶνται läszt
sich in der that nichts rechtes anfangen. Carnuth 'de Etymologici
Magni fontibus' (Berlin 1873) s. 15 scheint anzunehmen, dasz Sturz
mit seiner conjectur ᾧ ἐπάνω τοῦ θώρακοϲ χρῶνται das richtige
getroffen habe, was mir nicht sehr wahrscheinlich vorkommt. in
seinem handexemplar des Apollonios hat Lehrs beigeschrieben: 'an
ϲφίγγονται vel Ζώννυνται?' beides entfernt sich indessen doch
weiter als wünschenswert von der überlieferung. näher liegt ohne
zweifel ὁ ἐπάνω τοῦ θώρακοϲ, ᾧ ᾠχύρωται 'mit welchem er (der
panzer) fest gemacht ist', nemlich um die hüften (vgl. ps.-Platon
Axiochos 371[b] τὰ δὲ πρόπυλα τῆϲ εἰϲ Πλούτωνοϲ ὁδοῦ ϲιδηροῖϲ
κλείθροιϲ καὶ κλειϲὶν ᾠχύρωται). im grunde kommt es auf dasselbe
hinaus wie ἐζώννυτο bei Aristonikos Δ 132 καθ᾽ ὃν τόπον ἐζώννυτο, διπλοῦϲ ἦν ὁ θώραξ (vgl. K 77 τὸ ἔξωθεν ϲυνδέον πάντα,
Λ 234 τὴν θωρακοζώνην λεγομένην). ebenda sagt Telephos: ἄνω-
θεν δὲ τῆϲ μίτραϲ καὶ τῆϲ ϲυνδέϲεωϲ τοῦ Ζώματοϲ καὶ τοῦ θώρακοϲ
Ζώνη ἐπέκειτο ϲυϲφίγγουϲα (τὰ) [der artikel fehlt in B, wohl
mit recht] πάντα, ἣν Ζωϲτῆρα καλεῖ (ΒΤ), und ein anderer
erklärer: Ζωϲτὴρ δέ ἐϲτιν ἡ θωρακῖτιϲ Ζώνη, ᾗ τὸν θώρακα οἱ
φοροῦντεϲ Ζώννυνται (B, ähnlich T). der compilator, welchem
wir die epimerismen zu den psalmen verdanken (fälschlich Choiroboskos genannt), hat s. 175, 26 Ζωϲτὴρ ϲημαίνει τὸ ἐπάνω τοῦ
θώρακοϲ· «λῦϲε δὲ Ζωϲτῆρα παναίολον» mit weglassung des ver-
fänglichen ᾧ χρῶνται, das also auch ihm anstöszig schien. er
schöpfte die notiz wohl direct aus dem bereits verdorbenen wörter-
buche des Apollonios; ich schliesze dies aus dem bei beiden hinter
λῦϲε δὲ fehlenden οἱ. vgl. Arthur Kopp 'de Ammonii, Eranii, aliorum
distinctionibus synonymicis earumque communi fonte' (Königsberg
1883) s. 57 und 'beiträge zur griech. excerptenlitteratur' (Berlin
1887) s. 143.

KÖNIGSBERG.   ARTHUR LUDWICH.

VERZEICHNIS

DER IM JAHRGANG **1889** BEURTEILTEN SCHRIFTEN.

SACHREGISTER.

BERICHTIGUNGEN IM JAHRGANG 1889.

s. 400 z. 8 v. u. lies καίπερ statt περ

s. 574 ist durch ein leicht erkennbares versehen die VIII statt der VII priesterzeit gesetzt worden. ich bitte also s. 574 textzeile 5 v. u. statt 'Dromokleidas' vielmehr 'Archon' zu schreiben; desgleichen ist textzeile 8 v. u. statt 'ebenfalls' vielmehr 'bereits' zu lesen.

H. P.

auszerdem sieh s. 316 anm.

9 780332 480442